資料　戦後日本の農業と地域1

安岡健一　解説

復刻版　日本4H新聞　第10巻

●第647号～第707号（1971年7月4日～1973年3月24日）

不二出版

凡例

一、本書は、戦後、社団法人日本４Ｈ協会が発行した『日本４Ｈ新聞』第15号（１９５２年９月４日）から第７０７号（１９７３年３月24日）と、関連する４Ｈ運動の資料を、『復刻版 日本４Ｈ新聞』全10巻・別巻１（資料 戦後日本の農業と地域１）として復刻・刊行するものである。

一、『日本４Ｈ新聞』は、第２４５号（１９６０年１月14日）までは『日本４・Ｈ新聞』と表記されているが、本復刻では『日本４Ｈ新聞』で統一した。

一、配本は第１回（第８－10巻）、第２回（第４－７巻）、第３回（第１－３巻・別巻１）の全３回である。

一、収録内容については各巻目次（収録一覧）を参照されたい。

一、別巻には、日本４Ｈ運動に関係する戦後の資料を収録、また第１巻冒頭には安岡健一による解説を収録する。

一、原則的に第一面から最終面までを収録した。欠号ならびに欠落部分については、当該箇所にその旨を記載、あるいは＊を入れる等とした。

一、原資料を忠実に復刻することに努め、紙幅の関係上、縮小して収録した。誤植、破損個所、印字が不鮮明な箇所等もそのままとした。

一、復刻にあたっては一般社団法人全国農業協同組合中央会、全国農業青年クラブ連絡協議会、学校法人日本力行会、公益財団法人キープ協会、国立国会図書館の所蔵資料を使用した。

一、今日の視点から人権上、不適切な表記、現在では使用されなくなった表現がある場合も歴史的資料としての性質に鑑み、底本通りとした。

＊ご協力いただいた学校法人日本力行会、公益財団法人キープ協会に記して感謝申し上げます。

復刻版　日本4H新聞　第10巻

目次〈収録一覧〉

1971年（第6647号～第6663号）

日本4H新聞
4Hクラブ
農事研究会
生活改善クラブ
全国広報紙

発行所
社団法人 日本4H協会
東京都市ケ谷家の光会館内
電話（269）1675郵便番号162
編集発行　玉井　光
月3回・4の日発行
定価　1部　20円
一カ年　700円（送料共）
振替口座東京　12055番

クラブ綱領

私達は、実践を通じて自らを磨くとともに、互いに力を合わせて、よりよい農村、よりよい日本を創るため、四つの信条をかかげます。一、私達は農業の改善と生活の改善に役立つ腕をみがきます。一、私達は科学的に物を考えることのできる頭の訓練をします。一、私達は誠実で友情に富む心をつちかいます。一、私達は楽しく暮し元気で働くための健康を増進します。

募金活動の幅広げる　4H会館建設

OBに協力を要請

割当制と達成額示す

全国クラブ員の殿堂——日本4H会館建設の推進母体である日本4H会館建設委員会（委員長、岩崎茂全協初代会長）と全国4Hクラブ連絡協議会（会長　黒沢健一君）は、このほど全協の歴代役員に対し、会館建設資金の募金の協力を呼びかけた。これによって、これまで現役クラブ員だけによって行なわれてきた会館建設資金の募金活動もOBに広がることになり、会館　設の早期実現を目指して、いよいよ現役とOBクラブ員の協力体制がしかれることになった。

OBに対する今回の募金協力の要請は、足踏み状態を続けてきた会館建設がスペース買い取り方式への移行によって急進展し、早期実現の可能性が強まってきたため募金活動に拍車をかける必要が出てきたことと、会館建設についての趣旨浸透とともに、さいきん各県連の会館建設にとり組む姿勢がかなり積極的になってきて、実績を上げてきている反面、会館建設を決定したOBの募金に関する動きが現在ほとんどみられないので働きかけを行なったもの。

全協の歴代役員に対して行なった協力要請は、一人当り五千円以上の割当制をとっているほか、元県連役員や関係者、団体に働きかけて一人当り五万円を募金するようによびかけている。この依頼はすでに三月下旬に行なわれているが、反応が低いため再度行なうことになったもの。

会館建設委員会と全協の連署で出されたOBに対する協力要請文の主な内容は次のとおり。

要請文の要旨

さる三十九年、和歌山県の高野山で開かれた4Hクラブ員の全国大会で参加者の中から会館建設が発意されて以来、先輩たちによって灯された殿堂建設への夢は消え果てることなく、長く後継たちの胸中深く語り伝えられ、殿堂建設の早期実現のために、あらゆる機会を通じて広く全国の同志に訴えられてきた。

こうして、会館建設の構想の具体化を図るとともに、四十三年から募金活動を開始、全国へのオルグ活動の展開などによって会館建設のPRと募金の要請が続けられてきた。

しかしその間、難問題が多く幾度となく厚い壁に突き当り、挫折感におそわれたこともあったことは隠せない。だが、「意志あるところに道は通じる」の例えの通りさいきんに至って、この会館建設の趣旨が全県連に浸透し、現役クラブ員の募金活動に対する姿勢は日ごとに積極性をともなってきており、早期実現の可能性が強まってきた。

このような若いクラブ員の熱意溢れる姿を見るとき、その夢を主唱し、精神を後輩に託したわれわれ先輩として、できる限りの支援を行ない、若いクラブ員を勇気づけるべきであろう。

会館建設は現役クラブ員だけに課せられたプロジェクトではない。現役クラブ員とOBが一丸となってこのプロジェクトと取り組む必要があり、この偉業が末永く後輩たちの活動を支え、心の寄りどころとなるよう、物心両面にわたり絶大なる協力をお願いする、というもの。

サービスセンターに

4H会館建設の募金活動の主役をになっている全国4Hクラブ連絡協議会が、4H会館の利用方法について現在までまとめた構想は次のとおりである。

これは、ビルのスペース買い取り方式への移行によって変更する4H会館の利用方法について審議するため、今年度設置した特別委員会の意向を中心に、前期の全国4Hクラブ中央推進会議において開かれた県連会長会議での要望などを重視してまとめたもので4H会館の方向づけともいえるもの。

全協では、これをもとに、さらに特別委員会、末端クラブ員の声を反映させ、真のクラブ員に対するサービスセンターとしての機能を備えた殿堂にするよう具体化を図りたいとしている。

一、クラブ員の各種研修会と会合（会議室、研修室、視聴覚室）
一、クラブ員相互の親睦交流（宿泊室、談話室、和室など）
一、4Hクラブの理解（4H関係と農業関係の資料の書庫、全国4Hクラブ連絡協議会事務所）
一、農村青年の心の探訪（和室の茶室としての利用など）
一、4Hクラブ員へのサービス（農産物のマーケティングリサーチとPR、農産物の即売会などを実施）
一、情報活動センター
一、世界各国のクラブ員との交流
一、一般の人たちへの開放（4Hクラブ活動に対する認識と理解を深めてもらい、助言と支援を仰ぐ）

また、研修室の利用は、4H活動の周知徹底を図るために、全協主催の事業として、プロジェクトの進め方、4Hの本質、リーダーのあり方、レクリエーションの持ち方、女子クラブ員のあり方など定期的に各種の講習会を開くほか農業問題、将来の農業の青写真などについて意見・体験発表会を開き、その討議内容を各県連に知らせることなどを考えている。

また、各単位クラブ、地区連、県連の研修の場として開放するとともに、県連会長会議や女子クラブ員研修なども行ない、部屋の中にアコーデオン・カーテンで仕切る工夫もする。

開幕迫る「全国のつどい」

愛知県で開催される「第七回全国4Hクラブ員のつどい」の開幕は、いよいよ十二日に迫ったが、主催者＝全国4Hクラブ連絡協議会（会長　黒沢健一君）、愛知県4Hクラブ連絡協議会（会長　鳥居久雄君）、社団法人日本4H協会（会長／宮城孝治氏）の三者＝では、さる六月三十日、名古屋市の愛知県庁で最後の打合わせ会議を開き、日程の細部にわたって検討した。

この会議では、最終的な参加者の把握、行事の進行方法、各会場の確保、資料作成の仕上げなど主にこれまで進められてきた準備の再確認と今後のつどいに望む態度などについて打合わせた。つどいの準備は最後の仕上げ段階に入っており、あとは参加者を待つばかりとなった。

会期中に常任委員会を開く

全協

全国4Hクラブ連絡協議会（会長　黒沢健一君）は、来る十二日から愛知県で開催する「第七回全国4Hクラブ員のつどい」の中で常任委員会を開く。

この常任委員は、4Hクラブ活動や組織について、篤志（ボランタリー）的な指導と助言、援助などをしてもらうため、今年度から設けたもので、全協や県連の歴代役員のなかから二十名を委員に委嘱している。

とくに、このつどいでは、幅広い4Hクラブ活動をスローガンの一つとしてかかげているので、意義があるといえる。なお、委員会の開催は、一日目の開会式終了後が予定されている。

事務局は10日から名古屋で開局

全国のつどい事務局は、七月十日から左記で開局する。

名古屋市中区栄町一の一八の八　愛知県青年会館　電話〇五二（二二一）六〇〇一

なお、九日までは、東京都新宿区市ヶ谷船河原町十一、家の光会館内

スローガン決る

今回のつどいのスローガンがこのほど、次のとおり決定した。

競い合い　結び合い
今ぞ築かん理想郷

このスローガンは、4Hの旗のもとで仲間づくりや同志意識の高揚と同時に、仲間との切磋琢磨、せり合いによって個人やグループを成長させ、厳しい情況を乗り越えて、自分たちの経営や村の発展を図ろうという意図がこめられている。

また、地元愛知県連では、今回のつどいのキャッチフレーズとして「肌で感じる愛知の農業」をかかげている。

なお、昨年のスローガンは「心頭技健磨くわれらが未来を築く」であった。

今年の目標60万円　4H会館募金

鹿児島県連で理事会　青年会議では仲間づくり

【鹿児島】鹿児島県農村青少年クラブ連絡協議会（会長　勝目育男君）は、このほど自治会館で理事会を開き、四十六年度の活動方針に基づく事業の推進、分担金納入、日本4H会館建設資金のカンパなどについて協議した。

四十六年度の活動基本方針に基づく事業としては、①地区連と単位クラブに対する役員派遣②日本4H新聞の活用③全国4Hクラブリーダー研修会（中央推進会議）への派遣④第七回全国4Hクラブ員のつどいへの派遣⑤県技術交換大会、県農村教育青年会議の開催⑥農村青少年の集い⑦レクリエーション大会の開催⑧農村青少年クラブ幹部研修会の開催⑨機関紙の発行などを計画している。

この中で、青年会議については仲間づくりの行事を少し取り入れてほしいという要望が出された。農村青少年の集いは、十月上旬、囎唹郡志布志町で、レクリエーション大会は十一月下旬に鹿児島市の県営グランドと指宿市体育館で開くよう準備を進めることになった。

また幹部研修会は、クラブ員に正しい農業協同組合運動を理解してもらい、農協を軸に集団活動を促進するため、クラブ員五十名を対象に姶良町東餅田の県農協教育センターで開くことにしている。開催期日や具体的内容は未定。

分担金は、県連の運営を円滑に行なうため、七月中旬に開く県技術交換大会までに必ず三千円（一地区）を納入することにした。

4H会館建設については、今年度の募金目標を六十万円として努力することを申し合わせた。

このほか、日本4H新聞の連絡報道員を各地区連に一名ずつ置き、その報道員から送られてきた原稿を県連の報道員が整理して、編集部に送ることにした。この報道員の設置によって県連で発行する機関紙もさらに充実させていくことにした。

なお、四十六年度の新役員は次のとおり。

会長	勝目育男	（指宿郡）
副会長	薗田英俊	（川辺郡）
同	山下てる子	（肝属郡）
常任理事	児玉健志	（川内市）
同	三枝秀一	（囎唹郡）
同	西園和良	（熊毛郡）
同	田代あや子	（姶良郡）
同	松木義和	（鹿児島市）
監事	山下誉行	（姶良郡）
同	大久保恒徳	（出水郡）
顧問	中間有徹	（鹿児島市）

「つどい」など決る　長崎県連

会長に木下君　4H会館の募金も

【長崎県＝松本政博連絡報道員発】長崎県農村青少年クラブ連絡協議会（会長　元山孝志君）は、このほど県農業大学校で四十六年度の通常総会を開いた。

総会では、まず四十五年度の事業経過と決算報告を承認、続いて規約の一部改正をした後、四十六年度の事業計画と予算を原案通り可決し、会長に木下評君を選んだほか新役員を決めた。

四十六年度の主な事業計画としては、次のようなことが決定された。

（1）クラブ員の意識高揚に関する事業として—①クラブバッチの作成②広報紙の発行③日本4H新聞の普及など。（2）各種大会の開催として—①リーダー研修会②クラブ員のつどい③技術交換大会④青年農業者のつどい⑤新規加入クラブ員研修会⑥女子部研修会など。（3）各種大会への参加として①全国技術交換大会、青年農業者会議②全国4Hクラブ中央推進会議③全国4Hクラブ員のつどい④その他全協の各種行事など。（4）地区連へのオルグ活動、その他各種の団体との連携を図る活動。（5）4H会館募金の推進など。

新役員は次のとおり（カッコ内は地区名）

会長	木下評	（江迎）
副会長	松本政博	（加津佐）
同	高木良美	（島原）
事務局長	内山田清	（江迎）
監事	島内等	（島原）
同	追マチ子	（佐世保）
組織委員長	赤崎光善	（諫早）
同	西村清貴	（同）
プロジェクト委員長	中村明博	（長崎）
同委員	川上博昭	（松浦）
広報委員長	木川逸郎	（大瀬戸）
同委員	渡海純範	（東彼）
女子委員長	久木邦子	（諫早）
同委員	城戸セツ子	（長崎）
同	下田トキ	（島原）

先輩の話に熱心に聞き入るクラブ員＝茨城県・真壁地区連のリーダー講習会で

クラブは成功の手段

茨城・真壁地区連でリーダー講習　先輩と意見交換

【茨城県＝藤本芳一連絡報道員発】真壁地区農村青少年クラブ連絡協議会（会長　谷島典君）は、さる六月十二、十三日の二日間にわたって大洗町子どもの家でリーダー講習会を開いた。これには地区内十六のクラブから六十五名が参加した。

この講習会は、地域農業の担い手たる中堅青年に対して、4Hクラブ活動の理念やリーダーとして必要な基礎的知識と技術を習得させ、リーダーであるとの決意を固めさせることがねらい。「私達は何をしたいか」や「今何をしなければならないか」というテーマのもとに進められた。

一日目は開会式、オリエンテーションのあと、社会教育研修センターの宮島所長の講話があり、そのあと地区連の方針と歩みの説明があった。続いて、四分科会に分れて講話についてと、テーマの「私達は何をしたいか、今何をしなければならないか」について熱心に討議された。その中で、クラブ活動年数の少ない人たちから、「講話の内容が自分からかけ離れた感じをうけた。また上層部を対象とした内容だった。そして、むずかしかった反面、自分をきびしい目でみつめることを再認識させられた」などの意見が出された。

テーマについては、「クラブ活動は仲間だけでなく、地域にむすびついたクラブ活動をしなければならない。また、個人としては趣味をもつように」など広範囲に話し合いがなされた。続いて、夕食、入浴後、レクリエーションが行なわれ楽しいひとときをすごした。

就寝前は、自分自身をもう一度みつめるなどの意味から全員、十五分間の座禅を組んだ。

二日目は、起床、洗面をすませ海岸に出て朝のつどいが行なわれ清掃、朝食前研修に移った。

「先輩を囲んで」の全体会があり、各先輩（男三名、女二名）からクラブ活動についてという話があったあと分科会で話し合いがされた。その中で、クラブは青年が成功するための手段であると強調され、クラブ員一同新たな気持ちでクラブというものを考えなければならないなどと話し合った。

全体会では、各分科会の報告があった。続いて昼食、清掃後、県連役員より県連協の活動方針や事業計画について説明があり、閉会式。その後、参加者全員が海岸に出て自由交流をして、四時すぎバスで故郷へ向った。

キャンプで共同生活

福島で「若い農業者のつどい」27日から猪苗代で

【福島】福島県農村青少年クラブ連絡協議会（会長　菅野寿広君）は、県、同教育委員会と共催で来る二十七日から二十九日までの三日間、耶麻郡猪苗代町営業牧場の猪苗代町大学綿場を会場として「若い農業者のつどい」を開く。

参加者は、県農村青少年手帳の交付をうけ、市町村長から推薦された、二十五歳以下の男女と、市町村農政担当職員、同教育委員会、同農業協同組合担当者、農業改良普及所職員、同公民館職員、主催者が参加を認めた人など。

主な行事は演示発表（プロジェクト活動をとおして体得したものを、作物、園芸特産、畜産養蚕、林業、生活の四部門に分かれて発表する）はじめ、話し合い、交歓、交流と体力づくり、集団生活など。日程は次のとおり。

一日目　午前九時から受付け、キャンプ村つくり、午後二時から入場行進、開会式、四時から夕食、七時から友情のともしび。

二日目　午前八時から演示発表に入り、十一時から午後四時まで話し合い、夕食のあと七時からキャンプファイヤー。

三日目　キャンプ村撤収のあと午前九時からレクリエーションと体力つくり、十一時から会場清掃して閉会式を最後に、正午、解散する。

手料理食べながら農業語る

角田地区連で大会

【宮城】角田市農村青少年クラブ連絡協議会の春の大会が、このほど亘理町との境にある四方山でにぎやかに開かれた。

新入会員十八人を含め約五十人が参加、新入会員の紹介のあと、仙台大学の学生からフォークダンスを習ったり、おたがいにゲームを楽しんでいた。また、昼食にはみんなで肉汁や焼そばなど思い思いの料理を作り、交換して食べながら"あすの農業"について真剣に話し合いをしていた。

沖縄などで交歓　クラブ員要望

高知県が独自に「青年の船」

高知県では、今年初めて「青年の船」を実施することになったが乗船する4Hクラブ員の強い要望で、訪問先の沖縄や中華民国（台湾）で地元の4Hクラブ員との交歓を計画している。

この青年の船は、県内で働く青少年に幅広い視野と教養を身につけさせ、大きな夢を持ってもらおうと県が独自に実施するもので乗船者は県内の青少年男女三百名。このうち、4Hクラブ員は三分の一以上の約百二十名だが、このクラブ員たちから、訪問先の4Hクラブ員と交歓したいと強い要望が出された。

青年の船の運航期間は、七月八日から十六日までの九日間で、沖縄には十三日午後四時に入港、翌日の午後五時出航の予定である。

県としては、この青年の船がうまくいけば、将来は東南アジア方面にも足を伸ばしたいという。

現在、総理府が明治百年記念事業の一環として「青年の船」を実施し、今年で第五回を迎えるが、これはその県版といったところ。乗船するクラブ員たちは、沖縄先の地元クラブ員の協力を望んでいる。

涼風暖風

知床の旅情

知床半島は、いま観光客の爆発的な人気を集めている。知床の名は、アイヌ語のシレトク、つまり地の果てを意味するだけに人跡未踏の秘境をしのぶには得がたいところだ。

知床半島は、幅二五㌔、長さ六五㌔で、オホーツク海と根室海峡にせり出しており北方領土の「くなしり島」に面している。半島を縦断する火山脈は、硫黄山や羅臼岳など夏でも雪をいただき、数多くの瀑布をかかえ断崖となって青黒い海に落ちこんでいる。昼でもうす暗いうっそうたるエゾマツ・トドマツ・ミズナラなどの原生林には、巨大なオジロワシが生息し、ヒグマやキツネなど数多い鳥獣の天国となっている。段状の草原にはシレトコスミレやコマクサなど美しい高山植物が群生し、砂丘にはハマナスが花が咲き乱れる。

奇岩怪石の海蝕崖には波浪がしぶきを上げ、オホーツクの海鳥ウミネコやウミウが飛びかう。この付近一帯の海は、サケ・マス・スケソウダラ・ホッケ・カニ・イカ・コンブなど豊かな漁場として知られているが、北の荒海は海難もあとをたたない。

知床半島の道路は、ウトロの街から約十㌔奥の開拓道を起点に二五㌔の林道がやっと開発されたが、その先は原生林でおおわれたままである。犬ですら、ここに迷いこむと二度と戻らないという。だから、知床岬へ行くにはウトロ港から船に乗って海岸ぞいに進むが、気象の変化が激しく強風波浪や濃霧のために、船が欠航になることも少なくない。岬の海岸線は、潮の流れが激しく岩礁が多いので接岸はむずかしいが、それだけに、岬を回って根室海峡側の羅臼に至る知床半島の眺めは豪壮・雄壮の語につきる景観である。

冬の知床はあまり知られていないが、これこそ大自然である。骨までもしみるような寒風がオホーツク海から吹きこんでくるころ、流氷群が知床半島のまわりをうめつくす。岳も原生林も草原も白銀の世界である。流氷の上には、アザラシやトドが巨体を現わし、オジロワシが超然として羽を休める。くなしり島の方角からの日の出は、果てしなく広がる流氷を紅色に染めて光り輝くのだ。そんな中で、土地の漁師は流氷に穴をあけて「こまい」という名の魚をとる。

ことしも、夏の北海道旅行を楽しむ若者たちでいっぱいだ。地の果て知床の旅情にひたるも結構だが、その知床に生きる漁師や開拓農家のきびしさも味わってほしいと思う。

（北海道・三輪）

心頭技健

国会議員の中から「青少年教育福祉基本法」の制定とともに、「青少年教育福祉省」を設置しろという声が出ている。次代を担う青少年の育成は重要だから青少年施策の長期総合的な計画をたて、現在、各省庁ごとにバラバラになっている青少年行政を一本化し、効率的な総合行政を進めようというものだ▼このところ、公害問題によって環境保全庁の設置が持ち上がったり、大衆レジャー時代を迎えてレジャー省が必要だという声も一部の人たちから出ているが、この青少年教育福祉省も、さいきんの人間疎外、世代間の断絶、個性の喪失、地域連帯意識の低下などが憂慮されるためのようだ▼これは、国会議員でつくっている青少年対策振興懇談会（代表世話人　床次徳二氏）が提唱しているもので、影響力は大きいといえる。これまで、どちらかといえば各省庁の担当者だけの考えで青少年行政が進められる傾向があったが、それにメスが加えられ、長期総合的な計画が進められるわけだから一歩前進といえる▼同懇談会では今年の一月から各方面の意見を聞いて、このほど「今後の青少年施策に関する見解」をまとめたが、これをもとにさらに検討を加え、本格的な青少年対策基本要綱というべきものをつくりたいと述べている▼とくに、この見解の中で注目されることは民間活動の役割を重視している点である。青少年施策の実効を上げるために、各種民間青少年活動に対して、公費による補助や助成を大幅にふやすなどのほか、青少年活動振興財団の設置も考えるべきだと指摘している▼ややもすると、青少年対策も行政ベースになってしまうが、自主的な団体活動を伸ばすため援助の道を広げ、側面から手助けしようというわけである。この見解に関心が持たれるのは、行政的立場からではなく、民間の代表としての国会議員から出されたという点にある。見解だけで終らないように努力してほしいと思う▼また、さらに有意義なものとするためには、青少年の意見を反映させてほしい。と同時に青少年自身も、自分たちの声を伝える努力が必要ではないかと考えるのだが。

花嫁学園と合同

岐阜県連で「夏の集い」 24日から日坂スキー場で

【岐阜県＝中野俊一連絡報道員】ジメジメしたツユの合い間にのぞくギラギラとしたまばゆい光—もうすぐ本格的な夏に入ろうとしているが、岐阜県4Hクラブ連絡協議会（会長 林衛夫郎君）では、この夏に開く「県の集い」について検討するため、このほど役員会を開き、開催地である西濃ブロック（揖斐郡）の会長を中心に話し合った。

男子禁制などスリル

今年度の集いの開催場所については、先に開かれた理事会において同地に決定し、その後約一ヵ月間にわたって現地調査とともに、各方面からの情報を収集してきたが、役員会では、その調査結果の報告と同時に、昨年開かれた飛騨ブロックの例なども合わせて、行事の組み方などについて意見がかわされた。その結果、今年は、来る二十四日から二十七日までの三泊四日間の日程で、ユースホステルのある揖斐郡久瀬村日坂の日坂スキー場で開くことを決めた。同所は、岐阜から西の方向に当るところで、期間中、スキー場を借り切ることにした。

今年の集いの特色としては、4Hクラブ員も含めた農村女性ばかりの研修を行なう「花嫁学園」とタイアップして同時に開くことである。昨年までは、この花嫁学園と集いが前後してもたれた関係上女性の間から「二つの行事に参加したいが、仕事を十日間も休まなければならないので、何とか考えてほしい」という声が出たので、合同して実施する運びとなったもの。

日程は三泊四日であるが、最初の一日は女子だけで、男子クラブ員は二日目から合流することにしている。この中には、男子禁制の場、また男女クラブ員入り混っての行事などが計画されており、各禁制の場の行事の持ち方、話の内容にはいまから興味がもたれている。二日目から入る男性に対しては前日に入った女性の大歓迎会が計画されるなど、岐阜県にはこれまでなかったような花やかな大会になりそうである。花嫁学園生は、うら若い女性ばかりで、お互いに意識するようになることは避けられず、格好の「お見合いの場」？ともなりそうだ。それとともに、農村の男性、4Hクラブを理解してもらうためにもよい機会であり、お互いに参加し易い大会になると予想される。

岐阜は木の国、山の国といわれるが、その名に恥じない会場の日坂スキー場。そこまで到り着くには、気が遠くなりそうな断崖絶壁があり、車での参加もなかなか気を許せない。多くなった交通事故のまきぞえにならぬよう注意し、楽しい想い出にしてほしいもの。

ゲレンデを4H一色に

牧草が生え繁った広大なゲレンデが広がる真夏のスキー場は、期間中、4H一色に染まりそうである。現在、県下のクラブ員から図案を募集している愛唱用のステッカーも、何とか大会までに間に合うよう作り、交通安全とともにその利益を4H会館建設の募金の一部にしようと張り切っている。

愛知で開かれる全国4Hクラブ員のつどいを間近かに控えているが、県連の夏の集いとの間隔も短かいために、4Hの行事に出ていると七〜八月は夏休みになってしまうという声もチラホラ。海抜ゼロメートルから三千メートルまでにわたる岐阜県内の農村では、温暖地と高冷地との間に作物の取り入れに一〜二ヵ月のズレがあり、行事の組み方をもう一度考えなければならないようだ。

しかし、クラブ活動や行事は、単なる"休み"ではない。日常の経営や生活などに問題意識をもちそれをプロジェクトとして取り組む中で、仲間や先輩、指導者と火花散るような激しいぶつかり合い切磋琢磨によって改善、向上を図ろうとするものだ。行事はその潤滑油でもあり、青年時代には、恵まれた多くの機会を利用して知識や技術を、収得する必要があろう。

ともかく、初めて花嫁学園とタイアップした今年の夏の集いは、日ましに盛り上がりをみせておりその開幕が待たれる。

一緒に富士登山をしませんか！

北駿4Hクラブが招く

【静岡】毎日、秀峰富士山を仰ぎながら農作業をしている北駿4Hクラブ（会長、勝又政明君）のクラブ員たちが、富士山に一緒に登りませんかと全国の仲間に呼びかけている。

これは、「全国4Hクラブ員富士登山の集い」として、同クラブが毎年、全国のクラブ員に呼びかけて実施しているもので今年で五回目。

実施期間は、一年中で一番天気がよいと言われる八月二日から四日までの三日間で、六十名の参加者を待っている。

一日目は、話し合いやキャンプファイヤーで楽しく過ごし、二日目に、富士五湖など付近の名所などを案内、そのあと登山。翌日下山して、お茶菓子を食べながら反省会を開くことにしている。

会費は、宿泊代、バス代などを含んで一人三千円。

申し込み締切日は来る二十日。

申し込み先（事務局）は、静岡県駿東郡小山町一色三二六、込山しづ江さん。電話＝〇五五〇(六)〇六五八。

同クラブでは、多数の参加者を望んでいますので、どしどし応募下さい。

クラブ活動の新しい方向を探る〈下〉

難しい女子会員 プログラム 人間性の回復めざせ

中尾克美

全国的な問題の一つに、女子クラブ員の減少がある。

さきに、北海道連のクラブ員が一万四千名であると述べたが、そのうち約五千名が女子クラブ員である。それも地域によって差があり、酪農地帯では平均して女子クラブ員が少ない。しかし、道内には、未婚の農業従事者が男子三万三千名、女子二万八千名くらいいるので、五千人というのは二割にみたないことになる。

この会議でも、女子クラブ員が減少する理由として、①女性にクラブ活動を行なう意味を見い出せないのではないかということ②現在のクラブ組織自体が女性の入会をさまたげる何かがあるのではないか③結婚とクラブとの関係—などの点があげられた。

女性には少しばかり手きびしい意見だが、女性は一般的に問題意識に欠ける点が多いことと自分勝手な人間が多いのは現実で、これらを逆に考えて行かないと女子クラブ員の勧誘は無理だろうという意見が大勢を占めていた。

次に、学習とその方法であるが、4Hクラブとしては、プロジェクト法を取り入れるのが本筋である。

しかし、これまでプロジェクトの進め方について難しく教えられたように思う。いま一度、その方法の有利性を確めるとともに、学習方法の開発が要求されている。

その方法として、視聴覚学習、講義法、事例研修、ロールプレイングなど多くのものを有機的に結びつけて行くことが大切でもあるし、それらのものをプログラムできる内部リーダーの養成があげられてくる。興味ある学習のカリキュラムを工夫していかなければ、折角のプロジェクトも無意味なものになるだろう。そんな点から考えて、こんご特にリーダー研修などは通俗的なものではなく、創造的で実技的なものに組み立て、その中にプログラムできる本来のリーダーを一人ずつ創り出したいものである。

最後に、過疎、過密によるクラブ活動の低迷があげられていたようだが、市街地域に近接するクラブは人間疎外などといわれるように、利己主義者が多く組織活動の意味すら忘れかけている。このため、人間性の回復を意図したプログラムの立て方が要求されている。

農山村、俗にいう過疎地帯であるが、以前は一部落で一つの青年団、クラブをなしていたが、今では、一部落に二〜三人の所が多くなり、組織活動が困難になってきた。傾向としては、部落青年会などの合併や全市町村一クラブという所が相当の数にのぼっている。北見市あたりでは百名を越えるマンモスクラブが数年前に誕生している。『広域大型細分化』といったような形が、今後多くとられて行くと思う。

以上、重要な点を少し拾い上げてみたが、農業の推移とともにクラブ活動においても、数年前とは相当の変化があり、日本に4Hクラブ活動が取り入れられた時代のことを耳にすると、その変りようは大きなものがある。

この「クラブ活動への方向づけ」がみなさんのクラブ活動にとって何らかのために示唆するものがあったらと思い筆をとってみた。全国の十万余の友よ、頑張って行こう。（おわり）

（北海道4Hクラブ連絡協議会・評議員）

ヨーロッパ農業に学ぶ ⑩

経営移譲を促す

西ドイツの農業者年金制度 実質は老齢年金

西ドイツの農業者年金制度としては、一九五〇年に創設された農業者老齢扶助制度がある。農業構造改善の一環として、老齢経営主が自己の農業経営を長期の小作に出すか、または売却することを条件に六十歳からの離農年金制度を一九六九年七月一日から施行した。

西ドイツの農業者老齢扶助制度は、経営移譲を促進し、引退老齢者の老後の生活の安定を図ることを目的とした強制加入制、拠出制の終身老齢年金である。経営移譲をしなければ年金がもらえない点で経営移譲年金そのものであるが、その他の点では農民老齢年金としての機能を十分に備えており、実質的には老齢年金であるといえる。経営移譲の相手は、自分の後継者以外の第三者でもよいことになっているので、離農年金に似ている点もある。

この制度は、単に社会保障制度の一環ということではなく、農業経営者だけを対象にした独立の制度として組み立てられており、農業政策上の農業社会保障制度の中心部門として存立しているところに特長がある。

具体的には、制度の仕組み、制度の内容（対象者の範囲、給付要件と給付内容）、制度の実施機構、制度の財政（掛金と国庫負担）などにおいて農業、農民の実態にあった独自の性格と機能と存在をもつ制度となっている。給付総額に対して連邦資金から七五〜八〇％を出し、保険料収入は二〇〜二五％しかない。

なお、農業者老齢扶助制度の概要は次のとおり。

▽目的　農民の老齢廃疾保険、経営主の若返り促進

▽対象　一定水準以上の農業経営主（家族従事者も任意加入できる）

▽支給条件　年齢＝六十五歳以上（五十歳以上で経営移譲を要件とする）・保険料納入期間＝十五年以上（経過措置がある）、経営移譲＝必要条件、土地処分＝所有権の移転・借地権の設定

▽移譲後の農業従事　自留地以上の規模の農業経営に従事することはできない

▽給付金　固定額＝夫婦月額一五〇ドイツマルク（一万三千五百円）、年額一、八〇〇ドイツマルク（十六万二千円）、単身月額一〇〇ドイツマルク（九千円）、年額一、二〇〇ドイツマルク（十万八千円）

一九六九年七月一日から月額として夫婦一七五、単身一一五ドイツマルクに引き上げられた。

家族従事者月額五〇ドイツマルク（四千五百円）、年額六〇〇ドイツマルク（五万四千円）

▽掛金　拠出制＝月額二〇ドイツマルク、家族従事者一〇ドイツマルク、これも一九六九年七月一日から月額二二ドイツマルクに引き上げられた。

（四十五年度静岡県産業青年海外研修団農業班）

（おわり）

ヨコの連絡を

南会津郡4Hクと渋川耕友会が交歓 企業農業も話合う

【福島】"曲り角の農業経営の中でもっとヨコの連絡をとろう"—と安達郡安達町渋川耕友会と南会津郡4Hクラブ連絡協議会の男女約四十人が、このほど南会津郡下郷町で交歓会を開いた。

南会津4Hクラブの各クラブから大竹友信会長ら二十五人の若い男女、渋川町耕友会から十八人の青年男女らが出席。

一行は下郷町公民館に落ち着いてから国営大規模農業開発の落合地区開拓パイロット事業を視察、また、同町左岸の下郷町営農研修センターで、三班に分かれて農村青年のあり方、これからの農業経営などを討論した。

4Hクラブの運営などについては「これらの中で活動を進めるには各クラブ、各町村のヨコの連絡を強力にして、仲間意識を持って行く」との意見。これからの農業にどう取り組むか、営農上の問題については論議が白熱化。

「これからの農業は専業で進むべきだ」「経営規模が拡大できないので、現実には専業農業は苦しい」「企業的な農業は親ゆずりの技術と経営能力ではダメだ。農業以外の産業から広い視野で若いうちから学ぶべきだ」などの意見が続出した。

転換迫られた成田

成田のクラブ員が千葉市の仲間と交歓

【千葉】千葉市井上農村青少年クラブ（会長 鳥海宣君）と成田市農村青少年クラブ（会長 渡辺秀夫君）の交歓会が、このほど成田市役所と千葉市農政課の音頭で開かれた。これは空港建設などで近郊農業への転換が迫られている成田地区のクラブ員が、一足先きに近郊農業の道を歩んでいる先輩格の千葉市のクラブ員と交歓し助言してもらおうと試みられた。

この日、成田市青少年クラブから二十五人が千葉市に向い、千葉市のクラブ員二十人の説明を聞きながら五十土町のカーネション、富田町のキュウリ、宮野木町のランなどの栽培温室を見学した。

また、泉地区市民センターで交歓座談会を開き、農業経営などについて話し合った。この中で、成田市のクラブ員からは、施設園芸に対する親の理解や資金、また出荷方法などについて質問が出されていたが、千葉クラブ員は、親から土地を譲渡されると贈与税が高くて大弱りしていると実情を訴えていた。しかし、成田市のクラブ員が当面する問題についてはいつでも相談にのると千葉のクラブ員が約束、今後も交歓を続けていくことを申し合わせた。

畦道

何のために……

「何のために…」この言葉に物心ついてから今まで何度も囚われてきたような気がする。自分も大きくなったなと過去を振り返ってみる度に、いつもどこからとなく湧いてくる「何のために」と。それは、父母から、教師からそれまで当たり前として教えられてきたものに突然むけられていく。だが、何のためにと問うこと自体がすでに人生への敗北であるそうだ。「むなしくはないか？」」。この質問に答えるのは、売上げ高・社内ナンバー1を示すバッチをいくつも胸につけたセールスマンである。「そんなことを考えたら人生はもう終りですよ」と。

「だれのために」。このことについては、いつも支配者はハッキリと教えてきた。しかし、大衆の中の一人ひとりが私自身にとって「何のために」と問いだしたとたん、胡散臭さげな目つきでジロリと睨みつけるのみである。何のために、何のためにと自分自身のことばかりに拘っている奴は、支配のためには「全体を見ろ全体を！公を考えろ」と。それでもまだ「何のために」と問い続ける奴がいた時には、赤く灼けた烙印を押しつけるのだ。脱落者、弱虫、変質者…。ところで、何のためにと皆がブツブツ問いだしたらどうであろうか。とっておきの薬がある。〈お祭〉だ。「クヨクヨするな—忘れろ忘れろ—踊れ—騒げ—楽しめ」。これでいつも万事が終わりだ。

近頃、「戦争を知らない子供たち」というフォークソングが流行っているそうだ。たしかに私たちは戦争を知らない。それで結構ではないか。自分の畑と、自分の村と、自分の家と、自分の友人を知っていれば。そして私たちは、自分の畑と村の上にガシッと立ってのみ言うのである「何のために」と。だが、答えないでほしい。「金のためだ」などとは。農業にとってそれは、〈故郷〉という言葉に含まれる一切を自ら破壊していくことを意味するからだ。失うものの方があまりにも大きすぎる。（H）

こんなことをしています 各種農業団体

全国農業協同組合中央会

准組合員ふえる 大きくなる農協規模

農林省は六月上旬昭和四五年三月末の農協の組織・事業・財務などの実態をとりまとめて発表いたしました。

これによると、（一）正組合員戸数一、〇〇〇戸以上の農協が増えている。（二）正組合員は前年度に比べ〇・四％の減少と殆んど横這いであるが、准組合員は七・一％と大幅に増えている。（三）事業面では米価の据置きなどの影響があらわれ、信用、販売事業の伸びがにぶり購買事業では農業の機械化、生活様式の変化から石油・生活資材の取扱いが伸びている、などの特徴がみられます。

先ず組織についてみますと、昭和三五年の農協合併助成法制定当時、全体の四・七％にすぎなかった正組合員一、〇〇〇戸以上の農協が二五・九％になり三、〇〇〇戸以上の農協も三・九％となっております。

組合員総数は、七一七万四三一三人で前年より〇・八％増えておりますが、正組合員数は五八七万四八一八人で前年に比べ〇・四％減り、准組合員は七・一％と大幅に増えております。

役職員についてみますと、役員数は一〇万三三六二人で前年に比べ四二三三人減り、職員は二四万一九八二人と二万三三三人増えております。

事業については、貯金総額四兆五五六六億円、借入金六五八二億円で前年に比べそれぞれ一九・六％、一七・六％と伸びておりますが、貯金の伸び率は前年に比べ少なくなっています。

販売総額は二兆一、三二四億円で、品目別取扱いは、米五七・八％、畜産物一六・九％、果実七・九％、野菜六・一％となっております。

購買総額は一兆八八六億円で、生産資材七三・五％、生活資材二六・五％となっており、飼料の二三％、肥料の一五・三％がその大きなウェイトを示しております。購買事業で顕著なものは、石油二七・七、生活物資一六・五％の伸びであり、全体としては一二・八％の増加となっております。

最後に財務についてみますと出資金は二・九〇八万円で前年より二八・四％増加し、事業収益は一農協当り一億二四八万円事業直接費五、四九七万円で、信用事業が依然高いウエイトを占めております。損益状況は、当期利益発生農協が殆んどの九七・七％で、損失発生農協は僅か二・二％ですが、剰余金五〇〇万円以下の農協が六〇％を占めております。

なお、この調査は対象農協六二〇五のうち六、〇八三の農協の実態について取纏めております。

（教育広報課）

家の光協会

図書特別普及運動を実施

日本ではじめての総合美容読本『美容全科』

人前で気軽に話せる挨拶の手引き『鈴木健二のスピーチ全科』

家の光協会では、毎年、農協組合員家庭の生活に密着した実用書を中心に図書特別普及運動を実施しています。この図書特別普及運動は、読書と教養の輪をひろげる絶好のチャンスとして多大の成果をあげ、こんどで十一回目を迎えました。

今回は、婦人読者にもっとも関心の深い『美容全科』（定価六八〇円・既刊）と、多年要望されてきた『鈴木健二のスピーチ全科』（定価五八〇円・八月上旬刊）の二冊を対象図書として七月から九月まで実施します。

従来の美容関係の図書の多くは、ただ流行の化粧法を追うばかりで、十人十色といわれる異なった体質や個性にピッタリあった健康で、合理的な総合美容を解説したものは見当たりませんが『美容全科』は、化粧法（牛山久子）美容体操（竹腰美代子）美容食（東畑朝子）の三要素を総合的に組み合わせて、斯界の第一人者が分担執筆した女性の美と健康をまもる総合美容読本として発刊しました。

また『スピーチ全科』は、人前で恥をかかぬための話し方の読本です。最近は、結婚式をはじめ、各種の行事や、宴会、集会、研修会などで挨拶を述べる機会が多くなっていますが、どんな場合にも、人前で尻込みせず気軽に話せる挨拶や司会のしかたを、実例をたくさん織り込んで解説したものです。

著者は、NHKテレビの"こんにちは奥さん"の名司会でおなじみの鈴木健二アナウンサーで、長年の経験を活かして、面白く読むうちに話し方の基本を覚え、いつどこでも自由に応用できるように親切に述べています。

この両書は、全国の農協で取扱っています。

（文化部）

ブラジル派遣の青年を募る

全拓連

全国拓植農業協同組合連合会（会長、平川守氏）は、農業移住事業実施要領に基づき、四十六年度にブラジルへ派遣する農村青年を募集している。この派遣は、農業移住推進活動の中核となる青年を養成するために、農村青年をブラジル国の農業事情や農業移住について現地実習を通じて研修させようとするもので、派遣人員は約二十五名。

派遣先は、主として南ブラジルの日系農業移住地で、派遣の期間（日本出発から帰国まで）は約九ヵ月間で、今年の十一月十二日に出発し、来年八月十二日に帰国する。なお、派遣資格などは次のとおり。

一、資格

ブラジル国に派遣する農業青年資格は、次の各号に該当する者。①農業者の海外移住について深い関心をもっており、帰国後農業移住推進活動を行なうものであること。②派遣時において、おおむね18歳以上35歳未満の男子であること。③心身とも健全であり、農業実習にたえ得ること。④ブラジル国が入国を禁じている疾病および身体欠陥（主なものは次のとおり）のないこと。⑤トラコーマ、急性結膜炎、結核性疾病、ライ病、性病、精神病、盲眼、手足の切断、先天性後天性奇型。⑥体格体力がおおむね下記程度以上であること 身長一五五cm、体重五〇kg、握力三五kg、肺活量四〇〇〇cc、背筋九一三五kg。⑦性格明朗で協調性に富み、共同生活および集団作業に適すること。⑧狂信者、悪癖者でなく、犯罪行為のないこと。

一、推薦

都道府県知事は、適格者の推薦にあたっては推薦書に次の関係書類を添えて全拓連会長に送付するものとする。

①分担金確約書・一通②志願書・一通③健康診断体力検定書・一通④胸部レントゲン写真・一葉、（撮影年月日、都道府県名、氏名記載紙片を貼布）⑤履歴書・一通⑥家庭および自家農業経営調書・一通（農業以外の有職者は所属先調書を加える）⑦地域の海外移住に関する状況説明書・一通⑧適格説明書・一通⑨志願者記述書・一通⑩戸籍抄本・三通⑪写真・七葉など。

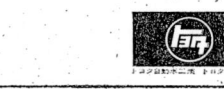

つどいについて考える

昭和45年度佐賀県連会長　小林秀敏

第七回全国4Hクラブ員のつどいも、十月足らずと迫ってきたが、このほど、昨年、第六回のつどいを開催した佐賀県の四十五年度会長、小林秀敏君から、つどいを実際に運営した経験にもとづいて、さまざまに考えたことどもを綴った原稿が送られてきた。つどいそのもののあり方を考えながら、これに参加するクラブ員としての態度とか、また、逆に主催者側の会議などとしても、いま一度初心にかえって、彼の語ることに耳を傾ける必要がないだろうか。そうして、それは、ついにつどいのみの問題にとどまらず、日本の4Hクラブ活動を推進していくうえで、今後、いくたびも考えなおさなくてはならぬことでもあろう。小林君が、忙しい田植えのさなかに、このような長文を送ってくれたのも、そうした意味を思ってのことであろう。つどいに参加するクラブ員のみならず、すべてのクラブ員にじっくりと味読してもらいたいと思う。

地域社会への普及を
主催者の意思疎通も大切

より豊かな人間に

全国の皆さん、お変りございませんか。

昨年の今頃は、「つどい」の準備で大忙しの時期でしたが、今年は愛知の仲間達がその体験をしておられることと思います。

第七回のつどいを目前にし、第六回のつどいをお引き受けした佐賀の場合の準備、運営を通じて、この「つどい」のもつ意義問題点など、私の所見を述べ、今回参加される全国の皆様方、あるいは準備で忙しい委員の皆様方に読んで戴いて、「つどい」をより一層充実したものにして戴けるならば幸いに存じます。

現在は、もはや物質文明の世情であって、ともすれば本来の人間性を失いつつあるのは否めない。利己主義的人間が増え、索漠となりつつある世情に拍車をかけております。そのような中で4Hクラブは、まずクラブ員個々の人間性の高揚の場として活用し、より豊かな人間を作り出し、明るく住みよい社会にするように、努力しなければなりませんし、それに合わせて、より豊かな農村建設の担い手としての研鑽も行なってゆくべきです。私は以上のような4Hクラブの考えの中で、この「つどい」をお引き受けしたのです。

佐賀県4Hクラブ員は、第四回奈良のつどいに約五十名、そして前回の鳥取のつどいに八十名参加し、それ以前も第一回のつどいから数名ずつ参加しております。岩手県でのつどい開催が急拠不可能となり、全協では、毎回つどいに大勢参加し、理解してくれているクラブ員が多いのは佐賀県だということで、最初、お話があったものと思います。

しかし、いざ引き受けてみますと、問題は山積みしておりました。「つどい」まで僅か四ヵ月という期間内で、末端クラブ員までの主旨の徹底、ムード盛り上げ、千名を越す人員を収容する宿舎の決定、地元県としての経済的負担など、会長に就任したばかりの私、そして他の役員にしても経験の乏しい者ばかりで、戸惑いすら感じました。前回開催県、鳥取への準備聴取、そして運営委員会の設置。運営委員のメンバーは、前年度県協役員が三名入り、残りは当年度役員と一部理事がその職につき、総勢二十四名で準備体制をとったのです。

県からも大変に協力援助を戴き、側面的に応援下さって、心強く思った次第です。そのような体勢の中で、「つどい」開催の準備を推し進めました。五、六、七月の農繁期に入り、非常に多忙な中での準備は大変な苦労でした。これは、必ずしもクラブ員全員ではありません。むしろ役員だけだったかもしれません。

しかし、それを支え、乗り切れたのは、「つどい」が必要だと思う気持と、どうしてもやらねばならぬという強い信念だったと確信します。「つどい」を目前にして台風九号の直撃を受けた佐賀県、特に県南西部ではその被害も大きく、後かたづけも大変でしたが、幸いにして「つどい」に直接の影響もなく、安心致しました。

全協も子供でない

八月二十四日、いよいよ開会式、当初千三百名の参加希望者でしたが、台風九号の影響でずいぶん参加者は減りました。しかし、千名の大台は越え、今までのつどいでは、最も多い参加数になりました。

全国各地から集まって来た仲間達は〝ようこそ佐賀へ〟〝本当にお疲れさま〟そして、〝君達、本当に北海道から来たの？〟と疑いたくなるほど、すぐ近くから、いつも佐賀に来ているような顔をして、楽焼きの会場へ移ってゆきました。この記念楽焼きは、実は従来の記念品よりおもしろく、皆が喜び、意義あるものをということで、佐賀名物の有田焼きを用いる楽焼きを考えついたのです。自分自身で作り出す記念品です。創造する意欲が、つどいに参加する意識を強めました。

会場の市民会館に、千名を越す全国4Hクラブ員が集まり、若い熱気でムンムンしており、ファンファーレに続き全国各県の4H旗の入場、ステージに勢揃いした4H旗をみた時、会場の仲間達も、私も、たくさんの仲間のいることの喜び、集うことの大切さを痛感致しました。

特に昨年は、全国4Hクラブ連絡協議会発足十五周年に当り、十五周年記念式典も行なわれ、4Hクラブ活動が時代と共に変化していることがわかり、十五年という4Hクラブの年齢は、決してもう子供ではない、将来を考え、進むべき道を確立し、それに向って努力しなければならない年齢です。この「つどい」も、転換期にある4Hクラブを見直し、反省する絶好の場でした。

開会式、記念講演、パネル討議と、第一日目の行事は消化されました。開会式には、保利官房長官から私たちに激励の言葉を戴き、また、記念講演は、奈良薬師寺の高田好胤氏に講演して戴きました。私は、4Hの組織があったからこそ、高田先生をお迎え出来たのだと、同時に、組織の有難さ、偉大さを痛感したことでした。

そして、その夜から現地交歓訪問、これはつどいの大きな特色となっていますが、受入れ側のクラブにとって、直接、つどい運営に協力出来る最も大きな行事です。佐賀県下のクラブ員の生活、農業、クラブ活動の実態を視察、体験すると共に、仲間作りや家族ぐるみの4H活動を展開するに最適の行事です。

今迄、4Hクラブというものを、クラブ員の親でも良くわからずにいた人達が多かったのですが、この現地交歓で4Hクラブというものを知り、また、充分理解しなくても、息子が4Hクラブ活動をやっていて、今度、県外からクラブ員が泊りに来るそうだから、精一杯に歓待してやろうという気持にさせてくれたのも、この現地交歓でした。こういうことも、4Hクラブ活動を、地道に地域社会へ広げる良い一つの方法だと思います。

だいじな現地訪問

今回に限らず、毎回だと思いますが、つどいの中でこの行事が一番大きく、決して欠いてはならない催しではないでしょうか。現地交歓訪問を通してクラブ員の一人一人が親しくなり、お互いに少しでも理解しようという心が養われて来たのは、喜ぶべき事実でした。ただ、歓迎する佐賀県では、少しでも楽しんで貰おうといろいろ歓待に気を使うのですが、全国の参加者は農作業を実際にやり、家族の方との話し合いの時間がもう少し欲しかったと口を揃えて言いました。これは毎回出る疑問ですが、現地交歓訪問の日程を延長するなりして、もっとこれの意義、そして方法を確認し合いながら、行なう必要があると感じます。

第四日目に、これも初めての試みとして、班別で自由に参加者の自主性に任せる散策を行ないましたが、これも今反省しますと良い結果に終ったと確信します。二十人一組くらいで、全国各県の仲間が佐賀の葉隠の地の名所、旧史跡をまわり、あるいは地元の方々との語らいの中で、佐賀県農業、生活習慣を知り得た有意義な散策でした。

そして、その中で一番嬉しく大切なことだと思ったのは、私達が散策を行なった約六部落、十地区の地元民の方々が、心から全国の仲間を迎え、暑い中で冷たいお茶の接待を各所でして戴いたことです。ところによっては、スイカを御馳走して戴いたところもありました。

そして、それ以上に感激したのは、小さい子供達が湯のみ茶碗を片手に、〝兄ちゃんお茶をどうぞ!!〟と言って歓迎してくれたあり涙の出るような行為でした。4Hクラブをよく知らないかもしれない、どこから来たのかも知らなかったでしょう。しかし人間のもつ素朴な気持、人間味溢れる豊かな心のあらわれとして、お茶の接待という行為に結びついたものと思います。これは4Hクラブの本質に迫るもので、どんなに嬉しく、そして4Hの将来がずっと先まで開けたような気がしたのは、否定できませんでした。

その夜、山間の広場でキャンプファイヤー、空一杯に散りばめた星を仰ぎながら、全国千名の仲間がつどい、中央の炬火台に原始の火がともされた時、参加者の心は一つになり、つどうことの意義を確め合ったことと思います。その夜は、二日目の旅館泊、宿泊地が三ヵ所に分かれており、各所間には四キロメートルずつの距離があって運営上、支障のあったのはやむを得ませんでした。運営委員は四十名以上おりましたけれども、三ヵ所に分かれるとなかなかうまくゆかず、今後、事情が許す限り、こういうことは避けるべきです。

宿舎ではかなり飲酒行為のあったのが事実です。これは、今後のつどいでは強く規制する必要があると思うし、自由の中にも青年としての節度が保たれる行動を、責任をもってとるべきであると感じます。宿泊地は三ヵ所に分散しておりましたが、一宿泊地内の旅館は隣り合わせで、旅館間のクラブ員の出入りが多く、所定の旅館に泊らなかったものも多くおり、班長は人員掌握に困ってしまいました。結果として宿泊地は一ヵ所で旅館もなるべく少ない方が望ましいと思います。

全般を通じて、四泊五日の日程は適当だと思うし、参加経費については、引き受け県の事情により異なると思います。次いで運営委員について述べたいと思いますが、最初申し上げたように、この「つどい」が三者の主催であるということは、決して忘れてはなりません。私達佐賀県の場合は急拠決定、開催となりましたけれども、全協、協会と常に連絡をとりながら、準備を進めたつもりです。細かい具体策については開催県の諸条件に合わさなくてはできないと思います。しかし、県独断は禁物ですし、それでは「つどい」そのものの意義も薄れます。

ですから、話し合いはすごく必要です。そして、お互いに意志の疎通を充分に図らなくてはなりません。「つどい」をすることにより、県連と全協、協会との間に精神的な溝が出来ないように、お互いが充分に気をつける必要があり、これは急務です。

そして全協の役員の方の運営委員としての業務ですが、例年、つどいの準備推進委員には地元県の役員が当り、「つどい」全般を把握しているわけです。そこに全協の役員、特に全協評議員がつどいの前日か前々日に入って来てもよくわからないわけです。

そこで、よく説明してやろうと思っても時間がもったいなくて、結局は、よくわからないまま「つどい」に入り、運営委員として働くのですから、あまり重要な役目は出来ないし、本人の能力よりずいぶん楽な役目ということに、必然的になります。そうなると、人間はひがみの心を起こす人があります。これは危険ですし、その気持、感情をもって運営されたのでは、良い結果へつながりにくいものですし、その人達が運営委員としての意見を発言した場合、曲解される恐れもあります。このことは、今後、「つどい」の課題として充分考える必要があります。

もう一つは、経費の問題です。参加経費四千円くらいというのは、実際問題として四泊五日の期間にしては安いものです。この経費ですべてが賄えるというのでは決してありません。中央は中央で、そして地元は地元で、相当額の資金が必要です。特に現地交歓訪問での地元受入れ地区の負担は相当なものです。4Hクラブそのものもですが、その「つどい」も、人の善意にのみ頼るような形では、今後、末永く継続するのは困難だと思います。

全国の仲間のため

この問題も、4Hクラブの将来そのものと合わせて充分な検討、改善が必要ですが、犠牲になっても、全国の仲間のためにというクラブ員（特に地元クラブ員）の善意は人を理解するという心につながるし、利己主義的な人間が多い中で、尊ぶべきことではないかと思います。これが「つどい」を行なう大きな一つの意義でもあります。全国技術交換大会との関連で、開催に当り難しい問題がありますが、やはり「つどい」はつどい、技術交換大会は大会で、それぞれ行なうのが最も望ましいと痛感します。

第六回のつどいが成功の裡に幕を閉じたのも、県内のクラブ員はもとより、各関係機関の諸先生方、それに全協・4H協会の方々の絶大なる協力の賜であることを、衷心より感謝申し上げます。これをもちまして、私の所見と致す次第です。なお、第七回「愛知のつどい」が大成功に終ることを祈念致します。

プロジェクトの進め方〈3〉

共同プロの課題設定に
徹底的な話合いを

北海道専門技術員　三輪勲

共同プロジュクトの長所をあげたが、逆に短所もないわけではない。泣きどころは、①すべてのメンバーに共通する課題をなかなか抽出できず、個人の欲求、関心、希望などが、必ずしも一致しないため、問題の設定が困難であると同時に、それぞれの願望を充たしてやることができないこと、②構成員に年齢差が大きく、最近、全国的に問題となっている。つまり、経験の差があることから、すべてを満足させうるようなプロジェクトを、見出しにくい。

③多勢でやるために、責任の所在がどこにあるのか、あいまいになる憾みがある。みなで力を合わせてやらなくてはならぬのは当然だが、記録をするものと単純作業をやるものが分離してしまったり、とかく、スムーズに進行しなくなる傾向がみえ④さらに本来は日常活動であったはずのプロジェクトが、クラブの行事と化してしまう危険性もある。共同で課題解決をはかるべきものが、たとえばクラブの活動資金が不足しているからという理由から、単なる資金稼ぎ、作業の集団化になり観察、調査、研究といった面が、おろそかになる場合もある。

こうして、弱点を数えあげると際限がなく、共同プロジュクトに疑問ばかり抱き、希望をなくされては困るので、これくらいにしておく。それでは、こうした欠点をどう克服したら、やりやすく、また、効果が大きいかを考えてみたい。

①まず、課題の設定にあたっては、それぞれの状況を考え、全員が徹底的に話合い、納得ずくで決定しなくてはならない。リーダーがほとんど決めて、提出するといった方法はよろしくない。あくまでも、すべてのクラブ員が承知できるようでなくてはならず、もし、そうした課題が選べないならば、共同プロジュクトなどはやらない方がよいくらいのものである。

②次には、責任分担をきちんと決める必要がある。たとえば野菜が課題に選ばれたら、成育、調査、増収（生産性）技術、栽培管理といった部門に分け、それぞれが手分けをして受持つ。もちろん、全員で作業を行なうけれども、それだけでなく、特に責任を持つ部分を作る。

北海道にある例だが、信砂4Hクラブでは水稲を課題とし、肥料研究課長、成育研究課長、土壌研究課長の三つのポストがあり、そのうえに部長がいる。ここで総合されるようになっており、いわば、分業と協業の関係がみられる。こうしたかたちが、共同プロジェトにはよいのではないかと思われる。

ところで、プロジェクトと行事との結びつけ方を考えなくてはならない。そこで、双方の相違をみておく。4Hクラブにおける行事は、つどいや技術交換大会のように、全国的組織で行なわれるものから、視察旅行やレクリエーションのようなものまである。しかし、こうした行事のねらいは、プロジェクトを伸し、促進させるものである。

それが、直接的なもの、間接的なものの違いがあっても、プロジェクトに役立たせるという目的は変らない。だから、年間の行事のプログラムのどこをとっても、プロジェクトの香りがしていてほしい。直接に役立つのは、研修、展示、品評会、技術競技会など、いくらでもある。

間接的に役立つのは、クラブ交歓会、キャンプ、見学、機関紙発行、レクリエーションなど楽しい行事である。これは、協力、意気投合、精神の高揚といった空気を生みだし、人間関係の潤滑油のように働く。つまりプロジェクトを進める意欲につながるものである。このように行事を捉える必要があろう。

こう考えると、行事が年に五十日も六十日もあって、プロジェクトが伸びるかどうか、疑問である。行事は日を定めて行なう催事であり、プロジェクトは前述したように、日常活動である。ここに、行事をプロジェクトとどう結びつけるかという問題が、生じてくるわけである。

すなわち、くどいようだが、プロジェクトの促進に役立つものを行事に組む必要がある。研修会なども、そのことを念頭において開催しなくては、単に研修を行なったというだけに終ってしまう。広い視野に立って、自分のプロジェクトをみつめなおしうるような企画が立てられなくてはならない。

（つづく）

みかんの共同剪定
省力と高品質化のため

広島県豊町オレンジの会沖友支部　藤知長武

豊町オレンジの会はクラブ員七十名で、大長支部、久比支部、沖友支部の三つの支部により構成している。沖友支部員十三名で生活改善の推進、経営者の意識調査、除草剤展示試験、摘果剤の現地試験、流通改善、摘果剤による経済的効果、グループ剪定が主な活動内容である。昨今の労力の不足と生産量の増大にともなう消費の動向が、量の時代から品質の時代へと変わっている。

そのため、剪定を行なって樹型の改造を計り、省力化と果実の高品質化を計る。剪定は四年の計画で、一年目は段ごと作業道を設けるために法面側を切り込み、二年目は法面の先の方を切り込んで採収能率を良くするとともに、樹冠内部にも光線が入るようにして、果実の品質を高める。三年目は樹の上部を切り入れた。

二年目も六割ほど同じ作業で、四割は穴掘機で落葉だけ入れた。今年が三年目だが、前年同様に六対四の割合で行なう。全園にタコツボを掘る計画であったが、毎年急激に掘ると樹に害を与えないかと思って、穴掘機を使用した。今感じていることは、隔年的に行なったほうが樹に害はないように思う。

傾斜地では畦畔の先端近くをあまり掘らないようにし、また耕土の浅い所は深耕により、根の伸長を促し労力はかなり必要とされるが、土壌を掘り返すことにより土壌も団粒化し、肥料の吸収もよくなり、生産費の低減にもなろう。これからも、計画終了まで行なうが、樹の状態も考えながらタコツボは掘らなくてはなるまい。終了後、穴掘機で掘った所はもう一度タコツボを掘り返す計画である。やはり、そのほうが効果はよりよい結果を生むと思うからである。最後には反当四千㌔は達成出来ると信じる。

現在の私の経営概況は、家族労働が男一人女一人で、雇用労力は採収時のみだ。面積は一㌶で、十年生以下が三〇％、四十年までが二〇％、四十年生以上が五〇％であり、老木園が五〇％を占めている。

このため、経費、労力などが必要以上にかかり、その割に果実の品質が悪く収益も少ない。そうした老木園を更新することが何より先決である。沖友地区にはそうした老木園が多く、更新により品質の向上をはかり、「天神みかん」としての輝かしい伝統を守り、また守ることによって、みかん産地をより一層強化して行きたい。

沖縄、十名の派米青年

【沖縄】琉球政府農林局移住課は、このほど七一年度派米農業研修生結団式を行なった。結団式には、十九歳から二十五歳までの若者十人が参加した。

農業研修生派米協会（日本）と4Hクラブ財団（米国）との協力で行なわれるこの研修生制度に沖縄県内から、一九六七年より二十八人をアメリカに送っている。

後継者として生まれて

熊本県菊陽4Hクラブ　鈴木則子

農業後継者として生まれたはずではなかったのに……。でも生まれた時から、その運命にあったにちがいないのです。

たった一人の弟をなくし、淋しさに耐えた幼なかった頃……。一人の男の子をなくし、途方に暮れている父や母の後姿をみて、自分の人生が一回転したことを悟りました。

そして現在、なんの迷いもなく、ただ農業への勇気と希望だけをいだいて、この道にはいりました。

黒土に接して二年、農業についてまだまだ無知な私は、父の後をついて言われるままにするのがやっとのこと――。でもこの家を守るために、いやもっともっと発展させるために、常になにかを学び取る気持で、働いています。

地下タビ、手ぬき、エプロン……と畑仕事をするうえで、絶対必要なこれらが板についた今日このごろ、真の農業人にはまだまだなれなくとも、働く喜びを感じるようになったのです。一つの作物を植え付けてから収穫するまで、どれだけの日数がいるでしょう。その間についやされる労働力――。

同じ畑の口に何度もはいらなければならないものはがゆさは、身をもって体験する者にしか判らないことなのです。それにくらべ、うだつの上がらない収益に、腹立たしさを感じずにはいられません。今のこの農業の現状をどう切りぬけていくか……？ 後継者に課せられた重大な責任のような気がします。

後継者として生まれて、いやそういう運命にあった者として、このように女である私にも任せられた重大な責任は、これから先も、この私をもっともっと強くしていくことでしょう。

どんな失敗にもくじけない強い自分になろうと、肝に銘じています。「倒れざるを功とせず、倒れるごとに、起き直るを偉となす」のことばのごとく、一歩一歩、本当の農業人になるためにも、そして誰にも負けない後継者となるためにも、精一杯の力をそそぎたいと、今日もまた広々とした畑に立つのです。

（熊本県大津地区連機関紙『クローバ』六号より）

NHK農事番組（7月11日〜20日）

テレビ

明るい農村　6・30〜6・55　総合
11日　明るい漁村
12日　村の記録「あるリコール投票」茨城県那珂湊市
13日　きょうの話題―過疎調査は語る
14日　産物往来―らっきょう―
15日　話題の広場「ドライフラワー売り出す」妙高原町
16日　村をむすぶ　仙台、名古屋、広島、東京
17日　農村新地図（富山県黒部市・農業総研）並木正吉
18日　明るい漁村
19日　村の記録「米と5人の若者たち」秋田県湯沢市
20日　きょうの話題「世界農政ジャーナリスト会議から」秋沢修一

農業教室　7・30〜8・00　教育
12〜14日　大型養鶏と衛生（全国鶏卵販売農協連合会）長谷川保
15〜17日　豚の病気と対策（農林省家畜衛生試験場）笹原二郎

あすの村づくり　日　7・00〜8・00　教育　再　土　13・00〜14・00　教育
11日「グループだより」（佐賀県佐賀郡東与賀町）富竹茂「島の農業、その壁をやぶる」（愛媛県越智郡吉海町）藤沢豊彦ほか（茨城県猿島郡岩井町）砂川泰夫
18日「グループだより」（北海道厚岸郡厚岸町）小野寺徹雄ほか「稲作共同化とオペレータークループ」（福井県坂井郡三国町）古堂豊ほか「西ドイツ機械利用組合をみて」（NHK農林水産）秋沢修一

ラジオ

早起き鳥　5・41〜5・57　①
11日「兼業農家」
12日　現地にみるグリーンパワー〜第2回世界農業ジャーナリスト会議に出席して〜秋沢修一
13日　農民社長〜兵庫県三原郡三原町〜近江慶雄
14日　狙われる銘柄米〜新井市〜
15日　酪農留学から帰って（金沢市）掘祥
16日　土地ブームにわく開拓地〜大島町笠木地開拓〜
17日　ニンニクの生産団地を目指して（伊那市みすず農場）小林寛二
18日「スペシャル・シリーズ」都市化と農業―その①
19日　その②
20日　その③

話の広場　日　6・10〜6・30　①
11日　かんぴょう作りの里〜茨城県結城地方〜

新しい農村　6・00〜6・30　②
11日　農住都市をきく（協同組合経営研究所）一楽照雄ほか
18日　すすまぬ第2次構造改善（農林省農政局長）中野和仁

ラジオ農業学校　日　6・30〜7・00　②
11日　経営手帳「山村の経営改善」（鳥取県智頭町）山本耕太郎（新農政研究所）武田邦太郎
18日　優秀農家に学ぶ（北海道広島町）湯浅忠夫

眠らされている？…クラブ機関誌

――せっかく作ったクラブの機関誌です　全国の仲間に紹介してやって下さい――

全国の仲間は、あなたのクラブの機関誌を読みたがっています。生き生きとした情報に飢えてます。もっともっと交流を欲しています。ガリ版刷りでもかまいません。字が下手でもかまいません。とにかく、地域に眠らせないで！できた機関誌は、すぐ送って下さい。4H新聞のスペースが空いてます。

あらゆる機関誌を〈4H新聞〉へ送って下さい

青春と仲間

人は人を選べない ただ、惹かれてしまうだけ

佐賀県東脊振4Hクラブ 古川光恵

人間は生きようと思えば、必ず生きる道がひらけてくるって、おばさんのくちぐせでしたね。私が注意されるのはイヤと言うと、おばさんたら笑うんだもん、「人よりうまく出来ることで、注意されるなら怒ってもいいけど、出来ないことで言われるのはあたりまえ」って。

でも、よく苦しいことや悲しいこと、どんな困難にも負けずに一歩一歩前を向いていこうって言うけど、それは農業なら農業を二人でやってこそ、そんな感情も生まれてくると思うけど、別々ではねという気もします。

これまでの日々の苦労や喜びを明るく語るおばさんが好きです。別れる時、いつも素直な心と体を大切にして精一杯働くことができるなんて幸福と言った、おばさんの声が聞えそうです。

最後に、私の好きな言葉を書きます。「人間が人間を選ぶなどということは、本当は恐ろしくてできないのです。ただ惹かれてしまうということ、或る人の心のかげで雨やどりをしたいと思うことはあります。先に立って私の行けない彼方までずんずん歩いて行きそうな人が好きです。」

おばさん、今年こそがんばります。スマートになるように。

（佐賀県神崎郡東脊振4Hクラブ『あぜみち』二号より）

情報に流され 自分を見失う

福岡県広川4Hクラブ 梅本輝幸

現代人の感覚のすべてが若者にある。ファッション、流行語、フィーリング、この世の中のものすべてに新しい感覚でものごとをとらえる。そしてそれにうまく調和する才能を持った人、それが若者である。こう言えばなんだか進んだ考え方を持ったように見える。だが現実は、本当にそうなのだろうか。本当に進んだ進歩した考え方を持った若者ばかりなのだろうか？ 私はそうは思わない。

戦後二十五年あまりを経過した今、物質文明の花盛りのように思われる現在、若者は何を考え、何を求めて生きているのか？ この物質文明をうまく活用して自分のものにすることのできる若者が、何人いるのかそれは疑問である。多くの若者はただ流れこむ情報の中で、自分の生きる道を見うしなってしまっている。

情報化時代、これは物質文明が生んだある面ではすばらしい、だが一面では多くの人々の考えを、容易に同一化することのできる恐しい面もある。世論、これは現在では生まれるものではなく、作り出されるものである。正しいことであれ、間違ったことであれ、活字やテレビ、ラジオで報道されれば、それを信じたがるのが現代人である。自分の考えを持った人、自分で情報をもう一度かみ砕くことの出来る人がどれだけあるか？

この発達した物質文明が表面的には、若者に若者らしさを与えてきた。でも現在のこの生活環境は与えられるものが多すぎる。努力しないで手にすることがあまりにも多すぎる。豊かになったと言えばいいのかも知れない。でもそのために若者が、いや若者だけではない、自分で何か目的を持ちそれに向って歩く姿を忘れている。

「若者には夢がない」という言葉をよく聞く。これは若者にやる気がないということになる。大きな夢を持ちそれに向って努力する姿、これが若者である。物質文明、情報化時代の今日、与えられることしか知らない若者があまりに多すぎる。自ら必要なものを吸収し奪いとる努力が欠けた若者が悠然として町を歩いている現代社会である。

そのような中にあって、4Hクラブの若者は夢を持ち、その実現のため力を合わせ努力している。必要なことは自らそこに行って吸収している。一人で出来ないことは、クラブ員の協力で話し合いで解決できるようになっている。これが本当のクラブ活動の姿なのだといえば、これで広川4Hクラブは立派なクラブなのだと思われる貴方も、やはり物質文明に流されている一人、活字を見ればそれを信じる一人、もう少し深くなにごとも考えるようにして欲しい。

そうすることによって、作り出された流行的な個性ではない、貴方自身から生みだされた本当の個性を見い出すことが出来るでしょう。と言っても、書いている私自身、世の中の流れに流されている一人、物質文明の浮き草なのだ。

長靴のお話

山本和子

私は、長靴、白いレインシューズ。サイズは、24センチメートル。底のデコボコは、もう半分ない。両方に穴がひとつずつ。前の主人は、もう使いものにならないと言って、私を、あのジメジメした土間の隅に、おいやってしまったのです。

ところが、あれはたしか、去年の春のことでした。いきなり太陽の下に出され、小さくもなければ、靴足でもない、若い女の子の足が、私を、あの、大きくて、明るい大地の上へと、つれもどしてくれたのです。女の子は、お母さんと、言いあっていました。

「そんな、古い長靴なんかはかずに、地下足袋を、はきなさい。」

「やだよ。これからの百姓は、地下足袋なんか、はいているようじゃだめだよ！」

それから、毎日、田んぼの中、茶畑の中、私は、一生懸命、働きました。あの、歩きにくい砂の上だって、女の子は、重い足を運びながら、肥料を、かついだのです。

でも、私の口は、足にピッタリしないので、女の子の足首は、すれて、赤くなってしまいました。それでも、女の子は、私を脱ごうとはしませんでした。

ところが、とうとう、私にも限界が、来てしまったのです。それは、あの憎むべき雨降りの、次の日のことでした。田んぼの、みぞの中へ、女の子の足といっしょに、墜落してしまったのです。

前にも、言ったように、私には、穴があいていたのです。泥水は、どんどん、中に入ってきて、私を困らせました。女の子は、いきなり、私を脱ぎすてると、あの冷たい泥水の中を裸足で仕事を始めたのです。

それから、また私は、土間のすみっこ。ほこりにまみれて、もう半年……。

えっ、あの子は、どうなったかって？

そう言えば、仕方なく、地下足袋をはいたようでしたが、今年の春には、私の隣へ、破れた地下足袋が、引っ越してきましたよ。きっと、あの女の子が、新しい、二足目の地下足袋を、買ったんでしょうね。

（静岡県オーロラクラブ『めがみ』二号より）

うまいパイン

栃木県 遠藤隆夫

パインが多く一個三十六円から百円だという

沖縄へ行く前は、沖縄とはサンゴ礁の島であり、また戦跡の地、基地の島であるというだけしか聞いたことがなかった。だから期待する点もあったけれど不安もあった。いざふたをあけて沖縄につくと、これは夢のような魅惑の太陽のあざやかさ、特にサンゴ礁の海面、亜熱帯植物の青々と茂った所などは、私の故郷よりすばらしかった。気候は、本土での残暑のような非常な暑さを感じた。

民泊では、三人が中部の田部さん宅にお世話になったが、家族の方が暖かく迎えてくれ、親切さに打たれた。パイン、キビ畑、また各地を案内してくれた。特にパイン畑でのパインの味は、今も浮んでくる。民泊先は、農業耕地が少なく、両親でやっているとのことでした。農業に関する話がなくて、ちょっとさびしい気もしたが、気持を合わせ家族同様に楽しくすごした。多くの仲間を得、話の中で早く復帰を願う仲間と今後の農業へのきずなを結んだが、二日間と日程が短くなごりおしい別れをつげた。身をもって心のつながりが感じとれた。

南部戦跡地を見学したが、非常にきびしさを感じた。反面、基地はたくさんあったが、勇壮さよりもむしろ恐しさを感じた。その土地に住むものであれば、むしろ気にもしないが、やはり我々はおびえることがあった。また、経済上、基地に勤めている人がたくさんいて、民間企業へ勤めている人より倍もの給料があるとかで、日本へ復帰してむずかしいようなことを話しておられた。

全般的にみて、沖縄交歓のよさは直観的に感じとれたが、この機会を通じて、沖縄はむろん本土の仲間と大いに語らい、親睦を深め得たことは、これからの歩むべき道に筋が入ったように感じた。

沖縄を訪ねた私たち

（全協編『第二回沖縄親善交歓訪問報告書』より）

灰色の空の下に緑を ひとの心やわらげたい

岐阜県輪之内町4Hクラブ 大谷春雄

戦後、はや二十数余年経た今日の日本は、大戦に敗れながらめざましい経済成長ぶりを示し、目下、世界的にも例のない伸び方をしているが、今後も、より一層の伸び方が予想されるであろう。文化的にも、経済的にも、その他あらゆる面においても、かなりの余裕がでてきているが、そうした大きな伸びにともなって、その影響も表われだしている。

すなわち、近ごろ、特にやかましく騒がれ、問題点の一つとして取り上げられるのが、産業公害とでもいうか、それは、今後とも、大きく産業が発展するのと関連して、より深刻な問題となるから、検討を重ね解決してゆかねばならない。産業公害、すなわちそれは大気汚染、工場廃水、農薬害（残留性農薬）、その他多くあげられるが、それらすべてが自然に存するものを廃墟と化してしまうものなのである。

例えば、工場からの煤煙で大気を灰色と化し、工場からの汚水は水中の生物を殺し、地上からは緑をうばい、それだけならまだしも、最悪の場合には、人間、すなわち地球上すべての生命をうばいとるかもしれないのだ。このようにして、産業発展にともなって、その犠牲が人類にふりかかり、滅亡してもよいのだろうか？ 今後の政府の対策、検討に期待する。

こういったなかで、都市の公害は進み、年々、大きなビルディングが高く積み上げられ、そびえ立ち、緑、すなわち植物が公害の渦中で必死に育とうとしている。しかし、植物はそれに勝ちうるだけの生命力がうすれ、かつ亡び、都会からは植物すべてがなくなろうとしているのだ。

人間にとって、生命と緑、植物とは切っても切り離すことのできない何かが、目に見えないような糸でつながっているようだ。だから、人間誰しも、そういった縮型の建物のなか、すみに、どんな小さな緑でも見つけ、また、植えることによって、身心ともになごむ能力を持っている。

そこで私は思う。こうした都会のなかにも、公害に対処できうるものをよって、全国各地にあるグリーン・サービス業、緑化運動などにより、小さな緑でも増し、植えられることによって、人間の心はやわらげられ、生活にいこいと楽しみがでてくるのではないだろうか？ しかし、一番に大事なことは、一日も早く、公害の問題を解決し、以前の澄みきった空、いきいきと育つ緑を取りもどしうるように祈る。

米国での生活から

坂本重子

いなかの生活を望んで 会社員から農業へ

Ken Byerly家はワシントンにあり、七月十四日から八月十日まで、二十八日間滞在、宗教はプロテスタント、農地は約四十八エーカー、乳牛二頭、子牛七頭、肥育牛四頭、鶏、あひるが数羽であった。

十一年前に結婚されたお二人で、当時、奥さんは高校の体育の先生、ご主人は会社員で、新家庭の出発はトレイラー・ハウスで、各地を歩きながら、いろいろな仕事をしてお金を貯め、最初の子供さんが出来た時、マウント・バーノンという所へ家を建て腰を落着けたけれども、次の子供が出来て周囲を見渡したところ、車や人に一日中追い回わされる町の生活では、子供達も伸び伸びと育たないように思えたので、田舎へ移動しようと家を探していたところ、売りに出ている今の家を見つけ、中の様子を見て私が気に入り、すぐに改造してもらって、二年前に移ってきたばかりですと、奥さんが話しておられた。

今の時代に町へ出てくる人はあっても、田舎へ入って行く人は少ないので、みんな変な顔をして止められたけれども、私達は今の生活がとても好きなのですと、とても楽しそうに話される。全く子供達にとってはそのとおりらしい。

朝早くから外に出て走りまわり、周囲にあるものはすべて遊び道具にしてしまう。想像力が働きます。健康に育ちます――と奥さんは言われるけど、兄弟二人でしか、朝から晩まで遊べないのは寂しいのでは……という気持が私の心を走るけど、それは自由のない町の生活に比べたら、何でもないものかもしれない。子供達を見ていたら、そんな風にも思えた。

奥さんは、会社勤めの家庭に育たれた人で、農業は全く未経験だったそうだけれども、裏にある畑には各種の野菜が立派に作られており、収穫期には冷凍して保存できるものは、家族に必要な量をきちんと記録して保存しておられるのを見て、食べないで余った分だけは腐らせてしまう私達の方法と、あまりにも違いが大きいので感心しました。

その他の食料、衣服についても、自分で作れるものは自分で――と何でも手をかけられるので、家計費は他の家庭の四分の一～五分の一であげておられ、その腕の良さにも感心させられて、見習わなければいけないことばかりでした。

ご主人は、精神病院のリクレーションの担当者で、各種の行事に頭を痛めながら取組んでおられました。私も一日協力し、民謡を一緒に踊り、とても喜んでもらいました。

ご夫婦とも、とても深いキリスト教信者で、夕食前にはかならずお祈りをされ、毎週日曜日には、車で約一時間離れた町にある教会へ行かれます。そしてそこでご主人は大人の日曜座談会、奥さんは日曜学校の世話をしておられ、その熱心さには心打たれるものがありました。今まで入った家庭の中で、夫婦と子供との足並みが一番揃っていて、私も早く結婚してこんな家庭が持ちたいなあーと、未来に楽しい夢を持たせてくれた家でした。

うれしかったこと

①国際電話で家族全員と話をし、元気な様子を知った。

②三組のお客さんを、それぞれ異なる日に夕食へ招待され、全部終った後、「あなたの態度は、どのお客さんに対しても大変明るく、気持が良かった。どうもありがとう」と、ご夫婦からお礼を言われた時。

③カレンさんが、この家から車で約一時間離れた所にある、ご両親の家へ来られた時、私に「遊びに行っていらっしゃい」と許可して下さった。

④私の趣味がドライブと映画というのを知って、それに合った計画を立てて下さった。

⑤一日早い誕生祝いを、奥さんの手作りのケーキでして下さった。

⑥精神病院の人から、お礼の言葉を書いたカードをもらった時。

⑦近くに住んでおられる日本女性の家へ、連れて行ってもらい、日本食をご馳走になった。

悲しかったこと

①二人の男の子のうち、三歳の子の方に最後の一週間くらいまで嫌われ、その理由が何なのか分らなくて、とても悲しかった。

②一人で畑の草取りをして、昼食時間を大分過ぎたので家に入ったところ、「昼食は?」と聞かれる前に、「草取りは全部終ったの?」と奥さんから言われて、何とも言いようがなかった。

楽しかったこと

①カナダのバンクーバーへ行き、いろいろな所を見学した。

②日本食を三度作ったり、数多くのアメリカ料理を習った。

苦しかったこと

①4Hクラブと全く関係のない家だったので、時間を持てあまし、自分の立場や自分自身について、考えすぎる時がたびたびあった。（つづく）

精神病院で「岩国よいとこ」を、和服姿で患者と一緒に踊る坂本さん

私の道

最所康人

私は静かな人生を歩きたいという思いが心の中にある。道は田舎で広い水田の真中を真直に伸びている。私は歩いている。何をきっかけにかわからないがふと思う。私はなぜ進んでいるのかと。先にはまだ目標が見えない。それでも考えながら歩く。なにげなくあぜ道を見ると、カエルが二ひき日の光を受けまぶしげに私を見ている。それを見た時私はわすれものにきづいた。すぐにもと来た道をわすれた所にとりに行く、わすれものは友である。友と歩き、話したくなり、話すが何のことはない、一般世間のことである。私はくだらない話と思いながらも話していた。友はあきずに話していたが、道は真直なものだけでは価値が少ないのだと理解できるように話した。

私は直な気持で歩き実行した。ようするに真直な道から支道となる道を作ったのである。そうして水田利用度は高くなった。私の真直な道にもどり、また歩み始めた。まだ目標、たどりつく所がはっきりしない。しばらく何も考えずに歩く。ふと後をふり返って見た。その時見えた思い出がおいかけてくる。また前を向き歩く、目標が見えるような思いがする。足がだるくなる。自分が何であるかわからない。かがみを見る。疲れた体が映っている。その時目標が何であるか気づいた。それは終りというものである。私の道は真直な道だったけど、たちもどり横道にはいり時間をかけて歩いて来た。でも真直な道をそのまま歩くと目標を早く知り到着してしまう。私はゆっくり歩きあじわいながら歩きたい。私の考えも変っていくことだろう。そして友とはいいものである。

（佐賀県東脊振4Hクラブ『あぜみち』二号より）

クラブ紹介

転作にりんどう 共同プロ

熊本県阿蘇郡南小国町〈一志会〉

私達のクラブ・一志会（会長、大塚良親君）は、九州のほぼ中央に位置し、熊本県の最北端、北東面を大分県と接し、「小国杉」といわれるほどに、杉の最適地であります。減反調整がしかれ、水田の転作に、葉タバコ、養蚕、高冷地野菜が急速に伸びようとしている中で、私達のクラブは、熊本県花であるりんどう、それとたにしの養殖を始めました。

りんどうは、長野県が主力となっていますが、私達のクラブはそれにひきかえて、よちよち歩き程度、暗やみの中を手さぐりで歩く状態ですが、でも、このプロジェクトに、クラブ員全員が力を注いでいるわけです。六月現在、一年生の苗の草丈の伸びもよく、成育は順調で、この分でいけば、来年度は耕作面積がもっと伸びる可能性があると思われます。

私達の地域では、農家の収入の半分以上が山林で、残りは水田、葉タバコ、養蚕、畜産など、そのために今まで、農業は「曲り角」と言われながらも、のんびりと暮すことができましたが、このように、世の中がせちがらくなって来ますと、どこへ行った方がお金が取れるとか取れないとか、出稼ぎに行く人が申します。ボヤーとのんびりしていては、農業はできない!! と、農民が現在の世の中の流れにとけこむようになり、少しずつ、異例のものをやり始めております。

長野県のクラブ員の中で、りんどうを栽培されている方がおいででしたら、ご指導を受けたいと存じます。

〈河津スヤさん発〉

日本4H新聞
4Hクラブ
農事研究会
生活改善クラブ
全国広報紙
発行所
社団法人 日本4H協会
東京都市ケ谷家の光会館内
電話（269）1675郵便番号162
編集発行　玉井　光
月3回・4の日発行
定価　1部　20円
一カ年　700円（送料共）
振替口座東京　12055番

「4Hの祭典」いよいよ開幕

第7回全国4Hクラブ員のつどい

愛知農業を表面に

注目さる現地交歓訪問

4Hの祭典――全国4Hクラブ連絡協議会（会長　黒沢健一君）、愛知県4Hクラブ連絡協議会（会長　鳥居久雄君）、社団法人日本4H協会（会長　宮城孝治氏）共催の「第七回全国4Hクラブ員のつどい」は、愛知県下全域を会場として、十二日花々しく開幕した。参加者は、全国の4Hクラブ員を中心にOBとその家族、海外のクラブ員、農村青少年育成指導者と来賓など最終日の十六日までには千四百名を上回ることが予想され、人員においてこのつどいの最大の規模となることがほぼ確実となった。また、行事面では、現地交歓訪問を主体に、自らの手で企画運営し、自らのために開催するという4Hクラブ員のつどいにふさわしい内容が盛り込まれており、全国のクラブ員はじめ関係者から期待が寄せられている。

新たに市内パレードで気勢

このつどいは、日本農業の担い手として、農業の改良と生活の改善に努力している4Hクラブ員が自らの手で企画運営し、自主性の高揚を図るとともに、クラブ活動状況の話し合いや現地交歓訪問などを通して新しい技術の研鑽、仲間づくり、さらには地域社会から理解された家族ぐるみの4Hクラブ活動を推進しようというもの。

今回の大きな特色は、農村青年の意気を示し、4Hクラブ活動をPRする市内パレードが新たに組み入れられたことや、つどいの主軸となる民泊による現地交歓訪問が昨年と同じく一日目から行なわれ、しかも、三泊四日の日程で行なわれることなどである。とくに日本のデンマークといわれる先進的な愛知県の農業がクローズアップされ、それが行事の中で強く打ち出されている。このため、民泊ではあらかじめ参加者のプロジェクトを聞き、それと同じプロジェクトを進めている県内のクラブ員宅に宿泊できるように配慮しているほか、愛知用水など農業施設、先進農家の視察などを行なうことにしている。

この現地交換訪問では、各ブロックごとに特色ある行事が組まれ、交流の場を大中小の規模で行なうように計画されていると同時に、愛知県連が今回のつどいのキャッチフレーズとして「肌で感じる愛知の農業」とうたっているように日本のデンマークといわれる先進的な愛知県の農業がクローズアップ

民泊先では、必ず農作業の体験をしながら、家族や地域ぐるみの4Hクラブ活動を進めることにしている。

また、開会式や閉会式、若者の祭典（キャンプファイヤー）などでも、これまでのスタイルを破る工夫が試みられており、このつどいに示す愛知県連クラブ員の意欲のほどがうかがえる。

なお、この「全国のつどい」では、開会前に台風に見舞われたり（昨年の佐賀）猛吹雪にあったり（第三回の富山）したことはあるが、ほとんど天候に恵まれてきた。今回も、屋外での行事が多いだけに好天が期待される。

つどい の主な行事 は次のとおり。

十二日　受付け（名古屋城前）、開会式（愛知県文化講堂）、現地交歓訪問へ出発＝ブロックごとの歓迎会、郷土品の交換、ブロック別宿泊。

十三日　現地交歓訪問＝地区の紹介、部門別グループ討議、ブロックごとに優良農家の視察と話し合い、クラブ員の家族との話し合い、クラブ員宅宿泊。

十四日　現地交歓訪問＝農作業の体験、地域指導者との話し合い、クラブ活動状況の話し合い、地域への奉仕活動、単位クラブ別行事、クラブ員宅宿泊。

十五日　ブロック別に県内の農業施設などを視察、三ヶ根山頂のつどい、若者の祭典（宮崎海岸）、自由交歓、旅館（吉良）

十六日　記念講演（岡崎市民会館）＝講師　若い根っ子の会々長・加藤日出男氏、郷土芸能、閉会式、解散。

涼風暖風

家憲"大きい者が悪い"

私達の兄弟は、男五人女六人の十一人で、最近のように、一人っ子、二人兄弟というのに比べれば比較にならない程の大人数といえよう。その十一人は、子供中心の父母の愛情のもとに、全員が健康で育っただけといえばそれだけであるが、他人に言われて気のつくことは、みんなが仲がよくて、お互いよく助け合って来たものだ。大勢いれば、中にはいろいろとよいことや悪いことがあるものであるが、それがまた、大体十一人揃っている。とび抜けてよいものもいないかわりに、人を困らせるようなものもいない。まあ、一口で言えば、どんぐりの集まりということである。

十一人といえば想像のつくことであろうが、一チームでスポーツをしても、遊びをしてもこの人数で結構たのしめる人数である。

そのチームの中を貫いて来たものは、"大きいものが悪い"ということである。けんかをすれば、"大きいものが悪い"と叱られ、小さいものを泣かせば"大きいものが悪い"と父に一喝される。子供の一つの違いは、力・知恵・能力において大きな開きがある。育っていく過程では、少しでも大きいものは常に優位にあって対等ではない。常に弱いものをいたわっていかなければいけないというのがその心にあることで、これは、かつての我が家の家憲ともいうべきものであった。

考えてみれば、家族という集団は、年齢の開き、能力、興味にも各々大きな違いのある集まりである。ここで力の強いものが、一方的にその力を発揮したのでは、家族集団として、また十一人の兄弟姉妹の集団として成りたたなくなる。一つでも大きい優位にあるものが、常に年下の弱いものを助けいたわっていくというのは、当然といえばそれまでのことであるが、小さい子供の頃には折々納得のいかないこともあった。

× × × ×

こうして十一人はこのチームの中で、もまれ、みがかれ成長し、ようやく一番下のものも成人式を迎えるようになった。もう全員一人前の大人である。そろそろ上の方は、数年すればいわゆる定年近くなるというようになってきた。

そこで、"大きいものが悪い"という家憲改正をしてもよいのでないかという気がする。例えば、"年上のものを大切に"とか"若いものが悪い"とか……こういうと内ゲバがおこるかしら？　いや上半分は賛成するだろうなど……。

しかし、こうひらきなおらなくとも、これまでの家憲は、自ずとこういうことになって来ているようにも思われる。そうして、最近、一人っ子、二人兄弟、教育ママ、家族とはなどについていろいろと論じられていることに対し、兄弟の多い中で育てられたいくつかのことと、その長所をあらためて考えるこの頃である。そしてまた"大きいものが悪い"という我が家の家憲のありがたさをしみじみ思う昨今である。（T）

なぜ、開くのか

「全国のつどい」先輩の意を汲もう

全国4Hクラブ員のつどいも今年で早くも第七回を迎えた。参加者は毎年増加の一途をたどり、今回は千四百名を越えることが予想されている。参加者数だけをとれば、これまでの最大の規模になる。さる四十年、大分県城島高原に三百余名の同志が全国から集まり、旗上げした第一回のつどいを思えば、著しい発展といえる。その後、全国に連鎖反応の現象を起こし、各県連の行事にも、「つどい」という名称を使った催し物がふえており、いまや、この全国のつどいを軸として全国に大きな渦を巻き起こしているようだ。

これは、つどいという名称自体から受ける気軽さ、柔らかさなどが好まれているだけでなく、自分たちの大会を自分たちで開こうという意欲、そして、民泊による現地交歓訪問を通じての仲間や家族との交流、農業技術の学習、家族と地域ぐるみの4H活動の推進など、全国のつどいの特色がクラブ員に受け入れられているためであると思われる。

しかし、参加者を含んで、どれだけの人が、このつどいの本当の意義や、先輩たちが、なぜ、このつどいに心を強く駆り立てられ、周囲の非協力という厳しい状況の中で、血と汗を流しながらそれを実現させたかを理解しているかは甚だ疑問だ。表面的な形式だけをみて、このつどいを評価するのはその端的な例である。それでは、このつどいの根底に流れるクラブ員の精神を見失っていることになる。

先輩たちが、このつどいを開催するに至ったのは、まず、自分だちの大会を自分たちの力で持ちたいという心のさけびからであった。それは、可能性に挑戦する若者の冒険でもあった。とくに、将来の農業に対する不安感、仲間の減少、4H精神とクラブ意識の低下、クラブ員と組織の自主性の喪失などの危機感がそれぞれに拍車をかけ、4Hの旗の下に同志が集まり、共鳴する人たちとともに再出発しようと願ったのである。また、4Hクラブ活動は、家族や地域から遊離したものでなく、それらから理解され、支援されるようにしなければならないという必要性から家族と地域ぐるみの4H活動の推進、そして、仲間や家族との交流を図り、農業技術を学ぼうと民泊による現地交歓訪問を取り入れていったわけである。

このことを忘れて、お膳立てされた場所にお客的な態度で臨むとすれば、このつどいの意義も半減し、形式化の中にその魂が薄れてしまうことになる。

これは、このつどいの大きな特色でもあり、他の大会と区別される点である。よく、このつどいと技術交換大会との関連が論じられ、参加者も同じ農村青年で、やることも大体似ていると同一視する意見があるが、つどいにはこのように個性的で、自主独立の精神が底深くとうとうと流れていることを思い起こす必要がある。青年の純粋な心の発露は抑えることができないし、それを正しく伸ばすよう力を借す方が賢明であろう。

次に、第一回のつどいを開催したときの全協会長であった小川重雄氏（埼玉）が、昨年本紙に寄せられた手紙の中から、つどい開催に至った経過の主な点を紹介してみよう。

「将来の農村に、必要なのは、個人技術よりも、農村社会全体が力を合わせて組織力を持つことである。これは、生産性の低い農業が、世界経済のなかでひけをとらない力をもつこと、生産地形成、計画生産、そして計画出荷、生産地から直送で消費者へというような流通機構の改善、それに伴って価格安定の農業——そういう近代化された農業を実現し得るのは、青年の力以外にはない。それも全国的な組織力をもつ4Hクラブ員が……と私たちは考えていた」

「青少年の心・頭・技・健を磨き、立派な社会人に成長するための人間形成の場としての役割をもつ4Hクラブが、このままで衰退すれば、農村青少年は農業という職業の技術だけを身につけた人間（労働者）になってしまう。それにどう対処していったらよいか、絶えず論じていた」

大いに吟味すべき言葉であろう。

このつどいによって、意識のめざめとなるか、また、無意識の中に戻ってしまうか。そして、参加費以上の収穫を得られるかは、参加者一人ひとりの自覚にかかっているわけである。

堂々と各県連旗の入場行進＝昨年のつどいの開会式で

農家で生活・交歓

中華民国のクラブ員来日

中華民国（台湾）代表の4Hクラブ員（草の根大使）二人＝張明伝君（二〇）と廖金卿さん（二〇）＝は、さる七日、予定より一時間遅れて午後四時二十分、羽田着の日本航空機で来日した。これは、国際農村青年交換計画に基づいて社団法人日本4H協会の招きで来日したもので、中華民国からの訪問は今年で五回目。

張君と廖さんは、空港ロビーで出迎えの新田事務局長ら4H協会職員に来日のあいさつしたあと都内の宿舎に向ったが、途中、高速道路の自動車の混みようにはビックリ。また、東京タワーや貿易センターにも目を見張っていた。

張君は片仮名、廖さんは平仮名を読むことが出来、簡単な日本語を話せるが、漢文による筆談の方が通じ易い。辞書を片手に日本語を覚えようと懸命だった。台湾の気温は現在三十六度くらいだという。

二人の滞在期間は三ヵ月間で、宮城、山梨、京都、島根の各府県の受入れ農家に入り、その家族の一人として生活する。その間、第七回全国4Hクラブ員のつどいや第十回全国農村青少年技術交換大会などに参加し、日本の農業や農業生活、4Hクラブ活動などについて学ぶと同時に、民間外交官として両国の相互理解と親善に努力することになっている。

二人は、八日に関係方面へのあいさつ、九、十の両日は農林省によるオリエンテーションを受けたあと、十一日、4H協会職員とともに「全国のつどい」が開かれる愛知に向った。

二人の受入れについては、全国農村青少年教育振興会はじめ各府県の協力を得ている。

二人の経歴は次のとおり。

①出身地②家族③宗教④学歴⑤組織活動⑥農場経験⑦趣味⑧関心事項

張明伝君　①彰化県②両親、妹、弟など七人③仏教④彰化県立渓州中学校⑤四健会（4Hクラブ）会員九年⑥水稲、畑作、家畜、家禽⑦歌、ハイキング⑧農機具操作、共同経営、肉牛飼育

廖金卿さん　①雲林県②両親、兄夫婦、弟妹、甥、姪など十七人③仏教④高芳中学卒業⑤四健会（4Hクラブ）会員三年⑥水稲、そ菜、家畜、家禽⑦バスケットボール、音楽、民謡⑧農村の生活など

二人の主な日程

七月十二日～十六日「第七回全国4Hクラブ員のつどい」（愛知県）に参加▽十七日　上京▽十八日　フリー▽十九日～三十日　宮城県の農家に滞在▽三十一日　岩手県へ

▽八月一日～四日「第十一回全国農村青少年技術交換大会」（岩手県）に参加▽五日～二十三日　山梨県の農家に滞在▽二十四日　上京

▽二十五日～九月十二日　京都府の農家に滞在

▽十三日～二十九日　島根県の農家に滞在▽三十日～九月一日　上京▽二日～三日　フリー▽四日　滞日報告会▽五日　帰国準備▽六日　羽田空港から出発、帰国

来日した中華民国の草の根大使・張君（左）と廖さん＝羽田空港到着ロビーで

物質的喜び追うな

静岡県連会長会議

【静岡県＝鈴木政美連絡報道員発】静岡県農村青少年クラブ連絡協議会（会長　渥美[illegible]君）は、このほど賀茂郡南伊豆町の国民休暇村で県下の単位クラブ会長会議を開催した。当日は、各地域（西部、中遠、中部、東部、賀茂）の七十五クラブから会長六十五名が出席、県連の事業計画と組織強化について討論、また、示唆に富む講義によって、明日へのクラブ活動、農業者としての自覚を高めた。

◇　◇　◇

一日目　まず、あいさつに立った渥美県連会長は「それぞれのクラブ活動の中における問題点を出し合ってその解決策を見つけ、県連と地区連との連絡を密接にしてほしい。県連としてもクラブの組織強化に重点をおいて活動して行きたい」と述べた。

このあと「リーダーの果す役割について」というテーマで国立中央青年の家の夏目英次氏の講義があった。内容は、とにかく青春時代においては青年活動を行なう必要がある。青年時代に与えられた特権を大いに生かすべきだ。また多くの職業人と常に接して意見を述べ、その中から新しいものを見つけてほしい。青年時代においては余り物質的な喜びは好ましくない。型破りの人間になれ——などというもので、示唆する点が多かった。

二日目　県連の事業の進め方や組織の強化策について、鈴木政美事務局長から説明があった。これに関連し、①リーダー研修会はぜひ二回開催してほしい②スポーツ大会を、クラブ員だけではなくOB、家族の人たちも一緒にできるような運動会的なものにしてほしい——などの要望が出された。また、一番問題となっている4H会館建設資金の募金活動についてはどの程度進んでいるかなど数多くの建設的な意見が出された。

ひきつづいて、「農村青少年に期待するもの」と題して県後継者養成課の田中太四雄課長補佐の講話があった。内容は▽失敗しても若者は恐れるな▽農協や役所などに余り頼るな▽常に世の中の動きをキャッチしてほしい▽今後の農業者に必要なことは、想像力、意志力、総合直感力、判断力などである▽技術革新の中心が情報、流通、消費に移る社会である——など、多くの問題点が出された。

都市化の波に対応

神奈川県連でリーダー研修会　変質迫られる活動

【神奈川県＝鈴木時保連絡報道員発】神奈川県農村青少年クラブ連絡協議会（会長　杉崎正章君）では、このほど二日間にわたって相模原市青年の家で、リーダー研修会を開いた。

年々都市化の波が激しく迫ってくる神奈川では、クラブ活動を展開していく上においていろいろの問題があり、変革を余儀なくされているため、その実情をくみとった行動を行なえるリーダーが必要となっている。そこで、この研修も、そうした幅広い視野と変化に対処できる知識を養うために開かれたもので、これには各地区連から四名と県連役員、また助言者、県連参与など約五十名が参加した。

一日目は、県連事業の説明のあと、「クラブ活動とリーダーシップ」と題する講演があり、続いて分科会が開かれ、講演の内容と参加者からあらかじめ提起された問題について話し合った。

二日目は、レクリエーションの講義のあと実技の指導を受けた。つづいてレポート作成、自由討論による分科会、全体会議などが開かれた。

この研修会は、場所や内容など従来のカラを破った画期的なものであったためか、参加者から大変好評だったようである。

心頭技健

今回の参院選における自民党不振の大きな原因として、自民党が農村部に対する"神通力"を失いつつあることがあげられている。米価の据置き、米作減反など「コメ過剰」という異常事態の中で、農民は将来に不安を感じている。それが票になって表われたとみられるわけである▼農民は、選挙に関して組織として動くわけではないから、それも推測として受け取られるものだが、たとえそれが票に結びつかなかったとしても、農村で、いま、将来の農業に対する不安と、場当り主義的な農政に対する不信が渦をまいていることは確かだ▼開田、借金して水田を基盤整備したあとの休耕、土地不足、高い土地の贈与税、さる六月三十日から自由化したグレープフルーツによるみかん農家の打撃など、農民の悩みは多く、クラブ員にしても、農業に対して意欲を持ちながらも、どうすればよいかと迷っている▼農林省は昨年暮れ、農業新地図（農業生産の地域指標）をつくったが、各品目ごとに国内で自給する数量など、日本の農業のはっきりした方向を示されなければ、農民としても計画を立て難いのが現状だ▼赤城農相は行詰った農政を打開するため、農地の流動化と農業経営の規模拡大をはかる「農地管理事業団」の構想を再び検討する考えをこのほど明らかにしたが、農業と農村建て直しに効果があるものとみられている▼これは、数年前、二度も国会に提出されながら日の目を見なかったものだが、これが実現すれば、減反政策で稲作に見切りをつけた農家からの土地の流動や、農村への工場導入が容易になるという▼農民としても、農政に頼っているだけでなく、自分たちの経営の体質を改善していく必要があるが、早く、何んとか見通しをつけないと、農民の動揺が続くばかりである。とくに、人格形成期にあるクラブ員までが、その渦中に巻き込まれて、実利的な目先の金儲けだけに走ってしまい、将来の日本にとってマイナスの面が出てくることが心配される▼十二日から愛知で開かれている「全国クラブ員のつどい」でも、これらの点についてクラブ員同士で大いに話し合ってほしいと思う。

演示発表や技術競技
第11回全国農村青少年技術交換大会 8月1日から岩手で

第十一回全国農村青少年技術交換大会は、社団法人全国農村青少年教育振興会（会長　東畑精一氏）、岩手県、同県農村青年クラブ連絡協議会（会長　及川正紀君）の主催、農林省、NHK、全国4Hクラブ連絡協議会などの後援によって、八月一日から四日までの四日間、岩手県盛岡市の岩手公園、教育会館などで開催される。

キャンプ張り交流

この大会は、日ごろ農業経営や農家生活の改善について研究実践している全国の農村青少年の代表が、農業や農家生活について、それぞれの知識、技術や意見をお互いに交換するとともに、野外活動を通じて新しい農業と農村を担ってゆく自信と連帯感をつちかうことをねらいとするもの。

参加者は、全国の農村青少年代表、海外農村青少年代表と各県青少年指導関係者など千二百名、大会運営委員二百名の計千五百名が予定されている。

主な行事は、各県代表による演示（プロジェクト）発表と技術競技、キャンプ村設営による村ごとの話し合い、州ごとの営火、全体交流集会、全体営火、国立公園八幡平地域の自然観察と見学など。

一日目は、盛岡駅前で午後一時まで受付け、そのあと教育会館、水産会館、公会堂などで州ごとのオリエンテーション、三時から村ごとの話し合いと記念品の交換。夕食のあと六時からパレード、つづいて岩手公園で開会式と歓迎の夕べが行なわれる。

二日目は、滝沢村根子平のキャンプ場で午前九時から結団式と村の設営、共同炊事による昼食のあと午後五時まで演示発表。つづいて共同炊事による夕食、七時から州ごとの営火。

三日目は、州ごとに朝のつどいのあと朝食、午前中技術競技。この間、盛農青年館で都道府県担当者会議が開かれる。午後は、話し合いのあと全体交流集会、夜は全体営火。

四日目は、解団式、朝食のあと午前九時からテントを撤収し、八幡平頂上で自然観察、午後一時半から県営体育館で閉会式を行ない盛岡駅で解散する。

なお、今回は、大会のスローガン、マーク、賛歌を全国のクラブ員と育成指導者から募集、決定した。

今年は民泊も
北駿4Hクラブの「富士登山の集い」 農業施設を見学

【静岡】過去四年間にわたって全国のクラブ員に呼びかけて「全国4Hクラブ員富士登山の集い」を実施してきた北駿4Hクラブ（会長　勝又政明君・クラブ員二十三名）は、今年も第五回目の集いを計画し、全国のクラブ員に参加を呼びかけているが、このほどその具体的な実施要領をまとめた。

それによると、今回は、地元クラブ員と参加者の親睦を深めるため、これまで行なってきた施設での宿泊をやめて、民宿を行ない、クラブ員の家族も含めて話し合うことにしている。また、これまでの名所案内のかわりに、農業の施設などを見学するようにしているので、大勢のクラブ員の参加をと望んでいる。

実施期間は、来る八月二日から四日までの三日間で、六十名の参加者を予定している。

会費は、宿泊代、バス代などを含めて一人三千円。

日程は次のとおり。

一日目（二日）　午後一時から五時半まで御殿場駅で案内、駿東郡小山町の静岡県用沢研修所で受付け、このあと同所で開会式、オリエンテーション、交歓会（分科会形式による話し合い）、民泊（クラブ員宅）

二日目（三日）　午前八時半までに用沢研修所に集合、近くにある農協経営の養鶏場など農業施設を視察し、富士霊園で昼食。午後から登山、午後六時半に八合目到着、山小屋に宿泊。

三日目（四日）午前四時に出発しご来光を仰ぐ。おはちまわりなどをして九時に下山、十二時ごろまで御殿場口に到着。公民館で昼食、反省会を最後に午後三時ごろ解散する。

※携行品　セーターなどの防寒衣、雨衣、手袋（軍手など）、丈夫なはきもの、懐中電灯、アルコール分のない飲物、このほか参加者が必要とするもの。

成功する共同経営
年間売上げ 7000万を越す 5周年迎えた「芳松園」

【静岡県＝鈴木政美連絡報道員発】共同事業を成功させて注目を集めている農業組合法人芳松園（組合長　中津川高治氏）の設立五周年を祝う記念式典が、さる六月二十五日、浜松市田町にある観光ホテル高砂園で地元選出の県会や市会議員など関係者七十三名が出席して行なわれた。

この芳松園は、浜松市から南へ三㌔行ったところにあり、周囲には、日本三大砂丘の一つ・中田島海岸、また、すぐ近くには完成したばかりの浜松バイパス（国道一号線）が通っており東名浜松インターチェンジ。日本では初めての内陸コンテナ基地もある。このような地理的条件の中で、さる四十一年六月二十九日、組合員十一名で設立した。現在は、温室五十五棟、面積が七千二百五十平方㍍、年間メロン、四作半で、年間売上げは七千万円を越えている。この実績が注目され、いまでは新興産地で有名になった千葉県をはじめ茨城、福岡、兵庫、岡山などから一年あるいは二年間の研修に来る人も多く、現在九名の研修生が働いている。このように共同事業が成功しているケースは県下では見当らず、4Hクラブ員のよい目標となっている。

天皇杯など数々の賞を受賞した芳松園の温室

全国4Hクラブ員 沖縄親善交歓訪問
『全協号』で沖縄へ
11月22日から7日間 2泊3日の現地交歓

全国4Hクラブ連絡協議会（会長　果沢健一君）は、今年度も全国4Hクラブ員による沖縄親善交歓訪問を実施することになり、その参加者を広く全国から募っている。＝関連記事4面にあります

この沖縄訪問は、全協の一会員である沖縄4Hクラブ連絡協議会のクラブ員が本土を訪ずれて交流する機会が少ないため、本土から沖縄へ出かけて相互の理解と親睦を深め、4Hクラブ活動の健全な発展にも役立てようというもので、今年で三回目。

とくに今回は、最後の訪問になることが予想されるため、飛行機一機をチャーター、『全協号』として往復するよう準備を進めている。また、昨年初めて実施して好評を博した民泊は、もっと交流の時間を伸ばしてほしいというクラブ員の強い要望から今回は一日ふやし、二泊三日の現地交歓訪問を計画、期待に応えるようにしている。

飛行機チャーターということから参加者も昨年の六十名の約二倍の百十名を予定、全国のクラブ員に参加を呼びかけている。この訪問では沖縄のクラブ員との交流だけでなく、規律ある共同生活を通じて参加者同士の強い結びつき、心のふれ合いや意見交換のよい機会となっているので、大勢の参加申込みが期待される。

第三回沖縄訪問の実施要領は次のとおり。

【期日】今秋十一月二十一日〜二十八日まで　八日間（事前と事後の両研修各一日を含む）

【参加者】4Hクラブ員、OBとその家族

【募集人員】百十名

【経費】一人当り五万七千円（大阪までの往復は個人負担、大阪―沖縄間の交通、宿泊、渡航手続きに要する費用などを含む）

◎予約申し込みをするため、応募と同時に全額納入すること

【提出書類】①履歴書　一通　②住民票　二通　③写真（タテ・ヨコ五㌢程度のもの）三枚　④道府県連会長推薦書　一通（二名以上の場合は一括推薦書）　⑤昭和四十四年六月以降沖縄へ行った人は、その時の旅券をあわせて送付すること　⑥論文　次の中から一題を選んで、四百字詰原稿用紙二〜三枚程度にまとめること

▽自主的な4Hクラブ活動と組織強化について▽わが家の農業経営▽4Hクラブ員として沖縄で知りたいこと▽私たちと4Hクラブ

【申し込み締切日】来る八月二十日

【申込み先】東京都新宿区市ヶ谷船河原町十一　家の光会館内　全国4Hクラブ連絡協議会事務局

【日程】

▽十一月二十一日（日）　大阪府立青年の家（同府三島郡島本町桜井）に集合、入所式、事前研修、予防注射、渡航手続き

▽二十二日（月）　結団式、午後十二時二十分大阪国際空港出発（日航機・ボーイング727、チャーター機）同二時二十分沖縄・那覇空港に到着、関係機関へ表敬あいさつ、オリエンテーション、名護市内の旅館に宿泊

▽二十三日（火）　沖縄クラブ員との対面式（名護青年の家）、沖縄農村青少年技術交換大会に参加、意見交換会（話し合い）、キャンプファイヤー、名護青年の家に宿泊

▽二十四日（水）　前日にひき続いて技術交換大会に参加、民泊による現地交歓訪問へ出発、沖縄農業の視察、クラブ員宅に宿泊

▽二十五日（木）　現地交歓訪問、観光地視察、クラブ員宅へ宿泊（民泊）

▽二十六日（金）　現地交歓訪問、那覇市に集合（正午）、沖縄の歴史を訪ねて（南部戦跡＝糸満、ひめゆりの塔、健児の塔、摩文仁丘への慰霊と、守礼の門などの見学）、夜は自主的行動

▽二十七日（土）　関係機関へお礼のあいさつ、午後二時二十分那覇空港を出発、同四時二十分大阪国際空港に到着、帝釈（たいしゃく）寺に宿泊

▽二十八日（日）　事後研修、解団式、解散

栃木県連
頑張れ！村上君
「青年の船」に乗船

【栃木県＝井野口芳弘連絡報道員発】青年に視野を広めさせ、幅広い教養を身につけさせようと、総理府が実施する第五回「青年の船」の一般団員に、栃木県連の村上憲一君＝塩谷郡塩谷町大宮一三九二＝が、栃木県推薦として選ばれた。

村上君は、四十五年度の県連役員で、事業報告やレクリエーションなどには積極的に買って出る意欲的な青年。総会でも、わざわざギターを持ってきて、昼食どきなどでは美しい音色でみんなを楽しませたほどだった。

いつも指導的な立場にいた明朗活発な同君、青年の船では日ごろのクラブ活動の体験を生かして、大いに活躍が期待されるところである。われわれの代表として、頑張れ！村上君。

第八回迎えた「近畿のつどい」
座談会、体力作り
8月21日から3日間、奈良で

【奈良】近畿農村青少年クラブ連絡協議会（会長　己波義司君）は、社団法人全国農村青少年教育振興会（会長　東畑精一氏）と共催で来る八月二十一日から二十三日までの三日間、奈良県山辺郡都祁村吐山の同県青少年野外活動センターで第八回の「近畿地方農村青少年のつどい」を開催する。

これは、近畿地方の農村青少年が一堂につどい、相互の親睦を深めると同時に日ごろの研究成果をもとに社会や経済、農業を的確に把握、分析し、また情勢の変化に対応できる実践的人間形成をめざそうというもの。

実施要領は次のとおり。

【テーマ】「私達は何を求め、何をなすべきか」

【後援】近畿農政局、奈良県、滋賀県、京都府、大阪府、兵庫県、和歌山県、全国4Hクラブ連絡協議会、NHK

【場所】奈良県農協会館（奈良市大森町）……開会式、奈良県青少年野外活動センター（山辺郡都祁村吐山）……主会場

【参加者】営農に従事する農村青少年　約三百五十名

【行事】意見発表会、講演会、座談会、体力づくり、キャンプファイヤー、グループタイム、飯盒炊飯など。

【運営】近畿農村青少年クラブ連絡協議会の委員が中心となって行なう。

【参加経費】一人三千円

【事務局】近畿農政局構造改善部農産普及課内に置く

日程の内容

つどいのスケジュールは次のとおり。

一日目は、奈良県農協会館大会議室でオリエンテーションのあと正午から開会式、午後一時から意見発表会、つづいて二時から講演会、三時からバス教室として史蹟めぐりしながら奈良県青少年野外活動センターに向う。同所で六時半から入村式を行ない、七時からグループタイムとして各宿舎ごとに話し合いをする。

二日目　朝のつどい、清掃、朝食、散歩などのあとA・B二つのコースに分かれ、午前九時からAコースは座談会、Bコースは座談会と飯盒炊飯、午後一時から体力づくりのあと三時からAコースは飯盒炊飯、またBコースは再び座談会を行なう。五時から散策と入浴、七時からキャンプファイヤーをくりひろげる。

三日目　朝のつどい、清掃、朝食、整理整頓のあと午前九時から座談会の報告と全体討議、つづいて閉会式を行ない、正午、バス移動し天理駅で解散する。

畦道
ゆれ動く心……

"Flowing"――全てのものが流動化し、あらゆる固定したものが固定したままでいると崩解する時代であるーと、現代にたいして広告産業すらこう叫んでいる。たしかに、時代は揺れ動いているような気がする。

それは次のように目に映る。底辺で生活してきた人々にとっては"解体"への危機感として、また社会を動かす人々にとっては"整備・再編・近代化"の必要性として。だがしかし、揺れ動いているのは、そのような物質的なことばかりではない。

"倫理""論理""価値"、それら全てが人々の頭の中でゆらゆら揺れている。「変化、変化、変転、変転、変化しないものは価値がない、安定もない。変化することが正しい」。再び、どこかで広告屋がこう叫んでいる。

そして、一切が流動化する時代とはまた、一切の人々が"新たなるもの"を希求する時代である。その時、人々はなぜ"新たなるもの"を求めはじめるのか？少々の危険や損失を無視してまでも。それは、それまでのままでは"生きている実感"が得られないからだ。自分が自分であるためには、どうしても新たなる実感が必要だからだ。ちょうど、ジキル博士が新鮮な血の匂いを求める時のように。つまり、流動化する時代での新たなるものとは"根源的なもの"である。いま、人々は自己にとっての根源的なものを求めはじめている。だから、根源的なものも人それぞれによって、様々に分極化していくだろう。やがて、その根源的なものへ向って人々の大移動がはじまるという白日夢的な予感がする。

ところで、現在の日本では、人間の豊かさといったものがギリギリと解体されつつあるとよく言われる。それは、人間にとっての根源的なものが、ギリギリと狭められていることを意味しないだろうか。労働。性。自然。これらの全てが、せちがらく商品化され、一人ひとりの人間にとって自分のものではないかのように侵蝕されはじめている。だから、いま人々は、平穏無事に見える生活から、脱却しようと揺れ動くのであろうか。（T）

コース別に毎月一回勉強
阿南地区で研修会

【徳島】阿南農村青年研修会の開講式が、このほど阿南市富家町の農村青年の家で行なわれた。研修会では、男子は果樹、畜産、そ菜の三コース、女子は生活コースの中に果樹、そ菜コースをつくって、毎月一回勉強することにしている。

うまい米残す
農林省が食管政正の検討へ

今秋から消費者米価が物価統制令適用から除外されることになったが、農林省は、現行の食糧管理制度を改善するために「米穀管理の制度、運営の改善に関する研究会」（仮称）を今月中に発足させることにしている。

政府は、四十六年度には二百三十万㌧の生産調整を進めるとともに①政府が農民から買い入れる量は五百八十万㌧に限る②物価統制令から消費者米価をはずし、末端価格を自由にして、うまい米を残し、まずい米の生産を抑えるという措置をとることにしたが、これは事実上、食管制度の改革に踏み出したといえる。この研究会はこれをふまえて、さらに根本的な制度改善を検討しようとするもの。

こんなことをしています
各種農業団体

盛り上がる意欲、熱気
全共連役職員推進大会開かる―

全国共済農業協同組合連合会

七月五日全共連ビルおよび厚木事務センターの二ヵ所で、全共連役職員推進大会が開かれた。

これは「農協共済の月」にあたり、全共連役職員が全国に先がけ、率先垂範――自らの手で自らの保障の充実をはかるとともに系統役職員と一致協力して年間目標の必達を期そう――の合言葉のもとに、職員の自主的発意により行なわれたもの。

大会は山中専務の情熱あふれる挨拶に始まり、小久保参事の「農協共済の月」の実施についての説明、ひきつづいて大会決議等が行なわれ広い会場は全役職員の熱気にあふれた。

大会終了後、ただちに各職場単位で民主的に推進委員を選出し、職場座談会を開き採契活動に突入したが、全職場、全役職員に「農協共済の月」の運動の意図がゆきわたり、志気が日を追うにしたがって燃えたいっている。（普及部）

全国液卵公社が発足
―卵価対策に四本目の柱

全国販売農業協同組合連合会

"液卵公社"ちょっと耳なれない言葉ですが、六月下旬にスタートした全国液卵公社がそれです。

タマゴの相場が一定価格以下に下がったばあい、指定された市場からタマゴを買上げます。それによって出回り量を減らし、相場の回復をはかる。買上げたタマゴは公社の施設や委託した加工場でただちに割って、液状のまま凍結して保管します。そしてタマゴの市況の動きをみながら、必要に応じてマヨネーズや製菓原料として放出しようというのです。

タマゴの生産は昨年すでに年間三百億個ちかくにのぼっています。国民一人当たりざっと三百個ちかくになりますが、すでにアメリカの一人三百二十個前後とあまり差がなくなっています。そして、タマゴの消費そのものは、もう限界だ、という見かたもあるようです。このため相場はすでに採算点ぎりぎりといわれながら、なお、春や夏には大きく暴落しているのです。

そこで、液卵公社の仕事には①季節的、一時的な値下がりをふせぐ②限界といわれるタマゴの消費を加工原料として大きく伸ばしてゆく、といった二ツのねらいがあるわけです。

液卵公社といいましたが、実は株式会社です。国が畜産振興事業団を通じて四億円、生産者団体として全販連が二億円、全鶏連が五千万円、このほか青森など三、四の県、キューピーマヨネーズなど合計七億円ほどの出資金でスタートしましたが、ちかいうちに全国の各界が参画して合計九億円ぐらいに増資されます。

タマゴの価格対策としては、これまでにもまず①全国的な生産出荷の調整会議を通じて関係者が話合う、ついで②国が金利や保管料を負担しておこなう調整保管、つまり安いときに指定団体（全販連など）を通じてタマゴを冷蔵保管させ、値上がりをまって放出するという方策がとられ、③それでも一定価格以下に下がったときは、鶏卵価格安定基金から補償金が支払わるという、三本だての対策が行なわれていました。

そしてこんどの液卵公社が四本目の柱として登場したわけですが、これでタマゴの価格対策はさらに充実したことになり、それぞれの対策の特長が十分に発揮され、しかもお互いに十分な連けいのもとに有機的な運用

私のプロジェクト

選挙すませ田植え

岐阜県輪之内町4Hクラブ

【岐阜】岐阜県安八郡輪之内町4Hクラブでは、六月二十七日の参議院議員の投票日、全員で投票をすませたあと、研修田で苗を取り、田植えを行なった。

同クラブの研修田は、三つの農協からの依託地で、約二反五畝ほどある。当日は天候が悪く、一日中、小雨が降ったが、九時半、作業服に着がえ作業にはいった。苗取りをして、午後から二枚の田に植えつけた。終了後、今後の栽培管理などの打合せを行なって、すべての作業、栽培管理はクラブ員全員が二〜三名ずつで細かく分担することにされた。しかし、熱意はあっても何分にも我が家のそれとは異なって、大きな期待をすることはできない。

これから上がる収入のすべては4Hクラブの運営資金の一部として使用される。

良質米の安定生産へ

基盤整備で機械化

排水不良田の改良も

家庭との調和を　婦人との話合いの中から

北海道幌糠4Hクラブ　久保寿雄

一昨年は皆様も御承知の通り全道的冷害に見まわれ（特に留萌管内が悪かった）さらに余剰米による水田の作付転換、休耕等々私達水稲農家にとって試練の年であり、あらためて農業というものを冷静に考えなおす必要ありと感じた次第である。良質米の安定生産技術の習得と、我家の経営実態の分析により他の経営と比較検討し、今後の営農改善の参考にすることにした。

一、私の住んでいる所

留萌市の農村は日本海に面し気候的には海洋性気候で、地形は山にかこまれた沢地帯が多い。そのために、積雪量が多く融雪の遅い（四十五年度は五月五日）のが悩みの種である。土壌は、粘土系植壌土で排水不良田が多いが、土地は肥沃である。

二、営農改善目標

1、栽培技術の面

イ、土地改良、基盤整備の点

暗渠排水、心土破砕、水田の大型化、高畦造成、用排水の改善、農道の整備、客土などで土地改良は有機質の施用などにより酸素の補給を円滑にし地温の上昇で根の健全な理想的稲の姿にすること。基盤整備は水田の大型化による作業能率の向上、機械導入での省力化、管理労働の省力化が主なねらいである。今後の改善点は排水不良田の多い私の所では、まず水田の乾田化、代かきの改善などにより有機分の分解促進につとめ併せて幼穂形成期頃の中干しも天候の状態により考えてみる必要がある。暗渠排水の方は水田の大型化の問題がひかえているので、これと併せて考えて行くつもりである。土地基盤整備にあたっては、面積の正確な測量をし大型水田の青写真を設計する。基盤整備における利点はともかく欠点もあるのでそれを補う技術も必要である。

ロ、健苗育成

一昨年は全面積冷床育苗で寒さの低温による、苗いたみで健苗育成を痛感。昨年は、三十五坪のオールパイプ製ハウス一基購入。今後二ヵ年間で全面積ハウス育苗の計画である。

ハ、除草、水管理

我家では土壌構造上からも中耕除草は好ましくないので、昨年購入した高性度散布機による除草剤の散布につとめる。水和剤は粒状の半分程度の経費ですみ経済効果は大きいと思うので、皆様におすすめしたい。灌水は地温と水温の差の少ない早朝か夕方に行なう。また、昼間は浅水で地温の高まるように努力する。袋水方式は区画整備が、でき次第解決されると思う。

ニ、病虫害防除

適期防除の実施、予防を重点にした防除体制、昨年までは粉剤散布で大きな効果は得られなかったが、今年より四軒共同で動力噴霧機使用、適期一斉防除ができ大変よいことだと思う。

ホ、秋作業の合理化

一昨年の場合1/2ハサ掛、1/2生脱穀、自家労働を主体とした作業体系を確立の上からも今年は全面積生脱穀の予定である。米質を落さない調整法には自信があるが、作業体系の省力化が我家の課題である。今後の改善点は、品質を落さない調整初期生育の促進により登熟を高めること。乾燥は時間をかけて自然乾燥に近い方法で実施。作業体系は我家の基盤にあったものに改善して行くつもりである。近い内に稲ワラは倉庫に運搬するようにはならないと思う。

ヘ、完熟堆肥の生産

積みこみと切りかえての不完全により未熟推肥が多かったが、今後切りかえての完全実施により良質の物を生産して行くつもりである。稲作技術の面で自分なりに理解し今後の経営に生かしてゆきたい。一つの技術を改善しても効果が少なく品種の選定、施肥技術、水管理地力維持（培養）、育苗、栽植密度、防除などの重要関連技術を総合的に行なって初めて大きな効果が得られると思う。

三、家庭生活

農村に限ったことではないが、家庭生活及び人間関係はあらゆる面において重要な部分をしめている。他の家庭に入って初めてそこの家庭を見ることもでき、また、自分の家庭も見ることができる。家庭生活もやはり農業経営と同じで、生活改善だけに力を入れるやり方は車の片輪を回すようなもので前には進まない。家計費の予算や生活改善をどの程度に実施するかは、すべて所得の状況や今年の農業生産をどのように計画するかと要する資金の関連において総合的に考えなければいけない。つまり、生活改善は経営とともに同一歩調で進めてこそ実現されるものである。明るい暮らしは直接明日への励みになる。特に、農村の婦人の労働過重が問題になっているが、ある家庭では作業分担により上手に行なっている。婦人が食事の用意をする間、主人は水回りや作業の準備を行ない、育児・洗濯などは母がしていた。女性が農村を嫌う理由としては、過重労働の問題よりも、家庭生活の問題の方ではないかと思う、明るい笑いのたえない家庭こそ、地域の住み良い村作りになると思う。

四、今後の夢

水田面積、現状・四五〇a→五年後・一、〇〇〇aに（田植機使用）。反当り収量、現状・四二〇kg→五年後・四八〇kg。農業粗収入、現状・二五三万円→五年後・六四〇万円。経営費、現状・一二〇万円→五年後・一六〇万円。所得、現状・一三三万円→五年後三八〇万円。労働力、現状二・六人→五年後二・七人。その他、一、土地購入。二、自給肥料の増産。三、家族労働を主体とした災害体系の確立。四、作業体系の合理化—個人経営の限界。以上が私の夢です。

経営的、技術的にもまた家庭的にも調和のとれた農業経営者として前進する覚悟である。経営的なものだけの片輪にはなりたくないものである。私を含めた青年諸君たちよ、手に手を取りあって日本農業の発展のためにも頑張ろうではありませんか。（北海道留萌市4Hクラブ連絡協議会『創立5周年記念誌』より）

プロジェクトの進め方〈4〉

北海道専門技術員　三輪勲

プロ専門部を作れ

忘れてならぬおとし穴

プロジェクトを行事と結びつけるというのは、結局、自分のプロジェクトを、広い視野からみつめなおしうる行事でなくてはならぬということである。技術競技なども、単に優劣を競うのでなく、有機的なつながりを求める必要がある。①探査（収量、品質）②判定（容量、重量）③鑑定（名称）④診断（原因発見）といった種目があるけれども、これを、現に行なっているプロジェクトと関連のある内容で行なうわけである。

なにも技術競技といったものばかりでなく、レクリエーションなどでも、直接的ではないが結びつけられる。つまり、こうした意欲を高める要素をもつものを、ただ気分転換や気晴しのみに使わず、どのようにプロジェクトと関連させるかは、リーダーがもっと考えなくてはならない問題である。打ちとけた雰囲気が作られたら、これを自由な話合いのなかへそっくり持込むような、工夫がほしいわけである。

さて、最後に注意しておかなくてはならないのは、プロジェクトが、必ずしもよいことずくめではなく、おとし穴があることで、これを忘れてはいけない。気づかずにはまりこむと、大変である。四つほど数えられるので、それをあげておく。

①初めにも述べたように、プロジェクトは実践を通じての学習方法であるために、知識や技術を系統的に積重ねて学ぼうとする場合は、役に立たない。たとえば、省力化を果すために電気を使うとき、電流、電圧といった基礎的な知識がないと行きづまってしまう。経営設計における予測計算なども、数学の初歩を知らないことには、誤りをおかす。

高校時代くらいまでに学んだ知識、さまざまな原則や原理などがきちんと身についていなかったら、実際に、プロジェクトを推進させることができない。基本的な学習があってこそ、初めて自由に応用することができ、臨機応変の処置がとれる。しかし、こうした基礎を体得するのには、プロジェクトは用をなさない。このことはしっかりと覚えておかなくてはならない。

②次に、自主性、自発性が弱いと、プロジェクトはどうしようもないものになってしまう。このことも、すでに述べたことであるが、自主性が希薄な場合には、プロジェクトくらい困るものは少ない。課題を生活のなかで解決して行くという、ダイナミックなエネルギーの運動であるから、自発性、主体性を欠いたとき、失速してしまう。

つまり、プロジェクトが伸びるエネルギーを失なってしまうわけで、こうした状態に陥ったときには「農作業ごっこ」「プロジェクトごっこ」と変らなくなる。創造的な働きを失ない、箱庭をいじりまわすような按配に終る。クラブは、こうしたことのないように、またこんな状態に陥ったとき、本質はどこにあるのかを考えるためにある。失ないがちな自主性を高め、クラブの協力により、プロジェクトの持続をはかるようにさせるべきである。

③プロジェクトは、本来の目的からいっても、技術偏重になってしまう危険が多分にある。もちろん、技術を尊重しなくてはならぬのは当然だとしても、課題によっては、技術の問題だけでは解決しないことが出てくる。つまり、低次元の技術よりも、課題が優先するケースがあることを知っておくべきであろう。

たとえば、農業といえども、社会的な問題を考慮に入れなくては、ついに解決をみない課題も少なくない。農産物の流通、出荷、価格といったものを改善しようと考えるならば、経済機構がわかっていなくてはどうにもならない。単に、具体的な栽培技術がいかに優れていようとも、解決には結びつかない。

こうした課題に対処するのには、それなりの立向い方がなされなくてはならない。そこで、プロジェクト・グループといった視点から、何人かが協力しあう体制を作る必要もある。例をあげるなら、作目ごとにわけ、それぞれが責任を分担するといった方法がとられなくてはならない。

④さて、いよいよラストだが、現在、農業をやる青年は村から減りつつある。しかし、数よりも質という観点から、クラブそのもののあり方を考えて行きたい。クラブの行事には全員が参加して行なうが、クラブのなかに、プロジェクトのグループを作って、より深く掘下げた活動をし、専門的な学習をするようにしていくことと、組織の機構を変革すべきではないだろうか。

最初は申合せ程度でもよいから、こんなグループを末端のクラブに作り、そのうえの連絡協議会でも、プロジェクトの専門部を設置したらどうか。あまり細分化せず、大きく七つか八つくらいに絞って、専門部が設けられた場合、ここで研究成果の交換、意見の交流があって、まさに情報化時代といわれる現代にふさわしい活動が、生みだされてくるのではあるまいか。

こうした広い視野のなかから、プロジェクトというもの自体を、いま一度、じっくり考えなおす時期にさしかかっていると思われる。（おわり）

既存の販売網を利用

テッポウユリの収益限界に挑む

福岡県宗像町4Hクラブ　立石正臣

私の住んでいる宗像は、福岡と北九州のちょうど中間に位置し、近郊農業地帯であります。しかし、都市化の程度は年々進み宅地造成が盛んに行なわれています。このような情勢のもとで、数年前よりテッポウユリの栽培が行なわれています。部会員四十六名、出荷本数百五万本に達し、西日本では、高知、徳島と並ぶ規模であります。

私の経営は、水田百二十㌃、畑二十㌃、ビニールハウス六百六十平方㍍（ユリ）で、家族構成は、母、私に弟三人（内一人会社員）、妹一人の計六人、母と私とで農業を営んでいます。

私がテッポウユリ栽培を始めたのは一昨年からですが、今後、私が農業経営で生計をたて、収益性の向上をねらって行くには新しい部門の取り入れが必要と思い、テッポウユリ栽培を取り上げました。

経営にテッポウユリの栽培を取り上げた理由として

1、限られた土地を有効に生かした施設園芸での高収益性。

2、宗像においてユリの産地形成には共販が行なわれ、球根購入や販売面などがスムーズにはこばれている。

3、栽培管理においても、全期にわたる指導が普及所など各方面から、こまかくなされ、安心して栽培に取り組める。

4、ユリは資金集約的であり、労力の割合が少ない家族労力でも、かなり面積拡大が可能である。

反省をしてみますと、私が当初予定した収入には達することが出来なかった。その原因としては

1、球根の温湯処理時の温度が低すぎた。

2、球根サイズの小さいのを多く使ったため、二輪以上の特品の比率が落ちた。

3、予約数の球根が入らなかったため、労力配分およびハウスローテーションがうまく運ばなかった。

以上の点が収支に対しての影響と考えられます。

今年度の計画は、現在あるハウスにパイプハウスを加えて、十月一万本、十二月二万本、一月一万五千本、二番四〜七月四万本を予定しています。今年度、最も重視したいことは、切率、宗像で収益性限界とされている八五％以上を確保したいと思っております。

宗像において玄海、津屋崎地区も栽培を開始し、今年度の作付面積も急激に伸び、産地規模も西日本一になり、販路も現在の大阪市場だけでなく、京都、名古屋などにも拡大して行かなければならない状況です。

今後、私達が農業の中でテッポウユリ栽培を行なって行く場合、産地というプールの中で一品として、また、若い人が中心となって今後は進めなければならないと思う。そこで、私自身経営を伸ばして行くためには

1、生産拡大において資金導入をどうして行くか。

2、ハウス回転率を上げる（暖房の充実）ことを考える。

3、品質向上につながる栽培技術の吸収につとめる。

4、労力の確保と労力配分をどうして行くか。

以上のことを中心に、普及所、農協、および部会を通じて植付けをして行きたいと思います。

（福岡県「土に生きる若者たち—明日の農業を築く生産活動—」より）

休耕田でメロン作

山形県尾花沢市朝日会　加藤宏太

1、経営の概要

当地域は、全国的に有名な豪雪地帯で、米を中心に、養蚕、タバコ、ホップ、すいかなどの作物が栽培されている。また冬期間は、三千人以上の人が出稼ぎに行っている。私は四年前農業に従事し、現在、父と二人で農業をやっている。耕地面積は、水田九十㌃、畑三㌃、桑園九十七㌃、生産額は、米五十六万円、まゆ五十五万円、その他二十三万円となっている。

2、課題と取り組んだ動機

米作一割減反が決定的となった昨年二月、陸稲の転換を目標に、野菜栽培を経験することが、将来の農業経営に何らかのプラスになると考え、休耕地でのプリンスメロン栽培を試みた。

3、計画と実行

プリンスメロン栽培方法—一面積十㌃、苗は地域の育苗者より購入、畦幅及び株間は三・六㍍×〇・九㍍、十㌃に三百本、定植は五月二十六日、キャップ使用、追肥六月五日。

4、実績をかえりみて

収穫四百ケース（五㌔入り）、一時間当たりの労働報酬は百四十円（収入六万四千九百六十二円、労働四百六十二・五時間）、はじめの予想よりも、収入が少なかったが、それは次のような原因によるものと思われる。

（1）定植がおくれたために、収入が少なかった。

（2）作付面積が少ないため、継続出荷ができない。

（3）粗植であった。

（4）初めてなので、労力が多くかかった。

5、今後の計画

今年も水田二十㌃を減反して、メロンを作る。去年の経験を生かして、商品価値の高い品種を入れて七月中に出荷し、十㌃当り売上げ三十万円を目標にしている。

耕地の拡大は、四十八年以降、所得の増加を見ながら、養蚕部門を年間収繭量一・五㌧まで拡大する。育苗は今年より試作、水田九十㌃のうち二十㌃に、パイプハウス八百三十一・六平方㍍を建て、メロン苗十一㌃分作り販売する。また、オガクズナメコを、蚕舎の利用と冬期間の労力を生かすために、二千箱行なう。これによって粗収入四百十三万円、所得二百六十五万円となり、一年中、平均に働けることになる。これで、豪雪地帯での新しい農業をやる第一条件が整うと思う。

老人のために

漬物、煮物→生野菜、サラダ

わが家の食生活の改善

高知県鏡村農村青少年グループ　滝石重子

私の住んでいる鏡村は、いま総人口二千二百五十五人、戸数は五百五十三戸ですが、そのうち六六％は農家で農家の八七％は兼業です。年平均気温十五度、年間雨量三千ミリ内外で、全般的に高温多湿のために植物の生育には適していますが、山間傾斜地ですから日照の関係もあって作物の収量が低く、また時には台風の被害も大きい。家の経営は、水稲〇・八㌶、しょうが〇・五㌶、山林五㌶が主体で六人家族である。

農村は健康的なはずであるのに脚気、胃腸病、高血圧や神経痛などの病気が多いが、その原因として激しい労働や過労とともに食生活に不合理な点が多いことに気付いた。このような病気にならないように健康な生活を営んでいくために、食生活の改善にとり組んでみた。

まず私の家には祖父母がいるので、老人のための栄養面も考えて実行に移してみた。今までは漬物とか煮物とか煮物類の料理が多かったが、現在種々の野菜を作るようになってから自給が増えてきた。家庭菜園をフルに利用して年間切れ間のないよう作付して、生食できる野菜はできるだけサラダなど簡単な調理で、目先や味を変えるためいろいろのソースを作り、冷蔵庫に入れておき利用する。毎日一回は生野菜をとるようにすることによって、栄養のかたよりや家族の偏食がなくなり、盛り付けなども工夫してみるとみんなの食欲も進むようになってきた。

これからは農家の食生活を改善していくには、まず栄養に目をつけて、自給、購入の両面を通じてできるだけ食品構成を多様化し、穀類の量をなるべく減らしてバランスのとれた食事をするよう心掛けている。

新しい農業へのあゆみ

私の村は澄みきった空気、輝く太陽、美しい山や川に囲まれた公害の全くない山村である。食品などは過去には自給自足が主体でしたが、所得水準と生活の向上によって文化的な生活を営めるようになってきた。これからは、他産業の給与所得者に劣らない農家生活を楽しめるようにしたいものである。そのためには農道や耕地基盤の整備、住宅改善など種々の課題が上げられたが、その中でも健康の保持が何よりも必要で、それには労力の省力と食生活の改善だと思う。これからは栄養の供給源を穀類主体から動物性食品、油脂類、有色野菜などを毎日の献立に取り入れなくてはならない。

私たちは、グループ活動や農村女子青年生活講座のなかで、普及員さんにお願いして、野菜の作り方や利用のしかたについて、皆で研究を続けたいと思っている。

規模拡大には肥育を

幼時から和牛に興味

宮崎県高千穂町YAAOクラブ　松野富夫

1、わが家の経営概況

私の家族は六人で、農業に従事できるのは両親と私の三人です。耕地面積は田畑百五十㌃、山林四百㌃、原野二百㌃である。私の経営は和牛、しいたけ、水稲を主幹とした複合経営であり、収入の割合は和牛四〇％、しいたけ三〇％、水稲三〇％である。

2、課題と取りくんだ動機

私は小さい時から農業、特に和牛に興味をもっていた。昭和四十年を境に仔牛の価格がどんどん高くなってきたため、和牛熱がますます高揚してきた。

3、計画と実行経過

昭和四十一年に後継者育成資金を借り、育成牛二頭、四十二年に仔牛一頭を購入、和牛の多頭化を目指し、現在、成牛七頭、育成牛二頭に至っている。

4、実績をかえりみて

和牛経営の上で、生産コストをいかにして下げるかが問題である。そこで自給粗飼料の追肥は、排尿を五倍にうすめて利用し、仔牛は別飼施設によって生産費節減につとめたが、私の家では和牛生産十頭が限度であり、規模拡大するなら肥育を取り入れる必要がある。

5、今後の計画

今年三月から、細島・川崎間に就航する大型カーフェリー、日向枝肉処理場の開設、これを機に、私は規模拡大をはかり生産と肥育を組合せた複合的畜産経営を試みたい。また五ヵ年計画で、肥育は幼齢と若齢の二つの方法をとり、資金の回転をスムースにするため幼齢を折り込み、肥育の方法として五頭一セットの飽食方式をとることにより、昭和五十年には、粗収入一千万円、八ケタの収入を上げるようにしたい。

NHK農事番組（7月21日〜30日）

テレビ

明るい農村　6・30〜6・55　総合
21日　産物往来　いか
22日　話題の広場「砂丘農業を拓く」—鳥取大学砂丘研究所
23日　村をむすぶ　姫路、名古屋、福岡、東京
24日　農村新地図　山口県下関市（農林水産）市村純一
25日　明るい漁村
26日　村の記録「自然農法」奈良県五条市
27日　きょうの話題　都市化と農業（RED座談会）
28月　生物往来　プリパッケージ
29日　話題の広場「アルミ温室」岐阜県海津町、「飛騨肉の団地直売」老田剛・
30日　村をむすぶ　帯広、京都、岡山、福岡
31日　農村新地図　秋田県十和田町（野添憲二）

農業教室　7・30〜8・00　教育
19〜21日　傾斜畑での機械利用（島根大学教授）田辺一
22〜24日　天敵の開発（九州大学教授）安松京三
26〜31日　あすの農業への指針①—再放送シリーズ（4〜7月の番組の中から）—

あすの村づくり
25日　「ある果樹組合の不安」—千葉県市原市—市原果樹組合

ラジオ

早起き鳥　5・41〜5・57　❶
21日　スペシャル・シリーズ（都市化と農業）④
22日　スペシャル・シリーズ（都市化と農業）⑤
23日　ユリの輸出で稼ぐ（東京都大島町）鈴木小次郎
24日　青木ヶ原の民宿（山梨県上九一色村）渡辺菊義
25日　森とレクリエーション（日本工業調査会）岡崎文彬ほか
26日　早起対談—黒沢酉蔵
27日　早起対談—福岡正信（伊予市農家）
28日　早起対談—新開ゆり子（詩人）
29日　早起対談—八幡治美（大分県大山町町長）
30日　早起対談—大宅羅良（岩手の保健—編集者）
31日　早起対談—小川武保（熊本県岡原村）

話の広場　6・10〜6・30　❶
25日　農事放送通信員座談会「価格変動に悩む野菜産地」笠原正蔵他

新しい農村　6・00〜6・30　❷
25日　ふえる農村の交通事故（全共連）山中義教

ラジオ農業学校　（日）6・30〜7・10　❷
25日　農業講演会—経営と家族関係（東京学芸大学助教授）蓮見音〜千葉県茂原市で収録〜

青春と仲間

二字訓

猪口みさ子

春 始まりだろうか、終りだろうか
夏 どちらがと悩む
秋 誰もがそんな気分に
冬 恋しいと思う
山 血液だ
海 でかいたん壺だ
空 狭いもんだ、いつか行ってやるさ
地 はたしてそうだろうか
水 真実か
谷 それだけの価値があるのか
頭 必要欠クベカラザルモノデハナイ
朝 これまたしかり
昼 前が見えればいい
夜 明がね
心 綿か鉄かのどちらかでなければ中途はなしよ
花 そばにあればなおよし
女 星の数よりも多いさまざまな人生がある
男 ヒットラーかムッソリーニ、ケネディかアイク、虎か握手か
国 エゴのかたまり
首 必要じゃある
歌 持ち得るだろうかあの消らかなメロディーを
金 持たなくてもいい、いらんと言えるなあ
時 関係だ
芸 人生さ旅さ
穴 人ばっかり向いている野郎だけがいつもおっこちるよ
風 吹くだけじゃ能がない
薔 神か仏の他になし
死 早ければなおよし
木 全てを語る
人 馬鹿みたい
机 なんでもおしこめる
君 俺みたいになるなよ
蛋 ちきしょう！悟空に生まれりゃよかった
家 じょうぶなのがよい
運 それはあると思うよ、これが日本心の真理さ
神 矛盾はここにしまいこめばよい
仏 日本人の盲従の徒の心理がここから発せられるを知れり
天 運命としてここに帰するは全て非合理なり
魚 かわいそうだ、彼あたまデッカチや水ぶくれにされたり、おっと魚さんのことなんか構っちゃいられない俺らもやがてそうなるだろうな
道 狭いところを歩かされる何でこの道しか行かないんだろう暇がないのかな、ゆっくり歩けば結構行けるのに他の道は穴ボコがあるからなあ人の行ったあとが安全だろう自分も行ってるくせに
命 人のものじゃない俺なんだ、じゃ何故それを奪おうとしている全てから守ろうとしないんだこぶしだけでも握りしめてみろ
指 五本なくとも手ではある。しかし自由自在に動くには五本なくちゃいけない、その一本になることは難しい

(福岡県三潴郡慶村青少年クラブ『心のふれあい』より)

沖縄を訪ねた私たち

パインもキビも十数年もつ

栃木県 五十畑 茂

最も激戦地だったという沖縄の最南端

サトウキビを主体として、和牛(肥育牛)なり野菜なりを組み合せて収入増大を許っているようである。しかしながら、この凹凸の激しい地形で本当に農業が生きてゆけるのか、私は疑問を感じてしまう。だが私は、一つの見落しがあったことを認めなければならない。

それは、サトウキビにしろ、パインにしろ、植えつけてから、その株がだめになるまでに十数年もあること、そして収穫が一年から一年半で、収穫にあまり動力などを必要としない作目であるから、地形の起伏など関係ないなどである。私の家ではとても考えられない。それは、私の地方が平野なので特に感じられたことなのだろうか。

こんなことを感じながら、期待多き民泊に出かけた。沖縄の建築は、さすが台風が多いのか小さくブロックとか、セメント造りである。外はきれいではないのだが、中はきれいで、本土と同じようにくつろぎやすかった。民泊では最初から意見交換を夜おそくまでしようと思ったが、たっぷりとできた。七十二年、本土復帰を目前にして、クラブ員が農業に対し、疑問、不安を持っていることがはっきり読みとれる。

二年もたつと、島の人口が二分の一から三分の一に減ることを予想し、当然消費者数も少なくなり、それかといって輸出のメドもついていないようである。私達にも農業に対しての不安はあるにはあるが、その問題が漠然としか見えないのとは違って、彼等にはそれが短い期間に現実化するのだから大変であろう。

彼等はみんな農業に生きる力、意気は持っていても二年後はわからないようであるし、政策でなんらかの形を作り出す時を望んでいるようだ。この島も二次的な曲り角に来ているようである。つまり一次は、収入増を計った改革、二次は、農業という職業をどうするか、やめるか、やめないか、追いつめられた心境であろう。でも、彼等の島も私達と同様、強い者だけが生きていくであろうし、それを望むであろう。生き残った人達で沖縄独自の農業を進むだろう。私も、それを望むし期待している。

(全国4Hクラブ連絡協議会編『第二回沖縄親善交歓訪問報告書』より)

わが死面との出会い

生きながらにして、自らのデス・マスクを見届けた人間がいるだろうか。もしかすると、死面だったのではあるまいかという経験が、ぼくには三度ほどある。デス・マスクそのものと呼ぶのが間違いだとすれば、仮象だったとしてもよいが、おそらく、自分の死顔はこんなでもあろうかと、そのときは考えたものだ。元来、ぼくには、デス・マスクに対する関心がかなり強い。

数年前のこと、深夜、莨をくわえたまま手洗いに立った。洗面所の灯もつけずに水を飲もうとして、ふと気づくと、奇妙な人間の顔らしきものが、漆黒の闇のなかにぼうっと浮きだしているではないか。驚き眼をよく見開いてみても、やはり、それはじっとこちらを瞠めつづけている。そのとき、ぼんやりと輪郭が定かでなかった顔が、ややはっきりとして、これがぼくの顔だとわかり、再び驚かされた。

わかってみれば、どうということもない。闇のなかで莨火に照らされた顔が、鏡に映じており、強く吹かすたびに、ほぼ顔の全貌を描きだしたにすぎない。しかし、初めて心づいたときには、こんな自分と出会うなどとは思ってもいなかったので、ぎくりとしたほどである。

周辺部の輪郭もなく、目鼻ばかりがうすぼんやりと闇から浮きだし、漂っているさまは、さながら彫りさしの石像を思わせ、また、磨滅した埴輪の面のようでもあった。どこからか、生れ出でようとするかのごとくであると同時に、どこか無限の彼方へと沈降しつづけ、没し去るものではあるまいかとも感じさせた。それでありながら、深々とした闇のなかに、肉眼では捉えられぬ強靱で奥深い存在の根拠、根ざしがあって、不思議な安定感が具わっているかのようだった。

それは、ぼくの顔であることを疑えなかったが、たしかにぼくの顔だと断定できうるのかどうか、いまもってよくわからない。悲しげに、なにかをじっと堪えているような顔は、髭を剃るおりにときどきみるぼくの顔とは、根本的に異なっていた。ほんとうの顔、自分さえもが知らなかった自分の顔ではあるまいかと思った。

ぼくの死顔は、おそらく、こんなふうではなかろうかと、それから思い込んでいる。これが、自らのデス・マスクとの最初の出会いであった。(山)

『空談』

この欄では、みなさんからの投稿を待っています。どしどしお寄せ下さい。

変りゆく私

みなやっているんだな

茨城県和光4Hクラブ 堀江茅代子

高三の頃、就職、進学に、忙しそうにしている人たちを見ていると、家に残り農業をやる私は、皆に取り残されて、人から遅れてしまうような気持でした。

そして、何となくこの道に入ってしまいました。和光4Hクラブに入り、自分と同じ年頃の人たちが、「私と同じように農業をやっているんだなあ」と強く感じました。

しかし、一年目は、「早く十一月にならないかなあ」と考えながら(大げさにいえば)、いやいやながら秋の取入れをやりました。というのは、十一月になれば習い物ができ、野良仕事をやらなくてすむからです。

ところが、今年は、十一月になるのが昨年ほど待ち遠しくなくなった。毎日、和裁をやっていると夏の頃がいいなあと思うことがある。

なんとなく、気持に張りがあるような気がして、忙しい頃はいいなあと思う。というのは、昨年よりも仕事に慣れ、面白味もわかってきたからだと思う。去年は行かなかった市場へも行ったし、テーラーにも乗り、バインダーで稲刈りもやった。一年目は家の手伝いをしたというだけで、仕事をしていてもつまらなかったのだ。

二年目になって、少しずつ機械をいじったり、市場へ行ったりなんかして、「自分でやる楽しさがわかってきたのかな」なんて思ったりしているこの頃だ。だから、もっと自分の思っていることを、ばりばり出来るようになれば、もっと楽しい張りのある毎日を過ごせるだろうと思う。

特に農業は、思いきり大地にぶつかって行ける職業だと思う。私はだんだん農業が好きになって行きそうな気がする。

(茨城県総和町和光4Hクラブ『大地』創刊号より)

関心と無関心

三重県安濃 平平平平(ひら たいら へい ぺい)

〈関心あるもの〉

ゲバルト学生、内ゲバ、安保、公害、浅丘ルリ子の体重、ベトナム戦争、自衛隊、北朝鮮における赤軍派、ベ平連、ジグザグデモ、シースルー、ミニスカート、巨人の星、少年マガジン、ガロ、交通戦争、コロナマーク2、欠陥車、ダックスホンダ、アングラフォークソング、新宿駅西口、岡林信康、弘田三枝子のつけまつげ、友よ、ウッドストック、イージーライダー、ヒッピー、ワーテン、今東光の説法、一度はやってみたい脱税、ヤマハNSステレオ、ラジオの深夜DJ、LSDとビートルズ、農村における嫁不足、減反政策、ビキニの水着、ロッテオリオンズ、天井桟敷、原爆記念日、脱毛と河戸店の闇のジャリ道、インスタントラーメン、発禁の小説、エロ本、三億円事件の犯人、女性のスカートの長さ、グレープフルーツの自由化、日本鋼管

〈関心ないもの〉

佐藤内閣、社会党の非武装中立、七〇年万国博、週刊誌、エコノミックアニマル、日本人国会議員のおじさんのいうこと、愛国心と三島由紀夫、テレビ、昼の奥様向けメロドラマ、マキシのスカート、機動隊のお兄さん、NHK、有名スターの結婚、マイホーム主義、都はるみの唄、モーレツ社員と女性上位、公明党と創価学会、タバコの肺ガン、郵便番号、樅の木は残った、そ菜園芸各論、カギッ子、普及員、特券とマージャン、競てい、プロ野球の八百長、昭和二十五年一月二十八日、参議院選挙、農林省園芸試験場の技官、学歴、通信簿

(三重県津安芸農村青少年連絡協議会『若い息吹き』七号より)

呪われたる無花果

さしてうまくもないが、無花果の実は、ぼくのイマジネーションに対する起爆力として、十分なるものを持っている。他の果物のように、食いものとはみられず、不可思議な印象を与え、大仰にいえば、形而上学的な思考への促しを触発しつづける。

植物学的にいっても、袋状の花托の内側に無数の小花がつき、壷状の花序(花嚢)の内部で受粉が行なわれて、この一個の花序が一個の果実状器官に発達したものであるため、一種の空洞ができている。おそらく、このうつおが無気味で、想像力を刺戟するのであろう。古代信仰では、内部が洞のようになったものを神聖視したと民俗学では教えるが、そんな古く遠い感覚が、現代にまで揺曳しているのかもしれない。

草木虫魚

無花果を割るとよくわかるが、色にもかたちにもエロティックなところがある。人に確めてみたことはないから、普遍的か否かわからないが、ぼくなどは、かなり生生しい官能的な感じを受ける。しかし、コケティシュというのではなく、なにか混沌とした猥褻感である。生きものの誕生にまつわるやりきれなさ、そういったものへと通じる重苦しさがある。

割るまえに、じっと置いてみていると、花嚢が秘める空洞の昏さ、なまあたたかさのなかに、〈死〉が、無花果の成熟すると同じ速度で、育ちつつあるのではないかと感じる。その偏見が根強い確信となって、ぼくの〈死〉のイマージュのひとつになってしまった。つまり、無花果の空洞が秘める深い昏さ、湿潤なぬくみが、死の仮象に転化したとしかいえない。(Y)

命いっぱい咲くバラ

わたしが世話して二度目の花

茨城県古河市みくに4Hクラブ 小沼志寿子

ハウスの中に私のバラがある。水をやりに行くのは私の務めだ。背丈はすでに六十センチくらいあるが、花が咲き終って、鉢からおろして土にうめたため伸びすぎたのだろうか。木が真すぐ、長く伸びていて、上のほうに少ししか葉がついていない。でも木のまわりにいくつもの赤い小さな新芽が出ている。

この新芽から、全部枝が出て、どの枝にも花を咲かせるのだろうか。そうしたらきれいだろうな。この木にも、私が世話をするようになってから、もう二度花が咲いた。紅色の大きな花弁だ。それが咲いている時に水をやりに行くのは楽しい。それを見て、人がほめてくれるのはなおさらうれしい。その花弁に水をぽとりと一滴たらすと、紅色の器の奥でそっと光に輝く。

それは、人の目を避けひそかに輝く宝石のようだ。昔、美の神ビーナスが、この地上に降らせたものがバラであるといい、バラの館とか、バラの島とかいう史跡がヨーロッパにあるという。それらが繁栄してから幾世紀もたち、バラは、いろいろなことにあってきた。親しまれ方も、むこうの方が歴史的に古いだろうし、原産地も日本ではないだろう。

私の家の前にもたった一つ花を咲かせ、布地にたとえたら何と言っていいかわからないが、それを何枚も何枚も装い、すまし込み、見栄を張っていたものだ。花が美しいのは、このバラだけでなく、どんな花でもそうだが、花が花であることを誇り、命いっぱいたたえて咲いているからだという。一方、鳥は鳥で、鳥であることを喜び自由に飛んでいる。それも美しい。しおれた花、死んだ鳥や飛べないでいる鳥は醜い。さあ人はどうなのだろうか。人は人であることに堅く堅く結ばれているだろうか。バラの美をたたえていると、誰かの言った疑問が再び私の心によみがえった。

(茨城県古河市みくに4Hクラブ『みくに』創刊号より)

米国での生活から

米国青年を見直す

「どの服を着たらよいかしら」

坂本重子

D・FINK家はニュージャージー州にあり、八月十三日から三十日まで、十八日間滞在、宗教はプロテスタント、農地はありません。

ハドソン・ホールというアメリカでも一流のホテルで、雇用人の選択を担当しておられる御主人と、結婚後、一度も外で働いたことのないという奥さん。私の両親と同じ年齢で、子供さん達も二十一歳、十九歳、十二歳と、ほとんど私の弟妹と同じ年代なので、とても楽しい生活が送れた。

今までに入った中では一番裕富な家庭で、町に近かったため に一歩足を踏み入れた時、今まで、Gパン姿で気楽な生活を送っていたのに、ここではそれではいけないのでは……と真剣に心配したほどである。しかし、入ってみれば大した変りはなかったけれども、外出のたびに「どの服を着て行ったら良いでしょうか?」と、最初の家から聞いてはいたけれども、その問いに一層の緊張感の加わった家でした。

この家では、結婚、青春、恋愛、家庭生活、人生についてと数多くのことを話し合い、学ぶことができた。というのは、今まで自分と同じくらいの独身男女と身近に話し合える機会がなかったからだ。それがこの家には両方がおられ、男性の立場、女性の立場を十分に聞くことができた。特に息子さんは、青年についていろいろなことを考えておられ、私に今まで見てきたアメリカ男性の姿の何分の一かを改めさせてくれた。

息子さんと彼女、娘さんと彼氏。この二組の付き合い方には、それぞれ異なった点があり、本当に良い勉強になった。

裁縫の好きな奥さんは、私のために沢山の服を直して下さった。そしてご主人は、スポーツの好きな優しい人で、私のことを陰で沢山助けて下さった。そのご主人に対して、「家庭的で良い主人なのですが、男としては物足りない点がいろいろあります」と奥さんは話しておられた。その両方が満足できる人……。そんな人が私の前に現われたら素晴しいけれど……と思う。

この家で教わった私の好きな三つの言葉

①Keeping up with Johnses 隣りが物を買ったから私の家も負けずに買うという意味。

②Slow boat to Chaina・人生を二人で生き抜きましょうという意味で、プロポーズの時などに用いる。アメリカから中国まで、ボートでゆっくり行くのは大変なことなので、この言葉ができたらしい。

③If it is to be, It is up to me. 何事をしても、かならず自分の身につくので、前向きの姿勢で取り組みなさいという意味。毎年行なわれる弁論大会で二位になった。十文字で表現した素晴しい文章。

うれしかったこと

①息子さんの彼女から、古着やお皿をプレゼントしてもらった。

②キャンプへ行くために必要な品を、奥さんが全部用意して下さった。

③ご夫婦が、「もし貴女が病気になったら、自分の子供以上に心配して面倒をみますよ」と言って下さった。

楽しかったこと

①息子さんとYAMAHAの単車350CCでドライヴしたり、夜遅くまでよく話した。

②御主人が、テープレコードに音楽と解説を加え録音して、それにそった家族のスライドを見せて下さった。

③海が近くにあったので、海水浴に行ったり、散歩したりした。

苦しかったこと

①最初の数日間、息子さんの彼女が、私と彼が話すたびにヤキモチを焼かれるので、どうして良いか分らなかった。

Gパン姿でよいかと気になった家族と

4Hのマークと共に クラブ活動用品の案内

	(単価)
4Hバッチ	50円
レコード盤(4Hクラブの歌・4H音頭)	150円
クラブ旗 大(72cm×97cm)	400円
クラブ旗 小(36cm×49cm)	200円
手拭	100円
ハンカチ	60円
ネクタイピン	200円
女子用ブローチ	200円
クラブ員専用便箋	100円
〃 封筒	70円

◎荷造り送料代百円です。
◎ご注文は代金を振替口座へお払込みを願います。代金着き次第ご送品致します。

社団法人 日4H協会代理部
東京都千代田区外神田6丁目15〜11の705号
振替口座 東京72082番

日本4H新聞
4Hクラブ
農事研究会
生活改善クラブ
全国広報紙

発行所
社団法人 日本4H協会
東京都市ケ谷家の光会館内
電話(269)1675郵便番号162
編集発行 玉井 光
月3回・4の日発行
定価 1部 20円
一カ年 700円(送料共)
振替口座東京 12055番

肌で感じた 近代農業

盛大に「第7回全国4Hクラブ員のつどい」開く

全国4Hクラブ員のつどい開会式

花々しい開幕　県連旗が立ち並ぶ開会式。会場は約1450名の参加者で埋まり、花やかにつどいはスタートした＝名古屋市の愛知文化講堂で

地元の受入れに評価
名古屋のビル街をパレード

4Hの祭典――「第七回全国4Hクラブ員のつどい」は、全国4Hクラブ連絡協議会（会長 黒沢健一君）、愛知県4Hクラブ連絡協議会（会長 鳥居久雄君）、社団法人日本4H協会（会長 宮城孝治氏）の主催、農林省、文部省、総理府、愛知県、その他全国と地元の各行政機関、関係団体などの後援によって、さる十二日から十六日までの五日間、名古屋市の愛知文化講堂、岡崎市民会館、宮崎海岸を中心に、県下一円にわたって花々しくくりひろげられた。参加者は全国道府県の4Hクラブ員はじめ、OBとその家族、海外農村青少年、各県担当者、農改普及員、篤志指導者、地元関係者、来賓など約千四百五十名でこれまでの最高となった。クラブ員は、民泊による現地交歓訪問を中心に、市中パレード、開・閉会式、記念講演、若者の祭典、三ヶ根山頂のつどいなどを通じて友情を培い、4H活動や農業への意欲を新たにした。また、大会中は好天に恵まれ、盛況のうちに幕を閉じた。＝関連記事2・3面にあります

今回のつどいの最も大きな特色は、何といっても、地元愛知県連がつどいのキャッチフレーズとして「肌で感じる愛知の農業」とうたっている通り、日本のデンマークといわれる同県の農業がクローズアップされたことである。それはつどいの主軸となる現地交歓訪問の中におけるブロック別の農業施設や先進農家の視察、民泊での農作業体験、部門別による話し合いなどに強く表われていた。

愛知県内でも地域によって農業形態が異なってる。県外参加者はそれを全部見ることはできなかったが、三泊四日といろこれまでになく長い現地訪問を通じてブロック内の農業を十分に理解することができたようだ。

家族ぐるみの交流も

また、県外参加者の受入れや農業施設の視察については、ブロックごとに綿密な計画が練られ、体制を十分に整えていたばかりでなく、これまでになく経費がかけられていたようである。地元の歓待ぶりから参加者もそれを受け取っていた。現地交歓訪問では、ブロック、単位クラブ、クラブ員個人と各段階で交流できるように工夫されており、このような中で、参加者は日ごろの悩みや問題などについて語り合い、友情を深め、新たにクラブ活動や農業経営にと意欲を燃やした。そうして、家族と地域から理解され、支援される"地域と家族ぐるみの4H活動"を推進したといえる。

次に、今回初の試みとして実施された市中パレードも特記されよう。千四百名を越す参加者が、交通量の多い名古屋市の目抜き通りを約一時間にわたって行進、次代の農業を担う若人の意気を示し、4H活動のPRを行なった。と同時に、参加者一人ひとりが農業者、4Hクラブ員としての自覚を高め、仲間同士の連帯感を再確認するためにも効果があったようだ。

このほか各行事でも、特色が出されていたが、しかし、青少年の自主性、組織の主体性の確立、4H精神の高揚、参加者一人ひとりの運営委員としての自覚などの面をみると、これまでのつどいに比べて進歩がみられず、むしろ後退していた部分があったことは否定できない。これらこそ、このつどいの大きなねらいでもあり、再考する必要があろう。

これまでの最高額
参加者 4H会館建設に募金

今回のつどいで参加者から4H会館建設資金として約四万円が募金された。十二日、名古屋の愛知文化講堂で行なわれた開会式と十六日の岡崎市民会館での閉会式において全国4Hクラブ連絡協議会が募金協力を呼びかけたもので、つどいでこれだけの多額の募金がなされたのは初めて。中には、千円以上も出した人もおり、4H会館建設に対するクラブ員の意欲が盛り上がっていることを示している。

また、全協では、今回も、つどいの記念品となるワッペンを作成販売し、好売行きをみせた。

北海道連も来年のつどい協賛マッチ販売

北海道4Hクラブ連絡協議会（会長・中山寿雄君）も、来年、同道で開催する「第八回全国4Hクラブ員のつどい」の協賛マッチ（一個百円）を販売、約二千個をさばいた。

台湾へ旅立つ草の根大使
橋口君と入江さん　三ヵ月間滞在、交歓

国際農村青年交換計画に基づく四十六年度の中華民国（台湾）派遣クラブ員として社団法人日本4H協会から選ばれた4Hクラブ員代表（草の根大使）＝橋口晴喜君(22)佐賀県伊万里市木須町・牧島4Hクラブと、入江志津子さん(22)鳥取県東伯郡赤碕町・赤碕グリーン4Hクラブ＝の二人は、さる二十一日午前八時半、羽田発の日航機で台湾へ向けて出発した。

橋口君は、さる十二日から愛知県で開かれた「第七回全国4Hクラブ員のつどい」に参加したあと上京、出発の準備をしていたもので、当日は、同じくつどいに参加していた地元クラブ員の見送りを受け、入江さんとともに、4H協会の新田事務局長ら職員に"元気に行ってきます"とあいさつし、胸をふくらませて旅立った。

二人の台湾滞在期間は、約三ヵ月で、オリエンテーションを受けたあと受入れ農家で生活、同国の農業や農家生活、クラブ活動などを学ぶ一方、日本のそれらについて紹介し、両国の相互理解と親善のために活躍する。

なお二人は、出発に先立って次のように感想を語った。

入江さん

橋口君

コレラも恐れなす

入江志津子さん　中華民国へ着いてからの日程が全くわからないままに日本を出発するので不安ですがこの方がスリル満点で面白いかも知れません。聞くところによると向こうでは、今"コレラ"が流行しつつあるとかで少し心配です。けれど、健康児の見本そのもののみたいな私のことです。きっと病気の方で恐れをなして逃げてゆくでしょう。

人生七十年生きるとして、その間のたった三ヵ月！けれど私にとっては長く充実した期間になることでしょう。この三ヵ月の間に体験してくることが、長い人生の良い想い出となり、そして他のクラブ員のために少しでも役立てば幸いです。

"草の根大使"として

橋口晴喜君　以前より海外への渡航を願っていた私に、機会あってこのたびの「草の根大使」という大役を与えてくださって誠にありがとうございました。いまさらながらこの「草の根大使」というものの重要性に責任を感じているしだいです。

私も、4Hクラブというものを私なりに考え活動してきましたがまだまだ微力です。この草の根大使を機会にもっと深く考えてみたいと思います。そして、この草の根大使に行けなかった先輩や同僚達、また次回から行く人達のためにも精一杯つくすつもりです。

参加者を募集中
「4H号」で 沖縄交歓訪問

「4H号」で、百十名の仲間とともに沖縄へ――と、全国4Hクラブ連絡協議会（会長 黒沢健一君）は、今年の十一月下旬に実施する第三回全国4Hクラブ員沖縄親善交歓訪問の参加者を現在、広く全国から募集している。とくに、この沖縄訪問は今回で最後になることも予想されるため、今年は、参加者も百十名と昨年の約二倍の人員を予定、飛行機一機をチャーターして往復することにしている関係上、参加者を早めに把握する必要があるので、全協では、なるべく大勢のクラブ員が早めに参加を申し込んでほしいと望んでいる。

この沖縄訪問は、本土を訪れて全国の仲間と交流する機会が少ない沖縄の4Hクラブ員と交歓し、相互の理解と親睦を深め、4Hクラブ活動の健全な発展にも役立てようというもの。

今回は、参加者の強い要望で前回初めて実施し、好評をえた民泊を、もっと交流の時間をという参加者の声も反映して、一日ふやし、二泊三日間にわたる現地交歓訪問を計画している。

この訪問では、沖縄クラブ員との交流とともに、参加者同士の強い結びつき、意見交換、視野の拡大などの上でも大きな成果を上げている。

訪問の時期は、十一月二十二日から二十七日までの六日間で、このほか事前と事後の研修が二日間ある。参加者は、4Hクラブ員、OBとその家族などである。

主な内容は、沖縄クラブ員宅への民泊による二泊三日間の現地交歓訪問をはじめ沖縄農村青少年技術交換大会への参加、意見交換会、沖縄農業の視察、沖縄の歴史を訪ねてとして南部戦跡などの視察、琉球政府関係機関への表敬あいさつ、事前と事後研修などが組まれている。

参加経費は、飛行機賃、宿泊費、沖縄での交通費、渡航手続きに必要な経費などを含んで一人、五万七千円。予約申し込みをするので、応募と同時に全額納入することになっている。申し込み締切日は、八月二十日。

申し込み先は、東京都新宿区市ケ谷船河原町十一 家の光会館内、全国4Hクラブ連絡協議会事務局へ。

50万円を目標に　今年度
宮城県連　4H会館建設の募金

【宮城県＝佐藤賢一連絡報道員発】宮城県農村青少年クラブ連絡協議会は、全国のクラブ員が一丸となって推進している4H会館の建設に全面的に協力するため、今年度は五十万円の募金目標を立てていま、盛んに募金活動を展開している。

また、これまで集まった募金額のうち五万円だけを全国4Hクラブ連絡協議会に送金、残金を県連で保管していたが、クラブ員の強い要望で、現在までの募金の全額を全協事務局に送付することを決定した。これとともに、県下のクラブ員は、全国の各県連が一致協力して会館建設を早期実現することを期待している。

なお、宮城県連では、今年度の事業計画として、県連の二十周年を記念し、県の技術交換大会を盛大なものにすることにしている。また、四十七年度に技術交換大会の全国大会が宮城県で開催されることに決定したことなどから、その前年祭を兼ねようと県下のクラブ員は大いに張切っている。

クラブ綱領

私達は、実践を通じて自らを磨くとともに、互いに力を合わせて、よりよい農村、よりよい日本を創るため、四つの信条をかかげます。一、私達は農業の改良と生活の改善に役立つ腕をみがきます。一、私達は科学的に物を考えることのできる頭の訓練をします。一、私達は誠実で友情に富む心をつちかいます。一、私達は楽しく暮し元気で働くための健康を増進します。

全協でオルグ

全国4Hクラブ連絡協議会は、今月から各県連への役員派遣を計画、その第一弾として、まず松浦副会長と原田事務局長らが八月一日から岩手県で開かれる第十一回全国農村青少年技術交換大会への出席を機会に、下旬から東北、北海道方面を巡回、訪問する。

今回のオルグでは、各県連のかかえている問題点などを聞くとともに、4H会館建設の募金や沖縄親善交歓訪問への参加などを中心に協力を要請することにしている。

涼風暖風
話す場所が欲しい

東京は、人と話をする場所がなくて困る。新宿の街かどでばったり知人に出合っても、人波におされ、立ち話もできない。夕闇せまるころだったらスタンドバーか焼き鳥屋という手もあるが、相手によってはそれもできない。人と待ち合せるにしても、銀座の服部時計店の前ですら、立ちどまっていると、靴をふまれ、足をけられる。

仕方がないから喫茶店にいく。コーヒーなんて、しょせん西洋のセンジ薬さ、と悪口をいいながら、近頃は一パイ一八〇円もふんだくられる。コーヒーの値段でなく、雰囲気を買い、時間と空間を買う値段なんだとわりきってはいるのだが。

こっちがわりきっているせいか、近頃の喫茶店員の方々もわりきっている人が多い。実にドライで事務的だ。

こんな世の中だけに、先日のできごとが印象に残った。渋谷東急デパートのコンコースにある喫茶店で、例によって議論に花が咲き、閉店も気づかなかった。レジ嬢の三白眼まがいのにらめに驚いて店をとび出したため、大切な本を忘れてしまった。貴重な本や辞書も頼まれたものだけに困り、店のブランドだけを信じて次の日をただ待つのみ。

この店は足場がいいのでたびたび出かけるが、レジ嬢の不愛想が玉にきずであった。次の日、おそるおそるレジ嬢に伺うと、案の定、わかりません、係も帰りましたとケンもホロロ。念のため、別のレジにいったところ、うしろにいた主任らしい女性が、どんな本ですかと確めて、忘れ物を探してくれた。おまけに、四・五冊の本をバラバラにもっていたので、それでは持ちづらいでしょうと袋に入れてくれた心づかいがうれしかった。プロポーションの美しい、母性的雰囲気のただよう女性で、SATOのネームプレートをつけていたように思う。

東京は、息を抜く場所がない。私が育ったところは山村で、夏の夜は、村の三本辻に集まり、下駄に腰かけて、女性について話し、人生を語り、天下国家を論じたものだ。今でも実家へ帰ると、三本辻へ出かけていく。一日の疲れがすっとび、新しい情報が仕入れられ、村人のコミュニケーションが保てる。いうなれば、村の喫茶店がそこにあるからである。でも、最近はだんだん集まりが悪くなったようだ。東京なみになるのだろうか。

人として、話し合う場所、心の交流をはかる場所を大切にしたいものだ。

（文部省 伊藤）

心頭技健

ことし、東京の都心で、初めて蝉の鳴き声を聞いたのは、今月の九日ごろだった。例年より少し早いようだが、蝉の数は、いまのところ少ないように感じられる▼このほど、全国のつどいが開かれた愛知でも、農業施設の視察先でたまに耳にしたが、民泊先では、樹木が少なかったせいか、ついぞ聞くことはできなかった。夏の間、蝉の連続的な複合音に悩まされたものにとって、やはり蝉の鳴き声がないと調子が狂って気分が乗らない▼ことしは、ツユあけが宣言されたあとも、ツユが逆戻りしたような日が多く、カラッとした天気が少ないせいもあろうが、それよりも、樹木が少なくなっていることや、蝉が栄養分を吸収する樹液が汚染されているせではないかと心配される▼アブラゼミやミンミンゼミの幼虫が土の中で過ごす期間はだいたい七年といわれるから、その間に、やられるのではないかとも推測される。先日、東京の多摩川にホタルが現われたといって新聞でも騒がれたが、夏の風物詩としての蝉も、絶やしたくないものだ▼セミの種類は、世界で約千五百、このうち日本には十七種が分布、琉球列島にすんでいるものを加えると二十三種に達するといわれる。日本のセミの中では、ヒグラシの鳴き声が最も美しいとされる▼とくに、夕立ちのあと、静まりかえった林の中で聞くときなど、実に哀愁をおびて響いてくる。と同時に、夏の終りを告げるようで、学生時代になんとなくあせりを覚えた経験をもっている人は少なくないに違いない▼もう七月も下旬、夏も半分過ぎてしまった。仕事に追われ、全国のつどいや技術交換大会などの行事に参加したりしていると、人並みにバカンスも味えないうちに夏は終ってしまうようだ。クラブ員は、どんな過ごし方をしているのだろうか。

待って!!
ちょっとジョア飲んでから…

Joie
ジョア

「つどい」を追って

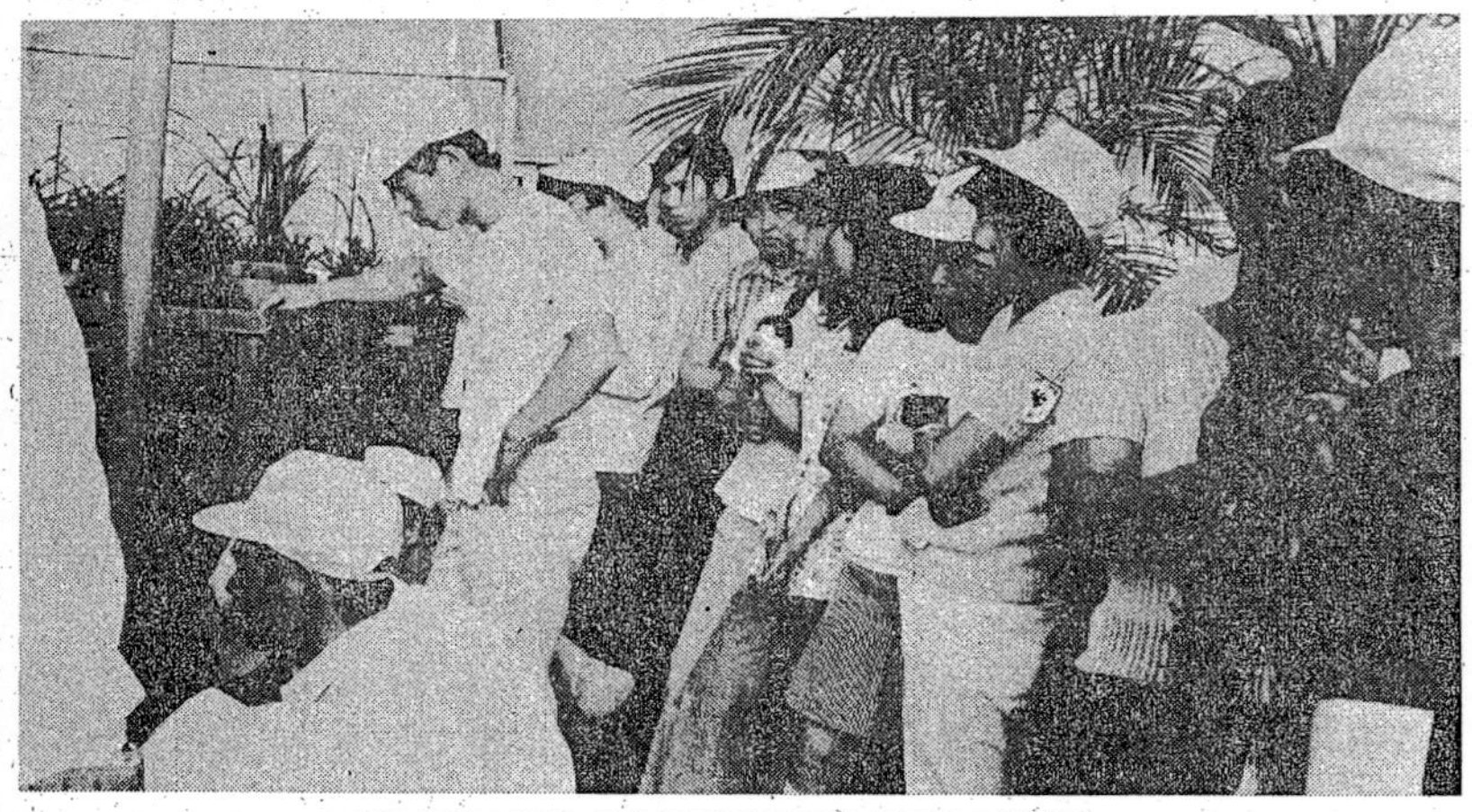
農業施設の視察で係員の説明に耳を傾けるクラブ員

ビルの窓からも顔、顔
市中パレード　青年の意気示す

一日目（十二日）午前六時に一番乗りした福岡県連のクラブ員を皮切りに、全国から次々と仲間たちが名古屋へくり込んだ。駅から名古屋城までバス輸送。ここで受付けをすませた人たちは、トレパンに着替えて名古屋城を見学。ふだんは観光客で賑わう同所も、4Hのマークのついたおそろいの帽子をかぶった4Hクラブ員たちによって占領された格好。

昨夜来降り出したツユのなごりを思わせるような小雨も止んで、夏の太陽光線がギラギラ。湿気も加わって"暑い愛知"を感じさせる。

定刻の午後一時、市中パレードが開始された。鼓笛隊、消防庁の音楽隊を先頭に、アメリカ、中華民国（台湾）、ブラジルの海外4Hクラブ員など国際色も豊かに、プラカードと県連旗をかかげて参加者は目抜き通りを行進、農村青年の意気と4H活動に対する情熱を示した。ときならぬ長蛇の列に何ごとかと街の人たちも足をとめ、ビルからも顔をのぞかせていた。

車の所有台数、事故件数でも全国のトップを争う愛知県の主都でのパレードであったが、パトカーの誘導と警察官による交通規制によって整然と行なわれた。しかし、炎天下であるうえ距離がちょっと長かったこともあって参加者は少々バテ気味。また、列が長いので音楽隊の吹奏が後列まで届かず、気勢をそがれたとの声もあった。

約千四百五十名の参加者で埋めつくされた愛知文化講堂。午後二時過ぎからオリエンテーションのあと、いよいよファンファーレと同時にどん張が上り、全協旗、各県連旗が入場、参加各県連の紹介に続いて、ついにつどいは開会された。

開会宣言、国歌斉唱のあと、主催者代表として黒沢全協会長が組織の主体性の重要さや4H会館建設の募金協力など、鳥居愛知県連会長は、自分たちはつどい準備のために努力してきたが、足らない点があるので助けてほしい、そして、期間中にほ討議の時間を十分にとってあるので話し合い、若者らしく行動しようと、また、宮城4H協会会長は、つどいの意義を強調。このあと桑原愛知県知事の歓迎のことば、田中東海農政局次長、杉浦愛知県議会議長、アメリカ大使館の農業部農務補佐官・ゴードン・S・ニックス氏、樋口愛知県農業改良推進協会々長など来賓の祝辞、来賓とOB紹介、ついでOBを代表して丸山元全協会長（富山）のあいさつ、外国クラブ員の紹介、佐藤総理大臣、松下4H協会名誉会長をはじめとする祝電が披露された。次いで、参加者を代表して福岡県連会長の角藤勇君が、期間中、仲間とともに頑張ると宣誓、4Hクラブの歌斉唱、閉式のことばで開会式を終わった。

名古屋会場前の受付けに、全国のクラブ員たちが次々とつめかけた

海外のクラブ員をまじえて名古屋市の目抜き通りをパレード

拍手に迎えられて入場する全協旗と県連旗（開会式）

踊りに熱狂
賑わった"若者の祭典"

四日目　宮崎海岸の石切場跡、そそり立つ岩壁に囲まれるようにつくられた会場で、夕闇迫る七時過ぎからつどいの花ともいえる、"若者の祭典"がにぎやかにくりひろげられた。

愛知県連の冨永博君（つどい準備委員長）の司会、二宮直子さん（前副会長）の歌唱指導による合唱、エレキバンドの演奏、地元東栄町の有志による郷土芸能"花まつり"の披露などのあと、ゴーゴーや阿波踊り（徳島県連の指導）に、外国クラブ員をまじえて参加者が踊り興じた。しかし、これらは、全員で踊るように期待されていたが、笛吹けど踊らず、盛り上がりが弱く、踊ったのは一部にとどまったことが残念であった。やはり自然発生的に巻き起こることを期待するのは無理のようだ。また、鳥取県連の出し物"傘踊り"が電線の故障で、途中で中止したことも惜しまれた。

やがて、すべての照明が消えてセレモニー。懇歓のあと、舞台右手の岩壁で四名の地元クラブ員による火の踊りが披露された。よく訓練したとみえて、火の流れはきれいに揃い、参加者を魅了した。つづいて営火長・黒沢全協会長のあいさつ、愛知県連の女子クラブ員による詩の朗読があって祭典を終えた。

旅館へ帰る途中、海上の二箇所につくられた仕掛花火が点火され、「あいちのつどい」と四つ葉のマークが闇の中にくっきりと映えた。この花火も、ハプニングの一つとして企画されたもので、クラブ員にとっては少しど肝をぬかれたかっこうだった。

"若者の祭典"でゴーゴーに熱狂するクラブ員

"来年は北海道で"
記念講演に感銘

いよいよ最終日の十六日、身仕度を整え、荷物を持ってバスで岡崎市民会館へ。午前九時過ぎから別れのつどいとして、猿投の有志十名による郷土芸能"棒の手"が披露されたあと、岡崎市の郷土民踊保存会のおばさんたちと地元4Hクラブ員による岡崎音頭の舞踊指導につづいて、参加者が舞台と会場でところ狭しとばかり、輪になって踊り興じた。全員による合唱のあと、「夢のある青春を送ろう」と題して若い根っ子の会会長・加藤日出男氏の記念講演があった。自分の体験をまじえながら、かけがいのない青春なので、時間を大切にしよう、希望を持って生きよう、などという内容のものであったが、背広をぬぎ、壇上から下りて、情熱的にクラブ員に語りかける同氏の講演に感動した人たちが多かったようだ。

ついで閉会式に移り、国歌斉唱、主催者を代表して黒沢全協会長のあいさつ、護衛火に守られてトロフィーの入場、鳥居愛知県連会長のあいさつのあと、来年度の開催地、北海道連の中山寿雄会長に手渡され、中山会長が"来年は北海道へどうぞおいで下さい"とあいさつ。つづいて、森江愛知県農林部長、内田岡崎市長、夫人同伴で出席した吉田日本4H協会理事（IMC日本総支配人）から来賓祝辞、祝電披露、4Hクラブの歌斉唱のあと、閉式のことばとして冨永君がつどいをしめくくるあいさつをして、四泊五日間にわたったつどいの幕を閉じた。

参加者は、つどい運営委員や地元クラブ員に見送られながらバスで名古屋と岡崎駅へ向った。

準運営委員も活躍

今回のつどいでは、運営委員のほか、愛知県連のクラブ員が準運営委員として活躍した。

その一・案内嬢　受け付けをすませた参加者は、市中パレードにそなえてトレパンに着替えたあと名古屋城を見学したが、その案内をつとめたのが彼女たち。白のブラウスにグリーンのネクタイとスカートというお揃いのスタイルで、愛嬌をふりまいていた。

その二・ライフキーパー。こちらは男性クラブ員で、やはりおそろいの黄いセーターを身につけ、期間中、参加者につききってめんどうをみてくれた。余り目につく方でもなかったが、つどいを成功させた、縁の下の力持ちといえる。

その三・交通係　今回はバス二十一台をチャーター、利用している時間も長かったが、いつもそのバスに乗り込んでいたのが彼ら。交通巡査と同じデザインの腕章をつけ、バスの配車や乗り降りしたときの乗車人数の把握、確認などに一生懸命だった。彼らもやはり、陰の立て役者といえる。

その四　こちらは準運営委員ではなく、ずばり運営委員。参加者はご存知であるが、男女とも海緑色のセーターを着ていた。これは、開会式の前日、全員で着用することに決まったもの。

一枚三百七十円の品だが、みんなが四百円を出し、そのおつりは4H会館建設資金の募金箱に入れた。

くまなく農業視察
現地訪問　大中小の規模で交流

開会式のあと、十一区に分かれて、バスで現地交歓訪問に出発。ブロック別宿泊と地元クラブ員宅への民泊による交歓と農作業体験の生活がはじまった。

つどいの大きな特色である現地交歓訪問が、このように統一行事の中に組み入れられたのは昨年の佐賀についで二回目だが三泊四日間にわたる現地訪問は今回が初めて。とくに、今回は日本のデンマークと云われる愛知農業を参加者に肌で感じてもらおうと地元愛知県連がハッスル。あらかじめ県外参加者のプロジェクトを聞き、それと同じプロジェクトをしている県内のクラブ員宅に宿泊できるように配慮し、農業視察などはブロックごとにそれぞれ地域の実情にあった行事が組まれていた。

全体に共通した流れとしては十二日はブロックごとの歓迎会と宿泊、翌十三日もやはりブロック別による地区紹介と部門別グループ討議、地域の農業や優良農家の視察と話し合い、そのあと二泊の民泊に入り、十四日は農作業の体験、家族や地域の人たちとの話し合い、クラブ活動状況についての意見交換、地域への奉仕活動、夜は、単位クラブ別行事、十五日は再びブロック別に県内視察したあと、壮行会などが行なわれた。

しかし、中にはブロック別の宿泊施設がなくて、すぐに民泊に入ったところや、二日間続けて農業施設を視察したところもある。また、暑いためか、民泊での農作業を早々と切上げ、附近の名所、史跡を訪ねたり、海水浴やボーリングに出かけて、他地区のクラブ員と顔を合わせる姿もみられた。

この現地交歓訪問で強く感じられたことは①地元のクラブ員が受入れ体制に十分気を配り、県外参加者を歓迎してくれたことと②行事の表面に役所関係者が出過ぎたとの声もあるが、地域ぐるみの協力体制がみられたこと③クラブ員の両親も快く迎えてくれ、家族ぐるみの4H活動に一役買ったこと④五時間足らずの間に、十個所以上の農業施設を見学するという例もあり、少々強行スケジュールのようではあったが、県外参加者が本当に愛知の農業を感じ取れた、というより、むしろ愛知県の産業の中に占める農業の姿を把握できたこと⑤ブロックと単位クラブ、個人の大中小の規模において参加者同士が交流できたことなどであった。

眠気も吹っ飛ぶ
三ヶ根山頂のつどいで再会

各ブロックに散っていた参加者は、十五日午後三時前から、それぞれバスを連ねて、渥美湾をのぞむ三ヶ根山頂に次々に集まってきた。三日ぶりの再会を喜び合う同じ県の参加者、県連旗が立ち並ぶ中で、現地訪問の模様などについて語り合い、民泊で親しくなった人たちと肩を組んで記念撮影するクラブ員など、みんながリラックス。

中でも、アメリカクラブ員は記念撮影に加えられたり、サイン攻めに合うなど人気の的となっていた。とくに、旅の疲れもぬけないまま、現地交歓訪問に入り、夜遅くまで話し込んでいたクラブ員が多く、ほとんどが寝不足気味だったが、それも、山頂でのさわやかな風にふれて、いっぺんに吹き飛んでしまったようだ。

しかし、早めに山頂についた参加者からは、話し合いやレクリエーションで過ごしてほしかったという声も出ていた。

四時半ごろバスで山頂から下り、吉良の仁吉で有名な宮崎海岸の七つの旅館に腰を落ち着けた。

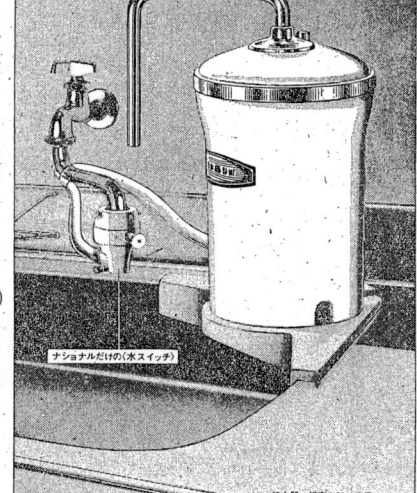

畦道

枯れはてる道の叙情

人が踏み固めて作った道は、やさしさを帯びている。——村から村へ続いている道。畑を通る道。野道。林をぬける道。畦を越える道。それが、ふるくから使われている道であれば、一歩足をふみ入れただけで、何かピーンと伝わってくるものがあるのだ。幾世代も前の透明な祖先たちの影がザワザワと歩いているような戦慄感である。そして、そんな道のまわりの自然は人間的でもある。あたりの木々や草花までが、道のために配置されているかのように。また、踏み固められた土の端からは、ちょうど良くぴっしりと草がはえそろってさえいる。そこを歩きつづける時、私たちは無限のやすらぎの中にある。そしてまた、幾世代もかかって地形の中から選びぬかれた一本の道の幾何学的な美しさはどうだろう。

緑の斜面に刻み抜かれた一すじの道は、人々が歩く労力の節約のために作り上げた統計学であるのか。

いつのまにか出来あがってきたこのような自然の中の道ばかりではなく、人為的に作られた道もまた、少なくともそれが明治以前のものであるならば安堵感をうることができる。広すぎもせず狭すぎもせず、道がちょうど人の体の大きさにピッタリ合ったという感じなのだ。たとえば、土塀の間にひっそりと横たわる道。瓦をのせた庇と庇・格子窓と格子窓の間にいだかれた町家の通り。苔をいただいた寺へ通ずる露ふいた石畳。そして、村落の真中を通りぬけている道——。どの道をとってみても生活のリズムがある。さまざまな対話や笑いが、そこに小さく渦巻きゆったりと流れている。考えてみれば、現代の私たちの旅とは、そんな道の幻影を求めての旅ではないか？

だが今、道の情緒は枯れ果てつつある。一切の道が車という凶器に引き裂かれ続けているからだ。大型の車が人の歩くための道に無遠慮に割り込んでくる。土塀や格子窓はガサガサに傷つけられてしまった。ここは人馬が通行するための旧街道、その松並木スレスレにフルスピードの車が走る。つややかに息づいていた、風物もみな埃まみれだ。そして、舗装された村の道では、毎日〝鋼鉄の凶器〟にのった見知らぬ人々が走りぬける。もう、そんな村落なら帰りたいとは思わない……。（原）

参加者はこう感じた

方言で自己紹介
どっち向いてもスイカ畑

佐賀・中村　良子

昨年の開催地として今年の愛知のつどいはどんなだろうか、愛知の農業は？と期待に胸をふくらませて佐賀を出発しました。

十二日、名古屋着。昨年のつどいで同じ班だった愛知のT君が私を覚えていて話しかけられたことが嬉しく、民泊も彼のブロックだとのことでした。市内パレードは、車中の疲れで暑さにまいりましたが、小さな住家は見あたらず大きな建物が幅広い道と緑に囲まれ整然と並んでいるのにはびっくりしました。

十三日、豊田ブロックの地区内視察、農協所有の大型機械が並んでいる側にバスの窓から見える水田は小さくどこで使用するのかと不思議に思うぐらいでした。話に聞くと全体の六割が利用しているとか。農業の形態が全然違うなと感じました。きたどっちを見てもスイカ畑なのにはびっくり。民泊は、私と同じみかん栽培の長崎のMさんと二人、酪農家K君のお宅へ。その夜の家族との話し合いでは家庭の味をあじわいました。

十四日、仕事がないからと雑草もあまり見えない飼料畑の草むしりに汗を流す。十四日は、三好町の盆休日でしたが、私たちのために特に農作業をして下さったのには恐縮しました。そして、作業をしながら、クラブのこと、家の経営、自分の考え方その他いろんなことを話しあいました。その夜のつどいは、会長さんのリードのもとに三人のブラジルの方をまじえて、方言で自己紹介や歌・ゲームに時を忘れ、楽しい一時をすごしました。

このつどいを振返ってみると、心の広い地元クラブ員をはじめ、全国クラブ員との交歓は、初めから終りまで同じメンバーだったので話しやすく、より友情が深まった。この若き情熱とやる気が、明日の農業を創る。苦しい時この仲間を思い出すそう。来年、北海道でまた会いましょう。つどいの役員の方々ほんとにごくろう様でした。

張君が書く「春画」

今年の台湾からの〝草の根大使〟張明伝君は、二十五才である。正確にはチャン・ミンチャンと読む。もう兵役もすませてきたそうである。彼は、英語も日本語もほとんどダメ。知っている日本語のほうを勘定できるぐらい……。でも〝つどい〟では参加クラブ員とはけっこう対話ができていたようだ。その対話の方法を明かせば、まずクラブ員は日本と中国の共通語・漢字を紙上に並列する、それで足りないところは身振りで補う。これで、だいたいOK。

これに味をしめたクラブ員が彼に聞くことは、だいたい同じである。「恋愛したことあるか」、「恋人は何人いるか」「日本の女性を美人と思うか」……。中には、この方面でさらに突込んだ質問をしていくものもいる。また、あるクラブ員が日本の劣悪週刊誌「プレイボーイ」を彼に見せ感想を聞いた。彼がやおらペンをとり書いた答は、「春画」。

伯クラブ員の日本語

例年どおり、ブラジルから五人のクラブ員が参加していたが、二世ではあるし、顔をみただけでは全く見分けがつかなかった。どこで区別したかといえば、はなはだ皮肉なことだが、彼らが「日本語」を話していたということだった。——そう、まさに日本語を話していたからだ。

かたすみで

馬鹿なことと思うだろうが、彼らの日本語は際立っていた。いうなれば、格調高いと高潮してもよいような、正確で美しい日本語、久方振りになつかしい母国語を聞いたような思いにさせられた。むしろ、ハワイや朝鮮などに、オーソドックスな日本語が伝えられていると聞いたことがあるけれども、そうかもしれないと改めて感じた。

現在、日本語が混乱しているか否かはともかくとして、ぼくらは母国語という理由から特別に学んだという記憶がない。それにひきかえて、ブラジルから来た諸君は、正規に日本語を学びとったのである。あたかも、ぼくらが、英語を学んだように。こうして父母の祖国の言葉を学ばなくてはならぬことの悲哀とか、是非とかは別にしても、そこには日本語の骨格といったものを思わせる力があった。

それは、共通語とか方言とかの問題でなく、正確な言葉遣いをしようとする緊張した精神と謙虚さに支えられて、いま一度、日本語について考えなおすべきではあるまいかという反省を、ぼくらに起させるに十分であった。日本人のなかにあって、ブラジルの諸君の日本語が群を抜いていたことは、たしかであったのだから。

交通事故の論理？

愛知県は、車の交通事故が多いことで全国でもトップクラス。しかし、地元のクラブ員によると、車の所有台数に比べて事故発生件数の割合は必ずしも多くないという。あまり歓迎できない論理であるが、確かに車は多く、豊田あたりでは二・五人に一台の割合といわれる。こんどの現地交歓訪問でも、ブロックの集会所には、クラブ員の車がぎっしり。それも県外参加者も驚くほど新型や高級車が多い。ある県外参加者が憎まれ口をたたいた——「メシを減らして車に金をかけてんだろう」と。

そしてまた、車に同乗させてもらった一クラブ員いわく「乗っているのが恐くて、途中で下してもらおうかと思った」

肌で感じたものは

今回のつどいのキャッチフレーズは「肌で感じる愛知の農業」（愛知県連がつけたもの）。肌で感じる、という表現をどう解釈するかの分析はさておき、地元クラブ員の配慮によって参加者は十分に愛知農業を感じとることができたようだ。——

聞くところによると、今回視察して巡ったところは、愛知県内でも農村として残された個所だという。そのためか愛知の農業というより、愛知県の産業とそのなかに占める農業の位置を知ったというクラブ員もいた。

農業施設の視察は、冷房つきのバスで行なわれたが、バスを下りて施設に向う途中、雨に見舞われてびっしょり。これこそ肌で感じるわ——とはある女子クラブ員の失言。

単車で会場へ向う中島君
＝豊田市役所前で

単車で参加、九州へ

栃木県のクラブ員が、単車でつどいに参加した。小山市寒川、間々田4Hクラブの中島輝雄君で、つどいのあと九州方面までドライブ旅行するという。テントなど約七十キロの荷物を積んでいるのでバスに乗れず、バスと追いつ追われつしながらかけめぐって行事に参加していた。

中島君は、つどいの余韻を残しながら、何かを求めて、いまも走り続けていることだろう。

壇上と会場で踊る参加者

←→ ブロック先では意見交換
つどいトロフィーの引き継ぎ
鳥居愛知県連会長(右)から中山北海道連会長へ

三ケ根山頂のつどいで再会を喜び合う参列者

ねむい　ごしたい

長野・笠原　正好

開会式が終ってそれぞれ各ブロックに別れた。われわれが行った西尾ブロックは愛知県のクラブの中でも特に真面目で優秀な人間が多いそうである（西尾のクラブ員の話によると）。

夜の歓迎会では、西尾地区に古くから伝わる（ほんとかな？）棒の手をアトラクションで見せてくれた。棒や鎌・薙刀・刀などを使ったすばらしいものであった。特に真剣を使ってのものはすばらしく、みんな熱心に見入っていた。

ブロックで一番感じたことは、わが信州にくらべ愛知は非常に暑いそして水がまずい（やはり信州が一番いいのだ！）。しかし、そんなことより全国のクラブ員と知り合い、いろいろの話をしてみてもう一度自分自身を見つめなおし未来へ向って努力をしようという気が起きた。最後に、つどいの感想を言えば、「ねむい」「ねむい」そして「ごしたい」のだ。〝注〟ごしたいとは、しんどいとか疲れたの意味。

噛み合わず

佐賀（H・H）

「第七回全国4Hクラブ員のつどい」も無事終了して、皆さんもホッとしておられることと思いますが、大会役員の方々ほんとにご苦労さまでした。

この大会でよく耳にしたのは、「クラブ員みんなの自主的な大会である」ということであった。しかし、私はすこし疑問だと思う。役員からすればたしかに千五百人からの参加者を統一するのは非常に難かしいことであるが、参加者一人一人からすれば、その一人一人が役員に従えばよいのである。それが集って統一となり、運営がスムーズにいくのである。皆さんもこれは各段階で経験されていることで、これがなにも特別なことでなくごくあたりまえのことである。この大会では、それがどうもうまく噛み合わないというのはどうしたことだろう。

来年は全員で参加

静岡・中安　幸恵

つどいには、去年と今年で二度参加することができ、たいへん嬉しく思っています。この大会では、地元運営委員の方々の心使いに感激しました。

いままで、運営委員とは余り語り合えなかったのですが、運営の苦労話などを聞き、この華やかさの裏を知ることができました。私はこの全国の仲間と語り合うことのできるチャンスを大いに生かしていきたいと思います。この若さの中の大会ですが、暑さも吹き飛ばし、意欲に燃えて若い力を発散させていきたいと思います。また私達のクラブは、全員で参加したいと思っていましたが、仕事の都合でこれなかったことをたいへん残念に思っています。このつどいの体験を一人でも多くの仲間に感じ、来年の北海道へ多くの仲間を集めるのが私たちの役目だと思いがんばっていきたい。

よい参考になった

北海道（M・N）

来年のつどいは、わが北海道で開催されますが、そのためにも、今回参加させていただいて、大変参考になりました。また、全国の仲間と会うことができ、友ちもだ多勢できて大変嬉しく思っています。

ただ、参加者が期待していたキャンプファイヤー「若者の祭典」が、やや盛り上がりに欠けたことに対しては、他県のクラブ員からもいろいろ注告も受け、激励もされました。

しかし、失敗は成功のもとともいいます。このつどいを参考として、来年はより以上のものにするため頑張りたいと思います。また参加者ももう少し、4Hクラブ員らしく、若者らしく行動すればよかったと感じます。

いま、北海道連では、北海道の特色を生かした行事を検討していますが、どうぞ来年は北海道へ大勢の方がおいで下さいますようお待ちします。

なお、温かく迎えて下さった地元クラブ員の方々、ご家族の人たちに心からお礼を申し上げます。どうもありがとうございました。

感じちゃった
さすが農業に生きるもの

三重・黒川　正信

七月十二日からの全国4Hクラブ員のつどいに参加させていただいて肌で感じたこと、目で見たこと、聞いたことなどを思うまま気の向くままに書いてみたい。

全国からこのつどいに参加してきた仲間について述べてみると、さすが〝農業に生きる〟という自覚を持った若人、どのクラブ員に接してみても〝肌で感ずる愛知の農業〟のキャッチフレーズのような感じちゃうものがあった。

春日井の4Hクラブ員の経営スケールの大きさはよくもまあこういった都市化されたところで農業がやれるものかと、感心させられた。都市化の波にマッタをかけながら前進する春日井の4Hクラブの底力をまざまざとここでも肌に感じた。企業としての農業へ完全に乗り替えた感じであった。日本で愛知ほど肌に感じる県は他に無いと言ってよかろう。現代はフィーリングの時代だ。肌に感じる何かがある愛知に、参加させていただいて痛切に感じちゃった！

大変楽しい大会

アメリカクラブ員
ジャネット・ランダース

この大会は、4Hクラブ員にとって、地域のかかえている農業問題や4Hクラブ活動、普及員の仕事などを学ぶのに、大変よい機会だと思います。

私もこのつどいに参加させていただいたうえ、大変楽しく過ごさせていただいたことを嬉しく思います。

もっと主体性を

福岡（F・K）

昨年の佐賀のつどいや、自分たちの県のつどいのことなどから、今回のつどいについてちょっと感想を述べてみます。

4Hクラブで行なう、どの行事でもそうですが、4Hクラブの四つの綱領のほかに〝自分たちで主体的〟に行なうことこそ4Hの本領だと私は思います。しかし日本では、4H活動が普及事業の一環として発展してきた歴史があるので、日本の4H活動では〝主体性〟ということが最も弱い点だと思うのです。これを克服するために、たくさんの先輩たちの努力があり、私達も地域で奮闘しています。この点で、ブロックに入って少々ガッカリしました。すべて、普及員の先生方の建てたお膳立てに乗って行事が進行しているような気がちょとしたからです。

機械化された農業

台湾・廖　金郷

台湾に比べて、日本の工業の進歩と機械化された農業を強く感じました。つどいの期間中は、参加者のみなさんから大変親切にしていただき、どうもありがとうございました。

値上げ率2.3％に
——46肥料の価格決る

全国購買農業協同組合連合会

四十六肥料年度（四十六年七月〜四十七年六月）の肥料価格は、四月以来、全購連と業界との三ヵ月におよぶ厳しい交渉を経て、このほどまとまった。妥結の結果は、業界の平均九％値上げ要求に対し平均二・三％（昨年は四・五％のアップ）の値上げに、押さえることができた。

品目ごとに交渉結果を見てみると次のとおりである。【硫安・尿素】四十五肥価格交渉において三ヵ年協定済み。【塩安】四十五肥価格交渉において決定済み。【硝安】硝安については、当面需給緩和の傾向にあること、原料アンモニアについては操業度が下がっても、大型設備の稼動にともない旧設備に比べ相対的にコスト安であることを理由に、アンモニア合理化に見合う価格スライドとして十円の値下げを主張した。

しかし、業界も全購連の主張を基本的には認めたが、硝安の危険品扱いに対する公共料金の値上がり分を強く要求し、最終的には五円の値下げとなった。【石灰窒素】前提として、四十五肥石灰窒素の需給実態を重視し、四十六肥については、業界が責任をもって供給を行なうことを確約させた。業界の値上げ要求九十一円、全購連のモデル原価方式による値上げ案十七円と、双方の間に大きな開きがあり交渉は難航したが、前提条件が満されたことも考慮し、業界の要求のうち、原料炭の値上がり部分、労務費のアップ分、電力費のアップ分、公共料金値上がり分の一部を認めることで妥結。【過燐酸石灰】業界の要求と全購連の考え方の基本的な対立は公害除去費用の価格折込みをめぐって主張が大きく食いちがった。しかし、最終的には全購連としては社会的に許容しうる要因として、労務費の値上がり、公共料金の値上がり、公害経費負担の一部を認めることとした。【ようりん】公共料金の値上がり、労務費の上昇、石油値上がりによる重油の値上がりなど、やむを得ないものについて認めることとした。【化成肥料】原材料の値上がり分は、そのまま反映し、労務費、人件費の直接部門の一部を認める、公共料金の値上げ分、公害関係費用の一部を認めることで、業界要求の九％に対し二・六％値上げにとどめた。【加里】加里の主要産出国であるカナダは昨年に引き続き四〇％の操業を続けており、そのため世界的に品不足を生じ、完全に売手市場になっている。昨年は実勢十一〜十二ドル値上げされたが全購連は産地分散購入により、七ドルアップにとどめ得た。しかし、今回はソ連、イスラエル、西独など全購連の購入相手国が対日輸出価格をカナダの価格基準を主張して、需給関係から、四ドル程度の値上げはさけられなかった。（広報課）

年間目標50〜100万
農家の貯金状況　教育、結婚に備え

農林中央金庫

農林中金は、このほど全国二千戸の農家を対象に「貯金について」のアンケートを行なった。

まず、貯金の計画性についてみると、年間目標を立てていると答えた割合は、全国平均三三・三％で、四七・三％は別に目標を決めてないと答えている。貯金の目的については、最も高い割合を占めているのが「教育・結婚など子どもの将来に備えて」（五一・七％）、ついで「病気や不時の出費に備えて」（四四・二％）、「住宅の新改築など生活の向上のため」（二九・一％）という順になっている。また、貯金に対する考え方をきいてみると四六％が「無理せずその都度」と答えており、「一定額を必ず天引きして積み立てる」と答えた人は二六・八％となっている。

昨年（四十五年）一年間に、予定どおりの貯金ができたかどうかをきいてみると、六五・五％が「予定どおりの貯金ができなかった」と答えており、その理由として「予定より農業収入が減少した」をあげている人が三九・三％と最も多く、ついで、「臨時の出費があった」（三七・六％）、「家計費が増加した」（三一・九％）となっている。また、昨年一年間に貯金が増加したか、減少したかをみると、全国平均では三四・五％が「増加した」と答え、四一・九％が「減少した」と答えており、増加した理由としては米以外の農業収入の増加をあげている人が多く、減少した理由としては「米代金の減少」「生活費の増加」「住宅の新改築」などが目立っている。

最後に今年中の貯金目標額をきいてみると、全国平均では五十七万二千円で、年間の貯金目標額は五十〜百万円に集中する割合が多くなっている。そして今年十二月末の貯金総予定額をみると、全国平均では二百万六千円となっていて、農家の貯蓄意欲は、いぜんとしておう盛であることがわかる。（総務部）

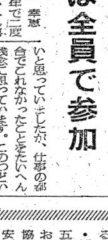

茨城県連で指導者研修会

地域との密着を　部員の資質高めて

【茨城県＝藤本芳一連絡報道員発】茨城県農業研究クラブ連絡協議会（会長　相馬正仁君）は、県と共催で、さる六月十六日から十八日までの三日間、県立農村青年研修館に各地区の代表を集めて農村青少年指導者研修会を開き「現在のクラブ活動をどう考えるか」をテーマに話し合いを行なった。

一日目は開会式、オリエンテーションのあと午後一時から分科会に入り「現在のクラブ活動をどのように考えるか」をテーマに話し合いが行なわれ、自分たちの地区連の活動状況や問題点などについて意見が出された。

夜は、七時から地区リーダーとしてのレクリエーションの生かし方について県の青少年指導者から説明があり、そのあと実際にゲームを行ない、楽しく過ごした。

二日目は、午前八時から全体会を開き、前日の分科会で討議された内容の報告をもとに、現在のクラブ活動の状況などについて考えた。十時から事例発表に移り、真壁地区代表から「地域と密接したクラブ活動を進めて、クラブ員の資質を高めている」という実態が報告された。

このあと気分転換とお互いの交流を深めるため、ハイキングをかね近くの湖水まで歩き、昼食をはさんで分科会を行なう。ついでフォークダンスで気分をほぐした。

夜七時からはパーティ。寸劇やゲーム、フォークダンス、社交ダンスなど堅い研修会とは思えないほどうちとけた内容で、このあと夜遅くまで話し込む参加者の姿が目についた。

三日間は、午前八時から農村文化協会の和田金次氏の講話があった。テーマは、参加者のアンケートの中から選んだもので、内容は人間の論理（健康と生命の安全性）が資本の論理に優先、多様感の解決法（趣味）、情報社会、結婚問題、農村青年の生き方、人間の心理など幅広い範囲にわたって話された。

十時からは、前日、野外で行なった地区連の運営の仕方についての討議報告をもとに、全体会がパネルディスカッション方式で行なわれた。参加者一人ひとりは、地域農業と結びついたクラブ活動を把握し、方向づけしたのではないだろうか。

午後一時から相馬会長より県連事業や4H会館建設の基金、日本4H新聞の普及などについて説明があり閉会式に移った。

今回の研修会は、県連と地区連の代表が一体となって現在のクラブ活動をみつめ、お互いに自分の使命を自覚して意見の交換ができた。また、内容的にみると野外での討議、ティーパーティ、速報の文集（ちょっと一言）の発行と昨年までにはないバラエティに富んでおり、この中で参加者同士が十分に話し合いができたことは大きな成果であった。

3時間20分で登頂

富士登山　浜名4Hの駅伝チーム

【静岡県＝鈴木政美連絡報道員発】浜名青年団駅伝クラブ主催による富士登山が、さる七月三、四日、四十六名の参加者を集め行なわれた。これに浜名4Hクラブ員も参加した。

当日はバス一台をチャーター・午後八時三十分浜北市を出発し富士登山道から新五合目（海抜二千百米）まで登った。前日の大雨とうってかわり五合目からの夜景がすばらしい。ここでバスを降りた皆は、午前〇時三十分、一路山頂をめざし出発した。特に心配されたのは、二十一の女子参加者のことであるが、日頃スポーツで鍛えた力をフルに生かし全員無事に登頂した。また、各競技大会・駅伝大会で活躍している浜名4Hクラブの十二名の駅伝クラブ員が参加、普通五時間かかる所を三時間二十分で登り、皆を驚かせていた。午前六時三十分全員登頂。

ふりかえってみると、まだ山開き数日後とあって登山者は少なくスムーズに登れた。途中、他の登山者との交換もできたのは、登山ならではのことではないでしょうか。また、ほとんどの人達が二十一歳～二十二歳位の若者だけに途中ダウンする人はなく、中には一時間四十分で下山するクラブ員も見うけられ、4Hクラブ員のスタミナはさすがと思われる。この登山によりクラブ員、団員との交流は一層深まり、すばらしい青年活動ができるのではないかと期待されている。

沖縄でも"集い"

【沖縄】全沖縄4Hクラブ連絡協議会（会長　大城正幸君）は、さる六月十九日から二日間の日程で、第一回全沖縄4Hクラブ員の集いを、糸満青年の家において開催した。

先島を含め、北部、中部、南部から約四十名が参加。開会式のあと、すぐに「今後の沖縄農業について」「4Hクラブ活動の推進」の講演を開き、意見交換や研修会が行なわれ、夜はレクリエーションとキャンプファイヤーが開かれた。

二日目は、①4Hクラブの組織強化をどのようにはかるか②今後の農業と農村青少年の役割について―の分科会討議、全体討議、スポーツ大会などがあった。

流通問題も関心の的になってきた――高知県

流通面にも関心

高知県連で技術交換大会　林業など加わる

【高知県＝公文豊連絡報道員発】高知県農村青少年クラブ連絡協議会（会長　岡村康夫君）は、さる六月二十二日から三日間の日程で香美郡野市町西野の県立青少年センターにおいて、第十一回高知県農村青少年技術交換大会を開催した。これにはクラブ員約五百名が参加した。昨年は、七月下旬に行なわれたこの大会も、今年は全国大会の参加申込が早くなり、同時に高知県青年の船・七月八日出港・もともない、昨年より一ヵ月くらいくり上げて開催された。

開会式は、国歌・4Hクラブの歌斉唱。スローガン（より強く、より明るく、より豊かに、未来へはばたくわれらの仲間）を唱和。そして県連会長、県知事の挨拶で大会の幕を開けた。

一日目は、まずプロジェクト発表から入った。発表者は、十二名で昨年まで見られなかった林業などもあり、また販売流通面に力を入れたものも見られた。この夜はおたがいの親睦を深める意味でサイン交換パーティが行なわれた。その後、県青年の船参加者の紹介が行なわれ、4Hクラブ乗船者百数名が自己紹介をした。

二日目は、分科会、技術競技、キャンドルファイアーである。分科会は、クラブ活動、生活、園芸、林業など八つの部会に分かれて行なわれた。まがり角に来た農業、林業をどのように考えるか。また農産物、材木などの輸入の問題、対策などについて討議された。技術競技も今までと少し変わった種目を取り入れられた。鑑定競技、農機具修理点検、料理などである。鑑定競技では、団体と個人に分けて行なわれた。むずかしい問題に頭をひねる者。手に取って熱心に見入っている者などさまざまである。そして、農機具修理点検競技では、八チームが参加。クラブ員の応援を受けながら太陽の照りつける下で汗をふきながらの熱演である。なかには、オイルや冷却水の入ってないエンジンを始動させ減点されたチームもあった。また、料理競技は、各地方の郷土料理の実演である。男女一組で行なわれた。なれた手つきで材料を切っている男性、女性につかわれている男性など、まるで新婚家庭をのぞいているようで大変ほほえましい光景であった。

最後の夜のキャンドルファイヤーは、中心にクローバとHの印をしたキャンドルにローソクをともして、歌・ゲーム・出し物などですごした。この夜には、大会にふさわしい想い出がクラブ員の胸に残ったことであろう。

大会最後の日程は、前日分科会で討議した結果を全体において発表し質問などが行なわれた。そして、シンポジウムには、園芸、生活、経済、地方自治、行政など各講師をまねいて行なわれた。クラブ員の質問もかなりレベルの高いものが多く、講師の方もおちつかない様子であった。

閉会式は、岡村会長の「この三日間の大会を通じて学びえたことを、クラブ活動に、また農作業にいかしがんばってほしい」という挨拶で三日間の日程を終えた。

山梨、女性のみのクラブ発足

【山梨】東八代郡豊富村に、このほど、女性ばかりの4Hクラブが発足した。村の有線放送本部に勤める米山さんを会長に、村役場勤務の有泉さん、農協勤務の植松さんと望月さんの四人、すみれ4Hクラブと命名して、東八代郡連へも加盟した。

栄養改善と親睦を目標に、毎月四日に定例会を開いている。すでにこれまでに、郡連と合同で消費生活センターでの勉強会、食品添加物の害などをスライドを見て話し合ったり、栄養改善のあり方などを考えたりしている。

雨に降られたが、参加者はつめかけた――栃木県

基礎、専門に分けて

栃木県連も技術交換大会

【栃木県＝井野口芳弘連絡報道員発】栃木県青少年クラブ協議会（会長　矢野幸功君）は、さる六月二十九日、各地区代表者二百余名参加のもとに、栃木県農村青少年演示発表大会を、農業教育センターで盛大に催した。あいにくの雨で参加者の集まりも若干遅れるかと思われたが、時間になると、各地区からぞくぞく参集して来た。

午前九時から、受付、オリエンテーション、開会式、十時三十分から技術競技の部へ入った。技術競技は、新規就農者対象の基礎部門と、専門部門（作物、蔬菜、畜産、果樹、生活）に分かれ、三名で構成（女子一名を含む）するグループ競技で、審査、鑑定、判別、診断に分けて実施された。

午後は、昼食をかねたレクリエーション、一時から演示の部がスタートした。出点数二十二点、三会場に分かれて発表。内容は、農業及び生活についてのアイデア、発明発見、考案改良などを持ちより、その着想、研究、製作過程、性能、実用性、成果などについて演示発表し、その内容を総合的に検討した。

青春と仲間

4H号　110名の仲間と　沖縄へ！

作物の値　自分で決る

神奈川県　小野美恵子

二年後に本土復帰しても、はたして本土のような生活ができるであろうか？　北部の方の小さな村の家は、人が住んでいるとは思えないような小さな家で、せまい畑の野菜、さつまいもなども貧弱で本土の野菜とは、だいぶ大きさなどもちがった。また、私が行った豊見城の村は、那覇から車で十五分位の所、南部の蔬菜地帯で、生活の程度のよい方であった。そのころはキュウリ、レタスがさかりで、次いでピーマン、トマトが出るのである。キュウリは、本土よりも青く、長かった。長いのでは三十センチもあり、レタスも大きかった。

しかし、流通機構が悪く、生産したものは、自分で値をつけて売らなければならないとのことだった。町のはずれに市場があり、そこにはだれでも持っていっても自由に販売ができ、買うのも自由で、雑貨からくだもの、菓子、魚まで売っていた。私たちも朝の六時に起きて、その市場へ出かけて見学をしてきたが、せまい場所に生産者、購買者がいて、見学をするにも足の踏み場もなかった。

私がとまった家の人は、朝の三時に売りに行きました。また、この市場は売りきれるまで一日やっているそうである。私たちも、めずらしいものを少し買って来ました。何もかも本土よりはおくれているが、自分で生産したものを、自分で値をつけて売るということは、ある意味において、本土よりもすすんでいるのではないだろうか。

次の日に、豊見城の農業地帯を案内してもらい見学した。ここは昔から生活のよい所らしく、農業もほかより進んでいて、農業を真剣に考え、そのための勉強もよくしていた。本土に農業の勉強に行ったという人が数人いた。この地帯の農業が、これからの沖縄の農業を背負っていくのではないだろうか。（全国4Hクラブ連絡協議会編『第二回沖縄親善交歓訪問報告書』より）

パイナップルの選果場

村を守れ

福岡県糸島4Hクラブ　原田久己

四季の移り変わりの中で、人情的にのんびりとしていた農村の人達。しかし、私達の村から、そのような風土も情緒も、今は消え失せようとしている。

世をあげての消費時代、暇があれば賃稼ぎに出る農家の人達。金……金、金……何かにとりつかれたように、人々は仕事場へと急ぐ。生きることで精一杯。

激しく移り変わる世の中、生活は確かに便利になった。でも、それが果して住み良い農村に変化したのであろうか。私の村には、古くから村祭りなどがあり、四季それぞれに催しがあった。祭りの秋には、笛や太鼓の響きが聞えたが、今ではそんな響きさえ聞えない。

国民総レジャー時代、旅行に、ドライブに、ボウリング場にと、若者は刺激のあるものに飛びついて行く。本当に考える時間がなくなった。過疎化の激しい農村、老人や婦女子ばかりの村、村では若者の行動を待っているのに、巨大な怪物は、村から若い力を取り、子供達から父を取り、そして今は自然さえも侵そうとしている。

進歩するのもいい。もちろん古い風習は、私達の斬新な感覚で改革して行くべきだ。でも、都会の人が忘れたもの、農村だけにしかないもの、うまく言い表わせないが、人間が生存して行くための環境である。自然は、農村に生きる私達が、その生命に誓えても、守るべきだと私は思う。

山があり、川があり、鳥が飛ぶ。朗らかな人々の笑い声。こんな村を、自分の手でツブすことはやめたい。生活が豊かになるのも大いに結構、でも、それとともに、自然を愛し、自然とともに生きる村、そんな村に私は生きたい。（全国4Hクラブ員のつどい東愛知ブロック大会のしおりより）

米国での生活から

仕事もつ母親

思春期の娘との間にミゾ

坂本重子

Henderson家は、ニュージャージー州にあり、九月五日から十七日までの十三日間滞在、農地はなく、宗教はカソリック。

御主人が二年まえに亡くなられ、息子さんはアイオワ州へ働きに出ておられ、奥さんと娘さん二人の三人暮しの家庭で、母親の手で子供を育て、家を守って行くのがどれだけ難しいものかを学んだ。

奥さんは主婦に洋裁を教えに行かれる。これは郡の普及事業の一端だけれども、先生としての資格は必要ない。ただ、腕に技術があり、人格がよければそれで良いのだ。この奥さんの夜の職業は、生活を保持して行くためには絶対に必要であるように、私には思えたけれども、それは十五歳の思春期に入っている娘さんとの間に、大きな隔りを作っている状態になって、奥さんはとても頭を痛めておられた。

奥さんが休日の時は、娘さんが子守りとして近所へ行かれ、彼女が家にいる時には、奥さんは働きに……と、なぜこんなにうまく合わないのだろう？　と腹立たしい時さえあった。奥さんはとても気の強い人だけど、反面気さくで、親切で、とても話しやすい人だった。そしてお互いの祖母について話し合い、両方の性格が良く似ているので驚いた。

家族同士のつながりについても、いろいろ話し合った。その中で奥さんは、「親が、もし貴女に説教されるなら、最初は、何も言わないで黙って聞きなさい。そして、話が終ったら、自分の意見をまとめて相手に話しなさい」と言われ、反発を感じる前に、考えることを忘れないように――と教えて下さった。

その他、上の娘さんとは、何とはなしに話したけれども、下の娘さんは、お母さんと彼女との遊び、話し合える時間を、私が取ってしまったせいもあってか、意見が合わず、顔を合わせるたびに、息苦しさを感じた。

自分に言葉を上手に使える自信があったら、一歩も後退はしなかったのだろうが、それが出来ないために、十分、話し合えないことがとても残念だった。

うれしかったこと

①ニューヨーク市へ行って、日本人の食堂へ行き、日本食が食べられた。

②近所の奥さんが、車で六時間かけて、ニューヨーク市内を見学させて下さった。

③奥さんのお父さんが、船便で小包を送って下さった。

悲しかったこと

①一度、夕食の用意をした時娘さんに喜んで食べてもらえなかった。

楽しかったこと

①マイン州にある大学へ行かれる娘さんを連れて、大学へ行き、モーテル泊りや民泊をした。

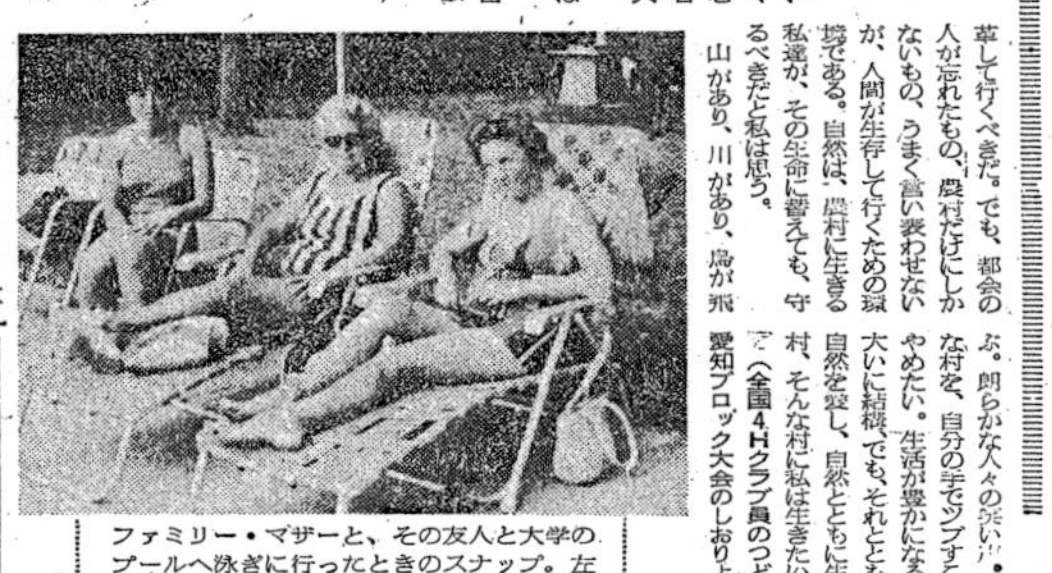

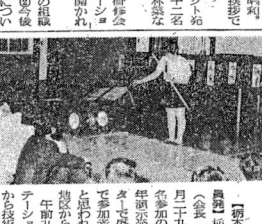

ファミリー・マザーと、その友人と大学のプールへ泳ぎに行ったときのスナップ。左端が坂本さん。

おことわり　今回は、つどいの特集のために、通常の三面の記事は載せず、四面の記事も縮少して、一般ニュースとともに載せました。

NHK農事番組

・（7月31日～8月10日）

テレビ

明るい農村　6・30～6・55総合
1日　明るい漁村
2日　村の記録「ある門出」―東京都下、栃木県下
3日　きょうの問題
4日　産物往来　野菜の海上輸送
5日　話題の広場「酪農青年道場」栃木県西溜浦
6日　村をむすぶ　仙台、名古屋、新潟、東京
7日　農村新地図「福島県原町市」新関ゆり子
9日　明るい漁村
10日　村の記録―夏期特集「減反所長」

農業教室　7・30～8・00　教育
2～4日　草地造成の問題点（農林省草地試験場山地支場）中川西弘之
5～7日　これからの農村計画（東北大学教授）佐々木嘉彦

あすの村づくり（日）7・00～8・00教育
1日「グループだより」―秋田。「伝統の中に築く新しい村」―京都。「青年像」―山梨。
8日「グループだより」―岐阜「二代目の開拓者」―鳥取「先輩と語る」―茨城

ラジオ

早起き鳥　5・41～5・57　①
1日　早起対談　雲林瑞法（南知多町大宝寺住職）
2日　早起き対談　江戸英雄（三井不動産社長）
3日　早起対談　遠山正瑛（鳥取大学教授）
4日　早起対談　桧原隆一（香川県大川農協専務）
5日　中国の農業をみて　村瀬益芳（組合貿易専務）、菅沼正久（九州大学教授）
6日　喜ばれる農協図書館～新津市金津農協～
7日　子供民宿村～長野県北安曇郡白馬村～
9日　きのこのなぞを解く（京大助教授）安本教伝
10日　新しい肉牛づくりにかける（旭川市）上野裕幸

話の広場　6・10～6・30　①
1日　草花で大根の害虫防除～神奈川県園芸試験場三浦分場～
8日　街の養蜂家～高崎市・宮内甚次郎～

新しい農村　6・30～7・00　②
1日　地方税法改正の波紋―横浜港北農協組合長ほか
8日　営農団地の課題―農協研究集会出席者

ラジオ農業学校（日）6・30～7・00　②
1日　グループの集い「私の農業観」福井県今立郡今立町若菜グループ
8日　経営手帳「工業化の中の農業政策」～西ドイツの機械銀行をみて～（日本獣医畜産大学教授）吉田六順、秋沢潤一

日本4H新聞
4Hクラブ 農事研究会 生活改善クラブ
全国広報紙
発行所 社団法人 日本4H協会
東京都市ケ谷家の光会館内
電話(269)1675郵便番号162
編集発行　玉井　光
月3回・4の日発行
定価　1部　20円
一カ年　700円(送料共)
振替口座東京　12055番

クラブ綱領

私達は、実践を通じて自らを磨くとともに、互いに力を合わせて、よりよい農村、よりよい日本を創るため、四つの信条をかかげます。一、私達は農業の改良と生活の改善に役立つ腕をみがきます。一、私達は科学的に物を考えることのできる頭の訓練をします。一、私達は誠実で友情に富む心をつちかいます。一、私達は楽しく暮し元気で働くための健康を増進します。

皇太子ご夫妻ご臨席

農林省など主催の第二回全国農村青少年研修教育センター研修生交換大会は、さる七月二十日から三日間、長野県諏訪郡原村の八ケ岳経営伝習農場で開かれ、皇太子美智子妃両殿下がご臨席になられた。

現地訪問を最初に

参加者は2千人を予定

北海道連「第8回のつどい」の大綱決る

知床秘境の旅も企画　期日は8月28日から5日間

愛知で開かれた「第七回全国4Hクラブ員のつどい」も盛況のうちに終り、いよいよ、つどいは来年の開催地、北海道4Hクラブ連絡協議会（会長　中山壽雄君）へとバトンタッチされたが、同道連では早くも第八回つどいの大綱をまとめた。

昨年度、第八回つどいの誘致運動を進めてきた北海道連では今春開かれた総会において正式につどい誘致を決定、さっそく前道連会長の奥村秀宏君（現全協副会長）を委員長とするつどい準備委員会を発足させ、その後各種の調査をもとに日程などを検討していたもの。

また、つどい協賛マッチを作成して一本百円で販売、その益金を準備資に当てるなど努力を重ねている。

北海道連の計画によると、開催期日は来年八月二十八日から九月一日までの四泊五日間で、会場は札幌市に今秋九月オープンする近代的な建築、厚生年金会館をはじめとして定山渓温泉、また、現地交歓訪問では石狩、空知、後志、胆振、上川、留萌、日高の各支庁を予定している。

日程では、一日目と二日目が民泊による現地交歓訪問、三日目は開会式、歓迎レセプション、パネル討議、四日目が散策、キャンドルサービス、五日目に記念講演、閉会式、お別れのつどいなどを予定している。

現地交歓訪問は、鳥取で開かれた第五回まで行事の最後に行なわれていたが、閉会式が終わってからでは気のゆるみも出て事故を起こす可能性があるとして、第六回の佐賀、今回の愛知と統一行事の中に組み入れられてきたもの。

このように、日程の最初に持ってきたのは今回が初めてで、テストケースとして大いに注目されよう。ただ、民泊先へどのような方法で、いつまでに到着するか、参加者をどう把握するか――などの課題があるといえる。また、一日目と二日目に民泊するので、北海道の場合は、二泊の民泊による二日間の現地交歓訪問という変ったスタイルになる。

現地交歓訪問では、これまでと同じく交歓、実習、家族や地域指導者との話し合い、農業施設や先進農家の視察との意見交換、地域への奉仕活動などを行なうことになるものとみられる。また、第六回（佐賀）のつどいで好評だった散策を取り入れ、札幌市内と道立自然公園をバスで結び、楽しい対話の場にするよう計画されている。

参加者は、4Hクラブ員を中心に、OBとその家族、海外農村青少年、篤志指導者、全国各県の農村青少年担当官、農改普及員、地元関係者、来賓など、これまでのつどいの最高の二千名から二千五百名を予定している。これは、北海道への旅行を希望しているクラブ員が多いことや、北海道内の4Hクラブ員が約一万二千名いて参加希望者が多いことなどによるものである。しかし、農村青少年を対象として、これだけの人数を集めて開かれた全国大会が過去にないので、その運営方法も課題の一つといえる。

参加経費も、これまでの最高の六千五百円（第七回は六千円）になる見込み。

また、北海道連では、つどい終了後、秘境の地「知床」と神秘の湖「摩周」の旅を計画している。これは、つどいと直接には関係ないが、参加者へのサービスとして道連独自に考えているもの。

九月一日から四日までの三泊四日間で、経費は一万五千円見当。一日目は、札幌―旭川―層雲峡、二日目、層雲峡―網走―原生花園―美幌峠―川湯、三日目、川湯―摩周―阿寒―糠平湖、四日目、糠平―日勝峠―苫小牧―札幌というコース。

参加申し込みは、来年の四月一日から五月三十一日までとすることにしている。

これらの計画については、つどいの主催者である全国4Hクラブ連絡協議会（会長　黒沢健一君）、社団法人日本4H協会（会長　宮城孝治氏）とともに、今後さらに検討して煮詰めていくことにしているが、大きなスケールと可能性を秘めた大自然という北海道の特色が強く打出されたつどいになることが期待される。

沢田道連事務局の話　全国のクラブ員のみなさんの暖かいご援助によって、来年、自分たちの北海道で全国のつどいが開催されることになりました。

道連では、みなさんに、北海道の拡大で限りない可能性を秘めた自然を見聞してもらうための企画と準備活動に全力を尽し、全国の仲間が訪ねてくださることを夢みながら、下準備を進めています。

八月の下旬から九月にかけては北海道の最高の季節です。クラブ員一万余名の仲間とともに、心からお待ちしておりますので、ぜひともおいで下さい。

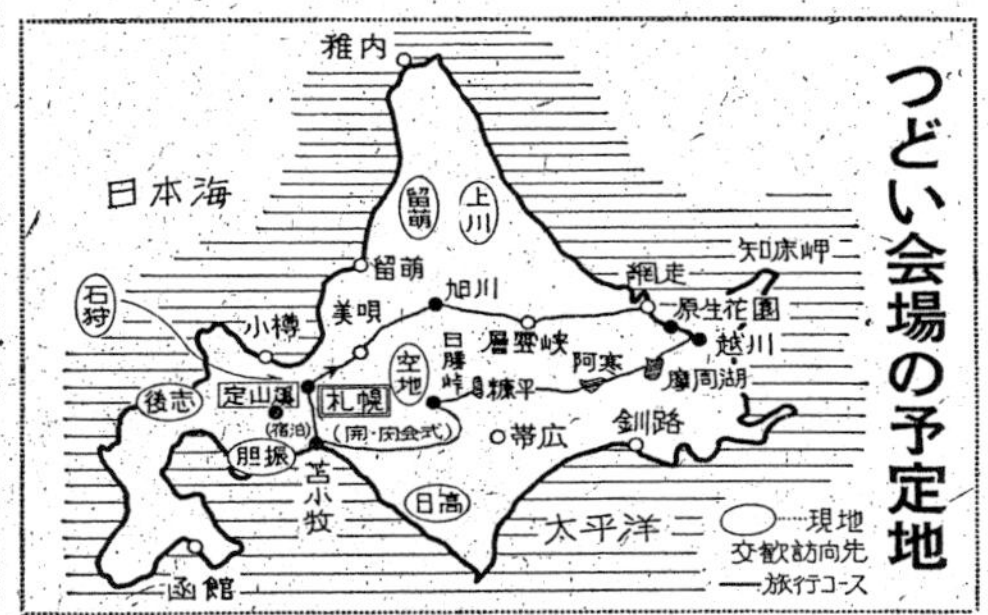

つどい会場の予定地

開会式であいさつする矢木県連会長＝香川県の技術交換大会で

仲間作りに成果

香川の技術交換大会　普及員さんも一緒に

【香川県＝大山園賀（まどか）連絡報道員発】香川県農村青少年クラブ連絡協議会（会長　矢木照男君）は、さる七月十、十一の両日、小豆島ユースホテルに各地区連から十名ずつの約七十名（女子三名）を集めて、第十一回夏季技術交換大会を開いた。

一日目は、肥土山のみかん園造地、銚子渓の自然動物園などを視察しながら会場に到着。開会式、オリエンテーションのあと郷土歴史家の川野氏から「小豆島の今昔」というテーマで講演があった。

つづいてプロジェクトの実績発表、夕食後は大西先輩を迎えてキャンプファイヤーがくりひろげられた。夜空に赤々と燃えるファイヤーを囲んで、各地区連が何日もかかって準備した出し物を披露、楽しく過ごした。二日目は、前夜遅くまで話し込んだこともあって、ねむい目をこすりながらの判定競技、普及員の中にもクラブ員と一緒になって問題と取り組んでいる人もいた。

朝食後は、分科会に分散して技術競技、話し合い、全体会と続いた。また、午後からは今上先輩を囲んでの話し合いとなったが、同先輩がアメリカ帰りのせいか、その方面についての質問が多かったようである。全国大会出場者の発表後、予定より早く閉会した。

この大会の成果としては、仲間づくりが第一にあげられる。また技術面など、各人各様農業について悩んでいた人たちも、仲間に体験談を聞き、農業に対する夢がわいてきたようである。

この成果が、今後の日常生活やクラブ活動に大きく影響してくることが、期待されている。

「4H号」で沖縄交歓訪問

申込み締切り20日

「4H号」で百十名の仲間とともに沖縄へ――全国4Hクラブ連絡協議会（会長・黒沢健一君）は、今年の十一月下旬、全国4Hクラブ員による第三回沖縄親善交歓訪問を実施することになり、広く全国から参加者を募集しているが、申込み締切日まであと十六日に迫った。

とくに、この訪問は、今回が最後になることも予想されるため、百十名の参加者（昨年は六十名）を予定、飛行機一機をチャーターして往復することにしているので手続上の関連などから早めに大勢の4Hクラブ員が参加申し込みをしてほしいと全協事務局ではよびかけている。

この沖縄訪問は、本土に来て全国の仲間と交流する機会に恵まれない沖縄の4Hクラブ員と交歓し相互の理解と親睦を深めるとともに、4Hクラブ活動の健全な発展にも役立てようというもの。

今回は、昨年初めて実施し好評を得た民泊を、"もっと交流の時間を"という参加者の強い要望から一日ふやし、二泊三日間の現地交歓訪問を計画している。

訪問の時期は、十一月二十一日から二十七日までの六日間で、このほか事前と事後の両研修が一日ずつ。

参加者は4Hクラブ員、OBとその家族など。

参加経費は、飛行機賃、宿泊費、沖縄での交通費、渡航手続きに必要な費用などを含んで、一人五万七千円。予約申し込みをするので申し込みと同時に全額納入することになっている。

申し込みの締切日は、来る二十日。

申し込み先は、東京都新宿区市ケ谷船河原町十一　家の光会館内　全国4Hクラブ連絡協議会事務局へ。

主な日程は次のとおり。

二十一日（日）　大阪府青年の家（同府三島本町桜井）に集合、開所式、事前研修、予防注射、渡航手続き

二十二日（月）　結団式、大阪国際空港から沖縄へ出発。那覇空港に到着、琉球政府関係機関へ表敬あいさつ、オリエンテーション、名護市内の旅館に宿泊

二十三日（火）　名護青年の家で沖縄クラブ員との対面式、沖縄農村青少年技術交換大会に参加、意見交換会（話し合い）、キャンプファイヤー、名護青年の家に宿泊

二十四日（水）　技術交換大会に参加、現地交歓訪問へ出発、沖縄農業の視察、クラブ員宅に宿泊（民泊）

二十五日（木）　現地交歓訪問、農業施設や観光地視察、クラブ員宅に宿泊（民泊）

二十六日（金）　現地交歓訪問那覇市に集合（正午）、沖縄の歴史を訪ねて――南部戦跡～糸満、ひめゆりの塔、健児の塔、摩文仁丘への慰霊、守礼の門などの見学、夜は自由行動

二十七日（土）　関係機関へお礼のあいさつ、那覇空港を出発、大阪空港に到着、帝釈（たいしゃく）寺に宿泊

二十八日（日）　事後研修、解団式、解散

専門と人文なども　最高水準の執筆陣

農林省　通信講座九月から開講

農林省は、農村青少年に学習の機会を与え、優秀な農業者を育成しようと、かねて農村青少年を対象とした通信講座の実施を検討していたが、いよいよ今年の九月から開講することになった。＝関連記事三面にあります

この通信講座は、農林省農業者大学校の教材を活用し、在村青少年に広く学習の機会を与えようというものであるが、これまで旺盛な学習意欲を持ちながら、農業経営が多忙であるなどの理由から研修の場に参加できなかった農村青少年にとって、働きながら学べる機会を与えられたもので、その成果は大いに注目される。

講座は、作物と畜産の二課程があり、受講期間は各三ヵ年。年間十冊のテキストと、各年次とも二回の特別講座を中心にして行なわれる。

とくに、教科の中には、農業専門分野のほかに、農産物価格市場論や世界農業と貿易などの経済、家庭社会学や税法などの社会（法学、社会学）、また、経営と人間や農村の文化と教育などの人文部門も含まれており、農業技術だけでなく、新しい時代にふさわしい視野の広く、創造力豊かな人材を育成しようとしている。

また執筆陣も、大学教授や研究所、評論家など当代一流の学識者や知識人をそろえてテキスト内容の高度化を図ることにしており全国クラブ員の受講が期待される。

受講者の募集は、農業改良普及所を中心に、市町村、農協、農業高校などを通じて行なうことにしている。

なお、この通信講座の事業委託先として、社団法人全国農業改良普及協会（会長　徳安健太郎氏）が決まった。

演示や体力つくり　9日から常呂で

北海道の技術交換大会

【北海道】北海道の農村青少年技術交換大会は、北海道、同4Hクラブ連絡協議会、網走支庁4Hクラブ連絡協議会の主催、北海道教育委員会、常呂町の後援によって来る九日から十一日までの三日間、常呂郡常呂町字栄浦の青少年キャンプ村で開催される。

参加者は、演示発表者各支庁三名、支庁農村青少年代表者、支庁4Hクラブ連絡協議会役員、道庁と支庁の農村青少年担当者、青少年担当改良普及員、篤志指導者など約四百名を予定している。

主な内容は、演示発表、体力つくり、班別による話し合い、交歓会、開・閉会式などで、話し合いのテーマは「私達のグループ活動をより積極的にすすめるにはどうしたらよいか」

一日目は、午後二時から開会式に入り、そのあとオリエンテーション、夕食、五時から交歓会。

二日目は午前中、農産、畜産、生活に分かれて演示発表、午後から体力つくりのあと、料理コンクールを行ない夕食、夜はキャンプファイヤーをくりひろげる。

最終日は三時間にわたる話し合いのあと閉会式、昼食、解散。

「家族計画」など討論　男子もまじえ

愛知県連の女子教養講座が決る　賢明な女性めざす

【愛知県＝国松芳香連絡報道員発】愛知県4Hクラブ連絡協議会（会長　島居久雄君）の女子教養講座の運営委員会（代表　市川裕子副会長）が、さる七月三日、岡崎市の追進営農大学校内農民文化会館で開かれた。

この女子教養講座に、今回初めて男子クラブ員も参加するとあって運営委員は猛ハッスル。そして講座については単位クラブ、地区連で十分に検討され、クラブ員から出された要望事項について慎重に検討した結果、第一回は九月にキャンプ形式で行なうことに決めた。とくに、参加者一人ひとりが親睦を深めることができる場として大いに役立てるよう工夫することとした。

また、開講式での盛り上がりが予想されるOBとの話し合いは、若い女性として最も魅力ある一場面になることを期待している。

第二回は、期日を十月として、日常生活に密着した美容と服装が選び出された。

第三回は、十二月に開き、男子クラブ員の人たちにも参加してもらう。将来お互いに大切なことでもある家計簿や家族計画などについて、男女の立場、役割をテーマに討議することにしているが、とくに充実した内容になるのではないかと思われる。

最後の第四回は、一回から三回までの講座の中から方法論をみつけ、総合版的な要素を果す重要な会にしようと頭をひねり、考案している。

この講座を通じて、愛知の賢明な女性の誕生が期待され、農村に新風を吹き込むことになるものと思われる。

なお、講座の予定と内容は次のとおり。

一回　女子だけを対象に、九月に一泊二日の予定で県内で開催。

主な内容は、一日目は、OBをまじえての野外料理と話し合い、親談のつどい。二日目は、ハイキングと話し合い、午前中、午後視察。

二回　十月「美容と服装」

三回　男女クラブ員を対象。家計簿や家族計画などについて話し合う。

四回　一泊二日で一日目は、午前「上手な話し方」、午後「女性の生き方」、夜は自由交歓。二日目は料理学習として午前中、各班ごとに献立をつくり料理コンクール。閉講式とパーティ。

涼風暖風

豚とテレビジョン

これは、テレビを利用して七〇〇頭の豚を飼育している農家の話しである。その農家Aさんは、北海道旭川市の養豚団地生産組合のメンバーとして活躍しており、年間一二〇〇頭の肥育豚を出荷している実力者である。

Aさんの豚舎は三階建てになっており、肥育出荷の便利を考えて、一階は仕上げ豚、二階は中豚、三階は子豚、というように区分けしており、各階はエレベーターで連絡するしくみである。これは、飼料の運搬や豚の移動に威力を発揮する。豚房は各階とも水洗式、大型の飼料タンク、冬期にはプロパンガスの保温機にロードヒーティングなど、施設は省力化に重点がおかれている。

豚房の天井には、豚舎内を写し出すテレビカメラがすえつけてある。エレベーターに驚かなかった見学の青年たちも、これには目を見張る。テレビカメラでとらえた豚の動静はケーブルで画像が送信され、Aさんの住宅の居間に置かれたモニター受像機に写し出される。一般のテレビは映像を電波で送信するわけだが、これはコードで送信する工業用テレビである。

Aさんは、テレビカメラを二台使用しているので、豚舎内の左右を配置すれば視角を変えて送信できるし、一階と三階とにわけて装置すれば仕上げ豚と子豚の状況を別々に写しだせる。それにカメラレンズは広角なので広く写すことができる。

豚の分べんは夜間になることが多いが、夜おそく何度も豚舎に行って、出産間近い豚の監視をするのは楽でないし、何日も続くと身体のほうが参ってしまう。ところが分べん予定の豚房にテレビカメラを向けておけば、モニター受像機に細大もらさず写し出されるので、茶の間で居ながらにして家族の誰れでも監視することができるというのだ。

導入したばかりの子豚の状況も、豚の監視にも、飼料の喰い残し点検も、豚舎に行かなくても手にとるように見ることができる。つまり、正確な情報を容易に収集できるので適確な対策や処置ができるわけだ。しかも、モニターのそばのインターホーンは豚舎に通じているので、テレビを見ながら豚舎に連絡がとれる。

現在、この養豚団地では四〇〇〇頭の豚が飼養されている。リーダー格のAさんは経営の合理化に努力を続けているが、テレビと養豚とでは全く異質な要素なのに、その結びつけ方によっては新しい生産力をつくり出すことを実証してくれたわけである。

（北海道・三輪）

機関紙名を替えて年四回に

静岡、清水4H

【静岡】清水連合4Hクラブ（加盟四クラブ、会員五十五人）では、機関紙を身近で気軽なものにするため、従来の「雑草」から「さっそう」と題名を改めた。年四回発行して、クラブ員同志の意見交換の機会を多くすることにした。なお、同クラブは、創立二十一年目になるが、「雑草」の発行は、創刊号と、昨年の二十周年記念号しかでていなかった。

来月、群馬で女子研

【群馬県＝斎藤竹代連絡報道員発】群馬県青少年クラブ連絡協議会（会長　前原保夫君）では、きたる九月四日から六日までの三日間、赤城山の前橋市立林間学校において、女子クラブ員研修会を開催することを決めた。

心頭技健

ニクソン米大統領の訪中声明が出されたのは、ピンポン外交が花々しく幕開けしてから約三ヵ月後のことであった。米国政府高官によると、この旅行は大統領による二年間の地ならしと三ヵ月の準備の結晶であったという▼この訪中については日本でも「意外に早い」という反応と、歴史的な過程からみて「ここまで来るのに何んと長い年月がかかったことか」という意見があるが、長い間冷戦状態を続けてきた両国間で、しかも短期間に行なわれたピンポン外交やキッシンジャー大統領補佐官のミステリーもどきの訪中には大いに興味がひかれる▼中国を訪問したアメリカ卓球チームの選手団は、一九七一年のアメリカを代表するのに相応しい一行だったという話もある。紫色のズボンに長髪のヒッピー、ニッケルの眼鏡をかけた「毛かぶれ」の学生、教授、文筆家、黒人の国連勤務員、自動車会社役員、家庭の主婦、電算機技師などだ▼とくに、ヒッピーのグレン・コウワン君が周恩来総理にアメリカのヒッピー運動について意見を求めると、総理は自分自身も反抗の時期を経て来たので、そうした運動は理解できるといい、そして、その反抗が多数の利益のためのものであって少数のためのものであってはならないとつけ加えたという▼また、キッシンジャー補佐官は、影の国務長官、第二の権力者といわれ、これまでにもいろいろと噂があったが、今回中国に飛んだのは病気休養中だった。パキスタンで軽い病気のため、すべての約束をキャンセルし、山間の避暑地にこもったことになっていたもので、いまだに、何時、どの飛行機で出発したかも謎に包まれているようだ▼このニクソン大統領の訪中には、古い友人、中華民国（台湾）との関連や、ニクソン政権を支持してきた米国内の保守派団体の反対などもあり、いろいろ難しい問題も多いが、異った体制やイデオロギーを持つ両者間でも、「平和共存」できる可能性をわれわれに示していることは確かである。

4Hから四人 豊田君ら

静岡県海外研修団 九月、西欧六ヵ国へ

【静岡県＝鈴木政美連絡報道員発】四十六年度に県から派遣される産業青年海外研修団代表六十名がこのほど県農業対策部後継者養成課から発表されたが、そのうち4Hクラブから豊田信行県連広報部長ら四名が晴れの代表に選ばれた。

一行は、来る九月二日に結団式を行ない、六日オランダ航空で羽田を出発し、西欧六ヵ国を訪問することになっている。この派遣事業は今年で三回目で、4Hクラブ員ではこれまで八名が参加している。

今回も、オランダでは、アールスメールの花市場、干拓事業の視察、現地青年との交歓会。フランスではランジス中央市場や一般農家の訪問、イタリア・ギリシャではそれぞれショッピングセンターや観光地を視察することになっており二十一日に帰国の予定。また、いま、浜松市庄内4Hクラブの水谷一夫君がオランダのアールスメールの農場研修に入っているが、参加する四名のクラブ員との再会が約束されている。

4Hクラブ関係者は次の通り。

▽高林広夫（浜松市、都田4Hクラブ）▽豊田信行（湖西町、湖西4Hクラブ）▽内山敬一（細江町、細江4Hクラブ）▽勝又政昭（御殿場市、北駿4Hクラブ）

経費は四十二万円で、このうち個人、市町村、県がそれぞれ三分の一を負担することになっており帰ってきてから各青少年団体、職場、市町村で研修報告する。

なお、豊田広報部長は、渡欧の抱負を次のように語っている。

私たちは、4Hクラブの代表なので、それに恥じないよう元気いっぱい頑張りたい。とくに、オランダの酪農、干拓事業、西ドイツではEC、構造改善事業を勉強したい。そして、現地青年との交歓会もあるので、各国の青年がどのような活動をしているか肌で体験したい。

日本に交流求む

比国普及員、4H協会と会談

さる七月六日、フィリピン政府の農業改良普及員二人が、東京・家の光会館の4H協会を訪れた。二人は専門指導員の国際交換で韓国へ向う途中のアルベエルト・L・アユパンさん（男性）とドルシイ・M・ハマダさん（女性）。当日、4H協会・新田事務局長と三時間にわたって会談した。会談の内容としては、主にフィリピン4Hクラブ諮問会議よりかねてから日本4H協会に要請のあった、フィリピンとの国際交換の件についてであった。とくにフィリピン側からは、現在フィリピンに申し込みのある西独とコスタリカの国際交換計画を断っても日本との交換を行ないたいとの希望が述べられた。また、九月二十一日、二人が韓国より帰国の途中、日本へ立ち寄る予定なので、その時までに具体的な回答がほしいとのことであった。これに対し日本4H協会からは、前向きに検討してゆきたい旨、伝えられた。

その後、新田事務局長から4H活動の現状や機能の説明などもなされ、なごやかに会談は進められた。なお、ドルシイ・M・ハマダさんは、おじいさんの代に鹿児島から農業移住された日系三世である。

通信講座・課程別教科内容

1．作物課程（402単位，1単位は2時間）

教科	第1年次	第2年次	第3年次	備考
作物（120単位）	◇作物（本質） ◇土壌肥料（基本）	◇作物（生産技術）　◇飼料作物と草地 ◇土壌肥料（応用）　◇植物防疫（本質と被害）	植物防疫（防除）　園芸（果樹，そ菜，花卉，生産物取扱）	
経済（116単位）	◇農業経済 ◇農産物価格市場論	◇農業経営　◇農業金融 ◇食糧経済　◇農業協同組合	◇農業簿記　◇農業保険 ◇世界農業と貿易　◇畜産の経済と経営 ◇園芸の経済と経営	
社会（110単位）	（法学） ◇法学概論 ◇民法（財産関係） ◇手形法，小切手法 ◇民法（家族関係） （社会） ◇社会学概論 ◇現在農村の諸問題 ◇家族社会学	（法） ◇法人，会社関係 ◇税法 ◇農協法，農地法 ◇家族協定 ◇土地法 ◇住民自給法 （社） ◇農村社会学 ◇都市社会学 ◇産業社会学	（法） ◇生産組織論 ◇垂直的統合 ◇農業法人化論 ◇農業協同化論 ◇林野法 ◇水法 （社） ◇現在社会変動論 ◇農業集団化論 ◇社会調査の方法と理論	
人文（106単位）	◇経営と人間　◇技術と人間 ◇マスコミニュケーションと農民	◇科学とヒューマニズム ◇農村の文化と教育	◇農民と文学 ◇人間の心理	年次別教科目配分は未決定

2．畜産課程（430単位）

教科	第1年次	第2年次	第3年次	備考
畜産（148単位）	◇日本の畜産 ◇家畜の体のしくみ ◇土壌肥料（基本・応用）	◇家畜の栄養と飼料 ◇家畜の品種と育種 ◇家畜の繁殖	◇家畜の利用 ◇家畜の衛生 ◇家畜の管理とその施設	
経済，社会，人文（282単位）は作物課程と同じ教科目を使用				

自学自習を基本に

農業者大学校 通信講座概要 執筆者は一流学者

【講座の方針】 農業を広い視野から考え、判断して行動するような人材を育成する観点から、農業経営者として自己の経営や生活、さらには地域農業の振興などについて時代の動きとともに直面する問題に対し、これをどうとらえ、どう理解し、それにどう対処するかについて応用能力と自学自習の精神を養成することを方針とする。

【学習の方法】 一、教材の配本 受講申し込みが受理されるとカリキュラムに従って、受講期間中、定期的に教材（テキスト）が配本される。

二、特別講座 テキスト執筆者の諸先生を招き、特別講座を毎年二回（八月と翌年二月）東京で行なう。

【企画運営体制】 この通信講座を運営するため、次の先生方による企画委員会が設けられている。

企画委員 東畑四郎（日本銀行政策委員）▽戸刈義次（東京大学名誉教授）▽石井進（日本大学教授）▽川野重任（東京大学教授）▽宮崎俊行（慶応義塾大学教授）▽太田堯（東京大学教授）▽徳安健太郎（全国農業改良普及協会々長）▽久宗高（農業者大学校々長）

通信講座の基本方針、教材の編成、講座の運営方法などの重要な事項はすべてこの委員会で審議のうえ、決められる。

【講座課程と教科内容】 本講座には作物、畜産の二課程がある。講座課程と教科内容は別表のとおり。

【最高水準の執筆陣】 テキストは、現在可能な限りの最高水準の執筆陣をそろえて編さんされている。

執筆責任者は次のとおり。▽作物部門 戸刈義次（東京大学名誉教授）石沢修一（農業技術研究所化学部長）高木信一（農業技術研究所病理昆虫部長）杉山直儀（東京大学教授）▽畜産部門 石井進（日本大学教授）内藤元男（東京大学教授）加藤舜太郎（九州大学教授）神立誠（麻布獣医大学教授）森本宏（日本科学飼料協会）三井計夫（新潟大学教授）上坂章次（京都大学教授）三村耕（広島大学教授）▽経済部門 川野重任（東京大学教授）金沢夏樹（同）逸見謙三（同）加藤譲（同）鈴木忠和（千葉大学教授）佐山八郎（日本専売公社）安田誠三（元共済基金理事長）▽社会部門 宮崎俊行（慶応義塾大学教授）柿崎京一（図書館短期大学教授）▽人文部門 国分一太郎（国文学者）寺内礼次郎（中央大学教授）太田堯（東京大教授）堀越久甫（農業評論家）石川武男（岩手大学教授）瓜生忠夫（評論家）藤岡貞彦（一橋大学教授）千野陽一（東京農工大学教授）

以上の諸氏のほか、七十余名の学識者が執筆する。

【受講期間】 毎年四月に開講（ただし、四十六年度は九月開講の予定）し、翌年三月までを一年次とし、各課程とも三年次、三ヵ年間で修了する。

【受講の経費】 この通信講座の受講に必要な経費は、主としてテキスト代である。納入期日は毎年四月一日である。

▽受講料＝作物・畜産両課程とも二万四千円（各年次、八千円の分納もよい）である。ただし、全額前納の場合は二万一千円、二年分前納の場合は一万五千円（第三年次、八千円）の割引き特典を設ける。

なお、特別講座の受講料は、その都度、別に定める。各テキストの分売、単年次だけの受講は受けつけない。

【終了証書】 所定の課程を終了した受講生には、修了証書を交付する。

【実施主体】 社団法人全国農業改良普及協会 東京都港区西新橋一―十一―八 電話（〇三）五九一―一七六七

【申し込み方法】 受講申し込み書は、近くの農業改良普及所あるいは農村青少年研修教育センター（経営伝習農場）にある。申込書に所定の事項を記入のうえ、受講料をそえて右記実施主体まで送付すること。

畦道

くずおれる牧歌

古代―自分と他人との区別がぼんやりして霧につつまれていた時代。そこでは、自分が欲することは皆が欲することであり、皆が欲することは自分が欲することであった。そして、日々生活をしている一つの風土（地理的空間）では皆は一人であり、一人の皆がいた。他者もなければ自己もない。つまり親愛なる1つの家族。その中にあっては"信じれない"という言葉は存在し得なかった。

こんな、原始に帰ろうというのではない。だが現代とは、あまりにも"よそよそしい"時代ではないか。人と人との関係がよそよそしいのである。なるべく目と目が合わないように、目が合った瞬間ニッコリ笑うなぞとんでもない―相手を見たとしても、犬がニワトリを眺めるように。都市の雑踏の中での人と人との関係などは、だいたいこんなものだと思っていただいて差し支えない。また、ビジネス社会での"礼儀"―これほど白けきったものを他に私は知らない。ニコニコ笑って握手しながら、相手をさぐり合う（ほんとに俺の品物を買うのか、どれくらい利用できるか?）と。そして、人との関係の軽重を、すべて金に換算して決めていく。あの人との取り引きが壊れたら俺は月に×万円損するとか、こいつとは、大したことないとか。こんなことを四六時中考えている。だが、他者を信じれない者は、だんだん自分を信じれなくなる。自分自身にすら安することができないのである。そして、そんな自分を認識すればするほど、再び他者と自分の間に横たわる深淵を意識していく。現代人の病いである。

今まで、農村はそんな病根とは縁遠いとされてきた。つまり村には、祭礼がある。田植や取入れがある。そんな無償の共同作業の中から脈々と相互への信頼が伝わってくるからだと。それよりも、自分たちの大地がそこに在るからだと言うのである。はたして、その牧歌はいつまで歌えるだろう?。大地を喪失しつつある出稼農民と、金銭でしか動くことのない"雇用労働"が、産出されつづけているというのに。

（R）

遠州大念仏に 4H部員活躍

遠州森の石松で名高い、遠州地方において恒例の遠州大念仏がさる七月十三、十四、十五日の三日間行なわれた。

この大念仏は五百年前から毎年行なわれているもので、今年も青年団、4Hクラブ員、またOBが中心になり初盆の十三日夜から行なわれた。またこの行事は、昨年七月から一年間になくなられた人の供養をするもので、遠州地方では約六十組の念仏団がある。この念仏団は一団体三十五名で編成されており、地元浜北市はもちろんのこと市外の浜松市まで足を伸ばしている。この中で、内野大念仏団は、先月から毎夜各人それぞれ仕事を終えてから練習を始めており若者のアイドルになっている。

これは各団体それぞれ夜ふかしをして行なわれているもので、昔はリヤカー、自転車を使用していたが、現在はバス一台をチャーターして行なわれている。各地域の新仏の家を回り、旗、チョウチン、タイコ、フエ、カネなどを用い、仏様の前庭で約三十分間位はねたりカネやタイコをたたいたりして新仏様の供養を行なっている。また一通り終るとその家からビール、寿司、コーラなどを出される。

このように、一つの集団を結成して行事をすることは非常に困難なことであるが、この内野地域は先輩達よりも現役の会員、団員が非常に力を入れており非常に青年活動の活発な所である。

こうして夜間に三日間も各地区を回り、朝になるといくら若者でも朝になるとぐったりつかれていた。

大念仏で踊りまくる4Hクラブ員

男性も顔負けの演示 女子

静岡県の全国大会予選 発表者ぐんと若返える

【静岡】静岡県農村青少年連絡協議会（会長 瀬美登美康君）は、さる七月九日静岡市北安東の県農業中央試験場で、八月一日から岩手県で開かれている第十一回全国農村青少年技術交換大会へ派遣するプロジェクトと演示発表者の審査会を行なった。昨年までは、予選会を県技術交換大会で行なってきたが、各地区選などの行事が多いことや、本年度は全国大会が早まったため、県大会の前に審査会が行なわれたもの。

当日は、各地区選の予選を通過した十四名の代表によって、競われたが、各地区から発表者を応援するクラブ員や各関係指導機関の人たち八十六名が参加、瀬美県連会長と県後継者養成課の田主課長補佐のあいさつのあと発表会に入った。

各代表とも、日ごろクラブ活動や個人プロジェクト活動の中で得た体験をフルに生かして発表。廃物利用の丸鋸目立科や草刈機による茶園の更新などアイデアを生かしたものが多かった。

審査の結果、次の二名が代表に選ばれた。

▽「資本と労力のかからないナメコ栽培」＝北駿4Hクラブ、杉山省二君▽「遠州の作業着」…オーロラクラブ、斉藤みち子

この審査会で感じられたことは、発表者が従来よりも非常に若く、二十歳以下の人たちが多かった。また、演示では女性が非常に意欲的に取組んでおり、男性顔負けの発表もあった。

なお、県技術交換大会は、来る二十三日から二泊三日の日程で、静岡市井川キャンプセンターで開かれることにしている。

農政局長に 内村氏就任

このほど、農林省の人事異動が行なわれ、農政局長に内村良英氏（前食糧庁次長）、農政局普及部長に安尾俊氏（前農政局参事官）がそれぞれ就任。また、前農政局長の中野和仁氏は官房長、同農政局普及部長の田所萌氏は中国四国農政局長に就任した。

内村農政局長は、大正十年一月十六日生れ。東大経済学部卒。昭和二十九年に農林省入省、食糧管理局から大臣官房調査官、経済局参次官を経て四十五年食糧庁次長に就任、その間、カナダ大使館にも勤務した。

安尾普及部長は大正十年二月五日生れ。東大農学部卒。昭和二十一年に農林省入省、中国四国勤務、農事試験場環境部病害第一研究室長、農政局植物防疫課防疫班長、四十年植物防疫課長、農林水産技術会議連絡調整課長、四十五年農政局参事官に就任。また三十七年に農学博士の学位をとった。

こんなことをしています 各種農業団体

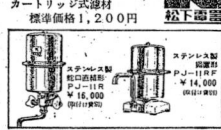

全国農業協同組合中央会

農対委へ諮問

基本農政要求のため

米の生産制限、貿易の自由化、出稼ぎと過疎化、都市化による農地の侵蝕など農業、農村はかつてない大きな苦悩のなかにあります。

系統農協は、昨年の全国農協大会で"自主路線の確立"と"総合力の発揮"を基盤とする"総合三か年計画"に取り組んでいますが、これと併行して国が農業を真に国民の食料と健康を守る基幹産業として確立する強力な施策が必要です。

宮脇全中会長は、このような事態のなかで系統の全国段階、県段階、市町村段階から委嘱し構成されている農業対策委員会に、後記の諮問を行ない具体的な政策要求を行なうことといたしました。

農業対策委員会は、六月に第一回の本委員会、七月に専門委員会を開き検討に入りましたが問題はただ単に農業だけの枠にとどまりませんので、最終的な結論まではかなりの期間が必要ですが、昭和四十七年度の国の予算編成との関連がありますので、とりあえず①貿易の自由化・資本自由化と農業②自然環境の保全、国土資源の有効利用③食料自給度の目標④都市近郊農業・地域別農業のあり方などを中心に課題別に検討を進め、八月下旬には中間的または部分的なとりまとめを行なうことを目途にしております。

基本農政確立に関する諮問（主文）

農業を国の基幹産業として正しく位置づけ、国民食料を長期安定的に供給するとともに、国土の有効利用、自然環境の保全をはかり、経済・社会の均衡ある発展をはかるためには、確固たる基本農政の確立を期する必要があると存じます。

このことは、たんに農業者のみならず、国民全体が人間的に豊かで、健康な生活を確保するためには、すみやかに確立されるべきであり、まして、農政が混迷におちいり、農業者が農業の将来に不安を感じつつある現況を考えるとき、それは緊急にして重要な国民的課題だと確信いたすものであります。

よって、第十二回全国農協大会における基本農政確立の決議にもとづく、政策要求の方向づけおよびその具体策についてご検討をいただきご意見をたまわりたいと存じます。

（教育広報部）

家の光協会

転換期に対処

「地上」11月号増刊に

二百三十万トンが、ことしの米生産調整数量の目標であり、これに伴う買入制限が強行されようとしている現状を、われわれはどう認識すべきでしょうか。加えて、ことしの春の異常気象は、東北地方の苗代を襲い、果樹も大打撃を受け、すでに犠牲者さえ出ています。

すでに、農業の"転換期・危機"は以前から叫ばれていました。そしていま、現実の問題として、われわれのうえにのしかかっています。そのなかで、われわれのとるべき態度はなんでしょうか。当然のことながら、要求すべき政策は要求しながらわれわれ自身の対応策をたてなければなりません。

強固な主張と同時に柔軟な対応を示すことこそ必要ではないでしょうか。

そこで、生産者が要求すべき今後の農政の基本的なあり方はなにか、転換作物の展望はあるのか、を二本の柱として、『地上』11月臨時増刊号を企画、編集してお届けすることにいたしました。

政府に、農民が安心して農業を営める農政の確立を要望する一方、全国に展開される減反の対応―転作の現況を伝え、考えられるあらゆる転作の可能性をさぐり、その成否を見究めるべく編集しております。そのほか激化が予想される産地間競争、生産者の立場からの農業地図などもこれに加えて、読者の方々といっしょに、これらの諸問題について考えていきたいと思っております。

〈主な内容〉

○農政を農民のものに　東大　阪本楠彦

○"農業生産の地域分担"への提言　農政評論家　高倉弘

○農業の自主建設を　全中常務理事　吉田和雄

○米づくりの新しい方向　岩手県農業試験場長　本谷耕一

○単作地帯の今後の農業経営　岩手県南都田農協組合長　千田徳寿

◆転換作物栽培の技術と経営

ムギ栽培の現状と展望

転換田のダイズ増収栽培

ナタネ栽培の技術と経営

飼料作物栽培のポイント

これからの野菜づくり

果樹経営の方向をさぐる

地上11月臨時増刊号は十月の十日頃、農協へ届きます。定価は一〇〇円。農協へ九月二〇日までにお申し込みください。

（文化部）

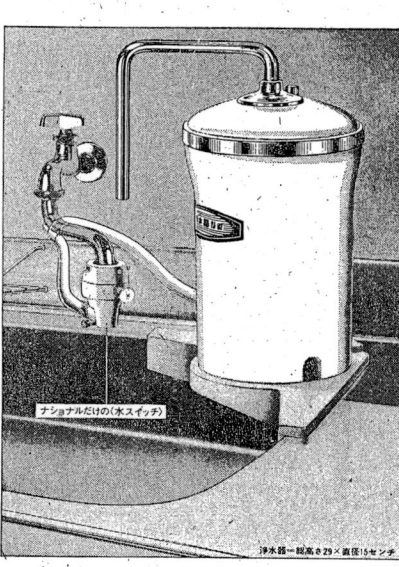

無責任な農政

計画性はどこに？

打つ手打つ手も遅れて

福岡県大川市連OB 辻 常治

我ながら勇ましいテーマであると思う。しかしながら、ここ数年の農政のあり方をみていると、これでも物足りないくらいの主題とも云える。少なくとも決して大げさなテーマではあるまい。なぜなら、我々農民の社会的な存在意義が、これほど根底から揺り動かされた時代は、日本史をひも解き、石器時代にさかのぼってさえ、おそらくはただの一度もなかったろうと思われるからである。

曰く、「米価据え置き」「遅出し米奨励金」「自主流通米」「作付転換」「全国一律減反」「買入れ制限」、そして「食管制度の廃止」――ざっとあげただけでも、こんな具合である。表面だったことのおこりは、皆さんご承知の通り、我々国民の主食である米が仕末に困るほど余って、累積されだしたというニュースが広く流れだした、二、三年前からであった。

農民の責任か

それまでは、米作に関しては増量のかけ声も勇ましく、それ作れやれ作れ、ひと粒でも多く生産せよとの政策であったことは、我々農民にとってはまだ昨日のことのように、記憶にあたらしいことである。それが、ひとたび余るほどの生産量に達するや、それは生産者である農民の責任であるかのごとく、農民が経営を米のみに頼ってきたその結果が、ことの結末をこのように招いたような当局の云い草である。

その辺のところは、責任転嫁もいいところだ。誰が食管法を制定し、増産、増産でその計画をおし進めてきたのか？耕地面積の拡大を計るための干拓事業ひとつを例にとっても、ばく大な国費と時間をかけて、これを推進してきたのは誰であったかと云いたい。もう一度、これまでをふり返り胸に手をあてよく考えてもらいたいものだ。

ここにひとつのこのような事実がある。昭和四十四年十二月十二日付けで、西日本新聞に「問われる政治責任」の見出しのもとに次の記事がある。佐賀県の人で先祖伝来の田畑、一・八㌶を処分し、秋田県八郎潟干拓にこの年入植したらしい。ところが、もう次年（四十五年）から政府は米は減産、入植は打ち切りの方針に変わったのである。この人は「いったい政府は何を考えているのだろう。まず経営規模の拡大だというから、はるばるこんな北国にきてまで入植し、荒地に取り組んだのだが、これじゃ、私はまるでピエロじゃないか。農業はもうだめだとの宣告に聞える云々ー」と云っている。

私はこれを読んだ時、この人が隣りの佐賀県の人であることも手伝って、自分のことのように腹が立ったのをおぼえている。ちなみに、八郎潟干拓には十三年の歳月と四百二十五億円の国費が投入されているという。面積は約一万五千ヘクタール、東京山手環状線の内側の約三倍もあるというのだから驚く。

しかも、干拓地はここだけにとどまらず、大小さまざま、日本国中至るところに次々と数多く作られてきたことに間違いない。他方、反当りの増収は、普及事業その他の成果もあって年々向上した。この終局点を当局はどう読み、計算していたのであろうか？とにかく、余剰という問題に発することここ数年の一大農政の転換は、前記のような例を数多く生みだした。その結果、農民の増産意欲は急激にしぼんだし、その社会的存在意義も、根底からゆさぶりをかけられているような現状である。

米作り農業の明日への不安は、農民の心を動揺させている。新聞の見出しを待つまでもなく、このことに対して、問われるべきは、政治責任がその第一であろう。私はそう思う。少なくとも、ここに至る前に事態の予測はついたろうし、本気でその気になれば、もっと以前に打つ手はあったはずである。そうすれば、今頃になって重い手術だとか云わずとも、予防の段階で効果があげられたように思う。

また、ひと頃、米があがるから物価があがるなどと政府が云って米価を据え置いた。ところが実際はどうであったかと云うと、相変わらず諸物価はどんどん上った。政府の云ったことは結果としてウソだったのである。米価は事実上値下げになってしまった。それから、自主流通米を認めたことや、これからやるという買入れ制限などは憲法違反ではないのか？

食管法によれば、政府はどれだけ米を全部買上げなければならないはずし。だから、食管は改正するというのであれば、もう何をかいわんやである。これは我々農民にとって食管改悪以外の何ものでもないような気がする。作付け転作を呼びかけながら、片方ではグレープ・フルーツなどの自由化をする。これでは安心出来ないのが当然だ。また、主産地形成などといっているが、そんなことが事実やれるのかと思うし、やっていいのかとも思う。一体、この地区はこの作物を作っていいが、この地区は別の作物を作るようにしなさいなどと、これを実行させる成算が政府にはあるというのだろうか？

構造改善とは

先頃から、我大川市の川口校区においても、構造改善事業をやることで大分もめたらしい。賛成派と反対派の攻防である。私はこれを伝え聞きながら思った。構造改善事業というからには、土地を整備し、大型機械を効率良く使い、水の便をよくし、良質米をこれまでよりも量産することに、その目的はあろう。これも増産運動につながるはず、国の政策が減産やら買入れ制限やらといっておるかぎり、大きな矛盾だなと――。

もっとも、我大川市が稲作の主産地として選ばれた米作りの地域だというのならば、それもよかろう。しかし、それでは主産地からもれた地域はどうなる？何はともあれ、このような主産地の指定を得るべく、農民同士で、それを争い合うなどはさけたいものである。〝漁夫の利〟という言葉があるが、争っていると利益は第三者に持ってゆかれるはめになる。少なくとも、我々農民の大きな力が分散されてしまうことは確かだろう。

（福岡県大川市連『若い土』七号より）

ポン……チーン、たったの一分二十秒

電子レンジ講習会

福岡県山地区連女子部

【福岡県=桃島一美連絡報道員発】三種の神器〝テレビ、洗濯機、冷蔵庫〟が主婦からもてはやされた時代は終りを告げ今日では、新三C時代であると云われている Cottage（別荘）、Central-heating（全館暖房）、Cookre（電子レンジ）この中でも電子レンジの普及はおどろくべきものがある。台所の王女様であり、主婦のあこがれのまとである。

この電子レンジが、好奇心旺盛なるわが4Hクラブ女子部員の胸の中を、静かにしておくはずはなかった。そんな時、知りあいの電気器具店から、無料で講習が受けられるという話があり、さっそく計画にはいった。ところが、私たち女子部員は六人という少人数であるため、近くの4Hクラブと合同で計画して、講習を受けることとした。

場所は農協の会議室（調理室の設備もない）、集合時間はいささかおくれ気味。テーブルの上にチョコンとすわっている電子レンジ、やはり小さくとも台所の王女様である。

クックレディーの紹介、すぐにデモンストレーション、まず手始めに焼ナス。ポンと入れてチーン。〝さあ、どうぞ〟とまさしく一分二十秒。ホットケーキ、ハンバーグ、串さし……。アラッーと思う間に、次から次へ。〝世の中スピード時代〟

焼ナスといえば、以前は祖母が七輪の上で焼きながら、うちわであおぎ、こげたナスの皮を手の平の上でフーフー吹きながら、水につけてむいた。焼ナスとそうめんは、夏の夕食にかかすことの出来なかったものである。時間として約三十分、現代ではポン……チーンで一分二十秒。

時間的にみれば、〝台所の王女様〟にはかなわない。それでは、愛情の面ではという話が出た。手間をかけた料理に愛情がこもっているか、時間をかけない料理には愛情がこもっていないか、おもしろい問題が出たけれども、当日は〝？〟で終了した。人間の感覚は、時代の流れに添っていくのだろうか…。

電子レンジについての説明がもの足りなく、後日、何人かで資料をあさってみた。電子レンジの調理法が今までとちがう電波での調理であること。下ごしらえが、早く、美しく、手頃が良いことである。

栄養価の面では、特に水溶性のビタミンの破壊がなく、水分を使用しないので変色せず、アク抜きは、電波が野菜の表皮となどにも利用出来る。しかし、内部の組織や溶液を同時に加熱するので、組織の外へ流れやすい状態になる。また、作りおきでも、作りたてそのもののようになり、食べたいものがすぐに間にあうから、手軽な解凍や再加熱で好きなものが、自由に食べられる。

こうしたことから、単なるインスタント的な考えではなく、料理の基盤となりうるものであることが理解出来、また、料理利点ばかりではなく、経済的な面、利用の面（家族数、食事形態）によって、左右されるようである。

農村の食生活もだいぶぶっ変んできた。今後の食生活の変化、特に冷凍食品の出回る今日、そうして、電子レンジの普及、子供の頃、人工衛星をマンガで見ていた時代は過去となった。今後の食生活はいかに変化するか、地球をながめながら、カプセル状の食事をして、月世界を楽しむという時代も間近ではなかろうか。

そんなことを話し合っているうちに、夕日も落ち、皆、家路へとペダルをふむ。イ草収穫時を目の前にした。ある日の午後であった。

作付けに生かす

五年間のかんらん価格表

大阪府東大阪4Hクラブ 岡村 勉

1、我が家の経営概況

家族六人で、父親と長男の私が主に従事し、農繁期、家事の余暇においては母も従事する。畑三十五㌃の内五㌃はハウスで、他は周年野菜を栽培し、水田は一㌶の内二十㌃は裏作野菜を導入した、野菜プラス、水稲の複合経営である。

2、課題と取り組んだ動機

これまで、部分の農家は、場当り的に栽培し、これら作物が成長したならば出荷をし、昨年は値が良かったが今年は悪いと、深い検討なしで栽培を繰返している。そこで、毎年の価格変動を図表にし出荷の経済的利点を研究し、これがどのような推移を辿るか調べ、計画生産を図るため本課題に取り組んだ。

3、計画と実行経過

一応、五年間の価格を調べたいと思い、五年間、同面積にキャベツを栽培し、良く似た時期に植付けを実行した。出荷時期には、毎日日記に出荷量とその価格を記録して年次のグラフを作ってきた。

4、実績をかえりみて

統計はあくまで我が家の六月出しと、十月出しの価格しか見られなかったが、年間を通じての変動を表わせれば、なお良かったと思っている。結果から得られたことは、良く似た労働、費用を投入し十㌃当りの時期による出荷高や、価格による所得の増減の変化推移を知ることが出来た。

5、今後の計画

このプロジェクトは、私の一つの動機として、最も簡単な価格変動の表わし方であったが、今後一作目ではなく、まず生産している身近な作物の変動、そして出来れば年間を通じて、これを積み重ねて相場の変わる限り毎日の日記を通じて記録し、生産経済的指標として生かしたい。また、生産者、消費者の価格差の記録も実行したい。

私の地域は大阪の東部に位置して、生駒山系の西山麓の平坦地で現在、まわりから市街地化が進み都市圧で年減少し、部落の耕地は五十㌶余となり、その中において市街地と調整区域に二分され、このような縮少の傾向にある地域の農業では、経済的に規模拡大は不可能、今後、一層の生産と経済的所得の拡大をはかるために、都市の特色を生かした栽培に切りかえざるを得ない。

そのためには、短期間で育成出来る生産性の高い経営を主として行ない、自然的から科学的へと、施設園芸に投資して、近代的高度な技術を導入し、科学的操作により、流通を考慮したコントロールをもって、生産活動を行ないたいと思っている。これを第一に成功させ、また、第二に出荷面での対策をはかり、生産活動から販売までのルートチェーンを作ることによって、消費者コストの低下をはかり、共存の社会を実現させる、このようなことが私の夢であり抱負である。

父とぶつかりつつ

福岡県筑後市4Hクラブ 久保 薫

私の職業は農業、すなわち百姓です。私の平凡な、時には変化のある毎日は、「薫、はよ起きらんね」と言う母のうらめしい声からスタートします。

農家の長男として生まれ育ち、幼き時より父母達の手伝いというよりジャマをしているうちに、何とはなく農業という職業を知り、四年前、半分自分で、半分両親に勧められて、農業高校へと入学したわけです。弁当を持っては、雨の日も、風の日も、時には雪の日も毎日自転車で通い、そんな三ヵ年の学生生活から得たものは、理論上の、教科書の上でのことがほとんどでした。

しかし、無事卒業し「ヨーシやるぞ」という意気込みは十二分にあったものの、九ヵ月前の私にはでっかい不安がありました。それは、当時、暇な日曜日には父を手伝い、父の言う通りの仕事をやっていました。私にとって面白くありません。こんな日々を卒業後続けていたのでは！という思いでした。

先輩達に聞けば、くだらぬことですが、私にとっては大きな不安だったのです。そんな不安をいだいていた私にとって、卒業後、しばらくは、父と一緒の仕事がイヤで仕方がありませんでした。毎日一人ラジオという友を持っては、ブドウ園で誰にも束縛されず、自分の思う通りにやる仕事に満足だったのです。

しかし、4H活動にもどうやら慣れ、先輩達の話を聞いているうちに、何かしらファイトが出てきたのです。もちろん、高校時代の友に対するライバル意識というものをむき出しに感じたのかも知れません。アイツに負けてなるものか！という意識が私にも表われたのです。その一つとして、まず父が栽培方法を知らぬもの、そんな作物のプロジェクトを行なうため、さっそくオジの所へ行き、野菜園芸を始めようと決心しました。

温床をし、種を播き、いざ芽が出たものの、その半分が病気で倒れた時のショックは大きく、無知だった自分を、これほどみじめに思った時はありませんでした。しかし、そんな問題にぶつかり合うたびに、一つ一つ覚えていくことが、私自身の小さな進歩のように思えます。本来、果樹を主体にやろうと思っている私ですので、そちらがお留守になりはしないかと心配ですが、現在の私にとって、父を使って栽培する、つまり、自分の計画の下に行なう作物のキッカケというものが欲しかったのです。

それでも、昔の農業魂から脱しきれずにいる父の考えと、新しい無知な僕の考えとが、ぶつかり合う機会がたびたびありますが、それはそれで良いのだと思います。こうして毎日農業という職業に携わっていると、一番心強く、心を安心させてくれるのが友のようです。ある時は、つまらぬことさえいつまでも話し合い、ある時は、労力の交換を行なったり、現在の僕から、この知的な助的な交流を取り除いたならば、私の力というものは、今の十分の一にも、いや百分の一にも、小さなものになりそうな気がしてなりません。

幼き頃の思い出、学生時代の思い出、そしてこれから作り出される思い出、そんな思い出作りの中には、今と同様に、常に友がいることでしょう。友がいるということは、あらゆる場合において安らぎを与えてくれます。そういう点でも、友とは本当にいいものだと思えるのです。

農業経営一年生の私にとって、本当に何一つ勝りを持って話せることはありません。つまり、これだけは誰にも負けないという何かがないわけです。しかし、その一つを見出そうと努力していることは、自分自身でも確かだと思います。どんなボロの作業服を着てテーラーに乗り、町中を走っても、現在の私はおかしくなんかありません。農業という職業にあることが、他の職業に対する引目とは感じないのです。

私は良く言いますが、一人でブドウならブドウの手入れをしている時、隣の畑から若夫婦の笑い声が聞こえてきます。まだまだ若い私でさえ、いいなあ――と思います。一緒に仕事が出来るという点も、この農業という職業ならではの良さではないでしょうか。私は他の職業が若者にふさわしくないとは言いませんが、農業という職業は若者にふさわしい職業だと、強く言いたいのです。

反面、一割減反や物価の年間七パーセント上昇に対しての米価の据え置きなど、不平や不満も沢山ありますが、その対策というものについても、我々はこの4H活動というものを基盤として考え、そして話し合い、一人一人の微力な力から、いくらかでも、解決の方向へ持って行こうではありませんか、我々若者の手で。そのためには、農業者だけの小さな殻の中ばかりで語るのではなく、非農家の人達とも、多分に話すことが必要じゃないんでしょうか！

（福岡県筑後市4Hクラブ『ヤングブラッド』一号より）

私のプロジェクト

養豚を始めたけれど

苦しみもいつか喜びにしたい

新潟県巻地区 永井順子

ガラガラと豚舎の戸を開けると今朝もブーブー と一斉に入口の方に向かって、ありったけの声で鳴き叫びます。一豚舎へ餌をやろうものなら、隣の豚舎からは今まで以上の大きな声を張り上げ、待ち切れずに仕切のブロックに前足をかけて、うらめしそうにのぞき込むもの、いてもたってもいられずに所狭しと走り回るもの……。でも、その豚舎の餌を配り終ると、さっきの鳴き声は忘れたかのように静かになり、無心に餌を食う姿に変わってしまいます。

出荷間近の豚舎では飼槽に並びきれずにはみ出したブー君が、盛んに少しの隙間から入り込もうと頑張っているが、なかなか入れずやっとの思いで入り込むと、油断していた別の一頭がはみ出すという状態を繰り返している。そんな姿を見ながら、飼掃に取りかかります。

縞のモンペをはき、豚舎専用の作業着に着替え、ゴムの手袋という勇ましい姿で作業に取りかかるのです。少しでも早くこの嫌な仕事から脱出しようと、この時ばかりはぐずぐずしていられません。一輪車に山積みになった汚物を堆肥に積み終ると、いつも決ってほっと安心するのです。再び通路にもどり、敷きわらを切ってやると一通りの仕事が終りになります。余裕のある時は各豚房をじっくりと見て回りながら、病気の豚はいないか、肥り具合はどんなかと豚と話す時は、何とも言えず楽しいものです。

私が養豚をやろうと思い立ったのは、高校を卒業した年の春のことでした。それまで、一生農業を行くのであれば、水稲にプラス何かの部門を組み合わせたいものだとは思っていたのですが、はっきりと決まらないうちに、高校生活を終えてしまいました。

そんなある日、普及所から先進地留学研修の希望案内が届いたのです。一度で良いから他人の家で生活してみたい、他人の家で苦労してみたいと思っていた私にとって、絶好のチャンスです。行きたい方が先で、肝心の希望部門は何でも良かったのです。幸い近くに養豚をやり出した同年代の人も数人いましたし、農協でも熱心に指導し出した頃だったので、何の部門をやるにも初めてなのだし、このような条件にある養豚をやってみたいと、簡単に決めてしまいました。一生懸命やっていれば、最初は失敗の繰り返しでも、いつか良い時が来るだろうと信じて…。

その年が終ると、研修に行くというのに、豚に触れたこともないようではしょうがないと、近くの養豚経営を行なっている家に頼んで、実習させてもらうことにしました。最初の日のことです。残飯飼育をしているその家のおじさんに、バケツ一杯餌を入れて、「あそこへ開けて来てくれ」と初めて仕事をいいつけられた。

張り切って返事をして豚房の前まで行ってはみたものの、旧式で中へ入らなければならないのに、豚が寄って来て中へ入ることができず、額に汗がにじむだけで泣きたいような気持で立っているのを見かねて来てくれたおじさんが、いとも簡単に中へ入る姿を見て、私も早くあんなになりたいと思いました。二、三日して、やっとスムーズに入れた時には、思わず、「できた！」と心の中で叫び、顔がほころんでしまいました。

そして昨年一月十五日、待ちに待った研修への出発の日が来ました。ただ何とか豚が恐しくなくなったけの私でしたが、期待に胸を弾ませて、二ヵ月半余お世話になる神奈川の金子さん宅へと向かったのです。今まで見たこともないような大きな豚舎と放牧場、近代的な家、初めて他人の家での生活が始まったのです。

一週間くらいでほとんど慣れ、家族同様に気軽で楽しい生活で、苦労もしてみたいと思っていた私の希望は失なわれてしまいました。朝晩合わせて四、五時間の定まった豚舎の管理が済むと、後はいたってのびりしたものです。十時と三時には、どんなに忙しくても腰を下ろしてお茶を飲み、作業もあくせくとはしないのです。養豚経営の農家はなんとのんびりしていて良いのだろうと思いました。ここで一番学んだことは、どんな経営でも帳簿かとても大切であるということでした。

四月初め、研修から帰るなり、金子さんの「一年間待て。女の子でもあるし、相場の関係もあるから、あせらずにじっくりと計画を立ててからでも遅くはない」との忠告を心の隅に、とにかくやりたい一心で、後継者育成資金を借り受けることにしたのです。公害問題なども考えて、田んぼの真中にポツンと二つ六十頭収容できる小さくてがっしりした肉豚舎ができ「ブーブー」と第一声のあがったのは、昨年九月のことでした。八頭の子豚を見ながら、私も念願の養豚家になったんだ、しっかりしなければ、失敗は許るされないぞと気持が引き締まる思いがしました。

でも、養豚とは決してやさしいものではありませんでした。うわべは簡単そうに見えたのに、実際にやってみなければわからない。難しいことがたくさんあったのです。病気がでて、どうして良いかわからず、あわてて本をめくったり、農協の指導員に来てもらったり、神奈川にいた時、あんなに覚えが早いと言われた帳簿のつけ方も、いざ一人でやるとなると、一つ一つに自信が持てなかったり……。

何もわからないのに、たくさんの人の意見を聞いても、一人一人が違った考えで、どの人を頼りにしたら良いのか、スタートしてから数日で、もうたくさんの問題点にぶつかったのです。そして、だんだんに、どうして多くの資金を借りて、全然意識のない養豚なんか始めたのだろう、やっぱり、女の子では無理なのだろうかと、後悔する時が多くなりました。

でも、じっと豚を見ていると、「ブーブー」と鳴きながら寄って来る姿を見、いろんな人からの励ましを受ける時、最初の意気込みを思い出して、精一杯やってみよう、いつかやって良かったと思う時が来るに違いないと、張り切ろうと努力するのです。

ガラガラ、ブーブー！と今朝もいつもと同じ声が聞えて来ます。堆肥や汚物、悪臭とたくさんの公害問題もあります。また、品種改良、規模拡大、肉豚放牧、繁殖豚導入と、これからやらなければならないこともたくさんあります。

農協と商人との難しい人間関係もあります。新しい分野を全然無知の人間が始めようとすることは、口に言えない苦しいことがたくさんあります。でも、いつか苦しみだけではない。やりがいのあるものにするため、いまのこの苦しみを乗り越えて行きたいと思います。

（新潟県農業改良クラブ連盟二十周年記念誌『青年』より）

短かすぎた技術交換大会

徳島・井川町4Hクラブ

【徳島県=近藤吉正連絡報道員発】三好郡井川町農業後継者クラブ（会長・近藤吉正君）では、さる七月二十日から一泊二日の日程で、新緑深く水清く澄むキャンプ地、深淵を会場として技術競技大会を開いた。

クラブ員二十六人（うち女性十人）が参加し、日ごろの農作業を忘れてテント生活した。途中雨に見舞われ、テントの中まで水浸しとなったが、あわてずに応急処置をすませたあたりは、やはりクラブ活動の成果が現われたといえよう。

分科会による話し合い、バレーボールの班対抗試合、ゲームなどにハッスル、二日間の会期は短すぎたようである。

眠らされている？…クラブ機関誌

――せっかく作ったクラブの機関誌です　全国の仲間に紹介してやって下さい――

全国の仲間は、あなたのクラブの機関誌を読みたがっています。生き生きとした情報に飢えてます。もっともっと交流を欲しています。ガリ版刷りでもかまいません。字が下手でもかまいません。とにかく、地域に眠らせないで！できた機関誌は、すぐ送って下さい。4H新聞のスペースが空いてます。

あらゆる機関誌を〈4H新聞〉へ送って下さい

NHK農事番組（8月11日～20日）

テレビ

明るい農村 6・30～6・55 総合
11日 きょうの問題「開発前夜」
12日 産物往来「苦悩する八郎潟」
13日 話題の広場「産地直結」
14日 村をむすぶ「自然農法」
15日 農村新地図「工場閉鎖」
16日 明るい漁村
17日 村の記録「農民－8・15」岩手県、静岡県他

農業教室 7・30～8・00 教育
9～11日 健康管理の課題（農林省生活改善課長）矢口光子
12～14日 農業経営と家族関係（東京学芸大学助教授）逸見彦
16～18日 養豚とふん尿処理（神奈川県衛生研究所）大野茂一

あすの村づくり 日 7・00～8・00 教育 再 土 13・00～14・00 教育
15日 「西富士開拓の記録」～ある村づくりの記録～静岡県・西富士開拓農協～伊東義実他

ラジオ

早起き鳥 5・41～5・57 ①
11日 再放送シリーズ－穀物利用のプラスチック（九大助教授）国府田佳弘
12日 再放送シリーズ－西ドイツの理想村づくり（近畿農政局）田中勇
13日 再放送シリーズ－アメリカの農業水利をみて（香川大学教授）福田潤
14日 再放送シリーズ－無農薬農業への道（五条市）梁瀬義亮
15日 ふるさとのおお（宮本常一・本田安次）
16日 パパイヤの共同栽培（宮崎県串間市）谷川貞文
17日 地区ぐるみのタニシ養殖～三重県三雲村・豊田村新田～
18日 畜産王国を目指して～岩手県畜産五百億運動～
19日 多頭化をはばむ和牛の登録制度～広島県比和町～
20日 土から生まれた農民詩集～下館市・大谷盛雄

新しい農村 6・00～6・30 ②
15日 国産材の生きる道（林野庁林政部長）池田正範ほか

ラジオ農業学校 日 6・30～7・00 ②
15日 優秀農家に学ぶ（鳥取県西伯郡中山町）森安澄雄（三十四才）

畑の下は弾薬庫

キビは白い花を咲かせて

米国での生活から

滋賀県　中村　芳喜

沖縄へ着いて第一歩を踏みしめた時、まず目にとまった米軍基地、一瞬にして心が引きしまるのを感じた。バスで名護へ向う窓に展開される風景、あまりにも広大な基地におどろき、周囲を金網で張りめぐらし、その中で働く軍人の姿を見た我々は恐しさを感じ、近くの住人の気持はどんなだろうか、我々の想像以上の不安と苦しみの毎日であろうと思われた。

二十余年、米軍に支配され、一日も早く本土復帰を願う沖縄県民の気持を、我々は暖く受けとめてはならないことをたしかめた。

米軍基地を後にしてバスは右側を走る。小高い丘が続き、なんてススキの多い所だろうと思う。これが砂糖キビなのである。主産物がキビだというだけあって、その作付けの広さは広い。その地下が弾薬庫になっているとか。なんと恐しいことかと思う。

水田なんてほとんど見られず、畑ばかりの小高い山があって、畑も傾斜地でそのほとんどがキビの畑、白い花を咲かせ、その美しさは、いつまでも沖縄を印象づけてくれることだろう。この広大な畑を休むところなく利用している姿を、休耕田のある本土では見習うべきだ。南国の利というか、露地でトマトが実をつけ、キュウリが花を咲かせ、レタス、キャベツ、セロリ、カリフラワーと多種の野菜を植付けて、必要とする水を地下からポンプで汲みあげている農家の様子は、実にすばらしかった。

七色に輝く海、熱帯植物に囲まれた観光地、国際通り、色のごとく外国製品の並ぶ南京街、何をとってもすばらしいものばかりの沖縄訪問の旅だった。(全国4Hクラブ連絡協議会編『第二回沖縄親善交歓訪問報告書』より)

沖縄の歴史的な建造物である守礼之門

全協で訪問　団員募集中

既報のような要領で、十一月下旬に実施される沖縄親善交歓訪問は、現在、団員を募集中である。従来と異なり、飛行機をチャーターするため、八月二十日までに百十名の人員を確保しなくてはならない。全協では、至急、参加者は申込んでほしいとしている。

空談

あれは、誰が書いていたことだったろうか。—フランスか、イタリアへ留学した人が、ある日、いつもの散歩道を遠くまで延ばしたところ、ひとつの古い街へ出た。城壁に囲繞された中世の都市のようであり、人影らしきものも見当らなかった。あちらこちら歩きまわって帰ったが、あまりにも不思議だったから、またの日、再び出向いてみたが、とうとう辿りつけなかったという話である。その幻のごとき都市の描写が、こよなく美しかったように記憶しているけれども、思い出すことはできない。

再び見出された世界

おそらく、幻覚なぞではなくて、現実にそうした中世の都市は存在したのであろう。そこへ通ずる道路が、わからなくなったというにすぎないのだろうが、この話は、いかにも象徴的な様相を帯びている。たとえば、インカ文明がどのように発生したのか謎であるように、また、どのような技術を駆使して建造されたのか、解明されていない巨石文化の遺蹟の数々に残された不可思議さのように。歴史が有つ完結性、円環が閉され、前後の脈絡が失われてしまったものの奇妙な明るさ、自らの発光による静寂な空間を感じさせる。

トインビーによると、人類発生以来、三十いくつかの文明が興隆し、そうしてまた滅亡して逝ったという。そこにはさまざまに異なる要因があって、興亡がくりかえされたに違いないけれども、どれもこれも、みな退引きならぬ完結性を持っているだろう。萩原朔太郎は、中道にして終った人の生というものはなく、みなそれしかない完結を示すと書いていたかと思うが、文明といえども、やはりそのことはいいうる。

偶然に見出された中世の都市、過去に存在した三十いくつかの文明、こうしたことどもは、人智を越えた完結性により封印されて、全貌を顕わさない。たまたま、シュリーマンのように破格な人間が出て、ホメロスの叙事詩を唯一の手懸りに、トロヤの発掘をするといった荒唐無稽に近い挙に出ない限りは、全く忘却されたままに終る。シュリーマンを、世上、夢みる人といった評し方をするが、ほんとうは、思い出すことにすべてを賭けたのだという見方も成立つ。

個人の直接体験を超えた広く大きな世界、たとえば、人類そのものが有っている記憶、イメージの原型ともいうべきものであり、これを思い出しうるのは、ひとつの才能と呼ぶことが許されようか。(山)

青春と仲間

"ふたりぼっち"の青春

三重県津　小林　久美子

君の好きなことは?「スポーツ」君の夢は?「農業」……何度同じことを言ってきたか知れない。

一個の白球に、私は青春のすべてを賭けた。それは聞えはカッコ良く聞えるが、考えれば考えるほど苦しく、自分との戦いである。ボールに毎日の時間のほとんどが重点におかれ、何をすることよりも私には幸福であった。

他の人から見れば、早朝練習から、夜は星の輝きを頼りに家に帰る毎日を、馬鹿にする人もいた。でも、そんなことを言われても私は汗とほこりと涙の青春を、力いっぱい精いっぱい生きて来たつもりである。

そんな青春に、私をささえてくれた愛があることは誰もが気づかず、自分自身も知らなかったことだった。

知らずにいることを、ボールは教えてくれたのである。数年間、何も言わずに、そばにいてくれたボールを、私はいつしか"彼"と呼ぶようになった。

彼は私に苦しい時の幸福を教えてくれた。床に身をふし涙を流しても、彼がいつもそばにいる。

そんなボールだけに賭けた人生も、今は思い出に変わろうとしている。でも、ボールにサヨナラするのはいやだけれど、夢は大きく変わる。それは、夢の多くが農業をやることでもある。小さな経ヶ峰のふもとの部落に、何の夢があるのかは知らない。

でも、貧しくても、私は自分自身の家で、自然の中を精いっぱい歩みたいのである。

農業をすることが、どれほど技術を要することかは、自分なりにわかっているつもりである。

手を使っての作業が、今は機械に使われているほどの変わりようの中で、他の誰にも変えることの出来ないものは、自然を愛し、物を愛することの出来る人間である。

それを出来る人間に生まれた以上、青少年クラブに入って、自分の夢を少しでも実現させて行きたい。

実行することが、私に何を教えてくれるかは知らないけれど、温室にあるか、田畑の草木の下にあるかは、少し不安?

でも、私を白のベールで飾ってくれるより、かすりと緑の自然で飾ってくれる人がいてもよいのではないか?

こんな夢も、大きく翼を広げて飛び立とうとしている。(三重県津安芸農村青少年連絡協議会『若い息吹き』第七号より)

頼まれて農村に残るなかれ

山口一門著　農業をどうするか　—若い農民とともに考える—

これは、けっしてむずかしい本ではない。肩を凝らせずに読ませてくれる。自分自身の体験と引き合わせながら、どんどん読み進んでいるうちに、何かを考えさせてくれる。そういった本である。

現在、日本のどこの農村へ行っても、これから農業をやろうとする若者たちの、農業への不安感、危機感を見ることができる。そして、農業をめぐる国際状勢、政治状勢も、予断を許さないものがある。日本の農業が、大きな変動の渦の中にあることは事実であるようだ。こんな農業状勢に後継者が立ち向っていくにはどうしたらよいのか? その心がまえは? この本のサブタイトル"若い農民とともに考える"とあるように、長く農業運動を実践してきた著者は、これに熱っぽく答えている。

まず、この本の特長とも言えることは、ただ若者を讃美するのではなく、農村の若者を叱咤していることであろう。「頼まれて農村に残ってもしようがない」。本の最初にこういい切った著者は、さらに農業状勢に対する農民の態度に目を向けてこう言っている。

「われわれ農民は、いつかはだれかが自分たちをしあわせにしてくれるのではなかろうかという願望をなんとなく無意識にいだいている。こんな態度が農民の体質の中にいつの間にかできてしまったということが、ここでまず問題にされなければならない。農民自身がどのような政策を要求するとか、あるいはどのような農業の計画をたてるかというようなことがなくて、つねに他のものにおんぶしていくという考え方ができてしまった」。このような厳しい批判を呈した著者は、後継者の農業への心がまえについては、「農業が"どうなるか"という考え方は、危険思想である。これからの若い農民には"どうするか"という態度がなければならない。こういう態度が出てこないかぎり、農民社会は絶対に住みよくなっていかない」と結んでいる。

さらに、この本のもう一本の柱は、人間としての農民生活からの農政批判と言えよう。「これまでの農政は、いちばん大事な、そこに住んでいる人間の生活をどうするか、ということは考えようとしなかった。だからこそ、米の生産が過剰ならば、それをどのように減らすかを考えるだけで、その農民がどうなるかなどという考えには思い至らない」。農村で生活する人間としての著者の、このような批判の眼を、この本には一貫して感じることができる。(Q)

(農山漁村文化協会発行、定価三百円)

クラブ紹介

家族交えて

—岩国グリーンクラブ

岩国グリーンクラブ(会長　梅岡彰蔵君)は、毎月、各クラブ員宅で定例会が行なわれています。目的は、クラブ員相互の意識を高め、生活環境を見ることによって公式の場で話すよりもより深く、クラブ員同士が理解しあえるとともに、家族の人達にも友達や活動を理解してもらおうと、毎月、クラブ員宅を、家庭訪問するというかたちで行なっています。

内容は、経営状の視察、アドバイス、仲間はこんなにやっているのだということを、目のあたりに見て、ファイトをかき立たせたり、また、家族の方にも同席を願って充実した活動をしていることを理解していただくなど、数多くの収穫を上げています。

六月十九日に行なわれた定例会は、岩国市青木の岩中好子さん宅で、当日は、午後六時三十分に岩中さんのところに集合、経営視察の後、幹部研修会参加報告、第十一回山口県農村青年技術交換大会への参加者と、クラブ活動交換発表者の選出と、発表内容の討議がありました。

これまでの活動の問題点を引き出し、それをいかにして行くか、また、今後、どのような方向へ活動を持って行くかなど、熱心な討議が続けられました。討議された内容をあげると、

1、活動の問題点　①クラブ員の人数少ない②夜の集合のため事故がある③家がわかりにくいなどが提出され、解決策として、①新規就農青年の家へたびたび足を運ぶ。農業高校などに、もっと4Hクラブを知ってもらうようにする。②近くの人は、出来るだけ誘いあって、少数の車で行く。各自、安全運転に気をつける③案内の集合時間を守り、知っている人となるべく一緒に行くなどの意見が出されました。

2、今後の活動　①親を連れて出席する②農業高校との話し合いの場を持つ③共同プロジェクトをもつなどが、主なものとしてあげられました。共同プロジェクトの手はじめとして、リボンフラワーを全員でやってみようという案内が出されこれに全員乗り気の様子でした。

どんな小さなことでも、共同で一つのことをする、それで仲間意識を一段と高めるとともに、私達のクラブが、今後、どんどん発展するように、全員が力を合せて行きたいものだと思います。

〈山口県=須内和明連絡報道員発〉

芦先生(農村青少年指導者)を送る

宮城県　200人が集まって

芦猛雄(あし　たけお)氏、私達宮城県の農村青少年にとっては、忘れることのできない人です。

先生は、昭和二十三年に4Hクラブの普及指導活動が開始されて以来、昭和四十六年の今日まで、実に二十四年の長い間、終始一貫、農村青少年の指導育成に専念されてまいりました。

その間に、先生の指導を受けた農村青少年は、およそ十万人を数えております。さらに、全国に先がけていち早く県連絡協議会の組織をつくり、また農青指導者の制度を設けたことは、全国的に有名で、本県はもちろん日本の農村青少年指導者として賞讃されてまいりました。

しかしながら、この度、後進に道を譲られ、長年住みなれた職場を惜しまれながら御勇退なされることになりました。そこで県内の先輩有志が発起人となり先生の輝かしい業績とその御恩に対し、感謝の意を表わそうと謝恩会を催しました。

七月三日、仙台市、日の出会館七階ホールに、午前十一時、県内の青少年が一堂に会し、真に農村青少年クラブの同窓会のようでした。発足当時の四十代も半ばを過ぎた人、三十代、二十代、そして十代の方々が約二百人も参加しました。あいにくの雨でしたが、忙しい時期にある私達にとっては、のんびり過せるとあって"恵みの雨"に変ったようでした。

乾杯の音頭の中に、「芦さんあなたほど幸せな方はいませんよ。どこの世界に、役人が退職するからといって、こんな盛大な謝恩パーティなんか開いてもらえる人がありますか」少々言葉使いは乱暴でしたが、本当にそうかも知れません。しかし、やはり先生の業績と人当りの良さを知る私達にしてみれば、当然の行為だったとも思います。

各々のテーブル・スピーチの中でも、先生に対する謝恩の思いは重みを増し、まだ先生を知って日の浅い私達には一段と先生の偉大さを感じさせられました。先生を囲んでの思い出話には、時間も忘れるほど花が咲いたようでした。

「先生! 私達は先生の一声があれば、いつでもこれだけ、いやこれ以上の人数は集まります。長生きして、またこんな機会を持たせて下さい」大先輩の言葉に場内いっせいに拍手が湧き、先生の今後の御健康と御多幸をお祈りした万歳三唱を最後に、盛会のうちに閉会となりました。

先生と一緒に御出席下さった貞子夫人も始終、笑みを浮かべさすがにうれしそうに見受けられました。先生の陰になり日なたになり、内助の功を発揮された夫人の働きも、忘れてはならないことなのです。

皆に親しまれ、惜しまれながら、農政普及課技術参事の席を去って行く先生の後姿には、満足感とともに、さすがに淋しさも隠しきれない様子でした。世の中で一番幸せなことは、誰からも愛されることではないでしょうか。この日の先生は、この世の中で一番幸せ者に見えました。

(宮城県=丸子京子連絡報道員発)

カカア天下になりたくない

山口県　坂本　重子

White 家はニュージャージー州にあり、十月八日から十八日までの十一日間にわたって滞在した。宗教は御主人がカソリック、奥さんはプロテスタント。農地はない。

御主人は、カソリックの高校で社会科を教えておられ、奥さんは、日曜学校の先生と4Hクラブで裁縫を教えておられる。五年前に結婚されて、子供さんはまだおられないけれど、現在十歳の奥さんの弟さんが一緒に生活しておられる。

彼女は次女なのだけど、御両親の家を貰われ現在住んでおられる。そのために、弟さんの世話をしておられるのかどうかは知らないけれども、姉妹の一番上でもないのに、弟さんの世話を一生懸命しておられる御夫婦の姿を見て、とても立派だと感心させられた。

弟さんは、とても良い子なのだけれども、わがままで、何でも自分の思い通りに行動する傾向があって、御夫婦や友達を困らせることがシバシバだった。やはり、こんな点は姉妹では難しいのだなあーと思う。そしてこういう性格は姉弟で似ているのでしょう。奥さんのなかにも時時見られ、こちらの生活に入って、絶対に学んで帰らないようにといわれた「カカア天下」の姿を、この家では目の前で見た。少なくとも自分は、彼女のようになりたくないと強く思いました。

こんな彼女に対して御主人は「君の言うことが全部正しいのだろう。ボクはもう何もいわないから君が言いなさい」と、変な顔をしながら引き下がられ、その姿を見て、たいした反発もされないで引き下がられる御主人を、言ったらケンカになるし、彼女の性格なのだから理解されたうえでの態度なのだろうと、自分なりに想像してみる。そのどちらのタイプが良いのか私にはわからないけど、今までとは異った型の夫婦を見て勉強になることがいろいろあった。

奥さんも、結婚されるまでは小学校の先生だったそうで、御主人に負けないくらいに頭の良い人なのだと思う。特に裁縫にかけての腕は抜群で、クラブでの指導の仕方も素晴しいと私は思った。

うれしかったこと

①奥さんから布をいただき、教えていただきながら、ワンピースを二着作った。そのうちの一着は奥さんと同じ布で、それを教会へ着て行った時、「おそろいで良いですネ!」と誉めてもらった。

②一九六九年に、アメリカから日本に来られたIFYEのマーガレット・マローンさん御夫妻が、たずねて来て下さった。

③十月十九日から始まった自由行動の時、三日間続けてお世話して下さり、その後に計画していたFink家まで車で連れて行って下さった。

④デトロイトへ立つ時、飛行機が二時間くらい遅れたので、もう立たないのではとか、立たなければ他の空港へと——心配して、立つまで空港にいて下さった(帰国して聞いた話)。

悲しかったこと

①御夫婦の友達の所へ夕食に行った時、御主人は二組の御夫婦と一緒に話しておられ、奥さんにも「加わりなさい」と言っておられるのに奥さんは、「テレビを見ている方が良いから……」と行かれず、私はどちらについてよいか、分からずに困った。

楽しかったこと

①フット・ボールの試合を見に何度か行った。

②Fink 家の長女が White 家の近くへ下宿しておられ、彼女と一緒に大学の見学へ行ったりピクニックへ行ったりした。

③フィラデル・フィアへ見学に行った。

失敗したこと

①レポートを書くことに頭が走って、後かたづけ以外には何も手伝わなかった。

②奥さんの弟さんが、ロング・ヘアにしておられるとは知らず、「私は、ロング・ヘアの男性が好きではなりません」と言った。

一九六九年に草の根大使として来日したマーガレットさん夫妻とホワイト家と奥さん。右から二人目が坂本さん。

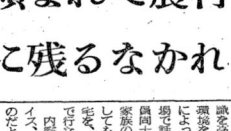

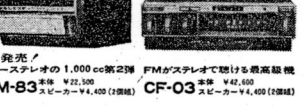

日本4H新聞
4Hクラブ
農事研究会
生活改善クラブ
全国広報紙
発行所
社団法人 日本4H協会
東京都市ケ谷家の光会館内
電話（269）1675郵便番号162
編集発行 玉井 光
月3回・4の日発行
定価 1部 20円
一カ年 700円（送料共）
振替口座東京 12055番

クラブ綱領

私達は、実践を通じて自らを磨くとともに、互いに力を合わせて、よりよい農村、よりよい日本を創るため、四つの信条をかかげます。一、私達は農業の改善と生活の改善に役立つ腕をみがきます。一、私達は科学的に物を考えることのできる頭の訓練をします。一、私達は誠実で友情に富む心をつちかいます。一、私達は楽しく暮し元気で働くための健康を増進します。

“みちのく”岩手で「第11回全国農村青少年技術交換大会」開かる

本格的なキャンプ生活

演示などきそう パレードは中止 共同炊事も楽し

第十一回全国農村青少年技術交換大会は、社団法人全国農村青少年教育振興会（会長 東畑精一氏）、岩手県、同県農村青年クラブ連絡協議会（会長 及川正紀君）の主催、農林省、NHK、全国4Hクラブ連絡協議会、地元関係各機関・団体などの後援によって、さる一日から四日間（三泊四日間）盛岡市、岩手公園、滝沢村、県営体育館などで開催された。これには、全国各都道府県の青少年代表を中心に引率者、海外農村青少年代表（アメリカ、中華民国、ブラジル）、それに岩手県内のクラブ員約六百名、大会運営委員約二百名と主催者など約千五百名が参加、プロジェクト発表と題する演示発表、技術競技、話し合い、野外パーティ、キャンプファイヤー、自然観察や共同炊事にと若いエネルギーを燃やした。とくに今回は、初めて本格的なキャンプ生活が大自然の中で行なわれ、友情をかわした。また、猛暑に見舞われ病人が続出したが、それを若さではねかえし、まず盛況のうちに幕を閉じた。＝関連記事2、3面にもあります。

県旗の入場＝岩手公園広場での開会式

アスファルトに靴がくい込むほどの猛暑。みちのく盛岡駅にはき出されるようにして到着した参加者は、ひとまず市内の教育会館や産業会館に腰を下し旅の疲れをいやしたあと、十二時半から各会場に分かれて州ごとにオリエンテーション。

昨年の大阪大会では班編成を村と名づけたが、今回は“州”として、参加者はアップル、オレンジ、レモンなど六州に分かれ、さらにその中に村を編成して行動することにした。州長など係の紹介、州条令や日程の説明につづいて、約四十の旅館に移動、そこで村ごとの話し合いやプレゼント交換を行なった。

このあと午後六時から夕やみせまる南部城跡の岩手公園広場で開会式が行なわれた。開会式に先立って市内の目抜き通りをパレードする予定になっていたが、大会直前、会場近くで全日空機墜落事故があったために中止し、自衛隊、県警本部のブラスバンドも参加をやめ、各県旗の入場、参加県の紹介のあと全員で一分間の黙とうをささげた。

及川岩手県連会長の開会宣言につづいて国旗、大会旗、岩手県旗の掲揚、ついで中村直岩手県副知事、宮城孝治振興会副会長、農林大臣代理の伊藤宗一郎政務次官（宮城県出身）から主催者を代表してあいさつ、工藤盛岡市長から歓迎のことばが述べられた。

また、昨年の大会開催地、大阪の北本博士君が参加青少年を代表して誓いのことば、海外青少年を代表してブラジルから参加した泉進君（岩手県出身）がメッセージ、このあと全国4Hクラブ連絡協議会の黒沢会長からの祝電が披露された。ついで全国から募集、決定した今大会のスローガン「若いこの芽 大地に伸ばそう 未来に向けて」の斉唱、4Hクラブの歌の合唱、最後に大会事務局長である村井岩手県農政部次長の閉式のことばで終了。このあと盛岡市主催の歓迎の夕べが公会堂でにぎやかに開かれた。

猛暑にバテ気味 野外パーティで生返る 四百キロの肉ぺろり

二日目は、バスで人里離れた滝沢村鵜口キャンプ場に移動し、午前九時から炎天下のもとで入村式が行なわれ、いよいよテント生活に入った。入村式は柳村滝沢村長の歓迎のことば、松浦全協副会長の激励のことばにつ いで州長紹介、州旗の授与、講師と助言者の紹介、また、今回全国から募集、決定した大会讃歌の作詩者、静岡県の斎藤みち子さんが表彰され、その讃歌を全員で斉唱して終えた。

炎天下、熱心に技術競技の問題と取り組む参加者

このあと各州、村に分かれ、キャンプ場の中での生活の注意やカウンセラーの指導を受けてテントを設営、男女まじえて共同炊事に取りかかった。それぞれ与えられた材料でアイデアをこらして料理、日ごろ4H活動で磨いた腕を見せていた。近くに東北の秀峰、南部富士をのぞむ大自然、その木陰からは煙がたなびき、食欲をそそる匂いがあたり一面に漂っていた。

午後からは、九会場に分かれて演示発表が行なわれた。全国から選ばれた五十九名の代表が野菜、果樹、花卉、畜産（2）、農業機械・土壌、林業、生活（2）の七部門で、大自然をバックに日ごろのプロジェクト活動の中で創意工夫した技術などを発表した。牛の口にサルグツワをはめたり、薬剤散布の実演など汗ビッショリで披露、また参加者からは鋭い質問が飛び出していた。

生活部門の発表にも男性の姿が多く見られ、また、目ざす発表会場へ行く道を間違って、迷っている人が目についた。

夕食は、料理コンクールをかねて再び共同炊事、同じ材料ながらいろとりどりの料理が出来上り、舌つづみを打っていた。

夜は、州ごとにキャンプファイヤーが行なわれ、火の儀式や出し物にアイデアを競い合った。

三日目 共同炊事による朝食をすませて午前九時過ぎから技術競技が行なわれた。県のワクを越えて五～六名で一チームを編成、共通コース（経営、生活、農業機械）と専門コース（作物、園芸、畜産）で鑑定、判定、診断、審査と技能の各問題と取り組んだ。男性は女子クラブ員から生活問題のアドバイスを受けるなどなごやかな雰囲気の中で進められたが、問題が易しかったせいか、それとも疲れと暑さでバテ気味のためか早く解答をすませ、木陰で談笑する参加者が多かったようである。

自衛隊の緊急食糧、缶詰ご飯と牛乳で腹を満たしたあと、木陰やテントの中で課題別に話し合いをした。農業経営、流通問題、クラブ活動、結婚などについて約二時間にわたって意見をかわした。

四時から野外パーティが開かれた。四百キロのマトン、ふんだんな野菜と飲み放題のコーラ、鉄板を囲んでわれさきにと頬ばる千五百名の参加者の姿はまさに壮観。しかし、さすがのクラブ員も余し気味、あたり一面が煙に包まれる一幕もあった。クラブ員による余興、岩手名物・チャプチャプ馬ッコの紹介と記念撮影、雫石町農業婦人五十名による舞踊“南部よしゃれ”の披露、村ごとの記念撮影など、参加者は一時に生気をとりもどしたようで、輪になってゲームをしたり、ダンスをしたり、楽しく全体交流の時間を過ごした。

陽もかげり、岩手山が闇の中に姿を隠す七時半ごろから全体キャンプがくりひろげられた。

フェンガー賞に高田君と坂倉さん 感激的、別れ

四日目 共同炊事による朝食、テントの撤収、清掃などをすませバスで岩手山麓の八幡平へ向い、自然観察した。

午後二時から盛岡市の県営体育館で閉会式が行なわれた。詩の朗読をはさみながら、中村岩手県副知事、三宅振興会常務理事、松平東北農政局長のあいさつ、つづいて演示発表と技術競技の講評のあとフェンガー賞が授与された。

晴れの受賞者に選ばれたのは、畜産部門で「若齢肥育の牛床改善」を発表した岩手県の高田耕造君（エミールフェンガー賞）と生活部門で「ビューティロッカー」を発表した三重県の坂倉絹子さん（フリーダフェンガー賞）

とくに、プロジェクトの結果よりその過程が重視されたことは注目された。

このあと別れの集いに移り、運営委員による同賞授賞者のインタビュー、詩の朗読、記念品の贈呈があり、つづいて各州の解散会と州長の退任式が感激の涙のうちに行なわれた。ついで大会旗の降下、及川岩手県連会長のあいさつのあと十二回大会の開催県・宮城県の門馬県連会長に大会旗が引き継がれ、門馬会長のあいさつを最後に詩の朗読が流れる中で大会の幕を閉じた。

心頭技健

岩手県内では、クラブのキャンプが盛んで、盛岡市のある農業改良普及員さんも、年にというより一夏に、三、四回は参加するという。こんどの全国農村青少年技術交換大会が、初めて本格的なキャンプ生活によって行なわれたのも、その体験の積み重ねと野外活動に対する自信があったからこそ出来たといえよう▼また、環境にも恵まれている。岩手は、北海道に次いで全国でも二番目に面積の広い県だが、今回の主会場となった滝沢村の鵜口キャンプ場も素晴らしく、これだけの場所がある県はほかにないだろうと、県内関係者も自慢するほどだ▼このキャンプ場は、今回の大会のために作られたそうで、これから大いに野外活動の場として利用していくことにしているようだが、この素晴しい環境の中で生活できるクラブ員を県外参加者が羨ましがるのもむりはない。と同時に、まだこれだけの広大な大自然があることを見直していたようだ▼しかしその反面、野外活動で訓練され、山での生活を心得ている県内クラブ員と、キャンプ生活に不慣れな県外クラブ員との間に差がみられたことも確かだ。そのうえ県外参加者は長旅による疲労と睡眠不足、ムシ風呂のような暑さで、日射病で倒れる人やケガ人が続出、全体的にバテ気味でそれが一時は行事にも影響しかねない状態だった▼これに対して、県内のクラブ員は、モリモリ食って、十分に睡眠をとり、そして便の通じをよくすること、これがキャンプや山での生活にとって基本的なことだと忠告する。それは、積み重なる体験の中から出た言葉であると思われる▼だが、県内の大会の場合、同質的でまとまりがよく、動き易いが、同じ農村青年といえども全国的な規模になると、なかなかそうはいかないところに全国大会の難しさがあるといえる。ともかく、これを機会に全国各県でもキャンプを盛んにして行けば、もっと楽しい夏を過ごせるのではないだろうか。

黒沢会長ら中四国へ

全国4Hクラブ連絡協議会（会長 黒沢健一君）は、先月下旬からオルグ（役員派遣）を実施しているが、現在、黒沢会長と神田勝敏事務局次長が中四国方面の各県連を訪問している。

涼風暖風

桐の木

“娘が生まれたら、桐の木を植えよ”と祖母がいっていた。なぜ？ とその理由を聞くと、“桐の木は、他の木に比べて成長が早い。娘の生まれた時に植えた木は、娘が年頃になった時には、桐の箪笥がつくれる程に大きくなるので、それで娘入り道具の箪笥をつくって上げるのだ”ということであった。

ついこの間のことであるが、留守中に隣の家の出火のため、またたく間に友達の家は全焼してしまった。留守であったことと、火のまわりが早かったため、何一つ持ち出すことができなかったのである。しかし、その焼けあとに、わずかに残ったのが日本建築でたてていた茶室の囲りであったということである。この茶室のあとから、真黒にこげてはいるが、水をふくんだ桐の箱の中から、熱い炎で焼きしめられた茶碗をみつけて、驚いたということである。

この話を聞いていて、いつか近所の人が火事にあったが、桐の箪笥に入れていた着物は大方助かったということを思い出した。そしてまた、“大事なものは桐の箱にしまえ”と誰言うとなく言い伝えられていることを思い出したのであった。

箪笥といえば桐の箪笥、それは娘の嫁入り道具の一つだと、あたりまえのことのように思われている。ところが、この桐の箪笥には、娘の嫁入りに際し、財産の一つでもある沢山の着物が、火事にあっても無事であるようにと祈る親の気持がこめられていた事であろうと、あらためて思った。

そしてまた、“隣りとの境には、桐の木を植えておけ”と祖父が言っていたことに気がついた。桐の木は水分を多く含んでいるので、火事の場合、隣からの、また隣への、類焼を防ぐと言われ、それを祖父は実行していたのであった。

こうみて来ると、桐は火に強い木であると、そして私達の生活の守りの木であると思った。これまで、いろいろの災難にあいつつ、その体験の中から得て来た、人間の生活の知恵の大きさ、それが語り伝えられ実行して来たことの力強さをあらためて考えてみた。そして、隣との境に、大きな緑の葉を繁げらせた大きな我が家の桐の木を見上げるのであった。（T）

黒沢全協会長囲んで話合い 山口県連で会長会議

【山口】山口県農村青少年クラブ連絡協議会（会長 松尾耕助君）は、さる十、十一の両日、地区会長会議を開き、体育大会、県農業祭について協議、また、全国4Hクラブ連絡協議会の黒沢健一会長を囲んで話し合った。

大勢の申込みを 全協で呼びかける

第三回沖縄親善交歓訪問 いよいよ締切り迫る

二泊三日の現地交歓訪問も

全国4Hクラブ連絡協議会（会長 黒沢健一君）は、全国4Hクラブ員による「第三回沖縄交歓訪問」の参加者を募集中であるが、いよいよ締切り日が迫ってきたため、早急に大勢のクラブ員が参加を申し込んでほしいと呼びかけている。

今回は、沖縄訪問がこれで最後になることも予想されるので、百十名の大訪問団が企画された。また、この訪問の便宜と“まとまり”のために、とくに今年は、日航ジェット機・ボーイング727をチャーターの予定で、その費用も一万三千円ほどの割安になっている。

今回の訪問の特徴としては、昨年、好評を得た民泊を、一日ふやし、全体の日程が一日間延長されたことであろう。

全協事務局では、このまたとない機会を、大勢のクラブ員が利用してくれるようにと望んでいる。

▽訪問の時期 十一月二十二日～二十七日（六日間）このほか事前と事後の両研修が一日ずつ。

▽参加経費 五万七千円。

▽申し込み期限 八月二十日。

▽申し込み先 東京都新宿区市ケ谷船河原町十一家の光会館内 全国4Hクラブ連絡協議会。なお申し込みと同時に参加費を全額納入のこと。

▽主な日程は次のとおりである。

二十一日（日） 大阪府青年の家（同府三島郡島本町桜井）に集合、開所式、事前研修、予防注射、渡航手続き

二十二日（月） 結団式、大阪国際空港から沖縄へ出発。那覇空港に到着、琉球政府関係機関へ表敬あいさつ、オリエンテーション、名護市内の旅館に宿泊

二十三日（火） 名護青年の家で沖縄クラブ員との対面式、沖縄農村青少年技術交換大会に参加、意見交換会（話し合い）、キャンプファイヤー、名護青年の家に宿泊

二十四日（水） 技術交換大会に参加、現地交歓訪問へ出発、沖縄農業の視察、クラブ員宅に宿泊（民泊）

二十五日（木） 現地交歓訪問、農業施設や観光地視察、クラブ員宅に宿泊（民宿）

二十六日（金） 現地交歓訪問、那覇市に集合（正午）、沖縄の歴史を訪ねて―南部戦跡～糸満、ひめゆりの塔、健児の塔、摩文仁丘の慰霊、守礼の門などの見学、夜は自由行動

二十七日（土） 関係機関へお礼のあいさつ、那覇空港を出発、大阪空港に到着、帝釈（たいしゃく）寺に宿泊

二十八日（日） 事後研修、解団式、解散

なお、提出書類は次のとおり。

①履歴書 一通②住民票 二通③写真（タテ・ヨコ五㌢程度のもの）三枚④道府県連会長推せん書一通（二名以上の場合は一括推せんでよい）⑤昭和四十四年以降沖縄へ行った人は、その時の旅券をあわせて送付すること⑥論文 次の中から一題を選んで、四百字詰原稿用紙二～三枚程度の文にまとめること

▽自主的な4Hクラブ活動と組織強化について▽わが家の農家経営▽4Hクラブ員として沖縄で知りたいこと▽私たちと4Hクラブ

筏で海上にキャンプファイヤー

山口県連の技術交換大会 海水浴場で交流

【山口県＝須内和明連絡報道員発】山口県農村青少年クラブ連絡協議会（会長 松尾耕助君）は、七月十九日から二泊三日間の日程で、大島郡橘町安下庄立岩海水浴場において第十一回山口県農村青少年技術交換大会を開催した。県下十五地区から百六十余名と指導関係者二十余名、合計百八十余名が参加した。

一日目、受付は午後一時から橘農業改良普及所で行なわれた。夕食後、開会式。下関地協区を先頭に、たいまつをもった各区地協の代表がつぎつぎに入場。それと同時に放送による地区紹介も行なわれた。開会宣言、国旗、県旗、4H旗の掲揚のあと主催者側のあいさつ。山口県農林部長、橘地区農業改良普及協議会長、松尾県連会長、青年代表の松井大島郡農村青少年クラブ会長がそれぞれあいさつに立った。つづいて来賓激励、祝電披露のあと、錦地区の河林君がたいまつに囲まれて「お互いの親睦を深め仲間意識を向上させ、地域の発展に役立てる」と誓いの言葉を述べた。そして、かがり火が点火され開会式を終了。そのあと郷土芸能として、久賀町のナムデン踊り、安下庄のジョンゴ踊り、大島音頭などが披露された。

二日目は、樹園地などの農業視察のあと、様々なレクリエーションが催された。島めぐり、宝さがし、貝ひろい、スイカ割り。夕食の仕度は与えられた材料での料理コンクール、各班ともアイデアをこらしあっていた。夜に入ると、大会の華・キャンプファイヤーが繰りひろげられた。海にちなんで聖火は、舟によって入場。ファイヤーも、筏を組み海に浮べた。四つのかがり火に火がつけられる頃になると行事も佳境に入り、各班による寸劇なども演じられた。最後には「サヨウナラ マタ トクサデ」の火文字がかかげられ、全員は、地元青年によるアーチをくぐり抜け退場していった。

三日目。朝食後は、三分科会に分かれてクラブ活動の交換。発表者による活動の説明のあと、活発な意見交換がなされた。そのあと清掃、撤収にうつり閉会式。各種の表彰、引き継ぎなどが行なわれ大会の幕をとじた。

「OGと語る」も　群馬県連
9月4日から前橋で　女子研の内容決る

【群馬県＝斎藤竹代連絡報道員発】群馬県青少年クラブ連絡協議会（会長　前原保夫君）では、来る九月四日から六日までの三日間、赤城山の前橋市立林間学校で女子クラブ員研修会を開くことをこのほど決めた。

これは、県下の女子クラブ員の意識の高揚と農村女性としての知識の習得を図ることをねらいとしたもの。とくに今回は人数に制限があり、約八十名の参加者を予定している。また、昨年までは各地区連の会長もまじえて研修してきたが、施設の収容能力に限度があるので、より多くの女子会員が参加できるようにするため役員の数を減らすことにした。

研修の主な内容は次のとおりである。

一日目の午後、約三時間かけて「生活講座」を行ない、ライフサイクルのたて方を勉強する。夕食後は「花嫁講座」を設けて、簡単なホームパーティの開き方、火を使用しない良い方法を行なってみることにしている。

二日目は、「教養講座」としてフィルム観賞と講義、そのあと約二時間分科会を開いて話し合う。午後は、赤城山の頂上周辺の自然を利用して、ハイキングとレクリエーションを行なう。この時間は女子会員相互の親睦が深められるものと期待している。夜は、キャンプファイヤーにする。ハイキングのとき親睦が図られるので楽しく進められるものと予想される。

三日目は、この研修会の重要なポイントの一つとして先輩と語る時間を企画している。かつて4Hの活動に情熱を傾けてきた三十歳前後のOG、しかも子供も大きくなり精神的にも落着いた先輩を迎え「先輩と語る」と題して、農家に嫁ぐ気持などについていろいろと話し合うことにした。

なお、県下の女子会員は、現在料理教室を中心として、手芸、住宅見学、交歓会（先輩たちとの話し合い）などの活動を続けているが、この研修会によって、さらに充実した活動ができるものと期待している。

相合傘で史跡巡り
神奈川県連の女子部　男性まじえ鎌倉へ

【神奈川県＝鈴木時保連絡報道員発】神奈川県農村青少年クラブ連絡協議会の女子部（委員長・神崎令子さん）は、このほど名所旧跡で知られる鎌倉方面で合同ハイキングを行なった。

この日、参加者四十四名（うち男子二十名）は、午前十時、北鎌倉駅に集合、まず、円覚寺に向った。コースとしては、円覚寺―明月院―建長寺―鶴ヶ岡八幡宮―長谷観音―大仏の道をとった。途中、明月院に着く少し前から雨に見舞われたが、みな若い者同士、相合傘となり初めて顔を合わせた人でも楽しく話し合っていた。明月院はアジサイで有名なところ。その美しさも雨でなお一層、みなの目を楽しませてくれた。

昼食は、雨のあがった建長寺でとった。女子は手作り、男子は母親の作ってくれた弁当を食べながら、世間話に花を咲かせていた。午後からは、傘が荷物になりながらも、午前に引き続きなごやかな雰囲気で進み、解散の時間も予定より遅れる程であった。

なお、このハイキングは、今年度はじめての女子部の活動であったが、男子の参加があったということで盛上りもあり、成功のうちに終ったようだ。

仲良く記念撮影する参加者

全国のつどい　トロフィー、空飛ぶ
北海道連へガッチリと

全国4Hクラブ員のつどいのトロフィー空を飛ぶ――このほど、北海道4Hクラブ連絡協議会（会長　中山寿雄君）の沢田義夫事務局長から、愛知県連より受け継いだつどいのトロフィーが確実に北海道に渡ったことを知らせる二枚の写真が送り届けられてきた。

一枚は、飛行機のタラップ上で中山会長、第八回つどいの準備委員長・奥村秀宏全国4Hクラブ連絡協議会副会長、赤宏道連書記長にガッチリとかかえられたトロフィー。もう一枚は雲海の上を行く航空写真で、タラップ上の三人が撮影だけの演出でないことを物語るもの。上の写真はこのうちの一枚。こうして、トロフィーは北海道へと渡り、来年のつどいへと第一歩を踏み出した。

第八回つどいは、本紙前号で紹介のとおり、来年八月二十八日から五日間、札幌と定山渓温泉を中心に開かれる予定で、参加者はこれまでの最高の二千から二千五百人を見込んでいる。また、現地交歓訪問を行事の最初に持ってきたり、つどい終了後は四日間にわたる知床秘境への旅行も計画、広大な自然を生かした特色あるつどいになることが予想されているが、一万余名のクラブ員を擁する北海道連の今後の活躍が期待されよう。

岩手大会の表と裏

ジャネットさんケガ

大会に参加していたアメリカの草の根大使、ジャネット・ランダースさんが、三日目の夜、キャンプファイヤーの出し物で踊ったあと、暗闇の中でくぼ地に落ちてねん挫した。岩手医大でレントゲン検査の結果、骨には異常なく、閉会式にも参加することが出来た。

ジャネットさんは、一緒に参加していた同国の草の根大使、ダイアン・ランダースさんとともに人気者。大会中、参加者から言葉をかけられたり、サインや記念撮影を求められたりで大変なモテぶり。キャンプファイヤーの前に開かれた野外パーティのときも、記念撮影などにひっぱられて、せっかくのジンギスカンも食わずじまい。

そのあとの交流の時間でも、愛知で開かれた「第七回全国4Hクラブ員のつどい」で覚えた阿波踊りを披露、これが夜のキャンプファイヤーの出し物となったわけだ。

その晩、キャンプ場から近くのモーテル、白百合荘（大会関係者の一部と医者、看護婦、急病人などが宿泊）に移ったジャネットさんは応急手当を受け、付き添えのダイアンさんとともに一夜を明かしたが、翌日はかなり元気。しかし、病人ということで旅館の方で気をきかして朝食におかゆを用意したため、またも食事ぬき。すぐに普及員さんの世話で、病院に行ったため、食物を口に入れたのは、結局、治療を終え医大前の県庁に案内してもらったときで、まる一日ぶりだった。

医大では、大会参加者同士が顔を合わすというにぎわいだった。

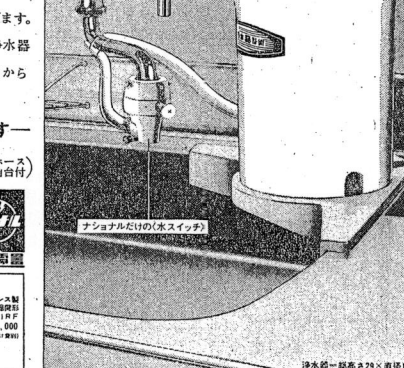

汗を流しながらの共同炊事

気づかう大会本部

ギラギラとした太陽光線、そのうえ湿度が高いためにムシ風呂のような暑さ。また、夜行列車による寝不足と疲労などが重なって参加者はバテ気味。

閉会式ではプラカードを持った地元の女子高校生が四、五人倒れたが、その後も参加者の中から日射病やケガ人が続出、飲水の消毒も異常なほど多くなったため、大会本部の気の使いようも大変。三日目の技術競技のあとでは、木陰などの涼しい場所でからだを休め、夕方からの野外パーティまで体力を保持するようにと呼びかけていた。

参加者は、涼しいのでセーター類を用意するようにと事前に言われたため、厚手の着地に長袖スタイルの人が多かったが、それだけにこたえたようだ。

だが、山での生活は、気温の変化に耐えるためや、害虫よけ、日焼け防止などのために長袖がよいといわれる。

"暑い"一声10円

うだるような猛暑に参加者は汗を流しながら「暑い、暑い」の連発。そこで、ある州の村では、この暑いという言葉を少しでも少なくしようと、村条令をつくり「暑い」と言った人から罰金をとることにした。

「暑い」というと一回十円の罰金。「アツイ」の「ア」の字を口にしても、半分の五円を収めるというもの。一日目で一人で八十円も罰金を収めた人もいるという。連日の暑さで財源もうるおったそうで、村長もうれしいやら申し分けないやらで複雑な表情だったとか。しかし、その財源の使途については不明。

自衛隊も支援

この大会では、陸上自衛隊岩手駐とん部隊の支援があった。会場の設営から通信、給水、発電、食事などで、とくに、最初のころは全日空機事故の処理作業をすませてから、かけつけてくれたという。

人里離れた林の口で、水道パイプの蛇口から冷たい水にありつけたり、夜間、トイレに照明がつけられたりしたのもそのタメ。

魅了したレク係長

大会運営委員、レクリエーション係長の千田チヨさんがなかなかの好演。歯切れもよく、うたのとき、タクトを振る姿もリズムミカル。ふくよかな彼女は大いに参加者を魅了した。

ある普及員さんの言葉を借りれば、この大会に備えて先生について習い、NHKにも通うなどして特訓したというが、二十歳前後ながら堂々としたもの。バラバラな参加者をまとめて、全体の輪をつくっていくうえでも効果は大。

4H体験者を　結婚の相手に
静岡・西部地区連の研修会　若くなった参加者

【静岡】西部地域農村青少年クラブ連絡協議会（会長　和久田政広君）のクラブ員研修会が、先日一泊二日間の日程で引佐郡引佐町の奥山方広寺において開かれた。

これには県外研修生も含めてクラブ員百三十名が出席、和久田会長のあいさつ、クラブ紹介のあと研修に入ったが、二日目の分科会では、建設的な意見が多く出されていた。

話し合いのテーマは、儲け話や結婚、今後の農業についてなどで十分科会で討論された。

その中で、ある女子クラブ員から「私が結婚する理想の男性は、青少年活動を経験したことのある人、何事に対しても能力をフルに生かした型破りの人です」という発言があり注目された。また「この厳しい情勢の中で農業に従事する女性が少ないので、出来れば他産業の人たちも加入させ、バラエティに富んだ活動をするようにしたい」などの意見も出されていた。

このほか、鈴木駿県専門技術員による個人と共同プロジェクトの進め方についての講義、キャンドルサービス、また二日目にはプロジェクト・演示発表が行なわれたが、この研修会を通じて感じられたことは、参加したクラブ員が若く、ほとんど二十歳以下の人たちであったことである。これは農業の将来に対して希望が持てることだが、一面、それ以後の年齢になると経営の主役となってくるため参加できないというのが現状のようだ。このためにも、OB組織、4Hクラブ活動をもう一度ふりかえる必要があると思われる。

地元トップと対話
窪川町4Hクがライオンズクラブから招かる

【高知】高岡郡窪川町の4Hクラブ員が、さる七月二十八日、同町の窪川ライオンズクラブ（会長　森川昇三氏・会員三十七人）の例会に招かれた。

同ライオンズクラブは、町内のトップクラスの人たちの集まりで社会奉仕に力を注いでいるが、これまで若い人たち、とくに郷土を担おうと意欲をもやして農業に生きる青年との接触がなかったためこんどの交歓となったもの。いわば郷土のトップとヤングの出会いであった。4Hクラブからは、窪川町の日の出、松葉川の両4Hクのほか隣の大野見村の高原4Hクラブ員など約三十人が出席し、住みよい郷土づくりにかける決意を述べた。

畦道
勤勉さの系譜

八月という月はせつない。うっとうしい七月初旬の雲の切れ間から、やっとカッと照りつける熱い太陽が、だんだん地上に広がりはじめ、私たちは、ほんとの夏がきたなーと心をキラキラと輝かせはじめるとたん。八月の風土は、もう秋の予感をそこここに孕みはじめている。日々の灼熱の気候のなかに潜む〈秋〉は、私たちを苛立たせずにはおかない。それは、"あせり"と言ったほうが的確なのかもしれない。

「おおしいつくつくおおしいつくつく」と、八月も半ばになると"つくつくぼうし"は鳴きはじめる。炎天下の風物の間をぬって伝わってくるこの蝉の鳴き声には、あきらかに秋の涼しさが隠されている。彼らは、盛夏の風物のなかにひそかに送り込まれた秋告げ虫なのだ。

この蝉の声を聞いて、「まだなにもやっていない」という思いに駆られた人はいないだろうか。それは、なにもなすこともなく目の前を過ぎ去っていこうとする〈青春〉への悔悟の念に似ている。そうでなくとも、子供の頃いつも夏休みの宿題をすませずに聞いたこの"つくつくぼうし"の声はあせりへの条件反射となって自分の体にこびりついている。

これは、日本人の季節感につながってはいないだろうか。ものを愛でる、浮かれると言ったよくいわれる美意識の季節感ではなく、生理の奥ふかく拭いさりがたく存在する"あせり"の季節感である。つまり、四季のうつりかわりの要で、人に「もう、なにかをしなくては」という感情を呼び起させる季節感である。

ラテン系の人々や東南アジアの人々は、時間の感覚が稀薄であるという。彼らは四季をもたない。一つの季節がたれ流しの状態で無限に続いている。そんな風土のなかでの日常では、時間の感覚が、人々の生理にしみ込んでこないのだ。だから、彼らは全ての仕事に「また明日」という挨拶を送る。だが、逆に言えば、あせる必要がないのであろう。「なぜそんなにあせるのか?」と、今、日本人の勤勉さに疑惑の目を向けているのは彼らかもしれない。（R）

こんなことをしています　各種農業団体

全国販売農業協同組合連合会
ます"自主流通"ルートに　―ことしの米の販売―

四六年産米の予約申込みは七月七日から二週間全国いっせいに行なわれ、このほど農林省からその結果が発表されました。

それによりますと、全国でまとめられた予約申込数量は七百四十六万トンあまりで、前年対比で八七・七％と、大幅に減っており、また、政府がきめた予約限度数量（七百六十万トン）に対しても、おおむね九八％にとどまっていることになります。なお、この予約申込み数量を集荷団体側別にみると、全販連を中心とした系統農協が七百三万九千トンあまりで、全体の九四・四％を占め、ほぼ前年並みのほか、全集連系統が四十二万トンあまりで全体の五・六％、その他となっています。結果的にみるとその割合いは殆んど変っていません。

ところで、予約申込み取りまとめの結果は、このように生産調整の枠のなかで、みごとにその意思を反映しているといえます。が、ことしの予約申込み、売渡しなど一連の、お米に関する運動の方向はどうなのでしょうか。ご承知のように一昨年からはじまった自主流通米のほかに、政府はことし予約限度数量をこえる"余り米"の販売制度をとることにしています。そして、系統農協としても、こうした新しい制度のスタートがあっても、出来るだけ混乱のおこらないように、整然としたお米の流通が確保できるように、いまそうした対策の浸透をはかっています。

さいわい、自主流通米の制度も三年目をむかえ、生産側も、また購買の業者側も、その取り扱いに十分な理解をもってきています。また、流通ルートも整備されてきました。四十五年産米では結果的に計画の百八十万トンをみごとに消化しています。このことはお米屋さん達が"おいしいお米"を自主流通米に真剣に期待してくれるようになった証拠といえます。そこで、系統の農協としては、ことし予約申込みで売渡されたお米は、まず、出来るだけ自主流通米で売ってゆこう、そしてその他の分は予約限度の範囲内で政府に売ってゆくことを考えています。こうすれば"余り米"として、お米の流通を複雑に、混乱させる材料を作らなくてすむわけです。従って、今後、生産地の皆さんには「予約申込み数量の範囲内で、自主流通にむくおいしいお米を作ってもらうこと」が、いちばん大切なことだといえそうです。（企画部）

全国共済農業協同組合連合会
災害に気をつけよう　―「農村災害の実態」まとまる

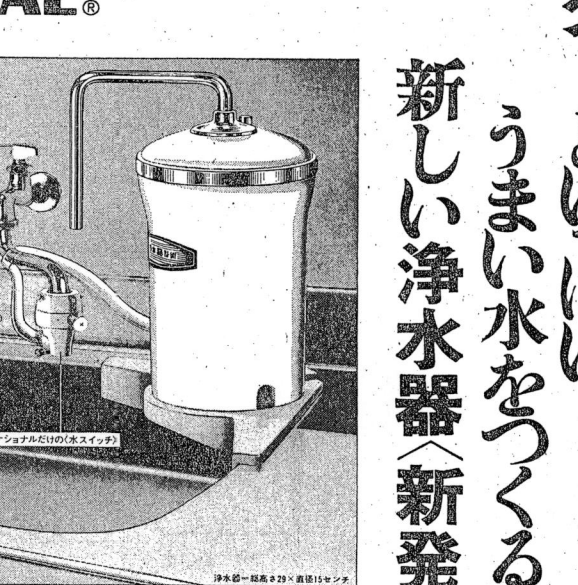

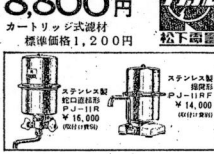

はじめに

全共連では共済事業の実施当初から、交通事故をはじめとする災害の動向に注意を払ってきましたが、災害は増加の一途をたどっております。ことに近年都市部より農村部において増加傾向が著しいことに鑑み、四十四年度内に発生した災害を中心に調査を実施、このほどその結果がまとまりました。災害発生に対する補償や災害防止などを考える場合の参考に供する意味で次に述べてみます。

(1) 災害死亡率のうごき

日本における農村の災害死亡率は、昭和三十六年までは国民全体の率と、ほぼ同じ傾向をたどってきましたが国民全体のそれが低下、あるいは横ばいであるのに対し、むしろ増加あるいは横ばいである。

(2) 災害による死亡、廃疾の原因

上図に示すように、災害死亡の原因は自動車事故が圧倒的に多く、農村においても"走る凶器"の本領を発揮しています。

また、下図に示すように、廃疾の原因は機械による事故が多く、この増加傾向は、自動車と同様、各種機械の普及と使用頻度に関連があると思われます。

さらにこれを年齢階層別にみると、死亡では九歳以下が溺死、十歳以上では自動車事故がそれぞれ第一位を占め、廃疾ではすべての年齢層で機械による事故が第一位であります。

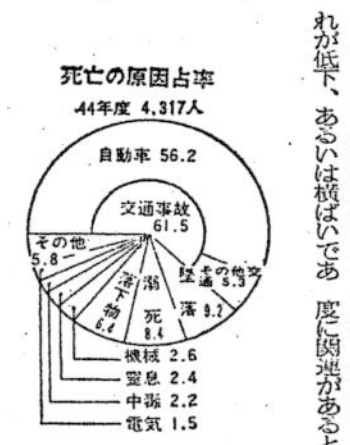

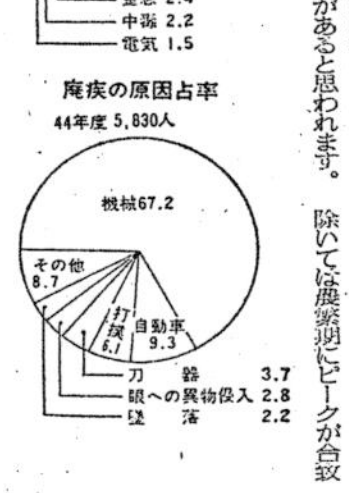

【3】災害原因別、月別分布

死亡の場合は七月が溺死のピーク、五月と十一月は機械事故と農機具事故のピークがみられ十、十一月に機械事故のピークがみられます。これらは溺死を除いては農繁期にピークが合致しており、忙しさと疲労が注意力を鈍らせているのではないかと考えられます。

また溺死については、暑さが急増させているとしかいいようがないが、溺死者の約六割が九歳以下の子供であり、親の保護責任にかかるものも多いのではないかと考えられる。

まとめ

調査結果からして、農村部の災害死亡として交通事故によるものが今後も増加するといえます。廃疾についても、農業の機械化、農閑期に従事する職業の機械などによる事故の急増が予想されます。農村部の災害を今後減少させるためには、徹底した災害防止対策が必要なことはいうまでもありません。

一方、たとえ災害防止について最大の努力をはらったとしても、不可抗力によるものもあるので、万一の場合のために、その経済的打撃を最少限にとどめるための制度として、農協の共済があります。加入するなど、普段からの準備を忘れてはならないでしょう。（普及部）

技術交換大会の発表から

一日から四日まで、岩手県において行なわれた第十一回全国農村青少年技術交換大会で、部門賞を受賞した発表のレジメ二篇を紹介する。ひとつは、長野県中野市中野4Hクラブの土屋芳子さんと土屋文子さんの「スピンドル・プレッシャー（液肥注入機）」であり、いまひとつは、岩手県九戸郡種市地区農村青年クラブの加閤山豊美君の「簡易しいたけ穿孔機の考案について」である。

結論は「液肥注入」
ポリマルチ栽培の促進に

私のプロジェクト

液肥注入機

長野県中野4Hクラブ　土屋芳子　土屋文子

私達の創作したスピンドル・プレッシャー液肥注入機について紹介します。

まず、私達の住む中野市の農業について概要を申しあげます。中野市は、長野県の北部にくらいし、長野県の県庁所在地長野市から北西へ20kmのところです。標高は三百六十mで、年平均気温十二度C、年間降雨水量は約千三百mmです。気象の特徴としては、冬期三ヵ月間雪が降り、最高積雪量は、約一mぐらいです。

・総耕地面積は、約三千三百㌶で作付作目はつぎのとおりです。水田＝千百八十㌶、りんご＝千八十㌶、もも＝四百六十㌶、ぶどう＝六十五㌶、そさい・花井・普通作など＝五百十五㌶、また、農家戸数は四千百二戸で一戸当たりの平均耕作面積は八十aです。農産物の粗生産額順位、第一位えのき茸、第二位りんご、第三位米、第四位畜産、第五位やさいとなっています。ちかごろ、米の生産調整から水田が減反し、これにかわって、野菜、花が増加して参りました。また農業経営は、大規模の企業的経営がふえつつあります。こうして農業は発展を続けています。

▽主題をとりあげた動機

野菜の生産安定、技術対策としては、①健康な土づくり、②優良品種の選択と導入、③病害虫防除のてってい、などいろいろありますが、私達が急速に当地方へ普及した野菜・花について、クラブの共同プロジェクトとして生産安定技術対策をアンケート調査した結果は、『ポリマルチ栽培における追肥方法の問題点』が指摘されました。

問題になった内容は、つぎのとおりです。（1）ポリマルチをハガないで追肥できないか。（2）ポリマルチを破って追肥すると、大きな穴があき乾燥がひどいうえ穴から雑草がはえ、野菜や花の成長に障害を及ぼす。（3）、穴をあけたり、ポリマルチをハグ追肥法は、ポリマルチングの効果が減ずる。つまり水分保持、肥料流乏防止、除草、生育促進などの効果が極端に落ちるなどあげられました。そこで、「ポリマルチ栽培における合理的追肥方法」を研究テーマに取りあげ、全員でこの問題解決にあたりました。

▽スピンドル・プレッシャー製作経過

「ポリマルチ栽培における合理的追肥方法はどうすればよいか」数回のブレーン・ストーミングや話し合いが重ねられ、対策が考えられました。その結論は、液肥を注入することである、と…。

こうして機械作りを始めました。機械を作るにあたっての留意点は(1)省力、(2)使用が容易、(3)ポリマルチの効果を落さない、(4)肥料が作物によく吸収される、(5)安価な機械、(6)どんな作物にも利用できるなどでした。

「注射器」を応用して注入する方法がよいではないか、このアイデアが発想されたのは第七回目の会合のときでした。この注射器に連続施肥を加えれば機械として完成をみる、ということから吸入弁と吐出弁をボディに取りつける。ピストンの効力を付加するため、パッキングを取り付けて、いわゆるピストン方式の機械を作って実験してみました。

ところが、ピストン方式ではピストン抵抗が強くて作業に不便をきたしたので、再度話し合い「ダイヤフラム方式」を自動車の燃料ポンプからヒントを得てとり入れ図面を書いて製作しました。こうしますと、バネの働きによって吸入工程がはぶかれるので、機械作動がピストン方式より容易になり仕事の能率が上昇したのです。これが仕上げ機「スピンドル・プレッシャー」です。つまり〝心棒で押す〟液肥注入機です。ポリマルチを破らず突きさして心棒を押せば追肥が完了します。

▽本機説明…製作法、名称、構造とその作法（図参照）

本機の作り方は、まず部品を購入し、ついでポンプ室へダイヤフラム、プッシュ、ハンドル、吸入弁、吸入ホース、吐出弁、注入管をとりつけ、別に液肥タンクをつくって完了します。

つぎに、構造と作用ですが、まず、シリンダーの中のエヤーを、ハンドルの作動により抜く。この操作によりダイヤフラムがはたらき真空となり、同時に液肥が吸入ホースを通過してポンプ室へ吸入されます。つぎにポンプ室にたくわえられた液肥は、圧縮ハンドルの下動によって、吐出弁が開き、液肥の所定量が注入管から吐出する。これと同時にハンドルをはなすと液肥がポンプ室へ吸入される。この繰り返えしを行なえばよい。

構造略図

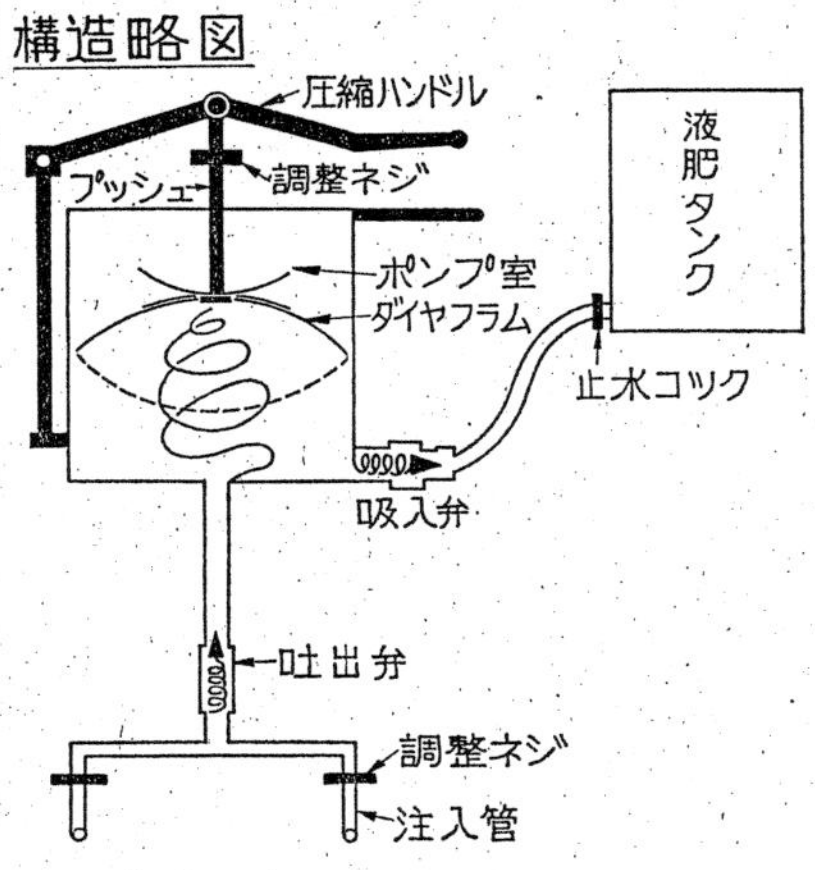

▽使用法

（1）、まず固形肥料や液肥を肥料槽（タンク）へ入れ、適量の水を加えてうすめる。（2）、つぎに吸入。（3）、注入管の先端をポリマルチ上から突きさす。（4）、ハンドルを持って押し棒を押し下げ注入する。（5）、ハンドルを持って抜いて終る。（6）つぎの株へ移るという具合に使用するわけです。

▽製作費用

液肥槽（タンク）＝千円。本機（材料費）＝二千円―ハンドル、ホース、ノーズルほか。労賃＝千円―六時間。合計＝四千円。

▽反省と今後のとり組み

この機械を使用している野菜栽培者について、当初調査したときの問題点である「ポリマルチの合理的追肥方法」が解消したでしょうか。そのことを聴きとり調査し反省してみました。クラブ員の回答は、つぎのようなものです。

（1）、ポリマルチ栽培の全作物に利用できる。（2）、以前のポリマルチをはぐ追肥法より追肥労力が五分の一に減少した。（3）疲労度が少ない、特に腰のいたみが感じない。（4）、株ごとに施肥料を加減できるので、（生育のよい株は少量施肥、悪い株は多量施肥）畑全体に株の伸びが均一化し多収に結びつく。（5）、液肥があるので、固形肥料より早ききする。（6）、雑草の発生量が少なく、幼苗期や旱魃期の旱害が軽い。（7）、ポリマルチの効果が十分出た。（8）、問題点として自動化はできないが、土壌消毒用に利用すべきだ。以上の効果と改善点を知りました。また、慣行施肥法では十a当りの施肥時間が十四時間かかっていたものが、この改善法では三時間になった。

私たちの製作した「スピンドル・プレッシャー」は、ごく小さな創作品ですが、農作業の改善に役立ったと信じます。

民泊で視察
長野から静岡へ

【静岡】県外の農業事情や4Hクラブ活動の状況を知り、よりよい農村社会を作ろう――と、このほど長野県伊那市農業青年研究会の人たちが、県後継者養成課を通じて中遠地域でもっとも4H活動の盛んな豊岡4Hクラブ（会長鈴木明君）を訪れた。

一行は梶野明君ら七名で、七月十七日から四日間、豊岡4Hクラブとの交流とともに、それぞれクラブ員宅に民泊し、二日間、家族の人たちと一緒に働き農業実習した。

この豊岡村の西には天竜川、浜北市、東方には磐田市があり、数年まえまでは田園都市として発展してきたが、現在は浜松、浜北両市からの工業の進出が目ざましく都市化の波をもろにかぶっている。

同地方は養豚、酪農、蔬菜地帯で、最近はセルリーの新興産地として名をあげてきている。

長野県の一行は民泊のあと三ヵ日青年の家や先進農家の訪問、浜松市内や日本三大砂丘の一つ中田島【写真】やとまん場の灯台など見学したが、とくに海には興味をみせ、海岸でレクリエーションやスイカ割などで楽しんだ。

この交歓会について長野県の一クラブ員は「道路が非常によい、また青年が積極的に農業に取り組んでいて、一人ひとりがしっかりしたプロジェクトを持っているのは立派だ」とほめ、自分たちも帰ってから一層頑張らなければ……と感想を語っていた。これを機会にさらに長野と静岡県のクラブ員の交流がひろまるのではないかと期待されている。

原木穴あけ簡単に

簡易しいたけ穿孔機の考案

岩手県種市地区農村青少年クラブ　加閤山豊美

私がしいたけ生産プロジェクトに取組んだのは、昭和四十五年春、五千五百本からで、さらに四十五年十二月には後継者育成資金を借受け、現在までに榾木二万六千本になっております。私のしいたけ生産計画では昭和五十年には、六万本のしいたけ栽培を行なうべく、プロジェクト活動をしています。日頃の活動の中で、私の課題になったのは、植菌作業で、中でも原木に植え、穴をあける作業であります。最初の五千五百本の植菌の際には「しいたけ専用ドリル」を使用して穴あけをしましたが、作業の方法としては、原木を地面において、ドリルで穴をあける作業であったため、腰が痛く、腕にドリルの震動がひびくなど体の疲労がはげしく、しかも作業の精度が良くなかった。これらの問題点を改善すべく、いろいろ調査や研究をし、ドリルを〝鉄骨を組み立てたもの〟に固定し、ハンドルを手で上下に動かすことによって、原木に穴をあけられるような、機械を考案したわけです。

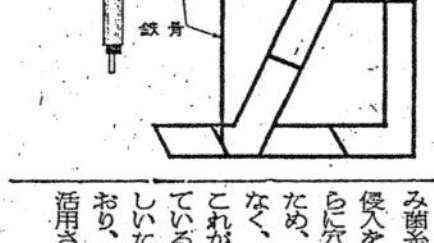

最初に作成した第一号機は、ドリルを完全に固定したため、原木に穴があかないきらいがあった。また、持ち運びが簡単に出来るように、鉄骨を細くしたり、構造を変えて、出来るだけ軽くなるように、原木の太さによってもドリルの位置を自由に調節できるようにと、改善を加えて第二号機を作成した。第二号機では原木に直角に穴があくように、またナットでドリルの角度調整ができるように改善した。

私の考案した「簡易しいたけ穿孔機」の特長は、①価格が安く―一万五千円。②安全性が高く操作が簡単で婦女子でもできること。③耐久性が高い。④騒音、震動が少なく、腰を椅子にかけての作業ができて疲労が少ない。⑤軽くて簡単に移動できる（重量約十二kg）⑥高能率で作業の精度が極めてよいなどである（一人一日当たりの能力、手のみ二千～三千穴、穿孔機千五百～一万八千穴）。この「簡易しいたけ穿孔機」を使用して得た結果は、作業が楽しくなるため普通より五割方多く種駒を植え込み菌糸の蔓延を早くさせ、雑菌の侵入を完全に防止しています。さらに穴を深くあけることができるため、種駒が表面にはみ出すことなく、また種駒の先に空間を作りこれが菌糸の発育に好成績を上げている。私の考案した穿孔機は、しいたけ栽培者の間で注目されており、今後しいたけ栽培に大いに活用されるものと確信している。

冬の大会を顧みて

待たず働きかける
農業を続ける条件

島根県農林改良青年会議連絡協議会会長　清水勲

冬の大会（第三回）も大過なくおえることができ、いろいろ御尽力いただいた方々に対し心からお礼申し上げます。

私は県連会長として、また、会員として今大会をふり返りいろいろ反省し評価している。一つ一つふれるわけにいかぬが、一番印象に残ったことと、これからの課題についてのべてみたい。実績発表は、やはり大きな比重を占めている。昨年までの個人の発表から、今年はグループのプロジェクト活動として実践してきた成果を発表していただいた。

これらはどの発表も、変貌する農村の中にあって深く根をおろし、地道に根気強く活動している姿であった。発表においては、いかにして自分達の活動をよりよく理解してもらえるか、その方法にも日頃の成果があらわれていた。それぞれのグループにとってこれからの課題は、はかりしれない大きなものであろうし、また、今まで以上にきびしいものであろう。

津和野の調査活動においてはこれからが大変である。二年、あるいは三年先にこの調査をもとに、変っていくであろう姿を注目したい。必ずやあれだけの発表をやってのけたグループ員だから、チームワークのよさ、旺盛な研究心でつき進んでいくであろう。

一方、実践という点では津和野以外は、斐川町の酪農グループ以上の活動ではないだろうか。特に大きな問題となった抗生物質の件でもいち早く取組み、その成果を着実にあげてこられたのは、これこそ青年会議グループ活動の手本ではないだろうか。また、時間的なことから大会で発表してもらえなかったけれども、他のブロック代表者の中にも、それぞれ特徴のある発表があった。

とかく〝農村の後継者は〟と批判される中で、充分に答えることができる活動であろう。これらのグループの発表を聞きながら、一方では大会参加申込みをしながら、実際に参加しなかった会員が多かった事実があった。取組まなければいけない大きな課題である。もちろん参加申込みをしてから急に参加できないことが起るかもしれない。それはしかたがない。

実際の参加者は、申込みの五割、代って参加した人を含めても申込みの六割足らずだった。アンケート結果に参加者が少ないという結果が出るのは当然である。どこに原因があるのであろうか。大会の期日に問題があるかもしれないが、現在考えられる一番良い時であろう。なぜなら第二回のように一月中旬ということも考えられるけれども、積雪の山間部をかかえていることは、一夜にして交通をストップさせてしまう危険が非常に大きい。

昨年も大会の終ったその日から雪になり、翌日は大変な積雪になった。もう一日大会が遅かったらと冷汗をかいたものである。十二月ということになれば今以上に早くするとブロック大会に大きな影響を与える。やはり、十二月中旬に落着いてしまう。期間についても、最低の一泊二日であるから長すぎるということはないと思う。第四回の時も、期日については慎重に考えられると思うが、極力協力をお願いするよりしかたがないと思う。

問題は他にあるように思う。大会の申込みが本人の意志でなく、町村役員に、あるいは普及員さんに言われたからというのが多いからではないだろうか。なぜ積極的な参加者が少ないのか。大会内容そのものにも問題はあろう。こういう内容にすべきだという指摘をしてほしい。主催者としてはそういう意見を望んでいる。しかし、そういう意見がすらすら出てこない。

いくら参加するといっても、それが本人の自主的な気持から出たのでなければ、いつまでたっても、申込みと実際の参加者の差は大きくなるばかりであろう。記念講演の中で、「農村の後継者が進んで農業をやれるような〝条件〟を国なり県はつくってやることが必要だ」という話があった。確かに国や県が条件を整えるということは、常に為政者として、また行政機関としておこたってはならないことである。

しかし、この条件は待っていてはなかなか整わない。私達の方から整えさせなくてはいけない。それだけの気力が農村の青年にあるだろうか。私は少なくとも進んで農業をやろうとしている青年会議の仲間にはあると信ずる。農業を取りまく情勢は日に日にきびしくなる一方である。もし、この気力を失っている青年がいるとしたら、その気力を持たせることからはじめなくてはならず、それこそ大変である。

気力のない青年は、いつまでも農業にとどまっていることはさらさらない。気力のない青年に、条件を整えても無駄であるから（条件を整えてやると気力を起すと言われるかもしれないが）。条件を整える、あるいは魅力ある農業にするということは、農業をする気力を持たせる外的な要因である。

いくら農業をやりなさいといって勧めても、本人にそのきびしい農業にうちかつ気力がないのなら、しょせん勧めること自体はかないことである。落ちるところまで落ちて、本人が気づき、これではいけないという気持が出てきた時、はじめて外的要因が、整えられる意味がある。〝きびしいのです〟〝もっとやる気を起しなさい〟〝大会に参加しましょう〟と蹶起になってもそれはむなしく終ることが多い。

グループ活動などの実践でもって、農業だってこういうふうにやればやれるのだということは、外から刺激を与えることであるから、やる気を起させる外的要因であって、一つの啓蒙ではあるが、ただ単に大会に参加しよう、やる気を起しなさいといって勧めるよりは、行動（実践）を伴なっているだけに価値がある。実践活動を進める上において、大会そのものが役立つとすれば（しなければいけないが）、大会に参加する必要を感じてくるであろう。

私達に与えられた課題とは、私達自身がそれぞれ主人公となって、条件が整うのを待っているのではなく、整えさせるような実践活動をし、また、その条件に対応し得る学習活動をすすめることであろう。青年会議はとかく〝かたい〟と言われるがわれわれは小さくても経営者である。それを避けていては将来に対して望みはない。

グループの実践活動が、あちらでもこちらでも起ってきた時本当に農村は活気を取返すであろう。集まるまで待つのではなく、一人でも二人でも今すぐ行動することが大切ではなかろうか。（島根県連『雄飛』より）

鉄砲ユリに賭けて―
わが友、ブラジルに渡る

長崎県現川4Hクラブ　本田保男

昭和四十六年二月二十二日、我が友、大野克基君はブラジルへの一歩を印したのである。

一言に海外への農業移住といっても大変なことである。夢、希望、そして不安が彼を苦しめることであろう。でも人間一度は死ぬのである。それならどこで死んでも同じではないかという。

自分はブラジル（サンタカタリーナ）に大規模な花園を作り、サンパウロを自分の花で一杯にするのだと、そして熱っぽく私に、日本へも送り込むというのだから、頼もしいやら恐ろしいやらで彼の話に惹かれてしまったのである。ではなぜに大野君が海外移住に心を決めたのか、私だけが知っている。

それは長い目で見た日本農業への不安である。資本の自由化、貿易の自由化などで決して明るいものではないという。それに彼を決心させた一番の原因は、市街化区域の決定であった。これに対する無言の抵抗と私は見た。では彼の夢の経営を紹介しよう。

まず鉄砲ユリの栽培である。そして、鉢物も作りたいと話していた。彼のユリに対する熱意は学者も舌を巻くほどである。

その一例として、白の花に赤の物質不明の液体を与え、赤の原色を作り出すというのであるから、まさしく作るという言葉にピッタリである。でも彼の悩みは原地人の仕事に対する熱意不足である。それにもう一つは、日本と気候条件が違うというのが一番気がかりのようであった。でも彼の夢は大きくふくらんでいた。

日本ではたせなかった夢をブラジルでかなえようとしている。三年間の原地労働で、もっと大きな人間に成り、日本人として、長崎人として、いや4Hクラブ員の一員として成功してもらいたいものである。私も日本の片すみで大野克基君の大成を祈り、また、クラブ員の励ましの便りをお願い致します。

ブラジルまでの船旅で、彼は何を考えたのであろうか。……それは、太平洋の彼だけが知る希望への幕開きではなかろうか。（長崎市農村青少年クラブ連絡協議会『新樹』十二号より）

眠らされている？…クラブ機関誌

――せっかく作ったクラブの機関誌です　全国の仲間に紹介してやって下さい――

全国の仲間は、あなたのクラブの機関誌を読みたがっています。生き生きとした情報に飢えてます。もっともっと交流を欲しています。ガリ版刷りでもかまいません。字が下手でもかまいません。とにかく、地域に眠らせないで！できた機関誌は、すぐ送って下さい。4H新聞のスペースを空けています。

あらゆる機関誌を〈4H新聞〉へ送って下さい

NHK農事番組（8月21日～31日）

テレビ

明るい農村　6・30～6・55　総合
21日　農村新地図「北海道共和町」
22日　明るい漁村
23日　村の記録「3度の請願」―北海道栃木部落
24日　きょうの問題
25日　産物往来「たばこ」
26日　話題の広場「夏休み、こども村」―山形県西村山郡西川町
27日　村をむすぶ「北見・名古屋・高松・東京」
28日　農村新地図「岐阜県高鷲村」―岐阜大・石橋治
29日　明るい漁村
30日　村の記録「過疎町長」―島根県匹見町

農業教室　7・30～8・00　教育
19～21日　野菜産地の動向・露地（全国販売農協連）小倉栄三
23～25日　これからの畑作経営（東京大学教授）川延謹造
26～28日　みかん生産の省力技術（愛媛県果樹試験場）三好実成
30～1日　米の流通（暁星商業短期大学教授）守田志郎

あすの村づくり
日　7・00～8・00　教育
再　土　13・00～14・00　教育
22日　「自然の中に若さを～全国農村青年技術交換大会から～」岩手県岩手郡滝沢村
29日　「企業農家を育てる」―愛知県追進営農大学校・校長～西尾敏男他

ラジオ

早起き鳥　5・41～5・57　❶
21日　未定
22日　商社マンのみた農業（三井物産）小池清他
23日　養鶏公害追放～奈良県畜産試験場～松井信康
24日　無農薬稲作～岩手県和賀郡和賀町農協～
25日　自由化にゆれるサラブレッド王国
26日　確立した農協ブランド～大山酪農協同組合～桑本大蔵
27日　消える練馬大根（東京都中央農業改良普及所）福井功
28日　過疎地帯の盆栽教室～山梨市～糸井川寛文
29日　多元・稲作報告（札幌・仙台・福岡・東京）
30日　進む都市農協合併～埼玉県下～
31日　牛の健康を守る（徳島県肉畜試験場）三代伍郎

話の広場　日　6・10～6・30　❶
22日　アイデア3人娘～春日部市豊春4Hクラブ～
29日　房州の猿騒動～千葉県・高宕山～

新しい農村　6・00～6・30　❷
22日　まゆ生産の近代化（全養連）安田忠之ほか

青春と仲間

〈自分で選んだ道だから〉

静岡県掛川市大野　斎藤みち子

一日から四日まで、岩手県で開催された、第十一回全国農村青少年技術交換大会の、大会讃歌入選作は、静岡県掛川市の斎藤みち子さんに決った。

☆　☆　☆

一、ひたいの汗をこぶしでぬぐい
見上げる青空
白い雲たとえいばらの道だって
まっすぐ歩いてゆくだけさ
語り合おうよ
土に生きる若者の
苦しみ喜び生きがいを

二、緑の野原が太陽が
僕らを呼んでる招いてる
たとえ今が苦しくたって
自分の好きな道だから
明日を信じて行くだけさ
語り合おうよ
土に生きる若者の
夢と希望と青春を

南の巌のはてまで守り来て

長野県　萩原八千代

黎明の塔

ひめゆりの塔……「いはまくら　かたくもあらん　安らかに　ねむれとぞいのる　学びの友は」職員十五人、女子学生百八十七人の霊が眠る純白の塔……私と同じ年頃の学生達の戦争への恐怖感、ぞっとします。この歌を読んだだけでも、悲惨さが感じさせられ、手を合わさずにはいられませんでした。

健児の塔……軍と行動を共にし摩文仁岳崖下の洞穴で祖国の勝利を信じつつ、自決し果てた沖縄師範学校生徒、職員三百人の魂が葬られてある。入口には、平和、友情、師弟愛を表わした平和像が建てられてありました。「南の巌のはてまで守り来て　散りにし龍の児雲まきのぼる」……水くみに三人で行くと、二人は必ず撃たれて帰ってこなかったという悲しい話が伝えられておりました。

魂魄の塔……三万五千人ほどの霊が眠っています。そして各県の塔、長野は「信濃の塔」という慰霊塔が建てられてあり、その前で心から御冥福を祈りました。場所は、平和の意味を感じさせるような、美しい摩文仁の丘でした。

むせびなく霊の声がこの丘にかすかにひびく遠き海鳴り
浮雲もあはれと思ひしばしの間ゆくをとどむる沖縄の空
沖縄の南の果てのこの丘に君とことしへにねむりますらむ

（全国4Hクラブ連絡協議会編『第二回沖縄親善交歓訪問報告書』より）

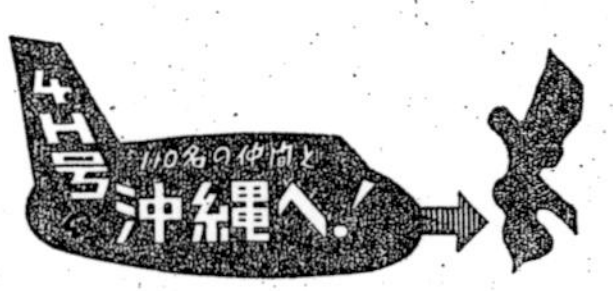

親子座談会を開いて

長崎県針尾4Hクラブ　吉田　薫

親「帰り早くならぬか」「十時に終っているはず」子

僕達は、近頃の4Hは、「4H」と言って出ているが、いったい何をしているのだろうか、ということを耳にしたので、クラブ会で話し合って、初めてのこころみとして親と子の話し合いの場をつくり、親子の仲を一層深めようと思い、親子座談会を行ないました。そこで、昨年十一月に行なわれた時の模様を、お知らせします。

議題として、『4Hクラブ員を持つ親の使命と親の理解を深めるためには』ということで、話し合いをしました。まず、親の意見から聞きました。

★クラブ会の帰りがおそいと、女子のクラブ員の親が心配するので、早く終ってほしい。

☆クラブ会自体は、おそくても十時には終っている。その後は友達同士、話をしておそくなっているのではないだろうか。

助言者　年間計画を親にも

★クラブ会の本質をしっかりつかむことによって、早く会が終るのではないか。また、クラブ会の回数は多いが、どういうことをやっているのか？

☆県連及び市連、単位クラブと三つの活動をすると、どうしてもクラブ会の回数が多くなる。

★クラブ員になって、まだ日が浅いので、努めてクラブ会に出席させている。――今の青年は、研修する機会に恵まれて幸せだと思う。少しくらいおそくとも、その会が充実していればよいと思う。それと、クラブ会の内容を、親に話してもらいたい。

二つ目の議題は、『親は、どのような指導のもとで理解していかなければならないか』であった。

☆クラブ会の時は早く帰っているが、宴会などの時には、後かたづけをしなければならないので、こんな時、親として理解してもらいたい。（女子クラブ員）

☆全員が責任をもってやってもらいたい。それに、おそくなっても、さしつかえないような方法をとるべきだと思う。

☆昼間は勤めに出ている人達がいて、どうしてもできない。それから、昼間だと、仕事のことを考えておちつかない。

以上、簡単にまとめてみましたが、最後に助言者よりのアドバイスがあった。

▼家庭でも親子の対話をして、もっと親子の理解を深めることが大切ではないだろうか。

▼クラブの一年間の計画書を、親にも配布したら良いと思う。

▼親子座談会は初めてだったので、発言は多くなかったようだったが、今度行なう時には、もっと発言してほしい。クラブ員は恥しがって発言しないようだが、親の前でも普通の時のように発言してほしかった。

初めての親子座談会であったせいか、どちらも緊張して、多くの発言は望めませんでしたが、クラブ員の四つの信条の一つ「心」が当日、出席された親のみなさんにも通じて、少しは4Hの活動がわかってもらえたのではないでしょうか。

各クラブの皆さんも、親子会議を行なって、4Hクラブの活動をわかってもらうことが良いことではないでしょうか。

（佐世保市農村青少年クラブ連絡協議会「友情」二号より）

大家族にびっくり　日本の自動車がいっぱい

訪中草の根大使・橋口、入江さんの便り

橋口君

入江さん

皆さんお元気ですか。出発に際しましてはいろいろと御心配をしていただき誠にありがとうございました。快適な飛行機の旅を終え無事中華民国へ着きました。

簡単な入国手続きをすませるとロビーで4Hの旗を掲げて出迎えてくれた台湾農復会の房徐蕙英さん、一九六八年台湾代表で日本をおとずれた黄貴英小姐、それに昨年の代表管明正さんの三人が目についた。さっそく車でホテルに案内され少休した。途中、市内を見ると人も車も右側通行である。タクシーは殆んど日本製のブルーバードである。また、街並は赤レンガ造りで広告文字は漢字ばかりである。道路は広く、特にグリーンベルトが広くとってありいろんな草木がたくさん植えてある。そして、中国服の女性や物売り、あるいは子供達が往来し戦時体制の緊迫した感じは全くない。

二時三十分頃、ホテルを出て農復会へあいさつをすませるとこの日の日程は終りである。二十一日と二十二日は、その他の各関係機関へのあいさつ回りと全日程のオリエンテーションであった。二十三日からいよいよ民泊である。午前九時三十分発の列車で台中市に向う車窓には工業地帯から代かきをすませた水田や川で水につかっている水牛ののどかな姿などの田園風景へと変わっていった。台中につくと台中市南区農会にあいさつに行き、農会の総幹事の頼さんの案内で民泊農家へ行った。この農家は台中市の近郊で水田4㌶を経営し、この地区では篤農家と称される朱さんというお宅です。朱さんの家族は十八名。日本でも小家族の内にはいる私達二人にとって、あまりにも多すぎて御飯をたく釜一つにしてもびっくりする程大きい。しかし、家族のみんなが親切ですぐにとけこむことができた。二十四日は、バイクにのって省政府へあいさつと台中区農業改良場を視察。二十五日は、午前九時より地元四健会が社会活動として行なう道路清掃に参加した。それが終った後、交歓会を行なったり、田植えを見学したり楽しいひと時を過ごした。

台中にて、橋口、入江

糸

福岡県久留米4Hクラブ　土屋聖詩

何本もの糸が。
玉虫のような……
ときに紅くかがやき
「熱く燃えなさい。」と
メラメラとささやくと言う。
ときに蒼くかげり
「およしなさい。」と
ヒュウヒュウとかたる。
ときには
「そう　これでいいの。」と
ナンナンとうなずくと言う。
メラメラ、ヒュウヒュウ、
ナンナン……
際限もなく光を加減し、
無限の色をして
ときにやさしくささやき
しずかに語り、激しくいましめ
若かった。
その幾本もの糸
幾筋にも見えたけれど……
したため、首をふるけど、
ヒュウヒュウ
ナンナン
メラメラ……

（福岡県久留米4Hクラブ『青い筑水』より）

宇宙の法則

福岡県筑後4Hクラブ　津留邦政

茫漠たる宇宙に地球のような生命の存在する星は、いくつくらいあるのでしょうか。

想像出来ないくらい多いのは確かでしょう。その中のケシ粒みたいな地球が、核戦争によって滅んでしまったとしたら。

私はこう解釈したい。地球人は核戦争をやめさせる能力、すなわち、寄ってたかって戦争をやめさせる能力とか、性質に恵まれていなかったから。核戦争が起こるかも知れないという環境を、核戦争が起こらない環境に変えることができなかったから、だから地球は滅亡したのだと。

そして、宇宙の中で核戦争をやめさせる能力とか、起こり得ないような性質を持ったものだけが生き残るのです。

環境に適応するか、または生存出来るような環境につくり変えるか、この二つのうち、どちらの能力も持たないものは滅亡するのであって、こういったことは良いことでも悪いことでもなく、どれくらいあるのか見当もつかないほど多い、宇宙法則のうちの一つでしかないのであろう、と私には思えるのです。（福岡県筑後市4Hクラブ『ヤングブラッド』一号より）

結婚はまだまだ

あんな人こんな人

静岡県　鈴木民江さん

都市化の波が押しよせる田園で積極的に農業と取り組んでいる、一人の女子青年がいる。鈴木民江さん、二十一歳、もちろん独身である。

彼女の家は浜松市より北へ十kmほどのところ、そこのすぐ東には天竜川が流れているが、年々田園地帯から工業都市へと移り変りつつある。また、ここは全国的に知られているセルリーの特産地でもあり、一面に大型ハウスが立ち並んでいる。

彼女の経営面積は大型ハウス千八百坪、セルリーの専門栽培である。家では、毎月研修生も受け入れていて現在二名が入っている。浜松南高校を卒業後、彼女はずっと農業に携わってきたが、今では女子クラブ員だけの野菊会に所属している。クラブでは、だれからも好かれているようだ。そのうえ、県連の生活部長の職を切り回すなどリーダーシップも抜群。また、彼女の趣味といえば料理、手芸といたって淑やかであるがバスケット、ソフトがその特技という面も見られる。特に、料理の腕はプロ級とは巷での噂……。

最後に、全国のクラブ員の最大の関心事を、彼女に質問してみよう。

結婚は？「私は、まだまだ若く結婚はあまり考えていない。それよりこの二度とない青春を4H活動にかけてみたい」との答弁。クラブ員諸君ガッカリしないで！　彼女が全国のクラブ員の皆さんと交流を望んでいるので、住所をお知らせする。

静岡県浜松市豊町四七七一
鈴木民江（野菊会）
（鈴木政美連絡報道員発）

〈このように紹介すべき人があったら、お寄せ下さい〉

編物所にて

茨城県稲穂サークル4H　石毛光子

十五人の若い女性が、毎日、機械と向き合い、一本の糸からきれいなカッコイイセーターを編上げる。おしゃべりの好きな人、冗談ばかり連発する人、無口な人、真面目に編んでいる人、お見合をした人、もうすぐ結婚する人、各人各種一本の糸で、自由に伸びのびと作品を編上げることが出来る。

誰かが言う、「今が一番楽で楽しい時だね」そうかも知れない、勝手気ままに振るまっていられるのも、今だけだろう。

一人、二人とやめて行き、また新しい人が入って来る。私もに、いずれはそんな時期が来るだろう。いつまで続くかわからないが、大切にしたいものだ。（茨城県稲穂サークル4H、十周年記念誌『稲穂』より）

ご縁玉のプレゼント

茨城県小川ヤングC　岡野初江

妹の誕生日が、近づいて来たので、何かプレゼントをしようと思いデパートに行って、安くて手ごろのものと思い、サイフを選びました。

家に帰って、その中に手紙を入れようと、サイフをあけてみたところ、キラリと光る五円玉が一つはいっていました。

〃ご縁があるように〃と、サイフに五円玉を入れてプレゼントすることは、私も知っていましたが、若い店員さんが入れてくれたのだと思います。

このたくましい現代の中で味わった好意は、私には大きな「親切」であり、喜びでした。（茨城県美野里地区4Hクラブ連絡協議会『みのり』二号より）

空談

おんぶお化けと共に

愛読する数少ない小説家のひとりに、六、七年まえに逝った山川方夫がある。名前しか知らなかった山川の作品を教えてくれたのは、Kという男であった。全集が出る以前で、なかなかみつからぬ作品集のほとんどを蒐めていた彼は、それらを貸し与えながら、熱っぽく語りつづけ、その心酔ぶりを隠さなかった。

あまり勧められるので、はじめは付合いのつもりだったが、山川の作品は、次第にぼくの内部に喰入り、骨がらみにされてしまった。そのころ、全集の企画が発表され、手にするまでがすこぶる待遠しかった。いずれ、山川方夫論でもまとめなくては収りがつかなくなったと、酒席でくりかえすたびに、Kはぜひ書くようにと励ましながら、手元の資料を提供するからと約束してくれた。

その後、二人は職場を異にして、めったに会わなくなったが、稀に顔を合わせると、話は山川に終始した。つい先日、一年ぶりくらいに雑踏のなかで肩をたたかれ、喫茶店にはいった。しかし、近況や仕事の話柄ばかり、それでもようやく別れ際に、まだ山川の全集は三冊しか揃わないんだよと、かつての約束の不履行を詫びるかのように告げたところ、近ごろはとんと読まないよと、素気ないKの返事であった。

Kの執心は醒めたのかもしれぬが、ぼくの方では、無器用にこだわりつづけ、持重りのする大変な荷物を抱えこまされたまま、もてわずらいながら、いまだにもたもたしている。後生大事に温めているというよりは、むしろ、おんぶお化けのように厄介な代物ではあるが、いまさら投げだしもならず、とことんかかずらうほかないと腹を決めた。

Kの肩がわりのつもりはなく、背負いこんでしまった以上、もう誰かに誓ってもらったり、厄介払いをするとかいった筋合いの問題ではなくなってしまった。金縛りになったぼくのやりきれなさが、どこぞへ見失われてしまう。一字の師恩という言葉もあるが、ここまでくると、Kに教わったか否かといった事実は、ほとんど意味をなさない。ほんとうに相渉るためには、いつも、かかるモノマニヤックな状態が端緒になるのであるまいか。（山）

冬風と少女

福岡県三潴郡農村青少年クラブ　境与至敬

冬は風と共にやってくると知っているのは木の葉です。

風が木の葉といっしょに少女の黒髪をなびかせてゆく。冬をはなやかにするのは、この黒髪の少女だと、やはり木の葉は知っている。

でも吹く風にもどことなく、花の香りを漂よわせ、なびく黒髪にもう春になったかと、思わず目をみはります。風が冬を呼ぶかわりに、冬をはなやかにしたのは、この可憐な少女だと木の葉はやはり知っています。

（福岡県三潴郡農村青少年クラブ『心のふれあい』より）

草木虫魚

蟻地獄の捕え方

ミミットムシー、うすばかげろうの幼虫・蟻地獄を、ぼくらはそう呼んでいた。成虫はあまりみかけなかったが、ミミットムシは、至るところの乾燥した床下に巣くっており、寺社には、ことに大ぶりなのが多かった。これが蟻地獄だと教えられたが、はなはだよそよそしくて、別物ではないかとの感じを抱きつづけた。

第一、蟻地獄とは、擂鉢型の巣そのものならわかるが、底にひそむ主の呼名にふさわぬと感じて、いまもそれは変らない。この巣に落ちこんだ虫はめったにみなかったが、蟻などを放りこんでやると、まず這いあがれなかった。本来、捕虫が目的の擂鉢なのだが、こいつを捉えようとする外敵にも、崩れやすいことが幸いして、逃れやすい効用もある。

数年まえに、安部公房の『砂の女』が映画化されたとき、例により原作は読まず、映画もみぬままに、どうしたわけか、ぼくは蟻地獄のイマージュをみた。原作も知らずにいうのだが、どこかに通底するものがあると思った。砂つぶを擬餌として、指先でつまみあげるのが、ミミットムシを捕える秘訣だったのを、はしなくも、久しぶりに思い出していた。（Y）

◀投稿案内▶

本紙は、みなさん方の新聞として、全国のクラブ員に利用して戴きたいと考えています。それでクラブの催しや個人のプロジェクト、詩、短歌、随筆、写真、悩みや意見、村の話題、伝説、行事その他なんでも原稿にして送って下さい。

お願い　❶長さや形式は自由です　❷できるだけ記事に関連した写真をそえて下さい　❸送り先　郵便番号162　東京都新宿区市ケ谷船河原町11　日本4H新聞編集部

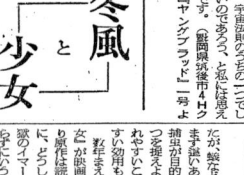

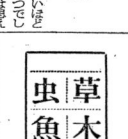

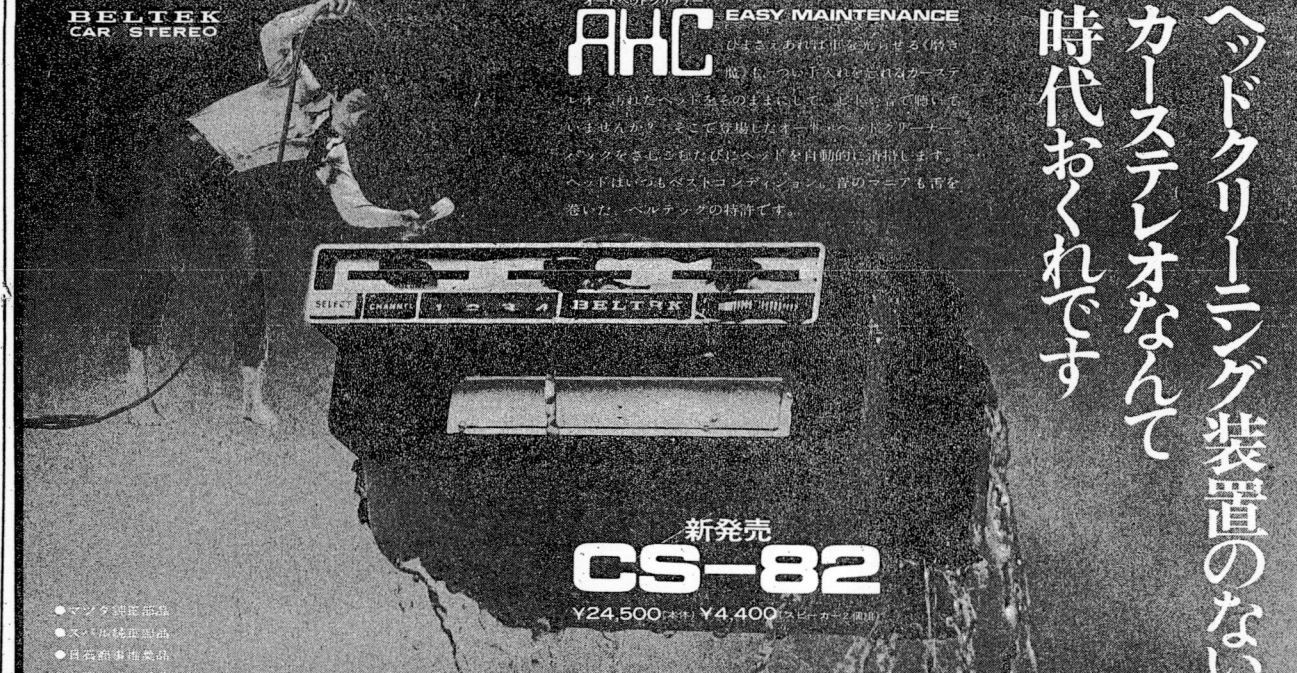

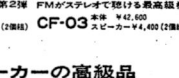

日本4H新聞

4Hクラブ
農事研究会
生活改善クラブ
全国広報紙

発行所
社団法人 日本4H協会
東京都市ケ谷家の光会館内
電話 (269) 1675 郵便番号162
編集発行 玉井 光
月3回・4の日発行
定価 1部 20円
一カ年 700円(送料共)
振替口座東京 12055番

クラブ綱領

私達は、実践を通じて自らを磨くとともに、互いに力を合わせて、よりよい農村、よりよい日本を創るため、四つの信条をかかげます。一、私達は農業の改良と生活の改善に役立つ腕をみがきます。一、私達は科学的に物を考えることのできる頭の訓練をします。一、私達は誠実で友情に富む心をつちかいます。一、私達は楽しく暮し元気で働くための健康を増進します。

全国4Hクラブ員 富士登山の集い

強風をついて全員が登頂

【静岡県＝鈴木政美連絡報道員発】北駿4Hクラブ（会長 勝文政明君）は、さる二日から四日までの三日間、全国クラブ員による第五回富士登山のつどいを実施した。この富士登山の集いは、日本一の富士山に登ったことのないクラブ員を案内しようと、同クラブが毎年、全国のクラブ員に呼びかけとなっているもので、今年は、[illegible]元静岡県内などからクラブ員四十名が参加、富士山頂をめざし励ましながら頑張った。とくに、今回は、初の試みとして民宿に行なわれ、このつどいを通じて参加者はお互いに親睦を深め、また静岡県の農業事情を学ぶなど大きな成果をあげた。

驚き、20分で下山

一日目 御殿場駅で受け付けをすませたクラブ員は、随時、北駿4Hクラブの人たちの車で開会式場の小山町青少年センターへ向い、旅の疲れをいやした。入浴、夕食のあと七時から開会式に入り、まず北駿4Hクラブの勝文会長が「遠路から大変ご苦労さまでございます。この集いに多数の人たちが参加していただきどうもありがとうございました。今回から民宿を行ないますので、より一層クラブ員相互の親睦を深めて下さい。そして4H精神にのっとり全員元気に登頂して下さい」とあいさつがあり、つづいて4Hクラブの歌、オリエンテーションなどがあって終了。ついで会場を近くの北郷中学校に移し、キャンプファイヤーが行なわれた。フォークダンス、歌やゲーム、各県それぞれユーモアに富んだ自己紹介があった。そして十時から民宿に入り、クラブ員の家族とともに一夜を過ごした。

二日目は、いよいよ登山。午前八時三十分ごろまでに御殿場市東公民館に集合、そのあと地元の農業試験場、富士スピードウェイ、公園墓地で有名な富士霊園などを視察。霊園では昼食をとりながら二つの分科会に分かれて今後のクラブ活動や農業経営などについて話し合った。

午後一時三十分、登山バスで一路五合目まで向い、そして五合目からは自分との戦いに入った。クラブ員の服装はさまざま、中には皮靴で登ろうとするクラブ員もいた。六合目から七合目にかけては、ものすごく急な登山道であったが、クラブ員は日ごろ鍛えたからだと根性をフルに生かし、4Hクラブの旗をなびかせながら登山、六時三十分、宿泊場所の山小屋がある八合目へ、全員元気で着くことができた。

三日目 まだ空も明けやらぬ午前四時三十分、八合目を出発し頂上をめざした。途中幸いに期待していたご来光を仰ぐことができ、クラブ員それぞれが胸の奥深く刻み込んでいたようだ。こうして五時四十分全員無事に登頂した。

あいにく、台風十九号の接近で山頂では風速約二十㍍の風が荒れていた。その中で記念写真をとってから一時間ほど休息し、お鉢まわりや気象測候所などを見学したあと、八時に御殿場口へ下山した。七合目からは砂走りを走りぬけ、バス停のある二合目へ集まることにして、いっせいにスタートしたが、ノンストップで二十分で一番乗りした人もおり、これにはクラブ員も、アッと驚くばかりであった。また道中、靴がぬげたり何回となくころぶ人たちも見受けられ談笑しながら下界へとおりた。

下界の酷暑をよそに、冬仕度に身をかためた参加者＝山小屋の前で

民泊で家族と交歓

公園墓地、農試などを視察

二合目からはバスで閉会式が行なわれる御殿場市の東公民館に向い、一時から反省会をかねて閉会式が行なわれた。クラブ員は、台風のせいもあって天候が悪かったのには驚いたようだが、青森県から参加したある女子クラブ員は「三年前から計画していたこの日本一の富士山に登頂できたことは大変嬉しく、これからの人生にとってもプラスになるでしょう」と語っていた。また「民宿した家の人たちと一緒に話し合いができたことは大変よいと思う、北駿4Hクラブは、ガッチリとまとまっているように思えた、視察は農業施設などでなく名所や史跡など観光面をこれから多く取り入れていってほしい」など多くの感想が出された。最後に「今日の日はサヨウナラ」を合唱、再会する日を信じて参加者は全国各地に別かれて行った。

今回の富士登山の集いで感じられることは、今年はちょうど同じ時期に、全国農村青少年技術交換大会や地元静岡県で開かれた世界ジャンボリーなどが重なったために、参加者が予定より下回ったようで、次回からはあらゆる機会をとらえてPRを図る必要がある。主催者の北駿4Hクラブでも来年は大いにPRしたいと語っており早くも来年の富士登山の集いに期待がかけられている。

班別交歓やボート競技など

八女西部地区4Hクで二回目のキャンプ大会

【福岡】八女西部地区4Hクラブ連絡協議会、同地区農業改良普及所主催の第二回八女西部地区4Hクラブ夏期キャンプ大会が、さる二十、二十一の両日、星野村の池の山キャンプ場で開かれた。

この大会は、クラブ員が自主的に企画、運営し、お互いに意見を交換し合い交流するために開かれたもので、とくに今回は仲間づくりが主体。

これには同地区の4Hクラブ員やOBなど百七十名が参加、一日目は午前十時半から開会式のあと、午後一時からレクリエーション、二時からは新しい企画として佐賀のつどい（第六回全国4Hクラブ員のつどい）からヒントを得た班別の自由交歓や、全員によるボート競技などがにぎやかに行なわれた。夕食のあと七時三十分からキャンプファイヤーがくりひろげられた。

二日目は、朝食のあと九時からハイキングをかねて分科会による話し合いをして、午後からは後かたづけ、つづいて記念撮影、最後に閉会式を行ない、二時ごろ幕を閉じた。

涼風暖風

大会はリズムだ

いろんな会合や大会が開かれているが、その運営をみると、それぞれ難点をもっているようである。会合や大会の運営にタッチしている人たちは、お互いに苦労しているが、うまくいって当り前、ハタからケチをつけられるのが普通では、気の毒なことである。

先日も、ある葬儀に参列し、会合のもちかたはむずかしいと思った。その葬儀は、八月の炎天下で行なわれた。葬儀だから、と無理をして黒い服を着ていたからたまらない。汗が滝のように流れていたうちはいいが、やがて汗も底をつき、最後は脱水状態になってしまった。一時間四十分の予定が、二時間四十分になってしまったのだから、参列者が参ってしまったのもいたしかたない。

会合や大会の運営のテクニックは、全体の起承転結を大切にすることである。運営の流れにリズムを持たせ、所要時間は二時間以内にとどめるべきであろう。プログラムの内容も、特定の種目で長時間をさくのは、下手な運営である。前述の葬儀でも、弔辞が十三本もあり、リズムがくるってしまった。大会などで、長広舌のあいさつや祝辞の多いときは、やはりリズムがくるって、だらけてしまう。

大会や会合で大切なのは、参加者の参加意欲を満足させることである。大勢の参加者が、単に大会を盛りあげる小道具になっている大会は失敗だといえよう。参加者が、マスとしての雰囲気に酔えればそれでよし。できれば、参加者一人ひとりがプログラムのいずれかに参加できるのを最上とする。

大会や会合の進行で気をつけなければならないことは、臨機応変であろうか。たびたび葬儀の例で恐縮だが、弔辞のあと、延々と弔電披露が続いた。電文省略とか、主だった弔電紹介にとどめるとか、参会者の反応をみての臨機応変の進行が望まれるところだ、と感じた。弔電披露のあと、登壇者の焼香に移ったが、さすがにお坊さんがみかねて、焼香台を持ちまわり、各自がこれをささげるという焼香方式にきりかえたが、進行は依然として焼香者の名前を読みあげていた。

大会や会合で注意すべき最後の点は、その大会や会合のねらいや仮説を適確に押さえ、その実現に最大限の努力を払うべきであるということである。ややもすると、進行係が自己陶酔におちいって、参加者の立場を忘れるあやまちをおかし易い。気をつけるべきことだ。

例にひいた葬儀の関係者に、己れの非を詫び、亡き人の霊安かれとただ祈るのみ。

（文部省 伊藤）

4H旗を交換 台湾と沖縄で

高知県の青年の船 クラブ員125名乗船

【高知県＝中町幸蔵連絡報道員発】高知県青年の船（使用船・さくら丸）は、さる七月八日から一週間の日程で中華民国、沖縄を訪問した。この船には、十八歳から三十歳までの一般団員三百名が乗船したが、そのうち百二十五名が4Hクラブ員。岡村会長はじめ七名の県連役員理事もそのリーダーとして乗船した。

高知県農村青少年クラブ連絡協議会では、この第一回高知県青年の船を記念して中華民国、沖縄の各クラブと4Hクラブ旗の交換を計画。第十一回高知県農村青少年技術交換大会で参加クラブ員全員がサインした二つの4Hクラブ旗をそれぞれ両クラブに贈った。また出港、帰港に際しては、県下のクラブ員が全県下のクラブ旗を揃えてこの船を送迎した。

なお、この4H旗交換計画は、昨年、総理府・青年の船に全協推薦で乗船した中町県連事務局長と中華民国四健会の管明正君（昨年"草の根大使"として日本4H協会の招きで来日した）との連絡で発案されたものである。

実践的知識学ぶ 福岡県連

来月7、8日清水青年の家で 初の幹部研修会

【福岡】福岡県農村青少年クラブ連絡協議会（会長 角繁男君）は、九月七、八の両日、山門郡瀬高町本吉の清水青年の家で初の幹部研修会を開く。

クラブ活動を展開するためにはクラブに対する正しい認識とその使命を理解し、高度のクラブ運営技術をもったリーダーが必要なので幹部研修会では、各地区のリーダーに対してプロジェクトの進め方やリーダーのあり方、4Hクラブの本質や理念などについて研修、その実践的学習を習得すると同時に、現リーダーの再訓練によって地区のクラブ活動を促進しようとするもの。

対象者は各地区連とも会長、役員、日本4H新聞連絡報道員の各一名、計三名で、経費は一人当り千四百円。八月末まで前納金三百円を添えて事務局長まで申込むことにしている。

一日目は、午前十時半からオリエンテーション、開会式のあと県連活動の基本方針、事業経過と事業計画についての説明、つづいてクラブ活動の基本であるプロジェクトの進め方について県の吉丸係長の講義、ついで、すぐれたクラブ活動を展開しているクラブによる事例発表。このあと、現役時代にクラブリーダーとして活躍した先輩を迎えて、農業経営や家庭生活、結婚問題、クラブ運営などを中心に話し合い、最後に全国大会参加の報告を計画している。

二日目は、早朝、大観峰に登山し、早朝のあと三つの分科会＝①参加者のレポートをもとに各地区連の問題点を掘り下げて話し合う②理事会③日本4H新聞連絡報道員の研修＝でそれぞれ意見交換することにしている。

つづいてレクリエーションに移り、すぐクラブ活動に取り入れることができるゲームなどを学び、ついで全体討議。分科会報告をもとにクラブ運営の自主性の高揚、確立をめざした活動内容について話し合い、閉会式で終了する。また一日目の昼食のときに記念植樹をすることにしている。

新しい農村女性像求める

女子研修盛ん

各県連で女子研修会が盛んである。とくに今年初めて開くところも少なくなく、クラブ活動の中でも難しいといわれる女子クラブ員の活動と真剣に取組む姿勢がうかがえる。また、内容としては、女子クラブ員のあり方など当面する問題から、みんなが適齢期を迎えているだけに、先輩から体験談を聞くなど、嫁になってからの心構えや知識を学ぶことに意欲をみせ、新しい農村女性の理想像を求めようとしているようである。以下は、各県連から伝えられてきた女子研修会の模様である。

姑と嫁の立場など

福岡県連 来月7・8日青年の家で

【福岡】福岡県農村青少年クラブ連絡協議会（会長 角繁男君）では、九月七、八の両日、山門郡瀬高町本吉の清水青年の家で、県連初の試みとして女子研修会を開くことになった。

この女子研修会は、県下の女子クラブ員の結束を図るとともに、女子クラブ員としての立場、リーダーの立場をお互いに理解し合い、こんどのクラブ運営を円滑にすることをねらいとしたもの。対象者は、各単位クラブにおける女子クラブのリーダーと男女混合クラブの女子クラブ員で、女子役員四名で企画、運営に当ることにしている。経費は一人当り千五百円程度。

一日目は、講師を招き、女子リーダーのあり方や考え方、女性組織集団の運営を円滑にするための方法、結婚や家庭を考えた場合の女性リーダーの立場、人となりなどについて聞いたあと分科会と全体会を開き、講演の内容をもとにして話し合う。夜は自由交歓。

二日目は、午前八時三十分から婦人会の人たちとともに研修し、農村の嫁としてのエチケット、姑から要望する嫁、若き花嫁のあり方・考え方、姑の立場として嫁が若妻会などのリーダーをしている場合にどう思うか、などについて質疑応答し、農村女性、嫁としての理想像を追求する。このあとレクリエーション指導。

午後は、OGの人との交換会を開き、姑への心づかいなど農村主婦のあり方についての体験談を聞き、これからの参考にすることにしている。このあと閉会式を行ない三時三十分ごろ解散する。

静岡は12日に

【静岡県＝鈴木政美連絡報道員発】静岡県農村青少年クラブ連絡協議会（会長 渥美喜美康君）では、九月十二日、静岡市草なぎの静岡市青少年センターにおいて、本年度第二回目の女子研究集会を開催することになった。この女子のみの研修会は、県連始まって以来のことで、本年度より県連も専門部を設置して、積極的に部門別の活動が行なわれている。

生活部（部長 鈴木民江さん）では、この女子研究集会を本年度は三回行なう計画でいる。今後、よりよい家庭をきづくため、女子青年として果す役割について、また、4H活動の悩みについて、一人でも多くのクラブ員が話し合うのが目的で、農協、市役所、各職場からの参加も呼びかけている。

特に注目されるのは、すでに結婚して農業に従事するOGの人達四名を囲んでの話し合いが計画されていることである。女子だけの研究集会だけに、それぞれ体験している多くの問題点が出るものと思われ、また参加者の大半がすでに結婚適齢期にさしかかっているため、現実的な話し会いが行なわれるだろうと期待されている。

日程は、九時三十分より受付けで、生活部設置の説明、クラブ紹介、レクリエーション指導、OGを囲んでの話し合い、県連への要望についてなどとなっている。

"暗い農村"から脱皮を

愛知県連 教養講座を年四回

【愛知】愛知県4Hクラブ連絡協議会（会長 鳥居久雄君）では女子クラブ員を対象とした研修会を年四回開催することを計画している。これは、将来、主婦として豊かで明るい家庭生活を築いていくために必要な結婚生活の知識と生活技術を習得しようというもので、いわば広い意味での教養講座。講座内容によっては、男子クラブ員の参加も呼びかけることにしている。

第一回では、キャンプ形式で野外料理講習、話し合い、ハイキング、レクリエーションと視察、第二回では、日常生活に密着した服装と美容、三回目は、家計簿、農業簿記、家族計画など男女の立場を検討、また四回目には、上手な話し方、女性の生き方、料理学習などを予定している。

しかし、この教養講座も今年で四回目になるので、マンネリ化などの問題点が出はじめている。このため、今年は、昨年行なったアンケートの結果と各クラブ員から出された要望を考慮し、また男子クラブ員の参加など、楽しく身につくものをと回数を減らして中身の充実をはかっている。

研究、工夫する力養う場に

同県連では、女子クラブ員研修会に対する姿勢を次のように語っている。

将来、農村婦人としての知識（農業関係）はもちろん必要であるが、それ以上に、一人の女性として、また家庭の主婦として必要な広い範囲の知識を学ぶ必要がある。

今までの農村のイメージとして、暗い陰気なムードが漂っているので、自分たち若者の新しいセンスを生かし、今までの農村のイメージから脱皮しなければならない。それには、常に何かを学ぼうとする意識や仲間づくりが大切であり、研究、工夫する力をも同時に養える場に持っていきたい。

民宿も取入れて 神奈川県連

9月12、13日平塚農高で 20周年記念の集い

【神奈川】神奈川県農村青少年クラブ連絡協議会（会長 杉崎正章君）では、来る九月十二、十三の両日、発足二十周年を記念した第三回県農村青少年クラブ員の集いを、クラブ員宅への民泊を取り入れて開催する。場所は神奈川県立平塚農業高等学校を予定している。

この集いは、クラブ員の自主的な企画運営によって、豊かな人間性の涵養と自主性の高揚を図るとともに、レクリエーションを通してクラブ員相互の親睦とクラブ活動の意義を理解し、クラブ活動の向上を図ることをねらいとしたもの。

参加者は、クラブ員とOB、農業大学校生、農業高校生、各試験場生、講座生、指導者など約七百名を予定しており、今月末までに県連事務局へ申し込むことにしている。参加経費は三百円。

主な日程は、一日目の午前九時から受付け、十時から記念式典をかねて開会式、十一時三十分オリエンテーション、昼食のあと十二時三十分から運動会方式でレクリエーション。四時から福引きと閉会式、このあと民泊に入り、家族をまじえて話し合いや農作業の実習をして翌日解散する。

集い事務局は次のとおり。

▽神奈川県津久井郡城山町川尻一五八二、事務局長・八木健一、電話＝〇四二七（八二）三四六〇

▽横浜市中区日本大通り一、県農政課内、県農村青少年クラブ連絡協議会、電話＝〇四五（二〇一）一二一一

なお、この集いには、神奈川県はじめ日本4H協会、同県農業協同組合中央会など多数の関係機関や団体が後援している。

心頭抜健

このごろの農家の子どもたちは、木登りが下手になったといわれる。子どもたちが木に登らなくなったために、柿の木のてっぺんの柿が数多く残されるようになったという。それらの柿はべつにカラスの餌として残しておくわけではないわけだ▼また、海や川の近くの農漁村に住む子どもたちも、昔にくらべて泳ぎが下手になったともいわれる。年配の人たちは、かつてオリンピックの選手を出したのに、と嘆いている。むしろ、施設が整備され、水泳訓練に熱心な都会の子どもたちの方がうまくなっているのが現状のようだ▼いまの大人たち、といっても大体二十五歳以上の人たちの中には、幾度となく木から落ちてケガをしたり、また、水に溺れそうになった経験を一度や二度味ったことのある人は少なくないと思う。何もケガをしたり水に溺れることがよいわけではないが、それだけ自然に親しみ、自分の運動神経を鍛えたということができる▼先日、ある日刊紙の投書欄に、都会の子どもたちが自由に木登りできる場所と木を与えてはどうかという意見があった。やはりそれらのことを心配したものであろう。ともかく、都会と農村にかかわらず、さいきんの子どもたちは、物質文明に溺れ、素朴な冒険や創造の喜びを失ってきているのではないだろうか▼以前、子どもたちは、竹トンボなどの玩具を汗と血をながしながら自分たちなりに作ったものだ。それが現在は市販されているものを求める。自作のものより確かに形も美しく、簡単に手に入れることができる。だが、そこには造り出すという喜び、工夫心、情緒、プロセスがぬけてはいないか▼都会の大人たちが再び自然への愛着と郷愁を強く感じはじめているとき、子どもたちは逆に自然から離れようとしている。とくに、自然の中で育っている農村の子どもたちまでが同じ道を歩んでいるのではなげかわしいといえる▼これは、大人たちがそうさせているのか、また、あるべき姿として、子どもたちがそのような傾向をたどっているかは定かではないが、その環境を作ってやるのが大人の責任のように思える。

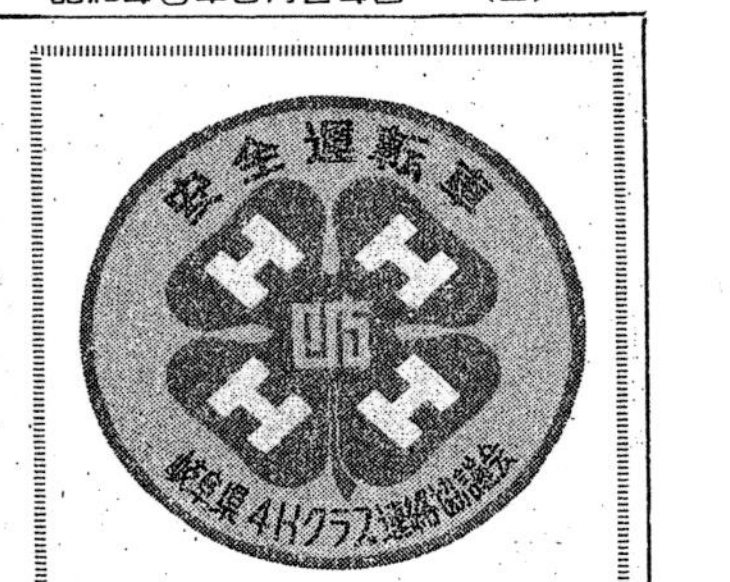

4H会館募金に一役

ステッカーをクラブ員の車に　岐阜県連

【岐阜県=中野俊一連絡報道員発】岐阜県4Hクラブ連絡協議会(会長 林新太郎君)では、交通安全に役立て、また、4H会館募金にも一役買おうと、かねてより4Hクラブステッカーの図案を募集していた。その作成が、夏のつどいまでに間に合って、県下クラブ員の車にはすべて貼られることになった=写真。県内のどこへ行っても、マスコットとして使われることになると思われる。

赤、青、黄と交通信号の三色を使ったステッカーは、色もあざやかで、なかなか好評。県連では、二千枚を作り、希望者に一枚百円で販売しているが、集いで約二百枚を捌いた。近日中に、このステッカーをつけた車が、東名高速道路で、名神高速道路で、また、農村の小さな農道でも、見かけるようになるだろう。

花やかに「夏の集い」　岐阜県連

「花嫁学園」とタイアップ

各所にカップル誕生

ほのぼのムードの中で猛勉

【岐阜県=中野俊一連絡報道員発】岐阜県4Hクラブ連絡協議会(会長 林新太郎君)では、さる七月二十四日~二十七日までの三泊四日の日程で、第六回岐阜県4Hクラブ夏の集いを開いた。場所は揖斐郡久瀬村日坂ユースホステルで、初の試みとして、女性ばかりの花嫁学園と、従来行なってきた夏の集いとがタイアップしたので、男子禁制の場を設けた本大会は、過去にないものとなった。

噂の通り断崖絶壁、車一台がやっとの道、夏は一日二回のバスの便、初日の女性だけの一日、コワイコワイと来た所は、広い広い原っぱだった。女性ばかりでリラックスした一日。4Hクラブの女性および農村女性合わせて八十余名で、さすがのスキー場もボーとかすむくらいの熱気。初日から参加の男子役員達は、スミの方で小さくなり、二日目を待ちわびた。

二日目も、午前中までは「女の園」で、女性のみの自由気ままな研修がなされた。

大久保事件なども女性のよい教訓に

第一日目は、前一宮青年の家副所長の鈴木眞智子氏を講師に招いた。結婚前の女性の心構えなど、最近の女性を見ての意見、また、大久保事件などを取り上げ、女性の不心得を指摘され、また、もっと女性は頭を使えと言われた。女性ばかりであったことと、4Hクラブ員以外の女性も多く、集いにとまどう人もあった。そのため、初日は自己紹介程度で、あまりつっこんだ話には入らなかったようだ(おそらく)。

初日から降っていた雨は、二日目に入っても降りやまず、屋外でのスケッチの予定は取りやめとなった。そこで、「かしこい消費者になるために」と題して消費生活コンサルタントの井藤食子氏の話、特に買物上手について多くの時間を使った。参加者は、「今からは、サイフのヒモをしっかりするわ」と、胸のポケットに手をおくなどしていた。今後、買物には「まず考える」が頭に浮ぶことだろう。

女性より雨の大歓迎うけた男性諸君

このころより、男性諸君がボチボチスキー場に到着。講義より外の方が?と、横目でチラリの女性も中にはあり、双方とも一瞬の緊張がみられた。歩いて、走って、車でとサマザマだが、女性ならぬ大雨の大歓迎を受ける中で、開会式、林会長が本大会の意味を説明し、地元揖斐4Hクラブの青木常光会長が挨拶した。

「遠い所をご苦労様です。幸か不幸か外に出ることの出来ない雨です。男性、女性ともに同じ屋根の下ですので十分頑張って、チャンスをモノにして下さい」と青木常会長が述べると、女性の一部には「男性といっしょとは知らなかった」などといった声もあがり、再び緊張の度を強くした。

男性は早速講堂に入り、県農務部次長霜田治雄氏の話を聞いた。雨の音があり、体がぬれているせいもあってか、話がどうも耳に入らぬ様子。目がどこかへ向いているもの、メモをとるものとサマザマ。霜田氏は、農業の一角をくずせ、アイデアを出し、常に疑問を持て、常識を疑えと話し、さらに集団化、機械化と今後の農業について進み、最後は米の話でまとめられた。休憩なしの講演だったので、不意打ちされた様子だった。

男性側を圧倒した女性の「壁新聞」

一方、女性は、「暮しと手芸」で、実演入りの造花作り、紙入れ、ペンシルケースの三部門に分かれて、頭と腕を使い一生懸命であった。これが終って、男性はオリエンテーションで一日目を終了。女性は昨夜と変ってラフなスタイルはなく、おしとやかにふるまっていた。淋しい山の中のことでもあり、さすがに頼れるのは男性?か、女性に安心感がうかがわれた。

女性三日目　少し疲れたなあ
男性二日目　すごく張切ってる

夜のうちに書かれた壁新聞が朝には張り出された。各班で自主的に作成され、なかなか楽しいものから、?まで、集会場いっぱいになり、大会をより以上に盛り上げた(女性の新聞には男性が、男性の新聞には女性が集中したが)。女性の新聞の方がていねいで、数も少し多く圧倒した感じだった。また、夜のうちに速報(「ヤング」)が発行され、終日までに三号が手渡されたが、恋話から自由な意見まで思い切り出されて、記事の多さに編集局は大喜びで、遅くまで奮闘した。

スケッチが雨のために行なわれず、男性は、東京から招いた農業評論家松下猜男氏の「これからの農業経営者」と題する講演を聞いた。氏の豊かな知識と見解を聞き、回りの雨の音も忘れ、クラブ員は自分自身と比較しながら熱心に聞き入った。

好評だった「結婚」の性医学的な講義

二日目(女性は三日目)ともなると、各所にカップルが生まれ、初日、別々に食べていた食事も、いっしょに良い場所?を得るのに努力を要したとか。食事ひとつにしても、こうも変るものかと不思議がる年配の普及員さん。また、人気が集中する若い普及員さんなども、一体となって集いは進んで行った。

午後は、いよいよ男女合同で、医学博士大山昭夫氏の講演、「幸せな結婚のために」を聞いた。二時間にわたり、性について細部に及ぶ話がなされ、特に若い人の病気に対しては慎重に話された。話は面白く、楽しく、いやらしさがなく、後で感想を聞くと、「美しく、ゴク自然に聞くことが出来た」「このような話は初めてだが、いい勉強になった」などと、参加者は語っていた。結婚を間近にひかえているだけに、皆真剣であり評判もよかった。若い仲間にとって、こうした話は週刊紙の記事のようではなく、非常にスバラシイ、ぜひとも必要な話だったと、多くのクラブ員は述べていた。

講演が終っても雨は止まず、大雨注意報となり、緊急役員会まで開かれたが、夕方まで、二回目の各班に分かれての話し合いがもたれた。自由な議題で、各班ともに時間が足りないといって、役員に注文をつける場面もあった。

スタンツには本物の大根も飛び出す

最後の夜は、キャンプファイヤーを予定し、ファイヤー用の枕木二十数本、トーチも運んでいたが、あきらめてキャンドルサービスに移った。それでもムードはよく、狭い会場に百六十余名が折り重なるようにしている中で、林会長の火の言葉、初の試みの普及員さんによる4H綱領炎の分火、地元青木会長の名司会で一部から二部に移った。

各ブロックのだしもの、歌あり、コントあり、大垣4Hクラブの大根おどりには本物の大根が飛び出し、普及員さん全員による普及座の劇など、大騒ぎだった。司会の青木君のうまさに参加者も、思わず乗せられて、予定を三十分もオーバー。そんな中で、お土産の交換、開いてはまた大騒ぎ。自由時間は夜遅くまで、部屋の灯が消えなかった。

"恋愛談義"などわいたパネル討議

最終日、突然にカラリと朝から晴れあがり、恐いこと。どこからか、「もう空に水なくなったんやろか」とか、「今日からやり直すか」といった声があった。「これだけ降ったから、来年はツユがないヨ」などという声も、帰る日だけにどこか違う。最後の力を出そうと、朝の集いで、古川みどり4H会館建設委員(県連)による4H会館の主旨説明、末端クラブ員まで知ってほしいと、彼女は真剣そのもの。前夜、ブロック会長よりOKをもらったせいか、声も大きく頑張った。また、ステッカー(上記参照)の説明もあって、大会中に二百枚をさばいた。

いよいよ最後、全体交流会(パネル討議)には、海津郡より曽根夫婦、山県郡より婚約夫婦の二組を迎え、また、各ブロックより一名ずつが出席した。普及員の加藤賢志氏による司会、「豊かな経営と生活をめざして」をテーマに、両夫婦のナレソメから始まって、家庭内のこと、どんな奥さんがいいのか、また、今までの恋愛談義まで、加藤氏に促されて、いわなくてもいいことまでついつい話してしまい、赤面する夫婦、ブロック代表。

また、聞き手に向っての質問の中で、「あなたのお嫁さんに、あなたは、あなたのお母さんのようになってほしいか?」というものがあり、そうなってほしいと答えた人は二人だけであり、面白い現象だった。

大会中、雨に降られるという前例のない大会だったが、かえってそれが幸いしたかもしれない。大きな行事を消化して、実行委員、地元クラブのカラーもよく出て、次回に希望を持たせた。それに、参加者の男女が半々という割合はすべてに都合よく、好評だった。初の試み一部には異見も出たが、前進することができるだろう。

「この中で、カップルの生まれることを望みます」と、林会長は別れの挨拶をした。専門技術員の加藤氏が、石川啄木の詩に、「4H」と「女性」の言葉を入れて大声で歌われ、大会は幕を閉じた。名残り惜しそうに別れてゆくクラブ員、帰路の要所々々には、地元の4Hクラブ員が警備にあたり、交通安全に一役買っていた。

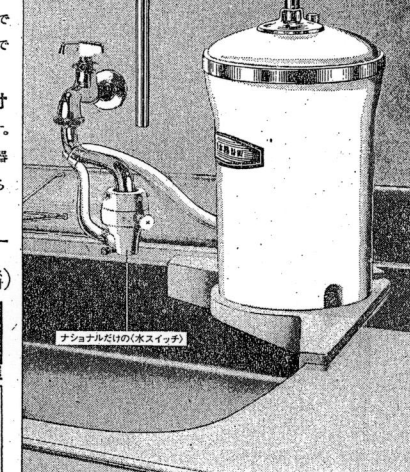

来年の全国大会へ意欲をみなぎらせる宮城県技術交換大会の参加者

全国大会に意欲　宮城県連

第20回技術交換大会開かる

【宮城県=佐藤賢一連絡報道員発】宮城県、県農村青少年クラブ連絡協議会(会長 門馬忠君)など主催の第二十回県農村青少年技術交換大会は、さる七月十四日から十七日までの四日間、鳴瀬町の野外活動センターで開かれた。

天候の不順な時期でもあり、行事進行に多少の戸迷いはあったものの、大会運営委員の適切な指示によって、技術競技、大運動会、キャンプファイヤーなどすべての行事をスムーズに消化した。また参加した六百余名のクラブ員はもちろん、県下のクラブ員は、四十七年度に本県で開催が予定されている第十二回全国農村青少年技術交換大会も成功させようと意欲を新たにした。

さらに、八月一日から開かれた岩手大会にも六十名に近い来年度の大会準備委員を派遣し、今から早くも準備が進められている。

初の役員派遣　福岡県連で役員会

【福岡】福岡県農村青少年クラブ連絡協議会(会長 角繁勇君)では、さる十日、母子会館で役員会を開いた。

主な議題は、報告事項として①さる七月十二日から十六日まで愛知県で開かれた「第七回全国4Hクラブ員のつどい」②八月一日から四日まで岩手県で開かれた「第十一回全国農村青少年技術交換大会」、また協議事項として①幹部研究会と女子研修会の開催②第三回全国4Hクラブ沖縄親善交歓訪問③青年祭などの事業実施④機関誌の発行と日本4H新聞の購読⑤会費の納入(筑上、八女東、山門、田川、北九州地区の未納分、九百名分九千円を完納すること)⑥青年の船の班長候補などであった。

このほか、県連部の事業として派員派遣を計画、さる二十一、二十二の両日、県下六つの農林事務所ブロックごとに、午前、午後、夜の三回にわけて行なった。角県連会長はじめ男女両副会長、事務局長、会計の五名が訪問し、九月の幹部研修会、青年祭など県連の方針を説明、協力を要請するとともに各地区の実情を聞き、組織強化に努めた。

畦道

海と船と島の艶歌

、むかしむかし。30億年のむかし、やっと大地の熱がさめ、大海原が蒸気を天へ向って吹き上げることをやめた頃。なお暖く青くぶ厚い海洋の微塩のよどみが、アメーバーとなって蠢きだしたという―霊長〈類〉の始め。ああ海。熱い獣の血の始まり。

またそれは、天地の初発の時。〈生命〉は、浮んでいる油脂のようにクラゲのように漂い、そしていつかうめき声をあげながら海原から大陸へとはいあがっていったのか。

そして今。コンビナートの銀球や巨大なアルミニュームの建物やクレインやさまざまな鉄柱が、一面にひろがる陸地から。人類は遠く暗い故郷をふり返るのだ。―母なる海。人々は、街を突き破って海へ走る。皮膚から身体に染み込んでくる潮の干満のオルガニズムの予感に、身をうちふるわせながら。海辺では、人々はうずくまり、しだいしだいに滑らかになってゆく血液の循環をじっとまつ。海―マグマの球体をやさしく包みこむ一つの巨大なアミーバー。もし、人々が少しでもその青い胎内を知ろうとするならば、原色で飾られた色彩の宇宙を持つだろう。そこに、白くひろがる砂底があるならば、赤いヒトデがちりばめられるし、低空飛行するカレーの背がちいさく巻き上げる砂埃を必ず見るはずだ。緑青の岩々の間に林立する黄色いワカメの林を漂い抜ける時、運がよければブルーのコバルトスズメの群に行き交う。そして、見上げる水面は、ガラスの天井のように銀色と白と青とでキラキラ輝いているのがその常だ。

だがもし、黄色と茶色の斑の皮膚をもつ蛇のようなウツボの邪悪な目の光を見たら、もう陸地へ引き揚げるがよい。

青黒い大海原に、緑の[illegible]たいにポッカリと浮ぶ島へ行ったことがあるだろうか。海図の上に、その島へ向ってコンパスをひかれた船は、船尾のスクリューをカラカラと音させながら鋭く磨き澄まされ船首を、渦巻き流れる黒潮の帯に打ちつけ、グググッと掘り起きながら舷窓に潮しぶきを散らして進む。やがて、ただよう潮の香の中に、かすかに枯草のような植物の匂いが感じられると、島だ。多分マリモのような島からは魚臭い突堤がヌッと突き出ているはずだ。(吐)

にぎわった納涼盆踊り大会　入間田4Hクラブ

【宮城県=佐藤賢一連絡報道員発】入間田4Hクラブ(会長 佐藤賢一君)は、地元公民館や部落の人たちの協力を得て、さる十四日部落中央に建設された共同利用センターの広場で盛大に納涼盆踊り大会を開いた。この大会は今年で五年目を迎え、いまでは地元の人たちにも親しまれ、部落の大きな行事の一つとなっている。

この納涼まつりは四部からなり第一部は開会式で、公民館長、町議会議員、区長さんなど関係者の祝辞と佐藤会長のあいさつなどが行なわれ、二部ではクラブ員はもちろん、地元婦人会の人たちや小中学校の子どもたちが参加して盆踊りをした。

また三部では、フォークダンスを老若男女入りまじって踊り、ムードも最高潮。その頃には、もう夜も大部ふけて、もっと踊り続けたいところだが、副会長の閉会のあいさつで"来年もまた踊りましょう"という約束をして幕がおろされた。

技術交換大会開く

東八代地区連で来月四日に

【山梨】東八代郡4Hクラブ連盟(会長 角田義文君)は、来る九月四日、境川村の藤堂の滝で東八代地区農村青年技術交換会を行なう。

こんなことをしています　各種農業団体

全国購買農業協同組合連合会

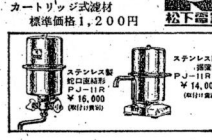

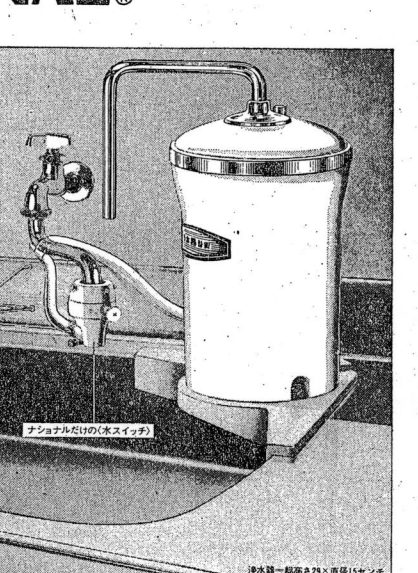

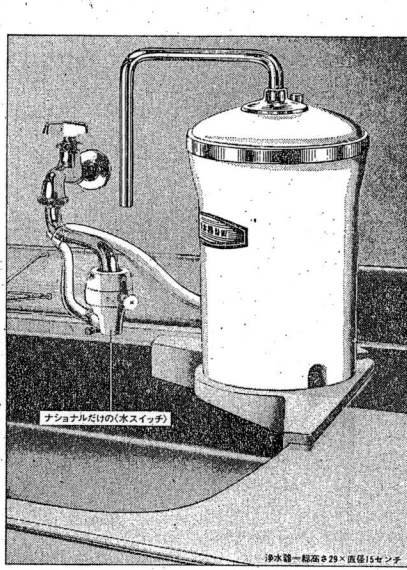

肥料専用船が就航

輸入価格の安定に効果大

ILWUが七月一日からストに入った。ILWUというのはアメリカ太平洋岸の港湾労働組合連合会である。このILWUのほかに、大西洋岸には、ILAがあって、組織的に動いている。ILWUは、荷主連盟との労働協約が六月いっぱいで切れ、ひきつづいての協約の折り合いがつかずにストに突入したというわけである。

このストが片づかぬかぎり、海上運賃に大きな影響を及ぼすことは避けられない。さらに、大西洋岸も七月三十日で協約が切れたので楽観できない。

カリ、りん鉱を輸入に依存している日本の肥料生産にとってこうした不安がすぐコストにはね返ってくることは明らかで、今後の労働事情によっては、かなり窮屈な事態になることも予想される。また、世界的な船舶不足と海員労務役の値上り、国際政局の不安、世界経済市況のさざ波などが、すべて海上運賃にひびくことは、過去の記録がなによりもよくものがたっている。このような不安定な海上輸送は、つねに日本のカリ、りん鉱需要に黒い影を投じ、これを克服する方法は日本肥料業界の大きな課題であった。

この困難な課題に真っ向から取り組んで、一条の光をもたらしたのが、全購連の肥料専用輸送船である。全購連では、すでに飼料の専用輸送船を持って、飼料購買事業に大きな成果をもたらしてきているが、その豊かな経験と、輸入肥料原料第一位を占める購入シェアの実力によって、肥料専用輸送船就航を断行した。

この専用船は、第五全購連丸と名づけられ、機械化された荷役設備をもつ五万六千トンの大型新鋭船である。第五全購連丸はバンクーバーから三万~五万トンのカリをメキシコ港ガルフ地区に運びそこでりん鉱石四万二千トンをつみ、ふたたびバンクーバーに寄ってカリ一万二千トンをつんで日本に向うという航路で年間五航海をする。日本では、カリ、りん鉱を新工業港新潟東港にあげる。新潟東港には、全購連の出資による新東バースがあり、ここで、最新鋭のオートメーション荷役設備によって、カリ、りん鉱は、ほとんど人手をかけず、十万トン収容の大倉庫に保管される。新東バースは、この地に形成された新潟肥料コンビナートの一環となって、随時、カリ、りん鉱をコンビナート参加各社に供給する。

こうした合理的な荷受け体制は海上輸送とともに重要な役割を果す。従来のように、各地の港に少量ずつの荷上げをおこなっていたのでは、荷役経費がかさみ、大型船も接岸できず、はしけに頼るなど、せっかくの専用船による輸送の成果が半減してしまうからである。しかし、このような理想的な輸送がおこなわれているのは、全購連の総輸入量中、カリで約一割、りん鉱石で約二割にすぎないので、今後も、専用船の活用と同時にあらゆる不安要因に対して、計画購買を基礎とする消費者パワーによって、抵抗をつづけていくことが、系統肥料輸送業務の大きな課題となろう。(広報課)

農林中央金庫

歴史や活動を紹介

二冊の本を発刊　一冊は百部まで進呈

このほど農林中央金庫では、二冊の本を発刊した。一冊は、―産業フロンティア物語―『農林中央金庫』(ダイヤモンド社刊¥250)と、もう一冊は『農林中央金庫のしくみとはたらき』―昭和46年度版―である。本の内容としては、その題名からもわかるように前者は、農林中金が歩んできた歴史と今後の展望の書であり、後者が、農林中金のしくみをわかりやすく解説したものである。

これら本の発刊意図は『農林中央金庫のしくみとはたらき』が、農林中金の姿をPRしてゆくために発刊されているが、特に今度、ダイヤモンド社から発刊された―産業フロンティア物語―『農林中央金庫』の意図はその本の"まえがき"から要約してみると次のようなものである。

「農業問題は、つねに新しくかつ古い経済問題であり社会問題である。とくに昨今は国際的には自由化圧力、国内的には米をはじめとする農産物の過剰化傾向に加えて、若年労働力の流出、兼業農家の増加、農地のスプロール化などの問題が山積しており、日本農業はいま大きな転換期を迎えている。そこでにわかにクローズアップされてきたのが、農林中央金庫の存在である。また、その保有資金量は二兆円を突破し系統各機関を総合した資金量は七兆円台に達する金融界の一大勢力である。しかし、曲り角に立つ農林漁業の現状から、これを支える農林中央金庫が今後如何なる方向に進むかについてはその回答を簡単に得られないのが実情である。結局、現状では、四十六年余にわたる農林中央金庫の歴史のなかから読みとるほかに方法はなさそうである」

このように、この本の叙述の力点は、農林中金の歴史に置かれているが、その豊富な資料や写真による四十年の歴史の展開はむしろ日本農業の歩みそのものの歴史書にもなっている。また、この本のサブタイトルに―産業フロンティア物語―とあるように、日本の農村での協同組合運動のフロンティアとしての「産業組合中央金庫」の大正期から昭和初期にかけての生々とした働きの物語は、読者を充分に、楽しませてくれるはずである。

『農林中央金庫のしくみとはたらき』の本の目次は(一)総説 ①金庫の沿革②金庫の機能③金庫の性格、(二)組織・業務、(三)統計資料、(四)略年表である。

なお、農林中金では、『農林中央金庫のしくみとはたらき』を、4Hクラブ員にかぎって百部を無料進呈しますので、希望者は左記に申し込んで下さい。

東京都千代田区大手町一―八―三(農協ビル内)。農林中央金庫 総合企画本部・広報担当係。

(総務部)

親ゆずり農業はだめだ

農業法人化を図る
ハウスブドウで1万ドル

私のプロジェクト

岡山県山陽後継者クラブ若葉会　藤原克己

現在の農業をより良く発展させるためには、親ゆずりの農業ではいけません。科学的知識や理解力、判断力、実践力を養って、農業経営の現状を分析把握し、問題を発見し改良して行く、いわゆる「考える農業」をして行く必要があります。

もともと農業が好きな私は、高校在学中、数多くのホームプロジェクトを実施し、農業経営で十分やって行ける自信がつきましたので、会社員である父の強い反対を押しきって、農業自営をする堅い方針を決定し、三重大学の農業別科園芸課程に学びました。帰岡後三ヵ年計画で、一に社会勉強、二に仕事と計画しました。一時は青年活動に力を入れ、岡山県に山陽町青年団ありといわれるまでに活動し、仕事を相当犠牲にもしました。

後継者の集りには、忙しくてもかかさずに出席し、そのため、収益を減らしたこともたびたびでした。それでも、いつかきっと今日のことが役立つと確信し、今でもほとんどの集りに出席しております。

まず、現況から説明しますと、所在地は、岡山市の東北に隣接する赤磐郡山陽町沼田という所であります。当町は、古くから桃とぶどうの産地として知られ、名声を博した所であります。家族構成は両親と祖父と私達夫婦と長女の六人家族であります。農業に従事しているのは、私達夫婦と母は病弱なため、ほとんど従事できず、農業従事総日数は約六百日です。

経営規模は水田七十五㌃、ぶどう二十㌃、カキ三㌃、野菜畑十五㌃とビニールハウス三百九十六平方㍍です。野菜は主として、スイカとハナヤサイの組み合せ、ハウスは主としてトマトです。所得は約九十万円と低く、後継者として恥しいほどの実績しかあがっておりません。幸い卒業と同時に、経営を祖父からまかされましたけれど、社会勉強を主としたため、所得倍増にはほど遠い収益しかあがっておりません。今のままでは、数年後に一家心中というような状況であります。

そこで、四十五年度より六ヵ年計画で、所得倍増にとりかかりましたから、本日の重点として、今後の進むべき道について述べたいと思います。わが家の年間稼働総日数六百日とし、地域の状況などを考えますと、高校時代からの夢であったハウスぶどう栽培に取り組むべく、後継者資金七十五万円を借り、十三・六㌃でネオマスカットの鉄骨パイプによるハウスぶどう栽培にとりかかりました。約四年で成園になりますので、五年目からハウス栽培し、六年目以降暖房していく予定です。

しかし、六年間、ぶどうの生長を待っているわけにはいきませんので、現在あるぶどうにビニールをかけたり、野菜栽培に力を入れて行くならば、六ヵ年計画終了前には、必ず所得は計画はじめの二倍になっていることは、まちがいありません。

また、六ヵ年間のうち、あるいは以後も、ハウスぶどうを増す予定ではありますが、住宅団地などの増大により、野菜に力を入れるかも知れません。今日、社会が大きく変っていますので、時代にあった農業経営をしていく必要があると思っています。

一例として、数年後にとりかかるべく準備を進めているものに、観光農業があります。かの有名なクラーク博士いわく「少年よ大志をいだけ」、大志とは物欲にあらず、名誉欲にあらず、人類社会に貢献する人間愛に燃えたものと言われたことを思い出します。

一応、六ヵ年で経営の基礎ができますので、以後、一日でも早く農業法人にもっていくこと、そして、最終目標はいかにして人類社会に貢献するかということです。

なぜ農業法人になるかと申しますと、農業法人は、①農地法による農地所有制限がない。すなわち、普通農家には土地制限があるが、農業法人は比較的自由に拡大できる。

②融資の枠が大きい。すなわち事業をする場合、農業近代化資金にしましても、農業法人では一千万円の枠があり、資金調達が容易である。③税金が安い。収入が増大してくると税金も大きくなり、深刻な問題となります。私の調べたところでは、法人のほうが安く特に百八十万円をこえると、大幅に安くなることがわかりました。

また、それ以上に、普通の農家では、とかく封建的な人間関係が持ち込まれている場合が多いが、法人によって会社と同じような人間関係が持たれ、しかも、サラリーマンの夢である企業者であり、社長にもなれるので、若い私達に大きな希望と魅力を与えてくれる利点もあります。

具体的には、純収入八百八十万円以上になり、金銭面で法人の方が有利になると、祖父、母、私、妻を構成員として、稲、ぶどう、野菜などの生産を事業内容とする有限会社による農業法人を設立する計画です。すでに家族間の意見調整も終っております。なお、この時、農地は所有権の移転でなく、課税されない使用収益権の形式をとり、また、法人の規制、すなわち、定款を定め、利益金は従事分量配当を行なうように考えております。

この計画で問題なのは、一戸一法人を内容としたもので、共同の法人でないことであります。これは、①地区に共同化を進めるような若い自営者が全然いない。②兼業が定着してしまって、共同化までしてやろうという意欲がある農家がない。以上の二点から、今すぐ共同化することは危険であり、もっとじっくり共同化について、研究の時間と地区に対する啓蒙が必要であろうと思っています。

私の法人化による経営が実績をあげ、それを地区の人がつぶさに見聞し、農業法人を再認識し、若い人にも農業に対する魅力を与えるならば、やがては若い農業就業者ができ、共同化の雰囲気も醸成されるだろうと確信しています。

私のこの試みが、静かな水面に投ぜられた一石のように、波紋が四方におよぶがごとく、農業近代化へ投ぜられた一石になることを念願しております。

養豚　出荷の一定を

徳島県香美市場町農業青年会　藤川豊久

1、我が家の経営概況

水田百四十㌃、畑九十㌃、果樹園四十㌃、豚八十頭、水稲、野菜類で、えんどう、葉菜、根菜と野菜の種類は多い。家族は四人でうち農業従事者は三人である。

2、課題と取り組んだ動機

①耕地への有機質肥料の補給

②部門を担当してみたく豚が適していた

③資金の回転が早い

3、計画と実行経過

昭和四十四年十二月に、農業後継者育成資金五十万円を借入れ、自己資金と合せて百七十六平方㍍の豚舎を建設し、まず繁殖豚三頭子豚二十頭を新規豚舎に移した。

豚舎の規模は繁殖豚十六頭、肥育豚九十頭、分娩室四部屋である。現在は、宮崎県から五頭の繁殖用導入を含めて、繁殖豚に肥育豚七十頭である。今までは規模拡大中であったために、経営面では赤字であるが、導入豚が生産するようになれば黒字になる。

4、実績をかえりみて

飼養技術、規模拡大と順調に伸びてきたつもりであるが、その反面、経営面では非常に苦しい。糞尿処理は、豚舎に下草を入れているので問題はないが、多頭飼育になると大きな課題である。

毎月一定の頭数が出荷できないので、価格の変動による影響が大きく、直接収入に関係するので、今後は飼育計画を立て、市場価格に関係なく、一定頭数を出荷して経営、資本、労力の配分をはかりたい。

5、今後の計画

繁殖豚五十～六十頭、肥育豚二百五十～三百頭以上にしたい。養豚用の飼料作物もつくること、今後は養豚を中心とした農業経営をしたい。

農業経営も多角経営から専業化へ、そして企業的農業経営へと進んでいかなければならない時代になってきた。市街化付近では宅地造成で県営住宅、町営住宅と家が建ちならび、畜産部では悪臭公害、糞尿処理問題などで問題になって来ている現在、山へ移転して山での畜産団地をつくり、共同糞尿処理場などの設備をし、省力化でコストを下げ、これから農業はよい品物をつくり、共同、団結しなければならない。出荷は団地（地区内）で出荷共同組合組織をつくり、共同出荷し、市場に信用をつくることである。

これで大丈夫　農作業もはかどる

私達の工夫した青空トイレ

静岡県北駿4Hクラブ　瀬戸美知子

私達北駿4Hクラブの生活改善部では、月一回、年間事業計画に基き、生活を中心とした生活改善の問題や労力の省力化、主婦の生活問題を研究するとともに、生活改良普及員の方と、これからの農村のあり方、これからの食生活などの話し合いをし、料理から身近な生活の問題にいたるまで、お互いにアイデアを持ちより、いろいろと勉強し話し合っています。

そんな時、あるクラブ員が、田植の手伝いに行き、困ったことに出合いました。それは、作業中、トイレに行く場所がなく、がまんしていたために気分が悪くなり、仕事に身が入られなかったのです。生活部会の時に話したところ、自分の家だと適当に行くけれど、よその家ではつい遠慮がちになってしまい、不愉快な思いをほとんどの部員が経験していたというのです。

女性でなければわからない

最近では、水田の基盤整備が進み、機械化され、田植機もぼつぼつ導入され、作業がしやすくなってきましたが、しかし、沢山の人手がいるのは、私達北駿の農業だけではないと思います。このように、農繁期には人影があちらこちらにあります。そうして、農作業にあたる私達若い女性は、女性でなければ解ってもらえない悩みがあります。

今、豊かに生育した稲をみるとしても、田植時に、いつも私達若い女性の間で訴えられていることを思い出します。そんな時、保健婦さんを講師に招き、保健講話を聞いた時の話を思い出します。それは、作業中、私達女性がトイレに行く場所がなく、トイレをがまんするために農村婦人に膀胱炎、腎臓炎、腹膜炎などのおそろしい病気の多いことが解ったのです。

そこで、広い田圃の中に、もし共同でもよいから簡単なトイレがあったらと思うのです。沢山の人の意見を聞くことができず、近所の若い人の意見やクラブ員の家族に聞いてみたところ大半の人々が、作業中、トイレをがまんしていることが解り、がまんできるだけがまんして、遠くまでトイレへ行って来たというような意見でした。このようなことからも、トイレの必要性というものを、強く感じました。

また、作業中、用足しをがまんしていると作業に身が入らない、気分が悪くなる、イライラして落着かない、その反面で、仕事がやれる、こんな意見も出ましたが、決して満足な仕事はできません。仕事にムラがあるわけです。だから、絶対にはかどるわけがないのです。こんなわけで、野良に働く婦人にとってトイレの必要性が、いよいよ切実になって来たのです。

では、私達クラブ員が必要に迫られて考え出した簡易トイレの作り方と特徴を説明します。

まず、材料ですが、これはどこの家にもあるかけ干し用の竹を使い、囲りのかこいを化成肥料のあき袋を使い、つなぎ目は荷作り用のヒモを使います。その他の道具として、ビニールに穴をあける太い釘と、私達が日常使うヘアピンを揃えました。

次に作り方ですが、ビニールの縦と底の部分を切り開き、釘で穴をあけ、三枚をつなぎ合わせます。また、縦の部分を切り開き、二枚合わせて、後になる部分を作ります。このように各面ができたらつなぎます。そして、柱となる竹をしっかりと結びます。

この時、土にうめるため、ビニールの長さより二十五㌢～三十㌢ほど長く切ります。最後に出入口の所にヒモをつけます。

また、一目で空いているか、使用中かが解るようになります。使用中の時には、中でヒモをゆわき、空いている時は外でゆわき、常に出入り口はしめておきます。安定性を持たせるためには、四隅をフルコンで張ります。

このトイレの特徴をあげますと

1、化成肥料などのあき袋を使うため、費用がかからない。

2、自分の手で簡単に作れる。

3、簡単にどこへも移動できる。

4、これを広げると、風よけ、日よけなどにもなる。

もうこれからは気持が楽だ

私達クラブ員が何人か使ってみたところ、大変使いやすく、今までのように気を使わなくてすみ、とても気楽にできるとのことでした。これからは、不愉快な思いをしないで農作業のできる農業、そのためにも、このようなトイレが、ぜひ必要だということを、私達は身をもって知ったわけです。

潤いのある生活、明日への原動力を作りだすためにも、バランスの取れた環境作りは必要です。これからも、農村の主婦として、時代にマッチした農家生活を営むためにも、私達生活改善部は頑張ります。

（静岡県北駿4Hクラブ『水菜』四号より）

公害にも強く

手数をはぶく防除機

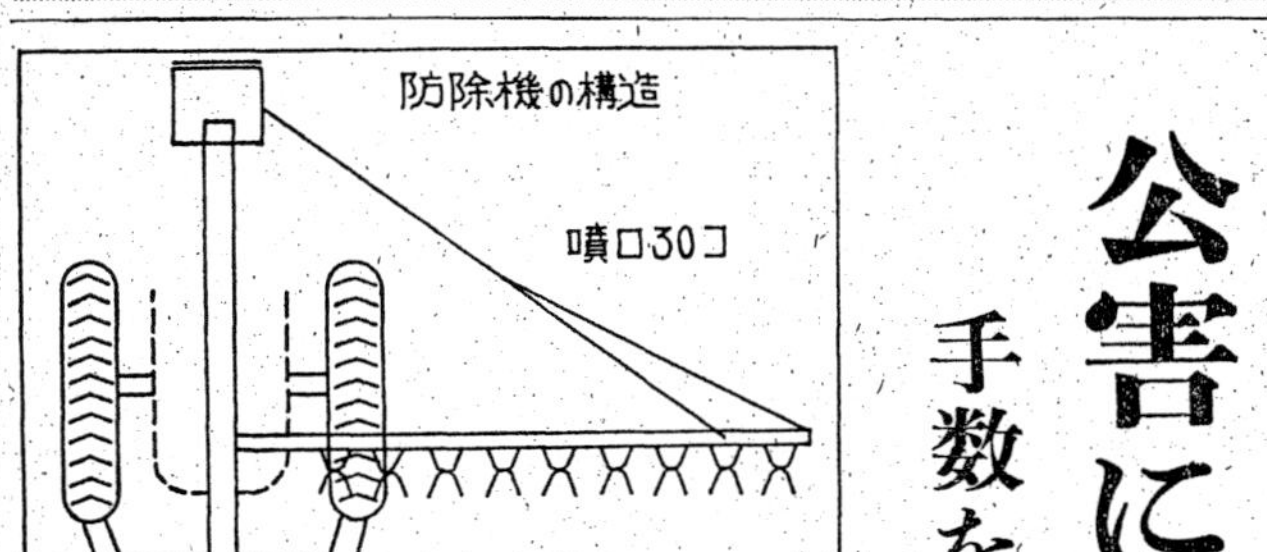

北海道網走管内常呂町　野瀬秀夫　小野寺俊幸

私の経営概況と動機

私の家は、畑作専業で畑十㌶の耕作を行なっています。今年の三月、私が農業後継者資金の融資を受けて玉葱栽培を始めたわけです。機械（農耕用）は、トラクター協同経営で行なっています。

我家の本年の作付現況

馬鈴薯三・〇㌶、てん菜二・五㌶、豆二・〇㌶、玉葱〇・五㌶の作付でありますが、全ての作物が年に数十回の防除を用する作物ばかりで近年のように農薬公害の危険な時に、今まであったスプレーヤーでは防除に二人が必要で一人は農薬に接する時が非常に多く、これから少しでも体を守るために十㌃のスプレーヤーを利用して長管による防除機を作成してみたわけです。製作にあたっては、冬期の農閑期に作業に取りかかった。設計計画は、冬期間各地を視察に回り構想にかかりました。あまり金額をかけないで工作するために解体屋を歩き回り手ごろな鋼材を集めて鉄工場で溶接を行なった。

製作手順と改造の要点

一、ふん口は、トラクターの前部に取りつけるようにした。これは防除の時一人でふん口の状態を見るためである。

二、次に鉄柱をささえるアングルを用意する。これはトラクターによって異なるが、三十㌢以上をささえることの出来るアングルによること。

三、鉄柱は、車体に入れやすくするためにさしこみにする。

四、早くまきとるためにカッシャーを利用し、ワイヤーを用い片手で長管を上下させるようにする。

本体の特長

イ、作業時間、十㌃当り十分前後で散布完了するが実散布時間のみを見ると三分程度である。従って一・〇㌶散布するには、一時間四十分位で終えることができる。

ロ、労働力が一人ですむ（補助作業員は不要）

ハ、トラクターに取り付けるのに簡単である。

ニ、高低をかえることができる。

ホ、欠点として、すこし長管に無理がかかること。

現在までの体験

作物に痛みが多く農地に対する踏圧の問題を少しでも解消した。また機械については、近所で三台も製作していた。あとに製作されたものほど改造されよくなっていた。

その結果、次の面積（延）を作業した。てん菜十五㌶、玉〇十㌶、馬鈴薯三十㌶、菜豆七㌶。

次に十ふるい機の経費は、当初五万円の計画で見積っていたが、三万九千四百円と割合安くついた。このように、少しの手を加えることによって便利なものができることに気づき、今後もアイデアを生かして頑張っていくつもりです。

（第十六回北海道農村青少年技術交換大会レジメより）

牛が涙を流した！

二松学舎大学　小早川成男

就農地区　農協　標津

作業内容　牧草の乾燥、積上げ除草、牛舎の掃除

就労時間　午前五時～午後七時半

就労期間　45・7・5～8・13

私は、人が少なく自動車の騒音のない地で、いちど暮してみたいと思っていた。町から自動車の騒音がなくなれば、どんなに静かになることだろう。小鳥のさえずりは、さぞよく聞こえるだろうと思った。私は、それだけを思って北海道の東端、根室標津へ行った。家のまわりはすべて緑、となりの家は見えなかった。そして私の期待どおり、自動車の騒音はなかった。木の葉がサワサワと鳴る音だけが耳に快かった。ある日、はっきりとウグイスの鳴き声を聞いた。私はこれまで、「ホーホケキョ」を聞いた記憶がない。大阪・東京の人間の巣においてしか暮したことがないから当り前かも知れないが。

一日目、初めて牛に近づいたとき大きく見えてこわかった。おじさんに牛を放してくれといわれたとき、おそるおそるスタチョンをはずした。三日目、牛は人間に抵抗しないことがわかった。十三日目、牛の姿は何もしていないときでもユーモアがあるが、小便をするとき、体を「く」の字に曲げてふんばるかっこうが特におもしろい。また、牧草をたらふく食った牛の腹のふくらみ、ヒヤだるのような形になった腹を四本の足でかろうじて空中にささえて、トボトボ歩く姿がかわいい。なによりもかわいい動物は牛だ。

二十一日目、牛が私の足を踏んだのにとても痛かった。二十九日目、牛が涙を落とす瞬間をみた。やっぱり牛は哀しいのだ。三十五日目、牛とにらめっこをした。大きな目の牛が小さな目の私に負けた。四十一日目の朝、牛と顔を合わすことなく別れた。牛よ、さようなら……

（財団法人学徒援護会・事業部編『生活記録──北海道援農アルバイト』より）

ミルクセーキなど

夏みかんをおいしく食べる

北海道香島農研クラブ　古村竹子

夏みかんは、一番安くおいしい時期でも「酢っぱい」と敬遠され勝ちでどうしても食べたがらないのが現状のようです。そこで、お年寄りから子供まで好んで利用できないものかと考えたのがこの利用方法です。特に今頃の季節は夏の疲労の面から食欲減退などで体力の消耗する時期でもある。気軽にだれでも作れる点に気を配り、夏みかんの実と皮を利用して飲み物とお菓子を作ってみました。

○ミルクセーキ

〈材料一人分〉夏みかんのしぼり汁…半個分。卵…一個。砂糖…大さじ四はい、スキムミルク…カップ半分、レモンエッセンス…適量。〈作り方〉①ビニールの袋の中へ卵と砂糖を入れよく混ぜ合わせる。②水で溶いたスキムミルクを①の中へ入れ混ぜ合わせる。③しぼり汁を入れ混ぜて出来あがり。④最後に卵の臭いを消すためにレモンエッセンスを少々入れる⑤水などを入れて冷やして飲むとよい。

○ミカンソーダ

〈材料一人分〉夏みかんのしぼり汁…半個分。炭酸水…適量。砂糖…大さじ二杯。〈作り方〉①夏みかんのしぼり汁半個分をコップに入れる。②炭酸水適量と大さじ二杯の砂糖を入れて出来あがり。③氷などを入れ冷やして飲むとよい、サクランボなどを入れると一段と引き立ちます。

○クリームミカン

〈材料一人分〉夏みかん…適量。卵の白み…一個分。砂糖…カップ半分。〈作り方〉①夏みかんは皮をむき袋から取り出しグラスに入れる。②卵の白みでクリームを作ります。卵の白みはあわ立て器でよく泡をたて、泡がよくたったらカップ半分の砂糖を入れて混ぜ合わせます。③グラスに入れたミカンの上にかけて出来あがります。

○ママレード

〈材料一人分〉夏みかんの皮…一個分。砂糖…カップ一杯。夏みかんのしぼり汁…大さじ一杯。夏みかんの実…適量。〈作り方〉①夏みかんは四つ割りになるように皮に切り込みを入れてから皮をむきます。②ナベに水を入れ、みかんの皮をそのまま入れて中火で十五分位煮て火から下して、皮を何度もゆすぎます。③みかんの皮をまっすぐ切ってナベに入れ水をカップ一杯と砂糖をカップ一杯を入れて弱火で煮ます。④少しどろりとして、また汁が残っている頃に夏みかんのしぼり汁と夏みかんの実適量を入れて火が通るまで煮つめ出来あがります。

みかんが命

欧州へも九月に行く

あんな人こんな人

高林広夫君

今年度、総合資金八百万円、自己資金二百万円を投資し、みかん経営に取り組む、すばらしく勇敢な青年がいる。

この青年は、浜松市都田町に住み、都田4Hクラブに所属する高林広夫君である。高林君を紹介しよう。

浜松市より北へ約十五キロ、東には浜松市、西には風光明媚な浜名湖があり、すぐ近くには西部農業機械化センターがあってこの地帯はみかん、茶で知られている。彼は今年で二十二歳を迎えたばかりで、経営面積は山林二㌶、みかん園一・二㌶を経営している。四十三年四月、自営者養成高校である農業経営高校を卒業し、当時の都田4Hを結成した青年で、青年活動に積極的に取り組み、今年、晴れのヨーロッパ派遣（県主催）の4H代表になった。

彼は数年前から、ひまがあれば土地をさがし、今年四月、やっとのことで二・五㌶の山林を確保することになった。彼は今後の抱負を、「宿願の土地は確保したけれど、今後、数多くの課題が山ほどある。まだまだ結婚は考えないで、ここ数年、みかん経営に取り組みたい」といっている。現在は山林の木を伐っており、この八月には、ブルドーザーを入れて開墾し、明年三月には待望のみかん団地が見られるだろう。

そして、彼は青年としてやる気があれば、何ごとも出来るという青年に与えられた特権を、十二分に発揮してくれることは間違いない。彼のような青年が一人でも多く出現するように願いたいものである。

（鈴木政英連絡報道員発）

テレビ
NHK農事番組（9月1日～10日）

明るい農村　6・30～6・55　総合
- 1日　産物往来「グレープフルーツ」
- 2日　話題の広場「集団転作」
- 3日　村をむすぶ「福岡、奈良、福岡、新潟」
- 4日　農村新地図「長野県麻和村」
- 5日　明るい漁村
- 6日　村の記録「過疎町長」─島根県匹見町
- 7日　きょうの話題
- 8日　産物往来「芝」
- 9日　話題の広場「梨の協業経営」─広島県世羅町
- 10日　村をむすぶ「室蘭、津、鳥取、東京」

農業教室　7・30～8・00　教育
- 2～4日　これからの梨生産（鳥取大学教授）林真二
- 6～8日　豚肉の需給と価格（日本大学講師）宮崎宏
- 9～11日　構造改善を考える（全国農業会議所）葛井定男

あすの村づくり　日　7・00～8・00　教育　再　土　13・00～14・00　教育
- 5日　▽グループだより（大阪府池田市）細河園芸農協青年部　▽仲間とともに─伝統産地の悩み─（高知市仁井田）沢田輝明　▽先輩と語る（愛知県宮寺町）林繁

ラジオ

早起き鳥　5・41～5・57　❶
- 1日　古新聞で牛を飼う（兵庫県畜産試験場）山内美咲実
- 2日　日記帳162年（山形県川西町）竹田和一
- 3日　ショウガ栽培で8ケタ農業（横浜市）石渡一郎
- 4日　一茶の里の甘茶栽培（長野県信濃町）
- 5日　進むか農地移転（全国農地保有合理化協会の設立をめぐって）
- 6日　ゆらぐ稲作組織（島根県斐川町）瑞穂営農団地
- 7日　農民会社創業記（福岡県大信村）満山喜和
- 8日　赤牛を育てる（高知県畜産試験場）中島泉
- 9日　夢破れた酪農王国（青森県岩木町）
- 10日　ビニールハウスでハス作り（土浦市）

話の広場　日　6・10～6・30　❸
- 5日　帰化植物を追って（横浜市植物研究会）

新しい農村　日　6・30～7・00　❷　再　日　14・30～15・00　❷
- 5日　害虫の総合防除─農技研・天敵開発チームリーダー─河野達郎

ラジオ農業学校　日　6・30～7・00　❷
- 5日　グループのつどい「失敗と決断」─山口県豊浦郡豊田町4Hクラブ

募集　前号と本号とに掲載した「あんな人こんな人」欄の記事を募集します。だれか適当な人を紹介して下さってもよいし、自分自身でもかまいませんから、写真をそえて、どしどし投稿して下さい。

眠らされている？…クラブ機関誌

──せっかく作ったクラブの機関誌です　全国の仲間に紹介してやって下さい──

全国の仲間は、あなたのクラブの機関誌を読みたがっています。生き生きとした情報に飢えてます。もっともっと交流を欲しています。ガリ版刷りでもかまいません。字が下手でもかまいません。とにかく、地域に眠らせないで！できた機関誌は、すぐ送って下さい。４Ｈ新聞のスペースを空けています。

あらゆる機関誌を〈4H新聞〉へ送って下さい

豪州のお嬢さん迎えて

岐阜県高山四ツ葉クラブ　中野俊一

立秋、まだまだ暑い日々の連続、一方では台風、時ならぬ台風の訪問でビックリ。そして、台風の後は快晴。そんな台風の前、さる七月八日より十四日までの一週間、岐阜県は飛騨の高山で起った楽しく、そして不安な、そして勉強の一週間を、ここに全国の皆さんに紹介しよう。

高山四ツ葉クラブ(会長　平田利夫君)では、七月の一週間、国際ロータリークラブの交換学生二名(女性)を受入れ、一人の4Hクラブ員として行動を共にした。高山四ツ葉クラブでは、数年前より、高山ロータリークラブとの交換があり、いろいろな面で援助を受けていたが今回、ロータリークラブの紹介で依頼があり、快く受入れた。

二人のお嬢さんは、オーストラリア人で、シェリー・アブラムセンさん(十七歳、通称シェリー)と、サンドラ・アンマドックさん(十六歳、通称サンディー)、二人は神戸のロータリークラブにいて、現在、高校二年在学中であり、本年一月に日本に来たものである。五月に話が持ち上がり、クラブ員に話したところ、五名の希望があり、特別委員会を作って、ロータリークラブ(会長　直井喜氏、青少年委員長　老田正夫氏)と共に細部に渡って検討した。

なにはともあれ、言葉の心配、「シス・イズ・ザ・ペン」「アイ・アム・ア・ボーイ」「サンキュー」くらいしか言えないヨの声、早速、各自で特訓?が始まった。絵付きの辞書の買入れ、和英を買うクラブ員。カセットテープで発音練習とめまぐるしい努力がなされ、友に会えば、ハロー、グッドバイとくる。なにか変な気持だが随所でやってる、やってる。

ケセラセラ 言葉より心だ
オー、ワカリマーシタ

さらにはNHK英語教室、いつもなら言葉がながれているのに、一変してえらい変りようである。しかし、受入れ間近になると「言葉なんていいんだ、笑顔だ」「心だ」ケセラセラヨ、もうあきらめ顔、いつでも来い、なんとかなるさの構えである。受入れ宅の食事も連日スキヤキにならぬように、配慮された。

待望の七月八日、午後六時四分、お二人さん高山に参上。背の高く細い金髪のシェリー、高く太い巣毛のサンディー、何か威圧感を感じ、「ボウヤ」に見られている感じ。平田会長の必死?の英語の挨拶、はたして通じたのか、お二人さんニコニコの笑顔だった。歓迎レセプションで各自自己紹介、外人との話し合いは初めての連中ばかり、一瞬とまどいながらも、「ウエルカム・トウ・タカヤマ」「アイ・アム・グラッド・トウ・ミーチュウ」「マイネイム・イズ……」なかなの戦いぶり?

すかさずシェリー、「オー、アナタ　トテモトテモ　エイゴ　ジョーズ」とくる。ここまで来ると和気あいあい、ロータリークラブの通訳の長沢氏も必死。案ずるより生むが易し。六ヵ月間の日本の生活で、うまい日本語を使い、ゆっくり話し、少しの英語を入れれば何とかなる。それに、特訓の成果をこれに合わせれば、差引きゼロ、五分の戦いが出来ると、皆安心の笑顔で、第一日目を終えた。

彼女達は、高山の農家で宿したいと言い、特に古い建物の多いことを好み、田畑の仕事も楽しくやっていた。受入れ宅の父母さん達は、クラブ員以上の心配をなされた様子だったが、手まね足まねで、また、二人のうまい日本語と大きなゼスチャーで、すっかりとけこみ、ついつい飛騨弁が飛び出すなど、わからぬところは笑顔、わかればさらに笑顔と、双方ともキズつくことない一晩を楽しんだようだ。

シェリーは、ビクトリア州の一万五千人の農業の町出身、サンディーは南オーストラリア州出身、七十五万人の都市、雑踏の神戸から逃避したかったのではなかろうか? たまたま五月に富山への旅行の途中、高山をみかけて、来る気になったらしい。

ふるさとのオーストラリアを思いうかべ、二人は子供のように、つぎからつぎへと質問をする。クラブ員も必死で辞書を開く。両方で辞書のめぐり合い、そして……「オー、ワカリマシタ」。特に多かった観光、古い昔の用具の多い当地は、彼女達の質問に、どうすることも出来なくなる。すると、「アナタ、モウスコシ　ベンキョウシナサイ」これには参った、参った。(中島副会長談)

また、クラブでは夜ごと、幾多の行事を組み、茶話会(会長　山腰君)では、山腰君の司会で彼女達の郷土をスライドで説明を聞きうまい日本語で参集クラブ員は、やられっぱなし。また、スポーツ同好会(山王支部会長　田中君)では、日豪親善バレー大会を開くなど、飛騨沢山の行事を、短い一週間のうちに行なった。そんな中で、4Hクラブ組織などについても、苦労の末わかってもらい、4Hバッジをプレゼントした。

高山観光、新穂高ロープウェイを楽しみ、いよいよ最後の日(私の家)、レタス、キュウリ、イモなどの収穫、レタスは砂糖の方がうまいと彼女達は言い、こちらは塩がいいと言う。まるで反対である。まあいい、食べてみよう。レタスと砂糖、なかなか乙な味だ。大喜びでイモ掘り、手足は真黒、それでも大喜び、彼女達は何を考えてるのか、これで良かったのかと、ふと考える。

夜はジンギスカン、そしてサヨナラパーティー、クラブ員と最後の語らい。「歌をお願いします」と言うと、「カゼひきました。ノドガゼイゼイ」などと、もう逃げる。それでも、サクラサクラをうまく歌い、オーストラリアの歌などもならい、なにもこだわることなく、すでに一人のクラブ員になりきっているサンディー、シェリーの両人、ユタカ姿ではしゃぎ、愛らしい目、高山のクラブ員にはどのようにうつったろうか。そして最後の夜は、どんな夢をみたろうか。

明けて七月十四日。米、稲をライスで片付ける。田んぼ=ライス田に入れ!! レッツゴー・ライスこれで通じるのだ。田に入り、走る二人、さぞかし稲もビックリしたことだろう。顔はゆるみっぱなしである。出ようと言っても、出て来ない。ドロのついた足がいいと言う。だから洗わないとダダをこねる。そんな二人は帰る時間など、忘れていた。

「もう時間だヨ」今にも泣き出しそうに、「コウベ、カエリタイナイ」急に、ションボリとなった二人。「コトバ　カマイマセン　ココロダケ　カマイマス」五人のホストに、四ツ葉のメンバーに力いっぱい?の××をプレゼント。ビックリ飛び上がり、ベリーナイスと内垣君、中田君(新宮支部)。なんと悲しいことか。男の子だ、泣くなヨと、各自でおさえている姿は、なにとも言えない光景だった。

左からサンディーさん、中島副会長、シェリーさん、平田会長

予定通り来て、予定通り去って行った。高山四ツ葉に残ったものは、やはり、「KOKORO」か。それに、自分の胸の中に片付けているなんかでなかったろうか。ともあれ、日本とオーストラリアの国際親善に少しでも役立てば。

(平田会長談)俺達は、やったヨナーと力強く言っている。高山四ツ葉クラブ、これからのクラブ活動の励みになるだろう。

二人は神戸の山和学園に在学中、全国の皆さん、彼女達は4Hバッジをつけています。よろしく頼みますヨ。

なお、八月上旬、手作りの菓子を贈ってくれました。

☆　☆　☆

青春と仲間

大会参加もたいへん
船で18時間

高知県　公文　豊

沖縄4Hクラブ技術交換大会に参加して、気付いたことを書いてみよう。プログラムの中に、技術競技が取り入れられていないのに気付き、沖縄クラブ員に聞いてみたところ、そのかわりに体力づくりを今年から取り入れて、スポーツを通じ健康な体と友情を深めて行くのだと言っていた。

また、沖縄のクラブ員は活発であり、自主性にあふれたクラブ活動を、恵まれないながらも、自分達百姓の明日をめざし、育て上げるために続けているように思われた。石垣島のクラブ員も、船に十八時間も乗って、遠く離れた名護青年の家まで、大会に参加するため来ていると聞き、何か心強いものを感じた。

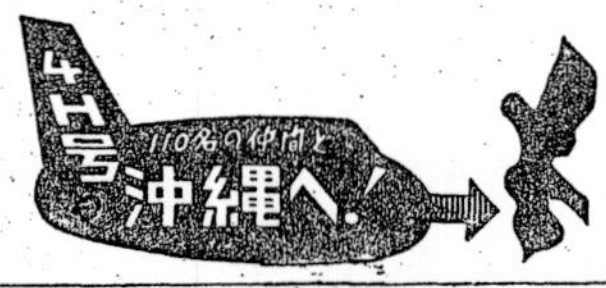

プロジェクト発表においても、それぞれの自分の道というものを大切にして、歩んでいるようである。そして、技術交換が終り、民泊へ出発。私の行った所は南部の豊見城村、運天さんの所だった。最初に村役場へ行き、村の歩み、村政などについて話を聞いた。以前は、農作物のほとんどがサトウキビであったが、現在では、野菜園芸などに切り変っているようである。そうした中で、やはり本土の山村のように若い人の流出が多いようである。

この村の耕地面積八万八千五百六十二㌃、一戸当り五十六㌃、それでサトウキビが二〇%、野菜八〇%で、一戸当りの所得は千八百ドルである。ハウスなども良く行なわれているが、資金を借りる場合、銀行など一時的なものしかなく、あまり大きなことは出来ないそうである。

市場などでは、私達が望んでいる産地直送型の販売がなされている。朝早くから農連市場へ品物を持って行き、自分で値段をつけ、消費者にそのまま売っていた。五日間の沖縄訪問で見、また感じたことであるが、現在、土地改良も行なわれ、明日の農業へと一歩一歩、歩んでいるようであった。

(全国4Hクラブ連絡協議会編『第二回沖縄親善交換訪問報告書』より)

挨拶を交す本土、沖縄クラブ員、中央左が久野全協前会長

クラブ員と約束したこと
母ちゃんに話せよ

茨城県結城市改良普及所　柴崎儀治

私はあるクラブ員と次のような約束をしました。それは、今日、クラブの会合で、いろいろな話し合いをしたが、今までにクラブに出席して、その結果を家族の人達に話し、さらに話し合っていたかどうかを聞いたところ、だまってうつむいて、何とも口を開かなかった。

私は少なくとも、今日のこの会合の結果は、家に帰ったら、まず「ただいま」と大きな声で家に帰り、「実は母ちゃん、今日はクラブに出席したらこんな話が出た。家でもそうしようとか、僕はこう考えるのだがどうだろう」とかいうように、父母、兄、姉に話し、あるいは相談することは、家族の話し合いのきっかけを作るうえにも、また自分を理解してもらうためにも必要なことではないだろうかと。今日はクラブの会合であるからと、家をでて、いつのまに家に帰ってきたのか、何をやってきたのかわからない場合……やはり少しは、親、兄、姉の立場になって考えてみる必要はないだろうかと。

しばらく彼はだまって聞いている様子だったが、きっぱりといいきった。今日は必ず帰ったら「ただいま」と大きな声で家に帰り、今日のこの様子や父ちゃんに報告すると約束した。それから二~三日、いや五日くらいたったろうか私は彼の家を訪問しました。おやじさんの喜びようはなかった。私は心の中で、はあー約束したことを早速実行にうつしたなあと。

二~三回後はそれを繰返しているうちに、家族みんなの考え方がかわり、何事も相談して実施するようになって、今では、経営はもちろん、農事全般にわたってきりまわし、現在肉豚二百頭、種豚十頭を飼育し、その他露地野菜を取り入れて、年間粗収益で三百万余をあげている立派な青年である。こう書けば、皆さんもはあー彼だなとうなづく方も多いことではないでしょうか。

このようなことは簡単なことですが、家族関係を密接にするばかりでなく、クラブの中にも取り入れられてはどうでしょうか。皆さんも私と約束をして下さい。お願いします。(茨城県結城市農村青少年クラブ『青春』三号より)

ぼくはモトクロス狂

静岡県北駿4Hクラブ　鈴木恵二

僕は、根っからの土百姓なのか、趣味まで土を相手のモトクロスを選んでしまった。一昔前までは、モトクロスも百姓レースなんて言われ馬鹿にされて来たが、現在のように広く雑誌や新聞、TVにまで紹介された今は大衆のレースになった。

大地をけり、空を飛ぶマシンの群れ、大地を相手に勝負を賭ける若者、中には中年の人も混じっているが、汗と泥で真っ黒になった顔が次々とゴールのチェッカーフラッグを受ける。入賞しなくてもマシンと大地を征服した満足感があふれ、黒い顔から白い歯が光る。

僕はこういうふうに大地を相手にダイナミックに、バーバリズムあふれるモトクロスが、なかなかやめられない。(静岡県北駿4Hクラブ『水寮』四号より)

〈注〉なお、同誌の「メンバー一人」というクラブ員のプロフィール紹介の欄に、鈴木君は次のように記されている。

「親父、俺をレーサーの養成所に行かせてくれよ。」異色の新人と言えよう。富士スピードウェーでは「モトクロスの俺」と言えば知らぬ者は無いよ。成績? 親父の米作り日本一よりも、トロフィーは沢山あるぜ。「オートバイがあきたころは、米作も安定するね。」

私の求める女性像

杉の子クラブ　中島慶子

はたちの誕生日をむかえ、時には長く、またある時は短くも思えた月日も、十代に終止符をうった今では、その日々の小さな想い出もなつかしくうかんできます。

4Hクラブの中から得たこと、あるいは学生時代のこと……仲のよい友と勤行の流れにそって通った学生時代、放課後はよく友達と図書館でバス時間を合わせたものです。

そのころ、ゲーテの書いたファウストの中に、こんなことが書いてあったのを覚えています。

「歳月にしばられず偉大であってやさしい、高貴であってなまめかしい　あの永遠の神々にも似た女性」といっています。

やさしく偉大であり、高貴であってなまめかしいというように、反対の性質を同時にそなえた女性が理想であり、そうした女性こそ私達が求める女性像の永遠なる女性なのかもしれません。

冷静なだけではつめたい女性でしょう。

高貴なだけでは鼻の先を見てあるくようなお高い人でしょう。

またなまめかしいだけでも、情熱だけをもった女性でも、私達が求める女性ではないようです。

結局、互いに反する性質を同時にもった女性、しかもあたたかな人間愛につつんで、現代のような複雑な社会に生きる女性こそ、私達が求める女性の焦点なのかも知れません。(茨城県真壁地区農村青少年クラブ連絡 協議会『めばえ』より)

ひとりごと

上山川4Hクラブ　江田二美子

とうとうやってきた二十歳の誕生日
欲張って八十歳まで生きるにしても
もう四分の一は過ぎましたよ
もしもこれが羊かんだったら
残りは食べずにしまっておきます
頭のいい人
タイムマシーンを早くつくって下さいな
今が一番いい時なの　人生の春
それにしてはちょっと殺風景ね
スミレを一鉢買いましょか
乙女心は　春風に乗って
どこへでも気まぐれな旅をします
世話ずきの人
終着駅はなるべく遠くして下さいな
これから歩くの　大人の道
生きること　愛すること　考えること
すべてに情熱を持つのです
悩みが頭をもたげたら
トンカツ食べて　忘れます
二十歳になった人
どんな時でもたくましく生きて下さいな

(茨城県結城市農村青少年クラブ『青春』三号より)

『空談』
論理と感覚との接点

ユーモアを論じながら、その文章自体には、少しもユーモアが感じられぬとひやかしたところ、作者の女の子からえらく恨まれたことがある。つまり、いくら対象がユーモアであるにせよ、それを論ずる際には、生真面目でなくてはならぬと、思いこんでいたらしい。どうも、学問をそんなふうに思いつめる風潮があるようだが、ぼくには理解が届かない。

ここには、ユーモアを全くの対象としてしかみようとせぬ冷たい精神、観察と認識のみを頼りに、すべてを割切って考えてしまう残酷さがある。論理を尊ぶ合理性は、たしかに大切にしなくてはならぬし、もっと訓練を重ねる必要もあろうけれども、純粋な論理のみを是とし、そこから逸れた感情を非とするならば、これを徹底させたとき、ぼくらの分裂は救いがたいものになるだろう。

緻密にユーモアの定義を下す作業があってもよい。しかし、ついに、その網目をくぐりぬけてしまうものが、実はユーモアであることを見抜くフレキシビリティをもたなくては、重大なものを取り落す。ユーモアの本質の抽出はどこまで可能か知らぬが、精神の運動そのもののなかでしか、生彩を放たぬもの、水よりあげた途端、死んでしまう白魚のようなものであろうから、ほんとうは、学問の対象にするよりも、具体的な実践こそが求められる。

それでは、ユーモアを論じてユーモアが必要ならば、怒りを抜けば怒り、哀しみを考えるには哀しみがなくてはならぬかといわれると、ぼくも困る。少なくとも、論旨が明快であるとともに、それをユーモアのセンスのきらめきに包むような方法はないものかと、考えるばかりである。論理と感情との短路は、常に注意しなくてはなるまいが、ことユーモアに関するかぎりは、行間からユーモアがわきおこる文章に接したいものだ。

学問を、すぐに現実へと結びつけたくはないが、研究者の内部には、不可視の焦点のようなものがあって、外部からは窺えなくてもよいから、ひとつに結びあうといった用意がほしい。そうすれば、ユーモアなどを論じても、おのずからにして、ユーモアに溢れた考察が生れるのではないかと思う。

(山)

母のタンスでみつけた手紙

大和女子4Hクラブ　失名氏

母のタンスの引きだしから古いノートが出てきた。それは、母の和裁のノートであった。裁ち方、寸法、ぬい方、要点などがきれいに書かれている。母も四十数年前は、今の私みたいに習い物をしていたのである。

ページをめくっていくと母への手紙が出てきた。それは

親というものは子をかわいがるものである。おこる前にまず考えてみる。それを親たちはなんでもかんでもきかなければおこるという。気になるから子はいくらでもなまける。それをだましてやるのが親ではないか。だからあまりおこらないでほしい。それから親はすぐ手でたたく。これはたたかれる子は痛い。たたく方も痛いであろう。たたかれた子はかわいそうである。だからやめてほしい。これが子から親へのねがいである。

〝ある子供より〟

というのである。日付けも入っているし、これはふざけて書いたものであるという訂正書も入っていた。この手紙は母にあてたものではなく、父にあてて書いたものだろう。

なぜなら、一度言われてもなおらなければ、言葉より先に手がとんでくる。兄とけんかして泣いていると、兄はすぐにげてしまうが、私はぐずぐずしているので、兄の倍はたたかれる。でも、姉たちが言うには、「あんた達には、私達よりずっとあまくなっている」というのである。

しかられたのも、遠い昔の思い出である。この手紙を書いたのは、三人の姉のうちのだれかだろうか。誰も自分だとは言わない。私も小さい頃は、このとおりに思っていた。だから、しかられたのは私ばかりではなかった。子供が親を思うのは、時代が変ってもおなじである。(茨城県真壁地区農村青少年クラブ連絡議会『めばえ』より)

〈無題〉

鹿糠新治

きみも見ている月に
きみの顔は写らなかった
きみの立っている地にも
ぬくもりは感じなかった
恋　それは
夜空に光った流れ星
その跡に
行くあてもない
旅人のうしろ姿を見た

(北海道荷菜白雪クラブ『しらゆき』一号より)

日本4H新聞
4Hクラブ 農事研究会 生活改善クラブ 全国広報紙
発行所 社団法人 日本4H協会 東京都市ケ谷家の光会館内 電話(269)1675 郵便番号162 編集発行 玉井光 月3回・4の日発行 定価・1部 20円 一カ年 700円(送料共) 振替口座東京 12055番

参加者 二次募集へ 沖縄訪問

座席まだ余裕 チャーター機

百十名の大派遣団送る

全国4Hクラブ連絡協議会（会長 黒沢健一君）は、今秋十一月下旬に実施する第三回全国4Hクラブ沖縄親善交歓訪問の参加者を募集していたが、参加申し込み者がまだ募集予定人員の百十名に満たないため、締切日を九月末日まで引き延ばし、第二次募集することになり全国クラブ員に参加を呼びかけている。

全協が締切日として予定した八月二十日の時点で、このように参加申し込み者が予定人員をかなり下回っているのは、募集期間が短く、しかも各県連の行事と重なったこと、各県連でPRに手間どり参加者の取りまとめが遅れていることなどがあげられるが、この募集期間中に飛行機の墜落事故が続いたことも心理的に影響を及ぼしているのではないかとみられる。

しかし、八月二十日以後も参加申し込みが続いていること、各県連の夏の行事が一応終ったとみられること、また、今回の東北・北海道・中国方面へのオルグによる参加要請などから最終的には、募集人員に近い人数になるのではないかとみられている。

全協では、この沖縄訪問が今回で最後になることを予想し、百名を上回る大派遣団を計画、飛行機一機をチャーターして往復することにしている。このため、もし参加者が予定人員の百十名に達しない場合は、一般客の同乗も考えられるが、その一般客の塔乗がなかった場合はいろいろの面で支障をきたすことも考えられるので、大勢のクラブ員の参加が期待されるわけである。

なお、沖縄訪問の日程や応募の場合の提出書類は次のとおり。

▽主な日程

二十一日（日）大阪府青年の家（同府三島郡島本町桜井）に集合、入所式、事前研修、予防注射、渡航手続き

二十二日（月）結団式、大阪国際空港から沖縄へ出発、那覇空港に到着、琉球政府関係機関へ表敬あいさつ、オリエンテーション、名護市内の旅館に宿泊

二十三日（火）名護青年の家で沖縄クラブ員との対面式、沖縄農村青少年技術交換大会に参加、意見交換会、キャンプファイヤー、名護青年の家に宿泊

二十四日（水）技術交換大会に参加、現地交歓訪問へ出発、沖縄農業の視察、クラブ員宅に宿泊（民泊）

二十五日（木）現地交歓訪問、農業施設や観光地視察、クラブ員宅に宿泊（民泊）

二十六日（金）現地交歓訪問、那覇市に集合（正午）、沖縄の歴史を訪ねて――南部戦跡～糸満、ひめゆりの塔、健児の塔、摩文仁兵の慰霊、守礼の門などの見学、夜は自由行動、那覇市内の旅館に宿泊

二十七日（土）関係機関へお礼のあいさつ、那覇空港を出発、大阪空港に到着、大阪・帝釈（たいしゃく）寺に宿泊

二十八日（日）事後研修、解団式、解散

▽提出書類

①履歴書 一通②住民票 二通③写真（タテ・ヨコ五センチ程度のもの）三枚④道府県連会長の推せん書 一通（二名以上の場合は一括推せんでよい）⑤昭和四十四年以降沖縄へ行った人は、その時の旅券をあわせて送付すること ⑥論文 次の中から一題を選んで、四百字詰原稿用紙二～三枚程度にまとめること

▽自主的な4Hクラブ活動と組織強化について▽わが家の農家経営について▽4Hクラブ員として沖縄で知りたいこと▽私たちと4Hクラブについて

なお、参加経費は五万七千円で、申し込みと同時に全額を納入することになっている。

申し込み先は、東京都新宿区市ヶ谷船河原町十一、家の光会館内 全国4Hクラブ連絡協議会

クラブ綱領

一、私達は、実践を通じて自らを磨くとともに、互いに力を合わせて、よりよい農村、よりよい日本を創るため、四つの信条をかかげます。一、私達は農業の改善と生活の改善に役立つ腕をみがきます。一、私達は科学的に物を考えることのできる頭の訓練をします。一、私達は誠実で友情に富む心をつちかいます。一、私達は楽しく暮し元気で働くための健康を増進します。

涼風暖風

ジャンボ集団の出現

北海道の主要畑作地帯の北見市に、K青年農業クラブがある。このクラブの特徴は三つある。農家数二〇〇〇戸の市全域に広がる広域組織であり、会員数一〇〇人に及ぶジャンボ集団であり、それに集会は昼間に行なうことを原則にしている。もちろん活動が活発なことはいうまでもない。

農業青年が少数精鋭に変わってきたのを機会に、それまで集落単位に設けられていたクラブを統合改変して再出発したという事情もあってか、人数も見る見るふくれ上がってしまった。それほど同志的な結合への期待が大きかったからに違いない。しかし、困ったことができた。人数が多いので活気が生まれたけれど、興味や関心に差が出てまとまりがつかなくなってしまった。そうかといって、レクリエーションや交歓会やキャンプなどは全員の興味や関心に一致するが、こうした行事中心の活動ではマンネリ化しやすい。

そこで、青年たちは考えに考えたすえ、農業や生活の問題解決をはかるために学習の掘り下げを可能にするシステムを採用した。市の農業の現状と発展方向に対応して、クラブの組織内に、畑作・稲作・園芸・畜産・生活など五つのサブグループを設けた。会員は自分の希望するサークルに自由に参加するわけである。たとえば、十五人で構成されている畑作サークルは、てん菜・じゃがいもの省力栽培を中心プロジェクトとし、現地研究の独自の計画を練り上げている。何しろ、畑作経営の合理化に関心の強い同志の集まりだから活動にも張り合いがある。以前の集落単位のクラブ時代とはちがい、広い地域の同志と研究交換ができるので視野もグンと拡大されるというものだ。

むろん、サブグループの活動が孤立化しないように、技術交換や実績発表などの行事は全体で行なうほか、毎月、機関誌を発行して活動の総合化をはかっている。

こうした生き生きとした活動を支えているものに日中に開催する集会がある。夏の集会では市全域から参集するには遠距離だし、女子の出席が少ないという問題があった。ところが昼間開催すると女子も安心して参加するし、女子が出席すると男子の参集率まではね上がったというから愉快だ。ただし、不熱心な者は除名されるという。

このジャンボクラブの活動の源泉は、サブグループによる専門部制や大型集団のしくみだけでなくひょっとすると活動の態度に対する厳しさにあるような気がする。（北海道・三輪）

オルグ成果を協議

全協で六日から執行部会

全国4Hクラブ連絡協議会（会長 黒沢健一君）は、来る六日から四日間、東京・新宿区市ヶ谷船河原町、家の光会館内の同協議会事務所で執行部会を開催する。

この執行部会では、第三回全国4Hクラブ沖縄親善交歓訪問の参加者把握と渡航のための事務手続きの推進、七月下旬から八月下旬にかけて東北・北海道と中四国方面を重点に実施したオルグ（役員派遣）の結果報告、日本4H会館建設問題、後期事業の展開などになるものとみられる。

佐賀で夏季のつどい開かる

【佐賀】佐賀県の夏季農業青年のつどいが、さる八月二十日から三日間にわたって神崎町日の隈公園で開かれた。これには、各農業改良普及所から推せんされたクラブ員百五十人（うち女子五十人）が参加、十村に分かれてキャンプ生活をしながら研修した。

一日目は、キャンプの設営、オリエンテーションのあと映写会、夜はそれぞれの村でキャンプファイヤーが行なわれた。二日目は、午前中「創意と工夫」をテーマに村ごとに話し合い、午後は技術競技に入り、日ごろ磨いた農業知識や技術を競い合った。夜は全体キャンプ。最終日は日の隈登山のあと、他地区との交歓会を開いた。

花作りに精出す乙女たち

農村に新風吹込む

"採算ベース"に乗せる

福岡・夜須4Hクラブの生活部 共同プロジェクトをみる

晩夏の陽光が照りつける午後、住宅地に囲まれた畑に咲く、赤、紫色の花々が、道行く人々の足を止めている。

福岡県朝倉郡夜須町――福岡市から南へ二十五km離れた人口約一万の純農村。かつて、かの万葉の詩人、大伴旅人が「君がため かみし待ち酒 やすの野に一人や飲まん 友なしにして」とうたった地である。

県下有数の耕作面積を有し、従来、米麦中心の農業が行なわれてきたが、最近では、米に変わるべく畜産、ソ菜を取り入れた都市近郊農村への脱皮がはかられている。このような環境の中で、夜須4Hクラブ（会長 木村和俊君・会員五十名）は、畜産、ソ菜、生活の専門部を設けて、地域性に富む活動を展開している。その生活部の共同プロジェクトを紹介しよう。

【福岡県＝松沢善孝連絡報道員発】

農作業衣に身をかため、なれぬ手つきで花を切る。その額に汗は流れ、彼女たちは出荷準備に余念がない。

「これ、おいくらですか」――近所のおばさんの声に「ハイ一本十円です」と明るい声が返ってくる。赤、紫のアスター、久留米ケイトウ栽培、これが女子部四名の共同プロジェクトである。

米の生産調整策など、明日の農業の方向づけに悩む地域農業であるが、休耕田七aを借り受け、わずか四名の部員でも出来る何かをやってみよう――これが花を選択した理由である。

三月に例会を開き、アスター、久留米ケイトウに決め、さっそくプロジェクトに取り組み始めた。しかし、技術的にも未知の世界であり、不安もあった。けれども、管理ノートには、三月中旬播種、四月中旬移植、五月中旬定植、七月下旬から出荷の模様が克明に記録され、定植地のPH検定による石灰散布、堆肥散布など、四名が力を合わせ、ともに学びながら花を咲かせようとする姿が浮かんでくる。

住宅地のど真ん中での花栽培だけに、最初は何事かと窓から顔を出して眺めていた近所のおばさんたちとも、すっかり仲良くなり、灌水作業などにも協力してくれるようになった。また男子クラブ員たちも心配して、農作業の合い間に顔をみせ、手伝っているようであったが、彼女らの手によってスクスクと成育していた。

しかし、八月四日から五日にかけて、台風十九号の九州上陸によって、当地方は農作物にも被害が出た。プロジェクトの花栽培も、ネットをはったかいもなく無残に倒され、自然の厳しさの前に立ちすくんだ。だが、風がおさまると全員が集合して倒れた花を起こす作業に取りかかった。そこには、ただ、きれいな花を咲かせてくれという四人の乙女の祈りがあった。

いま、彼女たちは、朝早く起きて市場に花を出荷している。これまで農作業にも、こんなに早く起きてやるのを見たことがない、とは家族の話である。それほどまでに彼女たちは、熱心に花を育てているのだ。花を育てることに、美しい花を咲かせようということに、そして、こんなにきれいな花を、少しでも多くの人々に見てもらおうということに。すっかり日焼けした、その横顔から、何かをやり遂げつつあるという喜びが感じとれる。それに、もう一つの花が咲いた。花を通して友情に富む心のつながりをもつことができた。これがプロジェクト最高の成果ではなかったろうか。

また、女性ばかりのプロジェクトが、ここまでやれたのは、とくに家族の理解と支援があったからこそといえる。彼女たちもそう考え、いまプロジェクトを終ったときには、家庭サービスを計画中という。

これまでに失敗も多かったが、お盆も重なって値もはり、採算ベースには乗っているようだ。その悩み多い地域の農業に、いま、花を通して彼女たちの新しい息吹きが吹き込まれようとしているのは事実で、彼女たちの今後の活躍が楽しみである。

住宅街の中で育てた花を摘む女子クラブ員たち

時機を逃がさずに

全協役員と話合う場を

山口県連で会長会議 黒沢全協会長ら囲み

4H会館建設

【山口県＝久保山誠連絡報道員発】山口県農村青少年クラブ連絡協議会（会長 松尾耕助君）は、さる八月十・十一の両日、田布施農業改良普及所において今年度第二回目の県下十五地区の連絡協議会の会長会議を開いた。この会議には、全国4Hクラブ連絡協議会の黒沢会長、神田事務局次長らが参加した。

一日目は、昨年から実施している「農村青少年クラブ体育大会」（ソフトボール）の実施要領を決めた後、全協の黒沢会長、神田事務局次長のオルガナイザーを囲んで会長会議を行なった。これには大会参加者のほかに地元青年も三十名余り駆けつけ、女子クラブ員の作ってくれた料理を前に、「4H活動」「各クラブの悩み」「経営」「今後の農業」などについて夜の更けるのも忘れて語りあかした。

第二日目の朝、黒沢会長から、昨晩クラブ員からも質問のあった「4H会館建設の問題」「全国4Hクラブ員のつどい」と「全国技術交換大会」との関係、また、全協のこれからの活動内容などについて説明がなされた。しかし、クラブ員の一番関心深いのは、4H会館建設の問題である。

「4H会館建設のために現在全協に集まっている金は？」「募金の進み具合は？」「一戸建て方式からフロアー方式に変ったのは計画の縮小ではないか？」などとつっ込んだ意見が出され、また「募金活動も数年になるが、だらだらと長くなるより盛り上がったこの時期をのがさないように」というクラブ員の声も聞かれた。

同じように全協の役員に対しては、「このようなオルグをもっともっと行ない、末端クラブ員が4H新聞でしか知らぬ全協の活動、役員ではなく、膝と膝をつき合せて話せるこのような場を数多く持ち、できればわれわれ末端の単位クラブにも全協の役員が来てほしい」といった意見が、出席者の中から多く聞かれた。

つづいて、十一月に行なわれる「山口県農業祭」に合わせて行なう「4H展」の行事内容について大綱をまとめ閉会式へと移った。この二日間の大会を通じて感じたことは、参加者全員が全協の役員と共に一つの問題と同じ時点において話し合うことができたということであろう。

今回はOBも参加

10月5日 静岡市で 駅伝加えスポーツ大会

静岡県連

【静岡県＝鈴木政美連絡報道員発】静岡県農村青少年クラブ連絡協議会（会長 渡美登美康君）は、来る十月五日午前九時から静岡市の草薙体育館を主会場として第二回県農村青少年クラブスポーツ大会を開催することになった。

この大会は、クラブ員相互の親睦と体位向上をねらいとして昨年度から開かれているもので、今大会から新たに駅伝大会が組みこまれることになっている。また、第一回大会は、クラブ員だけで行なわれたが、今大会からOBもまじえて盛大に行なわれることになった。

バレーボールと卓球は草なぎ体育館、ソフトボールは静岡市東部グランド、駅伝は草なぎ競技場内で行なわれるが、この大会を目ざして数カ月前から練習しているクラブが相当あるものとみられる。

なお、後援には、静岡新聞、農協中央会、NHKなどを予定。大会参加者は九月二十日までに県連事務局へ申し込むことになっている。

新会員、女子など対象に

坂井前全協副会長招き 長崎県連で合同研修

【長崎県＝森川政則連絡報道員発】長崎県農村青少年クラブ連絡協議会（会長 木下評君）は、さる八月七、八の両日、雲仙ユースホステルでクラブ員研修会を開いた。

これは、クラブ活動を活発にするため、グループリーダーや新しく入会した会員、それに女子クラブ員を対象に、それぞれ分科会形式によって、リーダーの心構え、組織、プロジェクトの進め方、グループ活動、女子活動の進め方などを研修し、その実践的知識を身につけることがねらい。

県下からクラブ員百八十名とOBや関係者など多数が参加し、一日目は、オリエンテーション、開会式のあと4Hクラブ連絡協議会の坂井前副会長から4Hクラブ活動を通じての体験談を聞いた。続いて、この話しをもとに、今後のグループ活動をどう進めたらよいかについて分科会を開き討議した。

夜は、新規加入者の歓迎会をかねて、キャンドルの集いがくりひろげられ、楽しいひとときを過ごした。

二日目の午前中は、三つの研修が平行して行なわれた。一つはリーダー研修で、今後のグループ活動をどう進めたら良いかについて討議研究した。二つは新規加入者研修として、プロジェクト活動の進め方について長崎農業改良普及所の東普及員さんの講義のあと、先輩をまじえてクラブ員としての心構えについて分科会をもった。

親子座談会で 4Hの理解を

三つめは女子研修。長崎県連では、今年度女子部が設けられ、女子研が開かれたのは初めて。

この分科会では「女子クラブ員が少ない」「親や近所の人に4Hへの理解がない」「他のクラブへの関心」などの悩みも出されたが、今後の活動の進め方として次のようなことが決められた。

一、親子座談会を設ける。二、行事内容を親に知らせる。三、単位クラブの定例会は各家を回って行なう。四、技術交換などの場において父兄とペーパーテストなどを行なう。以上のようなことをめぐって熱心に討議された。

築こう！みんなを結ぶ4H会館

日本4H会館建設委員会
全国4Hクラブ連絡協議会

経営の悩みを訴え

神戸西北地区のクラブ員 神戸市長と対話

【兵庫】さる八月十八日、宮崎神戸市長を囲む農業青年のつどいが、神戸市垂水区岩岡町岩岡のブドウ園で開かれた。このつどいは、新しい農業を目ざして努力している農業青年を励ますとともに、クラブ員たちの悩みや要望のナマの声を聞いて市政に反映させていこうと市の主催で開かれたもの。

これには、神戸西、同北両地区の農業青年クラブ員三十六名と市側から宮崎市長のほか農政局長、市民相談部長、垂水、兵庫両区の次長らが出席、クラブ員の案内で岩岡町一帯の牧場、農園を視察したあと、神戸園芸協会のブドウ園で話し合った。

この席で、クラブ員側から「市が農業近代化資金を貸し付けているのはありがたいが、思うように収益が上がらないと返済が苦しいので、天災や不作の場合は特別の方法を考慮してほしい」「新鮮な野菜や牛乳を安く市民の手に渡るようにしたいが、生産者価格に比べて小売り値が高い。これは流通過程に問題があるのではないか」などの要望や質問が続出、これに対し宮崎市長も「西北神地域は近代農業の拠点でもあるので、市としても大いにバックアップしていきたい」と語り、クラブ員の悩みを少なくするよう努力することを約束した。

市長を囲む農村青年のつどいは西北神では初めてで、今後も毎月一回程度開くことにしている。

心頭技健

北日本、とくに北海道の冷害が決定的となり、農林省がこのほど発表した四十六年度産米の作柄予想によると、北海道地方の稲作は三十一年以来十五年ぶりの大凶作が見込まれるという▼上川支庁附近では、すでに黄色く色づいた稲穂も重みはなく、ほとんどが真直ぐ空に向ってススキのように伸びていて中身のないもみがらだけがついているという。網走支庁あたりでも、十a当りの収量が五十kgを割りそうで、農家の人たちは「このような状態ではとても刈りとる気にはなれない。いっそ立枯れにして燃やしたい」と暗い表情をみせている▼とくに、今年はうまい米への転換が大幅に進められたため、耐冷性品種の作付が少なかっただけに、深刻である。こんなことなら減反していた方がましだったと思っている人も少なくないに違いない。北海道では、4Hクラブ員の間でも、以前から冷害に打ち勝つ農業の確立がさけばれてきたが、それも実らないうちに追い打ちをかけられた格好だ▼今年は、五月のゴールデンウイーク直後、季節はずれの雪に見舞われ、温床苗代の苗が立ち枯れして、多くの農家はまき直しを迫られたが、その後もほぼ一月ごとに異常低温や日照不足が繰返された。とくに、最も大切な幼穂形成期に低温にあったことが大きく影響して、そのまま立ち直れなくなってしまったようだ▼しかし、このような状態が続いたのだから、何とか早く打つ手がなかったものかと思われる。関係機関や団体などでは、八月中旬になって相次いで冷害対策本部を設置したり、緊急会議を開くなどの対策に乗出したようだが、なぜここまで放っておいたのかと、農家の人たちの不満は強まっているという▼こうなると収入の道を出かせぎなどに求めなければならない。しかし、道内の土木現場はもうすぐ冬で仕事じまいだし、本州でもドル・ショックなどで、思うように仕事があるかどうかわからない。そのための対策が必要になっている▼だが、このようなときこそ、4Hクラブ員が中心となって、冷害に強い北海道農業を確立するためのプロジェクトと取り組む必要があるのではないだろうか。

婿選びの第一条件は 図々しい男性を

「若葉会」が先輩と交歓 結婚の秘訣など聞く

【宮城県＝丸子京子連絡報道員発】亘理郡にある女性だけのクラブ「若葉会」が、このほど先輩クラブ員との交歓会を開いた。

同クラブは発足してから六年目を迎え、昨年は県優良クラブに選ばれたり、また、プロジェクト活動では最優秀賞をもらうなど、めざましい活躍ぶりを見せ、会員も今年は二十名にふくらんだ。

発足当時の会員は、すでに全員が結婚し母親になっている。その中には嫁いだ人もいれば、お婿さんを迎えた人もいる。そこで、クラブ活動も絶好調なので、その内容を先輩たちに報告するとともにみんな適齢期を迎えて、先輩から体験談をもとに、結婚の秘訣などを聞こうと、かねてこの交歓会を計画していたもの。

当日は、現会員のお手製のちらし寿司などでご招待、上等なネタを使ったので、値段の方は少々高くついたようだが、話の方はそれ以上に価値のあるものだった。

お婿さん選びの第一条件――それは"ずうずうしい人"だそうである。意外な発言にクラブ員はちょっと戸迷った様子だったが、先輩の理由を聞いて納得できたようだった。

お婿さんというと「自分の考えを強調せずに、何でも親から言われるとおりに動いて、おとなしい人」というイメージがあるが、それでは奥さんになった人が、精神的にまいってしまうそうだ。だから、ある程度まで"マイペース"で生活してくれる人の方が、お互いに気楽にやっていけるということだった。

また、家から出られるうちは、できる限りいろいろな所に出席して、視野を広げなさい、友だちをいっぱい作りなさいなど、知らないうちに、のろけられたり、アドバイスされたりだったが、先輩たちも久しぶりに仲間に会えて若返ったと喜んでくれたし、また会員もすべての面でやる気を出したようだった。

やはり家庭をもつと、いろいろな事情があるようで、参加者は八名だけだったが、意義あるひとときを過ごすことができた。

適齢期迎え結婚問題は切実

静岡・西部地区連で女子研

【静岡県＝鈴木政美連絡報道員発】西部地域農村青少年クラブ連絡協議会の中でもその活躍が注目されている野菊会（会長　岡田よしみさん）は、クラブ員と農改普及員など多数参加のもとに、さる八月十四、十五の両日、浜北市の市立青年の家で女子研修会を開いた。また、研修会二日目には、同じ西部地域で積極的に4H活動をしている都竜4Hクラブとの「交歓スポーツ大会」も持たれた。

一日目は、村松普及員による講義があり、保険、衛生、結婚問題などのテーマで話がなされた。クラブ員それぞれ結婚適齢期だけに切実な問題として受け取っていたようだ。二日目は、岩田乙女県連副会長を囲んで、県連事業、女子青年としての青少年活動について真剣に話し合った。

その中で、あるクラブ員は「現在非常に女子クラブ員が少ないと聞いているが、あまりにも農村青少年が片寄っているのではないでしょうか。今後は農協職員とか他産業の人達の加入も進めて活動をする必要があるのではないでしょうか」などと語っていた。

午後からは、料理実習が行なわれ、各クラブ員は日頃の腕をこの時とばかりにふるっていた。そして最後に、都竜4Hクラブとスポーツによる交歓会が行なわれ、楽しいひと時を過ごした。

滞日生活の半分過ぎた"草の根大使"

隣家の畑で桑葉摘み 廖さん

遠い道もいとやせん 張君

各府県の受入れ農家で生活している米国と中華民国（台湾）代表の"草の根大使"（4Hクラブ員）が、ともに滞日生活の約半分を終えた。それぞれ各府県の受入れ農家で息子や娘のように親しまれ、クラブ員の間で人気者になっているようだ。そこで、すでに宮城、山梨両県で過ごしてきた台湾クラブ員＝張明伝君（二三）と廖金獅さん（二〇）の生活ぶりを、東京まで一緒にきてくれた山梨県4Hクラブ連絡協議会副会長の堀内悦子さん（受入れ農家）と同役員の村松君の話を中心に紹介してみよう。

家族と

受入れ農家の両親は、自分の「息子や娘が一人ふえたようだ」という。とくに、親の言うことを素直に聞くため、むしろ本当の息子さんや娘さんより、可愛がられる場合もある。

ことに、台湾クラブ員の場合、アメリカクラブ員より両親と言葉が通じるということもあってなおさらで、家族との愛情は深く、双方とも別れるのが辛いくらいだ。これは第一の受入れ農家であった宮城県の小野のり子さんも語っていたことだが、言葉がやっと理解できるようになり、気持もかよい合うようになったところ、別れなければならないのは残念だという。そして、台湾クラブ員も次の受入れ農家に行かないで、そこにとどまって生活したいと話し、スケジュールがあるから仕方なく別れるといった状態だ。堀内さんの腕にすがるようにしている廖さんの姿をみると心のぬくもりが迫ってくる。

また、先日、張君から一通の手紙を見せてもらった。それは受入れ農家の親から次の受入れ農家あてに、渡されたもので、彼らの性格、食物、言葉などが便箋二枚にしたためられていた。いわば彼らの"カルテ"である。彼らへの思いやりがにじみ出ていた。

クラブ員と

アメリカクラブ員とともに彼らは人気者だ。顔を見ただけでは、日本人と区別しにくいが、彼らが台湾のクラブ員であることを知ると、クラブ員たちはすぐに寄ってきていろいろと語りかける。言葉が少しくらい通じなくとも、ゼスチャーでカバーし、すぐに仲良くなってしまう。国境を越えた友情が芽生える。やはり若者同士、4Hクラブ員同士であるという感じを強く抱かされる。張君らはそれに馴れて、クラブ員との接し方もうまくなった。ユーモアやふざけ方も覚えた。いわゆる"乗ってきた"という感じであるが、"悪乗り"しないでもない。それを廖さんが横からにがにがしい顔つきでセーブする。

言葉

来日した当時に比べて、ずいぶん通じるようになった。堀内さんや村松君は、筆談なしにゼスチャーをまじえるだけで話すことができる。

しかし、中国語を話せないと淋しいらしく、宮城、山梨両県で、毎晩のように電話で連絡し合ったという。また、宮城県では廖さんの受入れ農家に張君が訪問し、彼女が作った中華料理をご馳走になったこともある。山梨県では、農休日に、張君が自転車で一時間二十分もかかって、廖さんのところへ遊びにきたこともある。二度くらいしか通ったことがないという道なのに、よく来られたとみんなが驚いていた。その気になれば、千里の道もいとやせんといったところ。

農業体験

廖さんは、堀内さんのところでぶどうの収穫と出荷、カイコなどを手伝った。廖さんはぶどうが好きである。主な仕事は、ぶどうもぎから、選別までだが、ぶどうの仕事のない日は、いつあるのかとしきりに聞く。

そして、仕事がある日は堀内さんに見習ってせっせと働いた。

また、桑の葉を摘む仕事も手伝ったがこんな失敗談もある。ある日お父さんと堀内さんそれに廖さんの三人で桑畑に出た。しかし、堀内さんの家の畑と隣の畑の境界線がはっきりしなかったために、桑の葉の中で姿が見え隠れしているうちに廖さんが隣の畑の桑を摘んでいたという。堀内さんの合図で急いで戻っただが、彼女キモをひやしながら「日本の畑は小さいから」と語ったという。

カイコも初めのうちは気持悪かったようであるが、二、三日するうちに手ぎわよく拾い上げていたようだ。

一方、張君は、果樹や野菜の仕事を手伝った。受入れ農家の息子さんは4Hクラブ員で"ノクラブの仕事などで出かけたあとも、消毒などに汗を流し、両親たちから大いに感謝されたという。張君は、台湾に帰ってからカイコを飼いたいので、わけて欲しいと望んでいる。

なお、彼らは、いま京都で生活しており、このあと島根県に入る。

山梨県のクラブ員と共に記念撮影する廖さん（前列左から二人目）と張君（その後）＝岩手県体育館で、後方にアメリカクラブ員の姿も見える。

地区段階でも活発 女子活動

今月下旬阿蘇で 熊本県連も女子研

【熊本】熊本県農村青少年クラブ連絡協議会の女子部（部長　園山信子さん）では、来る二十九日から二泊三日間の日程で、国立阿蘇青年の家を会場に女子研修会の開催を予定している。参加人員は約百七十名（うち男子二十名）。

研究内容は、プロジェクトの演示、意見発表、討議、講演、交歓会などを計画。

同女子部では、今年度のスローガンとして、①女子部活動の充実化②女子クラブ員の親睦を深める――の二つをかかげ、これを実現するために、この女子部研修会と機関誌発行を計画している。機関誌の発行については、女子クラブ員会員の意見交換の場とするために、原稿を女子クラブ員全員から募集している。

県連女子部活動としては以上であるが、地区、単位クラブの女子部活動もなかなか活発である。

県内を十一地区に分けて、それぞれの地区で女子部長を設け、この女子部長を中心に女子研や交換実習、婚前学級、視察研修などを計画、また単位クラブでも女子部長を設け、いろいろ行事を実施している。県連女子部からの通知は、地区の女子部長を通じて行なっているが、今のところだいたいうまくいっている。

なお、県内の女子クラブ員は昨年度から減少し、県連のおおまかな調べでは、三百余名となっている。

（熊本県連女子部長　園山信子さん発）

話合いや運動競技大会など

岡山県の技術交換大会

【岡山】岡山県農村青少年クラブ連絡協議会（会長　小見山義治君）は、県と共催で、さる八月十八日から三日間、真庭郡川上村三木ヶ原の皆ヶ山キャンプ場にテントを張り県農村青少年技術交換大会を開いた。

これには男女クラブ員、県連役員、県の谷口農林部長など約二百八十名が参加、一日目はグループ活動の話し合い、交換の夕べとしてゲームや懇談で過ごした。

二日目は早朝から上蒜山、中蒜山へ登山、午後から十の分科会にわかれて日ごろの活動状況や農業経営などについて話し合い、夜はキャンプファイヤーが行なわれ、最終日は地区対抗による運動競技大会がくりひろげられた。

町政など語る

宮城・柴田町地区連で市長と懇談会

【宮城県＝佐藤賢一連絡報道員発】さる八月二十一日、柴田町農村青少年クラブ連絡協議会（会長　平間秀俊君）は、町長との懇談会を開いた。これは、激動する農業情勢の中で、日本経済や県政などを批判するよりも、もっと身近な問題を身近かにいる人たちと話しをしようと、前会長時代から計画していたもの。いままで町長さんの暇がなくて、今回ようやく実現した。

当日は、町内のクラブ員のプロジェクト、椎茸、養豚、肥育牛などを見て回ったあと懇談会に入った。

はじめに平間会長から町内のクラブ員の実態と問題点を説明、これに続いて町長から町政のあらましについて説明を聞いた。このあとクラブ員側から要望や質問が出され、これに対して町長や町産業課長の答弁を聞いたが、町への要望が続出、昼食をとるのも忘れるほど熱心に懇談した。

六年ぶりにダウン 平年作

46年産米の作柄予想 北海道など冷害

農林省が、八月十五日現在において、各地の統計事務所を通じ調査したところによると、四十六年度産米は平年作を一〇〇とし、今年はそれを下回る九八の作柄になりそうだと、このほど発表された。平年作以下と予想が出たのは六年ぶり（実績が下回ったのは四十一年）であり、ここ数年つづいた豊作型から一転、総収量でも水陸合わせて、千百四十万トンに達しない見込み。

関東、西日本は、ほとんど平年作を上回る見通しであるが、冷害に襲われた北海道では平年の五八と大凶作になる恐れもあって、以下、秋田九八、山形九九、新潟九九、富山九八、石川九八、岐阜九八、滋賀九九、鳥取九九などが平年作を下回っている。これは、本年度から実施されている二百三十万トンの生産調整の結果と、天候不順とが重なったためである。

作柄状況を収量になおしてみると、千百十七万トンほどになるが、陸稲が十七万トンから二十万トン程度と予想されるので、全体では千百三十万トンから四十万トンになる。これは、昨年と比較して百三十万トン、史上最高の四十二年と比べれば、三百万トンも下回る計算である。このため、本年度新米供給量は、需要予想の千百六十五万トンに満たないが、食糧庁では、四十五年度産米があるので、配給計画に支障はないとしている。

地下タビ姿で熱戦を展開

浜松市連ソフトボール大会

【静岡県＝鈴木政美連絡報道員発】浜松市農村青少年クラブ連絡協議会（会長　和久田政広君、会員百三十名）では、八月十一日、日本三大砂丘で有名な中田島海岸運動場において、第一回目のソフトボール大会を開催した。当日は絶好のソフトボール大会日和で、市内十二クラブからクラブ員、普及員市職員など百十八名が参加、午前十時から、ほとんどのクラブ員が地下タビ姿で熱戦を展開した。その結果、前年度優勝の庄内4Hクラブで浜松南4Hクラブとで決戦、若さと練習量の多い庄内4Hクラブが優勝をさらった。

畦道

幻影の街・・・銀座

日本人は銀座という言葉に弱い。「いや俺は…」などと、論理やタテマエを振りかざそうとする人も、その言葉には感性のどこかを揺られているはずだ。開化していく日本のメトロポリス・東京―その最も絢爛たる街、それが銀座であった。たとえば、一昔前の地方で育った青年であるならば、自分が大きくなった時、東京や銀座に出ていくことが、何か自分の人間的成長には不可欠なことであるかのような錯覚をおぼえたと思う。そして、一七～八歳になって、自分は都会には出て行けないのだと知った時、「取り残された」という感慨を少なからず、持ったはずだ。それは、都会には欲楽や遊興や消費があるという理由だけならば、事は簡単なのだ。むしろ、生き生きとした文化の場や人の感性を無限に発展させる場として都会があるという幻想に弱いのではないか。

だが、都会はなぜ美しい風俗を持つのだろう。―銀座のガス灯。銀座の柳。築地小劇場。ビヤホール・ライオン。…そして様々の流行歌。これらはイメージとしての銀座である。今の現実の銀座にも、たしかにふやけた美しさはある。カッチリとガラスの額のように並んだ商店街。そこでは、晴れの日であれば午後の三時頃にもなると、ほの白い未婚の女性たちが、ショウウィンドウを覗き込みながらゆったりと流れてゆく。（彼女たちは、少しでも風が吹いたり寒かったりする天候の時は決っして出てこようとしないが）。また、彼女たちは自分の一番気に入った服を身につけて銀座の街路をゆったりと流すのが好きなのだ。そんな色とりどりのモードは、たしかにこの街にはよく似あう。そしてまた、この街が紫色の夕暮れに包まれる頃になると、遠近法をとって立ち並らぶ街灯の下には、どこかで待ち合わせた様々なカップルが歩いてゆく。出勤する夜の蝶に混って。―美貌の街・銀座。てん足のように発育した美。私達はこの街のほの白い美しさを全的な美しさと認めるわけにはいかない。それは百年にわたる日本の農村と日本の工業地帯が滲み出した幻影であるからだ。（社）

こんなことをしています 各種農業団体

家の光協会

全戸記帳の運動へ 『家の光』12月号付録『家の光家計簿』

最近の農家の消費経済には、いくつかの特徴がありますが、その一つは、自給経済というものの部分が、非常に小さくなって、家計費のなかでも、二割以下になっている状況、つまり、現金支出の割合いがたいへん多くなっていることがあげられます。第二には、家計費全体が大きくふくらんできていることであり、しかも教育費とか、レジャーとかに使われる部分の、大きなふくらみが特徴で、自動車、カラーテレビ、家の新築とかという、数年、数十年に一度という大型支出が非常にふえてきていることです。

こうしたことは、農家の消費の高まりということの一方、兼業化の進行で、生活の都市化がすすんでいることもありましょう。しかも生活も豊かになり、かなりゆとりが出てきたことも事実です。したがって、そのゆとりをどういうふうに、うまく使ってゆくかという"知恵"が非常に大切な時代になってきました。

現在の農家生活の中には、まだ不合理なものも残っており、生産に重点をおいていて、生活など、どうでもいいという傾向が、まだ抜けきれない面もあるように感じられます。こういう時代になってくると、農家の生産・生活の設計が確立されて、しかも長期的な見通しを持った設計が立てられなければならないのは、いうまでもありません。

以前からいわれていた"農業の危機"は、いま現実の問題として、われわれの上にのしかかってきており、これからの農家経済は、よりいっそうきびしいものになると、思われます。そのため、どうしても、生活設計につながる家計簿記帳をやっていかなければならない時期ではないでしょうか。クラブ員のみなさんの生活に、将来のビジョンを持つため、その基礎資料として『家の光家計簿』を活用することを考えましょう。現在、全国の農協組織をあげて『家の光』十二月号付録『家の光家計簿』は、農家のために研究しつくされ、長い歴史のなかで、多くの支持を集めました。『家の光家計簿』の特徴は、①「生活設計欄」を、農協生活基本構想実現のため、農協各機関の統一様式にしています。②暮らしを計画化するため貯蓄・資金・営農の診断欄がついています。③月末には、自動的に現金決算ができます。④農家の暮らしに合わせた、記帳しやすい、独特の様式を採用しています。

家計簿をただつけるだけでなく、さらに分析をすすめ、収入や支出にあわせて長期のビジョンをたてる。そして、将来の農業への希望を描いてゆく。それをクラブ員のみなさんに期待いたします。（文化部）

全国農業協同組合中央会

「日本農業賞」新設 今年からNHKと共催で

これまでNHKは、十三年間にわたって農業の近代化を進める目的で"NHK優秀農家賞"を設けて優秀な農家を選び表彰するとともにラジオ・テレビを通じて広く報道し、大きな成果を挙げてきていることは衆知の通りです。

農協も、昭和四十二年の第十一回全国農協大会で"日本農業の課題と対応"を決定し、農業ビジョン実現のため、営農団地を中核に積極的に取り組んでおります。

このような農協の動きと、NHKの事業とを有機的に結びつけ、幅と深みをもたせて、いよいよむつかしくなっている農業の将来への対策を樹てるべきではなかろうか、ということで両者の検討と話合いを進めてきましたが、このほど全国農協中央会とNHKが共催で、昭和四十六年度から"日本農業賞"を開設することになりました。

日本農業賞の主要実施要領は次の通りとなっております。

【趣旨】農業近代化のにない手となるにふさわしい優秀な若い農業者・集団生産組織・営農団地を全国から選び表彰するとともに、その技術・経営・組織活動等の成果をNHKの放送を通じて全国に紹介することにより日本農業発展の一助とする。

【名称】昭和四十六年度日本農業賞

【主催】全国農業協同組合中央会、日本放送協会

【後援】農林省

【参加資格】（一）その経営・技術が他を啓発するにふさわしい中堅的農業者……個人（二）その活動が他の模範となりうるすぐれた集団生産組織……集団

※営農団地については全国農協中央会の推せんによるものとする。

【申し込み受付期間と場所】（一）十一月一日から十二月三十一日（二）農業協同組合・NHK放送局・農業改良普及所

【審査】（一）一月中旬より三月中旬（二）審査基準は（イ）立地条件を生かした合理的・安定的な経営であること。（ロ）計画性ある近代的経営で改善意欲が盛んなこと。（ハ）技術は科学的基礎をもち安定性と普及性をもっていること。

【表彰】（一）都道府県代表……一月中旬　個人一・集団一に対して開催地NHK放送局局長賞、都道府県農協中央会会長賞、都道府県知事賞として賞状を贈る（二）中央代表……三月中旬　個人三・集団二・営農団地一に対して日本放送協会会長賞・全国農協中央会会長賞・農林大臣賞として賞状を贈る。

【放送計画】（一）都道府県代表紹介、NHKで総合テレビ（ローカル）・ラジオ第一放送（ローカル）により適宜実施（一月中旬以降）（二）中央代表紹介、テレビ特別番組（放送記念日）テレビ「明るい農村」ラジオ「早起鳥」でシリーズ実施（三月中旬）（教育広報課）

稲作転換畑の除塩対策

客土量がカギ　経験ない畑作で苦心

三重県鳴門市農業後継者クラブ　吉岡　務・佐川正隆

私たちの住んでいる鳴門市は、徳島県の東北端にあり、東は鳴門海峡をへだてて淡路島に接し、東南は紀伊水道、北西に瀬戸内海があり、風光明媚なところです。交通は、陸路国道十一号線、国鉄高徳線があり、海路はフェリーが発着し、京阪神へ四時間の近距離にあります。農産物として、れんこん三百五十ヘクタール、早掘甘藷は四百三十ヘクタール、だいこん三百三十六ヘクタール、梨百八十五ヘクタールの集団産地があり、米の比重が八％と低いのが特徴です。

今回、発表のテーマとなりました鳴門市大津町東部の長江、徳長、矢倉、吉水地区では、以前、早掘水稲、レンコンなどを栽培しておりましたが、昭和二十一年の南海地震による地盤沈下のため収量も少なくなり、兼業農家も多く見られるようになりました。

そこで、昭和四十三年より四十四年にかけて低湿一毛田・百ヘクタールに旧吉野川の塩分を含んだ砂をサルドポンプで四十〜七十cm客土し畑地に造成しました。以前の水田経営から畑作経営に切り替え甘藷、大根を栽培しています。従って、私たちも含め地域全体の人たちが畑作経験が全然なく、まるでカッパが陸に上ったような状態でした。

私たちは、中学まで同窓生でしたが、高等学校になって私は農業高校へ、佐川君は商業高校へ進みました。その後、別に話し合いの機会もなく過ぎましたが、卒業後佐川君は昭和四十三年に、私は昭和四十四年に鳴門市農業後継者クラブに入り再び話し合うようになりました。

除塩対策を研究するに至った動機は、昭和四十三年度から客土が始まり、畑地造成が進むにつれて栽培技術、種子の確保、畑作機械の不足などいろいろ問題がありました。特にその年は、冬の間の雨が少なく塩害が予想されたので、その塩害への対策をどのようにしようかと相談し二人で取り組むことにしました。

そこで、昭和四十五年一月に現地の状態について見回りました。その結果、ほ場一面がまっ白になるほど塩が上っていました。また普及所に行って塩分調査を行なった結果、一％近くもあり、到底作物が栽培できないことが分りました。甘藷の育苗が近づいており、その対策が急がれたので、以前から、客土の行なわれている里浦町とか、長江の先輩たちにあっていろいろ調べました。

その結果、次のような対策が必要なことが分りました。一、耕起して土を柔らかくすること。二、うね立てして排水を良くすること。三、ヘドロの多い所では石炭を百〜二百kg施用し酸性を防ぐと共に降雨による除塩効果を高める必要のあることがわかりました。

そこで、地区の人々に早急に以上の対策を行なうように勧めましたが、説得するだけの裏付が充分でなかったため、私たちがいくら勧めてもなかなか実行できませんでした。その年の甘藷の植付が行なわれましたが、冬の間の雨が少なく、塩害が心配されたにもかかわらず、植付前からの長雨で活着も順調でした。ところが、つゆ明け後、急激に矢倉地区を中心に甘藷が枯れ始めました。そこで再び二人が相談してほ場を回ってその原因の調査をしてみました。

その結果、一、ヘドロの多い地帯。二、排水の悪いところで、特に周囲の築堤が高いところ、水路の排水が悪いところでほ場が広いところ。三、客土厚の少ない矢倉地帯に塩害がひどく、客土厚の多い徳長地区が塩害の発生が少ない。四、作付前の除塩対策が充分でないところなどです。—そのうち特に客土厚の多少が大きく影響しているように思えたので、八月上旬に次の調査をしてみました。

集団的造成が必要

徳長の六十cmのところと、矢倉の四十cmのほ場を選び塩分調査をしました。その結果、第I図でもわかるように旧耕土が盤になり地下浸透が少ないため、旧耕土との境のたまり、徳長二・五％、矢倉二・四％と変りません。

表土から二十cmまでのところでは、徳長〇・一五％、矢倉〇・八％と大きく異なっています。また徳長地区は、築堤および道路が畑よりも低くそのうえ排水口が下流にあるため排水路の水位が低く、降雨により地下浸透した塩分が排水路に流れ易いためではないかと思われました。それに対して、矢倉地区の成績が悪かったのは、客土厚が少ないので築堤および道路が畑よりも高く、雨が降っても塩分が堀に落ちにくいのと、水の取入口となっているので堀の水位が高いためと、排水が悪いためではないかと思いました。

そこで、次のような簡単な実験を行なってみました（第II図）。直径二十cmの鉢二個に塩分を含んだ海辺の砂を入れ、一つの鉢の穴には、水がもれぬようふさぎ、約百ミリの雨になるようそれぞれ三リットルの水道水を注ぎました。

そして、注水直後と五日後に、それぞれ五cm位までと鉢底の土の塩分検定を行なってみました。その結果、この表のように水を注ぐ前の塩分は三％でありましたが、注水後、穴をふさがない鉢では上下共に塩分濃度が〇・二％、〇・八％と低くなりました。しかし、穴をふさいだ鉢では、上は〇・八％と塩分は少なくなりましたが、底土は二・八％とほとんど除塩が出来ないことがわかりました。また、五日後に同様な調査をしたところ、穴をふさいだ鉢は表面より水分の蒸発で下に浸透していた塩分が再び上昇して上下の塩分が著しく高くなっていることがわかりました。

以上のことから、先のほ場の塩分調査で想像していたように、降雨により、下に浸透した塩分が排水路に除塩されることが是非必要です。この裏付をもとに地区の人達にその必要性を強調した結果、今度はほとんどの人たちが排水の必要性を認識し、部落ぐるみで排水路の整備、築堤の除去、耕起などを実施しました。

その結果、本年は塩害を受けたものは少なく順調に生育し、皆から感謝されました。ちょっとうれしかったです。

そこで今後の対策としては、耕土の浅い所では客土厚を増し、ヘドロの多い所では砂を補給し、また客土にあたっては六十cm位の高土になるような畑が好ましいと思います。また、収穫物の搬出、排水をよくするためには、あんまり大きなほ場とせず、千平方m程度までのほ場が良いと思います。また、作物のない間は耕起とかうね立てをして降雨による除塩を促進し、必要に応じて暗きょ排水などを設け、堀の水位を下げることが必要であります。

その他、客土畑と隣接する水田では、塩害がひどく耕作不能となるので、このような事業の場合、集団的な畑地造成が必要です。なお、近年各地で稲作転換などにより、甘藷の増収が予想されていますが、私たちは、それに負けないようトンネル栽培、貯蔵庫の導入、機械利用による省力栽培を研究していきたいと思っています。

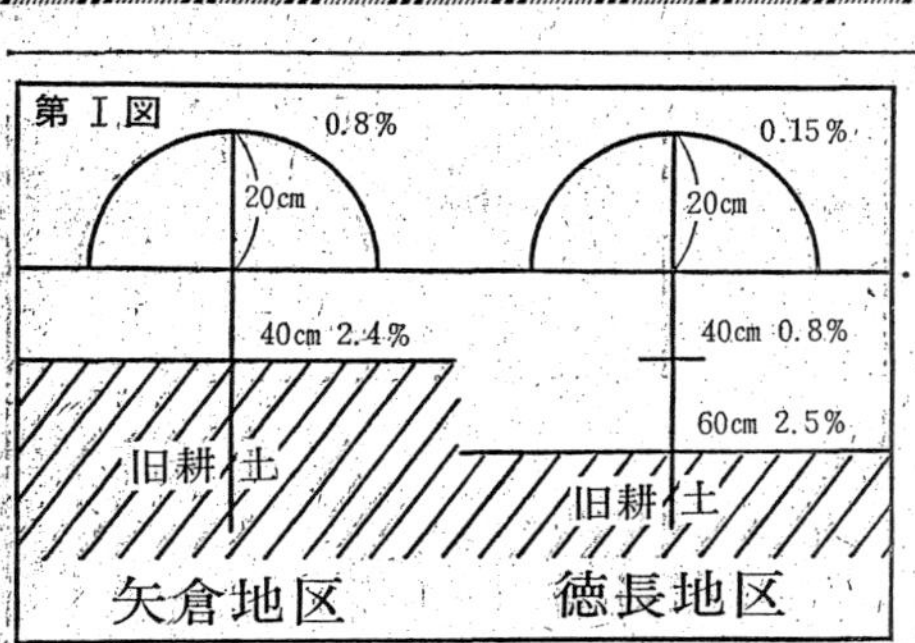

第II図

	注水前の塩分	注水2時間後 上	注水2時間後 下	注水5日後 上	注水5日後 下
穴をふさいだ鉢	3.0%	0.8%	2.8%	3.4%	2.3%
穴をふさがない鉢	3.0%	0.2%	0.8%	0.5%	0.7%

みかんと馬鈴薯

広島県あかつき会　有田　則夫

1、経営概況

果樹園みかん八十五㌃、普通畑馬鈴薯八十㌃、水田三十五㌃、山林二十㌃、消費単位三・五、労働位二・六である。

2、これまでの経過

高校生の頃から農業に関心をもち、馬鈴薯の植付けは、掘取り、みかんの収穫などの手伝いにたずさわっていた。その間に、農業をやるからには基礎から勉強しようと感じ、農業高校では、みっちりと栽培の基礎的技術を習得するように心がけた。

みかん技術を得るために、柑橘試験場へ入所し、卒業して経営に参加したのは、昭和四十四年である。まず自分で経営してみるべきと考えて、一人で三十㌃のみかん園をまかしてもらった。これまで学んだ技術をその園場で生かし、まがりなりにも、みかん中心の経営に努力してきた。また、みかん園の間伐、間引をするかたわら、間引いたみかん樹を八㌃に植付けてようやく地帯の平均的みかん園の規模とした。

3、これからの計画

昨年、購入した普通畑十五㌃と山林二十㌃を開墾してみかんを定植する予定にしている。なお、普通畑は馬鈴薯の二毛作なので、短い期間に植付け、掘取りといった労働が集中する関係から、現在の面積が限度で、機械を導入し、基盤整備をすることによって省力化を計り、規模をひろげる計画である。五年間の目標として、みかん馬鈴薯の経営面積を二百五十㌃にし、年間所得二百五十万円にしたいと思っている。

4、まとめ

実績をかえりみて、やはり研究意欲と組織的な行動力を発揮しなくてはならない。特に、先進地視察などを行ない、農業の楽しさと使命感をもって仕事に打ちこみ、創造性を発揮しながら経営の改善をはかりたい。

私のプロジェクト

みかん市場研修記

長崎県三ツ内クラブ　中山　実

午前六時、まだ明けやらぬ東京の空の下を、白い息をはずませながらかけて行く。えっ、そんなにあわててどこへ行くのかって、何をしに行くのかって、それは、これからゆっくりお話しましょう。

作業着にGパンという格好で、作業場へ向う。まだ車もさほど多くなく、でも現場に着くと、外の寒風と違って、熱気が漂っている。

[illegible]のみかんの卸売[illegible]した。この大暴[illegible]に持ちなおしは[illegible]家に与えた傷は[illegible]、生産量が増大[illegible]んの価格は低下[illegible]れる。そして今[illegible]自然増に対して、[illegible]九月の降雨、十二月の雨など気象条件が悪かったことが、こういう結果を招いたと思われる。

ところで、我々実科生五十六名は、十二月十五日夕刻、長崎駅を出発し、一路東京へ向った。途中新幹線の窓に開けた富士山の雄大な姿は、とても美しかった。雪一つ、霧一つなく、その姿をはっきりと横たえていた。その姿は、我々の将来の姿を写し出しているかのようだった。

研修は、翌々日の十七日より始まった。六時半までに各産地のサンプルをセリ台の前に並べて、セリが始まるのを待つのである。セリが始まる前に、仲買人はサンプルから抜き取ったミカンを試食していた。サンプルを開けて、各産地の同等級のみかんを比べてみると、選別の違いが大きい。

愛媛のみかんは、外観上はとても選別を厳重にしている。他の産地との大きな違いがここに出ている。外観の良し悪しが、消費者に対してのイメージを高める大きな要素ではないかと思われる。

僕自身、この研修で強く感じたことは、市場に入ってくる数量が少ないことである。研修中も、何度か入荷しなかったことがあった。そこで、まず最初にまとまった数量を連続的に出荷できるようにすることが、先決である。そして、市場の占有率を高め、仲買人に安心して買ってもらうようにすることが、大事なようである。

わずか二週間の研修ではあったが、センターや書物などでは学べない、貴重な体験をした。長崎みかんには、流通体制に問題は残っているが、それも徐々に解決されようとしている。我々は肌でそう受けとった。経験を少しでも多く生かして、これからの種々の問題に対処して行きたい。

（長崎県佐世保市農村青少年クラブ連絡協議会『友情』二号より）

女子活動の活発化のために

リーダーが問題

実生活に役立つ学習を

福岡県前原クラブ　高橋カヨ子

最近、三C時代とさけばれていますように、生活水準は上り農村におきましても、乗用車をはじめ、カラーテレビなどの電化製品がそなえられてきましたが、生活は決して余裕のあるものではありません。

私達が生産する農産物の価格は、いまだかつて安定したことがなくて、物価は上昇の一途をたどり、とどまることを知らない現在です。このようなきびしい社会情勢の中で、より豊かな生活を築きあげていくためにも家計を受けもつ私達女性の立場は、本当に重要だと思います。

しかし、現在の女子活動の実態を見つめてみますと、花嫁修業的な活動になりがちで、女性として本当に取り組まねばならない問題を見失い、毎年々々同じような活動に終っているのではないでしょうか。

このようなことから、女子活動は本当に必要なのか、必要ならば、どんな取り組みが必要なのか。女子活動でマンネリ化している原因は、一体、どういったところにあるのだろうか。私達のクラブは、このような観点からアンケート調査を行なってきました。このアンケート調査を取るに当って考えましたことは、青年と父兄の意見の違いをつかむということで、青年男子三十名、女子五十一名、父兄（指導者含む）男子十名、女子二十六名で、七〇％の回収率となり、以下のような結果がでました。

まず、Iの「青年活動の中でことさらに女子活動を行なう必要がありますか」という問いに対して、「ある」と答えた人が全体の九八％で、絶対多数を占めています。その理由として、「仲間作り」という意見もありましたが①「女性として勉強することがある」と答えた人が八六％です。このことからも女子活動は青年活動の中で欠かすことの出来ないものということが、はっきりしたと思います。

IIの「女子活動の目的は何んだと思いますか」の問いに対しまして、②の「一般教養」を身につけなければならないと答えた人が、平均七〇％以上を占めています。一般に女子活動とは花嫁修業的なものと考えられがちですが、現代の女性として、一般教養を是非身につけてほしいという意見は見のがせません。

IVの「現代までの女子活動を見てどう思われますか」の問いに対しては、①の「効果は上っている」と答えた人が平均二八％です。しかし、②の「単なる行事の消化に終っている」と答えた人が全体の平均四七％います。このことから女子活動がマンネリ化の傾向を示している。つまり進歩が見えないということに関連していると思われる。この問題につきましてVII VIIIに大きく関係してくることですので、あとで考えてみることにして、次に進みます。

VIIの「女子活動の学習内容について、必要と思われる順に番号」をつけるようにしていますが、青年を見てみると、男女ともに「料理」「結婚問題」「保健衛生」の順になっています。次にOBの男女は、「料理」、「社会情勢」の順となり、OB、女子もやはり、「料理」がトップで、次いで「保健衛生」「結婚問題」「社会情勢」となっています。

いずれを見ても、共通することは「料理」ということに気づきます。でも、よく考えてみると、IIで一般教養が目的に上ってVIIで「料理」とは矛盾しているように思います。この点が重要な問題ではないでしょうか。

今までの女子活動が、IVからもわかりますように、「単なる行事の消化に終っているようである」ということは、料理にしてみても、今までの料理は、ただいろいろなものを作って腕をみがくといった花嫁修業的なものに終っていたということだろうと思います。お花、あるいはお茶でも同じことが云えると思うのです。

では、一体、どのような活動でなければいけないのか？アンケートをもとにクラブ員で考えてみました。その結果、もっと実生活に結びついたものでなくてはいけないのではないか、ということになりました。たとえば、料理にしてみても、料理と労働を結びつけ、それに要する時間の短縮とか、これに結びついた台所の改善、栄養についての学習、もっと広げて環境衛生、それに、誰にでも出来る加工食品の研究など、まだまだやらなければならないことの多いのに気づきました。

そして健康管理、あるいは精神衛生をも含めた保健衛生の学習、また今までの女子活動では関心の薄かった社会情勢などの一般教養的知識を身につけるといったことを、年配の人達も重視しているのは、私達が考えねばならないことだと思います。

それから、今でも続けられている和洋裁、手芸、あるいはお花、お茶といったものが、それほど重視されていないということは、今までの活動が、花嫁修業的なものに終ってしまっていたと云えるかも知れません。この点、私達女子クラブ員は、考えねばならないと思います。

VIIIの「女子活動の伸びなやみの原因」は、まず学習内容の問題、次にリーダーの問題、助言者、協力者が少ない、家庭との関係といったことが上ってきました。

①学習問題については、みんなからはっきりした意見が出ず学習内容の研究討議が十分行なわれていない。つまり、意志表示がないということです。また何をどのように行なったら良いか、という問題意識に目ざめていないことが、上げられると思います。

②リーダーの問題、これはようやくクラブ活動に目ざめ、リーダーとして十分活動出来るという時になって、結婚問題が生じ、クラブを去るといったことのくり返しで、新しいリーダーの養成に追われ、なかなか、実践活動に結びつかない。

③助言者、協力者が少ないということは、家庭との関係にもつながりますが、助言者、指導者との親密さが欠けているようです。

④家庭との関係は、家の仕事と活動の両立がむずかしい。親子の対話が少ないことや、親の関心がうすいといったことが、あげられます。このようなアンケート調査をもとに、今後の私達のクラブ活動方針を次のように考えました。

どこでも、女子研は悩みの種というけれど……

1、話し合いの場を多くもつ

これは映写会、読書会などをもとに発言力を身につける。

2、一般教養への取り組み

料理、これは栄養面、労力の合理化、また台所の改善、資金面での問題、環境衛生、社会の動きを知るといったことです。

3、他団体との交流をもつ

これは婦人会や、職場グループとの交流を計り、親睦を深めて行く。

4、会費制結婚式の研究

これは、結婚の合理化を計るためです。

この四つのことを活動方針に上げ、結婚問題など、女子だけではむずかしい問題もありますので、男子も交えて学習してゆきたいと思います。

今後は、このアンケートをもとに、ただ調査活動だけに終らせることなく、日ごろの生活面に生かしてこそ、真の活動ではないでしょうか。近い将来、農家の嫁になる私達は、青年時代にこそ世間を広く見つめ、幅広い知識を修得して、物事に対する判断力を養わねばならないと思います。

ともすれば、農作業のことや食事の世話といった、その日その日のことばかりに頭を使い、広く社会を見つめることを忘れていたように思います。これからは新聞にも目を通し、ラジオテレビにも耳を傾けていきたいと考えます。私達が望む豊かな生活は、人から与えられるものではなくて、私達の手によって築き上げていくもので、そのためにも私達は、女子活動がもっともっと活発化することを願って、頑張って行きたいと考えています。（福岡県『土に生きる若者たち―明日の農業を築く生産活動―』より）

技術より農政

京都府連夏の大会　学習のポイント移る

【京都】このほど、京都府農業青少年クラブ連絡協議会の夏の大会が、宮津市府中で二日間にわたって開催された。

この大会には、府下各地の農業青年クラブ、4Hクラブの代表百余名が参加。青年らしい活発な意見交換をしながら、お互いに親睦を深めた。

緊急の課題となっている「米の生産調整」「新都市計画法」「農協法改正問題」の三つをテーマにそれぞれ滋賀県、大阪府、奈良県の農業青年の代表者から、体験発表を受け、そのあと分科会に入った。

都市計画の分科会では線引き役の農業をどうするのか、生産調整の分科会では十分生産調整の重大性と対策について、農協問題分科会では、経営主義に走りがちな農協をどう農家のためにとりもどすかなどが、クラブ組織のあり方とあわせ話し合われた。

こうした話し合いの結果は地域に持ちかえって検討され、冬の農業者研究集会（農協青壮年部、生産集団リーダー、生活改善グルー[illegible]らに検討され[illegible]活動方針とされ[illegible]生産調整をは[illegible]技術研修、親睦[illegible]は全国的にも[illegible]りまく情勢が[illegible]で、今後農業[illegible]農業青年が、こ[illegible]関心であっては[illegible]度からこうした[illegible]られたもので[illegible]る。今後の同会の活躍が期待されている。

市グランドの草刈りに奉仕

佐世保市4Hクラブ

【長崎】佐世保市4Hクラブ（会長・長谷川満美君）の約六十人が、このほど佐世保市椎木町の市総合グラウンドで草刈り奉仕作業をした。

カマを持ったクラブ員たちは、グラウンド周囲の土手や、野球場などに茂った草に汗だく。日ごろ使い慣れているだけに、カマさばきはあざやか。

総合グラウンドは、各種スポーツ行事やスポーツ好きの市民たちで連日にぎわっているが、職員が草刈りまで手が回らず、土手や一部のグラウンドでは雑草が美観をそこねていた。青年たちの奉仕作業は約二時間で終わったが、すっかりきれいになり、総合グラウンドの係員たちは大喜びだった。

この日は、新入クラブ員との顔合わせも兼ねて、本年度初めての活動。草刈り奉仕作業のあとは、各自が持ち寄った材料で野外昼食。午後はソフトボールと水泳でレクリエーションを楽しんだ。

眠らされている？……クラブ機関誌

——せっかく作ったクラブの機関誌です　全国の仲間に紹介してやって下さい——

全国の仲間は、あなたのクラブの機関誌を読みたがっています。生き生きとした情報に飢えてます。もっともっと交流を欲しています。ガリ版刷りでもかまいません。字が下手でもかまいません。とにかく、地域に眠らせないで！できた機関誌は、すぐ送って下さい。4H新聞のスペースを空けています。

あらゆる機関誌を＜4H新聞＞へ送って下さい

NHK農事番組（9月11日〜20日）

テレビ

明るい農村　6・30〜6・55　総合

11日　農村新地図「兵庫県淡路島」
12日　明るい漁村
13日　村の記録「下山前後」—山梨県金峰山開拓地
14日　きょうの話題
15日　産物往来・敬老の日特集—「老人ゴルフの村」—茨城県利根町
16日　話題の広場「八ヶ岳山麓の自然食生活」
17日　村をむすぶ「弘前、松本、北九州、旭川」
18日　農村新地図「鳥取県大栄町」
19日　明るい漁村
20日　村の記録「スーパーへ乗り出す農協パワー」—福岡市

農業教室　7・30〜8・00　教育

13〜15日　作付転換と野菜栽培（愛知県農業総合試験場）鵜田永生
16〜18日　新しい飼料の生産（中央畜産会）吉原潔

あすの村づくり　日　7・00〜8・00　教育
再　土　13・00〜14・00　教育

12日　「新・生きがい論」〜放送利用農業グループ北海道大会から〜（東京女子大学教授）伊藤善市ほか
19日　「土に生きる〜その新しい意味をさぐる〜その1・自然農法」（愛媛県伊予市）福岡正信ほか

ラジオ

早起き鳥　5・41〜5・57　❶

11日　自由米の行方
12日　秋の味覚販売作戦—大石芳久
13日　マレック病ワクチンの開発（大阪大学教授）加藤四郎
14日　東南アジアの農業開発（京大助教授）高谷好
15日　敬老の日特集・長寿対談—中西悟堂、東海林太郎
16日　軌道にのる農民乳業工場（北見市・北見地区農協組合会長）村田克己
17日　清浄豚を作る（横浜市南農協）横山直利
18日　未定
19日　自由化と日本農業①・自由化のバランスシート（東大助教授）逸見謙三、（農業総研）唯是康彦
20日　自由化と日本農業②—みかん戦争

話の広場　日　6・10〜6・30　❶

12日　梨の木貸します〜茨城県千代田村〜
19日　仲人さんの段位制度〜栃木県下都賀郡岩舟町〜

新しい農村　日　6・30〜7・00　❷
再　日　14・30〜15・00　❷

12日　林業構造改善の課題（林野庁林政部長）池田正範ほか
19日　冷凍食品の問題点（冷凍食品工業会）武田誠三

ラジオ農業学校　日　6・30〜7・00　❷

11日　経営手帳・「水田酪農の条件」（茨城県東村）菅原勇三郎
18日　優秀農家に学ぶ（徳島県鳴門市）先山喜美雄（49歳）

農業は"脳業"

つどいに参加して

福岡県 佐藤義則

農業…か！俺は今農業をやっているのだ。毎日汗にまみれながら!!農業は自然との戦いなのか！それとも孤独との戦いだろうか！ある人は言った「農業とは脳業なのだ」と。何でも作ればいいという時代はもう終ってしまったのだ。これからは考える農業でなければ我が身を滅ぼすかもしれない。

何気なしに今日自分は列車にのった。多勢の友達もいた。何処へ行くのだろう。列車を降り人波に流れ流されて真新しい建物に入った。するとどうだろう！熱気と活気に満ちた若者たちの群集。小さな目をできるだけ大きく開けて見ると、「第七回全国青少年のつどい」と目に飛び込んで来た。自分はとうとう愛知県に来たんだと実感が湧いた。

今日と明日は県下一円のクラブ員の家に泊る。自分の視察した所は、愛知県中島郡平和町である。人口一万三千百四十一人、名古屋市より二十㎞ほど岐阜県よりにある平和町、その特産としてみつばがあった。それに庭木。みつばは協販で大阪市場の独占率五〇％とか。さすが、みつばの町だけあって視察もみつばが主だった。―久保田水耕プラントを使ったみつばのれき栽培、同じく砂栽培。みつばに生きる平和町は、一生懸命頑張っていた。

とうとう別れの日は来た。歳月は人を待たないものでした。過去を振り返って見ると、形にはまった開会式。とても付き合うことができないと思ったが、日を重ねるにつれてしだいに盛り上がっていったこのつどい。盛り上がりの頂点が若者の祭典であり、若い根っ子の会の会長である加藤日出男氏の講演であった。

自分は今日、ここに来て良かったと思う。こう思う気持ちだけで十分だ。小さなクラブが全国から集まれば政府を動かす力があったのだ。これでいい！。これでほんとに良かったのだ。農業という殻に閉じこもって見つめても見つめても、見えるのは内部だけだ。たまには外から見つめてみることも必要だ。どうか夢でないように！若者よ手に手をとり合って生きぬこう。

〈大屋恵子連絡報道員発〉

思いがけぬ中華料理

張さんたちを送る

宮城県連報道員 丸子京子

張明伝、廖金卿さんの二人が、そろそろ宮城県での滞在が終るというときに、私は廖さんの受入れ先である小野のり子さん宅を訪ねた。ちょうどその夜は、張さんも受入れ先の西条さんと一緒に見えていた。夕食は、廖さんご自慢の中華料理、思いがけない所で中華料理にめぐり会えたと、のどをごくり、さすがの腕まえであった。

"淋鶏""卵花湯"ETC、どれがどれだか忘れてしまったが、あの鶏の足をそのままで出されたのには、こわくてとうとう手がつけられなかった。でも、国の代表となると、料理の果てまでじょうずにできないと困るし、大変だなあと思いました。

そのお料理を囲んでのお話、最初は何をどうやって聞けばよいのかわからず、小野さん達に通訳してもらったが、次第になれて、自分でも筆談できるようになった。楽しいものである。「日本and台湾工作難↑比較?」「日本機械化工作軽、台湾手工作忙」こんな感じで、なんとなく意味が通じて外人とお話できたよなんて、大喜び。

漢字をすらすらと並べて行く二人の字のきれいなこと、横に書くのが恥しくなってしまった。でも日本語はややこしいなと、つくづく感じた。台湾は漢字一本、レモンでもテレビでも何でも漢字で書いちゃうのだから、便利なような、ちょっと変な感じもした。

それから、写真を撮ったり、お国自慢の歌を聞かせられたり、楽しい一時を過してきた。私が帰路についたのは、午後十一時を過ぎていた。

二人は、全国大会への参加も終え、次の訪問地へ向ったことでしょう。短いですが、元気を出して交流を一層深めていって下さい。

青春と仲間

からっぽの青春

江川4Hクラブ 広瀬信子

私は今までに何度か青春を燃やし、そのたびに一つずつさよならの思い出を背負ってきた。いく人かの友達と、一つのことに夢中になった後で、人はみなまた新しい別の道へ向って出て行った。

人はみなこうして自分の過去に別れを告げて、どこかわからない未知の自分に向って出て行ったのだ。生きるって、どうしてこんなにあやふやなのだろう。ただ、いたずらに、歩いて歩いて、それにいったい前に向って進んでいるのかさえもわからないのだ。

第一、人生にゴールが、ないんですから。ただ一つだけ、さよならの重さに耐えることが残されていて、それが人を歩かせているのかも知れません。過去はとりもどせないし、ウソをつくことも出来ない迷いの世界の中で、ただ一人の道を、見つけなければならないのだ。でも、迷いのない人生なんてあるのだろうか。

他人はいつもだまって見ていてほしい。何も言ってはいけないのだ。その人の人生は、その人だけの、そして一回きりのものだから、人生を狂わせてしまうのは、恐ではないだろうか。過去を、あらいざらいこわしてしまい、からっぽの世界に放り出して、去ってしまうのだ。私など、身軽だから、いつも、ふらふらの状態で、後悔に押しつぶされそうになる。

人生は、二つの言葉により、その人の生活を楽しいものにし、つまらないものにするのではなかろうか。

一つは「……さえしていたら」という言葉だ。この言葉を多く使う人は、過去にばかりとらわれすぎ、未来を忘れすぎているのだ。この言葉は、心をまよわせてしまって、自分自身を、よけいにみじめにする働きがあるように思われる。この言葉と共に人生を変える言葉は、「今度こそ」のように思われる。この言葉は、私のからっぽの青春を、今までとは違った、張り合いのあるものに変えてくれる。そして、未来に夢をもたせてくれるからだ。

からっぽの青春の中で、若者は何を考えているのだろう。

男女交際も、かなり若者の話題になっている。でも、からの中にとじこもって、あくまでさっぱりすることが出来ないのだ。

確かに私達の青春は、楽しいものばかりではないけれど、からっぽの時期があってもいいと思うのだ。このからっぽの青春があってこそ、本物の青春と呼べるのではなかろうか。そして、未知の世界へ、「今度こそ」の精神で前進することが、私達に残された道ではないだろうか？（茨城県結城市農村青少年クラブ『青春』三号より）

知っている一個のキャベツ

総和4Hクラブ 飯田多美子

空一つない青空に、突然一つの大きな黒雲が現われたような状態になってしまった一昨年の私。長女として当然家を継ぐべきである姉が家を出してしまった。その代りとして、私がその重責を背負わなければならない状態になってしまったのです。

今思えば、高校時代から農業に縁があったように思う。農高という過程を踏んできただけに、決して「土」が「畑」が嫌いではないけれど、他の職業に就いた友に会った時、ふと脳裏をよぎる職業に対する劣等感、人間は外見ではなく、中味が大切なのだ、心の問題なのだということは充分わかっている私だが、会う度にきれいになって、休日には映画だ、ボーリングだと遊んでいる友の姿を見ると、真っ黒になって働く自分が、たまらなくあわれに思われたこともありました。

「私だって夢みる乙女なのだ」と誰かに叫びたいと思ったこともありました。でも、この数年間で農村、農業の良い面も、悪い面も、4Hクラブの仲間を通して数多く見聞きして来ました。米価問題、重労働、農村に残る封建制度の打破など……大変むずかしい問題です。

難しい問題だからこそ、自分の一生をかけてみようと思うのです。今の私は、一個のキャベツにも、深い愛着を寄せられるだけのゆとりを、持つことができる人間に成長したと自負しています。なぜなら、この一個のキャベツが、どのようにして作られたかを知っているから。収穫の時のあの気持は、生産者だけにしか味わえない喜びだと思います。真っ黒になって仕事をしたことは、みなこの時ぬぐいさられるのです。自分のはらった努力が、大きければ大きいほど喜びも大きくなって、自分に戻ってくるのです。

すべての人が、生きるということに、夢と希望を持って生活しているのです。私は自分に与えられた環境の中で、精一杯生きようと思います。生産者としての自信と誇りを持って、自分の見出した人生航路に向って努力しようと思います。4Hクラブの仲間と、一緒に明るく楽しい農村生活の実現を目指して！

注 飯田さんは、この文に添えている自画像で、次のように記している。

自分の性格を、色で表わすならば、緑色が適していると思う。そそっかしくて、おっちょこちょいで、そのくせ、ちょっぴりはずかしがりやで、いつも人を笑わすところもある。それでいて、一人になると、ロマンチックなことを夢みる乙女です。

（茨城県総和町光4Hクラブ『大地』創刊号より）

どうしてこの人が―

自分の姿勢こそ大切

さんえふ4Hクラブ 金子寛子

今、自分の心の中の一ページを開いてみるとこんなことが書いてあります。

友達との間に愛情が芽ばえるときがこないとも限らないと思う。でも相手の「どこ」が好きになったのかは、なかなかはっきりしないのです。

実際、このような恋愛の始まりは人さまざまだと思います。たのもしい、美しい、すてきと思った……。

しかし、たのもしい人、美しい人、明るい人、個性的な人、それは「その人」だけでなく他にも沢山いると思うのですが、それなのに他の人ではなく、「その人」がすきになるのは一言ではいいつくせぬ「その人らしさ」があるからだと思う。

自分の中に、このような見方がはっきりとうちたてられれば、相手を見る目もしっかりとうち立てられてくるのだろうと思う。同じ方向で、同じ目標で進んでいく人こそ、自分の相手にふさわしい人だと今日このごろ思うようになって来ました。

だから相手をみつめる場合見つめる自分の姿勢こそ何よりも大切なもの、そしてものほしそうに自分を幸せにできる相手を求めないで、自分の人生を切り開く意志の強い人間になっていくには、絶えず主体性を持ち、目標を持って臨むことだと思うのです。

今の自分は、このような考え方でいますが、これから何年かたっても、かわることがないと思うのです。やはり、誰もこのようなことを経験し、成長していくのではないでしょうか。自分自身、前向きの姿勢……。常に明るく、楽しく生きる努力をしよう。

（茨城県石岡3Fクラブ『さんえふ』より）

正月二十六日

友情4Hクラブ 大嶋貞夫

フッと、休みたい気持にかられる。どうしてなんだろう。会社へ行っても仕事がおもしろいとは思わない。あたり前だ。仕事がおもしろいヤツがいるか！ 責任のある仕事ではないからか、それとも俺は怠け者なのか？

俺の行っている会社はコンクリート会社。毎日行ってU字溝やブロックを作っている。コンクリートを入れて、ワクを組み立てたり外したり、単調な仕事だ。しかし肉体労働である。この寒い冬の朝、七時半から始まる。でも風邪一つひいている人がいない。屋根なしで、上を見れば青い空が見える。

俺はこの会社で三回目。最初は日本ハムで、ハムやソーセージ作り、白い帽子に白い服、あげくのはてに白い長グツと来る。まるで水兵さんである。

次が川島にある日立化成、シンナーみたいな接着剤の臭いのする工場で、アルミ板の加工、時には接着剤の臭いで目が回って、上役の命令がわからなくて、おこられたこともあった。

どうして俺は、惰性的に会社へ勤めに行ってしまうんだろう、つまらないとわかっていながら。俺には農業をやるという明確な答えがあるではないか。どうして本気でやらないのだ。俺はいつも考えている。農業を精一杯やり始める起点をさがすために、その起点は一年先か、二年先なのか、それともどういう時なのか？ それを解決した時、俺は真剣に農業に取り組んでいる多くの友と、肩を並べて農業をしたいと思っている。

（茨城県真壁地区農村青少年クラブ連絡協議会『めばえ』四号より）

「どうだ、サトウキビは？」「うーん、まあね」

本土なみの米価ならば

埼玉県 吉野誠一

現在、農民はみんな学校が終ると本土へ行ってしまい、また、一家の主人公たる人々も農繁期をのぞいては出稼ぎに行くため、ほんとうの"三ちゃん農業"になってしまうのである。「我々も農業だけでは、天災と農産物の販売方法とで困る」と言う。島の農業は現在のままではだめである。

本土の先進的な方法、技術の習得につとめ、島の今後の進路を考えて行きたい。また、本土復帰後、流通方法の改善を早くしたいとも言っていた。島を立てて行くには、4Hクラブ員がやらねばならぬと活動に力を入れる友もたくさんいた。

現在の農業は、パイン、キビ、蔬菜などを中心として、畜産などもあり、本土とは違って水稲は天災のため次第に少なくなり、田を埋めたててキビ畑に変えて行く。それも米の値段が不安定であるからである。本土復帰がなり、米価が本土なみに上ったら、また考えは変るかもしれないが、いずれにしても、農業専業から兼業へと変って行く時期のようにみられた。

本土復帰を五百日先（当時）にひかえた沖縄の人々は、明るく活気に満ちた装備であり、町なみに道路、上下水道、歩道などの整備拡張と、町全体が明るいようであった。また、農村地帯においても台風にそなえてか、住宅の新築が進んでおり、貧しいとはいえ、農業ならではの力がありそうであった。

（全国4Hクラブ連絡協会編『第二回沖縄親善交歓訪問報告書』より）

冬仕度の草刈りを

草の根大使だより

石井万代子

石井さん

前略 早くお便りをと思いながら遅くなりました。お許し下さい。私は今二番目のホストステイトであるペンシルバニア州に来ています。早いもので、コロラドでのプログラムも終ってしまいました。こちらに来て一番感じたことは、予想以上に広いと言うことで、それにどの国でも人情というものがあり、同じ感情なのだと思いました。しかし、ホストファミリーの家でも住み良い家ばかりだとは限らないと思いました。やはり、ホストマザーの方が良くないと、何となく早く時がたてば良いと思う時がありました。

私の四番目（コロラド州）のホストファミリーの家は、牧場経営で、奥さんは町の役場で働いていました。この家でも干し草の刈り取りで忙がしかったので、私は十六歳になる女の子とトラクターに乗り手伝いをして上げたり、車を運転したり、昼食の準備をして上げたり早く過ぎてしまいました。ここは、冬は十月の終り頃から雪が降るそうで、私のいる間は一番忙がしい時期でした。この家に七月十四日から八月三日までいて、その後三番目のホストファミリーの家に帰りました。

三番目の家でも、もうほとんど干し草の刈り取りも終っていましたが、機械の修理や冬仕度にまだ忙しい毎日でした。この三番目の家では、私は主に家の中の仕事でした。奥さんに習ってパンを焼いたり、料理を教えてもらったり、日本料理としてテンプラ、まきずし、スキヤキ、卵やきなどを作ってあげました。本当に喜んでくれました。だから八月十日にコロラドを出る時には別れるのがつらかった。この日は4Hのオフィスの方がセスナ機で送ってくれました。フォートコリンの町までの空の上からながめるスティンボートの町、ホストファミリーの家の牧場、ホーンスピーク、スティンボート・レークなどすばらしい景色でした。同時に、また来ることができるかどうかわからないと思った時はちょっと寂しくなりました。

八月十日の日は、フォートコリンで一泊（リーダーの家にお世話になる）。次の日は、朝八時三十分リーダーの奥さんが車でデンバーのエアポートまで見送りに来てくれました。そしてここで、私が4Hのスティトフェアーの時にお会いした日本人の大学生に偶然にまた会うことができました。彼らは一人の学生が日本に帰ると言うので見送りに来ていたのです。それに偶然にも、ちょうど私と同じ時刻に彼は日本へ、私はペンシルベニア州へと。

デンバーを十時三十五分に発った私は、シカゴに一時三十五分、シカゴを二時四十分に出てピッツバーグへ着いたのが五時（ここでちょうど二時間の時差）。ピッツバーグでは、ニュージーランドのIFYEのメーバーに会う。彼女とはシアトル、ワシントンでの、オリエンテーションで一緒でしたので、言葉が通じなくても仲間という意識で心が通っているように思えました。そして、この日は私にとって、とってもすばらしい旅行をさせてもらいました。ネブラスカ、オハイオ、イリノイ州とミズリーリバー、五大湖。五大湖は大平洋のように思えましたし、機内から見る地上の景色は、まるで地図の上を飛んでいるように見えました。本当にすばらしい日でした。ピッツバーグからアルトゥーナという町まで飛行機で約三十分。この飛行機にはフィリッピン、ネパール、ドイツ、ベネズエラ、ニュージーランドの各メンバーも乗っていました。アルトゥーナの飛行場には、4Hのリーダーの方が出迎えに来てくれました。そして車で二時間半かかり、ペンシルバニアの州立大学の宿舎へ着いたのは十二時近くでした。

次の日は、各国のメンバーとオリエンテーションを受けた。ペンシルバニア州の歴史、大学のこと、居住者、農業などの話を聞く。次の日、午後からは自由時間で大学の町の中を歩いたり買物に行ったりした。その日の夕方六時半よりリーダーの家でパーティ、夕食をしながらいろいろな話をしたり、夕食後は各メンバーがスライドを見せたり歌ったり。次の日は皆ばらばらに別れてホストファミリーの家に行くので、言葉が良く通じなくても気が合ったみたいです。

空談

讃めることの困難さ

困った癖だと思いつつも、なかなか直せそうにないのは、面と向って讃められないことである。むしろ、悪口の方がいいやすいし、婉曲に、露悪的に、シニカルにと表現の方法はある。讃めるにしても、そういう具合にできぬことはないのだが、すこぶるむずかしい。つまり、本来、そんな差のあるはずはないのだけれども、くさすより、たたえる方が、ストレートにやりにくいのはたしかだ。

単に、ぼく個人のてれとか、恥しさにとどまらず、この国の人びとが、古くから育ててしまった感情のように思われる。無意識のうちに、意思的に伝承しているだけに、根は深く、意思的に変えようとする努力だけでは、解決がつかない。また、それをよしとする心情があり、さらには、これを美徳に数えようとする一種の精神風土があるので、すなおに讃めようと決断することをためらう。一方、讃められる側にも、天真に受入れる用意がなく、どうしたらよいのか途惑ってしまうケースが多い。原因は二重三重に絡みあっており、問題を複雑にしている。

既婚の友だちを訪ねて、ご馳走にあずかるときなど、味のよさを伝えたいと思いながら、ただ黙然と食いおわることになりがちだ。

そんなおり、こだわりなくさらりと、讃辞を呈しうる友には、ねたましいような感情が走る。スマートに讃めることの困難さを知っているだけに、それは、尊敬であると同時に羨望でもある。

面罵という語はあっても、面讃といわぬところをみれば、ぼくらの祖先の生活のありようの一端が、窺われないだろうか。友だちの文章の批評などでも、うまく讃めにくいが、手紙などだと、存外、すらりとできる場合もある。話すことと、書くことの相異については、もっと追求されてよいが、それはひとまず措き、讃め、讃められるという関係が、もっと屈託なくできたらとは考える。しかし、ことは部分的でなく、生活全般にわたるだろうから、たやすく矯正できようとは思われない。

それにしても、批評の究極は、オマージュを捧げつくすことではないか、とうに道破した亀井勝一郎の言葉は、ずいぶんむかしに読んだのだが、いまもって、時おり思い出す。けなすよりも、賞讃する方がはるかに楽しいだろうから。これは、断じて逃避ということとは違う。（山）

4Hのマークと共に

クラブ活動用品の案内

（単価）

4Hバッチ	60円
レコード盤（4Hクラブの歌・4H音頭）	150円
クラブ旗 大（72cm×97cm）	430円
クラブ旗 小（36cm×49cm）	220円
手拭	110円
ハンカチ	60円
ネクタイピン	230円
女子用ブローチ	230円
クラブ員専用便箋	100円
〃 封筒	70円

◎荷造り送料代150円です。
◎ご注文は代金を振替口座へお払込みを願います。代金着き次第、ご送品致します。

社団法人 日4H協会代理部
東京都千代田区外神田6丁目15〜11の705号
振替口座 東京72082番
電話（03）831―0461

◀投稿案内▶

本紙は、みなさん方の新聞として、全国のクラブ員に利用して戴きたいと考えています。それでクラブの催しや個人のプロジェクト、詩、短歌、随筆、写真、悩みや意見、村の話題、伝説、行事、その他なんでも原稿にして送って下さい。

お願い ❶長さや形式は自由です ❷できるだけ記事に関連した写真をそえて下さい ❸送り先 郵便番号162 東京都新宿区市ヶ谷船河原町11 日本4H新聞編集部

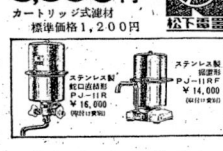

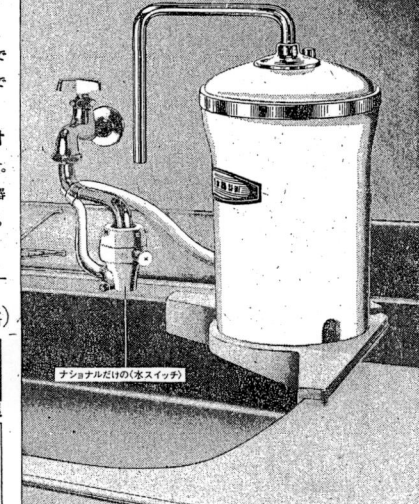

日本4H新聞

4Hクラブ 農事研究会 生活改善クラブ 全国広報紙

発行所 社団法人 日本4H協会
東京都市ケ谷家の光会館内
電話（269）1675郵便番号162
編集発行 玉井 光
月3回・4の日発行
定価 1部 20円
一カ年 700円（送料共）
振替口座東京 12055番

クラブ綱領

私達は、実践を通じて自らを磨くとともに、互いに力を合わせて、よりよい農村、よりよい日本を創るため、四つの信条をかかげます。一、私達は農業の改良と生活の改善に役立つ腕をみがきます。一、私達は科学的に物を考えることのできる頭の訓練をします。一、私達は誠実で友情に富む心をつちかいます。一、私達は楽しく暮し元気で働くための健康を増進します。

演示と討論と踊りと

ひのくに4Hフェスティバル 熊本県連

自衛隊基地に六百名の仲間が参加して行なわれた開会式

新しい方向へ

黒沢全協会長参加 六百名の仲間集う 技術交換大会

【熊本県＝中川孝一連絡報道員発】"ひのくに4Hフェスティバル"——熊本県農村青少年クラブ連絡協議会（会長・池田隆雄君）は、さる八月十八日から三日間、熊本市清水町八景水谷の陸上自衛隊基地で県下のクラブ員六百余名の参加のもとに第十一回農村青少年技術交換大会を開催した。この大会は、クラブ員がそれぞれの知識、技術や意見をお互いに交換するとともに、仲間づくりと活力を養い、新しい農業と農村を建設しようというねらいで開かれた。過去十回にわたる技術交換大会と、昨年度から始められた4H祭をミックス、また、全国4Hクラブ員のつどいの内容の一部を取り入れた多彩なものであった。

晴天に恵まれた一日目は、午後一時までに受付けを済ませたあと講堂でオリエンテーション、つづいて、大会の中心地となる草原で州ごとのオリエンテーション、三日間の州と村の役割が決められた。ついで県下十一地区クラブによるプロジェクトやクラブ活動の展示コーナーの設営が行なわれた。この中には、第十一回全国農村青少年技術交換大会の写真が多数掲示され参加者の目をひいた。

次に開会式。国旗、県旗、クラブ旗を先頭に県下十一地区クラブの入場行進、六百名の大デレゲーションは見事なものであった。河津県連副会長の開会宣言、つづいて池田県連会長が「参加者一人ひとりの協力によって、この大会を成功させよう」とあいさつ、また今大会の特別参加として全国4Hクラブ連絡協議会の黒沢会長から、クラブ活動の意義などについてあいさつが述べられた。このあと、参加者を代表して地元熊飽地区の上村会長による参加者代表宣誓が行なわれ終了した。

午後五時三十分から"立食パーティー"と銘うち屋外での夕食。自衛隊食とまったく同じ内容のものに牛乳が一本、パーティーには程遠いメニューではあったものの、草原での夕食は実に楽しく、おいしいものであった。

夜に入り納涼の夕べがくりひろげられた。郷土芸能と映画、草原に設置された中央ステージで、シシ舞いやトラ舞い、ところろ踊りなどが披露された。スリルと美とたくみな演技にみんな見とれるばかりであった。そのあと自衛隊の映画上映。予定より遅れたため、村別の話し合いが短縮された。

そして、自衛隊員とクラブ員の手によって設営された大テントの中でやすらかな夜をおくった。

二日目は、六時に起床、朝の集い、朝食がすんで八時から演示発表。発表内容は省力を目的としたものや、廃物利用のものが目立った。

講演「農村の性と愛」好評

午後から「農村の性と愛」と題し医事評論家・石垣純二氏の講演があり、二時間にわたって農村の生活のたち遅れ、女性の地位確立、住居の改善などを話され好評。当面実行すべき点として、カギの着いた二人部屋造り、女性の立場の理解と尊重、産児計画のなかでの五月出産などがあげられた。

ゴーゴーに熱狂

九時から体育レクリエーション、全体でのフォークダンスに始まり、各州ごとのゲームや綱引きが行なわれ、童心に返り楽しいひと時を過ごした。

本部テント前にずらりと並んだてるてる坊主もしびれをきらし、このころから小雨が降り出した。大会のクライマックスの「仲間と集おう」の会場は急拠講堂へ変更。しかしながらこの仲間と集おうは大成功。

この日、ゲストとして迎えたチャーリー永田とウエスタンチャンボールの歌と演奏に始まり、参加者の心を一つにとらえた。続いてミス、ミスターコンクールの開票結果が司会者藤井弘一氏によって行なわれた。これは、参加者全員がミス、ミスターを参加者の中から選んで投票したもので、ミスに上益城地方の堀江美代子さん、ミスターは玉名地方の徳永章君が選ばれた。

再びウエスタン。日本でただ一人といわれるウエスタン歌手宮前ユキ子の歌は素晴しい。ビートのきいたゴーゴーミュージック、二名のゴーゴーガールを中心に、ゴーゴーマニアのクラブ員がステージに駆け上がり、踊りまくった。

ゴーゴーに熱狂する参加者

自衛隊の音楽隊による演奏のあとフィナーレに移り、会場の照明が消され、静かなコーラスの中で池田会長の言葉、女神にふんした河津副会長の詩の朗読が行なわれ、静けさと闇の中で参加者の胸にひびきわたった。

三日目、草原の各所で二十一村別の話し合いがなされた。内容は主に営農や結婚に関係したものが多かったようだ。

シンポジュームは県下十一地方の代表者を中心に、今後のクラブ活動についての話し合い、とくにクラブ活動と政治活動の関係について話し合われた。引き続き大会の締めくくりとして全体会が開かれ、大会の反省がなされた。

閉会式では、先に行なわれた全国技術交換大会県予選の表彰も行なわれ三日間にわたる大会の幕を閉じた。

今大会は過去の大会の反省とクラブ員の要望を取り入れ、初の試みとして行なわれた大会であった。自衛隊の炊事、宿泊に至る全面的な協力のお陰で大成功のうちに幕を閉じたといえよう。

また、会期中四部の速報が発行され、朝六時の起床と同時に朝刊として配布、大会の話題を中心にした記事が掲載された。

涼風暖風

いわゆる家具のない暮し

"たんすがありますか？""ありません""食卓は？""三面鏡は？"…"ありません""洋服だんすは？""あります""ミシンは？""ポータブルです"

"整理だんすは？""ペットは？""本箱は？""戸棚は？""茶だんすは？""三点セットは？""応接机は？""ピアノは？""ステレオは？"……"ありません"

これは、引越しセンターの窓口での、チェックカードに対しての答である。まあなんと"ありません"の連続である。相手の運送屋は、この程度のものであれば、簡単に引越しができるものを、何で頼みに来たのか、といった顔つきで人の顔をしげしげとながめるのであった。

引越しの当日、運送屋が来たが、これといった荷作りをしているわけでもなく、手近かなところから運び出すように頼んだ。二面の壁一杯にみかん箱・リンゴ箱を積み上げた本箱、リンゴ箱の組み合せによる食卓、リンゴ箱の戸棚、桃の箱で作った小机とワゴンなど……次々と手がつけられていったが、その本箱や食卓になっているリンゴ箱・みかん箱には本や資料がいっぱい入っていて、ズシリと重い。いくつか運び出すうち、一つ一つ運び出すのでは、とてもはかどらないと、太いロープを窓から下げて、これに箱をしばりつけ、ケーブル式で下ろしはじめたのであった。

こうして車に積まれた荷物は、次の住いに移った。ここでは、運び出した順とは逆に一つ一つ下ろされ、計画されている場所に一つ一つ置かれていった。リンゴ箱を組み合わせれば食卓にという具合に各々形づくられ各々の場所におさまり、新たな住いでの生活ができる段どりができた。そうして運送屋は"こんな引越ははじめてだ"とつぶやき帰っていった。

そしてよく見れば、家具と名のつくものは、洋服だんすだけである。こういうといかにもわびしい住いを想像するだろう。ところが、この限られた空間で、いまの私の生活としては健康で、楽しく快適に暮しているのである。こういう生活をするために必要な機能は、さっきの箱の組み合せによって一応果たされていて実に楽しい。

このいわゆる家具のない暮しは、天井の低い公団住宅の空間での生活から、そして再び引越しのあることを予想してのことから、長い間の工夫の積み重ねにより創り出された私のささやかな生活の知恵である。（T）

心頭技健

結婚適齢期を迎えている男子クラブ員に比べて女子クラブ員は絶対数において少ない。まして女子クラブ員の中には、さいきん婿とりが多いために、いわゆるOLなどを結婚の対象として考える男子クラブ員がふえてきた。また、これからは企業的センスが要求されるので、むしろOLの方がよいという意見もある▼しかし、これら女子クラブ員以外の未婚の女性は、果して農村青年との結婚をどのように考えているか——という点が注目されるわけだが、それについてこのほど宮城県の岩出山クラブが調査した。会社員、事務員、店員、家事手伝い、各種学校生徒など町内に住む十八歳以上の未婚の女性を対象に行なったもので、回答者は百四十二人▼それによると、農業青年と結婚したいとはっきり答えた人は残念ながら余り多くはなかったが、「人物、条件次第」という条件派が六十九人で最も多かった。結婚したいと答えた人も、経営規模が三㌶の農家（七三・三％）、稲作のほかに野菜か畜産、あるいは果樹などをやっている多角経営の農家（六六・六％）とそれぞれ条件を出している。人物より経営を重視し、米作りだけの経営ではダメということらしい▼人物、条件次第という条件派が望んでいる点になると、経営そのものよりも、経営改善者や仕事に熱心な男性、その人が理想の男性である。職業婦人として他の職業に出るのを認める人などをあげ、男性の熱意や認識、理解度に関心を示している▼また、農業青年と結婚したくないとしている人は、人物よりも農業の不安、重労働な農作業、封建的な農村生活などの理由をあげている。女子クラブ員の間でも、婦人は家事や育児に専念できるように分離すべきであるという意見と、夫婦で一緒に仕事が出来るのがよいという意見に分かれるが、女子クラブ員以外の女性との結婚を考えた場合、イメージチェンジする努力が必要であろう▼秋の結婚シーズンを迎えて、また、ことしもダメかとあきらめ顔になっている男子クラブ員も少なくないと思われるが、やはり熱意をもって当たれば、そう捨てたものではない、と思う。

アイデア農業へ挑戦

佐賀でつどい 近代五種競技も出現

歌をうたい、輪になってレクリエーションを楽しむクラブ員

【佐賀県＝横尾文三広報委員発】佐賀県4Hクラブ連絡協議会（会長・井手忠男君）はさる八月二十日から二泊三日の日程で「昭和四十六年度県夏季農業青年のつどい」を開催した。会場は、佐賀家政大学、神崎町日の隈公園一帯などで、これには県内の農業青年百五十名が参加した。

まず一日目は、大学内で開会式のあと「創意と工夫によるこれからの新しい農業」と題してパネルディスカッションが行なわれた。パネルディスカッションでは、佐賀日産の福岡社長をはじめ三名の農業青年の意見発表があり、つづいてパネラーと参加者全員との意見交換が行なわれた。その後、映写会、記念植樹、村ごとの話し合いなどが行なわれた。

二日目は、各部門別に分けられた村別の話し合いが、野外散策のなかで行なわれた。

午後は、村対抗の競技で、忘れ去られようとしている、縄ないかかし作りのリレー競技である。また、農業近代化五種競技ということで各種部門別の設問試験が行なわれた。これは例えば、作物の問題なら、「佐賀米・レイホウのコマーシャル文を考えなさい」とか、果樹であれば「グレープフルーツが自由化されましたが、貴方はこの問題をどういうふうに考え対処しますか」といったような問題で、従来行なわれてきた果物鑑定などとは異なった競技である。競技のあいまには騎馬戦などのレクリエーションも入り終始なごやかなうちに競技が行なわれた。夜は、キャンドルサービスが行なわれ、出し物のなかには村で話し合った農業青年としての悩み、農業経営、農家生活の問題点などを、ロールプレイングで紹介する村もあった。

最終日には、大学内に集まって閉村式としての全体討議に入り、各村ごとに話されてきた「創意と工夫によるこれからの新しい農業」へのビジョンとそれにおける4Hクラブ活動の意義について各村長の報告会が行なわれ全体で討論した。

このあとバーベキューパーティーが開かれ、日の隈公園一帯の美しい自然に接しながら軽い音楽の流れる中で各村別に火を囲み、おいしいバーベキューに舌つづみを打った。つづいて閉会式が行なわれ二泊三日のつどいの幕を閉じた。

4H会館建設の募金に意欲

なお、閉会式後、「4H会館建設に関する全体的なディスカッション」が、黒沢全協会長出席のもとに行なわれた。これは、佐賀県連の会館建設委員会が本年度の総会で設置されながらも、他県連に遅れその機運も盛り上がらない現状にあったので、この"つどい"を機会に募金活動をより推進しようと計画されたものである。黒沢全協会長は、九州オルグの途中、この"つどい"の閉会式に出席したものであるが、古川恵久会館建設委員長（佐賀県連副会長）の切望で、このディスカッションに参加した。ディスカッションで、黒沢会長は、4H会館建設の意義と現在までの経過、また各都道府県連の建設委員会の動きなどを詳しく説明、全国クラブ員が長い間胸に描き続けてきたこの宿願を果そうと訴え、これには会場から力強い拍手が湧きあがった。黒沢会長の説明のあと、参加者から他県連の募金活動の具体的な方法などについて質問が出され、4H会館建設の機運は最高潮に達していた。

都市公害も問題に 演示発表

埼玉県の技術交換大会 プロジェクトを重視

【埼玉】埼玉県と県農業研究団体連合会（4H部長 加藤秀雄君）主催の県農村青少年技術交換大会は、さる八月二十六、二十七の両日、秩父郡東秩父村にある二本木峠の青少年キャンプセンターで開かれた。これには、県下の十五地区連から二百九名が参加し、技術競技やキャンプファイヤー、演示発表、散策などで、日ごろのプロジェクト活動の成果を発表、また農業技術の腕を競い合うとともに、仲間づくりをした。

今回の大会の特徴としてあげられる主な点は次のとおりである。

一、技術競技は、いままで行なわれていた実物鑑定や判断の問題を少なくして、ペーパー方式で部門ごとに専門的応用問題を多く取り入れた。また、一般教養問題も取り入れて、4Hクラブ員が農業知識だけでなく、社会人としての知識を含めた人間形成の一環とするようにした。

二、演示発表では、動機、創意工夫の過程、実用性や普及性、プロジェクト記録簿の整理、発表要領などが審査基準になったが、今回はとくに、最近問題になっている都市公害の問題や労働力不足のなどの問題を取り上げて、都市近郊における農業問題にグループで対処している姿が目についた。

自主的な企画、運営

三、キャンプファイヤーを通じての仲間づくり、散策（ハイキング）での意見交換などの面がみられた。

四、大会そのものが、県連のプロジェクトとして、その意味と価値を全員に徹底することができた。

今大会もクラブ員が自主的に企画、運営したが、三回の理事会、二回の実行委員会による現地視察を通しての計画立案と問題点の整理など自主的な運営とこまかい配慮、そして大会終了後における評価反省などが、プロジェクトでもあった。

22日に通常総会 日本4H協会

社団法人日本4H協会（会長・宮城孝治氏）は、来る二十二日午後二時から東京・港区新橋一—十八—八の共栄火災海上保険相互会社で理事会をかねて通常総会を開催する。

主な議題は、①昭和四十五年度の事業報告および決算承認に関する件②同四十六年度事業計画および予算決定に関する件③定款変更に関する件④役員選任に関する件⑤その他、である。

収穫に"救援の手"を

小田原農業改良クラブ みかんもぎ交換実習生を募る

【神奈川県＝野地広行連絡報道員発】小田原農業改良クラブ（会長・内藤逸男君）では、今年もみかんもぎ交換実習生を募集することになり、いま全国のクラブ員に参加を呼びかけている。

都市化の波が激しい小田原地方は、毎年十一月になると、みかんや稲の収穫を迎えて人手不足が深刻。そこで、同クラブは、さる四十三年秋から全国のクラブ員に協力を呼びかけてきた。応援にきたクラブ員は初年度が六名、昨年度は十九名であったが、今年度は「みかんもぎ交換実習生」と名づけ、昨年より大勢のクラブ員の応援を待っており、手助けとともに心身の練磨や交歓のためにも、ぜひ来てほしいと望んでいる。

募集要領は次のとおり。

①受入れは、クラブ員の家庭に限る②人員三十名（各家庭に二名ぐらい）③男女を問わない④仕事はみかんもぎ（誰にもできる）⑤日給 一日千四百円（男女同額、ただし雨天や休日などは支給しない）⑥持ち物 作業衣、身の回品⑦申し込みあり次第、細目などを受入れ家庭と合わせて連絡する⑧実習期間は、十一月中旬頃から十二月中旬頃まで⑨旅費は、関東、東北、中部は全額支給、その他の地域は片道支給⑩交歓会として、歓迎会、名所見学、送別会の三回を予定している。

▽締切り日 十月下旬

▽連絡先 神奈川県足柄上郡松田町惣領七四二 松田農業改良普及所内 小田原農業改良クラブ事務局 電話〇四六五—八二—三二六一

皇太子ご夫妻ご臨席

和歌山で「あすをひらくつどい」開く

【和歌山】和歌山県と同県4Hクラブ連絡協議会（会長 中西淳一郎君）は、皇太子ご夫妻をお迎えして、さる六日、伊都郡かつらぎ町中飯降の県農業大学校で「あすをひらく農業青年のつどい」を開いた。

「青少年の発言」など

18日から諫早市で 長崎県連で「集い」

【長崎県＝森川政則連絡報道員発】長崎県農村青少年クラブ連絡協議会（会長 木下評君）では、来る十八日から二十日までの三日間、諫早市一円において「第四回県農村青少年クラブ員の集い」を開くことをこのほど決めた。

この集いは、クラブ員が自らの手で企画、運営し、自主性の高揚を図るとともに、当面する問題や将来への方向などを語り、また、仲間づくりや地域社会から理解された家族ぐるみのクラブ活動を推進、近代的な農業と農村を建設しようというもの。

主な内容は次のとおり。

一日目は、パレードによって各地区から集合、開会式のあと記念講演。講師には富民協会の宮田専務理事を予定している。つづいて各種大会参加者の報告のあと現地交歓訪問に出発し、諫早市一円のクラブ員宅へ宿泊する。

二日目は午前中、民泊先での作業体験、午後からレクリエーション、夜は地元地区連の主催による歓迎の夕べ。

三日目は「農村青少年の発言」を計画している。これは、NHK主催による「青年の主張コンクール」の予選として行なうもので、クラブ員のほかに先輩の人たちにも依頼してクラブ活動の体験談なども語ってもらうように考えている。このあと分科会、午後は奉仕作業につづいて反省会などを行なう。

なお参加者は、約二百名を予定しており、盛会が期待されている。

畦道

毒気ある顔をもつには

近頃は〝職業の顔〟を見ることができなくなったような気がする。どの人が、どんな職業についている人なのかが全くわからないのである。農民ですらもその例外ではない。皆が、垢抜けした近代的な顔をしている。何かつるりとした感じだ。またホワイトカラーといわれる部分には、そんな傾向が特にひどいようだ。どの人の顔も、うっすらと脂肪が乗って白っぽい。それは誰の顔ですかと面と向って聞きたくなるような顔である。朝、東京駅の八重洲口などに立っているとそんな顔のない顔が大量に出勤していくのを見ることができる。なんとモーレツな…。

すべての人々が〝職業の顔〟を持ちえるほどに職業に打込めなくなっているのではないか。言い換えれば、安楽な生活のための〝仕事〟は持っているのだが、自分の〝職業〟を持ちえないのだ。たとえば、ある仕事に打ち込んでいると自分で言う人がいても、それは職業そのものにではなく仕事の結果―金銭とか、地位とかに惹かれている場合が多い。

こんな時代にはどうしたらよいのだろう？ 私は、「仕事」など野暮は言わずに、徹底的に遊ぶことであると思う。仕事の余暇に遊ぶのではなく、遊びのために仕事するのだ。それが自分の顔を取り戻すには効果的な方法であると思う。また、ひょんなことで遊びで食っていけるようになったら大儲けではないか、自分の顔は取り戻せるし、職業は確立するし…ここで人生はそんなに甘くないと考えた人があれば、きっとその人はもう平均的な顔をしていることと思う。本来、遊びと労働は本質的に違いがないはずなのだ。それを制度的に区別してしまっているのは時代のほうである。

私たちがほんとに顔を持とうとするならば、そんな区別を取っ払わなくてはならない。遊びが仕事で仕事が遊びなのだ。その過程は他人に管理してもらおうと思わない。そして、もし他人が「どうしてそんな将来性のない仕事をしているのだ」と聞いたならば、「好きなのだ」とだけ答えればよい。(吐)

活発な恋愛論　分科会

静岡県の技術交換大会　永原副知事と語る

【静岡県＝鈴木政美連絡報道員発】静岡県農村青少年クラブ連絡協議会（会長　渥美登美康君）は、さる八月二十三日から二十五日までの三日間、静岡市青少年キャンプセンターで第十六回県農村青少年技術交換大会を開いた。当日は、県下五地区連からクラブ員と普及員の人たち約二百五十名が参加、昨年と同じくキャンプ方式によって行なわれた。とくに、今大会は六つの村をつくり、その中に村長、助役制を取り入れて村単位の活動が展開された。

まず開会式は、県旗、県連旗を先頭に参加者が入場行進、このあと、渥美会長が「この厳しい農業情勢の中にあって、青年は〝若い〟という特権を生かして頑張って下さい」とあいさつ、また多くの来賓から激励のことばが述べられて終了。

地区連旗をかかげての開会式＝静岡市青少年キャンプセンターで

ただちに全クラブ員がそれぞれキャンプ村づくりをして、夜は、歌と踊りの夕べ。初めて合ったクラブ員同士と思えぬほどうちとけ踊り興じた。

二日目は、午前五時三十分に起床、六時から朝のつどいを行ない日程に入った。各クラブ員がなれない手つきで共同炊事、キャンプ生活ならではの光景が描き出された。つづいて技術競技に移り、三人一組で、ハイキング形式によって二十の問題と取り組んだ。

午後から永原副知事と語る会が開かれた。同副知事から「この変動する社会情勢の中にあって、とくに今後、日本農業を背負う若者は常に世界の農業情勢を早くキャチしてほしい」とあいさつがあったあと各村から選ばれた代表六名が質問した。ある女子クラブ員は「県はもっと末端の地域の実情を考えて農業施策をしてほしい」。

全国大会に出場した代表二名による発表について、各村対抗によるカントリーピックがはなやかに行なわれた。夜は八時からキャンプファイヤーがくりひろげられ、各村の特色を出した寸劇や歌などが披露された。

三日目は、大会最後の行事である分科会が、十一の会場に分かれ①結婚と恋愛②クラブ組織、今後の活動はどうあるべきか――という共通テーマによって行なわれた。クラブ員がみな結婚適齢期にきているため、結婚や恋愛については積極的な意見が出された。

午後はテントを撤収したあと閉会式に移り、まず斉藤みち子さん作詞の大会讃歌を斉唱、渥美会長や来賓のあいさつ、優秀村と各競技の表彰、そして村長、助役の解任、プレゼントの交換を最後に、キャンプ生活の思い出を胸に秘め、これから地域の農業建設やクラブ活動に頑張ろうと堅く握手をかわし、センターをあとにした。

全国大会へゴー

宮城県連で役員研修会　地引き網など楽しむ

【宮城県＝丸子京子連絡報道員発】宮城県農村青少年クラブ連絡協議会（会長　門馬忠君）では、来年度、本県で第十二回全国農村青少年技術交換大会が開催されるため、より一層の団結をはかろうと、さる八月十、十一日の両日、県南にある閖上（ゆりあげ）浜近辺で役員研修会を開いた。

一日目は〝地びき網〟。内海に網をしかけてもらって両側で引くのだが、簡単なようでなかなか大変。コツが必要なのだ。いいところまでくると魚は網を飛び越えて逃げてしまう。魚も必死なのだろうが、皆はもっと必死になって網をたぐり寄せていた。

獲物はハヤ、ボラ、サユリなどで大漁だった。それをすぐ浜辺に運んで、から揚げ、塩ふり焼き、あら汁にして、一杯やりながら食べる。さすがに新鮮なものはおいしいと、全員のどをごくり、ごくり。そして、やっぱり「さっき逃がしたボラは大きかったなあ」といつまでもあきらめきれずにいた。

夜は、来年度の全国大会の運営について、その意義、目的を新たに認識しようと大討論。結局、この厳しい現状を乗り越えるには、技術の向上と仲間作り以外にないだろうということに落ちついた。役員全員の熱心な討議には、来年への意欲が燃えていた。

二日目は、九月四日から三泊四日間の日程で開かれた総合研究集会についてであったが、宮城県連では、今年度の行事のすべてを、来年度の全国大会と結びつけて進めて行こうと準備を進めている。若手から大会旗の引き継ぎも終り、その責任を一段と強く感じている時である。来年の宮城県大会にご期待を乞う。

地引き網にかかった魚を持ってご満悦のクラブ員
（右から２人目が門馬宮城県連会長）

〝蛮人〟も顔負け　料理コンクール

来年は全クラブ員の参加を期待

嘉穂地区連の技術交換大会　成功した初の試み

【福岡県＝大屋恵子連絡報道員発】嘉穂地区連（会長　溝口正明君）では、さる八月二十五、六日の両日、筑穂町西屋キャンプ場で技術交換大会を行なった。同地区としては初の大会とあって、参加クラブ員六十二名をはじめ、嘉穂町町長、普及所長や諸先生の出席もあった。

二十五日、午後一時に受付けで始まった。テントを張り、中食をしたあと、約一時間、実物鑑定が行なわれた。それから、料理のコンクールがあり、夕食は全クラブ員が腕によりをかけて競い合った。あるクラブは、野蛮人顔負けの鳥の丸焼きを作り、とても素晴しかった。また、あるクラブのカレーライスは、味が抜群で、〝カレーライス店を開きま賞〟といった具合で、普通には味わえない味だった。

夜は、火を囲んでキャンプファイヤー、各クラブの寸劇、飛入りの余興と、夜の更けるのも忘れ、大賑わいになった。そうして、二十六日の早朝、三郡（九百三十㍍）へ登山を行なった。前夜の疲れか飲み過ぎたのか、参加者が約半数だったのは、残念であった。

初の大会が成功し、無事終了できたのは、普及所の方々と、溝口会長を中心としクラブ員一同の協力があったからだと思う。来年は各クラブ全員の参加を望みたい。

入学生を募集

農林省・農業者大学校

三ヵ年制　国と県が経費負担

農林省・農業者大学校は、四十七年度の入学生を募集している。

この農業者大学校は、これからの農業を担っていく優れた農業者を育成するため、さる四十三年に農林省が設立したもので、三ヵ年制。一年目と二年目にかけての十九ヵ月は前期集合教育、そのあと五ヵ月間派遣実習、三年目前半の八ヵ月は在宅学習、あとの四ヵ月間は後期集合教育という教育方法をとっている。

教育内容では、これからの新しい農業経営は、単に農業技術だけの知識を吸収しただけでは追いつけなくなるということから、農業経営や技術のほかに、社会、経済、人文科学などの分野も大幅に取り入れ、広い視野から農業を考え、行動できる人材を育成しようとしている。講師陣には、大学教授、研究所職員、評論家など一流の学識経験者や指導機関の専門家が揃っており、少数徹底教育によって学生一人ひとりの個性を開発、適性を活かす方法をとっている。

すでに今春、第一期生が卒業したが、入学当時と比べ思考力、判断力、また人柄などにおいて著しく成長しているといわれる。学生数は現在、各学年とも定員以下である。

なお、三年間の在学中に必要な食費、宿泊費、教科書代、研究旅行費など一切の経費は国と県が負担することになっており個人負担は授業料の年額一万二千円だけ。

応募要領は次のとおり。

応募資格　①高等学校卒業またはこれと同等以上の学力があると認められる人②学校教育または実務研修教育を修了後、昭和四十七年四月一日までに約二年以上農業経営の実務に従事し、卒業後引き続き自営の見込みが確実な人③昭和二十二年四月二日以降生まれの男子④都道府県知事の推せんを受けた人

応募手続き　①入学願書など関係書類の請求先　都道府県農業改良普及事業主務課または最寄りの農業改良普及所（郵便で請求する場合は、封筒の表に赤字で「農業者大学校入学願書請求」と書き、あて先を書いた返信用封筒〈二十円切手貼付〉を同封すること）②入学願書など関係書類の提出先　都道府県知事（農業改良普及事業主務課経由）③入学願書など関係書類の提出期限　来る十月三十日④提出書類　ア、入学願書一部、イ、身上調書二部、ウ、最終学校の成績証明書一部、エ、受験者の身上などに関する所見一部、オ、健康診断書（県の指定する病院または保健所で胸部レントゲン間接撮影（審査についての結果）一部

都道府県知事の推せん　①都道府県における選考の日時、場所、方法などについては、都道府県知事から応募者に通知する②農業者大学校長に推せんされた人に対しては、都道府県知事から本人に通知する。

書類審査　都道府県知事から推せんされた人の書類について、審査し、適格者に対して受験票を交付する。

選考の期日および場所など　①期日　十一月二十四日（水）二十五日（木）の二日間②試験科目および方法　第一日目　筆記試験（国語、数学、理科、作文の四科目）第二日目　面接試験③試験場所　農業者大学校（東京都南多摩郡多摩町連光寺一三〇七、電話＝〇四二三　七五―八五一一）④その他　受験生は、十一月二十四日（水）午前九時三十分までに右記の場所に出頭し、係官の指示を受けること。また、当日は筆記用具と昼食を携行すること。

なお、筆記試験は、入学後の学習のため必要な高等学校卒業程度の知識、判断力について総合的に行なう。また、面接試験は、農業実務経験に基づく知識、判断力および問題意識などのほか、将来自から近代的な農業経営の担い手となるとともに、農業を通じての地域社会の発展に寄与できるような資質について総合的に行なう。

合格者の発表　合格者については、十二月上旬に入学許可書を本人に送付し、発表にかえる。

なお、応募資格などの詳細については県庁・地方農政局または農業者大学校まで問い合わせのこと。

こんなことをしています

各種農業団体

全国販売農業協同組合連合会

豚肉見通しは〝堅調〟

〝自由化〟機会に生産安定を

ことしの夏は、豚肉の相場がたいへんな高値を続けました。東京の芝浦市場では、白豚の上物が平均五百円ちかく、こんな高値が七月の後半から九月のはじめまで、なかでも八月の二十日ごろには五百五十円を上回る極端な高値が出ていたのです。そこで、こうした高値の背景と今後の相場の見通しをみることにしました。

まず消費面の動きですが、夏は一年中でもっとも豚肉の消費がふえる時期です。これは、暑さに負けない体力をつくるために脂気のものをたくさん食べる、ビールのさかなにトンカツやハム、ソーセージなどが売れる、こんなところからきています。

ところが、生産面はどうでしょう。春いらいいっこうにふえていません。それどころかむしろ夏から秋にかけて減る傾向さえ伺えるのです。農林省が発表している「肉豚・生産出荷の動向」によりますと、三月の前年対比一三〇％から月を経るごとに徐々に減って八月には一〇五％、九月は前年同月対比で一〇一％となっています。つまり、消費はふえるのに、豚肉の供給はことしの夏にかぎってみればぜんぜんふえていないというわけです。

そこで「なぜ生産がふえないのか」を調べてみますと、おおかたの意見としては「十月から豚肉の輸入が自由化されると、輸入肉の出回りがふえて相場も下がってしまうのではないか、といった心配から、春いらい生産を手びかえる傾向が国内の生産者のあいだに強まっている」といわれ、そのための出回り減少とみられています。

確かに貿易自由化の波にのって、豚肉の輸入自由化は十月からということになっています。そこで自由化と同時にドット海外の豚肉が入ってくるかどうかが、いちばん心配なことです。この点について業界の意見をまとめてみますと、「海外の豚肉供給は予想外にきゅうくつで、価格的にも、値段のうえでも、あまり入ってこないのではないか―」といわれます。また国内産の豚肉についても、来年の五月ごろ迄は前年並みの生産にとどまるとみられ、豚肉の出回り、また価格の見通しは、おおむね来年の春ごろ迄はシッカリした足どりが続くだろう、とみられています。ただ、問題は『自由化を機会に、海外で〝日本むけ〟に安い豚の生産が本格化するのでは』という声がすでに出ており、このさい国内の生産出荷の安定化がのぞまれています。

（企画部）

全国共済農業協同組合連合会

農村から追放へ　無共済車両

自賠責共済普及強調月間を設定

〈交通事故は農村部へ移動〉

今年も全国の交通事故による死者が八月二日で一万人を突破しました。史上最悪の昨年よりもペースはやや鈍ったものの一日当り平均死者（四三人）は昨年に次いで多い。また大都市での死者が大幅に減ったのに反し、都市近郊、農村部、観光地でのマイカーによる死者が増えるというドーナツ化現象が顕著になってきました。交通事故による死亡者数は秋の行楽シーズンをむかえさらにペースを早め、昨年、一昨年に続いて一万六千人の大台に乗るのではないかと懸念されています。特徴として、①八月と五月、土・日曜・祝日と行楽期のマイカーがどっと繰り出した日の死者が多い②東京、大阪などの大都市圏の中心部が大幅に減り、逆に栃木、徳島、三重、山梨と観光地の多い地方都市の急増が目立った③事故死者のうち歩行者は横這い、乗車中は減ったが、若者のオートバイ族がふえたのに伴って二輪車に乗って死んだ者が急増、幼児の死者がふえた④車種別では、トラックにかわり自家用車がふえ、そのうちマイカーが目立つなどがあげられます。

〈監視員が街頭を巡回〉

車（バイク・軽自動車も含む）を保有している者は、自動車損害賠償保障法（被害者保護を目的として制定した法律）により、自賠責共済をつけなければ運行してはならないことになっています。にもかかわらず昨年行なわれた運輸省の調査結果によれば無共済車（無保険車）は全体の二・六％と極めて高い状態にあります。特にバイク・軽自動車については車検制度がない関係からして、かなり多くの車が無共済車として放置されたままでした。そこで運輸省は、加入率の向上を図り、自動車損害賠償保障制度の健全な運営に資するため、これら無共済車を一掃しようと、「無共済車監視制度」を実施することを決定しました。その主なる内容は、①陸運局長から委嘱をうけた監視員は街頭を巡回し、無共済車を確認し、報告する②陸運局長は往復はがきを使用した警告書を保有者に送付する③保有者は、この警告書を農協へ持参し自賠責共済を申込み、農協は締結通知書を局長宛返送する。

〈私に限って…は通用しない〉

系統農協では、これまで交通安全教室の開催、ドライバー性格診断、車両診断などの総合的な交通事故対策とりくんできましたが、さらに農村から無共済車を一掃し、交通事故による被害をできるだけなくしていこうというねらいで、この強調月間を設定しました。自賠責共済は第二の免許証ともいわれ、これを締結していないで運行すると、三ヵ月以下の懲役または五万円以下の罰金に処せられます。あなたの原付、軽自動車には〝責任のしるし〟＝〝ステッカー〟がはってありますかお確めください。安全運転に心掛け、交通事故をなくしたいものです。

（普及部）

善意銀行へ預託

岐阜・阿木4Hクラブ

【岐阜】中津川市の阿木4Hクラブ（会長　安藤孝義君・会員二十二人）は、さる八月中旬、同クラブ主催で開いた盆踊り大会でバザーを行ない、その収益金四千六百九十円を、このほど中津川善意銀行へ預託した。

テストに緊張の連続

宗谷地区連の技術交換大会　テントの中まで流水

【北海道＝生田目正忘連絡報道員発】サロベツ原野の一角、豊富高校に若人約八十名が集い、宗谷管内農村青少年技術交換大会が、このほど盛大に行なわれた。激雨にたたかれ散々な三日間であったが、参加した若人のエネルギーは悪天候をはねのけるほどであった。

一日目は、開会式に先立ち豊中のブラスバンドの協力を得た町内パレードで、大会の火蓋が切られた。トラクターに4Hの綱領を掲げ、生々と行進していく農村青少年の姿に、町の人々も身を乗り出して見入っていた。

参加者全員で記念撮影

二日目は技術競技である。まず最初の〝牛の見方〟に、クラブ員は四苦八苦。普及員さんの助言指導から始まったにもかかわらず、四頭の良牛を目前にして、頭を悩ましながら横や前から評定していた。次は、トラクターの作業点検運転。これには、日頃の実力をさすが十二分に発揮していた。しかし、テストということもあって緊張はぬけないようであった。また女性軍の方は、住宅の間取りの研究に精を出していた。将来建てるであろう彼との愛の巣を想像しているのか、彼女たちの瞳は輝いていた。続いて午後は演示発表。日頃のアイデアを生かした自分の作品を盛んにPRしていた。

夜のファイヤーは、全員の期待も空しく雨のため中止となった。そのうえ、テントの中に水が流れ込むというハプニングまで加わり寝具や身の回り品を体育館まで運び込むなど大変であった。だが、濡れた髪や顔を男女を問わずふき合うなど、ほほえましい光景も見られた。

三日目は、話し合いとレクリエーション。話し合いは、各テーマ別に行なわれたが、いつもながら〝男女交際〟のテーマに人気が集中していたようだ。そのほか〝親子の対話〟〝4H活動と農村青年について〟などがテーマに持たれた。また、その後のレクリエーションでは、バレー、ソフト、歌、ダンスなどに全員が興じていた。

岐路に立つみかん専業
守れない共同出荷
都市化で拡大もならず　パイロット事業にユメ

愛知県内海４Ｈクラブ　内田守保

我家の農業経営は、みかん園百二十㌃、水田二十㌃、養鶏三百羽の規模である。家族構成は、祖父、祖母、父、母、姉、弟、私の七人で、おもに祖父と祖母は養鶏を、父、母、私の三人はみかんの管理をと分業で経営にあたっている。

我家は、元来、祖父が養鶏を専業に行ない、一時は成鶏一千羽を飼育していた。しかし、戦争による飼料不足や、天災により鶏舎が倒れ、羽数は減り、父が養子に入った頃は二百五十羽くらいしかいなかったそうである。

父は戦争前まで名古屋で旋盤工をしていたが、復員後、我家へ養子に入り、祖父が買ってあった山林を順次開墾し、愛知用水の開通と同時に全部が終り、現在、みかん園になっている。当時、父のみかん栽培に対する知識は未熟であり、みかんも若木が多く、資本投下も多く、また、子供の養育とあいまって支出がかさみ、かなりの借金があった。

しかし、返済のめどがつき鶏舎を建てたが、一週間とせぬうち、あの伊勢湾台風で倒れ、昨年の九月には原因不明の出火でみかん小屋が焼け、返済の見込みも破れ、またも借金をせざるをえぬ状態に追いこまれた。また、悪いことには、三年くらい前からみかん価格が下がったので、これに対処すべくみかん園の土壌管理、施肥、摘果に励み、少しでも反収を上げるべく努めている。

自分が青年団の役員、生産組合の役員であり、父が組合の理事をしている関係で、公用と仕事の兼ね合いが思うようにいかず、自分では一生懸命にやっているつもりでも、月に何回となく家を空けることが多く、自然と管理面で手がぬけ、反収が思うように上がらない。

このような状態で、これから先どうしたら、みかん専業農家となれるかを考えてみるが、気ばかりあせり、借金をして面積の拡大を考えても、今の経済状態ではとても不可能である。それに、今の内海地区を考えた時、知多中央道の完成、名鉄の内海乗り入れ、バイパスの建設と続き、年とともに地価はうなぎ上りする一方、将来とも、この地区でみかん経営ができるかどうかも不安であるし、規模拡大を計りたくても、こう地価が高くては、買ったのではとても採算に合う状態ではない。

こんな時、国営パイロット事業が新聞に載ったが、話の内容を聞くとまだまだ先といった感じで、もし、これが完成すれば利用し、今の耕地を全部売ってでも新たに耕地を買いもとめ、今の何倍かの面積に拡大し、その上に立ってのみかん栽培をするか、それとも、現状のままで、この内海が今以上に観光地化が進み、人の出入りが増せば、この条件を生かした観光農業をするとか、いろいろ考えている。いずれにせよ、現状では将来の記帳を十分に行ない、技術の向上に努め、経営改善をして、経営を安定させなくては、何とも言えない。

この内海は、古くからのみかん産地であるため、十年も前から組合を中心に共同出荷が行なわれている。だが、今だに部落によっては商人が入り、完全なる共同出荷体制がなされておらず、また、誰もが価格の良い時に出荷したいのが人情で、そのために価格が良いと一時期に多量の荷が出て、次のプールになると全然出ないといった計画性のなさが、市場性を低くしている。

それと、兼業などの被害によって、農業経営が不安定となり、外へ働きに出て、婦人が農業を行なうという兼業農家が増え、農業外収入が多く、みかんを作っているよりも土方に出た方が金になるといった農家の人に、農業に対する熱意、意識が薄れて来ている事実はみのがせない。

そのため、組合では兼業地帯への花木の導入、ファーンの設置などの対策を講じ、指導が進んでいる一方、市場性ということで、計画出荷の徹底を計り、うまいみかん作りのため、土壌調査、摘果の推進など、消費者に喜ばれるみかん作りが展開されている。今後は組合の指導だけに終らず、一人ひとりが自覚を持ち、自分さえ良ければ良いという狭い考えは捨て、互いの利益のために、一致協力しての生産地化を計る必要があると思う。

一度は失敗したけれど
和牛の協業経営

石川県珠洲農村青年会議　新五十八

はじめに

私の住んでいる地域は、石川県でも最先端の珠洲市という所です。海岸に面しているため耕地は少なく平均三十㌃程度の階段状の土地が殆んどです。従って多くは半農半漁の生活形態をとっています。私が農業に従事し始めたのは昭和四十五年三月経営研修農場を卒業してからです。始めた理由としては、当時、父と母だけが農業に従事していたが、老齢化してきたためと、またこの地域は昭和三十八年農業構造改善事業による山地開発で牧野造成がなされ、施設としても牛舎一棟が建ち、十八戸協業で和牛を飼養していたということからです。

和牛協業経営に参加して

十八戸の協業で始めた和牛飼育は一言でいえば失敗でした。どこでもいわれるように全員の連帯感、責任感の欠除がその主な原因です。経費の節減をはかるために人件費をけずれば意欲の減退があり餌をけずれば成長が悪くなるという悪循環で、当時繁殖牛五十頭も空胎が多く生産も非常に悪い状態でした。加えて部落から二㌔離れた標高百五十〜二百㍍の造成地という点で、労力的ロスもあったことは見のがせません。また牧野利用のための機械類も皆無といっていい状態でした。

経営を担当して

協業経営は、とかく他人にまかせる頼るといった傾向にあったので現在は主任制をとることにした。これに自分があたり、補助者と三人で全経営を担当するという形に切りかえました。そして、肥育部門でも業者と委託契約を結んで業者からの素牛を肥育することにしました。これにより飼養技術料をもらい、またその資金確保のため五㌶の葉たばこを栽培した。次に、これに合せて五十㌶の牧野のうち、集中的に放牧体系をとるため十分の再整備を行ないました。

将来の目標

和牛を飼って所得の増大をはかることは、その所得率の低さから見てもなかなか困難な点がある。しかし、経営と技術の向上はもとより、和牛の社会的評価を高めること、経営者の社会的信頼を得ることが必要であろう。もちろん、規模の拡大や多頭飼育の合理化は当然考えられねばならないが、幸い昭和四十八年より珠洲第一区国営開拓パイロットの着工が予定されており、これによって十㌶の土地を基幹に、少労働多頭化飼育の繁殖肥育の肉牛一貫経営で所得五百万円を目指している。

むつ市で技術交換大会開く

【青森】キャンプ生活を楽しみ農業について話し合い、技術交換をする「むつ地区農村青少年技術交換大会」が、このほど二日にわたり、むつ市浜奥内の海岸で行なわれた。これはむつ地区農業改良普及所が、後継者たちに自主性を持たせ、積極的な農業経営、豊かな農家生活を目ざそうと毎年開いているもの。

私のプロジェクト
エノキタケ　市場の60％

富山県立山町二ツ塚　吉川喜一

現在水田が一・八㌶、エノキ生産を両親・妻と四人で経営している。エノキタケは私が担当し、将来も規模拡大していくつもりです。今は一日の生産量は、二千㌔〜三千㌔位生産しております。本町では、規模として一番大きく、市場の六割は我家生産のものです。

これをはじめたきっかけは、当初豚で所得の増大を計っていて、最高時には年間五百頭も生産していたのですが、民家も近くにあり、フン処理、公害など問題がでてきたので思い切ってやめ、エノキタケを始めました。これも万博を機会に長野などの先進地を視察し、昨年より本格的に生産をはじめました。現在三百坪のエノキ舎にギッシリとビンが積んであり、常時五〜六人の農家のおかあさん達をやとっています。

今後の方向については、生産者が自分で生産したものを自分で値段がつけられるようにするために量を多く生産していきたい。（元町４Ｈクラブ会長・元単位クラブ会長歴任・特技自分で三味線をならし民謡を歌うこと）

子メロンを漬物に
目標は販売体制作ること

北海道北斗クラブ　渡辺充子

私の住む中富良野町は、四十年ほど前からメロン作りを始めています。今年、本格的に本州への長距離輸送ができるメロンを作ることを目標に産地形成を始めました。町全体の作付面積は、ネットメロン十四㌶です。そこで、私も両親に相談して試験的に作ってみようと十㌃だけプロジェクトに取上げてみました。

その結果、気づいたのは、摘果作業時に出る子メロンの量が大変多いこと。この子メロンは、どこでも殆んど捨てています。また、ほぼ一ヵ月前に４Ｈクラブ方式による“北斗クラブ”が誕生しました。私の地域は中富良野でもメロン栽培が盛んで、クラブでもメロン栽培のことを話し合います。そこでも子メロンが話題になり、漬物にしている家庭があると聞き、私たちもグループで研究してみることになりました。

子メロンの即席漬け

材料　子メロン―三百㌘、人参―百㌘、シソの葉―三枚、青トウガラシ―二本、塩・化学調味料。

作り方　①子メロンは両端を切り中の種をくりぬき　②人参・シソの葉・トウガラシを千切りにして子メロンの芯につめる　③ボールに子メロンがつかるぐらいに水を入れ、その中にこれをつけ重石をのせ一晩おきます。重石は、だいたい材料と同じ重さで良い　④食べる前に小口を切り、盛りつけます。他にも、かすづけ、みそづけ、サラダ、すのものなどに利用できます。

結果の反省

利点　①風変りでおいしい　②大変安く利用できる（購入の場合一㌔二円）　③軟らかいので歯の悪い人や老人にも食べやすいうえ　④他の果菜類よりも早く利用できる。

欠点　①小さいので数多く必要とする　②生ものをサラダなどに利用できるのは摘果時の短期間に限られる　③余り大きくなると皮が堅くなり種をとらなければならない。

今後の抱負　①このような利用法を地域に普及させる　②子メロンを加工して販売できる体制に持っていきたい。

梨（二十世紀）の共同プロ
受賞もたびたび　ネット被覆栽培

鳥取県東郷町カトレアグループ　土井明人

1、わたくしたちのクラブ活動の概況

昭和四十一年十月に、四名で発足し、現在、八名で構成している。クラブ員の大多数は、農高卒業者で、果樹を中心とした農家の長男である。発足当初は、交歓会や奉仕活動など、仲間づくりに力を入れ、次第に研究課題と取組むようになり、現在では、全員が梨栽培を中心とする個人プロジェクト、共同プロジェクトをもっている。定例会は、毎月一日、十五日の二回とし、活動費は、会員が負担している。年一回の先進地視察のほか、親睦会、交歓会や、地区青年会議の行事にも積極的に参加している。

2、課題と取組んだ動機

二十世紀梨栽培の省力化と“うまい梨作り”を目的として、半無袋栽培を思いつき、そのネックとなる夜蛾などの害虫被害を防止するため、ネット被覆栽培を、試みた。

3、計画と実行経過

昭和四十四年に一樹を植えて試験した結果、好成績であったことに自信を得て（県うまいナシ作り共進会でアイデア賞受賞）、昭和四十五年には共同プロジェクトとして取組み、四反に実施した。被袋は小袋が破れる寸前に、透明ポリエチレン系二百番目の寒冷紗ネットを使用し、収穫完了までの期間被覆した。その結果、普通栽培と比較して次のような利点が明らかとなった。

①品質（糖度、肉質、食味）がよくなる

②袋かけ作業が省力できる（小袋一回）

③害虫被害の防止（夜蛾）

④薬剤散布回数が節減された

⑤収穫作業の軽減と適熟果の収穫

⑥防風効果（台風九、十号）

⑦収益性が高い（梨狩り園に提供）

4、実績をかえりみて

県および町のうまい梨作り共進会に出品して、上位入賞、技術賞を獲得し、試験園は梨狩り園に提供して、観光客から好評を博した。問題点として

①施設費がかかる―架線式吊棚を併用して施設することと、一般に普及して資材を共同購入する

②収穫果の運搬方法―道路を整備して、梨狩り園にあてる

③後期黒斑病の発生―収穫期の適期散布

5、今後の計画

二ヵ年の継続試験の結果、予期以上の好結果が得られ、実用化の自信がついたので、一般にも呼びかけて面積を拡大し、梨狩り専用園として観光果樹を加味した経営に発展させたい。

私たちの郷土は、鳥取県の最も古い梨産地として、全国的にも知られている。しかし、梨園は傾斜地が多く、八割以上が三十年生をこえる老木園で、大型機械の導入も困難であり、生産性が低いのが現状である。今後は老木園を計画的に更新するとともに、稲作減反を契機に梨園の規模拡大を図り、省力技術を取入れて労働力不足に対処し、労働生産性を高めるように努力した。

また、緑の山と美しい湖、そのほとりに湧く温泉と、風光明媚な私たちの町の立地条件を活かし、訪れる観光客を対象として観光果樹園へと発展させたい。そのためには、“うまい梨”を作ることが先決であり、ネット栽培やエスレルの利用など、新しい技術を積極的に取入れ、クラブ活動を通して技術を身につけ、研究の成果は一般に発表して、地域全体が果樹産地として、より発展するようにつとめたいと思う。

私たちの自然供給産業構想
まず、村当局を動かす
資源は幻の魚、苔の道、猪の村

宮崎県椎葉村ＳＡＰ生活グループ　椎葉美津子

日本人の心のふるさと椎葉

九州の屋根を背にして、東側に五万三千七百二十九㌶の面積を持ち、我国で第二番目に広い村、そして平家の落人部落として知られている私たちの村は、かつて世をしのぶ隠れ里であった。奥深い山国、伝説と民謡の村、椎葉村であります。

昔から、私たち日本民族は、緑の山、清らかな水を心のふるさととして、大きな文化をはぐくんできました。自然に親しみ、これを愛する心情は、日本人の心であります。しかし、現在の日本は、公害列島と言われるほどに、大都会では自然が破壊されています。それにくらべて椎葉村は、澄みきった空気があり、四季それぞれに装いを変える山々があり、こけの林があり、緑があります。川底が見える清いせせらぎがあり、水を満々とたたえたダムがあります。太陽が輝き、星のまたたく高い空があります。四季様々の鳥や虫や川魚がいます。そして素朴なメロディーにのせて語られる、つるとみ、大八の悲恋物語があり、それにまつわる、つるとみ屋敷、八村杉があります。こうした椎葉村を「日本人の心のふるさと」と呼んでも過言ではないでしょう。

七十年代、さらには二十一世紀は「人間性回復の時代である」と言われている今日、都会の人々は澄み切った空気と緑を求め、山奥へ秘境へと出かけて行きます。しかし既存の観光地はむやみに人の手を加え、かえって、自然を破壊している向きがあります。私たちが「日本人の心のふるさと」と呼び、椎葉村の自然を保護し、生かして、新しい産業を確立して行くことは、椎葉村に生きる青年の義務であるべきです。こうした思考の中から生れてきたのが、ＮＧＳ構想（Natural green sale）です。

ＮＧＳ構想について

澄切った冷たい谷川の水を利用してまぼろしの魚と呼ばれている“えのは”の養殖をやろう。山を利用して猪の村を作ろう。こけの林の散歩道を作ろう。そして、そこをつるとみ屋敷や椎葉ダムや八村杉などの現在の名所にプラスするんだ。つりの好きな人はつりを、狩りの好きな人は狩りをしながら大自然の中で思い切り人間性回復をしてもらおう。泊るところは、はなやかなホテルはよして、民宿にしよう。素朴な人情と大きないろりのある家、とりたての“えのは”と山菜、そこにこそ椎葉村の情緒があるのだから。おみやげは、みそづけ・椎茸・茶・ひえ、それに、ぜんまい・竹の子の乾物などの椎葉の味を持って帰ってもらおう。

このＮＧＳ構想を実現するために、私たちはこの構想を村長、村企画課、経済課にぶっつけて協力援助をお願いしました。そして、これらの構想が実現できる確信を得たのです。“えのは”の養殖のために同じような条件の背井岳を視察し、民宿の勉強のために県観光課に行きました。また、今まで自家用にしか考えられていなかったみそづけや山菜がみやげ物として価値のあることを、婦人会との部落別座談会で理解してもらうことができました。昭和四十四年、村の年中行事である村文化祭に、婦人会の協力を得てＳＡＰコーナーを設け、手作りのみそづけ・椎茸・茶・ひえ・ぜんまい・竹の子の乾物・野菜などの販売をいたしました。昭和四十五年には、婦人会とＳＡＰ女子会員手作りの「そば」のバザーを加えて大好評でした。この年には、Ｍ観光ホテルという大口のお客も出てきて、私たちは大喜びでした。現在、Ｍ観光ホテルは婦人会とみそづけの年間契約をして宮崎市を訪れる観光客に椎葉の味をＰＲしてくれています。

私たちＳＡＰの女子会員も、ＮＧＳ構想のみやげ物つくりは自分たちの分野だと自覚して、現在みそづけについてその伝説を生かした商品価値のあるつけ方、包装のしかたなどを研究中です。ここでは、シソの千枚づけを御紹介します。

シソの千枚漬け

材料（しその葉一㌔、塩五十㌘、みそ）―作り方―①シソの葉は穂がでない柔かい物を選び、水洗いしますが、小さな虫がついていたりするのでよく洗います。容器の中にシソの葉を入れて塩をまぶして手早く、下漬け容器につけこみます。つけこむ容器は金属性でないものを選びます。押しぶたをして、重石をのせて四〜五日すると黒い汁が出ます。これを捨てて改めて軽い重石をして二〜三日おきます。これは圧縮が目的です。②下づけをして、圧縮したシソの葉を竹の皮に包める位の大きさに切り、竹の皮の乾燥したのに包みます。③本づけ用容器の底にみそを厚めに敷いて、竹の皮を包んだシソの葉を平にならべます。たくさんつける場合は、これをくりかえして、一番上は多めのみそを平にのせてその上にパラフィン紙かナイロンをはりつけかびをふせぎます。つけこみ期間は六ヵ月が最適です。つけこむみそは、一般には自家用みそと同じ配合の赤みそを用いておりましたが、塩からいため、現在は大豆十三㌔、麦二十二㌔、塩八・四㌔でつけこんでおります。みそづけの味の善し悪しはみそで決まる訳ですから、みその作り方にも神経を使います。こうじを作る時に雑菌が入ると、みその中に雑菌を入れることになりかびくさくなってせっかくの味噌の香りがなくなることになります。また、みそにつけこむシソの材料の割合いが多いとみそづけの味が落ちます。本づけをする時に包む材料についても、竹の皮で包むと商品として包装する時にいろいろな問題が出てくるので、昆布を蒸して包むことにしたら、昆布のうま味がシソの香りにプラスして前よりよい商品ができました。食べる時には、たて三㌢、横一・五㌢位の大きさに切って食べますが、シソの葉を圧縮したものですから一枚ずつはぐことができます。以上、シソの千枚づけを御紹介しましたが、この外のみそづけについても、すべて婦人会員の助言、協力を得て研究を続けています。

むすび

私たちＳＡＰ会員がＮＧＳ構想に取りくんでの歴史は浅くそのビジョンのほとんどは今から築きあげなければならないものばかりですが、今までの活動の中で得たものは、これからのＳＡＰ活動、もしくはＮＧＳ構想という共同プロジェクト活動の大きな原動力になることと思います。

活動の中で得たもの、その第一は今までの山村農林業の感覚を越えた新しい産業の感覚を身につけることができたこと、そしてＳＡＰ会員の感覚を大人の人達が理解してくれた喜びであります。現在部落ぐるみで地域開発が考えられていることは喜びにたえません。その第二は今まで金にならなかったものが金になり、自分で作ったものは自分で売ってみるという度胸ができたことであります。

これから先、実施の途中に多くの問題にぶつかることと思いますが、奥日向と呼ばれ、日本の秘境と呼ばれている椎葉村にこれから生きる私達、ＳＡＰ会員の胸にはゆらゆらとゆれる大きな情熱のほのおがもえているのです。椎葉村をもりあげて行くのはＳＡＰ会員なのだという決意はかたいのです。

☆　☆　☆

五人の侍　転作資金で奮闘
山口県豊田グリーンクラブ

【山口県＝岡島春雄連絡報道員発】農業が切実なる問題になっている今日、農村の若者七割位が日雇い労働者へと変り、農業は他人の仕事のように思っている青年が多くなった。

そこで山口県豊浦郡豊田町４Ｈクラブ（会長岡島春雄君）は、今年度の方針として「我々農村青年が希望のもてる農業へ」と呼びかけ、活動を展開している。なかでも、豊田グリーンクラブの五人のグループは、早々に町長や指導機関、普及所などに相談を持ちかけた。その計画では、現在約九十㌃の減反の水田を借り受け、スイカ、レタス、キャベツ、抑制のトマト、キュウリ作りに転作資金を借り受ける予定である。また、イチゴのハウス栽培もやろうと頑張っている。

この豊田グリーンクラブの五人の侍は、一般の若者とは違ってどんなに苦しくとも、また人が何を言おうともビクともしない魂の持ち主である。そして、Ｔ・Ｇ・Ｃ仲間は、４Ｈクラブの中心メンバーだけあって、考え方は一つ！それは、「農村青年が希望のもてる農業へ」。こんな希望を一人でも若者が持ってくれれば、それだけ農業青年がふえてくるのである。この方向へ少しでも実現させようと、動きまわっているのである。そしていま、今後の農業のことを話し合いながら野菜作りに身を入れている。

眠らされている？…クラブ機関誌

――せっかく作ったクラブの機関誌です　全国の仲間に紹介してやって下さい――

全国の仲間は、あなたのクラブの機関誌を読みたがっています。生き生きとした情報に飢えてます。もっともっと交流を欲しています。ガリ版刷りでもかまいません。字が下手でもかまいません。とにかく、地域に眠らせないで！できた機関誌は、すぐ送って下さい。４Ｈ新聞のスペースを空けています。

あらゆる機関誌を〈４Ｈ新聞〉へ送って下さい

ＮＨＫ農事番組（9月21日〜30日）

テレビ

明るい農村　6・30〜6・55　総合

21日　きょうの話題

22日　産物往来「いぐさ」

23日　話題の広場「大型機械農業への道」―浜松市静岡農試

24日　村をむすぶ・秋分の日特集「13人の帰郷」―東京都小笠原　小笠原諸島

25日　農村新地図―愛媛県生名村

26日　明るい漁村

27日　村の記録「はみだした米」

28日　きょうの話題　千葉・大阪

29日　話題の広場「牛の病院大繁盛」―北海道標茶町

農業教室　7・30〜8・00　教育

20〜25日　これからの農業と農協（協同組合経営研究所）築地文太郎

27〜29日　採算を考えた稲の収穫作業（農林省農事試験場）向井三雄

30〜2日　果実の有利販売（農林省農業研究所）小野誠志

あすの村づくり

日　7・00〜8・00　教育

再　土　13・00〜14・00　教育

26日　「土に生きる　その新しい意味をさぐる〜その2・人と土と」（富山県立大谷技術短大助教授）足立原貫および青年

ラジオ

早起き鳥　5・41〜5・57　❶

21日　自由化と日本農業③・日本上陸作戦

22日　自由化と日本農業④・開発輸入〜商社の戦略

23日　自由化と日本農業⑤・変わる食生活〜消費者のみた農産物の自由化

24日　養豚指導会社〜神奈川県綾瀬町〜斉藤正

25日　賑わう観光ぶどう園〜山梨県勝沼町〜

26日　多元・余剰米を追う　仙台〜新〜東京

27日　世界養豚会議に出席して〜福岡県畜産会〜井上太郎

28日　ゆらぐ野菜産地構想〜千葉県下

29日　動きだした植木流通センター〜三重県経済連

話の広場　日　6・10〜6・30　❶

26日　マンモスバラ園誕生〜千葉県鴨川市〜

新しい農村

日　6・30〜7・00

再　日　14・30〜15・00　❷❷

26日　どうする余り米（食糧庁長官）亀長友義ほか

ラジオ農業学校

日　6・30〜7・30　❷

26日　農業講演会・「情報化社会と生きがい」（東京女子大学教授）伊藤善市〜放送利用農業グループ北海道大会で収録〜

私の青春を顧みて

――どこのだれかわからないK子

つい先日、編集部宛に、ただ、K子とのみ記された封書が舞いこんだ。よもや、飲屋のツケでもあるまいがと、おそるおそる開封してみたところ、以下のような長い身上話であった。消印は九州の方面で、ほぼ筆者も推定できないではないが、匿名が希望とみられるから、あえて発きたてないことにしよう。

すまなさが今も
弟は交通事故で死亡

今年も七月十三日がやって来た。

七月十三日、この日は私にとって生涯忘れることの出来ない日である。この日がやって来ると、幼い日の辛かったことを思い出す。

当時、小学校一年生でかわいい盛りだった弟が、交通事故で死んでしまったのだ。私が六年の時である。この長男であった弟の死によって、私の運命も大きく変ってしまったように思う。もし、その弟が生きていれば、今こうして私は農業に取り組んでいなかったかもしれない。姉らしいことは何一つせず、いつもいじめてばかりいた私。今も死んだ弟にすまない気持でいっぱいである。

でも、私の少女時代も決して楽しい毎日ではなかった。私の両親は二従兄弟にあたり、母が六歳年上である。戦争がなかったら従兄弟として一生を送っていただろうに。父はこの結婚にだいぶ不満だったらしい。しかし、頑固な祖父が無理に二人を一緒にさせたのである。そのため、父は祖父に反抗して家をあける日が多く、気の弱い母は、いろいろ思いつめ、妹を生んでから強度のノイローゼになり、とうとう精神病院へ通院せねばならなくなった。私が六歳、妹三歳、弟一歳の時である。自分の子供もわからずに、ボヤッと一点を見つめたまま坐っていた母の姿が、今でも忘れられない。

私が小学校へ行く頃、少しはよくなったが、それでも毎日のように理由もなく母から叱られ、ぶたれたものだ。学校から帰って遊びに行きたいと思っても、叱られるのが恐しく、子守りや炊事の手伝いをしているうちに一日が終ってしまう。毎日、泣きながら、いつぶたれるかとオドオドして過した。そうした明け暮れで、私もつい妹や弟にヤツ当りして、いじめてばかりいた。その頃のことを思い出すと、今でもゾッとして来る。そんな状態だったので、弟が死んだ時、すまない気持で胸いっぱいだった。もっと、やさしくしておけばよかったと、どんなに後悔しても後の祭であった。

父母は病弱
私の役目に満足だ

それからは、妹や下二人の小さな弟の良き姉にならなくてはと決心し努力して来たつもりである。

将来は、美容師を夢見ていた私だったが、家が農家なので農業高校へ進学した。そこで、農村の現実を知り、矛盾だらけのこの農村から逃げ出すより、自分でその農村に残って、農業をやろうと決心した。そのためにも、もっと農業のことを勉強しなければと思い、さらに上の学校へ行こうと、家族の許しを得ていたが、その矢先、卒業数ヵ月前に、母が腎臓で仕事が出来なくなったのだ。

それから五年、強い決意のもと、農業に取り組んだ私だが、何もなさぬまま、ただ時間だけが、いたずらに過ぎて行くような気がしてならない。

卒業当時、母の身体を心配し、慣れぬ農作業に精出して働いた。一年、二年と立つうちに、母の病気も少しは快方に向っていた。でも、祖父母に遠慮して、私の注意も耳に入れず、すっかりなおっていないのに仕事をし始めたので、いつまで立っても、スッキリとよくならなかった。

今年の五月、父が脳溢血で倒れ、その分、母や私に負担がかかり、母も七月に倒れてしまった。心臓が弱っているとのことだった。私は、今、母の看病に打ち込んでいる。こんなになる前に、なぜ私の言うことを聞いてくれなかったのか、くやしい気持でいっぱいである。母に早くよくなってもらいたい。その一心で進学も諦め、自分のしたいこともがまんして、私なりに今まで頑張って来た。小さい頃より、あまりの母の仕打に母を、そして、家庭を省みようとしない父を、子供心に悩み続けて来た。でも年を取るにつれて、両親の気持も理解出来るようになり、父母を責める気持も次第にうすれて行った。

内気で、何にも要領が悪く、手が遅いので人の半分しか仕事の出来ない母。おまけに口下手ときているので、よく父を怒らせている。今まで父が悪いとばかり思っていたが、両方に責任があるんだなあと思うようになった。父も自主性が全然なく、友達の父親のように、もう少し仕事をしてくれたら、どんなに助かるだろうと思うが、胃が悪い、腰が痛いが年中行事で、あまり強いことも言えない。また、親を批判出来る年ではないからと、諦めている。

両親が病弱で、こんな状態だから、自分のやりたい経営も出来ないし、また、旅行に行きたいと思っても、家のことが心配で行けない。しかし、家にいれば、家政婦、運転手、社長秘書みたいな仕事、弟たちの親代りとしての役目、いろいろな家庭内のもめごとを解決する裁判官としての役割など、自分に課せられた仕事が一杯である。

こんな私でも、この家では必要な人間なんだなあと、私なりに自己満足している。でも、時々、あまりにも私へ頼り切っている両親や、家庭内のわずらわしさから逃れたい、そう思う時がある。そんな私を支えてくれるのが、クラブの仲間であり、4Hクラブである。クラブ員の中には、私より、もっともっと苦労している人がいる。その人達のことを考えれば、私にも勇気が出て来る。それと、幼い頃より培われた根性がある。両親のお蔭で、これから先どんな困難なことが待ち受けていようとそれに耐えて行けるだろう。

私の青春。友達のように恋愛する余裕もなく、遊びに行きたいと思っても、それも出来ず、自分のやりたい経営をバリバリやっている人を羨しく思いながら、それでもそんな中で、母の暖い支援のもとにクラブ活動に打ち込むことが出来、多勢の仲間を知ることが出来たのは、この上もなく幸福だったと思う。

何も、私一人が苦労しているのではなく、皆同じようにそれぞれ苦労をしていると思う。その苦労が、他人にわかるはずはなく、自分だけにしかわからないと思う。

時々、思うことがある。もし、弟が生きていれば、今頃は友達と同じように幸福な結婚生活を送っていたかもしれないと。でも、これが私に課せられた青春であり、私に与えられた運命なのだと思う。

ただ、これからは、その運命に左右されるだけでなく、自分で自分の道を切り開き、この手で幸福をしっかりと掴まなければと考えている。そして、母の分まで幸福に強く、逞しく生きたいと思う。

生存者がほとんどなかった女子学生を記念した「ひめゆりの塔」

クラブ紹介

評判よくなったよ

長崎県<三川内クラブ>

三川内4Hクラブも、発足以来七年という年輪を刻み、りっぱな先輩たちに負けないようにと思って、クラブ員全員が協力し合い、今日のクラブがあるわけです。では、ここで現在の三川内4Hクラブを紹介致します。

クラブ員は十六名いますが、二人は他の職業に出ているため、実際には十四名のクラブ員で頑張っています。内訳は、男子十三名、女子三名で、年齢は平均十九歳と非常に若いクラブといっても過言ではないでしょう。何を行なうにしても、若いということで、すぐ決ってしまいます。毎月十五日の定例会も、笑いの中でなごやかに終ります。

昨年までは、あまり評判が良くなかった三川内も今年は、みんなの協力と努力で充実し信用を受けるまでになりました。また、クラブ員一人ひとりも、名実ともに市連一位のクラブにしようと、強く心に決めて、これから先の4H活動に精進しようと思い、はりきっているというのが、現在の三川内クラブの近況です。

（長崎県佐世保市隈村青少年クラブ連絡会議『友情』二号より）

青春と仲間

母

前田丈男

今日も一日あくせくと
働き続ける母の姿
"母ちゃんそがん働いて
何んの楽しみあっとかい"
それには何も答えずに
黙々と働き続ける母
でも
どこか寂しげな母の瞳を見逃せない。
もう五十を過ぎた母の目尻には
四十余年のしわが刻まれている。
そのまぶたの裏で
今日は、何を願い
何を考えているのだろう。
毎日、毎日
一家を背負っている責任感が
強く焼き付いているのだろうか。

（佐賀県南波多4Hクラブ『つどい』一号より）

草の根大使だより
日本娘 中国県警動かす

入江志津子

残暑御見舞申しあげます。こちらに来て一ヵ月以上にもなりましたのにその間まだ一度もお手紙書いてなくてすごく気がかりだったんです。しかし、友達に書くみたいにスラスラとはかけず、なんとなくおっくうで今日まで延びてしまった訳です。

"会うは別れの始めなり"と昔の人はいいこと言ったものです。せっかく仲よしになれた第二のホスト・ファミリーの家族と別れを惜しんでここ台南県へ、本日着きました。第一のホスト・ファミリーであった台中市の農家を離れるときは、相当強度のホームシックにかかっていたものですから、別れを惜しむどころか日本へ帰れる日が近くなるというので別れが少しも悲しくなかったものです。しかし、第二の南投県のホスト・ファミリーでは同じ年ごろの娘さんとの別れがつらく、前の夜から二人でしょんぼりしてあまり口もきかず顔を見合わせて、いたものです。

しかし、幸いなことに彼女は来年度の草の根大使として日本へ行く可能性が強く、是非試験にパスしてほしいものです。日本で再会できることを願望しつつ別れ、また新しいホスト・ファミリーへ落ち着きました。所は台南県麻豆鎮で人口三万人。この家族は謝さん（せいさん）一家で、おばあちゃん、両親、子供四人です。女の子が一人いて私より一つ歳下。両親とも、日本語がお上手で助かります。

入江さん

ここには、今日着いたばかりですのに、午後からさっそく新聞記者さん達がやって来て写真をとったりインタビューされたり、二日後の新聞にのるとのこと。そして私の来る三日前から県警察の方が謝さんの家に来られ、日本から来られるお嬢さんに不便なことがあれば申し訳ないからといろいろ気をくばり、また今日わざわざ来て私に何かこまったことなどあればすぐ連絡して下さい、とまあ私にしてみれば恐縮するほどの歓迎ぶりです。

この台南県には九月九日までお世話になります。その間、地区のキャンプ大会が高雄市であり私も参加します。そのあと県政府などにあいさつ回りをして、4Hクラブの行事にも参加することになっております。中部の台中、南投とちがい、ここ台南は暑さも一段とまし、温度は三十度C～三十七度Cくらいが普通でひどいときは四十度Cにもなるそうで、外に出るのがこわいみたいです。

日本もまだ暑いでしょうネ、健康に充分気をつけて下さい。ではまたいずれ、再見（さようなら）。

空談

いそぐないそぐなよ

どうしたわけか、教科書に使用される作品は、みなつまらなくなってしまう。本来、佳作でありながら、そういう印象しか与えぬことも問題だが、いまはそれに触れない。全くの例外として記憶に残るのは、数ページの抜粋と接したのみの、大島亮吉の文章ひとつくらいのものであろうか。

大島亮吉について知るところは、日本の登山史上に名をとどめる名アルピニスト、それも比較的初期の人、文章を能くし、最後は日本アルプスの冬山単独行で遭難、行方不明といった略歴のみで、それすらも正確だとはなしがたい。最近、登山文学全集とか称する叢書に、彼の紀行も収録されたことを加えれば、それがぼくの知識のすべてである。

中学校の教科書で読んだのも、どこか雪深い峠越えを記した文章で、ただひとり荷物を背負うて、しみじみと心を澄ませつつ歩いたおりのものだった。詳細は忘れてしまったが、人通りも稀な峠に、彼よりもまえにつけられた足跡があり、それを辿って行くというだけの単純な紀行文だった。そこは曽遊の地であって、季節を異にした二度の峠越えのイメージが、美しく重なり、織りなされるために、満目雪のなかでありながらも、実に変化に富んだ風景が交錯して、そこここを、掌を指すように確認しつつ進む姿ともども、けざやかに思い描かせた。

そのしんと静まりかえった雪もよいの風景は、さながら、大島亮吉の精神の静寂さと清澄さとに対応し、さきんじた足跡に抱く人懐しさは、なにものかに対する信頼と孤独の相の深さとを感じさせた。日々の生活において、どのような行蔵を示したのか知らぬが、おそらく、そんな雪深い峠道の一人旅に、ほっと自らを取戻して、彼は、生きてあることをつくづくと確めていたのではないかと思う。

こんなふうに語ると、すぐに、やれ現代では通用しないとか、ちゃちなロマンティシズムだとかいって笑われる。必要以上にせかせかと、騒々しく駆けめぐり、のんびり立ちどまってみることも忘れている人びとには、多分、このひそやかな生きざまと、その意味とを理解することが困難だろう。そんなにも生き急いで、なにを求め、なにが得られたというのだろうか。太陽の下に新しいものなどありはしないと、聖書にも記されているのに。

どう転んでも、大したことがないのならば、いっそずぼらを決めこんで、しばらくはぼんやりしていたい。なにも得られなくても、もともと、もし間違えば、いままでみえなかった世界が、立顕われてくるかもしれない。――近いうちに、大島亮吉のあの文章を、捜してみよう。「木の葉ふりやまずいそぐないそぐなよ　楸邨」（山）

うれしさに男泣き

三重県川上正男

ぼくは男としてこれほど嬉しく泣けたことはなかった。今日まで、いろんな友と話し合い行動もともにしてきたが、こんなに嬉しく泣けたことはなかった。一応酒は入っていたが、その影響は全くないものと信じている。

ともに農業に生き、ともに将来の農業を背負うもの同志が酒を飲み、涙を流して誓い合った友情は、一生ぼくの心から消えないだろう。イヤ絶対消さない。たとえ遠く離れていても、ぼくは信じている。また友も信じてくれる。そんなことを思うと、これからのぼくの農業に大きく希望が羽ばたく。ファイトが涌く。

男同士で飲む酒が、これほど大切なものかと感じたことはなかった。女性には経験のできないことだろう。男として生まれたことに対して幸福だと思ったが、4Hクラブに入っても同じだ。ぼくはぼく達の単位クラブの行けなかったものに、こんなに友がたくさんいることを知らせてやりたい。

そして次回には、全部の人に行ってもらいたいし、連れて行きたい。そして、これからのクラブでの活動に、ファイトをもやしたい。

最後の夜（帝釈寺）の二、三時間が、ぼくの人生の重要な時間になると信じてやまない。今書いたことは、沖縄訪問に関係ないが、重大であり、大切だと思い、書いてみた。

民泊で感じたことを少々。技術交換大会を終り、伊佐真彦君の家へ車に乗せてもらい向った。そして、南風村の4Hクラブの人達に歓迎を受けた。それから、技術交換大会での席上、いろんなことが話し合われたが、一番感じたのは技術の低いことだ。野菜など作るにも、肥料設計を全く計算しない。また、普及員にもあまり相談をしかけない。しかし、尊いと思ったのは、少しも悪びれず、恥しがらずに話してくれる心があった。もし逆に、ぼく達が沖縄の4Hクラブ員であったら、技術の低いことを恥しがり、悪びれて話さないだろう。（全国4Hクラブ連絡協議会編『第二回沖縄親善交歓訪問報告書』より）

女の子とトマト
同じにみえてやはり別

群馬県豊受4Hクラブ　細谷武司

トマトと話ができるようになれと人は言う。おれもトマトと話ができるようになりたいと思う。しかし、思うだけでいっこうにできない。いつも穴あきができたり、空洞果になったり、実が大きくなかったりでさっぱりだ。夜の温度はどうだい？　水をくれてもいいかい？　根張りはどうだい？　体の具合は？　と問いかけても何も答えてくれない。

それでいて気にいらないとあとでひどい目に合う。何が気にいらないのかさっぱりわからず、結局あとになって、あれがいけないのか、と思う。あとの祭とはこのことだ。その時々においてトマトの心が読めたらと思うのだが、いつになるのだろう、トマトと話せるようになるのは。

女の子もトマトに似ている。つき合ってくれと言う。まだ他にしなければならないことがあると言う。まだ早いとか言う。おれのどこが気にいらないのか。他に好きな男でもいるのか、わからん。また女の子はおもしろい人が好きだと言う。おれがおもしろくないからなのか。そんなにおもしろい人がいいのなら、落語家や漫才家と結婚すればいい、こっちはまったくもっておもしろくない。

おれは自分を無口だと思う。よく女の子はおれのことを何を考えているかわからないと言う。別に何かを考えているわけでもないのに。また何を考えていようとおおきなお世話だ。別に世の中がひっくりかえるようなことを考えているわけでもないのに。つまらん。おれにとって女の子とは不思議で気になる生き物だ。

トマトと女の子の違いがある。トマトは誠意をもってつくせば立派な実をつけてくれる。努力すればなんとかなる。しかし女はそうではない。しょせんトマトはトマト、女は女なのか。トマトと女、同じようにむずかしい、わからない、わかろうとしないおれが悪いのか。今ハウスの中でトマトを見ている。しかし、女の子はいない。

（群馬県伊勢崎地区農村青少年クラブ連絡協議会『蒼』十二号より）

編物

オオロラクラブ　さだ子

ガーガーと今日も部屋から編機の騒がしい音が聞えてくる。冬、寒くなるとほしいセーター、帽子、マフラーなどは編物だ。私は編機に接して四年、冬の農閑期の時、何か自分でできるものを習いたいと思い、教室に通い始めた。教室には多数の生徒がいた。一本の毛糸にも、色が、材質が、太さが何種類もあり、また、編む模様にも何種類かがあるので、できあがったものは一つしかない。だから、自分にあって、自分の好きなものならば、うれしさ十倍になってしまう。

初めはセーターだ。編機で裾から編んで行く、おっかなびっくりの手つき。あっ、目が落ちている……。先生を呼ぶ。だめじゃないの！　こんどは慎重に！

編み終った、こんどは"とじ"だ。コの字とじ、メリヤスとじをやる、やっと形としてできあがり、アイロンも伸びるもの（毛糸）だから、慎重にやらなくては！　できあがり。先生の顔も、私の顔もほころびて、笑いがでてくる。一枚の作品のできあがりだ。その中には、失敗した所も、先生にほめられた所もある。私一人しかわからない充実感もでてくる。

みんなに喜ばれ、私自身の若さを保つ上での勉強課題として、これからも、編物に精進しようと思っている。（静岡県中遠地域農村青少年クラブ連絡協議会『あぜみち』六号より）

酒

松尾清美

人間はなぜ酒を飲むのだろう。
又、酒を飲んだらなぜ酔っぱらうのだろう。
一人で飲む酒
二三人で飲む酒
多勢で飲む酒
いろんな飲み方の酒がある。
もう一つの飲み方もある。
チビチビ飲む酒
キューと飲む酒
酒とはほんとうにいいものだなあ。
この世に酒がなくなってみろ
俺は死んだ方がましだ。
酒がなくなれば人類も　ほろぶだろう。
あゝ酒が飲みたい
飲みながら語ろうよ。

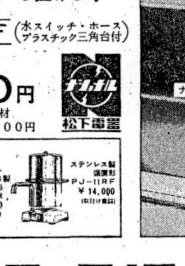

（佐賀県南波多4Hクラブ『つどい』一号より）

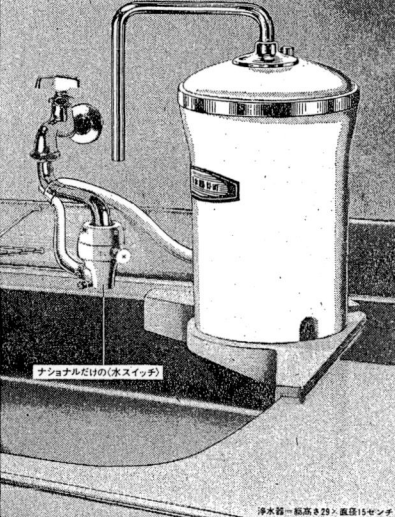

日本4H新聞
4Hクラブ 農事研究会 生活改善クラブ 全国広報紙
発行所 社団法人 日本4H協会
東京都市ケ谷家の光会館内
電話（269）1675郵便番号162
編集発行 玉井 光
月3回・4の日発行
定価 1部 20円
一カ年 700円（送料共）
振替口座東京 12055番

クラブ綱領

私達は、実践を通じて自らを磨くとともに、互いに力を合わせて、よりよい農村、よりよい日本を創るため、四つの信条をかかげます。一、私達は農業の改良と生活の改善に役立つ腕をみがきます。一、私達は科学的に物を考えることのできる頭の訓練をします。一、私達は誠実で友情に富む心をつちかいます。一、私達は楽しく暮し元気で働くための健康を増進します。

内容変る4H推進会議

農業問題を加える

12月8日から中央青年の家で開催

全国4Hクラブ連絡協議会（会長 黒沢健一君）は、社団法人日本4H協会（会長 宮城孝治氏）と共催で毎年開いている全国4Hクラブ後期中央推進会議を、今年も十二月八日から五日間、静岡県御殿場市の国立中央青年の家で開催することを決め、その開催要領の大綱をこのほど開いた執行部会で検討した。この後期中央推進会議は、現リーダーを対象とした前期推進会議に対し、次期リーダーを対象に、4Hの本質やプロジェクトの進め方、リーダーのあり方などを中心に研修、その実践的学習を行なうもので、筋金入りのリーダー養成がねらい。

「テスト」も検討中

今回の計画案をみると、昨年までの会議に比べて、内容やスタイルにおいて幾分異なった面がみられる。

まず、今回は農業問題を取り上げ、講演と、農業問題とクラブ活動をどのように結びつけるかという分科会研究討議の時間を設けている。また、昨年まで行なってきた、4Hの本質、リーダーと組織のあり方、プロジェクトの進め方についての各講義とそれをもとにした分科会、全体討議という系統立てた学習形式がなくなり、講義だけにとどめている。これに替えて、道府県連会長会議、女子クラブ員研修、本紙連絡報道員の研修などの時間をふやしているほか、一般教養、クラブ活動全般、クラブリーダーのあり方についてのテストを新たに取り入れ、総括的な知識を体得するように考慮している。

ことに、会長会議には約十時間をとり、しかも県連会長以外の参加者も傍聴する時間を設けることにしている。これによって全県連会長の発言回数をふやし、組織的ではない個人的な意見を少なくしようというもの。

また、連絡報道員研修では、実際に壁新聞や速報などを作成するなど各研修において自らが実践を通して評価し合い、勉強するという方法をとっている。

この推進会議は、かつて中央研修会と名づけられて実施され、研修的要素が強かったが、今回はとくに4H活動推進のための実践的な学習という色彩を強めてきているともいえる。

毎年、初日に行なってきた懇親会は、意義が少ないとして廃止することにしている。

主な日程は次のとおり。

一日目（八日） 午後一時二十分から開会式とオリエンテーション（青年の家の生活と会議日程について）、三時三十分から全協活動についての経過報告と今後の活動の説明、夜は七時から第七回全国4Hクラブのつどいや第三回全国4Hクラブ沖縄親善交歓訪問などの全協活動について八ミリを用いて報告する。

二日目（九日） 午前と午後、道府県会長会議、女子クラブ員と連絡報道員の研修、クラブ活動と組織の運営についての実技学習、夜は全体会を開き各部会での討議内容を報告する。

三日目（十日） 午前八時三十分から「4Hクラブの本質」についての講義、九時三十分からテスト（一般教養、クラブ活動全般、リーダーのあり方）、午後は農業問題に関する講義と質疑応答、夜は、農業問題とクラブ活動をどう結びつけるかについての分科会研究討議。

四日目（十一日） 午前中、会長会議と並行してプロジェクトの進め方についての実技学習、午後は同じく会長会議と並行して「クラブ活動」についての講演、夜はキャンドルサービス。

五日目（十二日） 午前八時三十分から会長会議を開き、各県連代表者以外の参加者は会長会議を傍聴する。十一時から反省会と閉会式を行ない、昼食後解散する。

なお、センターの規則により、毎日午前六時三十分に起床し、朝のつどい、午後四時四十分から夕べのつどい、入浴をする。夜は八時四十分に研修を終了し、フリータイム、九時四十分から部屋別反省会を行なうことになっている。

花やかな村旗をかかげての開会式＝岡山県の技術交換大会

参加者のメドがつく

沖縄親善交歓訪問 確認人数は八十八名

全国4Hクラブ連絡協議会（会長 黒沢健一君）は、さる六日から東京・新宿区市ケ谷、家の光会館内の同協議会事務所で執行部会を開き、今秋十一月に飛行機一機をチャーターして実施する第三回全国4Hクラブ沖縄親善交歓訪問などについて協議した。

沖縄訪問では、問題となっている参加希望者の人数について検討された。その結果、これまで書類到着や電話連絡などの方法によって申し込みが確認された人数は八十一名で、これに執行部七名を合わせると八十八名となっている。

しかし、まだ申し込みのない県連やOBに打診し、参加が確認されたものを加えると、百十名の目標は達成できるとしている。ただ問題は、これらの約束が守られない場合も生じることが予想されるため、今後、執行部が分担して直接連絡をとり、そのような事態が起こらないように努力することを申し合わせた。

涼風暖風

ときには話題にしたいこと

トイレは「野」で行なうのを最上とする。とくに、秋の夜、満天の星を仰ぎながらのやつはそう快の一語につきる。

都会では、この気分を味うことができないのが残念だ。おまけに都会では公衆便所の絶対数が足りないので、あわてて失敗する連中が多く、科学的とかいうしろものの一端をになう水洗便所のため、トラブルが絶えない。

トイレといえば、土地によって変化のあるのがいい。もう建てかえてしまったかと思うが、伊東温泉の某旅館のそれは、二枚のタタミが敷いてあり、何に使うのか知らないが、すみに作り付けのいすがあった。外にもタタミ敷きのものがあるが、貧乏育ちのせいか落ち着かないし、不潔な感じがする。群馬の奥地、上野村の農家にお世話になったときは、山地のせいか、家は山の斜面に建っていた。道路側は普通の家の造りだが、反対側は十数㍍の柱組み、今流にいえば、ピロティ方式である。トイレの下も、囲いのない空間だけ、下をのぞくと、斜面に植えられたコンニャクなど丸見えである。本体と別れを告げた現物は、十有余㍍を勢いよく落下。肥溜めは、百へーべ以上あり、現物が途中で風に流されても大丈夫のように工夫されていて、ハネ返りを防ぐため、表面には籾がらをのせてある。ふと、爆撃機からの爆弾投下を連想したが、軍国主義者だったろうか。

トイレの下に流水をひきこみ、川の上で用を足すつくりも少なくない。八甲田山麓の酸ヶ湯温泉がそうだし、黒部渓谷の鐘釣温泉のがそうだった。カワヤという位だから、これが日本式トイレの原型かも知れない。酸ヶ湯でも、上流の密室で別れを告げたものが、こちらの下を元気よく流れていくのをみると、お互いに生きている連帯感をかきたてられる。黒部渓谷では、その温泉宿の下の河原からも温泉が湧き出している。そこが滝となって、文字通りの天然風呂になっており、その淵には、見事な滝がそそがれていた。絶景だナア、と話し合いながら自然を楽しんでいたところ、滝の中にときたま白っぽいものがまじっていた。花ビラとは優雅な、と滝ツボへ泳いで近づいてみると、花ビラとみたのはとんでもない話で、滝ツボには現物がのんびりただよっていた。滝はカワヤのなれの果てであったわけ。

自然をたくみに生かし、土地がらを発揮して自分たちの文化を創っていく知恵には見習うべきことが多いが、度を過せば公害となる。人間と自然の関係は、トイレのようなものではないだろうか。（文部省 伊藤）

七年ぶりの大会

岡山県の技術交換大会 親睦第一に変える

【岡山県＝松原泰明連絡報道員発】「恵みの大地に根っこをおろし心と技を磨きあい、若さで築こう豊かな農村」をスローガンに岡山県農村青少年クラブ連絡協議会（会長 小見山興治君）主催の県農村青少年技術交換大会が、さる八月十八日から三日間、岡山県北の西の軽井沢といわれる蒜山の皆ケ山キャンプ場で開かれた。本県では長い間、県一本の大会が催されておらず、この大会は七年ぶり。

これには、県下の農村青少年のほか農業大学、酪農大学、農業高校各校の生徒や農業改良普及員など約二百名が参加。全員が一人一役の役割を分担してみんなで協力し合い自主的に運営した。

この大会は、従来の技術交換大会というイメージから一歩離れて、スポーツや話し合いなどを十分に取り入れ、お互いに心を開いて十分交流ができるようにした。また、話し合いも具体的なテーマを設定せず、それぞれの立場から率直に意見を交換し、今後の地域活動に役立ててもらうことをねらいとしたもので、とくに親睦を主眼とした。

一日目 各地区から四台のバスで会場の蒜山高原に向い、午後一時半ごろからオリエンテーションと開会式が行なわれ、まず国旗、大会旗を先頭に、各地方ごとに地区連旗を掲げて入場行進した。このあと、日本銀行の真崎謙五岡山支店長から「新しい経済社会における若人への期待」と題して講話があった。続いて村別に分れて情報を交換、夕食はバーベキューを楽しんでの食事であった。

夜は、交換の夕べが開かれ、前八束村長による銭太鼓、蒜山高校生による蒜山の風物、美甘村農村青少年クラブの有志によるバンド演奏、クラブ員によるのど自慢などが行なわれた。クラブ員は、郷土芸能“銭太鼓”の大変上手な腕前を見て感心し、また、のど自慢大会では、地元、美甘村青少年クラブ員のバンド演奏によって歌ったが、みんななかなか上手で、中には素人離れした人もいて拍手かっさいをあびていた。

二日目午前中は、蒜山へ登山した。朝四時半に起床し、五時半ごろ出発。バスで登山口まで向い、そこから頂上をめざした。途中、ジャージの乳牛を飼っている牧場では、もう搾乳を始めていた。

なかなか急な道が続き、みんな“腹がすいた”など語り合いながら上っていく。下界も上空も霧（ガス）がかかっていて全然見えず、やっと辿りついた頂上でも視界がさまたげられ、残念がらせた。

下りは、ズルズルと滑って足もとが危うく、みんなくたびれて下山してから、草の上に横たわっていた。入浴と昼食のあと午後は、村別の話し合いが行なわれた。議題は前もって決めておらず、その場で出して話し合いを進めた。

すき焼きを囲んでの楽しい夕食後、大会の最大の焦点であるキャンプファイヤーに移った。各地区連から踊り、寸劇などの出し物が披露されてにぎわいをみせ、また岡山県出身の新人歌手・柏みどりも特別出演し花をそえた。

最終日は、午前中の体力づくり、運動会を中心として行事が進められた。入場パレードに続いて開会式。開会宣言、あいさつ、競技場の注意、ラジオ体操、選手宣誓などのあと運動競技に移った。助け合いゲーム、カニゲーム、一心同体、とんだ失敗などのゲームをまじえたユーモアのある競技が行なわれた。途中雨に見舞われたため最後まで消化できなかったが、倉敷地区連チームが優勝、楯が贈られ、十一時半からの閉会式を最後に幕を閉じた。

今回の大会を通じて強く感じられた点は次のとおりである。

一、久しぶりの県一本の技術交換大会ということで、運営委員会を設け、会長を中心にみんながやる気になってのぞんだが、実際に大会を運営してみて、戸惑うことが多すぎて、大会を一つ行なうことは大変難しいものであるということを感じた。

一、主な行事は、登山、村別話し合い、キャンドルサービス、体力づくり競技などであった。久しぶりの県一本の大会でもあり、みんな少しは戸迷いも感じられたが県下の青少年が二泊三日間を共にして親睦を深めたということは、非常に有意義であり、今後のクラブ活動にとって大きな糧となるものと思われる。

心頭技健

このところ、全協執行部の人たちがうかない顔をしている。今秋十一月に実施する沖縄親善交歓訪問に、参加希望者が少ないのが理由。今回は飛行機一機をチャーターして往復することにしているので、期日が徐々に迫るにつれて、焦りはつのるばかりだ▼現在まで、書類到着や電話連絡などによって参加が確認された人数は八十一名。これに執行部七名を合わせて八十八名しかない。このほか、まだ申し込みのない県連やOBなどに打診した結果では、ほぼ百十名に達するだろうと、一応もくろんでいるものの、やはり不安である▼チャーター機のキャンセル料は馬鹿高いので、今となっては、チャーター機は、ヤーメタというわけにはいかない。どうしても「全協号」――「4H号」を飛ばさなくてはならない状態にある。そこで、定員に満たない場合、誰かがその穴ウメをする必要がある▼執行部の間では、田畑を売る覚悟をしろと、冗談めいた言葉もかわされているが、そうもいくまい。ただ一つ、この負債をかぶらないで済む方法がある。それは一般客にも同乗してもらうことだが、これも、往路は良いとして果して帰路に同乗する人がいるかどうか確約できないと航空代理店の方でも心配顔だ▼このように参加者が予想外に少ない原因としては、さいきん県独自で実施する派遣事業がふえ、クラブ員が沖縄などへ行く機会に恵まれていることや、相次ぐ飛行機の墜落事故から受ける心理的な影響などが考えられる。しかし、それよりも、クラブ員の中に、自分たちが応募しても、どうせ選ばれっこないという先入観があることの方が大きい▼この応募の場合の提出書類の一つである作文や県連会長の推せん状などが障害になっていることも否めない。が、これらは、沖縄に行くのであれば、これを機会に、クラブ活動や沖縄への認識を深めようとするもので、余り深刻に考えない方がよい▼こんなときこそ視野を広め、仲間との交流や体験を通じて自分を高めるのによいチャンスである。今からでも遅くない、あなたも申し込んではいかが。

オルグからみた各県連

波に乗る募金活動 4H会館建設

「全国のつどい」誘致へ意欲 盛り上がる青森県連

全国4Hクラブ連絡協議会（会長 黒沢健一君）は、七月下旬から八月中旬にかけて東北、北海道と中国四国、九州地方の両方面へオルグ（役員派遣）を実施した。中国、九州方面は黒沢会長と神田勝徳事務局次長、東北、北海道方面は松浦幸治副会長と原田正夫事務局長（岩手まで）が同行したが、このうち東北、北海道各県連へのオルグについて、松浦副会長の報告をもとにその足跡や成果などをさぐってみた。

◇ ◇

松浦副会長は、原田事務局長とともに、七月中旬に東京の全協事務所を出発、まず初めに栃木県の大会に顔を出したあと、七月二十八日から福島県猪苗代町で開かれた福島県の若い農業者のつどいに参加、また、県内の4HOBと会談、その足で宮城県に向った。しかし、県連役員が岩手県で開催される全国農村青少年技術交換大会の準備で岩手に出向いていて不在のため、高野秀策元全協監事らと会談、宮城県のクラブ員とともに岩手へ行き、八月一日から四日間にわたって開催された全国大会に参加、ここで八月四日、原田事務局長は、執務のため東京の事務所へUターン、松浦副会長だけが青森県を訪ねたあと海を渡り、北海道へと足を伸ばした。青森では蛯沢勝雄県連会長はじめ豊川民男県連理事、山本たい子全協評議員（昨年度全協会長）らと会談、また、来年度「第八回全国4Hクラブ員のつどい」が開催される北海道では、奥村秀宏全協副会長（前年度北海道連会長・つどい準備委員長）赤松宏道連書記長（本紙連絡報道員）飛岡良成、小栗力、仲西信之各つどい準備委員らの出席のもとに、同つどいについて打合わせた。松浦、奥村、赤松君らはつどいの主会場である厚生年金ホール（開・閉会式場）屋内スケートセンター、野幌道立自然公園（散策場所）などを視察、また、北海道の技術交換大会に出席したあと平取町、赤井川両4Hクラブの交歓会などに参加し、十七日、東京の事務局へ帰着した。

今回のオルグでは、北海道を除いて各県とも、主に4H会館建設の募金活動、全国4Hクラブ員のつどい、全国4Hクラブ沖縄親善交歓訪問など全協事業についての説明と協力要請とともに各県連の実情把握がねらいであったが、各県連ともムード的にはかなりよくなってきており、今後に明るい期待が持たれている。

今回のオルグにおいて、とくに指摘される点は、次のとおりである。

一、青森県連では、昨年度、山本たい子さんが全協の副会長として活躍してきたことも大きな刺激となり、県連活動も活発になってきたことが注目される。県連と全協のパイプ役を果した山本前全協副会長（現全協評議員）の存在は見逃がすことはできない。

こうした盛り上がりの中で、県連の役員自身が“自分たちの組織は自分たちの手で”という意識を強め、蛯沢会長を中心に一丸となって活動を展開しており、今後に期待がもたれる。

また、全国4Hクラブ員のつどいの開催にも意欲を示してきており、記念すべき第十回は、これまでまだつどいを誘致していない“みちのく”で開こうと、役員の中でほぼ一致をみたと伝えられる。

一、4H会館建設の募金活動については、各県ともムードを上げてきている。これまで募金活動が低滞していた主な理由として、各県とも、全協の打出す姿勢がいま一つ具体性に乏しかったことをあげており、ある県では募金額の半分しか全協に送金しなかった事実もある。

しかし、スペース買い取り方式による建設場所の決定などから、各県とも本腰を入れて募金活動と取組む姿勢をみせている。ことに福島県連では、独自にスペース買い取り方式への変更などを紹介したパンフレットを作成してPRに努めると同時に、県下二十一の各地区連ごとに募金箱を作成して設置するなどの努力を重ねている。

OB会結成は急務

一、今回接したOBの数は少なかったが、会館建設に対してOBは責任を感じているものの、過ぎ去った約八ヵ年の歳月は長く、当時の意欲を新たに蘇えらせるのには相当の努力と時間が必要に感じられたようである。しかし、やはりOBとしての責任は免かれられず、現役クラブ員が熱意をもって訴えることによって先輩も動いてくれることは確かで、OB会の結成が急務であるとする先輩も出てきている。

一、宮城県では、農業青少年グループの一本化が確立されておらず、末端で困乱を起こしている面もみられる。

一、第八回のつどいについては①開会式（一日目にするか三日目にするか）②録画③記念講演（北海道連の要望として作家・三浦綾子氏を候補に上げている）④主催者の仕事の分担、などが話題になったが、来年のつどいは、北海道の特色を出した演出が企画されるものと期待される。

具体性欠く欲求不満

なお、今回のオルグを通じて感じられたことは、全協に対する欲求不満が多く、風当りが強いということであるようだ。しかし、その欲求不満も具体的ではなく、何となく物足りないとか、何とかしろというあいまいなもので、全協に対する批判も、理解不足からくるものが多い。

もっと各県連は、全協について理解し、建設的な意見を出す必要があると同時に、全協執行部も、そのあいまいな理由は何かを採る作業も必要になってこよう。

関東ブロックで「推進会議」

10月6日から秩父で 組織のあり方を協議

【埼玉】関東ブロック農村青少年（4H）クラブ連絡協議会（会長 網川信夫君）、埼玉県農業研究団体連合会4H部（部長 加藤幸雄君）主催の関東ブロック農村青少年（4H）クラブ推進会議は十月五日から八日までの三泊四日間、埼玉県秩父郡野上町大字井戸の埼玉県立長瀞青年の家で開催される。

参加者は、組織代表者各県連六名（関東ブロックの役員を含み、男女各三名）助言者各県一名、全国4Hクラブ連絡協議会役員、埼玉県4Hクラブ員三十名、埼玉県関係者四名の約百名で、参加者負担金は一人当り四千円。

主な内容は、全国4Hクラブ連絡協議会の活動説明をはじめとして各県連の情報交換、「埼玉の県民性と象徴」と題する埼玉県文化財専門調査員・山口平八氏の講義、組織のあり方についての分科会、行事のもち方についての全体討議、埼玉県園芸試験場など県内視察と川口市の優良農家見学、反省会などである。

農業問題の解決へ

11月6日から宇都宮で 栃木県連で「集い」

【栃木県＝井野口芳弘連絡報道員発】栃木県と県青少年クラブ協議会（会長 矢野幸男君）では、来る十一月六日から三日間、宇都宮市の県営総合グランドで、県下のクラブ員三千余名を集めてクラブ員の集いを開催する。

この集いの主旨は次のとおり。

現在の日本農業は、過度期の頂点に達し、減反、農産物の自由化などの問題が山積しており、これらを農業者自からの手で解決していかなければならない。そこで、県内のクラブ員が現在直面しているさまざまな問題について、民泊を通じて家族や地域クラブ員と話し合い、交歓の中で連帯感を深めながら、本県農業と農村の実態を正確に把握し問題解決の足がかりとしようとするもの。また、地区協、市町村協、単位クラブの組織力を結集し、地域社会にクラブの啓蒙活動を展開するとともに、クラブ意識の高揚につとめることが大きなねらい。

静岡　ボーリング大会

【静岡】浜北市4Hクラブ連合協議会（会長 有谷邦博君）は、さる八月三十一日午前十時から市役所西隣にある浜北エースレーンで本年度一回目のボーリング大会を開いた。同クラブでは、昨年度から近代スポーツの一つとしてボーリング大会を始めたもので、当日は前夜の台風二十三号の影響による大雨のため、クラブ員の参加が少ないのではないかと心配させたが、二十名のクラブ員が参加し熱戦を展開した。

クラブ員は日頃、クワや農機具などによって体を鍛えているためか運動神経もだいぶ発達しており、中には一ゲーム二百三十五点をマークしたクラブ員もいた。また月に十回程度ボーリング場通いをしているクラブ員もおり、ボーリング熱は旺盛。三ゲームで腕を競い合った結果、一位に河合則幸君（中瀬4Hクラブ）が入賞した。

なお、ここ数年、クラブ活動の低下が著しく、何の行事を行なっても出席率が悪い。このため、どのような活動をしたら多くのクラブ員が出席するか役員は頭を痛めており、悩みのタネとなっている。また、市内では青年団や青年学級が非常に活発なことや、どうしても女子青年の多い青年団に参加してしまう傾向にある。そして、指導機関である市当局が4H活動に対して消極的なためクラブ員からの不満の声も強い。

これらの状態を打開するためには、クラブ活動、その中心となるプロジェクトの認識と実践が重要であり、その実績の上にたって地域社会の理解を深める努力が必要であると思われる。（静岡県連絡報道員　鈴木政美）

集団思考で解決へ
栃木県連で野外教養講座

【栃木県＝井野口芳弘連絡報道員発】栃木県青少年クラブ協議会（会長 矢野幸男君）主催の県野外教養大学講座が先日、矢板市の八方ヶ原で盛大に開催された。これは、クラブ員が野外の共同生活を通じて学習集団活動を推進し、集団思考によって課題解決をはかるとともに、農業に対して自信と誇りをもって新時代に対応できる農業後継者になろうというもの。生活は、前年度まで地区別に行なったが、今年度からは名称を変え、教養大学にふさわしい十四班編成グループで行なった。

綱引きに女性の怪力

一日目は、まず開会式。小雨けむる八方ヶ原の緑をバックに、自衛隊音楽隊のマーチにあわせ、十二人の旗手のもとに国旗、県旗、クラブ旗、続いて六百名の参加者が十四班に分かれてそれぞれ特色ある班旗を先頭に、オリンピックを思わせるような入場行進をくりひろげた。

このあと「クラブ活動を顧みて」と題して、当県協初代会長の八木沢青夫氏の講演があり、当時の体験談を折り込んでクラブ活動の意義や方法などについて話された。続いて知事との懇談会がもたれ、参加者の中から選ばれた七名の代表が、日ごろ考えていることについて質問、それを全員で聴取した。

夜は"素人演芸の夕べ"を開いた。少ない練習時間ながらコントや歌など本職の芸能人はだしのぐものもあった。

二日目は、部門別の分科会を開き、自分たちの取り組んでいるプロジェクトの問題点などについて検討を加え、その解決の糸口とした。

続いて、総合農政の方向と問題点について時事通信社の論説委員・寺山義雄氏の講演があった。地区、市町村行事、班別検討、夕食のあと、いよいよ大会のクライマックス、キャンプファイヤーに移った。

県連会長によってボンファイヤーの元火が運ばれ、四つの火に分火、高々と積み上げられた薪に点火された。"燃えろよ燃えろ…"の合唱のもとに、ファイヤーは渦を巻いて燃え上がり、いよいよ出し物のスタート。キャンプファイヤーにふさわしい仮装踊りや民踊、また、テレビのコマーシャルからヒントを得たコント、クラブ員らしく農業を型どった日本農業の縮図などアイデアに富む出し物が披露された。三名の審査委員を選んで審査し、表彰することになっていたが、いずれも甲乙つけがたいほどであった。

結局、第八班の「日本農業の縮図」が一位となったが、日本農業の進化をうまく表現していた。また、自衛隊の飛入りもあり、みんな一つの輪になって踊り舞った。

ついで、女子クラブ員による綱引きが行なわれたが、さすが日本農業を背負って立つ女性らしく怪力ぶりは天下一品。そんな楽しい時間もつかの間、やがてフィナーレを迎え「ご苦労さま」「よかったネ、あの出し物」などと言葉をかわし、感激ムードの中で握手がかわされていた。

三日目は、昨夜のキャンプファイヤーの話題で方々から笑いの渦が開かれる中で別れの集いを迎えた。こんどは、マンモス家族を思わせるような生活をしている班別の対抗による綱引きが催された。ルールは、男子二十名、女子五名のトーナメント方式。綱が切れんばかりに最後の力をふりしぼって競い合った結果、十三班が優勝、さすがに"団結"の一言がふさわしい力であった。

閉会式では、渡辺奨智鎮農林政務次官のあいさつなどがあって三日間にわたった野外大学を終了した。

山梨県連で技術交換大会

【山梨】山梨県4Hクラブ連絡協議会（会長 飯島畠田君）主催の県農村青少年技術交換会は、このほど早川町の町立青少年の家で開かれた。参加者は農業に従事している県内の青少年たちで、八月一日から岩手県で開催された全国農村青少年技術大会の参加者も出席した。

大会は日ごろのプロジェクト活動や体験で得た技術を発表、技術競技は地区ごとに班編成したグループ対抗で行ない、夜はキャンプファイヤーで楽しいひとときを過ごした。

実績発表大会開く
徳島　来月7日、石井町で

【徳島】徳島県農村青少年クラブ連絡協議会（会長 福井富士夫君）は、県、同農事研究団体連絡協議会、同農村生活改善グループ連絡協議会と共催で、来る十月七日石井町の農業試験場を会場として県農山漁村グループ実績発表大会を開催する。これは、グループ員が日ごろの研究活動の実績を発表し合い、互いに勉強しようとするもので、今年は農業祭の一環事業として実施することにしている。大会スローガンは「生活と生産の調和できずく豊かな農山漁村」で、この日は表彰も行なわれることになっている。

実績発表者は、農事研究会、生活改善グループ、若妻大学、青少年クラブ生節組織などの代表で、ブロック大会において選抜された七名。

日程は、午前十時に開会、知事あいさつと来賓祝辞、十時半から実績発表、正午から講評、十二時半から表彰があり閉会の予定。

コンニャク共同栽培で活路
馬頭町大山田の4Hクラブ

【栃木】馬頭町大山田下郷部落の4Hクラブ（会長 益子富夫君）が昨年から"和"を深めようと、共同プロジェクトとしてコンニャク栽培をはじめた。

同地区は馬頭町でも山岳地帯であることから水田面積も少ない。そのうえ、米作減反などで離農して一般企業に勤める若い人が目立って多くなってきてた。

このあおりを食ってクラブ員の減少があっては本来のクラブ活動が出来なくなるとして益子会長らが中心になり昨年から五アールの畑を借り共同でコンニャク栽培をスタートさせた。最初は共同研究、技術交換を中心に行なってきたが、ことしは貯蔵方法について十二人が二人一組になって薬剤散布や管理にあたり、毎月一回研究会も開いている。

しかし、クラブ員各自が栽培に踏み切るまでにはまだ多数の不安があることから研究に研究を重ね将来は共同でコンニャク栽培の拡大を図っていくことを目標にはりきっている。

なお、同地域はコンニャク栽培には適しており、一般農家でも栽培しているだけに、今後同クラブの活動成果が注目されている。

全国購買農業協同組合連合会

九州の物流拠点に
鳥栖流通センターが完成

全購連が佐賀県鳥栖市に建設中だった鳥栖流通センターが八月二十七日完成し、本格的な操業を開始した。

同センター内では、すでに全購連全額出資の（株）エーコープラインが運営をはじめており、ラーメン、乳製品、洗剤などの生活資材や農薬・農業機械などの生産資材が整然と保管されているなかで、フォークリフトがたゆみなく荷役作業に動き回っている。また今年度中に取り扱う品目は、生活部門では食品が三千品目、衣料品が五百品目、日用雑貨が二百品目で、合計二十五億円を事業目標としている。

同センターは、全購連が総合三か年計画にそってすすめている物的流通網整備の拠点としての役割りをはたすもので、すでに操業している埼玉県久喜流通センターや愛知県名古屋流通センターについで三番目のもの。この完成によって、一応系統購買物資の流通拠点の整備はなされることになる。

事業は、九州地区各県経済連（配送センター）や管内農協を対象に次の点にとくに留意して展開することにしている。

一、系統経済事業の自主配送と流通システムづくり

系統物資の自主的な取り扱い体制と集中在庫管理による合理的な配送システムづくりをめざす。

一、農協店舗やAコープ店チェーン化の拠点

農協やAコープ店への食料品、衣料品、日用雑貨の統合的品揃えと定期配送システム作りで全国農協チェーン化を展開する。

一、商品・在庫管理と事務の合理化

ますます多様化する商品を大型電算機で集中管理し、事務の合理化をはかる。

鳥栖流通センターの事業内容は主に肥料、農薬、農業機械などの生産資材の保管・管理や配送と農協店舗に供給される食料品、衣料品、日用雑貨など生活資材の品揃え、配送などをおもなものとしている。

敷地面積約三万三千六百平方㍍のなかには、約四千平方㍍の生活資材用と約三千四百平方㍍の一般資材用の倉庫が建設費四億二千万円を投入してつくられ生活資材用倉庫には四百二十平方㍍の冷凍蔵庫が完備している。また、将来は給油所と燃料研修センターの設置も予定している。国鉄鹿児島本線と長崎本線の分岐点である鳥栖駅から車で五分の地点に位置してセンター前を福岡と久留米を結ぶバイパスが通っている。（広報課）

こんなことをしています
各種農業団体

農林中央金庫

月一回顔を出す　農協
農家のアンケート調査　貯蓄推進運動で

農林中央金庫では、全国の農家世帯・二千名に「農協の貯蓄推進活動について」というアンケート調査を行なったが、このほどその結果をまとめた。調査の内容としては、主に①回答者の農家経済の概要②組合員と農協の結びつき③農協のイメージなどである。

アンケート調査の結果は次のように要約される。

一、農家経営の概要

四十六年一～三月の三ヵ月間の農家収入は五十二万円で、四十五年十月～十二月のアンケートの百一万円に比べて約半分となっている。内訳をみると、農産物など販売収入が三十八万円財産処分など臨時収入が九万円農外収入が二万円の減少となっている。これは前回の十～十二月期が米など主要農作物代金の流入時期であったこと、および財産処分などが特にこの時期に多かったためと考えられる。この期間の財産取得のための支出は、十二万円で前期比べ十万円減っている。内訳は、農業用財産の取得が三万円増えているのに、それ以外の財産の取得は十三万円に減っている。また臨時支出は前期より三万円増えて、六万円となっている。

二、組合員と農協の結びつき

組合員のほとんどすべて（九十八・八％）は一ヵ月のうち一度は農協に顔を出している。組合員が農協へ行ったのは、貯金の出し入れのため（八五・六％）、諸会合に出席するため（四十七・三％）、営農相談（三五・五％）が多くなっている。また農協の役職員のうち十五人以上の人の名前を知っている人は五〇・三％と過半数をしめている。農協から得た情報や相談ごとで最も役立ったと思うのは「借入れの知識や相談」（三七・六％）「農業経営全般に関する情報や相談」（二一・九％）、「農協の、現状についての連絡や情報」（一八・四％）が多くなっている。

三、農協のイメージ

農協といった場合最初に目に浮かんでくるのは、農協の建物（二〇・一％）、農協貯金（一八・五％）、農協の窓口（一五・八％）の三つが多くなっている。また、組合員が農協信用事業についていだいているイメージは、「信頼がおける」、「親しみやすい」、「自分たちのもの」、「便利である」がともに四〇・五％台で、群をぬいている。（総務部）

初の主催者打合せ会議開く
3月1日から4日間
第十一回の全国青年農業者会議

来春、東京で開催する第十一回全国農村青年農業者会議のための主催者代表者会議が、さる十日、東京・千代田区霞が関の農林省で開かれた。これには、農林省はじめ全国農村青少年教育振興会、NHK、全国農業改良普及協会、日本4H協会、全国4Hクラブ連絡協議会、全国農業研究会協議会など七者の代表十七名が出席し、開催要領などについて協議した。

全国4Hクラブ連絡協議会（会長 黒沢健一君）は、青年会議の性格に対し、①過去の実績発表という本来のねらいが、ほとんど果されず、当面する問題、将来への展望をめぐる討議もあいまいで、近代的農業、農村建設に資するとの目的がぼけている②農林省は教育の場と考えているらしいが、われわれは、今後の農業への提言の場と考えたいと強調した。

これに対して農林省は、①あくまで教育の場である②目的の十分な達成は、テクニックにあり、運営面の検討をしたい③運営そのものは従来通りでよいと考えている。③については全協も同一見解に立ち、双方とも実質的な運営面に問題があるとしている模様。

参加者について、全協が①農村青年の選考方法、規準が区々である②参加者の大半が、技術交換大会との性格の相違を理解していない③会議のねらいを実現させうる参加者がいない。つまり、問題意識が低く、交歓にウェイトを置きすぎると指摘、農林省は①全国技術交換大会の担当者会議でも、選考の統一と厳選を指示しておいた②年齢制限は守られていると答弁されたが、全協は①年齢は書類上の操作が可能であり、事実、それがある②問題は、その人の考え方姿勢などを厳密に選考すべきで、年齢は単なる目安とすべきだと、提言した。

指導者の参加に対して、全協は外部リーダーとともに、内部リーダーも加えてほしいと要望、農林省から、二年前、全協が主催に加わって、プロジェクト実績発表の要素を汲入れるよう要求され、それに添っている。プロジェクトを実際に行なわぬリーダーの参加は好ましくないのではないかと答弁があった。全協はさらに、広義のプロジェクトを考えれば、問題ないと反論している。

開催要項案は次の通り。

開催期日は、四十七年三月一日～四日。

場所　第一日～第三日までは、オリンピック記念青少年総合センター、第四日は国立教育会館虎の門ホール。

なお、全国農業研究会協議会では、主催を降りるか否か検討中。

みかんもぎ—手伝って下さい
小田原農業改良クラブが呼びかけ　"仲間ヤーイ"

小田原農業改良クラブ（会長 内藤逸男君）では、今年も「みかんもぎ交換実習生」を募集することになり、いま全国のクラブ員に参加を呼びかけている。

募集要領は次のとおり。

①受入れは、クラブ員の家庭に限る②人員三十名（各家庭に二名くらい）③男女を問わない④仕事はみかんもぎ（誰にもできる）⑤日給 一日千四百円（男女同額、ただし雨天や休日などは支給しない）⑥持ち物 作業衣、身の回品⑦申し込みあり次第、細目などを受入れ家庭と合わせて連絡する⑧実習期間は、十一月中旬頃から十二月中旬頃まで⑨旅費は、関東、東北、中部は全額支給、その他の地域は片道支給⑩交歓会として、歓迎会、名所見学、送別会の三回を予定している。

▽締切り日　十月下旬

▽連絡先　神奈川県足柄上郡松田惣領七四二　松田農業改良普及所内　小田原農業改良クラブ事務局　電話＝〇四六五－八二－三三六一

豊田君ら帰国
静岡県の海外研修団

【静岡県＝鈴木政美連絡報道員発】静岡県酪農対策部後継者養成課主催の第三回県酪農青年海外研修団一行は、さる九月六日羽田を出発し、オランダ、西ドイツ、フランスなど西欧六ヵ国を視察・研修していたが、それを終えて二十一日午前六時三十分羽田着の飛行機で帰国した。これには、静岡県農村青少年クラブ連絡協議会の豊田信行広報部長ら四名の4Hクラブ代表が参加し、ヨーロッパ各国における酪農、文化、経済、農業青少年活動の実態など十六日間にわたって学んできた。

部門と合同で研修
宮城県連で総合研究集会開く　クラブ員宅に宿泊

【宮城県＝佐藤賢一連絡報道員発】さる四日から七日までの三泊四日間にわたって、宮城県農村青少年クラブ連絡協議会（会長 門間忠君）の総合研究集会が県内五箇所で開かれ、四部門の専門研修を行なった。

初めの二日間は、水稲、園芸、畜産、生活改善四部門の民泊による研修会が、それぞれ玉造郡岩出山町、桃生郡矢本町、加美郡中新田町、亘理郡亘理町でもたれ、三日目からは宮城郡宮城町の作並温泉観光ホテルに合流し、合同集会を行なった。

一日目は、それぞれの部会で十二時三十分から開会式を行ない、そのあとただちに講演を開いた。水稲部会は「稲作の省力技術と経営技術について」と題して県農政課の専門技術員・佐藤昭介氏、園芸部会は「今後の経営技術と流通対策」＝同専技・相原四郎氏、畜産部会は「畜産振興と公害対策」＝同畜産課・日下輝光氏、生活改善部会は「家庭における主婦の役割」＝宮城学院女子大学・横山シズ氏からそれぞれ専門的な話を聞いた。このあと現地のクラブ員と顔合わせ会をもち、クラブ員宅へ民泊に向った。

二日目は、現地クラブ員との交歓会や地域の先進農家など視察、その夜は再び民泊し家族との交流も深めた。ある部門では、ジンギスカン料理を食べながら盛大な交歓会を行なったようだ。

三日目は作並観光ホテルに移動して合流。まず、部門別討議を行ない、翌日の全体会議の発表にそなえて準備、そのあと、東京から招いた農業評論家・松下満雄氏の「これからの地域農業をどう進めてゆくか」と題する講演があった。主な内容は、主体性のある農業、仲間づくり、どんなフィーリングをもって農業に取り組むべきかなど、いろいろの例をあげて指摘された。話しは決して面白くも、可笑しくもなかったが、現代の農村青少年に欠かすことができない点が多いために、クラブ員は熱心に耳を傾けていた。

夜は、中野県農政部長や二人の先輩を迎えて『宮城の農業を語る夕べ』を催した。日頃の悩みや苦労話をまじえながら、今後どうあるべきかを語り合い、また、農政部長から今後の施策などについて話してもらった。余り熱心に話し合われたため時間切れとなり、この次の機会にまた語り合うことでチョン。

最終日には、全体討議でパネルディスカッション。そして、この大会の主旨である①クラブ員の生活を体験する②家族や地域の同士との話し合い③クラブ活動状況の話し合い④家族への奉仕活動、などを通じて仲間づくり、家族と地域ぐるみの交流が十分になされた。

卓球など熱戦
柴田地区連で球技大会

【宮城県＝佐藤賢一連絡報道員発】さる九月十二日、柴田郡農村青少年クラブ（会長 加茂純夫君）の球技大会が大河原中学校で開かれた。この日は、あいにくの秋雨前線下ではあったが、クラブ員は会場せましと若いエネルギーを燃やしていた。

柴田地区は、川崎、村田、大河原、柴田の四町からなり、地域的にはかなり広範囲になるが、積極的なクラブ員は、この大会のために各地域から川を越え山を越えて集い、汗を流し合った。

当初の競技計画では、ソフトボール、バレーボール、バドミントンを行ない、最後に各町村対抗のリレーをするはずであった。だが雨でグラウンドが使えないためにリレーは中止しソフトボールのかわりに卓球を行なった。競技の結果、バレーボールは柴田町チーム、卓球は大河町チームが優勝、総合では、結局柴田町が、昨年まで連続総合優勝していた川崎町を破り村田町に一点差をつけて、初優勝の栄冠を飾った。

畦道
文化のカオ

先日、街をフラついていたら、プラモデルを片手に十歳位の男の子がトボトボ歩いてきた。子供にしては、あまりに思慮深げな顔をしていたので、私は一瞬ハッとした。そこで私は大人ぶってこう尋ねてみた。"どうしたの、ぼく、いじわるされたの？"すると子供は"関係ないね"とすらり一言吐いて、再び哲学者のような顔をして歩いていった。唖然としてその子を見送っていた私の側を、足早に例の子を追って二人の子が通り過ぎた。気のせいか、その子らの顔も妙に白く見えた。

私達が子供の頃は、わるさをしてはケラケラと笑い、なぐられてはギャアギャア泣き、そうして馬跳びするのが日課だった。あれから何年たったというのだろうか。子供達は随分利巧な顔付きになったものだ、と私は無理やり老人のような気分にさせられた。もっとも、今の東京であの頃と同じように遊びに熱中していたら、交通事故などが危なくて一日たりとも生きのびられないということもある。

考えてみれば、子供たちの渋面は現代社会生活の中での仕方なしの渋面なのだろう。

子供を哲学者の如き渋面にするのは一体何なのだろう。単刀直入に言えば、それは今日の文化のせいであろうと思う。公害、テレビ、教育狂いの大人達など、それらの総体を子供達の無垢な心は、素直に、一点の曇りもない研ぎたての鏡のように反映しているのではなかろうか。子供達の顔のゆがみは、文化の"カオ"のゆがみである。

文化のカオがゆがんでいるとそれを他人事のように言うことはできない。何故なら、それはとりもなおさず私達自身のカオのゆがみなのだ。子供の顔に表われたゆがみは私達の顔のゆがみではないだろうか、そう鏡を見ながら問いかけてみる必要がありそうだ。（N）

OB会の資料を送って下さい

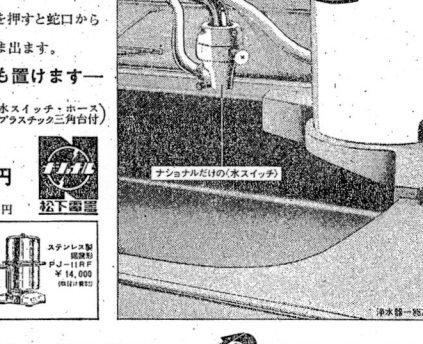

さいきん、各県で4Hクラブ員のOB会結成の機運が高まっていますが、これから結成しようとする県の参考とするために、OB会結成までの経過や規約などの資料がありましたら、お手数ですが編集部までお送り下さいますようお願い致します。

なお、まだOB会を結成していない県でも、4Hクラブ活動や組織の強化、4H会館建設の募金活動などの点から、結成するよう全国4Hクラブ連絡協議会でも望んでいます。（編集部）

農協のあり方を考える

"都市農協"へ脱皮

管理、運営体制を整備せよ

滋賀県大津滋賀後継者クラブ　森元清次

昨年の十二月、滋賀県青年農業者会議において、この問題をとりあげ、それらを中心にまとめて、ここに発表させていただきます。

昨年の国民総生産、自由世界第二位、名目一七・三%、実質一二・五%という驚くべき経済成長を示しました。世は昭和元禄といわれていますが、反面各種の公害問題、人間性回復、国土の総合的な開発などが七十年代の課題としてクローズアップされています。

その中にあって、農業、農協はいかに対処せねばならないか、現状で満足できる状態ではもちろんありません。だとすれば、いかに方向づけをして、我々青年がリーダーシップをとり、推進していかねばならないか？　これについて現状を認識し、十分討議し、その結果を地域社会において発揮していきたい。

何といっても、今後、皆さん方の地域においては皆さん方が、政治、経済、社会などの面で重要なポストにつかれるのです。そのことを十分自覚することから始まると思います。先に述べたリーダーシップということは、ここにあると思います。次に農協を取りあげて、今後の我々青年農業者の方向を考える材料としていただければ幸いです。

❶純農村的農協から都市農協へ

農協本来の目的は、農民の協同組織の発達を促進し、もって農業生産力の増進と農民の経済的、社会的地位の向上を図り、あわせて国民経済の発展を期することである。しかし現状は、兼業化が進み土地開発が進んで人口の流動化が著しく、その中にあって活動も購販事業の大型化、スーパー化、信用事業の拡大、農住都市に対する方向、また地域性を生かした経営形態の育成（軟弱野菜、花弁園芸観光農業など）が考えられます。

❷農協経営へ経済競争原理の導入

購買、販売事業を見るにつけて、今までのように組合員に対し、公平な対処の仕方（多種購入に伴う利益率）、農業経営に直接関係しない事業（電化製品、自動車、旅行など）の拡大、系統農協各段階の決済サイト差のアンバランス、及び奨励金の性格、その配分方法、流通面において、手数料のみの事業である。一般に農協製品は品物低の価格高との声もきく。今までのように自由経済体制の中にあって、非営利の原則を固く守ってよいのか？……農協法の改正（第八条）

❸共済事業について

組合長より半強制的な推進、員外利用の増大、掛金率の引下げや農家に対しての還元率の問題が考えられます。

❹農協の大型化の問題

ただ単に農協の合併による大型化が進んだに過ぎないきらいがあると思われる。米麦農協にしがみついている限り、大きな発展は望めない。総代会にみられる運営のあり方や、末端の農家とのつながり、反面、積極的にこのマンモス化を利用することをあわせて考えねばならないと思います。事務的な問題、職員の配置、反面、組合員の組合に対する姿勢も考えなおす必要もあり、マンモス化の長所を伸ばし、欠点を補う点を考えたい。

❺職員に対して

サラリーマン化して、ぬるま湯につかっている感じがする。積極的な組合員に対する姿勢が見られないのはなぜか？　また給料の問題、営農指導員としての高い指導力の不足及び老齢化、"三ちゃん農協"といわれぬようにすべきである。腰かけ的、かつ家計補助的な職員によって運営されている現状でよいのかどうか？

❻組合長、理事に対して

共済、信用事業、政府からの行政指導に対しての伝達役、そのための雑務でしかないといっては、いいすぎだろうか。米麦農協といわれる場合はよいが、これにかわって、積極的な経営方向を打ち出すためのブレーキとなってはいないか。また組合長、理事の老齢化により、現状維持的な考え、青年農業者との対話、意見の取り入れの欠除、非民主的独裁的役員の構想計画で、一方的に運営されていないか。本当に組合員のためになる事業の推進のためにリーダーシップを発揮せねばならないのが、地域の代表であるがゆえに、部落的利害にこだわったり、損失弁償の責任を回避したい気持があるように思われる。

❼管理、運営体制の整備について

経営上の欠陥として、内部規制組織の未確立、役員の独断的経営、統制力の欠除、内部監査の不徹底、職員配置の長期化、支所に対しての管理体制の不足、それにともない、職員の不正化の増大、職員の能力開発、教育制度等々が考えられます。

以上七つの課題について、問題点をあげましたが、それに対して将来の方向（ビジョン）はいかにあるべきか、またそれを妨げる要因を打破すべく、我々は取り組まねばならないと思います。

高度の成長と高米価に支えられて進んできた農業、農協、それが裏目になって大きな誤算であったのではないか？　米の買入れ制限を目的とした食管法改正、産米活動の低下による信用事業の伸びの鈍化、それが信用のみに止まらず共済、購買、販売事業と農協経営全体に及んでいる。

全販連と全購連の合併

総合農政に対し、単協、経済連が合体して、特産地形成を図り、価格対策に対処すべきであろう。また、職員の資質の向上を図り、人材確保と育成、能率給の導入、農協法のもつ阻害要因の改正によって、経済原理の導入、組織、事業、管理、経営の再検討と合理化促進を、理事者側が頭の切りかえをより推進していかねば、生き残れないであろう。

理事者側の管理能力が今後最も大きなウェイトをしめるので、外部よりの人材登用も考慮しなければならない。反面、組合員の質の問題も、商品生産農家による作目集合体としての組織問題を考える段階にさしかかっているのではなかろうか。

チェンジ・エージェント

生産物の過剰、不足、農産物の貿易自由化に伴って、「プロシアの科学者クラウゼビッツは、戦略とは適応のシステムである。それには不断に変化する環境のもとで初期の計画を遂行する事である」と述べているように、我々は厳しい現状を的確につかみ、反応せねばならない。

この中にあって、重要性を増すのは、ヒューマン・インベントリー（人的資源の把握）が考えられる。表面に現われず、重要な要素を持つ。他産業はSF訓練、ペアシステム、OD、X理論、Y理論、DM理論、行動科学等々と研究されている。いずれも、人間本来の性質、要求を見極めて能力を十分に発揮することにある。

科学性に乏しく、環境の変化に乏しい農村にあって、未来は必ずしも平坦な道ではないが、農村において、現在、取り組む農業青年によって、必ず目標を達成せねばならない。初めに云ったように、本当の意味で、将来の農村の中心になるのは我々であるからだ!!

この近畿のつどいなど通じ、条件を熟慮され、稔りのあるシンポジュウムにしていただきたい。農は国の基なりとの言葉のごとく、国の基は、我々の手にある。明るい朝日は必ずやってくる。暗い夜の後に!!（近畿農村青少年クラブ連絡協議会、全国農村青少年教育振興会『第七回近畿地方農村青少年のつどい』より）

私のプロジェクト

もやしピーナツあえなど

筑後4Hクラブで料理講座

【福岡県＝田中・下川両連絡報道員発】私たち、筑後4Hクラブ生活改善部では七月の行事として料理講習を行ないました。目的としては栄養価に富み日常作れる料理ということで、"揚魚のケチャップあえ""すいもの""もやしのピーナツあえ"などを調理しました。

最後にみんなで試食し反省を行ないました。評価としては味も良く色あいや盛り方、栄養配分が良く取れているといったような意見でした。そして、これからの農村の未来の主婦をめざして、おおいに栄養価にとんだ料理などを研究し、勉強したいとみんなはりきっています。

一、揚魚のケチャップあえ
ー付け合わせ（カレー粉ふきいもとピーマン）

〈材料十人分〉冷凍赤魚（八百g）、小麦粉、揚油、ケチャップ、しょうゆ、馬鈴薯（八百g）、カレー粉、ピーマン（三百g）、塩、こしょう。〈作り方〉（一）冷凍赤魚はとかし三枚おろしにする。（二）、（一）を塩、こしょう、調味料で味つけ小麦粉でまぶす、まぶした魚は油であげる。（三）あげた魚はケチャップ、またはケチャップ＋しょうゆで煮る。（四）馬鈴薯は皮をむき乱切りにして塩を加えて煮る。煮えたらあげる寸前にカレー粉でまぶす。（五）ピーマンは千切りにして油でいため、塩、こしょう、調味料で味をつける。

二、もやしのピーナツあえ

〈材料〉もやし（千g）、ハム（二百g）、ピーナツ（百g）、しょうゆ、さとう。〈作り方〉（一）もやしは熱とうをさっと通す。（二）ハムは千切りにする。（三）ピーナツはみじん切りにする。（四）しょうゆ、さとうで以上の材料をまぜて味をつける。

三、すいもの

〈材料〉かまぼこ二本、しいたけ五枚、ねぎ、しょうゆ、調味料。

四、みつまめ

〈材料〉かんてん、りんご、みかん、さくらんぼ、バナナ。

経営名言集

一年を考える者は花を育てるべし
十年を考える者は木を育てるべし
百年を考える者は人を育てるべし
《中国のことわざ》

☆　☆　☆

困難のことを試みよ　必ずそれは身のためになる。すでに習得した限界をこえて試みない者は　決して成長しない
《ロカルド・E・オスボーン》

☆　☆　☆

経営者とは何か　その答えは一つ。事業の経営経営、担当者の管理　働く人間とその仕事の管理といった多くの目的を同時的にはたしていく機関であるということだ。
《ドラッカー》

（富山県のOB組織・県青年農業者連盟の発行『富農青通信第二号』より）

私の考える4H活動

奈良県奈良4Hクラブ　巽　源　之

4Hの活動をさらに活発に、意義あるものとするには、個々の部員が、4Hへの関心を高め、その重要性を認識させることが大切です。

しかし、4Hのタイトルのみに心酔し活動に熱を入れるほど、私達は理想主義者ではありません。ですから、私達がこれから一生農業を続けるために、4Hを通じて作られた人間関係や組織が、いかに重要であるかを書いてみたいと思います。4Hの成員は、十代後半から二十代前半の若い年齢層で大半が占められています。そして二十四、二十五歳と年をとるにつれて活動への関心が薄れて、やがて結婚すると全く関心が薄れてしまいます。

こんなことから、4Hで作られた人間関係が、人生のある一時期だけのもので、以後は、おそらく同様の者たちであつまることもあるまいと思ってしまいます。私達が4Hをはなれてからは、一人前の大人として（つまり年齢を経て結婚）、村で役割をもち、農業を営んでゆくのです。

しかし、農業人口の激減している現在、例えば奈良市の十五歳から二十五歳までの全農業後継者を合せても、百人未満だと思います。そして、やがて十年たち、十五年たち、今の4Hの者が農業の中心になる時代が来たとき、奈良市の場合なら、二十歳から四十歳までの農業人口は、三百人に満たないだろうと思います。そして、以前は一つの村に何百人もいたのに、もはや多くて十人、少なければ一人となり、組織を作るだけの人口がなくなるでしょう。

そして、将来において農業の組織は、また4Hの仲間に戻ることでしょう。今や4Hによって作られる組織や人間関係は、人生の一時期だけのものでもなく、私達が農業をこの地で継続する限り、手を結び協力してゆかなければならない永続的なものなのです。4Hは私達農業を営む者にとって、未来の組織の礎であり、未来の仲間でもあります。私達は、4H活動に参加することによって、未来の仲間を作っていかなければならないと思います。

（奈良県4Hクラブ連絡協議会『4H情報』二号より）

10アール　みかん六トン目標

"明日"を展望できる農家へ

神奈川県小田原改良クラブ　長谷川功

ここ数年来、農業は曲り角にきたといわれ続けている。"農業ができなくても、田畑を切り売りすれば、今に大企業が進出すれば…人並み以上の生活ができるだろう""企業、宅地の進出が激しいので、規模拡大するどころか確保が精一杯だ。むしろ離農転換しなくてはならない""みかんプラスの複合を考えたんだけど、新聞相場を見ただけで生産する気にもなれない。むしろ手弁当さげて日雇いに出た方が賢明だ"都市農村では、現実にこのような問題に直面している。いやここに記したのは、二、三の例だけで、農産物価格の不安定、農業よりも工業優先の政策、生産価格と消費価格とのギャップなど、数えたらきりがない。

では、なぜこのような事態になってしまったか、その要因としては、地価が高騰して来たため、土地が生産するものから資本という考え方に変ってきた。三十七年頃から、全国的に起ったみかんの新植、とりわけ低コストで、生産される西日本に対し競争できないと考える先入観念、近代化されたといっても、まだまだ生活環境、農産物生産の過程、嫁のあつかい方などに封建色が強いこと、これらは明日の展望のきかない農家を離脱的にし、そして最終的には兼業農家へと移って行く。

明日への展望のきく農家、また今後の重要課題として、

1、単位当りの収量を増すことが、規模拡大であり、キロ当りの生産費を下げることである。方策として、改植、有機物の投入、剪定、摘果作業の徹底を施行し、最低十アール当り六トンを目標とする。

2、防除、灌水施設を地域に働きかけ、設立し、品種の向上に努める。

3、日内道、作業道を設けの運搬労力の節減することにより、低コストのみかんを生産する。

4、採果労力を確保するため、投下労働が季節的に変動する農業形態の農村との労力交換。すでに実施されている、4H新聞を通しての全国の4Hクラブ員に対する働きかけを、我が改良クラブの一大キャンペーンとする。

4、省力化され余った労力を、比較的大面積を所有し、品質を落す放任園をもつ兼業農家に働きかけ、請負耕作を行なって、自主経営に必要な面積を確保する。

5、全国的な生産量増加、外国産果物輸入により、将来、自分は農業でやって行けないということを、感覚的に受けとめるだけではなく、簿記を通して、生産費はどのくらいで、どこに経営の"ロス"があるかどうかを数字によって知り、対策をたてる。

6、従来、農家では、経営主を中心に家族労力で営農がなされて来た。嫁は家庭と農場にと、馬車馬のような過重労力を負わされて来た。しかし農業は、防除に、除草に、運搬にと、ずいぶん近代化され、嫁は採果のときだけ、農場に出るという形態に変って来ている。この現状を、上部組織を通じて広く全国に呼びかけ、一般の人に認識してもらう。

以上、列記して来たが、とりわけ品質向上、収量の増加と請負耕作は、七十年代の都市近郊柑橘栽培自立農家の道しるべとして、まず、クラブ活動で行なう最重要課題である。各クラブ員が六トンどりのスローガンのもとに、大同団結して、プロジェクトも従来の各自一テーマではなく、スローガンのもとに、分担制で施肥、剪定、除草剤、防除、みかん生理、摘果などを行ない、研究討議し、プロを通してクラブ員が結ばれ、実績を上げ、実在する数字によりクラブの魅力を広く農業青年に呼びかけることが、クラブ発展となる。

請負耕作にしても、兼業農家が簡単に土地を提供してくれるとは思われない。自立農家で営農して行くんだという信念と、放任園が経営的にみて、いかに不利であるかということを、数計的に、また体験を通し、まわりの園地に危害を及ぼしているか、それがひいては、地区の品質評価を落としているかを、よく認識していただく。ここ二、三年の間に農協を中心にするか、別に請負耕作組合によるものが必要となってくるだろう。

クラブで普及所や農政課に働きかけ、放任園をみつけてもらい、さしあたりクラブで実験的に行なって、その有利な点を細部にわたり拾い上げ、広報活動を通して農家に呼びかけ、請負耕作組合の実現へと邁進したい。

寒菊の収益性について

ハウス代が71%

一戸当り平均で五十四万五千円

奈良県葛城4Hクラブ　山本育男

私の住む広陵町は、奈良県の中央に位置します。また、私の周辺の土地は、平坦部ですが、反面排水の便が悪く、梅雨期や台風の時のように降雨量が多くなると、水田は水をかぶってしまうような状態になります。従って園芸作物を栽培するには、まず場所が限られて来るわけです。それに、私の部落での専業農家の平均耕作面積は九十アールと少なく、この条件下で専業で農業をやって行くには、集約度の高いものを選ぶしか方法がありません。

以上のような条件の下に、以前より後作として寒菊の栽培が行なわれて来ました。近年は少しづつではありますが、栽培面積も増加の傾向にあります。しかしながら寒菊を栽培するに当り、降霜による花弁や葉の霜害を防ぐために、ハウスが、必要なことが重要な要因となります。

ハウス建設の時期、あるいは消却費など、秋菊などのような露地菊と比較した場合、経営上において、どちらが有利かという点で疑問が出て来ました。そこで寒菊の収益性について、調査した結果を述べてみますが、当地方での栽培要領について、簡単に申し述べます。

1、六月下旬（十五日ころ）、生長点より葉三～四枚程度で、挿芽を行なう。

2、七月十日ころより、順次定植する。

3、七月下旬より八月上旬にかけて、品種により多少前後しますが、開花期の早い品種よりピンチする。

4、前の肥料の残効期により、施肥は各農家によってまちまちだが、遅効性の化成を十アール当り二袋程度施用し、風による倒伏防止と二次根を発生させるため、土よせをする。

5、支柱をたて、針金でネットを張る。

6、以後は芽かきのあい間に、ハウスの建設をする。

7、十月下旬、ビニールをかける。

8、この間、特に九月上旬より十月下旬にかけては、薬剤を一週間から十日の間隔で散布する。

以上が概要ですが、次に労働時間について述べますと、最も労力を要したのは収穫、荷造り、出荷で、全体の三六・五%もの割合になり、六百八十一時間です。次いで芽かきが四百三十時間で約二三%です。最初、多いと考えていたハウス建設は百七十時間と、一〇%にも満たない数字です。総労働時間は千八百五十四時間で、約二百三十日近い時間になります。

次に経費について述べますと、やはりビニールハウスの消却費、ビニール代の費用が七一%で九万九千六百円でした。これら生産費で十四万九百七十円です。

収益の面について考えてみますと、菊に限らず切花全体に通じることで、価格の変動は激しく、その年によっても、また気候によっても、出荷時期によってもまちまちですが、各農家の平均は五十四万五千三百八十円で、これを一日の労働報酬で見ると、千七百四十三円となります。以上が、私の調査した結果です。

私は現在の農業に就くまでは、某会社に勤務していましたが、社会の発展に伴い、人間が一部品として社会に振り回されるというようなことに耐えられず、それよりも自分自身が経営者であり、労働者でもある農業に、新しい魅力を感じ、今日に至ったわけです。

わずかではありましたが、外部を見聞することで、身近なことを再認識したわけです。福沢諭吉の言葉に「人生に於て、一番楽しむ立派な事は、一生涯、貫く仕事があること」ということばがあります。今後とも初心を忘れず、農業の発展に努力して行きたいと念願しています。

〈作業別労働時間（十アール）と収支〉

作業名	労働時間	割合（%）
挿芽	九二	四・九
定植	二二六	一二・二
施肥・中耕	二五	一・四
誘引	七四	四・四
病害虫防除	五七	三・一
芽かき	四三〇	二三・二
収穫	二四九	一三・三
荷造り、出荷	四四〇	二三・二
ハウス建設	一七〇	九・二
換気	三三	一・八
その他	六八	三・七
合計	一、八五四	一〇〇・〇

費目	金額（円）
肥料代	二、二六〇
農薬代	八、一一〇
種苗費	七、五〇〇
資材費	七、五〇〇
ハウス消却費	七二、〇〇〇
ビニール代	二七、〇〇
出荷経費	一五、〇〇〇
雑費	一、〇〇〇
合計	一五〇、九七〇

（奈良県農業振興協議会『すすむ大和の農業』三号より）

佐賀藤津地区連でつどいを開く

【佐賀】藤津地区4Hクラブ連絡協議会では、八日、クラブ員のつどいを、太良町の中山キャンプ場に約七十人を集めて行ない、今度が三回目。三日間にわたり自主的な運営がみられた。

眠らされている？……クラブ機関誌

――せっかく作ったクラブの機関誌です　全国の仲間に紹介してやって下さい――

全国の仲間は、あなたのクラブの機関誌を読みたがっています。生き生きとした情報に飢えてます。もっともっと交流を欲しています。ガリ版刷りでもかまいません。字が下手でもかまいません。とにかく、地域に眠らせないで！できた機関誌は、すぐ送って下さい。4H新聞のスペースを空けています。

あらゆる機関誌を〈4H新聞〉へ送って下さい

温州みかん　生産過剰に悩む

大阪府　松原幸平

現在、私達クラブ員が悩んでいる温州みかんの生産過剰による安値、この問題を考えてみよう。

まず安値の原因である生産過剰、では、どのぐらい全国で生産されているのか。その生産量は、およそ二百万トン、我国の人口が約一億人とすれば、一人当り二十キロ消費されなければならない。三～四年後は、約五百万トンに増える。自然と一人当り五十キロ消費されなければならないことになる。

では、この安値に対応するにはどうすればよいのか。現在のクラブ員の意見を二部分、紹介しますと、

イ、副業を行ない、栽培の最も重要な点だけを管理して、ジュースなどに販売する。

ロ、生産費を安くする。

ハ、販売ルートの流通をよくし消費者に結びついた販売方法。

（大阪府[illegible]4Hクラブ『野々花』より）

NHK農事番組（10月1日～10日）

テレビ

ラジオ

ぼくの二十二年

"なんぎ"な人間

親が病気と就職、蹴飛ばす

三重県津 黒川正信

津市安東町に生れ落ちてかれこれ二十二年。一口に二十二年、数字の上ではいとも簡単、だが人生の上ではたいへん長かった。それもそのはず、六十センチたらずのものがこれまでに成長したんだから。時の過つのは、恐しいものだとつくづく感じる。

まず生年月日、昭和二十三年六月十二日、安東町のうすぎたない家で、親をこまらせながらこの世に落ちる。この時分から相当な親不幸者。食欲極めて旺盛ですくすくと順調に"いい子"に育つ。その反面親がやせる。

昭和二十八年ころだったと思うが、安東幼稚園「あかぐみ」へ、はたまわしの"ガキ"どもと肩をいからせながら入園。三十人あまりのガキというか"ジャリ"というか、とにかく、クラスメイトと"ママゴト"をやりたおす。もちろん、おとっさん役。そのころから相当な代物。

翌年、昭和二十九年三月、第一回目の卒園者となると同時に、四月、母上の手に引かれて安東小学校へ入学。桜の名札を胸につけて"あの子の名前が読めたっけ"という感じ。世はまさにスピード時代、一年二年三年と過ぎた。年月の過つの早いものである。

あれは確か四年生の春だった。桜の花がチラホラ咲いてたっけ。第一回目の恋というか何というか早い話が初恋だったんだろう、きっと。今でも覚えている。頭のどこかにボーと。今ではあの子も人のカアチャン、もうすぐガキができるだろう。

その反面、そのころ、忍者ごっこというか、とにかくなんぎなことに、校庭の高い木にのぼったり(この時分から高い所が好き)、そうかと思うと、縁の下にもぐり込んだり、とにかく勉強どこ吹く風、遊びに熱中した毎日だった。今考えると、あの時分が一番なつかしく思う。勉強の方でも、もちろんいうまでもなく得意は体育と音楽、ドッチボール、ソフト、卓球、上級生とのグランドの取り合い。

音楽の方でも、何を隠そう、コンクールに出場、もちろんクラス全員が。結果はここにあげるまでも無し。家に帰っては、遊び連中をかき集めて魚取り、今とちがってとにかくたくさんいた(その道にかけては、少々顔がきいた)。だが、学校では五年六年とただ何となく過ぎる。この時が今から思うと、スランプだったんだろう、きっと。

ぐずぐずしているうちに、人は卒業したんだろう。俺もかろうじてという感じで卒業。名門(円の前の庭がいい感じ)西郊中学校入学。昭和三十六年四月ごろになると思う。一年の半ばころだったろう。勉強、それから、あちらの方面でもぼちぼち息を吹き返す。とにかく調子も良かった。きっと頭が軽いせいだろう。

二年生の時はただ遊ぶこと(少少上級生、いや中級くらい)に熱中している間に三年生となった。この三年の時期が問題だ。だが、調子良いことに変わり無し。入れどおしで、もどすことを知らず。高校進学のことなんか、それこそどこ吹く風。今でもはっきり覚えている。日曜日がつらかったことを。あの子の顔が見られない、ただそれだけのことさ。

年が明けてから、人が進学勉強をしているということなので、いそいでやらかした。その結果、どうにかこうにか、津工業機械科へ入学。昭和三十九年の春だった。男の子ばかりの学校、ここに書くまでも無し。ここでみっちり男同士の友情を温める。それが、結果的に今みたいな"なんぎ"な人間にしてしまったんだろう。

男の子ばかりで三年間、よくたえたものだ。だが、実にいいものだ。女の気無し、どちらかというと"大嫌い"な方だから……? せんど女子高へ通う。俺が悪いんじゃ無い、ヤツが悪いんだ。「朱に染まれば赤くなる」ということサ。こういうことの積み重ねが、どんなことでもいい方へ解釈してしまう基礎をつくる結果となる。

修学旅行でもガイド役を買って出る始末、とにかく、調子良かった。三年の夏、就職問題で悩む友達を横目で見て、少々の"スキマ"からでも入り込む心臓の強さで、バッチリと決定。完全に決った瞬間だ。あとは陽気なもの。人生低空飛行の原則に従って、スレスレの状態で、あやうく卒業の日の目を見た。"貴方のひとみに愛を見た"というヤツさ。

親が病気だと偽って、就職をことわり、平気な顔で今の職業"楽農"いや酪農に取り組んでいる。最終的な落着きの場所というか、安楽の地というか、このような感じだ。とにかく、二度と再び、今日という日は無いということを頭において、一日一日楽しく過して行こうじゃんか諸君!! 極めて変化にとんだ人生を!! (三重県津安芸農村青少年連絡協議会『若い息吹き』七号より)

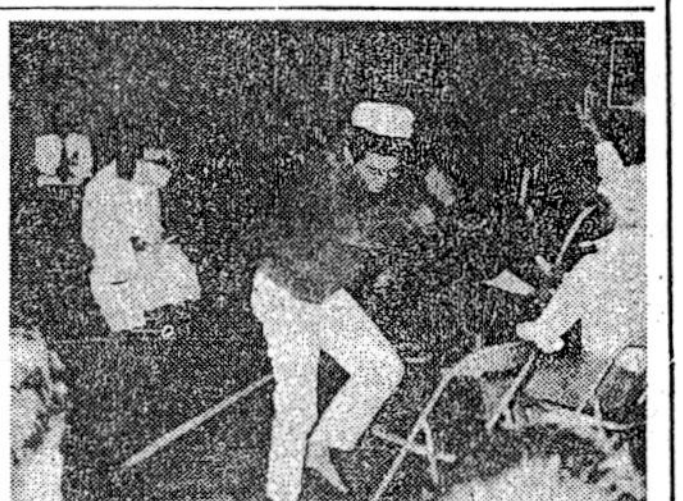

本土クラブ員との交歓会で踊る沖縄クラブ員

空の旅はいい
時間差は一時間

静岡県 鈴木 正

初めて身分証明書による旅行、ドルを使う。沖縄で自分の足を地につけて、良く見てやろう。大阪からJAL七二一便に乗る。やはり空の旅はいい。上空から下を見た時によかった。特に宮崎、鹿児島上空や、沖縄の海はよかった。良く澄んでいた。宿舎へ行く途中の米軍基地の大きさにびっくりする。話には聞いていたが……やはりこれが沖縄の姿であろう。

車の右側通行、左ハンドル、やはり、日本でありながら外国的な感じを持ってしまう。本土と家の造りも違う。台風の関係か? 沖縄の朝は明けるのが遅い。時間差は本土と一時間ぐらいであろうか。自分にはわからないが。

那覇から名護青年の家まで何キロであろうか。かなり走ったのだが、道路は曲りくねっている。途中の海は澄んでいてキレイであった。やはり、自然はそのままにしておいてほしい。ヘドロ、公害はイヤだ。ぜひキレイな海のままでおいてほしい。

沖縄の仲間の歓迎はうれしかった。同じ室で、サインをし話をする。これが最高の交歓である。自分は最初から政治の話が出るかと思っていたが、出なかった。彼等が意識して出さなかったのか?

パイン畑を見て、パインの加工工場を見せてもらって、民宿に入る。彼の家では一日勘違いをしていた。明日来ると思っていたらしい。彼にはもう奥さんがいた。南国特有のキレイな目をした沖縄美人であった。彼の父から、終戦から現在までの苦労話を聞いた。沖縄の人から初めてナマの声を聞いた。

(全国4Hクラブ連絡協議会『第二回沖縄親善交歓訪問報告書』より)

クラブ紹介

活動費は刈払いで

――群馬県・杉の子4Hクラブ――

私達の住んでいる所は、沼田から二十五キロほど国道十七号線を新潟方面に向い、猿ヶ京の手前に湯宿というところがある。そこから中之条へ通ずる県道へ入り、五キロほど入った所に住んでいる。標高七百メートルくらいの高冷地に属し、農家戸数約百二十戸で、ほとんどが兼業農家、主作目は養蚕、畜産、椎茸などである。

杉の子クラブが誕生したのは、昭和四十年二月二十六日のことである。当時、それまでの活動は青年団活動であったが、年齢の差やマンネリ化がめだち、このような青年団に満足出来なかった人達数人によってクラブが誕生した。そして地区連へ参加し、他町村の仲間を知るようになった。当時の活動としては週一度の集会で歌唱や絵画、卓球、そのほかに先進地視察など、杉の子園(園長一名)と名付ける十アールの借地でのカリフラワーの協同作業などを行ない、年々変った方法で行なったが、口で協同とはいっても、実際、畑で作業をするむずかしさが、年々ひどくなってきた。

クラブ費は、村からの多少の補助金や、夏、刈払いをして得た金でまかなってきたが、この十アールの土地の利用によって、このクラブ費ぐらいはまかないたいものである。

現在、男子十七名、女子四名にクラブ員もふえた。平均年齢は十八・六歳、集会日は毎週木曜日。女子活動は人数が少ないせいもあって、参加という形で活動しているが、去年の十月に行なった料理講習会などは、積極的に行なわれたようであり、これからも女子活動の活発化が望まれる。

今までと違った点は地元の婦人会が親子会議に積極的に参加してくれ、二度行なったことである。ほんとうの親と子が数組あった。一堂に会していろいろな問題を話し合ったこのことは、他部落へ相当な反響をなげかけたようであった。今年度の目標は、①仲間作り②発言の場作りである。

〈本多義二〉

(群馬県利根沼田農村青少年クラブ連絡協議会『農友』二号より)

私の小さな望み

神奈川県青空クラブ 田中とも子

今年は正月早々より、ゆっくりスキーを楽しむことが出来て、ごきげんでした。

いつも忙しいとか、時間がないと言っていた私にとっては、このうえもない喜びです。

交流会も、年々、リーダーはもちろん、グループのひとりひとりが成長しております。実際に私はGPの人達にアプローチする時間はないが、その中にあって、メンバーは、それをよく知っていて、お互いにカバーしてくれる優しい心の持主ばかりで、私は本当にうれしく思っております。私も自分の体のあいている限り、懐しいGPに愛嬌を持ち、話しかけて、GPの会には出席するように、心がけております。

どんなにTime distanceをおいても、Groupと私のつながりは、何か不思議な糸で結ばれております。

人間は、何か一つの責任を持たせると、暗中模索のうちに、自分の考えとか行動を決定して行くものである。集団生活をしておりますと、他人のためにやりたいと一度は考えるが、それがどうしたら良いか分らないのが現状です。私は、今はGPのメンバーを通じてボランティアー活動をしてゆきたいと考えています。(神奈川県青空クラブ『六周年の歩み』より)

青春と仲間

米国での生活から

農業は頭の経営だ

日本には小さな国の悩み

坂本重子

米国の農業従事者の平均年齢は四十五歳、親の代から受け継いだ人は少ない。一人のリーダーは、「二十代で農業に従事している人があれば、財産家の子供でしょう」と、話していました。確かに、農業そのものの解釈の仕方から違いがあります。

日本では、一人が三ha以上の田・畑を所有できなかったのですが、農地法が改正になってからは、現在、十五haまでと、幅広くなっています。その土地も一ヵ所に集まっているのなら機械を導入して作業できますが、あちらこちらへ点々としているのでは手のつけようがありません。

このような状態だから、"共同の機械購入で設備費の節約をしよう"といった話しもまとまらないようです。個人個人が変なプライドや、まちまちの理由を持っていることが、農業の進歩の足を引っぱっている気がします。

自分では使っていない土地があるのにもかかわらず、他人に譲り渡すのはともかく、貸すことさえ嫌がる人が多いのです。これは、小さな国の悩みでしょう。この点アメリカの農業は、兼業農家で三十ha前後、専業の牧場及び飼料畑を合わせて二千haという農家もあり、その広大さは見当がつきません。作業はすべて大型機械で人を雇って行なわれ、そのしくみは完全な企業経営となっています。

雇用者の労働時間は八時間、給料は一時間一ドル七十セント～二ドル二十五セント平均、町の会社勤務の人とほとんど変りません。またその家で取れた作物をもらうことがあり、トレーラ・ハウスや作業者小屋などを与えられ、同じ土地内に住んでいるので、ガソリン代や衣服代がいらない点などから、町で働くよりはむしろ楽だということでした。しかし、雇用者の中にも白人、メキシコ人、インディアン、黒人という段階があります。アメリカの市民権がない人々の待遇はとても悪く、気の毒な面があります。

また、養鶏については、専業ならば五万羽以上は必要だそうです。全面機械化がされ、鶏舎の管理よりも、洗卵とパック詰めの人の方が多いのに驚きました。これは、大雛購入がされているためでしょう。私が見学に行った七万羽と十万羽養鶏農家は、それぞれ企業経営で、鶏を卵の生産機械として扱い、販売に力を入れている様子が強く伺われました。

一軒の方は、近所の人がパック詰めの卵を買うために、簡単な販売方法で、小屋を建て料金箱を備えつけていました。誰もおらず、購入者が自由に出入りできます。田舎で人の出入りが少ないから成り立つのかも知れませんが、他人を信じる思い切った手段に驚き、とても感心しました。

日本の羽数が一万羽内外であるのに、彼らの羽数は多く、経営そのものにも違いがあり、全部を取り入れるということはできません。しかし、農業に全然関係のなかった人がお金を貯め土地を買って、新規に牧場なり養鶏なりを企業的な感覚で経営して行くという考え方は、まだまだ今の日本の農業者には溶け込んでいません。古い考えの中で代々の流れに添って行なう経営より、新感覚で行なう農業者の方が伸びて行くのではないでしょうか。

最初に日本の土地問題を述べましたが、アメリカでは労働者確保と機械の上手な使い方が大問題となっていました。トウモロコシ、ヘイ、豆、麦などは、全部機械で収穫しますが、イチゴやキュウリ、トマトのように次々と大きくなるものは、手で収穫しなくてはならず、多くの労力が必要となります。これには、子供のアルバイトが大きな力を貸していました。だから、イチゴやキュウリなど、都市近郊では良い収入になりますが、手がかかるので余り好かれないようでした。

ワシントン州は広く、森林や牧草地が多く、ジャガイモ、砂糖大根が生産物の大半を占め、土地に対する心配が余り伺われず"For sell"の立札が目につきました。これに対しニュージャージー州は小さい州に沢山の人口をかかえ、また都市化の波が農村地帯に押しかけているので日本と同じ悩みが多く、農業者や普及員を通じて大変よい勉強をしました。

"私達が取入れると良いな"と思ったのは、農業者同志の団結で作られた工場です。ジャガイモや牛乳は加工場、鶏は洗卵とパック詰め場、牛には屠殺場を設立し、販売を全部かねるという方法です。価格の安定、労働時間の短縮、生産物の統一化など多くの利点があり、大変良いことだと思います。

私は、六ヵ月の間に酪農の畜産から専業の畜産関係、蔬菜関係など色々なことを見て数多くの意見を聞きました。一つ一つ専門的に習ったことはありませんが、何事についても一歩一歩地を固めて実践する人達の中には、経営規模の大小に共通していえることは、"農業は頭の経営である"ということです。私は、この言葉の意味を学び、とてもうれしく思っています。

米国の新聞記者から取材されている坂本さん

「空」談

これが空談の閉じ目

床屋の椅子でうとうとしかけ、はっと眼をみひらいた瞬間、ふと、散髪のしおさめはいつになるのだろうかと思った。生前、これが最後の調髪だとは、おそらく確められずじまいだろうが、それは必ずやってくる。もっとも、月に二度とは行かぬ床屋だから、次回まで持たぬと悟れば、死拵えのつもりという場合も考えられぬことはない。

しかし、日々の食事、排泄など、ごく卑近かつ頻繁なことどもは、それと意識せずに終るだろう。そんなことをぼんやり思い浮べていると、なににでも、「最後の○○」と結びつけられそうな気がして、際限もなく胸中でくっつけてみた。――最後に読む本、最後に話す人、最後に飲む酒、最後に乗る電車、最後の仕事、最後の女房……等々。

馬鹿げた遊びだが、さまざまなものへ手当り次第に冠せているうち、妙な気持になった。まだ習癖にならぬが、すこぶる厳粛な感情であり、〈最後〉という限定によって、ぼくらの生そのものが照らしだされ、それを正視しつづけられぬめくるめきとでも呼ぼうか。また、いままで露呈していなかった〈関係〉が、にわかに眼前へ突きつけられた格好で、「最後の女房」なぞ、われにもあらず苦笑が込みあげた。そういう生きざまや状況もありうるのだと、いちど毎にこわばりから解き放たれた。

民俗学でいう通過儀礼は、いつも〈最初〉の体験ばかりだが、その都度、周囲が黙っておらず、自分でも意識せざるをえない。厳密には、すべてが〈最初の最後〉だとはいえ、日常生活には繰返しとみてかまわぬものも多い。それらさえ、有限の生を生きている以上、文字通りの〈最後〉があるはずだが、ぼくらは、視座を逆転させて、死から生を透視しようとしたがらない。必ずしも対になると決められぬにせよ、〈最初〉から〈最後〉を予想してもよいはずなのに。

たとえば、子規の「いちはつの花咲きいでて我目には今年ばかりの春ゆかんとす」(竹の里歌)、大津皇子の「百伝ふ磐余の池に鳴く鴨を今日のみ見てや雲隠りなむ」(万葉集)といった歌に、「運命」の萌芽がみられ、今生の見収めだという覚悟、〈もの〉がどれくらいはっきりとみえるか、典型的に示す。それは、平氏の命運を見届けた知盛が入水に際して言い残す言葉、「見るべき程の事をば見つ」(平家物語)を思い起させ、病んだ曽子が孟敬子に諭す言葉、「人之将死其言也善」(論語)を引寄せる。

もちろん、問題は簡単ではありえず、〈末期の眼〉から眺めれば、すべてが解決するわけではないが、かなりの夾雑物は整理されるはずだ。すなわち、数えて二十回、これが、ぼくの〈最後の空談〉である。(山)

余暇をどうする

21世紀の時間の使い方

新潟県燕市 江村隆平

一月十二日の新潟日報に、これからの教育についておもしろいことが載っていた。その中で、二十一世紀の生活時間は、四万時間の労働と、三十七万時間の自由(余暇)があるので、これからは余暇時間の活用の仕事を、どう教育に取り入れたらよいか、考えなくてはならないとして、次のような計算がしてあった。

人間の平均寿命を八十歳とすると、一生の持ち時間は七十万時間、食事、睡眠など人間の生存に必要な生理的拘束時間は一日十時間として、全生涯で二十九万時間。労働は週三十時間で、年実労働四十週、労働年数三十五年として四万時間。70万時間－(29万時間＋4万時間)＝37万時間(余暇時間)となるらしい。これはごく大まかな計算であろうが、サラリーマン、公務員などは、この計算があてはまる時代が来るかもしれない。

農業の場合はどうであろうか。一生の持ち時間、生理時間は同じとして、労働時間をみると、年実働四十週ということは(年約五十二週あるとして)、一年に十二週、約三ヵ月の休日(余暇)があることになる。労働年数三十五年は、二十歳から五十五歳までくらいになる。以上のようなことを考えると、この生活時間の計算に、農業の場合、他の職業と異なってくるという感じがする。

ちなみに、これからも家族経営が続く限り、五十五歳で労働年齢が終りうるということはありえないし、機械化や設備化で週三十時間になっても、年実労働四十週というのは難しい。というより農業の場合は、三十七万時間の自由な時間が出来たとしても、今まで五十頭の牛を百頭に増すといった規模拡大へ投下されるだろうことを考えると、農業経営は、これだけの経済規模があれば大丈夫ということが確立されなければ(この規模も年々変わっていく)、自由な時間の三十七万時間は、うまれてこないのではないと思われる。

だが、二十一世紀には、人間が自然を征服する時代が来るかもしれないし、農業にもコンピューターが導入され、システム化し、肉体労働であった農業が、昔話となることも容易に想像される。(新潟県農業改良クラブ連盟「農業改良クラブだより」三十五号より)

◀投稿案内▶

本紙は、みなさん方の新聞として、全国のクラブ員に利用して戴きたいと考えています。それでクラブの催しや個人のプロジェクト、詩、短歌、随筆、写真、悩みや意見、村の話題、伝説、行事、その他なんでも原稿にして送って下さい。

お願い ❶長さや形式は自由です ❷できるだけ記事に関連した写真をそえて下さい ❸送り先 郵便番号162 東京都新宿区市ヶ谷船河原町11 日本4H新聞編集部

日本4H新聞

4Hクラブ
農事研究会
生活改善クラブ
全国広報紙

発行所 社団法人 日本4H協会
東京都市ケ谷家の光会館内
電話(269)1675 振替
編集発行 玉井光
月3回・4の日発行
定価1部20円
一カ年700円(送料共)
振替口座東京12055番

クラブ綱領

一、私達は、実践を通じて自ら考え学ぶとともに、互いに力を合わせ、よりよい日本を創るため、四つの目標をかかげます。一、私達は農業と生活の改善に役立つ腕を磨きます。一、私達は科学的に物を考えることのできる頭の訓練をします。一、私達は誠実で友愛の心をつちかいます。一、私達は楽しく暮し元気で働くための健康を増進します。

農村女性の力発揮

「まず自分を磨け」

先輩の体験談に注目

福岡で初の女子研修会

【福岡】福岡県農村青少年クラブ連絡協議会（会長 角紫男君）はさる九月七、八の両日、同県瀬高町本吉の清水青年の家で男子幹部研修会と並行して初の県女子クラブ員研修会を開いた。この研修会は、男女各五十名の計百名を対象として行なわれたが、とくに女子研は、女子運営委員が自分たちで企画・運営した。初めての行事とあって大張り切りであったが、慣れないためてんてこ舞い。そこを参加クラブ員全員でカバーし無事修了することができた。

焦点は姑と嫁の関係

まず一日目は「望まれる農村婦人像」と題して筑紫短大の有沢照教授の講義を聞き、そのあと分科会と全体会を開いて講義の内容をもとに討議を進めた。

夜は自由交歓。今年の七月、愛知で催された「第七回全国4Hクラブ員のつどい」の八㍉映写と八月に岩手で開かれた「第十一回全国農村青少年技術交換大会」のVTRなどが行なわれた。画面に現われる友や自分の姿にみんな拍手したり笑ったり。思い出話に花が咲いていた。その後ギターを手にして踊り興じた。

二日目は、午前五時三十分に全員が起床、洗面、掃除、朝のつどいのあと六時から歴史古い清水の山大観峰に登山。中腹での朝食どきには早朝登山のすがすがしさにみんな明るい表情、だが農作業以上に疲れたというような顔も見受けられた。

八時三十分から研修に入り、婦人会の人たちを迎えて「嫁と姑」など各方面からの質疑応答で討議を進めていった。クラブ員に現実的な話だけに興味深く、時間さえあれば一日中でもと、二時間では不足気味。しかし、身近かな話だけに、中には『もうあげんなら、私、農家に嫁ぐのはよそうかしら、きびしいワ』との声も出ていた。

続いてレクリエーション指導。男女が一緒に顔を合わせるのは自由交歓とこのレクの時だけ。みんなの顔も自然とほころんでか実にみごとなレクリエンション風景であった。県民としての意識向上を図って県民音頭や県民の歌である「希望の光」の指導やフォークダンスなどが行なわれたが、中でも、とくに場内を笑いの渦で埋めたのは首にはさんだ余り大きくないゴム風船渡しであった。

午後からOGとの交歓会をもった。先程の婦人会の人たちの話の厳しさに幻滅を感じていた彼女たちはOGの人たちの話に目を輝やかせていた。理解ある自分の夫の話から技術を身につけて嫁いだ経験談、今なお嫁いだ先で姑の協力によって立派に技術を生かしている話、また昔と今の4Hクラブ談議、そして自分たちのあるべき姿など大いに盛り上がった。

理解ある夫、姑を持つためにはまず初めに自分をもっと磨き、自分たちが彼らに対して理解ある嫁にならなければならない。家庭生活は、一方通行ではなく相関関係の上にあるものだ、と力説され、クラブ員への期待と励ましの言葉を最後に終った。

この研修会を通じて、とくに強く感じられた点は次のとおりである。

一、講義、分科会、全体会の時間をもう少し短縮し、自分たちの身近かな話題を語り合う時間を設けてみるのも一つの方法であった。

一、会場を県南の山間部にしたため、講師、婦人会、OGの人たちに交通面で少し支障をきたした。このため出席者が会場附近の人だけに限られたことは残念であった。

一、顔見知りのOGは三十歳前後の人たちまでで、今後は先輩のまた先輩にも出席してもらうよう配慮する必要がある。三十歳前後の人は幼児がいたり、なかなか外出しにくい点が多い。また、県下各地区から出席してもらい、昔なじみの人と再会できるように年齢層の組み方も配慮するとよい（安子運営委員長談）

なお、この研修会に関するアンケート調査したところ、九一％の人が「参加してよかった」と答えている。これはOGや婦人会の人たちをまじえた話に対して関心が深く興味を示していたことを物語る。

次に、今後もこのような研修会に「参加する」と答えた人は七八％、「参加しない」はわずか四％で、運営委員はさらに次回の研修会に意欲をみせている。

勉強し、頭の切り替えを

筑紫短大・有沢照教授の講義要旨（研修会の中で発行された「速報」から）

まず、これから先は物を考えることのできない女性は生きて行くことができないということです。そして、社会の一員であることを自覚するならば、当然それだけの責任感が伴うと思う。例えば、選挙などの問題がそれ。次に家庭主婦としての婦人の役割りを認識することである。まず第一に家族の健康管理。これは睡眠と食生活に大別され、人間関係をスムーズにするための主婦の最も重要な役割である。それから生活と育児の管理。小さい子供には手作りの服を着せるような配慮が望ましい。

次に大切なことは、物事が急テンポで進む現代社会において、時代の流れを早くキャッチして、それにあった生き方をしなければならない。そのためには、常日頃の勉強が大切であり、農業をプロとしてとらえ、プロ意識に徹し、プロとしての技術を身につけ、時代の流れに応じて行かなければならない。勉強は自分の職業維持のためにも大切なことである。

最後に、これから先の女性は主体性を持ち、仕事を続けられる条件を社会的に作るよう働きかけ、そして家庭と職業を持続していくための頭の切り替えが必要。

呼び覚した〃感動〃

山梨県の技術交換大会　演示に生きぬく強さ

【山梨県＝相川三幸連絡報道員発】山梨県4Hクラブ連絡協議会（会長 飯島鼎田君）は、さる八月二十八、二十九の両日、巨摩郡早川町の町立青少年の家に県下のクラブ員百余名を集めて技術交換大会を開いた。

一日目は、開会式、オリエンテーションのあと岩手で開かれた全国大会参加者による活躍ぶりが伝えられた。午後四時から演示発表に入り、「共同プロジェクトによる分譲イチゴ園経営」と題して山城新生4Hクラブの今井英樹君はじめ韮崎地区連の長崎恵子さん＝「台所における小さな工夫」、一玉地区連の大久保利彦君＝「酪農における経済的機械化」の三名による発表がなされた。ともに、熱演のなかから日頃の自分たちの生活や農作業、4H活動と真剣に取り組み、生きぬくことを訴えているように感じられた。

七時からキャンプファイヤーに入った。一時雨が降り出し、クラブ員も青ざめた表情になったが、寒い夜空から星を降らせるまでに至った。聖火は営火長から点火され、薪に点火。み[illegible]終は西山の夜空を焦が[illegible]ともにクラブ員の歌声が渓谷に響き渡った。みんなが各地区間の感情を越えて仲間意識にひたり、時間のたつのも忘れてスタンツ、フォークソング、フォークダンスなど多彩な出しものに心を躍らせていた。失ないかけている「感動」をこの火の儀式の中から受けとめていたように感じられた。

二日目は、朝のつどい、朝食のあと八時から技術競技。果樹、野菜、作物、肥料、経営、農薬などの判定問題に、日頃の実践活動の中から養った知識を大いに発揮していた。

昼食のあと自然の中で語ろうといくつかのグループに別れて、生産技術の話し合いや情報を交換した。県のバックアップもなんのその、自分たちの主体性が勝ちとられた大会であった。

山梨県の技術交換大会で青少年の家の庭を手入れするクラブ員

涼風暖風

プロジェクト・チーム

北海道の農家は、冷災害に見舞われて史上最大の七五〇億円を越す被害になった。まったく残念なことである。国や道もいろいろな対策を講じているが、農業青年たちも新たな意気を出して経営に取り組んでいる。

そうした青年仲間に下町4Hクラブがある。このクラブは連合組織で、五つの単位クラブから成り立っている。連合体の人数が三〇人ほどだから単位クラブは平均六人という小さな集団である。しかし、こんな小粒のようなクラブなのに、寒地農業と真正面から取りくんで生き生きとしたプロジェクト活動に大きな成果をあげているのは驚きである。

単位クラブでは、稲作転換による果菜の施設栽培、寒地農業の発展をめざす経営調査、良質米の省力生産の栽培研究（登熟調査やポット苗の育苗研究）など、クラブ全員がプロジェクトを持っている。ここまでは、普通の4Hクラブと別に変わっていないが、単位クラブのプロジェクト課題に合わせて、果菜の栽培・経営調査・稲の登熟研究・ポット苗研究など四チームを連合組織に設けている。これは他のクラブにはあまり例がない。たとえば、果菜栽培のプロジェクトチームは、五つの単位クラブの中で、果菜栽培のプロジェクトを持っているクラブ員が集まって構成するというしくみである。このチームでは、電熱育苗や促成栽培についての学習が中心で、それぞれ単位クラブで行なっているプロジェクトの経過を紹介し合い、データを比較検討し合い、意見交換をする。メンバーは、果菜に関しては強い関心を持っている者ばかりなので、学習にも白熱した雰囲気がみなぎるというものだ。こうしたプロジェクトチームには、チームの課題研究に実力を持っている4HO・Bの青年がコンサルタントの役割を果たすため、最小限一人は配置されている。もちろん、専門の農業改良普及員の指導助言も求める。

この4H連合では、単位クラブそれ自体の活動を盛んにするために、交歓会やレクリエーション・キャンプ研修・視察旅行など、仲間づくりの行事にも気を配っている。つまり、地域の問題解決をねらう単位クラブの活動と、その活動を促進する広域編成のプロジェクトチームの活動とについて、バランスを考えているわけだ。

冷害に会えば、激してその力を倍加するのが、こうした農業青年仲間のエネルギーであろう。（北海道・三輪）

事務局の強化図る

日本4H協会　通常総会開く

ワイシャツ姿で今年度の事業計画などを審議する出席者（正面中央は宮城会長）

社団法人日本4H協会（会長 宮城孝治氏）は、さる九月二十二日午後二時から東京・港区新橋一—十八—八の共栄火災海上保険相互会社五階会議室で四十六年度の通常総会と理事会を開催し、今年度の事業計画と予算などを決定するとともに、常勤常務理事をこれまでの三名から四名にふやすことを決め、常勤常務理事に社団法人家の光協会の前農業科学報道室長・大塚茂氏（五五）を選任した。

大塚氏を互選　常務理事ふやす

大塚常務理事

まず総会に先立って理事会が開かれ、宮城会長が議長となり議事録署名人を指名したあと総会にかける議案について審議された。議案は、第一号議案「昭和四十五年度事業報告および決算承認に関する件」、第二号議案「同四十六年度事業計画および予算決定に関する件」、第三号議案「定款変更に関する件」、第四号議案「役員選任に関する件」の四つで、定款変更については、常務理事を従来の三名から四名にふやし、協会の役員と事務局体制の強化を図り、事業を意欲的に推進しようというものである。また、役員選任は欠員となっている理事の選出で、その候補者として大塚氏を選んだ。

ひき続いて総会が開かれ、議長・宮城会長のあいさつ、議事録署名人の指名のあと議事審議に入り、各議案について、それぞれ新田健吉事務局長（常務理事）の説明と宮城会長の補足説明に続いて審議し、原案通り承認決定した。ついで、再度理事会が開かれ、常勤の常務理事に大塚氏を互選した。

これによって常務理事は、窪田角一、伊藤末吉、新田健吉、大塚茂の四氏となり、役員と事務局体制が強化されることになった。

大塚氏は、京都大学を卒業後家の光協会に入り、勤続三十余年という経歴の持主で、農業関係各団体方面では広く知られており、今後の活躍が期待されている。なお常務理事のうち常勤は新田、大塚の両氏である。

四十六年度事業計画の主なものとしては、国際農村青年交換（IFYE）計画に基づく米、中華民国（台湾）両国への4Hクラブ員代表派遣と両国クラブ員の受け入れをはじめとして、全国4Hクラブ連絡協議会と共催の「第七回全国4Hクラブ員のつどい」「全国4Hクラブ中央推進会議」、農林省などと共催の「第十一回全国青年農業者会議」の開催、月報、日本4H新聞の発行、各種印刷物（つどいで配布するキャンプの栞り＝4Hの祭典、4H新聞の付録として講読者に贈呈するワークダイアリー＝プロジェクト用日誌、4Hクラブの手引き＝創造の世代など）、このほか表彰、感謝状の贈呈、全協に対する助成、関係機関への協力などで、全協に対する助成金をこれまでの百万円から百五十万にふやしている。

4H会館建設で協力要請　黒沢全協会長

総会に出席していた黒沢全協会長は、総会終了後、日本4H会館建設の募金について協力を要請。これに応えて、家の光協会の奥原潔副会長から、「フロアーの買い取りを予定している農村文化会館建設の構想などについて説明があった。

共同プロ田が痛手

岐阜・古川4Hクラブ　集中豪雨で被害

【岐阜県＝中野俊一連絡報道員発】さる九月五日夜から七日までの集中豪雨に見舞われた岐阜県の飛騨は、過去にない大きな被害が出た。各所で道路は寸断され、国道不通で出荷も不可能になるなど4Hクラブ員の家でも打撃を受けた。

時ならぬ大雨のため、古川4Hクラブ（会長 山村吉雄君）では共同プロジェクトとして大切に育ててきた水稲二十七㌃が痛手をこうむった。

この共同プロジェクト田は、古川町架裟丸（国道41号ぞい宮川との間）地区で減反用の田を借りて稲を作ったもので、品種展示圃、病害虫試験などのため、フクニシキ、ノリクラ、オンタケ、モチなど数種類を作付けした。山村会長も「近く収穫の予定だったが、水につかり、一時は川同様でどうしようもなかった」とその模様を語っていた。

同クラブは、女性十余名を含む二十余名のクラブ員で活動しており、飛騨地区においては女性の活躍が最もすさまじいクラブだ。春から連日当番で交代に出て管理して来て……『はんちくたい』（飛騨弁で、くやしい、残念だの意味）と嘆く女性クラブ員。水につかって倒伏した稲は自立で立ち直ることもなく腐ったり芽が出始めたために、バインダーならぬ、二百円のバインダー（穂刈りガマ）で刈り取っていた。

それでも、収穫近い早生ものは十分実っており、晩生種の一部を除けば、なんとか六俵ぐらいはいけそうである。しかしながら、すべて天災なのでクラ員も日増しに明るさを取り戻している。

13日から「つどい」を開く　鹿児島県連

【鹿児島】鹿児島県農村青少年クラブ連絡協議会（会長 勝目育男君）は、十三日から三日間、曽於郡末吉町諏訪方の末吉農業改良普及所で「県農村青少年のつどい」を開く。

県内の4Hクラブ員が集まり、農業経営やクラブ活動など日ごろの問題について話し合い、南九州営農のにない手としての自覚を高めようというもの。OBとのシンポジュウムや南西視察など予定。

「断絶」を縮める

真壁地区連で「親子座談会」

【茨城県＝藤本芳一連絡報道員発】さる九月一日、真壁地区農村青少年クラブ連絡協議会主催の親子座談会が真壁町公民館で開かれた。これには父兄、クラブOB、クラブ員など約百五十名が参加し、互いに意見交換されたが、その模様がこのほど同地の萩原政則君から次のように伝えられてきた。

◇　◇

例年になく秋の訪れが早くやってきて、さわやかな風に稲穂がたなびく九月。真壁地区連では結成してから六年目を迎え「地域と結びつく4Hクラブ活動」をスローガンにかかげて活動を展開している。今回はその一環として親子座談会を企画した。

親と子の断絶が叫ばれている現在、自分たちは農業を営んでいく上で、どうしても自分だけでは解決できぬ問題も多い。特に、農業が家族的な経営に頼っていることから、将来の農業の発展を考える場合、若い自分たちだけではなくやはり地域ぐるみで話し合い、よりよい農家生活をするためにも、この親子座談会を通じて、少しでも親父さんの考えやクラブ員の考えをお互いが理解し合い〃断絶〃をなくそうと、父兄四十名、クラブOB十五名、クラブ員九十名の参加を得て開いたもの。

まず地区連会長のあいさつに続いて真壁農政普及所長から「今後の真壁地区の地域計画のあり方」と題して講演があり、そのあと「地域農業の未来像」という大きなテーマのもとに、地域の生活環境、地域の人間関係、生産、出荷の問題という三つの小題を設けて各分科会で話し合いをした。

続く全体会でも巧みな先輩クラブ員の司会によって活発に意見がかわされた。とくに、親父さんたちの考え方が進んでいる点などに目を見張った。今回の座談会では将来の農業に対する認識を新たにした。

藤田さんら（全協推せん）乗船

「青年の船」東南アへ

次代を担う青年の視野を広げ、幅広い教養を身につけさせようと総理府の第五回「青年の船」（日本産業巡航見本市協会の「さくら丸」＝一二、四七〇総㌧をチャーター）は、全国から選ばれた青年男女ら三百四十七人を乗せて、さる九月二十日午後四時、東京・晴海ふ頭を出発、東南アジア六ヵ国訪問の旅に向った。

一行は、二十八日にバンコクに到着、タイを皮切りにマレーシア、ビルマ、セイロン、シンガポール、中華民国など六ヵ国を訪問し十一月十二日、神戸港に帰る予定。

この青年の船には、毎回、多数の4Hクラブ員が乗船、活躍しているが、今回、全国4Hクラブ連絡協議会推せんの団員として乗船した4Hクラブ員は次のとおり。

▽藤田富美子（二三）山口県阿武郡阿武町福賀笹尾・福賀4Hクラブ▽橋本光好（二三）福島県郡山市中田町海老根泉田、中田4Hクラブ▽山本賢治（二三）愛知県蒲郡市柏原町小敷塚、蒲郡4Hクラブ（県連副会長）▽近藤武十郎（二三）徳島県三好郡井川町井内東、井川町農業後継者クラブ▽岡林誠介（二三）高知県香美郡土佐山田町、土佐山田4Hクラブ

なお、団員候補に選ばれた佐賀県伊万里市の浦田健吾君は、家庭の事情により辞退した。

心頭抜健

いよいよ紅葉の季節を迎えたが、今年の夏ほど、一本の木に神経をいらだたせたことはなかった。というのは、舗道に入る直前、一本しかなかった柳の木が夏に切り取られてしまったからである▼都心に近いところに、中央線や総武線、地下鉄などが通っている飯田橋という駅がある。全協（全国4Hクラブ連絡協議会）の事務所には同駅から行くわけだが、その途中の道路にあった柳の木が切り取られ、そのままになっている。たかが一本かといえども、われわれに与える心理的、肉体的な影響は馬鹿にならない▼第一、遮断物がなくなったために、ギラギラした太陽光線を反射した灰色のアスファルトや自動車の騒音、雑然とした家々の看板がムキ出しで目や耳に迫ってくるのだからたまらない。目がチカチカするのは、光化学公害ばかりではない▼この柳の木は、舗道の中央にあったので、恐らく歩行の妨げになるとして切り取られたものであろうが果してどれだけの人が不便を感じたか。もし、邪魔なら他の場所へ移すらいの配慮がほしいものである▼富山の薬売りは、各地を回って歩くとき、村の神社に木が繁っているかどうかで、その土地の人柄を判断したということを聞いたことがある。一本の木からも、人情の機微にふれることができるというわけであろう。失なわれ行く〃緑〃は、また、薄れ行く〃心の〃の表徴でもあろうか▼つい先日は、ある会社が森林を切り取ったハゲ山に、緑色のペンキで着色したということで話題になった。とっさの小さな知恵ともいえるが、現代の悲喜劇でしかない。紅や黄に染まる周辺の森の中で、その部分だけが、がんこに〃夏〃を守り続けていることであろう▼木一本でもわれわれにとっていかに重要であることかについて、もっと、神経を使ってほしいものである。人間は炭酸ガスだけでは生きて行けないのだから…

さあ、また仕事だ
「4Hのつどい」岐阜

消えざる青春の炎

八月は岐阜県連ブロック研修（夏の集い）のラッシュの月、西南濃を皮切りに、東濃、中濃、そして飛騨と行なわれたが、今回は飛騨にスポットを当ててみた。

飛騨一円の4Hクラブ、飛騨4H連絡協議会（会長・染山和夫君）では去る八月十五日のお盆に飛騨4H夏の集いスポーツ大会を開催した。澄みきった青空のもとに、高山、丹生川、清見、久々野、古川、国府、上宝、それぞれの4Hクラブ員が会場の古川小学校へ集合した。ネクタイ姿は見当らず、地下タビから長グツと「おらがスタイル」での登場であった。（中野俊一）

まず福野実行委員長、続いて染山会長が「頑張ろう」「頑張ってほしい」と大声で呼びかけ、そのあと普及所の田中氏からユーモアたっぷりのあいさつがあり、みんなを笑わせた。

第一部のソフトボール大会は普及所チームを加えて計八チーム、A・Bの二つのブロックに分け熱戦を展開、腕をきそい合った。グローブより大きいような手から飛び出す球、そして再び大きな手に吸い込まれてゆく球、三振する男性、打ち返す女の子、ゲームは逆転につぐ逆転、スコアーはバスケットボールなみの大乱戦模様であった。

そのような混戦をくぐり抜けてAブロックでは上宝チーム、Bブロックでは新鋭久々野チームがそれぞれ勝ち残り決勝戦となった。桃の出荷も放って参上したという久々野チームは、遅けいプレーも良く、抜群の強さで初優勝をとげた。また、普及所チームはなかなかの活躍ながら各チームのカモになった。それでも元気一杯の田中氏や、鼻の上を真赤に日焼けさせて張り切った女性普及員さんには終始拍手が沸いた。

途中、昼食をはさんだソフト大会も二時で終わり、いよいよ第二部に入った。会場は小学校から自動車で三十分、国体流域スキー場よりやや手前にある数河スキー場である。三十余台の車には「飛騨4H夏の集い」と大きく書かれたポスターを張り付け、一路数河へと国道四一号線をパレードした。道中、農機具メーカーより差し入れのコーラーを一気に飲みほし再びパレード。

会場担当は古川4Hクラブであったが、その会場デコレーションはさすがであった。「飛騨4H夏のつどい」とタタミ二枚の大きさに一字の割で書かれた大看板、百余にわたる4Hの旗、なびく単位クラブ旗、マイクから流れるウグイス嬢の歓迎の声などがクラブ員をうならせた。牧草のチモシーグラスに白樺の白が一段と美しく映えるゲレンデ中央で、高山四ツ葉の手によって井ゲタ積みにされたマクラ木三十本のファイヤーも、みんなの心をかりたてた。

夕食までの一時間は「農協について」という題の分科会が開かれたが、全員が農協とは深い関係をもっているので、思いきった不満や希望などが出され活発な討論会となった。結局、われわれの農協を良くするも悪くするも自分たち次第だということに落ちついた。

七時三十分、あたりにいたキャンパーたちが大騒ぎをしているなかを4Hの火が山より静かに降りて来る。じっと見つめるクラブ員たちの厳粛な面持ち。「成長ある心の火としていつまでも残してほしい」という言葉をそえて、トーチの火は前年度会長の手から染山会長に渡された。

ファイヤーに点火されるやいなや、夜の大気も押し破らんばかりに、炎は大きく燃え上った。その十㍍ぐらいの大炎のまわりを各クラブ員のトーチが円を描いて美しく揺れ動き、一面が火のリズムにつつまれた。見物人も度胆を抜かれてただ見張るばかり。静かにそして大きく、火が流れるごとく「もえろよ、もえろ」の歌が山々にこだまし、ファイヤーの火はより激しく夜空をこがした。

そして、いよいよ第二部の幕は切って落された。次々と出てくるスタンツ。なかでも全国大会出場の実績のある丹生川、久々野の劇は実に見事でクラブ員もただ感心して笑うばかりであった。また、古川4Hクラブの仮葬儀の挙行、女性普及員さんの幼稚園の遊戯、司会につられた飛び入りのクラブ員による音痴な歌など、全員を笑いの渦にまきこんだ。

九時三十分、ファイヤーだけが赤々と燃えさかるなか、会場は一瞬静まりかえった。百㍍ぐらい離れた山の頂上に四人の裸の男が二本のタイマツをもって立ち、荒々しくフィナーレの火の踊りをはじめた。荒れ狂う火と裸の男の調和は二十分にわたり、やがて火が一つになった時「一日の炎でなく永遠の炎を…」と終会が告げられた。

地元古川4Hクラブをたたえて誰からともなく「古川4Hクラブバンザイ」の叫びがあがった。抑えていた感激が一度に爆発しそれが一つになった瞬間であった。

今回初めて取り入れた単位クラブ実行委員制は、わずか十五時間でそれぞれがフル回転し大成功であった。「さあ、明日からは仕事だ。次は4H大会で」と言いながらクラブ員たちは家路についた。

「少し小さいかな」――マクラ木を組み立てるファイヤー担当のクラブ員

県外研修へ
古川4Hクラブ

【岐阜県＝中野俊一連絡報道員発】古川4Hクラブ（会長 山村善雄君）がさる七月から八月にかけて一泊二日間の日程で、飛騨を離れ長野県の美ケ原高原においてキャンプを行なった。この県外を訪ねての野外研修はなかなか好評で、同地区の他の単位クラブに与える影響も大きく、各クラブは県外へ目を向けようとしている。

この野外研修には、吉田、田近両普及員の同行を願い男女合わせて十五名が参加、一路美ケ原へ向った。車中で良く食べ、はしゃぐ女子クラブ員、しゃべらないときは食べ、食べては寝るの繰返しで夜にそなえた。

女子はカレーライス作りに奮闘「腹のすいた時は何を食べてもうまい」という男性のおほめ？の言葉に、喜ぶやら怒るやら。かくて夜はぶっ通しで語り合った。

翌日は、すでに太陽が頭上に輝やく中を名ばかりの視察、和牛経営やママグッピーの栽培農家などを見学した。よく見よく聞き、〝俺はやるぞ〟と意気込み、帰りの車はスピード。4Hマークのステッカーを付けた車を見失うこともなく家路に着くことができた。

（この記事は、古川4Hクラブの大西真弓、重田好恵さんの提供によります。）

〝結婚は甘くない〟
静岡県連で初の「女子のつどい」OGがアドバイス

【静岡県＝鈴木政美連絡報道員発】静岡県農村青少年クラブ連絡協議会の生活部（部長 鈴木民江さん）は、さる九月十二日、静岡市草なぎにある市立青少年センターにおいて今年度第一回の女子クラブ員のつどいを開催した。

◇　◇

県連では今年度から新たに専門部を設けたが、その中でも生活部では、県内のより多くの女子会員が4Hクラブの実態を把握するとともに、女子クラブ員としての悩みや農業経営、また結婚問題などについて話し合い、今後の女子活動の向上と明るい家庭を築こうと、このつどいをもったもの。

当日は、現役クラブ員のほかOG、役所、農協関係者など五十一名が参加し、今まで県連や地区連で活躍してきたOGの人たち六名を囲んで女子クラブ員のあり方などについて話し合った。

まず午前中はクラブの紹介と生活部の説明があった。現在、県内のクラブには百十名の女子が加入していて、そのうち女子だけのクラブが六つある。それぞれバラエティに富んだ活動をしているという。クラブ紹介では、男性顔負けのユーモアにあふれたものがあった。

生活部については、鈴木生活部長から今年度の活動方針などの具体的な説明があった。これについては多くの人たちが把握しているようで、あるクラブ員からは「生活部の活動は活発であると聞いているが、その反面、役員だけの活動に終っていないか。末端の組織を考え、少数精鋭の活動ではなく一人でも多くの人たちが参加できるようにして、より多くの活動家を育てることに重点をおいてほしい」と手きびしい批判と要望が出された。

婚前交渉はどこまで許す…

午後からは、屋外の芝生の上でOGを囲んで分科会が開かれた。この話し合いでは、やはり女子クラブ員が結婚適齢期にきているだけに結婚問題が中心となっているところもあった。見合いと恋愛のどちらがよいか、どのようなタイプの男性がよいか、そして結婚後の青年活動はどうあるべきか、将来結婚した場合に子供は何人ぐらい欲しいか、など切実な問題が出されていたが、OGに次のような質問をしたクラブ員もいた。

「婚前交渉はどの程度まで許されるか。また、私たちは農業青年であるため恋愛する機会が少なく、どうしても見合い結婚になりがちである。好きになれば全体がよく見えると思う。そして4Hクラブはどうしても夜の活動が多い。どのような活動をしたらよいか」

これに対してあるOGは「私は恋愛結婚しました。しかし本当の幸せはお互いに納得のいく交際が必要である。一生に一度のことなので深く考えなければならない。結婚は考えるほど甘いものではない。農業者ばかりの話し合いではなく、あらゆる職業人と接する必要があると思います」とアドバイスしていたが、中にはプライバシーのことなどOGを困らせた話し合いもみられた。しかし、お子さんずれのOGが多かったので、なごやかで有意義な分科会であった。

最後にバレーボールの試合が行なわれ楽しく過ごした。

参加したクラブ員たちは、参加してよかったと語っていたが、次回からは、着物の着付け、郷土色豊かな料理の腕くらべ・味くらべ、社交ダンス、若い女性のための講演などを予定しハッスルしている。

なお、OGの人たちは「あなたたちは若い。若さが特権です。この二度と来ない青春時代を意欲的に過ごし青年活動に頑張って下さい」とハッパをかけていた。閉会式では、鈴木部長は「初めてのつどいではあったが、クラブ員にとって大いに有意義だったと思います。これから地域に帰ってから充実したクラブをつくってほしい」と呼びかけた。

美女が勢ぞろい　静岡県の「女子クラブ員のつどい」に参加したクラブ員とOG＝静岡市草なぎ運動場で

まず早朝の奉仕作業
小泉4Hが「多治見4Hクラブ」と改称　広く加入呼びかけ

【岐阜県＝中野俊一連絡報道員発】多治見市小泉4Hクラブ（会長 宮島喜好君）では4Hクラブへの加入を全市に呼びかけようと、このほど名称を「多治見市4Hクラブ」と改名した。これを機会に4HのPRをかねて社会にも役立とうと早朝奉仕作業を計画、その第一回としてさる八月二十四日午前五時から同市栄町交差点の花壇の除草、給水、施肥などをした。早朝のことで町は静かそのもの。クラブ員は、手ぎわよく作業を進め、みる間にきれいにした。

同クラブは、市内の小泉、大薮、山吹、大原、宝客地区の農村青年十一人（うち女性一人）で構成しているが、従来の小地区に限定しないで人数をふやそうと全市に呼びかけたもの。今までは、小地区の青年たちで組織していたこともあって、沈滞ムードに陥りがちだったが、これを契機に多くの青年に加入を呼びかけている。

なお、奉仕作業は、これからもずっと続ける予定で、今回はサルビア、マリーゴールド、カンナなどが咲き誇っている花壇で汗を流した。

広い視野養おう
農林省・農業者大学校　ただ今入学生募集中

農林省・農業者大学校は、四十七年度の入学生を募集している。応募要領は次のとおり。

応募資格　①高等学校卒業またはこれと同等以上の学力があると認められる人②学校教育または実務研究教育を修了後、昭和四十七年四月一日までに約二年以上農業経営の実務に従事し、卒業後引き続き自営の見込みが確実な人③昭和二十二年四月二日以後生まれの男子④都道府県知事の推せんを受けた人

応募手続き　①入学願書など関係書類の請求先　都道府県農業改良普及事業主務課または最寄りの農業改良普及所（郵便で請求する場合は、封筒の表に赤字で「農業者大学校入学願書請求」と書き、あて先を書いた返信用封筒〈二十円切手貼付〉を同封すること）②入学願書など関係書類の提出先　都道府県知事（農業改良普及事業主務課経由）③入学願書など関係書類の提出期限　来る十月三十日④提出書類　ア・入学願書一部、イ・身上調書二部、ウ・最終学校の成績証明書一部、エ・受験者の身上などに関する所見一部、オ・健康診断書（県の指定する病院または保健所で胸部レントゲン間接撮影検査についての結果）一部

選考の期日および場所など　①期日　十一月二十四日（水）二十五日（木）の二日間②試験科目および方法　第一日目　筆記試験（国語、数学、理科、作文の四科目）　第二日目　面接試験③試験場所　農業者大学校（東京都南多摩郡多摩町連光寺二二〇七、電話＝〇四二三　七五―八五一二）④その他　受験生は、十一月二十四日（水）午前九時三十分までに上記の場所に出頭し、係官の指示を受けること。また、当日は筆記用具と昼食を携行すること。

なお、筆記試験は、入学後の学習のため必要な高等学校卒業程度の知識、判断力について総合的に行なう。また、面接試験は、農業実務経験に基づく知識、判断力および問題意識などのほか、将来、自から近代的な農業経営の担い手となるとともに、農業を通じて地域社会の発展に寄与できるような資質について総合的に行なう。

畦道
物の人間臭さとは

都会の人々は、〝手づくりの味〟というものに飢えはじめているという。この〝味〟とは、単に食物の味だけを意味しているのではない。とにかく、人間が生産するすべての「物」に対して求められている〈人間臭さ〉といったものだろうか。

このことを逆に言ってしまえば、いま人間が日々製造している〈物〉には、人間臭さが失われているということである。

たしかに、「便利で文化的」という呼び込みのもとに大量に生産され続けている〈商品や製品〉には、根源的なところでの人間味が薄れてしまっているような気がする。それは、便利さに反比例して薄れていっているとも言える。だから今では、街で買った品物で、それを作った人の人柄を思い起こせるといったものは皆無であると言ってよい。

そんな理由からか、都会人は〝便利なもの〟すべてに拒絶反応を示しはじめている。高度に文明が発達しているといわれるアメリカなどでは、とくにこの傾向がひどいようだ。「車はやめて歩こう」、「肉食はやめて玄米食にしよう」などと、歳は若いのに肥満してしまったビジネスマンなどが必死に叫んでいる。……話は横道にそれるが、アメリカではこの「玄米食運動」が盛んなようだ。「肉食こそが人に戦闘的な心を育てる」というコンセプトのもとに、ヒッピー的な人達が、全米で「玄米食堂」づくりに励んでいるという。これは、自然食品を人々に味わせるということで、反公害運動的な色彩も帯びていると聞く。まあ、これは極端な例かもしれないが、日本でも作家の深沢七郎などはこれと同じようなことをやり始めている。本物の安部川餅を作ろうというのである。彼の店で彼が創る安部川は、いま日本中で売られているのとはちがい、アンがこってり効いているそうだ。

そんなことを考え合わせていくと、この〝手づくりの味〟は製品からばかりでなく人々がやっている全てのことから失われはじめていることに気づく。たとえばそのよい例が、阿波踊りである。盛大にはなったが、民衆のあの土俗的なエネルギーと人間臭さがなくなってしまった。妙に文化的でよそよそしい。――今私たちは、〝人間がものをつくる〟また〝人間が何かをする〟ということは、どういうことなのかを、根本的に問いなおす時期にきているようだ。（壮）

4年越しの交際続く4Hク
韮塚（群馬）―三笠（静岡）

【群馬県＝斉藤竹代連絡報道員発】さる九月九、十の両日、群馬県の韮塚4Hクラブ（会長 原富男君）と静岡県の三笠4Hクラブ（会長 波多野規久雄君）との交歓会が行なわれた。この交歓会は韮塚4Hクラブが発足したさる昭和四十三年に、伝統のある三笠4Hクラブの会員が来県したのをきっかけに始め、毎年実施している。

海のない県に育った韮塚4Hクラブ員と温暖な気候に育った三笠4Hクラブ員が年に一回、生活を共にして過ごしているが、ある時は雪の降る群馬に招待し、またある時は三笠地区のマスクメロンの温室栽培を見学させてもらって夜のふけるのも忘れて語り合ったこともあり、今では兄弟同様の付き合いをしている。

今回も群馬から静岡に行き、お茶畑と県立の試験場、そして製茶工場の見学をさせてもらい、海辺で宿を共にして、より一層の友情を深めた。

二日目は、全員で富士山に登ったが、折りからの大雨で五合目までしか登れなかった。しかし、この交際が永く続くことを願い、次回は群馬で、と約束して別れた。

こんなことをしています
各種農業団体

全国農業協同組合中央会

高所得農業など三本の柱
「基本農政の確立」の中間答申出る

昨年の全国農協大会で〝基本農政の確立ならびに農政活動体制の整備に関する決議〟が行なわれましたが、これを具体化するため全中では全中会長の諮問機関である農業対策委員会に諮問し、検討を進めておりますが、九月十三日、同委員会は〝基本農政の確立に関し当面具体化すべき事項についての中間答申〟をとりまとめ全中会長に提出いたしました。

基本農政の確立についての要請は、系統農協で繰り返し政府に対し要望してきておりますが具体的な政策はご承知の通り前進するどころか、米の生産制限にみられるようにむしろ不安と混乱を招来しております。

農協では、既に昭和四十二年の第十一回全国農協大会で〝日本農業の課題と対応〟を発表し、食糧自給度の向上、高生産性農業の建設、農産物流通の近代化・高度化、適正な農産物価格の実現、新しい農村地域社会の建設を内容とする高能率・高所得農業の建設を提案してますが、今回はこれらについて更にとりまとめて検討を進め、具体的な施策について提案することになったものです。したがって、全中会長の諮問についての農業対策委員会の検討は今後も引続き行なわれますが、国の来年度の政策との関連もありますので当面急がれる問題として中間報告がまとめられたものです。

中間答申は三つの柱からできており、先ず農業を国の基幹産業として正しく位置づけ、高能率・高所得農業の建設ならびに豊かで健康な農村地域社会建設のための基本農政の確立の必要性を前文としてうたい、具体的施策として、農産物の需給調整では、稲作転換が農政の緊急かつ重要な課題であり、一方貿易・資本の自由化が促進・拡大される状況のもとにあって、望ましい食料の自給度の水準を維持し、輸入農産物との調整をふくむ農産物の需給および価格の安定と円滑な流通をはかることが必要だとし、重要食品の天然性確保に関する対策については、わが国における食品の規制が、飲食に起因する衛生上の危害の発生を防止し、健康を損うおそれのない場合は販売が許され、処罰の対象とならないという最低の規制にとどまっていることを指摘し、国民生活の向上と消費者の不信感を除去するため、重要食品について天然性を確保する対策を講ずることが重要であるとして、それぞれ具体策が盛られております。

（教育広報課）

家の光協会

ドルショックと農業など
緊急出版図書「円切り上げと日本農業」を発刊

ニクソン声明のドル・ショック以来、日本経済は大きな動揺をきたし、円の変動相場制への移行による実質的な円切上げによって、新平価の決定はもう時間の問題という重大な局面を迎えようとしています。

これに加えて、貿易の自由化攻勢はいよいよ苛烈となり、高度経済成長政策は大転換を迫られることになり、国民経済に甚大な影響を及ぼすものとして憂慮されております。

とくに、農業や農家の生活にどんな影響をもたらすか、日本経済の不況から招来する農外所得の減退や、農産物の自由化による農業収入の減少といった深刻な事態が予想され、そのための緊急対策がわれわれにとっても重大な関心事となっています。

このような事態に対処していくため、全国各方面から適切な解説図書を緊急に発行してほしいという強い要望を受け、本会では緊急にでき得るかぎりの最新の情報と広範な資料を収録した『円切上げと日本農業――暮らしと農業はどう変わるか』を企画し出版することにしました。

内容は、全国の農家の立場から、きわめて平易で具体的なものにまとめ、しかも、多くの方々に広く購読いただくために特別低廉な価格をもってその要望に応えることにしました。

ついては、この激動期に対処していくための絶好の指針書として、ぜひ4Hクラブ員の方々にも広く購読されるよう念願いたします。

図書名　『円切上げと日本農業』――暮らしと農業はどう変わるか――

著者名　林 芳典（エコノミスト編集長）　森 有義（農政評論家）

体裁／定価／発刊期日　B6判／200ページ／300円／10月10日発刊

主な内容　第1部「ドル危機と日本経済」①塗りかわる世界地図 ②大不況はくるか ③日本経済はどこへ行く　第2部「日本農業はどうなるか」①ドルショックと農業 ②自由化と農産物 ③食糧消費の動向 ④円切上げはどうひびく

（文化部）

プロジェクトと経営

どう発展させるか

福岡県・嘉麻川4Hクラブで検討

【福岡県＝大屋恵子連絡報道員発】嘉麻川4Hクラブは、さる九月十日、クラブ員全員の出席のもとに全国大会の報告をかねて懇談会を開き、農協組合長らを囲んで午後三時から四時間余にわたって今後の農業情勢などについて話し合った。

開会の言葉、町長のあいさつに続いて自分たちの町、嘉穂町の発展ということを中心に、全国大会の報告が行なわれた。

まず初めにレポートと感想文の説明、8ミリフィルム映写、それから、全国大会の発表者の一人である原田久己君に『村に生きる』を発表してもらった。

これに対して町長から感激の言葉を述べられ、私たちクラブ員全員とても嬉しかった。町長は、私たち若者は"町"いや"国"の『宝』であるということを言われたが、その言葉に私たちはこれからの農業を担ってゆこうという意欲がより一層わいたように感じられた。

続いて懇談会に入り、町長から嘉穂町の地域開発について語ってもらった。同町は二一一号線に沿ってはいるが、工場などは一つもなく、いわゆる貧しい町である。嘉穂町は六〇％も山に囲まれた町であるので、第一に交通路の整備が必要である。そうすれば工場などが出来るようになり、もう少し発展するのではないか。しかし、そのためには水が不足しているのでダム建設の必要もある。またこと嘉穂町には、有名な『母里太ェ衛の森』や『城山』、豊臣秀吉の陣羽織など名所、名物に富んでいるので観光地として発展させてはどうか。そのためには筑豊を福岡県だけでなく全国に紹介する必要がある。そのような事柄を町長や組合長をはじめクラブ員全員で話し合った。

最後に、各専門部（果樹、そさい、花卉、酪農、水稲）の今後の方針の発表があった。

鳥取ナシを巻返せ　果樹

果樹部門では、現在、福岡に鳥取ナシが入ってきているが、それを入れなくても自分たちで賄うだけのナシを作りたいとのことであった。また、嘉穂ナシは味の面で有名になりつつあるので、生産量をもっとふやし、全国の人に味わってもらいたいともいっていた。

生産過剰を乗切れ　そ菜

そ菜部門は、野菜は現在、生産過剰の状態にあり、そ菜部は一番苦しんでいる。がその困難をいかに乗り切るかということは、自分たち若者にかかっており、そ菜部員頑張ろうではないかと強く結んだ。

花卉部員は人員五名と少なく、嘉穂町でも花卉を作っている人は少ない。花栽培はすごく人手がいる仕事なので、人手不足をどのように解消するかが当面の問題であるということだった。

尿処理問題がカギ　酪農

酪農部門の第一の問題点は、公害防止をいかにするかということであった。というのは、家畜の尿などが川へ流れ込むので、下流の水が濁りだしたということである。家畜の尿は腐りにくいので田畑に撒いたらどうかとか、また、山の多い嘉穂町だから、山の奥に放牧してはどうかなどと町長をはじめとしていろいろ意見が出た。

それに対し、酪農部門は、山の放牧は考えているものの生活がかかっているので一、二年は実行出来ない。尿処理の方はより深く考えると答えた。

また、家畜の飼料は改善事業のあった田を十五アール借りて、イタリアン・とうもろこしを作り、大型機械三台で刈取りを行ない、それをサイロにつめてやっているとの作業内容の発表もあった。

水稲部門では、本日の懇談会で米は話題にされないという現在、米で生活をたてている自分たちにとって非常に重大な問題であると語っていた。しかし、嘉穂米は非常に味が良いとの評判なので、米作りに精を出すから、良い品種を選別してほしい。また、将来はライスセンターを作る計画もあると語ってしめくくった。

このようにして、全国大会報告と懇談会はお開きになり、以上のような会を年に何回かもてたら、町長も、また私達クラブ員一同も非常に勉強になるのではないかという意見があちこちでささやかれていた。

忘れえぬ夏のつどい

山田昇（岐阜・山県4Hクラブ）

4Hクラブに入会して、二年が過ぎようとしている。いま二年間を振返ってみて、最初の一年間は4Hクラブがあまり理解できず、なんだ農業をしている若者の集りかと気軽に思っていた。だが、クラブのいろいろな催しに出席してみて、4Hクラブというものがだんだんわかってきた。

それら催しものに参加して、なかでも心に一段と強く残っているのは、昨年平湯で行なわれた「夏のつどい」だ。二泊三日の日程で昼間はなんとなく過ごしたが、忘れられないのは、夜、農業という同じ職業の若者が心を通い合わせて話し合いをしたことだ。

それは二日目の夜だった。みな農業の悩み、友達づきあいの悩み、家族の悩みなどと問題はいろいろあった。三、四坪のテントの中で夜更くまで話し合いが続く。最初はどこの誰だかもわからない者同士が、たった二日間でいつの間にこれ程うち溶け合えたのか、と自分でもびっくりした。夜も深々と更けたテントの中で、ある者は言う。現に俺はこういう問題に悩んでいる。君達はどう思うかね。……僕だったらこう考える。一つ一つの問題について、いろいろと討議した。

仲間の激励ではっぷん

その頃、僕はハウス栽培のことで悩んでいた。話しかけてみたら、テントの中にいる五人のうち、同職の者が二人いた。わが家の場合、現在ハウスは十アールだが、今後面積をもう十アール増やしたいと思っている。しかし、三人の労働力だけでやってゆけるかどうか。それにハウス内の設備も近代的にし、手間がかからないようにするには、などということをみんなに聞いてみた。同職のうちの一人が、俺の家では三人で二十五アール経営している。最初二〜三年は苦しかったが、四年、五年と年が経過するうちに仕事に対する労働配分もできてきたし、設備も経営に必要なものはとり入れたし、むしろこれからはハウスを周年利用するように考えなきゃ、とはげましになることを言ってくれた。その時は、夜更け時間の過ぎるのも忘れて熱心に語り合った。

いま想ってみると、そういうことがあったのは平湯の夏のつどいだけではない。われわれ十代、二十代の農業を営んでいる者全部の願いは、農業の近代化にある。経営の規模拡大、労働の省力化、流通機構の改善、その他の諸問題を一人ひとりが考え努力し、そしてそれらについて多くの若者たちと語り合うことは非常に意義があると思う。われら農業をしている若者たち、明日の明るい農業のために共にがんばろうではないか。

椎茸栽培にかける

綿密に市場調査

多肥密植の雑木栽培がユメ

奈良県橿原・高市4Hクラブ　山本定治

私の住んでいるところは、高取町で中山間地帯です。私は中学時代から、石油やガスにおされ燃料として利用価値が薄れてゆく雑木の活用法として、地形的に有利な椎茸栽培を思いつき他産業にまけない農業自営者になることを歩みていました。そのため農業高校に入学と同時に、私の椎茸栽培への仕事が始まったのでした。

わが家の農業経営概況は、稲が百㌃、そ菜十㌃、椎茸千駄（発生室）百平方㍍、それに山林四百㌃です。それによる年間所得は二百三十万円で、そのうち椎茸が六五・二％を占め、米二一・七％、そ菜八・七％、その他四・四％となっています。これからは椎茸で八〇％を占められるようにやりたいと考えています。

私たちの小供の頃は、椎茸栽培といえば、生産規模が小さく、栽培技術もあまり進んでおらず、生産量が少なかったので、一般家庭では貴重品視されていました。しかし今日では国民大衆の日常食品として利用され、その需要は年々増加しております。この増加の実態を大阪中央市場の年間入荷量でみてみますと、昭和三十三年には百トンくらいであったものが、十二年後の四十五年では千五百トンにも達し、約十五倍伸びております。

このような需要の増加は、私たち栽培者にとって大変有望なことです。しかも、価格がやや値上がりぎみなので今後大きな期待がもてます。

近年では、生椎茸需要の急激な増加と、農業構造の大変革にともなう農業経営近代化の一つとして生椎茸生産を主体とする宅地、平坦地、畑水田、果樹園さらに山林などあらゆる場所を利用する集約栽培が盛んに行なわれる状況となっております。今日の椎茸の隆盛は単なるムードや、ブームではなく、何百年の伝統を受け継いできた生産者と研究者のたゆまぬ努力があって、はじめてもたらされたものであることをしみじみと感じます。

私が椎茸栽培をはじめた時は、原木や人手が豊富でしたが、今では椎茸の値上りに対する原木の値上がりや人件費の値上がりが強くなり、経営がむずかしくなってきました。

そのため最初やりかけたような安易な気持で椎茸栽培と取り組んでいては、いつかは競争に負け、他の産業にひき離されると思い、椎茸の栽培技術は勿論のこと特に市場性を研究しだしたのです。そして、より有利に販売し椎茸栽培者として、最後まで勝ち残りたいという強い気持で、私は椎茸栽培二年目から、大阪中央市場での値段の変化の原因を知りたいために以後市場の動きを毎日記録してきました。

その結果にもとづき、自然発生後の価格の変化する状態や入荷量、温度などによって変化する状態をまとめ、私のそれに応じた対策をまじえて説明してみます。

一、自然発生の最盛期また最低価格を示した日から約十日間くらいたつと入荷量が極端に減り、非常な高値になることが判りました（グラフ参照）。ですから自然発生の時期には、ほだ場のほだ木にビニールで覆いをし、二〜三日位最盛期より早く出荷することだと思います。また、三月上旬頃によく菌の蔓延したほだ木を十分乾燥させ、雨のかからない所へ保管して自然発生の最盛期前に浸水することにしています。

一、どの農産物の出荷にも共通することですが、天気予報によく注意し、雨の降る前日には値が下がるため、できるだけ出荷量を少なくしています（グラフ参照）。

一、出荷する曜日ですが、平均して月火土の順に悪く、水木金の順に良いので曜日による出荷量調整をしております。

一、十月下旬から十一月上旬頃は気候の変り目で急激に温度が低下する。この時節には鍋物に椎茸が利用され、需要と供給のバランスがくずれて、高値になるので、この時期は特に注意して浸水すれば良いと思います。

いま述べたことを、私は現在も出荷の一つの参考にしています。しかし農業というものは、市場性の一部を知ったぐらいの安易な考えや気持で、一生やってゆけるような生やさしいものでないことをみなさんに訴えたいと思います。

さて、ここで私の堅実な生椎茸の販売方法を述べてみますと

一、鮮度に注意し必ずその日に出荷すること。

一、生椎茸の傷みをさけるため水分含量の少ないものを生産すること。

一、収穫の際見落しをせず、なるべく八分開き前後で収穫すること。

以上のことに気をつけて、販売するとよいと思います。また、栽培面においては、植菌の際、原木を動かす手間をできるだけ少なくし、なお伏込み場所は風通しの良い山林を利用するようにして、極度に手間を省くようにすることであると思います。

最後に、今後もより一層市場問題について研究し規模拡大をはかるとともに、原木という問題にも真剣に取りくみ、多肥密植による雑木栽培を夢みて、これからも明るい希望をもち椎茸栽培に励んでいこうと思っております。

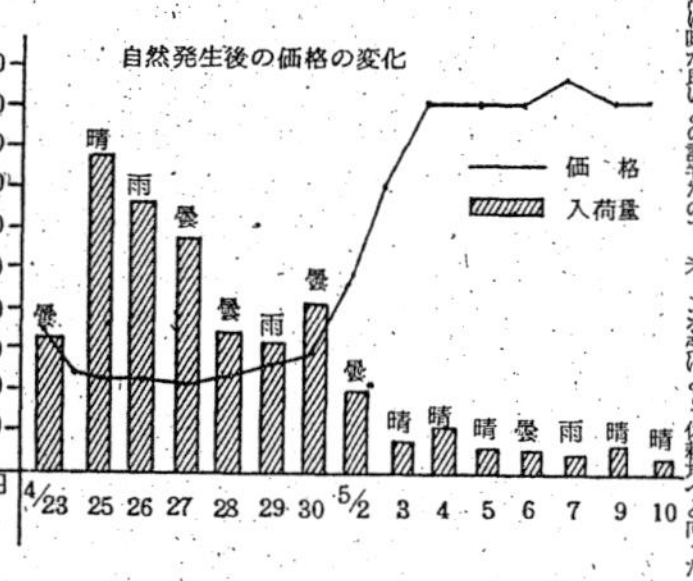

自然発生後の価格の変化
価格
入荷量
100
90
80
70
60
50
40
30
20
10
円
4/23 25 26 27 28 29 30 5/2 3 4 5 6 7 9 10
曇 晴 雨 曇 曇 雨 曇 曇 晴 晴 晴 曇 雨 晴 晴

みかん収穫に"手"を

小田原農業改良クラブが実習生を募る　交通費も支給

【神奈川】小田原農業改良クラブ（会長 内藤尭男君）では今年も「みかんもぎ交換実習生」を募集することになり、いま全国のクラブ員に参加を呼びかけている。

都市化の波が激しく押し寄せる同地区では、収穫どきの手不足が悩みのタネ。そこで同クラブでは、毎年、全国のクラブ員に応援を求めて切り抜けてきているが、ことしも、みかんもぎと同時に、心身の鍛練にもぜひ大勢の人が来てほしいと望んでいる。

募集要領は次のとおり。

①受入れは、クラブ員の家庭に限る②人員三十名（各家庭に二名ぐらい）③男女を問わない④仕事はみかんもぎ（誰にもできる）⑤日給 一日千四百円（男女同額、ただし雨天や休日などは支給しない）⑥持ち物 作業衣、身の回り品⑦申し込みあり次第、細目などを受入れ家庭と合わせて連絡する⑧実習期間は、十一月中旬頃から十二月中旬頃まで⑨旅費は、関東、東北、中部は全額支給、その他の地域は片道支給⑩交歓会として歓迎会、名所見学、送別会の三回を予定している。

▽締切り日 十月下旬

▽連絡先 神奈川県足柄上郡松田惣領七四二 松田農業改良普及所内 小田原農業改良クラブ事務局 電話＝〇四六五－八二－三六一

害虫発生で被害

香川・双葉会　地域の休耕田に薬剤散布

【香川県＝大山園賀連絡報道員発】「地域の人達に喜んでもらうとともに、会の運営資金を」という目的で、去る九月十四日大川郡大川東部後継者クラブ"双葉会"の大山園賀会長以下二十名が参加して、引田町の休耕田約十アールに除草剤を散布した。

これは、休耕田に雑草が生え繁り、害虫が多発に発生して付近の稲作などに被害を及ぼしたため、引田町役場から普及所を通じて除草の依頼があったもので、それなら是非私達クラブ員の手でということになった。

当日は、早朝から前日割り当てられた農具を手に、東讃農協引田支所へ集合し、そこでグラモキソンを受けとり、休耕地へと向った。

そして、普及員の指導のもとで散布が始まったが、付近に、稲や野菜などがあるため、なかなか作業がはかどらなかった。それが、クラブ員の頭を痛めましたが、懸命の努力によって、夕暮になって作業はやっと終ることができた。

そして、その夜に反省会を開いたが、その中で「クラブ員全員が一緒になり、汗を流すことはクラブの団結をはかるためにすばらしいことだ」という意見が大勢を占めていた。これからも、このような活動を、クラブ員全員でどしどしやってゆこうではないかということになった。

飛ぶような売行き

岩出山の展示即売会

【宮城】岩出山町の農村青少年クラブ（会長 鈴木稔君）は、去る九月十三日、クラブ員がつくったジャガイモ、ニンジン、ダイコン、ナシなど野菜・果実十七品目にわたる展示即売会を町公民館ホールで催した。それらの値段が市価の半分以下とあってわずか二時間ほどですべて売り切れた。

なお、この日の売り上げ金ははじめて十万円であったが、このうち一万円は敬老の日を記念して社会福祉協議会へ寄託した。

親のスネかじる「後継者」

山門地区で技術交換大会

【福岡県＝花島一美山門地区連絡報道員発】山門地区農村青少年クラブ連絡協議会の技術交換大会は、さる九月一日から三日間、熊本県一の宮町の阿蘇青年の家で開催された。山門地区農改普及所管内の八つのクラブから男子五十六名、女子十二名、ほかに農協普及員など計七十五名が参加したが、女子クラブ員の参加者が少なかったことは残念であった。

主な日程として、一日目は、オリエンテーションのあと分科会と全体討議、映写会、二日目はペーパーテスト、登山、キャンプファイヤー、三日目に球技大会と反省会などであった。

分科会と全体討議では、農業と農家生活、後継者のあり方、クラブのあり方－などのテーマについて討論した。この中でも、後継者に対する意見が多く、「後継者でありながら、親のスネかじり」が大勢いるという。このような人たちは、もっと農業について良く考え、現在のような農業状勢の中でも、自分の道を切り開いていこうという強い信念が欲しいもの。

二日目と三日目は、幸い天候にも恵まれて、阿蘇の大自然の中で伸び伸びと研修が出来た。二日目に行なわれた登山は、青年の家から仙酔峡を通って阿蘇山頂までというルートであったが、女子クラブ員の足の早いのには驚きであった。やはり農村女性であると感心

山地酪農こそ進む道

周年ストリップ放牧へ

スタートしたわが酪農経営

宮崎県串間市大字高則　城　敏

私の家の労働力は家族によるもので二・五人、また土地は自作が四㌶と小作二㌶を合わせて六㌶です。そして、家畜は搾乳牛が十五頭、育成牛が十頭います。私のところで使っている主な動力機械は、トラクター、ハロー・ローターベーター、それにロータリーチョッパーなどです。

私は、昭和四十一年高校を卒業してから約一年間、宮崎県高等営農研究所の酪農専門部へ入ったが、そこで研修を受けながら、企業的感覚、それに「マイウェイ精神」を学びました。そこを卒業するとすぐ八ケ岳周辺の酪農家で企業酪農生活を経験し、次の年には国際農友会から派米実習生としてカリフォルニアに行き、アメリカの省力的企業酪農経営を体験しました。これらによって得た知識、精神は今も非常に役立っています。

さて、一口に酪農といっても気象条件や、土地条件によってさまざまにその経営形態が異なってくるものですが、現在高知県で岡崎正英さんを中心に行なわれている山地酪農こそ、新しい革命的とも言える酪農経営だと思います。山地酪農の特色は、今まで考えられていなかった急斜面をそのままの状態で、つまりブルなどで耕地造成をしないで利用するということです。

北海道と異なって、平野の少ない他の地方では、耕地面積が少ないがために、粗飼料の絶対量が不足し、ひいては牛に無理をかける酪農経営にならざるをえなかったわけです。山地酪農によって半ば見捨てられていた山から、草が採れて、健康な牛を飼えるとなるとまさに革命的と言えます。都市周辺や一部の地方に見られる稲を中心にした舎飼いの搾乳酪農は、酪農のなかで最も金と隣り合わせの合理的経営とも言えますが、近頃のように一般の人々の生活環境に対する意識が高くなってくると、環境衛生、また乳質の問題も考えねばならないし、このような経営もだんだん限定されてくると思います。そこで山地酪農こそ、これからの日本の畜産の進むべき道を示しているのではないだろうかと思うわけです。

私の家では、二年前まで南九州によく見られる水稲と甘藷、それに乳牛という経営をやっていましたが、ここ数年、農村を襲っている異常な経済の波によって、従来の経営から脱皮せざるをえなくなりました。そこで、去年の四月から私自身の経営参加と同時に、総合資金八百万円を借り入れ、経営方針としてまず山地酪農の形式をなるべく取り入れてやってみることにしました。牛は年間昼夜を問わず屋外において、牛舎にかける経費をなるだけおさえ、それから牛を入れることのできる畑は全部ストリップ放牧を行ない、草にかける手間を出来るだけ省くことにしました。

とにかく今のところ耕地面積五㌶、牧草地（予定地）一㌶、水田五〇㌃、成牛（乳牛）二十二頭、仔牛八頭を経営しています。目安として、一〜二年には、夏型牧草のバヒヤグラスと冬型牧草のイタリヤンライグラスによる周年ストリップ放牧を軌道にのせ、ソルゴー、デントコーン、イタリヤンのサイレージによって集約的な経営を行なう予定でいます。

現在まだ一年もたっていないので数字としてどうのこうの言うわけにもいきませんが、経営全般から眺めた場合どこといって不備な点は今のところ出ていません。私の住んでいる所は村落からちょっと離れ孤立した状態にあります。これは牛を飼うには最もよい条件ですし、「マイウェイ」を進むのにも好条件です。

ところが、この経営に対して乳牛会社の指導員から猛烈に反対されました。彼の説によると「だいいち牛を外で飼うということが間違っている。牛を野で飼うと必らずバカ牛ができて全体が統一できない」ということでしたが、私はこれに対して反論するより、各農家をまわって新しい知識を与えてゆくべき人がこの程度とはと、内心ガッカリしました。

（第二回全国農村青少年研修教育センター研修生交換大会の体験発表から）

眠らされている？…クラブ機関誌

——せっかく作ったクラブの機関誌です　全国の仲間に紹介してやって下さい——

全国の仲間は、あなたのクラブの機関誌を読みたがっています。生き生きとした情報に飢えてます。もっともっと交流を欲しています。ガリ版刷りでもかまいません。字が下手でもかまいません。とにかく、地域に眠らせないで！できた機関誌は、すぐ送って下さい。4H新聞のスペースを空けています。

あらゆる機関誌を〈4H新聞〉へ送って下さい

NHK農事番組（10月11日〜20日）

テレビ

ラジオ

待って!!
ちょっとジョア飲んでから…
いざというときの力を左右するのは日頃のスタミナ。スタミナを決めるのはジョア。太らずに栄養が身につくジョアはまさに現代人にピッタリ。さわやかな風味に加えて高タンパク含有。特殊乳酸菌たっぷり。毎日お続けください。
Joie
ジョア
ヤクルト

米国での生活から

町の子が96%占める

本家、アメリカの4H活動

坂本重子

日本の4Hクラブは、アメリカから入ってきたものと聞いていたので、クラブ員の年齢も我々と同じくらいだろうと思っていた。しかし、馬のプロジェクトを持っている人達の集会に初めて出席して、予想とは反対に小さな子ばかりなのに驚くとともに、日本での自分達のクラブ活動に「運営の仕方」などをどのように持ち返ればよいのだろうかと考えた。

私達のクラブ運営が自主体制を取っているのとは対照的に、アメリカのクラブは国の一つの青年指導の方法としてある。これには州に一人の総括指導者を置き、この人の指導のもとに各郡に配属されている指導員の人が、地区の父兄の助けを借りてクラブの運営に当っている。この方法は、日本にある子供会的なもので、プロジェクトとして取り上げられている課題もスポーツ、動物、音楽と条件に添って行なえば何でも自由で、それは趣味的な考えで行なわれ現実の生活とほとんど関係はありません。

この4Hクラブの始まりは、農村の人達の技術指導が主体だったようです。時代が変るとともに農村を離れて行く若い人達が多くなり、その指導方針も変ってきて、現在では〝良き人間作り〟を目標に行なわれているようです。このためニュージャージー州では、クラブ員の九六%が町の子で、残りのわずか四%が農家の子供だということです。この指導は、国の方針の一端なので、父兄も安心して子供を任せられるのでしょう。彼らの非常に協力的な態度には何か圧倒されるものがあります。特に月二～四回の集会を自分の家で持たれる父兄は、それだけ人間のできた人なのでしょう。これらの人達の手助けは、本当の奉仕なのでとくにそう思うのです。

クラブ活動は九～十三才までと十四～十九才までの二つに分けて行事が組んであります。十三才までの子供にとっては、組織がどちらを向いても関心ないのでしょう。しかし、十四才からの子供にとっては関心の強い問題で、「上からの指導で動いているだけでなく自分たちの手で運営は行なわなければいけない」と他の州の例をあげては自主運営の必要性をしきりに話し合っていました。彼らの話を聞いたり、自分で実際に運営の様子を見て自主運営は確かに必要なことだと思いました。

ワシントン州とニュージャージー州の二つの州のクラブ活動を見て感じたことは、ワシントン州では動物を主としたプロジェクトを持った子が多く、田舎的で地味な雰囲気を持っているのに対して、ニュージャージー州のクラブ員のプロジェクトはスポーツや裁縫・料理などが多く都市的で派手な感じを受けました。この違いはお互いの州の特徴を良く表わしていると思います。しかし、両州とも州の指導者の人が、各種のプロジェクト指導のパンフレットを配布して指導に当っておられる点については同じです。

また特に、ニュージャージー州では父兄の力の入れ方が一段と強く、みんなの協力でクラブ員のためのキャンプ場兼会合所ができていました。ここでは、夏・冬の一回ずつ約百八十名のクラブ員が集まってキャンプが開かれます。その他先進青年同士の集まりや他の青年グループの人達が利用されます。こういった建て物があると、大きな行事を組んでも場所や建て物の選択で頭を痛めずに済むので、我々にも是非こういった建物及び施設が必要だと思います。同時に、現在我々クラブ員が目標としている4H会館の建設に力を注がなければ…と強く感じました。

次にアメリカの4Hクラブでの活動について気がついたことを項目別にあげてみます。

クラブの構造について

①指導者、リーダー、クラブ員の関係については同じであるらしいが、会員同士の縦のつながりはなく、その構造は理解されていない様子。②内部リーダーの存在は、プロジェクトに対する理解力が浅く指導する力がないので必要なく存在しないそうである。③各プロジェクトにおいて自分である程度そのプロジェクトが理解でき、行動が共なうようになると、リーダーは必要なくなるらしく、個人個人の活動を始めるか、他のプロジェクトへ移っていく。④リーダーの指導は十三～十四才を中心に外部リーダーがする。

会費について

①大きな行事に対する援助は国、州、郡、地区及び父兄から出る。②個人会費はないクラブもあるが平均一回二十五セント。③運営費は夏に飲料水を販売したり、労働したりで得る―労働日数一～六日、労働時間一日、一～四時間。

家族と4Hクラブの関係

①家族は4Hクラブを良く理解しているが、会合には直接参加することはなくキャンプや農業祭の時など参加する。②集会が夜の場合や遠方で行なわれる場合は、車で送り迎えを一軒～三軒の主婦、または主人が代表して行なわれる―この姿にはとても美しいものがあった。③クラブ員のいる家庭は、環境の良い家庭だという見方が一般の人達の中にあるようだった。

クラブ・リーダー

リーダーの立場はプロジェクトに関する部員の指導である。だから、クラブ員をどうして確保するかとか、経費をどこから得てどのような方法で運営を行なって行くかといった種類の心配はほとんどしないらしい。リーダーは、プロジェクトに対しての勉強はするが、クラブそのものについてはなすがままで、郡の動き、州の動き、本土全体のクラブの動きがどうなっているかなどは必要ないらしい。日本のリーダーに較べ、とてもやり易い立場だと思う。

（この「米国での生活から」は、これで終わります。）

青春と仲間

経営者は自由か

農業にも綿密な計画を

大阪府農業会議 今中潤二

私の所属しています大阪府農業会議では、業務のひとつとして全国農業新聞の地元版、大阪農業時報などの取材・編集をやっています。そんな関係で農業後継者のみなさんと接する機会もしばしばあります。

ところで、後継者のみなさんの農業の見方、考え方が、ほぼ共通していることに驚くことがあります。農業をやることについては、「経営者になれるのだから」「サラリーマンより自由だから」「自然が相手だから仕事が楽しい」などに要約されるように思います。そして私はこんな話を聞いて大いに心強さを感じるのですが、それと同時にチョット心にひっかかることもあります。

〝経営者〟・一般社会では社長さんというような責任ある地位の方々をさしているのでしょうが、それこそその労たるや想像に絶するものがあると思います。〝経営者〟現代風にいえば〝カッコイイ〟ということになりましょうがやはりそれにふさわしい自覚をもってほしいと考えます。

〝自由〟という魅力も、とり方によっては大変なことになりかねません。「誰からも指図されず、思ったようにふるまえる」―なるほど、農業はそういう一面がないとはいえないでしょう。しかし、経営のあることを忘れてはなりません。

だとすれば、やはり綿密な計画が要求されます。商社ではコンピューターなどもいち早く導入し、十年、二十年の将来を見こして経営に備えているくらいですから。

「仕事が楽しい」ということはこれほど結構なことはありません。私はあえてそれを否定するものではありませんが、経営ということが前面にあるのですから、楽しさばかり追うわけにはいかないと考えます。作物を栽培するということは、ひとつの商品生産です。楽しくても儲からないものを作ってしまったのでは、それは趣味でやったにすぎないことになります。勇気と決断力をもってことに当たれるのが若いみなさんの誇りだと思います。

それから「農政の貧困」ということもよく聞く言葉です。私も現行の農政が十分なものだとはさらさら考えません。それどころか一刻も待てない農林施策が山ほどあります。しかし、だからといってすべての責任を農政に転換してしまうのでは、いささか他力本願すぎるような気がします。やはり自分なりの努力は、忘れてはならないことだと考えます。

親しさをいいことにして、頭に浮んだことを整理しないまま書いてしまいました。「おれ達は、そんな安易な気持で農業をやっているのではない」と叱られそうな気がします。しかしそんなお叱りは私にとって一番嬉しいことです。

最後になりましたが、クラブの躍進を心から念願しています。（大阪府千早赤阪4Hクラブ『野々花』より）

〈詩〉

山口県 藤原将紀

旅立つ時が来た
縹渺とした夕暮れの広野に向って
一人のわかものは行く
手さぐりという唯一の手段を持って
そこには名声も外聞もない
求めるものは……わかもののフィーリング
高鳴る鼓動
水を一筋の光を渇望する
闇から逃れたい一念か？
孤独からの逃避か？
ぐっと唇をかみしめ
喉が張裂けるほど
叫びたい心をおさえる
敗者とならんがためか
希望と後悔の交叉
動揺する心の葛藤
永遠なる時の流れ
いかなる雑念をも消化する大なる自然
わかもののフィーリング……肌で感じる宇宙の吐息
……闇の中の一筋の光

沖縄を訪ねた私たち

青く澄んだ空

日焼けした人々

埼玉県 落合ふみ子

東支那海に浮かぶ詩情豊かな魅惑の島、サンゴ礁とエメラルドに輝く海、あくまで青く澄みきった南国の空に黒く日焼けした沖縄の人達が、私達訪問者五十二名をなんの悩みもないような顔で、あたたかく迎えて下さいました。

しかし、実際に話し合ってみますと、七十二年本土復帰の問題、これからの農業、あるいは今の農業問題について、いろいろ悩みがあるようです。沖縄の農業はこうすればよいと理屈では言えても、実際に沖縄で生活した場合を考えてみますと自信がありません。

私のようにわがまま者にも、沖縄の人々の生活が心にズシーンと響きました。こんな甘い心では、いけないんだ、もっともっと自分から進んで苦しいことにぶつかれと、心にムチを打ちました。

沖縄は、今の生活ではいけない。先進地に来て実習して帰ったとしても、土の性質、あるいは風土によって違うので、ああすればこうすればと人のまねをしても本土並みにはいかないと思うので、もっともっと基礎を勉強したらよいかと感じました。いずれにしても、一日も早く本土並みの生活が出来るようにと思いました。

しかし、沖縄沖縄と、同情ばかりはしていられません。なぜならば、沖縄は澄んだ空気と温暖な気候なので、ビニールハウスを使ったり、冷害がないこともあり、水の便さえよければ、七十二年・本土復帰後、本土と肩をならべた農業ができるのではないかと思われます。強敵があらわれるので、もっともっと勉強しなければ、私達は追い越されてしまうからです。離農する若者が多い昨今、自分さえしっかりしていれば、大人達や政治がどのように進んでも、農業は勝てると私は信じています。

沖縄の皆さん、荒れ狂う海そして時には淡々とした海―とのくり返しのような人生ですが苦労をして損をすることはないのです。限りなく広い海のような大きい心を持ち、うまく荒波を乗り越えて魅力ある農業を打ちたてて下さい。それは、青少年の自主独立の精神と実践にかかっており、4Hクラブ員の意識の統一と主体性の確立こそ、未来の農村社会を左右すると思うのです。（全国4Hクラブ連絡協議会『第二回沖縄親善交歓訪問報告書』より）

草の根大使だより

十八歳でベトナムへ

日本を羨むアメリカ人

明神節子

新聞、テレビ、ラジオで知る日本の出来事は、あいつぐ飛行機事故、台風、政治、経済となんだかすっきりしないニュースばかり。今日は、私の思い感じる社会について報告します。

※ 日本へ出張するという青年にいきなり次のようなことを尋ねられた。「日本人は中国人について理解していますか」「日本人は中国人のことを啓めていますか」。私の胸は、波を打つ。どう答えたらよいのだろうか？自分の感情をそのまま述べることもできず、その上、英語となるといくら油をさしても思うように舌が回らない。辞書という道具が必要になってくる。片言の英語・辞書・ジェスチュアーの四苦八苦のあげくに、こう答えた。「日本の人民は一億以上います。その日本人を代表してYES・NOは答えられない。日本の国にでなら素直に自分の意見を言うだろうけど。なぜなら、今私は、アメリカという国にいる日本人として責任があるからです」と。

※ シアトルで知りあった議会議員をしているという人が、日本について知りたいと車で六時間以上ものところを逢いにきてくれた。政治的なむずかしい質問は、いささか困るし…、なんだか自分の身の上があぶないような気がした。「一九七二年に沖縄は日本に返還されるが、どう思うか？」。私は「ありがとう、嬉しいです」と答ったら握手してくれた。この一つの質問に、言いたくてもこれだけしか答えられない胸の中は苦しいです!! また ある時、学校で女の子（小学五年くらい）に「あなたは何党ですか」と質問をうけて、「日本では自由です」としか答えることができなかった。

※ 日本に行ったことのある大半の若い男性は、横須賀、三沢、佐世保などの基地のあるところにいた人たちである。中には、「原子力空母佐世保入港」と日本中をわかしたあのエンタープライズ号の乗組員もいた。中年層の人々は、二十数年前の戦争の思い出をなつかしそうに語る。当時の写真、紙幣を見せてくれる。そして、戦前に渡米した日系の人々は、その頃について「〝日本人をころせ〟と言っていた。また、日本に行った人々なら、富士山（フジヤマとアメリカ人は言う）、広島、長崎を知らない人はない。

※ 戦没者記念日は全ての機関が休みで、そのことを盛んにテレビで放送している。これを見て、私が「日本では徴兵はありません」と言うと、やがて十八才になるという一人息子と両親はうらやましそうに（私の感じによると）聞いていた。「うらやましい」とは口には出さないけれど…。十八才からベトナムやその他の戦地に出兵しなければならないアメリカの青年。彼らは、そういう教育を受けてきているので何の抵抗もないでしょう（日本の中年層の人々が兵役に行ったような考えではないだろうかと私は思う）。しかし、この家庭の今の平和な明るさは少なくとも消えるでしょう。日本の国ほど自由な国はない!!

※ ニクソン大統領発表―「円の問題」で日本経済は、ゆれ動いているだろう。佐藤さんの一言でアメリカは動くでしょうか？ 今の日本にはアメリカは必要に感じる。なぜなら、アメリカでアメリカ製品を見つけるのは難しい。ほとんど「メイドイン・ジャパン」と書かれてある。もしもアメリカに大不恐がおとずれたら日本の中小企業はどうなるでしょう？

日本は、国土の三分の二以上の土地が使えず、一億以上の人民がひしめいている。その上、急速に進歩する機械化の波。こうなってくると生存競争は、ますますはげしくなるでしょう。日本の未来、農業の将来について考えると不安になってくる。若い人たちにもっともっと政治に感心を持ってほしいと言いたいし、どんどん若者が海外に出て日本を見つめる必要性を強く感じます。

風譚

失なわれた旅

秋――観光地を目指し、ひと時の夢を求めて大量の人間が動く。私もその例外ではない。「旅とは、人生そのものである」という三木清の言葉が、私の脳裡にうかんでくる。しかし、現代社会の旅行の概念のうちで三木清の言葉は一つの甘い感傷でしかなくなってしまっている。

夏の終りに、私の友人が東京駅を発った。観光旅行とはかけ離れたいでたちで大きなリュックと寝袋を肩にかつぎ登山ナイフを腰にぶら下げ、「お金は一泊の宿代もない。だけどぼくは旅に出るんだ」そう言って彼は列車に消えた。どこへ？何のために？は旅をしながら考えるとのことだった。路がある限り彼はゆくと言う。こんなことを書くと甘いお伽話とお笑いになるかもしれない。

もともと人間にとって、現在の生活から離れてどこかへゆくという行為は理解しやすい単純なことであった。空間を移動してゆく、それは解放の愉悦であり、断絶の恐怖でもあった。不連続な偶然との出合いは、私達にもっとも生きている実感を与えるものかもしれない。

だが、最近の旅行に偶然はない。私たちが名も知れぬ田舎の駅に大きなボストンバックをかかえ、煙草をくわえてイキな姿で立ったとしても、それは東京駅で見たディスカバージャパンの美しいパンフレット以外のなにものでもない。そこで私たちは汽車のなかで過した何時間かを失ない、部屋の鏡でみた自分自身の疲れた顔を再発見するだけだ。だからと言って何が悪いと攻撃するつもりはない。ただ、時間のなかをあちこちとせわしげに動いてきたが、動かなかったと同然の心地でいる自分を落胆して眺めるだけだ。そして、時間と金でおし測られた距離感覚をもって、見るためには歩かず、カメラを撮るためならどこまでもゆく根性に虚しさを覚えるだけなのだ。

ある日、彼から一通の葉書きが届いた。その葉書には「何のために旅をするかという問いは不毛の問いであることに気がついた。それが旅で得た唯一の答えだ」といったことが書かれていた。私なりにそれを解釈すれば、彼が言おうとしたことは、どこにいても自分は自分だという簡単明瞭な事実を再確認したのだろう。彼にとって旅は人生であり、またそうではなかった。彼はパンフレットなどのイメージによって現実を確かめたのではなく、現実によって自らの旅のイメージを作りあげたのだ。

私は彼をうらやましい気持で思い浮かべ、私自身の旅のイメージを限りなく大切に保存している。それゆえ私は「旅とは人生である」と永遠に語れないだろう。彼が私をからかったら「ぼくは旅人らしい気分を味わうために旅をする」と負け惜しみを言ってうそぶいてやろうか。（野）

クラブ紹介

会費は苗代消毒で

群馬県〈K・Iクラブ〉

我がK・14Hクラブは佐波郡の東北端の位置にあり、国道五〇号線がほぼ中心を走っている純農村地帯です。農家の人々は、五千五百人、農家戸数千二百八十戸で耕地の割合は、畑千五百町、畑が七十七%を占める畑作地帯です。主な産物は、養蚕・スイカ・大根などがあり、最近畜産やソ菜が急速に伸びています。

K・14Hクラブ員も過半数がソ菜を取り入れた経営を行なっています。K・14Hクラブ員は、現在会員十四名で平均年令二十才という若い人達のグループです。うち女子二名で構成されています。

主な行事は次の通りです。

四月 花見・交換会
五月 赤城登山
六月 苗代消毒（二回）
七月 本田消毒
九月 交換会
十月 旅行・スポーツ大会
十一月 郡連共励会
十二月 品評会
一月 新年会
二月 スキースケート
三月 役員改選

K・14Hクラブの最大のほこりは、会員から会費をもらわないで、クラブを運営していることです。なぜ？と思う人があると思いますので、簡単に説明します。前の行事の中にあるように、二回の苗代消毒と本田消毒と品評会の純収入で一年間の行事を運営しています。最後にクラブ運営について問題点をとり上げてみます。それは、一、女子クラブ員が少ない。二、行事に積極的に参加するクラブ員が少ない。などです。（群馬県伊勢崎地区農村青少年クラブ連絡協議会『碧』より）

休憩室

失名氏

私は最近なんの気なく、一冊のアクション・小説を読んだ。私はその主人公の生き方、死に方にひかれその後同じ著者の作品を十冊余り仕入れて読みふけった。その主人公は、非情な精神と人間的な暖かさ、異常なまでの正義感とをかねそなえている。その一部を抜き書きしてみよう。

すべての作業は済んだ、「ご苦労、本当にご苦労だった、ありがとう」

宮内は舌をつまらすと、目尻に浮く涙を滲ませた。己れのなかでどうしても曲げることの出来ない、自分だけの鋼の掟に従って……

これだけではよく分からないと思いますので、興味を持った人は買って読んで下さい。本屋で以上のような本をさがして下さい。（北海道赤井川4Hクラブ『若い足跡』より）

孤独

池田常芳

おのれの姿を映す鏡もなく
心の内に花を求めてさまよえど
そは全て寂しく風に依りぬ
野に山にそうそうと風のふくなり
ただ一輪
山陰に偲はんりんどうの蕾
（あなたが悲しい時 私は愛する）
やさしくもひっそりほほえむかな
日陰の蕾ゆえに
花散らす風にも生命は流れる
されどおのれを映す鏡になくば
花開く能はず
ただ霧の中に消えゆくのみ
（茨城県結城市農村青少年クラブ『青春』三号より）

募集

本紙8月24日号に掲載した「あんな人こんな人」欄の記事を募集します。だれか適当な人を紹介して下さってもよいし、自分自身でもかまいませんから、写真をそえて、どしどし投稿して下さい。

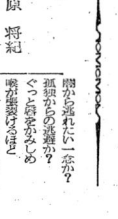

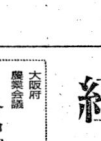

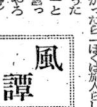

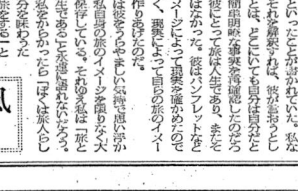

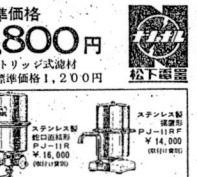

日本4H新聞
4Hクラブ 農事研究会 生活改善クラブ 全国広報紙
発行所 社団法人 日本4H協会
東京都市ケ谷家の光会館内
電話（269）1675郵便番号162
編集発行 玉井 光
月3回・4の日発行
定価 1部 20円
一カ年 700円（送料共）
振替口座東京 12055番

クラブ綱領

私達は、実践を通じて自らを磨くとともに、互いに力を合わせて、よりよい農村、よりよい日本を創るため、四つの信条をかかげます。一、私達は農業の改善と生活の改善に役立つ腕をみがきます。一、私達は科学的に物を考えることのできる頭の訓練をします。一、私達は誠実で友情に富む心をつちかいます。一、私達は楽しく暮し元気で働くための健康を増進します。

水準の高さを評価

台湾の〝草の根大使〟が帰国

社団法人日本4H協会（会長 宮城孝治氏）の招きで来日し、三ヵ月間にわたって全国各地の農家で生活していた国際農村青年交換計画に基づく中華民国（台湾）派遣の4Hクラブ員＝草の根大使＝張明伝君（二三）と廖金卿さん（二三）＝の二人は、日本での生活を終えて、さる六日午前八時、羽田発の日本航空機で帰国した。これに先立ち、四日午後一時半過ぎから東京・港区新橋の共栄火災海上保険相互会社五階第二会議室で二人の滞日報告会が開かれた。

二人の報告会は、農林省はじめ草の根大使の受入れに協力している社団法人全国農村青少年教育振興会、国際農友会などの関係者と4H協会から宮城会長、新田、大塚両常務理事らの出席のもとに、宮城会長のあいさつのあと新田事務局長の司会で進められ、二人は滞日生活の感想を大体次のように語った。

――日本の農業について

張君 まず、工業の発達が農業にも影響しているように思う。機械化とともに灌水や改良事業なども進んでいて農作業が発達している。また、農家の人たちの知識水準、一般農家の生活水準が高く、とくに電化製品の普及がめざましい。さらに、マーケティングと生産が結びつきスムーズに行なわれているように感じられた。

廖さん 非農業農家が多いように思った。働いている人は一生懸命だが、子供などは学校に行っているため手伝わないようだ。作物の種類が多く、台湾にないようなものまで作っている。

――農家生活について

廖さん 農家では、主に炊事方面を担当したが、一般に朝食と昼食が軽食で、夕食にご馳走が出たようである。これは台湾などとは違う。また台湾の場合、客にはお茶をもてなす程度だが、日本では菓子や漬物を出すのでビックリした。

親は大変自分たちの子供を可愛がり、めったに叱ることはないように感じた。親子で冗談を言いあうことは羨ましい。台湾では風習があって、父と子は友だちみたいに話しなどできない。

――農村青少年の活動について

廖さん 非常に活発であった。また、男女が一つに溶け合うことは台湾にはない。私たちを見下げないで仲良くしてくれて嬉しく思います。多くの友だちができました。

張君 日本では女子クラブ員が少ないように思うが、若い人が多く活発に活動している。台湾の場合は、兵役もあるため男子会員の年齢が平均して低く、活動を活発に行なうのは難しい状態にある。

――一番困ったことは何か

二人とも、まず食事に困ったようだが、大部慣れた。しかし、生野菜やサシミなどのナマ物はダメで、旅館ではご飯だけですませたこともあったという。だが、二人とも体重は変らなかった。言葉も困ったものの一つだが、4Hクラブ員が親切に漢字を書いてくれたので、言葉が少しくらい通じなくても意思を通じ合うことができたようである。

ただ、駅の乗車ホームや旅館の払いなどの面で苦労したという。

左から廖さん、張君、通訳、農林省・普及教育課の大沼青少年班活動促進係長、宮城4H協会々長、新田同事務局長、国際農友会の土屋副会長、全国農村青少年教育振興会の金田事務局長＝共栄火災で

廖さん 別れるのが辛い　張君 みんなに報告を

――とくに印象に残ったこと、参考にしたいことは？

4Hクラブの会議などに出席してみて、みんなが活発に討論しているのが印象的で、帰国後、みんなに話してそのような方向にもってゆきたい、と廖さん。張君は、会の終りに行なう親睦会に興味を示していた。また農業改良普及所の業務分担や農協などに関心を持ち、大いに参考になったと語っていた。

――日本の青少年に対して、こういう方がよいと思うことは。

クラブの大会やキャンプで、台湾では、寝具をたたむ競争などをさせるが、日本ではなかった。そういうものをやれば整理などの面でもっと良くなるのではないか。

また、これは経済発展段階の相違だと思うが、日本では大会へほとんどの人が自動車で行くが台湾では自転車である。それが運動にもなり、サイクリングとしても楽しいグループ活動になっている。

このほか各出席者の質問に答えて、二人は台湾での農業機械の普及度や生活などについて述べたが、農業経営に取り入れたいと思ったものは何かという質問に「自分たちの任務は主として帰国後クラブ員に報告するのが第一です。営農は台湾では余りやっていないので、自分の経営に取り取れたい。またそ菜の技術を経営に取り入れたい」と張さんは語っていた。

また廖さんは、家族の名前の呼び方に困ったが、お父さん、お母さんと呼んでいるうちに親しみを覚え、娘のように扱ってもらって別れが全く辛かったことや、農家主婦の忙がしさ、娘さんが農家へ嫁ぎたがらないことなどを話していた。

二人は、宮城県を皮切りに出発、京都、島根各府県の受け入れ農家（一部はクラブ員宅）で生活、その間、愛知で開かれた「第七回全国4Hクラブ員のつどい」、岩手で開催された「第十一回全国農村青少年技術交換大会」などに出席して交歓、日本の農業や農家生活、風俗、クラブ活動などを学ぶと同時に台湾のそれらを紹介し、民間外交官として両国の相互理解と親善に尽した。二人とも、仕事に熱心で、しかも張君にはひょうきんなところがあって、なかなか評判が良かったようだ。

「青年の船」だより

船酔い止り食欲旺盛

「感動」をプロジェクトに

山本賢治

さる九月二十日、東京・晴海ふ頭を出発、現在、東南アジア六ヵ国訪問の旅を続けている総理府の第五回「青年の船」から、このほど編集部に乗船者の活躍を伝える第一報が届いた。発信者は、全国4Hクラブ連絡協議会推せんの一般団員、愛知県・蒲郡4Hクラブの山本賢治君（二三）。船酔いの状況やパーティなど船内生活の模様を次のように伝えてきた。

私たちＪＹＧＣ（青年の船）団員は、いま東南アジア六ヵ国訪問の途へ向っています。私は、4Hの代表として東南アジアの姿を目で見、手で触れ、肌で感じられることに大変感謝しています。その感動が生涯、心に残ればと思い、「感動」という言葉を二つのプロジェクトにして見聞してくるつもりです。今回は、最初の訪問国に着くまでの船内生活を紹介します。

◇

九月二十日（晴） 東京オリンピックセンターでの出航前研修を終え、晴海へと出発した。バスの中で、しばらく日本ともお別れだと思うと不安な気持で一杯であった。十二時三十分、見送りの家族、親戚、友人など船内を案内する。人、人で身動きできない状態である。

三時、いよいよ出航式。ブラスバンドの音とともにテープの波。ふ頭を埋めた見送りの人たち、涙ぐむ団員と家族。私たちは全国の代表として新たな決意と期待を胸に抱き一路東南アジア六ヵ国の訪問の旅へと出発した。外国の青年も約五十名が乗船している。

船内生活

出航後は、さすがに、みんな疲労の色がうかがえる。各自がベットの横の板に写真をはり、ムード作りに懸命である。夜は、船長招待のパーティが開かれ、飲み、食い楽しい夕食会となった。

二十一日（晴時々曇） 青年の船は四国沖から九州沖へと進む。相当揺れがひどく、立ったままでいられない状態が続き、船酔者が出始める。

午後は、避難訓練、救命胴衣のつけ方、SOS花火の打ち上げなどを行ない全員が無事を祈った。

夕食は、ぶ厚い肉と果物、カレー、コーヒー、トーストというメニュー。だが、船酔いのため、かえってご馳走があだになった。全体に疲れている人が多く感じられた。

二十二日（曇時々雨） 与論島から沖縄島沖へ。台風の余波を受けて波が高い。船の揺れも最高で船酔いする者が続出。お互いにかばい合いながら、今日は自由研修で過ごした。

二十三日（晴） 石垣島－バターン海。船酔いもほとんどなくなり、久しぶりに明るい顔に戻ってきた。午後、団長の講話があり、日本人の東南アジアに対するナショナリズムを考えてもらいたいとの注意があった。そのあと十六ミリ映画の鑑賞、「民謡を訪ねて」「座頭市牢破り」など楽しく見た。なぜか、日本の民謡を聞いたとき、ホームシックにかかり涙ぐむ一場面も見られたが、全員志気[illegible]

[illegible]から東インドシナ海へ。本日から本格的に授業が始まる。英会話、経済、歴史、地理の時間は各国のスライドを見たり楽しい授業である。食欲の方もきわめて良好で、朝昼晩と豪勢な食事に三食とも三杯ずつ食べる人がいてビックリ。

東シナ海は波静かで、小島が散在し、行きかう船の数も多くなってきた。

夕べの集い終了後、戦没者の船上慰霊祭が行なわれた。この波静かな海で何十万人という人たちが海中に没した。鉄くずで埋まるのではないかとさえ言われたこの東シナ海上において、満感胸に迫るものがあった。

二十五日（晴） フィリピン島・マニラ西北四百キロ航海中。夕食のあと明日のナショナルデー（東南アジア青年祭）の前夜祭ということで、ダンスパーティでくつろいだ。終ったときは午前一時を過ぎていた。

東南アジアの青年は、日本の印象について、人々が良く働く、経済国である。周囲が海に囲まれていてトラブルがない。政府が青年活動を援助しており、多くの人が高等教育を受けている、と感じたそうである。また、日本の青年をどう思うかという質問には「積極的で快活である。非常に親切で友達になり易い」と答えていた。なお、タイ国における青少年活動はボランティア精神に富んでいて、自国の発展に努すため各種のクラブ活動などを通じて努力しているそうである。

次に、青年の船の企画については、外国に青年を送ることによって青年の視野が広まる。文化や他国の事情を知る機会が与えられることはよいことだと語っていた。

私と同じ班の外国青年、マレーシア国のサレ・ハジラザク君（二三）は、同国の4Hについて教えてくれた。マレーシアは、ボルネオ島のサラワクとサバ、それからマレー島の三つからなり、サラワクでは二百二十四の4Hクラブがあるという。年齢は十五歳から三十歳くらいで政府（農林省）の援助に[illegible]

二十六日（晴） サイゴンの東四百キロを航海。朝の集いを中止し東南アジア青年祭の準備に入った。自由時間が多く、甲板で日光浴をする人たちもみられ、のんびりしたひと時である。

早くも、熱帯圏に入っているが真黒なスコール雲を左舷に見ることができた。また、ベトナム沖を通過しているので、米軍の哨戒機が本船の上空を低空でかすめて行く。あんなに近くで見たのは初めてでパイロットの姿が見えたのも印象的であった。

夕食を初めて甲板の上でとった。久しぶりのビールに体をとつかせて、歌をうたい楽しく過[illegible]

飛躍を誓い合う

神奈川県連で20周年記念の「第3回の集い」

民泊も実施

【神奈川県＝鈴木時保連絡報道員発】 大きな飛躍 共に語ろう神奈川農業――をスロトガンに、神奈川県農村青少年クラブ連絡協議会（会長 杉崎正彦君）では、さる九月十二、十三の両日、県立平塚農高で発足二十周年記念第三回県農村青少年クラブ員の集いを開催した。

これには、県内のクラブ員約百五十名とクラブ員OB、農高生、農業大学校生のほか日本4H協会の新田事務局長、全国4Hクラブ連絡協議会の黒沢会長、県農政課の担当者など多数の来賓が出席。

まず一日目は午前十時から開会式に入り、杉崎県連会長のあいさつに続いて来賓の祝辞、このあと二十周年のあゆみが県連事務局長から巻絵形式で紹介された。

昼食は、県連女子部による飲み物のサービスでとり、午後一時から班別によるレクリエーションがくりひろげられた。五十ｍの俵かつぎ、男女まじえての綱引き、むかで競争、アメ喰い競争、借物競争、今回初の試みとしての地区対抗によるスウェーデン競争、有志による千五百ｍ競争など体力づくりもかねてにぎやかに行なわれた。午前中降っていた雨も午後から止んでみんな大いにハッスルした。

四時からは福引き、四十四年度と四十五年度の県連会長と黒沢全協会長がクジを引くごとに会場からは歓声や爆笑が入り乱れ、にぎやかなひと時であった。ひき続いて閉会式が開会式とは違ってくつろいだ雰囲気の中で行なわれた。

このあと、今回初の試みとして民泊が行なわれ、宿泊についての説明後、五時頃から民泊する人と受け入れるクラブ員が連れだって各地区に散っていった。

秋空の下でスポーツを楽しむクラブ員＝神奈川県連の「集い」で

中四国で「つどい」

来月13日から香川で

第四回「中国四国地域若い農業者のつどい」は、中国四国農政局、香川県、社団法人全国農村青少年教育振興会、全国4Hクラブ連絡協議会の共催によって来る十一月十三日から三日間、香川県高松市生島町青峰の五色台山の家で開催される。

これからの中国四国の農業を担う若い農業者が集まり、新しい村づくりの現状とその問題点などについて研究討議し、若人の創造力と連帯活動によって地域農業の発展と豊かな農家生活を確立しようというもので、中国四国地方の農村青少年八十四名のほか、専業農家の若夫婦（各県とも二組み）、各県と地元関係者約五十名の参加を予定している。

一日目は、午後四時半から開会式、オリエンテーション、夜は歓迎のつどい、二日目は午前中、活動事例の発表と分科会、午後は全体会議と「過疎地帯における今後の農業」と題する日本リサーチセンターの森宏研究部長の講演、閉会式に続いて夕食パーティ、仲間のつどい、自由交歓会。三日目は午前中、香川県下の農業視察をし正午解散することにしている。

事例発表は、香川県坂出市・日峰4Hクラブ、高橋正芳君の「稲作転換に取り組んで」と、山口市平川平野・あゆみグループ、芳西克子さんの「放送利用をきっかけとしたグループ活動」の二つ。

また、視察は高松市中山町の農事組合法人五色台かんきつ生産組合（鬼無4Hクラブ）と、木田郡三木町川東の農事組合法人東山酪農（全面協業経営）の二個所。

涼風暖風

ぞーっとする話

朝、近所の人々のさわぎで外に出てみると、昨夜空地に置かれていた乗用車が、通りがかりのよっぱらいの投げ込んだ煙草の火で、たちまちのうちに燃えてしまったのであった。これは、これだけのことであるが、一大惨事の予告ともいうべき出来事である。

我が国の道路事情は、年々改善されているとはいえ、まだ、どこかで、何かがおこると、たちどころに車が渋滞して、自由がきかなくなる。信号四回待ち、五回待ち、そして四キロ、五キロと、どうかすると十数キロと、車がじゅずつなぎにつながってしまう。この場合、沿線に火事があったらどうなるだろう……、三十秒以内に車に火が移るということである。その車の火は次の車へと……そこはたちまち火の海になってしまう。

最近〝東京に大地震が来る〟という想定で、各界の専門家がマスコミに発言しているが、この場合、一番怖ろしいのは、火と自動車の関係であることを、異口同音に警告していた。たしかに車のラッシュが道路をふさぎ、大障害物となるばかりでなく、これが火災の動火線となることは、想像に難くないことである。

また、ついこの間のことであるが、銀座へ車で出かけ、駐車の場所を探して、地下駐車場に入った。地下一階は満車、地下二階へ下りてアキを探した。一〇〇米、二〇〇米と徐行して、やっと駐車の場所をみつけた。何と多くの車であろう。驚きとともに、不気味な不安を感じた。各柱に、火気厳禁、禁煙と大きく書いてあるが、もしも不届者がいて、マッチをすったら……次の瞬間どうなるだろう……。思わず背筋を冷たいものが走る。これは、私だけのノイローゼだろうか……。

いま若者が夢中になるものの一つが、自動車である。たしかに若者の心をとらえ、若者が何人か集まれば、〝セリカだ〟〝いやギャランだ〟〝チェリーだ〟などと、あこがれの的である。これで高速道路を制限一杯のスピードで走れば、快適そのものであろう。格好のいいことは間違いない。

年々増加する車の保有台数は、生活水準の向上にも一役かっているには違いないが、これらの車に追いつかないのが道路であり、駐車場であり、その使い方であろう。加えて、動くガソリンタンクとしての危険性をどれだけの人が、どの程度に認識しているだろうか。大惨事がおこってからでないと、とかく安全を問題にされない昨今であるが、このゾーッとする話の解決方法はないものだろうか。（T）

全国大会の誘致を

福岡県連で幹部研修会

【福岡県＝松沢哲孝連絡報道員発】 さる九月七、八の両日、福岡県農村青少年クラブ連絡協議会（会長 角繁勇君）独自の行事として県農村青少年クラブ幹部研修会が山門郡瀬高町の清水青年の家で開かれた。

これには、各地区連から三名ずつのリーダー約五十名が出席、一日目は、開会式、オリエンテーションのあと県協活動方針の説明、「プロジェクトの進め方」と題して県農業技術課・吉丸係長の講義があり、続いて、現在、積極的にクラブ活動に取り組んでいる各地区連、単位クラブ（八女西部、糸島の両地区連、若宮、夜須両4Hクラブ）の紹介が行なわれた。激動する農業情勢下にあり、しかも都市近郊であるためクラブ員の減少、活動の停滞など多くの問題をかかえる中にあって、部門別活動の強化などの対応策をとり前進するクラブの実情が発表された。

ついで「先輩と語る」として四名の先輩を囲んで話し合った。話は、経営に対する姿勢から理想の女性獲得法にまで発展し、先輩からは体験の中から生まれた貴重なアドバイスがあった。

夜は、先きに開かれた第七回全国4Hクラブ員のつどい、第十一回全国農村青少年技術交換大会の報告が八ミリを使用して行なわれ、感動のシーンを画面を通じて味わうと同時に、組織の強化などによって、福岡にも全国大会を誘致できる体制を早急に確立しようという意見が相次いだ。

二日目は、空もまだ明けやらぬ午前五時三十分に起床し、標高三百五十一ｍの大観峰への早朝登山。朝のすがすがしい空気を胸一杯に吸い、眠気を吹き飛ばして全員が登頂し、下界に広がる自然の幾何模様に（政治家になったような気持ちで）自分ながら線引きして明日の農業を語り合った。

ひき続いて分科会に移り、理事会・役員会・4H新聞連絡報道員に分かれてそれぞれ討議、理事会・役員会では、十二月三、四の二日間福岡地区で開催予定の農村青年祭に対して活発な協議がなされた。報道員研修では、地区連ごとに一名ずつ連絡報道員がおかれ、各地で土と取り組む仲間の真の叫びをぜひ投稿し、4H新聞の普及と同時に、全国の仲間と紙面を通じて前進しようと話し合った。

このあと並行して行なわれた女子研修会参加の女子クラブ員とのレクリエーション、全体会議で幹部研修会を終了したが、清水青年の家に記念植樹された〝キンモクセイ〟の成長とともに、参加クラブ員の県下各地での活躍が期待される。

後継者対策など要望

筑後市4Hクラブ 市長、農協長と対話

[illegible]対策について、調理室の改善・拡大などの要望、また、農協に対しては総合集荷場の建設を早くして欲しい、カントリーエレベーターの誘致を促進してほしいなどの意見が出された。

これに対し、市としては「筑後市に多大な影響を与える事項なので慎重に取り組んでいきたい」といわれ、また、農協側は「組合員と相互協力して生産の増強と販売路の確保をしていきたい。そのためにも、みなさんの若い力で農協をバックアップして欲しい」と望まれた。これを機会に、クラブ員も自己の無知な点を反省し、農政に対する勉強がまだまだ必要であることを痛感していた。

4H会館建設の特別委開く

全国4Hクラブ連絡協議会（会長 黒沢健一君）では、4H会館建設の構想を検討するために今年度設置した「特別委員会」＝代表者 黒田保四十四年度全協会長＝を、さる一、二の両日、東京・新宿区市ヶ谷船河原町、家の光会館内の同協議会事務所で開いた。

心頭技健

台湾クラブ員からみると、友だちのように冗談を言い合う農家の親子の姿は、奇異と同時に、羨ましく映るらしい。われわれからすれば、こんなことは何でもないことだが、台湾の風習からは考えられないようだ▼また、彼らは、日本人の親たちは自分の子供たちを可愛がりめったに叱ることはないともいっている。家族制度に格式があり、家長制が守られている同国からみると、日本の家庭生活がいかにも自由であるように見えるようだ▼しかし、冗談を言い合うクラブ員と両親にしても、農業経営やクラブ活動などについて、十分対話しているかというと甚だ疑問が出てくる。どうしても難しい話になると避けてお互いに意思疎通が出来ていないのが実情ではなかろうか▼このため、さいきん、地域開発を村ぐるみでと、多くの地区でクラブ主催の親子会議がもたれるようになってきた。そして、先日開かれた佐賀県・唐津地区連主催の親子会議でも、親からいろいろの苦情が出た。これに対し、クラブ員は、もっと若者の意欲を組んでほしい、と反発していた。「息子を信じなさい」ということだが、やはり日常の対話不足を感じさせた▼また、このほど開かれた大分県・宇佐4Hクラブの会議では、朝起きたら、まず「おはよう」と言葉をかわすことから始め、仕事が終ったときには「お疲れさま」と言い合おうと提案された。このような簡単な言葉が対話の初まりになるというわけだ▼このような実情にかかわらず、多くの親子が心の中では、お互いに理解し合っていると思い込んでいる。唐津地区でさいきん行なったアンケートでも、男子クラブ員の七五％、八〇％の女子クラブ員、そして六七％の父親、八〇％の母親が「理解し合っているつもり」と答えている▼さらに、約六割の男女クラブ員が「父よりも母が話し易い」といっているが、これからみると親子間で対話のない農家はほとんどとみられない。このギャップをどう埋めていくか、クラブ員に課せられた問題であるともいえよう。

CELICA
進歩のマーク
TOYOTA
いつもながら、こいつの出足は頼もしい。
セリカはごきげんなスペシャルティカー。
LOW さあスタート。
エンジンはエネルギーのかたまり。
タコメーターの針が鋭くはね上がる。
SECOND グッと
小気味のいい加速感が全身を包む。
THIRD グウンと伸びる。
ボデーの重さがゼロになったみたい。
TOP セリカはすでに
完全にスピードをつかんだ。
FIFTH 静か。エンジンが
ささやくように歌を歌っているだけ。
これがほんとうのセリカなのさ。
1 GT専用の一六〇〇㏄DOHC、OHV一六〇〇㏄ツインキャブ一六〇〇㏄、一四〇〇㏄があります。いずれも高速回転域はもちろん低速域でもネバリ強いエンジンです。
2 5段ミッションを高速クルージングに使えば、エンジンの騒音も振動も少なく、しかも燃費もグンと経済的です。
3 日本初の〈フルチョイス・システム〉を採用。4種のエンジン、4種の外装、9種の内装を選んで、お好みのセリカが注文できます。
恋はセリカで

こう考える

第八回近畿の集い「分科会報告」から —〈上〉

風当り強い—農政

農地は農地の税金を 新都市計画法

近畿農村青少年クラブ連絡協議会（会長 巳波義司君・奈良県4Hクラブ連絡協議会会長）全国農村青少年教育振興会（会長 東畑精一氏）主催の「第八回近畿地方農村青少年のつどい」は、さる八月三十一日から三日間、奈良県山辺郡の奈良県青少年野外活動センターを主会場として開催された。近畿地方の農村青少年など約三百五十名が参加し、「私たちは何を求め何をなすべきか」をテーマに意見発表会、座談会、スケッチ、キャンプファイヤー、グループタイム、飯盒炊飯などを行ったが、この座談会で話し合わされたことがこのほどまとめられた。この座談会（分科会）では、農政問題をはじめとして農協、新都市計画法、結婚、クラブ活動などについ話し合われたが、その内容をまとめてみた。

農政については、コメの減反問題をはじめとして農産物輸入の自由化、新都市計画法の制定による農地の問題などを中心に鋭い批判の目が向けられていた。

ある分科会では、米作の問題などでは農政が後手、後手にまわっているばかりでなく、さる昭和三十六年に設定された農業基本法のひずみが、最近になって自分たちの仲間・農業後継者不足として表われてきている。また、その基本法に選択課目としてうたわれた果樹が二〜三年前から収穫できるようになったとたん、果樹の輸入自由化の問題がおこり、さきの参議院選挙直後に米国のグレープフルーツ輸入が自由化され、さらにオレンジ類、ジュースなどの自由化が決定されようとしている。

さらに、都市近郊の農業においても、新都市計画法で線引きされ、優良農地の多くが市街化区域となった。農業を続けるために調整区域や優良農地として残して欲しいという自分たち青年の要求をまったく無視し、輸入自由化と同じように一方的に決定されてしまった。国の政策とはいえ、余りにも農民を無視して、大企業優先の政策がとられているが、これで果して良いのかと訴えている。

このため、今後はさらにマスコミなどによって農業情勢をよく把握し、残りの農産物自由化を阻止し、また、新都市計画法の設定以後も、農地である限り税金も農地として扱われるよう農業者が力を合わせて要求する大運動を展開しなければならないと強調、生産者のあらゆる団体が有機的に結合する必要があるとしている。

また、その他の分科会でも、稲作の生産調整にはやむをえず協力したが、決定される時期が遅すぎて、転作、休耕ともに予定が立たなかったという声や、副産物として栽培してきた野菜、花卉の価格の暴落で大きな打撃を受けた。もっと見通しのたった政策がほしかったと、不満を示している。

しかしその反面、決定されたことを現実の問題として受けとめ、それにどう対処していくかという点についても討論された。

ある分科会では、新都市計画法によって住宅用地と農業用地とに線引きされた中での農地のあり方として、市街化区域に入った場合は、代替地の要求で農業団地の確保、あるいは直販などが考えられる、などの積極的な意見も出た。

また、農産物貿易の自由化については、今後、外国からの農産物の輸入が盛んになるので、これから生産コストを下げ、良い物を作り、無駄のない経営状態にしていく必要があると話し合われた。しかし、みんなが良い物を作り出すと農民間の競争が生じてくることは避けられないだろうとしている。

また、農民は、小さなマスの外に出て広く見、考えるためにも貿易というものが必要であるという意見もあった。

このほか、農政をあてにしないで、自立した考え方をしていこうという意見もあり、自分たちが努力もせず国や農政だけを批判するのは当たらないという声もある。それは、日本の農産物価格が外国に比べて高いことにも示されており、批判だけでは、今後どういう社会体制になっても、やはり同じではないかといっている。そのためにも、計画性をもち、若者が団結して将来性のあるものを生産し、流通機構の改革を図っていくべきであるなど、農民の共同化が強くさけばれている。

流通面では、改善はなかなか困難であるようだが、中間マージンが多すぎるなどの問題があり、自分たち若い力で改善に努める必要がある。その手段の一つとして、生産地農協から消費地農協スーパーマーケット形式、生産から消費地に直結した販売ルートが今後の課題であろうといっている。また、コメ以外の価格保証がなく、毎年価格に不安があるので、安心して生産できる価格保障制度をという意見もあった。

期待大きい農協 生産者の立場に

農政に対する不満とともに、農業者同士の団結、農民の共同化がさけばれ、その全国的な組織としての農協に対する期待は大きい。地域農協と協力して、農協組織の改革を図りながら、特産地の育成と流通の改善をおし進めて行こうと意欲的である。

しかし、現在の農協に対する風当たりも強く、その改善を要望する声は多い。

農協に対する主な意見として、販売面ばかりに力を入れ、営利主義的になってきたこと、また農協が合併し範囲が広くなってために手続きが面倒になったという意見が出ていた。だが、やはり「ある人が多くなれば、それは必ず道となる」という世論が広まれば、農業者や全体の強い団体となると農協への期待は大きい。

また、ある分科会でも次のような意見が出ていたが、耳を傾ける必要があろう。

農協は、信用・共済事業が中心となり次第に銀行化しつつある。都市近郊では組合員から遊離し、組合員の所得を上げる本来の姿が忘れられてしまっている。

さいきん何事を問わず、原点に帰れといわれるが、この農協にしても、農協法に基づいて創立された原点に自分たちの手で帰そうではないか。そのためには、農協の役職員に自分たちの仲間を送りこみ農協と話し合いをするとともに農協青年部、農業青年としての意見を反映させ、組合員のための農協に改善していかなくてはならない、というもの。

もっと生産者の立場に立って活動してもらいたいという声はどの分科会でも出ていた。

まず「おはよう」を

親子から提案 宇佐4Hクラブで「親子会議」開く

【大分】宇佐市の宇佐4Hクラブ（会長 大久保清君・会員三十名）は、来賓、父兄、後継者などを招いて、さる九月二十七日午前十時から宇佐市の宇佐農業高校で「親子会議」を開いた。

当日は、クラブ員十五名と父兄五名、それに、これから学校を巣立ち農業経営に専念しようと胸をふくらませている若人五十名が出席し、「これからの農業」と「オヤジとオレ」の二つをテーマに合同で話し合った。

この会議は毎年一回開かれ、回を重ねるごとに地域の人たちや市民から理解され注目されるようになったが、問題が大きいだけに「大臣も知らないこれからの農業だから難しい」とみんなが口を揃えていた。

それでも、クラブ員は、それぞれ日頃の悩みや不満を打ち開けた。中でも、一番大事で、いこいの場である家庭での親子の話し合いについて、みんなから意見を出してもらった。

まず簡単なことであるが、朝の「おはよう」から始め、仕事から疲れて帰ったときには、お互いに「お疲れさま」と親子の間で言いかわしたら、お互いにいい気持ではないかという声が多かった。余り親密すぎて、どうしても忘り易いものだが、わずかな言葉使いで楽しい雰囲気になれるので実行したいもの。そして、「親の立場」「子供の立場」をもう少しお互いに理解し合うようにする。言い替えると「自分の息子を信じなさい」ということだが、最後に「親ほどありがたいものはない」ということになり、クラブ員、父兄とも、いつもの不安や悩みを打ちあけて本当に有意義な話し合いとなった。

クラブ員一同、また4Hクラブ員の王子もファイトを持って明日からの農業に頑張るものと期待される。

「女らしさ」とは！

群馬県連で「女子研修会」開く

実際に生活設計も立てる

【群馬県＝斎藤竹代連絡報道員発】群馬県農村青少年クラブ連絡協議会（会長 前原保夫君）では、さる九月四日から三日間、赤城山大沼畔の林間学校で、県下の女子クラブ員約七十名とOB四名、県連役員、県関係者などの参加のもとに県女子クラブ員研修会を開いた。

研修会は、女子クラブ員の活動の方向を見い出すと同時に、これからの活動上の参考にし女子リーダーの養成をねらいとしたもの。

一日目はオリエンテーション、開会式のあと「生活設計」と題して県の山岡専門技術員の講義があった。主な内容は、社会情勢の変化に対応し、今日よりも明日の生活がよりよくなることを願うならば、行き当たりばったりでは、生活の向上は望めない。自から生活を考え、判断し、目標を定めて見通すという生活の基本的な態度が常に必要。また、単に、個々の家庭生活の向上ばかりでなく、地域社会の開発にまでつなげる必要がある。生活設計は、家庭の未来像・青写真なので、周期間の家族構成の変化を予想し、これを基盤として、経済計画、働く計画を立てるものがある、というもので、講義のあと実際に自分たちの生活設計を立てた。

夜は簡単なパーティの開き方について、塩崎専技から「パーティとは、ごく普通の友だち、家族の集まりです。好きな時に開き、立派な部屋はいらない。心を配るのはご馳走の量ではなく、おいしく簡単に作れる料理を……自信をもって自分から楽しもうと心掛けましょう」と助言があったあと、女子役員を中心にテーブルを飾る花や、火を使わない料理としてカナッペ、フルーツポンチ、カルピスなどを作り、夕食の直後にもかかわらずよく食べ、よく笑い、歌い、話し、時間の過ぎるのも忘れるほどだった。

二日目は「女らしさ」についてNHK前橋放送局の協力を得てビデオテープを見たあと分科会に分かれ、女に生まれてよかったか、〝女だから〟という特別扱い、女らしさは何か、これからの女性像などを話し合った。

続いて、NHK同局の大川放送部長が講演、女性として、また人間として、この情報社会に生きて行くためには、知らない人とつき合い、新しいことを吸収してほしい。ことばの礼儀を大切にするような女性になってほしい。相手の立場を考え、自分以外の人間も一生懸命に生きていることが認められるような人間になってほしいとまとめられた。

午後は出席者全員で赤城山に登山、頂上では涼風にふれて山道でかいた汗もいっぺんになくなり、童心にかえって楽しいひと時を過ごし、夜はキャンドルサービスをした。

三日目は、台風の影響による大雨にもかかわらず、四人の先輩が会場まで上がってきてくれた。そして、クラブ員時代の思い出話、結婚後の苦労話などほとんどがおのろ気につながる体験談を披露、また「思いやりのある心と向学心を高めるために、心のゆとりを持ち、趣味を生かして生活をしてほしい。それは、女らしさにもつながるものではないか」と助言してくれた。昼食を共にしながら和気あいあいのうちに女子研を閉じた。

この研修会について、ある参加者は次のように語っていた。

家庭にいると小さな人間でもこうして集まれば沢山の会話が生まれ、多くの知識が出てくるものですね。三日間は短かすぎたようでした。今は何がプラスになったか言い表わせませんが、自分が何かにぶつかった時に思い出し、乗り越えることができるのがこの女子研ではないでしょうか。もっと沢山の人が参加できるように働きかけたいと思います。

畦道

美しさへの異和

美とは科学に至るほどの肉体の熟練である。と、私はかつて思ったことがある。それは、まだロマンを生きる糧として浸りきることのできる十七・八歳の時であった。

美と、人が美に行きつこうとする過程が、人の一切だ。そうも、自分に言い聞かせた。暗い自分の受験生活の空間から真夏の入道雲を思い見るように、そんな美に焦がれていた。

「ラディゲのように…」、こんな三島由紀夫の言葉が、密度を持って私のぐうたらな生活を捉えていた。ラディゲのように十七歳でガラス細工のような虚構の世界を築き二十一歳で死ねたら…。閉じ込められたぐうたらな自分の室からは、ひらめきのような美は生れるはずがないというコンプレックスに病みながらそう思っていた。しかし、美は生きる一切の結晶だと…。

ひらめきのように美が訪れてこない人々が、美を追い求めるとしたら、それは肉体の苛酷な熟練からしかやってこない。このことが、十七でひらめき二十代で死ねるという天才に、少女のように憧れていた私の十代の結論であった。

人のロマンを喰い破りつつ、二十代はやってくる。私の美への不信は生活の方から序々にやってきた。生活という泥田を貪いて、なおかつ美を見ようとした時に。生活の怒りに美は耐えるのかと。そんな思いをさらに抱かせたのは、ある詩人の東ヨーロッパ紀行文である。それは、プラハ郊外にあるナチス・ドイツの強制収容所での苦役に満ちた印象であった。

……塀に下がっている施錠されたままの、黒くさびた大きな錠。息ぐるしい濃密な沈黙にみちた、秋の淋しい日射しさえとどかないひんやりとしたなにもない空間。それらは、未知の人間をそこに立ちどまらせることを、いまなおはげしく拒んでいる……。だがしかし、そんな極北の空間にも美はあった。ナチス将校のための赤いレンガ造りの建物の間に続く、華麗な白樺並木の道だった。そこにも美しさが存在するならば…とその時私は、詩人とともに美への訣別を準備し始めていた。（土）

君もやれ、俺もやる

宮城・逢隈クラブ 岩手の仲間と交歓

【宮城県＝丸子京子連絡報道員発】八月に岩手で開かれた全国農村青少年技術交換大会で知り合い友だちになったのをきっかけに、このほど岩手県と宮城県のクラブ員が交歓会を行なった。

友だちになったのは、岩手県の伊藤行雄君と宮城県の斎藤弓子さん。伊藤君の所属している岩手県稗貫郡大迫町の大迫農業青年団体連絡協議会（会長 山影浩君）が斎藤さんの所属クラブである宮城県亘理郡亘理町の逢隈農業後継者クラブ（会長 清野彰君）へ交歓会を申し込み、それが実現したもの。

交歓会は、クラブ員の農業意識を高めることと、亘理の特産物であるイチゴの栽培技術や施設野菜の視察、それに、両クラブ員同志の親睦を深めることなどを主なねらいとして催された。

さる九月十七日の夕方、大迫町のクラブ員たちは亘理に到着、その夜の宿泊場所である荒浜国民保養センターに落ちついた。

夜七時から荒浜国民保養センターで両クラブ員による懇談会がもたれ、大迫町名産のぶどうを食べながら話は進んだ。各々の町の概要、自分たちの仕事、亘理のイチゴ、クラブ活動の内容など熱心に意見が交換された。亘理からは町連会（会長 浅川一夫君）を含む二十名が出席したが、岩手の大迫町からは五名で予定の半数であった。しかし、話しはつきなく時計は十時をまわってしまった。

翌十八日は地元クラブ員の案内で亘理町のイチゴ、野菜、果樹、酪農などそれぞれの栽培技術、経営方法などを見学してまわった。

大迫町のあるクラブ員に感想を聞いてみたら「大迫町は山間部でぶどう、りんご、酪農を主にやっているが、亘理と比べて数年遅れている感じだ。ここは立地条件は良いし、また農業にとりくんでいる農村青少年の意気ごみも強く感じられ、まことに羨ましい限りである」と感慨をもらしていた。

最近はどこのクラブでもクラブ員の減少が悩みのタネであるが、やはり大迫町でも同じらしい。それについても「数年前に発足したおれたちのクラブも当時は八十名いたが、今では二十五名に減ってしまった。しかし、残ったものだけでガッチリまとまってやってゆくぞ」と張り切っていた。そのような話を聞いて、亘理町のクラブ員たちは「自分たちの住んでいる土地、クラブなどを再認識することができた」と感激し、これを契機として、お互いにやってみようではないかと誓いあい、交歓会を終った。

4Hも参加

24日、岐阜で「あすをきずく若人のつどい」開く

【岐阜】岐阜県など主催の第五回「あすをきずく岐阜県若人のつどい」が、来る二十四日午前九時から飛騨体育館、高山市民会館の両会場で開催される。これには、4Hクラブ員も多数参加し、収穫祭などを担当するとともに、4HのPRを行なうことにしている。

こんなことをしています 各種農業団体

全国販売農業協同組合連合会

不活化ワクチン マレックにきめ手 鶏病シーズンを迎えて

毎年いまごろの季節になると鶏の病気対策が大きな話題になります。それは、鶏の二大流行病といわれるニューカッスル病と、マレック病がおもに冬から春さきにかけてまん延する例が多いからです。

このうちニューカッスル病については、いまさらいうまでもなく、まん延すると非常に大きな被害を発生しますし、そのまん延のスピードも大変にはやいものです。さいわい日本ではワクチン接種を中心にした防疫対策が、比較的はやくから普及したため、一昨年あたりから実際の発生は、やや下火になっています。しかし反面、毎年、一定数の発生が固定化しつつあります。

これはニューカッスル病の発生が下火になったため〝もう安心〟と、ワクチン接種を省略したり、鶏舎の消毒などをいい加減にしたりした結果の発生だ、とみられています。鶏全体にニューカッスル病に対する抗性ができたわけではありませんし、現実に病原体は年中にもウヨウヨいるわけですから、ぜひワクチン接種と、鶏舎の完全な消毒、衛生管理には力を抜かないようにしたいものです。

一方、新手のマレック病については、これまで、鶏舎の消毒や完全な衛生管理以外にキメ手がないといわれてきましたが、ことしから、まず不活化ワクチンが市販されます。これは全販連が大阪大学の研究所とタイアップして研究、完成したもので、十一月から製品として売り出されます。このほかにも二、三のメーカーが発売を予定しているようですが、全販連では系統農協を通じて一刻もはやく、ことしの防疫対策として間にあうように、いま農協、経済連と相談して具体的な供給対策をすすめています。

マレック病のばあい、ワクチン接種による防疫率はほぼ完全にちかいものといわれますが、不活化ワクチンであるため何日かおきに三回の接種が必要になり、ちょっと手間がかかります。来春になれば、一度の接種（投与）ですむ生ワクチンが、これも全販連と阪大の手で完成する見込みですが、それまでは面倒でも不活化ワクチンを十二分に活用して、マレック病についても万全の対策を考えておきたいものです。将来の、省力化された防疫のためには、全販連ではこのほかにも何種類かのワクチンなどの接種をいちどにすませてしまう方法も研究していますが、いずれにしても病気をふせぐためには日頃のキメの細かい管理が必要なことはいうまでもありません。（企画部）

全国共済農業協同組合連合会

事務のスピード化 厚木事務センター—平河町ビル オンライン成る

九月二十一日、かねて計画されていた全共連厚木事務センター—平河町事務所間のオンラインの開通式が全共連役員室において、農林省、日本ユニバックKK、全共連役員など関係者の出席のもとに行なわれました。

式は、滝沢会長のあいさつ、鋏入れ式につづいて、滝口副会長により始動ボタンが押され、テレビ型スクリーンに「祝、カイツウ」をはじめデモンストレーションがくりひろげられました。

これは、全共連厚木事務センターに設置されている大型電子計算機UNIVAC一一〇八を主軸にオキデータ一二〇〇サブシステムを採用し、関係機種は全共連が購入したもので、今年九月一日から特定通信回線の利用が大幅に自由化された今日、系統農協共済もMIS（経営情報システム）体制の確立に向ってスタートすることとなったわけです。

全共連では、厚木—平河町ビル間の専用回線を、第一次的には後に述べるような業務に利用しますが、将来は、可能な限り業務を機械し合理化をはかるとともに、昭和四十九年度には、全国の各都道府県共済連と結ぶオンラインシステムに拡充する予定です。

ここでオンラインシステムということについてみると、国鉄のみどりの窓口でご承知のように、遠隔地から、必要なデータを投入すると、ただちに結果が出るというシステムです。

たとえば、全共連の厚木事務センターの電子計算機と県共済連とを特定回線で結べば、従来郵便にたよっていたデーターを即時に、直接電算機に投入し、必要なデーターとか結果がすぐに出るといったようなことです。

オンラインシステム導入の背景は、①共済事務の諸様式が全県画一的に設定されているのでオンライン化することによって事務コストの大幅節減をはかることができる②事務処理のスピード化により組合ならびに共済契約者などにサービスをはかる③払込案内書や組合用の機械作成帳票を、直接全共連から組合へ送付してほしいという要望が強いことなどがあげられます。

【第一次的に実施する業務】

①普及実績管理

多種共済種類について、新契約、保有契約、目標額等の普及情報を常時コンピューターにファイルしておき、適宜必要な資料を検索する。将来は、都道府県共済連のデーターだけでなく組合のデーターもディスプレーできるようにする。

②財務データー管理

東京、大阪の証券取引所に上場されている一部、二部の約千四百社の企業の昭和四十年度以降の営業報告書に準拠し、主要企業の財務、株価情報の基礎的データー一五五項目を収録したデーターにもとづいて、企業、銘柄の概要把握を行なうとともにバッチ処理することによる企業、銘柄の選択、選定、審査、事務管理等に必要な財務諸表分析を行ない、全共連および都道府県共済連の財産運用の効率化ならびに財務分析の高度化に資する。

③経理事務

日常の経理事務（決算を含む）をオンライン・タイプライターで毎日の現金、預金、コール・ローン表、日計表、予算残高確認などを随時行なう。（普及部）

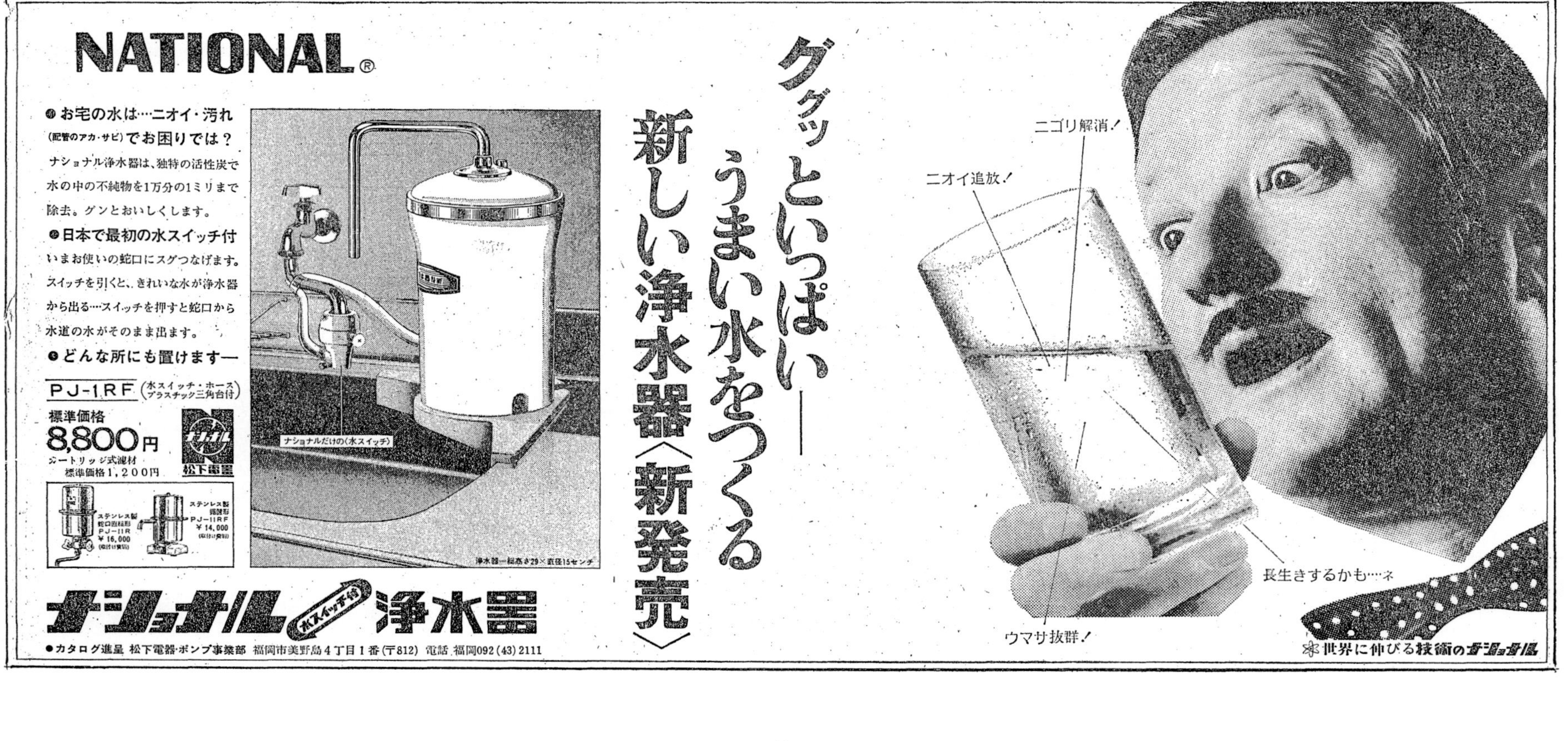

あなたの実力は

〈第11回全国農村青少年技術交換大会の技術競技問題から〉❶

地域によっては、すでに稲の刈取りも終わり、一段落を迎えたところもありますが、頭の体操はいかがですか。今年の夏、岩手県で開かれた「第11回全国農村青少年技術交換大会」の技術競技問題であなたの実力を試してみて下さい。出題は、共通コースと部門ごとのコースに分かれていますが、まず共通コースから、紙上でも理解できるものだけを選んで紹介してみましょう。

生　活

1、宅地内の建物配置計画
夏の風向き、農業（生活）条件などを配慮して、下図のパネル宅地のなかに、母屋、畜舎、作業舎を配置して下さい。
〈条件〉宅地99㎡（300坪）、5人家族、水田3ha、肉牛15頭飼育、水稲では地域内にコンバン、ライススンターあり、水道は自家水道

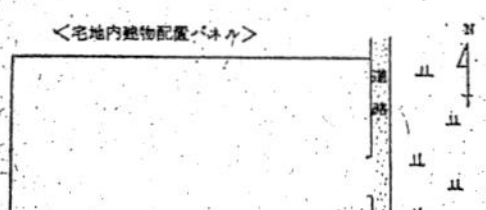

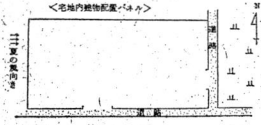

2、母屋を建てるとき、くみとり便所と井戸とは一定距離を離すように建築基準法に定められているが、それは何ｍですか。
3、母屋を建築するため、農協から住宅資金を下記の条件で200万円借りました。第1回目の返済金額はいくらですか。
借受金額　200万円
〈条件〉
利　率　年8分
償還期間　10年
年　一回払
元金均等割（ただし、第1回支払日は借入後満1年を経過した日である）
4、新築母屋の台所の天井材として最も適しているものを次の中から選んで下さい。
①プリント合板　②化粧石こうボード　③ハートボード　④ベニヤ板
5、応接室の床材は、プラスチックタイルを使用しました。どのワックスで磨いたらよいか次の中から選んで下さい。
①水性ワックス　②自動車ワックス　③ピカール　④油性固型ワックス
6、ビニールハウス内で作業するとき、最も適した下着を次の中から選んで下さい。
①木綿メリヤスシャツ　②網ネットシャツ　③クレープシャツ
7、次の食品（100ℊ入り）の中で、ビタミンAが最も多く含まれているものを選んで下さい。
①レタス　②トマト　③バター　④きゅうり

農　業　経　営

◇農業経営の改善計画
1、農業経営の内容が優れているものを判定しようと考え、下表に8戸の経営内容を示しました。最もよいと考えるものはどの経営ですか。

診断項目	A経営	B経営	C経営
経営面積（単位ha）	2.4	2.4	2.8
農業所得（〃千円）	888	1.200	1.120
年間投下労力（〃人）	500	720	740
自家労働稼動可能人数（〃人）	720	720	740
農業資本収益率（〃％）	8	9	7
10a当り農業所得（〃千円）	37	50	40

（なお、正解は次号に掲載します）

肉豚千頭肥育めざす
繁殖豚を大幅導入

岩手県下閉伊郡新里　中野正隆

私の家の経営規模については、労働力が家族によるもので二人、そして臨時雇用が年間百五十人です。経営面積は、田五十アール、普通畑二百アール、耕地計二百五十アール、それに牧草地など五十アールです。家畜の方は、年間肥育豚が四百頭、そして繁殖豚が十八頭です。主な動力機械としては、耕うん機が一台あります。

現在、私の家では豚の繁殖と肥育の一貫経営をしています。しかし、昭和四十三年頃までは、育成豚八頭、水田五十アール、畑二百アールと多角的な経営をしていました。その年度の農業粗収益は八十万円で、そこから農業経営費の三十万円を差し引くと、農業所得は五十万円でした。それを一日あたりの家族労働報酬になおすと二千五百円になります。

四十三年度と四十五年度を比較してみますと、まず経営主要部門が、多角的農業から養豚に変りました。四十五年度は繁殖豚が十八頭と肥育豚が四百頭でした。農業粗収益は九百四十万円とハネあがったが、農業経営費に七百三十八万円もかかり、農業所得は二百二十万となってしまいました。しかし、一日あたりの家族労働報酬は七千八百五十六円となり、四十三年度を大きく上回りました。

これまで行なった主な経営改善としては、従来主体にしていた肉豚販売を枝肉販売に切り換えました。そして、分娩棚を作り自然哺乳にするようにしました。また、冬季飼料のラジノクローバーをサイレージにして、購入飼料の節約をするようはからいました。

しかし、購入飼料をいかにして安い価格で入れるか、ということは現在も直面している経営上の問題点です。それに、養豚にはつきものの公害処理問題、肉豚出荷問題など、未解決な事項もまだまだ多く残っています。このような現在直面している諸問題の早期解決とともに、今後の経営改善計画もおし進めてゆかねばなりません。

改善計画のまず第一は、現在の繁殖豚不足を解消するために、優良な繁殖豚を大幅に導入することです。それと並行して、昭和四十八年度までに繁殖豚舎二百二十一平方メートル一棟を建てる計画です。また、養豚生産グループを育成し、共同出荷をすすめてゆきたいとも思っています。

私は養豚部門にうちこみ、繁殖豚五十頭、肉豚千頭の経営めざして、どこまでも努力してゆくつもりです。

再び〝野菜王国〟に
促成ナスを中心に

高知県室戸市羽根町・羽根4Hクラブ　村上隆博

〝野菜王国〟と言われてきた高知県の野菜園芸も、稲作転換などによって九州や大都市近郊など、全国各地の競合産地が出現し、本県野菜生産農家に大きな問題がもち上がってきました。市場占有率をみますと、四～五年前までは高知のキュウリ・ピーマンが九五％以上を占めていたのが、現在では五〇％前後と競合産地にその占有率を縮少されつつあります。また土地にしても経営面積、連作障害など数多くの問題があります。

これらの諸問題を解決するためには〝野菜王国〟と言われ、五十年余りの歴史の中につちかってきた技術をさらに前進させ、これを恵まれた気象条件の下で生かすことです。そして良い品物を安く、しかも計画的に生産し、消費者の需要にあった供給をしなければならないと思います。

そのようなことを実現させるためには、生産者である私たち自身が、自分の家の経営内容を充分把握し、合理的な農業経営をするように努めなければなりません。そこで、私はわが家の基幹部門である促成ナスの経営について過去二年間の営農記録にもとづいて紹介したいと思います。

私の家族は四人ですが、農業労働力は父と母と私で約二・八人です。そして経営面積は、水田四〇アール、普通畑二〇アール、果樹園二〇アール、ハウス二〇アールで合計百アールです。

まず、労働時間と労働配分という視点からみてゆくことにします。四十五年度実績を前年度に対比してみると、総労働時間は三千百二十七時間で二百七十五時間短縮されています。これを主な作業別にすれば、ハウス施設一切においては二重ビニールを張らなかった関係で百二十五時間となり、二十三時間少なくなっています。移植床一切では圃場に直接肥料を入れ、泥肥を作らなかったため百二十時間となり、二十五時間少なくなりました。定植においても、本圃に苗を作ったので三十二時間となり、十六時間短縮されました。そして追肥は肥料を水に溶かして灌水施設で灌水時に行ない六十五時間短縮され、十五時間となりました。防除は花弁の抜取作業を少なくするため回数を多くしたので二十五時間長くかかり九十六時間となったが、その結果として花弁抜取作業は百時間余り短縮され四百三十四時間となりました。収穫作業は千三十二時間かかり九十六時間長くかかりました。しかし、四十五年度は前年度より二トン以上の増収でした。

つぎに総労働時間に占める各作業時間の割合をみますと、ハウス施設一切から防除までの作業時間は前年より二％減の一五％、管理作業時間は六％減の四〇％となって、収穫時間において前者の減少分である八％が増加となり四五％となりました。

生産費の面ですが、四十五年度生産費を前年度に比べてみると、八十七万五千四百八十二円で三万二千三百十三円多く要していましたが、これを費目別に説明してみます。

光熱、諸材料費においては、二重ビニールを張らなかった関係で加温費に一万円弱の費用増加となりましたけれども、ハウス費としてビニール代が五千円少なくなっています。農機具は大型加温機を購入したので六万七千円ばかり多くなりました。また、労働費は前述のように労働時間が二百七十五時間短縮され、三万三千円少なくなりました。

各費目が全体に占める割合はといえば、労働費がその四割余りを占めており、次いで農機具の一九％、ハウス費一六％、光熱諸材料費の一一％と続いています。これらの生産費からナス一個当たりの生産費を計算してみますと、四十四年度は四円四十銭、四十五年度は三円九十銭かかったことになります。

プロジェクトと経営

さて、経営の成果ですが、四十五年度の成果を前年度に比べてみますと、作付面積は両年度とも十アールと変りなく、生産量は十三・五トンで前年度より二トン強の増収でした。単価が両年とも一キロ当たり約百三十円にまわっていますので粗収入が百八十一万円弱で三十万円近い増収となっています。

経営費は生産費のところでふれましたように、機械購入のため六万五千円ぐらい多くかかり五十万円となりました。したがって所得額は二十三万四千円ふえて百三十一万円弱となっています。

これから一時間あたりの所得を計算してみますと、前年より百二円八十銭多い四百十八円八十銭となり、所得率は七二・四％となりました。

ところで経営の目標は所得の向上です。所得を上げるためには小さな経営費で、より大きな粗収入を上げることですが、それには生産量を増大し、よりよい値で売らねばなりません。現在、市場での安値を良くすることは間接的に操作できても、直接的に操作するのは不可能なので、生産量の増加に主眼をすえなければならないと思います。

私は経営計画をたてるにあたって、まず目標所得を四十五年度実績に二十万円プラスして百五十万円としてみました。所得率を七二％としますと約二百万円の粗収入が必要です。手取単価を一キロあたり百二十五円としますと十六トンの生産量を上げねばなりません。これは四十五年度収量より約二・五トン増の生産量です。単位労働時間を縮少して経営面積を拡大すればできるのですが、十アールあたりの労働時間の縮少と規模拡大には現在の段階ではまだ問題がありますので、現在の規模のままで考えてみたいと思います。

生産増大のための改善策を考えるまえに四十四、四十五年度における収量を比較してみたが、時期的に非常に大きな波があることに気づきました。収量の低い四十四年度は特にそうなのですが、一月下旬から二月下旬までの期間は相当低くなっています。より大きな増収のためにはこのような波をできるだけ小さくしてコンスタントに増収してゆかねばなりません。

収穫の波は気象条件はもちろんのこと、ガス障害や適度の摘葉など色々な栽培管理の不手際によって木の栄養のバランスをくずすことによりつくられます。したがって栽培管理を万全なものにしなければなりません。私は従来ナスの二本仕立を手がけてきましたが、その整枝方法についてつぎのような方法を考えてみました。

一株に二本の主枝を立て、それから出る各側枝で一果をとり、その側枝から出る二本の子枝によって一果づつ収穫し、さらに子枝から出る二本の孫枝によって一果づつ収穫します。これは栽培期間中に自分で調査した結果や経験者の話、参考書で調べた結果などを考慮して決めました。

この収穫予定に基づいて十アールあたりの収穫を月別に計算してみますと、四十四、四十五年度に比べ価格の良い低温後期に収穫の波の谷がなく、予定収量は約十六トンになります。もちろんこれを実現するためにはすでに述べたように、あらゆる栽培管理に万全を期することが前提となっています。

以上私の促成ナスの経営について述べさせて頂きましたが、自家経営の問題点を的確にとらえ、有効な改善策をたて、さらに計画的な生産を進めるためには、自家の経営を把握することがその基礎になると考えるからです。これからもさらに努力してゆきたいと思っています。

国民の活動源に、ニラ栽培
他県の産地に負けぬ
課題は反当り収量の増加

群馬県　藪塚4Hクラブ　萩原俊政

私の住んでいる藪塚町は、伊勢崎市の南西部に属し、交通の便が良いので市街化の波が押しよせてきています。

耕地は、畑よりも水田の多い地域で、一農家あたりの平均耕作面積は、一・二ヘクタールであり、農家戸数は約百戸、そのうち六十戸までがにらを栽培していて、年間二万五千箱を東京市場へ出荷しています。藪塚の地名のいわれは、昔、この地に古墳があり、その塚のまわりににらが生えていたので藪塚と名付けられたという説が残っており、この地域のにらは、本場の味です。

私の家は耕地面積は一・七ヘクタールで、米、にらを主体に養蚕、ナメコ栽培を取り入れた多角経営です。にら栽培導入の動機は、にら栽培は他作物に比べて少ない経費で収益を上げることができるからです。それに、冬の農閑期など家の中での仕事が可能で、地域に組合があり加入が容易であったためです。

ところで、にらの栽培法ですが、それには二つの方法があります。播種から植付ける方法と二～三年経過した株を植付ける方法とがあります。私は播種して植付ける方法で、作付面積三百坪（パイプハウス百六十五平方メートル、トンネル八百二十五平方メートル）を栽培しました。

▽播種　四月五日　グリンベルト五デシリットル、発芽温度は二十三度C

育苗期は生育状況に応じ二～三回追肥や灌水、除草に留意し、植付期までに十分な株張りをするように心掛けます。

▽植付け　七月九日から栽培密度・パイプハウス二七センチ×二二センチ、トンネル三三センチ×二九センチ。植付け一週間前頃に病虫害防除を徹底し活着を促進します。

▽株養成期　活着後から株養成期に入りますが、摘花と病虫害防除を行ないます。摘花は養分を十分株に貯蔵し、充実した株を養成するのが目的です。また、病虫害防除は、ベト病、白色疫病、アブラムシの防除が中心になります。ベト病にはダイセンステンレス二千倍液、アブラムシにはエカチン一千倍液を六月から十一月中旬までと、保温開始から切取るごとに散布します。

▽保温開始　休眠に入った一月四日から開始。二年目のにらは休眠が早いので十二月上旬から保温できます。

▽収穫　葉長二八センチぐらいで切り取り、土とゴミを除去し、一束百グラムに結束します。軟白部の長さは三センチ以内に切り直し、切り口を揃えます。葉先の枯葉は摘みとります。収穫は保温開始後約二週間、トンネルは約三週間で収穫でき、三月末までに四～五回収穫しました。

なお、施肥量は基肥に堆肥三千キロ、鶏糞三百キロ、苦土石灰百八十キロ、BMようりん八十キロ、養蚕糞百五十キロを施用しPH六・五に矯正し、追肥は化成四百二十キロ、丸桑百キロを施用して、株の充実をはかり、収穫三～五回のにらを力強く伸ばすことに留意しました。

出荷は、収穫し結束したにらをダンボール箱に四十束づめとし、町の集荷所へ集め、審査員から品質、等級を決めてもらい東京市場へ出荷します。代金決済はプール計算です。

収入のほうですが、トンネルもの四百十八箱、パイプもの百十二箱で、一束あたりに換算しますと、一束につき平均単価二十円、粗収入は四十二万四千円でした。

支出は運賃・箱代九万五千四百円、パイプハウス・トンネル資材六万六千円、肥料一万円、農具費・薬剤費一万五千円で総支出額は十八万六千四百円となり、差し引き二十三万七千円でした。

また、総労力は三千六百時間になり、内訳けは収穫・調整・出荷が五〇％、ビニールやコモ掛け・灌水・病害虫防除が二五％、植付け一〇％、施肥・除草一〇％、その他五％でした。

以上、昭和四十五年度の私のにら栽培について述べてきたわけですが、ここで今後の課題と反省に目を向けてみます。

まず反省としては、葉色に淡いものができましたが、これは病害虫防除や換気不十分のためでした。また、生育不揃いがあり、ベット全体が均一な生育をしませんでした。加えて、活着不良もありました。これからはそのようなことのないよう対策をたてねばなりません。

今後の課題は、パイプハウスを増加し、株養成期に重点をおいた栽培管理を徹底し、そして面積あたりの生産量をふやすことです。そのようにして他県のにらに負けないにら産地となるよう他のクラブ員と力を合わせて努力したいと考えます。最後に、にらの風味、香りから栄養を国民の一人ひとりの体におくりこみ、活動の源となってもらおうと、日々生産に励んでいることをつけ加えておきます。

高冷地そ菜など勉強
岐阜県連　人気わく部門別研修

【岐阜県＝中野俊一連絡報道員発】岐阜県4Hクラブ連絡協議会（会長　林新太郎君）は、本年度の県4H活動の課題の一つであり、今後の4H活動に大きなウエイトを占めることが予想される部門別研修を、県下の全クラブ員を対象にして、いま県下全域にわたって行なっている。これまで、すでに花キ部門を皮切りに高冷地そ菜、酪農などの部門が終わった。

花キ部門研修は、さる八月二十六、二十七の両日、可児郡の農村青年研修館で、県下の花経営のクラブ員を中心に約四十名が集まって開かれた。一日目は、花についての一般知識と、花といっても盆栽から切り花、球根まであるので、それらについての分科会などもっぱら机の上での講義研修、二日目は、マイクロバスで現地を視察。実際に花キを経営している農家を訪ねたり花市場を見学し、栽培から流通までを学んだ。

また九月十六、十七の両日は、飛騨古川（高山から北に車で二十分）の岐阜県高冷地そ菜試験場で高冷地そ菜部門の研修会を開催。今回は高山を中心に作付けされているそ菜の中でも昨年から始まった五月播き・八～十一月収穫の抑制トマト、それに七～九月中大阪市場での市場シェア八〇％を誇るホウレン草についての研修が行なわれた。

一日目は花同様に、机上で久々の講義に耳を傾け、二日目はマイクロバスで現地視察した。クラブ員のほかに転換作物として取り入れようとしている農家の人たちも参加し、楽しく研修することができた。

一方、日を同じくして恵那、中津川農業センターでは、畜産部の酪農部門研修が二日間にわたって行なわれ、OBを含めて多くのクラブ員が参加した。

以上、三つの研修が八～九月に行なわれたが、中でも花部門では研修中に「花研究会」が発足するなど、各部門で新たな動きが見られた。

また今回は、各農改普及所を中心に計画されたが、各部門でまだ二～三回の研修会が計画されており、今後は各研究会で運営面を受け持つようにしているなど積極的な姿勢がうかがえた。過去においては、農業者会議などで部門別に分かれて行なったものの、ただ一日だけで終わり、次回は翌年になってしまっていた。

県連では、本年度の計画の中に部門別研修に対する予算も組んでいて、今回の開催となったわけだが、クラブ員は各自の経営状況の把握がやっとで、講義の内容も「やさし過ぎる」という声から「難しいのでもっと基礎からやってほしい」との意見もあった。また、この研修を契機に「私もこれからこの部門を始めたいので来た」という人もいてさまざま。今後、各研究会や役員会などで検討する必要があるようだ。

今後、施設園芸部門の研修も計画されているが、各部門とも次回を望む声も多い。なお、他府県でも同じような研修を実施していると思います。あなたの県の方向もお知らせ願えれば幸いです。

プロジェクト発表など
22回のFFJ全国大会　11月24日から岡山で

日本学校農業クラブ連盟など千機関・団体共催の第二十二回日本学校農業クラブ全国大会（FFJ全国大会）は、来る十一月二十四日から四日間、岡山県の岡山市、赤城郡瀬戸町、児島郡藤田村の各会場で開催される。この大会は、高等学校の農業クラブ員が各種の研究発表や意見交換、測量・家畜審査、農業鑑定などの技術を通じて日ごろの学習成果を交流し、クラブ員相互の学習経歴に役立てるとともに連帯感を深め、また、農業人としての自覚と視野を広め、将来の農業発展に貢献することをねらいとするもの。これには、全国農業高校約六百校の代表と県や地区大会で選ばれたクラブ員あわせ約一万人の参加を予定している。

大会の主な内容は、クラブ活動、プロジェクト（農業経営、農業関連産業、生活の三部門）、レクリエーションなどの各発表、技術競技（測量、家畜審査、農業鑑定）、諸会合（常任理事会、理事会・大会役員会、臨時代議員会・臨時顧問代議員会、総会、女子クラブ員代表者会議、全国クラブ員のつどい）などである。

なお、農業機械などを岡山県立興陽高等学校運動場に展示して、実習田で運転操作の実演を行なうほか、大会終了後は一泊二日間の予定で山陰の旅など六コースに分かれて各地を見学する。

優良牛・豚がずらり
静岡・西部の畜産共進会　クラブ員熱心に観察

【静岡県＝鈴木政美政連報道員発】第一回西部畜産共進会が、さる九月二十七日、浜松市の中田島公園で開催され、農家の人たち約千二百名とともに西部管内のクラブ員も六十名が参加した。この共進会には、浜松、浜北、浜名、引佐の二市二郡の農家から牛・豚など二百五十頭、鶏卵、ハチミツ二百点が出品されたが、クラブ員は自分たちの飼育している牛豚などを熱心に観察していた。

同共進会は、昨年まで各市町村別に行なわれていたが、会場経費の点などから今年度は一本化されたもの。

午前八時三十分から開会式が行なわれ、深沢欽之助西部家畜保健衛生所長と西部農改普及所の普及員が審査員となり、出品された乳牛、豚などの健康や経済性の審査に当った。全国的に知られている浜北市の養豚など出品された畜産は、やはり共進会らしく、いずれもすばらしいものばかり。審査員も採点に骨をおっていたようである。中には、この日を目指して六ヵ月前から出品の準備をしていた畜産農家もある。ハチミツ、鶏卵などの展示即売会も行なわれた。

参加したあるクラブ員は「このように西部地域の共進会が行なわれることはよいことだ。しかし、若い人たちが少ないのには驚く。年一回のことなので畜産農家ばかりでなく一般農家の人たちも大勢参加する方がよいと思う。また、自分たちも良い畜産を見たり、審査することができ大変プラスになった」と語っていた。

眠らされている？…クラブ機関誌

――せっかく作ったクラブの機関誌です　全国の仲間に紹介してやって下さい――

全国の仲間は、あなたのクラブの機関誌を読みたがっています。生き生きとした情報に飢えてます。もっともっと交流を欲しています。ガリ版刷りでもかまいません。字が下手でもかまいません。とにかく、地域に眠らせないで！できた機関誌は、すぐ送って下さい。4H新聞のスペースを空けています。

あらゆる機関誌を〈4H新聞〉へ送って下さい

NHK農事番組（10月21日～31日）

テレビ

明るい農村　6・30～6・55　総合
21日　話題の広場「多摩を掘る」―塩野半十郎
22日　村をむすぶ「釧路、大阪、仙台、東京」
23日　農村新地図「群馬県下仁田町」
24日　明るい漁村「伊勢湾ののり養殖」―全漁連のりセンター所長―倉掛武雄
25日　村の記録「汚染をつづる」―愛知県知多市、半田市
26日　きょうの話題
27日　産物往来「牛肉」
28日　話題の広場「富士山と子牛達」―静岡県駿東郡小山町
29日　村をむすぶ「札幌、岐阜、福岡、大阪」
30日　農村新地図「新潟県佐渡郡羽茂町」―新潟県立女子短大教授―菱沼康二
31日　明るい漁村「魚の濃縮値」―太田智朗、広光美彦

農業教室　7・30～8・00　教育
21～23日　繁殖豚経営を成功させるには（神奈川県畜産試験場）佐藤安弘
25～30日　新興果実産地の動向（全販連）小倉栄三

あすの村づくり　日　7・00～8・00　教育　再　土　13・00～14・00　教育
24日「グループだより」―津山市農業後継者協議会―藤沢邦雄「20アールの模索」―富山県中新川郡上市町4Hクラブ―北野克巳 ほか、「先輩と語る」―青森県むつ市―三国京一
31日「農業工業化」～その未来像を追う～大阪府、兵庫県、堺市、―菊池重次（大阪府農林技術センター所長、柏祐賢（京大名誉教授）

ラジオ

早起き鳥　5・41～5・57　❶
21日　過疎にいどむ村～和歌山県大塔村～村長　松本光昌
22日　完成した国産種鶏センター～水戸市
23日　ブドー酒作り40年～甲府市～今井親之助
24日　だぶつく農業金融～片柳真吉、竹中久二雄（東京農大）
25日　スペシャル・シリーズ　食管①「食管の現実」持田恵三
26日　食管②「くずれる配給制」～都内
27日　食管③「まかりとおる自由米」～大阪ほか
28日　食管④「産地の流通対策」～岩手県下
29日　ジャンボ農場誕生～群馬県吾妻郡六合村
30日　小笠原の農業～平野哲夫
31日　村の文化活動～浪江貞ほか

話の広場　日　6・10～6・30　❶
24日　養蚕農家のしいたけ栽培～群馬県利根郡赤城村
31日　婦人会の巡回文庫～千葉県鴨川市長狭婦人会

新しい農村　6・30～7・00　❷
24日　食糧需給はどうなっている（官房調査課）伴恭
31日　秋冬野菜対策をきく（大臣官房調査官）戸田博愛

ラジオ農業学校　日　6・30～7・00　❷
24日　農業講演会「自由化と青年の課題」～第六回九州地区農業振興親子会議から～（評論家）森有義
31日　農業セミナー「自由化と青年の課題」

このほど、群馬県農業技術課と上毛新聞の主催によって行なわれた「第一回群馬県農業青年主張コンクール」において、次の三点の入賞が決まった。最優秀賞－「私の選んだこの道」＝邑楽郡・宇治川利夫。優秀賞－「農業に生きる」＝新田郡・磯八重子。同－「農産物流通機構の改革への道」＝群馬郡・桑田広市。このコンクールは、農業にたずさわる青少年がその体験を通して考えていること、訴えたいことを内容にした主張を公募、主張内容を書類で審査して三点を決定。さらに県優良農業青年者表彰式の席上でその発表力などを審査し最優秀、優秀賞の順を決めた。編集部では、この主張を三回にわたって連載する予定である。

第1回群馬県農業青年主張コンクール

私の職業は〝百姓〟

最優秀賞　邑楽郡板倉町　宇治川利夫

現在社会は刻々目まぐるしく変化している。その中で農業も大きく変化している。年々減少する農業のにない手、農業生産の体質的近代化、一方国家的要請の米の生産調整など本当に激しく波は高い。

この激流のなかで国民食糧の安定的供給と自立経営者を目ざし数少ない仲間たちとしっかりとスクラムを組み青少年クラブ活動を展開している。

私たちのクラブは昭和四十四年発足し、はやことしで三年目を迎えますが、クラブ員は一年目にくらべて四十人ぐらい減ってしまいました。でも残った十数人のものはみな農業を真剣に考えている人ばかりで、ちょっとやそっとのことではくじけません。

ところが農業にタッチした一年目は自分も農業に誇りがもてなかったのです。他産業に従事している友だちから、いま何をやっていると聞かれて、農業（百姓）をと声を大きくして答えられなかった。いつも人の陰にいた。

でもこんな自分にも農業に大きな夢、希望があったのです。それは花キ栽培（カーネーション）だったのです。しかし栽培をやりたくても技術もなければ知識も何もなかったのです。ところが農業従事二年目のある日、普及所の方がそれだったら先進地農家留学研修に行ってくるのがよいとすすめてくれ、家の人も地域の将来を考えて承知してくれたので昨年の暮れまでビジョン実現のため研修してきました。そうした身をもって体験したことによって、今では農業への信念をより一層高め、同じ働く仲間に職業を聞かれても胸を張って大きくだれに恥じることなく「百姓」といっています。

私はいつも農業に誇りをもってかつての人の陰にかくれるようなことは過去のものとなりました。

こんな自分ですので、毎日の仕事が楽しくて無我夢中でやっています。ことし一年目は何かとむずかしいことが多いと思いますが、自分が好きで選んだこの道を私は一生歩き続けたいと思います。この道は遠くとも必ず成功すると信じています。

しかし仲間たちがひとり、ふたりと都市へ流れ、家では年老いた両親が働いている。こんな状態でよいのだろうか。農村青年のみなさん、もう一度農業に大きな目をあけて考えてください。われわれがサラリーマンになるのは簡単です。しかしサラリーマンが、いざ農業をやろうと思ってもできますか、良く考えて見てください。資本がたくさんある人を除いては不可能なのです。われわれはそれだけ恵まれているのです。雄大な土地もあれば、知識や技術もある。これを生かして自分でやりたいことが自由にできるすばらしいことではありませんか。他産業で働く人たちにはこんな大自然の中で若いエネルギーを全力打ち込めることはないと思います。

青春と仲間

悪徳の懸垂

仲山　尚江

偽善の仮面の下で
チッチッチッチッ　笑う
自分の影の長さを知っている
薄汚れた両の手が
かすかす　鳴く冬の日に
くされた冷い指が明日に触れて血を流す
すっかりゆがんでしまった関節の皮のたるみ
あばら骨を走り廻る肋感神経痛をかくした
まったく他人面した笑い声の中に
杭を打つ槌の響きが聞えてくる

侵入者を許してしまった甲斐性なしが
人間離れしようと　飛ぶ
なにもかも遅過ぎ
なにもかも平凡であり過ぎて
白々しい闘いの準備が長過ぎた
その日
重い腰をたたき落とされた
人間臭い人間の　滴－

ふっと　その一瞬　灯りが女の死体を照らす
一時間で女は白い灰になり
乾いた骨のふれあう音が人々の手の先で散る
残された腕時計の短針が
後ずさりする

時間は何処へ行くのだろう

（『農民文学』百号より）

農業者として何を求めるか

滋賀県甲賀郡　井上喜代一

みなさんは、私も含めてほとんど農業に従事されていることと思います。しかしながら、我々は農業者である以前に、人間であります。ですから、我々は農業者として何を求めるかではなく、人間として何を成すべきかを先ず考えるのが当然ではないでしょうか。

現在では、賃金アップ、公共料金値上げ、物価上昇と、お金が人間生活の根本であるかの様な錯覚さえ感ずることがあります。しかし、我々人間として人生の目的は金儲けでしょうか。私は決してそうではないと思います。お金は目的を達成させるための手段ではありますが、目的ではありません。とすると、農業は人生の目的を達成させるための手段の中の一方法と言う訳です。

それでは、我々は一体何を求め何を成すべきでしょうか。一口に言って私は、人間らしさをひたすらに求め、人間としてより人間らしく生きることだと思います。我我は農業を営む者ですから、農業者としての立場から人間らしさを追求することが大切だと思います。

最近よく新聞紙上をにぎわしている農薬問題にしても、同じ様なことが言えると思います。BHC汚染についても、使用者である我々農業者が加害者であるかの様に見られておりますが、この問題を追求してみても根本は、製薬会社の金儲け第一主義に徹した人間性無視に他ならないと思います。

また、開発という名において堂々と行なわれている自然破壊においては、人間性の無視のみならず自然の摂理までも破壊するものです。わずかばかりの降雨によって土砂が崩れ、一瞬にして尊い生命が奪われております。こうした問題は、どの町村においても同じだと思いますが、都市計画の名のもとに町当局の一方的な押しつけにより、先祖伝来の田畑を手離しておられる方も少なくないと思います。これは全国的なブームとなり今もなお山林を田畑を食い荒しています。その結果、近い将来必ず我々の生活をおびやかす何かが表われるであろうし、また我々農業者の立場としては、すでにその害が表われております。地価の上昇しかり、水利問題しかり、廃液による公害しかりです。

また、連続してマスコミをにぎわしている、誘かい、殺人事件については全く人間性を失った弱肉強食の動物社会同然です。我々人間社会と動物社会の一番ちがう点は、他人への思いやりと愛があるということではないでしょうか。

昔から、隣りの家に倉が建つと腹が立つと言われますが、こんな己中心の考えでは、理想農村の建設などとても無理でしょう。

我々農村には、恵まれた自然と殺バツとした都会にはない人間としての暖かさがありました。その農村においてさえ、自然破壊が堂々とまかり通り、心の、人情の暖かささえも失われつつあり、ますます人間性が葬り去られていく現状です。

色々と思い当るままに述べてきましたが、以上の点をまとめ、我々農業者の立場で何を求め何を成すべきかを私の意見として述べたいと思います。

我々農業者は、あらゆる自然破壊に反対し、人間が人間らしく生きていける、環境作りを押し進めること。公害問題もしかりです。農村の良さを取り戻し、隣人への思いやり人間愛にあふれたユートピア建設にあると思います。我々後継者クラブは仲間意識の向上を計るとともに、組織の強化を計り一人の声を全体の声として広げて行くことが大切だと思います。常に技術面の交換に終らず、この混沌とした現代を生き抜くためにも精神的な向上が必要ではないでしょうか。

我々の空は、未だ暗く、減反の夜風が吹き荒れていますが、我々のこの手とこの体で希望に満ちた輝ける夜明けとともに、あの大いなる太陽を呼び戻そうではありませんか。

そして、お互いに手をとり合ってがんばっていきたいと思います。（近畿農村青少年クラブ連絡協議会『第8回近畿地方農村青少年のつどい』意見発表より）

〝モシモシ〟と電話　日本へ行ってきたIFYE

草の根大使だより

石井万代子

私は今、四番目のホストファミリーの家に来ています。しかし今日は三番目のホストファミリーのことをちょっと書きます、先日はあまり書いてなかったと思いますので。

三番目の家は、八人の子供があり、男の子が四人で十八歳、十六歳、十三歳、十一歳、女の子は二十一歳、十九歳、十五歳、十歳でみな家にいます。十人の大家族でした。子供達はみな仲が良くてうらやましく思いました。

マーシャという一番上の女の子の友達に日本人で鈴木エミという女の子がいて、時々この家に遊びに来てました。私がこの家に来て五日目の晩は、私のためにパーティーを持ってくれました。マーシャの友達約二十五人位が来てくれたので日本のアルバム、ポストカード、それにレコードと踊りをしてあげましたが、一番人気のあったのは踊りと手紙でした。この日、セント・フランシス・カレッジのスポーツシャツを頂きました。いつまでも私達のことを覚えておいてほしいと言って…。

九月十八日の日は、夕方四時にサマーセットからウィリアム・ブロウさんが迎えにきて、サマーセット郡のホスト・ファミリー・ミーティングに連れて行って頂きました。ブロウさんは一年前に結婚されたそうで約百三十頭の乳牛を持っていて、この夕方、その畜舎とブロウさんのお父さん、お母さんの住む母屋とブロウさん夫婦の住む家をたずねました。ブロウさんは、日本に行っていた当時の写真三千五百枚の内の大分県の写真（ホスト・ファミリー）や東京の写真、それにホストファミリーから貰いたというソロバン、地下足袋、ユカタ、扇子、日本人形など見せて頂きました。

七時半よりミーティングが始まり、ここでは一九五四年から一九六八年までのIFYE（サマーセット郡）のスピーチとスライド（各国）がありました。

ブロウさんは、富士山や大分、千葉、岩手のホストファミリーの写真をやりました。そしてブロウさんが、日本で一番おもしろかったのは、〝お風呂〟のこと（アメリカはどの家庭に行ってもエレクトリックで家庭にお湯が出るのに、日本のお風呂は木を焚くことと煙が家の中まで入って来たこと）、それと〝物干しざお〟でした。これはどんな雨風でも絶対に落ちないしグッドアイデアだと言っていました。また、ブロウさんは日本がとても気に入っていて、一度お電話を頂いた時に「もしもし」と日本語で、それに「どうもありがとうございました」、「さようなら」、「おはようございます」も使っていました。それに、「日本人はとても親切です、だからホストファミリーの家にいる時に全然ホームシックにならなかった」とも言っておられました。

彼は、私にジョンディアのおもちゃのトラクターを記念にと下さいました。ブロウさん、ブロウさんの奥さんもとても良い方達でした。

それに、ここで中井いく子さん（一九六七年のIFYE）のペンシルベニアでのホストファミリーの方にもお会いしました、中井さんは良い女の子でしたと言ってました。

九月二十日は、キャンブリア郡の4Hオフィスの方が、ペンシルベニアのキャピトルハリスバーグまで車で送って下さいました。ハリスバーグでは、アメリカン・デェイリー・ファーム・ショウが開かれていて、ネパール、フィリッピン、ニュージーランド、イラン、朝鮮の4Hメンバーにも会いました。なつかしかったです、弟や姉妹のようにさえ思えました。この草の根大使としてアメリカに来ることができた私は、本当に幸せです。

今のホストファミリーの家は、主人が建築師で、この家も自分が設計して建てたそうでモダンな家です。奥さんは幼稚園の保母さんをしています。

パルミラにて、万代子。

沖縄を訪ねた私たち

丘と海が続く沖縄の風景

金網が囲む島

栃木県　松本良子

澄んだ水色の中にみどりとオレンジ色、それが私の目に入った初めて見る沖縄でした。

そして空から大地に…。沖縄の地を踏んでびっくりしたことは、あの空からの実にすばらしい自然の美しさにくらべ、なんと島の中が暗くさびしいんだろうと思ったことです。南国の陽気で明るい人々の生活は、そこにはうかがえませんでした。これは米軍基地があるから、だからなんだということが私にはすぐ感じ得ました。

高い金網で張り巡らされた広い敷地の中には、戦車やジープが、またベトナム帰りの傷ついた車などがたくさんたくさん並べ置かれあたり一面、ダーク・グリーンのすすけ汚れたような色一色で、何ともいやな恐ろしい感じでした。そのすぐそばを通る私達は緊張した顔でパチリと目をあけジロジロと見て通り過ぎたものでした。

名護青年の家から那覇の民泊先に行く途中、沖縄のクラブ員が言っていました。「沖縄の一番良い場所、良い土地、眺めの良い場所は、みんなアメリカにとられてしまっているんだ」と、その場所、場所に来るたび「ここも、ここもなんだ」と言う言葉に私は海辺の美しい眺めの良い場所がやはり金網で囲まれ、アメリカ人以外その中に入れないのを見て激しい憤りを感じながらもどうすることもできない今の自分には、何の言葉も出ませんでした。

また、ある商店のおやじさんが本土から来たと言った私達に実に熱心に沖縄の実情を、そしてまた七十二年度返還についての意見を話してくれました。それはむしろ私達に訴えかけているようでもありました。

沖縄滞在五日の間には、沖縄のさまざまな人々に会いました。そこで感じたのは、私達は今まであまりにも沖縄を知らなかったこと、これは今までに沖縄を知る手立てがあまりなかったということもありますが、私達は初めて沖縄住民の心に触れてみてわかったというのが本当だと思います。ある役所の人が「本土の人達で、沖縄人は英語で話しているんじゃないかって言いませんか?」と問われたあの一言が、私には忘れられません。事実、本土の中にこう思う人達もたくさんいると思います。

いつの間にか、沖縄の人達と本土の人達の間に、心の隔たりが出来てしまったような気がします。同じ日本人でありながら、このような心の隔たりがあって良いのでしょうか。沖縄の七十二年度本土復帰を前に、私達は大きく目を見開いて、正しい理解をもって、この心の隔たりを無くしていかなければならないと強く感じました。

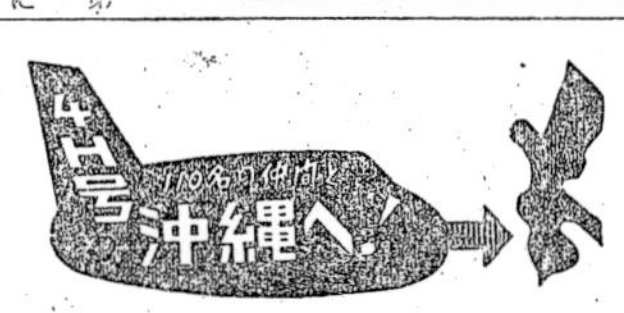

今、沖縄技術交換大会のキャンドル・ファイヤーの時使った一本のローソクに、また火をつけてみました。じーっと見つめているうちに、いろいろなことが思い出されてきます。大きな声で歌ったり笑ったり、沖縄クラブ員の琉球舞踊を見たり、また体育館でのバレーボール試合、みな一生懸命汗を流し頑張りました。ちょっとハッスルしすぎたのか、大事なメガネまで割ってしまった人もいましたね。それから、一番前で眠たいのを我慢して聞いたプロジェクト発表や、反省会でみんなしゃべらないからと言って立ち上った沖縄のたくましい男性。また、プロジェクトの問題やクラブ活動について熱心な意見交換。私達はみな同じ4Hクラブ員であるということ、これが、この大会参加者の心を一つにしたのだと思います。

この一本のローソクの火は弱くもろいものです。しかし、これが二本となり、三本となり、もっともっと多くの火が一つとなったとき、それは、あのキラキラ輝く太陽のように明かるく大きなものとなるでしょう。

われらは、われらの手で、これからを築いて行こうではありませんか。（全国4Hクラブ連絡協議会『第二回沖縄親善交歓訪問報告書』より）

釣った魚は大きかった

大田4Hクラブ　佐藤心夫

晴天のある日、俺としてははめずらしく大きな魚を釣った。計ってみたら三十四センチもあるイワナだった。一昨年の秋にベニマスを刺しそんじてくやしい思いをしたが胸がスッとした。

釣るまでの経過

川と草地の間の斜面での松植が昼頃に終ったので、飲み終ってから少し上流の方へ行ったら、三匹のヤマメがいた。それで俺の家の土地には何匹ぐらいヤマメがいるのかと思い、もっと上流へ行ってみた。

この時気が付いたのは、サングラスをして行くと光の反射が無く魚がハッキリ見ることが出来るのである。それで七匹目にこのイワナが深い川底にじっとしていた。始めは木の根っこだと思っていたが、水面に虫が落ちたとたんスウーと上って来てパッとやってまた川底に沈んで行った。

このイワナは以前からこの場所に居て、ここでこんなに大きくなったのだなと思った。しばらく見てる間に、三回同じ様にして虫を食べた。そして、ふと一昨年のベニマスを取りにがした時の事を思い返した。よし、あの時のはらいせにこいつを釣ってやろうと思い急いで家に釣り糸を取りに走って帰った。逃げるとは思わなかったが汗をかいて走った。

少し離れ所で、つりざおを作り釣ろうと思ったらエサが無い。しょうが無いので、ハエを刺して、トンと流してみた。すると、スウーと水面に向って浮き上がりパクッとやった。俺は思わず、「釣った」と大声を出した。END

（北海道厚岸町4Hクラブ連絡協議会『雄大2号』より）

休憩室

小笠原節子

一枚の原稿用紙を前にして、何を書こうかどうしようか、一時間以上も一生懸命悩んでいる一人の女の人、それが今の私。

だけど、何にも書く事がなくて本当に困ってるの。アーア、なんてため息ばかり出るのに、書くことはチッとも浮かんでこない。隣にある「おせんべい」の袋だけが寂しそうに少なくなって…アーア、どうしよう。

毎日、何も考えないで一日が過ぎていっちゃう「こんな青春があってよいものか」なんて偉そうなことを考えながら、それでも何を書いて良いのか迷っている私、時々はテレビを見て笑い転げ、そして時々は不器用な手で針を持ち着物を縫う。そしてある時は編み物を、なあんて生活が、とっても楽しそうでも、何となくパッとしない。何かが足りないんだな。

ウーマンリブだの賃上げストだのなんて世の中のことはひたすら見向きもせず、ファッションなんて、これまた見向きもせず私には関心なさそうな顔をして、それでもチッピリ気になる私。

（愛知県豊田地連協機関紙より）

俳句

富山県　野原真燈

母の手に　しわ数ふえて　苦労知る

秋の空　実る稲穂に　幸宿る

感傷への感傷

寂しいとよぶには、あまりにもの悲しく、震えるごとき繊細な音色でむせぶスズ虫。木の葉の落ちはじめた木々の合間から、涙にくもったような顔つきで月がのぞく。一瞬、過ぎ去った日々が脳裡をつんざく稲妻のごとく脳裡をはしりゆき、茫然として、秋の行方を問い直す……

これだけのことを書くのに、私はある種の努力をしなければならない。その理由はこうである。私の部屋にわびしい秋をかもし続けている二匹のスズ虫、は、先日、酔った勢いで、高い金を払い夜店で買ったものだし、また涙にくもるおぼろ月も、実はスモッグにかすんだ月なのである。それに、茫然と秋の行方を問い直すのは、暦とファッションを通して秋を認識している自分自身の感覚への驚きをこめた疑問であったからである。

極端な言い方をすれば、私は金と大部分の現実を空無化することによって、はじめて秋の感傷にひたることができたのである。味もそっ気もない物を、うまそうに食べるには、舌の感覚を忘れて笑わなければならない。都会の秋も、それと似た心構えをしていなければ味わえない感傷なのかもしれぬが……。

このことが、ほんの少しでも真実性を有しているならば、都会人にとって、もはや肌で感じる秋は遠ざかってしまったと言わざるをえない。私たちの意識のうちにしか秋は存在しない、こう一口に言いきったら、大きな語弊をまねくだろうか。

過去において、多くの進歩的な人々から、このような種類の感傷は否定されてきた。感傷からは何も生じない。感傷を捨て、現実へもどれと彼らは口をとがらせて説いてきた。しかし、現代都市のなかでは、感傷にひたりたくも、感傷を感傷としてひたることのできない現実が大河のように眼前で荒れ狂っている。今や彼らは口をとがらせる必要はない。無益で無害な意識のたわむれである感傷、それを失なうことは、まさに人間の心の悲劇ではなかろうか。秋だけが感傷ではないが、外界から自然におとずれる一つの感傷を失くしたと感ずるのは私ひとりの愚かな感傷かもしれぬが……。

ふるさとの尾鈴の山のかなしさよ秋もかすみのたなびきて居り

という若山牧水の句を思い浮べて、スモッグを見つめやる。そして、私はそびえたつビルを山に置き換え、ふるさとのイメージをもて遊ぶ。都会生まれのものには涙をたれるべきふるさともない。私の生いたちを証明してくれるはずの小川や田んぼは工場にかわってしまった。赤とんぼは彼方へ飛んでいったきり戻らない。心は〝感傷の秋〟を偲び、感傷への感傷へと向う。それは弱者の心に植えつけられた一本の樹のようなものだ。現実は、私たちのそのような心の弱みさえも奪おうとしている。（野）

風譚

日本4H新聞
4Hクラブ 農事研究会 生活改善クラブ 全国広報紙
発行所 社団法人 日本4H協会
東京都市ケ谷京光会館内 電話(269)1675 郵便番号162
編集発行 玉井 光
月3回・4の日発行 定価1部20円 一カ年700円(送料共)
振替口座東京12055番

クラブ綱領
一、私達は、楽しく學し元気で働くための健康を増進します。

理解と親善に尽す
派中クラブ員が帰国
橋口君と入江さん

国際農村青年交換(IFYE)計画に基づいて社団法人日本4H協会から中華民国(台湾)に派遣され、同国で約三ヵ月間にわたって生活していた四十六年度の派中クラブ員(草の根大使)=橋口晴治君(二三)佐賀県伊万里市・牧島4Hクラブと、入江志津子さん(二二)鳥取県東伯郡・赤碕グリーン4Hクラブ=の二人は、民間大使としての大役を果し、さる十三日午後三時二十分、羽田着の日航機で約三時間遅れて無事帰国した。

「新しい日本人」だネ

入江さんは、自分の洋服が着られなくなり、受入れ農家の人に新しく作ってもらったというほどの肥りよう。また橋口君は、こざっぱりしたスタイルでともに元気。二人は、翌日、農林省はじめ全国農村青少年教育振興会、それに中華民国大使館など関係方面をまわり帰国のあいさつをしたあと東京・新宿区市ケ谷の日本4H協会事務所で、台湾での生活について報告し、感想を述べた。その要約はだいたい次のとおり。

今回の訪問先は、台中市はじめ南投、台南、花蓮各郡、台北市で、それぞれの受け入れ農家で約二週間ずつ生活した。日課は、農業試験場、養豚、養鶏場など農業施設や学校、観光地の視察見学を主に4Hクラブや農会などの会合に出席したり、農作業を体験し、同国の農業や農家生活、風俗などを学ぶと同時に、日本のそれらについても紹介、両国の相互理解と親善に尽した。

全体を通じて感じられたことは、まず第一に血のつながりが強いということである。結婚式や、農作業、つき合いなどをみていると親子や親戚関係が日本より密接なように思えた。次に、外面には出ていないが軍事体制下にあるという緊張感があった。とくに工場や警察、官公庁などで強く感じとれ、防空壕などもそれを表徴していた。また、四十歳ぐらいから上の年輩者には戦争体験の思い出が残っていて、戦前の日本の教育や制度について語り、和服姿を懐しんだ。原爆が投下された広島や長崎に草木が生えているかと質問する人もおり、二十何年も以前の感覚でみている。自分たちよりも詳しいことを知っており、自分たちを「新しい日本人」と呼んで歓迎してくれた。

農業面では、農産物の価格が安く、農業だけで生活できないため兼業農家が多い。自分たちを受入れてくれた家庭も、アパートや靴の下請工場などを経営している第二種兼業農家で、農外収入が所得全体の約八割を占めているようであった。

4Hクラブ員は、農業高校生や国民中学校の生徒で、やはりプロジェクトをもって、それを中心に活動している。しかし、日本より平均年齢が低いために、経営に直結したものより鶏を飼育したり、稲の栽培など基礎的なものが多いようである。男女の数は同数ぐらいで、道路の清掃などの奉仕作業もしていた。

男子は成人になると兵役があり女性は工場などに勤めに出ているので、農村には自分たちと同年輩の人は少なかったようだ。

生活面では苦労したり困ったことは余りなかったようである。言葉は年輩の人が日本語が話せるし要領を得ない時でも筆談によって意思を通じ合うことができた。ただ、ベッドが薄板のものであったり、風呂も、タライのようなもので行水する程度だったので面喰らったようだが、慣れれば別に不便を感じなかったという。それは油の濃い料理も同じだったそうである。

このほか、視察に行く場合オートバイに同乗させてもらったが、道が悪いときに恐ろしかったことや曲りくねったトンネルをタクシーで通るとき、ヘッドライトがつかずしかも運転手がサングラスをかけていたため衝突し、あわや大惨事になろうとした交通事故の体験談。また「ミズムシ」を知っていると聞かれ、ナショナルなどの言葉が出て、やっと「三菱」ということがわかったこと。橋口君が背広姿で盲腸手術を手伝ったこと、入江さんが長時間のバス旅のあと胃炎を起こしたり、暑いために貧血で倒れたエピソード、そして、自分たちが珍らしがれた思い出などを話していた。

三ヵ月間にわたる台湾での生活の模様を報告する派中クラブ員(草の根大使)の入江さん(右側)と橋口君=東京の日本4H協会事務局で

全座席が埋まる
沖縄訪問 チャーター機「4H号」

全国4Hクラブ連絡協議会(会長 黒沢健一君)は、来月下旬、飛行機一機をチャーターして実施する第三回の「全国4Hクラブ員沖縄親善交歓訪問」の参加者を全国から広く募集していたが、このほど申し込み者が全協執行部を含めて予定の百十九名に達したため申し込みを締切った。

各県連とも、一括して参加者を申し込むケースが多いので、参加できない県連も出たが、参加県連数は埼玉をトップに二十四県に及んでおり昨年より大幅にふえた。

参加者は、すでに旅券申請の手続きを行なうなど出発準備にとりかかっている。

飛行機一機をチャーターし、昨年の二倍のクラブ員の動員を計画した今回は、各県連とも参加申込みが遅れたため、予定人員に達するかどうか危ぶまれ、経費などいろいろの面で支障をきたす事態も考えられたが、それらの懸念はまったくなくなったわけである。

しかし、出発をあと四週間後に迎えているため、旅券などの手続きがスムーズに行なわれるかどうかとの心配も出ている。なお、今回もOBが多数参加を申し込んでいる。

さすが"東洋の真珠"
魅了したペナンの美観

全協推せん団員 山本賢治

>2<

マレーシア

私たち青年の船団員は、マレー半島の中央部にあるくびれた部分の西海岸近く、本土とわずか三キロへだたった美しい島、ペナン島を訪れた。面積は日本の淡路島の半分ぐらいで、そこは古くからの貿易港だそうである。

歓迎のなかで、一人ひとりがランの花を胸につけてもらい、現地青年との交歓会。友だちづくりに汗びっしょりの入港式となった。そして、入港式が終り次第、私たちはバスに乗車し、一般視察へと波止場をあとに出発した。南国のトレードマークであるヤシの木、種々の果物、花に囲まれて気分の良い視察である。

最初は、マレーシア最大の寺院である極楽寺へ行った。頂上のパゴダがとても印象的であり、ほかのいくつかの寺院にもため息の連続であった。

ペナンは、じつにのんびりしている町である。美しい海岸線に恵まれた海水浴場が数多くあり、"東洋の真珠"とさえいわれている本当に素晴らしい所だ。

午後の視察は海水浴となり、海水浴場へと団員の心ははやって、ガイドの説明もそっちのけの一コマもあった始末である。波の大きさ、美しさに泳ぐのも忘れ、写真を撮るのに忙しいひとときを過ごした。

そのあとはショッピング。町は日本の青年でごったがえしている。店では、美しいサロンを身につけたマレーシア美人が応待してくれるので、買物によりいっそう拍車がかかる。ペナンはシンガポールにつぐ自由港であるが品物が少なく、ある団員などはニセモノの時計を買わされて、あとで大笑いしたこともあった。店の人は日本語がかなりできて、品物をまけさせる時のやりとりはなんともいえないおもしろさであった。船内に帰り、買ったものを見せ合うと同じ品物でありながら値段が相当に違う場合があったりして、ショッピングは旅の楽しい勉強でもある。

十月九日、ペナンは朝雨に洗われたが、すぐカラリと晴れて暑くなった。朝夕のデッキには、海からの涼風が吹き込み、さながら日本のようで、私たちは海を見つつ日本の風情を愉しんだ。

私たちの訪れたペナンは、まったくアメリカナイズされていないローカル色豊かな町であった。雄大な景色が、私たちの航海の疲れを十分いやしてくれた。すがすがしさと思い出を抱いて、次の訪問国へと出発する。

これからの予定は、次のとおりである。

十月十二日	八時	ビルマ着
十月十五日	十二時	同地出発
十月十八日	十七時	セイロン着
十月二十一日	十七時	同地出発
十月二十六日	六時	シンガポール着
十月三十日	九時	同地出発
十一月三日	十七時	台湾着
十一月九日	十九時	同地出発

もしかしたら台湾で四十六年度台湾代表の草の根大使に逢えるかもしれないと心待ちしている。(愛知県・南郡4Hクラブ)

快気炎上げる農村女性

婚前教育も
熊本県連の女子部研修

男子をまじえてキャンドルサービスで気炎をあげる女子クラブ員=熊本県連の女子部研修会で

【熊本県=中川孝一連絡報道員発】熊本県農村青少年クラブ連絡協議会(会長 池田隆実君)の女子部(部長 園山信子さん)では、さる九月二十九日から三日間、国立阿蘇青年の家で県下の女子クラブ員百十名の参加のもとに、第二回目の女子部研修会を開いた。

一日目は、開会式に続いて分科会に分かれて各地方クラブや単位クラブの活動状況を紹介し合い、問題多い女子部の活動について意見を交換した。

夜に入り、仏厳寺住職の高千穂正史氏の講話を聞いた。約一時間半にわたって年々失なわれて行く「人の心の暖かさ」や「ドライ化する若者の心」「親との交りの大切さ」などを話されたが、参加者全員が涙と笑いの心に残る素晴しい講話であったと絶賛した。

二日目は午前中、演示発表と意見発表を行なった。演示では各地方の代表者が生活や食生活の改善について、また意見発表では、激動する農業状勢の中での農村女性のあり方や経営者としての女性のあり方など、今後の農業に対する抱負を述べた。とくに、女性ながら真に自分の経営や将来のビジョンを描いている人が多いことが注目された。

午後は、県青少年課菩提参事の講話と、結婚に対する女性の心構えなどを中心に婚前教育が行なわれ、続いてフィルムフォーラム。

このあと八つの分科会でフリートーキング(自由な話し合い)、各分科会とも結婚についての話題や、跡とり娘としての悩みなどを話し合っていた。

夜はキャンドルサービス。この日青年の家で研修中の男子高校生五十名をまじえてキャンドルを囲んで歌や踊り、各地方の出し物など楽しく有意義なひとときを過ごした。

三日目は雨模様のため、予定していた平原での反省会を室内に変更し、青年の家で研修中の滝々公社・九州地区の課長さんたち約四十名との交換討論。十二、十三人が一グループとなり「性」について話し合ったが、とくに父親と娘の立場として「フリーセックス」や「婚前交渉」などについて意見が出ていた。年輩者にも性に対する柔軟的な考えがみられた。

最終日は全体討議による反省会が行なわれ、次年度の女子研に対する要望が出された。十五名の男子役員の間からは、女子だけでうまく運営できるので男子の参加は必要ないのではないかという意見が出された。閉会式を最後に大成功のうちに終了した。

この研修について、女子クラブ員の声を総合すると、大変内容があり、ためになったという意見が圧倒的に多かった。園山女子部長も「大変やり甲斐のある研修であった」と感想を述べられ、参加者から運営委員に至るまで満足できた研修会であったようだ。

"若さと夢がある"
愛知県連の女子教養講座 岐阜に出かけて気勢

【愛知県=国松芳香連絡報道員発】愛知県4Hクラブ連絡協議会(会長 鳥居久雄君)は、このほど岐阜県中津川市上手賀野のYMCAキャンプサイドを訪れ、一泊二日間の日程で、今年度第一回の女子教養講座を開いた。

この講座は、仲間づくりを第一目標にして次回の躍進へとキャンプをかねて行なわれたもので、県下の女子クラブ員三十一名が参加した。

悪天候に見舞われた一日目は、同キャンプサイドで開会式のあと班別に分かれて自己紹介のあと話し合いに入った。野外で予定したバーベキューは雨のため止むなく室内で行なった(自分たちで焼げた玉ネギが玉にきずと涙を流しながら食べた)。

夜はレクリエーションを中心とするキャンドルサービスがにぎやかに行なわれたが、中でも、笑いの絶えないインスタント演芸が見ものであった。そして、消灯の時間が過ぎても話がはずんでいた。

二日目も雨のためハイキングを中止し、室内で生活知識を高めようと技術競技が行なわれた。三人が一グループとなり意欲満々の中で進められたが、三位まで賞品が出るとなかなかの好評であった。

九時三十分にキャンプサイドに別れを告げて愛知県春日井市の高蔵寺農協へとバスを進めた。そこでは、農改普及所の世話で若妻集団との話し合いがもたれた。農村での若妻のあり方、生き方などについて意見がかわされたが、その立場の難しさに考えさせられる一面があった。しかし、自分たちには若さがある。そして夢やすばらしい未来もあるとクラブ員たちは語っていた。

このあと、雨が降る中でもリンゴ狩りをしたいというクラブ員の強い要望が天に通じたのか、さいわい雨も止み、リンゴもぎに心うきうきのひとときを過ごし、四時三十分名古屋駅で解散した。

参加者は、明朗な現代娘ばかりで、二日間とも下からの盛り上がりで歌い、そして笑いが絶えなかったために、あっという間に過ぎてしまった。次回はさらに内容の濃い講座が期待されよう。

涼風暖風

人間万事塞翁馬

人は、常に身近かにそなえて、朝夕の戒めとする格言、いわゆる座右の銘をもつことが望ましいといわれている。

自分自身のしっかりした座右の銘をもつのは、人それぞれによって違うと思うが、多くの人は、十代のなかばから後半にかけてが多いようである。この座右の銘は、やがてその人の人世観ともなる大切なものである。

私は、何時のまにかこの種のものをもつようになった。その一つは刹那(せつな)刹那に最善をつくせ、ということばである。これは、たしか、刹那、刹那に最善をつくせば、それがよい過去をのこすことになり、よい将来を招くことになる、という意味の格言であったが、残念ながら全部は忘れてしまった。ただ、刹那、刹那に最善をつくせ、というところだけは忘れず、今でも何かことあるごとに、口端にのぼる。

私がもっているもう一つの人世訓は、人間万事塞翁馬である。これは「にんげんばんじ さいおうがうま」と読むのがポピュラーであろう。中国の古い珍話集に出てくる言葉がこれで、知っている人も多いと思う。中国の国境近くに住んでいた老人の飼馬が逃げてしまった。が、がっかりしていたところ、ある日、その馬が名馬を連れて帰ってきたので、老人は、禍(わざわい)が福となったとして、大喜びであった。しかし翁の子がこの名馬に乗って落馬し、びっこになってしまい、またもやがっかり。やがて一年たち、戦争が始って村の男たちは全て戦さにかり出され、全部のものが戦死してしまった。翁の子は馬から落ちてびっこになっていたため、兵役をまぬがれて、生きのびることができた、という話である。禍と思ったのが福の原因であったり、福と思ったのが禍の原因であったり、という人世のあやをうまくついたのが、人間万事塞翁馬である。

幸福の絶頂にあるときは、不幸の到来にそなえ、不幸のどん底にあるときは、幸福の到来を信じる。といって、なるようになるさ、というケセラ・セラというわけでもない。

私は、刹那、刹那に最善をつくせ、ということばと、人間万事塞翁馬という格言を、あるときは関連づけ、あるときは別々に使いわけて、毎日を生きている。

人にはそれぞれの生き方がある。他人の座右の銘を真似しても、自分のものにはならない。自分の考え方にフィットする格言をみつけ出し、心をひきしめるとき、元気を鼓舞するとき、沈んだ心を慰めるとき、これらを活用するとよいと思う。ただし、座右の銘は、うっかりすると、若くして老成する麻薬にもなるので、この点は気をつけたいものである。(文部省 伊藤)

智恵子の里で4Hのつどい
福島県連 来月20日から二本松で

【福島】「智恵子の里につどう若人、若さとアイデアで咲け、われらの農業」をスローガンに、福島県農村青少年クラブ連絡協議会(会長 菅野寿広君)福島県、二本松市主催の第六回福島県農村青年4Hのつどいは、来る十一月二十日から二泊三日間の日程によって二本松市民会館や安達地方管内で開かれる。

一日目は午後一時から市民会館で開会式オリエンテーションに続いて記念講演、三時から歓迎の夕べ、民泊オリエンテーションのあと交歓訪問に出発し、地元クラブ員宅で民泊する。二日目は市民会館で午前中、代表十名によるプロジェクトの発表、午後は再びクラブ交歓訪問。三日目は市民会館でシンポジューム・フォーラムのあと反省評価、最後に閉会式を行ない解散する。

地域の実態を把握
栃木で初の「集い」 来月6日から県下全域で

【栃木】栃木県青少年クラブ協議会(会長 矢野幸男君)は、来る十一月六日から三日間、宇都宮市の県総合運動場、同農業教育センター(体育館)を主会場として県下全域で初の「県青少年クラブ員の集い」を開催する。

この集いは、山積する農業や農村の問題について、家族や地域クラブ員と話し合い、真の交歓と連帯感を深めながらその実態を正しく把握し、問題解決の足がかりとしようというもの。また地区、市町村の各連絡協議会、単位クラブの組織力を結集し、地域社会にクラブの啓蒙活動を展開、あわせてクラブ意識の高揚を図ることにしており、クラブ員宅への宿泊による現地交歓訪問も計画している。参加者は約百名を予定。

一日目は、午前十一時三十分から総合運動場で入場行進のあと開会式、続いて"4H体型人文字"づくり、アトラクション、午後二時から民泊打ち合わせのあと県下全域に別かれてクラブ員の家に宿泊、家族をまじえて交歓する。

二日目もひき続いて民泊交歓し、クラブ員の取り組むプロジェクトの相互検討などを行なう。

三日目は農業教育センターに集まり、午前中、集いの報告会を行ない、民泊者と受け入れ者双方から選ばれた十四名の代表が、集いで感じ体験したことや問題解決の姿勢などについて発表することにしている。午後は、「青少年クラブ活動に期待する」と題して栃木県の菅忠義農務部参事(普及教育課長)の講演がある。

富山で実績展示会
来月13日から県民会館で

【富山】富山県4Hクラブ連絡協議会(会長 竹松幸夫君)は、県と共催で来る十一月十三日から三日間、富山県民会館展示場を会場に第二十回県4Hクラブ実績展示会を開催する。

農業や農業生活に関する4Hクラブ員のプロジェクトの成果を一堂に集めて展示し、技術の相互研究と意見交換によって知識と技術の向上を図るとともに、広く一般に公開して明るく新しい農村社会を築こうというもの。

心頭抜健

これからは、年間約二百万円以上の農業所得、つまり水田なら四ヘクタール以上の農家だけを財政補助の対象にしようという動きがでている。この基準以下の農家については、数戸が協業した場合などに限って補助するという▼これは、自民党の総合農政調査会主査の湊徹郎氏がこのほどまとめた私案の中で述べているものであるが、この私案は総合農政調査会や同党農林部の幹部の了解のもとにつくられており、今後の同党の長期農政の基本骨格になるものとみられている▼それによると、わが国の農業は、明治以来一貫してとってきた保護政策による"温室農業"だったが、これからは国際競争力を持つ農産物中心の"積極農業"へ転換すべきであると

適した農業物だけにすべきであるとして、農産物については、完全自給、半自給、大半を輸入するものに分けている▼このような自由化に対応するには、約二百万円以上の農業所得がある農家が必要で、財政補助もそれに集中していこうというわけだ。水田なら四ヘクタール以上だが、夏はニンジン、冬はキャベツをつくる西日本の温暖地方では、野菜畑一・五ヘクタール以上とするなど「営農単位」と「生産単位」という基準を設けることにしているようだ▼また、農業総予算のうち、米作関係が四八・三%を占めているが、今後は、野菜、果実、畜産などの比重を高め、農産物の流通、加工、消費対策(現在農林関係予算の三%以下)にも力を注ぐようにして、総合農政の推進を図ろうとしている▼しかし、現在、兼業農家がふえる傾向にあり、耕作面積も一~二ヘクタールの水田農家が多い中でこれをどう進めていくかには問題もあり、貧農切捨てのこの方向を農民がどう受けとめるか。

「ヘルス」の向上も
静岡県連で第二回スポーツ大会　技と若い力競う

【静岡県＝鈴木政英連絡報道員発】クラブ員の技と力を競う、静岡県農村青少年クラブ連絡協議会（会長　瀬英苗実康君）主催の第二回県農村青少年クラブスポーツ大会は、去る五日、静岡市の草なぎ体育館を主会場として開催された。当日はあいにくの雨天にもかかわらず県下七十二のクラブからクラブ員とOBなど約五百五十名が参加、駅伝、卓球、バレーの三種目で日頃農作業で鍛えた体をフルに発揮し競い合った。

クラブ対抗の駅伝競争で一斉にスタートするクラブ員＝静岡市の草なぎ運動場で

がんばらなくっちゃ

今大会は、これまでそれぞれの地域において4H活動で活躍したOBの人たちも多数参加され、各種目で一緒に競技し現役クラブ員を励ましていた。また、今大会から駅伝が組み込まれたが、残念ながら注目のソフトボールが中止となりがっかりさせた。

当日は午前九時三十分に開会、まず県連旗を先頭に賀茂、東部、中部、中遠、西部の各地区連がそれぞれ色どられたユニホーム姿で入場行進。テレビ、新聞などの報道関係者が見守る中で鈴木紀久安県連会長が「雨の中にもかかわらず多くのクラブ員が参加され、大変嬉しく思います。この大会も二回目を迎えた。企画運営はほとんど県連役員の手で行なわれ、不備な点も多いと思うが、青春の一日を頑張って下さい」とあいさつ、ついで県後継者育成課の田中課長補佐が激励、また磐田市三友会の鈴木君が若者らしく元気いっぱいの選手宣誓、このあと直ちにバレーと卓球の試合が開始された。駅伝は競技の都合上、午後二時のスタートとなった。

バレーボールは、昨年より三チーム多い十六チームで熱戦が展開された。試合は混戦模様となったが、結局、中遠地区連のからたちクラブ、中部地区連の志田農業青年会が決勝に残り、若さと根性が売りもののからたちクラブが優勝をさらった。三位はとけの会クラブとなったが、やはり練習したクラブとしないクラブとの差がでていた。

卓球は、昨年より三チーム多い十一チームが参加、シングルと混合ダブルス戦で熱戦を展開した結果、初参加の賀茂連合4Hクラブが抜群の力を発揮し他チームを圧倒、初優勝を飾った。昨年優勝したエリカクラブは、二位となったが、このクラブは、県下でも少ない女子クラブのうちの一つで、選手全員が高校時代のメンバーということもあって地域の各大会で入賞している。

また、注目の駅伝は、草なぎ運動場内において一周一㌔のコースを三周、五区間十五㌔のレースで展開された。どしゃぶりの雨も午後二時頃には小雨になり、多くのクラブ員が声援する中でいっせいにスタート。予想外に静岡4Hクラブ（中部地区連）が強く二位の掛川後継者クラブ（中遠地区連）を八十㍍離して一区を通過、二区でも三位以下を大きく離し、三区では三位以下を約三百㍍ひき離して静岡と掛川がトップ競い。三位に磐田三友会があがり、四位に西富士。四区では不調の浜名チームの鈴木二郎君が区間新のレコードで三人ぬいて四位に進出、西富士も追い上げて三位の順でいよいよアンカーへタスキがまわった。やはり静岡が強く二位掛川を二百㍍離しトップで、西富士が三位。四位の浜名は三位との差が四百五十㍍もあり抜くのは不可能かと思われたが、アンカーの野末君がすばぬけた力をみせ、最後の百㍍で一気にスパートし、三位にくい込んだ。それぞれ各チームともこの大会を目ざして猛練習したせいか、一人の落伍者もなく全員が完走することができた。

総合優勝は二年連続の中部地区連、二位は中遠地区連、三位賀茂地区連の順。

午後四時から行なわれた閉会式で瀬英会長は「この大会でつちかった友情をいつまでも忘れないで地域の4H活動に頑張ってください」とあいさつした。

今大会は駅伝でも二十八歳のO.Bが力走するなどOBの参加もあって賑わったが、参加したクラブ員から「来年からは球技大会はもちろん、OBやクラブに加入していない多くの農業青年にもよびかけて陸上競技やゲーム、ダンスなども取り入れてほしい」などの要望があり、来年の大会が早くも期待されている。

こう考える
第八回近畿の集い「分科会報告」から——〈下〉
休日がほしい　ヨメ問題
4Hクで話合おう　地域の中核者に

先号で紹介したように、クラブ員は自分たちの経営と直結した農政や農協、流通問題などに大きな関心を示しているが、これとともに、一番身近かで直面する問題としてヨメ問題を取り上げている。

とくに、この結婚問題については女性から意見が多く出されていたようである。

ある分科会では「毎日、共に働いている母親をみても、農業が好きだから農家に嫁ぐのではない」ということであるが、いろいろの面からみて農家へ行きたいという意見が多く、しかも、どうせ農業で苦労するなら、やりがいのある仕事ができる専業農家へ行きたいといっていた。

しかし、農業や農家生活に対する不満も多い。その主なものは、農業には休日もなく、例えあったとしても、ハウスの場合、潅水や収穫時期には休めない。また、子供ができた場合も、朝早くから遅くまで働くばかりで、子供と話し合う機会もない。とくに食事の支度が忙しい時はなおさらである。少しでも主婦としてゆとりの持てる時間が欲しい、と訴えている。

他の分科会でも、農家や農村の悪い点として①定休日がなく、時間にルーズだ②他人や隣の家の顔色をあまり気にしすぎる③家の中が暗く、陰気な感じがする——などの点が指摘されていた。

次に、クラブ活動や農業をやっていていろいろ感じた点、魅力などについて話し合われた。

あるクラブ員は「初めのうちは農業というものがどんなものかわからなかったが、4Hクラブに入っていろんな人たちと話し合い、また年寄の人たちの話も聞いている間に自然と農業に引っぱられて行った」と述べ、また「将来性は」と聞かれてもはっきりわからないけれど、一つの仕事をやっているということで、一日一日が楽しくやりがいがあり、経営者としての楽しみもある」と語っていた。その話しをしているクラブ員の顔は希望に向って前進していこうという意気で輝き、誇らしくも見えたとつけ加えられている。

しかし、次のような意見もあった。

「われわれは、4Hクラブという組織に加入していることを認識しておいてほしい。そして、クラブ員である誇りと自信を身につけて考え、行動してもらいたいものである。というのは、クラブ活動費として農協などから補助を受けているので、したいことができるということを聞いたものだから…」と、クラブの主体性を強調していた。

そして最後に、農政はじめ農業経営などいろいろと考えさせる問題があるが、自分たちには4Hクラブという話し合える場がある。その中で、これらの問題を話し合い、地域の人たちとも一緒になって考えて行動し、自分たちの考えを広げて行き、クラブ員が地域の中核となって、あるいは、まとめ役として進んでゆきたいものであると結んでいる。

畦道
幻想と人

かって、「新宿ブルース」で売り出した歌手・扇ひろ子は、レスビアンという倒錯愛に傷つき、はなやかな歌手の座から堕ちていった。

私が、彼女に興味をもったのは、彼女そのものよりも、彼女の音沙汰をあまり聞かなくなった頃、彼女がテレビのインタビューで語っていた話が面白かったからである。

そのテレビ番組では、彼女に「レスビアンについてどう思うか」というようなことを問い質していた。私はその時、彼女が開き直ってレスビアン哲学でも聞かせてくれるものと期待していた。しかし、彼女の答えは、倒錯的な愛を否定し、たまたまそんなお友達がいただけで、私は正常な人間でありたいというものだった。

客観的に見れば堕ちる所まで堕ちているのだから、そう常識的な論理で反省しなくても良さそうなものじゃあないかと、言いたい所だが、考えてみると人間の幻想とはそんなものであるようだ。

一つには、どんなに転落に転落を続けても、またどんな異端な状況に置かれても、人は常識的な正系の論理で自分を捉え返すらしい。このことは、庶民の明るさ、強さといったものにも繋がっているようだ。

また、もう一方のほうから考えてみると、人間は、〃思いめぐらし〃とか〃幻想〃とかを持っていないと生きてはいけないらしいということである。それは、自分の置かれている状況が悲惨なものであればあるほど、世間なみの論理を自己の内部に保っておきたいという欲求に捉われるのである。

しかし、人間が動物を超えるのはこの幻想においてである。…はじめにロゴスありき…という古いパンと詩の対立の構図もたしかに人間が〈現在〉を超えることには役立ってきたという事実は否めない。

だが、人間は飢えそのものより、飢えるという不安や恐怖感においてより飢えると知る時、人間の幻想とは、弱さのことだとも思う。（土）

型破りの4H祭　愛知県・AS 4Hクラブ
演劇など熱演
PRにもなった農産物の展示即売会

【愛知県＝国松芳香通絡報道員発】愛知県のA・S4Hクラブ（会長　稲坂幸一君・会員四十一名）の最大の行事である「4H祭」が、このほど二日間にわたって安城市立安城南部小学校講堂などで盛大に開かれた。

従来のマンネリ化した活動やカラに閉じこもった4Hクラブ員だけの行事から脱皮し、広い視野にたった行事にしようという試みで今年で二回目。一日目は農産物の展示即売会、二日目にはクラブ員による演劇、剣舞、奇術など、そして夜はダンスパーティーと趣向をこらした多彩な催しであった。

一日目に安城市の農協前で開いた農産物の展示即売会では、クラブ員が丹精こめて作った野菜、観葉植物、梨などを市場価格で販売したところ、新鮮なこともあってたちまちのうちに売り切れるという人気ぶり。一般市民の人たちからも非常に好評を得て、「今度はいつやるのか」「毎週やってもらいたい」とか「4Hクラブとは何か」というような声が聞かれた。

農村を舞台に4Hクラブ員と一人の青年の心の触れ合いを描いた演劇「望郷」で熱演するクラブ員

二日目に安城南部小学校講堂で開かれた4H祭は、安城市吹奏楽団の吹奏楽で幕を開けた。4Hクラブ員による奇術、剣舞「花の白虎隊」、増田徹彦とニューカントリージャズオーケストラ、4Hクラブ員による演劇「望郷」、餅つき、名城大学フォークグループによるフォークバンド、4Hクラブ員のセレモニー「火の舞い」などが、次々にくりひろげられた。

〃飢える青春〃

奇術は、専門家からヒモを使った簡単な術を教えてもらったあとクラブ員がコント風に振付けしたものであるが、なかなか堂にいったもので拍手喝采を集めた。また剣舞もクラブ員の振付けによるもので、羽織、袴の伊達姿で踊った。白虎隊のレコードを買ってきて連日連夜、夜中の十二時ごろまで練習を続けたこともあってこれもなかなかの好評。

続いて、ジャズバンドの騒然たる余韻が残る中で、いよいよクライマックスの演劇「望郷」が開演。これは、クラブ員の平岩伸松君のシナリオによるもので、ある農村を舞台に一人の青年とその友4Hクラブ員たちとの心の触れ合いを描いたもの。小学校の学芸会以来芝居がかったことのない者ばかりであったが評判は上々。

このあと、収穫の感謝の意をこめて彩絵による餅つき、そして、あらかじめついておいた賞品付きの本当の餅をみんなに配った。名城大学のフォークバンド演奏に続いていよいよ昼の部の最後のセレモニーを火の舞いで飾った。

ついで夜の部のダンスパーティーに移った。オードブル、梨、バナナの食べ放題。食べるは食べる、アッという間に果物を盛った皿はカラッぽ。そこで思った。〃青春とは常に飢えているものなり〃（若きウェルテルの悩みより）と。

そして、ナマのバンド演奏による社交ダンスで楽しい一刻を過ごした。

強い、兼業化の傾向
四十四年度の農家就業動向　新しい農業に課題

農林省農林経済局統計調査部は、このほど「農家就業動向調査報告」をまとめ、発表した。

この報告書は昭和四十四年度における農家の就業動向調査の結果をとりまとめ、農家人口の動向と、とくに農業と他産業間の労働力の交流状態や農業就業人口の動きを明らかにし、各産業間の労働力の適正配置や農業就業の近代化に資することが目的で作成されたものである。

報告書によると、昭和四十四年十月一日現在の総人口は一億二百六十五万人で前年同期より百二十四万人増加しているが、そのなかで、農家人口は年々減少し、四十四年度においても前年に比べ六十四万人の減少となった。四十四年度における農家人口の動きは、転入・出生などによって増加したものは六十九万人、転出・死亡などによって減少したものは百三十三万人であった。したがって差し引き六十四万人の純減少で、この調査の年頭初人口（四十四年一月一日現在二千七百十万人）に対して二・四％の減少となった。

減少人口をみてみると、社会的異動が八二％、死亡が一八％となっている。就職転出によるものが減少人口の二五％と最も多く、農家の減少にともなうもの、縁事転出、その他の転出と続いており、前年に比べ農家の減少にともなうものが四万人と増えているのがめだっている。

年齢別に人口異動をみると、十四歳以下と六十歳以上の動向はそれぞれ出生と死亡によって増減しているが、これら以外の年齢層は社会的移動により増減している。とくに、十五～十九歳層は社会的異動による流出がはなはだしい。各年令層ごとに特徴的なものをあげると、十五～十九歳は離職転入と就職転出の差が大きく、二十～二十四歳は縁事転入と縁事転出の差が大で、三十五～五十九歳は農家の増減にともなうものによる比重が最も高いが、二十五～三十四歳では各事由が混合している。

また男女別に、純減少を年頭初人口との比率でみると、男子二・五％、女子二・二％減であって、男子の純減少率は女子を上回っており、異動事由では、男女とも離職転入と就職転出の差が大きい。

農業地域別の人口異動をみると、いずれの地域でも農家人口は減少しており、離職転入と就職転出との差が大きい。なかでも東北・北陸・山陰などの就業の機会にめぐまれない地域において職業異動による就職がめだっている。これに対し都市化の進展する近畿・山陽および北海道においては農家の増減にともなうものによる人口減少がめだっている。年頭初人口に対する純減少率は、北海道と南九州がほかの地域に比べてきわだって高くなっている。

また経営耕地規模別は、各階層とも純減少となっており、〇・五ha未満層では農家の増減にともなうものによる純減少がめだち、それ以上の階層では就職転出による減少の比重が高い。

就業状況別異動のほうは、農業が主のものは二十二万人の純減少となり、年頭初の農業が主であるもの九百十七万人に対し、二・四％の減少となった。勤務が主であって農業に従事する者は年々増加を示し、七万人の純増加になっており、この主体は中高年齢層である。農業に片足を残し恒常的勤務につく人が多くなったことを示しており、勤務が主で農業はしない人も年々増加している。家事・通学・その他純減少数には大幅の変化はみられない。

一方、出かせぎに出た農家世帯員は二十八万人で前年に比べ四万人の増加となっている。

以上が報告書の概要であるが、農村人口は、全体的に減少の傾向にある。これらが新しい農業を展開するうえで一つの問題となってくることは必然的である。

こんなことをしています　各種農業団体

全国購買農業協同組合連合会
25銘柄に生産集中　肥料流通の合理化追及

全購連では、肥料流通の合理化をめざして、「くみあい複合りん加安44号」など二十五銘柄（二十成分）に生産を集中することに決定した。

この二十五銘柄は、現在流通している銘柄で三万t以上のものの中から選んだもので、「全国共通銘柄」と名づけられている。

このねらいは、増大してきている諸経費のコストを低め、系統肥料購買の主体性を強めることであるが、肥料生産と流通の現状としては次のようなことがある。

まず、高度化成メーカーでは米の減反政策による肥料需要の減少や、労務費の値上げ、公害対策費の増大などの悪条件が重なっているにもかかわらず、販売数量の伸びなどが停滞していることである。

また一方、肥料を取り扱う流通段階でも大きな障害に突き当っていること。それは、現在全購連の高度化成取り扱い銘柄は五百銘柄を超え、県連段階でも県連当たり三十～九十銘柄の高度化成の取り扱いを行なっており、農協段階でも十～二十銘柄の取り扱い数となってきている現状である。

これらを銘柄ごとに包装、保管、輸送し（更に四〇％はメーカーの段階で中継地に保管）農協倉庫で仕分け保管し農家に供給する。この間の流通経費は価格の約三〇％にもおよんでいる。

加えて、最近国鉄の経営再建の一環として、貨物駅の集約、貨物運賃公共割引き制度の廃止などの値上がり要因がさけられない動向として日程にのぼっている。また、ことしの価格交渉でもメーカーは「なりふりかまわず」値上げ要求を行なってきたが、ドルショックによる化学工業全体の環境悪化からますます肥料値上げ要求は強まることが予測される。

これらの情勢をふまえ、二十五銘柄に生産を集中し、系統段階が一体となって、この「全国共通銘柄」を推進しようというものである。

なお、二十五銘柄集中での大量一貫生産により、コストを引き下げ、値上がりを防ぎメリットを消費者に環元していくことができるが、この二十五銘柄の占める流通量も四十五年度で全体の約五三％となる。（広報課）

農林中央金庫
安全な財産管理に　「財産管理相談シリーズ」を発行

農林中金（組合金融本部）では、農協組合員の財産管理に関する相談活動の強化をはかっているが、このほどその手引きとして「財産管理相談シリーズ」＝左図＝を発行した。

シリーズの主な内容は次のとおりで、希望者は農協信用部へ申し込めば各冊三百円で購入できる。

①賃貸不動産の経営（貸地編）

②貸倉庫の経営

③賃貸不動産の経営（貸家編）

④不動産と法令

⑤不動産の鑑定評価（未刊）

⑥財産管理と税務（未刊）

⑦不動産の取引（未刊）

農協の相談活動は、営農に関する相談をはじめとして、生活設計、不動産取引、税務などがあるが、近ごろ都市化の進展にともない貸地、貸家、アパート、貸倉庫などの経営についての相談を農協に求めるケースが多くなった。

そこで農林中金では昨年十月から各界の専門家による「財産管理研究会」を設けて、農協組合員の財産（とくに不動産）の安全な管理や、その価値の増大方法について研究を重ねてきている。このほど発行したシリーズも、この研究会のメンバーが執筆している。内容はいずれも読みやすい読本形式のもので、不動産実務に必要な知識を盛り込んでいる。

農林中金では、各農協に、組合員の財産管理に関する相談に応じられる専門職員の養成も行なっている。そのため今年四月から各県信連の職員を対象とした「財産管理専門研修」を開始、いま全国で約百名の受講者が勉強をつづけている。（総務部）

商業農業への転換

菊百万本めざす

都市化の荒波に対応して

埼玉県・小林4Hクラブ 島田文夫

世界経済が激動している今日、アメリカのニクソンショックなどで、日本経済はどうなるのだろうかとつねに不安を感じています。一つの大国経済の状態が日本をはじめヨーロッパ諸国にまで影響をおよぼすということは、それだけ世界の経済が一つに強く結ばれている事実を深く考えさせます。世界の流れに相応してゆくことが国を繁栄させてゆく道ではないだろうか。日本がここまで栄え、近代化されたのも経済成長によるものだと思います。

その一端を、われわれの埼玉県も担っていると考えます。先に述べた繁栄があればこそ、都市化というめざましい発展ぶりをみせているのだと思います。私の町も、今や工業団地、住宅地へと生れ変ろうとしていますが、そんななかで、われわれ若者は、今後農業をいかなる方法で営み生きてゆくかということをいつも考えさせられます。世界は一つに結びついている以上、われわれも世界の動向に視野を向け、しかも国内施策をもかみ合わせ凝視してゆかねばならないのではないだろうか。私自身、終身農業で生きてゆくことができるだろうかと、とまどいを感じています。農業以外の職につきたいという希望はまったくないし、なんとしても農業に生きる道をさがさなければと思案している次第です。

都市化という波に乗って農業を行なう事は、難題であるかもしれませんが、そのようななかで営む私の農業ビジョンをここに述べたいと思います。都市化によって、土地の制約をうけることはまぬがれないと思いまして、私の家では高度集約栽培であるキクの切花生産を行なっています。

現在、ハウスが百五十余坪、露地六反とまだ小規模経営ですが、来年度は、ハウスが二百坪、それと露地二十反を経営し、生産量二十六万本をめざしてがんばるつもりです。そして、今後三年位のうちに、加温・無加温室を四百坪に増やし、キクの促成シェードや晩生ギクを栽培するつもりです。また露地においては、夏ギクを五月下旬から八月まで、九月から十一月上旬にはキクを十反程度作ることを目標にしています。このような経営による生産量は、露地物が二十万本、室物が二十万本となり総計四十万本になる見込みです。

四、五年前までは年間十万本が目標とされていましたが、今日に至っては二十万本といわれています。将来は三十万本から四十万本といわれ、経営規模も大型化してゆくことは必然でしょう。農家には、年々ベースアップがあるわけではなし、また、物価にみあうだけ農産物価格の上昇もかならずあるとはかぎりません。われわれが生活水準を保ってゆくには、それに相応した所得が必要です。農業において、それだけの収益をあげるためには、専業大規模経営が要求されてくるわけです。

さて、私は、それらの計画によって総収入六百万円をあげたいと思います。キクは他の花卉に比べて経費が少ないので、三百五十万円位の収益になりそうです。

設備の自動化をプラン

しかし、これらの計画を遂行するためには、かなり多くの資本・労働力を投下しなければなりません。なかでも問題となるのは労働力ですが、私は、つぎのような方法でこの問題を打開しようと思っています。栽培においては、灌水などの管理作業に要する時間の節減のため、灌水の自動化を計画しています。パイプによる散水ですと短時間に多くの灌水ができるので、それを導入するつもりです。

また、シェード栽培のほうは、タイムスイッチをセットしてカーテンを自動化したいと思います。それに、自動天窓、換気扇などの導入により温度管理も自動化したいものです。それらの設備を完成させ、労働力問題を乗りきるつもりです。

機械化によって省かれた余剰労力を、どうしても人の手でやらねばならぬものに向け、あとは点検することに力を注げばよいわけです。夢みたいと思うでしょうが、現に部分的に導入されつつあります。しかし、四十万本という生産量をこなすためには、経営を自動化しても家族労力でまにあうということはありませんから、かなりの雇用労働力が必要になるものと思っています。他産業者に負けずにやるには、これらの計画の実現をはからなければなりません。そして、土地不足という制約をうけても、小面積において回転の早いしかも高能率の経営を行ない、より多く収益をあげてゆくことが第一であると確信しています。

反面、都市のなかの農業という特性を生かして、今後は生産だけでなく販売することもかみあわせて、プランの上にプランを重ね実行してゆきたいと思っています。都市化の波にもまれる埼玉県の今後の農業は、施設園芸という道をたどるのではないでしょうか。その施設園芸も、人手を大きく削減し自動化をはかり、省力栽培による大型専業としてゆかねばならないと思うのです。

むろん、われわれは創意工夫をした農業を営まなければなりません。私もまだ未熟者ですので、栽培技術の向上・体得をはかり、多期に、また良質の物を生産してゆくつもりです。そして、生産プラス販売農業経営を行ない、より一層企業色の濃い商業農業へと転換してゆきたいと思います。また、現在行なっている簿記の記帳を今後も続け、経営分析をし、経営内容を常に掌握していたいものです。

汗と土まみれになり、泥にしがみついてでも最終目標のハウス三百三十平方粁・生産量百万本に達するまでは、昨日よりも今日、今日よりも明日と一歩一歩前進してゆくつもりです。なお、この目標達成のためには各方面からのご支援、ご協力をいただくことと思いますが、その節はよろしくお願いいたします。

(埼玉県農業研究団体連合会の機関紙「あぜみち」八号より)

プロジェクトと経営

わかり易いプロジェクトの取り組み方 ①

滋賀県・専門技術員 塚本賢次

自信と勇気つける

基本は四段階 問題解決が巧みに

一、プロジェクトとは

英語にはプロ(Pro)のつく字がかなりある(Projectile Projection Program)などからプロジェクトもなにか先とか以前とかの意味がありそうである。そこで辞書をひいてみると「計画」「設計」「案」「思いめぐらす」「想像する」「投げ出す」などの意味があることがわかる。

人間が生きてゆく過程においては、次から次へと課題がおこってくる。そして死ぬまでつづく。この次から次へとおこる課題に対して周到な計画を立ててこれを解決する活動が広い意味でのプロジェクトである。

プロジェクト活動中、四肢五体を動かして、つまり実践活動によって課題を解決してゆくことを狭義のプロジェクト活動と呼んでいる。農村青少年クラブにおいては「農業の改良や生活改善の切実な課題ととりくみ、計画、実践、反省、評価の四段階の過程をとおして実践する課題解決活動」ということである。この方法を学習指導の方法としたのがプロジェクト学習法、またはプロジェクト法などと呼んでいる。

二、プロジェクトの四段階

われわれは一日の生活を、いろいろなことを考え実行して暮している。このようにして一日一日が積み重ねられ一年がすぎやがて一生を終る。

毎日毎日の生活の中で、どんな献立をつくろう、どんな農作業をしよう、友だちとのつきあいのことなどでいっぱいである。このようなことを実は問題というのである。このような問題はどうやらそれほど頭を使わずとも片づけて毎日をすごしている。ところが問題の片づけ方の上手、下手によってわれわれの生活が豊かで楽しいものになるか、損ばかりくりかえして面白くないものに終るかがきまる。上手に問題を片づける訓練がプロジェクトである。

一つ例をあげてみよう。鶏が卵をうまなくなった。よく考えてみるとエサがコメヌカばかりで、与え方が悪いということに気がつく→これではいけないと思い→魚粕青菜を入れた正しいエサの配合をすることを心の中に描き、さっそく畑へ行って青菜をとってきて与えたり、町へ魚粕を買いに行ってこれを与えてみる→いく日かたってから、卵のうみがよくなったかどうかふりかえってみて、前よりもうみがよくなった。だから「このエサの与え方がよかったんだ」と思う。

このように一段一段しっかりやり(思いつきでなく)、この経過をたん念に記帳しておき反省(検討)の資料とする。これが本当の意味の(課題解決)プロジェクトである。われわれが農村青少年の生産活動をとおしてプロジェクトを考えるならば、「プロジェクト活動とは毎日の農業および生活上の問題(課題)を解決する実践活動」ということであろう。

そこで問題解決をするための順序であるが、わかり易く説明すると次の四つの段階となる。

① 目的をきめる——何のためにこの仕事をするのか(収量を増すためなのか、労力を節減するためかなど)

② 計画を立てる——仕事をはじめる前に計画をキチンと立てるか否かがプロジェクトの重要なことである。

③ 実行する——計画に従い実行する。計画のない実行だけではプロジェクトではない。

④ 評価 反省する——仕事(行動)の反省をすることは次の計画の基礎をつくる。

プロジェクトでは以上の四つの段階を着実に実行することによって問題を解決してゆく力(考える力、科学的に能率的に仕事をすすめる力、つまり問題解決能力、農業経営能力を高めることになる)を養い、実行力のある人間に成長することが期待できる。

三、プロジェクトの特性

農業の近代化といい、生活の改善といい、実行できない理論や技術に感心するだけであったら、自分自身の生活も人生も決してよくならないだろう。

4Hクラブ員が行なうプロジェクトは、本当に役立ち私たちによい生活のできるような工夫と働きを、聞いたり見たりするだけでなく、実行できる方法を考え、知り、やってみることであり、単に話をきいたり習ったりすることではないのである。

4Hクラブが「プロジェクト」を中心とするグループであるとすれば、それは、家や部落や村にある農業生産や生活の身近な課題をただ理くつだけではなく、実践により実証し、解決していこうとするグループであるといえよう。だからクラブ員が身近に困っている問題がプロジェクトの中心課題としてとりあげられなければ意味がない。

どんなにうまいことをいっても、今私たちが目の前に困っている問題を放っておいて、果して私たちの生活がよくなるだろうか、自分自身の日々の幸を得ることができるだろうか。一つの問題を片づけることができれば、きっとすべての物事について自信と勇気がでるだろう。この自信と勇気のある生活こそ生きがいのある生活の原動力なのである。

次の回では、プロジェクトの性質をいますこしよく知るために、どんな要素をそなえたものを4Hクラブのプロジェクトというのか考えてみよう。

共同プロへの道は まず個人学習から

山梨地区4Hクラブ連絡協議会 五味修

共同プロジェクト推進においては、私自身今年度地区連の長として学習不足であったため、必然的に難題?になってしまった。4H活動を始めて四年目が終ろうとしている現在、今後の道標となるよう反省し、もう一度、考え直してみよう。

4Hクラブの組織活動を進めてゆくなかで重要となるのは「プロジェクト」学習である。一人のクラブ員が、自分の生活や地域で現に直面している幾多の難題に対して、その根底を知るべく、また改善の方向へと向けるべく知恵をしぼり、その過程で基盤となるべき計画を立て、そして、ある種の段階を踏む。

しかしながら、どんなに小さい問題でも、頭の中だけで改善することは不可能である。特に、われわれを取りまく問題においては、全然ダメであり、またそうであってはならぬのである。

やはり、綿密な計画をもとに、自分自身それらに前向きの姿勢で臨む実践があってはじめて、問題が容易に解決できるものであるとか、根強く幅広いものがあるとかが把握でき、一つの実践の輪を広げてゆく必要性もでてくる。そうして、行動の全体が反省として、また計画として推進されるのである。こうした自分自身の実践を通じて、自分一人の力ではどうにもならない問題を正確に認知することができるのである。

そのような自分の実践から出た数多くの大問題を、組織のなかへ持ち込み、具体化してゆき、そこで自分の努力した結果(もちろん中途でもかまわない)をみんなに問題提起の形で反映させ、複数でそれら諸問題に対処し、解決の方向へ導く。つまり、個人学習(プロジェクト)が確実に実践できてこそ、共同プロジェクトを推進できるのである。その点が、最も重要であると思う。

しかし、現在の地区連や県連をみて、そうであるかというと大きな疑問がある。いろいろな必要過程を踏んだ経験者は何割いるのだろうか? 稀少なのではないだろうか。こうしたことを痛切に感じるのは、地区連、県連の事業において、プロジェクト(個人、共同を問わず)のことに関連すると、急に話しが途切れてしまうからである。

"プロジェクト" この単語のもつ影響力というか、圧迫力? というか、それは大変なものである。われわれの生活と密着しているため、それは、われわれのまわりに強固に張りめぐらされた目に見えないワクを感じさせるためだろうか。

個人的に話してみると、スラスラ自分の問題、または地域の問題などを話題にできるのである。そんな時は、素直な気持で「自分たち青年、いや4Hクラブ員はどこまでもやってゆくんだ」という意欲さえ感ずる。……この現象。

ここにまた一つの考えさせられる大きなポイントがある。その原因を考えてみると、一人ひとりの"個人"と"共同"に関する意識の低さが、共同プロジェクトどころではないという現況を作りだしているのではないか。それも個人の実践の欠如の結果だと思う。

まだ参加して間もないクラブ員が4Hクラブのなかで何を求め、何に必要性を感じているかということを、また同時にクラブ員一人ひとりの声を上部組織にいる者やリーダーたちは適確に掴んでいなければならない。そのうえでの個人プロジェクトから進んだ共同プロジェクトでなくてはならない。それは発表のためのものであってはならないし、また一人ひとりの責任あっての推進でなくてはならない。

以上、おおざっぱでとりとめのないことを述べてきたが、これらの点は4H活動と結びつけて、根本的に再検討をする必要性があると思う。なぜなら、共同プロジェクトは、われわれがどうしてもわれわれの手でやらなければならない問題だからである。

(山梨県4Hクラブ連絡協議会の機関紙「てのひら」第七号より)

土地にあった良い物を生産

福島県・桜4Hクラブ 佐藤初子

私の家は水稲を中心に経営しています。自分なりにあれもこれもやってみたいとは思うのですが、なかなか条件と一致せず頭を痛めています。

水稲といっても減反などいろいろな問題があります。それは何を作っても同じことが言えますが、米が生産過剰の状態にあっても、私たちは米を作らなければ生活できないのです。

私の友人で野菜を作っている人がいますが、それを見て、私は自分のプロジェクトとして始めようと思い、母に相談してみました。しかし、野菜を作るのに適した良い土地がないとのことです。母は、その土地に合った物を作らなければと言っていました。

自分なりの経営とは

土質が悪いうえに道路も悪く、たとえ作っても市場まで運ぶのが大変です。そこで私は、私たちの地域の農業を考えなおしてみることにしました。水稲も機械化され、労働時間が少なくなりましたが、それだけ農家の人たちに出稼ぎが多くなりました。したがって私の住む地域の農家の大部分が兼業農家です。

そのような状態にある地域のなかで、その土地に合った農業をはやく見い出し、いかにしてそれを発展させるか、ということが私にとっての現在の課題です。それに対して努力することが、自分なりの経営を行なうということだと思います。私もまずは、私の家の土地に合った水稲を作り、水稲のなかでも良い米をたくさん生産したいと思っています。

(桜井4Hクラブ機関紙「サクラ」二号より)

税金にも強く

小田原農業改良クラブが勉強会 遺産相続などで

【神奈川県=秋山健一連絡報道員発】小田原農業改良クラブ(会長 内藤逸男君)は、税について考えようと、さる六日、「税金問題の勉強会」を開いた。

当地区では、都市化の波が激しく次第に農地が減っているが、そのような中で、クラブ員は親が死亡したときなど土地を売っても、ただ茫然として遺産相続や税金のことなど忘れてしまい、あとでビックリするほど税金を納めることになってしまう。そこで、それに対応できるように、あらかじめ税金問題に少しでも明るくなっておこうということで行なわれたもの。開催時間が夜とあって多数のクラブ員が参加し有意義に過ごすことができた。

講師に小田原市の資産税課長を迎え、まず最初は、税の基本から相続税、贈与税などについて、約一時間にわたって詳しい説明を聞いた。講義の要旨を真剣にメモする人やうなずく格好をする人など生活に直接響いてくる問題だけにクラブ員は目を輝やかせていた。

そのあとクラブ員から質問を受けたが、矢次ぎ早やに不明な点、また、どうしたら余計な税金を少しでも納めないですむかなどいろいろ質問が絶えなかった。クラブ員と講師が一体となり、講師の親切丁寧な説明で、税金について少しずつ理解することができた。

予定時間を過ぎても質問が絶えないため一応区切れのよいところでしめくくったが、税金問題は難しいので、もっと時間がほしいという意見が多かった。そこで、各自がそれぞれ勉強して、わからない点を持ち寄って勉強会を開くことを決め、小雨けむる中を家路についた。

観光ミカン農園オープン

4Hクラブ員も経営 静岡・三ヶ日町

【静岡】ミカンで名高い静岡県引佐郡三ヶ日町で、観光ミカン農園が去る十日小雨降るなかで開園された。

三ヶ日町のミカン刈りは十年前から行なわれており、人気は上々であった。当日は雨にもかかわらず、県内はもちろん、東京、愛知方面からバス、乗用車などで約二千人の人が訪れにぎわった。若いカップルや親子づれの人たちなどは、色づきはじめたミカンをちぎったり、食べたりして楽しそうなひと時を過ごしていた。

この観光農園は、有名な浜名湖の一角に位置しており、ミカン刈りをしながら、館山寺、浜松フラワーパーク、東名浜名湖橋が一望のもとに望むことができ、大変風光明媚な所として観光客から親しまれている。

今年は六月の長雨でミカンのできが悪いといわれていたが、この観光農園ではなかなかの作柄である。

また観光農園内には、4Hクラブ員の里見君が経営している二反のミカン園がある。その里見君は今後の農業について「これからは地域性に合った農業をしてゆかねばならない。そのためには流通機構が問題であり、わたわれも生産から販売までのルートについて、もっと考えるべきではないだろうか」と語っており、観光と結びついた農業経営の必要性をほのめかしていた。

なお、このミカン園は年内いっぱい行なわれる予定である。

(鈴木政美連絡報道員発)

好評の植木市

今立町4Hクラブで開く

【福井】去る十月十一、十二日の二日間にわたって、今立町4Hクラブは、緑化推進運動の一環として、今立町役場横で植木市を開いた。

この植木市には、植木いじりや盆栽好きの人たちがいっぱい詰めかけにぎわった。

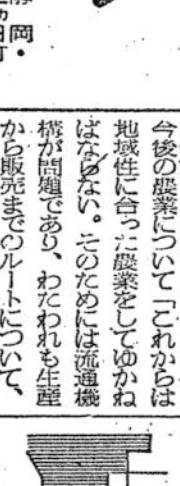

あなたの実力は

〈第11回 全国農村青少年技術交換大会の技術競技問題から〉❷

農業経営

2、Aさんは、米単作経営の農家です。米生産調整に協力するため、下表(A表)の策定条件から改善計画(B表)を策定中です。A表の策定条件から計算して(B表)の空欄に適当な数値を記入して下さい。

A表 10a当り

作目	労力	所得
米作	50人	50千円
野菜作	30人	60千円

B表

	改善計画I	改善計画II	改善計画III
所得(千円)	1,550	千円	1,650
米作面積(a)	250	200	150
野菜作面積(a)	50	100	150
必要労力(人)	( )	700	750

3、Aさんは、改善計画をすすめるために農業改良資金を借り入れることにしました。右表のうち貸付条件の正しい資金の種類を選んで下さい。

農業改良資金	資金の種類	年利率	償還期間	据置期間	
技術導入資金	大型ビニール栽培	4分5厘	3年以内	なし	A
後継者	技術共同習得	4分5厘	5年以内	なし	B
育成資金	部門経営開始	無利子	5年以内	1年	C

4、青果物は鮮度が有利な販売の一つの決め手です。下表の場合あなたは市場までの輸送方法としてどれを選びますか。

輸送方法	輸送前のトン当り価格	輸送による価格低率	トン当り運賃
A	50,000円	20%	15,000円
B	50,000円	40%	5,000円
C	50,000円	5%	20,000円

前号の解答〔生活〕(共通コース)

1、1つの宅地を計画する場合、住居部分と作業園卑庫などをいかに合理的に組み合わせて計画するかがポイントになります。この場合、道路、夏の風向き生産施設との空間的分離を考慮すると、下図のような配置計画が基本となりましょう。

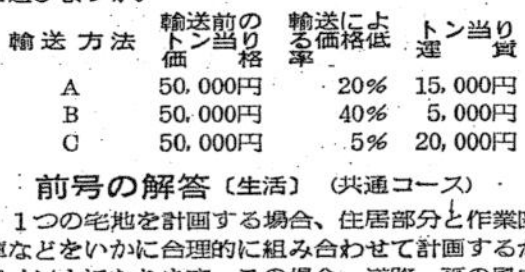

2、飲料水の保全のため建築基準法施行令第34条に便所と井戸の距離は5m以上離すように定められています。

3、第1回支払金額 360,000円

〈算式〉

$$\frac{\text{元金}}{\text{償還期日}} + (\text{元金} \times \text{年利})$$

4、②化粧石こうボード

台所の天井材としては、湿気に強く燃えにくいことが条件です。

この条件から評価すると

化粧石こうボード◎ ハードボード○となります。

5、1番(水性ワックス)

②は自動車専用ワックス ③(ピカール)は金属みがき ④(油性固型ワックス)は白木用ワックス。

6、2番 網(ネット)シャツ

ハウス内は高温多湿のため、肌着はいつも濡れている状態にあります。そこで、吸水率の高い網シャツが最適です。メリヤス、クレープシヤツは、汗が出るとすぐに皮膚にべとつき、よりムシ暑さを倍加します。

7、3番(バター)

バターは、100g中ビタミンAを2400IU含有しています。他の食品はビタミンCは多く含まれているが、ビタミンA効力はあまり期待できません。

〔農業経営〕共通コース

1、B経営

農業経営の目標は所得を最大にすることにあります。B経営は労働のバランス、資本収益率も3つの経営の中で良い。

NHK農事番組 (11月1〜10日)

テレビ

明るい農村 6・30〜6・55 総合

1日 村の記録「十年の代償」—新潟県阿賀野川
2日 きょうの話題
3日 産物往来「味の文化史」—渋沢秀雄、瀬川清子
4日 話題の広場「豪雪地帯の野菜団地」—福井県丸岡町
5日 村をむすぶ「広島、松山、長野、東京」
6日 農村新地図「大分県国東町」生野祥雲斎(竹芸家)
7日 明るい漁村
8日 村の記録「農協シリーズ①」—農協はだれのもの
9日 きょうの話題「農協シリーズ②」—米と農協
10日 産物往来「農協シリーズ③」—ゆりかごから墓場まで

農業教室 7・30〜8・00 教育

1〜3日 乳用おす子牛の肥育 河合豊雄(中央畜産会)
4〜6日 肥育豚経営を成功させるには 松崎格(農林省白河種畜牧場茨城支場長)
8〜10日 肉牛の流通 大川忠男(全国肉用牛協会)

あすの村づくり
再 日 7・00〜8・00 教育
土 13・00〜14・00

7日 「グループだより」—島根県鹿足郡津和野町—農林改良青年会議、「火山灰地の再出発」—鹿児島市麗屋市ヤングモーズ—脇別府和広ほか「青年像」—畑中幹雄—奈良県橿原市吉田

ラジオ

早起き鳥 5・41〜5・57 ❶

1日 柿の科学〜小林章(京大教授)
2日 ドルショックと農村工場〜広島県府中
3日 ヨーロッパの農村住宅〜高山英華(農住協顧問)
4日 ブラジルで花を作る〜三重県安芸郡豊里村〜赤塚充良
5日 山に入った大型養豚〜高崎市〜井草利長
6日 イワナの水田養殖〜長野県下水内郡栄村〜斎藤忠夫
7日 村の文化活動〜浪江慶ほか
8日 タイの畑作をみて〜尾崎滋(九州農試畑作部長)
9日 過疎村の学士農家〜岐阜県高鷲村〜赤堀正延
10日 農協経営の米菓工場〜岩手県岩手郡西根町

話の広場 日 6・10〜6・30 ❶

7日 にぎわう農協市〜狭山市入間農協

新しい農村 6・30〜7・00 ❷

7日 あやぶまれる養蚕振興 安田忠之(全養連参事)ほか

ラジオ農業学校 日 6・30〜7・00 ❷

7日 グループの集い「うまい米安い米」〜宮城県鹿島台町新田4Hクラブ

農業の近代化とは

神奈川・飯田4Hクラブ　宮崎信雄

なぜ百姓を続けるのか

いつか、百姓をしていない友人に、お前なぜ百姓をやっているのだ、またこれからも続けていくのかと言われたことがあった。都市化による都市圧やら、地域の農業環境の悪化によるため、先行き不安がなかば常識になってきているのにというわけなのです。

その時の答えは、まだ先のことはわからないし、今は何よりも自分で考えたことを実践してみて納得のいく結果が出て、この場所ではどうしても続けていくのが難しくなってきたら、転職も考えるが、まだそこまでは考えていない。何とかなるさとの、抽象的なことしか言えなかったと思ったが、現にバラ色の設計図などあるじゃなし、夢中で状勢の変化になんとか対処していくのがやっとで、良く言う近代的、企業的、自立農家などの言葉が、余りにも遠いのが現状です。

近代化の結果するもの

よく、企業的、近代経営などいわれるが小規模で家族労働の農業では、（勿論改善する必要があるが）縁遠く、また法人にしたから、近代資金を借入れ温室やハウスを建て所得が増えたからといって、果してほんとうの意味で近代的な経営になったといえるかどうか疑問である。

確かに、昔とは違い肥桶をかつぐことなく、稲作りも機械が植え刈取ってくれるし、その点では急速な技術や機械の進歩はある。また、全国で話題の公害問題にしても、企業が近代的な設備投資をして、規模拡大を図りものすごい生産性の向上と高労賃を続けている。しかし、物を作ることのみに金や技術を注入し、あとにでてくる不用な物は所かまわず捨てている現在、労働者自身が公害の加害者であり被害者でもあるという奇妙な話を聞く。

産業が、労働者の生活や社会とのバランスを考えず、表面上だけ近代化していくことがいいか悪いか、特に農業の場合、農業経営とゆとりある農家生活の調和があってこそ、始めて上手な近代経営と言えるのではないでしょうか。

自立農家とは、農業だけで楽な生活ができ適当に休日やレジャーがある、と考えられ、今まで、またこれからも農業だけで生活ができるといわれる。これが問題なのである。多くの農家では、今の農業条件にあっては色々な用事におわれ（特に家で仕事をしている人など）、また最近の経営形態からいって、ノン気にレジャーや家族旅行などなかなか出来はしないでしょう。

家に働く人は、色々の用事があると言ったのは、職業やレジャーに使える時間のなかから、奉仕の仕事が相当な時間を使っているのではないかということです。例えば、私の町内の消防用の火災による出動は、年二十回でその他の出動や役員の人のそれに使う時間は「日」に換算すると十五日は越えるものとみられる。

これは、ささいな例だけど、安全協会、町内会など数えたらきりはないし、どれひとつなくてはならないものだけど、都市化により兼業農家の増えている昨今、どうしても家に残って（？）いる人への負担が大きくなってしまっている。ましてや、その埋めあわせをしなければならない家族の苦労が大変だと思う。

同じ部落や仲間で、何とか合理的に解決していく必要があると痛切に感じます。農民は古くから、どんな良い意見でも、やる時間もなく、やれば良いことがわかっていてもあえて黙っていて、その方が利口者だと思うようになっていたのではなかったのか。こんなことも、今後は有言実行でお互いに協力していきたいものです。

忘れられる農村の良さ

もう一つ良くしてゆきたいものは、より人間関係を密にしてゆくということです。

同じ農家であっても、部門が違ったり兼業になったりした場合、農民のスポーツやレクリエーション、そしてむらのお祭り、お日まちなど共通の話題で皆が逢う機会が、少なくなりつつあることは淋しい気がする。テレビを見ていても、古くから農村に生れ育った、「農村文化」が消えつつあるようなので少しでも保護していく必要があります。その中での何か忘れられつつあることが発見されればより一層の人間関係が生れてくるものと思う。あえて農業を近代的企業化するんだということによって、このような農村の良さをなくさないでいきたいものです。

こう考えてくると、農業の近代化とはあえて企業化することでなく、農業経営と生活とを改善しつつ地域の環境や条件にマッチした時、少しは近代的農業経営者に一歩近ずくのではないかと思う。

それでは、具体的に今どのようにやるのかと考えてもすぐには浮かばないが、農協の経営や指導体制をみてもこれからの都市産業に明確な方向ずけがなされていないようにも思われる。それだけ、むずかしいことかもしれないが、農業から多少ずれていても色々な型の経営が生れてくるような期待が持てるので、より理想に近ずくよう何かを探しあてたいと思う。

（神奈川県戸塚4Hクラブ協議会『みどりの戸塚』18集より）

青春と仲間

農家に嫁ぐ時

—無名童女—

もし　農家に嫁ぐなら
一枚の大きな鏡を持っていこう
毎日の生活が鮮明に写しだされるよう

もし　農家に嫁ぐなら
真白なフレヤーのワンピースを二枚持っていこう
台所に立つ時　風に吹かれるマーガレットのように
いつも楽しくお料理できるように

もし　農家に嫁ぐなら
「次郎物語」を忘れず持っていこう
書を読むと「がんばらなくちゃ」と思うから

もし　農家に嫁ぐなら
ミレーの絵が欲しいなあ
農業を何も知らなくても　画が
教えてくれそうな気がするから

もし　農家に嫁いだら
現実は……わかりません

（滋賀県農業後継者クラブ機関誌『畦道』より）

農家の長女の宿命

群馬・川田農友会　小林美知子

近頃農業は、わが国の著しい経済成長に伴なって、今までの自給的な農業をやっていたのでは暮らせなくなってきました。

その結果、農業人口は他産業、都市へと移ってしまい、労賃は高くなる。農業労力は不足して、農業生産資材なども物価の値上りの影響で農家の出費を多くする原因になっています。

私はこの様な中で、ただ農家の長女に生まれたばかりに家を継ぎ農業をやらなければならない。私にとって、単なる宿命だという事ではどうしても割り切れませんでした。そんな考えで悩んでいた昨年九月、私に、川田で4Hを作ろうと思うのだけど加入しないかと誘いがありました。

一人で考え、悩んでいてもどうしようもない。でも、皆で考えたらどうにかなるのではないかと思い加入しました。4Hを作り、農業改良普及所の先生の話を聞き、農業視察、農業機関誌の勉強、仲間との話し合いなどによって、「私もやらなければ」「やればできる」というファイトが湧いてきました。

4Hは皆で話し合い、お互いに打ち解け合い心の繋りを深め「農業はどうあるべきか」と真剣に考えている。私は4Hに入り、農業は曲り角に来ているのではなく、これから新しい農業を作るという所に来ていると思いました。そして、農業を、どの様にしたらもっと良くなるかと真剣に考えています。

「明るい農村」「住みよい農村」は、これから農業をして行く若者が作るのだと思います。作らなければならないのだと思います。私も頑張ります。皆さんも頑張って下さい。「明るく住みよい農村」のために。

（群馬県利根沼田農村青少年クラブ連絡協議会『農友』2号より）

自画像

茨城県　高橋健一

自画像といってもよくわからないが、今まで自分を見つめてきた弟が言うことには、「兄貴は大変に一本気である」と。

なるほど自分自身をみつめてみれば、たしかにそういう点がみられる。すなわち、何事にも素直に最後までやるということである。

一度は言ってみたいことを二つ言わせてもらいます。

一、農業の問題

一番の被害者は農民自身だということ。また、二番は消費者だ。消費しながら大金に吸ってしまうからである。それをだまっていては、マスコミの良いように扱われてしまう。自分らももう少し防衛してもよいのではないか。

二、野菜の高値の問題

高いと思っているやつは食わなくていいのである。高いと言いながら遊んでいるやつに、俺たちの気持がわかってたまるか。

三、成田問題

少年行動隊など少年がこれだけのことをしているのに、農協などは全然動かない。あれだけ土地に愛着を持っているのが本当に百姓だと思う。あれを応援しない農協なんていらないのではないか。

（茨城県小境地区総和町和光4Hクラブ『大地』より）

第1回群馬県農業青年主張コンクール

自然に生涯学ぶ

何より好きな田植え

優秀賞　—新田郡新田町—　磯八重子

私が農業で生きてゆこうと決心した動機はほんのちいっちゃなことからでした。まだ物心つかない頃、私はいつも両親のあとにくっついて、田んぼや畑についていったものでした。それでも何より好きな仕事は田植えでした。大勢でにぎやかにはかどる田植えはこども心にも楽しい仕事に思えたのかもしれません。そんな気持ちが私の心を大きくしめて、現在に至っているわけです。

私の家の経営内容は、養豚年間平均常時二百頭、養鶏三千羽、養蚕（桑畑四・三アール）水田一・一ha、クリ畑三・七アールの多角経営で養豚と養鶏を主体としています。親子三人の労力なのでちょっときびしいですが、受け持ち分担制で、私はニワトリの世話を楽しくやっています。

現在農業を脅かすような事態があちこちで起きています。農村への工場進出による公害問題、後継者の離農、米の減反や農産物自由化の問題、野菜や家畜の価格の問題など、たくさんの問題をかかえ、先の見通しのむずかしい農業ですが、このような環境の中で私はこう思っています。

経済的には満足に息もつけない農業でも生きていく上に食料生産を主体とする農業を除いたら何が残るというのでしょうか。何もありません。人間は食べなければ生きてゆけないのですから。

そしてまた百姓である私たちは多くの他産業関係に属する仕事についている方たちの恩恵を受けて毎日が送っていけるのだと思います。「共存共栄」ということばがありますが、農民は他の職業に従事している人たちが毎日健康に働けるエネルギーを供給する義務があるように思います。またそれが農業の誇りというか張りあいにもなるのだと思います。お互いがそれぞれの立場を理解し、尊重できたならばすばらしいだろうと思います。農業は本来田植えにみるような、明るく暖かい心の通い合うものだと思います。おいしい米を作るというみんなの心がひとつになって……。

そして自然を相手にからだを動かすこの仕事は、小さい心の私にひとつずつ大事な心を教えてくれます。

野菜を作り、家畜を飼う、どれをとっても愛情をもって、手をかけめんどうをみなければみのらないし自分のものにもならないことや、農業にはへたな細工や要領がきかない。まじめに消毒や肥料をくれることが大事で、素直で誠実な心を忘れてはいけないことを教えてくれます。自然の偉大な力の中で人間は生涯学びながら歩むのでしょう。

農業に生きることの喜び、自然や多くの人びとに生かされていることへの感謝を、日々の生活の中で精いっぱいむくいていきたいと思っています。

クラブ紹介

共同の力で

＝桜4Hクラブ＝

クラブ活動の活発化が、とやかく言われている現代ですが、抜群の〝さえ〟を見せているのが私達のクラブである。

その〝さえ〟はどこにあるのかこれは各個人の自覚は勿論ですがクラブ員全員が同じ目標を持ち同じ作業をする…この共同プロジェクトの影響は大きいものです。この共同プロジェクトは、クラブ設立二年目の昭和四十二年より先輩クラブ員の方々がカボチャ作りを始めたことからです。

当時としては、あまり知られていない4Hクラブというものを地域の人達に良く理解していただけたとともに、活動自体もこの共同作業に生産から販売までとしているもので、話し合いなどによる形式的なものとは異なった〝仲間作り〟というものを知ったそうです。

このように、先輩クラブ員のやってきた良さを私達も受け継ぎもっとこれを生かそうと、今年は大々的に二十五アールの野原を借り受けスイートコーン、大根を播種いたしました。

なお、作付け計画は

○スイートコーン（十五アール）　四月上旬播種—八月上旬収穫
○夏大根　六月下旬播種—八月上旬収穫
○秋大根　八月上旬播種—十一月中旬収穫

作業は、家中の仕事にあまりさしさわりがないようにほとんど朝仕事でやっています。三月二十九日の第一回作業より六月までに十数回にわたって作業が行なわれました。

今年入会した新人クラブ員などは眠い目をこすりながら、霜が降りた寒い朝はたき火をしながら、また朝露にぬれた草をむしりながら誰一人文句も言わず、朝という爽快さの中と常に笑いの中で作業をしているのです。

そして、道路沿いには郡山市の明るい町作りの運動の一環として公民館より花作りを委託されたマリーゴールド、百日草、ケイトウその他多くの草花も植えられています。

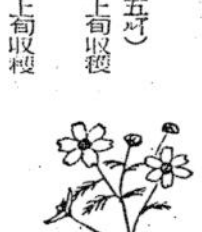

収穫を目前にひかえいっそうの作業の強化をはかるとともに、収益金を運営費に、クラブ全員揃っての研修旅行費にと大きな期待を寄せている現在です。昨年までは草が生い茂りヤブであった所に、トウモロコシが実を結び大根が収穫されきれいな花が咲いてくる時、地域の人達はどんな目でこの桜4Hクラブというものを見てくれるだろうか。

これからの農業、言わずと知れて大変なもの。しかし、私達はこれで生きて行かなくてはならないのです。共同プロジェクトの中での、言葉では言い表わせないものを今後の自分なりの農業の中に、どんな小さな形でもいい、それが生かされてくれれば……。

（福島県郡山市・桜4Hクラブ機関誌『サクラ』より）

目覚めにはいつも

—あじさいクラブ—
三月生れの女の子

何時だろう。窓のすき間から朝日がさし込みまぶしい。

もうそろそろ下の方から声がかかってくる頃だなあと思ったのも束の間、「おーいもう起らんか何時だと思っているんだ」と父独特のどなり声。

「もう起きと」と暖かみのあるフトンの中で目をこすりながらの生返事をし起きていくと、まっていたといわんばかりの父の説教で今日も私の一日が始まった。

いつだったか隣近所に聞えるから大声で呼ばないでほしいと、父にいったら、恥しいと思うなら早く起きてこいと、当り前の答えながら私にとってちょっぴり厳しい答えであった。

そっと心にいう私だっていつも早く起きようと思っているんだけど、目が覚める時はいつも声がかかる頃、それまでは夢の中で時間などわかるわけでもなし、肝心の目覚まし時計は故障ときている。それかといって父の説教で一日が始まるのも……。

父はいう、そんなことでは嫁のもらい手はない…。

（佐賀県杵島東部地区農業新経営者専門研究クラブ連協『わらすぼ』より）

自由について

自由という言葉ほど不明確なものも、そうざらにはない。それは、さまざまな意味に解釈され、使用されている。

私が過去に卒業したいくつかの学校の校歌という校歌には、必ずこの自由という言葉が織り込まれていた。そして私も高校時代には、自由のためにとか何とか夢に燃えたこともあった。自由とは決してわが身の近くにないもの、しかしいつかきっと訪れるもの、こう確信して麻薬のようにこの言葉に酔いしれたものだった。その時分の私にとって、自由とはまったくの感覚であり、現実の自分の生き方とは少しも関係のない単なる言葉にすぎなかった。だが、年を重ねてゆくうちに、私は麻薬のような力をもつ自由という言葉を失ってしまった。それどころか、自由と聞けば恐怖を感じるほどである。

そもそも自由ということは、人間にとって何を意味しているのだろうか。ある時は、動・植物のように自然の姿で生きる、言いかえれば本能的な人間をさしてこう呼ぶ。またある時は、政治的・社会的組織の中での人間と結びつけられて使用される。そして、ほんの時たま、自由ということが、人間の根本的なあり方と関連づけられ問題にされる。

大まかに分けたが、ここで私たちが真の意味で問題にしてゆかなければならないのは、最後の人間のあり方と自由の関係だと思う。

なぜなら、自然のまま生きることなら、人間でなくとも犬だってできる。また、私達は国家や社会にそむくことも従うことも自由である。人間が永遠の現在にしか生きられないことを考えあわせれば、そこには個人の生き方から出発するほかないだろう。

重要なのは、人間が意志し、行動するということだ。私たちは、私たち自信がどのような社会のもとに生活していようと、自らの意志で自らを生きぬいてゆくかぎりにおいて自由なのではないだろうか。なにものにもたよらず、自分自身の決断で、たった一つの可能性に向ってわが身を投げだしてゆく。だが、その自由な生き方の責任をわが名のもとにすべて背負いこまねばならないのである。

私はこのように生きられれば素晴しいと思うだけで、この十分の一も実行しているわけではない。自由に生きるというのはなににもまさる勇気がいるものだと思うし、またなににもまして苦痛なのではないだろうか。人間が、さまざまな秩序や主義（進歩的なものであろうとなかろうと）でわが身をがんじがらめにしがちなのは、自由から逃げて自由の苦痛を抹殺したいからだ。自由を捨てることは自己を捨てることである。自由に生きること、それは絶壁をよじのぼるようなものだ。（野）

風譚

野火

北川広夫

十一月の刈田
炎が燃える
遠い
夕闇の中で
籾殻がはじける
火の粉が飛ぶ

馬の耳は
藁小屋の隅に垂れ込め
ねそべる牛の目は見つめる
生きもののいない
野の広がり

奥深い
闇のしじま
炎が燃える
赤く空を染め
のろのろ這い
左右にゆれ
よじのぼる炎の影

たれかが
夕暮れの雨戸を閉じる
コトンと音の消えた
その窓辺のかなた
野火が燃える

野のはずれ
だれもいない農家がある
だれもいない土間がある
飢えたかまどがある
その中で炎が燃える
暗い炎が燃える
ちょろちょろ燃える

（『農民文学』百号より）

百姓という語感

山梨県　八ツ岳地区連　浅川富士夫

いつの4H新聞だったか覚えていないが、〝百姓〟という言葉について書いていた。それについて一言。

今現在百姓をしている人でおれは「百姓だ！」と、でっかい声で言える人が何人いるだろう。

世間の人間共は、百姓という言葉に暗いとか、貧しい、というようなイメージを描いているようである。百姓とは〝暗い〟または、〝貧しい〟という意味であると書いてある辞書があったらお目にかかりたいものである。残念だが、農業をしている人自らが百姓という言葉に劣等感を抱いている事実を見のがすことはできない。

収入は悪くないが、労働条件がきついということを理由に、必要以上に劣等感を抱いている。こんなことは劣等感と結びつけて考える必要は全然ない。そんなものは自分の考え方一つでどうにも直せるものである。

また、農業以外の職業を何か良いもの、美しいものと見ていることも原因の一つである。これも根拠のない馬鹿げた見かたをしているにすぎない。

百姓といわれたならば劣等感を抱く前に、それを一つのエネルギー源として働らかせることが大切である。

「百姓と自ら言うのは自分で農業を軽く見ている証拠」と書いてある。これは百姓という言葉を軽く見ている代表的な言葉である。

真剣に農業と取り組んでおれば百姓であろうが、農業であろうがどちらだっていいではないか。あまり百姓という言葉を軽視するべからずである。

減田とか転作とか、いろいろさけばれている現在の百姓は甘いものではなく、厳しい現実に直面している。

この現実の中では、農業に百姓に、自信と誇りを持って進んでいかなければならない。これらを実行することは、忍耐と不屈の精神を要求される。

百姓を職業としている皆さん、今こそ根性を発揮させるべきときではないか。

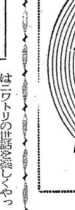

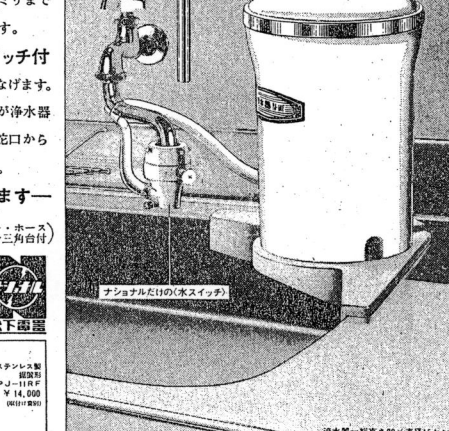

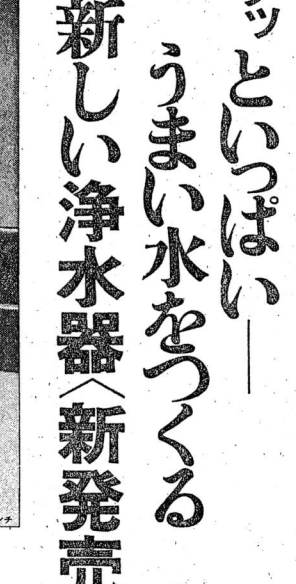

（山梨県4Hクラブ連絡協議会機関誌『てのひら』第七号より）

日本4H新聞
4Hクラブ
農事研究会
生活改善クラブ
全国広報紙

発行所
社団法人 日本4H協会
東京都市ケ谷家の光会館内
電話（269）1675郵便番号162
編集発行　玉井　光
月3回・4の日発行
定価　1部　20円
一カ年 700円（送料共）
振替口座東京 12055番

クラブ綱領

私達は、実践を通じて自らを磨くとともに、互いに力を合わせて、よりよい農村、よりよい日本を創るため、四つの信条をかかげます。一、私達は農業の改良と生活の改善に役立つ腕をみがきます。一、私達は科学的に物を考えることのできる頭の訓練をします。一、私達は誠実で友情に富む心をつちかいます。一、私達は楽しく暮し元気で働くための健康を増進します。

実践的学習の色強める

農業問題の研究も

12月8日から中央青年の家で　後期「推進会議」

全国4Hクラブ連絡協議会（会長黒沢健一君）は、さる十月二十八日から東京・新宿区市ヶ谷、家の光会館内の同協議会事務所で開いた執行部会において、来る十二月八日から五日間、静岡県御殿場市の国立中央青年の家で実施する社団法人日本4H協会（会長　宮城孝治氏）と共催の「後期・全国4Hクラブ中央推進会議」の開催要領を決め各道府県連に通知した。この推進会議は、現リーダーを対象とする前期推進会議に対して、次期リーダーを対象に4Hの本質や理念、リーダーのあり方、プロジェクトの進め方などを中心に実践的学習するもので、とくに今回は、新たに農業問題を取り入れているほか実技学習を実施することにしている。

黒沢全協会長

わが国の農業は、現在、米作の減反問題をはじめとして貿易の自由化、新都市計画法の実施、主産地形成、流通機構の改善など大きな転換期を迎え、クラブ員にも動揺をもたらしている。このため、この推進会議でも農業問題を取り上げてほしいとクラブ員からの要望が強かったことに対応したもの。「転換期の日本農業」と題して大阪府立大学、梅原正行教授の講演を予定している。

また、道府県連会長会議、女子クラブ員、男子クラブ員、4H新聞連絡報道員の各研修の時間をふやし、男子クラブ員研修では、役員の立場に立って予算を組んだり行事の組み方を行ない、また、報道員研修では実際に速報や壁新聞を作成するなど実技学習し、実践に備えることにしている。会長会議でも、対全協執行部との話し合いだけでなく、県連会長同士が討議したり、会長以外の人にも参加してもらい、組織人としての自覚を高めてもらうことにしている。

講義の講師には「4Hの本質」が4H協会の新田健吉事務局長、「プロジェクトの進め方」が北海道庁の三輪徹専門技術員を予定しているが、プロジェクトでもレコードブックに記帳するなど実技学習に重点を置いている。

このほか、社会問題からリーダーの心構えなどの意識調査を採用し、懇親会を取り止め全協活動の報告に替え、またソフトボールなどのレクリエーションをなくしキャンドルサービスだけにとどめている。

参加者は、各県とも①県連会長②県連役員と次期リーダー男女各三名③4H新聞連絡報道員一名で、参加経費は一人当り二千五百円（食事、テキスト、写真、運営の各費用を含む）

参加者は、来たる二十日までに東京都新宿区市ケ谷船河原町十一家の光会館内、全国4Hクラブ連絡協議会事務局まで申し込むことにしている。

なお、携行品は、学用品、運動靴、ねまき、雨具、健康保険証、日用品、その他研修に必要なもの（県連機関誌など）で、日程は別記の通り。

会議日程

第1日（8日）
- 11：00　入所、参加者受付け
- 13：20　開会式　オリエンテーション
- 15：30　講義「4Hクラブの本質について」
- 19：00　全協活動報告（つどい、沖縄訪問の8ミリ映写）

第2日（9日）
- 8：30　全協活動報告
- 10：00　意識調査
- 13：20　講演〔転換期の日本農業〕
- 19：00　分科会討議

第3日（10日）
- 8：30　道府県連会長会議
- 女子クラブ員研修
- 男子クラブ員研修
- 連絡報道員研修
- 19：00　全体報告会

第4日（11日）
- 8：30　道府県連会長会議
- 講義「クラブ活動について」
- 13：20　実技学習　プロジェクトの進め方と記帳の仕方。
- 19：00　キャンドルサービス

第5日（12日）
- 8：30　道府県連会長会議（総括）
- 〃　参加者傍聴
- 11：00　反省会　閉会式

その他（毎日）
- 6：30　起床　朝のつどい、朝食
- 12：00　昼　食
- 16：40　夕べのつどい、夕食、入浴
- 20：40　フリータイム、就寝

来年はハワイか

全国4Hの交歓訪問

全協執行部は、かねてハワイの4Hクラブ員との交歓を検討していたが、後期中央推進会議までにその結論を出すため、十四日から三十日にかけて黒沢会長と原田正夫事務局長が同地を訪問することになった。

まだ、同地関係者の意向を打診していないのでその可能性はわからないが、現在のところその可能性はありうるものとして受けとられている。

なお、今回の沖縄親善交歓訪問では、沖縄の技術交換大会の都合で民泊が一日少なくなった。

地域の研究活動などを討議

北陸ブロックのつどい

【石川】北陸農政局、全国農村青少年教育振興会、石川県、同県農業青少年グループ連絡協議会主催の第七回北陸ブロック農村青少年のつどいは、さる十月十九日から三日間、石川県鶴来町の県立白山青年の家で開かれた。

一日目は、開会式のあと球技大会などが催され、まず友情を深めた。二日目は、「地域における研究活動のすすめ方」をテーマに、水稲やそ菜、果樹、畜産などについて話し合い、そのあとパネル討議や講演、毛利北陸農政局長と語る会を開き、夜はキャンドルサービスで楽しんだ。最終日はバス教室で農業施設などを見学した。

中四国地方で会議

12、13日島根で　知事の出席も予定

中国四国ブロック会議（会長矢野元秀島根県農林改良青年会議連絡協議会々長）は、来る十二、十三の両日、松江市千鳥町の婦人会館で開催される。

出席者は、中四国各県連の会長ほか役員四、五名と島根県連の役員と地区連役員、それに全国4Hクラブ連絡協議会の役員など。

一日目は、午後一時から島根県知事のあいさつのあと各県連活動の報告、三時から日本4H協会の新田事務局長（常務理事）の講義を予定。続いて四時から協議し、自由交歓のあと夜は懇親会を開き相互の親睦を深める。

二日目は、午前中、松江市内を見学し正午解散する。

埼玉県で4Hのつどい

【埼玉】第二回埼玉県4Hクラブ員のつどいは、県農業研究団体連合会の主催、飯能地区4Hクラブ連絡協議会などの後援で来る六、七の両日、飯能市の市民体育館を主会場として開かれる。これには県下の4Hクラブ員約四百人が参加し、一日目は開会式のあと「青春をどう生きるか」と題してシンポジュームを行ない、夜は現地交歓訪問としてクラブ員宅に宿泊。

翌日は宮沢湖畔でハイキングを楽しんだあと別れのつどいを開きクラブ員相互の親睦を深めることにしている。

4H会館の建設に思う

4H精神の再認識を

青森県連副会長　豊　川　民　男

「日本4H会館」―それは、幾多の会合において、クラブ員（農村青少年）の間で語り問われてきたことばであり、また、非常に聞き慣れないことばであると思います。ことばというより、むしろどうしても解決せねばならない問題もしくは課題と表現した方がよいでしょう。

経過報告として、「4H会館とは一体何か」と「4H会館は本当に建つのか建たないのか」の二通りの意見が圧倒的に多いようです。前者の問は、末端クラブ員から最も多く、そして後者の問は、会館建設の意義を認識し、募金活動に協力態勢を示してくれたクラブ員からの声が強いようです。

県連執行部としては、両者の意見を尊重し、参考にしておりますが、会館建設についてPRの徹底が弱いことと、末端クラブ員の他産業への流動化が目立つ現状においては、かなり長期にわたって末端クラブ員への浸透を主軸としてクラブ員一人ひとりの理解と協力を求めるよう呼びかけなければならないと思います。

なにぶんにも、このような農業情勢の中でのクラブ活動は、種々多様に困難な問題が投げかけられややもすれば倒れがちになる時さえあります。そんな時こそ、われわれクラブ員は4H精神を尊び、再度自覚、認識し合わねばなるまいと思います。そしてそこから、4H会館建設の意義が生まれ、会館建設活動が始まるわけです。

県連執行部のみに与えられた活動としてではなく、個々に与えられた実践、プロジェクト活動として捉えてもらいたい。そして、会館建設活動の展開が、県連、地区連、単位クラブと三者合体の発展を念願するとともに、これを機会にクラブ員相互の心の"糸"が、なお一層強固になることを強く確信します。（青森県連4H会館建設担当）

青年はよく働きマス

男性　はにかみやで女性に不親切

青い目の草の根大使が語る

社団法人日本4H協会（会長　宮城孝治氏）の招きでさる六月二十日来日し、各県の受入れ農家で生活していた国際農村青年交換（IFYE）計画に基づく米国派遣4Hクラブ員（草の根大使）＝ジャネット・ランダースさん（三）とダイアン・ウイーンスさん、（三）＝の二人は、農家での生活を終えて十月二十八日夕方、東京に戻ってきた。十一月八日の滞日報告会まではフリーなので、その間を利用して再び受入れ農家を訪問することにして翌二十九日午後、新潟に向ったが、そのわずかの合い間をみて、二人にこれまでの印象などを聞いてみた。＝写真は、農家での生活を語るジャネットさん（右側）とダイアンさん

彼女たちは、もう日本語にも慣れて、自分たちの頭をさして「少しおかしいね」「クルクルパー」とゼスチャーたっぷり。やはり約半年間にわたる体験の差がみられる。

「日本の4Hクラブ員は、自分の経営にすごく意欲を燃やし、よく働く」と、まず農村青少年を高く評価する。

しかし、陽気なアメリカ人の目からは、ちょっぴりはにかみやで恥じがりやに映ったらしい。また、自分たちには大変親切にしてくれたが、女性の扱い方に親切心が欠けるように感じたと、これもレディファストの同国からみればけしからんということらしい。

二人が訪問先で指摘していた農家の耕作面積が狭い点や労働がきつかったことなどについては、土地が狭いので大型機械は使えないが、それだけに労力を注ぎ集約的な経営をしていると述べ、労働の激しさも、稲刈りなどで少々疲労したが、家族の人と一緒に働くことができ大変勉強になったと語っていた。

これまでの生活で最も強く感じたことは「小さいことかも知れないが」と前置きして「どの農家も自分たちを喜んで迎えてくれたことだ」という。ヨーロッパ方面に行った人の話では、このように歓待されなかったようで、これは大きいことだと語調を強めていた。そして、受入れ農家の人たちとの別れが最も悲しかったと心を隠さない。

エピソードや失敗談は山ほどある。その中からいくつかを拾ってみよう。

その一、クラブ員の会合で、覚えたての日本語であいさつしたまではよかったが、日本語に訳してほしいというクラブ員がいてがっくり。

その二、二つの受入れ農家で、クラブ員に向って「あの人、お兄さんのお嫁さんか」と言うのを聞いて大あわてしたという。だが、石川県で結婚式の衣装を着たのも楽しい思い出になったようだ。

その三、愛知で開かれた第七回全国4Hクラブ員のつどいでは、ゴーゴーや阿波踊りをクラブ員と一緒に踊りまくった。言葉は通じなかったが、からだで若者同志の交流が出来たように感じとったという。

このほか、受入れ農家で辞書を取ろうと手を伸ばしたとき、椅子から落ちたはずみにアゴを強打して笑われたこともあると、顔をほころばせていた。

なお二人の滞日報告会は、八日午後一時半から東京・港区新橋一の共栄火災海上保険相互会社の五階第三会議室で開催の予定。

討論や農産物展示会

5日から水戸で　茨城でクラブ大会

【茨城】茨城県と同県農業研究クラブ連絡協議会主催の第十一回県農村青少年クラブ大会は、来る五日から三日間、水戸市の県民文化センターホールと伊勢甚百貨店で開催される。

参加者は県下のクラブ員はじめ農業学園生、県立経営伝習農場生など約六百名を予定している。

一日目は午前十時から文化センターで開会式、午後から「激動する農村社会の中でわれわれ青年はどう生きがいを求めるべきか」をテーマに討論会、このあと歌とバンド演奏。三時半から伊勢甚において農産物展示会を催し、六日と七日にわたって一般市民にクラブ員の日ごろのプロジェクト活動の成果を披露、そして最終日の午後三時から同農産物の即売会を行ない、同所での閉会式を最後に幕を閉じる。

なお、これには、県の農協中央会はじめ経済農協連、信連、共済連、厚生農協連、NHK水戸放送局、農業会議、農業技術研究会などが協力している。

若妻の意識調査

【富山】富山県のOB会・県青年農業者連盟は、このほど「農村の若妻の意識調査」を実施した。

「農民大学」設置へ

福岡県連が知事と対話　特産事業などに質問

【福岡県＝松沢審孝連絡報道員発】福岡県農村青少年クラブ連絡協議会（会長　角案勇君）は、さる十月十三日「知事を囲む農村青少年の集い」を開催した。この知事との対話は数年来の念願であったがそれがやっと実現したもの。

当日は、県下各地の農村青年代表のクラブ員八十名が参加、また県からは亀井知事、農政部長、農業技術課長らの出席があり、午後一時半から二時間にわたって懇談した。

まず知事から「福岡県においては、工業の振興と同時に、七十一年は十一億四千万円の農林予算をもって、米作依存の農業から近代的な幅広い農業へと転換させようとしているが、これには若い力、若いエネルギーが不可欠なものである」と激励のことばがあり、農業後継者対策として次のように考えており、みんなのナマの声を県政に反映したいと述べた。

一、グループ活動を組織的に押し進めるに当って、その心構え、技術習得の場として農村青少年研修センターをすでに県内に三ヵ所設置したが、今後も増設する計画である。

二、近代的技術習得の場として農民大学（仮称）設置の準備を進めている。

三、経営には設備投資が必要であり、県独自の事業で後継者経営拡大資金（限度額三百万円）を設定し、本年より年利五歩を三歩五厘に引き下げ近代的農業の確立をめざす青年の利用を待っている。

このあと次のような質疑に入り活発な意見が続出した。

クラブ員の手で丹精こめて育てられたナシやミカンを頬ばりながら田んぼの土手に腰をかけて、ちょっと一服といった気楽なふんい気の中で話し合いが進められ「知事さん頑張っちゃんない、おれたちも頑張るばい！」と二時間にわたった知事との懇談会を終えた。

また、知事との懇談に先だって午前中は「理事会、女子役員会、連絡報道員会に分かれて、十二月一、二の両日福岡地区で開催される県農業青年祭（つどい）の打ち合わせ、女子研修会の反省、県連機関紙の発行準備などをした。

さらに、県政百年を記念して県が行なう第一回福岡県青年の船が十一月十七日から二十五日まで中華民国、沖縄を訪問するが、これにクラブ員も多数乗船して研修を積んでくるので、午後三時半から壮行会を催し、現地で交換する県連旗、テープ交換など行ない、団員の健康と活躍を参加者全員で祈念した。

主な質疑応答は次のとおり。

問　みかんなどの貿易の自由化に対して県独自の態度を示してほしい（浮羽地区の4Hクラブ員）

知事　農産物の自由化は、日本農業の破壊につながる要素を多く含んでおり、県としては、慎重に品目の選定などを行ない、貿易のバランスを考えて国に働きかけたい。

問　地域特産事業の継続を願いたい（八女西部のクラブ員）

農政部長　茶は八女地方に優秀な品質のものがあるので、流通問題を含めて大いに売り込みたいと考える。イ草は稲作転換の重点作目として取り上げ、作業・技術開発にも国などの協力でやっていく予定である。

このほか、国有林の解放、河川敷地の利用、新都市計画法による市街化地域から他地域への移動などについての質疑や、県南部へぜひとも、青年の家あるいは宿泊施設をという要望が出された。

涼風暖風

ハウス・アンド・ホーム

私の知っている農業青年に、岩原君という二十一歳の独身者がいる。好男子でもある。岩原君は両親と共に、七㌃の耕地で小豆・菜豆・じゃがいも・てん菜・野菜など省力栽培に努力しているが、父子契約によって新たに施設園芸部門を開始するため目下その準備に取り組んでいる。

しかし、私の印象に残っているのは、彼の話しには住宅関係の用語が実に多く出てくることであった。セントラルヒーティングがどうしたとか、プリント合板がどうとか、ユニットキッチン、サーモコンクリート、ワンルームシステムなど、建築商社の人とでも話しているような錯覚をおこすほどである。

岩原君は、父子契約で二十五歳になったら経営権を譲り受けることになっているので、結婚期のことも考えた生活設計をつくり上げた。この設計には、将来、両親との半同居生活、つまり食事や団らんは一緒だが私生活は個室を確保すること、そのために二階を改造して岩原二世の「城」をつくる五年計画をまとめたわけである。現在の住宅は新築後七年の二階建四〇坪のブロック構造で、使っていない部屋が四室もあり、そのうち二階にある三室を改造しようというのだ。

二階の岩原君の「城」の青写真によるとこうである。台所・居間・寝室・応接室（やがては子供室）と、それぞれ機能に合った構造・建具、建材を使用し、一階の浴室の真上にあたる二階の六畳間を調理台所兼リビングルームに利用する。冬の暖房を考えて、寝室と居間との間の壁を一部除去して、アコーデオンカーテンにする。廊下をはさんだ二室のうちの一つを接客用に改善するが、やがては子供室に転用する。この場合、子供がさわいでも他に影響しないように防音材を芯板にした本棚兼装飾棚を作る。

岩原君は、昭和四十九年を完成目標に、年次計画に従って実施しているが、今年は、やがての子供室で当面は応接用という一室の改造を終了した。このプロジェクトは五十三万円の経費を見込んでおり、農家生活改善資金の融資も利用している。岩原君のプランは、庭の造成三ヵ年計画、セントラルヒーティング計画、インテリアデザイン計画などにも及んでおり、まさしくハウス巨大プロジェクトの感がする。

岩原君の心にあるのは、両親と岩原君夫妻と子供たちという未来の人間らしい暮らしの念願であり、ハウス・アンド・ホームの建設である。二十一歳の独身農業青年の彼は、今日も農作業に精を出していることだろう。（北海道・三輪）

中堅青年と後継者が交流

山口で「あすを担う若人のつどい」開く

【山口】山口県農村青少年クラブ連絡協議会（会長　松尾耕助君）は、四日午後一時から防府市牟礼の山口県営農技術研修所で「あすを担う若人のつどい（中堅農家と後継者のつどい）」を開く。

今年、新しく農林業に就業した農村青年と中堅農業者とで、総合農政の課題である「地域農業発展の道を確立する」方法について話し合い、地域農業の再編成を図る足がかりにしようとするもので、新規就農青年はじめ表彰農村中堅青年、農村青少年クラブ員、林業研究グループ員、農業研究会員などの参加を予定している。

主な内容は、レクリエーション、のあと話し合い、歓迎の夕べなどを計画、翌日は同県農業振興大会に参加する。

心頭技健

総理府がこのほど発表した四十六年版青少年白書「青少年問題の現状と対策」の中で「青少年の性に関する意識調査」の報告をしている。この調査は現代の若者の実態をつかむ一つの手がかりとして行なわれたものだが、これをめぐって、大人の世界でセックスについての論議が盛んになってきているようだ▼主な項目は、性行為のおもな目的や結婚の意味、学校の授業でどんな性知識が教えられていたか、性意識は何によって高められるか、異性の友だちとの交際限度、性行為の知識をいつごろ得たか、などで、行政機関としての調査としては初めてのもの▼二回の予備調査のあと、調査員に選ばれた主婦が、全国の十五歳から二十四歳までの未婚男女五千人を対象に調査した。その結果、予想したほどではなく、「性道徳観に新しい考え方がかなりみられ、多くの青少年は、中学卒業までに性の目覚めがある」とし、性知識の早期指導が必要だと説いている▼もっとも性的刺激を受けるのは「映画」二四％「男性週刊誌」一九％「雑誌・週刊誌」一七％となっていて、性意識を高めたのは「女性週刊誌」「同性の友人」から。異性とは「手を握ったり腕を組んだり」が二〇％で「キス」九％。結婚を前提とすれば「キス」二一％「肉体交渉」九％という具合▼また学校の授業では、一四％の人が性行為や避妊・中絶、四四％の人が月経や妊娠・出産などの知識を得、性行為については小学校で七％、中学校では四七％の人が知ったという▼しかし、性意識については騒ぐほどでないとしても、性行動とかく食違うのが性のややこしいところであり、調査に当たったのも、性についてやかましいおかあさま方だったことなどからその差がどのくらいでているかは疑問のあるところであろう▼性については、現在解放せよという意見と性道徳が乱れているという議論がわかれているが、フリーセックスやポルノ映画が氾濫するなかで、どう正して育てていくか問題だ。

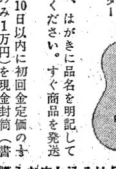

黄金に輝くパゴダ
市民の大歓迎を受ける

ビルマ

全協推せん一般団員　山本賢治

全国の4Hクラブ員のみなさんお元気ですか。私たち4H代表は全員元気で頑張っています。早いものですでに三ヵ国を訪問しました。

四番目の訪問国であるビルマには、晴天に恵まれたさる十月十二日到着した。朝六時の起床とともにデッキに上ると、周囲には広大な水田地帯が広がり、遠くにパゴダ（仏塔）を望むことができた。川の水は茶褐色を帯び、ビルマについたという実感と感激がこみあげる。

いよいよラングーンに入港。緑色のロンジー（腰布）を巻いた男女二百人の出迎えに入港式はいっそう花やかさをました。下船の前にオリエンテーションがあり、ビルマはインドシナ半島の西部を占める大きな国で、面積は日本の約二倍に近く、人口は二千三百万であるなど詳細にわたって説明があり、一路ラングーン市内へとバスで直行した。

バスは、日本製のマイクロバスで合計十七台の列。警察官などが道路に立ち並び、「青年の船」バス優先。街道では山のような市民が手を振って歓迎してくれたのが印象的だった。町には至る所に黄金色のパゴダが陽に映え、黄衣をまとった僧侶が托鉢して歩いているのが目立つ。

われわれは、そのパゴダに素足のままで参拝した。黄金の強い輝きがいまも目に焼きついている。

今日（十月十三日）は大学の訪問である。実にスケールが大きい。校内を見学したあと講堂に集まり、歓迎会が催された。若さのため会場は熱気でムンムン。若い人たちの集まりなので、異様な雰囲気の中で大成功のうちに終った。そして夕方、青年とそれぞれの国の催しや歌で楽しみ、ビルマ紹介の映画を見て十時三十分に帰船した。

十四日はバスで遠出してペグーを見学した。同所では地元の小学生たち数千人の歓迎を受け、パゴダ、ネンセカなどを見学、そのあと日本人墓地に参拝した。

「青年の船」だより　＞3＜

ビルマは一日二回食事し、米を主食に玉ネギ、魚を常用し、食物にタブーはない。古来の風習で手で食べる。

女性はエンジイと称する上衣を着て、スカートとしてロンジイーをはき、男性はシャツとロンジイーをつけ、礼装にはガウン・パウンという特殊の帽子をかぶる。住居は木造りが多く、田舎では床を地面から二〜三尺上げ床下は作業場や家畜飼育場として利用している。

ビルマ人が信仰に厚いことは驚嘆に値する。

フンドシ姿で農作業

セイロン

日本から一番遠い国セイロンを訪れた。北海道よりやや小さな国である。予定より五時間も早く着いたために、コロンボの沖合いで停泊し、十月十八日午後五時クイーン・エリザベス埠頭に接岸した。花束贈呈のあとオリエンテーションがあり、セイロンの事情など寄港地活動の説明があった。

九つの州に分れていて、人口は千三百万人で、首都コロンボの人口は六十万人という。

十九日の夜雨が降ったせいか、コロンボ市内は活気に満ちていた。町には二階建てのバスが走り、背中にコブのある牛が二頭で帳車を引いている。鉄道は日本のローカール線によく似ているが綺麗ですがすがしい町だ。

少し町はずれに行くとカラスが多く、魚市場の近いのがわかる。車はイギリス製が多く、町ではミニスカートの娘さんが手を振っていたのが印象的であった。郊外はヤシの林が続き広大な水田が目に入る。ちょうど田植えの最中で、フンドシ一つの農夫が牛を使って起耕していた。

また、貧しい家は土で作った家に住み、周囲の木には五十彡ほどもあるトカゲがいる。大きな木にはコウモリが百匹以上もいた。

バスで約五時間のところにキャンデーという地方がある。雨が降っていたせいか南国とは思えぬほどの涼しさだった。ブルーサファイアのような湖を囲むこんもりとした山の木々のたたずまいは実に美しく、一生忘れることができない所であった。二十日はコロンボ市内、二十一日には課題別コース見学とショッピングである。

セイロンは、日本に比べるとやはり大部遅れているという感じがした。脱穀機がない。それでいてトラクターを持っている農家もあり、借金を返すことができなく、資本蓄積ができない。また、米が足りないので中共から輸入し、ゴムを輸出している。

国の産業は、茶、ゴム、コプラが九割を占めているが、各国の競争が激しく問題化している。ゴムの木は植え替えの時期にきていた。コプラはヤシ油の国内消費がふえてきているので輸出できない。

農業では、合理化の考えがないようである。人口の増加率が三%で、経済成長率は二・八%（日本の人口増加率は一・五%で経済成長率は一五%）なので、問題は少なくない。

夜十一時から午前四時までは外出禁止で、出ると殺されることが多いという。青年の政治活動は今年の四月の暴動で約一万人逮捕されたため現在は静かである。

家庭は女性上位で、すごく威張っているということだが、子供を多く生むので三十歳にもなれば、年寄り同然ということである。食事は朝一時間、昼三十分で夕食が三時間という具合で、毎食カレーだという。嫁と姑の関係も厳しく若嫁の自殺の原因は殆んど姑との関係らしい。

仏教は三世紀頃入ってきて、人種は七割がシーハリ族（北インドの種族）で、優秀な民族であると聞いている。

（愛知県・蒲郡4Hクラブ）

垂水地区連が結成
七クラブが一本化

【鹿児島】さる十二日、垂水市内の七つのクラブが「垂水農村青少年クラブ連絡協議会」を結成した。

会長に川畑三郎君を選び、規約などを決めた。また「肥料のほどこし方」というテーマで県土壌肥料専門技術員、永福八蔵氏の講話を聞いたあと午後からソフトボールを楽しんだ。

体力の向上と友情と
山梨県連　6、7日「4Hの集い」

【山梨】「保つ仲間、若さと情熱大地に向けて」をスローガンに、山梨県4Hクラブ連絡協議会（会長　飯島晶由君）は、青少年のための山梨県民会議、健康山梨推進県民会議、県学校農業クラブ連盟などの後援を得て、来る六、七の両日、甲府市川田町の勤労青年センター体育館と緑ヶ丘県営総合グランドで第八回目の「県4Hクラブ員の集い」を開く。

県下の4Hクラブ員のほかOB関係機関と団体の役員、農業高校生徒、農業大学校学生などの参加を予定。一日目は午後六時からセンター体育館で前夜祭、二日目は県営総合グラウンドで体育大会で全員参加による競技や地区連対抗の競技などを行ない、健全な精神と体力を養うとともに、お互いの友情を深めることにしている。

普及員さん（守備）と試合するK－I4Hクラブチーム＝佐波・伊勢崎地区連の第一回球技大会で

女性、普及員さんまじえて
初の球技大会開く
伊勢崎地区連

【群馬県＝斉藤竹代連絡報道員発】佐波・伊勢崎青少年クラブ連絡協議会（会長　高柳哲人君）は、さる九月二十九日、伊勢崎市八丈島工業団地内の市民球場で第一回目の球技大会を開いた。

クラブ員同士がお互いに連帯感を持って親睦を深めようということで開かれたもので、今回は、クラブ員（各チームとも女子二名を加えて）七チームと農業改良普及員チーム一チームが参加し、秋空の下でソフトボールの試合に若い血を燃やした。

また今回初めて優勝チームにはカップが贈られることになり、各チームの間で熱戦を展開した。その結果、豊受4Hクラブが龍塚4Hクラブチームを破り優勝を飾った。

ヘルスも磨きます
甘木・朝倉区地区連で体育大会

【福岡県＝松沢響孝連絡報道員発】近代的農業経営を営むには、まず健康な体づくりからと、甘木・朝倉地区連の体育大会がこのほど甘木市の丸山球場に甘木・朝倉地区の五つの農村青少年クラブ員百二十名が集まって盛大に開催された。

生活時間の記録を
話題はやはり結婚
八女西部地区連で「女子の集い」

【福岡】八女西部4Hクラブ連絡協議会（会長　丸山賢一君）では、さる九月二十五、二十六の両日、八女西部農村青少年研修センターで地区の女子クラブ員三十名を集めて第二回目の女子クラブ員の集いを開いた。

この集いには、全協の坂井前副会長（佐賀県）や県連の角森男会長、深山副会長ら男子十名も出席した。

第一日目は、オリエンテーション、開会式のあと、まずお互いに親睦を深め、この集いを楽しく過ごそうと、自己紹介などを織りこんだ自由交歓会を行ない、なごやかなふん囲気になったところで、県の改良課の渡辺瑛子講師による「気品ある女性とは」と題する講演を聞いた。その講演によると、気品ある女性の三要素とは①家庭の管理能力②商品の知識・管理能力③時代に対応する能力、ということであった。

ひき続き映写会が行なわれ「結婚の日のために」「主婦と生活時間」というフィルムを見て、夕食後には、それについての分科会がもたれた。クラブ員も毎日の忙しい生活時間を記録して、それにより何らかの改善策をみいださねばと生活時間のルーズさをしきりに反省していた。

夜は、ギターを囲んで歌をうたったり、ゲームや社交ダンスをやったりした。それから宿泊のために、全員が近くの名湯として名高い蒲原温泉に移動し、そこで腕相撲大会を開いた。男性に挑戦する女性も出るなど、女性の強さに男性もびっくり。そのあとは、みんな自由に寝ころんだりして、恋愛問題やクラブ活動の問題などを夜遅くまで語りあっていた。

二日目は五時半に起床。あいにくの雨にたたられ、予定していた奉仕作業はとりやめて、坂井全協前副会長に4H活動について体験をまじえ、話してもらった。その内容は「現在、われわれがやっていることは2Hにすぎない。4Hにする努力をしよう」というものであったが、それにはクラブ員一人ひとり深く反省させられたようであった。

ひき続いて若妻会の人を迎え意見交換会を行なった。嫁と姑の関係、嫁としての心構えなど実際農家に嫁ついだ人たちの話とあって女子クラブ員も活発に質問していた。途中で休憩時間となったが、それをも惜しんで討論するという熱の入れようであった。若妻会の先輩から貴重なアドバイスや意見を聞き、ある女子クラブ員は「私たちは甘い夢、あこがれだけで結婚を考えていたが、結婚についてのむずかしさやきびしさをよく理解することができた。また、そのような生活のなかにある楽しさは私たちを本当にひきつける」と真剣な面持で語っていた。

この集いは親睦を深めることに重点をおいていたためにレクリエーションが多かったが、それに対しての批判もあった。しかし、結果的には「参加してよかった」という意見が大部分をしめ、来年はよりよいものにしようと運営委員一同は意欲をもやしている。

山も色気？づく
宮城県・入間田4Hクラブ　想い出の地へ旅

【宮城県＝佐藤賢一連絡報道員発】入間田4Hクラブでは、毎年恒例行事として紅葉狩りを行なっているが、今年も紅葉の日光方面へ旅行した。

当クラブでは、この催しを始めてから今年で四年目になるが、いままでは東北の観光地を見てまわっていたため、南の方面へ訪れたのはこれが初めてである。

一時は二十数名の大家族だった当クラブも、現在は十二名と半数以下にクラブ員が減り、大きな行事を実施するのは困難になってきた。昨年までは、単位クラブだけでマイクロバスを貸切って出かけたが、今年はそれができなくなった。そこで、町内のクラブ員数人に参加を呼びかけ、実施の運びとなったもの。

さる十月十八日午後九時に一行十九名は、マイクロバスで入間田中央集会所を後にし、一路日光に向って出発、今市市まで行き、車中で一泊。

翌朝、日光街道を前進し、雄大な杉並木をくぐりぬけて日光に到着した。この日は東照宮をゆっくりと見物し、奥日光まで足をのばした。クラブ員たちは、何年か前に中学校の修学旅行で当地を訪れた時のことを想いおこし、めいめいしきりに懐かしんでいた。

再び県道を北上し福島へユータウン、五十里湖のすぐ近くの川治温泉に宿をとった。クラブ員たちの紅葉の旅は最高潮。日頃の農作業も忘れてくつろいでいた。

翌日は、会津若松へ。谷間から眺める紅葉は格別の美しさであった。あるクラブ員が「何んて俺たちの山と色が違うんだべや」と驚きの声をもらすと、ほかのクラブ員は「そりゃー お前、俺たちんの山より熟して色気が出てきたんだべや」と答え、車中を笑いの渦にまきこんだ。

やがて、バスは鶴ヶ城へ到着。城内をひとめぐりして、ゴールドラインへ向った。

桧原湖では、ボートに乗って磐梯山を裏から眺め、それから吾妻スカイラインへ。中腹あたりから霧がかかり、頂上につくころはドシャ降りの雨になってしまい、クラブ員を残念がらせた。

しかし、福島市に到着するころには、すっかり晴れあがり、夕焼けの映えるなか、国道四号線を北上し、懐の木の故郷、柴田の街へ全員無事帰着した。

畦道

やぶにらみ眼球譚

眼の表情はなぜ生れてくるのだろう。人の顔に、〝顔つき〟というものがあるように、眼には〝眼つき〟という眼の表情がある。

人は、だいたい生れてから幼児のころまでは、湖のようなというか、星のようなというか、とにかく澄んだ美しい眼をしている。生れつき陰険な眼つきをした赤ちゃんなどというのは、あまり聞いたことがない——。

しかし、それが十五・六歳の頃になると、様々な〝眼つき〟を持つようになる。細眼。ギョロ眼。トロンとした眼。陰悪な眼。飢えた眼。夢みる眼。……そして、人によっては「蛇のような眼つき」になったり、また「深い海のよう眼」を持ったりする。そして、その人の〝眼つき〟が、その人の性格そのものとしても語られてくる。

〝眼つき〟・〝眼の表情〟。言いかえれば〝眼相〟は、なぜこのように生れてくるのだろう。

眼そのものの物理的な型の良さなどはこの〝眼つき〟にはさほど関係ないと思うのだ。また、澄んだ眼つきになろうと、毎日、眼薬をさしてみても、やはりあまり関係なさそうだ。

話はとぶが、僕がぞっこん惚れこんで深く読む本の筆者は、だいたい〝いい眼つき〟をしている。詩人でも哲学者でもそうだが、その人の〝眼つき〟が自分の気に入らないと、もうだめだ。やはり〝深くしずんだ眼〟をしていないといけない。要するに〝面食い〟ではなく〝眼食い〟なのだ。

だが僕は、人間的はまだ無内容な子供の〈眼〉がどうしてあんなに美しいのかわからない。ほんとは人間的な深さが〈眼〉の深さとして表われてくると思っていたのだ。だけど、マリリンモンローもいい〈眼〉をしているし、高倉健もいい〈眼〉をしている。こうなると、眼つき眼の表情には、教養なんて関係ないのかしら。しかし……原則としては〈眼〉が人間的な〈眼〉に育っていくのは、社会的な関係に〈眼〉が洗われていくに従って人間の眼になっていくのだと思うのだけれど……。（土）

久野君　前全協会長　華燭の典

全国4Hクラブ連絡協議会の前年度会長、久野知英君（二二）愛知県西加茂郡三好村大字莇生＝は、かねて婚約中であった柴田よし江さん（二二）と来る二十日午前十時から豊田市市民センターで結婚式を挙げ、新生活へゴールインすることになった。

久野君は、愛知県4Hクラブ連絡協議会の会長から全協の代表評議員となり、その後事務局次長、事務局長、会長として活躍、現在も全協の常任委員、日本4H会館特別委員会の委員として全協活動に力を注いでいる。また、地元愛知県では、同志とともに今夏、OB会を結成し、今後も4Hクラブ活動を全面的にバックアップしていくことにしている。

青春を4H活動に捧げたわけであるが、それだけに4H活動や組織活動についての知識、体験も豊富で、知人も多く人望も厚い。

結婚式は、初め十一月二十五日に予定していたが、今回の沖縄親善交歓訪問に参加してほしいという全協執行部の強い要望で二十日にくり上げ、新婚旅行としてよし江さんと共に同訪問に加わることになった。

こんなことをしています
各種農業団体

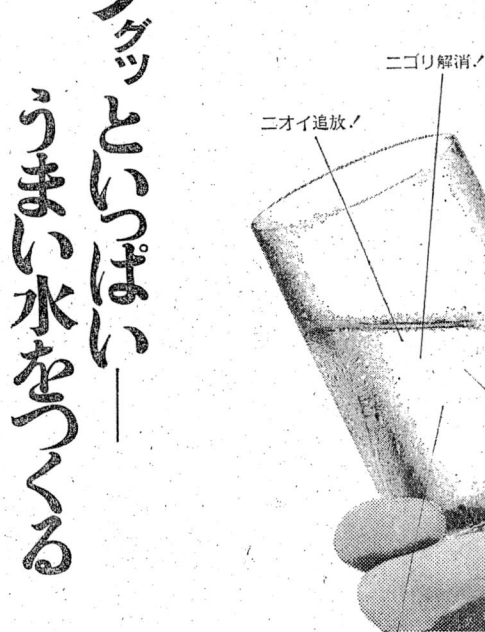

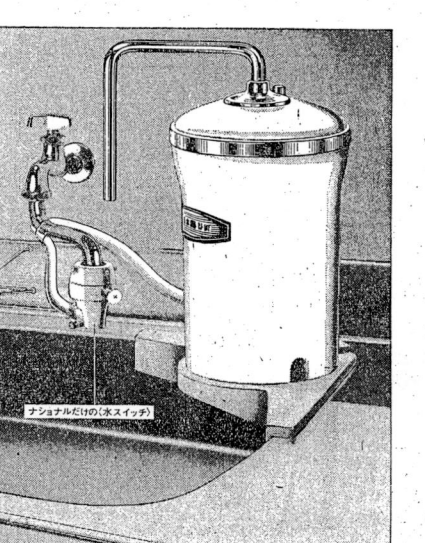

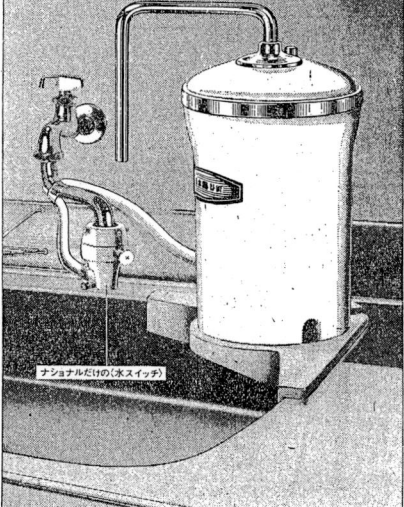

全国的に推進体制
総合三ヵ年計画推進現地研究会　農協合併計画も
全国農業協同組合中央会

全国農協中央会は、九月上旬から中旬にかけて、六つのブロック別に「総合三ヵ年計画推進現地研究会」を開いて、単協の実態についての共同研究を中心に各県での推進状況についての話合いを行ないました。

「総合三ヵ年計画」は昨年の全国農協大会で決議されたもので、非常に困難な情勢のなかで農協は、今こそすべての組織が本来の姿をしっかりとみつめ、農業の協同組合としての総合力の発揮と、自主建設路線を確立することを基本とし、当面、①農畜産物の生産販売一貫体制の確立②生活活動の拡充強化③物的流通体制の確立④信用・共済機能の強化⑤組織・経営の充実強化⑥自主監査体制の確立⑦教育・広報活動の積極的展開の七つの柱にそった組合の運営計画を樹立することにしたものです。

現地研究会で交換された意見によると、「総合三ヵ年計画」を推進するため、殆んどの県が組織のなかでの体制を確立しております。具体的にその内容をみますと、新たに総合三ヵ年計画推進委員会を発足させた府県三十三、既存の農業基本構想推進委員会、長期計画委員会などが推進に当っているというものです。委員は殆んど農協、県連合会の代表者によって構成されております。

「総合三ヵ年計画」の樹立状況についてみますと、九月現在で四十二道府県が策定しております。しかし、その内容について分析してみますとかなりの差異がみられます。その一つは計画の性格が、これまで進めてきた長期計画や農業基本構想の延長線上で整備している県と、新たな構想のもとで取組んでいる県に大別されます。第二は、計画の性格で、計画事項を成文上で調整し、数量上の調整はそれぞれ事業主体に委ねているところと、成文上だけでなく、計画数量についても十分調整されているところとあります。第三は計画実施期間で、四十六年〜四十八年の三ヵ年計画と、四十七年〜四十九年の三ヵ年をとっているもの、計画期間を三ヵ年でなく五ヵ年としているものという相異があります。

計画の内容についてみますと全国大会で決定した七つの柱によって計画されている県が大部分でありますが、とくに農協合併を重点的に計画内容をかためている県があることが注目されます。

（教育広報課）

冠婚葬祭の作法を
『家の光』新年別冊付録「人に好かれるおつきあいとマナー」
家の光協会

秋は結婚式のシーズンですね。クラブ員のみなさん方のなかにも、しあわせなカップルが多数誕生されたことでしょう。また、みなさんのなかには、お友だちから、披露宴のご招待をうけている方も、おありのことと思いますが、披露宴に出席するときのマナーは、大丈夫ですか。スピーチについても自信がおありでしょうか。

披露宴に着ていっては失礼にあたる服装や、ご挨拶のなかで使ってはいけない言葉など、いろいろあります。

若い人たちは、これら冠婚葬祭の作法を、とかく、にがてなものとして敬遠しがちなようです。しかし、〝古いしきたり〟だからといって、おつきあいの礼儀作法を無視するわけにはいきませんね。

もっとも、いろいろなおつきあいの作法のなかには、形骸化してしまったものも、多くあるようですし、そういったものについては、やはり、これからの時代にマッチしたものに改めていかなくてはならないと思います。

若い人たちによい意味の〝日本人としてのしきたり〟を……現代の新しい人間関係は……？

そうした、おつきあい上の諸問題を解決するため『家の光』新年号には「人に好かれるおつきあいとマナー」という別冊付録がつきます。

冠婚葬祭の作法にはもちろん、現代人として心得ておきたい日常生活のマナーなどでいっぱいです。また、とかくおろそかにされがちな、社会人としてのマナーや、じょうずな挨拶と話し方、手紙や挨拶状の書き方など新しいおつきあいの案内書です。

クラブ員のみなさん方には、ぜひ一冊お備えいただきたいと思います。

ぜひ『家の光』十二月号にひきつづいて、「人に好かれるおつきあいとマナー」が付録につく新年号をお読みください。

〈主な内容〉
- ○結婚式・披露宴に招待されたとき
- ○葬儀・法事などに参列するとき
- ○お祝いごとお見舞いのマナー
- ○贈り物とお返し・新しいアイデア集
- ○婚礼前後のしきたりと手順
- ○不幸のときのしきたりと手続き
- ○社会生活で守るべきエチケット
- ○じょうずな挨拶と話し方
- ○日常の手紙・挨拶状の常識と文例

（計画課）

わかり易いプロジェクトの取り組み方 ■2■

滋賀県・専門技術員　塚本賢次

"やる気"が原動力
技術と経営の総合学習

前号では、プロジェクトの一般知識、プロジェクトの四段階、それとプロジェクトの特性について述べたわけだが、今回はプロジェクトの性質をよりよく知るため、どんな要素をそなえたものを4Hクラブのプロジェクトというのかを考察し、それを項目別に整理してみよう。

①クラブ員中心の学習および仕事であること。

プロジェクト法は、クラブ員自らの「やってみよう」という気持をもとにしている。だから「家では何々の実習をしなさい」と宿題式にわりあてられたものとは違っている。自ら問題解決のために奔走し、苦心して計画をたててやる仕組の学習であり、仕事でなければならない筈である。いいかえれば、実施者の独立した活動であること、クラブ員自身のものであること―ということができよう。

②技術と経営の総合学習であること。

今日私達は、プロジェクトという用語をそのまま用いているが、強いて訳した場合「計画事業（活動）」と訳すと最もよく意味がわかるように思われる。

すなわち、クラブ員が行なうプロジェクトは、計画的にある期間継続して実行する活動であって、単なる一技術とか、一仕事とかいったような断片的で一時的なものではなく、もっと総合的、継続的なものである。例えば、ニワトリの育雛をはじめるとする。育雛箱を作ったり、保温管理、給餌管理に力を注いだり……。日々の管理が総合されてはじめて完全な育雛になるわけであり、また育雛の良し悪しが何らかのかたちで家の農業経営に影響し、育雛を上手にやることによって、今までの農業経営から一歩前進するはずである。

「育雛」ということが、ある明確な目的に向って、適確な目標を設定し、科学的な計画と方法により運んでゆく場合において、はじめてプロジェクトとなりうるのである。そして、育雛することは、プロジェクトのなかの仕事（単位作業）とみなしてよいだろう。

③実際的にはっきりした目的をもっていること。

私達の生活にすぐ役立つことをねらいとしたものでなければならない。単なるまねごと（例えば子供の模型づくり）思いつき、出来心のようにちょっと始めてみて、すぐほかのことに気移りするようなもの（子供のママゴトを考えてみよう）はいくら自発的なものだからといってもプロジェクトとはいえない。

「これをやりとげなくては困るんだ」といった必要に迫られてやる仕事は、やろうとすることがはっきりしていて、長つづきするものである。このように目的意識がはっきりしていることがきわめて大切である。

④現実の生活の中における問題を解決する実際活動であること。

「私達はどうしたら私達の健康を保持できるのか」「水はどのように大切か」といった問題を明らかにしてゆくことは、もちろん、私達の実生活に関係深い生活上の問題であるが、それをただ理屈上で知的に「こうすればよい」「これが原因でこう改めればよい」ということで結論がつけられたとしよう（これは社会科の学習などに多い）。こういう「考え」のうえだけで問題を解決してゆく方法を問題法（プロブレム）という。

これに対し、プロジェクト法では、馬鈴薯を作ろうとか、花を作ろうとか、または献立を工夫しようといったような実際の生活について、実際に自分で計画したり実行したりする仕事でなければならない。

プロブレムはHead（頭）とpaper（紙）で解決してゆくが、プロジェクト法は、HeadとPaperのほかにHand（腕）がはいり、むしろそれを中心とした活動である。

⑤その完成のためには、「物的材料」と「身体的作業」とがともなう活動であること。

プロジェクトは、[illegible]に「物」を用いる（プロブレムと対照してみよう）。また「身体的活動」をともなう（これが重点になる場合が少くない）ものである。

⑥原則として、「四つの解決段階」と、これを一貫する「記録活動」を伴っていること。

家庭や村の農業や生活について両親たちと違ったやり方を見つけだし、それを思いきって自分達の力でやってみるため、第一段階で「はっきりとした目的を決め」、第二段階では「めんみつな計画をたて」、そして第三段階においては「その計画にもとずいて確実に実践する」ことである。最後の第四段階では「それらの結果をあらゆる角度から反省評価する」ことであるとともにこの四段階のすべてを、確実に記録してゆくことも である。

4Hのプロジェクトは以上のようなものでなければならないと思う。また、次回はプロジェクト課題のきめ方などを総合的な視点から検討してみることにしよう。

女性でも手軽に操作
刈取機を利用した動力運搬車
シーズンオフの利用を

栃木県小山市・若鮎4Hクラブ　山口香代子

プロジェクトと経営

私の家には最初に購入した、遊星式刈取機があった。現在はコンバインで刈取りを行なうので囲い刈り以外にはあまり使わない。

だから、そのあいているときを何か他の仕事に利用できないものかと思う。

また、私の家では養蚕を行なっており桑園がある。この桑園のわら敷きをする時に、今までテイラーではうね間が狭くて入れなかった。だから、人手または一輪車による方法しかなかった。しかし、一輪車といってもあまり荷重をかけ過ぎたり、地ばんの悪い所ではとても重労働になる。

動力運搬車の制作課程

そこで思いついたのが、中古になった遊星式刈取機の動力を利用して、一輪車と結びつけて運んだら、とてもらくになるのではないかと思い、女子でも手軽に操作できる動力運搬車に改造することにした。

運搬車の幅については、できるだけせまい所まで入れ、安定性なども考えて、またせま過ぎて機械が入らなくてはこまるので、機械の広い部分、つまりハンドルの幅と同じような長さにした。

長さはあまり短かくても、もったいないし、といってもあまり長すぎても狭い所を曲がるのに骨がおれてしまいます。だから、前後のバランスを考えて、車輪が中心になるように、ハンドルまでの位置と作業機までの長さを考えた。

高さについてはできる限り低いのがよいと思うが、取付部の位置、また前輪の大きさによる取付位置については、作業機に荷をのせた場合、安定をよくするために、できるだけ前部の方につけた方がよいと思った。

しかし、あまり前部につけても作業機の長さとの関係で回転半径が大きくなってしまう。また、車輪を前部につけることによって作業機より長く、補助の折りたたみ式台をつけることにより、かさばるものも運べる。

前輪車については、なぜこの車輪にしたかというと、あまり径を小さくすると、デコボコの大きい時に低い所に入るとでるのに困難であるから、また大きいと重心が高くなり安定性がなくなる。

そのため、私は一般に市販され簡単に手に入る一輪車の車輪を使用した。このようなことを考え、設計図を兄と協力して書き、町の鉄工所で作りました。

大きさはうね間の具合と先に述べたようなことも考えて、幅七十㌢、長さ百㌢、車高四十七㌢にして製作にかかった。取付部については、刈取機の取付ボルトをそのまま利用した。また、最初前輪を固定したが、これではサイドクラッチを切っても、自由に動きが無いため、小回りができないことがわかった。そこで、家にあった中古の自動脱穀機の主軸の古であるベアリングとシャフトを使用した。その結果、重量のある物を乗せても、サイドクラッチにより小回りがらくに出来るようになった。

実用性においては、現在使用している桑園内わら運搬、蚕に与えた桑枝、堆肥を運搬するときにテイラーでは入れないために、この運搬車に補助車輪を付けて入れると、たいていの水田では動く。堆肥ならテイラー一台分を四～五回で運ぶ。また、バックもできる。動力使用のために急坂道などもだいじょうぶである。杉苗運び、稲たば運びなどちょっとした運搬も可能である。

このほか、テイラーの入れない所での使用は限りない。費用としては、鉄工料加工賃五千円、前輪は一輪車ので千三百円で新品にした。

反省及び評価

一、大きさ、型をかえることにより使用目的は無限である。

二、特に重荷物運搬に最適である。

三、かなり重量のある物については単体に補強パイプを入れるとよい。

四、遊星式を持っていた人が、出してもったいなかったと言っていた。

今後の改善点

一、できれば車高を十㌢に下げる。

二、囲りにワクを付けることにより細かい物を多量に運べる。この場合三方開きにする。

三、前輪を二個にし、より以上の安定をはかる。この場合車輪間かくを六十㌢にすると作物内の運搬可能。この作業機を利用して、動力による科学肥料（化成）の散布。

これに限らず、旧式な機械を創意工夫して、今まで以上に合理的に使用してみたいと思う。

茶園に情熱を注ぐ

静岡県榛原町勝間　桜井賢一郎

私の家の経営規模ですが、労働力は家族による三人で、年間臨時雇用は約三十人です。土地は田が八十㌃、普通畑が二㌃、それに樹園地が一四〇㌃で合わせて二二二㌃になります。主要動力機械は耕うん機が二台です。

昭和四十五年度における私の家の農業粗収益は二百五十万円でした。これから農業経営費八十万円を差し引くと農業所得は百七十万円になります。家族労働報酬を一日一人あたりに換算してみますと、男が二千円、女が千三百円程度です。

私の家は茶園を主体に経営しています。これまで行なった主な経営改善としては、副業の繁殖豚及び肥育豚をやめたことと四十五年～四十六年度にかけて山林を四十二㌃開墾し、茶を定植したことです。

現在、私の家で直面している経営上の問題点は、茶の品種の選定と、茶の摘採時期との関係で農薬の残留毒性をどうするかということです。

また、それらの問題点をふまえたうえで、今後の経営改善計画をたてねばなりません。これからの目標と対策についてですが、第一に在来茶園を品種ものにするため改植または新植しようと思っています。そして、現在の水田を埋立てミカンを新植することです。それにともない茶園や園道を整備し、さらに新農機具を積極的に導入して農業の企業化を図ってゆくことです。

この回転のはやい社会に、一つのプロジェクトをもって努力し、力強い農業経営者として生きてゆきたい、そんな気持で毎日農業に励んでおります。

ぶどう栽培へ転換
夢は楽しい農業経営

島根県益田市農林改良青年会議　豊田政男

果樹は味・匂い・美しさがたいへん魅力的で、畜産に比べて暇も多く、また野菜作りにない雄大さがある。というようなことが、私の果樹栽培に取り組んだ動機であった。しかし、実際にやってみると、永年作物であるため、所得をうるまでに年数がかかり、高度な技術と忍耐力が必要であることがわかった。このように一長一短であるが、私は果樹作りが好きである。

私の家の経営概況は、労働能力人員が家族による二・八人で、経営耕地面積は八〇㌃（果樹園五〇㌃、水田二〇㌃、普通畑五㌃）である。果樹はぶどうであり、品種はデラウェアである。そのほか、棚下を利用して露地野菜を栽培している。

私が四十四年高校を卒業すると同時に、私の家の経営をなるべくはやく果樹栽培に切りかえる計画で、水田の交換分合を行ない、秋に後継者資金を借りた。そして、支柱作りから穴ぼり、棚張りにいたるまで、ほとんど自分の勉学と見聞したことを中心に実行して、四十五年の春植と秋植で植え付けを完了させた。現在は、露地野菜栽培の導入をしている。

まだぶどうの植え付けをしてから日が浅く、園内の野菜栽培が今のところ重点になっているので、ぶどう園の管理作業がおろそかになりやすい。薬剤散布などには、かなりの労力を要する反面、ぶどう作りには良い点もある。棚を野菜作りの資材として利用できるからである。反省しなければならない点は多くあるが、なかでも棚の資材で、捨石の工夫がたらなかった。支柱の大きさ・長さ、また亜鉛引鉄線の太さ・張り具合など、初めてであったためにあとから問題が多く出た。

将来、果物の消費はまだまだ伸びるとみられており、生産がそれに追いつけないのではないかと思う。そのために、できるだけはやく、大きな集団産地を作りあげなければならない。

私は自分の今まで勉強したことを生かし、現在行なっている自分の好きな果樹栽培に未来をかけるつもりである。ぶどう栽培などは結果年齢が長いので、今から、栽培のためにいろいろとしておかなければならない。

ぶどう栽培を五五㌃始めたばかりだが、三年毎の計画で、面積を拡大し、それとともにほかの果物も導入してゆきたい。将来の所得構成は、ぶどう六〇㌃、柿三〇㌃、桃五㌃、その他五㌃となるように計画している。またぶどうの品種については、デラウェアを中心としてベリーA、ネオマス、巨峰を導入したい。デラウェアは加温から露地栽培まで、すべて自分で行ない、他の品種は、将来の大型レジャー時代の観光農業に備えるつもりである。そのようにして生産と販売を一つの場所で行なってゆきたい。

人々が自然にかえり、果物を楽しく食べ、楽しく交流し、楽しく遊ぶ、そんな楽しみをもった農業経営をすることが私の夢である。

あんな人　こんな人
女性の考えを聞きたい

富士市4Hクラブ　勝又啓治君

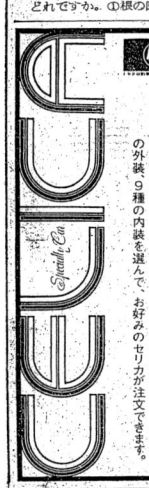

農業後継者のきわめて少ない富士市で意欲的に農業や4Hクラブ活動と取り組んでいる4Hクラブ員―勝又啓治君。

ここ数年、ヘドロ公害で全国的に知れわたった田子浦から北へ七㌔離れた富士市。沢山の製紙工場が立ち並んでいるが、ちょっと北部へ入ると、田園風景が広がる。その中で、彼は「農業ほどやりがいのある職業はない」と頑張っている。

彼の経営は、梨園三〇㌃、田畑八〇㌃、ビニールハウス千六百五十平方㍍で、冬にはレタスやカンランを栽培している。その彼は、今後の経営について「施設園芸を主体にして地域性にあった種類のもの、そして生産から販売までバラエティに富んだ経営をめざしたい」と張切っている。また、機械力を取り入れて省力化を図ることも頭の中に描いている。

四十四年に富士高北高校を卒業と同時に、4Hクラブ、農協青年部に加入し、活動歴は三年目である。同市には六クラブ、八十名の会員がいるが、同君は現在、東部地区連副会長や県連理事のポストについて活躍している。

「青春は二度訪れない。青年活動は絶対やるべきである。農業青年は余りにも職業的なウエイトが強いようだ。私たち青年は物質的な喜びに走ってはならない。青年には若さという特権がある。あらゆる職業人と接することが大切だと思う」と、青年活動について語る。

県連においての行動力は抜群で多くのクラブ員から信頼され、今後の活躍が見ものだ。

昭和二十五年生れで二十一歳。身長一八一㌢、体重七五㌔のがっちりした体格。特技は、野球で高校時代に選手、趣味も音楽、レコード鑑賞、機械いじりなど幅広い。スカイライン二〇〇〇GTを所有している。

なお、彼は、全国女子クラブ員の考え方などを知りたいと望んでいる。住所は、富士市久沢五五

NHK農事番組（11月11～20日）

テレビ

明るい農村　6・30～6・55総合

11日　話題の広場「農協シリーズ④」―都市化の中の農協
12日　村をむすぶ「農協シリーズ⑤」―町と村をむすぶ
13日　農村新地図「農協シリーズ⑥」―新しい農業の担い手
14日　明るい漁村
15日　村の記録「開発と自然保護」―群馬県片品村尾瀬
16日　きょうの話題
17日　産物往来「りんご」―仙台
18日　話題の広場「食品コンビナート」―千葉市
19日　村をむすぶ「仙台・大阪・広島・東京」
20日　農村新地図「秋田県合川町」―むのたけじ（秋田）

ラジオ

[illegible]

あなたの実力は

〈第11回　全国農村青少年技術交換大会の技術競技問題から〉❸

作　物
（専門コース）

1、❶1.13度の比重液は粳有芒種、粳無く種、糯籾のうちどれに適当な標準液ですか。❷また、この比重計の価格は幾らか次の中から選んで下さい。
①350～440円　②450～540円　③550～640円

2、燐酸が欠乏している水田の施肥設計をすることになりました。水田10a当り成分量で、10Kg、P40Kg、K10Kgを元肥として施したいのですが、下記の成分を含んでいる肥料を使って現物でそれぞれ何Kg施したらよいですか。
複合肥料（N10%、P30%、K10%）
尿　素（46%）
熔性燐肥（20%）
塩　加（60%）

3、❶2条用稚苗田植機の植付能率は、手植えの約何倍と思いますか。
❷また、1年間にどの程度以上の面積を植付けたら、手植えよりも有利な植付料になると考えますか。その下限を次の5つの中から選んで下さい（ただし手植えの植付料は10a当り1,500円程度として目安をつけること）
①約2ha　②約4ha　③約6ha　④約8ha　⑤約10ha

4、水田雑草（ヒエ、広葉雑草）を稲の生育中期に枯死させたいと思いますが、❶次の除草剤のうちどれが有効ですか。また❷10a当り使用基準量は何Kgと思いますか。
除草剤　①MO粒剤　②サターンS粒剤　③粒状水中MCP　④スエップM粒剤

5、稲の発育段階で、稲ばらみ期の減数分裂期が最も外部の影響が受け易いといわれています。この時期は出穂からみて何日位前に当りますか。

6、2haの水田耕作農家で、平均10a当り600Kg生産した場合、❶米作りによる粗収入はおおよそどれ位になると見込んだら良いでしょうか。また❷全国を平均的にみた場合の米作と所得率は何%位と考えたら良いでしょうか。

園　芸
（専門コース）

1、❶クロホシ病を防除するのに適した薬剤を次の中から選んで下さい。
①ダイアジノン　②ダコール　③サヒゾン
❷600倍の薬液300ℓ作るのに必要な薬剤量（g）は幾ら必要ですか。次のことがらを参考にして計算して下さい。
（340g、510g、620g）

2、曲り果の原因として最も関係あるものは次のうちどれですか。①根の障害　②アブラムシの被害

薬害

3、ホウレン草を作る畑の土を検定したら、PHが4.0でした。下表によってPH6.0まで矯正するのに必要な炭カル量は何gになりますか。

なお、この土壌は腐植にすこぶる富んでいるので、この表の3倍量の炭カル量を必要とします。

酸化を直すために必要な炭カル肥料の算出早見表

土壌の塩化加里浸出液 PH	10a当り10cmの層を矯正する炭カル量　希望PH 5.0	5.5	6.0	6.5
4.0	60	90	120	150
4.5	30	60	90	120
5.0	0	30	60	90
5.5	0	0	30	60
6.0	0	0	0	30

4、うまいくだもの（りんご、みかん）として重要なものを次の中から3つあげて下さい。
①果形　②大きさ　③鮮度　④堅さ　⑤貯蔵性　⑥味　⑦色沢

5、次の果実類を繁植する場合、株分け、挿木、接木法がありますが、それぞれの繁植方法に適する種類を2つずつあげて下さい。
りんご、きいちご、ぶどう、みかん、いちぢく、すぐり

6、左の農薬は、右のどの果樹病害虫に最も効果があるか、それぞれ線で結んで下さい。
①スミチオン　　A晩腐病
②スクレックス　　Bモモシンクイガ
③バルコート　　Cアカダニ
④ケルセン　　Dふらん病
⑤有機砒素剤　　E灰星病

7、左の3種類の鉢物について、最も良い水管理と思われるものを線で結んで下さい。
①ラン類　　A水は少な目に
③シャボテン　　Bたえず湿っているように
②シクラメン　　C乾燥しているように

前号の解説（正解は次号に掲載）

〔農業経営〕　（共通コース）

2、❶改善計画Ⅰ　650人
米作面積25（10a）×20人（10a当り労力）＝500人
野菜面積5×30（〃）＝150人、計650人
❷改善計画Ⅱ　1、600千円
米作面積20（10a）×50千円（10a当り労力）＝1,000千円
野菜面積10×60（〃）＝600千円、計1,600千円

3、〔C〕
農業改良資金は無利子です。

4、〔C〕
Aの場合
50千円－{(50千円×20/100)＋15千円}＝25千円
Bの場合
50－{(50×40/100)＋5}＝25千円
Cの場合
50－{(50×5/100)＋20}＝27.5千円
従ってCが手取額が最も多い。

私の4H活動の履歴書

苦しみながら進む

森山4Hクラブ　橋川澄男

前書き

私は、4Hクラブに入って三年になる。正確に言えば学生のころから首をつっこんだので三年半というところか。この年月のうちに私の考え、社会的環境は著しく変化した。その過程を前、中、後期に分けてここに記しておきます。

私のクラブ活動〈前期〉

その頃私は、自信と情熱の「かたまり」であった。水稲多収穫の夢があり、向学心に燃え実に素晴らしく理解のある先輩に恵まれ、それらの全てのものに自分を激しくぶっつけた。

こう書くと、少しオーバーであると思われるので、もう少し文字を並べてみる。

その頃私は、学校を卒業したばかりで社会というものに対する見識が殆んどなかった。何もわからないのだから、じっとしておれない。盲滅法に何かをしなければならないと思った。そこで私は、クラブでの最年少を盾にとって、言い放題、やり放題主義を恒行した。大会はもちろん、直接関係のない役員会や、飲み会にまで顔を出した。当時の激しい動きは自分でもあきれる程だった。その結果、一抹の不安を覚えながらも、社会的な使命感が生じていった。

私のクラブ活動〈中期〉

その頃、私の周囲に現実的なきびしい問題が生じ始めた。まず、クラブの方では前期の最大の目的であった仲間づくり（会員集め）の段階が一応終り、酒飲みや楽しい会合に少々飽いてきた。すなわち、4Hクラブの本質への目覚めである。しかし、具体的にはどのように活動すればよいのかわからない。私は苦しんだ。

また、我家の方では、米の過剰生産による減反と米価据置きの問題が切実となってきつつあった。そこで家族会議を催して、それらによる収入の減少を、野菜の栽培と日雇い労賃で補なおうという方針を打ち出した。

しかし、数回にわたって野菜づくりが失敗に終り、父母は野菜づくりを敬遠し始めた。残るは日雇い。私は、総合的に考えた末、半ばヤケクソで運転手になった。

だが、4Hクラブ関係当局はそういう私の生き方に頭から反対、私の不甲斐なさを激しくせめたてた。それに対して私は、口実的に「第三者の立場から4Hクラブを見直してみたい」という言を発してのがれようとした。当時の私にはそれしかなかった。

あれほど私の心を支えてくれた水稲収穫の夢が、しかもたった一年余りでくずれてしまったのだ。私は会合に参加することを避け、第三者になりきろうとし始めた。

私のクラブ活動〈後期〉

私は、運転手をやめて、ある工事現場に籍を移した。父母は将来の私の職業に不安を感じながらも確実にお金の入る現在の私に、一応安心したようだ。

私は、完全に4Hクラブとは第三者の立場になったのだ。しかし規律的にはそうであっても、やはり酒を酌み交わし、意見を戦わせた仲間との縁は断ち切れなかった。また、私も常に4Hクラブについて、いかにあるべきかを自分なりに考え続けていた。

そんな折、リーダーであったM氏や、ある仲間から「全国4Hクラブ中央推進会議」に出席するようすすめられた。当時、私は辞退した。しかし熱心な説得にあい、またしてもヤケクソで出席の命を受けてしまった。私は、苦しかった。純粋なる4Hクラブの中にあって私は土方をしておりますとどうして言えよう。でも私は決心した。この会議が私の道にどのような影響を与えてくれるか、私は期待し、試みようとした。しかし、それは私の甘さであった。結果は、増々私の4Hクラブに対する劣等意識を、強めていくばかりであった。こういう状態は、またしばらく続くのであろう。

後書き

現在、私は4Hクラブとの直接な関係を辞退しましたが、どういうわけか諫早地区連役員名簿の監事の欄に私の名前が記されています。そこまで私をみてくれるクラブ員の方々に感謝する反面、4Hクラブの本質をはずれた行為であるという矛盾の中で私はまた悩むのです。

しかし私は、例え現在農業を直接やっていなくても4Hクラブという組織の中で、私という人間が何か役に立つといわれるのなら、そしてその指標を与えてくださるのなら、私は喜んでそれに甘んじて生きてゆこうと思います。

私の農業への道が開けるまで。

（長崎県＝諫早地区農村青少年クラブ連絡協議会『あぜみち』より）

青春と仲間

第1回群馬県農業青年主張コンクール

産地から直売方式を

農産物流通改革への道

〈優秀賞〉一群馬郡群馬町足門

森田　庄市

「生産する農業から販売農業へ」これが私たちの生産直販センターが意図する目的である。われわれ農村の生産者が、都市の消費地に出て一番焼き矛盾を感じることは、農産物が消費者の手元に届くまでにいかに余分な時間がかかり不当な価格で販売されているかということである。換言すれば流通経費、中間マージンが多過ぎるということであり、このことは第一次産業である農業にとって一番重視すべき重要な課題と思われる。

最近生鮮食料品の高騰が新聞、ラジオ、テレビ等の報道機関をにぎわせているが、これら流通に関する決定的な問題解決策はまだ見いだされていないのが現状であり、これらのことは私たち生鮮食料品の生産者にとって最も身近な問題であり農村青年が結束して真剣に取り組んで行かなければならないと考える。

まずこの問題解決の糸口は現在の流通機構を認識することでありこれを解決しようとする決意と実行力が必要である。農業は個々の経営が小さいのでこれらひとりひとりの経営者が集団化し都会の消費者との間を太いパイプで結び、私たちの生産した農産物を自分たちの手で産地直売方式をとり、現存しているあらゆる中間業者を排除することにある。日本の国家政策は工業化の傾向にあると思われるが、その中において農産物は需要の価格弾性値および需要に対する所得弾性値が低下し、食料品が過剰供給の状態となり総需要量には限度があり、選択の自由を持つ消費者の目を引き、自分たちの商品、つまり農産物を販売し、その全体的生産販売所得のシェアをひろげ、量、質、サービス、価格の安価はもとより、新鮮で正しい情報網を持ち、これを通じて消費者のし好変化をすみやかにキャッチし、ダイナミックで不安定な市場価格に対抗し得る力のある者が生き残り利益を得られるのである。

このことから農業経営のあり方は集団的な活動により、正しい経済情報を指針として、生産、加工、包装などを総合した作戦を立て各部門間では資本と労働力の代替えを促進し、専門化した生産体制とその生産性の向上をはかり、計画的作付けによる大規模経営によってコスト低下を基礎として自己の所得を高めながら農業者間の経済力を強固にする。

すなわち今後の課題はいかにして大量生産から大量販売までの過程を最小経費で行ない得るか、またこれらの活動を通じ貿易の自由化、諸外国の経済下において対抗し得なければならない。したがってこの販売農業は生産者側、消費者側および社会に対する個々の利益は非常に大きく、物価の安定をならしめると同時に、都市と農村における自然および文化の交流、公害などに対する直接的な解決策をも不可能ではないと考えられる。

われわれの組織するこの生産者直販センターの派生的意義は非常に大きいものと思われ、今後の農業問題解決に寄与するものと期待している。

とある一日

中尾4Hクラブ　井手和好

これは、静岡県清水市においての、とある日についての日記である。

天気・快晴。気温・午前七時零下一・五度。起床・六時二十分頃。「ご飯にしましょうよ」と呼ばれたとたん、「はい」といいながらも眠たそうな目頭をおさえて寝床から飛び起きる。これから一日の活動が開始する訳である。

静岡といえば、すぐ「富士山」を思い出し、また「茶」それに「ミカン」も代名詞の一つとして広く全国に知られているものである。山なみはミカン園と杉林。一面緑の楽園ともいえそう。

秋の収穫期にはミカン色にそまり、あざやかな色彩に微している。そして、山間から流れ出る水もまさにきれいだ。昨今、公害で注目されている田子の浦港のヘドロとは全く問題にならない。

ミカン園の名所からは運搬用の長短異なったケーブルが設置してあり、夕方ともなれば活動を開始し、終日切り取られたみずみずしい果実が貯蔵庫を目ざしておろされる。でも、あの気味の悪い音といったら、気持がどうかなりそう。

早朝は気温が低くて、手足がしびれそうであるが、時がたつにつれ気温も上昇し、昼食時はポカポカ陽気になり、師走というのに汗ばむ程になる時もある。

昼食、十一時三十分のサイレンの合図で手弁当を広げる。自然の中にはぐくまれながらの食事は実にうまいものである。また、澄み切った日本晴れの日には、遠く見ることのできる富士山がまことにすばらしい。一日のうちでも、夕陽に映えて、ピンク色に染まっている時が最高の眺めだといえそうである。

時間の流れにつれ、ミカン色におおわれてきた木々も、一つ一つ切り取られ、最後にはまたもと通りの緑色へと一変する。その風景は、何となくわびしい気持もするし、一方「ご苦労様」と感謝したいようでもある。まさにミカンの木、一本一本が命のきずなであるといえるからである。そこに、ミカン農業は発展、躍進しているといえそうでもある。

午後四時半、一面暗やみが迫りつつ…。今日も無事に完了したという気持で心も軽く家路へと急ぐのである。（長崎市農村青少年クラブ連絡協議会『新樹』より）

少しでも考える農民に

滋賀県　深尾和子

私は農家に生れ育ちました。そして将来、農業をやるつもりです。

他の職業、サラリーマンや商業などにあまり興味を持たないのは、私の育った環境と、そして農業には夢があると思うからです。

創造する喜び、収穫の喜びがあります。自然を相手の苦しい仕事かも知れませんが、やりがいがあると思います。

でも、その農業は今、曲り角に立っています。食管法や稲作の減反など、私達にとっては深刻な問題だと思います。そして物価の値上がりなどによって私達は農業一本では生活が出来なくなってきています。この中にあってクラブ員の私達は自分達の仕事に夢を持っております。自分達で勉強しお互いに技術交換をやっております。

現代の若者がマスコミなどの派手な宣伝のために、都会へ都会へと出てゆく中で、自分達のそれぞれの道を。それは地味な仕事ですが、歩んでいるクラブ員に誇りと魅力を感じます。

近畿のつどいの時に私達若者が農協やその他の上部団体へ働きかけなければならないとか。現代社会にどう対処するかなど、私達の将来について話し合ったことはよかったと思いました。私自身、政治や経済の方は全く知りませんが、時々矛盾を感じます。

今までの農民は、あまりにも政治に無関心ではなかったでしょうか。クラブのある人は、もっとそういう方面にも明るくならなければならないと言われました。私もそうだと思います。

今、成田空港の問題で農民が抵抗している姿を見ますと、私達がもしそんな問題に直面した場合、どうするかと思うのです。農民が悪いのかどうか私にはわかりませんが、たとえ少数であっても生活をかけて戦っている人達には敬意を表したい気持です。

私達農業をする者は、私達の生活のためにも団結し、そして私達が生活をかけて戦わなければならない時、どんな風にやっていくか少しでも考える農民になりたいと思います。（滋賀県農業後継者クラブ『畦道』より）

経営の原点

日記による一追想

矢口邦生　(1)

（僕）（達）（は）

僕達は、稲作りに関する研究会を設けている。現会員は七名、少数精鋭主義だから会員の勧誘はしない。みな二十代の、農業では第一線の若者ばかりだ。

会の正式な名称は、〇〇町青年稲作経営研究会といい、稲作に関する技術の習得ばかりでなく、もっと広い視野からわれわれの経営そのものを見つめなおそうというわけである。が、われわれはここで、もっとも根本的な、かつわれわれに没個性を強いる問題に直面せざるを得ないのである。次は、研究会の機関誌のまえがきに寄せた一文である。

（経）（営）（の）（二）（字）

「……われわれの会は、研究会の前に経営の二字を負う。その意味では、この会はまっとうで、本質的で、前向きな者の集まりである。しかし、同時に、この二字を冠する代償はとても高価で、郷に入らなければ到底信じられぬほどにわれわれを圧するのである。

二十代にあるわれわれの会員の、ある者は経営の幻影に抱擁し、ある者は予算のうらづけのない作業の経営に精を出し、そしてある者は、退会しないのが不思議なほどに意識的にあらゆる経営から遠ざかっている。かくて思考のオイルがきれる。行動のギヤが狂ってくる。その結果、経営なるものの自家撞着に気づいた者は、もはや経営の二字に魅力を感じない……」

（スネ）（かじ）（り）

われわれの多くは経営権を持たない。第一線の労働者ではあるが、とりわけ経済問題に関しては、一皮むけばスネかじりにすぎないのだ。乗用車は、あくまで買ってもらうものであり、精納金も出してもらい、そして、必要に応じて小使いもらう。時おりしも減反の風の吹きすさぶ中、われわれの幾人が、今年は何粉休まそうという裁断権を持ち得るか。あるいは、転作田の作付に関する選択権を持ち得るか。あまりにも力を持たぬ（あるいは持たされぬ）後継者。これらのことを、ある会員は自嘲まじりに封建的遺物といい、徒弟制度の名ごりともいう。そして、父といい、母という名の経営者は、身近であるだけに、非人間性をも含みやすい。彼らの監視の目はわれわれの全ての私生活にも及ぶからである。

（4）（H）（の）（時）（代）

このことは、数年前に参加していた4Hの時代に問題意識の醸成があった。4Hはどちらかといえば、プロジェクトを通しての農業技術の習得にウェートがおかれるが、僕は、総花的なキライのある技術の習得は排して、もっぱら人との交流に力点をおいた。親友も得たかった。

彼らの底を流れる意識の方向を知りたかったし、そして、その4Hの時代に、若い彼ら（僕より四、五歳若い）と交わした多くの議論の中で、俺達は経営者だ、という言葉ぐらい僕を悩まし、かつ疑問に思わしめるものはなかったのだ。（反語として引き合いに出されるサラリーマンは、この場合、隷属的なものとなる）

（両）（親）（の）（好）（み）

彼らは、人に使われないと言う。休みたいときに休めるとも言う。いろいろなことができるとも言う。しかし、果たして彼ら青少年の幾人が、人に使われないですむような、自発的、経営者的資質を身につけていたであろうか。彼らに親という経営者がいる限り、恐らくはそれらのほとんどが否定さるべきものだ。時期的な農作業の消化に追われ、また、一本でもよけいにと、やってもらわなくてもいいようなヒエ抜きを、遊んでいるわけにはいかないからする彼ら。更に、冬の農閑期の労働は、ほとんどが雇われ仕事である。

たしかに、乗りたいといえば車を買ってくれたり、行きたいところへはたいていは行かせてもくれるから、親は自分に従属しているものと思う。が、それは錯覚にすぎない。若者達の要求の貫徹の裏に、多かれ少なかれ、両親の好みの同一性があるからだ。

（ロ）（ボッ）（ト）（的）（後）（継）（者）

A君よ、君が、高校か大学の通信教育を受けて、夏期のスクーリングに参加したいと言ったことがあるか。あるいは、車はいらないから、せめてその半額分たりとも、まとめて好きな本を買いたいと言ったことがあるか。僕のよく知るところのB君は、車を買わないでその分を環境の整備にあてたいと言った。でも、それはならなかったのだ。両親が（とりわけ父親が）車を欲したのだ。（ちなみに、その父親自身は免許証をもたない）この種の若者は希少価値である。

実際には、若者の多くは、彼ら自身が車をほしがる。それによって、外的な、はつらつたる行動を得ようとする。同時に親も、となりも買ったと同じものを息子に買い与えることによって、まず息子の要求を満たし、自分たちも、貧乏という、旧秩序からの意識の脱却を図ろうとする。かくて、必然的に、若者の自主的、個性的資質は次第に失われ、ロボット的後継者の一大製造基地が農村に築かれることになる。（『農民文学』百一号より）―つづく―

酪農

鹿能　美智子

家の仕事を手伝いはじめてからもう二年半にもなる。

その間、なんとも思っていなかった酪農が最近になってとてもやりがいのある職業だと思うようになった。

卒業したすぐは、いわれたとおり動いていたので、適当に仕事を済ませ、思うようにいかなければ腹をたてたりして本当につまらなかった。今は、だいたいすきなようにやっているので楽しいが、その分だけ責任を感じる。

「酪農について、色々なことが知りたい」そう思った時も、あれもやってみたいこれもやってみたいと、色々なことを頭に浮かべて考えてもきりがないので、やめたこともあった。

たまに、「デイリーマン」を見たり「農業新聞」を見ては、我家はいつになったらこんなふうになるのかと、ため息をついたこともある。

今までは思っていただけなので これからは計画を立てて少しずつ改善していきたいと思います。とにかく、我家の経営が安定するまでがんばりたい。（北海道＝厚岸町南片ム去4Hクラブ『スクラム』より）

〈病院よりホクレン行きか〉

尾幌4Hクラブ　H・E

健康に生れたため、病院に行ったことのない僕が、初めて病院通いを続けて、はや一ヵ月。

この間に、あまり体の調子が良くならないので、病院を変えてみたが、それでもだめで、またもとの病院通いを続けている。

ある人は、病院に行くより"ホクレン"（屠殺場）に行った方が良くなるとひやかすけど、まだ"ホクレン"に行くのは早いから、病院通いを続けようと思っている。

健康な時は、自分の職業を生かすために一生懸命学んだことも、今は遠い、霧の向うにあるような気がする。

人間って病気になると、こんなにも望みが薄れるものかと、つくづく思うようになりました。毎日、平凡に過ごしている時には、何も考えたことのない健康っていうことが、今つくづく考えさせられるようになりました。

人間の願いは、一に「健康」、二に「前進」、三に「努力」、この三つの願いを実現するまで頑張るつもりです。（北海道＝厚岸町4Hクラブ機関誌『雄大』より）

〈詩〉

宮城県　平間美智子

我らは若い
でっかい恋をしよう
一度好きになったら
身も心も焼えつくしてしまう程に
激しく熱く……
そして
その恋に終りが来た時
魂が抜けたみたいになったって
いいじゃないか……

原稿募集

4H新聞編集部では、現在、この四面の『青春と仲間』の原稿をみなさんから募集しています。

内容は、詩、短歌、随筆、写真、悩みや意見、村の話題、伝説、行事その他なんでも結構です。

この新聞への投稿は資格もなにもありません、クラブ員ならだれでも歓迎します。長さは自由です。

風譚

性的なるもの

今日ほど"性"の氾濫している時代はそう多くないだろう。それは、映画、雑誌、演劇などをちょっとのぞいてみただけでもうなずけることだ。風俗のうちにも日常生活のうちにも、"性"は無定形に根をおろそうとしている。

また、そのような風潮の反動として、"性"的なるものを全く否定するという近代日本の伝統的思想も、新たにその道徳的観念を強めていることも認めねばならないだろう。

かって、現代日本文学を代表する作家のひとりである大江健三郎は、しごくまじめな態度で「性的人間」なる表題をもつ小説を発表した。しかし、それは各方面から、さんざんの悪評を浴び、スキャンダルとしてしか扱われなかった。この事実は、私たちの生活している社会における"性"の概念の混沌を象徴的に物語っているのではないだろうか。

現代社会のいたるところに性的なるものがあるにもかかわらず、多くの人は、それを見て見ぬふりをしている。そして"性"という言葉そのものを秘められた恥部のようにいみ嫌う。私には、これこそワイセツな行為そのものに思えてしかたがない。大切なのは、性的現実を無視し、みせかけの潔癖性を保つことではなく、性的実体を直視し、性を思想としてまたは概念として今日の文化のうちに位置づけることである。

現在の性の混乱は、そのような社会の生んだ落し子ではないだろうか。古い道徳観を打ち破り、新しい人間観を確立する動きとして、今日、注目を集めている性解放の運動なども、社会自らの内部にその原因をはらんでいることは言うまでもあるまい。性を通しての新しい人間観の確立は現在もっとも必要なのではないだろうか。

だからといって、私は、性におぼれきっている者やただ興味本位のエロ本などを擁護しているのではない。あくまでも性を対象化した意識を問題にしているのである。性とは単なる生殖という意味ではないはずである。それが混同されるのは結婚の概念の貧弱さからである。

以来、性の問題の多くは、あいまいに結婚という不確かな形態のなかに統合され消えていった。その唯一の解答、それは子孫であった。それが社会の根本的な秩序であり、人間の本能的生存欲求であったからである。しかし、ここには性と性殖の一致しかみられないし、また、性における新しい展望もない。なぜなら、そこにおいて性は個人的欲求というかたちでしかあらわれえないからである。

チャタレー裁判やサド裁判などは、現在の社会がどのように性に関わっているかを示してくれた。それらの訳本が芸術かワイセツかは別問題としてもである。問いはそこから発せられなければならぬのかもしれない。（野）

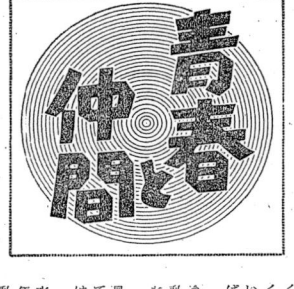

日本4H新聞
4Hクラブ 農事研究会 生活改善クラブ 全国広報紙
発行所 社団法人 日本4H協会 東京都市ケ谷家の光会館内 電話(269)1675郵便番号162 編集発行 玉井光 月3回・4の日発行 定価 1部 20円 一カ年 700円(送料共) 振替口座東京 12055番

クラブ綱領

私達は、実践を通じて自らを磨くとともに、互いに力を合わせて、よりよい農村、よりよい日本を創るため、四つの信条をかかげます。一、私達は農業の改良と生活の改善に役立つ腕をみがきます。一、私達は科学的に物を考えることのできる頭の訓練をします。一、私達は誠実で友情に富む心をつちかいます。一、私達は楽しく暮し元気で働くための健康を増進します。

農村女性はしっかり者

蛋白質が足りない
来日米国クラブ員の報告会　農家生活に関心
和服着たのも思い出に

約5ヵ月間の日本での生活体験を語るアメリカの草の根大使＝ジャネットさん（中央、金髪の人）とダイアンさん（右側）その右側は三宅日本4H協会副会長・土屋国際農友会副会長＝東京・新橋の共栄火災で

社団法人日本4H協会（会長 宮城孝治氏）では、十一月八日午後一時半から東京・港区新橋の共栄火災海上保険会社会議室において、同協会の招きでアメリカから来日していた国際農村青年交換（IFYE）計画に基づく同国派遣の4Hクラブ員（草の根大使）＝ジャネット・ランダース(二三)とダイアン・ウィーンス(二二)＝両嬢の滞日報告会を開いた。

同日は農林省生活改善課の小池氏はじめ草の根大使の受け入れに協力している全国農村青少年教育振興会の金田事務局長、神野氏、国際農友会の土屋副会長、長沢氏、アメリカ大使館の竹下氏、それに日本4H協会から三宅副会長、新田、大塚両常務理事、吉田理事、高原顧問、また、今年度、4H協会から米国に派遣された4Hクラブ員、石井万代子さんのお母さん（大分）など関係者多数が出席した。

ジャネットさんとダイアンさんは、約五ヵ月間日本に滞在して、各地をまわり、農家生活の体験や視察、またクラブの催しなどに参加したりしたが、その印象をつぎのように語った。

―日本の農業について

ダイアンさん　ムズカシイ（日本語で）。いろいろとたくさんのものを見たが、特に感じたことは土地が狭いということでした。機械ではなく、人間が働いているという印象を受けた。機械化農業のより高い段階へ移行する過程にあるように思われる。しかし、収穫が多いのでびっくりした。

ジャネットさん　新潟県で米の収穫にコンバインを使っていたのが印象的だった。日本では、米ばかり作っているような気もした。それとともに、農村の若者が新しい農業を学ぶという情熱に燃えているのも強く感じた。

―農家生活を体験したが、その衣食住については……

ジャネットさん　着物などは飾りだけでなく、日本の生活にマッチしていると思う。また、祭礼のときの着物をきたのが本当に楽しかった。

ダイアンさん　食事は米にたよりすぎている。蛋白質が少ない。

ジャネットさん　でも野菜がとても新鮮だった。アメリカではカン詰なので……。それにしても蛋白質がたりないと思う。

ダイアンさん　日本の家は夏むきのようである。冬に対して、あまり気を使ってないように感じられた。

―調理場などについては

ジャネットさん　台所に関しては、もう少し改善の余地があるように感じられた。

―農村婦人の地位に関しては

ジャネットさん　ショックだった。ある所では平等であったが、そうでない所も多かった。しかし日本の農村女性は、仕事に対し、感情だけでなく頭で認識しているので、しっかりしている。見習うべき点は多かった。

ダイアンさん　じつによく働くので頭が下がった。

―滞日中、本当に良かったと思うことはなにか

ダイアンさん　日本語ができなかったから、最初は感情的にもしっくりいかなかった。しかし、一緒に生活や労働してみて、意思や心を通じ合えた。それが一番すばらしかったことである。全部アメリカに持ち帰りたい。ホストファミリーとの別れが本当につらかった。

ジャネットさん　毎日が新しい経験でいっぱいで、自分のためになることが多かった。また姉妹のように心を通じあえる友人もできすばらしい五ヵ月間だった。

このほか二人は、4Hクラブの催しものに女性が少ない点を指摘し、女性をもっと重視した4H活動をと熱っぽく語っていた。二人とも、女性の問題に強い関心をもったようである。また、多くの農村青少年に会ってどうだったかという質問に対し、二人とも「日本の青年は、勤勉で熱意がある。キャンプや大会で、多くの4Hクラブ員と心を通じあえ、大変勉強になった」と答えていた。

"お見合い"についても、二人は「双方に断る権利あると知って安心した」などと言って、ユーモアをふりまいていた。

最後に、二人は「私たちのために、いろいろのことをしてくれてどうもありがとう。私たちは帰りたくないような心境だ。必ず、機会を見つけ、再び日本を訪れるつもりである」と感謝のあいさつ。

そのあと二人は日本語で「日本のみなさんのことは一生忘れません」と神妙な顔つきで一言付け加えた。

なお、二人は十三日午後羽田を発ち帰国する予定。

涼風暖風
身につくこと…

東名高速道路の四車線を、制限一杯で走っている。晴れ上った秋の日和、あまり快適なのでつい油断をすると、瞬間的に制限速度を越えた速度となって、一瞬ハッとする。隣りの助手席に座っている私は、速度計に目をやり、無言のブレーキをかける。

ところが、ハットしているころの車の横を、これを上廻る超スピードで、若者が乗ったスポーツカーが追い越していく。その車を目で追っていると、車間距離を保って走っているこちらの車の前に、何の挨拶もなく、横からスーッと入って来る。トンネルの中を明りもつけずに走って来るものなど、ルールをわきまえない車に出合わすたびに、つい不愉快になる。

しかし一方、急かず、あせらず、相手に迷惑をかけず、一定の速度で、いわゆるマイペースで走っている車もいくつかある。この車の運転車はどんな事態がおこっても受けて立つ余裕のある車の運転を通じて、乗っている人を想像する。そしてこの人々は安全運転のために、いくつとなくルールがあるが、これを身につけてこなし、どんな事態がおこっても常にそれを安全に受けとめて、すみやかに対処できる力と余裕の持主で、いわゆるベテランであろう。

この余裕があるようになるには、知っているだけではだめ、やったことがあるだけでもだめ、身につかなければだめなのだ。車が自分の体の一部として行動できるように運転の技術総てのことが身につくということなのである。そして、これが身についている人がベテランなのだと……しみじみ思った。

車の増加とともに交通事故が増えている。知っているだけで、やったことがあるだけでベテランの格構をするから問題がおこるのではないだろうか、ベテランになるには、身につけねばならない。身につけるには、ルールを守り、繰りかえし繰りかえし無意識の内に行動がおこせるように身をもって体得すること、つまり体で覚えることであろう。体で覚える。ことはそう簡単にはいかない。くりかえし、くりかえし、時間をかけて体が自然にそうなるようになることだと。

ドライヴしつつ思ったことであるが、何事によらず、体で覚えることのむづかしさとその努力の大切さを、あらためて考えなおした。とかく最近は、頭だけで、口だけで処理され、体で覚えることが軽んじられていないだろうか。よりよい毎日の暮しをするためにも体で覚え身につけなければならないことが沢山あると思った。（T）

流通問題も討議
福岡県連、来月初旬に「つどい」

【福岡】福岡県農村青少年クラブ連絡協議会（会長 角紫明君）と福岡ブロック農村青少年クラブ連絡協議会の主催、県、福岡市、県農協中央会など後援の「第四回県農村青少年クラブ員のつどい（農業青年祭）」が、来る十二月一、二の両日、福岡市民会館と福岡地区一円で開催される。

参加者は県下のクラブ員、OBとその家族、農村青少年育成指導者などを予定している。

主な内容は、意見発表、記念講演、現地交歓訪問、パネル討議、農産物展示即売会、アトラクションなどで、意見発表では①わたしの選んだ道②わたしとクラブ活動③わたしの青春④青年として訴えたいこと⑤農政と私⑥村に生きる――というテーマで県下各地区から一名ずつ発表者を募集した。

記念講演は「青春の生き方とクラブ活動」と題して若い根っ子の会の加藤日出男会長を予定、現地交歓訪問ではクラブ員宅に泊って生活を体験、農業研修とともに家族との話し合いなどによって交流を深め、仲間づくりの推進と家族ぐるみのクラブ活動を実践する。

パネル討議は「これからの農業と農産物の流通」というテーマでパネラーには生産者側のクラブ員・OBと消費者、流通関係者（青果市場）、農協関係者など六名を予定。農産物の展示即売会では、消費者の声も聞き、売れ残った場合には施設に寄付し、4Hの一つであるハート（友情、奉仕の精神）をつちかい広く社会に4HをPRすることにしている。女子クラブ員はプロジェクトの手芸などを別にワクを作って展示し審査する。

一日目は、午後一時から意見発表、二時から記念講演、このあと現地訪問に出発。二日目は午前十時からパネル討議、午後はクラブ員の出しもの、郷土芸能、ブラスバンドなどのアトラクションで過ごし三時半に閉会式。

なお、関連事業として、つどいのスローガンや県連バッジのデザインを県下のクラブ員から募集した。

「4H号」沖縄へ飛ぶ
いよいよ出発

全国のクラブ員とOB百十九名を乗せた「4H号」沖縄へ飛ぶ――第三回の全国4Hクラブ沖縄親善交歓訪問団員百十九名は、いよいよ来る二十二日午後十二時二十分、大阪国際空港発のチャーター機（日航機・ボーイング727）で沖縄へ向けて出発する。

この訪問は、全国4Hクラブ連絡協議会の一員である全沖縄4Hクラブ連絡協議会加盟のクラブ員が諸事情によって本土訪問の機会がなく、全協の研修会や大会などの行事に殆んど参加できない状態にあるため、本土から訪問し交流を深めるとともに沖縄農業の実情を知り、手を取り合って日本農業と4Hクラブの健全な発展をめざそうというもの。

全協の呼びかけによって第一回は二十三名、昨年は約六十名が参加したが、同県への訪問が最後になるものと予想される今回は、飛行機一機をチャーター、百十九名という大訪問団となった。申し込みが遅れて参加できない県連が出たものの、参加県数は二十七都道府県に及んでおり、各県別の参加人数は次のとおりである。

北海道三、青森五、宮城二、山形二、福島三、栃木七、群馬一、埼玉二十、千葉一、東京三、神奈川二、長野五、静岡十三、新潟三、富山五、愛知十一、三重二、大阪三、鳥取一、岡山一、広島二、山口二、高知四、福岡三、長崎三、熊本一、OB三（茨城一、愛知二）、全協執行部七（北海道、栃木、埼玉、静岡、長野、大阪、山口各一名）

なお、沖縄では全沖縄技術交換大会に参加するほか沖縄クラブ員宅に宿泊して現地交歓訪問、農業事情と南部戦跡の視察などを行ない、二十七日に帰り翌二十八日に解散する。また、二十一日の事前研修会は、大阪の松下電器の研修所で行なうことになっている。

チャーミングな女性に
尼さんなど招き
12月18日から営農研修館で　鳥取県連で女子研修会

【鳥取県＝西谷光典連絡報道員発】女子研修が全国各地でいまたけなわであるが、鳥取県農村青年会議連絡協議会（会長 山本哲嗣君）でも、来る十二月十八日から二泊三日の日程で東伯郡関金町、県立農業経営大学校内の営農研修館を会場として同研修会を開く。

この女子研修会は、昨年、クラブ員の強い要望によってもたれ大成功したもので、今年は二回目。とくに今回は昨年とは違った角度から勉強しようと、農村女性の最も欲求するものとして「チャーミングな農村女性を」というテーマで行なうことにした。

講師には県内の尼寺の住職と産婦人科の医師、先輩に聞くではムコ取りとヨメ取りのそれぞれ正反対の立場にある夫婦を招くことにしているが、立派な農村女性を目ざすクラブ員にとってはなかなか興味ある研修会になるものと期待される。

また参加者も、クラブ員だけではなく農業に従事する二十五歳以下の女性（既、未婚を問わない）や、現在農業に従事していなくとも農業に興味をもっている人、農業をやりたいと思っている女性なら誰れでも参加できるようにと幅広い層の人たちを予定、さらにこの研修の成果が県内の人たちだけにとどまらないようにと県外の女子クラブ員にも参加を呼びかけている。

参加経費は、一人当り千百円で、参加希望者は左記まで申し込むことにしている。

十二月十七日まで、東伯郡東伯町浦安、吉田千恵宅　十八～二十日　東伯郡関金町大鳥居　県営農研修館。

なお、日程は次のとおり。

一日目（十二月十八日）午前十一時三十分＝受付け、十二時三十分＝開会式、午後一時＝講演（尼さん）、三時＝着物の着付け、メークアップ五時＝夕食、入浴、六時＝海外派遣報告（日本4H協会派遣の台湾訪問クラブ員・入江志津子さん、青年の船一般団員・古賀祥子さん）、八時＝自己紹介、レクリエーション

二日目（十九日）午前七時＝朝のつどい、朝食、八時三十分＝調理実習（菓子の作り方、ティーパーティのもち方）、十二時三十分＝先輩に聞く（若夫婦二組）午後二時三十分＝分科会（主婦のあり方）、四時三十分＝バレーボール六時＝夕食、入浴、七時講演（産婦人科医）九時＝自由交歓

三日目（二十日）午前六時三十分＝朝のつどい、朝食、八時＝ペーパーフラワーの作り方（クラブ員が指導）十時＝全体会議、十一時＝閉会式

作業衣や美容学ぶ
愛知県連の女子教養講座　豊かで明るい農村へ

【愛知県＝国松芳香連絡報道員発】愛知県4Hクラブ連絡協議会（会長 鳥居久雄君）は、さる十月二十七日、名古屋市の中部電力ショールーム集会室で県下の女子クラブ員二十七名の参加のもとに第二回の女子教養講座を開いた。

午前十時からカネボウ化粧品の関係者から「日常生活と美容」について講義してもらった。美容は豊かで健康的な明るい農村づくりの第一歩であるというもので、このあとクラブ員がモデルとなって美容講習した。ユーモアに富み、笑いのたえないひとときであった。

午後一時からは部門別にグループをつくり、日ごろ着用している農作業衣について検討した。この結果、作業に応じた着易く明るいイメージのものと若さがポイントであると強調され、その改善を心がけようとまとめられた。

ひき続いて、最後のしめくくりとして県の奥田専門技術員に話してもらった。作業にあったもの、その仕事の特徴をつかむことが大切だと指摘、まだまだ奥深く勉強してほしいと望まれた。

自分たちは若く、何事もやれば出来る時代にあるので、この講座で学んだことを、現実に行動へ移すことが期待されよう。

すさまじい　安くて新鮮な野菜に押しかけた主婦でごったがえし、嬉しい悲鳴をあげる名取地区連の農産物即売会

安い野菜に黒山の人
名取市地区連の農作物即売会
消費者と結びつく

【宮城県＝山口実連絡報道員発】日ごろ物価高に悩む都市婦人に、自分たちがプロジェクトの一環として研究した新鮮な青果物を格安に分けようと、名取市農村青少年クラブ連絡協議会（会長 川村整市君・会員百六十名）は、さる十月二十三日、名取市のマンモス消費地であり仙台のベットタウンである名取ニュータウンを会場に即売会を催した。

これは、消費者と生産者の結びつきを深め、都市と農村との交流をいっそう促進することもねらいとしたもので、開催にあたって数回にわたる消費者との話し合いを持ち、主婦のナマの声を聞いた。

その席上では、川村会長から「一時的で、その場しのぎの催しではなく台所を預かる主婦の立場に立った即売会を行なう」という心強い発言があり、消費者から好感がもたれた。

当日、即売に出されたものは、白菜、大根をはじめ、どじょう、いなごなど季節色豊かなものばかり十数点で、午前十時開場というのに九時ごろには早くも黒山の人だかりができるほどの人気。クラブ員からは嬉しい悲鳴。

会場狭しと山積みされた野菜も羽根がついたように午前中には売切れてしまい、これでは、この日を楽しみに待ち望んでいた消費者に申し訳けがないと、クラブ員の畑から再搬入したほどであった。

またこの日は、農家の素朴な姿ともいえる「餅つき」をうすときねを用いて行ない、消費者に試食してもらい即売会に花を添えた。

4H会館の建設に

売り上げ金ははじめて二十数万円にのぼり、このうちわずかではあるが「4H会館の建設に役立ててほしい」とクラブ員から強い要望があった。

なお次回は、野菜の漬けものの時期に催すことを消費者に約束した。

本当はこんなに安い農作物
栃木・国本4Hクラブも

【栃木】宇都宮市国本4Hクラブ（会長 山口要作君）でも、さる十月二十六日午前九時から県教育会館わきで「野菜即売市」を開き、人気をよんだ。

この日、即売市に出された野菜は大根、白菜、キャベツ、里芋など十五種類。親切で市価より三～四割安とあって、十時ごろには近所の主婦や話しを聞いてかけつけてきた主婦たちがどっと押し寄せ

一時間で売り切れ
埼玉・入間クラブでも

【埼玉】狭山市の入間4Hクラブ（会長 志村恵二君）もこのほど最近できた団地の人たちを対象に農産物の即売会を行なった。

自分たちが丹精こめて育てた作物を賞味してもらうとともに都市化の中の専業農家の意気込みを知ってもらおうと、団地内で午前八時からいま高値のダイコンはじめ白菜、ネギ、にんじん、ごぼうなどを即売、新鮮さや市価の半値ということで一時間足らずで売り切れるという盛況ぶりだった。

いま高値の大根や白菜などはあっという間に売り切れた。夕方までには七万円分の野菜が全部なくなり初めての催しも大成功だった。

心頭抜健

ことしもまた、出かせぎの季節がやってきた。このところ毎日のように東北地方の農家の人たちが妻子を連れ大きなトランクをかかえて東京にやってきている。ところが、ことしはドルショックによる不況を反映して働き口が少ないという▼この夏まで電話や速達で「一日も早く、一人でも多く、人手をたのむ」といってよこした会社からも採用取り消しの通知がくるという。減反や冷害による不作で減収となった所得を、なんとか出かせぎによってカバーしたい農民にとっては例年になく厳しい冬になりそうである▼出かせぎは、となり近所の人たちを誘い合っていくことが多いので、地区ぐるみの採用中止や取消しが少なくない。しかし、企業側としては将来のことを考えてパイプだけつないでおきたいので、指名求人や年齢制限というかたちで採用する場合もあるようだ▼ことしは、自動車、製菓、機械メーカーなど東京近郊の土地造成などの土建関係が多い。農家の人たちはとくに危険度が高く、力のいる仕事に従事することが多いので、からだの方も心配だ▼それよりも、農家の人たちが気にしているのは、ピンハネや賃金不払いなどのようである。みんなが、とにかくカネさえ入ればよいとあせっているのを見すかされるというわけだ。また、かせぎどきであった残業もないという▼出かせぎ者は、全国でざっと六十万人いるといわれる。農家の人たちが農業だけで食えなくて、出かせぎに出るというのは正常な姿であるとはいえない。また国際競争に耐えなければならない農業全体からいっても喜ぶべきことではない▼うらさびしい響きのする季節労務者。妻子と別れて生活する農家の人たちはこの人間サバクの中でどんな感じを持って受けとめているのだろうか。一日も早く出かせぎしなくとも良い農業を確立する必要がある▼残された子供たちはいう。「いつも小ごとをいってうるさい父。いなくなると淋しい。だが、もう泣かない。正月に会える楽しみだけでいい」と。

4Hのマークと共に
クラブ活動用品の案内（単価）

4Hバッヂ	30円
レコード盤（4Hクラブの歌・4H音頭）	150円
クラブ旗 大(72cm×97cm)	430円
クラブ旗 小(36cm×49cm)	230円
手拭	110円
ハンカチ	30円
ネクタイピン	230円
女子用ブローチ	230円
クラブ員専用便箋	100円
〃 封筒	70円

◎荷造り送料代150円です。
◎ご注文は代金を振替口座へお払込みを願います。代金着き次第、ご送品致します。

社団法人 日本4H協会代理部
東京都千代田区外神田6丁目15～11の705号
振替口座 東京72082番
電話（03）831—0　4　6

現地訪問など好評

親睦のスポーツも
群馬県連 華やかに「つどい」

【群馬県＝斎藤竹代通信員発】若さと英知と情熱で築こう我らが緑の大地—をスローガンに、群馬県青少年クラブ連絡協議会（会長 前原保夫君）主催の「第一回県青少年クラブ員のつどい」が、さる十月二、三の両日、沼田市内の沼田公園と県立利根農高で開催された。これは、県下のクラブ員が集まり、日ごろ実践しているプロジェクトやクラブ活動などで体験したことなどについて意見を交換するとともに相互の親睦を深め、組織強化を図ろうというもので、県下のクラブ員約四百名と参与、農高生、県農業技術課の担当者のほか多数の来賓が出席した。

一日目は、午後一時から開会、前原県連会長に続いて地元地区連会長のあいさつ、来賓の祝辞、スローガンの唱和、オリエンテーションが行なわれた。

このあと、はるばる沼田地区へ来たクラブ員たちは、十三地区に分かれて現地交歓訪問へ出発、クラブ員宅に宿泊した。交歓訪問の内容は各地区ごとにそれぞれ違ってはいたが、バレーボールやソフトボールで楽しんだり、クラブ活動の紹介、また恋愛問題などを話し合った。

二日目は、訪問したクラブ員と受け入れたクラブ員が仲良く連れだって利根農高グランドに集合し秋晴れの下で親睦スポーツ大会が行なわれた。まず県連旗を先頭に安中、伊勢崎、そしてしんがりに地元沼田地区の順で入場行進、開会式のあと競技をスタート。

ラジオ体操について男女混成による綱引き。日ごろ鍛えた若い力を発揮してヨイショ、ヨイショとかけ声も高く力くらべした。借り物競争では札に書かれている人物や物を見つけるのに苦労して走り回っていた。むかで競争は五人一組で足を綱をゆわえ「一、二」とかけ声をかけて走るものだが、なかなか揃わず転ぶチームが続出し笑いをさそった。

今回の最大の呼び物、自由参加の二千メートル競争には女子クラブ員もまじえて百名近いクラブ員が参加して行なわれた。アベック目隠し競争では、背におぶった女性があまりにも重くて走れないコンビや意気投合して仲良くゴールインするカップルなど笑いを巻き起こした。続いて、男子四名一人二百メートルと女子二名一人百メートルの地区対抗リレーが行なわれ、熱戦が展開された。最後に、地元クラブ員の指導による「沼田音頭」を全員で踊ったり、フォークダンスで楽しんだ。

閉会式では各種目の成績発表が行なわれ、総合優勝や各地区連ごとの名札コンクールなどの表彰があった。

この集いは、県内の末端のクラブ員が県連の行事に参加できるチャンスであったものの参加者が予想を下回ったことは残念であったが、参加したクラブ員には初の試みであった民泊やスポーツ大会が好評であった。

女子をまじえて綱引きに"若い力"をこめるクラブ員＝群馬県連の「つどい」で

募集『新年号』の原稿

毎年、新年特集号は斬新な企画で一年の出発を飾ろうとしているわけですが、今年もクラブ員全国からおおいに協力を得て、よりおもしろい「新年号」を発行したいと思っています。つきましては、次の二つの要領で新年号企画への協力とご寄稿を読者のみなさんにお願いします。

「結婚と愛」—性の問題も企画

▼青春ものとして「結婚と愛」という特集を企画しています。

内容は"結婚と愛"に関するものならどんなものでも結構です。たとえば、農村における性の問題、愛の問題、結婚についての多くの問題など題材は幅広いものですから、多くの応募を期待しています。

▼娯楽面の特集企画として『芸—玄人肌のクラブ員』という面を企画しています。

これは、4Hクラブ員の中でもいろいろな趣味において玄人の域に達している人達について特集してみようというものです。

その趣味としては、スキー、ボウリング、民謡、舞踊、フォークソング、グループサウンズなど何でもかまいません。ただ、その趣味がプロ級の人達です。

※ 紹介して下さい。こんな人がいたら、すぐ紹介して下さい。もちろん自薦おおいに歓迎です。

※ 本人の電話番号、住所、氏名、趣味の内容などを。

▼右の企画もののほか、随想、雑感、詩、俳句、絵など新春にふさわしいものでしたら何でも結構です。

※ 原稿の長さは制限しませんが、企画ものには顔写真や関係資料などを添えて下さい。

【原稿締切日】十二月十五日

【送付先】東京都新宿区市ヶ谷船河原町十一、家の光会館内 日本4H新聞「新年特集号」係まで。

余興—「玄人はだのクラブ員」紹介

20回の全国普及員研修大会
18・19日、東京で開く

第二十回全国農業・生活改良普及職員研修大会は、来る十八、十九の両日、東京・新宿区霞ケ丘の日本青年館ホールで開催される。

主催は、全国農業改良普及事業協議会、同改良普及職員協議会、同農業改良主務課長協議会の三者で全国の農業・生活改良普及職員八百名と来賓、普及事業関係者など二百名、計千名の参加を予定している。

一日目は、午前十時から開会式のあと「開放経済体制下の日本農業」と題する日本経済新聞社論説委員・山地進氏の講演、午後は四時三十分まで分科会討議。二日目は午前中、前日の分科会報告と全体討議、午後は普及功労賞の授与と退任県協議会々長への感謝状贈呈があり一時に閉会する。

なお分科会の課題は「七〇年代の日本農業と普及事業」として①地域計画と普及活動②農業構造の改善と普及活動③優れた経営の担い手の育成④稲作転換と普及活動⑤健康をめざす生活と生産の調和—についての普及活動—でパネルディスカッションも予定している。

こんなことをしています
各種農業団体

レディはイチゴ好き
消費者のアンケート結果 商品知識も普及

全国販売農業協同組合連合会

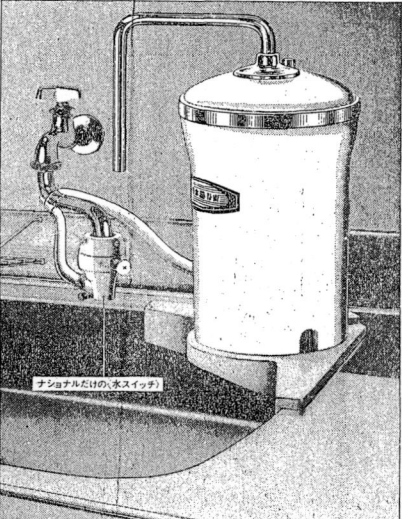

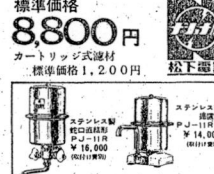

京浜市場へイチゴを出荷する産地が協力して「イチゴ消費拡大協議会」を設け、イチゴの消費宣伝をしている話は、以前にもこの欄で紹介しました。

つまり年々大きくふえているイチゴ生産に対して、産地銘柄の売込みもさることながら、イチゴそのものの消費をふやすことを考えなければ、産地が共倒れになるおそれがある、ということで、現在、愛知、静岡、神奈川、千葉、埼玉、茨城、栃木、群馬、新潟、岐阜の十県が参加お互いに資金を出しあって積極的に消費宣伝活動を行なっています。

さて、そのイチゴの消費拡大協議会が、ことしの春、東京の銀座で行なった"イチゴをもっと召しあがれ"の街頭デモストレーションのさい直接消費者から集めたアンケートの結果がこのほどまとまりました。あまり目新らしい結果はありませんが、それなりにイチゴに対する消費者の感覚をズバリと表現していて、今後のイチゴ生産や消費宣伝の方向をしめしているといえそうです。

おおよその内容をご紹介すると、まず、①イチゴは年齢にかかわらず誰れにでも好かれていること②おもに夕食後の家族団らんのときに食べていること③とくに若い女性（十六歳から二十五歳ぐらい）がイチゴが好きだということです。

また、イチゴを買う店では①クダモノ店が全体の半分以上、②スーパーマーケットが第二位です。値だんについては全体の半数が一ケース当り二百円前後で売ってほしい（小売値）と希望しており、イチゴの栄養価についてはビタミンCが多いと答えた人が八〇%と、商品知識はかなり普及しているといえそうです。

さらにイチゴを食べる時季は—という問いに対して、回答では三—五月と答えた人が圧倒的に多いことからみると、現在行なわれている周年生産がまだまだ一般大衆に結びついているとはいえないようです。そのことは同時に、今後現に一年じゅうイチゴが、比較的安い値だんで出回るとすれば、さらに消費を大幅に拡大できる余地がある、といえそうです。

実際に、もう市場には、かなりな量のイチゴが出ていますが、促成の大粒種が多く、大半は加工用（ショートケーキなど）に使われており、"中粒程度の生食ものを"という声も強くなっています。

（企画課）

まず火のご用心！
火災共済で万全の備えを

全国共済農業協同組合連合会

火災シーズンをむかえて

「家庭は火災危険と隣り合わせ」

火災は起こさないことが肝心であることはだれでもわかっていることです。それでも毎日、全国でおよそ一五〇件もの火災があり、三人以上の人が犠牲となっています。

あなたの家庭生活の中心部から周囲を見渡してください。テレビ、灰皿、カーテン。どこの家庭にもある平凡なもの。それが火種になり、着火物となっています。

「火事に備えるポイント」

①就寝前や外出前の火の元の点検 ②老人や子ども、病人に二階にねかせないこと ③階段下付近では火を使わないこと ④消火器（ABC粉末器が便利）、避難のためのロープ等を備え、使用方法を覚えておくこと ⑤火災共済に加入しておくこと。常日頃このような対策に心を配っていても火災を起こしてしまう場合が多いものです。

「もみ消しは大火のもと」

火災のとき一番大切なことはあわてないことです。そしてその行動の第一は「一一九番」を回し「火事だ」と知らせることです。一人でもみ消そうとか、恥ずかしいとためらったりすると火事を大きくし生命を失ったりしていることを過去の多くの火災は教えています。消防車を一回呼ぶといくらとられるという人がいますが、それは大きな誤りです。

「消防車がくるまで」

火災に限らず初期の消化措置が大切なことは言うまでもありません。消防車が来て消化活動に入るまでふつうは数分間を要しますので、できる限りの消火活動をすべきです。しかし、その限界は、炎の高さは自分の身長以下、広がりは両手を拡げた範囲までと言われています。これ以上になったらあきらめて避難すべきです。限界を越えた消火活動は生命を危険にさらすことになります。特に最近では煙にまかれて逃げおくれ焼死する人が多くなっています。

「火災共済で万全の備えを」

失火者に重大な過失がなければ、類焼した家に対する賠償責任はありません（失火ノ責任ニ関スル法律）これは損害範囲が広く、その時の風向きや消防活動によって左右されますと、なによりも失火者にとって多数な賠償は過酷すぎるからです。また通常は火災共済に加入しており、共済金によって保障されているものと考えられます。共済に加入しておくことはこのことからも必要なのです。しかし法律上責任はなくても、道義的社会的責任はあるのですから誠意あるおわびと見舞をしなければならないことは申すまでもありません。

（普及部）

シンガポール

＞4＜

実権握る中国人
吸いガラ捨てると罰金6万円

全協推せん一般団員 山本賢治

マレー半島の先端に浮かぶ島、日本の淡路島ぐらいの小さな国シンガポールを訪問した。人口二百万のうち中国人が七五%を占め、残りの二五%はマレー人、インド人、ユーラシア人、ヨーロッパ人などの人種からなっており、中国人が経済の実権を握っている。

"第三の中国"とさえ言われるほど市内には中国の看板があふれている。しかし私たちがこれまで訪問した国ほどの人種問題はなくみんな協調しているようである。

郊外の住宅地には中国人の大邸宅があり、華商の実力を認めざるを得ない。私たちが視察した町は街作りが整然としていて清潔感がある。タバコの吸いガラを捨てると六万円の罰金とのことである。

港は東西貿易として活気に満ちている。またアパート群の各階に洗濯用の竿が突き出ているのが美しくなんともいえない風景であった。

シンガポールは、最初マレー人の間で海の町「ツマシック」として知られていたが、現在の名称はスマトラのスリビジャヤ宮廷の王子、ニラウタースがこの島にわたり、村の建設中にライオンだと教えられた奇妙な動物を見たので、「シンガツマシック」という名前を「シンガプラ」—ライオンの町に変えたと伝えられている。もっともライオンがこの地帯に生息していたことはないようである。

▽料理 中国料理が多く、値段も安い。海岸の夜風がビールの酔いをさましてくれるエキゾチックな食事風景である。

▽町並み イギリスの植民地時代に培われたヨーロッパ風の生活様式で近代的な都市だ。高層ビルが建ち並ぶすばらしい町である。道路は中央分離帯のある四車線で日本の車をよく見かける。

▽海水浴 十月二十七日の午後二時間半にわたって行なった。ペナンに続いて二回目で、半数以上のメンバーが参加し楽しんだ。女子のビキニ、セパレーツスタイルなどは男性の注目の的。サンオイルを塗って日光浴する者、海水のかけ合い、砂遊びなど愉快な海水浴である。クラゲにさされた人も数人いたが、ヤシの下での海水浴はまた魅力がありますネ。

▽夜の町 シンガポールの夜は素晴しい。港や高層ビルの灯が美しさをましている。十五階から十七階建てのビルが数十あるが、現在、五十階建てのビルも建設している。

▽ショッピング 自由港なので日本より安い物もあるが、日本人と知ると高く売りつけられ失敗したこともあった。しかし、値切ることが一つの楽しみのような買物である。

▽水道 マレーシアとは提防で結ばれており、シンガポール側からマレーシアの建物が見える。水はパイプを通じてマレーシアから入ってくる。また鉄道道路もあり国境線とは思えない所である。私たちも三十分間にわたってマレーシア側を視察し、写真などを撮って過ごした。

畦道
性的および統計的なるもの

このまえの『風評』にも書いてあったが、大江健三郎の「性的人間」という著書についてのことである。

私は、その著書そのものを語るつもりはない。むしろ「性的人間」という言葉を考えてみたかった。

あの著書には、痴漢という反社会的な〈性〉に、自分の生活をかけきっていく男達が登場していた。端正な老人と剛健な少年は、芸術的なとも言えるほどに痴漢という行為に自分の熱情を傾けていく。

この「性的人間」とは、何を意味してるのだろうか。通俗的な言葉になるが、やはり"性による生の回復"であると思う。ただ、その〈性〉を、がんじがらめに慣習の中にとじ込められた〈性〉ではなく、見さかいもなく自分の全存在をかけきっていく生き生きとした〈性〉として。たとえば、振り返って、これを私達についてみてみると、私達は"分別"や"世間てい"にとり囲まれた〈性〉としてあることに、やはり気づく。「あゝしたら、こうなるだろう」。「こうしたら、あゝなるだろう」という思惑で身動きができない。自由に飛翔するのはただ想像だけである。だから、大江健三郎は、こんな息苦しいがんじがらめの状況を〈性〉によって突破させようとしたのだと思う。

現代では、このような「性的人間」に対極する言葉を考えてみれば、「統計的人間」という言葉ではないかと思う。生きた人間的な出来事の一切を統計的に把握していく人間。人間的なことに自分をかけてみるなどということを絶対にしない、いつも安全な人間。このような人間は、人と人との関係すら統計的な金銭とか効用に換算して後、はじめてつきあっていく。

そして「統計的人間」は、全てに自分の存在をかける「性的人間」のようではない、というだけならまだよい。しかし、現代は、あらゆる事が数量化されその後に始めて方策が出される社会である。そこでは、具体的な個人個人の生活すら数量化されてしまう。この数量のみを上から管理するのが、つまり「統計的人間」である。

そんな人間の発想が生み出していくのが、たとえば、「本日の死者—×名。重傷者—×名。軽傷者—×名」というあの"交通事故死傷者掲示板"であると思う。そこからは、生きていた一人一人の死者の悲しみや苦痛や悲惨さは、一切伝わってこない。

（土）

全協、7日に監事会と評議員会開く

全国4Hクラブ連絡協議会は、社団法人日本4H協会と共催で来る十二月八日から五日間、静岡県御殿場市の国立中央青年の家で開催する全国4Hクラブ後期中央推進会議に先立ち、七日午後一時から御殿場市駅前の「まつや旅館」で監事会と評議員会を開く。

先輩との対話望む
福岡県連で幹部研修会のアンケート調査 クラブ員研修も

【福岡】福岡県農村青少年クラブ連絡協議会は、さきに山門郡瀬高町の清水青年の家で開いた幹部研修会について、往復はがきを利用してアンケート調査を行ない、このほどその結果をまとめた。回収率は三十六人中十二人（三三%）で少なかったが、先輩との対話や自由交歓を強く望んでいることなどがわかった。

アンケート調査の結果は次のとおり。

▽参加して 良かった 八名 悪かった 二名

▽経費は 高い 五名 適当 七名

▽4H新聞は 全国購読が望ましい 三名 希望者のみでよい 八名

▽女子研究報（新聞）は 良かった 十名 悪かった 一名

▽次期リーダー研究会（同年十二月中旬に開催予定）について

▽場所 阿蘇青年の家や甘木、津屋崎を望む声が多かった。

また、経費は、千円ぐらいが望ましいと答えた人が三名、千五百円ぐらいが六名、補助を技術課にしてもらって七百円ぐらいが適当と答えた人が一人であった。

とくにしてもらいたい行事は、先輩との会話や自由交歓という声が圧倒的だった。

▽参加して良かったことは 友達ができた 五名 自主的な計画ができた 一名 先輩と語り合えた 三名

▽よくなかったこと まとまりがない 五名 面白くない 一名 食事がまずい 一名 話し合いの場が悪い 一名 飲酒外出がない 一名 規則が厳しい 一名

▽知事との交歓会で要望してもらいたい事項は何かとの質問には、農業関係に力をという声が大多数を占めていた。

▽青少年のパスは 利用した 五名 知らなかった 七名

このほか、これから県協に実行してもらいたいことや批判などについては、一般クラブ員研修を実行してほしいとか、役員のチームワークを徹底しろ、4Hの本質についての研究会をもってほしい、各支部対抗のスポーツ大会をもってほしいといった声が聞かれた。

助け合いの"援農"
栃木・藤岡4Hクラブ

【栃木】藤岡町4Hクラブの十二人が、このほど主人が病気のため農作業の遅れている農家に出かけて奉仕作業し感謝されている。

同町太田の農家の主人、斎藤健一さんがさる八月に胃かいようの手術をしたために農作業が出来ずにいるのを知ったクラブ員たちが「自分たちの力が少しでも役に立てば」と相談、当日、午前八時から稲刈りや運がけ、落花生取りなどを手伝い遅れていた農作業を一気に片付けた。斎藤さんは、本当にありがとうございました、と感激している。

悲恋 かけ落ち

とくに重要な立場にある理事の一人が、かけ落ちして天手古舞いした県連がある。農家の長男と長女の出合い、いわゆる跡とり同士の恋愛は実を結ばないケースが多く、クラブ員にとっては悩みのタネだ。その解決策として、ある先輩は「カケ落ちするしかない。そして、あとで親が許したら嫁に入るのがよい」と冗談めいた知恵をさずけたことがある。それが現実の問題となったわけだ。この県連の名は、さしさわりがあるので伏せるが、クラブ員の結婚の深刻さを物語る一断面といえよう。

長男、長女結婚問題の一つの解決策として、恋愛したクラブ員同士の家が近かった場合は、奥さんの家へ出かけて夫婦で仕事することも考えられるが、さて、あなたの知恵袋にある解決策は……。

なお、同県連では、この三ヵ月ばかりの間に、クラブ員たちが次々に五回連続して交通事故を起こした。まずはご用心。

集団産地で共同出荷へ

消費者が好む品を

苗作りが生育に影響大 芦屋ネギの信用保つ

福岡県・芦屋町4クラブ 重岡政徳

私の住んでいる芦屋町は、遠賀川の河口にあり、国民宿舎「あしや」から東側に一キロ入った所に位置しています。

私の家の家族構成は、祖母（七八歳）父（五四歳）母（五四歳）私（二三歳）妹（二一歳）弟（一七歳）の六人からなっています。また、経営内容は水稲が百五十アールと畑が六十アールの専業農家です。畑ではネギを主体とし、そのほかにホーレン草、ニンジン、ダイコン、菜類などを作っています。

年間の労働日数ですが、父は二百七十日、母が三百日、そして同じく私が三百日となっています。それに、祖母が主としてネギの荷づくりをやっています。

ネギを栽培し始めた動機は、気候的要因や風土的要因などが主です。この地区は、比較的温暖で、地下水が高く、砂質土壌なので昔からネギ栽培に適していたようです。私も農業高校を卒業すると同時にネギ作りと取り組みました。

田屋地区の農家は十六戸で、みな、ネギと水稲の専業農家です。この地区のネギの作付面積は十六〜十八アールぐらいで、十一月から二月までの三ヵ月間の売上高は千三百万円ほどになっています。

ここで、私のネギ栽培法を表をまじえて説明したいと思います。

品種は葉ネギの九条ネギで、分けつ力が強く、六〜七本植えると十〜十二本ぐらいに分けつし、草たけは六十五センチほどにのび、白根の部分は五〜十五センチぐらいとなるものです。十アール当りの播種は三〜四リットルで、種子消毒にはルベロン一錠を水一・八リットルに溶かしたものを用い、そのなかに三十分間浸漬後水洗いし、種子が乾燥しないように注意します。

また、苗床の肥料には、苦土石灰、硫加りん安四八号を用い、播種の三〜五日前に全面に施し、畦幅九十センチの苗床を作り、アルドリン粉剤を播種床に散布します。

それから、種子を床全体にバラ蒔き、その上に二センチぐらい覆土して、ただちに稲ワラかむしろで日覆け雨よけをします。

四〜五日で種子は発芽します。発芽後は、苗がベト病や立枯病にかかるのを防ぐためダイセンを二〜三回散布します。育苗期間中は乾燥しないように特に注意します。

定植は六十〜七十日ほどでできます。定植畑には苦土石灰九十キロ、硫加りん安六十キロ（ただし十アール当り）を元肥に施します。植える時には耕運機で九十センチほどの畦幅を作り、その床に三条の植溝をこしらえ、植溝にダイシストン粉剤の散布を行ない、そして六〜七本の苗を束ねて植えます。

生育期間中は追肥（NK二号、硫加りん安四八号）を二回施し、土寄せ、土入れをします。その後生育が悪く、葉の色がうすい場合には尿素を施し、乾燥するときは灌水を行ないます。

定植後六十日ぐらいで出荷されるようになりますが、十〜十一月頃定植した場合は九十日ぐらいかかります（II表参照）。

出荷の荷姿は北九州荷姿改善協議会で決められています。一束百グラムを輪ゴムでとめ、五キロにし、ロンネット包装して出荷します。

芦屋ネギ（田屋ネギ）は、八幡、黒崎の北九州青果市場を中心に小倉市場へも出荷し、特に八幡、黒崎の市場では地元ネギの大半を占めています。

ネギ栽培十アール当りの粗収益は二十四万円でした（四千キロ×六十円）。栽培必要経費は二万一千百七十円で、それを粗収益から差し引くと二十一万八千八百三十円となりました。一日当りの家族労働報酬は千五百二十円でした。

いままでのネギ栽培をかえりみますと、苗作りの良否が生育に大きく影響していますので、作付面積が不安定にならないように病害虫防除や土壌消毒を徹底し、むらのない生産を図ります。また、収穫、出荷、管理作業などを省力化し、気候の特異性を生かして、ほかの土地で生産できない期間に生産されるように研究し、畑を周年むだなく利用してゆきたいと思います。思いつきや、都合しだいの無計画な栽培はさけ、農協ネギ部会の組織にのせて集団産地とし、共同出荷の体制をつくることも課題の一つです。そして、大衆の需要に応じ、選別、荷づくり、輸送などの労賃を節約し、規格の統一や品質検査、荷づくりの改良に心がけ、芦屋ネギの信用を得て、消費者に好まれるネギを栽培してゆきたいと思います。

（福岡県農村青少年資料「土に生きる若者たち」より）

表I ネギ10aあたり労働時間

作業名	時期	時間
育苗管理	6上〜8下	77
耕起整地	9上〜9下	6
施肥	9上〜9中	1
定植	9中〜9下	80
追肥	9下〜10下	4
中耕・除草	10上〜10下	48
灌水	9上〜10下	10
防除	9下〜10下	2
その他管理	9下〜10下	5
収穫・荷造り	11下〜12下	920
合計		1,153

表II 年間のネギ栽培体系

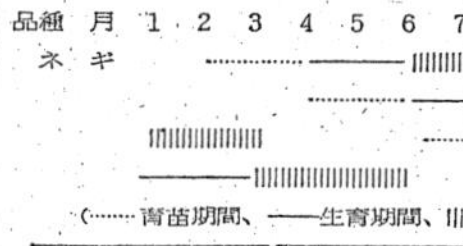

（……育苗期間、——生育期間、||||収穫・出荷）

山形でリーダー研修

【山形】山形県農村青少年クラブリーダー研修会が、県と県連の主催によって去る七日から三日間鶴岡市三瀬のユースホステルで開かれた。

冬仕度急ぐ茶園

静岡 いま盛りの白い花

【静岡県＝鈴木政美通信員】全国的に知られている茶どころ—掛川市、小笠郡、榛原郡の各地方では、シーズンの終りを告げる茶の花がいま真盛り。ちょっとみると、梅の花に似たかれんな白い花が茶株のすそに隠れるように咲いては散っている。

同地方では、現在、今年最後の四番茶つみが行なわれているが、五月から半年間にわたって生産された荒茶は、ざっと七十億円。今年の生産活動も花とともに終り、もう茶園では冬仕度を急いでいる。

また、急激な寒波の訪れに、島田市や榛原郡金谷町の茶業農家は茶樹を寒さから守るために、茶樹の間に入れる草集めに忙しい毎日である。茶畑の敷き草は、ワラが最適だが、ここ数年来の生産調整で思うようにワラが手に入らないため、その代用品としてススキが使用されている。各茶業農家は近くの堤防や野原で自生した約一メートル五十センチのススキの刈取りに懸命になっている。

今年の茶生産結果について、あるクラブ員は「天候もよく予想以上の収穫が上がった。しかし、貿易の自由化もあって台湾などから茶が輸入され、収量が多くてもコストが安くてはどうしようもない。今後は茶園団地をつくり、共同経営にふみ切ると同時に機械化を考えたい」といっている。

美味で栄養価高い

夏みかんの利用法 ミルクセーキはいかが

北海道・香島農研クラブ 古村竹子

夏みかんは、いちばん値段の安い果物ですが、おいしい時期でも「酢っぱい」と敬遠され勝ちで、どうしても食べたがらないのが現状のようです。

そこで、お年寄りから子供まで好んで利用できないものかと考えてみました。気軽にだれでもが作れる点に気を配り、夏みかんの実と皮を利用して、飲み物とお菓子を作りました。栄養の面からも、間食のおやつとしても、みんなから喜ばれると思います。どれもこれも、短時間ででき、費用のほうも安く、だれにでもできるものばかりです。

ミルクセーキ

〈材料一人分〉
夏みかんのしぼり汁……半個分
卵……一個
砂糖……大さじ四杯
スキムミルク……カップ半分
レモンエッセンス……適量

〈作り方〉
①ビニールの袋の中へ卵と砂糖を入れよく混ぜ合わせる。
②水で溶いたスキムミルクを①の中へ入れ混ぜ合せる。
③しぼり汁を入れ、混ぜてできあがり。
④最後に卵の臭を消すために、できればレモンエッセンスを少々入れる。
⑤氷などを入れて冷やして飲むとよい。

ミカンソーダー

〈材料一人分〉
夏みかんのしぼり汁……半個分
炭酸水……適量
砂糖……大さじ二杯

〈作り方〉
①夏みかんのしぼり汁半個分をコップに入れる。
②炭酸水を適量と大さじ二杯の砂糖を入れ、できあがり。
③氷などを入れ、冷やして飲むとよい。また、サクランボなどを入れると一段と引き立ちます。

クリームミカン

〈材料一人分〉
夏みかん……適量
卵の白味……一個分
砂糖……カップ半分

〈作り方〉
①夏みかんは皮をむき、袋から取り出し、グラスに入れる。
②卵の白味でクリームを作る。卵の白味は泡たて器でよく泡をたてて、泡がよくたったら、カップ半分の砂糖を入れ混ぜ合せる。
③グラスに入れたミカンの上にかけてできあがりです。

ママレード

〈材料一人分〉
夏みかんの皮……一個分
砂糖……カップ一杯
夏みかんのしぼり汁……大さじ一杯
夏みかんの実……適量

〈作り方〉
①夏みかんは四つ割りになるように皮に切り込みを入れてから皮をむく。
②ナベに水を入れ、みかんの皮をそのまま入れて、中火で十五分位煮る。火からおろして、皮を何度もゆすぐ。
③みかんの皮をうすく切ってナベに入れ、水をカップ一杯と、砂糖カップ一杯を入れて弱火で煮る。
④少しどろりとして、まだ汁が残っているところに、夏みかんのしぼり汁と夏みかん実を適量入れ、火が通るまで煮つめてできあがり。

みかんお菓子

〈材料一人前〉
夏みかんの皮……一個分
砂糖……百二十グラム

〈作り方〉
①四つに割って、うすく切る。
②水で十五分位灰抜きをする。
③三分煮て、三分冷水に入れる。これを三回くり返す。お湯のほうは、とりかえなくともよいが、冷水はとりかえる。
④砂糖を入れる前に、しぼってから砂糖を入れる。
⑤砂糖を入れるときは、六十グラムづつ分けて二回にして入れ、カラッとなるまで煮つめる。
⑥煮つまったら、紙の上に広げ、水分を蒸発させる。水分が抜けると白い粉がふき、できあがり。

栄養計算表

品名	分量	カロリー	蛋白質	脂肪	カルシウム	ビタミンA	ビタミンB1	ビタミンB2	ビタミンC
ミルクセーキ	1人分	403	213	6.4	540	451	0.27	0.84	36
ミカンソーダ	1人分	97	1.0	0.4	26	48	0.10	0.04	36
クリームミカン	1人分	37.7	31.2	0.5	22	32	0.09	0.92	24
ママレード	1人分	34.35	34.4	10.2	67.54	0	2.72	1.66	2.01
ミカンお菓子	1人分	479.6	7.28	48	61.8	0	0.56	0.80	120

プロジェクトと経営

わかり易いプロジェクトの取り組み方 ■3■

調査や見学を

課題の決め方

すすめ方 個人と共同を考える

[illegible]県・専門技術員 塚本賢次

前回は、4Hプロジェクトにはどのようなものが必要であるか、ということについて述べたわけだが、今回はプロジェクト課題のきめ方とそのすすめ方について考察してみよう。

プロジェクト課題の決め方

よい種を見分けるためには、それを見分けるきめ手がある。つやがあるとか、丸いとか、それと同じようにプロジェクトの課題を選ぶためにもきめ手があるはずである。

(1) 調査や見学をする。

わが家の農業や生活の現状をはっきり数字でつかんでみる。また、ほかを見ることによって自分をふりかえってみる。

(2) 困っていることの話し合いをする。

お互いが困っていることをグループの会合に持ちよって話し合うこと。そして、それはなぜそうなのか、その原因を確かめてみることである。そうすることは、よい課題を見つける上に大切である。また話し合いの効果をあげるために参考書をみたり普及員などの参考意見を聞いたりすることも必要だろう。

(3) 研修会で習ったことを実際にやってみる。

研修会で習ったときはよくできたのに、さて家でやってみると、そう簡単にうまくはできない。そこでいろいろ考えてみると、あんがいだいじな問題にぶつかることがしばしばある。

(4) やってみたいことの整理をする。

自分でやりたいことを書いて表にしてみたり、グループで話し合ってみたりして、まず何から始めるかを考えてみる。

以上のほかに、農業雑誌などの本を読むことや、実績発表会などで発表を聞くことも課題をきめる場合のよい参考になる。

次に自分で選んだ課題が一応よいものであったとしても、次に掲げるいくつかの条件にあてはまるかどうかを再検討してみよう。

○その課題は自分で興味をもってやれるものかどうか。
○自分の能力の範囲でできるものかどうか。
○自分の家の農業や生活にプラスになるかどうか。
○試験研究機関ですでに確認されている事柄であるかどうか。

プロジェクトのすすめ方

(1) 課題のとり取み方

課題がきまると、いよいよ"とり組み"に入る。この場合各自が思い思いにバラバラにゆくか、共同でとり組むかという問題がでてくる。

ア、やりやすいということに重点をおけば集団プロジェクト（全く共同で行ない、個人の実践はない）がよい。

イ、個人の欲求、興味の旺盛さということに重点をおけば、個人プロジェクトが適当であるということになると、次のようにとり組むことがよいだろう。

ウ、生産プロジェクト（自分の収益をつかむために、そ菜栽培、家畜飼育をする）を行なう場合は各自家庭で独立ほ場（個人的）をもつが、なるべく友だち同志が同じ作物を栽培するようにして、時々話し合うのがよい（共通プロジェクト）。

エ、技能プロジェクトの場合目新しいという興味からとり上げるものはまったくの個人実施でよい（独自プロジェクト）。

オ、改良プロジェクトや調査的なプロジェクトの場合、ことがやや難しいし、労力的にも協力を要するから集団的になることがやりよい（集団プロジェクト）。

畜産公害から脱却図る

富山・小矢部市埴生 竹松幸夫

企業的農業めざす

現在、私の家では、水稲二ヘクタールと養豚（種豚三十頭、肉豚二百頭）を経営している。

昭和四十年度は水稲二ヘクタールとタバコ〇・四ヘクタールの複合経営であったが、所得の向上を目ざすには、生産性が低くなりつつある経営を改善しなければならなかった。

そこで生産性の高い、そして当時脚光を浴びていた養豚に着目し、タバコ栽培をやめて、水稲プラス養豚という経営で改善の第一歩を踏んだ。そして水稲の規模拡大が困難になり、また将来の不安もあって、水稲中心の経営から養豚中心の経営に漸次移行させた。

ここで昭和四十年度の経営と四十五年度のそれを比較してみることにする。

四十年度は、水田二ヘクタールとタバコ〇・四ヘクタールを経営していたわけだが、年間労働日数は、家族によるもので男が三百五十日、女が三百五十日、そして雇用が二十日であった。それによってもたらされた農業収入は百八十万円であり、そこから農業支出八十万円を差し引くと農業所得は百万円であった。

四十五年度の経営（水田二ヘクタールと種豚三十頭・肉豚二百頭）による労働日数は、男女がそれぞれ五百日、それに雇用が百日と四十年度と比べて大幅にふえた。しかし、農業収入も千七百万円とハネあがった。農業支出の千四百万円を引くと、農業所得は三百万円であった。

昭和五十年には、水稲一・五ヘクタールと種豚百頭・肉豚六百頭の経営を目ざし、労働日数は現在と同じ状態を保ちながら五百万円の農業所得をあげたいと思う（農業収入目標は四千万円、農業支出は三千五百万円として）。

現在では、豚の価格変動が激しく、不安ではあるが、複式簿記なども細かく記帳し、経営の分析をはかるとともに青色申告を実施して、将来に向い合理化を進めながら、規模の拡大をはかり企業的養豚経営を目ざしている。

また、現在直面している畜産公害の問題も、規模拡大と同時に考えてゆかねばならない。糞尿処理施設が完備されなければ、規模を拡大することもできないと思い、団地計画にそって畜産公害から脱却することを考えている。（富山県4Hクラブ連絡協議会々長）

（富山県のOB会・県青年農業者連盟の機関誌「富農青通信第三号」より）

学童に池などをプレゼント

宮城・名取地区4Hク

【宮城】名取地区4Hクラブ員がこのほど名取市館腰小学校に、みごとな観察用の池を作った。

同校では環境美化と情操教育を兼ね築山のある観察池を造ることにしたが、これを聞いた同窓生である同地区4Hクラブの相沢広治会長をはじめとするクラブ員三十四人が労働奉仕を買って出たもの。十トン近くもありそうな巨石をうまく配置し、それに合うように約二十平方メートルの観察用池を二日かけて造りあげた。

このほかにも同地区4Hクラブでは、廃物の電柱を巧みに利用して、校舎裏を流れる小川に長さ八メートルにわたる橋をかけてやったり、また去年は、学校に出入りする車で登下校の児童に事故などがあっては大変と、歩行路と車道をわけて造ったりした。

あなたの実力は

〈第11回 全国農村青少年技術交換大会の技術競技問題から〉❹

前号の解説

【作物】（共通コース）

1、❶標準液は粳無芒種用
❷500円程度 比重計の価格は500円程度ですので450〜550円が正解になります。

2、複合肥料 100Kg 熔性燐肥 50Kg
尿素 Kg 塩化加里 Kg
最近は複合肥料を主体にした施肥設計が実態であるが、複合肥料と単肥組合せによる設計を正解とします。

3、❶ 手植えの10倍
2条用稚苗田植機の植付能率は10a当り1時間ですから、手植えの10時間に対して10倍が正解です。
❷ 年間利用面積 ❷4ha
10a当り1,500円に相当する機械の作業経費を細かに計算すると約3.5haとなります。4haが正解。

4、❶除草剤名 サターンS粒剤 スエップM粒剤
出穂4除草剤のうち、中期除草剤として使用されているのは、サターンS粒剤、スエップM粒剤の2種類。
❷使用量 3Kg
使用量はともに10a当り3Kgを基準とする。

5、出穂前 10〜15日頃
減数分裂期は穂の発育が急速に進み、オシベ、メシベにも大切な時期。この時期は出穂12日前を中心とし、出穂10〜15日前頃に当る。

6、❶粗収入額 1,230,060〜1,392,420円
粗収入は面積2ha×10a当り収穫450Kg×150Kg当り平均価格21,305円＝1,278,300円となります。しかし、品質等級間格差を考慮し、1,230,060円〜1,392,420円の範囲が正解。
❷米作の所得率 65〜75％
米の所得率は全国平均72％程度に当るので、正解は70％±5％とする。

【園芸】（専門コース）

1、❶防除薬剤名 ダコニール
有機硫黄剤と銅剤の性質を持つ殺菌剤で、保護剤で残効もあり紫外線にも安定している。
②薬剤量 501g
100倍 10ℓに100g 600〃 〃 16.7g
300〃 〃 33.3g 100ℓに167g×3

2、①根の障害
原因としては、（1）キカイ的障害（2）高低温障害（3）日照不足（4）病虫害（5）肥料の過不足、植え傷み土の乾燥などである。このうち、土壌に関係した場合が最も一般的である。

3、360Kg
普通の土壌であれば120Kgでよいが、腐植にすこぶる富む土壌であるため3倍量とする。

4、①鮮度②味③貯蔵性
従来、果実は外観の向上だけにとらわれ、その方面の研究が進められていたが、最近は需要の要請に応ずるため、全国的に「うまいくだもの」作り運動が展開され、果実内容の充実を重視するようになってきた。

5、
株分け｛きいちご すぐり
挿木｛ぶどう いちじく
接木｛りんご みかん

無性繁植の果樹にはいろいろの繁植法がありそのうち最良の方法は適正な砧木に接木を行なうことだが、種類によって、また間植え用の場合は、その他の容易な方法によって繁植することが能率的で望ましい。

6、①（スミチオン）——B（モモシンクイガ）
②（スクレックス）——E（灰星病）
③（パルユート）——D（ふらん病）
④（ケルセン）——C（アカダニ）
⑤（有機砒素剤）——A（晩腐病）
上の病害虫は果樹類の代表的なものの一つで、一方の薬剤は、それぞれ効果の高い防除剤。一般常識としても知っておく必要がある。

7、①（ラン類）——B（たえず湿っているように）
②（シャボテン）——C（乾燥しているように）
③（シクラメン）——A（水は少な目に）
ラン類……やや多目の水管理
シャボテン……自生地は乾燥地で、これに適応した形態となっいる。
シクラメン……過不足ない管理が必要

NHK農事番組（11月21日〜30日）

テレビ

明るい農村 6・30〜6・55 総合
21日 明るい漁村
22日 村の記録「出稼ぎ異変」—宮城県下
23日 きょうの話題「農業労働の百年」
24日 産物往来「こんにゃく」
25日 話題の広場「天皇杯の顔」—第十回農業祭天皇杯受賞者
26日 村をむすぶ「札幌、名古屋、福岡、東京」
27日 農村新地図「兵庫県宝塚市」
28日 明るい漁村
29日 村の記録「汚染をつづる」—愛知県知多半島
30日 きょうの話題

農業教室 7・30〜8・00 教育
22〜24日 団地形成の課題 宮川済一（全国農協中央会）
25〜27日 みかんの生産と販売 石川康二（愛媛大学助教授）
29〜31日 市場調査とその利用 藤山和夫（九州経済調査部長）

あすの村づくり 日 7・00〜8・00 教育 再 土 13・00〜14・00 教育
21日 「グループだより」—宮城県角田市—遠藤一郎ほか、「村の文化活動」—熊本県下益城郡松橋町—耕土の会、「青年色」—渡辺省悟—兵庫県多紀郡丹南町
28日 「地域農業の確立をめざす」〜中・四国若い農業者のつどいから〜高松市〜日本リサーチセンター〜桑宏ほか（松山）

ラジオ

早起き鳥 5・41〜5・57 ❶
21日 商社農業〜宮崎宏（日大講師）ほか
22日 天皇杯受賞者に聞く—林畜部門
23日 特集ディスク・ジョッキー「お米」
24日 無農薬稲作〜草薙辰郎〜秋田県仲仙町
25日 若者たちのみかん園〜オテ〜香川県小豊島
26日 養蚕農家のしいたけ栽培〜群馬県利根郡赤城村
27日 保坂牧場の4人兄弟〜山梨県北巨摩郡大泉村
28日 多元稲作総決算
29日 活躍する畜産開発隊〜秋田県鳥海山麓
30日 空をとぶカーネーション〜猪沢洋一（兵庫県農林部）

話の広場 日 6・10〜6・30 ❶
21日 転換期のみかん農家〜小田原市
28日 農協直営の盆栽センター〜群馬県利根郡利根村東農協

新しい農村 6・30〜7・00 ❷
21日 食管改正への提言〜米穀管理研究会メンバーから
28日 農地制度の問題点 三善信二（農林省農地局長）

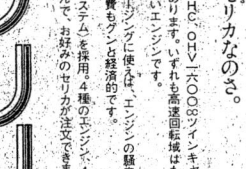

ラジオ農業学校 日 6・30〜7・00 ❷
21日 優秀農家に学ぶ〜滋賀県守山町〜田井中昭
28日 農業講演会「ドル防衛と日本農業」〜第二回東北地方農村青年会議で収録〜三神茂

現役を離れてみて

山梨県西八地区連＜無名氏＞

ホワイトカラーの労働

『彼らは労働しなければならないのに、しかもその労働から疎外されているので、その労働は非常に苦しいものに感じられる。この苦しさがひどくなればなるほど、近代的な娯楽の中でもとくに空想的なものや馬鹿騒ぎをするものに慰安を求めるようになる。

あらゆるよきもの、追求する価値のあるものは余暇の領域にあり生活の中で最も暗い荒涼たる部分は労働であり、その最も華やかで明るい部分は消費と娯楽である。人々は夜と休日を娯楽と余暇の時間として贖う金を得るために毎日の昼間は自己を売っている。

疎外的な労働によって分裂した彼らのパーソナリティは、娯楽や性的刺激に没入し興奮することによってふたたびある意味での統一を回復する』

反対もしてみたくなる

ライト・ミルズの「ホワイトカラー」の一部である。この文章を読んで何を感ずるだろうか。4H役員現役時代の私だったら言下に否定したかもしれない。でも今は違う。大いに共鳴できる。なぜならば誰はばかることなく自由を満喫しているからである。

人間、時として反対をしてみたくなるものである。従ってその場合の意見の対立は反対という結論が先に出て理由は後からつけたしであることもある。

つまり自分で意識してまたは無意識のうちに誰もがあまのじゃく的思考を心のどこかに潜在させているものであると思う。

私自身自分の真意がわからぬ時がある。何かの会合で「農業の諸問題は我々農村青年の団結により自らの手で解決していこう」という決議がなされたりすると、「はたして連中本気でそう思うのかな」なんて思ったりする。自分が全く同じ内容で発言した場合も同じである。

「一体おれは心底そう思ってしゃべったのかな、いやその場の雰囲気でそうしゃべらざるを得なかったのかもしれないな」なんて自問したりもする。

そのくせ逆に農業を悲観視し、日本農業の総兼業化論がまかり通るような会合にいくと、やたらかっかと頭に来る。「やめたいやつはさっさとやめちまえ、おれは一人になっても百姓をしてやるぞ」なんて思ったりもする。

こんな繰り返しをしていると社会道徳、規則、組織……これらすべてがわずらわしくそれらから解放されたい衝動にかられる。それが現実には不可能であり実にむなしい望みであることを十分知りながらも孤独の自由を求めようとする。その方法は三人三様に違うだろうが……。

摩擦も素晴らしいもの

そのジレンマ状態における心の動きが一つのことがらを同一視しない従来とは違った角度からの観察力につながっていく。逆境に立たされた時の己れの心の葛藤がより自分を大きくすることを認識したい。

一つの組織が全員足並みを揃えて一定方向に進んでいる姿は美しいものであると思う。しかし考えてみて主流派一本やりの独走体勢も結構だが、ある程度の反主流勢力との摩擦から生じる新路線も必要不可欠のものであり素晴らしいものであることを今感じている。

（山梨県4Hクラブ連絡協議会『てのひら』より）

充実感を考え直す

神奈川県・戸塚普及所　平塚俊夫

生き方と生きがい　人間の生活の本質とは

その日暮し　南方の農業

私が約一年間赴任していた南方の国では、先ず農家で米を作っています。一〇アール当り一俵程度の収穫量でも人口密度が低いために自給出来るのです。

半年は雨季で雨が多く、あと半年は乾季で全然といっていいほど雨は降りません。そのため、ひまさえあれば魚をとり、魚のいない時期にそなえて干物やくん製にして貯蔵もしておきます。あとは果物や水草をとってビタミン源にしています。

従って農業という職業に従事しているというより、生きてゆくために米を作ったり、魚をとったりするのだ、といった方が適当かも知れません。

生きるための生活に追われていると考えられる半面、実にのんびりとしたその日暮しをしているともいえるでしょう。

さて私達の農業は

さて、みなさんは米の生産制限、市街化に伴う農地の縮小、生産物価格の不安定など、目まぐるしい変化に直面しているとはいうものの、経営生活の近代化、合理化をすすめ、機械利用施設園芸化、共同化など農業を益々発展させつつあり、更には農地の売渡しによって土地代金がいくらか（かなり?）ふところに転がりこんでいる人もあることでしょう。

充実感はあるのか

先に述べた低開発国の農家の生活をどう考えますか?何と張り合いのない、つまらぬ生活をしているものだとお考えでしょうか?

ひるがえってみなさんの生活は楽しく有意義なものでしょうか?いうまでもなく農業や生活の質的な内容生産意欲など前者と比ぶべくもないとは思います。

ここで一言してみたいのは、何というか「生き方」というか「生きがい」というか、"人間生活の中の本質的なもの"が諸君の胸の中に「充実感」として満たされていないのではないかと感じます。

たまたま本年一月十五日の成人の日、恒例のNHK「青年の主張」の発表代表者の意見をきいていると、図らずもその中の二人までが同じく福沢諭吉の言葉を引用して意見を述べていました。正確な表現はともかく、それは「大切なことは自分の仕事をもつことである…」という意味の言葉でした。

ちょっと理屈っぽくなりますが、会社員が会社に勤めるのも仕事でありみなさんが農業に従事するのも仕事をもつことに変りはないけれども、農業に従事して「もの」を生産する仕事、そしてそれに伴う充実感。このことが一番自分の仕事をもつ意識にピッタリするのではないかと思われます。

どっかん　畑を耕す

少年詩人、大関松三郎君の表現を借りれば・「どっかん どっかん」畑を耕し、のどがかわけば「とっくん とっくん」水を飲む。そして仕事が終れば我々の時代の教科書にあったように、じっくりと「やっと済んだと見上げる空に、あすも天気か夕日が赤い」と仕事の喜びを感得する。

こんな生活に充実感をもち、打ち込んでゆける農業青年であることを期待したいものです。

そして、今後の農業を阻む市街化の問題、生産物価格安定化の問題の解決、更には技術改良プロジェクトの推進など、今後の前向きの農業をすゝめてゆく大切なもろもろの相談は先ずこのような「生きがい」をもっているこれら青年達と取り組んでゆきたいものです。

（神奈川県＝戸塚4Hクラブ協議会『みどりの戸塚』より）

青春と仲間

昼ね

小長井4Hクラブ　赤崎光善

春先、気温が上がってくると、眠くなる。特に夜おそくまで遊び廻った時など、眠くて、仕事も、もっぱらはかどらない。

そんな時、かまを片手にミカン畑の草刈りに行く、そして「ぐっすり」とねむれるような所をさがして、しばしの時間を昼寝とする。

新緑の（ミカン畑の雑草）さわやかな風が寝ている自分の顔をなでて通りすぎる。ねごこちも一段と良い。自然の中でのんびりと（仕事におわれながら）昼寝するのも良いものだ。

（長崎県諫早地区農村青少年クラブ連絡協議会『あぜみち』より）

経営の原点（2）

矢口邦生

簿記記帳の挫折

以下は、簿記の記帳の挫折が研究会の中だるみをもたらしたことに関して前出の機関誌の別項に書いたものである。

われわれは経営の合理化を目ざして複式簿記を習得し、直ちに記帳を開始した。が、われわれは誰も、実質的な経営権を持たない。記帳すら思うにまかせず、仮りに記帳し得たとしても、その記帳によって見いだされるムダをわれわれはいかにして取り除き得るか。また、われわれの給与体制は、黒い霧につつまれている。会員の中には女房、子供の必要経費ぐらいは、明確なルートのもとに得られる報酬をわが手で稼ぎだしたいと言う。経営者に摩擦をおこすこともなく、自らの飲食代、書籍代を含めてその他種々の小使いを捻出するためには、対外的な賃労働かあるいは出稼ぎに頼らざるを得ない。記帳の意欲はそがれ、また事実不可能ともなる。ここに、記帳する者としない者との間に行動のズレが生じ、一致団結の金科玉条は瓦解する。

経営の崩壊と出稼ぎ

農閑期こそ

少しでも個性的、自主的個人として農村の若者が生きようとする道が出稼ぎとは、いかにも皮肉ではないか。でも、その底に潜む根本の問題は、新しいようで古い、数世紀まえからの博物館ふうのそれである。いずれにしろ、農業で着実なる地歩を固めんとする農家の後継者の出稼ぎは、決して好ましいことではあるまい。農閑期にこそ、自ら欲するところの、いろいろのことがなされねばならないと信ずるからである。

経営者の悪夢

僕自身が抱いた「経営者」（あるいは自営業）の悪夢は、五年前にさかのぼる。そのころの日記に、「親愛なる叔母様」と題した、架空の叔母に訴えた一文がある。

「おばさん、僕も二十を迎えました。そして、日々全責任をもってなすことのなに一つない、全く自由な（?）生活ぶりです。でも、これからは、社会の一員としての自覚も必要に思われます。

僕が農業に意を決したのは、自ら望んでなったわけではありません。兄がやめる、土地がもったいない、よしオレが、これだけのことでした。でも、やる以上は、せっかくの自営業ですから、とことんまでやりたいと思います。高校の同級生の多くは、百姓なんか、と言って土から、町から離れていきました。たしかに、好んで苦を求めるのは、それ自体は美徳といわれるかもしれませんが、現実には愚か者のレッテルがはられるのは自明の理。僕の場合は、いわゆるやりがいと、将来に対する夢に全てをかけていますが、まだまだ投機的農業から抜け切れないわが家の事情にしてみれば、一抹の不安はおおうべくもありません。昨年二ヘクタールの水田を一挙に購入したときなどは、来年はコメがとれなかったらどうなるんだろうと考えて、三日三晩まんじりともしませんでしたから。……」

読み直してみて、あの頃はよかったと思う。ひたむきであった。でも、一方では、農業に従事し始めの青少年が一様に抱く、ある種のコンプレックスを意識的に排斥せんがための、必要以上の力みと予想がもたらす経営者的発想ともとれる。例えば、農作業の段取りや、それらに附随しての改良が経済のうらずけがなければ思うにまかせないという前提に立つとき、なまじっかな責任感は、親子ゲンカの種をつくるにすぎない。

わが自営業の崩壊

この時から、子供の積木のように、一つ一つ、時にはドッと、わが自営業は崩れていった。父子契約も果たせなかった。（その当時僕は、無性に契約的裏付けがほしかった）車を買わずに、その半額分だけの好きな本を買うこともならなかった。逆に、車を買って、本棚にある本も読まなくなったとは、ひとり静かに考えるという時間を失う結果にもなり、道内の観光地をわが手中に収めはしたが、孤独に思う時も、ドライブで気分をまぎらすことが多くなった。「親しく語り合える恋人」が無性に欲しくなり、その彼女と、無謀な婚前旅行をする結果ともなった。（『農民文学』百一号より）

—つづく—

都会なみだが　共稼ぎが必要に

滋賀県＝小西がず子

生活が難しく

現在の農業の実情は、今更私が申し上げるまでもございませんが、米作を中心としてきた私達に、米の生産調整を押しつけてきました。

今迄、米の代金で生活を支えてきた農家も以前のような家計をやってゆくことは難しくなってきました。それで、現在私の家はもとより私達の村でもほとんどの人が農閑期には町役場に勤めたり、山林労務に従事しております。

実情と言えば

現在の農家は、日常生活の上で電気、ガスなどの設備をとり入れ台所などの改善については都会なみにしてあります。このように一応文化生活の形態は整ってきましたが、実情はと言えば必ずしもそうではなく生活維持のために共稼ぎをせねばならないのです。

やはり家庭の主婦ともなれば家事もおろそかにできず、子供の教育についても考えなければなりません。また共稼ぎにより家族揃って話し合う時間もなく、今迄明るかった家庭でも、このため家庭内にいざこざが絶えない。親子の間や、夫婦の間にも断絶が生じ別れのもととなり、その結果家庭内から非行少年が出たり、離婚問題が起らないとも限りません。

主婦の立場で

これらの問題をなくするため、私達は主婦の立場で一般サラリーマンと同じように、農繁期中でも家族だんらんできるよう休日を設けたり労働時間の短縮を図りたいと思います。

現在まで米作に頼っていた関係上、田植期や稲刈りなど忙しい時が一度にやって来ていましたが、米作を共同化や機械化によって省力し、他部門の導入などによる労働力の配分を計り、合理的な経営を行ないたいと思います。

そして家族皆が協力して無駄のない生活設計を立てて行きたいと念願するしだいです。（滋賀県農業後継者クラブ『畦道』より）

苦しみこそ

研修生　渡井正樹

人間は、誰しも時期がくれば自分の将来を歩もうとする道を考えると思います。それがどんな道であろうと、人それぞれ自分なりの道を歩み続けます。農業を選んだ自分、時々思うことがあります。

本当に農業を選んで良かったんだろうか、もっと他の道の方が幸福になれるのではなかったんだろうかと。でも、今はそんなことを思う時はありません。

農業に魅力を感じてきました。農業は、他の職業と違う常に未知への挑戦です。自分の能力と技術、広い視野、経済の変動、人間生活すべてを常に見ていなければなりません。農業には終りがありません。常に出発だけです。もし終りを感じたのなら、それは自分自身の終りであって、けっして農業の終りではありません。

農業を将来の人生設計としたのですが、けっして、楽な方向へ持って行く気持はもうとうございません。常に苦しみを覚悟していきます。苦しみこそ、人間の最も幸せなものだろう、苦しみがあってこそ人間は楽しみを感じる、その時人間は堕落の道へと進むことでしょう。

僕の選んだ道が、苦しみへの道なようです。この道をけして避けて通ろうと思っていません前向きの姿勢で、苦しみを乗り越えるつもりです。そのことが、僕をここまで育てて下さった多くの人達への恩返しだと思います。

今、研修生として、山梨県の地にいるわけですけど、こうして毎日元気に伸び伸びと研修生活を送ることが出来るのも、僕の土台となっていて下さる多くの人達のおかげなのです。まだ、研修もほんの少ししか過ぎていません。その間多くの人達から学び取ったものそして、これから学ばなければならないことは、山ほどあります。けして急ぎません。心のゆとりを持って研修生活の充実した日々を送りたいと思っています。

このような機会は、もう二度とありません。家に入ってしまえば、毎日仕事に追われ学び取ることはもう二度とないと思います。

この研修がどれだけ僕の選んだ農業の将来にプラスになるか、農業経営を、自分の力で、営んだ時にきっと現われること信じていきます。また、それが多くの人達への報いだと思っています。（山梨県4Hクラブ連絡協議会『山梨4H新聞』より）

何かにかける

「どのように生きている人が好きか」というような抽象的な質問をされたら、私は、やはり抽象的に「ひとつのことに馬鹿のようにうちこんでいる人が好き」と答えるのがつねである。

吹けば飛ぶよな将棋の駒に命をかけて生きたのは、御存知、坂田三吉である。私の理想的な人生観の根底にあるのは、単純明快な坂田三吉の生き方の論理である。棋界に生きる人は誰でも、将棋に命をかけていると思うが、彼のように風変りな棋士はいないような気がする。

三吉は師匠もなく、さりとて無学文盲なので書物などから将棋を研究することもできなかった。したがって彼の将棋は自ら血の出るような苦しみを通して得たまったくの我流であった。中年をすぎるまで三吉は極端に貧しかった。しかし彼は、フンドシまで将棋にかけたということである。

当時、三吉を知っていた人たちは、将棋しか知らない馬鹿と嘲笑ったという。しかし、誰に三吉を嘲笑することができよう。自分のすべてを将棋にうち込んで生きた人間を誰が笑えよう。私は、そんな三吉に魅力を感じてしかたがない。なにかひとすじにうちこんでいる人間が身につけているピンとはりつめたような緊張感と、人間の有する生命のダイナミズムをそこにみるからである。

晩年になって三吉は、名人決定のために、当時一流の棋士と勝負するまでに至ったが、素人でも知っているような第一手を指さず苦杯をなめた。次の勝負でも三吉は、同じように将棋のイロハを無視した勝負をして敗れ去った。実力は随一といわれながらも、彼は二度まで同じ我流の将棋で敗れた。

それが坂田三吉なのである。あくまでも自分の将棋をうち、そのなかに可能性を求めたのである。三吉には、将棋盤が世界であり、自分の指し手が命であった。

"人生は不断のかけである"とは、ある著名な哲学者の語った言葉であるが、一面的には真理である。三吉が意識的に生きたかどうかは知らぬが、彼はとにかくそのように生きたのである。

うちこんで生きる対象は、将棋ばかりではない。それらは、私たちのまわりにも数多くある。

現代社会の有する性格のためであろうか、広く浅くという言葉がはやり、そのように生きている人が多いようである。しかしながら、広く浅くものを見てゆくということと、総合的な視点から、科学的態度でものに接してゆくこととは、明らかに千里のへだたりがある。

とすれば、坂田三吉のように生きることも、永遠に自己を求め、なにかひとすじにうちこみ燃えて生きることも一概に否定することはできまい。（野）

風譚

〈詩〉

兄貴の水仙

オオロラクラブ　山本和子

ひとつぶ　落ちた
兄貴の汗で
大きくなった
ナイフのように
ニョッキリ　芽を出して
大きくなった
春がまちきれず
麦の葉影で
大きくなった
太陽の光を吸って
兄貴の水仙は
黄いろく　大きくなった

（静岡県中遠地域農村青少年クラブ連絡協議会『あぜみち』より）

俳句

宇佐4Hクラブ　中山真智子

秋の山　トンネルうがつ　爆破音
器用なる　手付柿むく　山乙女
朝夕に　よき山の支所　紅葉そむ
夕[illegible]に　手近な林　宵とり
挿花に　柿からませる　乙女かな

◀投稿案内▶

本紙は、みなさん方の新聞として、全国のクラブ員に利用して戴きたいと考えています。それでクラブの催しや個人のプロジェクト、詩、短歌、随筆、写真、悩みや意見、村の話題、伝説、行事、その他なんでも原稿にして送って下さい。

お願い　❶長さや形式は自由です　❷できるだけ記事に関連した写真をそえて下さい　❸送り先　郵便番号 162　東京都新宿区市ヶ谷船河原町11　日本4H新聞編集部

今のうちに何とか

三朝町農業青年会議　I・Y生

「とにかくこの世は住みにくい。口を開けば排気ガス、耳に入るは雑音ばかり、呼吸をすれば悪臭がする」と大阪の友人の便り。われわれの三朝町にも公害といえるものが出始めてはいないだろうか。

「兎追いしかの山、小ブナ釣りしかの川」…美しかった三朝町も今では川は汚れ、魚は少なくなり村人に親しまれた河鹿はだんだんと鳴かなくなり、殺風景そのものになってきた。

農薬を初め、汚水がたれ流されている現状を見るとき、今のうちに何とか手を打たねば…と思うのは私だけではあるまい。美しい三朝町を守るために。（鳥取＝三朝町農業青年会議『つち』創刊号より）

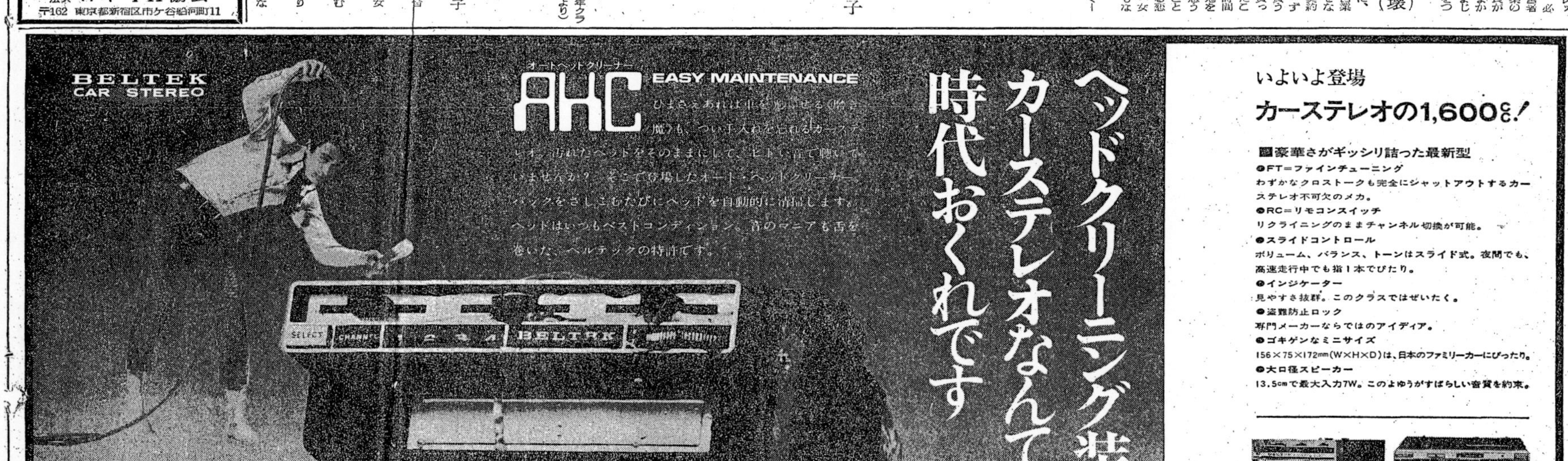

日本4H新聞
4Hクラブ 農事研究会 生活改善クラブ
全国広報紙
発行所 社団法人 日本4H協会
東京都市ケ谷家の光会館内
電話（269）1675 郵便番号162
編集発行 宮城
月3回・4の日発行
定価 1部20円
一カ年700円（送料共）
振替口座東京 12055番

クラブ綱領

一、私達は、実践を通じて自らを磨くとともに、互いに力を合わせ、よりよい村、よりよい日本を創るため、四つのHを旗印にかかげます。一、私達は農業と生活の改善に役立つ腕を磨きます。一、私達は科学的に物を考えることのできる頭の訓練をします。一、私達は誠実で友情に富む心をつちかいます。一、私達は楽しく暮し元気で働くための健康を増進します。

経営管理はセスナ機で

生活は意外に質素

石井さん 明神さん 派米クラブ員帰国

国際農村青年交換（IFYE）計画に基づいて社団法人日本4H協会（会長・宮城孝治氏）から米国に派遣され、同国で約六ヵ月間にわたって生活していた四十六年度の派米クラブ員（草の根大使）＝明神節子さん(二二)高知県須崎市多ノ郷甲、あおい4Hクラブと石井方代子さん(二二)大分県津久見市青江、津久見市柑橘振興青年同志会＝の二人は、さる十七日午後、羽田着のパンアメリカン機で元気に帰国した。その帰国報告会が日本4H協会の主催で十九日午後一時半から東京・港区新橋の共栄火災海上保険相互会社三階役員会議室において開かれた。

左から振興会の金田事務局長、アメリカでの生活体験を語る石井さん、明神さん、農林省の藤井青少年班活動促進係長、日本4H協会の宮城会長、新田事務局長（横向きの人）＝19日、共栄火災で

この報告会には、農林省普及教育課から今月一日に就任された藤井文信青少年班活動促進係長はじめ、全国農村青少年教育振興会の金田三郎事務局長と神野氏、派米協会の今井氏、それに4H協会から宮城会長、新田、大塚両常務理事、坂本渉外部長らが出席した。

アメリカでの生活は、明神さんがモンタナ、ネブラスカの両州、石井さんがコロラド、ペンシルバニア両州に滞在、一軒の受入れ農家で二、三週間ずつ生活、また、各会合に出席して同国の農業、農家生活、4H活動などを学ぶと同時に日本のそれらについても紹介し、両国の相互理解と親善に尽した。

二人はアメリカでの生活について報告し、感想を述べた。その要約はだいたいつぎのとおりである。

やはりウーマン・リブの本家

まず、アメリカの農業については、機械化が進んでいるので、主人一人で働いている。忙しい時は朝五時から夜十一時頃まで働く。しかし、日曜日は必ず休み、教会などへ行き、のんびりと一日を過ごす。

経営規模は州によって違うが、明神さんのホスト・ファミリーでは肉牛・二千頭を一万エーカーの土地に放牧し、飼料は自生の草を利用して、セスナ機で空から見回り時々塩などをまく、日本では夢のような大規模経営であった。小規模な農家では、肉牛・二百五十～三百頭で、小麦を作っているというのが標準的で、それ以下はあまりない。また、肉牛の販売は、牛市に出し、目方でせってゆくという方法をとっていた。

二人とも農作業はあまり手伝わなかったが、トラクターで牧草を集めることぐらいはしたそうである。

家庭生活の面では、全体的に想像していたよりも質素であった。衣料などは、丸洗いのできるものを主に着用し、また衣料品が高いので、布を買ってきてミシンで服を使っている家庭もあり、思ったよりいいものを着ていなかった。

食のほうでは、毎日同じような献立てばかりで、肉、パン、ミルクが主食。ほとんどが缶ズメだから新鮮な野菜などはない。また、皿などは質素なもので、食事を楽しむといった感じがない。毎日同じようなものを食べても、主人は必ずサンキューと礼をいうあたり、日本の男性とはかなり違うものを感じたそうだ。

住居は、電化されており、窓が少ない。例えば冷暖房装置はだいたいの家にある。そのため、窓の必要性があまりなく、通風性は悪い。また、靴ばきの生活なので、二人は靴をぬいて生活した。

婦人の地位は、日本と比較できないほど高く、やはりウーマン・リブの本家。奥さんの仕事は非常に少なく、食事の仕度・買物なども男性がする場合が多い。洗濯、食事、育児が女性の主な仕事であるが、電気器具や自動車が普及しているためきつい仕事ではない。

結婚式をみたが、非常に簡単なので、あれなら別れるのも簡単だろうと思った。アメリカの若者の男女交際は、日本と違い多くの人とつきあい、そのなかから良い人を見つけて結婚するというものである。中学・高校ぐらいなら、ボーイフレンドやガールフレンドは誰でもいる。結婚年齢は非常に若く、十九歳ぐらいが多い。これは農村も都会も変りない。また、性も、日本では考えられないくらい解放的であるという。

アメリカの4H活動は、年齢が八歳～十九歳を中心とし、活動期間は夏休みが主である。プロジェクトも、犬の飼育とか、中学家庭科のようなものが主で日本とはかなり違う。楽しいから4H活動に参加するという感じで、父母同伴のものが多かった。理屈は知らなくとも、実践を通じて4H精神を体得させる傾向があり、一般の人にも、4H活動は高く評価されている。

アメリカで一番困ったことは、英語と食事であり、英語のほうは三ヵ月ぐらいで慣れたが、食事のほうは日本の味が恋しかった。ホスト・ファミリーで天ぷらやスキヤキを作って食べたが、むこうの人にも大変喜ばれた。

なお、二人は韓国で開かれたソウル・リーダー研修会へも参加してきたが、その話を聞けず残念であった。

凉風暖風

あなたは一葉・啄木だ

この十一月二十三日は、樋口一葉の命日である。一葉が明治二十九年十一月二十三日、二十五歳の若さで病にたおれたわけであるが、今年は一葉の生誕百年である。樋口一葉が作家として活躍したのは処女作「闇桜」を書いてからわずか四年にすぎない。しかし、この四年間にのこした一葉の業績は極めて高い。薄倖な若い女の哀愁の世界、無自覚のままに旧習にまきこまれていく明治型の女性の暗涙を含んだなりゆきをえがいた一葉の作品は、多くのファンをもっている。とくに、彼女独特の名調子をうたいあげた一種の雅俗折衷体の才筆は若い人を魅了して離さないものがある。私もご多分にもれず、十代の中ばは一葉文学のとりこになってしまった。

樋口一葉とともに忘れられないのは、石川啄木である。とくに、啄木のよき理解者であった郷友金田一京助博士が先日、その生涯をとじられた。私は、金田一博士がアイヌ研究家、国語学者として有名であることを知る前に、啄木の作品を通じて知り、言い知れぬ親しみを感じていただけに、その訃報は悲しかった。

石川啄木も、一葉と同じように、二十七歳の若さでこの世を去った。啄木はすぐれた才能をもちながら、経済的には恵まれなかった。生活苦にさいなまれた啄木の煩悶焦躁の昇華が、彼の短歌である。小説の題材を叙情型に統合したところに発した抒事詩的傾向は、その後において彼の作風を多くの人に追随継承させる結果となった。私も、中学に入った頃は、盛んに啄木ばりの短歌をつくったものである。社会派的なモチーフのとりあげは若き日の正義感を適度に刺激し、悲劇的な訴えの手法は青春のセンチメンタリズムをくすぐる。それに、作歌技法は日常的で、わかり易い。素人でも作れるという身近かさを感じさせるので一度は啄木を読み、一度は啄木に似せた歌をつくった経験をみんなが持っているのではないだろうか。

ところで、私が、樋口一葉や石川啄木にひかれたのは、二人の文学であったことは勿論であったろうが、それ以上のものがあったように思う。それは、一葉にしろ啄木にしろ、若くして死んだということであり、若いうちにすばらしい仕事をなし遂げたということである。これは、私にとって強烈なパンチであった。二人に比べて、自分は何をもたもたしているのであろうか、という焦りで胸がしめつけられたのが今でも鮮明に想い出される。二十歳の前半に後世にのこる仕事をなし遂げるというのは、凡人にはしょせん無理な望みであったのだが。

一葉の生誕百年をむかえ、金田一京助博士の訃報に接し、も一度初心にたちかえらなければ、と思った。

（文部省　伊藤）

「女子研」は持つべき

関東ブロックの推進会議開く 末端クラブ員の参加を

【埼玉】関東ブロック農村青少年（4H）クラブ連絡協議会（会長 綱川信夫君・埼玉）は、さる十月五日から四日間、埼玉県秩父郡野上町の県立長瀞青年の家と飯能市の鷺山荘（国民宿舎）でクラブ推進会議を開いた。

この推進会議は、関東各県連相互の連絡を図り、組織強化と仲間意識を強め、これからも積極的にクラブ活動を展開しようとするもので、今年で三回目。関東（東京を除く）六県と山梨、長野、静岡九県連代表のクラブ員（各県連とも男女各三名）と助言者（各県一名）、それに地元埼玉県4Hクラブ（県連理事三十名）など約九十名が参加して行なわれた。

会議は「行事のもち方」と「組織のあり方」についての分科会と全体討議がもたれ、系統的に4Hクラブ活動の積極的な推進方法を体得するという方法で進められ、女子研修についても建設的な意見がかわされた。

一日目の午後三時に開会、綱川関東ブロック連絡協議会々長、飯田随男埼玉県農業研究団体連合会々長、黒沢健一全国4Hクラブ連絡協議会々長、関東ブロックの大山前会長のあいさつのあと、まず黒沢全協会長から全協活動について説明があった。

二日目は早朝六時に起床、朝のつどいのあと八時半から「埼玉の県民性の象徴」について埼玉県文化財専門調査員、山口平八氏の講演があり、続いて各県連の情報交換、午後一時から「行事のもち方」というテーマで分科会。また別室で県連会長会議が開かれた。七時半から「組織のあり方」について全体討議。

三日目は午前八時半から青年の家の退所式を行ない、九時半、バスで県内視察に出発。全国的に有名な"植木の町"川口市へ向い、市営のグリーンセンターと近くの農家を見学、そのあと安行見本園の三カ所を視察し、飯能市にある国民宿舎、鷺山荘へ五時到着、反省会に続いて懇親会を催した。ロビーでサインを交換したり、ダンスを楽しみ最後の晩を過ごした。

四日目は午前八時半から反省レポートをまとめ閉会式に入り、綱川関東ブロック会長、飯田埼玉県農研連会長、来年度開催の神奈川県農村青少年クラブ連絡協議会の青木和子副会長らのあいさつがあった。続いて助言者を代表して千葉県の東節氏から講評があり、この推進会議が高めた意識をもとに積極的に県連や地区の活動を進め地域社会のために意欲的に取り組むことを誓い十時過ぎ終了した。

主な内容は次のとおり。

▽「行事の持ち方」（分科会）

一、行事を持つ場合、男女合同だと男子に押されて女子の発言が少なくなりがちなので、女子独自の研修が必要である。

一、女子クラブとは何か、何を学ぶべきかを県連、地区連、単位クラブで考えておし進め"女子の生きがい"を活動の中に組む。

一、クラブ員の親睦を深める事業をくむ。

一、技術の収得。

一、仲間意識と農村青年としての自覚を高める。

▽組織のあり方（全体討議）

一、一つの組織の中で二つ以上の役職を兼ねることは、組織的にマイナスであり、危険である。

一、なんの事業でも良いから末端クラブ員が参加できるような事業を組む。

一、4Hクラブ員の使命と精神の高揚。

一、ボランティア精神を持つようなリーダーを養成することが大切である。

（関東ブロック農村青少年（4H）クラブ連絡協議会事務局長、白子慧有君より）

心頭技健

アメリカの農家で約六ヵ月間生活していた日本代表の草の根大使（4Hクラブ員）が帰ってきた。

これで、花やかだった今年度の国際交流も一応おしまいになるわけであるが、彼女たちの生活体験と、同じく日本で約五ヵ月間生活していたアメリカ代表のクラブ員との話しにずれがあるのが注目をひく▼彼女たちの話しで共通するのは、セスナ機で経営管理をするような大規模経営のアメリカ農業と狭い面積に多くの労力を注いで高い収益を上げている日本農業。ウーマン・リブの本家でもあるアメリカと日本における女性に対する男性の態度▼教会に行くために日曜は必ず農作業を休むアメリカの農家の人たちときちんと定まった農休日がない地域もある日本の農村の人たち、年齢やプロジェクトの内容が違い、アメリカでは一般の人にも高く評価されている4H活動などである▼面白いのは、アメリカ娘が、日本の農家の家屋を「夏向き」だといえば、明神さんと石井さんはアメリカの家は「冬向き」だとやりかえしていることだ。アメリカの家は冷暖房が完備していることもあって、窓も小さい、というわけである。それに盗難に対する防備もあろう▼また、アメリカクラブ員は、日本の農家の食生活は「蛋白質が足りないヨ」と言い台所の衛生も余り良いとはいえないと指摘すれば、明神さんらは、アメリカ農家の食生活は意外に質素で、栄養面でも余り考えておらず、楽しく食事するということはないようだと、反論する形となった▼アメリカでは草の根大使を受入れることが誇りともなるので、受入れ家庭が日本のように割合恵まれた農家が選ばれるわけではないため、そういう面が見られないともいえない。が、これだけ日本も食生活において向上してきた証拠とも受けとれる▼しかし、さいきんの公害問題のクローズアップ、経済の逼迫などによって"使い捨て"が美徳とされてきたアメリカ人の生活に変化が起きているか知る必要があろう。

「青年の船」が帰る

東南アジア六ヵ国訪問の旅を続けていた総理府の第五回「青年の船」（日本産業巡航見本市協会の「さくら丸」＝一二、四七〇総トンをチャーター）は、さる十二日午前神戸港に帰港した。この青年の船は、次代を担う青年に視野を広めさせ、幅広い教養を身につけさせようと実施しているもので、今回は全国から選ばれた青年男女ら約三百五十名を乗せ、タイ、マレーシア、ビルマ、セイロン、シンガポール、台湾を訪問した。これには大勢の4Hクラブ員が乗船したが、全国4Hクラブ連絡協議会推せんとして窪田富美子(二三)山口県・福賀4Hクラブ、橋本光好(二三)福島県・中田4Hクラブ山本賢治(二三)愛知県・蒲郡4Hクラブ、近藤武十郎(二五)徳島県・井川町農業後継者クラブ、岡林誠介(二〇)高知県・土佐山田4Hクラブの各君（佐賀県の浦田健君は家庭の事情で辞退）が乗船。なお、山本君は各国の模様を本紙に紹介してきたが、このほど「帰国して考えること」と題して、次のような便りを寄せられた。

この若者の連帯感

物の豊かさだけでよいか

全協推せん一般団員・愛知県4Hクラブ連絡協議会副会長　山本賢治

私たち青年の船団員、教官を含めて四百人近くの集団が、二ヵ月にわたる訪問の旅を終え、事故もなく無事に帰国できたことは、団員に相互協調の精神があったことや、人の和の喜びが多分にあったからだと思う。今回はとくに伸び伸びした青年たちの集まりであったという感想があったが、船の中の自由と制限の中で、どのように拡げてゆくかは一つのプロジェクトでもあった。

「若者の連帯、アジアの連帯、そして私」という今回のテーマは台湾で見た光復大陸というスローガンと同じ意味でもあった。それぞれが真から連帯し合えるのではないかということである。しかしその反面、それがいかに難しいかを感じさせるものがあった。

例えば、シンガポールのマレー人の学校で中国の先生が教えていたが、生徒を叱ると親たちから反発があった。比較的に民族の対立がない同国においてさえ、その難しさを実感したわけである。

われわれは、いま振り返って東南アジアとは何かを考えなければならないと思う。また、人間とは何か、本来の人間の姿とは何かを問う必要もあろう。

私たちの目で見た限りでは、従来の日本の近代化が、現在、固定化され、それをもとに都市化がすすめられている。その傾向は、非常に物質的である。しかし、物を得ることだけが、人間の幸せであろうか。そういう物質文明は、人間を非人格化してしまうのではないだろうかと思う。

ビルマでの生活を例にとると、規模としては日本の会社の百分の一くらいの製油工場が唯一の工業である。そこで、みんなが一生懸命に頑張っている。そして夕方になると、老人が子供たちを連れてパゴダ（仏塔）に集まって遊んでいる。日本にはない"よさ"を一方に残しながら工業化を図っているのである。なんでもないようではあるが考えさせるものがある。

山本君

文明についていけずに残されている日本人ならこれを見て相互協力をしたらよいと言うのであろうが、本当の意味の援助とは何か、人間とは物質的のみの豊かさだけでよいだろうか、という疑問がわいてくる。

日本は、物質的にはとくに恵まれている。急速に発展し過ぎてしまったように考える。他国とのつり合いがとれていないために眠っているもの、人たちを考え直さなければならない時期にきている。

国際協力について、日本人のやり方は、常に相手の立場に立って考えるということが薄いように感じられる。これが、エコノミック・アニマルといわれる原因でもあろう。本当の意味での援助とするために、彼らが何を必要としているのか、もう一度さぐり合い、相互理解する必要があるのではないかと思う。

私たちは、原地の青年と接して"人間は一つだ"ということを強く感じた。しかし、話し合いのたりなさ、くい足りなさ、また、強い意志を持ちえない自分に腹だたしさを感じる。とともに、今回のテーマー「アジアの連帯、若者の連帯、そして私」を考えてみるとき、ビルマ青年の国作りに対する真剣な態度、また、セイロンの人たちの規律正しい姿勢などに比べて、日本での社会に対するわれわれの意識はこれでよいのかと、反省してみる必要があると考えるのである。

若者の連帯、そして私……全国のクラブ員のみなさんは、この連帯感をどう考えますか！

春以来の成果を検討

29、30日可児郡で 岐阜県連リーダー研修

【岐阜県＝中野俊一連絡報道員発】秋の取入れが山間部から平野部に移り、4H活動も季節の変化とともに野外から屋外へと移っていく。岐阜県4Hクラブ連絡協議会（会長 林新太郎君）では、来る二十九、三十の両日、可児郡可児町の農業高等学園内、農村青年研修館で第二回目のリーダー研修会を開くことになった。

今回の研修会は、次期リーダー養成ではなく、春の研修同様に現リーダーを対象に行なう。春以来の各リーダーの活動内容や問題点など自分の肌で感じたままたお互いに報告し、各分科会において討議する。また、組織の中のリーダーとしての役割「組織とリーダー」の重要性を討議の中から吸収してもらおうと、各単位クラブの予算面、行事、作目別クラブ員数などの資料の提出が義務づけられているなど中味の濃い研修が期待される。

世界と競う農業を確立しよう―と力強くスローガンを斉唱するクラブ員＝茨城県のクラブ大会で

世界と競う意気示す

茨城県連でクラブ大会開く 農産物即売でPR

【茨城県＝藤本芳一連絡報道員発】茨城県、同県農業研究クラブ連絡協議会（会長 相馬正之君）主催の第十一回県農村青少年クラブ大会は、さる五日から三日間、県民文化センターと水戸市内のデパート（伊勢甚）で開かれた。

この大会は、過去十回にわたって大自然の中でキャンプ形式によって行なわれてきた。しかし、現在の農業はこれまでになく厳しい情勢の中にあって近代化が要求されているため、激動する農村にあって生きがいをどう求めるかを問い、また自主的な活動と学習の結果を展示して農業者、農業以外の人たちとも交流、クラブ活動を発表し、本県の農業の振興を図ろうとこれまでと違った試みがなされた。

一日目は、県民文化センターで午前十時からオリエンテーションのあと開会式に入り、地区連旗の入場、開会宣言、県民の歌の合唱に続いて知事から激励のことばがあり、ついで相馬県連会長のあいさつ、全国4Hクラブ連絡協議会の黒沢会長から励ましのことばが述べられた。

ついで、スローガン「若人の力と熱と創造で世界に競う茨城農業 若さと勇気できりひらく明るい農業、われらの郷土」を全員で斉唱、4Hクラブの歌をうたい終了した。

午後一時から討論会に入り、「農村青年は生きがいをどう求めるか」をテーマにクラブ員の中から選ばれたパネラーが意見発表したあと、それをもとに会場の参加者、パネラーと助言者が意見を交換、会場内は熱っぽい空気に包まれた。

ひき続いて歌とバンド演奏。アマチュアバンド・ジョカーズの演奏に合わせて参加者が合唱し、文化センターでの行事を終えた。

直ちに、参加者は伊勢甚へ移動し自分たちがプロジェクトの一つとして丹精こめて育てた農産物の展示会を行なった。各地区ごとに地区を代表する作物を定められた範囲内に展示し、いかに見学者に自分たちの農産物をPRするか、また自分たちの農業を知ってもらうか工夫を凝らして競い合った。知事も見学され、われわれ農村青年の心意気におほめの言葉をいただき、みんながこの大会の意義を改めて認識した。

翌日も展示し、最終日の十二時から午後三時まで即売会を行なった。その結果、ほとんどの地区の出品物は飛ぶような売れ行きをみせ、クラブ員も大喜びだった。

この大会の三日間を通して見学者はクラブ員が千名、一般見学者が約二千名にのぼりPRという点からも高く評価され、盛況のうちに幕を閉じた。

食欲旺盛いも煮会

宮城・亘理名取地区連　普及員さん羨む男女の仲

【宮城県＝丸子京子連絡報道員発】このほど、亘理地区農村青少年クラブ連絡協議会（会長　大友昇君）では、南蔵王にある長老湖で〝いも煮会〟を行なった。旧亘理地区連と名取地区連が合併して一年目を迎えたのを機会に、少しでも早くみんながうちとけるようにと計画されたもの。

前日の雨で心配された天候も当日は秋晴れ。吸い込まれるような青い空に白い雲、紅や黄に色づいた木々、そして湖面の澄んだ緑などまさに秋たけなわ。そんな中でオリエンテーションのあと、さっそくいも煮会の始まり。準備してきた肉、里いも、ネギ、豆腐、こんにゃくなど次々と入れて火をつける。豆腐やこんにゃくは手でちぎって思い思いの形に。めんどうだと言ってこんにゃく半丁をそのまま入れてしまった男子。それじゃ食べられないと大騒ぎしてナベの中を探す女子。笑っているうちにもうでき上がり。

ナベを囲んで女性軍の手作りのおにぎりやいなりずしをほおばりながらの昼食。ナベの中はみるみるうちにからっぽ。二回戦をやるぞ！　という名取市連、今度はどこのを食べに行こうかというY君。全部食べ歩いて、普及所組のが一番おいしかったというS君。彼がいうには、さすがプロ！　だそうである。

そのあとボートに乗ったりバレーをやったりのフリータイム。ペアでボートに乗ると沈みそうだ、こわれそうだとムードもお色気もない。が遠くへ行くと恋人たちのように見えるから不思議だ。「若いことはすばらしいことだ」とつぶやく普及員さん、若者たちを羨ましそうである。最後に歌、ゲーム、フォークダンスなどのレクリエーション。歌声や笑い声が秋の南蔵王にこだまして、あたりには若さが満ちあふれていた。

秋の長老湖で、普及員さんもまじえて、いも煮会を楽しむ男女クラブ員

旧地区連間の距離感短める

天候不順で遅れた稲刈りも一段落し、脱穀調整までの一時をみつけ出しての行事だったので人集めに苦労したが、それでも六十八人が参加した。

また、旧亘理、名取としてのイメージが強く、お互いの距離感が感じられるが、新地区連を構成するクラブ員一人ひとりの努力と協調性に期待して、これを機会に、さらにまとまりのある地区連を作ろうと張り切っている。

機械化は急ピッチ

あちこちからエンジンの音

静岡地方では、もう稲刈りもほとんど終り、脱穀、調整に急がしい毎日である。

ここ数年、米の生産調整など農業情勢は急激に変動しているが、このような情勢の中にあって農業機械の普及は目ざましいものがある。とくに、刈取り機（バインダー）は数年前から各地で普及し始めた。農機具各メーカーのPRがきいたのか、それとも各農家が経済的に豊かになったのか、今年は磐田郡、田方郡、浜松市などの地方ではあちこちで見受けられ、エンジンの音が響いてきている。運転操作が簡単なことも農家の人たちから喜ばれているようだ。

このような中で賃刈りをうけおっているクラブ員がいる。早朝から夜九時ごろまで作業を行ない、時には故障を夜十二時ごろまでかかって修理するというファイトマンもいて、農家の人たちから感心されている。

しかし本年度は、全国一律二割減反などで、多くの農家が兼業となり、農外収入の方が多いという農家が年々ふえ、地域によっては後継者問題が非常にクローズアップされてきた。

このようなことから「個人経営では限界があるので、共同経営をめざしたい」という声がクラブ員の中から出ている。と同時に、指導的立場にある市役所や普及所などに対しても、一方的な行政指導だけではなく、本当の農家のナマの声を聞いて指導してほしいと、多くの農家から不満の声が高まっている。

静岡

1本50万円の庭木も

人気上昇ムードの植木市

全国的に知られている静岡県浜北市の特産、植木が、毎年、年末になると飛ぶような売れ行きで関東、大阪、九州方面に出荷されている。浜北市農協（組合員七千名）では、昨年から植木市場を開設し、毎月十日を市場開催日に決めているが、これには市内クラブ員の出品も多く関係者から注目されている。その二回目の植木市がさる十日午前九時三十分から同市新原で開かれ、同地区での最高の取引き高を記録した。

同市場は昨年十月、同農協に園芸部が設けられると同時に発足、当初は園芸農家千百戸、登録業者約四百名、平均三百五十万円の取引きがあるだけだった。それが、この一年間に園芸農家も千三百戸にふえ、登録した造園業者も八百八十名にふくれた。

正月用に庭を手入れするシーズンとあって、当日は、ふだんの市場にくらべ、出品者、登録業者とも約二倍。いつもは市場前広場だけで足りたが、隣りの農協本館前、有線放送会館前まで約三十坪の土地にぎっしり並べられた。このため、例年より三十分繰り上げてスタートしたが、夕方までかかってもさばき切れないほどだった。

なお、市内のクラブ員も多数参加し、中には一本五十万円の庭木を出品した人もいた。年々庭木の愛好家がふえ、団地などでも庭づくりが盛んに行なわれている。

（鈴木政美連絡報道員発）

募集「新年号」の原稿

毎年、新年特集号は新鮮な企画で一年の出発を飾ろうとしているわけですが、今年もクラブ員全国からおおいに協力を得て、よりおもしろい「新年号」を発行したいと思っています。つきましては、次の二つの要領で新年号企画への協力とご寄稿を読者のみなさんにお願いします。

「結婚と愛」一性の問題も企画

▼青春ものとして「結婚と愛」という特集を企画しています。

内容は〝結婚と愛〟に関するものならどんなものでも結構です。たとえば、農村における性の問題、愛の問題、結婚についての多くの問題など題材は幅広いものですから、多くの応募を期待しています。

▼娯楽面の特集企画として『余芸一玄人肌のクラブ員』という面を企画しています。

これは、4Hクラブ員の中でもいろいろな趣味において玄人の域に達している人達について特集してみようというものです。

その趣味としては、スキー、ボウリング、民謡、舞踊、フォークソング、グループサウンズなど何でもかまいません。ただ、その趣味がプロ級の人達です。

※　紹介して下さい。こんな人がいたら、すぐ紹介して下さい。もちろん自薦おおいに歓迎です。

※　本人の電話番号、住所、氏名、趣味の内容などを。

▼右の企画もののほか、随想、雑感、詩、俳句、絵など新春にふさわしいものでしたら何でも結構です。

※　原稿の長さは制限しませんが、企画ものには顔写真や関係資料などを添えて下さい。

【原稿締切日】十二月十五日

【送付先】東京都新宿区市ヶ谷船河原町十一、家の光会館内　日本4H新聞「新年特集号」係まで。

余興一「玄人はだのクラブ員」紹介

土なしの農業

久留米4Hクラブが佐賀へ　電化農場など視察

【福岡県＝国武啓二連絡報道員発】さる十月二十二日、久留米4Hクラブでは、親睦をかねて、佐賀の九電電化の農場と福岡試験場へ視察旅行をした。

これは、実地に電気を使っている農業の実態や将来性を知るためと、試験場における野菜などを勉強しようというもので、このほか福岡市の動物園に立ち寄り楽しく過ごした。久留米4Hクラブでは各クラブ員の栽培作物や肥育の種類によって野菜、果樹、畜産などの部会を設けて活動しているが、試験場では野菜、果樹、花きの三部門に分かれて見学した。

参加者はクラブ員二十七名と他県からの研修生（野菜の研修生として静岡県から五人、観賞樹の研修生として熊本県から一名）六名、農改普及員二名、市役所の関係職員一人など計三十五人であった。

この日、午前八時三十分に久留米市農業改良普及所に集合、福岡県青年の家のバスで九時過ぎに出発。初めの目的地は、佐賀県の電化農場であったが、道中一時間半の間、バスの中でレクリエーション係の司会による自己紹介が行なわれた。自己紹介が終ると、有志がマイクをとって歌をうたったりして賑き、全体的に和気あいあいのムードになった。

十時三十分、バスは電化農場へ到着。まず大きな部屋に案内されて係員の説明を聞いた。この電化農場では、そ菜、花き、食用魚の三つが主で、他の部門についてはほとんどやっていないということであった。また、係員は「今までの農業は土がなければできなかったが、これからは先は土を全く使わないで農業ができる。その代表的なものが電化農場であり、実用化もかなり広範囲にできると思う」と語っていたのが注目をひいた。

それから、全員で現場を見学したが、係員に、室内の温度調節の方法や費用などを熱心に質問するクラブ員が多く、関心度はきわめて高かった。それに、すでに電気を使って栽培しているクラブ員もかなりいたので、ものめずらしさよりも実際的な質問が圧倒的であった。

電化農場をあとにし、動物園に向けて出発。十二時半頃、動物園に着き、入園してから三時までは自由行動であり、めいめいのんびりと楽しんでいた。

三時に再び全員集合し、最後の目的地である福岡試験場へ向けて出発した。三時過ぎに到着し、部門別に視察をした。農業情勢の厳しいおりから、どの部門でもかなりつっこんだ質問が出て、全体的にいって熱心さが以前よりだいぶ増したようである。とくに果樹部会では質問が相次ぎ、定刻を二十分もオーバーしたほどであった。

試験場を出て、帰路についたが、バスの中は笑いの渦。それについて普及所の人は「今回のように、なごやかで、しかもまじめな旅行は初めてである」と語っており、本当に楽しく有意義な旅行であった。

畦道

青の時代からピーコックへ

ピカソに『青の時代』と言われる絵の時代がある。それは、彼の二十歳代の一時期で、ほとんどの絵が〝青〟を基調として描かれている。私は、その『青の時代』の絵が好きだ。彼のその後の絵の展開を、すでにそこに秘めているような絵だ。引きしまったういういしい画調から彼の豊かな感性が匂うように溢れ出てくる。まさに絵そのものが、これからきらびやかに成熟していこうとする〝青年〟を感じさせてくれる。

近頃、街をあるく様々なファッションの人々を眺めながら、漠然と、次のようなことを考えた。それは「大衆のファッションというか服装がやっと青の時代に入ってきたな」ということである。それは、文字通り街で見かける服装に〝青〟のものが多くなってきたということもあるが、一部の人達の服装だけではなく一般大衆の服装が、やっと画一的なドブネズミ色の服装の時代を経って『青の時代』に入ってきたなという感慨である。

私には、ピカソの絵画が『青の時代』を経て、その後の爛熟の時代がやってきたように、大衆のファッションもやがて華麗な爛熟の時代がやってくるような気がする。―若い男性の服装を見ていると、とくにそんな気がする。

ここで重要なのは、一般大衆の次元でそういうことが起りつつあるということだ。このことを逆に言えば、上流の人達の特権的なファッションは時代遅れの陳腐なものになり下ってきているということである。その顕著な例として、あのパリ・ファッションは、型にはまった色あせたものとして崩壊しつつあるということがある。

そんなゴテゴテ加工されたものよりも〝生のもの〟を生のまま着たほうがカッコイイという時代である。まさに、大衆のファッションにおける『青の時代』だ。そして、そのファッションにおいての、〝青〟の絵の具にあたるものは、ジーンズとコットンであろう。この青い生の素材から、どんなファッションの時代が始まるのだろうか？

（土）

「女子は積極的だ」

飛田地区連と可児の女子クラブ員が交歓　申し込み、OK

【岐阜県＝中野俊一連絡報道員発】このほど、飛騨4Hクラブ連絡協議会では可児4Hクラブ（会長　牛田行利君）との間に女子クラブ員の交歓会を開いた。これはかねてから可児4Hクラブが「飛騨女性との交歓会」を望み、飛騨4Hクラブ連絡協議会に申し込んだのが実現したもの。

可児4Hクラブからは、女性三人を含む十一名が高山入りした。飛騨側は、高山4Hクラブから六名、国府4Hクラブから四名、あわせて十名の女子クラブ員が参加した。それに、可児、飛騨の両普及所から普及員三名が加わり、二十余名の交歓会となった。

国府の名所、四十八滝で、国府の女子クラブ員と合流、全員で飛騨4Hクラブ員の夏のつどいの開催場所である数河スキー場内の国民宿舎へ向かった。

そこで、まず昼食をとりながら自己紹介をしたあと情報交換やそれぞれの地方の特色などを語りあった。話題は、各クラブ員の農業経営にまで進展したが、高山の女子クラブ員は、初めての他クラブとの交流、それに直接経営に加わっていない人も多かったので黙りがちであった。いっぽう可児の女子クラブ員は、他クラブとの交流は何度も経験し、また実際に農業をしている人がほとんどということで非常に活発であり、両クラブ員の会話が時々チグハグになったりした。しかし、飛騨の女子クラブ員も、可児の女子クラブ員の話をきいているうちに次第に活発になり、「私もしっかりしなければ」などと言っていた。今後のクラブ活動への一つの刺激剤として時にはこのような交歓会も必要である、という声が多くあったが、とくに高山の女子クラブ員は「積極的ということが収穫」と答え、これからの発展が期待されている。なお今回は古川4Hの女子クラブ員の参加がなく残念がられた。

宿舎前での可児4Hクラブ員と高山、国府両4Hクラブの女子クラブ員

クラブ員の意欲知って貰う

高知・カルスト4H祭開く

【高知】梼原町と東津野村の4Hクラブ員で組織しているカルスト4Hクラブ（会長　中越計清君）は、このほど、梼原小で4H祭を開いた。これは、クラブ員たちの誇りと自覚を一般の人たちに知ってもらおうと開いたもの。

当日は、約百二十人が参加、山口町長からの励ましの言葉を受け講師の岡崎正英氏の『農村に生きる』と題する講演を聞いた。このあとフォークダンスを楽しんだり梼原町内をパレード、農産物を町民にプレゼントした。

農林省活動促進係長に藤井氏

農林省農政局普及部普及教育課青少年班の大沼一己活動促進係長は、さる一日付けで中四国農政局農産普及課の課長補佐に栄転。その後任として普及教育課研修班職員研修係長の藤井文信氏が就任された。

なお、藤井氏は京都府庁から近畿農政局の発足とともに同局へ移られ、約二年半前に本省に転任された。

こんなことをしています

各種農業団体

農林中央金庫

150万円にアップ　マル優の限度

来年一月一日から実施へ

来年の一月一日から、マル優制度の限度額が一五〇万円に引き上げられることになった（従来は一〇〇万円）。

マル優というのは―貯金の利息を受けとるときに、その利子所得にかかる税金（源泉分離課税の場合は利息額の二〇%）を一定限度まで免除するという制度のこと。たとえば、あなたが農協に一〇〇万円の一年定期貯金をすると、利率は年五・八五%だから一年後に五万八五〇〇円の利息がつくが、もしあなたがマル優を利用していない場合には、その利息（五万八五〇〇円）の二〇%（一万一七〇〇円）が税金として差し引かれ、手取りは四万六八〇〇円にしかならない。しかし、あなたがマル優を利用していれば、この税金が免除になりあなたは五万八五〇〇円の利息をマルマル受けとることができる、というわけ。

このマル優制度の対象となる貯金の限度額は家族一人々々に適用される。従来は家族一人につき一〇〇万円が限度だったがそれがこんど一五〇万円まで引き上げられる。たとえば四人家族の場合、マル優を利用すれば家中全体で貯金額六〇〇万円まで、その利息の税金が免除されることになり、貯金者にとっていままでよりも有利になる。

マル優制度を利用する際に、つぎのことを知っておくと便利だ。

① マル優制度は普通貯金でも定期貯金でも利用できるが、なるべく利率の高い貯金（一年半定期など）に重点的に利用したほうがトクになる。

② マル優制度を家中で利用するには、家族一人々々の名義で農協に貯金口座を開くことになるが、その場合、金額によっては贈与税がかかることがあるので農協の窓口でよく相談してほしい。

③ 二つ以上の金融機関（たとえば農協と銀行など）の両方に貯金している場合でも、マル優制度を利用できる。たとえば農協一〇〇万円、銀行に五〇万円というように別々に限度を設けることができる。

このほかにも、いろいろと難問や不明な点があれば農協の窓口で相談していただきたい。

農林中金が調べたところこんな有利なマル優制度を知らない農家が、まだ三割もいることがわかった。せっかく貴重なお金を貯金しようというのに、二〇%もの税金をみすみす払っているのではなかなかお金もたまらない、ということになるものだ。

（推進部）

全国購買農業協同組合連合会

〝新しい農業〟に

兵庫県経済連　総合センターが完成

兵庫県経済連は本年二月、地鎮祭をあげその後急ピッチで建設を進めていた中央総合センター・玉津支所がこのほど完成し、農協関係者ら二百五十人を集めて竣工式がおこなわれ、いよいよオープンした。

土地代を含め総工費五億五千万円をかけ、敷地面積二万七千平方米の土地に大型農機を中心とした技術者養成の研修所・また農業機械、自動車の修理・整備施設、さらに生産資材、生活資材などの流通改善倉庫がある文字どおり総合センターであるだけに今後大いに期待される。

この中央総合センターは、ますます激しくなる農業情勢に対処し高度な農業技術によって生産性を高め、豊かな消費生活を営むことは、会員や組合員農家の願いであり、これら新しい時代の新しい農業を展開し、時代の要請に応えようと建設されたものである。

県下のほぼ中央に位置したこのセンターは、明石から国道二百五十号線を北へ約七キロ、第二神明高速道路との交差点近くにあり、交通の便は申し分ないといってよい。

鉄筋二階建ての本館を中心にして、農機具倉庫、整備工場、生活資材倉庫の四棟からなりたっている。

本館A棟の一階は同センター事務室、農業機械自動車展示室、そしてセンター完成と同時にオープンした玉津支所管内の推進拠点である同支所の事務室がある。二階には農業機械などの研究および研修の場合として会員や組合員農家のために活用してもらう教室、そして資料室、図書館も完備、その他、大小の会議室、食堂もある。

B棟は整備工場、研修所実習室、農薬・畜産・資材倉庫がある。C棟は農機具倉庫、農機具部品倉庫で保管と配送をおこなう。

D棟は生活日用雑貨、食料品、電気は生活日用雑貨、食料品、電気製品などの近代的な保管をする生活資材倉庫を設け、県下一円を区域とする中央配送センター的機能を持ち、合理的な運営により流通コストの低減と輸送のスピード化をはかり、会員および組合員農家の要望に応えようとすることが大きな特徴である。

さらにこうした諸施設のうち技術体制確立運動のなかで、大型農業機械、自動車などの技術主体の研修をおこなう点である。実施訓練（分解・組みたて）で技能習得し、さらに実習農場で実務訓練をする技術一貫教育をめざしており、従来アフターサービスの点で組合員に応えようというもの。

（広報課）

新しい稲作への歩み

北海道農業の確立を

北海道・幌糖4Hクラブ 久保寿雄

混乱と焦燥感と

日本における水稲農業、本道における水稲農業、さらに留萌市の農業へと深く掘り下げて考えて見るとき、必ずしも明るい材料ばかりがそろっているとは思えない。むしろ、現状では暗い面の方が多いようにさえ思われる。

物価は依然と上昇しているのにわれわれの収入源である米価は、二年連続据置き、さらに減反といった具合に、われわれは混乱と焦燥感に悩み続けた。また、外国から押し寄せる農産物の圧迫など、いま頭を痛めている問題が現実となって身にこたえてくると思う。

北海道農業の特性

本道の水稲農業を考えた場合に他府県にない本道のみの特殊な問題がある。その一つは、米の品質が他県に比べて劣ることで、その二つは生産が不安定であること、そして三番目には経営の規模が狭いことである。

このような現実の中で、われわれ青年は何を求めるか。言うまでもなく安定した自立経営者になることだと思う。他産業に劣らない、いや、それ以上のゆとりある明るく楽しい生活をするためにも…。

私の家は五㌶の水田単作経営であるが、留萌の地域性を考えた場合に、水稲経営以外考えられないのが実状である。

寒冷地の技術を

今年の稲作をふりかえってみると、あらためて寒冷地稲作の基本的な技術の徹底が必要であることを強く感じた。品種選定、健苗の育成、自給肥料の増産による地力維持（培養）、栽植密度、施肥方法、水管理などの重要関連技術の徹底によって安定した稲作経営が望めると思う。一つの技術ではなく基本技術を確実にマスターし、総合的技術の改善により大きな効果が上がると思う。

要するに留萌の場合、初期生育を促進し、九月末で成熟期に達するような稲づくりに加えて、良質で、しかも食味の良い米の生産技術を身につけ、近代的農業経営になることが必要だと思う。

規模拡大で対抗

また、所得増には、本道の特色を生かす上からも、規模拡大によってコストダウンし、内地米に対抗することが必要と思われる。右の点がスムーズに運営されるには経営的能力が重要な部分をしめる。「経営とは変化に対応することだ」とすれば、経営の目的である計画的利潤の追求のための、計画・実施・反省・今後の改善（拡大再生産）というプロジェクトが必要だと思う。

プロジェクト持つ

営農改善のための一つの手段としてのプロジェクトがあるが、プロジェクトのためのプロジェクトではなく、経営に密着したプロジェクトが大切なことだと思う。だから、私は今後ともプロジェクトを続けて行くつもりである。冬は頭脳労働と肉体労働のバランスをとるためにもあるのだから、冬期間に前年の稲作経営の反省や記録の整理、プロジェクト設計、今年の営農設計などを十分に検討して作成し、春作業にかかりたいものである。積極的に講習会、研修会、先進地の視察に参加することも必要だと思う。

五年後の夢として、十㌶の農業経営者になりたい。それまでに家族労働を主体とした作業体系を確立したい。

農業者とは、技術者であり経営者であるが故に、技術的、経営的、そして家庭的にもすぐれた農業経営者になり、明るく楽しい農業者になることをめざし頑張る覚悟である。

（北海道留萌市幌糖千葉第一）

わかり易いプロジェクトの取り組み方 ■4■

責任感と実行力を よく学ぶことは働くこと

滋賀県・専門技術員 塚本賢次

（2）計画のたて方

まずこのプロジェクトは、どうすすめてゆくか、という計画書をつくる。計画書といってもそんなにむずかしく考える必要はない。

ア、目的と理由 この課題をやろうと決心した動機（理由）をかく。

イ、目標

（a）生産プロジェクトなら十㌃当り何㌔、プロジェクト面積として何㌔の生産をあげるかを記入する。

（b）技能プロジェクトなら、どんなものを完成することがねらいかを書く。

（c）改良、試験、調査を主とするプロジェクトなら、どんな点までやるかを明記する。

ウ、栽培計画

（a）規模（面積）

（b）実施場所（ほ場名）

（c）開始時期、終了予定時期

（d）種子量、畦幅、株間をまず記入して、大まかな計画とする。

ついで、細部の実施計画をたてる。

ア、作業予定 作業名と作業予定期日およびこれの所用労力を計画する。その課題を実行するためには、まずどんな作業が必要かを知る。そして、何月何日頃、その作業をする必要があるかを、両親や普及員にきいたり、参考書で調べたりして、この計画書に記入する。さらに、その作業は何時間位かかるか（どの位の労力）を調べて時間数を記入する。

イ、資材使用予定 肥料、薬剤などがどの作業のとき入用か、またどの位入用かを予定して記入する。

ウ、肥料設計 元肥、追肥に分け、三要素に区分して、施肥の計画をたてる。

エ、薬剤設計 どんな病害虫がいつ頃発生するかを予定し、それに対処する薬剤名および数量をあげておく。

最後に、この計画をたてるにあたって、この中にもりこんだ新しい方式とか、工夫とかがあれば附記する。

（3）実行段階のすすめ方

実行段階で留意すべき点は次の通りである。

ア、強い責任感と実行力をもって、少しくらいうまくゆかなくても、何とかやりぬくという態度をもちつづけること。

イ、肥料、薬剤の使用は目方、量を正しく測るようにすること。

ウ、わからないことは、すぐ参考書等で調べ、さらに不明の点は両親や普及員にたずねること。

エ、グループで研究集会をたびたびやって、お互いに研究しておくこと。

オ、成長の具合についてはよく観察すること。

カ、この経過はすべて記録簿に記入すること。"あとで"と思うと忘れてしまうから雑記帳を用意し、その日のうちにメモをする。

（4）結果のとりまとめ方とその利用

ア、収入支出の関係をとりまとめること。

イ、プロジェクトをクラブ員相互で評価しあう。

ウ、さらに次の発表計画を考える材料にする。

エ、プロジェクトの結果を発表会、展示会などを通じてみんなに知らして普及に努める。

おわりに

以上プロジェクトのとり組み方について、かなり具体的にその手順についてふれ、プロジェクト活動が大切であることはすでに充分承知してきた。

デューイという学者は「われわれは経験するところのものを学ぶ」といった。稲をつくり、乳牛を飼い、炊事をするという経験をつみながら、その中でいろいろのことを学んでゆく。上手に作物を作ったり、乳牛を飼ったり、うまく炊事をするためには、実験したり、見学したり、読書したりすることがどうしても必要になってくる。

正しく働こうとすれば、結局しっかり学ぶことになる。「よく学ぶことは、よく働くことである」といえる。要はプロジェクトという言葉におそれず、自分の力で実践するということに飛び込んでゆくことである。

（おわり）

品切れ続出の即売

岐阜県連の「若人のつどい」収穫祭 4HのPRにも

【岐阜県＝中野俊一連絡報道員発】岐阜県4Hクラブ連絡協議会（会長 林新太郎君）と飛騨4Hクラブ連絡協議会では、さる十月二十四日、高山市の飛騨体育館などで行なわれた岐阜県の「第五回あすをきずく若人のつどい」で収穫祭を担当、名に恥じぬ農産物の大即売会を開き、一般家庭の奥さん方や若い人たちの注目を集めた。

飛騨最大の合宿作り体育館前の広場に集まった農産物は、クラブ員のプロジェクトと行動力を競う秋野菜など山菜各種。間口五㍍、奥行き十五㍍の会場は、前日、クラブ員が田からはずしてきたトマト用ハウスを組み立てたもの。厚地のナイロンハウス内は、手さげ袋姿の奥さん、白菜を十五㌔も買い求めたおやじさん、リンゴをかじる若者などでごったがえした。PRがきいたせいかアッという間に品切れが続出するほどの人気。ちょうど漬物の時期であったことや市価の半値近い値段のためにこのようにうけたものと思われ、あげくの果ては畑まで取りに行き、ネギ、大根にいたっては土つきのままで販売、それでも飛ぶような売れ行き、すざましい主婦の姿がみられた。

4HのPRは、日本4H協会から送ってもらった4H新聞の見本紙四百部を配布、なかなかの好評で、4Hクラブを理解してもらうためにも非常に良かったとの声が多かった。

つどいでは、医事評論家で結婚カウンセラーの奈良林祥氏を招き「現代青年の結婚観」と題して講演してもらった。面白味のある話しの中に青年にマッチする性医学や、婚約は一つの（二人の）戦いであるなどと話され、若い男女は顔を見合わせていた。

たった一日のつどいではあったが、4Hクラブの良い意味でのPRになり、主婦たちからは「またやってほしい」との声が出て、予想外の収穫を収めた。このつどいを今後の活動の支えとして大いに頑張ろうと語っている。

"さすがやなー"の声

かけ合い合戦

〈午前七時、野菜が集まって来た〉

オイ、そんなに持って来て売れるのか？

だいぶん集まったなー

なんや、ハクサイばっかやなーけ

おー来た来た、何ヨ

全部で何種類か、えーと、ハクサイ、ダイコン、赤カブ、ホーレン草、ネギ、リンゴ、ナシ、トマト、クルミ、クリ、ナメコ、カーネーション、シクラメン

まだあるな、コイ、恋か？池のコイや九時からやけど、やるか、

まだ七時半やぞ

〈七時半頃から開始する〉

さあ、よってらっしゃい、みてらっしゃい

本日は大安売り、グラム四円、町の中は六円やでー、一円や五円はさらにまけとく、上手な買物しましょうネー

ハイ、九十八円です。えい百円でいい

しぶしぶオクさん、安いでいい、二円まけとく

あれー、どっちがまけとるの

ハハ……

いらっしゃい、ナメコ百円です。ハクサイ……二㌔七百です。では三・五㌔で計算します。八十八円デス、では九十円でいいわ、

わかってるなーオクさん

計算を間違う。これ、たった八十五円でいいの

アレー、スイマセン、百八十五円でした。

互いにニッコリ、まいどありー

これ、やわらかいわ、これ青すぎるヨ

オクさん、オクさん、味ですヨ、4Hクラブ員の作品です。間違いないですヨ

さあー、かった、かった

オクさん塩は専売公社でスヨー

オイー、ハクサイもうないかー

とバカでかい声。ダイコンもなし畑から持って来い！と声が飛ぶ。土の付いたネギが車で来る

「オイいくらにする？」

おら知らん

よし、そんなら、オクさん、オクさん、これいくらで買ってくれる？

そうかなー二十五円よし、おーい二十五円やぞー

ハイ、ゴリッパデスネ、ハイ、大まけです。

シクラメン二百五十円、卸値です。いい花だ、えーもちろん、私の心の作でス、若いオクさん持って行く。

こんな安売りまだやるの

いえ、これが最初で最後です。ただ一日でス。われわれ4Hクラブはどれだけでも安く買っていただこうと思いまして

「なめこ」いくら。百円デス

ここで買えばよかった。百五十円で買ったのヨ、おしい事したなー、そんな声

そこへ、若い女性五人組

すかさずクラブ員

悪いなー、ダイコン売り切れやート

バカー、恥しそうに、そしていばってリンゴでいい……

さすが4Hクラブやなーの声

クラブ員、口には出さぬが当り前よ俺達あっての大会や

品い安い、ハウスの中

よう、売れるなー、まいどありー‼

そろいのカスリを身につけて、お客を待つクラブ員。会場は、田んぼから持って来て組み立てたビニールのトンネルハウス

プロジェクトと経営

生活に夢と潤いを

山梨・塩山4Hクラブ 向山清子

私が、4Hクラブという名前を聞いたのは、今から六年ばかり前です。そのころ私は、学校を卒業したばかりで、糸の切れたフーセンのように、フワフワしていました。私にとって4Hクラブとは、他の団体にくらべて、一段と目新しく楽しいところでした。

私自身がわが家の経営のにない手なので、研修レクや催しなどには、地区選、県連を問わず参加してきました。友や先輩を、より必要とする十代の終りから二十代にかけて、いろいろな人たちに会い、さまざまな意見や考えを聞くことができました。また、多くの経験をすることもできました。集団のなかの自分の在り方、集団を通しての友情など、これらは、社会生活にとっても、とても大切なことだと思います。

生涯の友だち、しかし仕事のうえでは良きライバルである彼らにめぐり会えたのも4H活動のおかげだと思っています。クラブ活動は、実績としてすぐ目の前に現われるものばかりを、期待しなくともよいのではないでしょうか。心に感じるもの、頭脳にひびくものがあれば、それを自分のものにして、経営に生かしてゆくことこそが、すばらしい実績になると思うのです。

公害、人間疎外とさわがれているなかで、農村には、まだまだ人間的な温かさがあります。そんなすてきな農村で、今まで4Hクラブで学んだこと、身につけたことを生かして、夢と潤いのある農家生活をきずくのが願いです。

（山梨県4Hクラブ連絡協議会「てのひら」七号より）

薬剤散布と草取りを

わがアメリカスイカ作りの失敗

長崎・柳山4Hクラブ 藪谷照義

柳山4Hクラブの共同プロジェクトは、昨年と同じく今年もスイカ作りであった。以下、私のスイカ栽培について、紹介したいと思う。

私はチャンピオンという品種と友人の家からもらってきたアメリカスイカという二つの品種を作った。

まず第一に、管理機で畑を打ちそこに待床を作った。株間を一㍍十五㌢～一㍍二十㌢に穴を掘り、深さを約三十㌢にした。

第二として、穴を掘ったなかには、草が入らないように草をむしり、鶏フンとミカンの肥料を全部の穴に入れた。それを混ぜ合わせて土を盛り上げ、その上に下肥を二㍑ぐらいかけた。

第三は種マキである。まず、アメリカスイカのほうから、入れ床の表面を水平にし、その上を十文字にして、種子を約六粒づつまいた。種子の上に土をうすくかけ、さらにその上に、砂をあつくならない程度にかけた。チャンピオンもアメリカスイカと同様である。砂は川砂であるからキャップをはった。

私は種子を入れてから何度か潅水したが、本当は種子を入れるときたっぷり水をかけキャップをはれば良かった。しかし、その時点では頭に浮かばなかった。

種子入れが四月二十三日で、発芽が五月一日であった。本葉が二～三枚になったのは五月十二日ごろであり、その後の芽の出は良いほうであった。

五月二日にキャップを取ったがその時はつるもだいぶ伸び、本葉も多かった。六月十五日に敷草をし、一番果は、六月二十日であった。収穫はチャンピオンが七月二十五日、アメリカスイカは八月一日であった。

スイカ作りで実施力をつけたのは良かったが、残念なことは薬剤散布しなかったことと、草をとる暇がなく草をとれなかったことである。その結果、アメリカスイカは四十個ぐらいなったうち、くされたスイカが約十個あった。一方チャンピオンは約二十個収穫したが、くされていたのが五個ぐらいあった。また、草のせいで、実の太り方が全然わからず困まったこともあった。

何でも同じことであるが、薬剤散布と除草をしなければ、良い果実はとれない。今度は、それらをおこたったばかりに、量も少なく店にも出せず残念であった。来年は、今年のことを忘れずにアメリカスイカを多く栽培し生産したいと思う。

（長崎市農村青少年クラブ連絡協議会「新樹」第十三号より）

あなたの実力は

第11回 全国農村青少年技術交換大会の技術競技問題から ⑤

畜産

（専門コース）

1、放牧地の場合、草種選定と10a当り播種量としてつぎのどれを選ぶべきか、該当する記号を選んで下さい。

草種と10a当り播種量（Kg）

草種 記号	A	B	C	D
オーチャードグラス	1.8	1.0	1.2	1.8
チモシー	0.5	0.5	0.8	
ペレニアルライグラス	0.5	0.8	0.5	
イタリアンライグラス	0.3	0.4	0.3	0.3
ケンタッキー31フエスク	0.4	0.8		
ケンタッキーブルーグラス	0.8	0.8		
レットトップ	―	0.5		
レットクローバ	0.2	0.5	0.5	0.5
シロ クローバ	0.2	0.3		

2、既設の草地から10a当り年間8,000Kgの生草を生産したいのですが、（1）表を参考にしながらどの肥料を現物で何Kg施すのが適当でしょうか。（2）表から記号で答えて下さい。

（1）表 混播牧草（生）成分含有率

	N	P_2O_5	K_2O	備考
成分%	0.5	0.1	0.5	生草

（2）表 肥料の種類と施肥量

肥料別	草地化成			草地化成			備考
10a	（14、28、14）			（20、10、20）			
項目 施肥量	200	300	400	50	100	200	
記号	A	B	C	D	E	F	

3、造成後3～4年経過した混播草表ですが、近年、マメ科牧草が優勢（50～60%）になり困っています。なんとかイネ科牧草の割合を60～70%に維持したいのですが、あなたは技術的にどんな対策を実施しますか。

つぎの対策のうち重要な事項3つを選んで、その番号を選んで下さい。

番号	対策技術
1	イネ科牧草を追播する
2	肥料を多目に施し刈取り目数を多くする
3	燐酸、加里肥料を多く施す
4	刈取り回数を少なくする
5	石灰を多く施す
6	低刈りを励行する
7	窒素質肥料を主体に追肥する
8	高刈りを励行する
9	微量要素を施す
10	放牧を中心におこなう

4、牧草が若い場合やマメ科率の高い人工草地に牛を放牧すると鼓張病が出がちです。発生を防ぐため次のどの方法を採用するか、正しいのはどれですか。

（1）出来るだけ夜間か、雨降りの日に放牧する。

（2）放牧にイナワラ、または乾草を成牛に3～4Kg与え、空腹状態での放牧をしない。

（3）濃厚飼料を成牛1頭当り2Kg与えるほか、食塩の給与を増し、水をのませてから放牧する。

5、次の表の条件の乳牛にマメ科、イネ科同量の混播生牧草を1日当り55Kg給与しています。

胸囲 196cm 体重 600Kg

1日当り乳量20Kg、脂肪率 3.5%、栄養必要量DCP1.23Kg TDN10.63Kg

この中に補給飼料が必要かどうか、次の方法が合理的かを判定し、正しい事項はどれですか（鉱塩は常時給与、混播牧草の成分DCP2.1% TDN11.2%）

（1）水の他はなにも補給しない

（2）乳配7Kg

（3）イナワラ2Kg 麦ヌカ3Kg

（4）生豆腐粕6Kg

6、豚の枝肉等級の判定は主に半丸重量、外観、肉質を見てきめるが、背脂肪の厚さなどをどこでどう測定するか、次の方法のうち正しいものの番号はどれですか。

（1）生体の背に脂肪測定針をさして測る

（2）枝肉の第9～13胸椎関接部直上にある背脂肪のうすい部位で測る

（3）屠体長の中心点の背脂肪を測る

7、670gの正常発育の白レグ中びなは、何日びきですか。

50日 60日 70日 80日

（正解は次号に掲載予定）

研究活動の成果を一堂に

富山県4Hの実績展示会開かる

【富山】富山県4Hクラブ連絡協議会（会長 竹松幸夫君）は、県と共催で、さる十三日から富山市の県民会館一階ホールを主会場として県4Hクラブ実績展示会を開いた。

県下のクラブ員が、プロジェクト活動としてこの一年間に取り組んだ農作業の工夫や生活改善研究のほか丹精こめてつくった農畜産物を一堂に集め、成果をきそおうというもの。

一日目は、県下の三十五のクラブに所属する五百七十七人がグループや個人で改良した農業機械、作業衣のほかダイコン、ハクサイ、カキ、その他の農産物などやく八百点を搬入し、穴口県専技班長らによって部門別に一点ずつ審査が行なわれたが、どの出品物もすばらしいできばえで優劣がつけがたかった。

十四、十五の両日は一般にも公開し、出品物を即売するほか、参観者のサービスとして農産物の安売りを行なった。

花いっぱい運動で苗管理

千葉・佐倉クラブ

【千葉】佐倉市の佐倉農村青少年クラブ（会長 清宮芳男君）は同市から花いっぱい運動のためのタネを委託され、苗を交代で育てている。

同市では来春四月には花いっぱい運動を繰り広げることになり、同クラブがパンジー二万五千本の苗の育成を依頼されたもの。クラブ員の育てた苗を官公庁はじめ各家庭に配布し、花いっぱい運動の盛り上がりを図る。

NHK農事番組

（12月1～10日）

テレビ

明るい農村 6・30～6・55 総合

1日 産物往来「みかん」

2日 話題の広場「きのこ先生」

3日 村をむすぶ」仙台、大阪、広島、東京」

4日 農村新地図「広島県瀬戸田町」

5日 明るい漁村

6日 村の記録「稔らぬ大地」

7日 きょうの話題

8日 産物往来「つけもの」

9日 話題の広場「民俗資料館・コンピューター選果場」

10日 村を結ぶ「名古屋、広島、松山、東京」

農業教室 7・30～8・00 教育

2～4日 りんご生産の近代化 渋川潤一（岩手県園芸試験場長）

6～8日 いちご生産の経営と技術 能登谷留利（静岡経済連）

9～11日 育林と採算 大崎六郎（宇都宮大学教授）

あすの村づくり

日 7・00～8・00 教育

再 土 13・00～14・00 教育

5日 「明日の農業を築く」～第23回全国学校農業クラブ大会から～岡山県立高松農業高校、山口一門（茨城県農協中央会副会長）ほか

ラジオ

早起き鳥 5・41～5・57 ❶

1日 草地作り日本一～青森県むつ市斗南丘

2日 過疎村のいのし騒動～福岡県星野村

3日 しいたけの年間出荷に取り組む～群馬県榛東村～清水二郎

4日 シクラメンでかせぐ～長野県東部町～丸山一徳

5日 追われる日本生糸～安田忠之（全養連参事）ほか

6日 ヨーロッパの施設園芸を見て～藤本幸平（奈良農試）

7日 農民の野菜冷凍工場～熊本県阿蘇町～藤川常春（阿蘇冷凍組合長）

8日 ふるさとの野菜をどうぞ～川崎市

9日 外来野菜に取り組む～古里和夫（浜松市立植物園園長）

10日 残留農薬を消す～高倉[illegible]（茨城大学）

話の広場 日 6・10～6・30 ❶

5日 養豚公害防止条例～茨城県下

新しい農村 6・30～7・00 ❷

5日 はじまる農協の委託防除～橋爪文次（全購連技術対策室長）

ラジオ農業学校 日 6・30～7・00 ❷

5日 グループの集い「畜産によるインテグレーション」～兵庫県柏原町みのりグループ

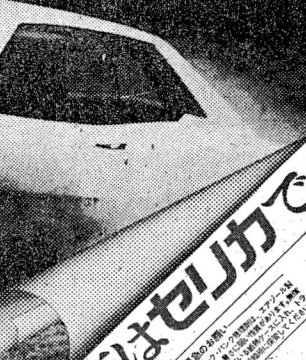

経営の原点 (3)

矢口邦生

（離農の決意）

結婚生活に入ると、わが自営業はいよいよ悪化した。自らの必要経費ぐらいは「明確なルートのもとに、得られる報酬を」との一念に燃え、本職の百姓は、春耕、田植えを終えると直ちに放棄して、造林山へ行った。

百姓の管理作業は、勢い、女房と両親にかかる。一方僕は、山の仲間のつき合いで、仕事の合い間には飲みもすれば、雨がふれば魚とりにも行く。すると、照る日も雨の日も、田の草とりをしている女房は、「農家の跡取り息子っていいわね」と、皮肉と軽べつのまじったまなざしを向ける。

父母の抵抗も日ましに強くなり、全くの四面楚歌の中で、われながらあまりの脱農業ぶりに嫌悪感を覚えて、とうとう離農を決意した。一昨年のことである。あきらめの態を示していた父母の了解を得ることはむずかしいことではなくなっていた。局面を打開するには、あまりにも親子間の意志の疎通が断たれていたのである。

（地元に職を求めて）

できるだけ地元で職を、と歩き始めた僕は、農協で運転手を欲しがっているぞと友から聞いて、早速、僕達の仲人でもある組合長の自宅に足を運んだ。

縁側のある、かなり古い木造の一軒家で、田んぼにかこまれた自宅は、昔風のその縁側に、よくみがかれた石が数個おかれていて、クラシックな組合長の趣味の一面をのぞかせている。でも、若い組合長である。不惑も半ばほどであろうが、いかにもエネルギッシュそうな赤ら顔で今はやりの縁なしメガネをかけている。話しだすまでは、僕なりに成算はあった。組合長だって元は百姓の子だ。僕の気持もわかってくれるだろう。

ところが、「よく来たな」と言われて歓待を受け、出足はすこぶるよかったものの、

求職、彷徨、呻吟

組合長は頑として頭をタテに振らなかった。「誰に聞いたか知らんが、採用の見込みはない。今いる職員だって減反やら何やらで、むしろ減らそうと思っているぐらいだ」と言う。あるいは、「あれだけの土地がありながら、やめることはないだろう」と言う。結局は、組会長としての立場上の忠告を受けたにとどまって、事態は進展しなかった。

職安はさけたい。地元に職を得たい。経済的には苦しいだろうが、地元の利で夫婦共稼ぎをすれば、生活に困ることはないだろう。町を離れるには、両親と土地が気になりすぎる。目の届くところにいよう。このころ、ひんぱんに家を留守にしていた父母は、叔父、叔母達の了解を得て、僕達の離農は、もはや既成事実となった。

どこへ行くか。いかなる職を求めるか。いまだ五里霧中の僕達は、ふたたびあの組合長のエネルギッシュな赤ら顔を想起し、しかし今度は出向くのではなく心境を述べやすい手紙に代えて、最後の望みを託した。やはり、できれば地元にであった。

「組合長、再度の御願い、恐縮に思います。農協のしくみは小生にはわかりかねますが、もし運転手の採用が組合長の裁量にかかるものなら、なにとぞ小生に運転手の職をお与え下さい。

確かに、前に組合長の言われましたように、北限の米作りが死んだわけでも、あるいは北方の農業が息の根をとめられたわけでもございません。が、小生の窒息状態はすでに数年になります。

ところで、貴宅訪問数日後に、家内がお届けいたしました、私共の機関誌をお読み頂けましたでしょうか。『後継者育成よりも親父の育成を』とS君、『複合家族の中における後継者の位置』と題してのM君の手記。そのように私共は、土に取り組む以前の難問の山積を、骨肉相食む肉親との見解、立場の相違からいかんともしがたく、あっ、小生一人ではないんだなという、複雑な安堵のタメ息まじりに、後継者たる者の行先を慨嘆するわけです。

そして、その中で、僕らより若い会員は、問題提起イコール解決への一里塚ともとりますが、小生にとっては、かって恋心抱いた娘をしのぶがごとき問題提起で、解決自体がいとわしく思われます。

そうなのです、組合長、百姓に誇をおき、冬も働きましたが、もちろん全て臨時にすぎず、そして、百姓も臨時にすぎなかったと知る、井の中のかわずのように未来を信じた一青年の苦渋を、誰が察してくれましょうか。

農業主体の呪縛から解き放たれ、とにもかくにも「正」になりたいと思うとき地元で勤めることのできる組合の運転手は、とてもありがたく思われます。運転手といえど、正規のそれになることは、小生には〝栄転〟にほかなりません。組合長の御理解を願う所存です」

後継者は臨時にすぎない。羊のような後継者のみが、やがて時間の神の力を借りて、選ばれた経営者となるのだ。それまでは、文字通り羊のごとく、時間という鎖につながれ、不安定な収入という追肥もされぬ草を食み、そしてそれ故の冬の出稼ぎは、子羊とのしばしの別れを強いられる。

（時間が……）

与えられた仕事でいい。それを消化していれば確実に得られる報酬がほしい。まだ太陽が頭上にあるときに、一日の務めを終えて、妻子の待つ、小ぢんまりしたわが家に帰る。家計は楽でなくとも、その代わり時間が得られる。日曜もある本を読もう。内外の古典を読もう。たまには興味のある新刊本にも目を通せるかもしれない。サラリーマン万才だ。ドンブリ勘定よ、あの世へ行け。百姓という名の時間の浪費家よ、「経営者」とかいう夢想家よ、お前の顔など、見たくもない。

（『農民文学』百一号より）

—つづく—

農業…私の一生の仕事として

滋賀県・永源寺町後継者クラブ　小川正彦

人間らしく生きるため

人間らしく生きるためにはどのようにすれば良いのか。それでは一体人間らしさとは何か。人の内よりおのずと湧きいでて来る暖かさを求めて。

人間とは一口で言い表わしえない不思議な動物だ。考えることの出来る唯一の特権ともいえる〝考える〟いうことを忘れている者がいかに多いことか。

言うなれば人間でなく動物が多いということだ。人間の皮をかぶった動物が多い世の中だ。

人間社会であるはずの世の中において、今や主人である人間のことが忘れられようとしている。

「GNP、GNP」と目の色を変えている間に今や大都会と言われる東京、大阪は人間の生活の場としては、全く不適当な所となった。今でこそ首都である東京もかつて四百年前にはうっそうとした木が生い繁り、動物の天国であった。それが今やコンクリートジャングルに生活するアニマル達の住む所となっている。

日本国中見回して見た所、世界的にも自然は増々加速度的に減少をしている。この時にあたり、私達人間は一体どこに休めばよいのでしょうか。人間が人間らしく生きる場はあるのでしょうか。

今日ほど、生きることにあくせくとした時代では、心の豊かさを求めて生活することは不可能に近い。そして、この様な人間は人生の落伍者であるかの如きあつかいを受ける。

急激に変化する社会についてゆこうと、努力をくり返してゆき、途中で傷つき倒れる者や脱落してゆく者も多くいる。また初めよりこの流れに入ることなく避けてゆく者、また逆らってゆく者も少ないが存在する。しかし、これらの後者、前者は社会の流れの中から見れば反逆者に見られ社会より束縛を受けている。だからといってどのやり方が良いかと言えば、誰も明確に答えようとしない。いやむしろ出来ないだろう。

さて、例え社会がどの様であろうと、私達は生きて行かねばならない。苦しくとも生きて行くための戦いだけはせねばならない。どの様な流れに入って流されるかは各人の自由だろう。他人を束縛することは出来ない。苦しくむつかしい時代かも知れないが、今日の社会ほど私達青年の血を沸かしてくれる社会はまたとないだろう。

今こそ自分の考え一つでどのようにもなれるのだ。どの道に進もうとも苦しいのは同じだ。その苦しみに負ける様では他のどの道に入っても同様に負犬となるだろう。一度これと思って入った以上どの様な苦しみも、どのような試練も打ち負かしてゆく気力を養ってゆかねばならない。

金力能の世の中だからと、逃げ腰になることなく何事にも打ち勝ってゆくという気力が必要だろう。またそれは、一日一日を通じての実践活動があってのことだけれども。

そこで、私は一生の仕事として農業を選んだ。何故かと言うと、私の環境が一番大きな原因だろうが、もう一つ私は人間らしく生きるために農業を選んだのだ。自分自身の境遇を考え、性格を考えた結果だ。自然相手であり自分の思い通りに出来るということで選んだ。

が、自分の考えの甘さを今発見しつつある。しかし、自然に囲まれての生活は思考の発展のためには刺激の少なさ故によくないだろうが健康のためにはよい。

そしてまた、野に育つ花や川に住む魚達を見つめていると、私の心の中に何とも言いがたいものがこみ上げてくる。しかし、次第に自然が破壊されつつある現在、誰に対してでもない怒りがこみ上げてくる。これを守りえない微力の自分に対しても情けなさと共に怒りがこみ上げてくる。

私達人間の幼い日の豊かな心の成長に力を添えてくれたこれらを守り次代に伝えるのが私達の義務だろう。このように考えてゆくにつけ、一時迷っていた私の心も、いつしか落着きをとりもどしつつある。

他人はけおとしても自分の出世を願ってゆくような今日の社会よりみれば、人生の落伍者といわれようとも、私は私の道を自分で選んだ道を歩んでゆく。勝負というのではないが、人間としてはずかしくない人生を送って勝者となるために、豊かな人間社会を築くために一人一人が手を組んで調和のとれた社会を造り出そうではないか。

（滋賀県農業後継者クラブ『[illegible]道』より）

青春と仲間

クラブ紹介

盛んな茶業部

人員の減少もなく活動

信楽町農業後継者クラブ

会員相互の親睦をはかり、希望のもてる農業経営と農村生活の向上発展をはかろうと「農業後継者クラブ」が誕生したのは四十二年の十二月です。

このクラブは、町内の主として農業経営に従事するおおむね三十歳未満の青年または、明日の農業を担ってたつ農村青年であれば、誰でも参加できるようになっています。

発足時は畜産、林業、園芸、作物、生活、茶業の六部門で六十五名からスタートしたこのクラブはいま全体をながめてみるときに、年々減少の傾向にあり、活動は低下しているのが実情であります。

しかし、これとは逆に、茶業部門では減ることを知らず、現在、二十数名が充実した目新しい活動を展開しています。

この部員のほとんどが、茶栽培によって生計をたてているためか目の輝きは真剣そのものである。

そして、この部門では月二回の定例会をもち、各関係機関の指導と各種団体とのコミュニケーションを保ちながら、積極的な研究発表会や茶品評会の見学、県外研修生の派遣をはじめ、奥山地区に七㌶の試験研究園を開拓して、管理方法や増産対策などの研究を続けています。

こうした部員の熱意と努力によって、ときには農協や茶業協会を動かし、信楽焼とともに古くから伝統を受け継いできた〝朝宮銘茶〟を部員たちの手によって、ますますその声価を発揚しようとしています。

今後とも、若さと情熱を秘めた部員が、より団結して、あらゆる困難も切り開いて前進していきたいと考えています。

恥ずべきこと

日本を訪れたヨーロッパやアメリカの人は、〝日本人の印象について〟と聞かれると必らずといっていいほど〝日本人は恥かしがりやである〟と答える。若い日本人なら誰でもすこしぐらいの英語は話せる。しかし、私たちは、外国人に対して必要なとき以外は口を開こうとしない。それが外国人にとっては、なんとも歯がゆく、〝日本人は恥かしがりやだ〟と言わせるのだろう。アメリカ人などが片言の日本語で、私たちにどうどうと話しかけてくるのとは大部違っている。

ドイツのルース・ベネディクトという学者は〝菊と刀〟という表題をもつ著書のなかで、日本の文化と西洋の文化の相違について論じている。彼の説によれば〝日本は恥の文化であり、西洋は罪の文化である〟ということである。また〝日本人は恥の意識で死に、西洋人は罪の意識で死ぬ〟とも書いている。まことに直観的で、しかも平易、図式的な〝日本人〟のとらえ方である。しかしながら私たちは、彼の指摘に対して否定しきれないなにかを感ずるのも事実である。

日本の歴史をふり返ってみれば、たしかに〝恥〟が外面的制裁として人間を死に至らしめた例は数多くあった。〝生きて恥をさらすなら……〟という慣用句まである事実はいなめまい。現代社会の生活・風俗をみて、それら〝恥の文化〟を遠い昔のことと一蹴することはできないような気がする。

なぜならば、それらは道徳観念として今も生き残って、私たちの生活と深く関わったところに根を下ろしているからである。

若者が多発する〝カッコ悪い〟という言葉も、〝恥〟と無関係ではありえないだろう。恥をかかないためになにかする大人たちを、笑う彼ら若者も、同世代人に対して恥をかかないようにオシャレをしたりする。やはり、私たち現代人の生活も、〝恥〟によってがんじがらめにされているのである。

しかし、外面的制裁としての〝恥〟ばかりでなく、内面的制裁としての〝恥〟も日本人にはある、とある日本の社会学者は太宰治の〝恥〟の意識を例にとり、考察しているが、それもそのとうりだと思う。外面的制裁としての〝恥〟は私たちに暗い明日を思わせるが、内面的制裁としての〝恥〟は私たちに一条の光を与える。

私たちが〝恥〟をかかないように生活することを心掛けているのなら、外国人の目に、日本人とはなんと味のない、精神の欠落した民族に映ることだろう。もし外国人がその点を見て〝日本人は恥かしがりやと言っているのだとすれば、私たちはテレ笑いをやめて、真に恥ずべきところを恥ねばなるまい。なにはともあれ、恥で死ぬよりは生きることだ。

（野）

風譚

土こそは農民の命

〈山梨地区昇竜会4H〉　飯島正美

社会人として早四年目をむかえ無我夢中ですごしてきた今日、私が三里塚に興味をもったのは二年ほど前でした。

戦後、政府のあっせんにより荒地だった三里塚に住みこみ一生懸命汗を流しやっとおちついてきたと思ったら、今度は空港を作るのにポイと農業をやめさせられ、そればかりでなく自分達の土地、生活、自由などを国家権力により強制的にとり上げられてしまうとは。もしおれが三里塚の農民であればきっと反対しただろう。

むしろ火炎ビンなんかでなくもっと強力な武器をもったかもしれない。新聞、テレビなどでも毎日のごとくおれの耳に達している。

ここまでくるに公団、県、国、そして農民との間にどれくらいの話しあいがあったろうか、意見のくいちがいがあるのがあたりまえであろう。今の三里塚農民は「国家は敵だ。なにごとにもおおじない」という人達がすべてだ。しかし、その前にそこまで農民をおいこんだのは何ものでもない国家権力という目にみえない大きな圧力であろう。

相手がやくざであれば警察も生活を保障してくれるだろう、しかし相手が国家となると誰がたすけてくれるのか、だれでもない、自分達と国民一人一人でしかないだろう…特に全農民にとっては。

しかし、今の世の中で自分達の生活を維持していくのが精一杯の農民達に、はたしてこれだけの反権力的な力があるだろうか。むしろ、国から、警察から目をつけられては、ばからしいという考えの人間が多いのではなかろうか。自分自身がその立場に立ったとき、その人達は何を考えるだろう。国家に対する妥協かそれとも戦いか、社会の波にまかせ、できなくなれば農業をすてるという農民が多いのではないだろうか。それが農民の一番の欠点であろう。若者がもっている情熱などというものはおとな達（一部の若者にも）には不要なものなのか。

おれ自身、今後農業で生るために今まで汗を流してきた、これからも流すつもりだ。

しかし、やがてこのような問題が起った時、おれは、いや今現在農業に生きている若者はどうするのか。ある人がいった。農業ばかりが金もうけじゃないと。現在の日本が今後どのようにかわってゆくか、それは国家がやるのかそれとも国民一人一人か。

農業自体もこんな中で、おれは今後人間として生きていくのにはどうしたらいいのか、そして農業は…。

幅広い知識を身につけ今後にやくだてようとその基礎ともなるべく4H活動に充実した活動をしていきたいと思う。（山梨県4Hクラブ連絡協議会『山梨4H新聞』より）

埋ぞうの村

北川広夫

埋ぞうの十一月　そのほとり
水の小屋　灰色の時間がながれている
一本の農道が浮いている
小川の底でたにしが死んだ
原野で小さな牛が死んだ
荒れた村々を　おびただしい死体がながれさって
そのあとのはるかな後方
なお　苦しんでいる朝がある
日陰の午後がある
畦道をつらぬいてはしる欲情の夜がある
ぼくらがここで知ったこと　それはほんの少しだ
だれかがいつも悲しんで生きていたということ
だれかがいつも枯れ葉のなかでまい
だれかがどこかで　冷たく凍えて死んでいたということ
生活を失っていらい
それはいつものことだ
果実のように触れあうこともない
雄牛のように吠えてみることもない
柱の底によどんでいる　ふしぎないらだち
不安の湖へ飢えがしみこんでいく
憤りが火の粉を散らす
パラパラ……降る灰
ぼくらは　ほっと細い息を吐いてみる
果てのない曠無
その底　餓の町がある　石段がある
ぼくらの逃亡してきた村がある
谷から　雷をはらんだ風が吹いて
白い骨の悩みは　重くたれこめたまま

（農民文学『百二号』より）

三日坊主

大田尾4Hクラブ　横山近

私は四十三年度に国の後継者育成資金を借り受けた関係で、その部門の『経営上の記帳』をするようにとのことだった。

しかし、その頃は帳簿の配付もなかったし指導もなかった。ところが、二年後になって国の監査があるからと普及所が本腰を入れて市役所や地元で本格的な指導にあたられた。そこで記帳の必要性や記帳のしかたについて長時間にわたってみっちりしごかれた。

説明によると資金を借り受けて経営する農業では記帳は絶対に必要であり、儲かったと思ってもいくら儲かったのか正確な数字はわからず収支簿もなにもつけない、いわゆる、どんぶり勘定ではいけないと言われるのです。

話を聞くと、なるほど「ごもっともごもっとも」と言いたくなるようで、帳簿類の配付もあり一切のお膳立はしてもらったので、よし自分もこれを契機にやってみようと決意しはじめたのだが三日坊主におわってしまった。過去二回ほど作業日記は手がけてみて二、三ヵ月は続いたように思うが結果は同じであった。

何でも三日坊主なら、都合によりとも言えるのだが、[illegible]の方は毎日毎日堅実に頑張っているのである。何れにしても根性がないというか意志の弱さに自分ながらあきれている。激動する農業などと言われている今日の情勢に打ち勝つためには記帳はその第一歩かも知れません。

そういうことでその必要性というものは認識できたので、若い時にせめて筆をとる習慣ぐらいはつけておこうと思い直し、再度記帳をすることへ挑戦することにした。「はー」今度はどれだけ続くものやら…。（長崎市農村青少年クラブ連絡協議会『新樹』より）

体は弱いけれども

群馬県　高山芳江

私が農業をしていこうと決心したのは、高校三年の進路を決める時だった。

以前は、そんなことは少しも考えなかったが、そうさせたのは長女で後を継がなければという気持からだろう。

でも、幼い頃から体があまり丈夫でなく、小学校の頃はかわいそうで何も仕事などさせられなかったという私。農業という重労働は私には無理だと周囲から思われた。

そんな風だから、親も私には期待していないようだった。現在でも、一生懸命手伝っているつもりだが親は頼りないと時折言う。

農業の魅力は、家族が力を合わせてできることであり、経営のやり方次第で伸びるやりがいのある職業だと思う。どうせやるなら農業について少し身につけたいと思い一年間勉強した。

4Hクラブでもそうであるが、周囲の力、環境って偉大だと思う。農業をやろうという仲間の中に入ると自然と意欲が湧いてくる。

結果的には何一つ満足にできない中途半端で終ったが、農業についてより深い関心が寄せられるようになった。

農業に対してのこれからの私の希望として労働時間の短縮と週休制とまではいかなくても、隔週、それと生活に潤いがあること、これ位のことはすぐ達成するものと気楽な気持でいたが、実際は何一つ思うにまかせない。

最近は、ビニールハウスの普及などにより農閑期というものがなくなってきた。忙しさに追われて一年位すぐ経ってしまいそう。

また最近の経済の向上にともなって社会全般が毎日の生活に追われ汲々としている。

農村も例外でなく、あのいなか特有の、のどかさも見受けられない世の中になってしまっている。こんな時代的背景も影響しているのだろう。

今の私は、このような忙がしさに事寄せて、勉強はもちろん本一冊読むことさえしない。仕事が終って夕食をすませ、後は適当にテレビを見て一日が終る。

時間というものをもっと大切にせねばいけない、後悔先に立たず!!である。

自分をもっときびしく見つめ、農作業で忙しい折でも余暇時間を見出して有意義な毎日を送りたい。（群馬県=若草4Hクラブ『MIZUBASHO』より）

◀投稿案内▶

本紙は、みなさん方の新聞として、全国のクラブ員に利用して戴きたいと考えています。それでクラブの催しや個人のプロジェクト、詩、短歌、随筆、写真、悩みや意見、村の話題、伝説、行事、その他なんでも原稿にして送って下さい。

お願い　❶長さや形式は自由です　❷できるだけ記事に関連した写真をそえて下さい　❸送り先　郵便番号 162　東京都新宿区市ヶ谷船河原町11　日本4H新聞編集部

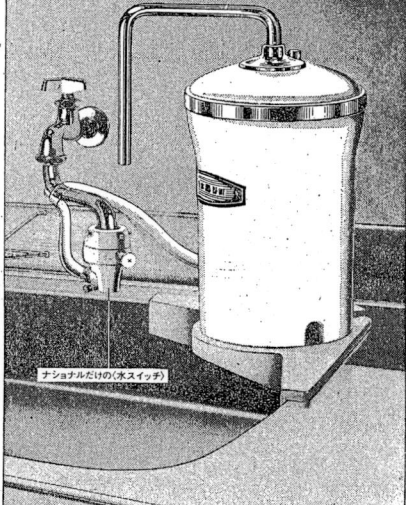

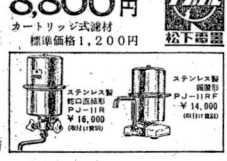

日本4H新聞
4Hクラブ
農事研究会
生活改善クラブ
全国広報紙

発行所
社団法人 日本4H協会
東京都市ケ谷家の光会館内
電話（269）1675郵便番号162
編集発行　玉井　光
月3回・4の日発行
定価　1部　20円
一カ年　700円（送料共）
振替口座東京　12055番

クラブ綱領

私達は、実践を通じて自らを磨くとともに、互いに力を合わせて、よりよい農村、よりよい日本を創るため、四つの信条をかかげます。一、私達は農業の改良と生活の改善に役立つ腕をみがきます。一、私達は科学的に物を考えることのできる頭の訓練をします。一、私達は誠実で友情に富む心をつちかいます。一、私達は楽しく暮し元気で働くための健康を増進します。

新農村づくりに論議

生産、生活の調和を

中四国で「若い農業者のつどい」

記念品に盆栽

【香川県＝大山国賀連絡報導員発】「中四国地域若い農業者のつどい」は、さる十一月十三日から三日間、香川県五色台の山の家で中四国農政局、全国農村青少年教育振興会、全国4Hクラブ連絡協議会、香川県の主催によって開かれた。中四国地方の若い農業者が集まって新しい村づくりの現状と問題点を討議し、若者の創造力と連帯活動によってこれからの地域づくりをしようというもので、参加した中四国九県連の代表百七人は、新農村づくりやクラブ活動の推進にと意欲を新たにした。

第四回中四国地域若い農業者のつどいで、熱心なまなざしで話しに聞き入る中四国地域各県連の参加クラブ員

一日目は、中四国農政局長、黒沢健一全協会長はじめ多数の各関係者を迎えて開会式を行ない、オリエンテーション、食事のあと七時三十分から歓迎のつどいに入った。

この歓迎の夕べのために応援にかけつけてくれた吉原青年団員による念仏踊り（香川の歴史を物語るもの）や高松市青年団の高松踊りなどが披露された。高松踊りは、せっかく香川に来られた他県の参加者に覚えて帰ってもらおうと、参加者全員に踊ってもらった。

続いて、香川県の鬼無4Hクラブがこれまで歩んできた道を収めた映画を鑑賞した。これは、NHKで収録、全国に放映したものである。

二日目は研究討議に入り、活動事例の発表やパネルデスカッションなどが行なわれた。

活動の事例発表は、「稲作転換に取り組んで」と題して坂出市白峰4Hクラブの高橋正芳君、「放送利用をきっかけとしたグループ活動」と題して山口市のあゆみグループ員、芳西兇子さんがそれぞれプロジェクトやクラブ活動の成果を発表。このあと、①「転換期の新しい農業」（第一、第二分科会）②「生産と生活の調和」（同三、四）③「新しい生活・生産活動での情報活用」（同五、六）の三つのテーマで分科会と全体討議を行ない、助言者の発言を求めるなどして活発な議論がくりひろげられた。

また全体会議では、香川県の岩崎専門技術員の司会によってパネルデスカッションが行なわれた。内容は、農業の協業化、システム化や健康管理、農休日問題など明日の農村づくりの課題に論議が集中していた。

このあと、日本リサーチセンター研究開発部長・森宏氏の「過疎地帯における今後の農業」と題する講演を聞き、五時三十分から閉会式と夕食パーティが行なわれ、仲間たちのつどいとなった。このパーティのとき、参加者全員に記念品として盆栽の産地、鬼無町の錦松が配られ、鬼無4Hクラブの末沢保君がユーモアたっぷりで栽培方法を説明してくれた。仲間のつどいでは、県連役員の指導でレクリエーションを行ない肩のこりをほぐした。

三日目はあいにくの雨であったが、午前八時に山の家を出発し、鬼無4Hクムブの経営する五色台かんきつ生産組合を視察、そのあとみかん狩りを楽しんだ。

最後に木田郡三木町の東山産業を視察し、十二時に高松駅で解散した。

自信をつける

今回の大会は、今までと異ってクラブが運営や進行に当ったということが大きな特長であった。このためクラブ員は自分たちでもやれるという自信をつけたが、これは今大会の最も大きな収穫であり成果であった。

「つどい」の4Hの木 健在

来年は美しい花が

福岡のクラブ員が植え替えに

【佐賀】昨年八月、佐賀県で開催された「第六回全国4Hクラブ員のつどい」で記念植樹した桜の木がほとんど枯れてしまっただ、先日、福岡県筑後市4Hクラブの境君らが佐賀にやってきて植え替えてくれたと、このほど佐賀県4Hクラブ連絡協議会の小林秀徳前会長が伝えてきた。

同つどいでは、県立青年の家の散歩道沿いに桜の木を十五本、青年の家グランドの南にサンゴジュを一本それぞれ記念植樹した。この植樹の際に、同4Hクラブの境君ら数名のクラブ員が桜の苗木とサンゴジュを提供し、植え付けの折には技術指導もしてくれた。しかし、夏の真盛りで、日照りと水不足のためその三分の二ほどが枯れてしまった。

そこで、佐賀県の4Hクラブ員が、これを何とかして立派な美しい花を咲くようにしなくてはと思案していたところへ、境君ら四名がわざわざ枯れた分の桜の苗木を持って来て、植え替えてくれたものだ。

小林君は「私たちは、お願いしていないのに『アフターサービスです』と、忙しいのに秋の一日をさいて全国4Hクラブ員のために奉仕作業をしてくれた。ただ感謝の気持でいっぱいでした」と語っている。

今春は、何本かの木に美しい八重桜の花が咲いたが、来春には、もっとたくさんの花が咲き、すぐそばの湖面に美しい姿を映してくれるだろうと、遠い春を今から首を長くして待っているという。

4Hモニターを実施

静岡県連　クラブ員の意見聴取

【静岡】静岡県農村青少年クラブ連絡協議会（会長　渥美登美雄君）は、初の試みとして4Hモニターを実施することになり、組織部長の鈴木一君を中心に県内のクラブ員から各種の意見、要望などをまとめる資料作成に取りかかっている。

このモニター制度は、十月の県連役員会の席で取り上げられ、今後のクラブ活動に最も重要であるとの強い意見が多くの役員から出されたもので、今年度の事業計画にも入っていないが、急きょ実施することになったもの。これによって、4Hクラブの本質をもう一度振りかえり現在のクラブ活動の問題点をさぐるとともに、組織のヨコとタテのつながりを密にして末端クラブ員までの連絡をがっちりさせることにしている。

モニターは、県下の七十三のクラブからクラブ員一名ずつを選んで依頼する。各種の大会や研修会などでは日ごろの県連活動に対してクラブ員の意見を十分に聞けないので、文章によってクラブ員から意見をどしどし出してもらい、本当のナマの声を聞く。また、各人の農業経営、青年活動、流通問題、さらに結婚や性についてまで多くの事項が組み込まれている。

このモニターは、クラブに加入していない農村青年も対象として実施し、一人でも多くの活動家が生まれることを願っている。来年の二月上旬から実施する計画で、回収は三月中旬になる見込みである。

なお、この結果をもとに、来年度の県連の活動方針や事業計画を組み、クラブ員の要望と時代に即応した活動を展開することにしており、注目されている。

来年もと涙の別れ

沖縄訪問団員元気に帰る

さる十一月二十二日、日航チャーター機「4H号」で大阪国際空港から沖縄へ飛び立った第三回全国4Hクラブ沖縄親善交歓訪問団（団長　黒沢健一全国4Hクラブ連絡協議会々長）の一行百十七名は、沖縄での交歓を終えて二十七日午後十時、同機で大阪国際空港に全員元気で帰ってきた。

◇

帰路、東京の日本4H協会と全協の事務局に立寄った奥村秀宏全協副会長の話によると、沖縄では、まずサンゴ礁とエメラルドグリーンに輝く海の美しさに見とれたが、それに酔う間もなく、胸につきささったのは"基地の島"ということであったようだ。

那覇空港への到着とともに目に飛び込んでくる米軍の軍用機、軍港、さらに街の中の至る所で見られる拡大な米軍基地、車の右側通行、ドル通貨などから強烈な印象を受けたという。また、ひめゆりの塔、健児の塔などを訪れたが、第二次大戦の激戦のあとが偲ばれ戦争を二度と繰り返してはならないと痛感した、ともいう。

沖縄の農業は、パイン、サトウキビが基幹となっているが、全沖縄の技術交換大会におけるプロジェクト発表を聞いたり、クラブ員宅に宿泊して感じたところでは、そのパインとサトウキビのほかに野菜の周年栽培をしているので、毎日が忙しく、クラブ員は厳しい感覚で農業に取り組んでいるようである。だが、農業経営に適しているような平坦地は軍用地になっているので……とクラブ員は語っていたそうである。

この民泊先きでは、約半日間、沖縄のクラブ員と海水浴も楽しんだそうだ。

また、沖縄への訪問が最後になるということで、今回は大派遣団となったが、一人のクラブ員の家に五人以上も泊まったので、受入れも大変だったと思うという。しかしクラブ員たちは、帰るとき、わざわざ空港まで見送りに来てくれて、涙を浮かべながら「ぜひ来年も来て下さい」と語っていたという。「行って良かった」――これが奥村副会長の実感である。

沖縄では、全沖縄の技術交換大会に参加するとともに沖縄のクラブ員宅に宿泊して交歓、現地の農業事情を見聞したほか南部戦跡の視察などを行なった。

参加者は、二十七都道府県に及ぶ百十九名が申し込んだが、出発直前に病気や家庭の事情で参加できなくなったクラブ員が二人出たため、百十七名となったもの。この中には、この沖縄訪問をスタートさせた黒田保元全協会長（茨城県）、二十五日の予定であった結婚式を二十日に繰り上げ、新婚旅行として加わった久野知英前全協会長夫妻（愛知）などがいる。

涼風暖風

村を動かすプロジェクト

北海道の臨海工業地帯で注目を浴びている苫小牧市の近くに、農業青年十四人で結成されているT青年団がある。

この青年団は、四年間にわたるプロジェクト活動で、野菜栽培から出発して、農休日調査、農業問題研究、新工業港問題の学習へと発展してきたが、一貫しているねらいは、部落の人たちの協同の実現であった。

発端はこうである。四年前に初めて野菜栽培の共同プロジェクトに成功したが、マルチングや移植、催芽など技術学習には予期以上の成果をあげながら、一方、身にしみて感じたのは出荷体制の共同化の問題であった。技術では解決できない問題の所在を思い知らされたわけである。

協力や協業には部落での話し合いが大事だということから、翌年、農休日を利用した話し合いを呼びかけることにした。手初めに、農休日の実態を調べてみると、休んでいる農家が意外に少ないのには驚いた。これでは話し合いの場すら無いことになるので、本格的に農休日の実態調査に乗り出した。農休日の過し方や理想的な在り方などアンケート調査の結果をもとに、婦人会・若妻会・稲作研究会・自治会などの賛同を得て、農休日の集いを開催し、実情発表や座談会やレクリエーションを通じて話し合いの糸口をつくることに成功した。

しかし、その話し合いでは「農休日を休める日とするのには、解決しなければならない営農や生活の問題が多い」という意見が続出した。そこで、三年目のプロジェクトには、農業の問題点を洗いなおす調査を行なった。子供会から両親までアンケート調査し、集約した問題点を演劇の形にまとめ上げて部落の人たちに考え合い話し合ってもらうことにした。ところが、経営主の集まりは少なく、せっかくの意図も行詰ってしまった。

そんな折、新工業港開発計画が発表され、近隣の農業地帯では、農業の将来を考え合わせて大きな問題になってきたわけである。青年団では、早速この問題を四年目の学習プロジェクトに取り上げ、資料の収集や研究のほか、部落の人たちの意向をアンケート調査でまとめ、それを演劇の中に生かして問題を考え合う機会をつくり、部落の人に参観してもらった。

いま、この部落では経営主も主婦も青年も部落づくりの協力に発展している。T青年団はその推進力であるが、その合言葉は「生活の中の問題を取り上げ生活の中に返す」である。（北海道・三輪）

流通などへの批判の目もチラリ

山梨県連で第8回の「集い」　恨みの雨の中で

【山梨県＝相川三幸連絡報道員発】「集う仲間、若さと情熱、大地に向けて」をスローガンに、山梨県4Hクラブ連絡協議会（会長　飯島晶田君）は、去る十一月六、七の両日、甲府市緑ケ丘の県立総合グランド陸上競技場で第八回の「県4Hクラブ員の集い」を開いた。

今回は、七日の集いを盛り上げるために、初の試みとして六日、県立青年センターで前夜祭がにぎやかに開かれた。ダンスゲームを中心に「クラブ員の主張」が行なわれ、山梨地区連の古屋君、塩山地区連の玉川君、甲府地区連の西名君の三人がそれぞれ意見を発表、そのあとキャンドルスピーを行なった。

集い当日の七日、メッセージを受けるべき太陽は厚い雲に覆われてしまった。しかし午前九時半、各地から集まってきた二百余名のクラブ員の入場行進がくりひろげられた。朝もやの中を県連旗、地区連旗をしっかりと握りしめて進む姿は、まさに"4Hクラブ員ここにあり"であった。OB、全国4Hクラブ連絡協議会の松浦幸治副会長（静岡）はじめ農業高校生徒、農業大学校学生などを迎えてグランドに集結した大地へのチャレンジャーたちは、八百メートルリレー（二十チームが参加）、千五百メートル競争、百勝万歳ゲームにと若い血潮をたぎらせた。

午後からは、待ちに待ったフォークダンス。しかし、心配していた雨がポツリポツリ。が、その中でフォークダンスをはじめハッピーロックなど軽快なリズムを楽しんだ。

このあと、集いの最大の呼び物の「我らがつくる農民像」が容赦なく降り注ぐ雨の中で行なわれた。各地区連とも日ごろから考え、創造した農民の姿を仮装。とくに塩山地区連の「戦う農民像」と題しての仮装は、まさに、あの三里塚決戦の死闘を思い出させ、クラブ員の注目をひいた。

雨、雨はついにクラブ員をせまいベンチに追いやってしまった。それでも、午前中行なわれた八百メートルリレーの予選を勝ちぬいたクラブ員はベンチからの拍手を背にうけて決勝へ。精鋭のスプリンターにふさわしい力走ぶりをみせてくれた。

女子リレーでは、「雨やあね！でも頑張らなくっちゃ」と雨にうたれて走る走る。興奮した男子クラブ員がベンチから飛び出して応援するほどだった。

雨に悩まされる執行部、実行委員はついにグランドでの競技中止を決意、先きに用意にあった北中体育館へと移動し、ゲームやフォークダンスなどを楽しんだ。

盛り沢山の行事が企画され、この日のために何日かついやしたが、雨がわれわれの期待を裏切り、残念。集うもののすべてを奪いとってしまう。チクショウ雨！雨に心はない。それでも若者は心をふるいたたせた。集うことのすばらしさを知っているから……。

「我らがつくる農民像」で流通の矛盾をアピールする西八地区連のクラブ員

成果を消費者に

宇部・厚狭地区連が活躍　市制50周年行事で

【山口県＝野田一生連絡報道員発】さる十一月十三日から三日間、宇部・厚狭地区農村青少年クラブ連絡協議会（会長　岸田道夫君）では、宇部市の市制五十周年記念行事の一つとして宇部市恩田の俵田体育館を主会場として開かれた農林水産まつりで「大自然をバックに躍進するヤングパワー」と題して、同クラブの紹介や農産物の展示即売会を行なった。

クラブ活動紹介は、日ごろ各会員が行なっているプロジェクト活動の状況とともに、都市化の中で新しい経営と取り組む若い農業従事者の意欲を知ってもらうために行なわれたもの。また即売会ではクラブ員のプロジェクトの一環として熱心に研究された青果物を販売、新鮮でしかも市価より安い値段とあって近所の奥さんたちから好評をえた。

五条市4Hも即売会

【奈良】五条市4Hクラブ（会長　田中隆行君・会員五十人）では、十一月十二、十三の両日、同市本町三丁目の勤労青少年体育センターで農産物品評会と即売会を開き、人気を集めた。

東南アへ

北海道連の中山会長ら

北海道4Hクラブ連絡協議会の中山寿雄会長は、北海道が実施する「北海道中堅青年東南アジア派遣団」の一員に選ばれ、さる十一月二十五日、羽田から出発し韓国へ向った。

これは、全道的な組織を持つ青少年団体の現に指導的立場にある青年を東南アジアに派遣し、視野を広めてもらおうというもので、今回が初の試み。選ばれた人は三十人で、韓国、台湾、フィリピン、タイ、インドネシア、シンガポール、香港などを訪問する。主要訪問国は韓国とインドネシア（それぞれ四日間）の両国。期間は十二月十五日までの二十日間。

中山君

中山君は、国際農友会主催の派米実習生として、さる四十二年から一年間、米国で酪農を学んできたが、今回の訪問での活躍が期待される。

なお、現在、北海道では、一年置きにアメリカ派遣事業を行なっているが、今回の東南アジア派遣がうまくいけば、今後、アメリカ派遣事業の間に入れて続けて行なっていきたい意向のようである。

農協に手貸し

三日月町4Hクラブ　大型化を推進

【佐賀】小城郡三日月町の4Hクラブ（会長　島松光好君・会員二十三人）が、いま地元農協に協力して今月から始まった"大型農業"の推進に一役買っている。この大型農業は、県下のトップを切って大型施設や農機具を導入してスタートしたもので、4Hクラブ員は農協技術専門員とともに、大型コンバインやトレラーなどの運転を覚え、輸送面の大きな力となっているほか、東部ライスセンターではクラブ員二人が、徹夜で操業の手伝いをするなど、生産集団農家の中で意欲的に大型農業と取り組んでいる。

農家の人たちからは「郡農協と一般農家との潤滑油的な働きをしてもらった」と喜ばれ、また農協関係者からは「若いだけに感覚がよく、機械操作の覚えもよい」となかなかの人気。クラブ員は、この大型化に乗り気で、今後も協力していくことにしている。

心頭技健

いよいよあわただしい師走を迎えた。先生も走るほど忙しい時期というわけだが、クリスマスや歳末大売り出しの装飾はいうに及ばず、街には早くも門松がお見得して、われわれの心をかりたてている▼本紙の発行も今年はあと、十二月十四号を残すだけとなった。十二月二十四日号は例年通り来年の一月四日号と合併、増頁のうえ「新年特集号」として発行する。この新年号は、新年の門出にふさわしいものと考えている。そこで、一つ読者のみなさんにお願いしたいことがある▼編集部の独身者たちが、身のほども知らずに、結婚適齢期にあるクラブ員にとって最も関心の深い「結婚と愛」をテーマに、性まで考えてみようということになったのである。もちろん、いろいろの資料をあさって研究？することにしているが、まずクラブ員の体験や考えを知る必要がある▼もう一つは、農業を離れて、クラブ員のプロフェッショナル的な余芸と取り組むことになったのである、いわゆる「玄人はだし」のクラブ員を紹介しようというわけだが、なにせ普段の勉強不足で、三、四人は知っているものの、どこにどんなプロがいるかなかなか掴めない。クラブ員に自分を含めて紹介してもらいたい、というわけ▼もちろん、新年号では、この二つの企画もののほかいろいろと、ためになるものや面白いものを計画しているが、クラブ員からの投稿やこんなものを載せろという声や意見を歓迎している。それが、クラブ員が作るクラブ員の新聞、全国クラブ員の準機関紙としての紙面づくりとなるものである▼また本紙では平常時における紙面の刷新も検討している。その一例をいえば、末端クラブ、クラブ員の活動状況の紹介面をふやし、その比重を大きくすることや、農業、プロジェクト活動などでは東日本と西日本に分けて紹介したり、クラブ員を鼓舞するような記事を載せることなどである▼クラブ員の準機関紙という性格から取材範囲も当然制約されてくるのが、まず、クラブ員がどんなものを望んでいるのかを知る必要がある。ご一報を乞う。

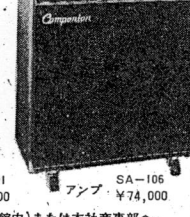

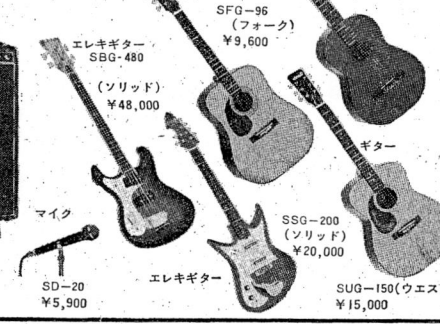

どう歩む島根県連

主体性の確立が先決

独創性加え魅力もたせる

先日、島根県で開催された中四国ブロック推進会議において、各県連の情報交換が行なわれたが、その中で、再発足してまだ日が浅い島根県連の苦悩やその解決策などを紹介してみよう。

島根県は、東西に長く南北への広がりのない地理条件に加え、平野部も少なく、気候においても山間部にいたっては、冬季間の積雪も一㍍を越える状態にある。

また、工業の発展にともない、農村の人口が急激に減少し、さらには、米の生産調整などの行政によって、一般的に言われている過疎化に発展して行くまったくの悪循環を繰り返えし、ごく最近（二～三ヵ月前）から鈍ってはいるものの、大幅に人口が減ってきている。

現在、本県には五十九の市町村がある。この中で、農林改良青年会議を組織している市町村は四十六である。各地に点在している島根県の出先機関の農林改良普及所を単位とした地方連絡協議会を十二ブロック設け、その上に「島根県農林改良青年会議連絡協議会」をおいている。会員数は昨年まで千三百余名が登録していたが、先きに述べたような社会の情勢などによって、現在では約八百名の登録をしている。

この大幅な減少は、次のような理由によるものと思われる。

第一に、第二種兼業の会員（兼業が主）の整理

第二に、大半の市町村において年齢の上限を設けたこと。

第三に、景気の不況によって他産業に転業、または過疎化にともない、完全離農者がふえたこと

数え上げればきりがないが、大体以上のようなことが多いのではないかと思われる。

県連活動の実情

県連活動は、県下十二ブロックから選出された理事十八名によって運営されている（大体、三瓶山を境に東部、西部に分けられ、女子理事だけ各三名を選出）。その中から互選によって会長一名、副会長三名（男子二名、女子一名）、広報担当一名、林研グループ担当一名を選出する。

また、監事二名は、毎年度の初総会（各市町村会長による＝代議員と呼ぶ）において選出し、さらに県連活動の事務を行なう事務局長は会長の指名によって決定し、県連がスタートする仕組みになっている。

しかし、未だ組織としての力が及ばず、夏季および冬季の県大会、リーダー研修会、さらには各種の全国大会参加などの諸経費、講師の招請などを県に援助してもらっている。

県連の主な活動としては、①夏季大会（七月開催）②冬季大会（十二月）③リーダー研修会④女子研修会⑤機関紙の発行⑥関係諸団体などの行なう行事、事業への参加などである。

組織の問題点

組織としての問題は、第一に、県連としての主体性にかけることである。というのは、本県連の場合、組織としてまだ日が浅く、それを前面に押し出す実績の乏しいこと。さらには、県連独自の大会なり研修会を開くための財政的規模が小さ過ぎることが大きな問題でもある。

第二には、年々会員数が減少して行くという事実である。現在では八百余名しかいないことでも判る。また、前にもふれたように、各種の大会などに変化のない、いわゆる、独自性に欠ける点もあるが、第二次産業などの急激な発展に比べて現在の農業が全般的に進歩のないこと、さらには昨年来実施されてきた生産調整なども、会員減少の理由と考えられる。

問題点の解決策

まず、われわれの力で当らなければならない問題として、組織の主体性の確立にある。

県連としての力の及ばないことの一つには、末端の組織の活動状態がよい市町村と悪い市町村の差が大きいこと、言い替えれば、それぞれのレベルが違い過ぎることであろう。このことにも、一度に解決することができるわけにはいかない数々の問題がある。しかし何と言っても県連は市町村の単位組織があってこそ存在するので、オルグ活動をさらに強化し、積極的に単位組織の中に飛び込んで行くことが先決ではないかと思われる。そうすることによって県連の主体性が確固たるものになるのではないだろうか。

また、会員数が減少していることについては、現時点で最も考えなければならないこととして、どのようにすれば現状を維持、あるいは増員できるかということである。そのためには、県連なり単位組織なり、それぞれがもっと独創性に富み、新規会員には魅力のあるものに、また、中堅会員には十分な技術の習得や新しい情報などが得られるものにして行かなければならないであろう。

今後の開くべき道

何といっても、本県は農産物の生産県であることには違いない。第二次産業などもさらに発展して行かなければならないが、われわれの存在があってこそ他産業の発展が今日見られるのである。

将来は、さらに交通機関が発達し、交通網が整備されることであろう。

そこで、われわれは、より進んだ技術、いち早く新しい情報のキャッチ、分析、それの利用など、これらをこなせる農業者たることを目標に、組織の強化、仲間たちの連帯感の涵養に努めなければならないと思っている。

リーダーの実力養う

全国4Hク後期中央推進会議　8日から富士山麓で

次期リーダーを対象とする全国4Hクラブ連絡協議会（会長　黒沢健一君）と社団法人日本4Hクラブ協会（会長　宮城孝治氏）主催の今年度「後期全国4Hクラブ中央推進会議」は、いよいよ四泊五日間の日程で来る八日から富士山麓の国立中央青年の家（静岡県御殿場市中畑）を会場として開催される。

この後期推進会議は、現リーダーの再訓練という意味あいを持つ前期推進会議に対して、次期リーダーの養成をねらいとするもので4Hの本質や理念、リーダーのあり方、プロジェクトの進め方などを中心に研修する。とくに今回は実践的学習の色彩を強め、また、クラブ員の要望が強かった農業問題を取り入れるなど新しい方向を打ち出している。

この農業問題は、米作の減反問題、貿易の自由化、新都市計画法の実施、流通機構の改善など現在日本農業は大きな転換期を迎えていることから、その解決の糸口をつかもうとするもの。「転換期の日本農業」と題して大阪府立大学・梶原正行教授の講義を予定している。

また、実践的学習については、道府県連会長会議、女子クラブ員、男子クラブ員、4H新聞連絡報道員の各研修時間をふやして、会長会議では、対全協執行部との話し合いだけでなく県連会長同士が討議したり、会長以外の人たちにも参加してもらい、組織人としての自覚を高めてもらうなどを試みている。また、男子クラブ員研修では、役員の立場になって予算を組んだり、行事の組み方なども行ない、報道員研修では、実際に連絡や壁新聞を作成するなど実技学習し、実践力を養うことにしている。プロジェクトでは、レコードブック記帳なども考えている。

講師には「4Hの本質」が4H協会の新田停吉事務局長、「プロジェクトの進め方」は北海道庁の三輪専門技術員を予定している。

日程は次のとおり。

会議の日程

一日目

午前十一時……入所、受付け

午後一時二十分……開会式、オリエンテーション

三時三十分……講義「4Hクラブの本質について」

七時……全協活動の報告（全国のつどい、沖縄訪問などの八ミリ映写）

二日目

午前八時三十分……全協活動の報告

十時……意識調査

午後一時二十分……講演「転換期の日本農業」

七時……分科会討議

三日目

午前八時三十分……道府県連会長会議、女子クラブ員研修、連絡報道員研修、男子クラブ員研修

午後七時……全体報告会

四日目

午前八時三十分……道府県連会長会議、講義「クラブ活動について」

午後一時二十分……実技学習、プロジェクトの進め方や記帳の仕方などについて

七時……キャンドルサービス

五日目

午前八時三十分……都道府県連会長会議（総括）、会長以外の参加者も傍聴

十一時……反省会、閉会式

なお、毎日、起床、朝のつどい、午前六時三十分に朝食、十二時に昼食。午後四時四十分から夕べのつどい、夕食、入浴、十時四十分からフリータイム、就寝する。

良かった、喜ばれて！

広島県・豊町オレンジ会　原爆病院など慰問

【広島】秋晴れのさる十一月一日、豊田郡の豊町オレンジ会沖友支部は、広島市の施設を訪問し、関係者から大変喜ばれた。これは会員の仲間意識の高揚をねらいとして年度初めから計画していたもので、途中、いろいろと問題もあったが、このほどやっと実現した。当初の計画よりはるかに大がかりの催しとなり、予想外の反響を呼び感謝されるところとなった。

秋祭りのあとも笛や太鼓の音が鳴り響く中で、励ましを受けて一心に練習を重ねた郷土芸能「神楽」と、これまた自由化の大波に洗われながら一生懸命に育てた「天神みかん」を持って、総勢十二名のクラブ員がユニホーム姿で、まだ夜の明けやらぬ沖友を出発した。

朝のうち原爆病院を訪ねてミカン二十ケースをプレゼントした。その模様は広島テレビで紹介された。一同緊張のうちにもカメラの注文には素直に動き、重いミカンを三階まで運んだりした。神楽の方は病院の都合で午後になった。

このあと、こんどは広島修道院へミカン二十ケースを持ち込み、学童の留守中でいささか拍子ぬけではあったが、幼児相手に神楽を舞い、喝采をあびた。これは十一月二日付けのサンケイ新聞で紹介された。

そして、次のような感謝の手紙がクラブに寄せられた。

「合歓。前略ご免下さいませ。霜月の候と相成り、おみかんも色づきお美事でご座居ますでしょう。今度、御当地の名産の御立派なお美味しいおみかんを御送り下さいまして誠に有難とう御座居ました。御厚礼申し上げ、皆はしたつづみをうって"お美味しいお美味しい"といって頂戴致しました。何卒、皆様によろしくお礼をお伝え下さいませ。また、おかぐらのお珍らしいのを拝見させて戴きまして誠に有難とう御座居ました。深く深く感謝致しまして御厚礼申し上げます。お寒さに向ってますから皆々様お身体をお大切に遊ばして下さい。皆々様。先ずは乱筆ながら御礼まで。

広島市千田町一丁目原爆病院　土肥知恵（68）」

クラブ員は「これで十分であろう。私たちも、これで"良かった"と心から喜ばれる」と語っている。

今回の施設慰問で感じられたことは、予想以上に反響があったことや期待していた以上に農協の関係者が協力してくれたことであった。これは、会員が一丸となって連日夜遅くまでの練習、自主的なミカン集荷と、そして出荷前というタイムリーなことがらが重なって関係者を動かしたといえ、これはそのまま施設の人たちにも伝わり感動を呼んだものとみられる。

しかし、施設との連絡が十分でなかったことや、テレビや新聞社の都合で時間が制約され、しなくても良いミカンの受け渡しがあって、このために患者さんらがミカンを回収してまわるという笑えない場面があったりしたことは反省の材料となった。これからは地元へもっとPRして、よりよい社会奉仕にするよう努力したいと語っている。（同クラブ発行の機関紙「鯨」より）

募集　「新年号」の原稿

毎年、新年特集号は斬新な企画で一年の出発を飾ろうとしているわけですが、今年もクラブ員全員からおおいに協力を得て、よりおもしろい「新年号」を発行したいと思っています。つきましては、次の二つの要領で新年号企画への協力とご寄稿を読者のみなさんにお願いします。

「結婚と愛」―性の問題も企画

▼青春ものとして「結婚と愛」という特集を企画しています。

内容は"結婚と愛"に関するものならどんなものでも結構です。たとえば、農村における性の問題、愛の問題、結婚についての多くの問題など題材は幅広いものですから、多くの応募を期待しています。

▼娯楽面の特集企画として『余芸―玄人肌のクラブ員』という面を企画しています。これは、4Hクラブ員の中でもいろいろな趣味において玄人の域に達している人達について特集してみようというものです。

その趣味としては、スキー、ボウリング、民謡、舞踊、フォークソング、グループサウンズなど何でもかまいません。ただ、その趣味がプロ級の人達です。

※　紹介して下さい　こんな人がいたら、すぐ紹介して下さい。もちろん自薦おおいに歓迎です。

※　本人の電話番号、住所、氏名、趣味の内容などを。

▼右の企画もののほか、随想、雑感、詩、俳句、絵など新春にふさわしいものでしたら何でも結構です。

※　原稿の長さは制限しませんが、企画ものには、顔写真や関係資料などを添えて下さい。

【原稿締切日】十二月十五日

【送付先】東京都新宿区市ヶ谷船河原町十一、家の光会館内　日本4H新聞「新年特集号」係まで。

余芸―「玄人はだのクラブ員」紹介

畦道

村落を視る二つの眼

村落共同体という言葉を耳にしたとき、まず思い浮かんでくるのはどんなものだろうか。

一人一人の農民の顔や漁民の顔もあるだろうが、日本ではその村が存在する地理的空間のような気がする。そして、その地理的空間に、…田畑の中心を川が流れ、その平地の端を山や丘陵が仕切っている生活空間。そんなイメージの場所としていつも私の頭にこびりついているのが、大江健三郎の『飼育』の舞台となったような村落である。――僕たちの住む、谷間へかたむいた山腹の、石を敷きつめた道を囲む小さい村。狭い谷間を見下す斜面にかたまっている小さな集落――。

日本の地形の複雑さからくるのだろうが、"狭間"とか"峠(はけ)"とか呼ばれる場所がイメージとしてピッタリである。…

である。

だが、この地理的空間に流れていって住んでいる"よそもの"と呼ばれる人々は、そこにドップリとなじむこともできず社会的なちからも無くおずおずと生活している。

そして、その村落の地理的空間の中で一生を終る人々がいる。いわゆる、その村の"生え抜き"といわれる人達である。何十代もの昔から累々とその村で生活している。人々はたがいによく知り合い、同じ氏神を祭っている。こんな彼らは、この地理的空間では強力な、社会的"ちから"を持っているのが常である。

日本の村落共同体の風景のなかに、こんな二つの生活のパターンを類推することができる。

さらに、後者の"よそもの"について詳しく考えてみると、「引き揚げ者」とか「開拓民」という名の人々が思い浮ぶ。

私がいま考えることは、この"生え抜き"と"よそもの"はどちらがよく日本の村落の歴史を動かしてきたであろうかということである。私は、どうしても後者のような気がしてしかたがない。

それは、"よそもの"こそが、その村落共同体に異和の念を抱き、客観的な眼でそこを見ることができるということが一つの理由である。

そしてまた、生活の場として二つの地理的空間を見る機会をもった"よそもの"は、世間をあまり知らない"生え抜き"より、ものの実相がよく捉えられるからではなかろうか。（土）

こんなことをしています　各種農業団体

全国農業協同組合中央会

計画生産・出荷へ

総合三ヵ年計画の推進体制固める　職制規定を改正

全国農協中央会は、十月二十八日開かれた第二百十三回理事会で職制規程の一部改正を行ない十一月一日付けでこれを実施いたしました。

この職制規程の改正は、激変する社会・経済情勢のなかで系統農協が真に組合員の協同活動体としての役割を果たし"農業生産力の増進と農民の経済的社会的地位の向上を図り、併せて国民経済の発展を期する"という目的を達成するためには、昨年の第十二回全国農協大会で決議した"総合三ヵ年計画"の強力な推進が重要な課題であり、これに対応する体制の整備が必要であるとの認識にたったものです。

改正点の第一は、総合企画推進部を新設し、専ら、（一）総合三ヵ年計画の企画推進と全国段階を中心にした総合調整を行なうとともに、（二）基本的な調査研究に関する事項に積極的に取り組むこととしたことであり第二は、従来の営農農政部と生活部を、営農生活部と農政部に改組し、農業基本構想・生活基本構想にかかわる営農・生活に関する事項の推進と、基本農政の確立を軸とする農政活動の分野を明確にしたことです。更に第三として、これまで教育広報部で担当していた広報の機能を役員室で取り扱うこととし、系統農協を通ずる対内・対外広報活動の前進をはかるとともに、青年部・婦人部の事務局機能を教育部に包括して、教育活動の整備・充実を目ざしていることです。

全中は、この新しい体制で、（一）営農団地を軸とする計画生産・出荷体制確立を促進し、農畜産物の需要拡大対策、加工販売への開発、（二）生活活動体制の整備確立を基本に、生活設計、健康管理の総一推進、他産業廃棄対策等の強化、（三）生産販売一貫体制に即応する農協合併、連合組織の整備を促進し、農協・連合会を通ずる事業体制の改革、（四）資本、執行体制、労務、財務、損益の総点検を行ない経営の刷新、強化、（五）農業を国の基幹産業として正しく位置づける基本農政の確立を促進し、農畜産物需給調整対策等の具体化、（六）組合員教育の徹底と役職員教育を計画的に行なうとともに、組織内外に対する広報活動の積極的展開を事業の重点として、昭和四十七年度の事業計画を樹立し推進することとしている。総合三ヵ年計画の推進は、系統農協の決議であって、総合的に推進されてはじめて成果が期待され、全販・全購の合併、農林中金法の時限対策等々問題の山積している現在、全中が執行体制を改革した意義は大きいといえましょう。

（教育広報課）

家の光協会

最新情報も豊富に

日本で唯一の農業総合年鑑　「日本農業年鑑（47年度版）」発刊

★創刊以来二十四年、最新の資料を豊富にそろえ、日本および世界の農業・農民・農村の動きを浮き彫りにする日本で唯一の農業総合年鑑がことしも発刊されました。

★米の生産調整を軸とする農業の危機、円切り上げと迫られる農産物の自由化、いま日本農業は、内外から未曽有の難局に立っています。

★農業の生産にとっても農民の生活にとっても、清新な情報と知識、明確な洞察力による答えを要求しています。

★毎年、年内に品切れになるため、ご迷惑をお掛けしていますから、早速、お近くの農協、あるいは書店にお申し込みください。

1972年版の特長

（1）特集

『米の生産調整をめぐる諸問題』では、日本農業を根底から揺り動かしている米の生産調整を取りあげ「背景と経過」「農民、農協・市町村の反応と対応」「農業生産・農家経済等への影響」「今後の農業進路」について解説。

『インテグレーションと日本農業』では、農業に本格的に進出してきた総合商社など大資本のインテグレーションを取りあげ「インテグレーションの本質と農業進出の背景」「畜産・米・野菜におけるインテグレーションの実態」「農民・農協の対応」を明らかにした。

（2）本文

（3）統計

（4）資料と名簿

例年掲載の資料のほかに、新たに「政府・民間団体発表主要文書」を加えた。

（5）年間の動き

（6）二色刷り図解

「世界の農業人口の動き」「昭和五十二年の地域別農業生産」「センサスにみる日本農業の変化」を図解し、世界の農業の変化と、あすの日本農業の分布図、および近年急激に変化している日本農業の姿態を一目でわかるようにした。

なお「日本農業年鑑」は、東畑精一監修、日本農業年鑑刊行会編で、B五版、六百ページ。定価千六百円。

（計画課）

お知らせ

原稿の締切日など

多くのクラブ員の方から「次号の新聞に記事を載せてもらうには何日まで原稿を送れば良いか」という質問を受けますが、編集の日どりなどをお知らせします。

まず、本紙は四の日発行の旬刊ですので、毎号とも一の日に新聞を刷り上げ、四の日にはみなさんのお手元に届くような手順で進めています。

このため、一の日の前に新聞を作らなければなりませんので、一応、八の日を締切日として、それまでに届いたものを載せることにしています。しかし、九の日に届いたものでも、どうしても今回載せる必要があると思われるものは紙面に組み入れる場合があります。ただ、印刷所や発送業者などの都合で遅れることがありますのでご了承下さい。

（編集部）

入学生を募集

中央協同組合学園

全国農業協同組合中央会の中央協同組合学園（学園長・森晋氏）＝東京都町田市相原町四七一一＝では、昭和四十七年度の入学生を募集している。

同学園は、新しい時代の要請に応える有能な人材を育てるために農協が自主的に設立した全中直営の教育機関で、従来の学校や企業での教育にはみられなかった新しい教育の創造を意図している。

本科は三年制。協同組合の本質や理想を追求する新人の学習と研究の場であるとともに、現在、協同組合に在職している人たちに対する実践的教育をねらいとしており、教室や講義中心に片寄らないように少人数による演習、事例研究、討論を主体とするなど新しい試みが行なわれている。

全寮制で、奨学資金制度もある。

なお、募集要領は次のとおりである。

▽入学資格＝年齢二十二歳未満で高等学校卒業またはそれと同程度以上の学力があり、協同組合運動に参加しようと志す者（現に農協に勤務している者を含む）であって所定の選抜試験に合格した者。

修業年限・三ヵ年間。募集定員（本科生）・五十名。

▽応募手続＝（一）入学願書受付期間　昭和四十七年一月二十日から二月十二日までにそれぞれ都道府県農協中央会長あてに提出。（二）提出書類。入学応募者はつぎの書類に入学検定料（現金二千円）をそえて提出のこと。①入学願書②調査書…出身高等学校長が作成したもの③健康診断書…様式は保健所または国・公立病院が発行しているものによる④身上調書⑤写真…二枚⑥推せん書。

▽選考方法＝試験科目…国語（現代国語）、数学（Ⅰ・ⅡA）、英語、社会（政治経済・倫理社会）、作文の五科目。※試験は各科目それぞれ一時間、高校卒業程度とする。

▽試験日と場所＝学科・三月九日（十時）、面接・三月十日（九時）。

▽合格発表＝三月十六日。

▽学費＝入学金・三万円、学習費・六万円、教材費・一万円、実地研修費・一万円、計・十一万円。

天皇杯に輝く人たち

農林漁業者の最高の栄誉である農業祭の天皇杯受賞者に、今年も農産など六部門で二組合と四人が選ばれ、勤労感謝の日のさる十一月二十三日、東京・千代田区の日比谷公会堂で行なわれた農業祭式典において農林大臣から表彰された。受賞者は、柳沢長治（農産部門）北海道、森朝雄（同園芸）福岡県、北条輝雄（蚕糸）茨城県、松下徳市（林産）大分県の四氏と児湯酪農業協同組合（畜産）宮崎県、日生町漁業協同組合（水産）岡山県の二団体で、経営に対する取り組み方は、いずれも模範的なものばかり。そこで、受賞者たちの経営は、クラブ員のプロジェクト活動や農業経営を進めるうえでも大いに参考になるものと思われるので、連載して紹介したい。

園芸の部（みかん）・森朝雄氏（三五）福岡県

同志集めて規模拡大

機械化で省力化に徹する

森氏は、高校時代からみかん園経営の夢をもち、昭和三十年農林省園芸試験場興津支場での研修を終えると同時に、二十歳の若さで父親から一㌶の柑橘園経営をまかされた。それ以来、積極的に新しい技術を導入して生産力を高め、機械化、省力化を着実に実行して、しだいに水田、畑、山林、原野を柑橘園に転換し、規模拡大と経営の合理化を図り、現在八・五㌶を経営している。

その経営拡大の過程では、用地買収と資金導入に苦労しながら常に同志を集めて組織化し、機械化共同作業のできる規模の生産園地をつくりあげている。各生産園地の基盤整備（農道、園地配置、防風林、用水確保など）と機械化にはとくに力を入れ、省力的経営管理が徹底するように各園場は、設計されている。

たとえば、園地の傾斜度は五～十程度であるが、農道はアスファルト舗装され、それぞれの園に車が自由に通行できるようにしている。各園地では協同S・S防除、協同潅漑を実施している。

また、各生産園地はすべて完全な舗装道路で連結され、二十二㌔離れた園場にも三十分足らずで行くことができる。したがって、園地が四ヵ所に分散されているとはいえ、みかん園の管理作業は機械化によって省力化が徹底していて、規模拡大を可能にしている。

柑橘品種の組み合わせでも、早生温州、普通温州、晩柑（ネーブル）を合わせて植栽して労働配分と家族労働の活用を図っている。

経営の成果では、若齢園が多いので、四十五年度は六十トンの総収量で粗収益四百二十七万円経営費二百一万円なので、所得は二百二十七万円であった。しかし今年は、各園地に結果して総生産量は八十トンが見込まれている。

栽培面では、とくに地力の増進や適期作業に力を入れ、生産の安定と品質の向上に努力、販売面では完全共選共販を実施している。

一部は市街化区域に

同地は、気候的には山陰型に属している。冬季は曇天多雨であるが、玄海灘に面しているので比較的に温暖で、温州みかんや晩生柑橘に適し、約千㌶の主産地を形成している。

経済的には、福岡市に隣接するため都市化が急速に行なわれ人口の増加とともに市街化が進み、既成園の一部は新都市計画によって線引きで市街化区域になっているので、農業は後退せざるを得ない状態にある。

このため、農業振興地域へのみかん園の移動も考えなければならない。また、労賃の高騰、地価の値上がりも著しいので、みかん園の管理運営の省力化と土地生産性の向上のために技術が要求される。この要求にこたえて同氏は技術の修得に力を入れているので、柑橘園の生産力は高く、温州みかん、ネーブルの品質は常に安定して高収益を上げている。その技術は部落でも屈指の高水準にある。

経営の概要

一、家族構成

家族は九人である。両親と本人夫婦子供三人、妹弟各一人である。農業従事者は三人で、父と本人夫婦である。妹は学校、弟は研修のため大分県に行っているので農業に従事できない。このほかに常雇二人いる。

二、土地と植栽みかんの構成

みかん園八五〇a、水田五四a、山林二〇a、計九二四aである。

みかん園八五〇aは、品種に特徴をもたせて四ヵ所に配分してある。自宅のある若梅部落に二・六㌶（三十五～二十五年生温州とネーブル）、四㌔離れた向山（一・三㌶園地）に一・五㌶（六年生興津早生）、六㌔にある玄望園（三九一㌶園地、四十七戸）に一・四㌶（五年生南柑二十号）、二十二㌔離れた池田（六㌶、三戸）に三㌶（三年生宮川）。いずれのみかん園も一団地として協業作業が行なわれ

みかんの品種の特性、園地の位置などによって収穫期も規制され、品質のそろったものが適期収穫されて、共選共販される。

主な農機具

主な農機具は、共同所有のS・Sのほかに、個別でポータブル・S二台、動力噴霧機二台、草刈機三台、揚水機二台、小型トラクター二台、トラック、自動車各一台、動力一輪車一台を常用し、動力、機械力の活用によって省力化を積極的にはかっている。

また、施設としては貯蔵庫（百二十三平方㍍）を整備して市況に応じて有利に出荷を調節している。

経営の規模拡大と借入金償還計画

父親から受け継いだ農業は、水田一・二㌶、みかん一〇㌶、乳牛二頭の経営であった。その後乳牛や水田を処分してはみかん園を買い、拡大してきたのが現在の成園二・六㌶である。これを拠点として同志を集め、適地を求めて共同入手、共同開園、共同植栽し、しだいに拡大して八・五㌶の現在のみかん園をつくりあげた。

この経営規模拡大に要した借入金千六百三十八万円（長期借入金千四百八十八万円、短期借入金百五十万円）である。

資金（自作農維持創設資金、育成資金、転貸資金など）を上手に利用して資金繰りを考え、低利長期の資金を借り入れている。綿密な償還計画のもとに、昭和五十年を目途に経営財務の基盤をかため、その後さらに規模拡大化を進める堅実な設計をたてている。

協業と個人管理

農業改善事業に（例えば文望園）同志とともに積極的に参加し、組織化することによって用地買収、資金導入の円滑化を図り、大型機械で共同開園し、個人の持分に応じて集団的作業ができるように配分している。

個人では合理化しにくい大型機械施設による防除潅水、選果、出荷などはすべて協業作業を行なうが、施肥、剪定、収穫などの管理作業は個別で行なっている。協業作業と個別作業を組み合わせて能率の向上を図っているところに、長所もあり短所もある。

経営成果の維持

普通温州みかん（成園一〇㌶当り）の過去七ヵ年の生産費と収益の実績推移の分析によると収量は収穫労働を能率化するために樹高を切り下げ、樹形改造に着手したため増加はみられないが、安定して三～四トンを維持している。

所要労働は四百～三百五十時間が二百五十～二百時間に大幅に省力化されてきている。従って生産費も漸減傾向をたどり一〇a当り十万円から七万円に、一㌔当り二十六円から二十一～二十二円に低下している。

生産と販売技術

栽培面では、生産の安定と品質の向上に努力している。とくに土づくりに力を入れ、地力を増強し、連年結果させている。

また、品質を良くするために整枝剪定にも力を入れ、摘果を励行して、玉揃（L・M）を良くし、収量と樹勢に応じた適量施肥を行なっている。さらに適期採取、適期出荷に力を入れて品質の向上を図っている。

販売対応としては、味覚（糖度、酸度）では極上品とはいえないが、味の均一化、玉揃、着色などには力を入れ、品質の揃ったものを大量にまとめて計画的に市場出荷することによって収益を高める努力している。

（粕屋郡古賀町青柳三〇〇六）

「高血圧と食生活」にメス

千葉県・白子町連合青少年クラブ　河野満子

原因は栄養、疲労

農家主婦アンケート調査　「健康管理」に無関心

私の住む白子町は、千葉県の東海岸九十九里浜の南端にあり、黒潮の影響を受けた温暖な気候は、施設園芸への夢を伸ばします。町の総面積は二十六平方㌔で、耕作面積は千四百七十九㌶です。うち水田は九百五十六㌶、畑は五百二十三㌶となっています。農家戸数は千三百二十六戸あり、そのうち専業農家は百六十戸で、一戸あたりの平均耕地面積は一・一㌶です。また、専業農家の一戸あたり平均農業従事者は一・七人となっています。

私の町は、今年度から第二次構造改善事業にとり組み、施設団地も誕生し、そして施設野菜としてのキュウリ、トマト、露地野菜のタマネギの三品目が、国から産地として指定を受けています。

私の家は、海岸から約一・五㌔入ったところで白子町中里にあります。経営の概況は、耕地総面積が二百三十a（水田百a、畑露地九十a、ビニールハウス三十a、パイプハウス十a）で、農繁期を除いては、主に父と母が農業に従事しています。経営内容は、野菜を中心に栽培しています。

私は農村に育ち、将来も農業を受け継いで行きますが、現在死亡率の高位を占めている高血圧者が周囲の部落にもかなり多く、やがて自分の家庭にもおよぶことになるに違いない、「健康」という忘れがちな、しかも人間にとってもっとも大切なものの一つに深い関心を寄せるようになりました。そこで、「健康と食生活」というテーマで近隣から町へ調査をすすめてみました。

まず、身近な私の家庭の実態をとおして行なったのは、祖父が六年前（当時六十一歳）高血圧になり、はじめは医師治療に併せて漢方薬や休養を主に私なりの努力をしました。

多い高血圧者

しかし、私自身、書物などで知識を集めた結果「日頃の食生活」に問題があることに気ずき、食事担当者として、特に高血圧の対策を第一目標として「食事療法」を実施することにしました。

まず、正確な血圧の状態を知る必要から、水銀血圧計を購入し、私が定期的な測定をすることにしました。

六年前の最高血圧二百三十㍉Hgが、今年六月には百七十㍉Hgに下がり、多少中間に上下があったものの予防対策を実施したことで三ヵ年は、ほぼ一定値の数位で安定に向かっています。

一方、町の人の意識調査を私の部落とその周辺の主婦百名を対象にアンケート調査した結果、このような狭い範囲でも高血圧者が予想どおり多く、それに対する予防や早期発見、治療をしていないなどの点が明らかになり、ほとんどの人が自分達の健康管理に対する関心が低いのに驚きました。

アンケートに現われた高血圧の主な原因は、栄養のアンバランス、労働過重、精神疲労と続いており、その対策は栄養のバランス、労働の軽減、ムダな心配をしないなどが必要となります。

緑黄野菜とれ

すでに述べた祖父の発病に対して、私が担当する調理については食塩・糖質（炭水化物）を少なくし、良質なタンパク質・ビタミン・カルシュウムを取ることにしました。従来、多く取っていた米を少なくし、副食、とくに「野菜」を多く摂取するように、毎日の食事を心掛けました。野菜は、生で取り入れられるものはできるだけそのように調理し、肉類などは、野菜と炒めることにしています。

次に「塩類」については、食味を少しずつ薄めるようにし、ソテーの場合とか、つけ物の塩の量を少なくして、制限しました。ビタミンの補給については、年間たやさぬ工夫が当然必要です。そこで私の家では、露地野菜に加え、とくに冬期のビニールハウスの促成栽培のトマト、キュウリ、セロリーを食卓にのせると同時に所得増加をねらい、父母とたやさぬ野菜作りを考え実行していきます。現在は淡色野菜にくらべ緑黄野菜が少ないので、今後の課題としてはニンジン、ホウレン草、葉菜類がいつでもあるような経営を行なってゆくことです。

また、栄養のバランスで私の家に不足しているものは、「乳類」です。主食が米のため、どのように取り入れるかが問題となっています。とにかく、家族一人一日一本の牛乳を補給することは必要です。

さらに、高血圧の原因として労働問題がありますが、先のアンケート調査でも毎日の労働が高血圧に関連していることがわかりました。私の町でも、稲作機械化はできていますが、野菜中心の農業経営では、収穫調整にかなりの労力が費やされ、この分野で女子の分担には大きなウェイトがかかっています。そこで、近隣の専業農家の主婦の一日の生活を調べてみたら、表Ⅰのようになりました。

労働時間九～十時間で、それに家事労働を加えますと、休憩時間さえ十分に取れぬ状態です。そんな中では食事を通じて家族の健康を考える暇もないのではないでしょうか。家族の健康を管理するのは、主婦の肩にかかっており、そのためには、家族全員の計画性をもった生活が必要だと思います。

ゆとりも必要

表Ⅱは、私の希望する一日の生活時間表です。とくに食事や整理・家庭計画など主婦業に専念できる時間を多くとる必要があり、また休憩、レジャー、スポーツなども十分に「ゆとり」としてとり入れたいものです。そこに楽しい明日の健康な労働意欲がわいてくるに違いありません。

農業近代化の進む中で、健康上の問題点はまだまだ数多く残されています。私のとりあげた高血圧の予防対策もその一つです。クラブ活動を通じ、まず「健康」のすばらしさを認識し、それらをいかに維持し、増進するかを学び、ついで町全体の農家の主婦たちとともに手をたずさえて、進歩的な生活改善をしてゆきたいと思っています。

〈表Ⅰ〉　村の専業農家主婦の一日の生活時間（平均）

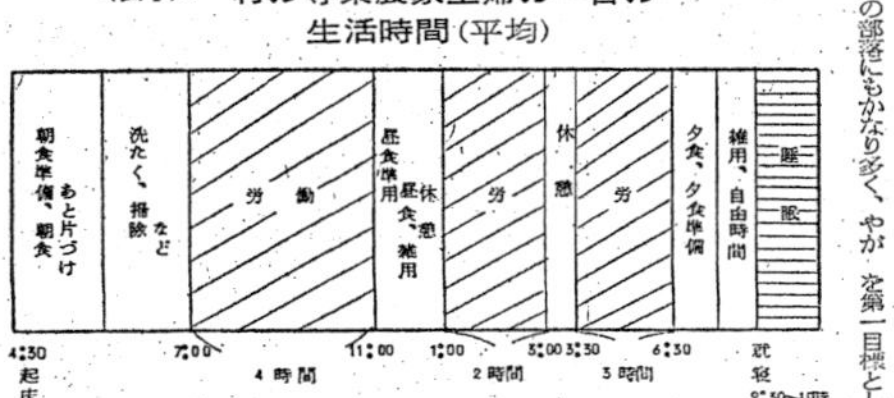

〈表Ⅱ〉　私の希望する専業農家主婦の一日の生活時間

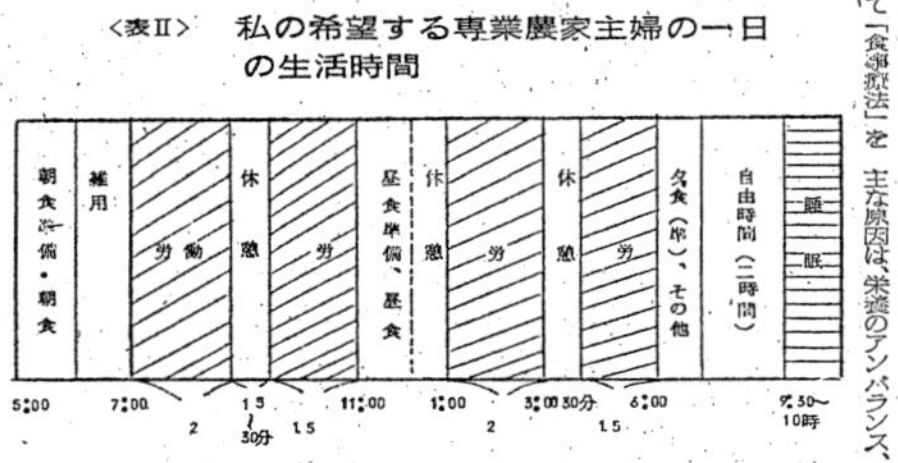

プロジェクトと経営

利用範囲広く省力化

営農に電算機的機能を

わがスプリンクラーの採用

和歌山県那賀郡粉河町　川村雅一

私の住む粉河町は、和歌山県の北部、和歌山市と橋本市の中間にあり、紀ノ川をはさんで、北は葛城山脈を隔て大阪府に接し、南は竜門山を越え紀伊山脈と連なったところです。

気象条件は、年平均十四・五度C、降雨量千八百㍉、また農業に必要な水資源も南側は紀ノ川の伏流水を利用し、北側では、四十八年度の山手用水の完成も近く、果樹経営には好条件の場所と言えます。

私の家も、普通温州、雑柑類など、約二㌶の経営をしている一柑橘栽培農家です。

みかんの価格を十年前と比較してみると大した変化もなく、また今後の高騰も期待できないような気がします。それに比べ労賃、諸資材などはウナギのぼりに高騰しており、高度な経済の成長につれ、また貿易の自由化などの激しい国際環境の中で、日本農業と他産業との所得格差は、ますます大きくなりつつある。昨今の状態をみて、今後においても規模拡大の割りには利益が少ないのではなかろうかという疑問です。

このように農業を孤立的な考えでみるとこれは引き合わない現状ですが、最近、よく農業の企業化という言葉が聞かれます。

そこで、普通一般によくいわれている企業についてみると、今の社会は資本主義社会と呼ばれ、その生産のしくみは、資本を集めて物を作り、そして、この生産物を販売することによってもうける、つまり使うために物を作るのではなく、もうけるために物を作ることである。

この定理をみかん経営に取り入れてみてはと考えたのです。これからの農業は、日本の経済の発展の根源を探求して工業的な、つまり企業的な組織をもった経営形態を考えて進む必要があると思うのです。

そこで次のように考えてみた。

労賃の高騰に対処する生産体系をつくるには、省力的生産体系、つまり規模拡大と機械化が考えられる。しかし現実としては、急傾斜地で合理的な機械化が行ないにくく、また近畿一円の地価の高騰によって機械化につり合う規模拡大が困難である。

では、現在直接生産に関する機械はというと、果樹栽培では動噴だけで、施肥、結実調節、除草、収穫、剪定などは全部人力である。したがって企業的農業経営を確立するための省力的技術を展開するためには、これらの人力的栽培項目を省力化する必要があります。

そこで日本の経済成長を飛躍的に発展させた工業部門の中の電気を農業に活用できはしないだろうかと考える。これは、ガソリンや石油とは異なり、きめの細い仕事ができる。日本農業にはこの電小計算機的な機能が必要なのです。この機能を農業に必要な水資源の利用による電気的栽培システムの確立を営農法として取り入れる方法です。

そこで、わが県の各地で実施されているスプリンクラー営農に目をつけたのです。導入栽培管理の省力化と適性、また、現在農業者にとって一番問題とされている農薬危害防止、品質向上などを飛躍的に図るため、革新的な生産技術としてスプリンクラーを多目的に利用し、今後の労働力不足状況に対処し、採算性の向上をめざし、私の目標としては十a当り百時間くらいにおき省力化を段階的に進め経営の主軸とするために取り組んでみました。

〈スプリンクラーの果樹栽培における利用範囲〉

①潅水②病虫害防除③施肥液肥の利用④結実調節・摘果剤の利用⑤除草・将来は除草剤の散布が可能なりと考える（水田の除草のごとく）⑥収穫・優品以上はハサミ収穫で行ない、その他加工向は離層形成剤の散水によって手もぎ可能とする⑦剪定・二～三年に一回の剪定を行なう。技術によって労力の節減を図る。

以上のように、重要な作業については人手は大幅に節減し省力化可能である。以上、生産全般にわたっての省力システムによって、はじき出される自家労力については、最も利益の高い産業部門、例えば商工業など、手近かなところに収入源を求め、拡大再生産に結びつける経営、つまり銭のとれる経営とし、十aあたり十万円以上の過剰投資とならないよう努力、また労働のきびしさと、経営のきびしさをハッキリ見分けられる農業経営者となり、これからの日本農業の生きる姿として実現させたい。

無毒性ホース出現

ブリヂストンが開発　カラフルで強い

ひところ洗濯用や食器・野菜用の中性洗剤の毒性が問題になり、主婦に大きなショックを与えたが、家庭用ホースの安全性についてはこれまであまり関心がもたれていなかった。

この不合理に着目した無毒性家庭用ホース＝写真＝が、十一月一日から全国のデパートや金物店で売り出されている。

この無毒性家庭用ホースは、ブリヂストンがこのほど開発した「NEWスーパーソフト」で、特長としては、無毒、強さ、使いやすさの三つの性能を満たし、しかも赤、黄、青、緑の四種類のきれいなカラフルホースであることなどである。

また、この「NEWスーパーソフト」は、内側が輸血チューブなど医療用に使用される無毒性配合の特殊ポリマーで、中間部が折れたり、よじれたりしない高弾性の高重合ビニールであり、そして外側が寒さや薬品、油にも強い耐久性ビニールを使用した三重構造の画期的ホースである。

そのうえ社団法人日本食品衛生協会の検査結果によると、フエノール（臭ふをおかす）やホルムアルデヒド（強い刺激臭がある）などの化学物質は検出されず、重金属、蒸発残留物も鉛、カドミウムが〇・一PPM以下とほとんど検出されず、ビニル関係の食品衛生規格（厚生省告示四三四号）に合格している。

なお、NEWスーパーソフトのサイズおよび価格はつぎのとおりである。

内径十五㍉、外径二十㍉、内厚二・五㍉のものの価格（一㍍当たり）百五十円。内径十八㍉、外径二十三㍉、内厚二・五㍉のものの価格（一㍍当たり）二百円。

味が濃い今年のみかん

細江町4Hクラブが測定

【静岡】引佐郡細江町4Hクラブのかんきつ部（部長 鈴木隆吾・会員二十五名）では、十一月一日から週一回、同町内の園へ集まってみかんの糖・酸度測定と取り組んでいる。

現在、糖度の測定は一般農家でも簡単にできるが、酸度測定は農協などの技術者まかせというのが実情。そこで、4Hクラブでは昨シーズンから地元のみかんの品質向上と、自分たちが父親のあとを継いだとき自力で測定できるようにと始めたもので今年で二回目。

ことしの六月に、昨年のデータを各戸別、地域別に分けて分析し、その結果をみかん農家に配って喜ばれたことから、もっとデータの信頼度を高めようと今シーズンも始めた。わせみかんと普通温州みかんをそれぞれ町内を五ブロックに分けて調査し、昨シーズンのデータと併用することで、町内各地の状況に応じた栽培方法や施肥設計に役立てることにしている。

これまで、わせみかんは八回、普通温州みかんは三回測定しているが、全般的にみて、昨年同期に比べて糖度、酸度とも高く、味の濃いものになっている。いままでの最高は十一月五日の測定分で糖度は、わせみかん十二度、普通温州みかん十一度で、昨年同期に比べてわせは一・五度、温州は一度ずつ高い。

NHK農事番組（12月11～20日）

テレビ

明るい農村　6・30～6・55　総合
11日　農村新地図「青森県三蔵村」
12日　明るい漁村
13日　村の記録「市街地脱出作戦」
14日　きょうの話題
15日　産物往来「のり」
16日　話題の広場「ふるさとの写真集」～芸能銀行ローカル
17日　村を結ぶ「仙台、大阪、福岡、東京」
18日　農村新地図「長野県南木曽町」
19日　明るい漁村
20日　村の記録「上越新幹線通過駅」

農業教室　7・30～8・00　教育
13～15日　花生産と流通　横木清太郎（東京教育大学教授）
16～18日　成功した養鶏　斎藤隆（農業技術研究所）
20～22日　山村開発の方向　安達生恒（島根大学教授）

あすの村づくり
日　7・30～8・00　教育
再　土　13・00～14・00　教育
12日　「グループだより」～奈良県大和郡山市～郡山4Hクラブ「さいはてにもとめる生きがい」～北海道枝幸郡浜頓別町、伊藤傳ほか、「青年像」小川浩彦～岩手県岩手郡雫石町
19日　「グループだより」栃木県鹿沼市～幸農クラブ、「青年像」～川原井富高～栃木県鹿沼市池ノ森

ラジオ

早起き鳥　5・41～5・57　❶
11日　多元～新潟米あれこれ～斎藤昭三（新潟県食品研究所）
12日　新東京中央市場条例をめぐって～稲尾勇（東京中央市場長）ほか
13日　山内杜氏～秋田県湯沢市～高橋菊治
14日　千キロの通勤農業～岡山県灘崎町～内田高夫
15日　ハウス病防止～白井伊三郎（徳島大学教授）
16日　農村人材銀行と出稼ぎ～秋田県職業安定課～荒谷洵三
17日　密植でいちごの奇形果防止～栃木県農業試験場
18日　始まった寒天作り～茅野市
19日　農業撤退作戦あれこれ
20日　稲藁池の竜化農業～今井秀四郎（北竜呉羽竜化試験場長）

話の広場　日　6・10～6・30　❶
12日　芸能銀行大忙し～栃木県大平町
19日　4Hクラブの労働銀行～群馬県中之条町沢田地区

新しい農村　6・30～7・00　❷
12日　休業経済調査から　石川弘（林野庁企画室長）
19日　国民経済の中の日本農業～農業および農家の社会協定から～平弘（大臣官房調査課長）

ラジオ農業学校　日　6・30～7・00　❷
12日　経営手帳「彩植拡大の条件」～吉沢季生明（愛媛県宇佐農場）、吉田六順（日本獣医畜産大学教授）
19日　優秀農家に学ぶ～菅原文雄～宮城県若柳町

お知らせ　「あなたの実力は」は休みました。

青春と仲間

4Hの心は共通

再会に感激も新た

愛知県・蒲郡4Hクラブ　山本賢治

去る十一月十二日、東南アジア六ヵ国訪問の旅を終え、無事神戸港に帰着した総理府の第五回「青年の船」に全国4Hクラブ連絡協議会推せんで乗船していた山本賢治君(二三)は、台湾訪問の際、今年度の台湾代表の草の根大使・廖金郷さんと再会した。山本君はそのもようについて次のような便りを寄せられた。

一九七一年十一月八日、中華民国台湾省台北の国立故宮博物館において、草の根大使として日本をたずねた台湾のクラブ員・廖金郷さんに再び会うことができた。

遠く他国の地で友人に会う感動は、胸にジーンとくるものがあった。第七回全国4Hクラブ員の集い・愛知大会で友達になり、台湾においてまた話しができたことにあらためて感激した。

昼近く博物館で、私は現地の小学生数名に写真とかサインなどを頼まれてメモをしていたら、「山本さん」と言う声に振り向くと、金郷さんがニコニコ笑っていた。

夢を見ているようであり、いきなり「台湾の印象はどうですか」と聞かれた。私はとっさに声が出なく、「緑が多く日本と景色が似ている。そして台湾の人達は親しみがわく人達ばかりだ」と答えた。

彼女は、遠く雲林県からバスで六時間もかかって会いに来てくれたこと、そして私達のスケジュールがよく変るので会えなくなり、台北に一泊して再度会いにきてくれたことなど、私はこの様な親切を一生忘れないつもりである。

コーラを飲みながら約二時間ほど彼女と話をした。

金郷さんはまず、日本のクラブ員と、そして日本で世話になった人達に心から感謝していた。そして、「今、日本では山の景色が赤くなって美しいでしょう」と聞いていた。また、日本のことなど細かく親切に話してくれた。たとえば、「京都は雨が降り、晴れてはまた雨が降る。日本は雨の多い国ですね」ということなどである。私は、「いや、今年は日本は特に多いんですよ」と言ったが、やはり、台湾と比べると多いかもしれない。台湾は雨期と乾期があり、今は乾期である。しかし、南部と北部は違い台北では夜の町はアノラック姿が目につくほどだ。

また、金郷さんは日本の印象などを次のように語っていた。

台湾は食べ物が安く電機製品が高いが、日本はなんでも高いそうである。また、日本の青年は、車に乗ることが好きでよく遊ぶが、仕事もよくやるという印象をもったそうである。そして「日本の人達は非常に親切で大好きです。また、日本の農家はお金持が多く生活が豊かであり幸せである」と語っていた。

最後に金郷さんは、日本の多くの人と友達になりたいと文通を希望していた。

私は、金郷さんにもらった台湾の4Hクラブのバッチを胸につけて、台北の町をショッピングしていたら、「オオー4Hクラブ！ユーアーアグリカルチャー」と英語でタイ国の人が話しかけてきた。…世界共通のクローバーのバッチは親しみを感じさせるものですネ。

また、話はずれるが、台湾のアイスコーヒーの砂糖は、サトウキビの汁でありストローが二本出てくる。一種の流行だそうで、日本にも流行しそうな気がする。

私は今、台中から汽車で四時間余の旅をしたこと、施設宿泊など…台湾での心に残る思い出が数多く浮んでくる。

廖さん（左側）と会えて嬉しそうな山本君（中央）＝台湾国立故宮博物館前で

一部分だが……

恋瀬4Hクラブ　石崎里子

「世の中変わった」。このことばをよく耳にしますが、悪い意味で変わったことが多すぎるような気がします。

進歩がすぎれば退廃的な面が生まれるのはしかたがない、といってしまえばそれまでですが……。殺伐な世の中、人情がうすれたとでもいうのでしょうか。生まれて二十年たらずの私たちが感じることもあるのですから、年配の人が思うのはあたりまえかもしれません。

社会に出た友は言います。「友だちなんて外面だけのことで、内面は自分の足もとばかりを気にしているんだ」と……社会はすべて競争です。

私たちの農業だってもちろんのことです。しかし、相手をけおとすことばかり考えているのは困りものだと思います。

真の競争は相手も前進させ、自分もより前進しようというきもちからみいだされると思います。ところが、まわりには醜い競争が目につきます。小さなことは学校の中、乗物の中、近所の人たちが…大きなことといったなら政治家、企業体、国などと、この世に存在する最大のものまでに共通するのではないでしょうか。

それに、無関心主義の人がふえたことも事実ではないでしょうか。

自分のことは、より認識して欲しい。しかし、自分に関係のないことになると、白から黒に変わるように態度をかえてしまう。こんなことはいまさら口にするようなことではないかもしれません。なぜなら、多くの人々は、正否の判断がつくはずなのですから、ふたつの心が同居している人間がふえてしまったのでしょう。

しかし、どんなに大きなものだって個々の集まりなのですから、自分が大切にしている人、物に、もうひとり、ひとつのものを加えてみようとは思いませんか。ひとりでも多くの人が、そう思うようになったなら、明るい結果が残るはずです。

近い将来に「世の中変わった」ということばを再び耳にしたなら、きっと、人間らしい人がふえて住みよい世の中になったということでしょう。（茨城県石岡地区青少年クラブ連絡協議会『せいねん』より）

風諺

荒野をめざす

若者が好んでもちいる言葉のひとつに"冒険"というのがある。これはなにも現代青年に限ったことではなく、遠い昔の若者の心にも、"冒険"のイメージは脈々とうずいていたようである。それらのうちのいくつかは、伝説となって今なお語り継がれている。大ざっぱにみると、いつの世の若者も"冒険心"をもっていたような気がする。

先日、テレビをみていたら堀江謙一青年が、あるドキュメンタリー番組に登場していた。もう堀江謙一青年といってもピンとこない人が多いと思う。それに彼は今や青年と言えるかどうか……。彼が小さなヨットで西宮を出発し、九十四日目にサンフランシスコに到着して"現代の英雄"とか"冒険王"と騒がれてからそろそろ十年近くになる。アナウンサーの質問をうけて、十年前を振り返りながら彼が、「後悔はしていないが、少し軽率だった」と恥ずかしげに語るのを聞き私はガッカリしたような、ホッとしたような奇妙な気分になった。中学時代に抱いていた"冒険王"のイメージが強烈に否定されたような気持と、何も冒険できなかった自分が正当化されたような気持を同時に感じたからである。

彼の航海日誌をまとめた"太平洋ひとりぼっち"という本があるが、ここで再度読み返してみた。感動したことには中学時代と変りないが、考えさせられる個所があの頃とは大部ちがっているのに自分ながら驚いてしまった。というのは、冒険そのものより、冒険という事実に隠された人間的な事実が胸に迫ってくるからである。人間一人が百日間生きてゆくにはどれだけの"もの"が必要かを、それは明確に語ってくれるのである。

冒険という非日常性のなかに、日常性がこれほど重くのしかかっていようとはその頃、日本で甘いロマンの夢をみていた少年には理解できなかったのである。それゆえ私は冒険者になれなかったのだ。

"青年は荒野をめざす"という題名の本は飛ぶように売れ、同じ題名の歌は多くの若者に口ずさまれている。しかし、現代の青年にとって、何が荒野なのか、どこに荒野があるのかを考え直してみる必要がありそうだ。でなければ、十年後に堀江青年が語ったような言葉さえ出てこないのではないだろうか。

人間的事実を無視し、徒らに危険を求めロマンに酔うことは真の冒険とはいえない。人間が生きている現実を直視し、そのなかで自らの生命を問う、それが真の意味での冒険であろう。

青年が荒野をめざすのは素晴らしいことだ。しかし、まず我がうちなる荒野に目を向けるべきではないだろうか。となれば、冒険とは若者だけのものではないはずだ。（野）

経営の原点（4）

矢口邦生

経営者へ返り咲き

（（（親族会議）））

親族会議が開かれたのは、それから数日後のことであった。組合長への求職依頼が契機となったことを知るまでに大して時間はかからなかった。明らかに組合長のはからいによる"離農再考慮"のための親族会議であった。（組合長よ、個人のあなたは好きですが、組合長という、鉄の肩書をもったあなたは嫌いになりました。）

会議の名にふさわしく、集まったメンバーは、近所に住む叔父や叔母達（ほとんどみな農業である）、会社員の兄夫婦、役所勤めの弟、隣りの主人夫婦、それに女房の両親という、そうそうたるものであった。

「お前、もうほんとに百姓をやる気はないのか」と一人の叔父は言う。この日の「主人公」は終始無言であった。この場に臨んで何が言えるというのか。離農という行為に、一面積極的なそれであるが、それに至るまで、経営から一歩も二歩も身をひかざるを得なかった受身の日日がもたらしたものでもあるのだ。例によって父母の口は固い。老後の安定が「無言」に秘められてもいるように。

やりきれない思いで僕は言う。

「事ここに及んでも、なお打開の道をとるんなら、親が出す条件も、僕がもらう条件も、一つしかないけれど、今の僕の気持は、できたら円満に百姓をやめさせてほしいと思う」

条件とはもちろん経営権だ。いわゆる「カマド」である。

それと察したのであろう、四十すぎの「後継者」をもつくだんの叔父は、フンフンと言って立ちあがり、父母を伴って隣室に消えた。

ここで、座を見わたしてみる。若い叔母と女房の父は、明らかに、僕達の態度に不満の色を表わしている。こうなる前に、なぜ一言耳に入れてくれなかったのか。われわれの顔がだいなしだ。兄夫婦は、弟の気持を知悉しているだけに、うかつなことは言えない、というような、厳しい目つきの中にも、口もとは絶えずオロオロしている。隣りの主人は時々口をはさむ。「俺には、両方とも、本当は出る気もなければ出す気もないとしか思えん。例え親子でも、腹を割って話し合うことがないから、行きがかり上こうなってしまったと思うんだが」他の者はこれはどっちみち親子ケンカだ、ワシらが口出ししたってはじまらんとでもいったような、傍観的悟りの風情である。

やがて、隣室のヒソヒソ話しがやんでやや興奮した面持の三人がでてきた。叔父が結論を言う。

「本人がやめたいというんだから、無理にひきとめても、お互いのためにならんと思う。前にも相談したように、やめさせるより仕方ないだろう」

他の者に異存はなく、僕もパッシブな同意を示した。終ったと思った。さびしい気もするが、肩の荷をおろした気にもなる。心の嵐よ、去れ。小ぢんまりした平静よ、来て僕と共に憩え、だ。

しかし、不安はよぎる。五十も半ばをすぎた両親にとっては荷の重すぎる、これだけの土地をどうやって経営していこうというのか。あっ、そうか、五年間は休耕奨励金だ。五ヘクタール以上まとめて牧草でも植えてしまえば、集団転作とか言って、十アールあたり五千円アップの、なおさら好都合なんだ。いや、でもそのあとは？ 足元を見られて土地が言い値でさばけるか。そして「ついの栖」たるべき両親の落ち着く先は？ 気にすまい、気にすまい。明日は職安へ行こう。

（（（数回の階段往復が）））

兄夫婦は泊まっていくことになった。自家用車で一時間も走れば自宅に帰れるし明日も朝早くから会社の仕事が待っているはずの兄なのだが。今夜の彼らは、兄が打診係なら、姉はみなの意見をよく聞いての、状勢分析係であった。時たま分析の結果からなる、性急ともとれる結論が、普段はつつましい姉の口から出ることもあった。彼女が、煮えきらぬ会議（あるいはその成果）にイライラしていたのは事実だ。

僕達夫婦は、姉を伴って、二階の自分達の部屋へ上った。兄は、一時間ほど、下で父母と話していた。やがて、兄も、ドアをノックして僕達の部屋に入ってきた。それから始まった兄の、上から下へ、下から上への数回の階段の往復行が、僕達を農業にとどめることになるとは知る由もなかった。こと勉強に限れば、常にいい点数をとった兄ではあるが、社会的な切味はもとよりなく、訥々と話す口ぶりも、人と人との取りまとめ役にはおよそ不向きにできていたが。

その兄が、まず二度の往復行で、経営権の委譲をまとめ、一度のそれで、父母に対する月々の小使いの支給額を決め、更に一度で、父母を顧問役におしとどめた。そして通算五度目には、明日早速、農協口座の名儀も書きかえようというところまで話を進めてしまった。数時間のことであった。

この手記をお読み頂く読者もわかりかねるだろうが、実は、僕自身が理解に苦しむ有様なのだ。なぜこうも簡単に、僕の稠意がなり、父母のそれがなったのか。考えられることは、隣りの主人の言ったように、もともとは出る気もなく出す気もなかったという、無意識下の妥協の余地が、兄という、双方に信頼される媒介を通して、互いに懸念される新生活への若干の危機感の傷口をなめあったものでもあろうか。あるいは、「犬も食わぬ」親子ケンカにすぎなかったのか。いずれにしろ、親子間の、互いの信頼感という細い糸は、まだ断ちきられていなかったようである。兄は翌日会社を休んだ。

それから三日後に、組合長をはじめとして、例の親族会議のメンバー、それに僕の友人数名を招いて、ささやかなパーティを催した。深夜の「経営権移譲式」をしめくくるものであった。

（（（エピローグ）））

それにしても、経営権というものは、もともとは意識したものではなかった。そんなものは、父母が健在な限りは、いらぬものですらあった。ただ、そのためには、経営上の意見も少しは確実に取り入れてくれ、そして月々定められた小使いが支給されることが条件である。が、それが望めないなら、たとえ出稼ぎでも町のひろい仕事でもいいのだ。日銭が得られれば、最低限の欲しいものは求められるし、働きに出るのは主として農閑期であるから、脱経営の徹底は、かえって一家の生計をうるおすことにもなる。問題は、僕達が作業だけの全責任をまかせられることにある。作業のみの経営を拒否しての「脱農業」者が、種々の条件で農業への返り咲きを図るとき、それは必然的に「全経営」を指向するのではないだろうか。問題が問題として残されている限りは。（『農民文学』百一号より）

—おわり—

リンゴの気持は

青森県連会長　蛇沢勝雄

豊かな社会になり個人個人が自己主張をできる余地が生まれ、好みの細分化現象が進みはじめたのである。

耐乏生活時代は、国民服とコッペパン、スイトンなどを画一的に甘んじて受け入れていたが、現代ではミニ、ミディ、マキシとスカートの長さひとつとっても細分化し、しかも同じガラの服を着なくなるご時世。ラーメンひとつにしても普通のラーメンあり、味そ、塩あじ、醤油など各種の札幌ラーメンあり、さらに駅前だ、チャルメラだ、日清だとインスタントものがある。

消費者は好きな店、すきな品を選び、しかも文句をつけながら「自分の好みの味」を探求してやまない。

もうひとつ重要なことは、消費者主権の確立から、不良品に対する批判、監視が強くなったことだ。食品だけ取り上げても天然ジュースか否かの表示問題、着色剤、添加剤問題、チクロ騒ぎ、農薬入り緑茶、農薬がついているリンゴ……と数えあげればきりのないほど問題が表面に出てきている。

以上から、いかにして細分化した消費に応じるか、いかにして消費者の信頼を裏ぎらない商品を提供するか…ということの重大さがわかってもらえよう。

「リンゴのばあい、いかにスターやゴールデン、フジ、ムツを作ろうが、消費は減る一方で決して起死回生策にはならない」と思う。

この理由はいくつかある。

まずリンゴを商品として見たばあい皮をむかなければ食えない、ということがある。

これはスピード時代にマッチしないばかりか消費する場所的な広がりを制限しレジャー時代には決定的な「欠点」になる。次ぎにたとえ酸素を加えても、なお甘さや澱粉質の多さは残りデザートとしてのソフトさクールさに欠けること。料理や加工への利用の道が少ないこと。フジのばあい洗練された外観に欠け、まったく素人には国光と見分けがつかないこと、などがあげられる。

小売商にとっては「リンゴは売れないが、五十箱もの、荒利になる」ことだ。青果の生命は「鮮度」である。それが日持ちするとなれば、だれも力を入れ「当日中に売り切ろう」などとは、思わない。

力がはいらない↓量販にならない↓仕入量が少ないと反応するわけである。消費者の細分化のなかでもなお残るのがミカンであればリンゴは逆なのである。（青森県農村青少年クラブ連絡協議会『クローバの友』より）

○・○・○・○・○・○

K君元気を出せよ

〈鳥取〉K・B生

先日、車に乗っていたらK君と会い、「乗せや」というから後部まで乗せてやった。

車の中でK君は俺に「今何をやっているんだ」と聞くから俺は「百姓だ」と言った。するとK君は「農業はいいなあ、こんな良い天気に真昼間からドライブか」と言って俺の顔を見た。

俺は言ってやった。「ああ農業はいいさ、田植えが終ればあとは収穫まで暇さ、牛に餌をやれば次にやるまで暇さ、だからこうして遊んでいてもお金になるのさ」。すると、K君は「僕の村で牛を飼っている人は朝から晩まで汗水たらして頑張っているぞ」といった。

俺はいってやった。「ああ、その人は遊ぶことを知らないんだ、暇があっても暇をつくらないように努力しているんだ。そんな性分なんだ、きっと」。するとK君は「そうかなあ」と言って、また俺の顔を見た。K君は、もう一度俺に「農業はいいなあ、暇があって」と言った。

俺は「ああ、農業はいいさ、これだから農業をやめられないんだ」。すると、K君は真面目な顔をして「僕も百姓をしようかな」とさびしそうにつぶやいた。

K君は会社につとめている。

（鳥取県＝三朝町農業青年会議『つち』創刊号より）

農村の自然美を守れ

山梨県4Hクラブ　天地緑男

日本農業の生産性の低さが、零細性だけでかたずけられ、抜本的な対策が行なわれず、労働力の供給源としてのみとらえられ、工業開発は常に農民の土地を奪い、歴史と伝統のなかで民族の根であった農村と農民の生活と、経済の展望を失なわしているように思える。

我が山梨もグリンプランを唱える一方、一村一工場を施策として進め、中央道、甲府バイパスの開通により、一層都市化の波は強く、今、まさに自然美も、空気も大地も、汚されようとしている。

しかし、人間が最後に求めるであろうものを、農村に住む人々の手で守り育てて行ける条件を与えることは、高度な人間社会が描く夢であり英知ではないだろうか。

農村の生活は、過去においてもまた、現在もけっして快適ではなかったように思う。しかし展望のない社会では決してない。したがって農村のもっている、自然の力をいかに人間のために開発するかであり、それは自然と人間の戦いでなく、人間が自然の力をどのように生かし、それとの調和のなかで、人間の生活の場がつくり出されることでなければならないだろう。

真愛なる4Hクラブの仲間よ！ 輝く太陽、新鮮な空気、緑の大地など。生活につかれた人々の群れそれは必ず農村にもどって心の傷をいやしている。そんな農村の自然美を、保ち育てるのが我らの使命だ！―

さあ立て、燃えろ、前進だ。

俳句

太田尾4Hクラブ　横山義治

月見草　つぼみのひらく　はやさかな

柳山4Hクラブ　数谷照義

この土手を　うずめつくして　彼岸花

◀投稿案内▶

本紙は、みなさん方の新聞として、全国のクラブ員に利用して戴きたいと考えています。それでクラブの催しや個人のプロジェクト、詩、短歌、随筆、写真、悩みや意見、村の話題、伝説、行事、その他なんでも原稿にして送って下さい。

お願い　❶長さや形式は自由です　❷できるだけ記事に関連した写真をそえて下さい　❸送り先　郵便番号 162　東京都新宿区市ヶ谷船河原町11　日本4H新聞編集部

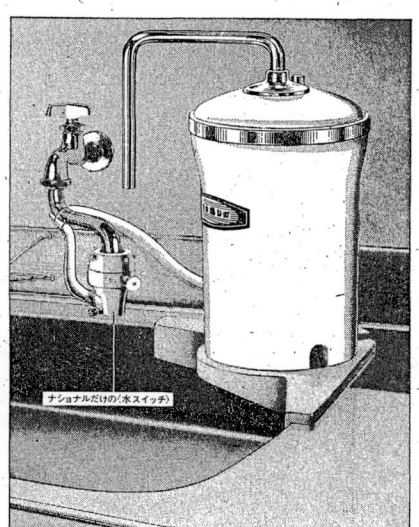

日本4H新聞
4Hクラブ 農事研究会 生活改善クラブ 全国広報紙
発行所 社団法人 日本4H協会
東京都市ケ谷家の光会館内
電話（269）1575郵便番号162
編集発行 玉井 光
月3回・4の日発行
定価 1部 20円
一カ年 700円（送料共）
振替口座東京 12055番

クラブ綱領

私達は、実践を通じて自らを磨くとともに、互いに力を合わせて、よりよい農村、よりよい日本を創るため、四つの信条をかかげます。一、私達は農業の改良と生活の改善に役立つ腕をみがきます。一、私達は科学的に物を考えることのできる頭の訓練をします。一、私達は誠実で友情に富む心をつちかいます。一、私達は楽しく暮し元気で働くための健康を増進します。

「4H展」など賑う　山口県連

売る方も大した腕

出品物に努力のあと

【山口県＝久保山誠連絡報道員発】山口県農村青少年クラブ連絡協議会（会長 松尾耕助君）は、このほど開かれた県主催の農業まつりの一環としさる十一月四日、防府市牟礼の県営農技術研修所で「明日を担う若人のつどい」を、また大会期間中の五日から三日間にわたって山口市大山の県農業試験場でにぎやかに「4H展」を開いた。

農業まつりは、農業者と関係者がつどい、日常生活の成果を交換して地域農業の振興を図るとともに、広く県民に農業に対する認識を深めてもらい、明るく豊かな農村を築こうとするもので、山口県、山口市、県農業協同組合中央会、同経済農業協同組合連合会の主催。

四日から七日にかけて①農業振興大会②農業展示会③農林畜産物の即売と即売会④畜産共進会などの行事が、山口県営農技術研修所、山口市民会館、県農業試験場、家畜市場の各会場で開かれた。各行事の模様は次のとおり。

明日を担う若人のつどい

今年新しく農林業に就いた農村青年を中堅青年の4Hクラブ員らが祝福、激励し、そして共に明日の農業を語ろうと、「農業振興大会」の前夜祭として開いたもの。

雲一つない澄みきった秋空の下各地区からぞくぞくと会場に集まり、午後一時からオリエンテーションのあと開会式、二時から屋外でフォークダンス（マイム・マイム、オクラホマミキサー）や歌唱などのレクリエーションを行なった。新規就農青年たちは、初めのうち慣れないためか戸惑いも見受けられたが、そこは若者同士ですぐにうち溶け、みんな汗を流して陽気に歌い楽しく過ごした。

四時から「夢と幸せとは！」というテーマのもとに二つの班（二十名余り）が一つになり、林業研究会や農業研究会の会長、役員の人たちも加わって四つの会場（室内）に分かれ討議した。レクリエーションのあとだけになごやかなムードでスタート、活発に意見が交換された。

新規就農者のほとんどが経営を始めてまだ約半年だが、機械化を図って規模拡大し、観光農業を主体とした企業農業を行なうといった力強い意見が出た反面、「何を主体とした経営をやって良いかがわからない」「農産物の自由化に伴う輸入問題」「転作問題」「他産業なみの経済成長に追いついているだろうか」といった諸問題が出された。現在の農業情勢を反映してか、経営の難しさ、不安というものを心の片隅に持っているようであった。

停電による鶏の圧死防止法も人気

六時からグラウンドで、この大会中一番の呼びものである「歓迎の夕べ」へと移った。この頃には各地の4Hクラブ員たちもつめかけ、夏の技術交換大会を上回る総勢三百人余に達した。

パネル二十枚で組まれた特設舞台のちょうちんに灯がともされ、六十個の七輪に炭火が入れられた中で、普及教育課長の音頭によって全員がコーラで乾杯、いよいよジンギスカン料理の始まり。

一個の七輪を五～六人が囲み、用意された材料（マトン、野菜）を金網に乗せる。白い煙、食欲をそそる焼肉の臭いがあたり一面に漂うその光景はまさに壮観。材料は一人当り羊肉三百グラム、玉ネギ、キャベツなども十分に用意され、おにぎりには、山口県の奨励品種「ヤマホウシ」が使われ、新米の味も格別であった。

月が会場を照らす頃にはジンギスカンもクライマックス。みんなの腹も落ち着いた頃、各地区のクラブ員が工夫を凝らした寸劇やバンド演奏、郷土民謡も披露された。ちょうど農繁期で忙しいクラブ員たちではあるが、その寸暇を惜しんで練習しただけあって芸の幅の広さも見事であった。新規就農者たちも一緒に輪になって踊り、歌い楽しい一時を過ごし、宿舎へと戻った。彼らの部屋からは、遅くまで灯がもれ、明日からの農業にかける意欲、新しい友人との会話がいつまでも続いていた。

翌日、振興大会の会場である山口市民会館へと彼らはバスを走らせた。

目を見張る4H展

十五坪あまりの一室に設けられた4H展会場に、県下の各地区から数多くの出品物が陳列された。作業衣、機関紙、プロジェクト活動の報告、クラブ活動と経営の紹介、手芸品など、いずれも日ごろプロジェクトと取り組んでいるクラブ員たちの創意と工夫のあとが出品物によく出ていて、見物者の目を見張らせた。

なかにはテーブルクロスを利用した作業衣や男性用のワイシャツを活用した可愛いアップリケをつきの前掛け、また着物の残り布を生かしたネクタイなど女子クラブ員ならではのアイデアがみられ、見学者の間からは、作り方を熱心にメモする姿が見受けられた。

とくに、停電による鶏の圧死の防止方法を考案した模型には沢山の人だかりができた。これは、鶏舎の停電を自動的に家の方へブザーで知らせると同時に、バッテリーによって鶏舎の電灯がともるように工夫されたもので、日ごろの養鶏経営から出た英知といえる。

また、農薬の使用によってめっきり数の少なくなった"タニシの養殖"のプロジェクト展示も、多くの人の興味をひいた。養殖日数も少なく、まだ販売段階まで行ってはいないようだが、非常に栄養価に富んだ食品ということである。水槽に入れたタニシを見て、なんだかわからずに首をかしげていた子供もいたが、自然保護の問題が論議されている現在、一農業者として考えるべきものがあった。

機関誌も県下十五の地区連絡協議会のうち五地区から出されたが、ガリ版刷りやタイプのもの、また創刊号から第十号発行のものなどいろいろであった。

生産者から消費者へ「即売会」

県下十三の農改普及所単位に設けられたテントには、それぞれの特産物やクラブ員が丹精こめて育てた野菜など、郷土の香りがあたり一面に漂っていた。4Hクラブ員の農作物の売上げの一割は、4Hクラブの活動資金として県連に納めるよう会長会議で決めていたので、売り声にも一段と力がこもっていた。

山口県下の農産物がこの即売場に集まったわけで、その種類や特産物の多いのには消費者だけでなく、われわれも感心させられた。どの普及所でも、販売は4Hクラブが担当するところが多く、売り込み合戦が盛んに行なわれた。クラブ員の間からは「作ることよりも売る方が難しい」という声も聞かれたが、それでも初日だけで五～六万円以上の売上げをみせた地区もあり、売る方もたいした腕前。

これまで、生産者と消費者が直接「接する」という機会があまりなかっただけに、三日間を通じてクラブ員が得た知識は今後の農業経営に大いに役立つものと思われる。

なお、この農業まつりの入場者数は約四万人にのぼったという。

「青春の価値」を考える

埼玉県連で二回目の「4Hのつどい」開く

クラブ員宅で交歓

【埼玉】埼玉県農業研究団体連合会（4H部長 加藤幸雄君）は飯能地区4Hクラブ員の協力をえて、さる十一月六、七の両日、飯能市民体育館と宮沢湖を中心に、県内の4Hクラブ員約四百人を集めて「第二回埼玉4Hクラブ員のつどい」を開いた。

一日目は、市民体育館で午前十時半から歓迎レセプションが開かれ、地元4Hクラブ員の有志による「黒田節」や「大利根月夜」の踊りなどが披露された。このあと十時半から開会式に入り、加藤4H部長、飯田藤男埼玉県農業研究団体連合会会長、来賓のあいさつがあり、オリエンテーションに続いて午後一時半から「青春をどう生きるか」という統一テーマのもとにシンポジュウムが行なわれ、クラブ員の中から選抜された五人の代表が意見を発表、青春とレジャーや仕事を結びつけて考えるなどいろいろな角度から自分たちの悩みや抱負などについて訴え、熱のこもった意見が交換された。

三時二十分に交歓訪問として民宿に移動し、クラブ員の家庭で家族ぐるみの交歓が行なわれた。

二日目は、班ごとにハイキングをかねて午前十一時ごろ乗合場所の秋の丘へ到着、フォークダンスを通じて輪（和）をつくり「別れのつどい」を開始した。しかし、午後二時四十分ごろ、あいにく雨が降ってきたためバスで市民体育館へ移動し、歌やフォークダンス、民謡などで楽しみ、四時、つどいの幕を閉じた。

今回は、企画から運営まで運事が中心となって運ばれたが、その誠意が伝わったためか成功のうちに終ることができて、役員一同も大変喜んでいる。今後さらに、このつどいが発展するよう期待される。

（村田茂君と富岡淳子さん発）

トップを切って総会

北海道連　来年一月、札幌で

【北海道】北海道4Hクラブ連絡協議会（会長 中山寿雄君）では、昭和四十七年度定期総会を来年一月二十四、二十五の両日、道立労農会館会議室において、加入団体十四支庁連の代表二十八名出席のもとに開く。

議題は、昭和四十六年度事業経過報告と決算報告、同四十七年度事業計画、予算案などについて。また、来年度開催予定の「第八回全国4Hクラブ員のつどい」に関する関連業務や役員改選なども協議する。

群馬県連でゼミナール開く

22日から県研修館で

【群馬県＝斎藤竹代連絡報道員発】群馬県農村青少年クラブ連絡協議会（会長 前原保夫君）は、来る二十二日から三日間、県農村青年研修館で四十六年度の県農業近代化ゼミナール交換研究会（冬期大会）を開く。

お菓子などを持って秋深い古都・鎌倉の源氏山公園に到着したクラブ員と農協の人たち

古都鎌倉で農協職員と交歓

戸塚4Hク連協

【神奈川県＝飯島孝夫連絡報道員発】戸塚4Hクラブ協議会（会長 石井敏幸君）では、このほど農協職員との交歓会をかねたクラブ大会を秋深い古都鎌倉でくりひろげた。

毎年、なんの制約も受けずに、秋の一日を楽しく過ごして会員相互の親睦をはかり、今後のクラブ活動をより充実させようというもの。これまでにも運動会が行なわれたり、一泊で大いに語り明かそうと泊まり込みで行なわれるなど、年によっていろいろの催しとなっているもので、今回は四十余名が参加した。

前日とはうって変り、秋晴れに恵まれたこの日は、鎌倉の源氏山公園を中心に、横浜南農協の職員とともにフォークダンスはじめ、何よりも楽しい食事、そして話し合い、歌、またゴム輪送りなどのレクリエーションで過ごした。雪化粧の富士山を背景にした静かな源氏山公園も、調子の良い手拍子やにぎやかな歓声に包まれた。

日程のほとんどをここで過ごしたあと、鎌倉に住んでいる普及員さんの案内で銭洗弁天から長谷の大仏と歩いた。すすきなどの間をぬっての道のりだが、前日の雨も手伝って足もとがすべり、かなりの難コースであった。

大仏では休憩したとき三人ほど迷い子になったが、解散予定の鎌倉駅ではったり合えた。ほかにはケガや事故もなく無事に終ることができた。参加者も秋の一日を十分満喫した面持ちで、すっかり日も暮れた鎌倉駅をあとにした。

また、協議会役員と数名の農協職員は、このあと片づけをすませて話し合いの時間をもった。この大会について多くの反省や意見が出たが、全体的には楽しく過ごせたという意見が多く、「今後も交歓の場を持ちたい」とクラブ員たちは語っていた。

本人の自覚次第

美作地区連で農協の女子職員と交歓　男女交際を話合う

【岡山県＝松原泰明連絡報道員発】美作地方農村青少年クラブ（会長 杉並文男君）では、さる十一月十六日、津山市の美作教育会館で勝英地区農協職員との交歓会を行なった。

これは、将来の農業をになっていく農村青少年と地域の農業振興を図っている農協の若い職員たちが変ぼうする農業や農村社会の現実をとらえると同時に、当面する諸問題と将来の方向などについて研究討議し相互の意見を交換、また親睦と友情を深めて、若人の力によって近代的な農業と農村社会を建設しようというもので、これには、クラブ員二十七名と農協女子職員二十名、農改普及所、農協中央会の関係者が出席した。

午前九時半から開会し、主催者あいさつのあと、「勝英地方の農業と農村生活の諸情勢」について西岡美作農改普及所長、「新時代に対応した農協の役割について」と題して岡山県農協中央会副会長の講話があり、クラブ員は熱心に耳を傾けた。

続いて三分科会に分かれて意見を交換した。

第一分科会のテーマは「これからの農村青年の夢と希望」について、農業者には夢と希望を持っている青年が望まれるといった意見や、これからの農業者は技術面と生活面の両方に目を向けなければならないだろうという意見が出ていた。

「農業者と農協との連けい」をテーマにした第二分科会では、農業者と農協との連けいが少ない点など農協に対してきびしい意見が出ていた。もう少し、本当の農協のあり方に戻って運営してほしいなどの意見が多かった。

第三分科会は「農村青年の男女交際と結婚」というテーマであったが、抽象的であまり積極的な意見がなかったようである。

しかし、結婚相手の理想像を言い合ったり、農村青年は異性と交際する機会が少ないと一般的に言われているが、これは間違いであって、本人の自覚しだいでこれらはどうにでもなるという意見が出て注目された。ついで全体討議で活発に意見をかわした。

このあと食事をすませて、今度は会場を替えてボーリング大会を行なった。四人一組となってチームごとに競い合ったが、女子をまじえてのゲームだけにクラブ員もハッスル、また、なごやかな雰囲気に包まれていた。

農村青年は、日ごろ女性と接触する機会が比較的に少ないが、そういう意味からもこの交歓会は大変有意義だった。また、話し合うということは非常に大切であり、他のクラブ員の方もこのような交歓会をふやしていけばよいのではないかと思われる。

収穫の感謝と五穀豊作を祈願し献穀

宇佐4Hクラブ

【大分】宇佐4Hクラブ（会長・大久保清君）は、勤労感謝の日のさる十一月二十三日、山香農高の生徒とともに、宇佐八幡に玄米やミカン、野菜などを献穀し、この一年間の収穫を感謝するとともに、これからの五穀豊作を祈願した。

宇佐4Hクラブの献穀はことしで三回目で、これまでは同クラブの共同圃場で栽培した豊作物を献穀していたが、今年は同圃場がなくなったため、クラブ員がそれぞれ丹精こめて育てた自慢の作物を持ち寄った。

"女らしさ"を演出

茨城県連で女子研修会　「創造と美」を求める

【茨城県＝藤本芳一連絡報道員発】「創造と美の追求」をテーマ……ーセンターで県女子研修会を開いた。女子クラブ員の活発化をは……ともに、積極性を身につ……庭生活の中で"魅力ある女……なり、また学習活動の展開……て視野の幅広い女性になろ……うもので、県下の女子クラ……十余名が参加した。

……目の研修は、まず地元の笠……について行なった。これは……記念と笠間焼きのできるまでについて学習したもの。それぞれアイデアを生かした作品をつくり上げていた。

このあと一般常識についての講話。農村女性はこれから経営者、また家庭管理者として幅広く生きなければならないが、それには、何事についても勉強、努力し、自分の感じたものを「女らしさ」で見つめ、自分のものとして表現する必要があるというのが話の中心で、活発に女子クラブ員と講師との対話がなされた。

夜は映写会で、「君ならどうする」、信子の生活設計、若い年輪」などのフィルムを鑑賞したが、なかなか学ぶ点が多かった。

二日目は、奉仕作業として坐ぶとんのカバーかぶせを行ない、また先輩を囲んで体験談を聞いた。クラブ員もこれからクラブに帰り思い存分活躍する心構えやクラブ活動の方針ができたようだ。

続いて事例発表。はじめに例題として女子クラブ員の中から活動報告などを発表してもらい、それに基づいて分科会が開かれ、女子活動はどうあるべきか、また、なぜ必要かなど真剣に取り組んだ。夜はキャンドルサービスで「女らしさ」を出した寸劇やゲームなどを楽しんだ。

三日目は経営簿記のつけ方について県専門技術員の講義があり、簿記の重要性など全般にわたって学習した。最後に研修のまとめをアンケートによって行なった。

研修を終えて帰る時の女子クラブ員たちは「創造力豊かに、美しく魅力ある女性」となり、郷里へと急いだ。

涼風暖風

都会と田舎と

師走もなかばを過ぎ、あたりは何かと騒々しくなってきた。この忙しない年の瀬が一段落すると、都会で生活している多くの人は、生れ故郷で正月を過ごすため、その故郷行の列車のホームに毎年長い列をつくりあげる。

都会においてて、この時分ほど、"都会"と"田舎"が明確に対立した構図となってあらわれることは少ないといっても言いすぎではないだろう。それは、あたかも文明に対する自然のごとき対立感を、都会全体にかもしだすものである。

年の瀬になって、どれだけの人が、"田舎"に思いをはせ、どれだけの人が、"都会"について考えただろうか。私も毎年、年がつまってくるとこのことを知らず知らずのうちに考えてしまう。

"都会"と"田舎"を考える場合、それをとらえるには二つの視点があると思う。ひとつは、田舎人として"都会"をみつめ"田舎"を省みる眼であり、もうひとつは都会人として"都会"をみつめ、"田舎"に思いを寄せるといった視点であろう。このような、それぞれの視点から書かれた文学作品などは、数えあげればかなり多くある。

例えば、"都会"について鋭い観察をした萩原朔太郎は明らかに前者の視点に立っていた。彼の詩などの根底には田舎人としての"都会"への憧れと嫌悪、さらに"田舎"への反発と郷愁の感情が神経質にうちふるえている。

また一方、朔太郎よりやや若い世代の詩人であった津村信夫は、彼とは逆の視点に立っていた。つまり、都会人として"田舎"的なものをとらえて讃美し、同時に、"都会"そのものをぐさりとしりぞけ、あいまいにすることによって、都会的なもののはかなさを暗示した。

二人の詩人のそれぞれの視点を例にとったが、彼らの本質はあまりにも似かよっているような気がする。それらは詩人の個性というよりも、わが国の風土・文化にかかわる問題といわざるをえまい。とりもなおさず、わが国には都会と田舎という明確な対立がなかったといえる。わが国の都市人口の構成を考えてみても、それはいちおううなずけることである。

現代社会においても、その両方がからみ合い、もつれあっているのが、日本の"都会"および"田舎"の特徴ではないだろうか。帰省列車を待ちながら、"田舎"に思いをはせ、"都会"を考える人の胸中はいかなるものか。こんなことをいうと笑われそうである。（N）

心頭技健

さる八日から五日間にわたって静岡県御殿場市の国立中央青年の家で開かれた今年度後期の全国4Hクラブ中央推進会議では、参加者の間でなかなか活発な意見のやりとりがあったようだ▼ある分科会では、ウーマン・リブ旋風が吹き荒れ、男性軍が女性側から尻を叩かれる場面があったという。農業の将来に対する不安を訴える多くの男子クラブ員に対して女子クラブ員が反発、「そんな悲観的なことを言っているから嫁ききんという状態が起きる。男性はもっとたくましく、胸を張って力強さを見せてほしい」というのだ▼もちろん、女性の中にも、夫婦で手を取り合って苦難を乗り越えてるのが理想的だと発言した人もいたようだが、弱音を吐く男性諸君に対してハッパをかけるとは農村女性も強くなったもので、まさに頼もしい限りだ。このような女性が多くなれば、男性も強くなり、日本農業の将来も希望へと続くに違いない。男性が弱くなったから女性が強くなったともいえないこともないが▼しかし、男女関係と男子クラブ員が抱く農業に対する不安とは別問題で、それを混同すると本質を見失い、中途半端に終りがちである。最近とくに、米作の減反、貿易の自由化、農産物価格の不安定などから男子クラブ員の間に農業に対する不安が強まっていることは確かである▼だが、その不安というものが農業そのものからきているのか、また農政不信にあるのか、あるいは、企業者としての不安までを内蔵しているのか、はっきりしないように受け取れる。それがどこにあるかを見つければ、ただ不安だといっているだけでなく、解決への足がかりを掴むことができるのではないだろうか▼今回の中央推進会議には、これまでの最高の約百八十名のクラブ員が参加した。二年前までは年一回の開催で参加者は大体百五十人どまりだったので、この人数は実に驚異的であり、記録的である▼転換期にある日本農業の中で、クラブ員がこれからの農業経営やクラブ活動をどう展開していくべきかを模索している現われであり、また、大いに闘志を燃やしている証拠でもあろう。その意気を新しい年に向ってさらに高め、会議での成果を拡大してほしい。

大型農業めざす若者たち

浜松・農試機械営農部　大型トラクター練習場が完成

【静岡】静岡県西部の三方原台地の最北端、浜松市都田町にある県農試機械営農部（早川千吉郎部長）に、このほど県下では初の大型農用トラクター運転練習場が完成し、いよいよ本格的なオペレーター養成の研修が始まった。

これは、機械化農業を推進し、農業協業化の担い手・原動力となる若い農業後継者たちにトラクターの運転技能を習得させようと、農林省の肝入りで本年度十三ヵ所に作る農耕オペレーター養成センターの一つ。ここでクラブ員たちは宿泊研修を受けながら、あすの"農業機械士"をめざし、運転技能のマスターに励んでいる。

新しいトラクター専用運転練習場は、三十三万平方㍍の同営農部農場の一角につくられ、コースの広さが八千二百平方㍍もあって、陸運局公認の一般自動車学校と同様の構造を持っている。

S型走行路、クランクコース、坂道コース、信号機、踏切警報器、それに、まん中にはコントロールタワーもついた本格的なもので、いままでの畑をならしたところに造った白線コースとは大部違う。アスファルト舗装のコース建設費は千六百万円、それに、運転練習の研修生が宿泊する定員四十名の鉄筋コンクリート二階建て宿舎が工費三千万円で建設されたばかり。

練習用のトラクターは四十馬力から六十馬力のものが七台で、横山隆研修訓練課長ら教官十四人が揃っている。運転技能研修は一ヵ月で、受講料は不要、研修生負担は宿泊実費だけというのが特長である。入所は年に十二回、市町村長の推せんを受けた人が農業改良普及所や農業事務所を通じて願書を出しパスすれば入所OKとなる。

ここではトラクター運転技能コースだけだと十日間、圃場に出る作業技術研修が十二日間、つまり一ヵ月間に実技百時間、学科四十七時間をこなす。取得する免許は、大型特殊自動車で、まだ正式には公認コースになっていないため市内の自動車学校で受験する従来通りの方法がとられるが、近い将来、公認コースとなる予定なので、同じ練習場で受験、合格ということになる。

また、このほかにダンプカーやブルドーザーの運転技能研修も実施するよう検討しているという。

四十年に機械営農部が発足して以来、農用トラクターの運転研修生はこれまでに三百四十八人が卒業しているが、テスト合格率は一〇〇%を誇っている。本格的な練習コースと宿泊研修施設、それに広大な農場での農耕実技をマスターした人たちは「農業機械士」の受験資格が取得できるとあって大張切り。

県下各地から参加している研修生は、いずれもあすの県農業を担う後継者が多く、彼らの大地に取り組む意欲は目を見張らせるものがある。（鈴木政美通絡報道員発）

規模は異っても　酪農への夢は同じ

若なぎ会と若わし会が交歓　岡山

【岡山県＝松原泰明通絡報道員発】さる十一月二十四日、勝田郡奈義町の若なぎ会と倉敷市の若わし会が奈義町で交歓会を開いた。

若わし会のクラブ員八名と水島酪農協同組合長などが訪れ、若なぎ会員二人の酪農経営を見学したあと、午後から交歓会をもった。

若わし会は、酪農経営のクラブ員だけで今年の四月に結成したばかりで、平均年齢も約二十一歳と非常に若々しいクラブである。

一方、若なぎ会は、酪農と養豚経営を主体としたクラブ員の集まりであるため、交歓会でも酪農経営を中心に話しがはずんだ。若わし会員の飼育頭数は、若なぎ会員の平均飼育頭数より大分多い。これは、若わし会員の飼育型態が[illegible]中心の経営であるため、増頭が進んでいるものとみられる。

しかし、お互いの飼育型態は違っていても、同じ乳牛を飼う者の気持は変りないものと思われ、経営者としての悩みや将来の酪農経営について自分たちの目標などについてなごやかな雰囲気の中で話し合っていた。目標として、ほとんどの人が二十～三十頭の搾乳牛を飼いたいと述べ、頼もしくかんじられた。

最後に記念撮影して「今度は若わし会の方にも来て下さい」という招待の言葉があり、お互いに酪農経営者として将来の経営に向って頑張ろうと誓い合った。

連絡を密に　親が要望

久留米4Hクラブ女子部　親子座談会開く

【福岡】久留米4Hクラブ女子部（部長　荒木ケイ子さん）は、このほど久留米農業改良普及所で親子座談会を開いた。これは、親子の親睦やクラブ活動内容を理解してもらうために催したもので、同日は、女子クラブ員の親八名、男子クラブ員二名（会長、副会長）と普及所から関係者三名を迎えて和気合々のうちに進められた。

中でも問題になったのは、やはり女性だけに帰宅時間や費用のことだったが、とくに親の方からは「連絡を密にしてほしい」という声が多く、この意思疎通が親の一番の願いであるということだった。また「自分の娘は農家に嫁がせたい」などの言葉も聞かれた。

この座談会は初めての試みであったが、家族との親睦が深まると同時に、4H女子部の姿というものを理解してもらうことができ、楽しく有意義な親との対話であった。

かすり似合う美人揃い

福岡といえば博多人形、博多人形といえば美人、美人といえば久留米、久留米といえばかすりという具合に、久留米はかすりで有名だが、同女子部の会員七名は、かすりの似合う美人ぞろい。会員は農協の職員、長崎からの研修生、ソロバンを教えている人、花が好きで好きで花を作っている人、きゅうりを作っている人、けいこごとをしている人など職業はさまざま。しかし、いつも何かをやりたいという意気込みを持った人たちばかりである。

年間の行事では、仲間として一番興味のあるもの、一緒に楽しめるものを中心に、共同プロジェクト（若妻の意向調査など）、リボンフラワー、料理、登山、視察など、このほかにもいろいろと毎月第一と第三土曜日の午後行なっている。親子座談会もこれらの行事の一つで、これからも、クラブ員の参加を呼びかけて「心と心が親しく結ばれる」クラブを保ち続けようと張切っている。（同女子部、龍頭春美さん発）

ダンスを猛訓　上峰村4Hク、パーティー控え

【佐賀】三養基郡の上峰村4Hクラブ（会長　鶴田真澄君）は、クリスマスパーティーなどをひかえて、社交のエチケットを学ぼうと十四日まで毎週火、木、土、日曜日の午後七時半から同村中央公民館で社交ダンスを練習した。

山形県連で女子研修会開く

【山形】山形県農村青少年クラブ連絡協議会は、さる四、五の両日、天童市の青年の家で「女子クラブ員研修会」を開いた。

これは農閑期を利用した研修会で、一日目は、県農業技術課・長谷部専門技術員の講義を聞いたあと「家族のなかの私の役割」というテーマで分科会を開いて話し合い、二日目は総まとめと手芸、工作などの実技研修を行なった。

融資わく拡大望む　宮城県連が知事と懇談

【宮城】宮城県農村青少年クラブ連絡協議会（会長　門間忠君）では、山本知事との懇談会をさる十一月二十五日午後二時から仙台市の知事公館で開き、これからの農政などについて意見をかわした。

県連側からは、各地区のリーダー三十五人が出席し、稲作、園芸、畜産、クラブ活動の各部門ごとに代表が問題提起したあと話し合いが行なわれた。

この意見交換で最も多かったのは農業改良資金の融資わく増大と据え置き期間延長を求める声で、これに対し知事は「近代化資金については、県単補助で金利を引き下げているが、これで十分だとは思わないので今後も努力したい」と答えた。

部門別の主な問題提起は▽園芸＝野菜の流通面の整備、価格安定対策、栽培技術についての試験研究の充実と成果の普及▽畜産＝農業改良資金の融資わくを現行の七十五万円から百万円程度に引き上げ、返済の据え置き期間（現行一年間）を五年に延長してほしい▽稲作＝集団化の必要性や米の"原料"から今後は"白米という"製品"まで手がけることが課題で、このため食管法改正が必要である――などであった。

企業的経営の基盤に　岐阜・高山四ツ葉クラブ　農業簿記講座開く

【岐阜】高山四ツ葉クラブは、高山市農林課、飛騨農業改良普及所の協力をえて、さる十一月二十四日から飛騨総合庁舎会議室で農業簿記講座を開いている。

近代的農業経営を進めるのにふさわしい記帳力を養い、企業的農業経営の基盤を確立しようというもので、十一月二十四日にスタート。開講式のあと農業経営の種類や簿記と農業経営、二十七日には現金収支と損益計算、勘定と勘定計算の意味、また、十二月六日には資産、負債、資本について、続いて十日はそれらの仕訳けについて学んだ。

今後の予定としては十六日に貸借対照表と損益計算書、また二十一日には労働日誌、棚卸しなどを学習し複式農業簿記をマスターすることにしている。

復帰後に備え研修　石垣市で「おもと4Hクラブ」結成

【沖縄】石垣市おもと部落でさる十一月十六日、「おもと4Hクラブ」が結成された。

クラブ活動としては、当面、月一回開く定例会（第四火曜日）でそのつど決めていくことにしているが、お互いにチエをかし合うほか、農改普及所の協力をえて、サラリーマンに負けない"高所得農業"をめざすことにしている。

とくに本土復帰後は、農業経営もきびしくなりそうなので、それにそなえて技術研修や学習会で実力をつけようと意気込んでおり、資金が許す限り沖縄本島や本土の先進地に出かけて実地研修し、よい点はどんどん取り入れていく方針だという。

こんにゃく百丁さばく　亘理町地区連で農産物品評会開く　即売会に人気

【宮城県＝丸子京子連絡報道員発】亘理町農村青少年クラブ連絡協議会（会長　浅川一夫君）では、このほど農産物の品評会を行なった。

この催しは、亘理町主催の町民文化祭に便乗したもので今年で三回目。すでに町民の中に定着しつつあり、審査が終ったあとの即売では、あっという間に売り切れてしまうほどの人気だった。

出品物は、クラブ員一人三点以上と決め約二百点が集まった。今年は冷害や天候不順のため、例年にくらべて出品数こそ少なかったが、季節の野菜、白菜、大根をはじめりんご、トマト、キュウリ、ナメコ、菊など温暖な亘理町の特色を十分に発揮したものばかりであった。

また会場の一角には、おでんとだんごの販売コーナーを設け、亘理町連唯一の女子クラブ・若菜会が中心となってサービスした。値段はおでん一皿四十円、だんご一パック六十円と手ごろ。去年は売れ行きが予定の三倍を上回るほどで当日てんてこ舞いしたので、今年はあわてないようにとおでん用のこんにゃくを百丁注文した。注文し過ぎたのではないかとちょっと心配だったが、その心配もどこ吹く風、二時過ぎにはきれいになくなっていた。「もっと注文すれば良かったかな」と欲を出すクラブ員も現われたりで大盛況のうちに幕となった。売上げ金の一部は去年も町の福祉事業に寄付したので、今年も同じく寄付する予定である。

畦道

世界の街々のたそがれ

都市に疲れた少年たちがいる。都市の住宅街のサンルームの中でスクスクと育った彼らには、外の風景はあまりにも荒廃しすぎている。やっと彼らが、その伸びきった脚で街を歩きはじめたとき、そして彼らが、その澄んだ眼で街を眺めはじめたとたん、もう彼らのやわらかい感性はボロボロに磨滅してしまうのだ。彼らは、都市に生きていくには弱すぎる。

傷ついた十代。気違い染みた世界の街々に溢れている。彼らは、大人たちのように卑劣な状況に"なずむ"ということも知らない。そのうえ彼らは、アフリカや、グリーランドや、タヒティ島や、カナリヤ諸島のすみずみまで一つの情報が飛びかうこの世界では、どこへも〈出発〉する気など起りゃしない。ただ彼らは、黙って肩を寄せ合いニュー・ロックの澄みきった音に耳をかたむけている。

◇

ここに一九二〇年生まれのある著者が、そんな状況を描いた『明るい廃墟』という評論があるので少し引用してみたい。

――十歳そこそこの少女である。レコードに聞きほけている。彼女は白痴どころか全校きっての秀才だ。いま彼女の魂を吸っているもの、それは現代の音楽。……たとえばサイモンとガーファンクルの『サウンド・オブ・サイレンス』とか『老人の会話』とかがそれだ。老人夫婦が話し合っている。ずたずたに切れた生の不安が囲えてくる。少女には英語がわからない。だが少女は、会話を耳にしてレコードに聞きいる。……老人のことはとりたてていうほどのことでもないから、英語が、ことばがわからぬはいかほどのことでもない。サイモンとガーファンクルの音楽が、ことばでなく音だけが、まさにサウンド・オブ・サイレンスが、彼女と老人たちをつないでいるのだ。生を終ろうとする老人とこれから生に入ろうとする少女とが、疲れた者同士として、いつかな別れようとはせぬ。ひとつの文明の崩壊に立ち会う二つの世代が両極から進み出て人間の統体の崩落を感じ合うのだ――。

これに加えて私の言うことは何もない…（土）

州立農高の門戸開く　ブラジル国サンパウロで入学生を募集　＝全拓連＝

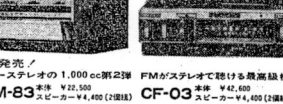

全国拓殖農業協同組合連合会とブラジル国サンパウロ州農業拓植協同組合中央会は、このほどサンパウロ州立農業学校に日本の優秀な青年を入学させることを決定し、その入学生を募集することになった。

これは、日伯両国の農協提携協力によるブラジル農協青年移住事業として行なわれ、同校を卒業後はブラジル農業開発の中核者、指導者として活躍してもらうという主旨で実施されるものである。

農協青年移住者の中のブラジル国農業高等学校入学希望者の募集要領は次のとおりである。

▼移住希望者の資格

一、日本の農業高等学校、高等学校農業関係学科や経営伝習農場などを卒業、または、卒業見込の者で渡航時に満十八歳以上、入学時に満二十五歳以下の男子とし、州立農業高校に入学し、卒業後は独立自営農業者になろうとする者、またはブラジル国の農科大学に進学、もしくは農業関係機関などへの就職を希望する者。

一、農協青年移住者の資格に定める単身者の各条件に該当する者。

▼希望申込および締切

移住希望者は、府県拓植農業協同組合連合会、県拓連未設置都道府県にあっては農業協同組合中央会に次の書類を一月末日までに提出すること。

一、ブラジル農協青年移住希望申込書
一、戸籍謄本、および国公立の健康診断書
一、学校長の推薦書
一、高等学校卒業または卒業見込証明書
一、中学校の卒業証明書および全学年の成績表
一、高等学校全学年の成績表
一、写真（半身脱帽、無背景、正面、縦七㌢横五㌢）

なお、詳細を知りたい方は、全国拓植農業協同組合連合会まで問い合わせのこと。

▽住所＝東京都港区赤坂一ノ九ノ十三　三会堂ビル九階（〒107）
▽TEL＝〇三―五八四―五五〇一～二

こんなことをしています　各種農業団体

全国販売農業協同組合連合会

年末、年始の市場出荷は　―市場側と連絡を十分に―

野菜、クダモノ、肉、タマゴなど、生鮮食品の市場は、例年のことながら、年末になると大変に混雑します。そして、大晦日から正月の三日間ほどは、それまでと比べるとウソのような市場にとっては年にいちどの、"静寂"がやってきます。

生産物を市場に出荷する生産者としては、当然、こうした年末、年始の市場の慣例を十分に心得えていて、適正な出荷をするように考えなければなりません。が、実のところ毎年、そうしたルールを無視して出荷される例があり、このため生産者はもちろん、市場や流通の関係者にも、少なからず苦労や損害をおよぼしているといわれます。

そこで、まず、市場の正月休みについて調べてみますと、東京市場のばあい、大体つぎのようになっています。

▼野菜、クダモノ＝十二月三十日から一月四日まで、市場は取引きを休みます。
▼食肉＝十二月二十九日から一月四日まで、市場は取引きを休みます。
※以上、東京中央卸売市場の例
▼鶏卵＝十二月三十一日から一月三日まで、市場は取引きを休みます。
※全販連、東京鶏卵市場の例

その他の市場でも、概ね東京中央卸売市場の例にならってきめられています。

しかし、大阪、神戸などの青果物のように、市場としての休みは十二月三十日から一月四日までになっていますが、実際には品目別に、例えば「洗ったダイコンは何日まで」「ドロ付きのダイコンは何日まで」と、それぞれ品物ごとにとし最後の取り引きの日がきめられているばあいがあります。

また、食肉市場では、枝肉で持ち込まれるものは問題ありませんが、生体で入荷するものについてい"屠殺処理"が必要になります。このため、市場によっては十二月の二十日ごろから年内の屠殺の受付けを締切るところがあります。

鶏卵のばあいも、入荷したものは年内に販売するたてまえになっていますが相場の発売はありませんし、例年、大きく値下がりするなど、必ずといっていいほど大きな混乱があります。

こんなわけで遅くなればなるほど市場は荒れます。従って、年末、年始の市場への出荷は、事前に市場側と十分に連絡をとって、間違っても「休み中の市場に荷物が着いてしまう」などということのないようにしたいものです。（企画課）

全国共済農業協同組合連合会

リハビリセンター建設へ　―身障者の社会復帰をめざして―

近年、わが国の経済発展はめざましいものがある。しかし、それと同時にさまざまなひずみをも生み出しているところである。その特徴的な現象としては各種の企業公害、労働災害の多発、交通事故の激増、さらには成人病の増加などに起因する身体障害者の発生があり、年々二五%の増加傾向を示している。

現在、全国で社会復帰のための治療を要する者は、実に二百五十万人を数えており、これは国民五十人に一人の割合で、今やほおっておけない社会問題の一つとなっている。さらに、これを農業、農村についてみれば急激なるモータリゼーションの浸透・脱都会化による交通事故の増加、農業機械の普及、出かせぎを含めた他産業への就労機会の増加による労働災害の増加などが当然予測され、身障者となり得る危険性をより多く内包しているといえよう。

しかしその対策などについてみると、肢体不自由者の施設は全国で六十二施設、その収容定員約三千四百人、リハビリ関係のベッド数三千ベッドと極めて貧弱な現状にある。GNP……といわれるわが国であるが、リハビリテーションについては欧米先進諸国のそれに比し、半世紀も立遅れており、身障者に対する社会福祉政策の充実が強く望まれているところである。

このような情勢下において、組合員の福祉をたかめ、農村地域における安全を守る活動の担い手である系統農協共済にも、リスク保障の提供をはじめとする資金活動、事故の予防・アフターケア活動などを有機的に結合した積極的な対応策が求められていた。これらの要請の高まりのなかで、系統農協共済では生活保障活動の一環として、静岡県の中伊豆町と大分県別府市に総額二十二億九千万円を投入し（うち一億四千万円は一般から募集の予定）近代的な諸施設を備えた社会福祉、法人、農協共済リハビリテーションセンターの建設にのり出したものである。（四十七年六月竣工、四十八年四月開設）

この施設は、身障者の医的管理や能力開発、職業の再訓練、さらには、幅広い評価部門をあわせ包括した総合施設である。

当面の入所対象者は、交通事故、農業機械事故などによる外傷、骨折や運動機能の疾患、脊損患者（定員三〇〇名）が中心である。しかし、身障者の激増が予想される将来、その要請に応えるべく、広大な敷地（合計四五〇〇〇㎡）と豊かな自然環境を生かし、早期治療から訓練、さらには授産の三部門に至る一貫した施設に拡充整備し、十分なリハビリテーションサービスを行ない身障者の福祉増進に貢献しようとするものである。（普及部）

天皇杯に輝く人たち

蚕糸（養蚕経営）北条輝雄氏（四五）茨城県

10アール当り186キロ収繭量
桑園七団地に集団化

東北線の小山駅から水戸線で約十分のところに結城市稲城がある。昔からの養蚕地帯で、周辺では、養蚕と水稲を主体とした農業経営を行ない、冬期の農閑期に結城紬を織っている農家が多い。

旧結城市農協管内の農家戸数は八百三十五戸で、養蚕戸数が百四十三戸、耕地は千百三十㌶で水田四百四十㌶、桑園五十四㌶、普通畑五百九十三㌶、樹園地四十三㌶。主な農産物は米、繭、桑苗、干ぴょうである。

× ×

このような環境の中で、北条氏は、養蚕を基幹として、これに稲作を有機的に組み合わせた経営を行なっている。

六人家族のうち農業従事者は経営主夫妻と長男（二十一歳）の三人で、経営耕地は水田が九十五㌃、普通畑三十㌃、桑園百五十三㌃という内容。年間の農業粗収入は四百七万円で、このうち養蚕の粗収入が三百十九万円で全体の七八％を占めている。このほか、米四十八万円（一二％）畜産（種豚）四十万円（一〇％）となっている。

× ×

同氏は、小学校卒業後、父親に協力して農業に従事していたが、さる三十九年、四十歳のとき農業経営の一切をまかされた。しかし、当時の養蚕経営は老朽化した八十八㌃の桑園と飼育は平飼、上蔟は一頭拾いという慣行技術によって行なわれていた。このため経営規模の拡大とともに養蚕自立経営と取り組むことにした。

そこで、地域指導の普及職員の助言指導を受けて積極的に省力養蚕技術を導入すると同時に老朽桑園の改植、経園面積の拡大、飼育施設の拡充、稲作作期の調整、作目の単純化など農業経営の全般にわたって創意工夫し改善の努力を重ねた。

× ×

まず、桑園では交換分合などによって桑園を七団地に集団化するとともに、稲ワラ、種豚（二頭飼育）の厩肥などで全面マルチを行ない、桑園管理の省力化を図った。

桑の品種は一ノ瀬、仕立法は茨城県で奨励している改良高根刈、樹齢は新植と改植によって、いずれも九年以下と若返らせた。マルチの材料であるワラによる土作りと十㌃当りN成分換算五十一㌔という無機質肥料の増投とあいまって、四十五年には十㌃当り収繭量百八十六㌔という、高い生産性を上げるに至った。

蚕の飼育面では、年七回の追掃きを行ない、飼育施設と家族労働力を効率的に活用して経営規模の拡大を図っている。

稚蚕は、各掃立とも二齢までの共同飼育、三齢から屋外条桑育を行なっている。壮蚕期の蚕座の配列は、一段蚕座と二段蚕座の方に給桑台車を乗せて能率的な条桑育を行なっている。また一時に多くの労働力を必要とする上蔟は、専用上蔟室を設置すると同時に、自然上蔟法を全面的に導入、このため上蔟と次に掃立た蚕の壮蚕期が重なる労働ピーク時でも、家族労働だけで楽々とこなしている。

× ×

この省力化によって、四十五年には養蚕従事者（能力換算）二・五人で二千八百五十㌔のマユを生産し、一人当たり収繭量、千百四十㌔という素晴しい労働生産性をあげた。

収繭量は、四十三年に二千五百八十三㌔、四十四年には二千六百五十三㌔、四十五年二千八百五十㌔、十㌃当り収繭量もそれぞれ百六十八㌔、百七十三㌔、百八十六㌔、一人当たり収繭量は、千三十三㌔、千六十一㌔、千百四十㌔と年々経営規模、生産性とも着実に向上している。

このように同氏の養蚕経営は省力養蚕技術を積極的に活用したもので、これらの技術や経営は、今後の養蚕経営近代化の指針として養蚕農家に波及効果が期待できるという。

× ×

なお、同氏の優れた養蚕技術と経営内容は各関係方面から高く評価され、四十四年度に毎日新聞と富民協会共催の「第十九回全国農業コンクール」で優秀賞、四十五年度には茨城県主催の「第八回茨城県養蚕経営改善競技会」で農林大臣賞を受賞している。

（結城市稲城三一九八）

プロジェクトと経営

いちご栽培
早植えが最も有利
苗作りと施肥がポイント

群馬県・久呂保４Ｈクラブ　新木貞男

私の住む昭和村は沼田盆地の東端、赤城山の北面に位置し、標高約五百㍍の純農村地帯です。昭和村に、露地野菜の一つとしていちごが取り入れられたのは、昭和三十七年で、当時はなんの技術もなく、自然にまかせた栽培方法でしたが、年とともに栽培技術は進歩し、それに伴い栽培農家戸数や面積も増し、昭和四十五年度においては、三百七十戸あまりの農家で栽培され、総面積四十㌶、生産高約一億円におよび、私の村になくてはならない作物にまで伸長してきました。

私の家では父、母、私と労働力は三人で、経営面積は一・八㌶です。以前はこんにゃく、養蚕、穀類などを中心としていたが、私が高校卒業後、何か魅力ある農業経営はないものかと考えた結果、村内で栽培されつつあったいちごに目を向け、組合に加入させてもらいました。いちごを取り入れることによって、私の家の経営に変化があらわれました。というのは、いちごは年間を通じて労力が必要だからです。しかし、最初は何の技術もなく、あちこちとかけめぐり、少しでも多くの知識を吸収しようと努めました。栽培面積は五㌃からはじめ、三年目に養蚕をやめて二十㌃に増大させ、現在ではこんにゃく、いちご、その他の野菜類を中心とした経営にきりかえました。

まず栽培管理作業ですが、七月にあらかじめ整地をしておいた畑に親株を植付けることからはじまります。七、八月にランナーの配置を三回行ないました。ランナーの配置と同時に親株の下葉かきも「いっしょ」に行ない、下葉をかくことによって、親株の発根をうながし、肥料の吸収をよくし、ランナーの発生を促進します。ランナーはとかく一方へ出たがるため、四方八方へ配置し、混みすぎるところはつみ切り、時おり薬剤散布や追肥も行ない、適度の間隔を保ち健全なる苗作りに努めました。組合でも一昨年から苗畑の共同防除や品評会なども行ない、苗半作ともいわれる苗作りには力を入れてくるようになりました。

九月上旬、大苗の下葉かきを実施しました。これは苗の老化を防ぐためと、苗の大きさをそろえる目的で行ないます。整地は、前作小麦・スイカ畑を使い、八月中～下旬に行ない、定植は九月十日より二十二日までの早植えを試みたところ、かなりの小苗でも充分生育期間があり、越冬までには、中苗とそれほど変らぬところまで伸びました。

定植時に小苗および発根の少ない苗（A）は根のじゅうぶんある苗（B）と切りはなさず、連結植えとしたところ（B）が親株の役割をはたし（A）がしおれず活着し、ランナー不足の解消とむだをはぶくことができました。

この結果、露地いちごにおいては、早植えがもっとも有利であることがわかりました。いちごの良否は苗作りと施肥にあると思い、丹念に力を注ぎました。

植付け寸法は二十七㌢×三十五㌢の三条植えとし、通路を七十五㌢にとり、十㌃あたり七千本植付け、施肥の点でとくに施肥料と収穫量とのバランスのとり方に細心の注意をはらい、追肥に重点をおきました。

薬剤散布は適宜、病害虫の発生に応じて行ないました。越冬前に病害虫に犯された葉、大苗に育ったものは本葉五枚にそろえてかきとり、病菌の畑で越冬をさけるのに努め、十二月中旬休眠期にはいるところで、冬の乾燥と寒さから守るためしきわらをして年内の作業を終了しました。平坦地ではみられぬしきわらですが、露地いちごにとっては大変重要な作業で、霜さき、葉のいたみを最少限におさえる効果があり、収量にも影響をおよぼします。

マルチ掛けは、春、ほかに畑仕事がはじまる前、三月下旬雪どけのあとただちに行ない、ほかの作業とのかち合いをさけました。マルチングは、灌水施設のない露地いちごにとっては、水分調節のうえで重要であり、果実の全体から赤味をつけるためやそのほかのマルチングの効果を露地イチゴに取り入れたもので、四年ほど前から行なわれています。

四月中旬になると、毎日いちごの伸びてくるのがわかり、花房のあらわれと同時に凍霜害防除のため弓竹を配置し、シルバービニールを用意し、霜が心配な時はいつでも防げる状態にしておきます。この凍霜害防除も露地いちごにとっては、収穫前の重要な作業で、防除を完全に行なわないと奇形果の発生原因になったり、収量においてもかなりの減収になることがあります。

このころから、収穫期の病害虫発生防止のため、ポリオキシン、トップジンなどの散布もかかせません。収穫期の病害虫の発生防止にそなえ、五月下旬、凍霜害の心配もなくなったところで、シルバービニール類を整理し収穫にはいります。

収穫にはいると、毎日忙しい日がつづくが、時おり葉面散布剤を入れた消毒はかかせません。後半で、うどん粉病などの発生をみたが、大きな被害もなく、六月いっぱいで収穫は終了し、七月に入り親株の選定をして一連の作業は終りました。

出荷はすべて共選され、農協を通じて東京市場へ出荷。促成栽培とは出荷時期も異なり、つやも味もよい昭和村の露地いちごとして多くの消費者に喜ばれています。

管理作業別労働人数は、十㌃あたり百三十人を要し、その内訳をみると、収穫出荷が全体の十三㌫にあたる五十六人、つぎが畑の管理で十一人、整地、定植、除草、下葉かき、しきわら、マルチかけがそれぞれ九～十人、それに凍霜害防除、薬剤散布、その他とつづいています。

また、施肥料のほうは、十㌃あたり三要素とも成分量で三十㌔程度施しました。露地いちごでは、雨などによって成分の流亡も考えられるので、元肥に全量施しても根に吸収されないうちに流亡するおそれや肥料やけの心配もあるため追肥に重点をおき二～三回の追肥を行ないました。元肥、追肥に施した肥料名は表Iのとおりです。

いちごの等級区分ですが、四十五年度はS・Bといった下位等級の多い結果に終りました。同じ労力で収入を向上させるためには、L・Mといった上位等級を増さねばなりません。

四十五年度の十㌃あたりの収支決算は表IIのとおりです。

私がいちごと取り組んでからまだ日も浅く、この間に技術面や栽培面積、労力配分などにおけるいろいろな問題に直面しながらも、年々面積を増し、一つの安定した作物にはなってきたが、それだけにこれからの栽培に関する問題も数多くあると思います。とくに注意を要するのは、収穫期の病虫害防除です。六月は高温多湿になりやすく、病菌にとっては最も移動しやすい時期なのです。これらの障害を乗り越え、より安定したいちご栽培をめざして、なおいっそう努力するつもりです。

表I　施肥料（10ａあたり）（単位㎏）

元肥	堆肥	2000	苦土石灰	100
	乾燥けいふん	250	ようりん	60
	燐加苦土安	140		
追肥	燐硝安加里	60	ダイヤアミノ	60

表II　収支決算（10ａあたり）

収入	462,300円		
支出	157,520円		
肥料代	16,550	マルチ代	4,100
農薬代	12,500	雇用労賃	30,000
シルバー代	34,652	雑費	15,000
箱代	44,720	合計	157,520
1時間あたり	293	差引き	304,780
出荷箱数	990	労働時間	1,040時
1箱平均単価	470円	労働人数	130人

チャリティーダンスパーティー開く
宇都宮地区連で

【栃木】宇都宮農村青少年クラブ協議会は、さる十一日午後六時から宇都宮市のスポーツセンターで４Ｈクラブ・ダンスパーティーを開いた。パーティーはチャリティー形式で行ない、その益金を恵まれない人たちに贈った。

あなたの実力は

〈第11回　全国農村青少年技術交換大会の技術競技問題から〉⑥

前号の解答
畜産　専門コース

1、B

放牧草種選定のねらい

（1）草型として下繁草の草種を選定する。

（2）家畜の蹄傷に耐える草種を選定する。そのためには、地下茎はよく茎によって繁殖する草種を選定する。

（3）年間生産力で平均化している草種の選定。

2、F

生産物8,000㎏

中に奪取されるN、P、Kを単純に還元する計算です。

草地化成（20、10、20）

200㎏＝N40㎏　P20　K40

3、対策として重要な事項の番号1、7、8

（1）イネが少ない場合、刈取後ハローをかけ、そのあとにイネ科牧草の種子2～25㎏を導入する。

（2）イネ科牧草は、PK肥料に比べてN肥料に敏感である。

（3）イネ科牧草類の生長点は一般に10～15㎝と高い位置にあることから生長点を傷めないようにする。

4、2番

鼓張症は、空腹時マメ科牧草の瞬間採食量の多い場合に発生する。そのため、放牧前イナワラか乾草を与えればガス発生を防げる。

5、3番

示された数字から55㎏の生混牧草のDCPは1.15㎏、TDNは6.16㎏になり、不足分はDCP0.08㎏TDM4.47㎏です。

すなわち、DCPはほとんど必要なく、TDNが不足なのでDCP含有量の少ないエサである（3）のエサが軟便対策のためにも適当です。

6、2番

（1）（3）の測定では、不確実なため、豚の枝肉取規格ではこの方法で測るように示されています。

7、60日

白レグ中ビナの正常発育値は、50日550ℊ、60日670ℊ、70日835ℊです。そこで670㎏のトリは60日ビナ。（おわり）

五千キロ達成へ　一頭当り年間乳量
稲わらサイレージと粕利用

福島県・矢祭夢想４Ｈクラブ　菊池保行

私の住む矢祭町は県の南端に位置し、阿武隈山系と八溝山系にはさまれ、久慈川流域に沿った農村地帯にあり、従来、米麦・こんにゃく中心の経営が行なわれていた。この地において、昭和二十二年はそぼそと酪農が始められた。

私は、昭和四十三年に学校を卒業するやいなや、立地条件の悪いこの地での酪農経営を父から受け継いだ。そして、父から受け継いだ小面積のなかで、いかに多頭化を実現するかを考え、研究した。その結果、稲わらサイレージと粕、それに気候を生かした飼料作物を作り、現在の経営を行なうことになった。

増頭は計画的に行なった。四十五年に後継者育成貸金を借入し、それで五頭購入し、現在では成牛八頭、未経産一頭、育成三頭の計十二頭を飼育している。

飼料畑の拡大は、休耕田や水田の裏作を利用し、小面積ながら温暖な気候を生かしたデントコーンの年二回作付けを行なっている。この飼料作物を稲わらと一緒に積み込んで年間給与し、これに豆腐粕、デンプン粕を組み合わせた給与体系を取っている。飼料の自給率を高めるため表作りを行なっている。

細菌数は平均百五十万くらいに保って、今後もなお牛舎の改善や器具の管理に努力し、百万程度に下げたい。乾物（稲わら）の確保は牛糞との交換で集めている。

以上のことから、次のような結果が得られた。

一、稲わらサイレージと粕利用によって給与体系が確立された。

一、粕利用で問題の脂肪率も心配がなくなった。

一、気候を生かし、飼料作物を作付けする。

一、乳質は今後努力する。

今後の目標としては、一頭当り年間四千五百㌔から五千㌔の乳量達成と乳質の向上、飼料作物の集約的栽培、また労力に合った多頭化を進め、五ヵ年計画で成牛十五頭、育成七頭にしたい。

女子のプロジェクト独立へ
富山・砺波４Ｈクラブ

われわれのクラブをより一層充実させるためには、女子部の活動を重視し、男性の協力を促がしたい…のである。

女子部の計画によると、来春から花キ栽培をプロジェクトとして取り組むことになったが、早くも第一難関にさしかかっている。

それは、品種の選択である。

男性はただ傍観のみ

そしてその次に来るものは、きっと「動力」であり「技術（自信）」だと思われる。これを乗り越えたときにわれわれ男性は大いに拍手をおくろう。それまでは、大いに悩め、そして考えればいい。新しきクラブ員のためにも、もちろん自分たちの[illegible]のためにも、男性は一切の助力を協力せず、女子部の活動を見守る。また、それが女子部の独立に対し、最大の協力だと思っている。

やや薄情とも思え、また女子クラブ員の力強い成長をあたたかい思いやりで見守っているともみえるこの記事は、富山県砺波４Ｈクラブの機関誌「緑芽」第四号の中の「これからの砺波４Ｈクラブ」と題するコーナーから拾ったもの。

熱帯性花キの専業をめざす
本土依存から脱皮を

沖縄・浦添４Ｈクラブ　新垣勉

沖縄の中心地・那覇市に隣接したところに私の住む浦添市経塚部落があります。浦添は去年市に昇格した新興都市で、那覇市とともに現在、農地がどんどん住宅用地や工場用地に変りつつあります。

このような地理的条件の中で私の家では農耕地はありませんが、私はプロジェクトとして、４Ｈクラブの仲間のビニールハウスを昨年八月から十二月まで借り受け、また別に三十㌃の土地を小作してビニールハウス十㌃に菊、露地五㌃に鉢物、観葉植物を取り入れた花キ園芸の栽培を行ない、研究を続けています。

今後は計画的に、菊を中心に植えつけて、鉢物、観葉植物を組み合わせた熱帯性花キの専業経営へと進めて行きたいと思っています。私がこのように花キと取り組むことになった動機といえば、高校卒業後、東京の杏園で鉢物と花キ栽培技術を実地に学んだのがきっかけでありますが、それ以前から花には興味をもっていたし、また、このところ近郊農業の中で花づくりは有望なものの一つであると考えたからです。

さらに、近年、沖縄の花の需要が伸びて島内生産量では供給しきれず本土からの移入物に頼っている状態です。

別表のように、本土から入れている花キは、年間およそ二十八万四千六百二十七㌦にのぼっています。

以上の理由のほか、沖縄の島は、亜熱帯性気候という自然環境条件に恵まれていること――平均気温摂氏二二度という暖かさ、ゆたかな日光、肥よくな土壌など、花キの生産環境条件がそなわっていることがあげられます。現在までの実績では十分ではないが、実地にやってみてある程度の自信がつきました。来年には本土復帰が実現し、これとともに農業に関する諸制度も本土並みに適用されることになるので、来年は制度資金を活用して、ビニールハウス十㌃、温室五㌃を新築すると同時に、ほかに農地四十㌃を求め花キを植えつける計画です。

これから菊を中心に鉢物、熱帯性観葉植物を組み合わせた花キの専業経営をめざし、大いに努力したいと思いますので、全国のクラブ員のみなさんのアドバイスをお願いします。

（沖縄県浦添市字経塚八七）

花キ類の生産状況（1969年）

種類別	栽培面積	生産数量	販売数量	販売金額
栽植用植物類	300	115,100	42,450本	31,035㌦
切花類	696	817,571	946,966	85,757
総合計	996	932,671	989,416	116,792

花キ類の輸入状況（1970年）

種類	件数	数量	金額
栽植用植物類	714	530,774	138,364
切花類	12,171	2,454,798	123,010
栽植用宿球根類	149	493,710	12,429
栽植用種子類	165	2,098	10,794
総合計	13,199	3,481,380	284,627

プロジェクトの実績

I．切花（菊）		
栽培面積	作付本数	粗収入
ビニールハウス10㌃	21,000本	6,300㌦
露地　2	4,200	1,290
II．鉢物		
種類	作付鉢数	粗収入
夏菊	1,000鉢	500
ベゴニヤ	500	50
III．熱帯性観葉植物（増殖中）		
種類	作付本数	粗収入
ハイビスカス	1,000	0
クロトン	1,500	0
STRELITZIA	10,000	0
粗収入	5,040	
諸掛経費	2,520	
所得	2,520	

コロがき作り盛ん
品不足で昨年より一割高

豊岡村（静岡）

【静岡県＝鈴木政美連絡報道員発】遠州地方で年末年始にかせぐコロガキ作りや季節はずれのバラの切り花出荷が、いま真っ盛りである。

コロガキの産地で知られている磐田郡豊岡村敷地の農家の軒先やつり台には、きれいに皮をむいたカキがつるされ、初冬の太陽に照らされている。

このコロガキは、硫黄の煙で処理したあと外の寒気で約二週間乾燥し、二晩室内の練炭火で干す。それから柔かくもみほぐし、一個ずつ包んで段ボール箱に詰めて年末年始の贈答品として全国各地へ直送するわけだ。

ことしは、原料の“立石ガキ”が平年作を下回る出来のために品不足とあって、値段は一箱（三十個）で八百円から九百円と昨年より一割高が見込まれている。

コロガキを栽培しているある４Ｈクラブ員は「この豊岡村は、昨年、浜北市大橋が完成したこともあって、田園地帯から急速に工業化が進み、兼業農家が非常に多くなった。このため、数年前までは多くの農家でカキを栽培していたが、年々少なくなっている。これから自分たち４Ｈクラブ員は、地域性にあった農業経営をしたい」と語っている。

NHK農事番組（12月21～31日）

テレビ

明るい農村　6・30～6・55　総合
21日　きょうの話題
22日　産物往来「かんてん」
23日　話題の広場「温室アパート」
24日　村をむすぶ「札幌、広島、甲府、東京」
25日　農村新地図「千葉県白浜町」
26日　明るい漁村
27日　村の記録「年末特集①東京丸の内」
28日　きょうの話題「年末特集②災害の日本列島」
29日　産物往来「年末特集③農業と自然保護」
30日　話題の広場「年末特集④国際化時代の日本農業」
31日　村をむすぶ「年末特集⑤フォルムリレー・むらの年の瀬」

農業教室　7・30～8・00　教育
23～25日　生産組織と金融　小家竜男（農業技術研究所）
27～31日　近代経営と簿記　菊池泰次（京都大学教授）

あすの村づくり
日　7・00～8・00　教育
再　土　13・00～14・00　教育
26日　「自然農法との対話」福岡正信（愛媛県伊予市大平）、坂本慶一（京都大学教授）ほか

ラジオ

早起き鳥　5・41～5・57　①
21日　竹の盆栽作り～小諸市、御牧田花キ園芸組合
22日　農協のみかんPR作戦～福岡県山川農協
23日　みかんのソ連輸出に同行して
24日　暮にかせぐ福寿草～埼玉県花園村
25日　大型ブドウ園にかける～山梨県牧丘町～グレープ農場　鈴木英光
26日　農業基本法十年～小倉武一ほか
27日　冷害地からの報告
28日　グレープ・フルーツの自由化その後
29日　転作の決算
30日　産地廃業の反省～群馬県嬬恋村
31日　特集「日本農業この一年」～中村徳夫、三神茂ほか

話の広場　日　6・10～6・30　①
26日　夜まわり九十年～埼玉県児玉町太駄

新しい農村　6・30～7・00　②
26日　農林予算きまる　松本作衛（農林省予算課長）

ラジオ農業学校
日　6・30～7・00　②
25日　農業講演会「地域農業をどう確立するか」～中四国地域若い農業者の集いから～森宏（日本リサーチセンター研究開発部長）

振興地域計画に参加

意向調査を行なう
農家の様々な考えに驚き

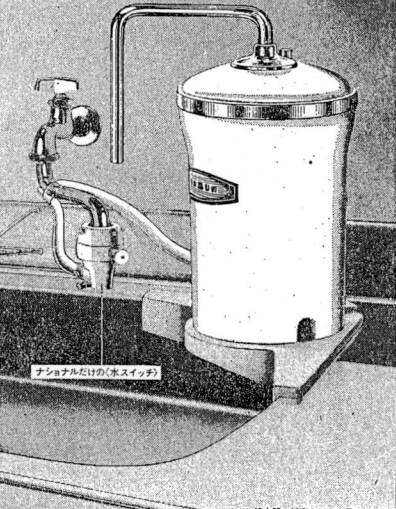

〈千早赤坂クラブ〉清水正幸

大阪府の最南東に位置し東に奈良県、南に和歌山県境を控えた人口・五千人余の小さな農山村、これが私達の住む千早赤坂村です。

年配の方なら御存知かと思いますが、南北朝時代の楠木正成の生誕の地であり正成が機略知謀をもって天下にその名を知らしめた千早城、赤坂城があります。南東には大阪の屋根ともいうべき金剛・葛城の山々がそびえ、その名のとおりどっかと控え千二百二十五米の金剛山頂は、冬には美しい樹氷・霧氷の花が咲き、年間を通じて訪れる人は百万人をゆうに越えています。

千早赤坂4Hクラブは総数十五名（男十名・女子五名）、平均年齢は、二十歳の若人の集団で毎月二回、土曜日の夜に定例会および学習会を開いております。

今年三月三十日、私達の村が農業振興地域の指定をうけ、十年後の農業のあり方についてクラブ員が夜遅くまで討論を行なった。

何らかの形で農業振興地域の計画樹立のため参加したいと思っていたところ、村役場から整備計画の基礎資料となるべき農家意向調査に協力してほしいと要望がありクラブ員全員一致で協力することとなった。そこで、五百戸の農家を対象に意向調査を行ない、九月三～十五日までの間に説明・回収などを行ないました。

私達のクラブ員全員が農家でありながら、農家の人々がこんなことを思い考えているのかといった驚きが直接肌に感じられ大変良い勉強になりました。

私達の農産物はみかんが二百[illegible]と生産額で約五千万円を占め村の農業の基幹となっております。クラブ員も多かれ少なかれ、みかんを主体とした農業経営を行なっており、立地条件、自然条件からトマト、キュウリの抑制栽培が行なわれております。

しかしながら、都市近郊農村共通の悩みである都市化の波及、後継者の問題、農業就業者の老齢化、兼業農家の増加など苦しい問題が山積みされています。

私達の力は微力かも知れませんが、近代的で効率的な農業経営を確立し、生鮮食料品の供給地として都市近郊農村の優位性を積極的に利用するため今後とも努力してゆきたいと強く思います。

スーパーマンの死

タマよりも速く、力は機関車よりも強く、高いビルディングもひとっとび――これはテレビでおなじみスーパーマンの前口上である。そのスーパーマンの俳優として、一世を風びしたジョージ・リーヴスが首吊り自殺したということを、最近になって、私はある週刊誌を読んでいる時に知った。それとなくこのことを人に聞いてみたら、どうもこの事件はだいぶ以前のことらしい。いつそのことを知ったにせよ、私は同じような想いにとらわれただろう。スーパーマンが首吊り自殺するなんて……。

それが、かのスーパマンの末路にしては、あまりにもスーパーマンらしくない出来事である。また、ある意味においてスーパーマンの姿で世界中の少年たちに君臨したひとりの男が、もっとも個人的な人間の死をえらんだという事実は、スーパーマンというひとつの価値が崩壊したともいえないだろうか。人間であるという事実は、過酷たまでに、イメージの世界を破壊してゆくものである。

私たちは、スーパーマンのように英雄視、あるいは偶像視されていた人間が、一瞬にして普通の人間に転落する光景をここ数年においても何度か見てきた。たとえば、強い男の日本代表であった力道山が、彼の体に比べあまりにも細い一本の短刀に倒れてしまったこと、また外国人では、"ローハイド"のなかで大きな川を牛とともに雄々しく渡ってゆくギル・フェイバー役のエリック・フレミングがちょっとした川でおぼれ死んだこと、"理由なき反抗"という映画ですばらしいカーアクションをみせた、われらの若き英雄ジェームス・ディーンがあっけなく交通事故死したこと、それに赤木圭一郎、最近では玉ノ海と数えあげればきりがない。みなに共通していえることは、彼らが放っていた雰囲気とはちがい、あまりにも人間的な最期であったということである。死という人間の根源的な事実が、一つの概念や価値を越えて、真の現実をみせつけるのである。

私たちは、ひと口にこうとばかりはいえないにしても、つねに"強い人間"を求めている。それは、私たち自身の否定であるとともに、私たちのロマンでもある。しかしどこかに英雄を発見したとしても、また自分が英雄になったとしても、私たちは私たち自身が人間であるという事実よって、それらを失なうだろう。現代が"英雄不在の時代"といわれるのも不思議なことではない。なぜなら、スーパーマンが首を吊り、私たちが私たち自身を知りすぎたからである。

私たちはスーパーマンになれない。そうかと言って猿でもない。ならば、スーパーマンが否定した人間を、ひとりの生ける人間として、どこまでも歩いてゆかねばなるまい。

（野）

風諺

青春と仲間

共同して何かを

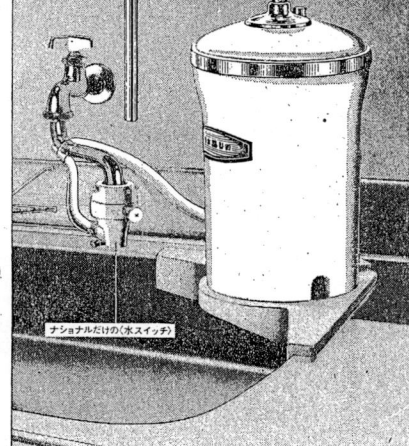

富山県・礪波4Hクラブ　根尾和子

今年の四月まだ二十歳のこと。それまでは何考えることもなく、またすることもなく、毎日を空虚な思いで漠然と日々を過ごしてきました。

チューリップ・フェアーのある日、会場に4Hの人達が、黒山の人だかりを相手に花を売っていました。

いかにも、そこには若さがあり、活気があり、真剣に取り組んで花を売っている様子。私は、今までの自分を振り返ってみてとても恥ずかしく思いました。と同時に、その姿を見て自分にも何か出来ることはないか、自分もそんな風に何かに打ち込めたらと強く感動して家に帰ったものでした。

それから数日後、今までの恥ずかしがり屋や、ひっこみ思案の自分では何の進歩もなければ成長もないと、この4Hクラブに加入しました。

けれど、入ってみてもあの時あんなに沢山いらっしゃったはずの女の方があまりにも少なく、そして男の方達も意外と少なく、例会には集まる人がどうも決まっているということを知り内心ガッカリしました。中でも一番困るのは、女は私一人の時があることでした。ただでさえ見かけに反して内気な私は？まだ4Hのこともよく分らないし、正直いってそれこそどうしたらよいか分らないままじっと縮るのを待っているような状態だったのです。

しかし最近少し慣れたせいもあってか、集まっていらっしゃる人のいろいろな話を聞くのがとても楽しみになりました。以前の私と違って勤めにも出るようになり人の中にも少しは慣れ、今は社会のこと、人生のこと、あらゆることを知りたい勉強したい気持でいっぱいです。でもこうしていくら自分で自分に言い聞かせていても、ともすればくじけがちな自分に負けてしまいそうな時があります。ましてや、女性が少ないからよけいでしょうか。

しかし、入った以上はそうも言ってられないと、少しでも女性が入ってもらえるようなそんな魅力ある4Hクラブをと思っていた矢先、ある方がとても良いことを教えてくれた。それは、女の人が主体になって、何か花でも作ればいいんじゃないだろうかと言うことでした。

そう言えば、いつの日かある4Hクラブの女の方達が自分達でキャベツを作って皆それに一生懸命でとても楽しい、それに集まる時にも共同の話題があるしすごく張り合いがある、と言うことを話していました。

今その話を思い出し、とても羨ましく思います。最もその4Hの方達は女の人が過半数を占めていたということもあったようです。

私達の所でも、女の人がたとえ少なくてもやってやれないことはないのではないでしょうか。自分達の手で作り売ってそのお金を自分達のために役立てる。とても素晴らしいことだと思います。

今さらこんなことに気ずき、他の人達に笑われそうですが、今の私には少しでも女性に入ってもらって実現することができれば楽しいと思います。

苦しくなったが農業はいい

滋賀県　林てる子

最近、兼業農家が多くなり、私達の地域の兼業農家では、農繁期以外は女性も働きに出ることが多くなりました。

今まで米代金を生活費の中心としてきた農家において米の減作で家計をきりまわしていくことが難しくなってきたからです。共働きが多くなったため、家族揃っての時間が少なく家庭の暖かさもなくなるかも知れないのです。

家庭とは、社会の全ての活動源であり、また個人の人格を確立するところだと思います。家族の一人一人が生活のルールを守りお互いに助け合い、個々の意見を話し合い日常生活に反映させてこそ真の家庭が生まれると思います。

常に話し合いのある明るい家庭を営むには、一家の主婦たる者が重要になるのではないかと思います。

今まで主婦の労働が軽視され農繁期に於いては家事と農作業が重なり疲労度が高くなる。また兼業農家であるため女子の農業機械使用により労働が強化されるなどの原因で労働意欲が減退していく。そのため最近の女性は、農業をいやがる。そのため嫁ききんの問題が出てきている。

私の地域の女性は、そのような家庭の現状をみているため多くは嫁にいく相手の家が二十a～五十aの耕作農家を望む人が多い。しかし、私はその人達に農業の良さ、農村の良さをわかってほしい。家族と一緒に働くことが出来る…。自分でやりたいことが出来る…。自然の中で生活出来るなど…。

これからの農業者や農村女性は勉強し、楽しい生き方をしたい。この場合、農業は恵まれた自然があり、人に使われず自主的にやれるので、本当に人間らしい生活は農業の中にこそあるものと、私は思います。

秋ナス

竹内政雄

秋ナスは嫁にくれるなと、昔の人はいう。それは、うまいから嫁にくれるのが惜しいのか、まずいから、大事な嫁にくれるなという優しい心づかいなのか、その真意はさだかでない。

夏の暑さが過ぎて、めっきり涼しくなった野に出て、朝露の中から収穫して来たナスの味は、食欲の秋とともに格別なものである。

子どもたちがクイズ遊びによくいう、紫の木に、紫の花が咲いて、紫の実が成るナス。そのナス畑へ行っても、秋が深まるにつれて朝々の収穫が減り、大勢の客を迎える秋祭りのころにはナス不足が悩みのたねである。

リンゴブームの波に乗って植えたリンゴが、どの畑も成木になったわが家では、このところ野菜畑がなくなってしまった。

「リンゴリンゴといっても、いまにナスを植える畑がなくなって困るから」

と、いつかこぼした妻に

「なあに、心配するな。リンゴ売った金でナスを買えば同じじゃないか」

と、たんかきっては来たものの、いざ、百姓の身で毎日の野菜を買うとなればやっぱり容易でない。第一みじめである。

朝飯前には家の畑で野菜の収穫をし、夕方の上がりがけにはとり小屋を見回り、玉子を集めて家にはいった昔の生活には、今のくらしと比較して何か裕福感があった。

ことしは、長年遊休していた庭の空地を畑にして、五月半ばにナスを植えて見た。ことに連作をきらうナスは、新しい土地が気にいったのか、リンゴ畑の日陰と違って日当りがいいせいか、三十本の苗がそろって根付き、初夏の訪れとともに葉をひろげ、枝を伸ばしてぐんぐん成長した。七月中旬の初切りに続いて成り出したナスは毎朝切れること切れること。家ではとうてい消化しきれない。初めのうちは珍しいので、となり近所へわけて上げては見たものの、その都度せっけんタオルのとお返しの品をいただいては、かえって気が引ける。ましてことしは、方々の減反田に植えられたナスがだぶつき、いっそく（百個）百円にもならないという朝市のバカ値を聞けばなおさらである。

八月のお盆も過ぎて、ナスのおやきも食べあきた。家畜もいないわが家では毎朝切れるナスのやり場に困りもったいないとは思いながらもたい肥場へ運ぶありさま。

「ナスを剪定して、上手に成らせればいい」

ふと、いつか農協で技術員のKさんがいったことばを思い出した。

そうだ。思い切って剪定して見ようー。

枝が茂ってはいりにくい、まん中の一うねのナスの木にはさみを入れた。大ナス小ナスがたわわにぶら下がっている枝の中辺で、横芽を残してストンストンと切り落としてしまった。[illegible]色に枯れ始めていた下の葉が日光を浴びて、数日後には青い葉に変わり、葉の元にあった小さな芽は新しい枝になって、かわいいつぼみを付け初めた。

これは大丈夫また一うねをためしてみようー。

半月過ぎた九月の始め、今度はつぎのうねも同じように剪定してやった。残る一うね十本の木に成るナスでまだじゅうぶん間に合う。

夜来の雨は朝になっても激しく降りしきり、気象台からは大雨注意の知らせが出た。どしゃぶりになった雨の中で、うら成りの花をこずえに下げたナスの木が、庭の畑でぐらついている。

そのうねの隣には、新しい枝に大きな実を付けた若木と、小枝を出して、つぼみを付けそめた幼木が並んでいる。

十月の祭りには欠かせない秋ナスも、ことしはきっと豊かに成り次ぐことであろう。

昭和四六・九・八記

（『農民文学』百三号より）

友達は人間を伸ばす

群馬県新田郡　あすなろ4Hクラブ　池田実

私が、卒業して農業という道に入り最初に感じたことは自分が一人になってしまったような気がして農業がなぜかむなしくつまらなかった。

それに、自分が他の者においていかれてしまっているような気がして、農業以外の職についた者がうらやましく思えた。

今までは、毎日友と語り合っていたのが農業をするようになったから急に一人になってしまった感じで、大変むなしく孤独というものをやけに感じさせられた。

そんな時、学生時代の友に会うと大変嬉しかった。高校時代の友達は中学時代と違いなんとなく親しみが感じられるが、みんな家が遠いので顔を合わせる機会が少ない。

そこで4Hクラブに入り、少しでも多くの友達ができたらいいなと思った。世の中がつまらない時、悩みがある時、さびしい時、語り合い遊び励まし合うことのできる友は、必要だと思った。

人間は、友達の刺激により友とともに成長していく。友達のいない人間は自分を伸ばすことが難しくなる。だから今の私にとっても多くの友達がほしい。

一人でも多く

神奈川県・瀬谷クラブ

昨年四月、戸塚区の宮沢、阿久和、瀬谷の農業青年からなる瀬谷クラブが生れました。

ここ四、五年の間に農家戸数の減少が目につき農家に残る青年もめっきり少なくなりました。

そして、長い間活気をおびていた青少年クラブ活動も自然とやる気を失い今まで保たれていた自然の輪が一つ一つほぐされて行くような気がして来ました。

もちろん結婚などで、クラブから遠ざかって行く人も多数いますがそれにしても出て行く方が多くて、入る人が少なくなりますと、なにか心細い感じがしてきます。

しかし今単位クラブ同士が合併し合い、今まで以上の大い輪になって語りかけ合いますと、自然と集りが楽しくなり自分の職業に対して自信が持てるようになっていろいろの社会の人達と話し合いがして見たくなります。

今、我々のクラブ員は二十四名、内女性五名で戸塚地区連の中では一番の大世帯です。そして瀬谷クラブ員の中には思ったことをみんなの前でどんどん口に出し、その反面思いやりと素ぼくさをかね合わせたなんとなく新鮮さを感じさせる様なクラブ員が沢山いて集まることがとても楽しいようです。

・五月の富士五湖方面のドライブを兼ねたハイキング、七月の富士登山、十一月の川崎農業青少年協議会との交換会、どれ一つふり返って見ても忙がしい時期での行事ではあり知りましたが、登山で体をきたえ、いろいろの話し合いが出来、心身共に成長して行くことを感じさせられました。

また暮も押しつまった十六日には忘年会が開かれました。女性献立のナベ料理、野菜サラダ、ふだん家庭にいても遊びにいっても食べられないような料理の味が舌にしみこんできます。いつもの集りと違ってプロパンガス、石油ストーブが部屋を暖ためてビール、コーラの味もまた格別でした。

あと私達のクラブはテーブルマナーの集いが残っておりますが、本格化した貿易自由化、国内の産業が外国へ、外国の産業が国内へ流れるような形でこれから入ってくると思われます。工業に限らず店頭に並べられている衣服、また食堂で見るメニューでさえ野菜か肉類か飲み物かさっぱりわからないのがこの頃です。

今私は瀬谷クラブの会長をさせていただいていますが、一口に言ってとてもむずかしいことです。ふだんなにげなく話しをかわしている人でも、クラブの中にあってはクラブに対する考え、またその家の仕事の内容によって集りに参加している気持が一人一人違ってくると思うからです。

農村青年の集りに限らず、いろいろのサークルがありますが、よく参加する人にだけ焦点を合わせると言う言葉を耳にします。また我々のクラブの場合、家々によって仕事の進み具合も違いますし、畜産の場合など時間にしばられていますので、はたして全部の人がよろこんでくれているのか疑問に思う時もあります。しかし、一つ一つの行事が実現し、成功して行きますと、また新たな気持で次の集りの内容を役員の人達と考え、一人でも多くの参加者を得て進んで行きたいと思います。

（上杉政五郎）

クラブ紹介

近代的な農家生活の中味はどうなのか

――神奈川県――
大正4Hクラブ・無名氏

今の農家で、近代的な新築の住まい、これは農家生活の近代化を物語るものだと思うが、この近代化をした農家の生活もいろいろだと思う。

生活、これは仕事をしてゆくための基本ではないだろうか、そして、人間が最低の衣食住を目標に仕事をして確保しなければならないのが、生活の条件ではないだろうか。

だが、近代的な住まいの中で生活をしている農家の生活の状態はどうであろうか。

一、考えない。一、仕事をしない。一、努力しない。――この世の中の流れに乗って何もしない。

食べては寝、起きては食べ、これではまるで動物の生活に似てきているのではないだろうか。これは、金だけの生活で、金のために仕事を忘れた生活であると思う。

また、近代的な家を新築しても毎日毎日、仕事仕事、前とはかわらない朝早くから夜おそくまで、仕事仕事と働くだけが生きがいと思っている人。こんな人は、どんな家に住もうと関係ないのではなかろうか。こんな生活も人間的な生活ではないと思うのである。

生活は、人間が生きてゆけるだけの物があれば、貧しくても、金がなくともよいではないだろうか。

金は必要以上にほしいものである。だが、金だけでは生活してゆけないと思うのである。

自分たちの生活が確保できるような仕事をし、自分に合った仕事を作り上げ、金も生活のためには必要なものであるが、自分たちの個性に合った心のゆとりが持てる生活をし、仕事にも人間らしく暮らしてゆきたい。

生きているのだ。一人一人の個性はそれぞれ違っている。自分に合った本当の人間のゆとり、潤いを作り上げたい。

金でできるゆとり、金でできる潤いは、絶対に長くは続かない。自然への生活とはかけはなれているのではないだろうか。

おれが歩んで行く「ゆとり、潤い、生活」はどんな形になってゆくかわからない。だが「ゆとり、潤い」という言葉を目標に歩んで行きたい。人生のために。

交歓会

桜4Hクラブ　遠藤栄子

4Hクラブに入って初めての交歓会、どんなことをするのかと胸をときめかして出かけた。

若竹、成実、桜の三クラブが集り行なわれた。始まりがなんとなくはっきりしなくて時間ばかりが過ぎていったような気がした。

始まってからそれぞれのクラブはチームワークに自信があるという、そこで桜は何が自信をもてるかな、など考えてしまった。

分科会は、第一と第二があって私は第二分科会で農村の恋愛問題についてであった。大部分の人が女の人と話す機会がないと、口を揃えて言っている。話す人ばかり話して一言も言わない人もいて、うち溶けたとは言えないようだった。

女性が少ないので男性中心の話しばかりでちょっとおもしろくなかった。もう少し女の人がいってもいいなあと感じた。

料理は女性ばかりだったので気を使わずに楽しく話しをしながら出来た。

ボーリングは、点数ばかり気にしてなんか変だった。自分で自分自身をおもしろくなくしていたのかもしれないが交歓会にしては、ちょっと物足りない感じでした。

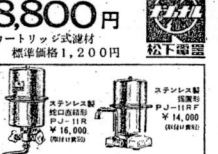

1972年（第664号〜第698号）

日本4H新聞

4Hクラブ
農事研究会
生活改善クラブ
全国広報紙

発行所
社団法人 日本4H協会
東京都市ケ谷家の光会館内
電話（269）1675郵便番号162
編集発行　玉井　光
月3回・4の日発行
定価　1部　20円
一カ年　700円（送料共）
振替口座東京　12055番

クラブ綱領

私達は、実践を通じて自らを磨くとともに、互いに力を合わせて、よりよい農村、よりよい日本を創るため、四つの信条をかかげます。一、私達は農業の改良と生活の改善に役立つ腕をみがきます。一、私達は科学的に物を考えることのできる頭の訓練をします。一、私達は誠実で友情に富む心をつちかいます。一、私達は楽しく暮し元気で働くための健康を増進します。

新年特集号

46年12月24日号と47年1月4日号を合併、増頁して特集号としました。

宮沢賢治

雲の信号

「春と修羅」第一集より

ああいいな　せいせいするな
風が吹くし
農具はぴかぴか光っているし
山は！　ぼんやり
岩頸（がんけい）だって岩鐘（がんしょう）だって
みんな時間のないころのゆめをみているのだ

そのとき雲の信号は
もう青白い禁慾の
春ぞら高く揚げられていた

山はぼんやり
きっと四本杉には
今夜は雁（がん）もおりてくる

岩手山

そらの散乱反射のなかに
古ぼけて黒くえぐるもの
ひしめく微塵の深みの底に
きたなくしろく澱むもの

写真は、詩人、宮沢賢治が愛した岩手山。岩手県「盛岡フォートクラブ」所属、高橋昭八郎氏の提供による。

新春によせて

農業団地の育成へ

農林大臣　赤城宗徳

明けましておめでとうございます。新しい年を迎えみなさんのご健勝を祈るとともにわたしの所信を申しのべたいと思います。

従来の漁業は生そくしている魚類を採って人々がこれを食べるだけでしたが、現在では、それでは足らず、養殖漁業も発達してきている状況です。

畜産物でも一般農産物でも栽培して食糧を自給し、また他に供給するということが、人類の発明でもあり、農畜産の本質がそこから発展してきていると思います。

その農業も有無相通ずるというか、一国ばかりでなく国際的な関連も強まってきて日本の農業も国際化の中に包含されてきています。かくして農産物についても貿易の自由化の波が押し寄せていることもご承知のとおりです。

そこで日本の農業も「鎖国主義」ばかりをとっておられません。「開国」によってそれにも同調せざるを得ませんが、しかし、そのためには日本の農業も国際競争力に耐え得るような体質の強化が必要となってきます。

これは国際的に見ての日本農業の方向でありますが、国内的に見ましても種々困難の多いいまの農業および農村の立場をどう打開し発展させていくかが日本全体のため大切なことであります。

わたしは常々、農業と農村の健全な発展なくしては経済の成長と社会の進展を期することはできないと考えており、新しい年の農政の推進についてもこのような見地で特段の努力を傾けていきたいと思います。

さいきんにおけるわが国経済の急速な発展の中にあって、農業が種々困難な問題に直面しつつも、その生産性を高めながら発展し、食料の供給、他産業への労働力の供給、国内市場の拡大、国土の保全などの面で、経済の発展と国民生活の向上に重要な役割を果たしてきたことは、ご承知のとおりです。

しかしながら、さいきんにおけるわが国農業とこれをめぐる内外の諸情勢は益々厳しいものがあります。すなわち、わが国農業は、うちには、長期を要する構造改善の過程において、米の生産過剰、物価、公害などの問題等に直面し、そとには、経済の国際化の進展に伴って農産物の自由化の要請に早急な対応を迫られるなどきわめて困難な局面に立ち至っております。

このようなもろもろの情勢に対処して農業と農村の健全な発展を図るためにはなによりもまず、わが国農業が国際競争力をもった近代的な農業として確立されるようその体質の改善を図ることと国民全体の立場から食糧の需要と供給のバランスがとれるようにすること、そのため農業面からすれば、需要に見合った生産が行なわれるよう農業生産の再編成を図っていくことが基本的に重要であることはいうまでもありません。

このため、政府は、国政の重要な一環としての農政の本格的な展開を図ることとし目下、生産、構造、流通、価格等の各般にわたる施策の積極的推進に努めております。とりわけわが国農業の体質改善を図って、生産性の高い近代的な農業を育成していくためには、生産規模の拡大を図ることはいうまでもないところであり、このため、自立経営農家の育成をさらに推進する必要がありますが、同時に国民経済の発展とその急速な国際化の進展に対処して早急に農業生産の再編成と農業の体質改善をとり進めるためには、地域と作目の特性等に即しつつ、農業生産基盤の整備、機械、施設の導入を図るとともに、意欲的農家を中核とし、兼業農家をも含めた各種の生産の組織化を進め、高能率な機械、装置の稼動を可能とするような農業生産団地の育成を図ることが必要であります。また、これらの農業生産団地と有機的な関連をもって広域にわたる流通、加工等の体制を総合的に整備する流通団地の形成を図る必要があります。

わたしはこのような観点から、新しい年の農政の出発に当たっては、まず、このような農業団地の育成を強力に推進していくつもりです。

農業生産の方向としましては、米の過剰問題に見られるように、現在、必ずしも需要に対応した生産が行なわれているとは認めがたい状況もありますので今後は、畜産物、果実、野菜等の需要の増大する農産物について、生産、流通、加工を通ずる対策を拡充強化し、需要の動向と地域の特性に応じた農業生産の再編成を図っていこうと思います。

また、農産物価格政策についても、わが国農業の体質改善と農業生産の再編成という施策の基本的方向に沿って、野菜、肉用牛、加工用果実等需要の増大する農産物の価格安定対策を整備拡充していく考えです。

さらに、農業生産基盤の整備については、農道やほ場の整備、畑地帯総合整備、草地開発などの事業を拡充するとともに、あわせて農家の生産と生活の場である農村について、その環境の整備を促進し、明るく住みよい農村を建設していく考えであります。

林業、水産業についても、それぞれさいきんの需要および資源の動向や、従事者の所得面から考えると、こんごとりくむべき問題も少なくないので、構造改善、生産基盤の強化、流通加工の合理化などの施策の強化をはかるとともに、森林のもつ公益的機能の強化、国有林経営の改善、新漁場の開発、沿岸漁業資源の維持増大などに、力を注いでいくつもりです。

なお、これら施策の推進に当たってはもとより消費者の立場をも十分考慮して行なうことが必要です。わたしは生産者に対する対策と消費者に対する対策はお互いに対立するものではなく、両者相まってはじめて農業の健全な発展と豊かな国民生活の実現を期しうるものと考え、農林省は生活省的立場にも立って今後の農政の推進に努めてまいりたいと考えております。

国のあり方としては自然都市、自然農村という姿にもって行かねば民族の発展も期し得られず、農業、農村の真の姿の顕現がここにあるのではないかと考えます。農林漁業は、その性格からして一朝一夕にその施策の効果があらわれるものではありません。それだけに、政府をはじめ、関係者のたゆまざる努力と協力が必要です。

新春に当たり、わたしの考えのあらましをのべ農林漁業関係みなさんの一層の奮起と繁栄をお祈りして、わたしのごあいさつといたします。

世界と競う力で

日本4H協会々長　宮城孝治

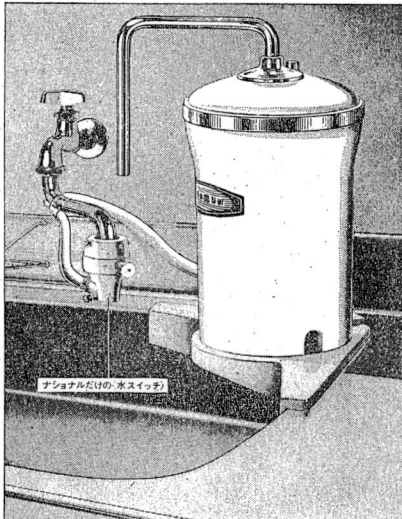

全国の4Hクラブ員の皆さま、明けましておめでとうございます。

新玉の年の初めにあたりさっぱりした気持で、新春を迎えられましたことを心からおよろこび申しあげますとともに、すがすがしい気分で「今年こそは」と大きな希望を胸一杯にふくらませておられることと思います。

私も、新しい年を迎えるたびに、やはり心に何か新しいものを感じ、今年もまた、しっかりしなければという気持がわいてまいります。

このように、新しい年を迎えた機会に気分を一新して新しい目標に向って、一層の前進を誓いますことは、誠に意義のあることで、昔から「一年の計は元旦にあり」と申しましたのも、このようなことを指しているものと思います。

そこで、新春を迎えた、今年の私の目標でありますが、「仕事に自信と希望をもって邁進する」こととし、皆さまとともに大いに努力しようと決心しております。

皆さまもご承知の通り、このところ、わが国の農業は、米の生産調整に始まり、農薬や工場廃棄物などによる農産物の汚染、外国農産物の輸入の増大等で新しい時代を迎えようとしていたところですが、特に最近になって、アメリカのドル防衛措置、国際通貨の調整、中国の国連加盟など次々と起きた大事件で全く環境が急変し、わが国の農業は文字通り世界の農業の中の農業として位置づけられることを覚悟しなければならない段階となりました。

このことは、わが国農業の将来にとって、極めて重大であると同時に新たな躍進を示すものでありますが、これを樹立するには、余りにも問題が大きいので、国を挙げて取組むことが肝要だと思います。

このような意味で、さきごろ、経団連、経済同友会、全国農協中央会、全国農業会議所等財界、農業団体の代表が「国際化に対応した農業問題懇談会」を結成し、当面する農政推進上の重要施策を、いち早く政府に進言されたことは、時宜をえた処置として敬意を表する次第であります。

ところで、この進言の基本的な考え方は、食糧の安定供給、とくに基幹食糧の自給のための農地の確保、社会の安定基盤としての一定農村人口の維持、農村と都市との生活水準のバランス化、農業の国際競争力の強化などときおよんでいますが、勿論政府におかれましても、民間のこのような呼びかけに応え、明年度の予算には、思い切った農業振興施策が実現するものと期待しております。

しかし、これからのわが国の農業を世界の檜舞台で堂々と発達させていくためには、何といっても、実際に農業をされる農業者の心構えとその実践力が第一の条件となり、とりわけ次代の農業を担われる全国4Hクラブ員の皆さまの活躍にかかっていると申しても過言ではないと思います。

皆さまが、皆さまの仕事に自信と希望をもち、全国の仲間と手をとり合って、この問題の究明とその打開に邁進していただけば、必ずや明るい未来が約束できることを確信いたします。

4Hクラブ活動は、実践を通じて、自らを磨く活動であり、実践を繰返すことで仕事に対する自信もより大きく成長していくものと思います。

終りにのぞみ、全国のクラブ員の皆さまのご多幸と健全なクラブ活動の推進を祈念して、私の年頭のごあいさつとさせていただきます。

「4H会館」に勇気を

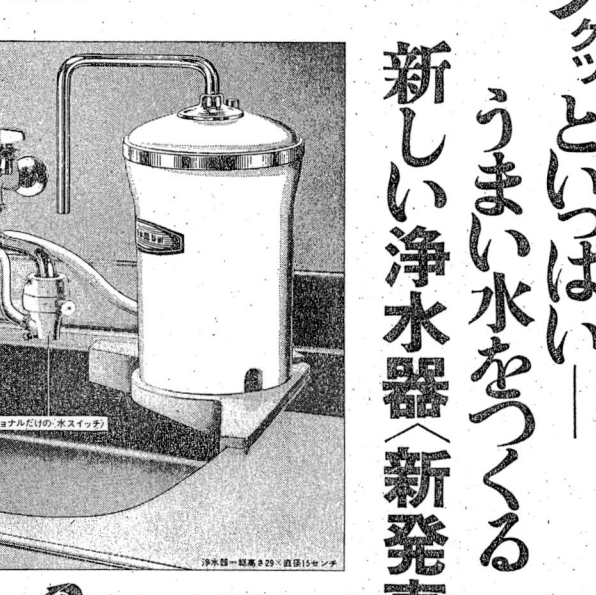

全国4Hクラブ連絡協議会々長　黒沢健一

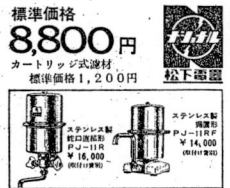

明けましておめでとうございます。本年も皆さまにとって、輝ける年でありますよう心からお祝い申しあげます。

わが国は、長い歴史のなかで、私たちの住む農村の果たしてきた役割に非常に大きなものがありました。それは、人々への食糧の提供であり、また日本民族としての伝統を築き育ててきたことでありましょう。

農業者として考えられることは、今日の社会情況のなかで大きな変化が生じたことです。私たちのプロジェクトのなかにも当然これらに対する取り組み方や、検討が加えられなくてはなりません。それに加えて、農村が共同の意思と共同の力で築いてきた民族としての伝統は共同の力で育てなければなりません。「もので栄えて心で滅びる」—現代の風潮のなかでこそ、物心両面にわたって栄えなければなりません。農村が日本人の心を温床として育ててきたことをわれわれ青年がひきついでゆかなければならないと思います。

今年度も、全国の仲間が、挙げて取り組まなければならないものがあります。農業青年の意志と、情熱が、そして若さと実行力が社会から問われている4H会館の建設に関してより強い勇気をもって、前進しなければなりません。皆さんの一歩一歩の努力が私たちのあとに続いてくる多くの仲間に大いなる希望の灯をともします。

全国の津々浦々にわたって拡げられている目に見えない糸が私たちの心を強くむすびつけていくことでしょう。

また、青年が自ら進んで海外の農業情勢をつぶさにみることは、「4Hクラブに入ったら海外へ行けるんだ」というクラブ員の素朴な、フィーリングも、先輩たちの言う「国際農業をみてわが国の農業を知る」という意見も十分に尊重して沖縄親善交歓訪問以後の活用で考えられることであります。

そのほか、第八回全国4Hクラブ員のつどいやブロックにおける活動の推進を図ることによって、お互いの連絡協調を通じて自主制のなかに素晴らしい組織強化のために邁進してゆかなければなりません。

新しい気持にますますファイトをもやして、新年のあいさつにかえさせていただきます。

一九七二年　元旦

新春を迎えて

一隅を照らそう

文部政務次官　渡辺栄一

全国の4Hクラブのみなさん、あけましておめでとうございます。みなさんも新春をむかえ、いろいろと過ぎし一年をふりかえり、計画を企て、決意を新たにされていることと思います。

4Hクラブのみなさんは、日ごろから四つの信条（心、頭脳、技術、健康）を柱とし、これを実践することによって、自己形成に努めるとともに地域社会の発展向上をめざして励んでおられることに対し心から敬意を表する次第です。

わたくし達の日常生活は、誰しも平凡な毎日をくりかえしているわけですが、この日常生活に何でもよいから何か一つ自己の研究課題をもって生きることがたいせつです。

4Hクラブの活動では、すでにプロジェクト活動を実践されておりますが、かつて、わが国の青年団体活動の代表的な指導者の一人であった下村湖人先生も、「一人一研究」の運動を提唱され、自らも実践して青年の指導にあたられました。研究の結果は、展覧会で発表されたのですが、先生はある年の最優秀賞を授与された青年を訪ねられたそうです。すると、その青年は、「あれは自分の努力の結果ではなく、まったくの偶然でした」と、ひどく恐縮していたとのことです。

彼の家は精米業でした。彼の選んだ研究テーマは、「精米機を改良」することでした。というのは当時の精米機は米をつく過程でつきべりがひどいので、彼は、何とかしてそれを改良したいと考えたのでした。しかし、忙しい仕事に追われている毎日、特別に研究する時間とてなく、心にしてはおりましたが、どうすることもできないでおりました。

ところが、ある時、彼は水たまりに映って大きくなったり小さくなったりしてゆれている月をみて、ハッとし、それにヒントを得て精米機の改良に成功したのです。

これまでの精米機の構造は、米を入れる部分が円筒形のものだったのですが、これを二つの半円筒形のものを抱き合せたものにし、米をつく過程で米が熱を帯び膨張するにつれて容積を増すように改良し、米が砕けないようにしたわけです。したがって、これはゆれ動く月にヒントを得た単なる偶然の思いつきで、努力の結果ではないとただただ恐縮していたというのです。

この青年の謙虚な態度に感激された下村先生は、「努力と天啓」ということを説かれました。たしかに、青年が水たまりにゆれている月を見たのは偶然のことですが、その偶然を天啓（天の導き）として現実に生かし得たのは日常生活における不断の努力・念願があったればこそなのだ、というわけです。

わたくしは、新春にあたり、思い出すままに下村先生の説かれたことを紹介したわけですが、今日、わたくしたちの生活は科学技術の進歩により、その生活はたしかに便利になったのですが、その半面において、すべてが画一化され、個人の創意工夫が生かされた真に豊かな生活とはいえないものがあります。現代社会をより人間性の豊かな住みよいものにするためには、もっと個人の創意が生かされなければならないと考えます。

そのためには、各人が、今こそ、自分の現実の生活をしっかり踏まえて、そこに自分の課題を見い出し、それぞれの置かれている立場で一隅を照らす以外にないと信じます。

私も、微力ながら文教政策において、今年は、4Hクラブのみなさんをはじめ、種々の青少年団体活動がますます活発に展開できるように、生涯、教育を積極的に推進することとして居りますが、とくに「国立青年の家」はもちろんですが、少年のためにも「少年自然の家」の設置促進をはかり、日本中のすべての青少年が恵まれた自然の中でのびのびとした活動ができるようにしたいと思います。

4Hクラブのみなさんもその活動を通じてこんごとも各人が一人一研究にとりくみ、一隅を照らし自己実現をはかるとともに地域社会の発展向上のために、大いに貢献されるよう期待しております。

仲間と共に生きがいを

総理府青少年対策本部長　清水成之

農村青年の皆さん、あけましておめでとうございます。

皆さんの若々しいエネルギーは新年を迎えていちだんとうずいていることでしょう。そして、皆さん自身の向上、農村の充実、国家・社会の発展、国際的視野の拡大と理解等等いろいろの方面にその流出口を求めていることと思います。

わたくしは、専門の青年心理学者ではありませんが、自分の青春時代を回顧するとともに、わたくしのこどもや周囲の若者との日頃の接触を通じて、皆さんが少年期を経、それぞれ自我にめざめ、自己が確立されつつあることを悟っておられると思います。それだけに、以前とちがって、親に甘え、友達たちと仲よく遊び、おとなに唯唯諾諾と従い、現状を漫然と肯定してはいないでありましょう。悩みや心配、不安や不満がなかったのは、皆さんにとってもはや過ぎし日のことになっているのではないでしょうか。皆さんは次代を背負ってたつ準備期にあると同時に一人の人間として、また国家・社会の若若しい構成員として日日の生活を生きながら成長向上しています。

わたくしどもは一昨年全国十六万人の青年を対象に連帯感に関する調査を実施し、その結果を昨年まとめました。それをみても、皆さんの悩みや心配、不安や不満の実情が出ております。それを大局的にみれば、交通通信の手段が発達し、流動化の進んでいる今日ですから、日本全国の青年の間にそう大きな相異があるはずがありません。しかし、子細にみるとその間にちがいもみられます。

例えば、全体と比較した場合農林漁業の家族従業者および自営業主とも、仕事のことに悩みや心配をもっている者の比率がきわめて高く、また男子の場合社会への不満理由として「若者の意見が反映されない」をあげる者が高率であります。しかし反面、仕事に打込んでいるとき生きがいを感ずるとする者は、農林漁業従事者にきわめて多くなっています。

この結果をみると、農村の青年が、農業という仕事に悩みや心配をもち、また地域社会における自分の地位と役割が確立せずにじれったさを感じつつも、仕事に熱中しているときに生きがいを覚えておられるということではないでしょうか。しかも皆さんの中には「友人や仲間といるとき」に生きがいを感ずるとする者も相当高い比率を示しています。また、皆さんが団体やサークルに加入している場合その種類としては職業や技能を同じくするものの集まりであるもの、そして地域的なものが全体として比較してきわめて高い割合を占めております。

わたくしどもは、国民運動の一かんとして、特に昨年来「独りぼっちよさようなら」をいろいろの青年団体などとともに進めております。それは、今日の都市化現象、過密と過疎という社会変貌の中にあって、青少年の諸君が孤独と不安から立ちあがり、自己を喪失することなく自分を向上させるとともに国家・社会の福祉に役立てようとの趣旨からです。

青年がひとりで自己をみつめること、これは青年期の特徴の一つであり、大切なことと思います。しかし、しょせん、人間はひとりで存在するものではなく、社会を形成して生きています。さればこそ、青年の皆さんが、身近かには仲間を求め、団体・サークルに積極的に参加しその活動を活発にすることにより、団体等における自分の地位と役割・責任を自覚するとともに、広い視野とお互いの連帯感を高め、また自己をみつめ直すことができるでありましょう。

このことは、すでに4Hクラブの皆さんが深く目的の一つとして進めてこられたところであります。しかし、さきの調査結果によりますと、4Hクラブだけのことは分りませんが、今加入している団体やグループの活動に不満をもっている者の比率が農林漁業従事者において高くなっております。若し、皆さんの中に自分の加入する団体やサークルの活動に不満な方があれば、不満だ不満だと他人事ではなく、自らの問題としてその原因をつきとめ、その活動を充実してください。

わたくしは、4Hクラブの皆さんが、仲間とともに自らの生きがいをさらに求めて自己を向上させ、よりよい農村、よりよい日本をつくってくださることを信じております。

今こそ組織の真価を

全国農業協同組合中央会会長　宮脇朝男

昭和四十七年の年頭に当たり、全国の農協組合員ならびに役職員のみなさまに、心から新年のお祝いを申しあげます。

系統農協はいま、総合三か年計画の初年度として、組合員の生活と営農を守る農協の組織・事業・経営各般にわたる刷新強化に、総力をあげて取り組んでいます。しかしながら昨年は、国の内外にわたり、まさに地殻変動ともいうべき大きな環境変化が相ついで起こりました。

その震源は、いうまでもなく二つのニクソン声明であります。金とドルの交換停止、輸入課徴金の採用など一連のドル防衛対策に端を発した国際通貨戦争、さらに米中接近と中国の国連復帰の実現はアメリカの〝ドルと核〟のかさの下で、高度経済成長と対米追随外交の夢をむさぼってきたわが国の土台を、根底から揺り動かすにいたりました。政策のパターンを内政重視に転換したニクソン新経済政策のあおりが、ドルにたいする大幅な円切り上げをもたらし、これからの日本の進路に長い苦難の歩みを強いることは、もはや明らかであります。

内政面においては物価・賃金の大幅かつ継続的な上昇、公害の増大、過疎・過密の進行等がとどまらず、生活の安定を阻害する社会問題がいちだんと深刻さを加えてきました。

こうした内外の変化は農業にも容赦なく押しよせ、大幅な米生産調整、グレープフルーツ等農産物の抜き打ち自由化などによって、農業収入の停滞、農協経営の悪化をまねいていることはご承知のとおりであります。しかも日本農業の体質改善をはかるうえで、なんとしても守り抜かねばならない牛肉・オレンジ・果汁など戦略農産物の自由化問題も、きわめて微妙な情勢になっています。

米については、四十六年産米の作柄不良と生産調整によって、単年度でみれば八十万トン以上の不足が見込まれ、過剰状態は急速に改善されつつあります。しかし、米の生産調整は、転作を定着させ、休耕比率を縮少して単年度需給均衡の基礎を固め、現行食管制度の根幹を堅持するためにも、なお相当期間継続されるものと覚悟しなければなりません。

米の縮少均衡と農畜産物輸入圧力の増大は、必然的に農業自給の後退をまねき、国内農産物価格への抑止力となって、農業・農協の経営に大きくのしかかってまいります。さらに国内経済の停滞と金融緩和がかなり長期にわたって見通される中で、農協はいまこそ組織の機能をあげて、新事態に対処しうる総合対策を積極的に講じていかねばなりません。その基本方向と対策については、すでに着手している総合三か年計画に盛られたとおりですが、今年度はとくに基本農政の確立を求めて、総力を結集することが肝要です。

いま、世界で農業を保護し、自給度の維持・向上に努めていない国は皆無といえるでしょう。国民食料の長期安定的供給を確保する農業の発展は、単に農業者だけの問題にとどまりません。国土がオール工場と化したごとき〝無資源国ニッポン〟では、緑と健全な生活環境を守るうえからも、それは重要な国民的課題となっております。作目別に自給目標をはっきり定め、可能なかぎりの国家投資を集中して、立ちおくれた農業の体質と骨組みを強化する。そして、国際競争の土俵のうえで十分相撲がとれるような方向に、農政の目を向けさせていく――すなわち、政策の基調を人間尊重におき、高能率・高所得農業の建設、豊かで明るい地域社会の建設が実現できるような資本導入の具体的方策を早急に国に求めてまいりたいと思います。

もちろん、そういっても政府、政策当局に求めるのみであって、拱手傍観することは許されません。第十二回農協大会で組織決定された自主建設路線の実践をはかることは、当然であります。そのため、組織内においては①農協合併の推進と系統事業の効率化②営農団地を軸とする農畜産物の生産・販売体制の強化③農協・連合会における経営総点検の実施を重点施策として、全国運動を展開します。

また、農畜産物の付加価値を確保するため、とくに全国連は総合力を発揮して大都市にたいする市場開発や加工・販売対策に積極的に取り組み、組合員の期待に十分応えていかねばなりません。このたび全購連と全販連が、全国の組合員と会員の強い要望によって、この三月三十日に合併し、いよいよ新全国農協連として発足する運びにいたりましたのも、自主建設を目ざす系統組織の意欲を示すものであります。組織のほんとうの力は、順風満帆のときよりも、きびしい嵐の中でこそ真価が発揮されるものである、とわたしは信じています。農業・農協をとりまく試練に耐えて、あすの日本農業を、あすの農協を自ら掘り起こしていこうではありませんか。全組織の理解と協力をお願いするとともに、その先頭に立って前進する決意を述べまして新年のごあいさつといたします。

昭和四十七年元旦

〝もうかる主義〟時代は

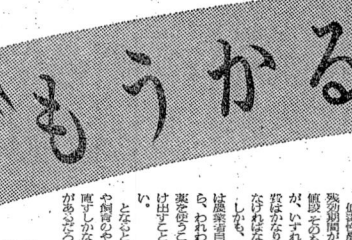

これからの農業

社団法人・協同組合経営研究所・研究室主任　築地　文太郎

問題は出つくしている

どんな農業にするか、年のはじめに当たって、じっくりと考えてみなければならない。

すでに材料は昨年のうちに出そろっている。要は、これらの材料をどのように理解するかということ、これまで抱きつづけてきた農業観なり経営のやり方を、必要によっては方向変換するだけの勇気を、あなたは持っているかどうかの問題である。

すでに、たいていの農業経営者は現在、かなり混乱した考え方になっているのではないか。真剣に農業を考える人ほど混乱せざるをえないような世相なのだ。そしてその混乱の原因とは次のような点ではないか。

①農薬害の問題だ。農薬害がこれほど蔓延しているものだとは意外なことだった。規制はこんごもっときびしくなる、と考えざるを得ない。

低毒性農薬というものは一般に残効期間が短かく、選択性が高く、値段そのものも高いものが多いが、いずれにしてもこんごの防除費はかなり高くなることを覚悟しなければならない。

しかも、農薬害の第一の被害者は農業者自身だといわれるのだから、われわれとしては、低毒性農薬を使うことよりも、これからぬけ出すことは考えなくてはならない。

となると、農業のやり方、栽培や飼育のやり方を、抜本的に考え直すしかない。だがそんなやり方があるだろうか。

②輸入農産物の問題だ。円切り上げとともに、外国農産物はますます入ってきやすくなる。その場合、心しなければならないことは外国では日本ほど農薬を使っていないということ、つまり、国産もののほとんどは農薬汚染の農畜産物であるのに対して、輸入物は〝安全食品〟という錦のみ旗をかかげてやってくる、しかも〝安い〟ということだ。

③安全食品の生産を、すぐにでも開始する必要があるが、それではどうして進めたらよいか、である。その方法はおそらく、立地条件によってさまざまであろう。だからとても、無農薬農産物の栽培方法などという教科書はないのであり、そんなものがあったらむしろ、インチキ本だということになるのではないか。

しかし、自分の土地柄に合った栽培法を、自分で見つけ出すことは不可能ではなく、それを見つけ出すには、「なぜ農薬をこれほど多く使うようになったか」を徹底的に反省してみることからはじめるべきだろう。

農薬多投になった原因は、化学肥料多投になったためであり、除草剤を使い作物を奇型化させたことにも大いに関係があろう。

そして化学肥料多投の裏側の原因は、堆肥を軽視したことにあり、耕種と畜産が切り離れたことに、そもそもの原因があったのだ。

家庭菜園がヒントになる

そこで読者は、もうひとつの大きな疑問に突き当たるにちがいない。それは、生産者だけが農薬害について配慮し、減収をがまんするなどの苦労しても、消費者はそんなことは無関心で、「虫くいはいやだ」「高いものはいけない」というにきまっている。そうなれば損するのは生産者ばかりではないか。そんなバカな話があるか……という疑問ではなかろうか。

そうだ。その心配が大いにあるのだ。だから無農薬農産物生産への切り換えは、少しずつやり、だんだん広げていくしかなかろう。

まず家庭菜園的なところからはじめる、と考えてもいい。家庭菜園には案外、無農薬、無金肥でりっぱにできているところがあるものだが、そこにはおそらく、クモもカエルもいっぱいいよう。そして目に見えない天敵が、土中にも、地上にもこれまたたくさんいるにちがいない。プロの田畑にはいないものがそこにはいる。そのやり方をヒントにして、実績を少しずつ広げていこう。

まず家族の食べものはすべて無農薬にし、町に住んでいる親類にもそれをやり、近くの消費者にも分けてやるといい。新しい流通パイ・パスを開いていくのだ。その場合の生産者と消費者の関係は、一般市場の生産者と消費者のように〝対立する関係〟ではない。〝信用〟によって結ばれている新しい（いや、古いよき時代と同じ、といってもよい）取り引き関係であるはずだ。

公正な流通ルートを

このように、良心的な食品を、公正な価格で、つまり生産者も消費者も、ともに納得できる値段で取り引きすることこそ、〝信用第一の取り引き〟とよばれるのであり、その形は、生産者と消費者の直結ルートによるのが一番やりやすい。

新しい公正な流通ルートはその意味で直結ルートとなってしまうだろう。

だが、直結ルートが細いながらも成立すれば、その影響はたちまちにして他にも及んでいくことだろう。

一般商人の人たちも、直結ルートの人気よさの原因はなにかを、いちはやく察知するからだ。そこでこんどは、〝右へならえ〟をして、一般商人の人たちも、健全な食品を扱おうとするだろう。信用を重んずる商人が増えてくるだろう。

おわりに

以上はひとつの推論だ。だが根も葉もない推論ではない。いま、新しい健康食品の生産と流通は、まだ細い流れながら、確実に活発に、そして拡大しつつ流れはじめている。もうかる農業主義時代はおわった。

★…築地文太郎氏は昨年春、東京都下にある農林省の農業者大学校から依頼されて講演し、学生などから好評を得た。また、有機農業研究会のメンバーの一人として有機農業の研究を行なっている。

★…一面表紙の岩手山の写真と宮沢賢治の詩の選択については、岩手県の専門技術員（青少年担当）伊藤利己氏はじめ営農指導課の関係者にお骨折りいただいた。紙上を借りて厚くお礼申し上げます。

古々米

農林省　藤井文信

世の中もずい分変ったものである。一〇年前、いや五年前までは、国民の食糧である〝米〟を安定的に供給することが農政の基調であったし、そのために、米の増産に関する対策がいろいろと打ち出されたものである。

ところがその後、米の需給のバランスは、私たち凡人が考えてもみなかった供給増の形でくずれ、稲作転換、減反が行なわれるハメになってしまった。

ここで私は、米の稲作転換問題について書くつもりは毛頭ない。ただ、米の生産過剰から新らたな流行語が生まれたことを引き出したかったからだった。

いわく、「古々米」ということを。私が幼い頃母が「新米はおいしいけれど、水引きが悪くて増えないから、古米が得だ」ということをよく言っていた事を思い出す。前の年に穫れたものを古米といったのだから、その前から前の前の年に穫れたものを古々米といっていたかも知れない。でもそのようなことを聞いたような記憶はない。

さて、私はつい最近農林省で青少年の仕事をするように命を受けた。頭の中での異動でもあったが、月並みに関係者にあいさつ廻りもし、また、初めての青少年関係者の会合の折にごあいさつを述べさせてもらった。いわく「新米ですのでよろしく」と。ところが「新米とは何ごとだ。古米いや古々米といえ」と或る人に言われた。なる程、以前私は県の青少年担当をしていたこともあったし、前任地で青少年の仲間づくりに多少力を貸したことがあったので、「新米ではない」ということのようである。しかし、私はその後もはじめて接する人達には「新米です、よろしく」とごあいさつをくり返していたが、最近「古々米」といわれたことばには、もう一つの意味があることを発見した。「やっかいもの」である。古々米は、まさしく農政上の、やっかいものである。

私たちは、国家という集団の中に生き、社会とか、家庭といった集団の中で生活をしている。そこには、新米も居り、経験者、ベテランも存在する。4Hクラブという集団一つをとってみても、新米もいれば、ベテランも存在している。4Hクラブは4Hクラブのルールによって、集団の秩序が守られているだろう。それぞれの集団の中でそれぞれの集団の経験者とか、ベテランをリーダーとして位置づけ、それらのリーダーシップによって集団が維持されているうちは良いが、経験者とかベテランが「やっかいもの」扱いされている「古々米」であったとしたらどうだろう。経験のうえにあぐらをかき、リードすべき立場の者がむしろブレーキをかけているクラブがないとはいえないのではないか。私は、あぐらをかきたくない。やっかいものの古々米でなく、常に新米の気持で対処してゆきたい。（農政局普及教育課青少年班活動促進係長）

農林省　進路指導を計画

ビデオ・コーダー設置へ

農林省・普及教育課では、農村青少年研修事業の一つとして、農事番組放送利用の高度化を図るため、来年度から三ヵ年計画で全国各都道府県の農民センターなどの研修施設百五十ヵ所にビデオ・コーダーを設置する構想をたて、大蔵省に予算を要求している。また、このほか各地域におけるボランティアリーダーの確保や、農業改良普及所における農村青少年対策を強化し、新規就農者が一人前の農業者になるまでの進路指導するような体制を作るように考えている。

ビデオ・コーダーの設置は、現在全国で行なわれている放送利用学校やテレビ農業教室などを充実させるとともに、農事番組の放送を活用している農村青少年が、農作業の関係などで自分が見たい番組を見られなかった場合、それをあとで視聴できる機会を与えようというもので、視覚による研修を強化するのがねらい。

農林省などが建設している農民センター百ヵ所と都道府県が設置している研修施設五十ヵ所に、三ヵ年計画で設置する予定だ。

篤志指導者も確保

ボランティアリーダーの養成は農村青少年指導農家活動の推進として実施するもので、経営面などで、優秀な一般農家の人たちにも協力を求めるもの。

農林省の計画では、一普及所当り五名程度を目標に、経営規模や内容などを考慮するほか全国農村青少年教育振興会が実施している先進地農家留学生を受入れている農家などの中から、とくに青少年育成に関心の深い人たちを選ぶという。資格などについては今後さらに煮詰めていくことにしているが、普及所、県段階などでボランティアリーダーの研修会を持って篤志者による指導体制を充実強化させていきたいとしている。

また、普及所における農村青少年対策の強化は、地区にいる農村青少年一人ひとりを把握して、マン・ツウ・マンの方式によって一人前の農業者になるための指導を行なおうというのがねらい。

農業改良普及事業は農業改良、生活改善、農村青少年の育成が三本の柱となっているが、青少年育成に関しては現在、青少年担当の普及員だけにまかされている形になっているので、本来の正しい姿に戻し、普及所をあげて農村青少年育成と取り組んでいこうというもの。

例えば、家族の労働力や経営規模、内容などを考慮して、農村青少年一人ひとりについて将来の設計をつくり上げ、それに応じて長期研修や融資などの便宜を図るなど進路指導や助言をすることにしているようだ。

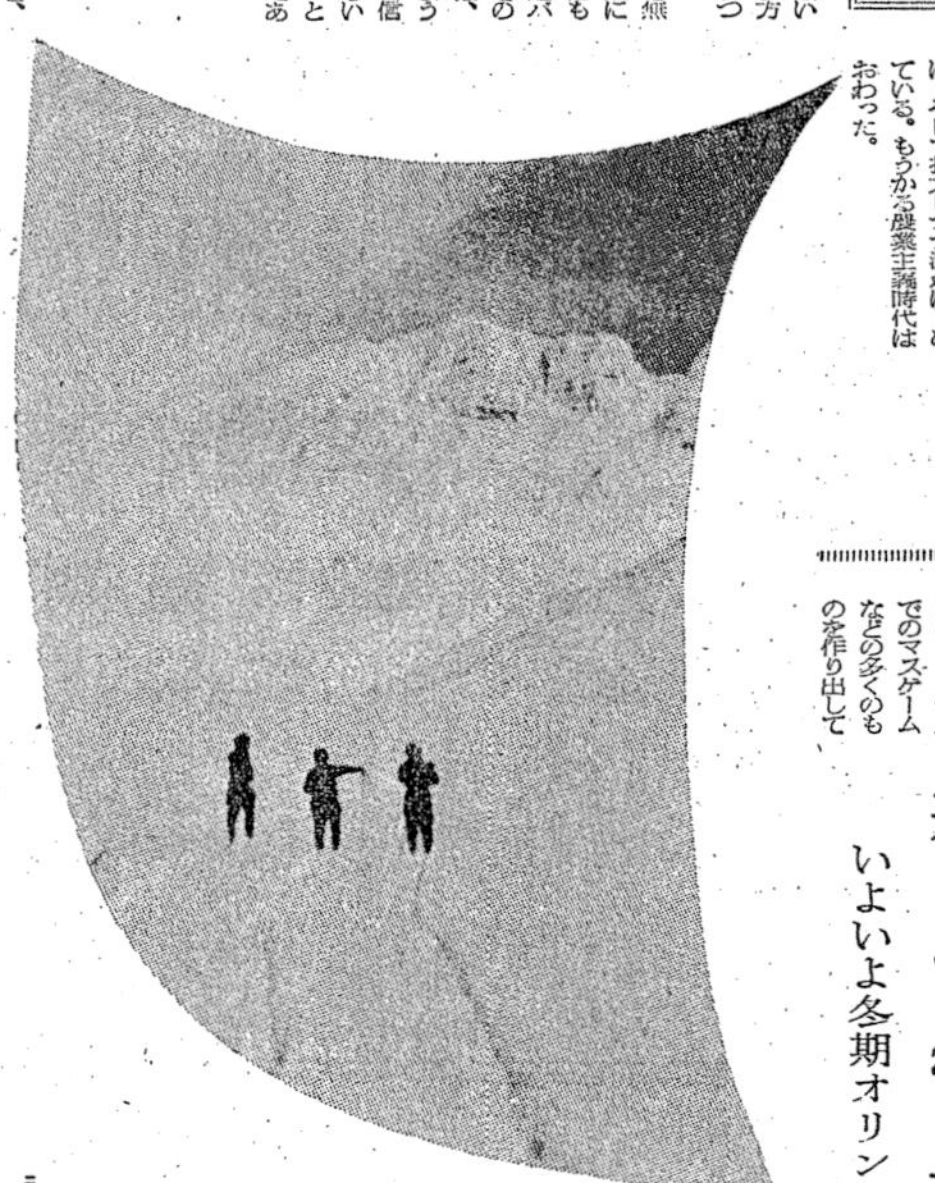

春こがれる花

いよいよ冬期オリンピック

北海道4Hクラブ連絡協議会書記長　赤松　宏

また、雪の季節がやってきた。冬——雪は世界に素晴らしく多くの芸術を作り出してくれる。芸術を作り出してくれるというより、むしろ、それを生活の中に生かしているといった方が適当かも知れない。

また、生活の知恵としても多くのものを作り出している。一つに、「札幌雪まつり」で代表される雪像の芸術、冬期間、屋内に閉じ込められた中での生活をいかにしてエンジョイし、健康的な体を維持しておくかという北国のプロジェクトの生産物などである。

健康管理といえば、スキー、スケート、雪上でのマスゲームなどの多くのものを作り出している。

夏の間、米が作られ、作況指数・五九の暗いニュースで終った水田も、ときには一面に水がはられ、それが、しばれ（凍るの意味）ると、そこには、豆スケーターたちが出現する。また山や畑に豆スキーヤーたちが現われる。そんな冬の豆プレーヤーたちが、やがて、冬期スポーツの祭典を作り出していく。スキー大会、スケート大会と……。

そして、いま、じいっと、二月に開かれる世界の冬の若者のスポーツの祭典、第十一回冬期オリンピックの開会式を待っている。

それは、遠い遠い厳しい道程であったようだ。

IOCの総会の席で、「あの深く積った雪の下にじいっと春を待つ花のように……あの埋もれた花を美しく咲かせてほしい」

素晴らしいほどの拍手を受けたニュースは、まだ記憶に新しい。

その花の咲く日を市民はじっと待ちこがれている。

それと同じように、北海道のクラブ員も、今夏、北海道内で開催される全国4Hクラブ員の一大祭典、第八回4Hクラブ員の集いの開会を待っている。

「全国のつどい」では開拓者精神を

開拓者精神を柱に築きあげた北海道の開拓の歴史、広大さを隠すことなく表現しようと、いま、クラブ員が一丸となって準備活動に精を出している。

新しい年、七十二年に、みんなが期待している。札幌の市民はオリンピックを……道連の仲間は、つどいを。素晴らしい年になれと。

＝写真は、十勝岳

アンプ			SBG－480	48,000円
SAW－175	105,000円	75W	SBG－360	36,000
SAW－106	88,000	60W	SAG－390	39,000
S A－106	74,000	60W	SAG－420	42,000
S A－105	67,000	50W	SAG－450	45,000
S A－103	41,000	30W	SAG－400	40,000
S A－102	33,000	20W	マイクロフォン	
S A－101	23,600	10W	S D－10	3,500
S A－05	9,850	5W	S D－20	5,900
S A－03	8,200	3W	S D－30	6,500
自動車及び電灯線兼用のもの			S D－31	7,300
S A－05C	12,000	5W	ギターピックアップ	
ギター			SMC－70	2,000円
クラシック SK 50－	5,000円		SMC－100	2,000
〃 SK 87－	8,700		SMC－110	2,250
〃 SK180－	18,000		ギターアクセサリー	
ウエスタン SU120－	12,000		W－ファズ	8,500円
〃 SU150－	15,000		マルチエフェクト	8,500
フォーク SF 96－	9,600		ワーワーペタル	6,300
〃 SF130－	13,000		FY－6	6,300
エレキ			エコーマシン	69,500
SSG－200	20,000円		エコライザー	22,000
SSG－480	48,000		ピアラコーラス	28,000

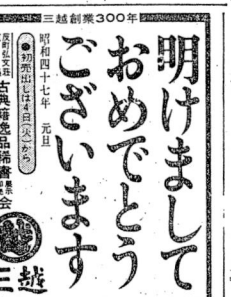

結婚と性

家庭は互いの協力で

フリー・セックス　賛成者の大半は愛情派

新しい年を迎え、今年結婚する人、また、今年こそはと思う人、まだ今年は早いと考える人などさまざまだろう。しかし、それぞれの人が、それぞれ何らかの意味あいにおいて〝結婚〟や〝性〟のことを考えているのを否定することはできまい。昨年は、フリーセックスやウーマンリブ、それにポルノグラフィーなどの嵐が吹きまくり、風潮・風俗面からも〝結婚〟や〝性〟について考えさせられることが多かった。これらの現象はいままでの〝結婚〟と〝性〟の価値観を根本から否定しており、また、これらは〝結婚〟や〝性〟に関する価値観が多様化したというだけではすまされぬ問題を含んでいる。このような状況のなかで、われわれが、再度自らの〝結婚〟観や〝性〟に関する考え方を問い直してみても無意味なことではないだろう。

現代の若者は、性や結婚についてどのような意見をもっているであろうか。総理府青少年対策本部編の青少年白書（性に関しては、昭和四十六年五月に十五歳から二十四歳の未婚の男女五千人を対象に調査）によれば、若者の考える結婚の意義については、「互いの協力で家庭をきずきあげること」と答えた人が五二％で最も多い。「精神的安定を得ること」が三一・一％、「子孫を残すこと」一九・一％、「社会的信用を得ること」一八・二％、「生活の便利さを得ること」一六％、「経済的安定を得ること」九・七％、「性的満足を得ること」八・三％とつづいている。若者は「互いの協力によって家庭がきずかれる」に最も高い価値を認め、「性的満足が得られる」に低い価値しか与えていない。しかし、「性的満足が得られる」にやや賛成が全体の五一・五％もあり、性を軽視していないことも意味している。また「性的満足」の男女差をみると、男子が一二・三％で女子の四・五％を大きく上回っている。

それでは若者の性についての意識はどうなのだろうか。

「性の行為は人間の本性でいやらしいものではない」については、どちらかといえば反対が九％で、ほとんどの人が賛成している。「性交の主な目的は子孫を残すことであって快楽のためではない」については二八・七％、「日本人の性はこれまでの道徳から解放されるべきだ」については二八・二％、「将来は今のように法律で拘束される結婚はなくなる」については三六・九％が、それぞれどちらかといえば反対の率である。

これによると、「性は人間の本性」が肯定的態度で迎えられ「法律で拘束される結婚はなくなる」が否定的態度でみられている。この結果は、ある程度、現代の若者の性に対するモラルを示しているように考えられる。

では、若者は性はもっと解放されるべきだと考えているのだろうか。さきほどの率からみれば、四人のうち三人がもっと解放されるべきだと考えていることになる。また、法律で拘束される結婚に反対するものが多いということは、性の解放を志向するあらわれとも考えられる。

反対派約61％

これらからフリーセックスへの傾向はみてとれるが、それが若者の「性交」についてのモラルにどう反映しているかをみてみよう。

「性交は自由に行なわれてよいか」という質問に、「よい」と答えた人が二九・六％、「よくない」とする人が六〇・七％、「不明」が九・七％である。約三〇％の若者がフリーセックス賛成派であることは、注目にあたいする。これを男女別にみると、「よい」が男性四〇・八％、女性一八・七％で男女の差は著しい。これは有職者と学生、また職業別にみてもほとんど差がなく、年齢別にみると男性は年が増すにつれて賛成派がふえているが、女性はほとんど変化がない。

「性交は自由に行なわれてよい」というその理由は、「お互いの愛情の結びつきだから」が五八・三％で最も多く、「自分のことは自分で責任をとるから」一九・三％、「本能にしたがい自然だから」一六・四％と続き、「たのしいことだから」〇・七％、「社会の風潮だから」一・六％と過解放的モラルを主張するのは、わずか二・三％にすぎない。この意味から、フリーセックス賛成派のモラルの基準は「愛情」に比重を置いていることがわかる。

いっぽう若者の六〇・七％が「性交は自由に行なわれるべきではない」と答えたが、その理由は「自制すべきものだから」が五二・九％と圧倒的に多く、「結婚まで処女、童貞でいるべきだから」一九・六％、「みだらなことだから」一六・五％とつづいている。

また、「現在、道徳は乱れていると思うか」の質問に対しては、「思う」が六〇・八％で、「思わない」が三九・二％であった。

以上、青少年白書から、現代の若者の結婚や性に関する意識を統計学的見地からみてみたが、私たちも考えさせられるべき面がかなり多い。

もはや私たちは、純潔が目的で性をタブー視するだけではすまされない。なぜなら、現実的におこりつつある諸現象は、私たち個人のうちから発せられたものだからである。私たち個人個人が性に対する思想をもつことを、またその必要性を、これらは教えているのである。

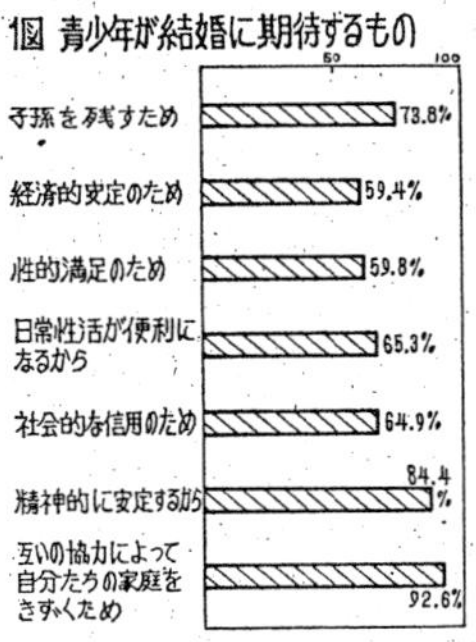

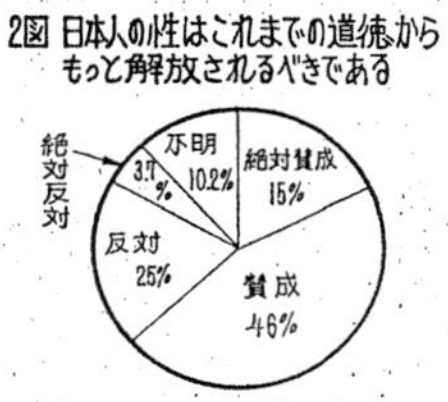

あせらずあわてず

福岡県・野菊会　江崎京子

今年こそはステキな彼とめぐりあえますように……。

新年を迎えるたびに、そっと心の中で願ってきたが、日頃の行ないが悪いのか、いっこうにその気配がない。もっとも、今まではクラブ活動に夢中で、あまり真剣には考えていなかったが……。

二十三歳にもなって、恋人のひとりもいないとは家族泣かせの私である。高校時代の友だちは、つぎからつぎへと結婚し、会うたびにオノロケを聞かされる。周囲はガヤガヤとうるさいし、家では祖父母が、私があまりわがまま、それに勝気なのでお嫁に行って無事につとまるだろうかと心配している。また、私が友だちの結婚式に呼ばれるばかりで、あまりゆっくりしているのを見て、はやくお嫁に行かないと売れ残ってしまうとすざましい勢いである。私の体は半分は家の中、半分は外にある状態でなかなか落ち着けない。

こんな私でも世間には女性として認められているらしく、今までにいくつかの縁談があったが、弟はまだ小さいし、また、病気がちの母のことを考えるとふん切りがつかなく、そのつど断わってきた。そのために仲に立った人からは罪人のような目つきでみられるし、——あの人は理想が高いから、ほかの娘とは違うので、あまり選びすぎるから相手の人が見つからんとたい——とか言われているのが、直接、間接的に私の耳に入ってくる。それよりもまだ辛かったのが、祖父母の落胆ぶりをみせつけられることであり、いつも心の中ですまないと思っている。小さい時から、両親以上に私を可愛がってくれた祖父母。私のことを心配してくれるのは嬉しいが、それがかえって苦痛に感ずることもある。

「はやく京子の花嫁姿が見たいもんだ。いつになったら見られることやら」……老い先短かい祖父母の淋しそうな姿をみるたびに胸がしめつけられる思いがする。

こうした周囲の圧力に負けて自分がはやくお嫁に行けば、周囲の人を心配させることもなく、また、自分自身も辛い思いをしなくてすむと何度か考えたこともあった。

しかし、家庭の事情もあり、それにまだ私は4Hクラブに魅力を感じていた。また学校を卒業した頃、父から言われた言葉が頭に残っていた。

「おまえがこの人と思った人なら、橋の下の乞食でもかまわない。そのかわり、自分で考え判断して決めた人なら、最後まで自分で責任を持たねばならない」

娘の幸福よりも、嫁ぎ先の家柄や財産などを考えて決めてしまう親もなかにはいるが、私の父はその言葉どおり、縁談に関して相談にはのってくれるけれど、口出しは一切しなかった。

「自分の相手は自分で見つけろ」というのが父の持論であり、それだけに慎重にならざるを得なく、結婚に関しては強い責任を感じてしまう。

今までに知り合った人はみんないい人ばかりだった。学校時代の友だちやクラブの仲間など本当にいい人たちばかりだった。これから先、どんな人とめぐりあうかわからない。また、良き伴侶との出合いはいつになるか知れないが、他人の言葉に左右されることなく、あせらずあわてずゆっくりとマイペースで進んでゆきたい。

そして、今、私がしなければならないことは、自分自身を磨くことである。そのために暇がかかり人よりも出発が遅れたとしても決して後悔はしないだろう。

ダイヤモンドのような輝きを心に秘めた人、私はそんな心の持主になりたいと願っています。

夕ぐれの木戸

北川広夫

谷
霧
梢のはしばしに
去りゆく薄光
森
木戸
降り積もった落ち葉の上
火の粉が散る

枯れ葉の館で
うたたねをしている炎
炎の中の蒼白いベット
眠っている
汚された——ひとりの女

ランプに
羽虫がまう
ぼくは囁いてみる
無言で
蒼ざめた髪の中で
引き潮に小舟を浮かべ
夕日がとけ込んでゆく日暮れ時
死が
少年のように憩っている

（『農民文学』百号より）

親の知らない子供の性問題

—どうして性教育は必要なのか—

ドクトル・チエコ

週刊誌を見ていたら、こんな記事にぶつかった。

北海道の高校で、生徒たちの性の意識調査をしたところ、「妊娠する理由を知っているか?」の項で、知っていると答えたのが、男子八五％、女子八七％。そして最後に「高校でもっと性教育が必要か?」に対しては、生徒の八九％が「必要である」にマークをつけていた。生徒たちは知っているくせに、それ以上どんな性教育をされたいのか……。

こういった内容であった。

週刊誌のこの記事だけでなく多くの人々の中には、セックスの氾濫する現代の日本では、もう子供を含めて若者たちがかなり性知識があると信じ「なにも知っているのに、改めて学校などで性教育をする必要があるのか」などと考えていることが多い。「なにも、いまさら性教育でもないでしょう」などと知った顔でいう人もずいぶんいる。

本当になにもわかっちゃいない返事である。

たしかに戦後二十六年、日本では急激にセックスは解放され、マスコミの面ではアメリカやヨーロッパの国々と同じようなレベルで、エスカレートしたものが紹介されている。

小説、放送、映画、週刊誌、劇画に、必らずといっていいほど性は扱われている。

こういうものに触れている若者たちは、たしかに八〇％以上が、男性と女性が性交渉をして妊娠が成立するくらいのことは分ってるのが当り前だろう。

しかし、その知識はただそれだけのもの。深くはわからないし、正確なものではない。

だから彼等は「性教育が必要である」という設問にマルをつけ、納得できるものを求めていることを表示したのである。

つまり、日本では性情報はあふれていても、いまだ性教育は一度もなされていない。

基礎工事ができてない建築と同じ状態なのだ。こんな建物はいつこわれるかわからない。非常に危険に満ちた現状なのである。

その一例が、夏休みに女子高生がアルバイトと称して、数十人で売春をしていたなどという事件になって現われる。

彼女らは「売春がなぜ悪なのか?」を知ってはいないのだ。

悪いことだと教えるどころか、大人たちは売春をたのしむことを、公然と小説にもエッセイにも書いたりしている。

男女が性交渉をするとき、金銭のやり取りがあってはいけない。二人が共にたのしむとき、片方が終ったあとサービス料をとることは、性医学ではどうしても理屈にあわない、考えられないことなのだ。

金銭の受渡しがある性生活は間違いである、ということを若者たちに教えておかねばならない。だから結婚という場における性生活には、愛情が欠かせないのである。つまり、人間には性欲というものがあるのだから、それを理解し、正しく取り扱う知識を、無知な子供に教えたりしつけたりすることがとても大切なわけでもある。

こうしたしつけのない現状で、売春をした高校生を一方的に責めることは出来ない。

婚前交渉ということを、現代の若者たちは肯定している。愛情があり、お互が合意の上なら、身体のつき合いもあり得ることは、婚前といえども間違った行為でないし、悪でもない。

それが悪になるのは、行為の結果なのだ。例えば、妊娠をしてしまったとき——。妊娠は女性の生理作用の一つではあるが現実に妊娠しているときは、女性の肉体には消耗が数多くあらわれる。男性の精子が女性の卵子と結合して、二人の力でなし得た妊娠は、女性だけがあとで肉体の消耗や健康をマイナスにする条件にあるのは、不合理なことなのだ。そのため婚姻届という契約のもとに、女性は肉体の消耗も精神的な苦痛も、男性からねぎらわれたりいたわられたりしておぎなうこととする。だから、妊娠というものの成立は、絶対的に婚姻してこそあり得ることで、もし婚前交渉を認めるのなら、この条件を守れと教えねばならない。一方また、妊娠中絶という手術の問題も、女性の肉体を損ねるものであることを、よく知らせておかねばならない。だから、正しく、失敗のない避妊の知識を与えておく必要が生じてくる。

また、健康の面で忘れてならないのは性病である。性病の感染原因が、九五％が性交渉によるのだから、交渉をもつ場合、お互が無菌的JISマークつきだと保証がない限りは、安易に性交渉をしてはならない。と、こんな知識も徹底させなければならない。楽しんだあと、不健康な身体になって苦しむくらいナンセンスなことはないのだから。

今ここにあげた問題は、性知識がないため失敗がおこることのほんの一例にすぎない。無知なための悲劇はまだまだ星の数ほど沢山ある。こんな悲劇をなくするためにも、セックスの基礎知識を与える性教育は欠かせない。それは性交の技術を教えるものだけではないし、単に避妊や性病予防だけの教育でもない。

身体の一部にある性を、人間のものとして明るく考え、大切にしようと価値づけるもの。こうした知恵は、単に性生活だけでなく、正しい愛を確立できるものでもあるし、男子が同権であるという、この社会での大事な基本的なルールを守る道にも通じる。

もちろん、性に対して未知である人間の年令層は幅広い。子供から婚前の若者までそれぞれなのだから、教育の方法も違ってくる。幼稚園や小学生にふさわしいもの、思春期に必要なもの、と変化があるわけだが、そうした正しい教育の積みかさねがあってはじめて完全な性知識を知り得るのである。

だから、「まだ四才の子に早やすぎる」などと言わず、赤ちゃんのときからしつけの一つと考え、はじめなければならない。すでに成長している若者に対しては、急いで基礎から現在必要なことまで教えなければいけない。

教える立場の大人も勉強することは沢山ある。性を扱うために、していいことと悪いことをはっきり指導できる位置を確立しなければならない。そして、その指導は反撥しやすい現代の若者たちを説得できる芯が通っていなければならない。「結婚前に身体のつき合いなんて悪いことだ」などと頭ごなしに若者に説教しているなんてもう古すぎるし、第一間違っている。

現在の日本で、一番に教育をはじめなければいけないのは、子供をしつけする大人たちへの性教育なのだ。

日曜などは…

〈静岡県　M・S〉

私たちにとって、日曜日の朝などは頭の痛い日である。というのは、畑で農作業をしていると、アベックがカーテルからすました顔で出てきたりするからである。

これを見たあるクラブ員は「法律では定められておると聞くが、まったく、常識を考えてほしい。それに近くには学校があり、通学路にもなっているんだから……。これを見た学生は何を想像するだろうか。また、私はそんなところをみると、仕事をするのがばかばかしくなってしまう。今後日本を背負う青少年教育がこれでよいのか」と不満をぶちまけていた。

ミラーのこと

性について書かれた古典はあまたあるが、実にイヤ味がない。

現代文学のなかで、そういった感じを抱かせる作家を探してみると、ヘンリー・ミラーの名がすぐ思い浮ぶ。彼が書いた一連の作品では、性欲が食欲のように健康的なタッチであつかわれており〝性〟も〝生〟としたほうがよいようなイメージで描かれている。

愛や性だけが人間性を語るものだとはいえないが、その一部分であることは確かである。ヘンリー・ミラーはその辺をたくみについて、人間性の回復をめざした。彼の方法が是か否かは、やはり自分自身で考えるべき問題だろう。

玄人肌のクラブ員

今年もやるぞ！

大地を跳ねる鈴木恵治君とその愛機

オートバイ　日本チャンピオン　モトクロスが本命

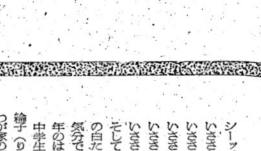

＊……静岡県……＊
〈北駿4Hクラブ〉
鈴木恵治

鈴木恵治君は二十歳

鈴木恵治君は二十歳。彼の趣味はオートバイ。なかでもモトクロスが彼の本命で、富士スピードウェーでは「モトクロの鈴木」といえば知らぬ人はいないそうである。

そこでまず、モトクロに対する彼の考えを再録してみよう。

空飛ぶマシンの群れ

「僕は、根っからの土百姓なのか、趣味まで、土を相手のモトクロスを選んでしまった。一昔前までは、モトクロスも百姓レースなんて言われて馬鹿にされて来たが現在の様に広く雑誌や新聞、TVまで紹介された今は大衆のレースになった。

大地をけり、空を飛ぶマシンの群れ、大地を相手に勝負を賭ける若者、中には中年の人も混っているが、汗と泥で真っ黒になった顔が次々とゴールのチェッカーフラッグを受ける。たとえ入賞しなくても、マシンと大地を征服した満足感があふれ、黒い顔から白い歯が光る。

僕はこういうふうに大地を相手にダイナミックに、バーバリズムあふれているモトクロスがなかなかやめられない。」

本業の農業では

また、彼は彼の本業の農業についても次のように語っていた。

「去年は、関西へ水耕栽培の研修に行き、そこで栽培技術以上に人の親切というものを身にしみて感じた。

温室に慣れていなかった私は軽いハウス病に罹り、寝こんでしまった。その時に夜遅くまで寮の管理人夫婦や周囲の人達が看病してくれた。また、その人達が、私がホームシックに罹っているんじゃないかと気づかって、たびたび近くの牧場や街に連れて行ってくれたことは一生忘れられません。

思いきって外へ飛び出して色々のことを体験したり、栽培技術を覚えたりして本当に有意義な研修をしました。」

今年はモトクロスで…

そして、趣味に対する今年の抱負は…

「趣味の方ではオートバイのロードレースで、アマチュア90cc部門・日本チャンピオンに生れて初めてなったり、十代最後の年にふさわしい年を送りました。

今年は、去年体験したことを足掛りにして家の農業経営を自分の青写真に近づけるようにその基礎固めをしたい。

そして4Hクラブ活動の方も去年出られなかったので今年はがんばってやりたい。趣味のオートバイも去年はチャンピオンになったので、今年は本命のモトクロスの日本チャンピオンを目指してがんばるつもりです。」

釣人　寄稿

魚を愛する釣人に

金田三郎

釣歴（チュウレキ）の長い割には、そう自慢するほど釣りはうまくない。

農林省のある釣友会に入会し、最初に出漁したのが相模湖。その時、ドシャブリの雨の中を、釣友に置き去りにされたのも気がつかず鮒釣りに熱中し最高の釣果をあげたのがそもそも病つきの始まりである。爾来二十数年、磯釣り、投釣り、舟釣り、そして川釣りに山上湖釣りと、川海を問わず殆んどの日曜日は釣りに明け暮れた。

また、近年はへらに凝り、釣りはへら鮒に始まりへら鮒に終るなどと、さも道人振ったことをいいながら、4H協会関係の方々で結成されているクローバ釣友会に入会し、水郷地帯の野釣りや、東京周辺の箱釣り（釣り堀）には大分通った。

一応は、クローバ釣友会の自称先生であり先輩ではあるが、近頃は後輩の若い人達に先をこされ、釣果はさっぱりで自信そう失といったところである。

そんなことも理由の一つにあげられるかもしれないが、近頃、歳のせいもあって自ら進んで釣りに行く気が以前ほど積極的でなくなった。したがって、出漁も目だって少なくなった。

釣りは、精神統一にはこれほど適した趣味は外にないし、また二日酔の日など、ウキを一心不乱に見つめているだけで、いっぺんに吹きとんでしまう。昔から「ハゲ頭と太った人、それに釣りの好きな人には悪人はいない」というコトワザ？があるが、悪人でないことを実証するためにも新年は大いに釣りに励みたい。

それともう一つ、近年釣り人口がふえ、釣道が地に落ちたともいわれる。数を釣るだけのスポーツ化するなかで、魚をこよなく愛し魚を学ぶ人になりたい。

（全国農村青少年教育振興会・事務局長）

特別寄稿

〝レモン〟のひとりごと

ラジオ・アナウンサー　落合恵子さん

シーッ！おしずかに。

いささかテレております。

いささか気取っております。

いささか白けております。

いささか四角ばっております。

いささかエラブッております。

そして、やっぱり、仕立ておろしの白たびのような、パリッとした気分でおります。

年のはじめ、というものは。

中学生のころのワタシの正月用の綸子（りんず）の晴れ着が、今ではわが家の居間のコタツがけふとんになってます。紅の地に白と銀の花ビラが散らしてあるヤツ。そのかけぶとんに首まで埋まって、ウツラウツラ……ナセカ、とても優雅な気分にひたってます。

指のささくれたピリッとしみたミカンの汁に、フーッとやさしいため息がでたりします。——しなければならないこと——から、きょう一日だけは解放されて、この二十四時間ワタシはまったくもって自由です。背が三糎位伸びたような、おおらかさ!!

知らないヨ、あした、ナニが起きようとも。知らないヨ、仕事のスケジュールなんて。

知らないヨ、知らないヨ、俗世間とはオサラバサ!!

もっともきょう一日だけだけど。

御存知ですか？

サリンジャーの『ライ麦畑でつかまえて』。その中に、こんな文章があるのです。……オレのことについて、だれも知らない町へ行こう。そしてそこで、オレはオシのふりをして、だれにも汚されない夢を四六時中、見よう。そしてやっぱりオシの美しい娘と結婚して丸木小屋に住むんだ。

その小屋は森のそばの高い木の上にあって、太陽をいつも十分に吸い込んで、二人は愛し合うんだ。考えてもごらん。人間二人が愛し合うのに言葉なんていらないんだぜ……。

うん、そうだ、そのとおりだとも、この一節とめぐり合った時、ワタシは思わずニンマリしてしまいました。ナニモカモ騒々しく、からみ合ったこの世の中で、人を傷つけることなく、そして、自分自身にもうそをつくこともなく生きていくには、人は、はるか群集をはなれて〝沈黙〟にならざるえないもの。

ところが大変不幸なことに、ワタシは〝おしゃべり〟を仕事としています。英語の単語に〝BEYOND DESCRIPTION〟というのがあります。〝言葉をはるか超えて〟……つまり言いあらわせないほどの、という言葉。

私たちが、いたく感激したり、心を動かされたりした時、ヒトは言葉など忘れてしまうのではないかしら。ところがDJという仕事は、そのBEYOND DESCRIPTIONな場面に出合ったとしても、ナニカシラ言葉を探してしまうのです。そこに、私のジレンマがあるわけですが。

で、年の初めに際して、ワタシは決意したのです。時々私は〝オシ〟になろう。ナニカを自分の心にシッカリと植えつけ、自分自身と無言の対話を交わすために。

もし、あなたが、ホホヅエついて、あらぬ方角を見ている私を見かけても、どうぞ声をかけないで!!しばらくの間で結構ですから。

技術交換大会でも

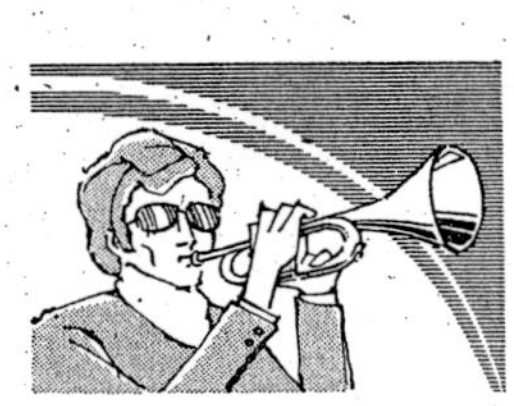

トランペット

宮城県亘理郡
鈴木俊

◇彼のプロフィールを紹介する。
中肉中背、彼は石坂浩二に似てセンスも抜群！スポーツも万能。その上サニークーペ（ちょっと古くなったが）に乗っているからいつも人気の的である。

こんなふうに言うと、いかにもキザでプレーボーイのように受け取られそうだが決してそうではない。人づきあいも良いし、仕事もバリバリ。水田七十アールとビニールハウス千二百坪に、苺の株冷蔵栽培で頑張っている。
◇……彼の趣味はトランペットである。それに、ギター片手にいつもフォークソング。とにかく音楽が好きで好きでたまらないタイプ。
◇……三年前の安達太良山キャンプの時。キャンプファイヤーも終り、ちょうど静まり返った頃、あのかん高いトランペットの響きが夜空にこだました。
その曲は、「夜空のトランペット」そして「暗い港のブルース」である。彼のトランペットは、キャンプの皆に強い印象を残した。
◇……以来、彼の演奏は機会がある度にひっぱり出される。県連の技術交換大会には三年連続で、キャンプファイヤーのオープニングを飾っている。また、今も高校時代のOBでバンドを作り、暇をみては練習に出かけている。（連絡報道員＝丸子京子記）

スキー　スカッとするためのスキー

日本スキー連盟
公認指導員

長野県・アルプス4Hクラブ
小宮山治夫

滑走する小宮山治夫君

小宮山治夫君は、みなさんも御存じのように全協の事務局次長である。そして、その彼には本業（ブドウ栽培）より打ち込んでいるというスキーがある。

彼の打ち込みかたは、まさにプロ級。毎年、十二月の二十五日から三月中旬までスキー場にこもりっきりで、一切農業はやらないという。このことは親とも契約ずみとも伝え聞く。

彼が高校を卒業したころ、友達が皆だんだん都会へ出ていってしまうので、なにか農業をしている自分だけとり残されたような気がいつもしていたらしい。こんな彼のイライラをふき飛ばしてくれたのがスキーである。

スキーをはき、新雪の上に滑り出すと、一切のことを忘れてしまう。体に力が湧いてくる。そしてだんだん、これから一年間の農業のための体力まで養なわれていくような気がする。と、彼は語る。

また、彼のおじさんが貸スキーをやっているのだが、そこがいつも彼の溜り場。その貸スキーやロッヂで知り合う農業以外の職業の青年は、彼の知らない世界に目を開かせてくれる。

そして彼は、道具マニアでもある。スキーの道具には目がない。必ずといってよいほど彼のスキー道具の全ては、毎年新調される。スキーの道具代だけで、一年に十万円は下らないというから凄まじい。

彼のスキー歴は十四年である。が、彼をここに紹介したのはそれだけの理由ではない。彼が、日本スキー連盟の公認指導員だからである。クラブ員でも彼の指導を受けた人は多い。スキー場での彼の亘二十日間。彼は様々な人達を指導する。大学生、高校生、一般社会人…。

今後、スキーをはじめたい方はぜひ彼に一言、相談を。

'72公開予定洋画

◇殺し屋判事〈ロイ・ビーン〉

（アメリカFAP作品、監督＝ジョン・ヒューストン）。

「明日に向って撃て！」で好演したポール・ニューマンの新プロ発足第一回主演作。西部史に悪名高き男ロイ・ビーン。無法者から一転して判事へ、その荒っぽい流儀で〝殺し屋判事〟という異名を持った男の生涯を描く、ジョン・ヒューストンひさびさの西部劇。

◇ブラック・エース

（アメリカCCF作品、監督＝マイケル・リチー）。

恐かつ、殺し……非情なシカゴギャングの世界。その中で金のために闘いぬく夜の一匹狼。「ポイント・ブランク」以来ひさびさのリー・マービンが新鋭マイケル・リーと組んで放つハード・ボイルド・アクション。

◇オリンポスの詩（うた）

（アメリカNGP作品、監督＝ダニエル・マン）

ニューヨークの片すみで、病身のわが子の小さな願いをかなえるために、故郷ギリシャの緑と太陽を見せようと悩む父。アンソニー・クインとラダメス坊やが、名作「クリスマス・ツリー」に続いて贈る限りない感動と父性愛を描いた名作。

◇真夜中のパーティー

（アメリカCCF作品、監督＝ウイリアム・フリードキン）。

紅い薔薇を愛してはいけないのか―。九人の〝恋する男たち〟の哀歓を鮮烈なタッチで追ったオフ・ブロードウェーのヒット舞台劇をオリジナル・キャストで贈る話題の映画化。

◇愛すれど哀しく

（イタリア映画、監督＝マウロ・ボロニーニ）。

深く愛すれば愛するほど傷つかねばならぬ悲しい女のさが…。薄幸の女性像を美しくえがいた文芸作品。「わが青春のフロレンス」の監督ボロニーニが主演に再びその名コンビを起用し、原作を忠実に再現した。

◇もういちど愛して

（フランス映画、監督＝ジャック・ドレー）。

「サムライ」で初共演したまま離別していた話題のカップル、アラン・ドロンとナタリー・ドロンが再び顔を合わせたミステリアスな愛のドラマ。監督は「太陽が知っている」の俊英ジャック・ドレー。「レッド・サン」につづくアラン・ドロンの最新作。

◇恋人たちのメロディー

（フランス映画、監督＝クロード・ルルーシュ）。

陽光ふりそそぐ南仏サントロペの街にとび出した愉快な三人組が過した週末は？……。「男と女」「白い恋人たち」の名コンビ、クロード・ルルーシュとフランシス・レイがメロディーも豊かにくりひろげる痛快なロマンチック・コメディ。ルルーシュ十三本目の作品。

◇若草の祈り

（イギリス映画、監督＝ライオネル・ジェフリーズ）

「嵐が丘」の舞台となったヨークシャー地方を背景に、風にゆれる花々の丘をぬって走る一本の鉄道にのせて、三人姉弟の幼き日々の哀歓や、冒険を絵のように描きあげ、郷愁をよびさます佳篇。

◇スヌーピーの大冒険

（アメリカCCF作品、監督＝ビル・メレンデス）

全米で一大ブームの人気を呼び今や世界中のかわいいアイドル、マスコットとなった、〝チャーリー・ブラウン〟君とケッサクなワン君〝スヌーピー〟。この一人と一匹がくりひろげるおかしなおかしな大冒険。画面せましと動きまわる痛快アニメーション。

琴　…山梨県…　塩島朱美

塩島朱美さん。現在、彼女は山梨県連の副会長である。琴のほうは山田流・松声会の名取りであるが、山梨県の4Hクラブではなくてはならない存在となっている。

日頃、男子クラブ員からは、アケミちゃんと呼ばれ、あこがれの的。しかし、彼女の活動に対する責任感と行動は県連でも定評がある。また、彼女は大塚農協に勤務しているが、仕事と活動をうまく両立させていることも彼女の特徴である。

そんな彼女が一番落ちつけるのは、琴を奏でる時である。彼女の指から奏でられる琴の音が、甲斐の山里に響きわたる。そんな時の彼女には「大和なでしこ」という言葉がピッタリ。

琴についての今後の抱負を彼女に聞いてみると。「小さい子供たちに琴を教え、結婚後も家事のかたわら琴を続けていきたい」とのこと。……全国のクラブ諸君！うらやましいとは思わないか。

合気道

三重県・紀宝町

各クラブ，学校などで指導

農業者の道場が将来の夢

◇石本富男（熊野塾道場・六段）（三重県青少年クラブ理事）

◇阪本起世次（熊野塾道場・四段）（紀宝町農村青少年クラブ副会長）

◇上野都良（熊野塾道場・三段）（紀宝町農村青少年クラブ）

三重県新宮市では合気道が盛んである。新宮市の人口・四万人のうち約三万人がなんらかのかたちで合気道をやっているといわれる。

三重県の4Hクラブ員の人達も、その例外にもれず、「武睦会」という合気道のクラブを作り、盛んに練習している。「武睦会」には約三十人のクラブ員がいる。

ここに紹介する三人も、農業のかたわら合気道会熊野塾道場（道場長・引田道雄十段）にはげむ猛者連である。

その猛者ぶりを紹介すると、たとえば石本富男君（六段）は、熊野塾道場師範部（有段者会・副会長）といった具合。

石本、阪本、上野の三者を中核とする紀宝町青少年クラブ員五名は、毎日、農作業を終えて熊野塾道場に集う。そして七時半から九時までの一時間半、激しい稽古に若い火花を散らす。また、そのかたわらでクラブ、学校、地方道場などの稽古の指導にもあたっている。

ここで少し合気道について説明してみよう。合気道は、いかなる場所いかなる体勢において相手の攻撃を受けても、一瞬にして相手を倒し降伏させることのできる武道である。しかし合気道の目的は相手を倒すことではなく、相手を作らないことであるという。そして、その神髄は「和合」の精神であるといわれる。

最後に彼ら三人の将来の希望を聞いてみると……。『農業者を集め、農場の中に道場をかまえること。そして、農業者の健康法に青少年の心身の鍛練に、また女性・婦人の護身術にと広く指導し、十段・引土先生の教えを受けること』だそうである。

海外を歩いて

金を請求する救急車

今迄に数多くの都市へ行きましたが、特に欧州の人のペースを守った落ちついた生活態度に感心すると同時に毎日を忙しく送っている日本人として深い自省の念にかられました。

巴里の交叉点で、信号を無視し手を上げて走って渡っている日本人の姿を見ると、こっけいというよりも可哀いそうな気がしてきます。

やはり日本に居る時の習慣が抜けきれないのでしょうね。

先日も巴里滞在中に同行の一人が酔いざめの水とばかりに水道の水を飲んでしまい、もうれつな腹痛におそわれ、日本に居るつもりで気軽に救急車を頼んで病院にはこんでもらう事になりました。

病院に着いた途端に救急車の運転手から料金の請求をうけてビックリ。

三日間入院させられていうちに費用の点で心細くなって退院を申し出ると、検査が済んでいないから退院する以上は今後どのような状態になっても当病院に一切の責任はない由の契約書を書かされた上に、請求書を渡されて二度ビックリ。病気も吹きとんでしまいました。

入院診察費共で二百ドルでしたから。

外国では日本と違い医療費の面では大変不便で少し位の病気でお医者様を頼んだら大変な出費ですから自分自身で身体を調節しなければなりません。

そのためには、落ち着いた毎日の生活が必要なのだなとつくづくと感じた次第です。

（共同空航サービス・佐々木）

阿波踊り

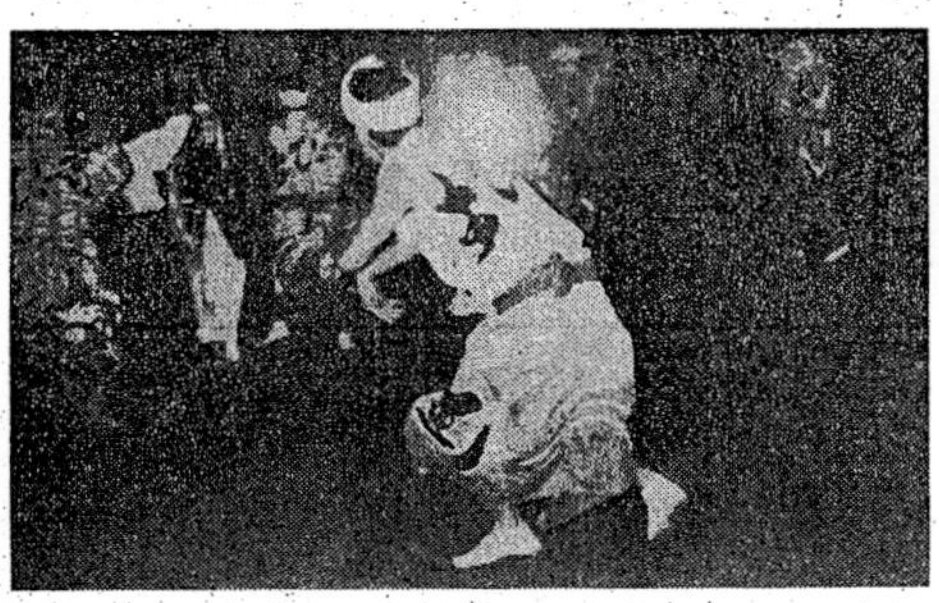

徳島県・井川町農業後継者クラブ

近藤武十郎

五年間，踊り続ける

踊りで農業クラブの活動も活発に

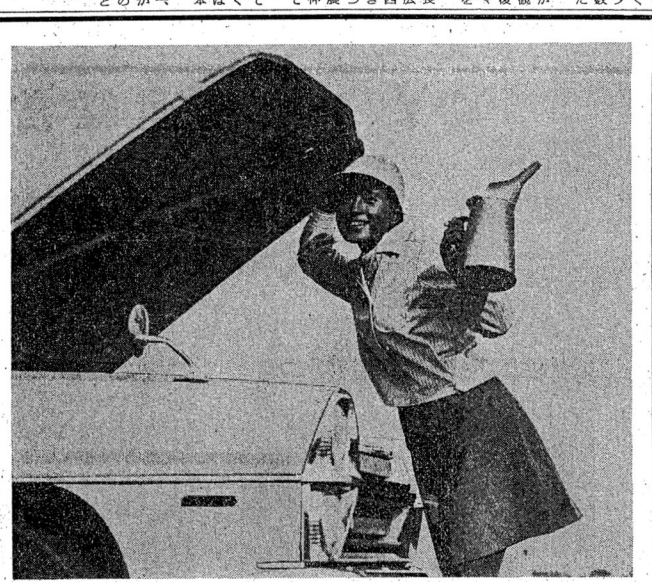

◇…近藤武十郎。年齢―二十五歳。住所―徳島県三好郡井川町井内東四〇五三。所属クラブ―井川町農業後継者クラブ。クラブ歴―井川町農業後継者クラブ会長、四十五・四十六年度県連理事、四十六年度「青年の船」乗船。特技―農業機械指導技師（全購連認可）、阿波踊連長。

◇…私は、五年前に阿波連の一人として趣味といおうか好奇心からといおうかとにかく「すこの」のリズムに乗って踊りきました。

そして、四年前に当時の私のクラブ・愛農4Hクラブの二十四人のクラブ員で、大太古、小太古、カネ、外鳴物をそろえ「東連」の連名で阿波踊りを始めることになりました。

◇…最近の阿波踊りは、囃子の数が増し一つの「連」の人数も多くなってきました。そこで、昨年より人数を多く集めること、また若者の集まる機会を多くつくることなどを目指して「群友連」を結成しました。これは、「東連」が中心になり郡内のクラブに働きかけて作ったものです。

◇…「群友連」の意味は〝群がる友達の連〟であり、また〝一人でも多く参加しやすい連〟というキャッチフレーズでスタートしました。そして本年、三好郡内の農村青年が男女合わせて八十四人集まり、郡内では人数の一番多い若者オンリーの「連」になってきました。

二年間を振り返ると〝踊り〟によって、郡内に農村の友達が多くできたことは言うまでもなく、ブロックの農村の青年の会にも多数の人が参加するようになってきた事実があります。

◇…また、今年私達の「連」が行なったことは、舞台で全員が観客の方を向き、連長が〝農村の復活〟〝農村青年の意欲〟などをマイクを通して訴え、大変な拍手をいただきました。

二年間、私は「群友連」の連長をやってきましたが、来年度は広く「群友連」を県外にPRし、四国内の農村青年の希望者をまねき私達と一緒に阿波踊りを楽しむつもりです、また広く親睦を図り農村青年の問題などで語りあえる仲間作りをやっていきたいと思っています。

◇…最後に私達の練習について一言。練習は一日おきに二時間くらい行なうが、六月十五日からは十三～十四日間の練習を行ない本番に向かう。

本番は、旧暦の七月十四、十五、十六日の三日間。夕方四時ごろから十時まで踊りつづける。最後の日は郡内を回り、各町村の駅前とか役場前で行なっています。

余芸・・・

深夜放送のディスクジョッキーで人気上昇中の落合恵子さん

重機械の整備

静岡県　〈浜名4Hクラブ〉　鈴木政美

いつも4H新聞でおなじみの、鈴木政美君であるが、彼は根っからの、機械好きでもある。

彼は、バインダー、空冷エンジン、ジーゼルエンジの修理、それにブルドーザー、パワーショベルの修理などの修理を朝メシ前とやらかすのである。また、トラクター、耕耘機、バインダー二台、モミスリ機なども自分で所有している。

そのうえ、運転免許も、大型、大型特殊、普通けん引、普通二種免許と多種多様に持っている。

そして彼に聞くと、バインダーの整備が機械が精密なだけに修理も一番大変で、いつも頭を悩ましているとのこと。それから、彼自身としてはトラクターとパワーショベルの修理では、特に自身があるという。

今年の彼の希望は、農業機械士の免許をとることと、重機械の整備に重点をおいて技術を磨くことだそうである。

女子リーダー大いに語る

男性にも負けないワ

昨年暮、静岡県御殿場市の国立中央青年の家で開かれた全国4Hクラブ後期中央推進会議で女子クラブ員研修が行なわれた。参加した人たちは、ともに全国各府県連の現リーダーと次期リーダーたちばかり。男子禁制の中で、女子クラブ活動の問題点やリーダの悩み、結婚問題などについて火花散る討論を行ない、大いに赤い気炎を上げた。これは、その中から拾いしたものである。なお、全国4Hクラブ連絡協議会副会長の松本良子さんの好意によって録音していただいた。

ー女子活動にふさわしい内容、これからの方向というものをどのようにお考えですか。

ー個人的な意見ですが、料理などでは女子だけでよいのですが、女性の活動を男子に判ってもらうという場合に、県に持っていって、結婚とか生活のあり方とかいうことは女性だけで学んでも、結婚すれば男性と同じですからね、男性と一緒に勉強する場があっても良いと思うんですけどね。

ーその場合、結婚ということを考えるのに、男子クラブ員参加による女子研だという方向と、あるいは男子クラブ員と同じ研修の場をもっての交流とがあるんですが、どちらをお考えになりますか。

ー私たちはね、やはり女子研修ということでしょ、だから運営においても何においてもすべて女子中心、男子にはただ出席して下さいと依頼するだけ。それでなければ女子研とは…。

ー埼玉の人に聞きたいのですけどね、地区連で保健衛生などいろいろの活動をやっていて、県連の方ではどういうふうに持っていってよいか困るというようなことを聞いたのですが、地区連でそういうことをやっていて悩みなどが自然に下から出てきませんか。

ー今のところ、そういう不満というものは全然出てきていません。それで、県連始まって以来の貧血調査ですが、一年に三回やっているわけですね。それで初めは女子クラブ員だけでやっていたわけですが、そうすると意外に女子クラブ員の中に貧血が多いと、それで生活改善のおばさんたちも貧血調査をやっていて、おばさんたちがお私たちより多いわけです。結婚してから貧血になるということは、農家の主婦にだけ責任があるということでなく、男の人、農家の柱としてもお互いに考えなければならない問題でしょ。だからということで、昨年は女子の研修という名目のもとに男子の希望者に参加してもらいました。

それから婚前教育ですが、そういうことも、なまじっか週刊誌などからの聞きかじりではなく、本当の意味の正しい性教育というものを男子と一緒になって勉強しました。自慢するわけではないですが、地区連がガッチリスクラムを組んでいますから不満などの声は出てないです。

ー私の理想とするところは、というより県の行事というのは、本当に身につくもの、料理だとか着物の着付けだとかは地区連や単位クラブ段階でやるべきであって、もっと精神的なものをやるべきではないんじゃないですか。

ー県連の段階では、とても地区の段階ではよべないような立派な先生を招くなども良いと思います。

ー確かにそういうことだね、地区で出来ないことを県でやる、また県でやれないことを全協さんにやっていただくと、私たちそういうことを望んでいるんですがね。

ーそういうことで、みなさんの良い意見を出してもらい、そして、どんなことをしてもらいたいという要望があれば頑張りたいと思います。そういう意味で女子活動についてのアンケートをとったわけです。

ー先ほどの続きですが、県の段階で料理講習や着付けなど必要ないということですが、それを実際に深く掘り下げることは出来ないかも知れないけれど、それはそのためにやるのではない、女性が追求するものだとかね、女らしさ、女だからこう生きなければならないとかいう自覚を持つためにやるのじゃないですか。だから、そのようなことは県の段階でやるのではないと言い切れないと思うんです。

ー地区によって、また女子クラブ員の数によって違い、大変進んでいるところではもう必要ないし、また、県によってはそこから始めなければならないというわけですね。地区や県の実情によって違ってよいと思いますが。

ー私たちの場合、二泊三日で女子クラブ員のつどいを例年通り開いているわけですが、料理の講習というのは地区や単位クラブでやっているわけでしょう。ですから今年の場合ですけれど、料理の材料を与えて、ある程度カロリーなどを考えた献立をして、その診断を栄養指導者にしてもらったわけですね。また、クラブ員が県内から集まったのだから、分科会に分かれて、いろいろな話し合いで参考になる意見を取り入れるということでやりました。

ーそうですね、料理講習や実習といってもカロリーを考えたものか、レクリエーションとして行なっているのか、外面だけでは分からないですね。

ー例えば、単位クラブとして問題としていることと同じ問題を県の段階でも取り上げると視野も広くなり、大いに参考になるのではないかと思います。

ー私は、昨年初めて女子だけの研修に出たのですが、その中では県内の優秀な女子クラブの活動の事例発表があって、それについて話し合うとともに、リーダーの悩みを話し合い、また、社教主事などをよんで話しを聞いたりしています。

ーいま、全協さんは県連の女子研の活動をまとめ、それを全協でまとめようとしていますが、私はそのような願いをこめています。

ーそれは大変惜しく思うんです。私が全協の副会長になったとき、ぜひ全国のクラブ員が一堂に集まって、つどいを持つことが出来たらと思ったんです。しかし、それを話してみたらまっこうから反対というか、そういう必要がないと言われました。

結婚問題などの話し合いに笑いがもれる女子リーダー研修

出席者

北海道	小笠原	より子
岩手	畠山	せつ子
宮城	佐藤	とも
	今野	恵美子
栃木	鈴木	悦子
	高山	ふさ子
群馬	町田	文江
	津金沢	稔子
埼玉	大沢	美智子
	新井	鈴子
	尾熊	政代
千葉	山村	啓子
	加瀬	登志子
	橋本	明美
神奈川	青木	和子
	小林	寿子
	三武	久代
静岡	岩田	乙女
	中野	登美子
	望月	絹代
愛知	市川	裕子
	杉浦	礼子
奈良	大倉	たか子
鳥取	吉田	千恵
高知	明神	節子
	川淵	美恵
佐賀	村岡	茂幸
長崎	西村	理美子
	小川	美代子
大分	石井	万代子
鹿児島	大牟礼	純
全協副会長	松本	良子
評議員	山田	裕子
同	堀見	とし

男性もいた方が良い

ーどの筋から反対があるんですか。

ー男子だけでなく女子からもあるんです。私は、女子だけの役割があり、これからの活動を考えてゆくには必要だと思うのですが、反対が多いわけです。

ー私は、ある人に県連の事業としてどうして女子だけの会合がないか、持ってもよいんではないですかと言ったら、まっこうから反対され、そんな生意気なこと言うんでない、女子は男子と一緒にやっていれば良いんだと言われたんです。県連役員になったばかりだったので、ハイそうですかと黙っていたけれども、今もうここまで活動してきて、なにがなんでも県全体が一つになってやらなければならないんだといってやろうとしているんです。ですから、県がそのままなら全協としてもやるように全国の女子クラブ員が一致団結してよいのではないかと思います。

ー大体、女子というのは男子の付録だものね。それをうちの県連会長に言ったところ、付録という言葉を使うんではないと言われましたが、何んか自分たちに悲観的な心があるわけではないけれども今までは、つどいにおいても技術交換大会でも男子の付録という感じがしたからもうここら辺でまとめたいなと思っているんですよ。(このあと録音が途切れ、笑いをかみころしているような音がする)

ー全国の女子クラブ員よ頑張ろう!

ーしかし、県連、地区連がまとまっていれば良いのですが、まだ、そこまで達していない場合、足並みが揃っていない状態では、どこまで参加者をまとめ切れるかは疑問なんです。

ー資金面のこともあり、参加者の意識もそこまで達しないと意味が薄くなると思います。それに、男の人と話していると、女性らしさとか、自分が熱心やっていて嫁に来る人がいないのではないかといった意見が聞かれ、女性はこうだと言めてかかっている。そのためにもお互いに交流した方が良いと思いますが…

ーやはり下からの盛り上がりがないとなかなか難しいと思います。

◇

結婚と板ばさみ

ーリーダーをしていて結婚という問題があるでしょ。みなさんは、どういうふうに解決しているんですか。

ーどうして結婚するな?(爆笑)。

ー君はまだ若いじゃないか。

ーリーダー同士の……

ーいや、違う違う全然別の……

ーリーダー同士結婚すればいいのよ。

ー適齢期になれば結婚も考えなければならないし、リーダーとしての立場も考えなければならないし、どうするべ、ちゅうことネ。

ーその引き際というか、結局、次期リーダーがいないと自分自身、お嫁に行かなければならないし、リーダーがいないとなるとさあどうなる、といろいろの問題があると思う。

ー適齢期を逃がしちゃいかんし、ハハハ

ー年と追っかけっこね。

ーそれについて、人がいろいろなことをいうわけね、結婚や家族など自分のことを犠牲にしてまでもリーダーをしなくちゃいけないかとか、いろいろの声を聞くわけですね。それで、みなさんは、そういうところをどうしているんですか。

ー私、ある先輩から、自分を犠牲にしてまで4H活動やる必要ないって言われたんですが。

ーそやそや、それはその人の考え方によってね。

ー私は犠牲をしていないですね。犠牲という言葉は悪いですが、どうしてもやらなければならないという問題も起きてこんとも限らんです。もっていき方によるかとも思うんです。

ーいい人を見つけるためにリーダーをやっているのかも知れない……。

ー女子リーダーの役員は大体一年ですが、だけど、あとがまをちゃんとつくってからやめて下さいっていうわけですね。

ー後継者をつくらないとやめ難いということはあるわね。

ー先輩の人だけどね、リーダーをやってて、考え方が人より高くなったっていうかね、それでクラブ活動をやっていない男の人と見合いさせられたら、いわくガクッときちゃったと言っていました。そしたら、普及所の先生が「いや、あなたはあなたと同じレベルの人と結婚しますよ」といわれたようですが、その人ももう年というか二十五、六歳になってたけど、そんなこと言って、果たしてそうかなと思いました。やはり自分自身ね、余り意識し過ぎね。

ーそうね。

ー私は、そんな悩みっていうわけね、家の人から、リーダーをやったら結婚する場合にね、男子の人の選定において物凄く外野席も内野席もうるさいからっていうようなことを言われたわけよ。

ーなんていうの、クラブのせいにするっていう考え方に強く反発を感じるんだけれどな私。自分の結婚ていうものに対し、クラブに対し、そんな意識を持っているっていうことが……

ーいやいや、私自身は持っていないわけよ、持っていないけれど外野席が、いろいろ言ってくれるわけよ。例えば誰かがおムコさんにあの人と思って世話してくれても、その外野席が、本人ではないあるいは自分の身の回りの人でない人が「あの人はあんな役をでしんしゃったけん、あの人は向かんべーもん」といって。

ーそんなことを言ってくれるわけよ。

ーいい、いい、実感がこもっている。

ーということは、いい人を紹介してくれるってあてもあるわけでしょ。言い替えれば…

ー良いほうに解釈すればね…

ー結局、クラブ活動と結婚問題をどう考えるかということですが、一概にどうということは言えないですね。結婚しながらリーダーをやっている人もいますしね。それぞれだけれども、それは女性にしてみれば結婚は人生の一番大切なことだから、生活を重視してほしいというのが女としての願いではないですかね。

◇

ーこれからも大いに情報交換をやってほしいですね。全協がやってほしい。

ー仲介役、取り次ぎ役としてね。

ーこの4H活動をね、全国的な仲間意識を作るために、放送番組で一つ、ラジオ番組でもよいから「4Hのコーナー」を設けて、談話番組であれ、ユーモアなものでもよいから活用するとよい。

ーラジオだったらみんなが農作業しながら聞いているから、4HのPRにもなると思う。他の団体の人も聞いてくれるので4Hを知らせるのによいですね。仲介というか、情報というか。

ー情報といえば、4H新聞くらいですけどね。

ーそうね。

ーじゃ、4H新聞に「女子の欄」でも設けますか。

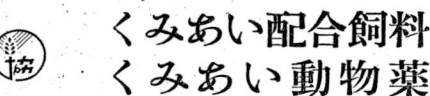

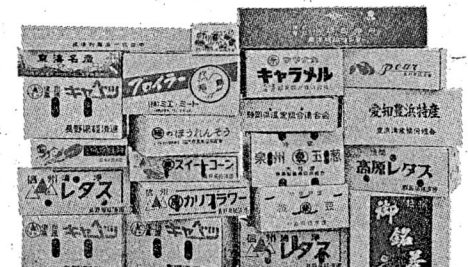

日本4H新聞
4Hクラブ 農事研究会 生活改善クラブ
全国広報紙
発行所
社団法人 日本4H協会
東京都市ケ谷家の光会館内
電話(269)1675郵便番号162
編集発行　玉井光
月3回・4の日発行
定価　1部　20円
一カ年　700円（送料共）
振替口座東京　12055番

クラブ綱領

私達は、実践を通じて自らを磨くとともに、互いに力を合わせて、よりよい農村、よりよい日本を創るため、四つの信条をかかげます。一、私達は農業の改良と生活の改善に役立つ腕をみがきます。一、私達は科学的に物を考えることのできる頭の訓練をします。一、私達は誠実で友情に富む心をつちかいます。一、私達は楽しく暮し元気で働くための健康を増進します。

元日
第2部

「4H」を問い直す

プロジェクト強化
全国4H後期中央推進会議　農業問題も研修
次期リーダーが実力つける

全国4Hクラブ連絡協議会（会長　黒沢健一君）と社団法人日本4H協会（会長　宮城孝治氏）主催の昭和四十六年度後期中央推進会議は、昨年十二月八日から十二日までの五日間、静岡県御殿場市の国立中央青年の家において、全国のリーダーなど約百六十名を集めて開催された。今回は次期リーダーを対象にした研修を重点的に行なったが、県連会長会議の傍聴制をとり入れるなど新しい試みもいくつかみられた。

推進会議の内容は、全協の活動報告および方針の説明、4Hの本質についての講義、意識調査、「ドル・ショックと日本農業」と題する農業問題の学習、農業問題とクラブ活動についての討議、道府県連会長会議、男子クラブ員研修、女子クラブ員研修、4H新聞連絡報道員研修、プロジェクトの進め方についての講議、その他海外派遣クラブ員の報告、沖縄親善交歓訪問の報告などが行なわれた。

好評、カセットによる講義

事前に計画した研修会、会議などは一応予定どおりに実行されたが、全般的に内容が盛りあがったところで時間切れというケースが多くみうけられた。それほど内容的に充実していたともいえるが、参加したクラブ員はやはり残念がっていた。なお、予定していた梅森正行氏の講演は、同氏が健康を害していたため中止となり、かわりにカセット・テープ（家の光協会・制作発売）による講演を行なった。講師は全国農協中央会会長の宮脇朝男氏と茨城県農協中央会副会長の山口一門氏で、宮脇氏は「ドルショックと日本農業の活路」と題して、また山口氏は「現代の生きがい」と題してのそれぞれのテープによる講演を聞いた。これが「形式よりも内容」と、クラブ員の間でもかなり評判が良かった。

連絡報道員も気勢をあげる

第二日目に、参加したクラブ員全員による意識調査が行なわれたが、問題は政治・経済・4Hクラブ関係、農業知識・論文などと多岐にわたり、かなりの難かしさであった。

「農業問題とクラブ活動」については第二日目の全体会議でも討議され、「レクリエーションだけではなく、プロジェクトの強化を」という声がかなりあがっていたが、第三日目の男子クラブ員研修、女子クラブ員研修でも「プロジェクトの強化」が中心問題となった。これは、4Hクラブの本質・4H精神を再認識し、クラブ活動そのものを考えなおす時期がきているためであろうか。

この問題は、四日目の三輪兼氏による講演「クラブ活動について」でも深く掘り下げられた。講演の内容は、4Hクラブの本質を再び考え直すとともに活動の目的を明確に具体化し、きびしい目で農業経営メンバーの共通点をみてゆくこと。また、人員増やしに奔走するよりも、少数なりの中味の濃い精鋭主義をとり、その反面レクリエーションのもつ明るい民主主義精神をどこでもふりまけるようなクラブにしてゆくことが大切であるということであった。

今推進会議の中心的論題となったのは、4H会館建設問題と組織強化であったが、徐々にではあるが具体的な対応策が進められているのを肌で感じることができた。

4H新聞連絡報道員研修は第三日目にもたれたが、三十余名で大きな壁新聞を三枚と速報を二号まで出し気勢をあげた。

今推進会議は参加した人数も例にないぐらい多く、また一般的に内容も濃かった。五日間をとうして感じられたのは、4H会館や組織強化などの問題を通して、4Hクラブそのものを問い直してゆく傾向であった。

募金に的を合わす
全国県連会長会議　4H会館問題を討議

第三日目から推進会議の焦点ともいえる道府県連会長会議が始まった。議題は、前期推進会議の反省と来年度推進会議の計画、会費徴収の件、組織強化・事務局強化の問題、4H新聞購読運動の問題、沖縄につづきハワイへの親善交歓訪問計画について、今年度のつどい（愛知）の反省と来年度のつどい（北海道）の計画、青年農業者会議、4H会館建設問題などいろいろあったが、昨年の推進会議同様、一番論議を呼んだのは会館建設問題であった。

会館の青写真は一月末、あるいは年度末にならなければムリ、という執行部の現状説明から審議に入ったが、各県連とも意見はまちまちであった。いまだに募金のほうも足並みがそろわず、目標をかかげて運動している県連から、ほとんど募金活動らしきものを行なっていない県連などさまざまであった。しかし、今まで動いていなかった県連が積極的に募金をはじめたことなど、明るい見通しもいくつかでていた。

一戸建ての会館からスペース買い取りへと構想が移行したが、それについての質疑応答などを経て論議の中心は現実的な問題である募金活動の推進をいかにしたらよいかという点で多く意見が交換された。執行部に対し、より以上明確な計画書を作成してほしいといった要望もでていた。

ともかく、明確な計画書の作成を急ぐとともに各県連が会館建設に標準を合わせ、組織人としての自覚と勇気のもとに、責任をもって募金運動を推進し、目的を完遂しようという会館問題の原点を再認識し合って会議を終った。

最終日の会長会議には、推進会議に参加したすべてのクラブ員が会議を傍聴できるという方法を今回初めてとり入れたが、なかなか好評であった。

ほかには、4H新聞の購読普及運動などが決まった。

次期リーダーが傍聴する県連会長会議で、4H会館建設の募金活動などについて活発に討議する県連会長＝国立中央青年家ので

同志の作品に驚き
福岡県連で農業青年祭開く　施設に農作物贈る

【福岡県＝松沢審孝連絡報道員発】「若い力と情熱で築く農業・豊かな社会」をスローガンに福岡県農村青少年クラブ連絡協議会（会長　角繁勇君）福岡地域農村青少年クラブ連絡協議会主催の「第四回県農業青年祭」が、昨年十二月一、二の両日、福岡市民会館と福岡地区一円を会場に県下から三百名のクラブ員が集まり盛大に開催された。

一日目は、市民会館において開会式を行なった。割れるような拍手のなかで、地区連旗入場のあと角会長が全員に次のように呼びかけた。

「激動する社会情勢のなかにあってクラブ員が農村社会のリーダーとしての自覚を持ち、現地研修を通し福岡市近郊における農業者の姿を学び、さらに人間性を持った青年が多くなることを願うとともにこのつどいの成果を踏み台として飛躍しよう」

開会式終了後七時から各地区から選ばれた六名の仲間による意見発表が行なわれ、クラブ活動や農村社会におけるわれわれのはたすべき姿勢を力強く訴えた。

続いて、記念講演に移り「青年の生き方とクラブ活動」と題して農山漁村文化協会の浪江虔氏の情熱的な講演を聞き、このあとバスに分乗し、民泊地に向い福岡地区一円のクラブ員宅に宿泊、家族の人々となごやかに夜のふけることも忘れて語り合った。

流通問題にわく

二日目は、十時までに宿泊地から会場の市民会館に集合。「これからの農業と農産物の流通」をテーマにパネル討議を行なった。パネラーには生産者、消費者、青果市場・農協の代表と助言者に新聞社論説員を招き、いろいろな角度からみた生産・流通などについて活発な議論がくりひろげられた。

午後からは、アトラクションが行なわれ各地区から多彩な出し物が飛び出した。また、甘木市の三奈木地方に数百年前から伝わる〝シシ舞い〟を甘木市4Hクラブ員が勇壮に舞台せましとくりひろげ、古き郷土芸能の素晴らしさを見せてくれた。また粕屋地区の軽妙な〝博多にわか〟や福岡地区のパンチのきいた〝エレキ演奏〟など現代青年らしい出し物が笑いと拍手を呼んだ。

この青年祭のもう一つの特色は、期間中園芸品評会や手芸品の展示会を行なったことである。出品物は、クラブ員が自らプロジェクトとして生産したものに限られ手芸品では身近かなものを改善利用し、夢のあるものやチームワークの中から生れた大作など、県下のクラブ員のたん精こめた優秀品が会場せましと展示された。

この出品物は、展示のあと福岡市内の社会福祉施設にトラック二台に山積みして寄贈された。

今回の大会で、福岡地区クラブ員が一丸となって民泊受け入れを行なったことは、参加したクラブ員の胸をうつものがあったであろう。

また、品評会に展示された仲間の手による生産物に、おどろきと〝おれもやれるんだ〟という自信をうえつけ、あすからの農作業やクラブ活動に取り組む目標を与えてくれたのではなかろうか。

大会に参加したクラブ員は、仲間の輪をひろげた喜びを胸に県下に散っていった。

涼風暖風
はじめもおわりも

いつの間にか、また正月を迎えてしまった。一年間が過ぎ去るのは、はやいものである。まさしく、いつの間にかである。

年月に対する感覚は二十歳をすぎると変る、と一般的にいわれているが、そのことに関しては異論をとなえる余地もない。時間とは過酷なものだとある詩人は嘆いているが、そう思いたくもなる。人間が時間のなかで生活するとしたら、人間は時間をのりこえられないからだ。

陳腐な言い方だが、正月の浮かれ気分の裏に一抹の寂しさを感ずるのは私一人でもあるまい。私は、いまここでアインシュタインのとらえたような意味での時間は語れない。ただ単に、一生活者の感覚からとりとめのないことをいっているにすぎないのだが……。

このように人間の一生という主観的な立場から時間のことを考えてみれば、人それぞれ、大なり小なりの差異はでてくるだろう。しかし、そうしてとらえられた時間の感覚は、私たちの日常生活に密着したものにちがいない。なぜなら、私たちにとっては、天体の動く時間などよりも、一杯のコーヒーを飲んでくつろぐ、たった何分間のほうが、比較にならないほど大切なことだからである。

私たちが何をしていようと時間は容赦なく過ぎる。これもまた、主観的にみれば事実である。私たちは、偶然にもこの世に生まれ、同じように偶然の死にあうまで、私たち自身のうちの無限のなかに、投げこまれている。いうなら、私たちの人生には始めもなければ終りもないということになる。あるのは、私たち自身にとって無限につづく永遠の現在ばかりである。もちろん、第三者的な視点からみれば、それぞれの人の人生には、始めも終わりもあるといえるが、私たちは、それ以上は語れないだろう。

こうした永遠の現在を生きた結果が、老いであり無であるとしたら……。しかし、このことは悲しいことではない。こんなことは百も承知で生きてゆくのである。フランスの哲学者であるサルトルの言葉をかりれば、まさに、〝人生とは徒労の情熱〟ということになろう。

この辺で、年頭のいい気分に水をさすのはやめよう。本当は私もこういう気分なのである。

今年はと　思うこと
なきにしもあらず（子規）

（野）

プロジェクト成果を市民に
大阪・岸和田地区連

【大阪】岸和田市農業研究クラブ連絡協議会では、昨年十一月八日から六日間、市内の六つの4Hクラブが中心になり、クラブ員の積極的な参加のもとに農産物の展示会を開いた。

クラブ員たちは、日頃自慢の菊やミカンなどの鉢物類、カキなどの秋の味覚を多数出品した。また、生活改善クラブは活動を記録した掲示物を展示し、市役所の玄関ホールにおいて、広く市民に市内農産物のPRとクラブ員たちのプロジェクトの成果を発表した。

訪れた市民の多くは、展示品や掲示物を熱心にながめ、メモをしたり、写真に撮ったりするなど展示に対し関心の深いようすを示していた。なお最終日の十三日には、展示してあった農産物を市内の福祉施設にプレゼントし展示会にピリオドをうった。

心頭抜健

昨年の暮、賞金一千万円の宝クジが売り出されたが、すごい人気だった。発売時間の午前九時の前にクジ売り場にはすでに長蛇の列ができた。これほど時間をかけ、辛抱強く自分の番がくるのをじっと待っている人たちに感心させられた▼ふだんでも賞金四百万円くらいのは売っているのに、人垣なんてできたことがない。四百万円くらいははした金で、今じゃ一千万円くらいないとダメだというわけか。これこそ一攫千金を狙い打ちする心理だが、やはり不況風の吹く中で、百円に千万長者の夢を託そうとしている庶民のささやかな願いがこめられている▼というより、それは、物価高と安月給の間で苦しんでいるわれわれがチャンスをつかむ唯一のキップでもある。そして、人情の薄くなった社会の中で頼れるものは、金だけになってきた世相の現われでもあるのか。しかし、このような投機的なものに収入を求める傾向は良いものでないし、やや異常の感もする▼夢といえば、初夢は正夢になるといわれ、子供のころ、紙で作った舟を枕の下にして寝たものだ。だが、夢は疲れたときや何か精神的に強い刺激を受けたときに見ることが多いので、そんなにうまく初夢なんて見れるものではない。そして、どんな夢を見て、その結果がどうなったかなどについては、なおさら記憶のかなたへと消えてしまう▼そこで、夢ではなく、一年間の計を元旦に立てることになるわけだが、これも、ふだんから問題意識や抱負をもっていないとなかなか難しい。また、ふだんから夢に描いていることや考えていることが、時間を経るうちに現実の問題として固まってくることも多いと思う▼4Hクラブ員は、現在のように激動する農業情勢の中にあっては、夢や人生の設計を描くこともままにならぬと思われるが、クラブ員と盃をかわしながらでも、現実の問題とともに、大いに将来の夢や計画について論じ合ったらどうだろう。最近は、子供たちの中にも夢がなくなったという。せめて正月くらいは……。

北方農業確立へ
──道北地区で4Hのつどい──
銀世界の中で熱い学習

【北海道＝山口武敏連絡報道員発】白い雪が時折ふる昨年の十一月十八日から三日間、道北ブロック4Hクラブ員のつどいが今年度初めて開催された。近年にない大雪のため参加者も三十名足らずと少なかったが、その内容はふかいものがあった。会場は国道二三三号線沿いの小平町にある組合立留萌青年の家で、地元の留萌管内4Hクラブ連絡協議会（会長 中島克典君）の会員をはじめ宗谷、空知の各地方からクラブ員が参集した。

「北方農業の確立、近隣支庁連の親睦」を目的に、講演、実技学習、レクリエーションなどをプログラムの柱として行なわれたが、その中から二、三点スポットをあててみよう。

少ない参加者を気にしながらの開会式の後「正しい男女交際」をテーマにフィルムフォーラムに入り「自分たちの立場、親の理解、地域間における理解の相違」などについて、空知の小林百合江さんの司会によって活発な意見交流がなされた。やはりわれわれの身近な問題だけに真剣そのものであった。夜は地域の紹介などを含めた親睦会が行なわれた。

二日目は窓の外に広がる銀世界をながめながら、国立大雪青年の家指導課長の黒沼友一氏を迎えて「新しい青年」と題した講演が行なわれた。体験などを折りまぜての内容で参加者も熱心に聞き入っていた。その後の同氏を囲んでの座談会も留萌の中尾克典君の司会で「かんどうできる若者」「万能な人間」「自信ある行動」など、今後われわれの一つの指針とすべき点について、黒沼先生も身をのり出して話されていた。

午後からは、「農村における体力」をテーマに実技を行なった。日常の生活に取り入れやすいゲーム、スポーツなどを参加者の中からアイデアを出しながら体験した。レクリエーションのTPOについても意見交換がなされ、また地元の若妻グループとのバレーボールの交流試合も行なわれた。

その夜は宗谷の加藤君のリードでキャンドルサービスが厳粛に進められた。特に一女性の詩の朗読は心に残るものがあった。

最後の三日目は、北海道4Hクラブ連絡協議会書記長、赤松君の「組織と人生」についての講義で「リーダーの役割、4Hとは身体である」などあらゆる角度から4Hを分析して話されていた。

その後、反省会、閉会式で日程を終了したが、今回のつどいで得たものは数多くあった。人生の中で一番大切な青春時代を意義あるものにするためにもっと体験することがあるだろう。今回は上川地方の参加は得られなかったが、次回からは、ぜひ四つの各支庁連が一堂に会してより深いつどいにしていきたいと参加者一同の声があった。最後に、「来年もまた宗谷で会いましょう」を合いことばにそれぞれ三日間の思い出を胸に帰路へと散っていった。

行楽客も立寄る
大方町農研クでプロジェクト発表会　農産物を即売

【高知】大方町農研クラブ（会長・浜崎昭一君）では、恒例の試食会とプロジェクト発表会を昨年十一月二十八日、三十数名のクラブ員の参加をえて開催した。

この発表会は、クラブ発足以来毎年開かれているが、昨年からクラブ員が丹精こめて育てた農産物の即売会も同時に行なうようになり、とくに今年は、午前中クラブ員が持ち寄った材料を女子クラブ員が腕をふるって料理、また男子は農産物の即売に汗を流した。

昨年出品されたものは、みかんときゅうり、しいたけだけだったが、今年は花やサボテンなどもお目見えした。事前に宣伝したことも手伝って午前九時からの売出しを待ちかねる人や、国道沿いのこともあって行楽客の人々が立ち寄り、新鮮な野菜や果物を買い求めていた。

参加者全員が女子クラブ員の作ってくれた料理に舌づつみをうったあと、午後から代表のクラブ員五人が日ごろの生活や活動の研究実績発表を行なった。最後に浜崎会長がプロジェクトの必要性を強調し、有意義な一日を終った。

なお、農産物の売上げ代金の一部は、4H会館建設資金や同町への県立青年の家建設運動を進める資金にまわすよう役員の間で検討している。

（幡多郡大方町入野、中村農業改良普及所大方支所より）

日ごろのプロジェクトの成果を発表するクラブ員

近畿で推進会議
来る22・23日滋賀の国民宿舎で開く

【滋賀】近畿農村青少年クラブ連絡協議会（会長 巳波義司君）は、近畿農政局、滋賀県、全国4Hクラブ連絡協議会（会長 黒沢健一君）などの後援をえて、来る二十二、二十三の両日、滋賀県志賀町の国民宿舎近江舞子ロッヂを会場に近畿ブロックの農村青少年クラブ推進会議を開催する。

この会議は、激動する農業情勢について内、外的な問題をどのように解決していくかを学ぶとともにクラブ活動の推進を図ることをねらいとして、リーダーを対象にクラブの本質や理念、リーダーのあり方などについて研修し、実践的能力を養おうというもの。

参加者は約百人を予定。

「冬のつどい」開く
南波多4Hクラブ

【佐賀】伊万里市の南波多町4Hクラブでは、昨年十二月の十一、十二の両日「冬のつどい」を開催した。十一日朝、市内をパレードし、続いて南波多公民館で活動やプロジェクトの発表会を行ない、この日は同館に合宿した。

十二日は農協長を囲んで「同町農業の方向」という題の座談会をもち、午後からは農作物の展示即売会を行なった。

牛のエサ？も人気
嘉麻川4Hク　即売会賑う

【福岡県＝大屋恵子連絡報道員発】嘉麻川4Hクラブ（会長 斎藤保生君・会員三十四名）は、昨年十二月四、五の両日稲築町の主催で行なわれた文化祭に自主参加し、即売会を催した。

自分たちが丹精こめて育てた新鮮な農産物を消費者に安く分けようと、前日徹夜作業で組み立てたハウスの中で即売したもの。ハウスの中にはステージやバザー会場もあるというほどの広さであったが、クラブ員で結成している楽団〝ザ・チェリーズ〟の演奏のときにはたちまち黒山の人。とても野良仕事をしているとは見えないクラブ員の芸能人顔負けの熱演はすばらしく、拍手を集めた。

そのためか、バザーのしるこやコーヒーもたちまち売り切れるという人気ぶり。「たぶん、女子クラブ員の愛情こもった味付けが喜ばれたのでしょう」と女子クラブ員たちはちょっぴり自慢気。

また、牛の飼にするはずのトウモロコシが飛ぶように売れるのにはびっくり。なくなりそうで何度か畑に直行するほどの忙しさだった。七輪で焼き、砂糖としょう油で味付けしたもので、そのかんばしい香りはあたり一面に漂い、品切れ後も買いに来る子どもたちの姿がみられた。「来年もぜひ売るから、そのときは絶対」ともう一年後の予約に余念がなさそうなトウモロコシ屋のクラブ員の顔が輝いていた。

そ菜部門では、大根、人参、白菜、キャベツ、共同のブロッコリーなど各種の野菜を即売した。慣れない口調で「いらっしゃいませ

さすがは〝4H〟との声

新鮮な野菜の即売会です。そこの奥さん、安いですよ」と呼びかけるが、ちょっぴり恥かしそうな面持ち。何度も繰り返すのは楽ではなかったようだ。賑やかなスタートではあったが、売れ残りも出て最後には大根一本五円と平値まで下げての叩き売り。そのために期待した利益もさっぱりだった。

その横では果樹部がナシ、ミカン、柿など、また花卉部もクラブ員が沢山の菊やユリに囲まれて、売るのが楽しいという格好。だが、利益が購買用より下回ったのは残念と渋い顔の花卉部。

このほか、ジュース、甘酒、酪農部のミルクなどをお客に飲んでもらう計画で準備したが、保健所の関係からストップがかかり、がっかりさせた。

しかし、全体的にみるとなかなかの成績、全クラブ員が力を合わせて町の文化祭を盛り上げたことに対して、〝さすが4H〟とその努力が高く評価されたようだ。また今年は、昨年より充実した文化祭になるようにと、町の期待をクラブ員は受けている。

こんなことをしています
各種農業団体

全国購買農業協同組合連合会

生産と販売一手に
全販連と3月から合併

全購連と全販連は、四十七年三月三十日、合併することになった。その調印式が、去年の十一月十六日午後三時から、東京丸の内のパレスホテルで行なわれた。

新連合会の名称は、全国農業協同組合連合会と決定。両連の会長は農畜産物の生産販売一貫体制の確立、生活資材の拡充強化など、新連合会として、従来にもまして総合力と専門機能の発揮をすることにより、会員に対し十分期待にこたえるよう努力するとの決意を表明した。

これは、三十六年第六回全国農協大会で全国連の合併が提案され、十年後のここに全購連、全販連の合併が実現することになったもの。また新連合会の略称については後日検討することになっている。

次に、新全国連の事業運営については、農畜産物の生産販売一貫体制の確立、生活活動の拡充強化をめざし、総合力と徹底した専門機能を発揮する体制にする考えである。

合併計画の主なる内容は次のとおりである。

①両連とも四十七年三月三十日解散し、新設合併方式をとる。

②名称は全国農業協同組合連合会とし、主たる事務所を東京大手町とする。

③役員は理事二十四人、監事七人とし、任期は三年とする。

④事業年度は毎年七月一日から翌年六月三十日までとする。なお初年度は四十七年三月三十日から四十七年六月三十日までとする。

新連合会の事業計画は、四十七年度二兆五千百十三億円、四十九年度は三兆円をめざしている。

出資金は八十三億円で、事業拡大とともに、順次拡大する必要が考えられている。さらに従業員は発足時は三千五百六十五万人となる。

また、全購連の飼料工場などどうするか、全販連の青果物集配センター、市場、畜肉処理販売所をどうするかなどの所場問題は、合併後に検討することになった。

また、三橋全購連会長、関口全販連会長は全購・全販合併に際して、次のとおり声明を行なった。

「農業と農協をとりまく諸情勢が一段ときびしさを加えてきている今日、農業ならびに系統事業の発展のため、新しい全国連に課せられた使命は、極めて重大である。新全国連の事業運営にあたっては、高能率・高所得農業の建設と新しい地域社会の建設を基本課題とし、農畜産物の生産販売一貫体制の確立、生活活動の拡充強化を基本施策とする。」

（広報課）

農林中央金庫

野菜へ転作ふえる
米の生産調整の影響、アンケート調査　米代金ダウン

米の生産調整が農協の事業にどんな影響を与えているか――農林中金・調査部では、全国約六千の総合農協の中から九百組合を抽出してアンケート調査を行なった（回答数八百五十七組合、回収率 九五%）。調査組合を、地帯別に分けると農業人口が四〇%以下の都市的農村が二百六、林地や漁家の割合が高い山漁村が百二十六、残りが純農村で五百二十五組合となっている。

まず四十六年度の、米の生産調整達成率と、それに占める転作の割合（転作比率）をみると、調査組合全体でそれぞれ九五・五%、四二・三%となっている（これは農林省調べの全国比率九六%、四二%とほぼ同じ）。地帯別にみた転作比率は、純農村の四七・三%、山漁村の四三・二%に対し、都市的農村では二九・三%とかなり低い。

このように稲作の減反が進んだ結果、農協の販売取扱高に占める米代金の比重は低下している。一組合平均の農産物販売取扱高は四十五年度で四億三千万円、このうち米代金は二億千四百万円で四九・九%となっているが、四十三年度の六一・六%と比べ米代金の割合は低下した。とくに都市的農村では六〇・九%→四七・四%と大幅にダウンしている。

こうした変化に対応して農協は、どう取り組んでいるか――「米の生産調整に対する農協の指導の重点をあげてほしい」という問いに対して野菜などへの普通転作が六四%で最も多く、ついで果樹などへの永年転作が三一・一%、集団転作が二六・二%となっている。また「適当な転作作物がないためやむを得ず休耕した」のは三一・九%で、昨年度の三九・九%よりかなりすくなくなった。なお農協などへの寄託休耕制度（四十七年度から開始）は五・八%とまだわずかしかない。

自主流通米の取扱高をみると、四十五年度は一組合平均三百六十九〆で、農協が取り扱った米全体の一七・九%を占めている。地帯別にみると、純農村（一七%）、都市的農村（一八・七%）、山漁村（三〇%）となっている。また自主流通米に占める銘柄米の比率も山漁村が最高で七七・五%、純農村（七三%）、都市的農村（五八%）となっているがアンケート調査によれば各地帯とも今後は銘柄米の割合をふやしていく計画をもっているので、四十六年度は全体で平均八〇%に達する見込みである。

（調査部）

NHK農事番組

テレビ

明るい農村　6・30～6・55　総合

1日　年始特集「ふるさとを語る」①宮脇朝男（全中会長）ほか
2日　年始特集「ふるさとを語る」②宇田道隆（東海大教授）ほか
3日　年始特集「ふるさとを語る」③草野心平（詩人）、荒垣秀雄（評論家）
4日　きょうの料理
5日　産物往来「松葉がに」
6日　話題の広場「真冬のアユづくり」もち博士
7日　村をむすぶ「大阪・福岡・松山・東京」
8日　農村新地図「兵庫県篠山町」
9日　明るい漁村
10日　村の記録「牛肉直売」
11日　きょうの料理
12日　産物往来「わさび」
13日　話題の広場「農業で海外協力」
14日　村をむすぶ「帯広・名古屋・広島・東京」
15日　成人の日特集「SAPの十年」
16日　明るい漁村
17日　村の記録「オレンジカンパニー」
18日　きょうの料理
19日　産物往来「バナナ」
20日　話題の広場「ベドロ利用の植木ばち」、「農夫症ひきうけます」

農業教室　7・30～8・00　教育

4～8日　あすの農業への指針（再放送）
10～12日　新しい農業への提言　石川英夫（農政調査委員会）
13～15日　これからの農業者　吉田寛一（東北大学教授）
17～19日　新しい農村の地域計画　渡辺兵力（農業総合研究所長）

あすの村づくり　日 7・00～8・00 教育　再 土 13・00～14・00 教育

9日　「農村青年に向う・その1」～自由化を支持するか～並木正吉（農業総研）ほか十六名
16日　「農村青年に向う・そのII」～誰れのための工業化か～千田徳寿（農協長）ほか十六名

ラジオ

早起き鳥　5・05～5・57　①

1日　特集　ディスク・ジョッキー「おもち」～吉川瑞昌（加西市）
2日　特集　ドラマ「みどりが丘共同農場」
3日　特集　食生活の未来　吉川誠二（食糧研究所）ほか
4日　日本農業への提言　大内力（東大教授）
5日　日本農業への提言、木内信胤（世界経済調査会）
6日　日本農業への提言　清水淳（前橋市永明農協組合長）
7日　水田から花木団地へ～栃木県西那須町
8日　長芋堀りさかん～松代市
9日　中国の農産物と輸入　鈴木三弥（日進畜産工業）ほか
10日　京の漬物　高島四郎（京都府立大学教授）
11日　ヨーロッパの農村住宅　高山英華（農住協顧問）
12日　私と小説　鈴木重作（地上文学賞受賞者）～富士市
13日　米の食味検査官　諌山忠幸（日本穀物検定協会）
14日　骨とうブームにわく田沼町～栃木県田沼町
15日　特集・全中　二十歳のころ　宇都宮勤（北海道長沼町）、宮脇朝男（全中会長）、みやこ蝶々
16日　再検討せまられる畜産振興事業団　岡田覚夫（事業団理事長）ほか
17日　飼料不足に悩む酪農　松村宏（根釧農業試験場）ほか
18日　牛の人工ふたごに取り組む　黒田範雄（兵庫県畜産試験場）
19日　米の産地直結その後～仙台市
20日　野菜のミスト栽培　門田寅太郎（高知大学教授）

話の広場　日 6・10～6・30　①

2日　新春のしごみ歌
9日　土のいらない野菜作り　西脇博～横須加市
16日　少年森林愛護隊～矢坂市新高原地区

新しい農村　6・00～6・30　②

9日　動き出す農住建設　高梨香市（全国農住建設協会専務）
16日　来年度農政をきく①　今村宣夫（官房企画室長）

ラジオ農業学校　日 6・30～7・00　②

9日　グループの集い「経営拡大をはかるには」～広島県庄原市農業青年クラブ

日本4H新聞
4Hクラブ 農事研究会 生活改善クラブ 全国広報紙
発行所 社団法人 日本4H協会
東京都市ケ谷家の光会館内
電話（269）1675 郵便番号162
編集発行 玉井 光
月3回・4の日発行
定価 1部 20円
一カ年 700円（送料共）
振替口座東京 12055番

クラブ綱領

私達は、実践を通じて自らを磨くとともに、互いに力を合わせて、よりよい農村、よりよい日本を創るため、四つの信条をかかげます。一、私達は農業の改良と生活の改善に役立つ腕をみがきます。一、私達は科学的に物を考えることのできる頭の訓練をします。一、私達は誠実で友情に富む心をつちかいます。一、私達は楽しく暮し元気で働くための健康を増進します。

第11回全国青年農業者会議の開催要領決る

全国の代表が一堂に

3月6日から4日間　オリンピック記念青少年総合センターで

経営者夫妻も参加

今春三月、東京で開催される農林省など主催の「第十一回全国青年農業者会議」の開催要領がこのほど次の通り決定した＝関連記事2面にあります。

一、ねらい

この会議は、発展してゆく日本農業の中核者として、実践活動を推進している農村青年と農業経営者たちが、農業や農家生活の改善や向上について体験した成果を発表し、その問題の解決方策や発展方向を研究討議、相互啓発をはかることによって近代的農業および農村の建設に資することをねらいとして開催する。

一、主催

農林省、NHK、社団法人全国農村青少年教育振興会、全国農業改良普及協会、社団法人日本4H協会、全国4Hクラブ連絡協議会、全国農業研究会協議会

一、開催期日

来る三月六日（月）～九日（木）・四日間

一、開催場所

オリンピック記念青少年総合センター（東京都渋谷区代々木神園町三ー一）

一、参加者

各都道府県は次により参加者を選出するものとする。なお、都道府県担当職員以外の参加者は、全員が発表概要（レポート）を必ず提出するものとする。

一、正式参加者の資格と人数

1、農村青年

（1）おおむね二十五歳以下で現在、自主的な農業研究集団活動に参加しており、本年度、都道府県段階で開催された農村教育青年会議、プロジェクト実績発表会、放送利用農業集団大会およびその他農村青少年を対象とする大会または研究会などのいずれかに参加し、都道府県の代表として選出された者とする。

なお、代表者の選出にあたっては、農業後継者育成資金の借受者または部門経営をはじめている者を参加させることも配慮する。

（2）一県（都道府）男四名、女四名、計八名

2、農業経営者夫婦

（1）おおむね二十五歳以上・三十五歳未満の研究心が旺盛で実行力のある新進の農業者であって原則として自営者冬季学校（農業部門）に参加した者とする。

（2）一県（都道府）夫婦二～三組（必ず夫婦共であること）

3、指導者の資格と人数

（1）現在、農村青少年クラブなどの外部リーダー（篤志指導者を含む）

（2）農村青少年担当普及員

（3）一県（都道府）四名以内とする

三、担当職員

1、都道府県担当職員（青少年・普及係および専門技術員）

2、一県二名以内とする

分科会討議を中心に　日程

主な行事は、分科会研究討議を中心に農村青年と農業経営者の交換討議、代表討議、表彰式、ヤングフェスティバル、村のはなし懇談会、自由交換会などで、昨年まで竹腰美代子女史を招いて行なっていた前夜祭は姿を消している。

また、これまでNHKホールや教育会館虎の門ホールで行なってきた最終日の代表討議や表彰式を同センター体育館で行なうことにしている。

日程は次のとおり。

一日目（三月六日）正午からスポーツ研修館玄関で受付け、二時過ぎから第一体育室で会議と宿泊のオリエンテーション、七時から宿舎で部屋ごとに自由交換会、またこれと平行してスポーツ研修館で委員のオリエンテーションを行なう。

二日目（七日）午前八時三十分から体育館で参加者の入場と開会式、つづいて各会場に分かれて分科会研究討議に入り、午後も同じく分科会討議。夜は七時から体育館でヤングフェスティバルをくりひろげる。

三日目（八日）午前と午後にわたって各会場で分科会研究討議、夜七時から村のはなし懇談会を開く。

四日目（九日）午前中、各分科会会場で農村青年と農業経営者の交換討議。午後から体育館で代表討議のあと表彰式をかねて閉会式を行ない、三時三十分ごろ終了の予定。

なお、参加者全員がセンターに合宿するが、同センターの規則によって、毎日午前六時三十分に起床し、洗面のあと七時から朝のつどいを行なってから朝食をとる。正午から午後一時まで昼食、四時三十分から夕べのつどい、夕食・入浴、九時三十分から各部屋で環境整理のあと就床することになっている。

東海で4H推進会議

岐阜で26・27日　クラブ運営など研修

4Hクラブ東海ブロック推進会議は、愛知県4Hクラブ連絡協議会（会長 鳥居久雄君）三重県農村青少年クラブ連絡協議会（会長 黒川正信君）岐阜県4Hクラブ連絡協議会（会長 林新太郎君）の主催によって、来る二十六、二十七の両日、岐阜県可児郡可児町坂戸の同県農業高等学園内、農村青年研修館で開催される。

この会議は、4Hクラブ活動の推進をはかるため、東海三県のクラブリーダーが一堂に会し、4Hクラブの理念、クラブ運営、リーダーのあり方などについて意見を交換するもので、各県からクラブリーダー十名と県農村青少年担当職員一名が参加の予定。

会議の主な内容は、全協活動の報告、各県クラブ活動の状況（問題点も含めて）紹介、クラブ運営とリーダーのあり方についての分科会討議などで、日程は次のとおり。

一日目は、午後一時から開会式のあとオリエンテーション、自己紹介、二時三十分から全協活動の報告、三時三十分から各県のクラブ活動紹介、夜は七時から歓迎の夕べ、八時から懇談会。

二日目は、午前八時三十分から分科会討議、続いて十一時から全体会議を行ない閉会する。

九州ブロック会議の準備委

九州ブロック会議の準備委員会がさる十一日、熊本市内で開かれた。

昨年暮、静岡県御殿場市国立中央青年の家で開かれた全国4Hクラブ後期中央推進会議において、九州ブロックとして沖縄親善交歓訪問、4H会館建設問題などについて話し合った。その際、各県連間に意見の相違がみられたが、いずれも大同小異で、いろいろ問題はあっても、とにかく各県の農村青少年のリーダーが集まって話し合おうということになったもの。

とくに、これまで参加しない大分県連にも呼びかけるとともに、坂井前全国4Hクラブ連絡協議会副会長（佐賀）、元山全協監事（長崎）、野中前熊本県連会長、それに神田全協事務局次長（山口）の出席も願った。

新春のさ迷い

自問――絶望の果てに

全国4Hクラブ連絡協議会副会長　松本良子

わからない。どうして、なぜか、でも、しかし、だがわからない。様々な問いが、私の頭の中をかけめぐる。

いつの間にか、まるで厚い雲にすっぽりと包まれてしまったような自分。己れを失ない、宙に浮いてしまった様な自分を一生懸命に、必死になって探し、迷った。―自分を見失なうまいと。

考えれば考える程わからなくなり、いっそう不安と疑問がひろがる。そんな気持ちを打ち崩けても、満足な答えはかえってこない。言葉を失ない、一人沈黙の世界をさ迷う。

クラブ活動にかけた情熱も、友への、師への信頼も、この世の現実の醜さと裏切りに無残にも打ち破られた。そして、そのなかに生きなければならない自分の存在に幻滅し、また、己れの未熟さに自分自身、絶望してしまった。

絶えられなくなり、何もかも捨てて、その場を去ろうと思った。いや、こんな人間を追放してくれと叫びたかった。

私は、自分に〇をつけない。私はこの現実を生きなければならない。二つが入り混じり、再び心の葛藤である。迷い迷う。気付かぬ間に、時間が過ぎ去って行った。

友の声が……「あの事はどうなっているんだ」「だめじゃないか」「しっかり頑張れよ」―私は、はっとわれに返える。

そこには、真に迫る友の姿があった。そして生々しい鋭い言葉が返えってくる。ぶっかってくる。私は、私の心は、その圧追感で張り裂ける思いだ。自問自答。どうしてもやらねば、負けてはいけない、頑張るんだと自分にいい聞かせる。

そして、あれもやらねば、これは、こうしなければといろいろと思いめぐらす。たまらなく自分のもどかしさに気持ちが急（せ）いてくる。だが、あせってはいけない。ゆっくりとまずは自分の心にゆとりをもってから……。

今までをふり返ってみる。私はなんとおろかな人間だったろうと……そして己れの甘さに気付く。

まだまだ勉強不足なダメな人間と思った。私はやはり、自分の求めるものを貫き通すということ、これが本当に生きることだと思った。

これからも、幾多の問題にぶつかろうが、一生懸命に生きようと心に誓う。

（栃木県下都賀郡都賀町）

護身術を特訓

産婦人科医らの講話聞く　鳥取県連の女子研

鳥取県農村青年会議連絡協議会（会長 山本哲嗣君）では、昨年の十二月十八日から三日間にわたり、東伯郡関金町の県立営農研修館において、県下の女子クラブ員三十二名を集め、第二回女子研修会を開催した。

まず第一日目は「私の女性観」と題し、あるお寺の奥さんから経験談をまじえ年代別にみた女性の生き方についての講演を聞いた。

結婚をひかえた年代にあるクラブ員たちが一番興味を持ったのは、「良き妻であり、良き母であり、良き嫁になるための秘訣」についての話でった。

つづいて、地元の呉服店の協力によって着物の着付け、帯の結び方、着物の手入れ方法などを教わった。これは、現代のあわただしい農業状勢のなかで、農作業に、家事労働におわれる女性に、日常生活に着物をとり入れ、心にゆとりをもたらそうということで実施されたものである。

夕食後は、日本4H協会から派遣されて台湾での生活を体験してきたクラブ員・入江志津子さんによる海外派遣報告があり、一同はスライドを見ながら説明に聞き入っていた。それが終ると、自己紹介をかねてのリクリエーションに入り、クラブ員たちはゲームやゴーゴーなどで楽しんだ。

二日目は、「寒い」「寒い」が合い言葉の朝のつどいで始まり、その後、短時間ではあったが護身術の講習を受けた。内容は術を習得するより危険な場所に行かない心構えが大切ということであった。

午前中は、県専門技術員の指導による料理講習で、「上手な菓子の作り方」として、デコレーションケーキなどの作り方を班ごとの団結力をもって賑やかな雰囲気のなかで実習した。

昼食後は「主婦のあり方」という題のもとに、先輩夫婦やOGを講師に招き、先輩の経験を聞きながら、クラブやクラブ員の悩みなどを話し合った。先輩の助言を中心に、一人ひとりが理解ある夫や姑を持つためには、まず妻であり嫁である自らの心を磨き、夫や姑に対して、自らが理解ある妻になり嫁となることが大切であるという結論に達した。

夕食を終って、「幸福な結婚」というテーマで、産婦人科の先生からスライドを交えながらの講演があった。説明のあとは、クラブ員一人ひとりの日頃の悩みなどについて解答してもらったり、みんなで話し合ったりし、女性としての自覚を高め有意義な講演となった。

最終日はペーパーフラワー作りと全体討議を行なったが、ペーパーフラワー作りは、クラブ員の手取り足とりの指導で、クラブ員も日頃の器用さを発揮して大ハッスルした。

全体討議では、前日の分科会報告、この研修全体の反省・要望などを話し合った。そして最後に、この研修で学んだことをもとにして、今後立派な農村女性になることを誓い合い、二泊三日の研修を終了した。

心強い発表　男子クラブ員たちの助力と励ましを受けて発表する女子クラブ員

助言者にOB

福岡県は26日から

角県連会長

【福岡】福岡県農村青少年クラブ連絡協議会（会長 角繁男君）は、県と共催で来る二十六日から三日間、福岡市の社会福祉センターと農協会館で県農村教育青年会議を開催する。

今回は、とくに青年の意見が大幅に取り入れられた日程や内容になった。

その主なものとして、まず第一点は、開催期間をこれまでの一泊二日から二泊三日間に延長し、教育会議にふさわしい内容とするため、従来、初日の夜だけだった分科会の時間を一日とることにした。この分科会は普通作（米）、果樹、園芸、畜産、生活に分かれて行ない、助言者にクラブ活動の経験のある先輩諸氏を迎えることにしている。これは、県連から県の農業改良課に推せんする方法で行ない、とくに女子役員を経験したOGを指名したいと考えている。

第二点としては、全国青年農業者会議出席者の推せん方法を検討したことである。今まで代表者は実績発表者の中からだけ選んでいたが、今回は分科会参加者の中からも推せんすることとして、来年度においてクラブリーダーになれるような若い仲間を参加させるようにした。

また、これまで代表者十名の旅費の全額を負担してきたが、今年は二～三割を自己負担として、人数のワクを二～三人ふやしたい意向である。

このほか、昨年暮、静岡県御殿場市の国立中央青年の家で開かれた全国4Hクラブ中央推進会議において行なわれた意識調査やキャンドルサービス、地区連会長会議の傍聴などを参考として新しい試みを考えている。

県連役員としては、末端クラブ員の声をできるだけこの教育会議の運営に反映するように県担当者と話し合っているが、参加者一人ひとりの協力と自覚ある行動を期待している。

なお、参加費は一人四千円（一泊二日・二千円）

涼風暖風

連帯感

この土地に住んで数十年になる。ここはもと〇〇村といったところであるが、今は東京の二十三区内になっている。つい数年前まで家の囲りは、丘あり、川あり、田あり、畑あり、川では魚つりができ、雪が降ればスキーができたところである。丘が削られ、田が埋められ、家が建ち、急激に開けて家が建ちこんで来たのである。

最近では、これらの一戸建の家も、だんだんと不動産屋の手に渡り、建築法を尻目に粗末な二階建のアパートが敷地一杯に立ち並んで来たのである。アパートに住む人々は、一、二年住んでは入れ替っていく、いわば借り住いの人々である。したがって、この地域に住んでいる人々は、この地域に愛着を持って長く住んでいる人々と、さきのアパートなどに住んでいる借り住いの人々とが、入り混っているわけである。外向きには、同じ地域に住んでいて、同じように生活しているようにみえるが、この土地、この地域社会、隣人に対する考え方、いき方はいささか違っている。

暮の二十八日は昨年最後のごみ集めの日であった。どこの家も正月を迎えるための煤払いをしたとみえて、かさ高いごみがうず高く積み出されたが、区役所の車が殆んど運び去ってくれたので、みんなすっとしたのであった。ところが三十日の夕方再び我が家の門の側に、大きな袋に入ったごみや、ダンボールに入ったがらくたが積まれている。また運びに車が来てくれるのかしら？と思ってたしかめると、"今年のごみ集めは二十八日で終りです。次は一月四日です"と貼り紙がしてある。一体これはどうしたものだろう、と思案しつゝも掃除や炊事に追われていたが、再び気になったので出てみた。ところが大きな模造紙がへいに貼ってある。"今年はもうごみ集めには来ません。ここにごみを出した方は各々でかたづけて下さい"と墨で黒々と書き出してあった。誰が書いてくれたのだろう……？

しかし、この紙をみて自分の出したごみをかたづけるような人はこんな勝手なことをしないだろう……。暫く時間が過ぎたが案の上一向にきゝめがなかった。その内に向いの祖母さんが出て来た。"こんなことをするのは、最近越して来たアパートの人達ですよ、長くここに住んでいる人達ではこんな勝手なことはできませんものね……"このごみを出している事を私はさっき見てたのですよ"と言いつゝ、一向引きとり手のないこのごみを隣りの人とかたづけはじめたのだった。"自分のことしか考えないこの人達、この場合ごみのことであるが、火のしまつ、水のことなど、隣近所の人々に迷惑をかけるのは、最近来たアパートの人々ですよ"と話題はひろがっていった。

自分のことしか考えない人々に、この囲りの人々はいろいろと迷惑をこおむっているのだと思った。野中の一軒家ならともかく地域社会の多くの人々とともに生活するのであるならば、自分の生活を大切にすると同時に我が家の囲りにももっと目をやり地域社会のことそこに住む人々のことを考えることが大切ではないだろうか。かっての部落社会のしきたりとか約束はその時代を背景として生み出されたものであろうがそれがそのまま形式化され、そのまま使われるところに問題があるのであって、これからの新しい地域生活のあり方とそこに住む人々が考え合ってよりよく暮すための約束が創り出されなければならないのではないだろうか。自分の生活を大切にするとともに地域社会に対して各々が責任をもち、お互に連帯観を持つことができるようになることがいまこそ強く望まれているのではないだろうか。

こんなことを考えて正月を迎えたが、その朝、またまた、ごみのあった所に、盗難車のオートバイが乗り捨ててあった。（T）

女子の分科会を設ける

静岡で26日から会議

【静岡県＝鈴木政美連絡報道員発】静岡県農村青少年クラブ連絡協議会（会長 渥美登美原君）は昨年暮、二度にわたる役員会において今春開催する第十一回県農村教育青年会議と功労者表彰の実施についての内容をまとめた。

この青年会議は県の技術交換大会と違い、教育的な事業が組まれており、「これからの農業経営者」と題する講演を予定、講師には農林省農業総合研究所計画部長の並木正吉氏が決定された。また元建設大臣の竹山祐太郎県知事が「青年に期待する」と題して講演されることになっておりクラブ員から期待されている。

参加者は、それぞれ地区連の代表百二十名を予定、昨年にひき続いてレポートを持参しないクラブ員は参加できないという厳しい条件をつけている。

また、女子だけの分科会も設置する。

開催期日は一月二十五日から二泊三日間で、場所は県立焼津青少年の家を予定。参加経費は一人千百円。

全国会議のミニ版

福岡・八女西部地区連　推進会議で実力養う

【福岡】八女西部地区農村青少年クラブ連絡協議会（会長 丸山賢一君・会員二百三十名）では、昨年十二月中旬、国立阿蘇青年の家で次期リーダー約五十名を集めて4Hクラブ推進会議を開いた。

これは、全国4Hクラブ連絡協議会が実施している全国4Hクラブ中央推進会議のミニ版といえるもので、4Hの本質からプロジェクトの進め方、クラブ運営などについて学習し、その実践力を身につけたもので、このほか「青春とクラブ活動」と題する池末義光氏の講演を聞いた。

実績発表や分科会

群馬県連でゼミナール研究会

【群馬県＝斎藤竹代連絡報道員発】群馬県青少年クラブ連絡協議会（会長 前原保夫君）では、昨年十二月二十二日から三日間、県農村青少年研修館を会場に県下のクラブ員七十余名の参加を得て県農業近代化ゼミナール交換研究会（冬期大会）を開いた。

この大会は、第一部のプロジェクト実績発表会と第二部の交換研究会に分けて、日ごろ実践しているプロジェクト活動やクラブ活動の成果を発表、経営や生活の問題点などを相互に討議することによって、これからの農業や農村問題に意欲的に取り組んでいこうと開かれたもの。

実績発表会は二十二日から二十三日の午前中にかけて行なわれ、プロジェクト発表では十五名、クラブ活動では十二名の各地区連代表と高等学園生徒二名がそれぞれ日ごろの活動成果を披露、動機、計画性、成果、発表態度・能力などについて審査された。

二十三日の午後から第二部に入り、まず「円・ドル問題と今後の日本農業の方向」と題して、農林中金前橋事務所の松本明次長の記念講演が約一時間半にわたってあり、クラブ員は真剣に耳を傾けた。

ひき続いて分科会に移り、①自家の経営の問題に成果をみつけよう②私の考える生活、そのためにこんなことをやりたい③クラブ活動を生き生きとしたものにするためにはどうしたらよいか―のテーマについて各分科会で約三時間にわたって活発に意見交換された。

このあと全体討議が行なわれ、閉会式では、クラブ発表の一位に輝いたきょう4Hクラブに前原県連会長から優勝旗が贈られた。

心頭技健

「イイヨナオシ予算」（一一兆四七〇〇四億円・一般会計）と語ろ合わせよろしく四十七年度予算の政府案が、さる十二日決まった。農林省関係では、食品流通局の新設が認められ、これから四十七年度の野菜価格安定対策費百二十億円を使って野菜の高値対策に本格的に取組むことになった▼来年度の予算は「景気浮揚」と「社会福祉」を重点としての超大型。各省に大盤振舞いという景気よさだ。しかし、食品流通局は増設ではなく、他の局をけずっての新設という結果になった。このため赤城農林大臣は記者会見で「他の局をけずるなら食品流通局などいらない。農林省は生産者のことだけを考えていればいいんだ」と半ばヤケ気味の"失言"をしたという▼ところが、自民党内閣にとって物価問題は人気を左右する重要課題。このため新設は当然、として決め、その代償として一局が消滅されたものだ。その結果、現在ある農政、農地、農林経済、畜産、蚕糸園芸の五局のうち、農政、農地、蚕糸園芸の三局を、機構改善、農蚕園芸の二局に統合することになった▼食品流通局は野菜と食品の流通、価格対策を取扱う十課からなり、野菜関係では野菜計画課、野菜振興課の二課を置くなどの大幅な機構改革が行なわれ、「新生農林省」として再スタートすることになったようだ。これは、裏を返せば、農林省はもちろん農業者が単に物を生産するだけでなく、流通面にも目をくばらなくてはならなくなってきていることの現われで、むしろ流通機構と取組むのが遅いほどである▼このほか農林省関係では、出かせぎ対策、果樹の価格安定対策事業の実施コメ屋の手数料引上げなどが決まったが、いずれにしても対策に追われ、農業者一人ひとりの不安を少しでもなくすような方向が示されないのは残念だ▼クラブ員と最も関係の深い農政局が他の局と合併するのでこれからどうなるのか不安だが、普及教育課では、篤志指導者の確保、養成や農村青少年の進路指導もする考えなので、大いに注目されよう。

全国青年会議の開催要領

三部会に分れて討議
ヤングフェスティバルも

第十一回全国青年農業者会議の開催要領は次のとおり。

会議の内容

一、部会の設置
会議の部会は、農村青年、農業経営者および指導者の三部会とする。

二、農村青年部会の会議の課題および運営方法

1、会議の課題
①水稲作②野菜作（露地）③野菜作（施設園芸）④花き⑤果樹作（落葉）⑥果樹作（常緑）⑦酪農⑧肉牛⑨養豚⑩養鶏⑪特用作⑫わが家の健康⑬わが家の住い方⑭くらしの計画化⑮クラブ活動

2、会議の方法および運営
（1）会議は、参加者のとりくんだ農業経営または農村環境あるいは農家生活の改善などの実践活動（いわゆるプロジェクト活動）の課題に応じて、課題別の分科会に分かれて行なう。
（2）分科会は、課題ごとに技術や経営について、あらかじめ提出した発表概要を中心に分科会において発表し、研究・討議する。
（3）分科会は、参加者のなかから座長および書記を選び、進行および記録を行なう。

3、発表概要
参加者は、発表概要を別に定める実施細目によって記述し提出する。

三、農業経営者部会の会議の課題および運営方法

1、会議の課題
①水稲作②野菜作（露地）③野菜作（施設園芸）④花き⑤果樹作（落葉）⑥果樹作（常緑）⑦酪農⑧肉牛⑨養豚⑩養鶏⑪特用作

2、会議の方法および運営
（1）会議は、参加者の主要経営部門に応じて、課題別の分科会に分かれて行なう。
（2）参加者は、あらかじめ提出した発表概要を中心に分科会において発表し、研究・討議する。
（3）分科会は、参加者のなかから座長および書記を選び、進行および記録を行なう。
その他は、青年部会の方法に準じて行なう。

3、発表概要

四、指導者部会の会議の課題と運営方法

1、会議の課題
①「クラブの組織化と指導者の役割」②「クラブの活用強化と指導者の役割」

2、会議の方法および運営
（1）現在、農村青少年クラブの外部リーダー（篤志指導者）と農村青少年担当普及員に分かれて分科会を編成する。
（2）参加者は、あらかじめ提出した発表概要を中心に分科会において発表し、研究・討議する。
（3）分科会は、参加者のなかから座長および書記を選び、進行および記録を行なう。

3、発表概要
参加者は、発表概要を、1の会議の課題の（1）または（2）のいずれか一つについて別に定める実施細目により記述し提出する。

五、各部会共通会議

1、会議 オリエンテーション（第一日）

2、自由交歓会（第一日夜）
各部会ごとに参加者同士の自由交歓会を行ない、友情を深め、親睦をはかる。

3、ヤングフェスティバル（第二日夜）
参加者の友情と連帯を深めるため、歌やフォークダンスなどによる「フェスティバル」を行なう。

4、村のはなし懇談会（第三日夜）
わが村や町に伝わる民話、民謡伝説などを語りあい、あわせて村のよもやま話を通して村の文化の伝承と発展に寄与するため「村のはなし懇談会」を行なう。
懇談会は、分科会ごとに行なうこととし、この際あらかじめ用意した郷土色豊かなプレゼント交換を行なう。

5、農村青年と農業経営者交換討議（第四日午前）
第二日目と第三日目に研究・討議された内容について農村青年と農業経営者の両部会間において交換・討議を行なう。
（1）交換・討議の方法は、農村青年部会と農業経営者部会の同一課題をもつ分科会が合同して行なうものとする。
ただし、農村青年部会の生活改善関係課題の交換討議は、農村青年部会だけでこれら課題の分科会を合同して行なう。
（2）指導者交換討議
第二日目と第三日目に研究討議された内容について農村青年部会のクラブ活動分科会と農村青少年外部リーダー（篤志指導者）と農村青少年担当普及員の両分科会で交換討議を行なう。

6、代表討議（第四日午後）
農村青年および農業経営者の部会代表と司会者および助言者を加え、分科会で研究・討議した成果をもとにして、パネル討議を行なう。
代表者の員数は、農村青年部会二組四名、農業経営者部会二組四名とする。
なお、司会者は参加者以外からあてる。

7、担当職員の会議については別に定める。

助言者（省略）

合宿（〃）

運営

1、主催者代表者会議
本会議の基本方針を決定するため、全国青年農業者会議主催者代表者会議（代表者会議）を置く。代表者会議は全国青年農業者会議の主催者をもって組織する。

2、実行委員会
会議全般の運営を円滑に進めるため、全国青年農業者会議実行委員会（実行委員会）を置く。実行委員会は全国青年農業者会議の主催者をもって組織する。

3、分科会委員
（1）会議・行事の円滑化を図るため各分科会に委員を置く。
（2）委員は、各分科会ごとに参加者の中から選出し、分科会の研究・討議、生活などの連絡にあたる。

表彰

1、模範農業研究集団の表彰（農林大臣賞）
2、農村青少年農業研究集団の篤志指導者への感謝状（農林省農政局長感謝状）
3、農村青年農業研究集団の育成協力機関への感謝状（全国農村青少年教育振興会、日本4H協会長から感謝状と記念品を授与）
4、放送利用農業集団育成功労者への感謝状（NHK会長から感謝状と記念品を授与）
5、農業研究集団の育成協力機関への感謝状（全国農業改良普及協会長から感謝状と記念品を授与）

会議成果の広報

会議全般について、放送や新聞を通じて広報するとともに、その成果をとりまとめ、ひろく広報につとめる。

熊本県・合志町4Hクラブ

4Hの綱領に戻ろう
共同プロジェクトを実施 将来は町の試験場に

【熊本】菊池郡の合志町4Hクラブ（会長 平川誠夫君・会員三十四名）は、昨年十一月二十八日に共同プロジェクトに着手し、いまクラブ員が真剣に取り組んでいる。

この共同プロは、ある中堅クラブ員が「現在の4Hクラブ活動のあり方が4Hクラブ員の綱領から離れがちで、青年団活動と大した変化がないのではないだろうか」と発言したのがきっかけでスタートしたもの。

クラブ員全員でこの発言をもとに慎重に検討した結果、綱領に基づいて実践を通じて学び、団結力を一層強めることを目的として、農家から土地を借りて共同プロの実施に踏み切った。また、土地提供者の斎藤さんも4H活動に大変乗り気で喜んで協力してくれた。

昨年から荒地になっている普通畑約二十アールを借り受け、十一月二十八日の午前中、荒地焼畑作業のあと炭酸苦土石灰四百二十キロを散布して大型トラクターで耕起、重焼燐八十キロとダイアジノン粒剤四袋を散布しローターリーをかけた。

午後は、AM化成百キロ、ビール麦種子十五キロを全面にばら播き、耕耘機で浅く耕起したあとドラム缶利用の鎮圧器で鎮圧して、夕方作業を終えた。

このばら播き栽培で収穫したあとは、かんしょや大根なども栽培していくことにしており、団結力いかんでは、合志町のそ菜普及の試験圃場としてやって行こうとクラブ員全員が楽しみにして張り切っている。

また、共同プロジェクトの作業日誌も作り、一週間ごとの当番制で作物の生育状況を観察して現在管理に精を出している。

（菊池郡合志町大字栄一二二三 平川誠夫君より）

上＝いよいよ借地して共同プロに取り組むことになった合志町の4Hクラブ員
下＝煙たちこめる荒地の焼畑作業

トラクターで耕起するクラブ員

若者の熱気溢る
長崎・西有家町後継者クラブ 青年農業祭

【長崎県＝森川政則通信報導員発】西有家町農業後継者クラブ（会長 石橋靖記君）は昨年十二月七、十一の両日、町公民館で青年農業祭を開いた。

これは、米の減反や貿易の自由化など国内外ともに一段と厳しさをまし、出稼ぎの急増など揺れ動く状況の中で、農業に生きる若者が一致団結して、クラブ組織の強化をはかるとともに、地域農業の発展に寄与しようと開いたもの。

一日目は品評会の展示と平行して実績体験発表会を行なった。品評会では、自からの手で丹精こめて作った農産物を出品し、お互いに品質を競い合うと同時に親睦を深めた。温州みかんの部では、一位に吉田勝茂君、二位に竹村康、竹村三代治、竹村末治各君が入賞した。

実績発表では、石橋会長の「グループ活動に思う」をはじめ、安達みつえさんが「クラブに入って」、末吉元男君が「ミカン作りに思う」と題してそれぞれ日ごろの体験などを披露、若者の熱気がみなぎる有意義な発表会であった。

このあと女子クラブ員の手によって4H食堂が開店され、うどんやいなりずし、生ジュースの作り方実演会が行なわれた。

二日目は午前中、みかん病害虫のスライド観賞、午後は展示即売会を行なった。

北九州三県で合同の女子交歓会

北九州三県（長崎、佐賀、福岡）合同の女子役員交歓会が、来る二月六日午前十一時から佐賀市内（青年の家）で開催される。

参加者は、各県連の女子役員と次期リーダーのほか、IFYE生（国際農村青年交換計画に基づいて日本4H協会から米国や台湾に派遣されて生活してきた人たち）大分県の石井万代子さん（米国）、広島春枝さん（台湾）、佐賀県の麻生すみ子さんやOGにも参加を呼びかけることにしている。

この合同女子役員交歓会を持つという話は、昨年春、静岡県御殿場市の国立中央青年の家で開かれた全国4Hクラブ中央推進会議の席で煮詰まったもの。各県連の女子役員同士がそれぞれの悩みや問題点などを話し合い、これからの女子活動、県連活動を活発にしようという福岡県連の提案で企画された。

この交歓会では、結婚とクラブリーダーの問題について、先輩たちがどう乗り切ってきたか──など身近なことがらについての意見が続出するものと思われる。とくに、第六回全国4Hクラブ員のつどいを成功させた佐賀県連の女子役員の参加を期待している。

入学生募集
中央協同組合学園

全国農業協同組合中央会の中央協同組合学園（学園長・森晋氏）＝東京都町田市相原町四七一一＝は、いま昭和四十七年度の入学生を募集している。

同学園は、新しい時代の要請に応える有能な人材を育てるために農協が自主的に設立した全中直営の教育機関で、従来の学校や企業での教育にはみられなかった新しい教育の創造を意図している。

また、協同組合の本質や理想を追求する新人の学習と研究の場であるとともに、現在、協同組合に在職している人たちに対する実践的教育をねらいとしている。そのため、教室や講義中心に片寄らないように少人数による講習や事例研究、討論を主体とするなど新しい試みがなされている。

本科は三年制で全寮制。奨学資金制度もある。

募集要領は次のとおりである。

▽入学資格 年齢二十二歳未満で高等学校卒業またはそれと同程度以上の学力があり、協同組合運動に参加しようと志す人（現に農協に勤務している人を含む）であって、所定の選抜試験に合格した人。
▽募集人員 本科生五十名、修業年限三ヵ年間。
▽応募手続き （1）入学願書受付け期日＝来る二十日から二月十二日までに、それぞれ都道府県農協中央会長あてに提出のこと。
（2）提出書類＝入学応募者は次の書類に入学検定料（現金二千円）をそえて提出のこと。①入学願書②調査書……出身高等学校長の作成したもの③健康診断書……様式は保健所または国・公立病院が発行しているもの④身上調査書⑤写真……二枚⑥推せん書
▽選考方法＝試験科目……国語（現代国語）、数学（I、IIA）、英語、社会（政治経済・倫理）、作文の五科目。▽試験は各科目とも一時間、高校卒業程度とする。
▽試験日＝学科・三月九日（午前十時）、面接・同十日（九時）
▽合格発表 三月十六日
▽学費＝入学金・三万円、学習費・六万円、教材費・一万円、実地研修費・一万円、計十一万円。

畦道
ほんとうの本物とは

東京は"本ものを食べる会"という趣味の会がある。この会は、都会ではなかなか食べられなくなった食物（たとえば、つくしとかイナゴとか）を、その季節ぎせつに合わせて持ちより自分たちで料理して楽しむのだ。こんな会が都会のあちこちに増えている。野趣会と自然食品を食べる会とかがそれだ。

なぜ、こんな会ができてくるのかと言えば、理由は簡単である。つまり、今の高度に近代化された日本では、人々が、"本物"にありつくことが容易ではないからである。街々は、本物に似せかけた疑似的なもので覆われている。

そう言えば、テレビのコマーシャルにも"本物"を謳うのが多いような気がする。「…ホンモノダ！」とか、「ホンヅクリ…」また「ホンナマ」だとか、数えあげればいくらでもある。

私が考えるには、広告に本物を謳うものが増えたのは、この社会に本物が減ったという一番よい証拠ではないかと思う。なぜかと言えば、現存しない人々の欲望を喚起するのが広告の役割なのだから。

本物がなくなったのは、何も食物だけのことではない。一般大衆の生活の全ての領域に、疑似的なものがあてがわれている。なかでも、著しく惨落されているのが、人間の夢ではないか。そのよい例が、ご存知、国鉄のディスカバー・ジャパン・キャンペーンに含まれる〈秘境〉のイメージである。

人々が、アクセク貯めた金とやっともらった暇で、夢みながら出かけていくその〈秘境〉の実態はどうであろうか。それはあのデエィズニー・ランド以上に演出された〈秘境〉である。木曽谷の馬籠宿などは、まるで"秘境ごっこ"だ。都会の人々が古さを求めてやってくる。村の人々は、その都会人たちがイメージした古さに合わせて村を取り繕う。それは、形態がどんなに古そうに見えても、意識して作られた〈秘境〉なのだ。

つまり、意識された本物は、もう本物ではないのだ。ならば、無意識の本物には、どこに行けば巡り合えるのだろうか。（X）

家の光協会

健康管理に一役を
「家の光」四月号別冊付録 「やさしい家庭園芸」を発行

家の光協会では、月刊誌「家の光」の四月号別冊付録として『春夏秋冬・やさしい家庭園芸』を発行することになりました。

ご承知のように、農家の野菜の自給率は、年々減少しています。野菜の産地でも専業化が進んで、自給摂取する野菜の種類は少なくなっているといわれています。しかも一方では、過労と栄養のアンバランスからくる主婦の貧血などが、相変らず大きな問題になっています。からだをこわしてしまっては元も子もありません。

このへんで、菜園づくりを見直し、新鮮で栄養たっぷりの野菜をみんなで自給しながら、都会人には真似のできない、健康で人間らしい暮らしを実現しようじゃありませんか──そんなねがいをこめています。

付録の内容は、はじめての方にも楽しく活用してもらえるように、写真や図解をふんだんに使っています。おもなものを紹介すると、

〈健康第一、自然の味・ほんとうの味を食卓に！〉という姿勢から──
○やっぱりおいしい"しゅん"の味
○野菜のクッキング専科（貧血や高血圧の追放にもプラス・その他）
○わたしの省力育苗（話題の技術"断根育苗"を含む）
○おもな野菜の作り方と食べ方
○菜園用野菜のニューフェイス
○冬場も安心 自給のアイデア（青森、山形、新潟、高知）
──など。

〈環境をより楽しく・きびしさのなかにもゆとりを〉というねがいから──
○便利です！ 四季の花づくりメモ
○あなたの庭に誕生花をどうぞ
○盆栽一年生のあなたに
○わたしのすすめる観葉植物

などですが、大きくスペースをさいているのは、もちろん、健康に役立つ菜園づくりです。

いま、各地で、生活基本構想にもとづく健康管理活動が続けられているわけですが、その点で、ぜひ参考にしていただきたい事例も掲載しています。

この付録が、4Hクラブ（とくに女子クラブ員）のいろんな学習活動に活用され、健康で住みよい地域社会づくりに役立てば、喜ばしい次第です。

なお、別冊付録では、健康作戦の第二弾、第三弾として「夫と妻の予防医学」（七月号）、「母の味を子どもたちに＝安全な加工食品の作り方」（九月号）を予定していますので、合わせてご期待ください。（計画課）

こんなことをしています
各種農業団体

全国農業協同組合中央会

3年で10万円に
一組合員の出資金
自己資本充実運動を推進

昭和四十六年三月末の総合農協の自己資本は、総額二、七三九億で、これに対し固定資産は三、八二八億円となっております。これを経営指標でいう固定比率で示しますと七一・六%ということになります。

農協財務の健全化のため定められている財務処理基準令によりますと、農協の固定比率は一四〇%以上と規定されております。

農協は現在、第十二回全国農協大会で決議した"総合三か年計画"の実践に取組んでおり、農業生産、農畜産物の流通加工ならびに生活活動の各分野で、必要な施設の整備と機能の充実が必要です。

全中は、このような情勢からこれまでも進めている増資運動を、総合三か年計画推進運動の一環として取上げ、現在一組合員当り二万九千円の出資金を、三か年で一〇万円に増資する目標で強力な啓発活動を進めることになりました。

この運動の要点は次の通りです。

自己資本の目標

（1）組合および連合会は、四九年三月までに固定資産と外部出資は自己資本でまかなうよう充実する。
（2）一組合員当り自己資本の目標は、組合の実情により定めるものとするが、四九年三月末の全国目標は一〇万円とする。

実施対策

この運動は、全国、都道府県段階に設置する総合三か年計画推進委員会において継続、推進にあたるものとする。

（1）全国段階においては、総合三か年計画にもとづき、系統における自己資本充実の必要性等に関する趣旨徹底をはかるとともに優良組合の事例紹介等、都道府県における自己資本充実対策ならびに実績等を把握し全国的推進に努める。
（2）全国連合会においては、総合三か年計画にもとづき、必要な施設投資計画とあわせた自己資本充実計画を提示し全国運動の一環としてその達成をはかる。
（3）都道府県段階においては府県の総合三か年計画にもとづく自己資本充実運動要綱を策定し、府県の実情に即した具体的推進をはかる。
（4）都道府県連合会においては、必要な施設計画とあわせた自己資本充実計画を提示し府県における運動の一環としてその達成をはかる。
（5）組合においては、総合三か年計画にもとづき具体的な自己資本充実計画を策定し、組合員にたいする趣旨の徹底をはかり、計画的な自己資本充実をはかる。

（教育広報課）

牛飼いは"プロ"だ
過疎地求めて草地経営へ

岐阜・高山四ツ葉クラブ　宮垣俊昭

農業経営者となるまでには、実習家の手伝いなどで人に言われたことをただひたすらにやればよかった。しかし、実際に自分が仕事のだんどりをやっていこうと思うとなかなかむずかしいものである。

でも、どうにかこうにか自分が考えてやろうと思ったことはやってきたように思われるが、いわゆる仕事にかいしょうというものがないので時間がかかる。毎夜、八時頃までかかってしまうため、支部会などにはいつも遅刻である。

農業、特に酪農というものは、生き物である以上妥協が許されないと思う。やらなければならないことはやっておかないと、すぐ病気になったり、よい粗飼料が確保できないと思う。牛飼いはプロだ。やはりプロに徹することが必要ではないだろうか。やらなければならないとわかっていて「まあ仕方がない、また今度にしたら」と思うと必ず失敗する。私は、そういう経験をした。野菜をやっている人もそうではないかと思う。

前置きはこのくらいにして、私の経営について述べてみる。

経営面積は水田が一・七㌶、畑が五㌃ほど。祖母の手づくりというか、家の野菜の供給源として活躍しています。

それから、牧草地で改良牧野が二㌶ほど、昨年の夏開墾した所がある。夏休みの内にかたづけてしまおうと思ってやり始めたが、石が思ったより出て来て夏休みの内に出来なかった。秋、また帰ってきてやっと種を播いた。おかげで学校の授業はだいぶん欠席したがあの牧草が芽を出し、青々とジュータンを敷いたようになった時は本当に気持のよいものだ。皆さんもそういう経験はあると思うが、これがパイオニア精神という物だなあと感じた。

一人で弁当をもっていって、山の小鳥のさえずりを聞きながら食べる。一人でトラクターに乗り、ただひたすらに牧草を刈る。外の音は何も聞えない。また、自分だけの時間があるので、いろいろ将来のことを考える。"ここに白い牧柵をはり牛を放牧させる、ここに池を作りのどかに牛が水を飲む、自分は馬に乗り牛を追う"と。

こんなことを考えると本当にやる気が出てくる。アメリカ映画のウェスタンに出てくるワイオミング辺境の情景が浮かんでくる。そして、その中の主人公が自分と置き変わる。ちょっと、日本のスイス（八日町ではイメージが違ってくるが）。考えれば夢のまた夢にすぎない。今の経営からは考えられないが死ぬまでにはと思う。だから、夢で農業を選んだような気がします。

ちょっと経営のことからずれましたが、その二㌶の草地と減反の水田が五十㌃ほど、牧草や飼料作物を作ったりしています。乳牛は成牛十二頭、育成牛四頭、仔牛二頭を飼育しています。それから、水田の裏作として牧草を播いている。今年は六十㌃ほどであったが、一㌶ほど、来年は裏作しようと種播きをした。

それから、米の生産過剰に減反問題がさわがれています。わが家でも五十㌃ほど減反をして飼料作物に利用していますが、全部減反して飼料作物を作る考えはありません。

労働の面で考えても、今稲作にはいろいろな機械や薬剤が利用されているので、あまり稲を作るから忙しいのだという考えは起きません。ほんの趣味程度と言えばちょっと苦しいのだ、稲作はもうかるところまで来たという感じがします。

十㌃当たり一俵か二俵よけいに取ろうと思ったらかなりの努力が必要になってきます。逆に並に取ろうと思えば、だいたいきまったことをやれば取れるようになっています。だから、稲作の方はこのままにして酪農の方に力を入れたいと思います。

今、都市計画法という法律がありますが、あと五〜十年の間にはここ八日町もかなり変ってくるのではないかと思います。その時にいつでも酪農の方へ切り替えれるだけの準備は必要だと思います。

人間は、自分自身のほかにはほんとうにたよれるものはいないのです。政府は、いつまでも農民を最後まで保護しきることはできないと思います。いつまでも政府にたよっていては、最後に泣くのは農民のような気がします。私は、自分自身を強くして対外競争に勝ち残るほかに生きる道はないと思います。

貿易の自由化と共に日本も国際農業に参加するようになると思います。外国に、追いつき追い越し外国よりも生産費を安くすることが必要ではないかと思います。

ちょっと自分でもわからなくなってきましたが、要するに自分は酪農が好きなのです。人はしょせん自然の子です。日常生活が自然から離れれば離れるほど、疲れた心を自然のふところの中でいやしたいと願わずにはいられないのです。

酪農は進歩した形のレジャー産業を発展させるものと信じます。

生産費切り下げは草地経営の確立にあると思います。それは人口密度の高い地価の高価な畜産公害の発生しやすい地域で達成できる問題でないと思う。地価の安い地域（過疎地帯）に移住できる勇気とパイオニア精神と自信を持つための準備が必要ではないかと思う。

プロジェクトと経営

天皇杯に輝く人たち

畜産の部（牛乳）児湯農業協同組合（宮崎）

市乳化の先陣切る
消毒、冷却などをシステム化

児湯酪農業協同組合は、高温多湿の西南暖地に位置して、生乳の細菌学的品質の保持や、農薬残留問題の対応上きわめて不利な条件下にあるにもかかわらず、組合員が一致団結して組織的に乳質改善事業を行ない、短期間に優秀な成果をあげている。

同組合はその成果の上に立って県指定生乳生産者団体の行なう生乳の流通改善対策の一環として、生乳を阪神地区向けに長距離輸送することによって加工向け原料牛乳の市乳化に先鞭をつけた。

昭和四十一年宮崎県酪農業協同組合連合会が設立された当時の児湯酪農業協同組合の生乳は、品質的に低水準であった。

四十二年現組合長が就任して以来、乳質の改善に努力し、その結果、落等乳の発生率は昭和四十四年に〇・二五%、四十五年には〇・〇〇四%と低下し、また、レサズリンによる細菌テストの結果も優秀な成績になっている。

同組合の乳質管理の特色は、農家の畜舎・搾乳過程の消毒からはじまり、水冷撹拌冷却器による搾乳直後の生乳の個人冷却集乳所でのアルコールテストによる落等乳の自主的チェックとユニットクーラーによる冷却、およびクーラーステーションにおける乳質検査とプレートクーラーによる生乳の完全冷却を経て、その後の保管・輸送過程にいたるまで一貫した消毒・冷却・検査のシステム化を完成させたことであり、このことが同組合の乳質改善の成果をもたらしている。

とくに、農家の生乳生産過程における乳質管理が通常の場合もおくれているなかにあって、同組合の農家は、畜舎の清掃と消毒をはじめミルカー、牛乳容器などの厳重な洗浄と消毒、ミルカーの点検、とくにライナーの定期的な取替えなどを確実に実施しており、農家での衛生管理が定着している。

次に、同組合の乳質改善の成果によって、阪神地区への長距離出荷輸送による加工原料乳の市乳化に先鞭をつけた。

落等乳率の減少に加えて、市乳化に伴う農家の受益が大きくなったことが、その経済効果として認められ、乳質改善は農家に労働上の負担を与えることなく進められている。

なお、同組合の経営内容は、堅実であり、販売、購買および指導などの事業を通じて組合員に対する利益還元、乳質改善ならびに酪農経営改善に対して強力で効果的な指導を実施している。

同組合が乳質改善事業を遂行した上での問題点は、a・高温多湿地帯であるため、生乳の細菌学的品質を保持しにくいこと、b・農薬残留問題を早急に解決する必要があったことである。

それに対してa・の気象上の悪条件は、生乳の生産から出荷までの全過程を通じて消毒・冷却・検査を組織的に励行することによって克服し、b・の農薬残留問題に対しては、問題が提起されると同時に、いちはやく全組合員が一致協力してBHCなど有機塩素系農薬使用の全面禁止ならびに汚染が考えられる飼料の使用禁止など強力な措置をとり、その解決をみた。

児湯農協について

（イ）・児湯酪農業協同組合の沿革

昭和二十年・旧陸軍用地跡へ入植、開拓。昭和二十六年・川南酪農業協同組合設立。昭和三十三年・児湯酪農業協同組合と改称。昭和四十一年・宮崎県酪農業協同組合連合会設立（会員となる）。昭和四十六年・現在にいたる。

（ロ）組合の概況（昭和四十六年十月現在）

組合員数・百十五。乳牛頭数・千四百九十六頭（一戸当たり十三頭）。年間生乳生産量（昭和四十五年度）・三千三百五十六㌧。年間生乳販売金額（昭和四十五年度）・一億五千百九万四千円。

（ハ）組合の昭和四十六年度事業概要。

a購買販売事業・生乳の販売、飼料、優良種牛その他酪農資材の購買供給。b乳質改善事業。c指導事業、飼料基盤整備事業の推進、経営規模の拡大、乳牛の導入・飼養管理法の指導、酪農簿記の推進、低能力牛の淘汰。d輸送事業・生乳の集送乳、飼料、種畜器材の運搬

（ニ）組合長・長友九州男氏について

長友氏は約八年間の軍隊および軍属生活ののち、戦後川南町に開拓者として入植し、かなり長いあいだ自ら酪農業に従事するかたわら——

昭和三十六年四月・児湯酪農業協同組合理事。昭和四十二年四月・同組合長。昭和四十四年四月・宮崎県々酪連理事——に就任。その他多くの要職をつとめている。その間氏は、高性能乳牛の導入、牧草収穫機械の導入、草地造成、乳質改善などの事業において指導的な役割りを果している。

神奈川に農業は必要ないのか!?
都市化の波に乗れ

みのり会　佐藤良太

神奈川農業も新都市計画法の施行後、急激に変りつつある。それに伴い県農業政策の方針が変ってきてしまっている。

農政部の方で表向きは"農業をやれ"と言っても県農業政策の方針が"農業は神奈川には必要ない"という表面には現わさないが、そういう考えがある以上、もう神奈川の農業も終りではないだろうか。

新都市計画法によって農業をやめる者、最後までやるぞと言う者、他の職業に移っても仕方がないし、土地があるから何とかなると言う者、人それぞれの考え方が現われてくる。

多かれ少なかれ本当に農業ができるのはあと十年くらいではないか、そこでどうしようと考えるか、今からどうして行こうと考えるかは人それぞれ自由である。別に誰かが、こうしろと言えるものでもない……

僕自身、考えるのは都市化が激しくなってきだその中でやっていける農業（別に農業にこだわらなくてもいい）を選びたいと思う。

現に僕も、経営を変えて五年を経た。

高校時代まで養鶏をやっていてまた僕自身も養鶏をやるつもりだった。しかし、三年生になった頃から急に宅地化が進み、ほとんど住宅に囲まれてしまった。これでは鶏では五年もやって行けないと思い逆に都市化を利用し、近所の人にも喜んでもらえる温室経営に切り替えたわけだが…

別に変えたからいいというものでもない……これからはもっと都市化は進んで行くだろう。その時になってどうしようかと考えるのではなく、今から五年、十年先を予測する必要があると思う。失敗したら土地を売ればなんとかなるという考え方がまだまだわれわれの心の中にあるではないだろうか？

どんな職業に変っても"バックがあるからなんとかなるさ"という考えがあっては、いつまで経っても進歩発展はあり得ないだろう。今の農業状勢では、われわれがいくら頑張っても必ずやって行けなくなる。

その時に都市化の波にのまれるのではなく、うまく泳げることが必要だろう。

昔からの考え方に取らわれず、時代にあった新しい農業経営をして行くことが、都市化の中で生き抜いて行く農業にとって大事なことではないだろうか。

結婚を考える ▶1◀

山口県・柳熊農村青少年クラブ生活部

山口県・柳熊地区農村青年クラブの生活部は、平均年齢＝二十一・八歳の女子クラブ員ばかりで構成されている。このクラブでは「つりはし」という機関誌を出し農村での結婚問題を系統的に考えてみようとしている。現在、全国の女子クラブ員の間でも、結婚問題、家族問題などを4H新聞で積極的に取りあげてほしいという要望も強い。そこで、本紙ではまずはじめに、柳熊地区生活部のこの"結婚問題"に対する研究活動の紹介をスタートとして『女子の欄』を作る方向にもっていきたい。これから八回にわたって紹介する機関誌「つりはし」は、柳熊地区の既婚女性六名に、それぞれ課題別に話してもらう形式をとっている。その内容としては、二十代の結婚——①見合い結婚②恋愛結婚。長女の結婚——③婿養子を迎えて④長女を嫁がせて⑤息子・娘の結婚を控えている母の心⑥かつては姑につかえ、今自分が姑の立場になっている人の記録、などである。

私の結婚（見合い）

私の家は家族七人（祖母八十三、父六十三、夫二十六、私二十四、長男二歳、次男五ヵ月）経営規模は、みかん園二百㌃、乳牛三頭、育成牛三頭です。

結婚は三年前、さる四十三年一月。当時「家つき、カーつき、ババぬき」などの流行した頃でした。それまで私は呉の会社のOLで主に経理的な仕事で計算などは電子計算機などによる…というような近代化された所で働いておりました。

家は農業で主に酪農です。休日などたまに手伝っておりましたが、年に一〜二日ぐらいのことであとの手伝いは洗濯、炊事などで農業の手伝いはなしに等しいくらいでした。

会社に勤めていた関係で多分自分はサラリーマンと結婚するだろう、ぐらいに考えておりました。しかし、結婚するにはやはり一生ともに生活する人だから自分の納得のいく人を第一に考えねばと思っていました。選んでみるとその職業が農業（みかん作り）であったのです。

主人は、その頃4Hクラブで活躍中でいろいろな活動をしておりました。

他人の悪口で、「今の世の中に大百姓で家にはジーサン・バーサンのいる所へよくまあ…」と言われたものでした。私もそのことを考えなかった訳ではありません。しかし、結婚しようと思って心に決めると不思議なことで、本を読んでも、新聞を見てもみかんの記事はぬかさず読むようになりました。

読んでもわかりませんでしたが、本などには理想像が書いてありますので、広い園にたくさんのみかんのなっている所を頭に浮かべ、青い空の下で仕事をすれば…などと夢みておりました。

その園には車の入る道、高い所へ重い物を運ぶにはケーブルなど機械化され、今の農業は昔とは違い楽なのだ。主人も4Hなどでいろいろと勉強したり、話し合いしているから、昔の悪い慣習なども打ち破ってくれるし、家族と一緒でも私は一生懸命やればやっていけると思いました。

そして結婚式ですが、これも4Hの仲間の人たちの手ですべて用意され、たくさんの仲間に祝ってもらいました。結婚式の準備の時の4Hの人たちの協力的な態度は会社勤めをしていた私にはとてもうれしく感じられ、この人たちもいつかは結婚される、その時には私は農家の嫁の先輩として恥ずかしくないような人にならなくてはと思いました。

結婚して現在、三年になります。子供も二人生まれ毎日忙しい日を送っています。最初思ったとおりではありませんが、農業というものは楽しいものだと思います。

ときには重い物を運ぶこともあります。牛の堆肥運びも雨降りの草刈りもつらいこともありますが、それがとても楽しく感じられます。もちろん家の掃除、洗濯、炊事を済ませて子供の世話などもありますし、みかんの仕事も一日のうちほんの数時間ですが手伝います。

今も、時々4Hの人たちが見え、その時は私も仲間に入り、主人以上にあれこれ農業について話し合ったり、また遊んだりします。

結婚して思ったのですが、いろいろよくないこと、改善したらよいことなどを初めは主人にやってもらおうなどと考えておりましたが、主人ではなく私自身が家の人と話し合ったりして行なった方が良いとわかりました。

私が悪いと思うことは生活していく上でのこと、つまり女の仕事を通して感じるのだから、私が母や祖母と、また父や主人と話してやる方がうまくいきました。

みかん作りも実際には、広い園で車道のあるのはほんのわずか、後は狭い畑が多くて理想どうりとはいきませんでしたが、今、考えていることは、その狭い畑、高い所がなんとか楽な方法で作ることはできまいかと考え中です。

そして、家の中の仕事も私の働きやすい台所はどうしょうかとか、みかん作りと子供の世話と家事とをどうしたら一番良いだろうとか、いろいろ考え中です。やはり農休日はほしいですから、時間割を考えてやりたいです。

OLから農家へ

夢と違うが楽しい作業

農業は好きだが——
将来の方向に迷う

福島県・杉4Hクラブ　三瓶洋一

杉4Hクラブという名の我がクラブは、東西に帯の様に広がる岩代町の中間に位置し、天然記念物指定、われらの誇れる日本一の杉沢の大杉があり、地名を杉沢と言います。

その大杉は、その昔のお宮が祀られ、そのお宮を中心に三本の杉があり、その三本の杉が互いに成長し、融合し、現在のような大杉になったという伝説があります。われわれも、杉4Hクラブを土台に、一人ひとりがその一本の杉になり、互いに、磨き合い、友情を大きく育てていこうということからその名が発しています。

私たちクラブ員は、阿武隈山系という地理的な悪条件にもめげずお互い頑張っておりますが、やはり現時点では親から受け継いだ経営形態を脱皮できず、冬期間は出稼ぎをしている状態です。

杉沢という地域とクラブ員の経営形態は、養蚕や葉煙草が主で、その他、酪農、水稲といったところ。その形態は「養蚕→酪農→水稲」「葉煙草→養蚕→水稲」といった三部門の経営形態がほとんどで、中には葉煙草をやめ養蚕→水稲を経営し、主人は出稼ぎで農繁期にだけ手伝い、生計を立てている家も出ています。また反対に、妻が近くの工場に勤めているところもあります。私の家も例にもれず、葉煙草が主で養蚕、水稲の三部門での経営形態です。内容は、葉煙草が三十五㌃、養蚕が年間十箱程度、水稲が七十㌃といったところです。

それに冬期間出稼ぎをしている現状です。最初のうちは、社会勉強にとか、自分の小使い取りにとか心が若いうちでしたから、興味本位で遊びたいといった様な事柄での出稼ぎでしたが、長年続けているうちに自分のためにではなく、家のためにと移行し行き、それが、農業という自分の職業、将来の方向の土台を、自からの手で蝕んでいることは、恥ずかしいけれど隠せません。

現在、農業は大きな壁にぶつかっているとか、転換期だとか騒がれている。それにともない、阿武隈山系開発なる大事業の地域に入っていて、国や県のオエラ方や学者の「頭」での構想は、簡単かも知れない。いやその構想通りになら、自分の将来のことをいかなる協力も命を賭けても惜しまない。

しかし、現時点では、われわれ農民の問題であるはずのその内容が、具体的に示されていない。それに当初の構想とは、時の流れにより、変わってくる。

そんな不安定な構想にふり回され、自分の経営構想、事業なども破壊されている。そんな不安定な政に、時折怒りと悲しさを覚えます。農業という職業は好きでも、時にはいやだなあ、と思うこともある。それは隠せません。

同志の皆さん、皆さんは自分の職業をどう感じていますか。

保存食にカルピスはいかが

北海道・伊達町青年大学　片平玲子

食生活の改善（保存食）として片平さんがカルピスの作り方を工夫しました。あなたも試してはいかがですか。まず、準備する材料は、①牛乳九百cc、②砂糖一㌔、③クエン酸十七㌘④香料（オレンジ）で、このほか鍋、計量カップ、泡立器、ヤカン、試飲用コップなどの用具をそろえます。

作り方は、次の順序で行ないます。

1、牛乳に砂糖を加え、火にかけて溶かす。

2、完全に溶けたら摂氏四十度以下に冷やす。

3、クエン酸十七㌘を九〇ccの水で溶かす。

4、冷えた牛乳を激しくかきまぜながら、水でうすめたクエン酸液を加える。

5、香料を加えて良くまぜる。

以上で、出来上がったわけですが、これを四〜五倍にうすめて飲みます。

材料費は、牛乳八十五円、砂糖百三十五円、クエン酸十七円、香料一〜二円で合わせて二百三十八円です。冷蔵庫に入れておけば一ヵ月以上保存できるということです。

油断大敵

長崎県・西山木場4Hクラブ　浦川勝昭

ふえた農機具事故

現代はクワやカマなどの時代とちがって、農機具による外傷は非常に多く、重症事故が多い。

たとえば耕運機の爪に足をまきこまれ、切断したりすることさえ多々あります。

どういう時に多く発生するかというと、足場の悪い耕地での作業による時、また、エンジンのかけ始めや止める時、それに作業中に故障を直す場合などに意外と事故発生率が高いようです。

農機具で危険な場所は爪、刃、スキといった鋭敏な所ばかりではなく、ハンドル、ベルト、プーリなどによる事故も少なくないようです。したがって、農機具による事故をおこさないためには、機械の始業点検を十分におこない完全な状態で作業にとりかかること、また耕地整理などにより耕作地の足場の状態を良くすること、それに鋭敏なところ以外にも注意することなどがあげられます。つまり農機具の特長を良く知り、それにあった作業を行なうことが大切です。また疲労による事故をおこさないよう日頃から身体の状態にも留意したいものです。

不幸にして事故がおきた場合でも安心して治療をうけられる社会保障などの制度を充実し安心して農業にはげめるような社会をつくってもらいたいものです。

NHK農事番組（1月20〜31日）

テレビ

明るい農村 6・30〜6・55 総合
- 21日 村をむすぶ（仙台、大阪、福岡、新潟）
- 22日 農村新地図（愛知県小原村）
- 22日 明るい漁村
- 24日 村の記録「杉針師」
- 25日 きょうの料理
- 26日 産地往来「岩」
- 27日 話題の広場「みかん開発、中国農販」
- 28日 村をむすぶ「釧路・金沢・松山・大阪」
- 29日 農村新地図「北海道赤平市町」
- 30日 明るい漁村
- 31日 村の記録「鉄平（原田）」

農業教室 7・30〜8・00 教育
- 20〜22日 くらしと経営の設計 塚本哲人（東北大学助教授）
- 24〜26日 これからの農村住宅 浦良一（明治大学教授）
- 27〜29日 生活改善と集団活動 松原治郎（東京大学助教授）
- 31〜2日 養豚の一貫経営 高杉五郎（静岡県養豚試験場）

あすの村づくり 日 7・30〜8・00 教育 再 土 13・00〜14・00 教育
- 23日「農村青年に問う―その3」
- 30日「農村青年に問う―その4」〜むらに生きがいがあるか〜

ラジオ

早起き鳥 5・05〜5・57 ①
- 21日 開拓する特産地〜川口市安行〜
- 22日「評判のよい木曽の福寿草」
- 23日 来年度の農林予算を聞く 中野和仁（農林省官房長）
- 24日 スキー民宿繁昌記〜新潟県六日町〜
- 25日 一年株主の観光農園〜京都府久野町〜
- 26日 野菜と結ぶ姉妹農協〜佐賀県小城郡農協、迎日郡農協〜
- 27日 成功した直売作戦〜山口県阿東町生活改善グループ〜
- 28日 きゅうりのクンタン栽培（群馬県館林市）
- 29日 高原の盆栽団地〜山梨県北巨摩郡須玉町ほか〜大谷正蔵ほか
- 30日 出稼ぎ村の救師の記録〜秋田県八竜町〜佐々木兵嗣
- 31日 越前スイセンにかける〜福井県越廼村〜松原巴

話の広場 日 6・10〜6・30 ①
- 23日 房州の農業祭〜安房郡和田町〜
- 30日 研究学園都市の農民たち〜筑波郡矢田部町ほか〜

新しい農村 6・00〜6・30 ②
- 23日 動き出す農住建設② 小峯光與（農林経済局長）
- 30日 動き出す農住建設③ 亀長友義（食糧庁長官）

ラジオ農業学校 日 6・30〜7・00 ②
- 23日 優秀農家に学ぶ〜牛づくり草づくり〜（福岡県小郡町）池末重信
- 30日 農業講演会

崩壊れ

新開ゆり子

(一)

薮故らしの
赤い実だけが昏れ残っていた
そそけだつ　秋の終りの
村落のつきは
明るさだけを語って
女は
山かげの昏さに帰って　沈む
東北の山なみ
半とうめいな深さの底で
空の歪みの　痛さ
風が
言葉を喪いつづけた歴史の重さの中の
朝　は
地核の洞に向って　崩壊をつづけ　る

(二)

十一月　は
水の枯れた川原に風が吹き流れるので
みんな
冷え切った肌ずり合わせて
家路を急ぐのです
風が吹き流れて
とうめいな空気の下では菊が香っている
この
小さな街の陽だまりでは
眠ったようなやさしい眼をして
白菜の漬物などを手のくぼにのせて、
お茶など飲んでいると日が昏れましたから
女は　みんな
やさしく静かに生きて来ました
十一月の風が吹き渡って来ると
みんな
家路を急ぐばかりなのです

（農民文学『百三号』より）

自然との協調が道

岐阜県・高山四ツ葉クラブ　松田高夫

十年後を考えて夢を述べよと言われてみた時、ただ漠然とした夢など話した所で意味がないだろう。

そこで、十年後を考える前に、まず現在を考えてみると自分が何とも確固たる信念も持たず、どうにでもなるようになれ、といった態度であることを感じる。果してこのような自分に十年も先に関して予想などつくはずもない。

だから夢といったら、何ともつまらぬことしか考えていず、考えられもしない。そんな人間の話すことで、皆さんには、はなはだつまらないかもしれないでしょうがかんべんして下さい。

十年も経ては、現代の社会は大きく変わりそれとともに農業も大きく変わっていく。それは過去十年間をふり返ってみれば明らかである。

そこで問題となるのは、その変革の方向である。自分自身どう思うかとたずねられると、簡単には答えられないが、単純に良くなっているとは言えないように思う。

昔のすばらしかった自然の中での農業は存在せず、文明にたよった農業だけが存在しているようである。物質文明の現在では、収益を上げ物質的な豊かさをベストとして追い求めるような傾向がつよい。

事実、自分だって豊かな生活がきらいではない。むしろ好きである。その豊かに思われるような文明もよく考えてみると、見せかけだけのもので、昔のすばらしかった自然には及びもつかないように思われる。

現在まで、農業がたどってきた道を、そしてこれからたどるであろう道を考えてみるとき、果してより良い方向へ、より自分の望む方向へ向かって進んでるのだろうかと考えさせられる。

現在では、より多くの収穫をあげようとする農業と自然とは対立しているように思われる。科学的な手段で、自然を思いのままあやつろうとする人間の手によって、自然は追いやられそこなわれていく。これは農業のみについて言えることではないが、本来あるべき姿ではないと思う。

せめて、農業といった、自然ともっとも結びついた仕事については、自然との協調を望みたい。我々の今後は、より多くの収穫と、自然をあるべき姿に保つといった相いれない対立しているような事柄を両立させていくことにあると思う。

そのための努力を払っている人々は、現在では少ないかもしれないが、将来はきっと多くなって、より多くの人に理解してもらえるようになっていってほしい。それが、自分の希望する未来であり夢でもある。

ここまで話しても、何ら具体的な提案がないではないかといわれるかもしれない。実際に農業に従事している人でなくては具体的な案はでてこないのは当然である。

だからといって、将来自分には何もできないということはないと思う。何とか自分なりのやり方でやっていきたいと思っている。

まずはカラを捨てることだ

福島県・大山4Hクラブ　高橋貞一

夢は自分たちの手で

私は高校を卒業し4Hクラブに入って以来四年目を迎えようとしています。クラブに入った頃は、農業にも4H活動にも夢と楽しみがありました。

しかし今となっては、かの時代も一生の何分の一かである四年間をすごしただけで、夢をもった農業には、むざんにもあきらめばかりが残り、クラブ活動へはミエと義理のみが残ってしまったような気がします。目の前を通りすぎたわずかな月日が長く感じられ、現在の社会が少しなりともわかるにつれいやな毎日でした。

日本には農業後継者とよばれる若い農業従事者が何百万といますが、どれだけの人がほんとうに農業に夢と希望をもち「農業をやってよかったなあ」「これこそ私たちの仕事だ」と思ってやっているだろうか。現に、他産業への移転、またそこまでゆかなくても、暇さえあれば農業以外の仕事に出るといった者が大半を占めているではないか。

日本の現代社会からいって、このような状態はあたりまえなのかもしれない。なぜなら、国の政治をみれば、農業をやりやすくしている要素は一つもないといっても過言ではないようなありさまだからです。心から頼れるものが、どこにありましょうか。それでも無理に押すならば、大きな厚い壁にぶつかり、さんざんにたたきつけられてしまうことはまちがいありません。私の言ってることがわかるでしょうか。

すなわち、小さなからにとじこもっていたのでは、なにもできないのです。一人ひとりではいけないのです。何百人、何百万人、いや農業従事者全部が、こぞって国を動かさなければならないのではなかろうか。それが実現されないかぎり、農業には夢も希望ももてるはずがありません。

4Hクラブの活動を、もう一度ふりかえってみて下さい。「技をみがく」「仲間をつくる」この二つは非常に重要なことです。これらが積み重なってこそ、大きな仕事ができると思います。

しかし、現在の4Hクラブにおいて、その基礎となるものでさえも、どれだけ実を結んでいるだろうか。去年の行事を今年もその通り実行しているにすぎず、それにクラブ員もあまり集まらず、ただマンネリ化のみが残ってしまうのでなんにもなりません。

私はここでこそ、皆さんに、もう一度考えてもらいたいのです。私たち若い仲間が団結し、そして夢のもてる農業をかちとろうではないか。

青春と仲間

何の気なしに……

大阪府・別所4Hクラブ　小林正広

高校を卒業し、農業をやり始めてから二年目にさしかかっているが、高校時代には農業をやる気持があったかどうかというと、あったとはいえない。

それなら何故、自分は農業をやり始めたか、自分でもハッキリとはわからない。長男だからか、それともなんとなしに始めたのかもしれない。

高校時代に先生が、何をやるにしても信念というものをもってやらなければならないといっていたが、今の自分としては、信念をもって農業をやっているかどうかは疑問である。

農業とわが人生

茨城県・恋瀬4Hクラブ　浅野章

農業に従事してから、早いものでもう二ヵ年が過ぎようとしています。

農業を始めたころの考え方はどちらかというと成り行きにまかせた場当り的なものであり、人生についての見方も、まだまだ幼いものであったと痛感しています。

農業が、現在大きな転機に立っているのを感じているのと同様、その一員として、この私自身も大きな転機を感じている次第です。

私は、今まで仕事は生活維持のためにするものだと思っていました。だれでも生まれつき、働くことが好きで働いているわけではないでしょう。だれもが、仕事よりもほかのことで楽しむほうを喜ぶでしょう。

しかし、私は、生活の必要から、仕事に駆りたてられるのではなく、生活の向上発展のために働くのだということがわかってきました。人間の生活目標では、幸福は働くことによってえられるのだと思います。トルストイの言葉を借りれば、「人間が幸福であるためには避くべからざる条件は勤労である」ということです。

未来の農村は

またオーストリアの詩人ローゼッガーはつぎのような未来像を描いています。「今日すでに年々、都会から田舎へ、山地へと盛んな民族移動が行なわれている。しかし、山々が黄葉する季節になれば、彼等はまた都会の石壁の中へ帰ってゆくのである。けれどもやがては、裕福な都会人は百姓の土地を買って自分で耕し、労働者は原野を開墾して耕地とする時が来るだろう。彼等は博学ぶりをやめて、肉体労働によろこびと健康とを見い出すだろう。彼等は、また昔の独立した名誉ある農民社会の成立を認めるような法律を作るであろう。そして、ひとはもはや"無学な百姓"というきまり文句を聞かなくなるだろう」

このようなことは、実現しないにしてもでたらめではないでしょう。

農業のよろこびは、自分で実際に経験して成功と創造を見い出すことにあるのではなかろうかと思います。

労働と幸福感

仕事を持たず、それゆえに一生の終わりにその成果をみることのないような生活は、不幸な生き方だと思います。人間は生きている間に恨みを残すようなことのない、有意義な生き方をしなければならないと思うのです。われわれの祖先が、二千年もの間、努め励んで築きあげてきた農業の発展に役立つよう努力します。

嫁不足にも一言

長崎県・さつきクラブ　江島フジ子

私は農家の四女として生れ、卒業後、家の計画にまんまとのせられ、父母と共に農業に精出してきました。卒業当時は慣れない仕事と、友人の県外流出で不安な日々もありましたが、今では自分の一生を農家でと歩みるようになりました。

約半年前、私は小さな会社の事務員として勤めに出たことがあります。農業が嫌いで出たのではありません。むしろ農業が好きで他界より農業を、また農家の主婦の生活をみてみたいと思ったからです。それに多くの人の意見を聞いてみたいとも思いました。

今日では、夫婦共稼ぎがあたり前と考えられ、また実際に多くの家庭がそうしています。そこで私は思うのです。同じ共稼ぎなら、自分の意志によって自由に働くことのできる農業をやろうと……。

現在農村では、農家の嫁不足が問題とされているようです。しかし、農家の男性もサラリーマンと同じように年齢に達すると相手も決まり問題も深刻ではないように思われます。ですが、私はある女子青年より聞き捨てならぬ言葉を聞いたのです。

同じ嫁ぐならサラリーマンに、縁がなくてどうしても売れ残るような最後の手段として農家にとのことです。何でもない問題、いやちょっとした言葉ですが、農家の嫁不足の原因の一つと考えます。というのは、自分がいやいやながら農家に嫁ぎ、つぎに農業を背負う子供に自分と同じいやな農業をやらせたくないと思い、そのように教育してしまうのではないかと思うからです。

もうひとつ勤めに出て感じたのは、農家では記帳が不足しているということです。農家の主婦ほど現金の出入りの多い職業もないと思います。帳簿づけすることこそ家計を向上させ、生活を改善させてゆく第一歩ではないかと考えます。

私は今までの農家の主婦ではなく、自分の農家生活ができるような主婦になることをめざしてがんばりたいと思っています。

職場づとめだけど

〈山口〉一女性

私はある職場に勤めている一女性ですが、今日此頃は有意義な毎日を過ごしております。

年中暇もなく、またおよそ縁もないような4Hクラブ……。

そのような4Hクラブに入会して初めの頃は尻込みしていた私なのに、今ではつとめて会合に出席し、研修などへ行くのが待ち遠しく楽しみになりました。

防府の大平山での年度末総会。雄大な景色を望みながら、この総会は、私をひとまわり大きくしてくれたような気がしました。

また五月には料理講習。朝早くから起き子供のようにはしゃぎながら、クラブ員の方の家へイチゴ摘みに行きました。腹一杯になって、夕食まで食物がのどを通らなかったのもお笑いの一つです。

そして真夏の山の下刈り。私は残念ながら職場の都合で参加できなかったが、お昼の弁当作りをしました。暑い最中での作業は本当につらかったでしょう。一人のんびり献立を考えていた私には頭の下る思いでした。

あれもこれも私を楽しくさせ、新鮮な息吹きを身体中に浸透させてくれました。このクラブに入り、働く楽しさ、また厳しさを教えてもらったことを感謝しています。

燃え尽きぬとも

神奈川県・川崎地区　小泉昭男

己れが何故呼吸をし、ローソクの炎にも似たこの小さな生命をいたわるのか。この世に何億もの生命のある中で、こんなかよわい生命の一つや二つ、風で吹き消されてもこの世に大した影響がありゃしないさ……。

今秋で二十六歳になるぼくにもこんな考えが過去にあった。それは丁度高校生の頃だったか。女性にも振り向かれず、もっか生きるとは喰うことなりを実行し、栄養生長時代の時だった。学校の成績もいい時で中の上、まあ成績の悪さを人情でカバーしてた頃の話しよ。その頃は「なんだってこんな勉強のできない男を産んでくれたんだ……」とばかり親を恨んだものよ。今思えば親など恨むどころか己の無努力さに原因があったらしいがね。今じゃ飛び切り上等の嫁さんを頂いて毎日がバラ色みたいな錯覚に浸り、自己満足している。まあ考えてみれば単純な男さ。

ぼくの仕事は、礫耕温室栽培だが、かつてから描きつづけていた礫耕専業経営もどうやら計画通りに進み、充実した日々を送っている。東に新しい産地ができれば、そこへ行き、経営プログラムを聞く。西に理想の人がいれば、行って教えを受ける。

「若者は行動によって真の若者となる」今のぼくはたえずこの思想と行動力によって自らを正常に保ちつつ、明日の農業界の尖兵となるために、この張りさけんばかりのファイトを消費している。

ある時は友と二人で午前三時に市場へ行き、五時に東名に入り、午前中に兵庫迄突走り、先進地の礫耕を二、三軒見学して夜帰宅することもある。仕事や生き方の参考になる所なら、どこへでも時間の許す限り飛んでゆきたい。

今、ぼくは友と二人で高級果菜専業経営の目標に向い、可能な限りのアタックを実行している。この結果はいずれ果実店などに新しい販売方法としてあらわれるであろうが、まだ公表はさけたい。

ぼくが協議会を通じて学んだことは三つに分けることができる。第一に仲間の必要性、第二に己れの価値判断、それに競争心であろう。真の友人であればあるほど、人生における競争は互いをみがく最良の手段であり、己れの力を評価する計りにもなるのである。

友と話しがはずみ、気付いたら朝方の四時になっていたこともよくあった。若いうちは一晩や二晩寝なくともどうにかなるものさ。車のガソリンが満タンだといっては夜通し、あてもなく遠く突っ走ったこともある。

犬も歩けば棒に当たるのごとく、そんな行動のなかに何かしら人生の糧になるものがあるのだ。ぼくは若者に言いたい、「かまわねえから、突っ走れ！」と……。無鉄砲さこそ若人の特権であり、生きがいでもあるのだ。これからも君たちに負けないよう、何事にも全身のファイトをたたきつけていく覚悟だ。

我が命燃え尽きぬとも

風諺

変身すること

正月休みなどはとかく旧友とかふだんあまり顔を会わせない人に会う機会が多い。そんな時、開口一番に「君はずいぶん変った。まるで別人のよう……」などの言葉をよく耳にする。とくに青少年期の若者は、そう言われることが多々あるだろう。人間は生きている限り、肉体的にも精神的にも変化しているのだから、そう言われたとしても何ら不思議なことはない。

私たちは自分の変化に、自分自身では気付きにくいものである。そして、現にせんじつめていけば自分の多くの部分が他人の目によってしか判別できないことも認めざるを得まい。しかし、私たちが変化への意志をもっていることも事実である。

自分が変化するということには、私たちの意のままになるものと、そうでないものとがある。しかし、現実的には意のままになるものは少なく、ほとんどが意のままにならない偶然的なものでしめられている。それゆえに、変化という言葉には幸運と不幸という相容れない響きがこもっているのだろう。これは当然すぎるほど当然のことである。

また、私たち自身が自らの将来に対して、わが身の変化を想像した場合も、私たちは透明のような期待と、何か言いしれぬ不安を、やはり当然のごとく感じるものである。これは、純真な子供がテレビの怪獣番組などを見ていて、一人の人間が、正義の味方に変身する時、またその逆に地球征服をたくらむ巨大な宇宙人に変身するときに感ずるようなある種の緊張状態と似かよっているような気がしてならない。

実存主義作家として名高いドイツのフランツ・カフカの作品のなかに"変身"という小説がある。これは、一人のごく平凡な男が、冬のある雨の朝、目覚めてみると自分の体が巨大な虫に変ってしまっているといった奇怪な発端をもつ小説である。しかし、この二十世紀の白昼そんなバカげた話があるかと一笑に付せない、それどころか逆に考え込まされてしまう、そんな小説である。カフカは、理由もなければ原因もなく巨大な虫に変身した一サラリーマンを描くことによって現代人の孤独と不安を強く私たちの胸に訴えているのである。

私たちが自らの身の変身や変化を考えるということは、日常生活を土台にしている場合が多いものである。子供がウルトラマンや仮面ライダーに変身しようと願うのも、現実の自分を無意識的に否定しているからであろう。私たちの場合も同じである。わが身の変化を志向し期待することはよくあるからだ。だが、幸にしろ、不幸にしろ人間の変化には偶然性がつきものである。ところで、"君は変った"と他人にいわれて、喜ぶべきなのか、悲しむべきなのか私には判らない。

（野）

私の考える4Hクラブ

栃木県・都賀町協議会　刑部弘

私は昨年4Hクラブに入り、現在に至っています。学校時代、4Hクラブとは、どのようなクラブなのか知りませんでした。

自分の考えていた4Hクラブとは、農業という職業を部門ごと専門的に学習会やプロジェクトの発表などを行なって自主的に学ぶクラブだと思っていました。

そして、卒業すると間もなく4Hクラブに加入しました。それからは定例会やいろいろな行事に参加しましたが、学校時代に考えていた4Hクラブと、現在まで行事に参加して感じた4Hクラブとは、イメージが大部違いました。それは、4Hクラブとは仲間作りの場であると聞かされたことです。職業である農業から大部かけ離れてしまっていることが強く感じられますがどうしてなのでしょうか。

仲間づくりということも非常に大切なことだと思います。レクリエーション的なことも良いと思うが、全体会などではもっと私たちの農業に関した身近かな農業全体の問題点の話し合いや講演会などを行事にもり込んでほしいと思います。

私は、クラブや部活動を通して自主的に見聞を広げ、農業に進んで取り組むようなクラブを作ることを望んでいます。

短歌

島根県連副会長　柿田輝美

ふるさとの北風寒し野辺の路のこしてる柿の実赤し

若草をとりて牛舎の前行けば我にくれよとねだる鼻づら

海ないでわかめかる舟点々と浜辺でいそがし姉さんかぶり

◀投稿案内▶

本紙は、みなさん方の新聞として、全国のクラブ員に利用して戴きたいと考えています。それでクラブの催しや個人のプロジェクト、詩、短歌、随筆、写真、悩みや意見、村の話題、伝説、行事、その他なんでも原稿にして送って下さい。

お願い　❶長さや形式は自由です　❷できるだけ記事に関連した写真をそえて下さい　❸送り先　郵便番号 162　東京都新宿区市ヶ谷船河原町11　日本4H新聞編集部

4Hのマークと共に

クラブ活動用品の案内

品名	(単価)
4Hバッチ	80円
レコード盤（4Hクラブの歌・4H音頭）	150円
クラブ旗 大(72cm×97cm)	430円
クラブ旗 小(36cm×49cm)	230円
手拭	110円
ハンカチ	60円
ネクタイピン	230円
女子用ブローチ	230円
クラブ員専用便箋	100円
〃 封筒	70円

◎荷造り送料代150円です。
◎ご注文は代金を振替口座へお払込みを願います。代金着き次第、ご送品致します。

社団法人　日4H協会代理部
東京都千代田区外神田6丁目15～11の705号
振替口座　東京72082番
電話 (03) 831―0461

日本4H新聞

4Hクラブ 農事研究会 生活改善クラブ 全国広報紙

発行所 社団法人 日本4H協会
東京都市ケ谷家の光会館内
電話（269）1675 郵便番号162
編集発行 玉井 光
月3回・4の日発行
定価 1部 20円
一カ年 700円（送料共）
振替口座東京 12055番

クラブ綱領

一、私達は、実践を通じて自らを磨くとともに、互いに力を合わせて、よりよい農村、よりよい日本を創るため、四つの信条をかかげます。一、私達は農業の改良と生活の改善に役立つ腕をみがきます。一、私達は科学的に物を考えることのできる頭の訓練をします。一、私達は誠実で友情に富む心をつちかいます。一、私達は楽しく暮し元気で働くための健康を増進します。

全国の仲間、北海道へ

8月28日から5日間

二千人の参加予定

第八回全国4Hクラブ員のつどい

今夏八月から九月にかけて北海道で開催される全国クラブ員の一大祭典——「第八回全国4Hクラブ員のつどい」の開催要領の大綱が、このほど地元北海道4Hクラブ連絡協議会（会長 中山寿雄君）によってまとめられた。これをもとに今後、主催者間で協議し、正式に決定することにしているが、北海道連では早めに参加者を把握したいと要望している。

一、趣旨

このつどいは、日本農業の担い手として、日夜農業の改良と生活の改善に努力している4Hクラブ員が自らの手で企画、運営し、自主性の高揚に資するとともに、新しい技術の研鑽とクラブ活動状況の話し合いや現地交歓訪問などを通じて、青少年の仲間づくりや地域社会から理解される家族ぐるみの4Hクラブ活動の推進を図るために開催する。

一、主催

全国4Hクラブ連絡協議会、北海道4Hクラブ連絡協議会、社団法人日本4H協会

一、後援（予定）

農林省、文部省、総理府、北海道、札幌市、全国農村青少年教育振興会、NHK、全国農業協同組合中央会、農民協会、青少年育成国民会議、中央青少年団体連絡協議会、北海道青少年団体連絡協議会

一、協賛（予定）

日本農業新聞、家の光協会、雪印乳業、サッポロビール、その他各種団体

一、期日

今夏八月二十八日（月）〜九月一日（金） 四泊五日間

一、会場

北海道厚生年金会館（開・閉会式）、札幌市、月寒屋内スケートセンター、石狩、空知、後志、胆振、上川、留萌、日高の各支庁

一、参加者

4Hクラブ員、OBならびにその家族、農業講習所生徒、農業高校生、外国クラブ員、農村青少年育成指導者など計二千名

一、つどい事務局

▽八月二十五日まで 東京都新宿区市ケ谷船河原町十一、家の光会館内 全国4Hクラブ連絡協議会事務局、TEL＝〇三（二六九）一六七五、〇三（二六〇）〇〇七九
▽八月二十六日から 札幌市定山渓四区、ときわ旅館 TEL＝〇一一（三六五）二六三一

一、運営

別に定める方法により全協、北海道連、次期開催県（神奈川県）、農村青少年クラブ連絡協議会の各役員および4H協会職員が当る。

一、参加者経費

一人当り六千五百円（旅館宿泊代四千円、弁当代四百円、バス代〈移動〉千三百円、運営費六百円、保険料百円、雑費百円）

一、参加者受付け

▽日時＝八月二十八日午前十時〜十二時
▽場所＝民宿地、各拠点地（場所は各自に連絡する）

一、携行品

1、洗面用具、筆記具、雨具、運動ぐつ、作業衣、ビニールぶろしき、その他日用品、健康保険証。
2、郷土品の交換を行なうので各自二百円程度のものを必ず持参すること。

一、つどい内容

1、現地交歓訪問
（1）目的 北海道のクラブ員の生活と経営状況を見聞し、仲間づくりと家族ぐるみ、地域ぐるみの4Hクラブ活動を実践する。
（2）内容 ①クラブ員の生活を体験する②家族や地域の篤志指導者との話し合い③クラブ活動状況の話し合い④現地視察、見学、その他
[illegible] 八月二十八日〜三十日（二泊三日）
①生活体験をするため作業衣を用意すること②単なる見学会に終らないよう努める③交換資料などの用意があ④この交歓訪問の旅費は自己負担とする。
2、歓迎レセプション
3、パネル討議 「農業青年としての生きがいを求めてクラブ活動」をテーマとして参加者全員で討議する。
4、交歓の夕べ 郷土品の交換など楽しいつどいの夕べを宿舎で行なう。
6、散策 「北海道の姿を見つめる」……札幌市内や北海道開拓記念館、野幌道立自然公園などの会場を移動しながら話し合いを行なう。
7、キャンドルサービス 火の儀式を通じて4H精神の高揚を図るとともに、各地の郷土の芸能を披露しあう。
8、記念講演 講師＝作家・三浦綾子女史（「氷点」でお染み）
9、お別れのつどい
10、閉会式

日程

一日目（月） 午前十時……民泊先きで受付けと昼食、十二時……オリエンテーション、午後一時……移動、現地交歓訪問、クラブ員宅に宿泊

二日目（火） 現地交歓訪問、クラブ員宅に宿泊

三日目（水） 現地交歓訪問、午前十一時……札幌市の道厚生年金会館に集合、十二時三十分……開会式、午後二時……歓迎レセプション、二時三十分……パネル討議、四時……宿舎（定山渓温泉）へ移動、入浴・夕食、七時三十分……交歓の夕べ、九時……自由交流、宿舎泊

四日目（木） 午前六時……起床、洗面、朝食、八時……散策、午後三時三十分……キャンドルサービス、六時三十分……宿舎へ移動、七時三十分……夕食、入浴、自由交流、宿舎泊

五日目（金） 午前六時……起床、洗面、朝食、八時三十分……札幌市の道厚生年金会館へ移動、十時……記念講演、十一時三十分……お別れの集い、閉会式、解散、午後二時三十分……観光旅行出発

北海道連が作った協賛マッチにも紹介されている「北海道百年記念塔」

秘境への旅も

北海道連では、つどい参加者へのサービスとして、つどい終了後、秘境の地「知床（しれとこ）」や神秘の湖「摩周」の旅を計画している。

九月一日から四日までの三泊四日間で、札幌、旭川、層雲峡、網走、厚生花園、美幌峠、川湯、摩周湖、阿寒湖、糠平湖、日勝峠、苫小牧というコースを考えているようだ。

涼風暖風

子どもを外国へやれ

私は、子どもさんの将来についての相談を受けると、必ず「外国へやりなさい」と答えることにしている。

この回答には、たいがいの親たちが目をパチクリしてしまう。私自身、年齢的にいっても、それ程の人生経験を持っているわけではない。人の一生を左右するような相談には、責任ある回答ができないのがあたりまえである。だから、相手のドギモを抜くような、あるいは、茶化すような回答になってしまう。どうせ、子どもたちを猫可愛いがりしている最近の親たちには、子どもを外国住いさせる程の度胸もアルメエ、というところか。

しかし、「外国へやりなさい」という回答には、チョッピリ私の本心がかくされている。可愛い子には旅をさせなさい、という苦言とともに、国際化社会の到来を真剣に考えなければ、という警告がそこにある。

近頃は、日本の若い人たちが随分外国へ行っている。中には無鉄砲なのもいて、スウエーデンあたりで国外退去問題をおこしているとか伝えられている。北欧諸国は、社会福祉がいきとどいているので住み心地もよいことだろうし、フリー・セックスなどとマスコミが書きたてるので、若ものたちの興味をそそるようだ。甘い考えでは、外国ならずとも、日本国内でも成功しないのが男女の中である。

ところで、国外退去問題がおきたとかいうと、世の識者はすぐ国辱ものだという。私はコトの真相は知らないし、破廉恥なヤツは徹底的に糾弾されるべきだと考えるが、角をためて牛を殺す結果を招きたくないと思う。

日本人の欠点は、外国語に弱いことだという。そして、社交性に乏しく、閉鎖的であるともいわれている。これは島国で、農耕民族であるところからくる欠点だとも指摘されているが。ともあれ、こんな欠点が外国ではマイナスに作用し、誤解を生んでいる。人の面前でもキスしなければ愛を確認し合えない者に、ミソヒトモジに秘められた恋のたぎりが分ってたまるか、といってしまえばミもフタもないけれど。

戦争を否定した日本は、武力によって相手を納得させることはできない。また、絶対にすべきではない。だとすれば、相手から正しく理解され、相手を正しく理解する方法を確立しなければならない筈である。

年をとった人には柔軟性がないから駄目だと若し言うなら、せめて若い人たちを外国へ出して国際性の訓練をしたらいい。農産物の供給にしても、世界を単位とした主産地形成問題が遠からず論議されるに違いないのだから。

私はもう一度いう。「若い人を外国へやりなさい」。（文部省 伊藤）

酪農団地化の計画も

愛日地区連で実績発表大会

【愛知】名古屋、春日井、瀬戸、小牧市と西春日井、愛知郡の六つの4Hクラブからクラブ員ら約五十人が出席して、第二十二回愛日地方農村青少年クラブ実績発表大会が、さる十一日午前九時三十分から春日井市農協で開かれた。

農業後継者として生産と生活の向上を図るため、研究、実践した成果を発表するためのもので、各クラブ代表がこの一年間の農業経営記録、実績、生活体験を発表し、出席者全員で討論し合った。瀬戸4Hクラブの斎場実君は「私の酪農経営」というテーマで、六年前に成牛二頭で始めた酪農がいまでは成牛、育成牛合わせて十九頭にもふえた経過と、畜産公害が問題となってきたことについて将来の酪農団地化の計画などを発表した。

このほかの発表も若い農業後継者が真剣に新しい農業経営に取り組んでいる体験ばかりで、熱心な質疑応答もかわされた。午後からは、県農協中央会経営監査課の伊藤求次長補佐から「農業税法と相続税」について講演を聞いた。

全協でオルグ実施

全国4Hクラブ連絡協議会（会長 黒沢健一君）は、今月から来月にかけて、近畿、東北地方の各県連へ役員派遣を行なう。

心頭技健

いま、日本民族は新しい歴史に接して少なからず動揺しているように感じられる。政治、経済、社会、生活などあらゆる面で、内外からゆさぶられ、新しい価値観や方向を見い出せないまま戸迷っているのが実情ではないだろうか▼例えば、中国の国連加盟、台湾問題、ドルショック、円の切り上げ、過激派学生による爆弾闘争、父子の心中、フリーセックス、家族制度の崩壊、公害問題、権威の失墜、犯罪者の年齢低下と凶悪犯の増加など犯罪の都市化、交通事故によって起る各種のトラブルや過疎などの問題がクローズアップされてきた▼農業とし、その嵐を避けることはできない。米作の生産調整、コメの価格据置き、物価統制令の廃止、貿易の自由化、農薬や畜産公害、野菜など農産物の価格の不安定、都市区画、出かせぎの増加などの問題が次々に投げかけられている。このため、クラブ員が農業の将来に対して不安をいだき、その意欲さえ弱めていることはいなめない▼これらクラブ員の不安に応えてくれる明解は今のところ見当らないようだ。また急激な変化に、誰れもズバリと解答を出せない状態にあるとも言える。しかし、そのため、クラブ員が目先きのことだけを追い、本当に必要なものは何か、人格形成期にある自分たちにとって何が大事なのかを見失う傾向があるのは残念である▼もちろん、自分たちの研究活動から生れた成果や生活体験をもとに社会に訴え、ときには活動することも必要であろう。しかし、4Hクラブ員の多くは近代的農業経営者、有能な社会人となるための学習の時期にあるといえるのではないだろうか▼4Hクラブの中には、今春、成人式を迎えた人も多いと思うが、この事を十分に認識して行動してほしいと考える。世はまさに、多様化の時代、無思想の時代といわれるが、それらの渦に巻き込まれることのない、自主的な行動ができる実力を養ってほしいと思う。この問題解決の正しい態度を養うことこそ、4Hのプロジェクトでもあるのだから。

会館問題を審議

2月23〜25日、東京で 臨時の会長会議開く

全国4Hクラブ連絡協議会（会長 黒沢健一君）は、来る二月二十三日から三日間、東京・文京区本郷一丁目の「本郷館」で道府県連会長会議を開く。

これは、昨年秋、静岡県御殿場市の国立中央青年の家で開かれた全国4Hクラブ後期中央推進会議においてもたれた都道府県会長会議の席上「4H会館」建設問題については十分に審議されず、会館建設の早期実現のため、ぜひ総会以前に会長会議を開催する必要があると決定されたもの。

このため、今回の会長会議では4H会館の建設、募金活動の推進などについて十分に掘り下げて議論されるものと思われ、全協執行部では、県連会長が出席できない場合、その代理人など県連を代表する人たちが必ず出席するよう要望している。

また、各県連とも①現在までの募金活動の方法②募金総額③全協への送金額④今後の募金活動計画⑤建設（募金）推進についての全協に対する要望⑥4H会館の青写真、などの資料を提出することにしている。

一日目は、十二時三十分から開会式、全協からの資料説明、現在までの活動の説明のあと会議に入り、二日目も午前と午後、会議をもち、十分に審議することにしている。なお、一日目の午後六時からの夕食時には懇親会も考えている。

参加経費は、一人当り三千八百円（宿泊代三千円＝二泊、昼食代二回分三百六十円、運営費など）

早期建設をめざして 4H会館

—1—

例えバラックでも

早期実現はクラブ員の願望

静岡県連

全国クラブ員とOBの宿願である全国クラブ員の殿堂—「4H会館」の建設は、ビルのスペース買取り方式への移行によって、その方向を変え急速に実現への道を歩き始めた。しかし、一個建ての殿堂を夢みていたクラブ員にとってイメージが異ってきたこともあってか、各県連の募金の実績が思うように上がっていないのが実情である。だが、早期建設を望んでいるのがクラブ員の声だ。そこで、各県連の募金活動の状況、クラブ員の声、全国県連会長会議における討議、これまでの経過などをおりまぜながら、会館建設について連載し、問題点や今後の方向などを追ってみたいと思う。

4H会館建設のための募金活動は、さる昭和三十八年ごろから話がなされ、本県では四十三年から急ピッチで募金運動が展開されてきた。

当時は、農村青少年技術交換大会、青年教育会議などにおいてクラブ員やOBに強く募金を呼びかけてきたが、何か呼びかけにも力不足の感があった。また、全協からもらった会館のパンフレットをもとにクラブ員に協力を呼びかけた。しかしこれも、何か役員だけの募金活動に終っていたような観があったことはいなめない。

だが、募金したクラブ員、まだ募金していないクラブ員から多くの問題が出され、県連役員がそれらと積極的に取り組んだ。

とくに本県の場合、東京に近いだけに、もし会館が建設されれば多くのクラブ員が利用できるものと期待されたが、問題の募金はいっこうに集まらない。このような募金活動では、何年たっても同じような状態のくり返しであるため、四十五年度、当時の真田県連会長をはじめ県連役員が、4H会館問題などを中心にオルグ活動に踏み切ったわけである。

そのオルグは、県下五地区連に分けて行なったが、その中でとくに驚いたことは、末端のクラブ員まで会館建設の趣旨が徹底しておらず、募金に対して全く無関心であったことだ。このため、本県連が独自に会館建設のためのパンフレットを作成して県下の全クラブ員に配布し、目標額達成を強力に呼びかけることにした。

その過程においては「地価の高い東京に建てるよりも、土地の値段が安く、交通の便のよいそして風光明媚な富士山のふもとへ建設したらどうか」など多くの建設的な意見、要望などが末端クラブ員からだされた。そして、県下のほとんどのクラブ員が募金と積極的に取り組む姿勢がみられ、募金活動に明るい見通しがつき、募金額も三十万円を突破することができた。

しかし、現在においては、積極的に募金している県連と、まったく消極的な県連が相当あるように思える。そして、四十六年度においては、会館も独自に建設するものでなく「スペース買い取り方式」となった。これについて本県連においてもまったく残念に思う。県下のクラブ員が期待していた一個建ての会館——役員が一丸となってOBに強く協力を呼びかけていた矢先でもあった。

だが、本当に、スペース買い取り方式で早期建設が実現できればクラブ員も納得するし、利用できることは大変ありがたいと思うのである。と同時に、全協自身が、何かと便利な中央（東京）に建設することだけを考え、何ら新しい手も打たれることなく、いたずらに、年を経ているのが現状ではないだろうか。

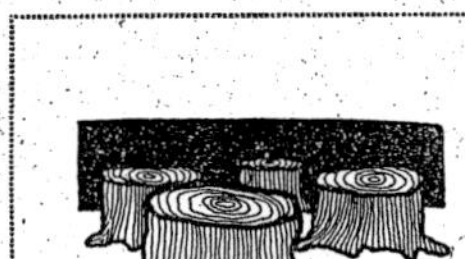

会館は、全国4Hクラブ員とOBのシンボルともなるものでもあり、全協はもちろん全国のクラブ員が一丸となって積極的に取り組んでほしいと願うものである。そして、全協自身が資金を借りても早期に建設してほしい。この願いは、ただ一人だけのものではなく、全国クラブ員の願いであると思う。

もし最悪にして、殿堂の建設が不可能な場合は、例えバラック建ての小屋、俺、一坪の土地でもよい、本当に全国の仲間の心と心を結ぶことができるものを早期に実現してほしい。これが、現実の、会館建設に対する本県クラブ員のナマの声である。

また、全国のクラブ員、県連の信頼と期待を受けている全協の役員方も、くじけることなく早期実現のために一生懸命頑張っていただきたい。

（鈴木政美連絡報道員）

自由化の問題など

熊本県・熊飽地区連で会議 農業の悩み話合う

【熊本】熊本県熊飽地方農村青少年クラブ連絡協議会主催のもとに、同地方農村青少年会議が去る十一日午前十時から熊本市社会教育会館で、4Hクラブ員ら百五十人が参加して開かれた。

農業をめぐるきびしい情勢の中で、特に都市化の波をまともにうけている同地方農村青少年が、プロジェクトを基礎に体験した成果を発表し合い、衆知を集めて新しい自立経営農家への道を見いだそうというもの。

当日は主催者の上村同地方農村青少年ク連絡協議会長、原田県熊飽事務所長（代理）あいさつ、岸崎飽田町長らの来賓祝辞、4Hクのうた斉唱などがあって開会式。ただちに野菜、作物、畜産、果樹、生活、グループの六分科会にわかれ、奥山熊飽農改普及所長らを助言者に、活発な発表、研究討議が行なわれたあと全体会が開かれた。

分科会では野菜の価格不安定、グレープフルーツ・牛肉などの自由化問題、米作への不安、休みが思うようにとれないなど農業の当面する諸問題などについて真剣な意見と悩みが出された。

午後四時から閉会式に移り、体験発表優秀者に対する賞状授与、講評などが行なわれた。

関東ブロック連協で役員会

強い呼びかけを　4H会館募金

首都圏農業青年としての活動めざす

関東ブロック農村青少年（4H）クラブ連絡協議会（会長 綱川信夫君・埼玉）では、全国4Hクラブ連絡協議会の黒沢健一会長（埼玉）はじめ松浦憲治（静岡）松本良子（栃木）両副会長、小宮山治夫事務局次長（長野）らを迎えてさる十一、十二の両日、埼玉県青少年会館、国民宿舎「覧山荘」で役員会を開き、今後の関東ブロック連協の運営方法や4H会館建設の募金活動などについて協議した。

関東ブロック連協は、栃木、茨城、埼玉、千葉、神奈川、山梨、長野、静岡の各県連によって構成され、全国でもブロックとしては構成県が最も多いところ。発足してからすでに三年目を迎えたが、各県とも首都圏農業地帯として難しい立場に立たされている。そのため役員会でも、この点について論じ合われ、組織として初期の目的を達成することができ、事業も順調に進められているが、厳しい現在の農業情勢の中で、このままで良いのかという切実な意見が多くの役員から出された。

この問いかけをもとに話し合った結果、「今後、首都圏農業青年として、グループ活動の問題点や共通点、また、農業経営などについて真剣に話し合いの活動ができる組織として強く団結され、真の4Hクラブ活動を、自分たち関東ブロックで達成しようではないか」というのが出席者全員の声であった。

一方、4H会館建設の募金活動については、関東ブロックの各県連が全国の目標額に準じて募金することを再確認すると同時に、募金が伸び悩んでいる関東ブロック以外の各県連に強く呼びかけ、一日も早く会館が建設されることを要望した。

最後に、次の役員会を三月下旬に開くことを決めて閉会した。

なお夜は、関東ブロック連協の先輩をまじえて懇談会を開き、大いに気勢を上げた。これらの結果から関東ブロック連協の運営に明るい見通しが出てきたといえる。（綱川信夫会長より）

喜ばれた野菜の移動販売

中村市4Hクラブ

【高知】市民に新鮮で市価より安い野菜を—と、中村市4Hクラブ（会長 上原治君）は、このほど移動販売を行ない地元の主婦たちから喜ばれた。

約二十人の会員が自分の手で栽培したミカン六百㌔、白菜四百㌔、キュウリ百㌔、乾燥シイタケ二十㌔を市農林センターに持ち寄り、午前十一時ごろから三台の小型トラックに積み込み各方面を巡回。値段は市価よりも一～二割安。雨が降り肌寒い日だったが会員がマイクで趣旨を伝えると、生鮮食料品などの物価上昇に頭を痛めている折りだけに、続々と主婦が集まり「これは新しい」「おいしそうだね」と好評。中には十㌔入りのミカン一箱を買う人もいた。

上原会長は、「会員が入念につくったものばかりで品質、味ともに自信があります。みなさんに喜んでもらえたようで、年末にはもう一回サービス販売したい」と話していた。

私の見たフランス農業

静岡県・都竜4Hクラブ　高林広夫

浜松市・都竜4Hクラブの高林広夫君は、昨年、静岡県（職業対策部後継者養成課）が主催する「第三回静岡県産業青年海外研修団」の一員に選ばれ、オランダ、西ドイツ、スイス、イタリア、ギリシャ、フランスの西欧六ヵ国を訪問、視察研修した。この研修団一行は、静岡県下の第一次産業から第三次産業の後継者六十名で、昨年九月二十一日羽田を出発し、十月六日までの十六日間にわたって視察してきたもの。西ドイツでは農家訪問や農業構造改善事業の視察、オランダでは農科大学、試験場、現地青年との交歓会、市場見学など、フランスでは一般農家の訪問、現地青年との交流会などを行ない国際的な視野を広めた。高林君は、帰国後地域の4Hクラブ活動や農業発展のために活躍しているが、このほど、鈴木政美連絡報道員に次のようなヨーロッパ体験記を寄せてきた。

複合経営が主体

現存する「地主制度」

フランスの主都パリより南西へ二百三十㌔、列車で地方都市・ツールの農家を訪問した。

ツールは歴史に出てくる古い町であり、古くは、ローマ時代にもさかのぼる。パリより少し郊外へ出れば、すぐ農村となるほどフランスは農業が盛んである。

経営面積の平均は三・五㌶以上

フランスは、国土が日本の約一・五倍、耕地面積は日本の約三・五倍であり、農業就業人口は日本の約二分の一である。一戸当りの平均経営面積は三十五㌶以上となり日本の農業よりはるかに大きな経営規模である。私の感じた限り、西ヨーロッパではほとんどが機械化農業であり、日本のような集約栽培は行なわれていない。したがって栽培する作物も異ってくる。

反当りの収量も当然日本の農業と比べるとずっと低い。私たちが訪問した農家では、とうもろこし小麦を栽培していた。それに畜産を組み合わせている。ヨーロッパはどこへ行っても、農家の場合、必ずと言って良いほど単作農家ではなく、作物と畜産の復合経営である。これは、作物を飼料作物として栽培したのでない場合に機械で収穫したために出る不良品などもすべて飼料として利用できることで有利である。また、畜産の飼料は、ほとんどを自給で賄われている。乳価および牛肉価格の変動に対しても、日本などのように百%購入飼料の場合とちがい、安定していると言える。

しかしながら、フランスでは、日本の戦前にあった地主制度のようなものが現存しており、フランス全農家戸数の五五%が自作農で一七%が小作農、残り二八%が自分の土地もあるが、地主から借りているといった状態である。

私たちが訪問した農家でも、近くの地主より、九ヵ年の契約で八十八㌶の土地を日本円に換算して年間九十一万円程度の小作料で借りているとのことであった。その九ヵ年が過ぎれば、地主は自分の都合で他の者にその土地を借せてしまうこともあるそうで、小作権というものが弱いらしい。したがって、経営安定のためには地主から、その土地を買収するより他に方法がないらしい。彼はもともと農家の出身で、彼の父は彼とは別に農業をしているとのことである。

進む道として農業選ぶのは同じ

フランス政府は、農業政策の中で、農業をやろうとする者に対しては、五年間は毎年、金に変えられる債券をくれ、土地がなくても農業機械がなくても、何とか経営をしていけるような援助をしてくれるそうである。こういう政策は自立経営者を育てるよい方法だと思う。また、土地を借りている経営者は、数年間はその場にとどまっていても、肥沃な良い土地があれば移って行くらしい。彼もその一人らしく、今の土地は排水が悪いらしく、移りたいと言っていた。

日本の場合とは、あらゆる面で条件が違うが、ただ一つ同じことがある。それは、自分の進むべき道に、農業を選び、力強く生きて行こうという点である。それは世界中どこへ行っても同じことであろうが。

オランダの干拓農家を訪問した高林君（向って左端）、右端は山田団長

張切る女子クラブ

自分の手でケーキも作る

福岡・野菊会

【福岡】野菊会（会長 松尾直代さん）は昨年十二月二十五日、山門改良農業改良普及所でデコレーションケーキ作りを実施した。

これは、クリスマス用のケーキを自分の手で、と女子クラブ員十五名が参加し、会長の説明と指示によって進められた。初の試みのため多少の戸惑いもみられたが、みんなの協力によって笑いと活気に満ちた中で十八個が完成した。

作品は、柔いものから堅目のもの、可愛いらしいものなど多種多様で、自作を目の前にして普及員の人たちにも試食、批評してもらったが、クラブ員の顔に改めて自己満足したような表情がうかがえた。

そのあと試食会。「クラブ員一人ひとりの努力の結晶だけあって味も格別」とケーキ作りの反省に話しがにぎわっていた。

このほか、共同プロジェクト=集結のダンス練習に汗を流した。

クラブ員たちは、これからもクラブの名称「野菊」のように、母なる大地に足を踏張って、たくましく根を張り、それでいて可愛いらしく、素適な女性になろうと意欲を燃やしている。

研究資料を手に

内容に深み　岐阜県連のリーダー研修

【岐阜県=中野俊一連絡報道員発】昨年暮、岐阜県4Hクラブ連絡協議会（会長 林新太郎君）主催の二回目のリーダー研修会が開かれ、折からの寒波にも負けず、各リーダーは明日の4Hクラブのために意見を交換した。

前回を上まわる四十余名の出席者に林会長のあいさつにもつい熱が入り、戦後の4Hクラブから総合農政下にある今日のクラブの移り変りにクラブ員はいかにして対処していくべきかと、「4Hクラブの本質」について図式で示しながら熱々とリーダーたちに問いかけた。

今回のリーダー研修の特徴は何といっても資料の配布であった。各クラブごとにワラ版紙一～二枚に、クラブの概要、問題点などを書き出し、他のクラブに一部ずつ配布したため、なかなかにぎやかな研修となった。中でも、高山四ッ奨クラブは表紙つきとあって全体の目をひいた。

資料も三十部となると経費もなかなか大変で、話を聞きながら資料をさがすなど、今までになく面白みのある研修であった。資料は各単位クラブに持ち帰り、クラブの中での研究材料、親睦のための交換のよい材料にもなり、見て聞く講義は好評のうちに終った。

また、今回の研修の分科会においては、本年度最後を飾る4H大会の方向の変化についての話し合いが中心になり、実績発表を主とした4H大会から、本年はパレード、展示即売、プロジェクトを含む今までと変った方向への移行やその方法についても各リーダーの意見を聞いた。

4Hからも35人のクラブ員が乗船

静岡で「青年の船」

【静岡県=鈴木政美連絡報道員発】静岡県青年団連絡協議会（会長 遠藤栄君）の主催する第四回静岡県海上青年大学の青年の船が沖縄を訪問した。期間は、船中研修を含めて十二月二十七日～一月四日までの八日間である。

この青年の船は、四回目で百八十名の青年男女と、県教委、県青協役員、各など、合計二百十名が参加し、三十五名の4Hクラブ員も乗船した。船中では、講義、班別研修や青年活動に関する研修がみっちり行なわれた。そして沖縄では現地青年との交流会や青年活動の実態、経済問題などの視察などを行ない視野を広めた。

創造力で農業に夢を

〝高い結納金〟に不満

宇佐4H（大分）と赤崎ク（鳥取）が交歓会

【大分】宇佐平野の農業を継ぐ若者たちと話し合いたい——と、このほど、鳥取県東伯郡赤崎町の4Hクラブ・赤崎グリーンクラブ（会長 大木英世君）の会員十四人が宇佐市を訪れ、宇佐市4Hクラブ（会長 大久保満君）の会員たちとなごやかに交歓した。

赤崎グリーンクラブは会員四十人で発足して八年目。会員はナシ栽培、施設園芸、酪農などを独立して経営、毎年一回県外研修に出かける。昨年八月に岩手県で開かれた全国大会に参加したさい、大分県関係者から宇佐市4Hクラブの活躍ぶりを聞き、ことしの研修地を宇佐市に決めたもの。

まず宇佐平野の大規模圃場整備事業の進行ぶりを見学したあと、四日市中央公民館での交歓会に出席。宇佐4Hの女子クラブ員六人が腕にヨリをかけてつくった料理を食べながら懇談した。

両クラブの近況を知らせ合ったあと農業の魅力、親子関係、嫁問題などについて意見を交換。

農業の魅力については、両クラブ員とも家庭の事情で仕方なく取り組んだが、やってみて経営の方法しだいで大きな夢がもてることがわかったと発表。この夢の実現には国、県、市の大幅な融資援助が必要だ——と力説した。

親子関係では、親たちの現代農業に対する理解が進んでいることを喜びながらも、経営の近代化や家庭生活分化が進むにつれて、親子の関係が薄れていく現実を反省し合った。

嫁問題では「宇佐では嫁をもらうのに結納金が三十万円ぐらいというが、こちら（鳥取）では二倍近い五十万円から六十万円かかる。形式主義が残っている」とちょっぴり不満の声も聞かれた。

畦道

仮面ライダーの忘れ物

一昔前の「月光仮面」に代って、近頃子供たちの間で爆発的人気を呼んでいるのが「仮面ライダー」である。いわば「月光仮面」の現代版ともいえるもので宇宙時代を反映して様々な工夫が画面いっぱいに色鮮やかに飛び出してくる。どちらも「正義の味方」には変りがなく悪玉は最後に〝変身〟による仮面ライダーの一撃のもとに滅び去る、というありきたりの設定だ。

子供の番組にケチをつけるつもりは毛頭ないのだが、身を乗り出して喰いいるようにテレビを見つめている子供たちの姿を眺めていると、つい大人の思考がチョッピリ顔を出してしまう。

アメリカの言語学者ハヤカワは、彼の著書『思考と行動における言語』の中で「世界を二つの対立する力—正と邪、善と悪の二つに分け、いかなる中間の土壌をも認めないという傾向」を「二値的考え方」として警告している。つまり、あれかこれかの二者択一的な論理によって物事を裁断する「閉ざされた心」性を、その思考の行きつくところの危険性を指摘するのである。それは、自分に対しては自己絶対化、他人に対しては偏見、差別へと事の成行として赴きがちだ。

歴史的にみてもあらゆる戦争はその論理に貫かれていたし、今日においても他人の死を省みない一部過激派の爆弾闘争などは、やはりあれかこれかの「二値的考え方」としての顕著な例だろう。

結果にのみ眼を奪われがちな政治の世界は、ともすると「二値的考え方」に陥りやすい。それを「開かれた心」で監視するのは私たちの役目でもあるだろう。そのためにもあれかこれかの決定で捨象される人間の内側をも見落さない眼を、つね日頃養っておく必要がある。

仮面ライダーが子供たちの夢でなくなる時、子供たちは仮面ライダーの「忘れ物」をどこで見つけるのだろうか。【宇】

おめでとう

新春を迎えて、第二の人生へとスタートする4Hクラブ員が多いが、4Hクラブ員同士の結婚も少なくない。次の人たちも、今春、結婚式を上げる人やすでに新生活へゴールインしたが、全国のクラブ員とともに、その前途を祝福したいと思う。おめでとう。

○……全国4Hクラブ連絡協議会の前副会長、坂井邦夫氏（佐賀県）は佐賀県4Hクラブ連絡協議会の前役員、吉竹京子さんと来る三月二十一日、佐賀市民会館で華燭の典をあげる。

○……佐賀県連の前会長、小林秀敏君と、同じく役員だった4Hクラブ員、片渕幸野さんは、成人の日のさる十五日、結婚式を行ない、新生活へとゴールインした。

○……鳥取県連の会長、山本哲嗣君も、同じく県連役員の女子クラブ員と近く結婚式をあげることになった。

○……元全協の会長、黒田保氏（茨城県）は、さる十日、地元東村の稲穂サークル4Hクラブ員同士の結婚式の仲人をつとめた。同氏は、これまでにも十数回にわたって4Hクラブ員の結婚をまとめ、数回、仲人役を引き受けるなどの活躍をしている。

こんなことをしています　各種農業団体

もう一度考えよう

今年は〝コメの登録替え〟

全国販売農業協同組合連合会

コメの登録替え——こんな言葉が三年に一度登場する。正しくは「米穀集荷・金融登録替え」といい、今年はこの登録替えの年に当たる。登録替えは三年に一度行なわれ、農家が登録している業者を変更したい場合登録の相手先を変更すること。従って、登録相手を変える必要がない場合は、そのままにしておけばよいことになる。

この集荷・金融の登録は、食管制度のもとで行なわれている。政府買い入れ米については、政府が全国の農家から直接買い入れるのではあまりにも手間がかかるため、集荷とその代金を払う金融機関を、ある程度しぼって、仕事の能率を上げようというもの。つまり、集荷については国が一定の条件をそなえた業者（生産者からの登録を五〇以上集め、倉庫等の施設の準備があるもの）を指定して業務を代行してもらう。現在、農協は全国の米の九四％を集荷している。

〝二兆円商品〟といわれる米は、魅力が大きく、生き馬の目をぬく業者がだまって見ているハズはない。とくに最近は食管制度そのものがゆるんでいるだけに、〝米の解禁〟をねらって、大商社もいろいろな方法を使って米に食いこもうとしている。いわば登録替えなども、かっこうなチャンスというわけだ。しかも、登録はいったん決まると三年間は手がつけられないだけに、ことしも各地で業者系が活発に動いている。

登録は変更の意志のある者が変更手続きをするという形で行なわれるため、農協の地盤を業者系が食い荒すというかっこうになる。争奪戦が展開されることになるわけだ。ことしの登録変更日は三月末だが、すでに各地で農家へのPRが行なわれている。

ところで、今回の登録替えにはいろいろな特徴がある。まず前回の登録替えの年に当たる昭和四十四年には、稲作転換の方向が打ち出され、自主流通米制度が実施された。また四十五年には生産調整が始まり、昨年にはついに政府米の買い入れ制限という事態を招いた。政府買い入れ限度と自主流通米というふたつの枠からはみ出た米は、正式の米とは認知されず、〝余り米〟というレッテルを張られ、いわば第二自主流通米という形で流通している。このように情勢がきびしいだけに、農協運動を進めるためには、もう一度米の問題を深く考え、農協と生産者が一体になって、業者のねらいをはっきりと見ぬき、業者の進出をおさえることが必要なようだ。（企画課）

約3分の一は農村

交通遺児に〝愛の手を〟

全国共済農業協同組合連合会

「初めて前年を下回る」「正月三が日の交通事故死ぐっと減る」など、新聞の明るい見出しが目をひいた今年の幕開けであったが、中味を見ると喜んではかりはいられない。

警察庁の発表によると、昨年一月から十二月までの一年間の交通事故による死者は一万六千二百七十八人で、史上最悪といわれた一昨年より四百八十七人少なく、戦後はじめて前年を下回ったが、史上二番目の記録であり、三年連続一万六千人を突破する悲しい記録であった。

この多発する事故によって、世帯主が突然の災難にあい後に残された家族が途方にくれる悲劇は決して稀なことではない。とくに、小さな子供をかかえる家庭にとっては一層深刻な問題となる。

46年度交通事故発生状況

（単位：件・%）

項目＼区分	46年	45年	増減数	増減率
事故発生件数	699,748	718,080	Δ18,332	Δ2.56
死者数	16,278	16,765	Δ 487	Δ2.91
負傷者数	946,955	981,096	Δ34,141	Δ3.48

総理府が発表した「陸上における交通事故などにより保護者を失った児童、生徒などに関する」調査の中間報告をみると、調査の対象範囲は幼稚園から高校生までで、対象施設六万五千、在籍者総数二千百万人のうち、遺児合計数は五十一万九千人となっている。この内訳は交通遺児約六万人、災害遺児約三万四千人、その他四十二万四千人となっていて、千人につき二・九人の割合となっている。

次に、生活状況をみると六万人のうち要保護世帯が四千九百世帯（八・二%）、準保護世帯が一万七千世帯（二九・一%）、その他三万四千世帯（五七・一%）、不明三千三百世帯（五・六%）となっている。

準保護世帯とあわせて保護世帯は三七・三%にも達し、とくに交通遺児の母親の三一・八%は労務者として働いていて、一家の支柱を失った場合の生活の困難さを如実に示している。

また、交通遺児の約三分の一は農村の子弟だともいわれている。このことから、農家の子弟に進学の夢をかなえさせる一助にと、全共連の提唱により財団法人交通遺児育英会（永野重雄会長）が行なう募金活動に積極的に協力し、既に六千万円の募金が集まり、育英会に納付している。みなさんのあたたかい愛の手をお待ちしています。（普及部）

災害遺児の調査結果

	人数	%
調査対象施設数	65,186	—
在籍者総数	21,089,747	100.0
遺児合計	519,396	24.6
（交通遺児）	60,366	2.9
（災害遺児）	34,688	1.6
（その他の遺児）	424,342	20.1

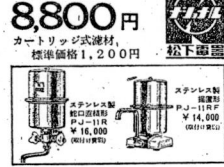

（総理府調べ）

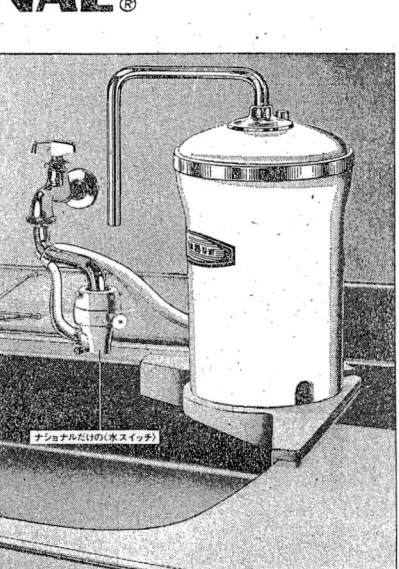

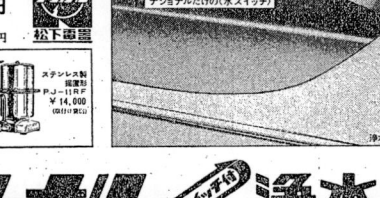

高冷地に良成果

シクラメン栽培にライフポットを　問題は用土配合に

省力化とコストダウン　鉢物の生育試験で研究

神奈川・川崎地区　石井　斉

都市近郊において、温室鉢花の経営では栽培上いろいろと問題がおこる。とくにシクラメン鉢花の場合は、粗収益の約五〇％ほどが経営費にかかってしまうという現状にある。その内訳けは鉢代、肥料代、腐葉土、砂などである。それらのうち、鉢に着目して省力、コストダウンを考えてみた。

この問題を運んだ動機は、一つは素焼鉢単価の上昇対策として、また一方では、鉢の軽量化と消毒の省力化ということからである。

そのねらいとしては、素焼鉢に変わる鉢を見つけることとシクラメンにおけるライフポットの実用化を試みることにあった。

まずは、ライフポットと素焼鉢を各々三十鉢用意し、それに同一品種を植え、その葉枚数と枯葉数など生育状態を一ヵ月に二回調査してみた。

その結果としてライフポットのいろいろの特質がわかった。それを個条書してみると次のようなものである。

一、素焼鉢と同じ用土のため排水が悪く、土が乾きにくい。それが原因で根腐れもあった。

二、夏の暑い時期に鉢自体が熱を吸収しやすいので、夏越しがむずかしく生育もにぶる。

三、素焼鉢と比較して、枯葉、葉枚数ともに少なく、夏期は生育がとまる。

四、肥料分が鉢から流出しにくく、濃度が高くなり、根の先端が腐る。

五、涼しい三～四月や九～十一月の時期は素焼鉢と変らない。

六、プラスチック製で鉢自体が水を吸収しないので、乾燥と多湿が極端にあらわれ、灌水がむずかしい。

七、仕上げ時の成品率、ライフポットが、一級品五、二級品十一、三級品五であり、一方素焼鉢のほうは、一級品十七、二級品十三、三級品なしであった。

以上の結果をもとにして、今後の問題点・反省点を考えてみた。

第一にライフポット用の用土配合と、地温をどう下げるかである。第二に排水の良い用土（くん炭、砂などを利用）をどのように作っていくかということである。

またライフポットが、涼しい季節は素焼鉢とほとんど変わないという調査結果から、高冷地栽培に使用したら、もっとよい成果があるのではなかろうか。

これからも省力化とコストダウンにつながるライフポットについていろいろと研究してゆきたいと思っている。

モモせん定奉仕　一宮町4Hク

【山梨】一宮町4Hクラブ連絡協議会（会長　平岡和明君）は、昨年暮、会員十五人が参加して、男手がなく、モモのせん定が出来ないで困っている農家の手助けをして、その謝礼金を歳末助け合いに寄与した。

同連絡協議会は、一宮町の各地区の単位クラブが集まって一昨年四月スタートしたもので、四十人の会員がいる。会では毎年一度奉仕活動をすることを決め、一昨年は死亡した仲間の家へせん定奉仕して喜ばれた。ことしは同町下矢作、有賀文さん（[illegible]）が七月、夫の弘さん（[illegible]）に急死され、娘の真子さん（[illegible]）、方子さん（[illegible]）の女手ばかりになってしまい、二十五アールのモモ畑と四十五アールのブドウのせん定に困っているという話を聞き、この日の出労となった。

天皇杯に輝く人たち

農産部門（てん菜）柳沢長治（[illegible]）北海道

てん菜と酪農を結合　悪条件下で高能率経営

柳沢氏は、冷涼な気候と酸性火山灰土壌の劣悪な条件下にあって、土地改良と地力増強に努め、てん菜栽培において十アール当り七・九七トンの高収量をおさめるとともに、てん菜と酪農との有機的結合により来地酪農畑作経営の範とすべき高能率の経営を行なっている。

経営面積は、普通畑四・七ヘクタール、牧草畑八・五ヘクタール、採草放牧地十三ヘクタールと山林五ヘクタールである。耕地の大部分は、重粘土壌であるが、暗渠排水、心土破砕、心土耕、酸性矯正、客土などの土地基盤整備を行なっている。

てん菜の作付は一・七ヘクタール（四六年二・七ヘクタール）であり、デントコーン、家畜ビートにかわって増加している。

労働力は、経営主夫妻、父親、実習生の四人（換算三・四人）である。

施設や機械については、畜舎、農機具庫、倉庫、サイロがあり、トラクター四二・五二馬力各一台をはじめとして、酪農関係の機械が完備しており、てん菜関係でもハーベスター、高畦成畦施肥機（共同利用）を導入し、省力化に努めている。

同氏が酪農主体の経営にてん菜を導入したのは四十三年からであるが、その十アール当り収量は急上昇を示し、先進的技術の導入、創意工夫による進歩の著しいことを物語っている。

経営の中心は酪農で、乳牛三十頭（うち成牛十九頭）を飼育し、粗収入六百八十万円で八三％を占めており、てん菜によるものが百十二万円である。

同氏のてん菜栽培技術上の特色としては、次の諸点があげられる。

一、床土は、最良の畑からとり、炭カル、鶏糞を混入培養したもの使用をする。

二、炭カル（黒色）の散布により、融雪を促進し、周辺農家より二週間早く、五月上旬に移植できる。

三、秋耕、春耕の際に厩肥、牛糞を施用し地方の増強に努めている。

四、肥料は、窒素、燐酸、加里を紋別市の施肥基準（十アール当り四トン目標）よりそれぞれ八割、三割、五割五分増施し、そのほか鶏糞も施用している。

五、てん菜茎葉部を飼料として利用するため、防除を徹底し収穫期まで葉部を健全に保つことに心がけている。

なお、柳沢氏は、研究心が旺盛で、先進的技術をとり入れ、栽培改善に先達的役割をはたしつつある。

表Ⅰ，農作物の作付状況

	昭和45年 面積（ヘクタール）	作付率（％）
てん菜	1.7	13
ばれいしょ	0.3	2
デントコーン	1.3	10
えん麦	1.0	8
家畜ビート	0.4	3
牧草	8.5	64
計	13.2	100

表Ⅱ，経営収支の概況

項目		金額（千円）
粗収入		6,870
農産関係		
てん菜	1,120	
ばれいしょ	50	
畜産関係		
乳代	4,500	
個体販売	1,200	
農業経営費		4,670
農業所得		2,200

まずトイレと台所

わが家の改善

福島県・杉4Hクラブ　本田千恵

私の家は、母を中心とした九人一家族で、水田、養蚕を中心とした経営を行なっております。

最近の農業を見てもいちじるしく変化があってむずかしい点が多いが、農家生活の面では根本的に変わっていません。

その中でも特に変化しているのが「住宅」。何をやっていくうえにも変化があり、とっつきがいがあるのは住宅ではないでしょうか。住み良い便利な家を作るためには、次のようなことを考えてみました。

現在住んでいるわが家の状態を見て考えなければならないのが、トイレ、台所。子供部屋を中心として改善していくには、今までの台所をセメントにし、流しを少し広くもっていく。トイレの場合もやはり屋外にあるのは不便でもあるし、また不健康でもあるので、屋内の方へ取り入れてみました。これからの農家はみな屋内の方へと進んでいるように見受けられます。

子供部屋にしても、これからは和室にベッドというように考えてもおかしくないと思います。

プロジェクトと経営

成人式でお祝い

埼玉・騎西町4Hクラブ

【埼玉】騎西町連合4Hクラブ（会長＝斉藤清君・会員八十人）は、今年成人式を迎えた二十人のクラブ員（男子十一人、女子九人）に、このほど4Hのネクタイピンとブローチを贈ってみんなで祝福した。

発芽時がキメ手　＝山ごぼう栽培の二年生＝

群馬県・片品農志会　桑原基次

私の家は、沼田から約三十二キロ、車で三十分ちょっとのところにある片品村です。また国道から坂道に四キロぐらい入った農業を主とする四十戸たらずの築地部落です。

私の家の耕地面積は、水田二〇アール、畑二〇〇アール、山林五〇アールです。姉や妹はみな結婚や就職をしているので、現在の家族は私と両親で、農作業も三人でしています。

経営の中心は養蚕が主で、その他コンニャクなどですが、昨年から山ごぼうの栽培を始めて、今年も六アールばかり作りました。山ごぼうは比較的手数のかからない作物であり、播種と収穫が労力のほとんどです。一番容易でない収穫も時期が十一月上旬なので、他の作物と労力がぶつからないということで良いと思ったのです。昨年はまあまあの成績でしたから、今年もと期待をかけていましたが、あまりふるいませんでした。

ここで、私の家の山ごぼうの栽培法を述べたいと思います。

四月上旬に、畑へ鶏ふんを散布しておきました。それから六月二十七日に肥料を全面散布し、畑を耕転して、約二十センチぐらい幅で十五センチぐらいの深さに播床を作りました。

六月三十日に種をまきました。その翌日、除草剤コップを畑全面に散布しました。この頃から、雨の日が長くつづき発芽がだいぶおくれました。七月中旬は、春蚕やその他の作業が重なり、思うように手入れができず、七月三十日にやっと除草しました。

八月に入ってからは日照りがつづき、からからになって枯れるのもだいぶありました。八月二十四日に二度目の除草をしました。そして九月十六日にとう立切りを実施しました。とう立は約七％あまりだっと思います。二度目のとう立切りは十月二日に行ない、あとは収穫を待つばかり。

十一月に入り、十一日から十六日までかかって収穫しました。労働力人数は約十人くらいを要しました。十七日に選別、荷作りを二人がかりで行ない、収穫数量は二十キロ入りで三十一袋、六二〇キロでした。これは昨年と比べ、ずっと少ない数量です。

その原因の第一として考えられるのは、播種から発芽にかけて非常に雨が多かったこと、第二として七月中旬から八月いっぱいの乾燥があげられます。

今後とくに栽培にあたって注意しなければならない点は、播種作業をていねいに行ない、発芽を良くさせることだと思います。良く発芽すれば、山ごぼうは、とくに特別の技術もいらないので、収穫したも同然といえるでしょう。来年は面積をもう少しふやしたいと思っております。

なお、施した肥料の量は次のとおりです。

鶏ふん十五袋、アルドリン化成四袋（三〇キロ入）、ようリン二袋（三〇キロ入）、たい肥二リュウベイとなっています。

月	日	作業名	人区
6	27	畑作り（床あげ）	2.5人区
〃	30	種まき	2 〃
7	1	除草剤散布	1 〃
〃	30	除草	2 〃
8	24	〃	1 〃
9	16	とう立切り	1 〃
10	2	〃	0.5 〃
11	11～16	収穫（手ほり）	10 〃
〃	17	選別、荷作り	2 〃
		計	22 〃

安くて蛋白質がたっぷり

卵でアイスクリームをどうぞ

長崎県・西部4Hクラブ　岩永　薫

私の家は、父、母、兄、私の四人で養鶏業を営んでいます。成鶏羽数は約六〇〇〇羽で現在一日約四四〇〇ヶ程生産しています。一日の卵の生産量のうち破卵は二五ヶ（五・六％）です。

この破卵をもっと少なくして労力の軽減と経費の節約をして生産高を上げるために飼料をいろいろ工夫して卵のカラを厚くし破卵を少なくするよう努めています。

しかし販売と同時に一方では格安で良質の蛋白質の摂取をはかり毎日の食事を豊かにして健康生活をおくるための卵の利用を工夫しています。参考までに私の家でよく利用される卵料理を思いつくままに列挙してみますと、卵焼、オムレツ、目玉焼、茶わんむし、オムライス、親子丼等々のポピュラーなものから、ドーナツ、パン、ミルクセーキ、卵酒、あわ雪、アイスクリームといったお菓子もあります。

まだまだ献立の種類も少なく勉強中ですが、なかでも夏によく作るわが家で工夫した安くて蛋白質がたっぷりな特性アイスクリームの作り方をお目にかけましょう。

アイスクリームの作り方

〈材料〉

卵……五個

牛乳……二・五本

砂糖……一五〇グラム

〈作り方〉

（一）卵を器に入れ、あわたて器で白味がよくとけるまでかきまぜる。

（二）（一）の中に牛乳、砂糖を入れ、もう一度かきまぜる。

（三）（二）のものを金属製の器に流し冷蔵庫で約一時間ほど凍らせる。

（四）途中でかきまぜ空気を入れる（なめらかにするため）。

結婚を考える　►2◄

私の結婚（恋愛）

どう間違ったのか今は百姓

夫婦2人でこそ

山口県・柳熊農村青少年クラブ生活部

「毎日が忙しく、自分の時間もない」というか里の母にグチったことがある。そしたら「人間にとって忙しいということはありがたいことだ」と言われてしまった。なるほどものは考えようである。もし、自分がサラリーマンの奥さんになっていたら、どんな生活をしているのだろうかとよく考えることがある。

いつも側に子供をおいてひなたぼっこをしながら好きな編み物でもしているのだろうか……。

でも、やはり私には今の生活が似合っているようだ。毎日チョコチョコ動き回り、夜になればぐったりして、子供を寝かしつけながら自分の方が先にコックリやりだす生活。

私の場合、いつのまにか農家の嫁になっていた。そして、いつの間にか鶏を飼うようになっていた。そのうち欲が出て、何年後には何千羽にしてこういう農家にして、と将来の生活設計まで自分で考えるようになったのである。

結婚前、4Hクラブに入っていながら農家に嫁ごうなんて思ってもいなかった。それがどこでどう間違ったものか、今ではせっせと百姓をしている。

sho.

ニワトリがこわい

結婚した頃の自分は「鶏舎の中の臭いがイヤ、鶏がコワイ、重い物は持てない」と、ただ主人の後をチョコチョコついて回るだけ。主人が将来のことをいろいろ私に話して聞かせてくれてもチンプンカンプン、ただうなずくだけ。

そのうち、ハウスもやめ養鶏一本で生活するようになると、千羽やそこらではとうてい食べてはいけない。そこで、主人が外に働きに出ることになった。家のことはすべて私にまかされたのである。

朝は主人が鶏に餌をやってくれるので、それだけ助かるのだが、ときどき寝坊して「頼む」の一言で飛び出してしまうことがある。主人を送り出して後の忙しいことといったら……。ヒヨコの世話。そして洗濯、オシメの山を見てためいきが出る。でも、サオにだらりと干したときはやはり気持がいい。それから卵を箱に詰め、家の掃除、ときには、子供が泣いて何も出来ずにお昼になってしまうことがある。

この頃では、私も大いに仕事のことが気になって子供のことはすべておばあさんに見てもらうことにした。ひどい時には一日中母親の手に抱かれることなく寝かされていることもある。

とにかく、細々（こまごま）とした仕事の多いこと、それに時間仕事だから少しでも仕事の手順が狂うとテンテコ舞いすることになり、家族にも迷惑をかける。

私でもやれば出来るのだ。今では鶏糞も運ぶし、養鶏のかたわら露地野菜も作るようになった。

それもこれも一日も早く二人で鶏を飼う日が来るようにと頑張っているためである。

やはり農業は、夫婦二人でやってこそやりがいがあるものだと思う。

あなたの常識度は？

「意識調査」

全国4Hクラブ後期中央推進会議

〈上〉

次の問題は、昨年暮、静岡県御殿場市の国立中央青年の家で開かれた次期リーダー養成をねらいとする全国4Hクラブ後期中央推進会議において「意識調査」として出題されたものです。これからの農業経営者は幅広い視野と高水準の知識が必要であるとの観点から今回初の試みとして行なわれたもので、成績は余りかんばしくなかったようです。一部には、このような常識を知らなくとも農業経営をやっていけるという意見もありますが、ぜひ、知っていなくてはならないこともありました。そこで、その意識調査で出題された問題を紹介することにしました。あなたの常識度はどの位か、回答を試みて下さい。

◇　◇　◇

一、次の文中で空欄の部分に適当な語句を入れなさい。（十五問）

1、内閣総理大臣は（　）の中から（　）の議決によりこれを指名する。

2、わが国の行政権は（　）に属し、政令は（　）が制定する。

また、裁判官の弾劾裁判所は（　）に設けられている。

3、需要は（　）によって変動し、（　）は（　）によって変動する。従って（　）が上昇すれば（　）は減少して（　）は増加する。（　）が低落すれば（　）は減少して（　）は増加する。

（1）大臣、衆議院議員、国会議員、参議院議員、国会、衆議院、参議員

（2）最高裁判所、国会、内閣総理大臣、内閣

（3）需要、供給、価格

二、次の空欄をうめよ。（六問）

	被選挙権者の年齢	定員	任期	その他
衆議院				解散あり
参議院				三年ごとに半数改選

三、次の各項目ごとの問題について正しいものに〇印をつけなさい。

1、貿易と為替の自由化が行なわれた場合、わが国の企業はどのようになるか、正しいものを選べ。

（1）大企業のみならず中小企業も輸出が伸び、好景気が到来する。

（2）大規模な外資導入により日本の大企業の多くは、外国の大企業の系列に入る。

（3）外国との技術提携がますます強まり、わが国の企業の自主性はなくなる。

（4）農業部門は、食生活の向上に対応して有利に発展する。

2、国際連合に加盟するには、次のどのような手続きを経るか。

（1）安全保障理事会の承認による。

（2）国際連合において加盟国の三分の二以上の賛成を得る必要がある。

（3）国連加盟の四大国、米英ソ仏の過半[illegible]

（4）常任理事国の賛成により加盟が認め[illegible]

3、アメリカ軍の日本駐留を認めている根[illegible]基づくか。

①対日講和条約②ポツダム宣言③日米安全[illegible]

4、貨幣価値は、普通次のどれによって測[illegible]定

①賃金水準②米の価格③株式相場④金の公[illegible]

5、葉の葉緑体で、でんぷんを作る場合、[illegible]うちどれか。

①一酸化炭素②炭酸ガス③水素④オゾン⑤[illegible]

6台風とよばれるものは次のうちどれか

①移動性低気圧②季節風③熱帯性低気圧④[illegible]

四、次の文中、正しいものに〇印をつけな[illegible]

1、日本における産米の集荷方法は、現在[illegible]②予約買付制度③任意買付制度）である。

2、ソ連農業の経営形態は、大部分（①コ[illegible]である。

3、世界で最も人口密度の高い国は（①日[illegible]ダ④インド）である。

NHK農事番組（2月1～10日）

テレビ

明るい農村　6・30～6・55総合

1日　きょうの話題

2日　産物往来「ハム・ソーセージ」

3日　話題の広場「土の健康を守る」高倉照壌（水戸短大教授）、「どじょうと仲人」時田賞男～栃木県岩船町

4日　村をむすぶ「背景、名古屋、広島、福岡」

5日　農村新地図「静岡県三ヶ日町」藤枝静男（作家）

6日　明るい漁村

7日　村の記録「消えた工場」～岐阜県下

8日　きょうの話題

9日　産物往来「レタス」

10日　話題の広場「出稼ぎ健康診断」天明佳臣～山形県白鷹町、「古米をおいしく」満田光男（京大教授）

農業教室　7・30～8・00　教育

3～5日　情報を生かす農業経営　棚田幸雄（愛知県農業総合試験場）

7～9日　肉牛生産多頭化の手順　佐藤政夫（広島県専門技術員）

10～12日　水田の体質改善　本谷耕一（秋田県農業試験場）

あすの村づくり　日　7・00～8・00　教育　再　土　13・00～14・00　教育

6日　「グループだより」～富山県東砺波郡福野町～福野4Hクラブ、「あるみかん産地のなやみ」広島県豊田郡豊町～オレンジクラブ～藤田朝之ほか、「青年像」～吉沢郁郎（[illegible]）～大分県宇佐市

ラジオ

早起き鳥　5・41～5・57　❶

1日　米の産地直結その後～仙台市

2日　休耕田利用の養豚～福岡県前原町

3日　雪の利用研究　松山竜男（北海道農業試験場）

4日　一姓の歌　仲山尚江～埼玉県大利根町

5日　集団下山で稼ぐ～飯山町柳窪

6日　全国農協婦人部大会から

7日　乳牛のショッピングセンター～北海道清水町

8日　農業技術の総点検　一瀬熊雄（有機農業研究会常任理事）

9日　行き悩む天敵生産　岩田久二雄（神戸大学名誉教授）

10日　農家のにわか商法～福島県猪苗代町

話の広場　日　6・10～6・30　❶

6日　休止

新しい農村　6・00～6・30　❷

6日　出稼ぎの現状と対策　内村良英（農林省農政局長）

ラジオ農業学校　日　6・30～7・00　❷

6日　グループのつどい「女性と農業」～愛媛県上浦町あじさい会

待って!!
ちょっとジョア飲んでから・・・
いざというときの力を左右するのは日頃のスタミナ。スタミナを決めるのはジョア。大らずに栄養が身につくジョアはまさに現代人にピッタリ。さわやかな風味に加えて高タンパク含有、特殊乳酸菌もたっぷり。毎日お続けください。
Joie ジョア
ヤクルト
Joie ジョア

青年団全国大会の優秀賞受賞

熱意に咲いた花

シクラメンと取り組んで

岐阜県 丹生川村青年団 車戸明良

私は、岐阜県の北部、すなわち「飛騨の山奥」の乗鞍岳のふもとにある丹生川村という山村に住む青年であります。私の村は、「ホーホケキョ!!」というウグイスの声を聞きながらする野良仕事。川底の一つひとつの石が見える美しい小川での魚取りというように、大都市の人々には夢と思われるような、山村の良さをもっております。それと同時に、山村経済の苦しさ、きびしさをもっています。

私の家は、水田九十アール、山林三反で、農閑期には、出稼ぎをして生活している零細農家です。しかも、現在の山村は、米の過剰問題、すべての農産物の価格不安など多くの苦難が山積みしております。しかし私は、私の村が、そして農業が好きで、農業への道に生きがいを感じ、青春をぶっつけております。私は、農業がどのように苦しくとも、いや、苦しければ苦しいほどやりがいがあるという信念で毎日を送っております。

花に活路を

さて、今から三年前、当時高校三年生の私は前に述べましたように、零細経営ですので、どのような農業を選ぶかで迷いに迷ったあげく、第一に、小規模ですので集約性の高いこと、すなわち小面積でやれるもの。第二に、飛騨の高冷地の特性を生かすこと。第三に、高度経済の成長によって消費の伸びるものという三つの観点から、私の地方で誰も手がけていない花の栽培を決心しました。さらにもう一つ、それは単純なことですが美しいということが、私の花作りの決意をかたいものにしました。以上のような理由で花栽培を決心した私は、それ以来花の専門誌を読み、時間があれば学校の温室で花とにらめっこの連続でした。また、「そんなものにのぼせるな」という父の忠告を押し切って、新聞配達でためたわずかなお金をふところにして鈍行にゆられ、伊豆半島へ夏休みを利用した先進地実習にでかけて行きました。この実習地で、農業人の頭脳の大切さ、いや勉強の大切さ、そして、努力の大切さを痛切に感じて来ました。

反対をおしきり

こうして、どうにか基本的な技術を身につけ卒業と同時に農業後継者資金五十万円を借入し温室を建ててシクラメン中心の花栽培を始めようとしました。でも父は、「そんな、誰れもやっとらんわからんようなものに、初めから大金をかけるとは……。失敗するに決まっとるわい」と、猛反対でした。ただ一人賛成の色を見せていた母も、おばあちゃんの、「昔から借金してめェーことした人はおらんいやぜ」という声や、隣のおじいさんの「あんたの家もようやく楽になってきたのにそんなことをすると家が傾むくわい」という声で、難色を示すようになりました。そしてあまり心配してか、今まで病気一つしたことのない母が風邪で三日間も寝こんでしまいました。この時は、さすが私の決心もゆるぎました。でも、「好きな農業"花栽培"にかけたいんや、家には一銭も迷惑かけんで」と毎晩父を説得し、どうにか父もしぶしぶ許してくれました。でも、ある程度の自信はあったものの、これだけの反対を押し切ってのことでしたから、毎日が緊張と不安の連続でした。

ある大雨の夜

そして、自分でカナヅチをたたき、ノコギリを使ってやっとで建てた半地下式のハウスが、排水工事がすんでいないのに大雨にあいました。真夜中に、こっそり起きて行ってバケツで水を汲み出す作業です。眠けと寒さとで泣き出したくなった頃、父が雨具を着て応援に来てくれました。父は、確か二週間前に痔の手術を受け退院したばかりだったのです。あれ程反対した父が、病弱な身体をおして夜明けが近いという時間に応援に来てくれるなんて……。その時の私が、どれだけ元気ずけられたかは言うまでもありません。あとから母も手伝いに来てくれました。私は心の中で「父ちゃん、母ちゃん、ありがとう。いつも心配かけてすまんな」と繰り返しながら一生懸命水を汲み出しました。

それから、夏のある日の事です。ようやく大きくなりかけたシクラメンが、ボルドー液消毒と後の高温とで予想もしてないような薬害状態となり、ほとんどの葉が一日で黄色に変って行きました。もう立ち直らないのではないかと思うと、夜も眠れず考えこんでしまいました。あまり苦い顔をしているので、父や母、そして友だちまでが心配してくれました。私は「もうやめよう!やめたい!なんでこんなに苦しまなければならんのや?」とふと考えこむこともありました。でも、始める当事の反対の声、そして、父や母の心配してくれることを思い出すたび「負けるものか!こんなことに負けては男でない!!」と自分に言い聞かせ、そして神に祈るような気持ちで枯れた葉を取り回復を待ったものでした。そんななかでどうにか立ち直りました。一昨年の「十月二十八日」初めて私の手によって一輪シクラメンの花が開いたのです。思わず"バイザイ"とさけびたくなり、目がしらが熱くなったことを今でも思い出します。思い出すたびに私の胸に熱いものがこみあげてきます。

こうして、どうにか一年目、まずまずの成績で、ある程度の自信を得ました。そして、二年目の昨年、恩師の紹介で岐阜市の青年とグループを組み、シクラメンについて秋出し大株出荷を手がけました。これは、夏場の涼しい飛騨で大株に仕上げ、寒くなる秋から冬にかけ岐阜市の暖かい所で花を咲かせて出荷するというリレー方式です。いちおう十月上旬に三千鉢出荷し、予想に近い成績でしたが、まだ実験的段階であること。

今度も仲間と

環境の急変化など、問題はありますが「飛騨は、日本一の鉢物の適地だ」と言われるよう努力していきます。また、鉄砲百合を中心に、切り花も中京市場へ出荷する計画を友だちと考えており、飛騨で花作りの仲間がふえ、そして、私の目標である「飛騨の花が日本中の人に愛されること」と「私の愛する飛騨の農業の発展」を念願し、初めての年の苦しさを忘れず研究と努力で一歩ずつ切り開く覚悟です。

これからの農民は、「ただよく働く農民で終わることなく、「考える」さらに、積極的に「実践」し「協同」する農民でなければなりません。私は、七十年代の困難な農業問題を打ち破るのは、私たち若者以外にはないと信じます。日本は、資源の少ない国です。その不利な条件の中で、世界のトップに立つには、日本国民の「頭脳」と「努力」以外になにもありません。経済発展と同時に、全人類がお互いに助け合う、美しい楽しい社会を築きましょう。私は私の花にその祈りをこめて作ります。皆さんも、それぞれの職場で若者らしく精一杯がんばり"心の花"を咲かせて下さい。職場の"花"になって下さい。

風譚

都会の若者たちに"希望する職業は"などという将来に対するアンケート調査や質問をしてみると、"農業をしたい"と答えるものが多いということである。小耳にはさんだ話であるから、真実性はなんともいえないが、とくに最近は、そういった若者が増加している傾向にあるらしい。

このような傾向は、現代文明が生んだ都会の諸問題、いわゆる公害とか機械による人間疎外とかを反映しているのであろうし、また時によってはそう答える人の単なる好みという場合もあろう。

いずれにしても、若者たちは何かに飢えているようである。それも都会では満足することのできないなにかである。多少の飛躍はまぬかれまいが、私はあえて、現代の若者たちは豊かさに飢えているのだと答えたい。

しかし、ものの豊かさという点を見るならば、政治的にはいろいろ異論はあるだろうが、今日の社会ほど豊かな社会は有史以来かつてなかったといっても過言ではないだろう。問題なのは、ものが豊かになったとたんに、若者たちは豊かさへの渇望を覚えはじめたということである。

このような状況に対し、まことに公式的な指摘になるが、もののかげに葬り去られた精神の欠落をあげねばならないだろう。

ある若者たちは

若者たちは、いつの時代にも社会の動きに対しては敏感であった。かつて、アメリカに、ビート・ゼネレーションと呼ばれた一群の作家や詩人たちがいた。彼らは、現代社会が現出した豊かさを嫌い自然と一体化するために、すべての慣習のきずなを断ち、失なわれた人間の生活原理や真の豊かさを求めてあらゆるところを放浪して歩いた。彼らは仏陀のようでもあり、また野蛮人のようでもあった。彼らの思想と現代日本の都会の若者が農業をやりたいと思う気持は、本質的に似かよっているような気がする。

しかしながら、アメリカのビート・ゼネレーションの若者たちが、自己の孤立した勇気をもって、自らの思想をもとに実際行動したのに対し、現代日本の若者たちはただ希望的なことを漠然と夢みているにすぎないといった大きな相違がある。たとえばビート派の代表作家のひとりであるジャック・ケルワックなどは実際に田舎におもむき、汗を流して農作業にうちこんだことがしばしばあった。

それでも、ビート・ゼネレーションの孤立した勇気は破れさった。現代日本の都会の青年が、無気力にまた子守唄を歌うような心地で"農業をやりたい"と言ったとしても、それはあまりにも無自覚な甘い夢であるといわざるをえない。それでもなおかつ農業をやりたいというのなら、それはそれでいいだろう。（野）

青春と仲間

高度成長下の農業は

神奈川県・伊勢原地区 ＜無名子＞

現在の農業について書こうと思ったとたん、正直なところ私自身が困ってしまった。というのは、仲間が自家の経営では給料がもらえないと勤めてしまったし、また伊勢原市の独身女子で農業だけの収入をもって生活している人があまりにも少ないため、私自身が心細く思っているような状態だからである。

私が農業高校時代は減反問題もなかったし、なんとか経営を改善して古い風習を打破すれば農業で生活してゆくことができる、また明るい農村を築けると思っていたし夢もあった。それだからこそ、上級の学校で学び、その後わが家の農業を手伝った。

しかし減反で、忙しいけれど楽しい面もあった田植が辛くなり、転作で野菜が安くなる、みかんの過剰生産、そのうえにグレープフルーツの自由化、また一方、長い間耕やし、草をむしり、きれいにしてきた畑も売らなければ相続税を払うことができない。今まで汗水ながして働いてきたのは何のためなのだろうと考えずにはいられない。新都市計画法で調整区域にはなったものの自家の土地なのに自由がきかなくなったし、「農地の宅地なみ課税」という大きな問題がのしかかろうとしている。農地を農業用地としてではなく、びっくりするほどの税金がかかるのだから。今までのように農業収益にみあう課税でなければ、農業はつづけられないでしょう。

このような状態のなかで、我が家の経営では「高度成長」についてゆけず、とても小使いがもらえないので、週三日アルバイトに通っている状態である。そのためか最近は、農業をつづけてゆく自信がなくなってきている。

日本が工業で高度成長する政策をとってきたため、農用地が工業用地になるのは当然だと思うし、また、米があまっているから減反になる。これも当然だと思う。そのほか農民自身の勉強不足など原因は多様だろうが、それでも農業が必要なことはいうまでもない。

ただそれを自国でまかなうか、輸出入するかによって違ってくる。そうなると政府の政策上の問題になるので、今の私にはそこまでわからない。

周囲の人たちや父母たちのように、今まで実際に農業をやってきた人は農作業におわれ、最低限、必要なことのみしか考えられないようである。私自身もそうであるから、広い目で農業をみることができないけれど、農業をつづけてゆきたい一人として、どうしたらよいのか、学びたいと思っています。

読書の喜び

山中康司

自分ではそんなに読書家とは思っていないけれども、ハウス栽培や我家の経営改善にのみ専心している農業後継者仲間よりは、読書量は多いと思う。友は次々と新しい農業技術を収得し、経営規模を拡大し、早い者は人生の伴侶まで見つけて着々と農業者としての道をまい進しているが、それに引きかえ私の現実と将来は、混迷していて寂しい。

そんな私の劣等感と、農村青年としては年甲斐もない読書生活からくる自負心は矛盾しながら同居していて複雑である。"人はつねに迷っている。迷っている間は常に何かを求めている」というのはゲーテの有名な箴言だが、それは私の座右の銘でもある。読書は迷いの源であり、人生探求の手段である。

だが農家長男という立場での現実生活と読書の両立、その必要性となると幾多の疑問もでてくる。少なくとも読書内容の反省位は時たま必要であり、先輩の忠告にも耳を傾けねばと思うのである。以下最近二ヵ月の実生活と読書生活をまとめて反省してみた。

九月十月という月は今も昔も春の農繁期とともに農民の顔がやつれ、人によっては血相まで変わり、過労にむちうって猛烈な農作業が強いられる時期である。コンバイン・バインダーの普及で収穫作業は容易になったが、それでも一日中機械と共に働き回ると、その夜はぐったりとして何もする気になれない。

今年の秋は例年になく雨が多く機械使用が不能な田圃もあり、ごちゃごちゃの足場での作業は並大抵ではなかった。灯火親しむ候には、いつも一杯の疲れ直しのコップ酒でダウンしてしまって、しばらく突っ伏した後、幽かな九時の鐘とすず虫に介抱されてから読書は始まる。

生活に新たな勇気

だがこれも一週間のうち、火水日の三日は4Hクラブの書道と演劇のサークル活動をしているので容易に毎日の習慣にならない。農作業と青年活動と睡眠を除いた余暇はすべて読書にふり向けた。そんな状態の中での私の読書傾向はというと、好きな本を手当り次第に通読するというやり方で、それは小説であった。小説の内容はというと、まず第一に自分に関係するものということで、それが人間や人生を探究し、できる限り農民、農村に関連のある作品に目を向けようとした。ツルゲーネフの「父と子」黒島伝治の「渦巻ける烏の群」宮本百合子の「貧しき人々の群」山代巴の「荷車の歌」伊藤永之介の「警察日記」などは偶然にも身近な所で手に入って、私をすっかり魅了させてくれた。小説ではないが若月俊一の「村で病気とたたかう」大牟羅良の「荒廃する農村と医療」はどちらも、農民の立場、大衆の立場に立った啓発の書であり共感し感銘したのである。

またドストエーフスキイをして「芸術として完璧」といわしめたトルストイの「アンナ・カレーニナ」とも約一ヵ月のおつき合いをしたが、魅かれたところは農村生活者のレーヴィンの行動と思想であった。

「農民たちは正しい知識をもっている。しかしあの連中の話すことはごたごたしているしうそがまじっている。都会出や大学出の学者たちはなるほど理路整然としているが、問題に対する直接の洞察に欠けている……」

これはゲーテの「親和力」の中の一説である。全体はみずみずしく美しい情景からなっていてすばらしかったが、農民の話を「ごたごたしていてうそがまじっている」と判断するあたりその的確さにうっとりしたり、どきどきしたりであった。つれづれの読書は、三木清の「哲学ノート」や毛沢東の「実践論・矛盾論」宮沢賢治やヘッセの短編集のページもめくったが、不思議にも、それらどの書物にも淡い後味がさわやかに残っている。

稲刈り脱穀が終り、畑の耕耘、麦播きと仕事は続くが、私には九月、十月の苦しかった農作業と、手あかのついた一山の単行本の多種多様な人間模様、思想の断片が甘く解けあっている様で、この二ヵ月に悔いはない。仮に私の生活から一方の夜なべの読書がなかったことを思う時それは昼の農作業を爽快にし、仕事の能率を上げたかも知れないが、あのアンナにもレーヴィンにもエドアルドにもシャルロッテにも荷車引きのセキさんにもお目にかかれなかったし、セキさんという一農婦の一途な情熱家がいたことも知る由もなかった。読書は私に、肉体的には農作業の意欲を減退させ、時には両親の小言の原因になったが書物を通して得た豊かな人生経験は、今後の生活に新たな興味と勇気を抱かせてくれたと思う。

読書は農村青年に必要か否かという問いは、その問い自身に誤りがある。なぜなら私達は、農民である前に一人の人間であり、農業という職業は単なる生活の手段なのであるから。友は立派な農業後継者にならんとして、日夜我家の経営改善に努力し、自立経営の道を切り開こうとしている。だが私はもう友のその姿に嫉妬はしないし、自分の生き方にも悲観はしないつもりだ。私にとってもう読書との縁は切れそうにないし、読書は生活のうるおいでもあるわけだ。私の目前には荷車引きのセキさんの姿が消えないうちに、もうソルジェニツィンの「ガン病棟」が姿を現わし、ルサノフなる人物が行動を開始しようとしている。だが勿論これからも現実生活も無視しないつもりでいる。読書を軽べつしている多くの友と同調はしなくとも、私は私なりに、実生活と、読書の両面から、人生の真実を見出していくつもりである。

作中人物・作品が、実存人物・実生活とマッチしていた時、私はここから読書の喜びにひたることができる。

（農民文学『百四号』より）

いま団結力が必要

福島県・石井4Hクラブ 大内勝司

俺は農業が大好きだ。車で走っているとあちらこちらに荒れ果てた水田が見える。休耕田なのだ。政府より奨励金をもらってねむっている……と言うよりねむらされていると言いたい。とても悲しいことだが……。

今までは、米を作れ作れと言われ気力を出しすぎるぐらい出して働らいてきた農民に、その言葉の消えないうちに、今度は減反問題などと農民にとって首を取られるよりひどいことを言いだした。テレビ、新聞などでも、今年は昨年より農家戸数は減り、また出稼ぎ者がふえてきたなどと言っている。だれが聞いてもあたりまえじゃないかと言いたい。

なんでこんな農政をと言いたいが、自分らが選んだ代表者たちだ、いまさら文句も言えないが、あまりにも百姓を無視していると言いたくなる。農家のみなさんも考えておる事と思いますが、もっと自分たちに力がほしいと思いませんか?

一人では力が少なすぎる。「一人ではおれない一本の木を、二人三人と力を合わせれば、その木をおることができます」それが農民の団結力だと思います。

俺たちももっと農政に対して真剣に考えてゆかなければならないと思います。

以上は減反問題の件にすぎないが、まだまだ現在の政治に不満を感じておることと思います。みなさんと力を合せて、楽しい農業にしましょう。

あほではできない

大阪府・別所4Hクラブ 中谷英治

今ぼくは十六才で農業知識は全くないといってもいいすぎではない。またこれから農業知識をたくわえ、農業知識を生かそうと思ってもだめだ。

今いる別所の地域で農業知識があっても将来農業ができない地域となっていくのでは、ぼくは一生農業知識のない人間として育っていくと思う。「一息ついて」

しかしあほではできない農業。

「近畿大会にて思ったこと」あほでも農業はできるという人がいるが、あほでは農業はできない。なぜかというと、農民は種植えから大きくなるまで自分で見て、これでもう売れるかと一から十までしているが、農民以外の人は、一から十までの間で全部している人はさて何人いるだろう。

たとえば、会社員にしても一から十までの間で、その会社の一部をするだけで、ほかは全くわからないというありさまであるから、あほでは農業はできないことがわかったと思う。だから……

「ここでもう一度ひと息つく」

夜中のひとりごと

福岡・八女市4Hクラブ 加藤幸一

ああ、たまった、たまった。金が?とんでもない。おれは生まれつき金とは縁がないんだ。たまったのは、まだ読んでない4H新聞(エヘヘ……申し訳ない)。

このところ忙しくって、忙しくって……。なにしろ女性にもてるからなあ、毎晩デートさ(ウソつけ)。だからさ、4H新聞どころじゃないんだ。十二月二十四日以来読んでないから、エート……もう六号もたまってんだ。

ようし、待ってろ!4H新聞君よ、今おれが読んでやっからな。ありがたく思えよ。

なんてったって、おれは今日成人式だったんだからな(関係ないかな)。

オオ!ヨォー先輩!載ってる載ってるゥー。コナローッ!(中央推進会議で知り合った先輩なのデース)。よし、おれもいっちょう新聞に投稿してみるか。

＜詩＞ 野ら

福井・鯖江つつじクラブ 酒井俊一

上等のお茶を入れて
しみじみと
するのもアジなものだが
野らで
ヤカンの口から
ごくりごくりと飲む水も
またうまい
じつにたまらない味だ

自由とは何なのか

埼玉・騎西町 連合4Hクラブ 上野佐由紀

私は今自由になりたい。一人になって大きく羽根をのばしたい。悲しいことがあれば、誰でも一人になることを願う。今の私は一人になって未来のことを考えたい。計画もなく、毎日をむだに過している私。それを知っているのにどうすることもできない自分がいやなのです。

しかし、自由とは何かといわれてもわからない。私の自由とは他人に干渉されたくないと思う気持だけ……。でも本当は、自由を求めたいけど、一人になるのがいやな私である。自由とは何なのか?

◀投稿案内▶

本紙は、みなさん方の新聞として、全国のクラブ員に利用して戴きたいと考えています。それでクラブの催しや個人のプロジェクト、詩、短歌、随筆、写真、悩みや意見、村の話題、伝説、行事、その他なんでも原稿にして送って下さい。

お願い ❶長さや形式は自由です ❷できるだけ記事に関連した写真をそえて下さい ❸送り先 郵便番号162 東京都新宿区市ヶ谷船河原町11 日本4H新聞編集部

日本4H新聞

4Hクラブ
農事研究会
生活改善クラブ
全国広報紙

発行所
社団法人 日本4H協会
東京都市ケ谷家の光会館内
電話(269)1675 郵便番号162
編集発行 玉井 光
月3回・4の日発行
定価 1部 20円
一カ年 700円(送料共)
振替口座東京 12055番

クラブ綱領

私達は、実践を通じて自らを磨くとともに、互いに力を合わせて、よりよい農村、よりよい日本を創るため、四つの信条をかかげます。一、私達は農業の改良と生活の改善に役立つ腕をみがきます。一、私達は科学的に物を考えることのできる頭の訓練をします。一、私達は誠実で友情に富む心をつちかいます。一、私達は楽しく暮し元気で働くための健康を増進します。

都会の若者から観た現代の農村

農村女性はモテる

出稼ぎない農業を 「4H活動」は主体的に

「やはり農家の主婦は……」若ものたちでにぎわう新宿・角筈あたりでインタビューする4H新聞編集部員

空のないような空に日が沈み、まさに暮れようとする新宿……。ネオンが、汚れた舗道に乾いた影を踊らせると、木枯らしが凍ったような冷たい和音でそれに呼応する。砂漠のような街と称される副都心・新宿。しかし若者たちは、色とりどりの格好で、何を求めてか、アスファルト・ジャングルのなかをさまよい流れてゆく。私たち4H新聞編集部員はそんな新宿の街角に立ち、行きかう都会の若者たちにマイクを向けてみた。ある者はヒゲをなでながら笑ってインタビューに答え、またある者は、マキシコートをひるがえし冷たく私たちのマイクを拒む。

インタビューの主旨は〝都会からみた農村〟という一本の筋をとおしながら、現代の農村・農業におけるさまざまな問題を都会に住む若者たちがどうみているかという点を浮き彫りにすることにあった。しかし、それらを明確なかたちで浮き彫りはすることはもちろん、問題の核心にせまることさえできなかったような気がする。とはいえ、都会の若者のナマの声を聞いてみることも、あながち無意味なことではなかったと考える。

インタビューに答えてくれた人は男女あわせて三十〜四十人ぐらいであった。

まず都会の若者に出身地を尋ねたところ、約三人に一人は田舎出身の若者であった。その田舎出身の若者の約半分は、将来、生まれ故郷に帰ると述べていた。

〝農業に対するイメージはどうか〟という質問には、ほとんどの人が〝いまのままではダメ〟というように答え、さらにそのうちの何人かは、農業の機械化・企業化を熱っぽく語っていた。これにより、都会の若者は全体的に農業に対して、ある程度の関心をもっていることがよくわかった。たとえば、東京出身の気どった女性の口から、減反問題に対する意見がぽんぽん出てくるといった調子である。

また、農業問題というよりも、社会問題といったほうが適切な出稼ぎなどについても、関心度は高い。この質問に対しては男性よりも女性のほうがより関心をもっている傾向がみうけられた。

答えてくれた人のほとんど全員が〝出稼ぎのない農業を〟ということをいっていたが、とくに女性は〝子供がかわいそう〟とか〝農家の主婦の過重な労働負担につながる〟といった理由をあげて、出稼ぎのない安定した家庭をもてる農業対策はないものかと顔を曇らせていた。

〝農家の主婦についてはどう思うか〟との質問には、全員が〝大変だ〟と答えている。

しかし、具体的な内容まで答えた人はごくわずかしかいなかったが、そのうちのある人は〝農業経営自体を変えなければ、農家の主婦の立場は変らないのではないか〟と真剣に語っていた。また女性に、〝あなたは農家に嫁ぐ気がありますか〟と質問したところ、大半の女性は〝わたしにはつとまらないと思うけど、相手の男性次第ね〟と答えていた。

最近の農家の嫁不足問題について、女性に質問したところ〝困った問題だが、どうしたらよいかわからないし、わたし自身も無責任なことは言えない〟といった人が大半であった。

ある男性は、〝農村と農業のイメージをかえなければムリだと思う。そうするには、やはり農業そのものの改善が必要だと思う〟と述べ、またベージュのパンタロンがよく似合う女性が〝それは、農村のさまざまの問題を象徴しているみたいね〟と語っていたのが印象的であった。

いっぽう男性に対して、〝農村の女性についてどう思うか〟という質問をしたところ、〝いいですね〟と答えた人がほとんどであった。さらに、〝結婚するなら農村の女性としたい〟と述べた男性も多い。なかには、〝最近、農村の女性が都会の悪い影響を受けている〟と嘆いている男性もいたりした。それらを総合的にみると、農村の女性は都会の男性にモテにモテているといった感じである。

封建性の打破へ

農村青少年のサークル活動について知っている人は五人で一人ぐらいの割であったが、具体的な内容となると、ほとんどの人が知識に欠けている。しかし、何らかのかたちで農村青少年活動が必要という人が多い。4Hクラブについても、名前を知っている人は何人かいたが、活動内容についてはあまりよく知られていない。

うす紫のビロードの上下を着たあるイキな男性は〝これからの農村青少年にかけられる期待は大きい〟と答え、またある人は〝どんどん4H活動を推進し、農村に残っている封建的な習慣などを打破して、明るい農村を築くためにがんばってほしい〟といっていた。

ヒゲにジーパン姿がトレードマークのような東京出身のある若者は、4Hクラブについていろいろなことを語ってくれた。彼は旅行が好きでよく地方にゆくという。4Hクラブのことも旅行にでて知ったそうである。彼は〝第三者的な視点から見ると、ここ数年来4Hクラブの活動は低迷しているような感じがする。これは農村青年自身にも責任の一端はあると思う。というのは、今までのように農村の若者が上からの指示で動いていたのでは、より衰退していくような気がする。重要なことは、若者の主体性であり、主体的に活動をすれば、4Hクラブは将来ずっと発展してゆくと思う〟と語っていた。

それでは都会の若者は農村についてどのようなイメージをもっているのであろうか。農村のイメージは暗いと答えた人は少なく、大半の人はべつにどうという感じはないと答えていた。しかし、人間的には〝農村の人は暖かい〟と答えた人が圧倒的に多かった。

その他、BHCなどの農業公害の問題について質問したところ、〝政府が対策を考えるべき〟という意見と〝ある程度は仕方がないと思う。日本人はすぐ騒ぐ〟という人も何人かあり、対立した見解がいくつかだされていた。

新宿 午後5時

『下町にも農村とはちがった人情がある』と語ってうつむく下町育ちのお嬢さん

農業って大変ね! あの声、この声……

〈新宿午後三時、紀ノ国屋ビルの地下で待ち合わせをしている学生〉

—農村について?

農学部の学生として研究しているが、やはり日本の農業も改革期にきていると思う。いま一番重要な問題は、土地、機械化問題と、それによって日本の封建的な農村社会をいかにのりこえてやってゆくかだと思う。

—出稼ぎ問題について?

それによる三チャン農業が問題になってくると思うが、そうなると主体が男性から、女性に移るので、農業の改革もなかなか起らないんじゃないかと思う。

—農村の嫁不足について?

ちょっとむずかしい。嫁にいけば働かされるという昔のイメージが女性一般にあるし、やはり農業が変ってゆかなければどうしようもないのじゃないか。

—農村から出た公害、たとえばBHCの問題については?

『農業「国論」』を読んだことがあるが、いまの段階じゃそれをぬぐい去ることはむずかしいんじゃないかと思う。

—4Hクラブについては?

もっと若い人が封建的なものを打破していくようにしなければだめだと思う。

〈同 午後六時、シンクのジャケット、パンタロンのジーパン姿がよく似合うハイティーンの女の子〉

—出身地は?

東京。

—農村へはよく行くの?

小っちゃいとき、転勤(父)の都合で行ったことがあるわ。

—旅行なんかで行くときの農村のイメージってどう?

あのねェ、畑が広くてねェ、なんていうか、自然ていう感じ。

—農村の男性なんかどう?

やっぱり、東京の人のほうがいい。

—農家の主婦については?

えらいと思うけど、わたしじゃなれないんじゃないかしら。

—出稼ぎ問題については?

ううん(といってちょっと考えこんで)でもわたしにはさし迫った問題じゃないから……

—4Hクラブって知ってる?

あの、直接農村ってわたしに関係ないでしょ。だからわからない。

〈黒いマキシーコートに、薄茶のパンタロンスーツ姿のチャーミングな女性〉

—農村の主婦について?

いま、出稼ぎやなんかですごく大変だと思います。最初は御主人だけだったけど、いまは奥さんのほうも出稼ぎにいかないと生活ができないような状態だから……だから都会の女性が一番めぐまれていると思います。

—もしも、あなたが農村にお嫁に行くことになったら?

さあ、それは絶対的にできないと思います。

—農村を含めての公害については?

日本人は、自分の身に何かおこらなければ立ち上がらない。その点、外国とくらべると意識が低いんじゃないかしら。

—現代の農業に対するイメージは?

暗いっていう感じ。政府の減反制度というものもあるし……これからますます農民は都会へ出て働くようになるのじゃないかと思います。

山形で青年会議開く

【山形】来る三月六日から東京・渋谷のオリンピック記念青少年センターで開催される農林省など主催の「第十一回全国青年農業者会議」をひかえて、山形県と同県農業青少年クラブ連絡協議会主催の県農村青少年会議は、さる一日から四日まで天童市の県青年の家で開かれている。

この会議には、約百二十人のクラブ員が参加し、クラブ活動やプロジェクト実績発表のほか「山形の農業を考える」と題した分科会討議などを行なっている。

新しい感覚の人材を 香取地区で8、9日 リーダー研修会 マンネリ化脱皮へ

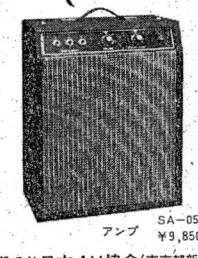

【千葉】香取郡市農村青少年クラブ連合会と香取支庁香取農業改良普及所主催の香取地区農村青少年クラブリーダー研修会が、来る八、九の両日、千葉県北総農業青年研修所で開かれる。

激動する農村社会の中で、ともすればクラブ活動も低滞化、マンネリ化をたどろうとしている。このため、個々のグループ活動の中で、自主的運営能力やリーダーシップをもった人材の養成が重要な課題となっているので、この研修会では、新しい感覚をもった次期リーダーを養成しようというもの。香取郡市の各クラブから四名(男女各二名)ずつ参加することにしている。

主な内容は、講義と「われわれはなぜクラブ活動をするのか」と題する分散会討議を中心に全体会議や自由交換などで、講義は「青少年クラブ活動の必要性」と題して日本4H協会の新田健吉事務局長(常務理事)、「青少年クラブ活動の期待するもの」と題して神崎町企画課の石橋勉次長を予定している。

一日目は、午前九時半から開会式、十時から講義、昼食のあと分散会討議に入り、夕食、自由交換に続いて七時から再び分散会討議を行なう。

二日目は、起床のあとラジオ体操、朝食、九時から講義に続いて質疑応答、午後一時からレクリエーション実技研修、三時から全体会議を開き、閉会式を最後に終了する。

大和郡山市4Hクラブ員が九州へ

【奈良】大和郡山市4Hクラブでは、十八年前から毎年、県外研修生として佐賀県の神崎農高の生徒を受け入れているが、このほど元全国4Hクラブ連絡協議会副会長の飯田常代視氏ら十六人の4Hクラブ員が同校を訪れ、思い出話に花を咲かせた。飯田氏らは一月六日から熊本県八代市のイチゴ栽培や長崎、福岡両県の農業を視察し、そのついでに立寄ったもの。

早期建設をめざして 4H会館 —2—

建設への挑戦(上)

ロマンスも結構だが…

熊本県連・OB会々長　葉山勝人

全国の4Hクラブ員の皆さん新年に新たな意欲を燃やしていると思います。今年こそ、お互いにとりまして、最良の年でありますよう心からお祈り致しますとともに、あわせて全国4Hクラブ連絡協議会の発展を祈念致します。

「誰のための4Hクラブ活動か」……七〇年代も本年で三年目を迎えるわけですが、昨年は、いろいろと内外における国際情勢の動きは、目にあまる激しいものがありました。

中でも、国内の方は、米の過剰による稲作は生産制限などの施策がなされ、そうした中に国際的なインフレからくるアメリカ・ニクソン声明のドルショックや円切り上げなどの厳しい経済情勢の圧迫が日本列島をゆさぶるに至ったのであります。こうしたきびしい情勢の中で、農業という職業的なつながりを持つ、一つの組織、グループ「農村青少年クラブ連絡協議会」——この組織活動も当然こうした情勢の中に大きくゆさぶられ、新しい時代の局面に直面しているのが現状です。

私も過去十年間、4Hクラブ活動にたずさわった経験があり現在でも、OBクラブを結成して延長活動を続けていますが、長年の4Hクラブ活動をふりかえり、ともに、現在のOBクラブの活動を見つめるとき、4Hクラブ活動とは、いったい何であるか?、また、その目的や本質は、いったい何であるか、という疑問をもつことも、しばしばあります。それは、私自身のクラブ活動に対する認識不足からくるものでもありましょうし、また、深く知れば知るほど奥深い組織活動だからかも知れません。

ただ、私個人がOB会の中で活動して受ける印象は、若い農村青少年クラブ活動時代の本意は、いく分「ガールハント」や「ボーイハント」をするための手段としての活動や、個人の考え方があるのではないかということです。その結論として言えることは、OBクラブ員の年齢になって非常にいろいろの会議や大会への出席が悪いということです。もし、このような考え方がクラブ員の考え方であったら、4Hクラブ活動の本質や、意義は、無意味になってしまうのではないかと思います。

4Hクラブ活動の中で、若い男女が良い異性を見つけることや、ロマンスをつくること自体は決して悪いとは言えませんが、そのことを主体に考えるようであったら、むしろ青年団活動の方が適していると思います。

全国のクラブ員の皆さん、延長活動をされているOB会の皆さん、今ここに新しい年を迎え、4Hクラブの本質とはいったい何かを、冷静に考えてみようではありませんか。こうした過去の反省と未来の「ビジョン」を真剣に考えるクラブ員の目覚めがあるとき、前向きの国や、農村を創るプロジェクト活動が進められることができるのではないでしょうか!!

× ×

「4H会館」建設をどう進めるか——われわれの4Hクラブ活動時代からの一つのテーマであった会館作りも全協(全国4Hクラブ連絡協議会)の執行部や全国クラブ員の願いと努力にもかかわらず、未だ建設は実現されていません。

これは、会館建設に膨大な資金がいるのと、一部の人の意見では東京周辺だけしか、会館完成の暁に利用できないのではないかという懸念からの協力不足の面も響いているようです。

心頭技健

南方のジャングルでは、一人ではそう長く生き延びることはできないという話を、元軍人から聞いたことがある。横井庄一さんが二十八年もの間、グアム島の密林の中にただ一人で生きてきたことは歴史的な記録で、まさに驚異的である▼南方諸島に比べて、猛獣やマラリヤといった風土病などの外敵がなかったことも幸いしたようだ。グアムの場合、米軍が島全体を消毒して、蚊やハエがいるのは、米軍の家族たちがピクニックに来て、食べ残していったところだけということもあったが、それでは、横井さんの精神を支えていたものは何んであったか▼横井さんが密林から外に出られなかった理由として、作家の松本清張氏は、日本軍隊の精神教育、つまり、故国の両親を思い、生きて捕虜になって辱(はずかしめ)を受けることと、生命の危険をあげている。横井さんも「大和心で花と散れ。子どものころからそういうような教育を受けていますよ。散らなきゃ、こわいです」と語っている▼さらに、横井さんは、天皇陛下を信じ、大和魂を信じて生き続けてきた」とも言っている。しかし、親戚の人が「よく生きとったなあ」と話しかけると「精神力じゃない。神の力だ。オフクロが言ってたろう。おまえは御岳さんの授け子であるとな」と語っている▼横井さんは、日本人と会ってすぐに、御岳さんを訪ね、亡くなった部下などの英霊を祀りたいと語っていたが、横井さんの心は、死と対面して宗教的な高まりまで昇華していたのではないかと思われる。われわれは、人間の極限、生と死のぎりぎりの線まで見せつけられたような気がする▼それにしても、どうして自分の年齢を正確に知っていたのか。はじめは竹に印をつけて数えていたが、途中でやめてしまったのだ。日本語といい、三十年前に分かれた人たちの顔までを知っていたという記憶力には驚かされる。この二十八年間に、文化の上では、二、三百年に相当する変化があったといわれる。それにどう対応していくか、関係者の思いやりが期待される。

厳しい農業情勢に"仲間の団結"を叫ぶ

雪の被害にめげず

一年間のプロジェクトの総決算

【宮城県＝佐藤賢一連絡報道員発】さる一月十八日から三日間、作並温泉の観光ホテルで宮城県農村青少年会議が行なわれた。

初日は、開会式のあと直ちにプロジェクトの一年間の総決算でもある実績とクラブ活動事例の発表に入った。プロジェクト部門では作物、園芸、畜産、生活の各部門、それにクラブ活動の部門が加わり五つの会場に分かれて発表が行なわれた。

会場はインスタントに作られた旅館なので、発表に適した会場を得ることは不可能に近かった。しかし、各部門の発表者はいっこうに関係ないという様子で、日ごろの研究成果を堂々と発表していた。

作物部門では三名だけの発表に終ったが、まったく厳しい今日の農業情勢（行政）の中で、われわれは力を合わせて力強く立ち上がらなければ」と、仲間意識を燃やし、余った時間には一般参加者と研究討議をしていた。また、園芸部門は十五名、畜産十四名、経営七名、生活七名、クラブ活動では十四名の計五十七名によって発表が行なわれた。

二日目はテレビを視聴したあと「自由化を支持するか」と「誰れのための工業化か」の二つのテーマについて六分科会に分かれてそれぞれ討議した。

地区連会長会議開かる

一方、この間、地区連会長会議が開かれた。県連の活動方針や全協（全国4Hクラブ連絡協議会）の活動などを紹介、4H会館建設の募金、来年度本県で行なわれる技術交換全国大会の日程などについて門馬忠県連会長から説明があった。

クラブ員が農政に要望

午後からは、県農政企画室の室長の講演を聞いた。つづいて今後の県農政の方針に取り入れてもらいたいことがらについて多くのクラブ員から強い要望が出された。

ヤングフェスティバルも

夜は、ヤングフェスティバルが開かれ、連日の厳しいスケジュールで緊張していた体をときほぐし、最後の夜を大いに楽しんだ。

最終日は、審査委員長から審査経過と講評があり、そのあと表彰に入った。受賞者の名前が呼ばれるたびに会場から拍手が響き、きらめくフラッシュに受賞者もうれしそうな表情。

しかし、この大会で残念だったことがあった。それは、さきごろ仙北地方を襲った大雪で、ビニールハウスなどに大きな打撃をもたらし、クラブ員にショックを与えたことである。ハウスはつぶされ、苗は全滅した。しかし、責任強い発表者は自分の順を待ちきれないようにして発表するやいなや、すぐ車を飛ばして家に向かっていった。

また、この事情を聞いたクラブ員は、一日も早く、立ち直るようにと災害にあったクラブ員を慰めていた。

参加者、大広間にゴロ寝

今大会は例年にない盛大ぶりで宿泊の関係上参加者を限定したところ、クラブ員から強い参加の要望があったために、大広間での寝泊りを納得して参加してもらったクラブ員が百人近い。とくに、女子クラブ員の参加は例年の大会より二、三割多かった。

これは、ひとえに農業への意欲の高まりを示しているものと思われる。

涼風暖風

行事クラブと事業クラブ

クラブ活動について、以前からどうも気になってしかたがない事がある。それは、クラブ活動イコール行事活動の感じがすることである。

行事というのは、期日を決めて行なう催しものである。キャンプ・視察旅行・技術交換会・レクリエーションなど行事の種類を数えればきりがない。催しものだから行事によっては人気のあるもの、そうでないものがあるが、人が集まってくれなければどうにもならない。研修会のように堅苦しいものは敬遠されるが、旅行を兼ねた交歓会になると、断わるのに苦労するほど参加申し込みがある。しかし、どんなに楽しい行事でも毎年繰り返していると新鮮味がうすれて飽きてしまう。年中行事ということばがあるようにマンネリ化の現象が見られるようになる。そこで、クラブの役員は、何か新しい行事はないものかと頭を使う。

私は、だから行事はダメだというつもりはない。それどころか、もっと行事を充実してほしいとさえ思っている。私が気にしているのは、クラブは「行事」ではなく「事業」を主体に考えるべきではないのか、ということである。

さて、事業というのは一口にいうと仕事のことである。物理的にいうと、力が働いて物を動かすことである。クラブでいえば、一人では動かせないことを何人かの協力で動かすのが本当の活動ではあるまいか。地域における生産・経営・生活・流通などの問題をクラブの協力でとり組み、プロジェクト活動を通じて一つ一つ解決していく。そういう活動が「事業」であろう。年に何回か行なう催しに参加すれば済むことではないし、解決への努力にはマンネリ化は考えられない。問題と取り組む実践の過程は新鮮味の連続でさえある。

そこで、こうした問題解決の「事業」を進めるのには、それに必要な知識・技術の習得をはかる研修会、それに必要な仲間づくりを強めるレクリエーションなど、いわゆる「行事」が必要になってくる。この場合の行事は、行事のための行事ではない。事業の目的を達成するための行事だから、生き生きとした充実感があるに違いない。

クラブ活動の実績発表会は、行事の実績を中心に発表するのではなく、事業と取り組み、問題解決に苦しみ悩んだ努力のもようを発表してほしいと思う。

（北海道・三輪）

親睦と体位向上に「ボーリング大会」

高知県連

【高知】高知県農村青年クラブ連絡協議会（会長　岡村康夫君）では、今年度のスポーツ大会にあたってボーリング大会を、企画、実行委員長に県連指導の日石智之君を選び、昨年暮、高知市内のボーリング場を借り受けて、二十八チーム百余名のクラブ員の参加のもとに行なった。＝写真。

農村青少年の健全なスポーツとレクリエーションの普及によってクラブ員の親睦と体位向上をはかるために催されたもので、この日は、参加したクラブ員たちも、点数を度外視して楽しい交歓ムードの中でゲームを行なっていた。

（中町幸蔵高知県連事務局長発）

ぜひ送って下さいね

栃木・都賀町4Hクラブ　「4Hクラブの歌」の歌詞

全国の各県連や市町村のクラブでは、それぞれ独自に4Hクラブの歌を持っているところが多いと思われますが、栃木県下都賀郡の都賀町4Hクラブ（会長　広沢満一君・会員七十人）でも、クラブ員みんなで自分たちの歌を作ろうと計画、そのお手本とするためにそれらの4Hクラブの歌詞や楽譜を送ってほしいと全国のクラブに呼びかけています。

さいきん、クラブ員の減少や仲間意識の低下、その他多くの問題が多くなってきたため、さらにクラブ員の意識統一をはかり、クラブを盛り上げようというもので、同クラブでは「ぜひ送って下さいね」と、お願いしています。

三月中旬ごろまで、左記あてに送付するよう望んでいます。

栃木県下都賀郡都賀町弁塚七三の四、伏木利夫君。

4Hは独立か

大阪府で新しい組織の結成へ

【大阪】大阪府では、新しい組織として「農業経営者会議」を結成する方向に動いている。この会議は、農事研究会の集まりである府農研部会が母体となり、4HクラブOBやこの会議への賛同者などで結成されるもの。

外部から規制を受けない独立独歩の組織を作り、時代に即応した活動をしようとするもので、農林行政や農協事業の推進のために積極的に提言することを主な目的として、同時に必要に応じて農政活動も行なうことにしている。

なお、これを機会に、農事研究会とともに大阪府連に加盟している4Hクラブ、生活改善クラブの両団体はそれぞれ独立する気運がみられる。

こんなことをしています　各種農業団体

農林中央金庫

もっと金利を下げて　手続きを簡単に

「農協貸付アンケート」を実施

農家の人たちが「新しい農機具を買おう」とか「農地を買って経営を拡大したい」などと考えたとき、資金の借り入れ相談に行くところは農協だ。

統計を見ると、わが国の全金融機関の農業貸出の残高は、昭和四十六年三月末で約四兆八千六百億円に達しているが、そのほとんどすべてが農協の窓口から貸し出されている。つまり、農家にとって、農協は最も身近かでたよりになる"金融の窓口"というわけだ。

そこで「農家は農協の貸付についてどう思っているか」「どんなことを望んでいるか」を知るため、農林中金ではこのほど全国各地の農家約千三百人を対象に、アンケート調査を行なった。

それによると、農協の貸付は「便利で、よく相談にのってくれる」と答えた人が七八%で、全般的に好印象をもたれているが、その反面「貸付条件がきびしい」「手続きに日数がかかりすぎる」という不満の声もあった。

このうち貸付条件については①金利をもっと下げてほしい②返済期間を長くしてもらいたい③貸付限度をふやしてほしい④資金用途をひろげてほしい、という希望が多い。また借り入れ手続きについては「簡単だ」と答えた人はわずか二〇%で、とくに長期資金の場合に申し込んでから借り入れまで一か月以上もかかる、という不満が多かった。

このほか農協の貸付に対する要望としては「農業資金をもっと積極的に貸してほしい」「貸付についての知識や情報、相談活動をもっと活発にしてほしい」という声が全般的に多く、都市近郊地帯や兼業農家からは「農外事業資金をもっと貸してもらいたい」とか「住宅ローンの取り扱いをふやしてほしい」という希望が寄せられている。

このようなアンケート結果について、農林中金・推進部では

―農協の貸付に対する要望は地域の環境や農家の経営・生活状況によってさまざまだが、共通して言えるのは借りる人の立場を考えた親切さが農協に期待されている、ということだ。貸付の相談にしても、農家に困かれてからはじめて相談にのるというのでは積極的な姿勢とはいえない。

もっと根本的に個々の農家の将来の農業経営計画や生活設計の内容をつかんで、それにマッチした資金の借り入れ方法、返済方法などを具体的に考えてあげるようにしたい―と言っている。

（広報課）

全国購買農業協同組合連合会

下半期は落込みが　販売事業不振

観測農協・第一回定期調査の結果

全購連では、このほど観測農協制度発足後初の定期調査結果をまとめた。この第一回定期調査では、全国六百八観測農協から「昭和四十六年度経済事業の上半期実績および年度末実績見通し」について報告を求め（回答率八六・五%）、それをコンピューターで処理し、五百二十農協（八五・六%）について集計したもの。とくに、今回の調査で注目されるのは、別途集計した経済連の報告結果と調査結果が一致したことで、これによって極めて信頼性の高い集計であることが判明した。

調査結果によると、四十六年度の経済事業は、前年度対比一〇四%の見通しであるが、上半期実績が購買一一四%、販売一一二%に対し、下半期見通しは購買一〇八%、販売の九六%で、とくに販売の落ち込みが目立っている。

総体的にみると、四十六年度経済事業見通し（購買・販売事業）は、全国一農協平均十二億六千万円で、前年度対比一〇四%、計画対比で九九%となっている。

これを期別にみると、購販両事業とも上半期実績は、それぞれ前年度対比で一一四%、一一二%であったのに対し、下半期見通しが購買で六%減の一〇八%、販売では大きく一六%減の九六%となっていて、下半期の不振、とくに、販売事業の落ち込みが目立っている。

その最大の原因は米で、天候不順と減反のために、政府売渡米、自主流通米を合算して、前年度対比八一%という見通しである。これが販売全体に占める割合が五八%でもあるだけに販売事業の年度末見通しに大きなマイナス要素となって、最終的には、購買事業の伸びを相殺する見通しとなっている。

また、経済事業全体では前年度対比一〇四%の見通しだが、この一年間の諸物価の値上がりを考えると、数量ベースでみた事業の実質的な伸びは、前年を下回っているとみられ、今後、金融緩和にともなう金利低下の問題もあり、農協事業経営の環境は、一段ときびしい見通しとなっている。

（広報課）

45・46年度農協購買事業前年度対比（含・見通し）

品目	A 45／44 対比	B 46見通し／45 対比
肥料	100%	101%
農薬	103	109
農業資材	119	114
包装資材	113	102
農業機械	104	96
飼料	126	110
その他生産資材	117	104
生産資材計	113	105
自動車	133	124
石油	130	127
LPガス	121	119
施設	160	174
米	111	116
食品	113	119
衣料品	113	111
耐久財	114	114
日用品	109	120
その他生活資材	115	110
生活関連物資計	121	121
購買事業計	115	111

尾瀬沼で交歓し、4Hの旗を前にしてカメラにおさまった群馬県の久呂保4Hクラブ員と茨城県の静4Hクラブ員

全国会議が縁で

群馬と茨城両県の4Hクラブ　交流を続け友情深める

全国のクラブ員と経営者夫妻の代表が一堂に会して研究討議をする、農林省など主催の全国青年農業者会議は、今年で第十一回を迎え、来る三月六日から東京で開催されるが、昨年の全国会議に参加したクラブ員同士の音頭で、いまも交流を続けているクラブがある。

それは、群馬県の久呂保4Hクラブと茨城県の静4Hクラブで、音頭をとったのは久呂保4Hクラブの新木貞男君（利根沼田青少年クラブ連絡協議会副会長）と静4Hクラブの落合耕一君の二人。

両君は、昨年の全国大会で同じ第三分科会に参加し、生活をともにしながら、ディスカッションしているうちに大いに意気投合、ぜひとも、交歓会をやろうではないか、と話しがはずんだ。そこで、会議がすんでから電話などで互いに連絡をとり合い、水芭蕉で有名な尾瀬にハイキングをかねて両クラブの交歓会が実現した。

その日は、余りよい天気ではなかったが、尾瀬沼湖畔でフォークダンスやゲーム、歌などで楽しく過ごした。とくにフォークダンスでは、周辺にいた一般の人たちも加わり、いつの間にか百名を越える大きな輪になっていた。

静4Hクラブの十八名のクラブ員は旅の疲れも見せずに、再会を誓い合って全員堅く握手をかわして別れた。こんどは久呂保4Hクラブが茨城県を訪ねて、友情を深めることにしている。

第十一回の全国会議を迎えて、昨年の全国大会の参加をきっかけとして培った仲間意識をさらに強め互いに大いに学んでいこうと張り切っている。（群馬県・久呂保4Hクラブ、新木貞男君より）

花開いた米作の共同作業

名取市植松4Hクラブ

【宮城】名取市植松4Hクラブ（会長　大友孝君）は、このほど実績発表会をおこなった。

それによると、共同作業によって、品質のよい米がとれ、十aあたり平均四人の省力をみることができ、また会員相互の理解が深まり、堅い結束を保ちながら経営者としての学習をおこなうことができたという。この共同作業については、名取市と亘理名取地区農村青少年クラブ実績発表会で発表し、最優秀賞を受けた。

畦道

ああ　ドン・キホーテ

あわれなドン・キホーテは騎士道物語にすっかり酔い痴れてしまい、現実と空想との境界線を見失ってしまった。みずから騎士道物語の主人公になって、この世の不正を正すため、祖先伝来のぼろ甲冑に身をかため、年老いたやせ馬ロシナンテにまたがって遍歴の旅に出た。

彼の頭の中には一つの秩序だった世界が成立していた。それは騎士道の世界であり、彼は現実の世界を騎士道の世界に還元しようとしたわけである。彼の眼に映る風車は巨人であり、羊は軍勢、旅籠屋（はたごや）は城、田舎娘は貴婦人であった。当然のごとくドン・キホーテは次々と失敗をやらかし、無残にも現実によって裏切られるばかりだった。

なるほどドン・キホーテは滑稽でかつ愛らしき小説上の主人公ではある。だがはたして私たちは彼の滑稽きわまる行為を笑ってばかりいられるだろうか。

今日ほど言葉やイメージが氾濫している時代はない。巨大に膨張したマスメディアから日々流されてくる大量の情報群は、有無をいわせることなく私たちの眼や耳を一方的に塞いでしまう。そしてそれは私たちが実際に肌で接する現実の環境を遠く後方へ退け、独立した一つの環境を形づくる。実像は虚像に主役の座を渡し、マスコミによって製造された有名人が続々と登場する。人々は実像よりも生き生きとして魅力たっぷりの虚像を追いかける。さながら二十世紀後半に突如として蘇生したドン・キホーテのごとくに……。

ドン・キホーテの場合は彼が現実からはみだしていたことによる「喜劇」であった。しかし虚像に踊られ、それが事実かどうかを確かめるすべをいっさい奪われている私たちにとってそれは「悲劇」である。私たちはもはや裏切られる現実すらもっていない。【宇】

人間形成の場にも―活動目標

【山梨】東八代郡4Hクラブ連絡協議会（会長　赤尾昭好君）は、さる一月十九日午後七時半から八代町児童会館で定期総会を開き、新年度の事業や役員を決めた。席上、先輩会長が小型リコピーをプレゼントした。

総会には六十人が出席、四十六年度事業、決算報告のあと、新年度の事業計画や役員を決めた。ことしての活動目標は「組織強化を図り、問題点に対する研究、改善、解決のため積極的に活動する」として、①専門部会活動の充実②地域農業に目を向ける③人間形成の場にしよう―を重点事項に決めた。

これをもとに①学習活動（部会別先進地視察、研修会、講習会の開催）②広報活動（情報紙、機関紙の発行、社会情勢資料の収集）③仲間づくり（レクリエーション大会、ソフトボール大会、交歓会）④プロジェクト活動の強力な推進―などを進めるという。

なお、新役員に次の人たちが選ばれた。

▽会長　赤尾昭好▽副会長　岩沢秀城、矢崎義仁、小池徳江▽事務局長　河野幸雄▽同次長　古屋秋夫▽同局員　古屋栄司▽専門部会長　里見広▽推進委員長　小林恵一▽広報委員長　岩間敏郎▽レクリエーション委員長　田口達夫▽女子活動委員長　加賀美きぬ子▽監事　岩沢重信、角田喜文▽監査委員　石倉豊

記帳簿の決定版

北海道連が「レコードブック」発刊

知事「認証」の資料にも

好ましい全員記帳

プロジェクトの進め方のテキストに

北海道4Hクラブ連絡協議会（会長　中山寿雄君）は、このほど四十七年用のプロジェクトとクラブの両レコードブックを発刊した。いわゆる、クラブ員の日常におけるクラブ活動とその主体となるプロジェクト活動の記録簿で、北海道連が生んだ記録簿の決定版といえるもの。

北海道「標準クラブの認証」基準

1、クラブ員各自が一つ以上のプロジェクトを持っていること。
2、クラブの構成が民主的な運営のできる組織であること。
3、クラブの年間事業計画を樹て実行していること。
4、少なくとも年間十回以上の集会を開き、出席が毎回七〇%以上であること。
5、一人以上の篤志指導者を持ち、その指導を受けていること。
6、クラブの行なう演示会、展示会、審査会、実績発表会のうちいずれか二つ以上実施していること。
7、年間二回以上のクラブ巡回訪問、あるいは見学旅行を行なったこと。
8、クラブ員の少なくも六〇%以上が、年間のプロジェクトを完成したことを、改良普及員が認めたものであること。

このレコードブックは、単に記録だけではなく、クラブ活動やプロジェクト活動を進めるうえで必要な条件や知識までわかるようになっており、クラブ員必携のテキストともいえる。装幀や内容といい、これほどのレコードブックは、全国広しといえどもそうざらにない。まさしく北海道のクラブ員が自慢するように、いまのところ、道連が生んだ"活動記録簿の決定版"といっても過言ではなさそうだ。

とくに記録は、プロジェクトを進めるうえで欠かせないが、プロジェクトについての深い知識がなくても、このレコードブックに記録することによってプロジェクト活動に入っていけよう。

「進歩の芽、それはプロジェクトである」と、この小冊子では述べているが、さいきん、米の生産調整や貿易の自由化、仲間の減少など内外から大きくゆさぶられているクラブ員に、大切なものは何かをもう一度教えてくれよう。

両レコードブックの内容を紹介すると、次のようになっている。

クラブ・レコードブック

1、クラブ組織と役員
2、クラブの規約
3、クラブの歴史
4、クラブ員カード
5、共同（クラブ）プロジェクト
6、発表の記録
7、クラブ活動の目標と活動計画
8、クラブ集会出欠簿
9、会合とその行事の記録
10、クラブ活動の実績まとめ
11、予算と収支状況
12、クラブ活動の実績評価
13、表彰者名簿
14、役員感想録
15、参考資料欄
16、付録

（1）4Hクラブ活動のみちしるべ
（2）クラブ会合
（3）討議の方法とその進め方
（4）レクリエーションの実際
（5）公的な文章のつくり方とそのコツ
（6）簡単なクラブ活動の経理取り扱い方法
（7）標準農村青少年クラブ認証

指導者の助言

達成証・付・標準農村青少年クラブ認証申請用紙

プロジェクト・レコードブック

▽プロジェクト活動の進め方（プロジェクト活動の手順）

1、わが家の経営
2、問題点を発見し、課題をきめよう
3、プロジェクトと取り組もう
4、プロジェクトに改良方式を取り上げよう
5、プロジェクトの年間実行計画をたてよう
6、プロジェクトの実施日記帳
7、プロジェクトの現金・現物日記帳
8、プロジェクト実施の観察、調査記録
9、プロジェクトの演示発表の記録（参考演示のやり方）
10、プロジェクトの収支決算をして反省しよう
11、プロジェクトの評価をしよう
12、プロジェクトの総合反省をしよう
13、自由記録
14、参考資料のまとめ
15、わがクラブの記録
16、4Hクラブの本旨
17、指導者の助言
18、プロジェクト達成の感想（達成証）

▼活動の評価図表

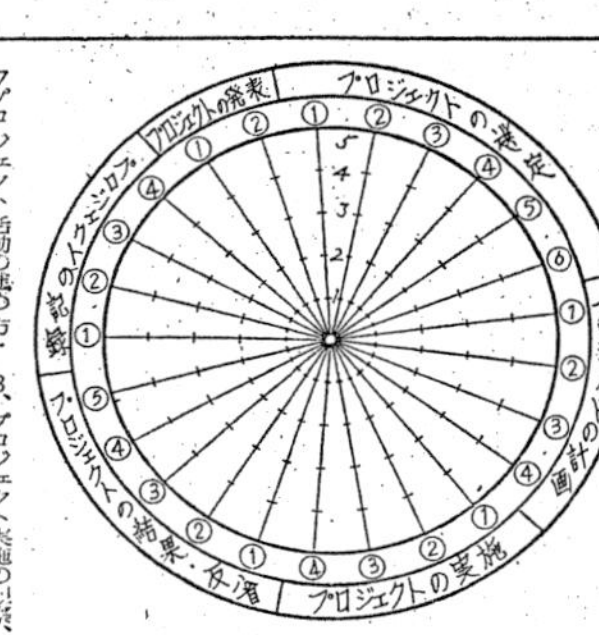

クラブレコードブックの中にある「標準農村青少年（4H）クラブの認証」は、その年のクラブ活動が一定の水準に達したとき、レコードブックにある申請書を地区農業改良普及所長に提出、申証して、北海道知事から認証状を受けるもので、その認証の基準として別記の条件を必要としている。

なお、プロジェクトレコードブックはB5版七十四頁、百五十円。クラブレコードブックもB5版六十四頁で三百円。

プロジェクトは、クラブ活動の中心でもある。しかし、さいきん一部にプロジェクトの認識が薄れる傾向がみられるため、全国4Hクラブ連絡協議会の役員の間でもこのような資料を発行したいとの意向もあるが、経費などの面からその発行の見通しはいまのところ立っていない。

全国のクラブ員が、このような記録帳を活用すれば、もっとすばらしい、内容のある活動ができるものと思われる。

プロジェクトと経営

発情早く分娩が楽

繁殖牛に運動場を提供

岐阜県・丹生川村4Hクラブ　木岡　勉

二十一世紀に向う現在、わが国日本は、世界でもトップクラスにランクされる大国となってきました。それに伴って、低かった食生活も高度なものへと変化してゆき、小型で、高く大きなエネルギーが得られ、植物性タンパクにあきた人に好まれる畜産物（食肉、卵、乳製品等）の需要が、さらに増大してくるといえましょう。

これを土台とし、さらに、土地条件（自然条件、社会的経済的条件、個人的事情）などを考えて、畜産の将来は、明るいものだろうと思い、私の家の経営の主体としてゆこうと決めました。

経営分析としてみると、水稲、養蚕、畜産、林業と四本の柱から成っています。この各部門が有機的結合があるといっても、弱いものだから、たとえば、水稲のワラが畜産の飼料となり、畜産の堆肥が水稲の肥料、養蚕の蚕ぷんが畜産の飼料となるよう強化してゆきたいと思っています。

さて、私の担当部門は畜産ですから、それについて書こうと思います。繁殖牛経営は、回転が遅いから、いかに良い子牛を、長年にわたって、一年一産を確実にさせるかということが問題となってきます。

そこで、それを解決するためには、古い考えの飼い方を変えなければなりません。それには、暗いマヤからの解放を考え、さらに運動場の設置（十五アール）、フリーバーン方式牛舎に改築、飼料作物の作付けなど、高校卒業後さっそく取り組んでやりました。三頭だったのを四十四年三頭、四十五年に三頭を導入し、現在、頭数は、二頭老廃肥育して売却したので七頭です。今年は繁殖素牛を二頭ほど導入したい。ゆくゆくは合計十～十五頭ぐらいにし、人工受精をうまくずらして、年六回ある市場へかかさず出場したいと思っています。

さらに、小規模の放牧地を作り夏山冬里の輪換放牧形式にして、小さいながらも利用度の高いものとしたい。裏山にあるので、妊娠前期牛、育成牛などは放牧地に上げ、家の畜舎には分娩室があるので、妊娠後期牛（三～四ヵ月前）子牛、授乳牛は家で飼うような形態にしてゆきたいと思っている。丹生川での畜産は山をうまく利用していかねばなりません。ここで改築、運動場設置などの効果をあげてみると、発情の発見がハッキリ出来る（牝牛同志で乗駕し合う）。分娩後の発情が早い。分娩が容易になる。親牛の健康が増進し、足腰がガッシリしてくる。子牛も同様骨組がしっかりとしてくるなどいろいろあり、以前の暗いマヤだったらこういう効果は出ていないでしょう。

最後に、規模拡大だけがよいとそれに走りがちですが、企業的畜産は私にはでき得ないし、やりたくないのです。なぜなら水田、桑園、山ありの経営だからです。前にも述べているように、各部門に密接な関係を持たせてムダをなくする、これが大切なのです。

今後、畜産に取り組んでやってみようという方はわれわれの丹生川4Hクラブ畜産サークルに入って、紙上で言いつくせなかったことを語り、さらに専門的研究をしましょう。

都市農業をめざす

大量消費時代に合う経営を

大阪・別所4Hクラブ　小嶺敏博

かつては静かな農村地帯であった私たちのところも、ここ数年、都市計画法もてつだって急激に都市化され、農地は宅地や工場用地に変っています。

ある者は離農し、また、ある者は兼業農家となったりしていますが、残存する農家では花卉、養鶏、果樹といったようにそれぞれ特色ある経営をいとなんでいます。

私も学校卒業と同時に花卉栽培に取り組んできましたが、大量消費時代といわれる今日では、良品を、しかも大量に出荷しなければ専業経営として成り立たなくなっています。

わが家は、昔から露地切花を中心に作っていたそうですけど、十年ほど前からビニールハウスを作り、キク、カーネーション、フリージアなどを中心として、また労力、収益性を考慮して鉢物を取り入れて経営してきました。

現在は、ガラス温室一三五坪（約四百四十六平米）と、ビニールハウス一六〇坪（五百二十八平米）の施設にまでこぎつけました。温室のほうはシクラメンを主としてサイネリヤ、ハイドラシジャー、シャコバサボテン、洋ランの組み合せによって周年利用を目的におこなっています。また、ハウスのほうでは現在、半促成菊と電照菊を栽培しています。

規模拡大にともなう労力不足は施設園芸をしている者にとってもっとも重大な問題でありますが、ある程度の資本投下によって解消できるものと考えています。たとえば、従来のビニールホースでの切花を、灌水パイプの利用によって省力化をはかっています。また作業能率軽減の意味で、菊の二条植えを試みています。

今後は品種の選択、作型の研究によって、ますます激変する状勢のなかで、近郊農業のように企業としても成り立つ都市農をめざし、多くの同志と研究努力していきたいと思っています。

「グリーン・レポート」を提出

大阪府の4Hクラブ員

【大阪】大阪府下の4Hクラブ員は、「グリーン・レポート」をさる一月十日まで大阪府連4H部まで提出した。

これは、クラブ員の大きな課題の一つであるプロジェクト活動の結果を報告するもので、これをもとに、優秀なプロジェクトには良証、それに至らなかったものには完了証が与えられ、グループ大会において表彰されることになっている。

結婚を考える　▶3◀

山口県・柳熊農村青少年クラブ生活部

幸福を願うが、複雑

娘の拘束は身勝手か！

長女の結婚

ムコ養子を迎えて

「這えば立て、立てば歩めの親心」とやら、二十年あまりいろいろのことを夢みているうちに光陰は矢の如く過ぎ去り、子供こどもと思っていた長女も近々結婚することになりました。

三人姉妹の長女ゆえに、古来の考え方からすれば当然家を継ぐことになりますが、民主主義の現在、娘の幸福を第一に優先すべきだとは知りながらも、やはり因習にとらわれ、私ども長女は出すべきではないと自他ともに信じてきただけに、「良い話があるが嫁がせないか」という誘いには、いささか寝耳に水といった気持でした。そんな時、本人も心をゆるがせ、私どももその時ほど心寂しく感じたことはありませんでした。

一生懸命信じてきたあるものが急に崩れていくような、また裂切られたような気持にもなり素直に長女の幸福のみを考える余裕はとてもありませんでした。何としても反対してみようとさえ思ったくらいでした。しかし、考えをめぐらしてみると、最近の農業状勢や社会状勢からして、農家へ婿養子を迎えるなどということはおよそ見果てぬ夢のように思え、このまま娘を拘束するのはやはり私どもの身勝手のようにも思えて、非常に思案したものでした。

そんな矢先でした。このたびの縁談があったのは。幸いにも酪農に一緒（3）の希望をもって頑張ってみようという強い意志に燃えた方で、その熱意の中には真実性が感じられました。長女もようやく落ち着いて将来のことを考えるようになり、最近では非常に明るい希望がもてるようになりました。

私の場合、同じ屋根の下に住み、毎日顔を合わせるのですから別に問題はないと思いますが、何か心の片隅に小さな穴のあいたような淋しい気持になる時もあり、またこれでよかったと充実した気持で理想図を心に描いてみることもあります。

娘も第二の人生を踏みだすにあたって、希望もある反面、多少の不安もあることと思いますが、とにかく、おたがいに相手を信頼し、幸福な人生行路を歩んでほしいと願ってやみません。長い人生には晴れの日ばかりではなく、雨の日や風の日も、また嵐の日もあることだけは覚悟して、どんな苦難に遭遇しても協力し合って希望を見いだして、何かを築きあげてほしいと思います。私どもはこれからあまり干渉しないようにそっと見守っていたいと思います。

私どもにはこれから次女、三女の結婚が控えておりますが、家ということに対しては長女の時ほどの期待や観念はなく、また異った気持で考えることができると思います。

あなたの常識度は？

「意識調査」　全国4Hクラブ後期中央推進会議　＜下＞

一、次の文中、正しいものに〇印をつけなさい。（五問）

1、わが国の農家戸数は、約（①四百六十万戸②五百二十万戸③五百八十万戸）である。
2、わが国の農業就業人口は、約（①八百五十万人②千万人③千百五十万人）である。
3、四十六年産米の政府限度数量は（①四百八十万トン②六百八十万トン）である。
4、今年度、米の生産調整によって減産したのは、約（①二百三十万トン②三百三十万トン③四百三十万トン）である。
5、生産調整の実施率の高かったのは（①北海道②宮城③新潟④京都⑤兵庫）である。

一、例年、全国4Hクラブ連絡協議会が実施している事業を三つ列記せよ。（三問）

一、「全国4Hクラブ員のつどい」が過去七回開催されたが、その開催県を記せ。（四問）
①第四回（　）②第五回（　）③第六回（　）④第七回（　）

一、第八回のつどいは、四十七年八月末開催されるが、場所はどこか。

一、つどい開催の意義を三つ列記しなさい……（目的、ねらいなど）
①（　）②（　）③（　）

一、全協事業の執行のため会議が開催されるが、どのような会議があるか。（五問）
①（　）②（　）③（　）④（　）⑤（　）

一、総会は、本会（全協）の最高議決機関である。それに次ぐ議決機関は何か。

一、4Hクラブでは、青少年の四つの機能の平均のとれた教育が必要であると言われるが、その四つの機能とは何か。
①（　）②（　）③（　）④（　）

一、プロジェクト活動の過程は、一般的に四つの段階に分かれているが、それを列記せよ。
①（　）②（　）③（　）④（　）

一、プロジェクトは、目的によって分類すると多くの種類にのぼるが、それを五つ列記しなさい。
①（　）②（　）③（　）④（　）⑤（　）

一、討議の種類は多くあるが、一般的に知られているものを三つあげて、それを簡単に説明しなさい。
①（　）②（　）③（　）

一、話し合いをする上で司会者は重要な存在である。司会者が留意する点は何か、三つ列記しなさい。
①（　）②（　）③（　）

天皇杯に輝く人たち

林産部門（乾椎茸）松下徳市（七四）大分県

50年間の成果実る

純粋種菌培養方式の先駆者

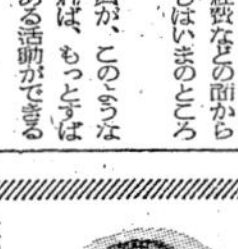

特殊林産物の王座を占める乾しいたけの生産は年々増大しいたけについてみると四十年の四千八百トンに対し、最近は約八千トンに達し、大衆食品としても輸出され、国民経済上大きな役割をもつにいたっている。この生産のうち大分県が一七%と全国一位を誇っているが、その先達として卓越した功績を残された松下徳市氏が、このたび林産部門の天皇杯受賞の栄に輝くこととなった。

同氏は、明治四十年に対馬でしいたけづくりに従事している父のもとで働き、その後、福岡をはじめ数県におもむいて栽培技術を習得してから現在の事業地に入り、以来、じつに五十年間しいたけ栽培の研究・生産・普及に専念し、今日にいたっている。その成果は「天白どんこ」をはじめとする優良・均一な乾しいたけの持続的生産の基盤となって見事に開花している。

栽培技術については、原木としてのクヌギを適期に伐採し、優良な種菌品種を接種するが、とくに、純粋種菌培養方式導入の先駆者として知られている。第二の特質は榾場管理である。榾場不足と労力の不足に対処して独創的な人工榾場の考案をするとともに環境調節のため防風垣の設定、榾場湿度、榾場水分の調節のため撒水機などの整備に工夫をこらしている。

さらに特筆すべきことは、乾燥の設備とその操作である。第一事業地には、同氏の考案による松下式乾燥施設が備えられ、今なお研修生などの乾燥原理修得のよい手段となっている。また、第二事業地には、その後改良新設されたブロック建油直バーナー式と東洋式回転乾燥室がある。ともに実験結果である「乾燥スケジュール」を基準に操作している。

このような技術と装備にもとづいて栽培される産物は、形状、色沢、香気などからみて、最上の天白どんことして称り、多くが輸出品としてだされている。年々生産の規模も拡充されており、四十五年度の生産量は二千二百二十キロ、産出額にして五百八十万円に及んでいる。

労力は、家族労力四名、常傭三名が支柱となっているが、従年雇用の日傭に対しても手厚い労務管理をおこなっている。また、榾木の八割は購入であるが、原木の拡充につとめるとともに、経理面でも近代化をはかるなど、経営全体としての改善に今日なお努力を傾けている。

さらに、同氏は開発した技術を惜しみなく一般に伝え、とくに、三十六年以来山村中堅青年技術交流生を受け入れその実績は十年間で十四県七十八名に達している。

このような同氏の業績はひろく世に認められ、三十八年黄綬褒章、四十三年勲五等瑞宝章の受賞をはじめとする数多い受賞が氏の人品と斯界一の功績をものがたっている。

NHK農事番組（2月11～20日）

テレビ

明るい農村　6・30～6・55 総
11日　村をむすぶ「大阪、徳島…」
12日　農村新地図「新潟県六日町」三浦哲郎（作家）
13日　明るい漁村
14日　村の記録「干拓強行」～根、鳥取県下～
15日　きょうの話題
16日　産物往来「みそ」
17日　話題の広場「日本農業賞…」関東甲信越ブロックの代表に…く」
18日　村をむすぶ「仙台、福岡、長野、東京」
19日　農村新地図「鹿児島県…ヶ島」椋鳩十（作家）
20日　明るい漁村

農業教室　7・30～8・00 教
14～16日　水田の高度利用―加…山国雄（農林省農林水産技術会議事務局長）
17～19日　よい乳牛とは　検…光（農林省畜産試験場）

あすの村づくり
日 7・00～8・00 教
再 土 13・00～14・00
13日「グループだより」～大…県竹田市城原～やまめグループ「帰ってきた五人組」～兵庫県出石郡但東町～岡村左利ほか（六〇）～山梨県北巨摩郡大泉村「先輩と語る」～日野水…
20日「グループだより」～京都府峰山高校・弥栄分校～家…ラブ、「三つの公害」～徳島…～酪農研究グループ、「画像」～石田敬志（二七）～静岡県…名郷消酉町

ラジオ

早起き鳥　5・41～5・57 ①
11日　自衛する都市農業～厚木市
12日　雪の中の農民　河内幸一郎（農民文学賞受賞者）
13日　伸び悩む酪農生産
14日　論語共同農場～山形県羽黒町
15日　立木の染色に取り組む　髙橋公一（徳島県林業試験場）
16日　変貌する農村環境　今岡久人（北海道農務課）
17日　再検討せまられる集落再編成　乗木吉郎（島根大学講師）
18日　日本農業賞受賞農家に聞く
19日　ひのきの皮で織物作り
20日　どうなる今年の生産調整

話の広場　日 6・10～6・30 ①
13日　休止
20日　鍋もの野菜のパック販売～群馬県吾妻町

新しい農村　6・00～6・30 ②
13日　食糧事務所の再編成をめぐって　森整治（食糧庁総務部長）
20日　畑作経営の可能性をさぐる　新船保（農林大臣官房）

ラジオ農業学校
日 6・30～7・00 ②
13日「経営手帳」～養豚の一貫経営を成功させるには～高杉五郎（静岡県養豚試験場）ほか、
20日「優秀農家に学ぶ」佐藤保一（三七）～北海道伊達町

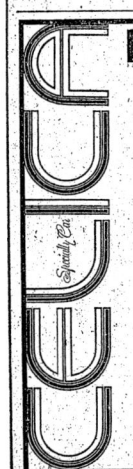

わたしの選んだ道

第18回NHK青年の主張コンクール全国大会

養蚕指導員として

東北地方代表 佐藤完一（二四）

農家の長男という言葉をみなさんは一体どう受けとめてくれるでしょうか！私は最近までこの言葉がいやで仕方ありませんでした。封建的で、かつ時代の流れにとり残されてしまう孤独な人間としか考えていなかったのです。私もその一人でした。

できるならこの宿命的な立場から一刻も早く逃げだしたいといくど思ったかわかりません。

しかし私は長男として、今日の難かしい農業への道を選んだのです。

私の家族は七人で、父母のほかに姿と弟が三人おり、水田面積も三十アールと少なく、純然たる兼業農家であるのです……それなのに不思議に思われる方も少なくないと思います。

その理由をあげると二つほどあります。

第一点は、国の総合農政であります。

米価の据え置き、減反、さらにとどめをさすかのように、米の買い入れ制限と農家にとって農業への不安ならびに農政への不審をいだかせている実情である。

第二点は、出稼ぎ問題であります。前に述べたことが原因で私達の村でも出稼ぎ農家が増え現在一二〇〇戸に達している。これは村全体の一六％にあたる数字です。一家の中心である父や長男が現金収入を得ようと肉親とはなればなれになり、冬期間あるいは年中家を留守にするのが現状です。

私も十年間というもの、出稼ぎの留守家族としてにがい経験を実際、この肌で感じていました。この苦しみは言葉では表現できません。家庭の崩壊は国の崩壊につながると声を大にして訴えたいのです。……そこで私は、米の減収分を出稼ぎにたよらず、親子がいっしょになって働き、少しでも補なえるものはないだろうかと考えた結果、養蚕を選んだのです。日本経済の発達にともない、絹の国内需要はたいへん高く、また養蚕自体も新技術の導入により水田作業とのかけあいも少なく有利な産業であると判断し、米に養蚕をプラスした複合経営をすすめ、私も養蚕指導員として自分の道を歩み始めたのです。

新しい産業のため他からの風当りも強く、一人で悩み泣いたときもありました。また四十四年の晩霜害、さらに四十五年の野そ害など壊滅的な打撃を受けたときもありました。そんなとき「先生、天災はしかたないよ」と励ましてくれたのが他でもない養蚕農家だったのです。私は、この言葉を聞いたとき新たなファイトをもやさずにはおられませんでした。一日でも早く彼らに「養蚕をやってよかった」と言わせたい一念が今日までの支えでした。家族全員で汗を流し、養蚕に取り組む姿をみるとき、本当にこの道を選んでよかったと思います。

「先生、きいてくれ、今年始めて繭代金が米代金を越しましたよ」と誇らしげに語る農家をみて、ただ「やった」としか言えませんでした。過去の苦労はこの一瞬にして消えたのです。これからも私は自分の養蚕指導員としての道に誇りをもって、家族全員がそろって食事のできる農家を一戸でも多くつくりだしてゆきたい、と考えております。

（秋田県由利郡鳥海村農協職員）

×　×　×　×　×

NHKでは、去る一月十五日（成人の日）に開催した第十八回NHK青年の主張全国コンクール「全国大会」において発表された各地方代表十八人の意見をまとめた「発表文集」を作成し頒布している。

希望者は東京都千代田区内幸町二ノ二ノ一八 NHKサービスセンター事業部「青年の主張発表文集係」あて申し込みのこと。

なお「発表文集」はA5版、二十四頁で、一部四十五円、送料二十五円の計七十円。

触れ合いの時代だ

群馬県・片品農志会 千明ちづ子

私もやっと二十年間という月日を歩んできましたが、これからあと何年間か生きるなかからグループ活動を主婦としての生き方をみなさまとともに考えたいと思っています。

母が、よくこんなことを私に話して聞かせます。

母が嫁にきた頃は封建制の強かった時代で、親の言うままに結婚をさせられたということです。嫁いだ後も、毎日の生活が辛く、朝起きてから寝るまで姑のようすをうかがい、何もなく一日が無事に終えるとホッとしたものだそうです。楽しみといえば、どこかへお客として行くことだけだったらしいです。姑の言うことは絶対であって〝白いものでも黒い〟と言われれば歯をくいしばってがまんしなければならず、口のきき方ひとつさえ、自分の思のままにはならなかったそうです。

また、その頃はグループや会もないし、そうかといって家族の話し合いなどはさらにない生活で、小使い不足のようなちょっとした問題で実家の親に会うことさえめったそうです。こんな生活を母は夢中で過ごし、ひたすら私たち子供のためにがんばってきた、と私に話してくれました。人間と人間との触れ合いのできなかった時代は母の時代で終りにしたい、またこれからはグループ活動にどんどん参加してゆくようにと、私につねづね言ってくれます。

現在、母も婦人会、家庭学級に参加しております。また、私もクラブに参加しております。先日、女子活動の一環として、川場村で料理講習会がありましたが、参加人数が少なくさびしい面もあったけれど、ひとつうれしく思ったのは、男性が私たちに協力してくれていることでした。少ない会員でもここに集まった人は、これからグループを発展させ、良き農村を作りあげる人たちです。

一女性の願いとして

農家の主婦は、夫とともに共同経営者として夫を助ける立場にもあり、また夫の良き理解者、家庭内のリーダーでもあります。これからは結婚式から料理講習、生活活動、農業防除相談、いこいの場などとして、気やすく行けるセンターを作って欲しいものです。センターを作るためにも、現在のグループ活動を活発にして、人間の触れ合いを高めてゆきたいものです。

悩み、苦しみをへて、そこに希望を見つけ、喜びをつくりだし、またつねに努力し自分の農業を作りあげながら、グループ活動に全力を尽くしたいと思っています。

人の道は一歩ずつ

岐阜・丹生川村4Hクラブ 田中美佐子

めくらの人は、目が見えないのになかなかケガをしない。むしろ目の見える私たちのほうが、転んだり、物にあたったりしてケガをする。

目の見えない人は一歩いっぽ踏みしめて、なにごとも慎重に行なわれる。私たちは目が見えるために油断しているのかもしれない。私たち一人ひとりが、めくらのように物事を行なうことができたら……。交通事故、火災などの悲惨な出来事も少なくなると思う。

私たちの人生だって同じこと。長いようで短かい人生、どうせ生まれてきたのだから、悔いのない一生を過ごしたいものである。それには、自分というものをよく知り、先のわからない人の道を、他の人と語り合い、教えあって、一歩いっぽ悔いなく過ごしたいものだ。

出稼ぎはしないぞ

福島県・桜4Hクラブ 細谷義久

出稼ぎが憎い。出稼ぎは、俺から多くの仲間を奪った。仲間たちもはじめから好んで行くのではない。ある者は小づかいほしさに、ある者は車を買うために、またあるものはいくらかでも生活の糧にしようと農閑期を利用して勤めにでるのである。しかし、いまでは出稼ぎの勤めのほうが、本職となり、日曜・休日を利用して田畑で農作業をするといった人が多い。

ということは、いわゆる脱農化が進んだといえるかもしれない。だが、彼らにも農業に対する夢や理想があったはずだ。彼らは、それを捨てて勤めた。

俺は農業にかける

それでも彼らは、再び数年か後に農業一本にもどることを望んでいるのだろう。俺だってそういう経験をしたから、彼らの気持は痛いほどよくわかる。

しかし、俺の話しも聞いてほしい。

俺の家だって、そんなに経営が大きいわけじゃない。だが、俺は絶対勤めることはないだろう。そりゃあ、もし俺が毎月給料を運んでくれば、父母は喜ぶだろう。また、現実に父母も、むしろそれを望んでいることぐらい俺にもわかっている。でも、俺は、農業をやる。自分の夢と理想のために、たとえそれが一生かかって実現できなくとも……。

多くの仲間たちを勤めさせたのは何なのだろうか。減反と米価据え置きの農政か、物価の値上りか、勤めのほうが割がよいからか、百姓ではカッコ悪いからか、それとも彼ら自身が農業に自信を失ったからなのか、理由はさまざまだろう。

淋しいがいつかは

彼らは自分の将来ついては、どれほど考えているのだろうか。このまま勤めるにしても、一生大差のない給料しかもらえないはずである。俺は自分の将来を考えるといっときだって勤める時間がないのだ。つねに自分の仕事に努力していなければ、夢は実現できないからだ。

いつだったか、偉い先生が言った。「農業はやりたい者だけがやればよい。勤めたい者は勤めろ」って……。俺もそう思う。だが、やっぱり淋しい。木枯しの吹く畑で働くのは俺一人だ。まわりの畑にも仲間がいて、作物のできばえなどの話がしたい。またある時は冷たい手をこすりながら、乳の出具合いも聞いてみたい。でも、今はそれを望むまい。部落の仲間は誰もいないからだ。

町に勤めている仲間の大半は車を乗りまわしている。それもピカピカの乗用車を……。でも俺はオンボロトラック。しかし俺は農業をやる。俺だって、きっといつかは……。

今日もまた、誰もいない畑へと俺は野良仕事へ行く。出稼ぎが憎い。仲間を奪ったなにかが憎い。その憎しみを刀いっぱい野良仕事にぶっつけてやる。

遠吠

遠く離れて

〝ねんねんぼうやの住む里は、木枯らし吹いている山の村、会いにゆけないママだけど……〟とは、白川由美の唄うただいまヒット中の歌謡曲〝遠く離れて子守唄〟の一節である。現在、多くの歌謡曲が氾濫しているが、この歌ほど私たちの心をうつものをそうざらに聞くことはできない。

というのは、〝遠く離れて子守唄〟の曲が現代社会のなかに、ある一部分の現実を幻影のように映しだしているからであろう。それは、胆をなめた時のようなにがさとどんよりと曇る冬の冷たい空のような悲しさを私たちの心にかもしださせる。なぜならそこには、私たちが長い間心に秘めてきた〝里〟の崩壊があるからである。赤くいろりの火が燃える暖かい里が、いつの間にやら母のいないうすら寒い活気のない村に変ってしまった事実を、女の気持をとおして不気味に、私たちに伝えているようである。

日本文化の伝統などを深く研究しているある民俗学者は、数年前ある雑誌で、日本に残っていた古きよきものは失われてしまった旨の論文を発表した。数年前に読んだものなので記憶は定かではないが、近代化により村落共同体は崩壊し、古きよきものが失われたというようなことを具体的な例を用いて説明していた。

古きよきものとは、人間関係を形成する里そのものであるような気がしてならない。〝遠く離れて子守唄〟は、まさにそのような失われた人間関係を叙情的に物語るものではないだろうか。

都会人が故郷を喪失したとは、大部以前からよく言われたことであった。しかし、私は〝遠く離れて子守唄〟を聞いていて、それは、はやのみこみであるというような気がしてきた。なぜならば、暖かい里は都会人には確かに無縁なものだろう。だが、木枯らし吹いてる、人気の少ない里は現実的に存在しているのである。それを単なる直観的なイメージで里そのものを喪失という言葉でかたずけてゆくのは問題があるように思えてしかたない。私たちは暖かい里の崩壊を感傷的に思い浮かべ、本質的な点を見失っていたのかもしれない。

〝五木の子守唄〟には里があった。盆がはよくりゃ、はよ帰れる里があった。そこには父母もいただろうし妹もいた。自分が現に生活している裕福な奉公先になかった暖かさがそこにはあった。また、〝遠く離れて子守唄〟にも里はある。年老いた父母と幼ないわが子の住む里がある。ただ違うところは、その里は〝崩壊された里〟だということである。

〝五木の子守唄〟が一昔前の里をしのぶ悲しさならば、〝遠く離れて子守唄〟は現代の里をしのぶ空しい悲しさだといわねばならないだろう。この二つの唄の悲しさは、私たち日本人の悲しさであることはまぎれもない事実である。（野）

〈詩〉

かなしみ

大阪府・別所4Hクラブ 北本博士

かなしみ それは霧雨の降る
舗道を
一人で 歩きつめたような
疲れた かなしみでした

かなしみ それは
つめたく 心の憩く場所も
見つけることのできない
とまどった かなしみでした

かなしみ それは
奥深き山に 一人で
雪の降るのを見ているような
つめたい かなしみでした

かなしみ それは
月もない 夜道に
ぽつんと立たずんだような
さびしい かなしみでした

かなしみ それは
私の最も大切にしていたもの
が 消えてしまったような
しずんだ かなしみでした。

祭り笛

竹内政雄

「散る桜残る桜も散る桜」——俳人小林一茶が残した名句を、いましみじみと思い出す。

激しく移り変わる農村社会の中にあって、人生という長い旅路をともに歩いてきた親友のKさんがなくなった。かぐら保存会の仲間であり、私と同じ笛吹きであった。私よりも年若だったが、踏まれてもけられても、かんたんに死ぬような男ではなかった。色の浅黒いたくましいからだの持主で、広い田畑を経営するかたわら乳牛も飼っていた。それでいて人柄がよいので信望も厚く、部落の役は休みなく務めていた。納税組合長になったり、リンゴの組合長や畑地灌水組合と、数え立てれば限りがない。若いころには青年団でも活躍し、消防のころは分団長のハッピも着ていた。いつか私が農事実行組合長の時にはその代理役を務め、いたらん私を親身になってたすけてくれたことを思い出す。

いろいろな無理がたたってかふとした病気がもとで入院したのは去年の夏であった。もともと丈夫な人だったので経過はよく、夏の終りごろには元気な姿で退院し、秋祭りには私たちとおかぐらの笛を吹いて回った。

「いまおれが吹いたから、今度はそっちで、吹いておくらいや」

「そうだなア」。稲田彦の前ではおれが吹くから、次の道祖神はたのみますよ」

澄みわたる秋空の下であった。神社の境内はもとより、つじつじに残るこけむした石ぶみの前までもていねいにシシを奉納する昔からの習い。そのたびに笛は交代して吹いた。

ことに、最近の建築ブームで新築された家々からは、

「うちでも、悪魔払いにぜひ一舞いを」——とたのまれる。

同じ氏子であってみればむげに断りもならず、心よくお受けする。次から次へ〝道中はやし〟を吹きながら一日回ればくちびるが疲れて前歯がゆらぐ。

「笛吹きは、酒はいかんぞ」——と昔、笛の師匠に注意されたが、先々で出されるふるまい酒を口にしては、笛のロレツがあやうくなるので飲みたい酒もがまんする。若者不在の農村では、昔から伝わるかぐらばやしのあと継ぎもない。「いったいいつまで、おらたち吹くんだろう」

「さあ、いつまで吹けばいいんだやら……。仲よく一生吹こうじゃねえかえ」

さみしく話して苦笑したこともあった。

秋の収穫もすんで元気に正月を迎えたはずであったが、その後気分もすぐれず、ふたたび入院するはめになった。春以来の療養生活も思うにまかせず、ことしの秋祭りにはまだ退院できる状態ではなかった。私たちはどんなに元気な退院を待ち望んだことか……。

静かな秋の夜の鎮守の森に響くKさんの笛の音は、いつもきれいにさえていた。哀愁を帯びた美しい音色は人々の郷愁をそそり、境内に集まる祭りの客を陶酔させた。〝銀鈴をころがす〟たとえの通りよく笛がころび、太鼓もシシもその音に乗って一糸乱れぬ荘厳な絵巻であった。

遠い昔から伝承されたおかぐらの笛を受け継ぎ、青年のころから吹き続けた三十年……。ああ、もう二度と、あの澄んだ笛の音はどこからも聞こえてこない。Kさんが吹く祭りの笛の音は、Kさんの生命の灯とともに永遠に消えてしまったのだ。哀惜にたえない。（[illegible]文学より）

友よ原点に帰れ

栃木県・岩月町協議会 鈴木操

われわれクラブ員は実際に農業のことを、また4Hクラブのことを考えたことがあるだろうか。そして、もし考えたことがあるならば、今の活動で満足できるのだろうか。

現在の4Hクラブ活動自体がゆきづまり、マンネリ化の傾向にあることは万人が認めることだろうと思います。4Hクラブが創立された当時、なぜ創立されたのか、どのように必要であったのか、またその目的はどこにあったのだろうか。

現在のようにレクリエーション仲間中心主義であったろうか。その当時のクラブは、少なくとも自家経営となんらかの関連した活動を目標にしていただろうし、また、われわれがクラブ加入当時ことを思い起こしてみよう。4Hクラブとは、もっとも身近なこと、つまり農業自体を、また農家生活のことなどをとりあげて活動しているのではと期待していたのではなかろうか。

それが今はどうだろう。あまりにも仲間中心主義にはしりすぎ、プロジェクト活動や知識活動をわすれかけているといった現状でしょう。このような状態で4Hクラブを引退してから後の自分の将来に希望がもてようか。クラブ活動を自家経営に生かすことができるだろうか。

では、なにがそうさせたのだろうか。その理由のひとつには社会の変化があげられるだろう。兼業やレジャー産業の発達ということとも大いに関連していると思う。もうひとつには、クラブ員の自覚があげられます。

さほど農業に自信がなく、これからの自家経営に対して希望も夢もない集りであることには、だれもが反論できないでしょう。また、これは、よく世間一般にも言えることだが、ある程度の集団や会合の場では、その会の長として、または役員としてりっぱなリーダーシップをとっている人が、自家に帰りいざ本業にもどるとき、はたして集団や会合のときのような意気ごみやファイトなどをもって仕事にあたっているのだろうか。

われわれの4Hクラブの現状を単なる時代の流れ、社会の流れとごっちゃにし傍観していてよいものだろうか。住みよい豊かな生活を求めての進化が、逆に人間自身の手によって不自然なものになってゆくような気がしてならない。

ずばり言って、今のクラブ員に一番必要なことは、もっと農業のことを真剣に考える態度です。現在の農業状勢はまさにきびしいものであり、少しの甘えも許されません。新都市計画法、農産物貿易の自由化、農薬公害、薬剤の規制など——みな農業団体を根本からゆさぶろうとしています。

今こそわれわれは強く団結していかなければなりません。そうすれば、おのずからやるべきことはわかるはずです。これからは、農業人口の減少にともないクラブ員も年々少なくなってゆく傾向はさけられません。けれども、クラブ員の数だけで、活発になるとか不活発になるとか判断するのは大きな誤りです。農業人口が減れば、残った人たちの経営はより緻密に、しかも合理的になるともいえるからです。

したがって、今日こそ志を同じくするもの同志の意見交換や体験交流が重要視され、深く交流をもとめ農業動向や今後の問題点を真剣に討論し、それにより相互理解や相互信頼を培かってゆかねばなりません。

農民が農業をやらないでだれが農業をやろうか。われわれ若い4Hクラブ員がこれからの農業動向について真剣に考え、そしてとりくまないでだれが考えてくれようか。

これからの豊かな農村社会を作りあげることは、われわれ4Hクラブ員にかけられた最後の使命であると思います。一人ではなにもできない。しかし、だれからか、始めなければならない。

二十五で4H加入

山口・長門大津農村青年クラブ 高野誠治

現代の冷たい農業政策下において、なおいっそう農業と真剣に取り組んでいるみなさんへ仲間入りできたことをうれしく思います。

私は、まだ農業の見習い程度で、今後は何をどうしようというような計画はありませんが、最近ブロイラーを入れましたので、これを少しずつ規模拡大してゆきたいと思っています。

他のことは、二〜三年ようすをみながら良いものを探し、計画してゆこうと思います。農業については、まったく無知な私ですが、歳のほうは遠慮なく押しかけてきて、当年二十五歳を数えることになりました。これからは一年一年を大事にして、みなさんに追いつき、追い越し、農業の発展に少しでも力をだしてゆこうと決意を新たにしております。

4Hクラブ員のみなさん、御指導のほどよろしくお願いいたします。

無題

福井県・X・Y生

きみも見ている月に
きみの顔は写らなかった
きみの立っている地にも
ぬくもりは感じなかった
恋 それは
夜空に光った流星
その跡に
行くあてもない
旅人のうしろ姿を見た

（福井県農村青少年だよりより）

◀投稿案内▶

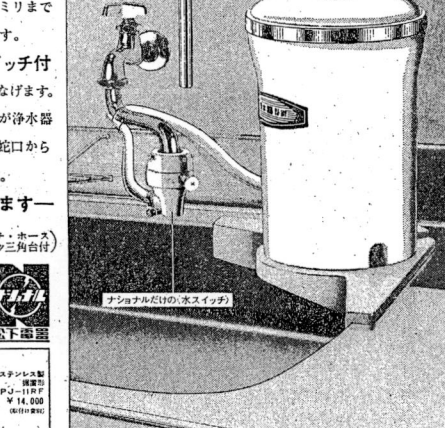

本紙は、みなさん方の新聞として、全国のクラブ員に利用して戴きたいと考えています。それでクラブの催しや個人のプロジェクト、詩、短歌、随筆、写真、悩みや意見、村の話題、伝説、行事、その他なんでも原稿にして送って下さい。

お願い ❶長さや形式は自由です ❷できるだけ記事に関連した写真をそえて下さい ❸送り先 郵便番号 162 東京都新宿区市ヶ谷船河原町11 日本4H新聞編集部

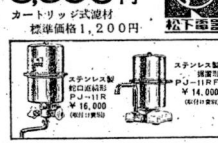

日本4H新聞
4Hクラブ
農事研究会
生活改善クラブ
全国広報紙
発行所
社団法人 日本4H協会
東京都市ケ谷家の光会館内
電話（269）1675郵便番号162
編集発行　玉井　光
月3回・4の日発行
定価　1部　20円
一カ年　700円（送料共）
振替口座東京　12055番

クラブ綱領

私達は、実践を通じて自らを磨くとともに、互いに力を合わせて、よりよい農村、よりよい日本を創るため、四つの信条をかかげます。一、私達は農業の改良と生活の改善に役立つ腕をみがきます。一、私達は科学的に物を考えることのできる頭の訓練をします。一、私達は誠実で友情に富む心をつちかいます。一、私達は楽しく暮らし元気で働くための健康を増進します。

「現代女性の農業観」――結婚を中心に

精神面の豊かさを
女性魅了する農村へ

アンケートに答えてくれた女性は三百名であった。その結果についての概要は図表によって示したとおりであるが、一般的にみて農業に対する関心度はかなり高かったように思われる。

農業への拒否

なかでも「プロポーズした男性が農業を営んでいた場合どうするか」という問いに対して、「職業には関係ない」と答えた女性よりも「考える」と答えた女性の方がはるかに多く、全体の半数をこえていたことには、逆にこちらの方が考えさせられてしまった。

おもしろいことに、農村に生まれ育った女性と、農業との関わりをもつことなく成長した女性とでは、農業に対する考え方に多少のズレがみられる。農業とは無関係に生活している女性は一応は農業を賛美する。ただしそれは、都会の人間が農村について抱くイメージ、たとえば自然に対する憧れとか、人間関係の暖かさへの郷愁とか……という感覚と同次元のものであろう。その証拠には、結婚問題に関し、職業とは無関係と答えながらも、農業といえば無条件に拒否する人が多かったことからもうかがえる。

その点、農村で生れ育った女性はもっと切実である。農家に嫁ぐことを嫌っている点は他の女性と変りないのだが、そのよってたつ根拠というのが現実に深く根ざしているからである。生れてから今日までずっと農業を見つめ続けてきた農村女性が、農家に嫁ぐことを嫌ったということは、農業そのものの体質に疑問をなげかけたからであろう。

未解放の結婚

理由はきわめて明白である。それは、彼女たちが成長した環境において、農作業は家族に依存していたからであろう。子供の手をも借りなければ仕事ができないという当時の農作業の実態が、農作業＝重労働という意識を彼女たちに植えつけ、いわばそれが農業に対する絶望観、諦念観へとつながってきているものと思われる。

また、結婚生活における男性と女性との相違について考える必要がある。男性は結婚によって、部分的には生活が変わるであろうが全体としてはそれまでの生活の延長としてみることができる。それに対して女性の場合は、「嫁ぐ」ということによって、生活そのものが根底から変化する場合が多い。そして大部分の女性にとって今後新しく始まろうとする生活環境が、現在と同次元のものか、それ以上のものを望むのは自然なことであろう。現実から遊離した〝夢〟や〝希望〟が、そのなかに含まれているとしてもである。

農村青年との結婚を問題としてのこのアンケートにははっきりとあらわれたのは、たとえそれが外側からの女性の眼であろうと、内側からの女性の眼であろうと、同じく〝女性の眼〟によって農業が語られたということであった。つまり、農業を賛美する女性も、嫌悪する女性も、その考えの根ざすところは、過去および現在の農業のイメージであり、〝これからこのようにしてゆくんだ〟という積極的意味で、いわば自分の問題として語られていないということである。しかし、それは女性だけの責任ではない。これまでの社会が男性中心に構成されていた事実にもとづくものである。ウーマンリブにみられる女性解放の理論や新しい価値観が盛んに息吹きを発している今日でも、いざ農業に向けられた女性の結婚観はまだまだ解放されたものとはいえないようだ。

魅力に欠ける

まったく異った環境にある女性が、今後の生活において農業を考える場合、そしてそれが、女性にとってもっとも重大な問題である結婚が含まれるとしたならば、少なからずの飛躍が要求されるであろう。女性の結婚によせる〝夢〟や〝希望〟が、他のどんな職業の男性との結婚生活においても、やがて日常生活のなかで摩滅し、色あせてゆくものだとしても、農家に嫁ぐことを嫌った女性が多かったということは、現在の農業そのものの職業的魅力が、他の職業より乏しいということも、私たちが率直に認めなければならないことであろう。

人類史に初めて農業が登場して数千年の年月が流れた。その間、農作業の方法は時代の進歩に遅れをとりながらも徐々に機械化が進んだ。がしかし、農業が自然環境に依存していることは現在も変わりない。土地＝農業という、この宿命的な楔によって、農民はいつの時代においても、自然や社会のいけにえとなってきた。過去における農業改革も、ほんとうに農民のためのものであったかどうか疑わしい。

形式より内容

また、農村における近代化、合理化についてもそうである。電化製品や車、その他の普及は、私たちをほんとうに豊かにしたのであろうか。みかけは変ったかもしれないが、それはたしかに内容をともなっていたのであろうか。

今日、農業をめぐる情勢はきびしい。減反問題、出稼ぎ……。アンケートに端的にでていた農業の魅力のなさもこの社会的要因が大きく作用しているものと思われる。しかし、私たちはみかけや形式の変化だけに眼を奪われていてはならないだろう。私たちが主体的に〝農業づくり〟をおこなうことによって、魅力ある農業にし、内容が形式を凌駕（りょうが）するまでになったら、農村をうつしだす鏡である女性の眼も、今とはまた違ったものをうつしだすようになるであろう。

新しい生活を

農民は確かに貧しかった。貧しいがゆえに数々の悲劇が生れた。食べるだけの生活の中で、精神的な側面よりも物質的な側面のほうが何よりも優先したことはうなずける。しかし私たちの時代は、生活面において、もっと精神的な豊かさへと、その領域を拡大しなければならないだろう。

時代は私たちに、両親にはなかった新しい生活を要求している。そして私たちは、女性の要求に応えることのできる農業をということではなく、逆に女性がひきつけられるという、積極的な〝農村づくり〟をやらなければならないと思うのである。

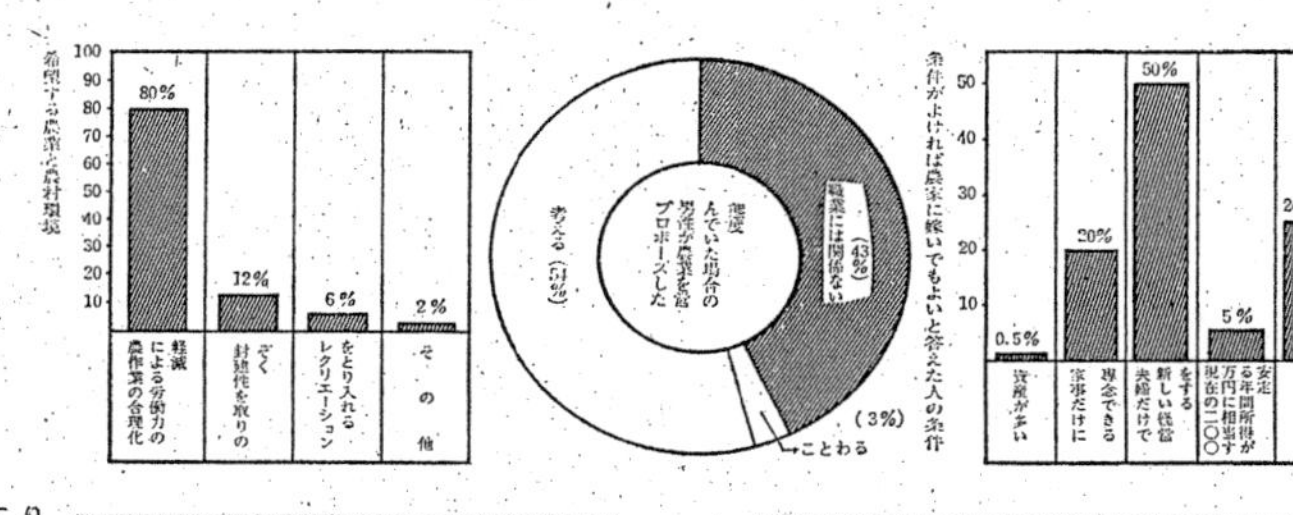

穎田4Hクラブの共同プロジェクト

現代――このめまぐるしく変貌する社会情勢や、氾濫する情報の群れは、そこに生きる人間の意識をも変化させずにはおかない。現にさまざまな価値観、自由奔放な精神が入り乱れ、交錯している。

農業もその中で一人孤立していたわけではなかった。数世代か前の想像を絶する苦悩と貧困にくらべれば、今日の農村は確かに千里の径庭がある。農作業における機械類の導入、生活の基礎となる住居の改善など……。むろん、それらがすべて生活の豊かさと結びついたとは決していうことはできないだろう。しかしまた、その社会的役割と比較して農業が、充分に評価され、正当化されているとはいえないということも事実である。

現代の女性は、農業についてどのようなイメージや意識をもっているのだろうか――福岡県の穎田4Hクラブ（会長・本松義行君）は、共同プロジェクトとして「現代女性における農業観」を女性にとって一番の関心事である結婚と絡みあわせることによって一つの現実を浮き彫りにしようと試みた。これは、その意識調査である。とくに、それが結婚との関わりあいにおいて述べられるとすれば、たんなるきれいごとではすまされなくなり、打算や利己心も当然含まれてくるであろう。それはまた、もっともリアルに現代女性の内面をえぐることにもなるだろう。

＜福岡＞

ギターも奏でます

穎田4Hクラブ 本松会長

私たちのクラブは発足してからまだ二年くらいで、活動歴も浅いわけですが、過去二年間の活動は私一クラブ員としても目を見張るものがあるように思えます。

現在、九名（うち女性二名）のクラブ員が協力して活動していますが、その主なものはまず一年間を通しての「ギター教室」です。

まったくの素人から始める訳けですから大変です。幸いにして、クラブ員の中に先生のような人がいますので、いままでギターも握ったことがない私たちでしたが、この頃では、暇があるとギターを練習するという凝りようです。

次に大きな事業としては、農業後継者に対する「嫁の問題」を取り上げて、農業に従事していない女性とクラブ員との意見交換やアンケート調査などを行ない、嫁問題を掘り下げて考えています。

このようなことを紹介しますと農業そのものに関しての活動がおろそかになっているように思われるかも知れませんが、実際はそうではありません。私たちのクラブ員はそれぞれ個々の経営と取り組んでいますが、共同プロジェクトとしてみんなが一緒に活動できるものとして稲作を取り上げて研究しています。減反問題などで稲作に対する生産意欲の減退などがありますが、昨年は、イネの品種六種類を選び、改良の比較試験をしました。

品種は、中国五〇号、同五一号、西海一一二号、同一一三号、同一二四号、レイホーです。試験の結果、収量は一般に普及しているレイホーほどではありませんでしたが、クラブ員全体の融和を深めると同時に、穎田4Hクラブの活動実績が少しでも認められれば幸いだと思って毎日頑張っています。

凉風暖風

〝しなくっちゃ〟

〝ああ眠い……、起きなくっちゃ……〟と床の中でぐずぐずしていると、母が〝眠たければ寝ていればいいでしょう、無理して起きなくとも…〟と言葉がかえってきた。

でも、そうはいかない。遅刻をしてはたいへん、もう時間ぎりぎりだ、起きなくっちゃ……と、しぶしぶ床を離れた。

〝早く用意をしなくっちゃ……、早く出掛けなくっちゃ……、食事をしなくっちゃ……、この仕事をかたづけなくっちゃ……、会議に出なくっちゃ……、間に合せなくっちゃ……、がんばらなくっちゃ……〟と、朝から夜まで、〝……しなくっちゃ……〟の連続であることに気がついた。こうして一日が終り、一週間、一ヶ月、一年、十年と続いていることに気がつき、一種の驚きとともに、淋しかった。そして〝無理をしてやらなくともよいでしょう〟といった母の言葉を思いかえし、無理といえば、無理の連続の生活であるとも思った。

どうして〝……しなくっちゃ〟という前に、〝さあ起きましょう〟〝出掛けましょう〟と自発的に運べないのだろうか…。

母に言われるまでは〝……しなくっちゃ〟と言いつつこの連続で、自発的に、ごく自然に生活しているのだと思っていたのだから、ことは重大である。

思えば、サラリーマン生活のタマモノであろうか。長い間、常々、一つの枠の中での生活がこうさせたのであろう。一つの組織の中で生きている一人の人間は、枠組の中の一こまに過ぎない。この組織が効率的に活動するには一つの決ったルールのもとに、常に追いつ、追われつ仕事をしているのである。このような中での長年の生活の仕方は、いつとはなしに身につき、こうなったのであろうかと、しみじみ思いかえすとともに自分のせいではなく、サラリーマン稼業のせいなのだと自らを慰めてみた。

しかし、一方には、自発的な意志のもとに常に、〝……しよう〟と無理なく、自然に生活をしている人も数多くあることに気がついた。自営している人、自由人、農業人も自然に左右されるが、人や組織には左右されない自営者であろう。……そして母もその内の一人であろうと……。

そして再び、〝……しなくっちゃ〟といって定年退職になったサラリーマンのなれの姿、身が自由になったとたんに、なすべのわからない人々のことを……そしてその怖しさを覚えた。自主性を、自発性を、創造性を……と言うまえに、まず〝がんばらなくっちゃ〟否、〝がんばりましょう――〟と。（T）

募集　草の根大使

――日本4H協会

今年は米国だけ
男女各一名を派遣　農業実習と親善に

社団法人日本4H協会（会長 宮城孝治氏）は、国際農村青年交換（IFYE）計画に基づいて、四十七年度もアメリカへ4Hクラブ員代表の男、女各一名ずつを派遣することになり、その希望者を広く全国から募集する。

この交換事業は、日米両国が相互に4Hクラブ員代表を派遣、クラブ員は受入れ国の農家の一子弟として生活、農業技術や農家生活、風俗、4Hクラブ活動などを学ぶとともに、4Hクラブ員を中心とする地域の人たちと交歓して自国のそれらについても紹介、両国の相互理解と親善に寄与するもの。農業実習だけでなく、地域の中に深く根を張った民間外交官的な役割を果すため別名「草の根大使」と呼ばれており、今年度で十九回目の派遣。

実施と応募要領は次のとおりで、多くのクラブ員の応募を望んでいる。

一、実施機関
▽派遣機関　社団法人日本4H協会
▽派遣先国の受入れ機関　アメリカナショナル4Hクラブ財団

一、派遣の時期と期間
六月中旬から約六ヵ月間

一、アメリカの行動概要
▽6月19日　デンバー（コロラド州）到着
19～21日　オリエンテーション開始
21日　受入れ農家へ移動
▽7月9日　フォート コリンズ（コロラド州）へ移動
9～14日　オリエンテーションおよびコロラド州立大学で開催される世界農村青年交換計画大会に参加
14日　受入れ農家へ移動
▽10月中旬　受入れ農家を発ち、十日間の自由時間のあと、ワシントンDCへ移動
29日　ナショナル4Hセンター（ワシントンDC）到着
29日～11月1日　ナショナル4Hセンターでの最後の協議会に出席
▽11月2日　日本へ向け出発。希望者はリーダーシップ・セミナーに参加（予定）

一、派遣される者の資格
（一）現在、4Hクラブ員であって、これまでに三ヵ年以上4Hクラブ活動（学校農業クラブ活動も含む）の経歴があり、プロジェクト活動の実績をもつ者
（二）年齢は、来る四月一日現在、満二十歳以上～二十三歳までの未婚の者
（三）健康で人柄などがこの派遣にふさわしい者
（四）中学校卒業程度の英語を習得している者
（五）帰国後も4Hクラブ員として組織活動に参加し、積極的に4Hクラブの伸展に協力する者

一、派遣される者の選び方
派遣される者は、第一次、第二次の審査を経て選ばれる。
（一）第一次審査
第一次審査は書類審査とし、三月下旬に完了の見込み
審査を受ける者は、これに必要な次の書類を三月二十日までに道府県担当課を通じて日本4H協会に提出するものとする。
①履歴書（自筆のもの）　一通
②戸籍謄本　一通
③健康診断書　一通
④写真（三ヵ月以内に撮影した無帽正面半身のタテ・ヨコ5㌢の背景白、無台紙のもの）　三葉
⑤両親またはこれに代る者の同意書　一通
⑥クラブ歴の明細書　一通
⑦知事の推せん状　一通
⑧派遣を希望する理由書（八百字程度）
（二）第二次審査
第二次審査は、第一次審査の合格者について行ない、作文、英語および面接審査とし、四月下旬に実施の予定。

一、派遣される者の研修
派遣される者は、出発前約五日間の事前研修を受ける。

一、派遣に要する経費
（一）日本とアメリカとの往復旅費は日本4H協会で負担する。
（二）アメリカでの経費は、派遣される者の個人経営（自由時間の見学費、帰国に際しての土産物購入費など）を除き、いっさいアメリカの受入れ機関で負担する。
（三）派遣される者は、出発前の研修費、諸手続費などの一部として三万円を日本4H協会に、また国際農村青年交換（IFYE）日本協議会の入会金として一万円を同協議会にそれぞれ納入する。

早期建設をめざして　4H会館　―3―

新農村創造の拠点に

熊本県連・OB会々長　葉山勝人

建設への挑戦（下）

前号で述べたような4H会館建設に対する意見のくい違い、東京周辺の中央と九州や東北、北海道などの離れた地区での見解の相違について、もう少し具体的に話し合い、結論づけることによって、建設への前進も期待できると思います。

この問題に関しては、OBクラブ員の協力も必要との働きかけもあるようですが、いかに、4H会館建設が必要かということを全国つづうらうらのクラブ員、OBの皆さんにまで知らせる必要があると思います。

私は、夏の技術交換大会――「熊本県〝火の国4Hフェスティバル〟」に全協の黒沢会長が来熊されたとき、このことに関して話したことがありました。資金面での不足については農林省に働きかけてみたら……と。私は、以前に青年団活動と4Hクラブ活動とをタイアップしてやっていた関係でよく国立の青年の家を利用した青年の一人でもありました。こうした意味あいからは、国は、一般勤労青年のために、全国いたる所に国立青年の家という勤労青年のための研修や、いこいの場をつくっていられる。そこで、農村青少年向きの研修と集い合う場所をつくってもらっても決して悪くはないのではないかと黒沢会長に話したところ、4H会館を創るのは、あくまで全国のクラブ員とOBクラブ員の協力との力でやりたいし、また、そうすることが、一番好ましいと……。

確かに、黒沢会長の意見は正しいと、私も自分の考えがちょっと甘かったことを反省した訳です。掘り下げて考えた場合、4H会館を自分たちの手によって創ること「そのものに意義があり」、4Hクラブ活動をいかに真剣に考えているかの証拠にもなるし、その組織の強さを表現することにもなる訳です。

こうしたことを実現するためには、4Hクラブ員の建設に対する前向きの姿勢と、全国的なOBクラブ連絡協議会の「タイアップ」した建設運動の展開にあると思います。自力による会館完成の暁には、農村青少年の「いこい」や「研修」の場として、また、あらゆる各種団体との幅広い接触交流の場としての活用をしていかなくてはならないと思います。

七〇年代の激動する情勢の中での「新しい農村造り」の拠点として全国4Hクラブ活動の心臓部としての役割も大きいと思います。4H会館を創ること、これは農業という斜陽化の色さいが濃くなった後進性の「バックギヤー」を前向きな「トップギヤー」にたたき込むことにもなると思います。

〝4Hクラブ活動の本質の追求と理解が一人ひとりのクラブ員の中に認識されるとき、真の4Hクラブ活動の意義や「モラル」もできる〟と信じます。

全国のクラブ員のみなさん、今年こそ会館建設への飛躍した踏み台の年にしようではありませんか。一人はみんなのために、みんなは一人のために……。

なお、4H会館建設を真剣に考えている人、農業が好きな方お便り下さい。お互いに考えましょう。（熊本県天草郡倉岳町棚底）

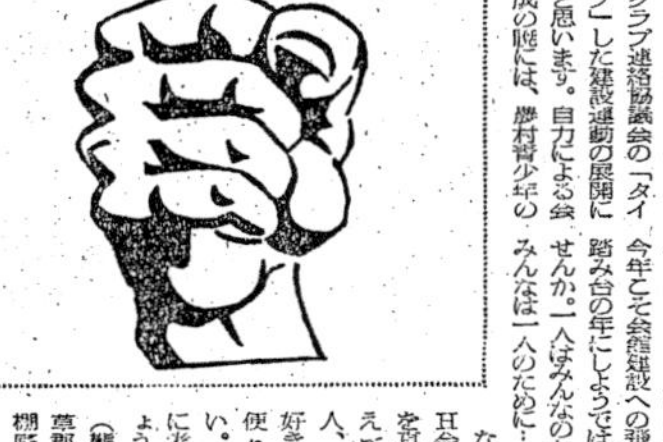

群馬県連でリーダー研修会
24日から赤城で

【群馬県＝斎藤竹代連絡報道員発】群馬県青少年クラブ連絡協議会（会長 前原保夫君）では、来る二十四日から三日間、赤城山麓の国立赤城青年の家で県リーダー研修会を開く。

この研修会では活発に活動しているリーダーの体験を交流し、自主的で生き生きとしたクラブ活動を推進するためのリーダー養成がねらいで、百名以上の参加を予定している。

研修の内容は、問題提起として「4Hクラブ活動の本質」と「リーダーの任務」についての話を県専門技術員から聞いたあと、それをもとに班別討議を行なう。

また、地区連の「主要事業・実施・収支予算・活動上の問題点」についてを資料にまとめて提出し情報交換の討議もする。この研修会の新しい試みの一つとして、参加者全員が自分たちの考えを資料にまとめて提出する。

心頭技健

札幌五輪の七十㍍ジャンプで笠谷幸生選手が優勝し、金銀銅のメダルを日本が独占したときは、関係者だけでなく日本全体が大喜びした。そして、九十㍍にもと期待した。残念ながら二冠王の夢は破れ去ったが、オリンピックではやはり勝ってほしいと願うのが人情であろう▼競技である以上、勝つことが至上の目的であり、金メダルは競技者がめざすところだ。そして表彰台は、敗者をつめたく突き放し、そこに登れた者は栄光に輝く。ここに、クーベルタンが言った「参加することに意義がある」というオリンピック精神との矛盾が感じられる▼この参加することに意義があるということを地でいったのは、南半球のアルゼンチンから参加した二人だった。彼らは大回転競技に出場した。しかし、ペルネル君は転倒して棄権、また十六歳の高校生のエミール君だけが完走した。結果は、七十三人中三十八位という成績であった▼しかし彼は、順位よりも最後まで走れたことを誇りにしていた。他国のようにコーチやメーカーが世話しているわけではなく、使い古しのスキーを、試合当日、サービスセンターで直するという悪条件の中で、しかも着なれたセーターで出場した。心暖まるものがあった▼これに比べて…というより、笠谷に比べて対照的であったのは、スピードスケートの鈴木恵一選手であった。タイムを示す電光掲示版を見上げたあと、彼は肩をおろし、顔をあげなかった。青春をスケートに燃やし、この札幌五輪をめざして努力してきた成果が結晶として出てこなかったくやしさが感じとれた。彼の場合、悲壮美にあふれていた▼鈴木選手は、自分の背丈くらいの土を掘ってはうめ、そして砂をつめたジャンパーを着て足腰を鍛えたという。一年間で家に帰ったのは十日間くらいという激しさだった。その疲労が残っていたともいわれる。果して、それほどまでして勝つ必要があろうかという疑問もあるが、結果よりもその熱意や努力の跡に学ぶところが多いように思える。

議論は4H会館に

カギは一つの4H意識

部門別活動は必要

東海ブロック4H推進会議　「連協」結成へ

【岐阜県＝中野俊一連絡報道員発】東海ブロック（愛知、岐阜、三重三県で構成）4Hクラブ推進会議は、岐阜県4Hクラブ連絡協議会（会長　林新太郎君）が当番県となり、さる一月二十六、二十七の両日、岐阜県可児郡坂戸の県農業高等学園内青年研修館で開かれた。

会議は、全国4Hクラブ連絡協議会から原田事務局長を迎え、三県連の現況報告と全協の報告などに基づいて二日間、真剣に討議した。

好天に恵まれた二十六日午後、県のほぼ中央にある研修館に愛知県4Hクラブ連絡協議会の山本昇治副会長ほか九名（うち女性三名）、三重県農村青少年クラブ連絡協議会の黒川正信会長ほか七名（うち女性三名）を迎え、岐阜県連から林会長ほか五名の参加のもとに開会。4Hクラブの歌に続いて林会長のあいさつ、岐阜県の加藤次郎専門技術員の歓迎のことばのあと各県の青少年担当者（愛知・鈴木良治、三重・徳田博之、岐阜・神戸孝司の各氏）をまじえて自己紹介した。

続いて、机が山形に配置された会場で原田全協事務局長から全協活動の報告があり、全協の置かれている立場や農林省との関係、また今日まで行なわれてきた全協行事の反省とその必要性について、自らの4Hクラブに対する考え方を折りまぜて一時間三十分にわたって話された。その中でもとくにブロックの重要性や4H会館建設については質問が相次ぎ、4H会館に対する質問を途中で打切るなど相変らず4H会館建設問題は論議の中心であることを示した。

三県連のクラブ活動報告には、それぞれの県から資料が配布され、それをもとに各会長から現況の説明があった。

各県連とも最近の行事紹介から始まり、相互交流の必要性を述べると同時に、新しい交流の場が必要であると強調した。しかし、東海ブロックは組織が弱体であり、関東ブロックなど他のブロックと歩調を合わせるためには、まだまだ時間が必要なように思われた。

今回は、単位クラブの役員も出席し①会合場所が少ない②単位クラブ、地区、郡、県といった組織の体系など末端クラブ員としての質問や意見が出された。しかし、同じ県内でも意見のくい違いがみられた。

夕食後は、歓迎の夕べがもたれた。どの会合でも面白い人がいるらしく、今回も、三県からリーダー格？が出て腕を競った。予定時間も延びて長期戦、おみやげ交換を最後に幕を閉じたが、その後も各部屋の明りは深夜まで消えなかった。

二日目は、ねむい目をこすりながら二つの分科会に分かれて、小集団の中でお互いに情報を交換、今後の活動方針についても真剣に語り合った。

各分科会とも、組織のタテのつながりのむずかしさや、各地区連の行事の持ち方などについての問題が出ていたが、とくに広域の部門別活動の必要性については意見が一致した。

また当日は、東海農政局の高井係長を迎えて、三県連の活動状況を理解してもらうと同時に、身近かな問題について意見を聞いた。その中で高井係長は「東海地区として何か行事をやるべきでは？」と提案し、金は出すとまでいわれたが、各県連とも「自分たちの県連の行事消化や、減少化をたどるクラブ員の歯止めをするのに精いっぱいである。もっと組織を強化してから」と実情を述べた。

しかし、推進会議の中だけでの情報交換だけでは？との意見も出て前向きの姿勢もみられ、二十一日に三県合同の会議がもたれるようになった。だが、各県連とも歩調を合わせてブロック連絡協議会の発足に至るまでには、年度末に近いこともあって日数がかかりそうである。

なお、各県連の各行事の持ち方などについては、それぞれの方向で進み、東海地区においては隣接県連との交流が必要ではなかろうか。それぞれのカラーを持って進んでいる現在、必要な問題は4Hにおける一つの意識ではなかろうか。

畦道

内なる悪魔を排す

〝ぼくが考えてみるのに、もし悪魔が存在しないとすれば、つまり人間がつくりだしたものということになるね。そうすれば、人間は自分の姿に似せて、悪魔をつくったんじゃないだろうか〟―カラマーゾフ家のイヴァンは、弟アリョーシャに向っていう。

そういえば、じつに多くの悪魔を人間はつくりだしてきたものだ。伝説や民話から少年雑誌の悪役スターに至るまで……。それらは人間の逞しい想像力の産物である。また、人間の心に巣くう邪悪性の対象化、極端化されたものである。恐しい般若（はんにゃ）の面、赤子を食う鬼……だが、何と人間に似ていることだろう。人間が鬼に似ているのではなく、鬼が人間に似ているのだ。鬼があんなに恐しいのは、きっと人間に似すぎているためなのだ。のっぺらぼうや怪獣は、人間とは似ても似つかない。だからマンガの材料にしかならないのだ。

しかし、人間は悪魔を架空なものとして創作するだけではあきたらず、実際の人間までも悪魔としてつくりだす。たとえば、あのジャンヌ・ダルク、彼女は〝魔女〟という烙印を胸に刻みこまれ、燃えさかる火の海に、煙とともに抹殺されていった。

歴史によってつくられる悪魔は、一個人であったり、一集団であったり、更には一民族にまで及ぶこともある。ヒットラーはその時代、ドイツ国民の〝英雄〟であった。そして悪魔と呼ばれたのはユダヤ民族であった。ユダヤ人はアウシュヴィッツの地獄のなかで、虫ケラのように殺されていった。ドイツ国民の同じ一つの心のなかで、悪魔は英雄と同居していたのだ。

英雄に肉体を与えたと同じ手法で、悪魔はつくられる。ならば、もし私たちが私たちの心のなかに宿る悪魔を斥けようと思うなら、同時に英雄をつくりだす心をも斥けなければならないだろう。【宇】

農地移転は反対

宇部厚狭地区連の青年会議　新作物の栽培に関心　市街化問題

【山口県＝野田一生連絡報道員発】さる三日、宇部厚狭地区農村青少年クラブ連絡協議会（会長・岸田道夫君）主催の同地区青年会議が、4Hクラブ員とそのOB、生活改善クラブリーダー、クラブ員の父兄と指導者多数の出席のもとに宇部農業改良普及所で開かれた。

午前は、元山口県農業試験場長・西村昌道氏の「海外農業を見てこれからの農業青年に思う」と題する講演を聞いた。

西村氏は、米国、東南アジア、アフリカ、欧州など世界の農業視察を行ない、とくに低開発国地域での農業振興に貢献された人。講演の内容は、これからの農業者は創造性を豊かにして、研究、アイデアを生活や学問に十分活用していく必要がある。また、ある程度の満足感を持って農業や社会に立ち向い、立派な農業者になって下さいというもの。さらに、国際化にともないムダを最小限にして物質の循環性（乳牛飼育の場合、糞尿を牧野に施して草を育て、それを乳牛に食わせるように）によってコストを下げ自由化に備えることが大切であると強調された。クラブ員がとくに注目した点は、世界の主要農作物において作物の原産地と主産地が異っていると指摘されたことである。

例えば、大豆は北海道のものをクラーク博士が米国に持ち帰って改良を加え、現在では米国が主産地になっている。また、除虫菊は以前は瀬戸内地方で主に栽培されていたが、今ではケニヤが主産地になっているなど、原産地は異っても気候や風土にあったように改良すれば、異った地域での栽培が可能になるということだった。

午後は、助言者に地元選出の県会議員や県の関係者を迎え「これからの農業について」というテーマで全体討議を行なった。

まず、畜産、花き、野菜、果樹の各部会の活動状況と問題点を討議、当面する各種の悩みや解決案が出されたが、とくに資金問題がクローズアップされた。これは、若い農業者がみんな突き当るカベである。資金がなくては規模拡大や営農にも支障をきたすため、資金をもう少し簡単に借り入れることができれば良いと望んでいた。

また、市街地での営農ができなくなり、移転する場合に家族が反対するという意見も、切実な問題としてアピールされた。

プロジェクトの成果を発表するクラブ員

観光農業めざす

発表も―静岡県の青年会議

【静岡県＝鈴木政美連絡報道員発】静岡県農村青少年クラブ連絡協議会（会長　渥美登美康君）は、さる一月二十五日から三日間、焼津市にある県立焼津青少年の家で県下五地区連のクラブ員代表百十名出席のもとに第十一回県農村青年会議を開いた。今回は講師に農林省技術研究所[illegible]上吉氏、竹山祐太郎県知事の講演を聞き、今までにない有意義な会議となった。また、ひき続いてレポートを持参しない人の参加を認めないという[illegible]のぞみ閉会式では四十六年[illegible]者の表彰式を行なった。

[illegible]は、午後一時半から開会式。渥美会長が「次の大会と[illegible]この会議は教育的な行事が[illegible]てみっちり勉強してほし[illegible]この激動する農業情勢[illegible]あって若い力で頑張ってほしい」とあいさつ。このあとプロジェクト発表があり九名の代表が活動や農業経営など日ごろ体験したことがらについて披露、「地域性にあった農業経営をして観光に結びつける農業を目ざしたい。そして、過疎地帯で積極的に取り組んでいる」など真剣に農業と立ち向っている姿をみせた。

夜は、外国農業の話。昨年行なわれた第三回県農業青年海外研修団の団長をつとめた山内県後継者養成課長からヨーロッパの農業事情、とくにEECにおける農産物の流通問題などの話を聞いた。

二日目は、まず体力テスト。腕立て伏せ、ボール投げ、ドッチボールなどを行ない入賞者を決めたが、とにかく農業青年はタフで根性があるのには驚くほどである。腕立て伏せでは五十回以上が十二人もいて、トップは実に八十二回を数え、ボール投げも重いボールを三十六㍍も飛ばした。

続いて「これからの農業経営者」と題して並木氏の講演があった。内容は、これからの農業青年はいかに勇気と自信を持って取り組むべきか。それには地域にあった経営に改善する必要がある。青年には、〝若さ〟という特権がある。死力で農業経営に取り組んでほしい、というもので、中味も濃く理解し易い話し方にクラブ員は真剣に耳を傾けていた。

午後は部門別分科会が開かれ、県農業経営士をまじえて農業経営の問題点などについて熱心に話し合った。とくに経営士の助言もあり、かなり専門的なことまで掘り下げて討論した。

また、女子クラブ員は女子だけの分科会がもたれ、助言者として経営士や主婦をまじえて、クラブ員が直面する結婚問題などについて男性顔負けの話し合いがなされていた。夜は共通分科会がもたれユニークな討議が行なわれた。

最終日は、海外派遣報告として県主催の農業青年海外派遣団のヨーロッパ視察について、浜松市・都筑4Hクラブの高林広夫君、全国4Hクラブ連絡協議会主催の第三回全国4Hクラブ沖縄親善交歓訪問について沼津市山ろく4Hクラブの川口高行君がそれぞれユーモアをまじえて体験談を報告。

ついで竹山知事の「青年に期待する」と題する講演があり、「この目まぐるしい農業情勢に打ち勝つには若い力が必要である。青年は国際的視野に立って農業を考えてほしい」と激励された。

レポートのまとめが行なわれたあと閉会式が行なわれ、渥美会長が「この会議で得た体験を生かして今後の4H活動に、プロジェクト活動に全力を出してほしい」とあいさつ、最後に四十六年度の県農村青少年クラブ功労者の表彰が行なわれ、会議の幕を閉じた。

お寺で座禅組む

24日から安来市で「女子研修会」　主婦招き話聞く　島根県連

【島根県＝奥野憲明連絡報道員発】島根県農林改良青年会議連絡協議会（会長　清水秀雄君）は、例年県下各地で開催している女子研修会を、今年度は来る二十四日から三日間安来市で開く。

今年はとくに、研修会の日数をふやしてほしいという女子会員の要望もあって、安来ブロックの会員と安来農業改良普及所の協力によって二泊三日間の日程にした。

内容は、一日目午後一時半から開会式のあと、話題提供として安来地区の主婦、勝部節子さんから「私の歩んできたことと現状」についての話を聞き、それを題材に意見交換を行ない、二日目は、午後六時半から約一時間ほど清水寺の住職の説教を聞いたあと座禅を組むことにしている。続いて参加の記念品として、安来普及所の生活改善普及員さんの指導で手芸品を作ったり、「生活の知恵」などの話を聞く。午後から講演のあと約三十分くらい質疑応答し、三時から先輩を囲んで「主婦になって思うこと」について話し合う。

三日目は、午前中約一時間にわたって山陰の名勝・清水寺を散策し、仲間づくりをすることにしている。そのあと三日間の反省を行ない、研修会の幕を閉じる。

なおこの研修会は、クラブ員以外の若い女性にも農業の良さを知ってもらうため、県下在住の女子青年にも参加を呼びかけている。

みんなで読もう　4H新聞

普及運動の展開へ

社団法人日本4H協会と全国4Hクラブ連絡協議会は、全国クラブ員の準機関紙として活用されている「日本4H新聞」の普及運動を計画、まず四十七年をその第一次普及期間としてクラブ員の購読運動を展開している。これは、昨年十二月下旬、静岡県御殿場市の国立中央青年の家で開催された後期「全国4Hクラブ中央推進会議」における全国県連会長会議の席でも承認され、意欲的に普及運動を推進することを申し合わせた。また、農林省（農政局普及部普及教育課）でも農村青少年活動の推進上、この普及運動の展開に賛同され、今後、いろいろと助言していただくことになった。これにともない、編集部でもさらに紙面の刷新を図り、クラブ員のための新聞として紙面内容を向上させるよう検討している。

紙面の刷新を図る

農村の人々が「考える農民」としての資質を身につけ、自家経済の安定を図り、さらに進んで地域社会の発展、福祉に貢献するためには、それぞれの機関の指導を受けるとともに、自らも常に生産や生活についての進歩した科学的技術を吸収消化する必要がある。また、経済界、農業界の動向にも対応していくよう配慮しなければならない。

そのためには、クラブやグループをつくり、固く結ばれた同志的結合によって相互の知識と技術を交換しあい、お互いの協力によってクラブ員一人ひとりが成長していくことが大切であると同時に、全国的な視野に立って幅広い知識や経験の交換を図ることが必要である。

本紙は、このような観点に立って全国の4Hクラブ員の広報機関紙として、さる昭和二十七年四月に発刊されたものである。全国の各クラブとクラブ員が同志的な結合を強化し、またお互いの貴重な体験と研究の成果を発表して研修し合い、相互の進歩発展に寄与するうえにも、同志的共同の場を提供していくための貴重な広報媒体となることを目的としている。

しかし現在、各都道府県間に普及の差がみられるなどの状態にあるので、全国クラブ員の準機関紙としての使命を十分に果すため、さらに普及運動を展開していくことになったもの。

この普及運動は、一年間を四期に分けて実施する計画をたてすでに各県連で運動を始めているが一層の意欲的な推進を望んでいる。

これにともなう紙面の刷新として検討していることは、①クラブ員の意識の高揚と同志的な結束を図るための情報交換の役割を果し組織強化に寄与する②クラブ員が作るクラブ員のための新聞という性格を強める③若者向きの紙面構成④クラブ意識の高揚⑤ためになり、楽しく⑥クラブ員の相談や質問などに応える⑦農村の伝統や歴史をも掘り下げていく⑧4H運動の国際的交流の面から海外の4Hクラブ活動の状況などを紹介し、クラブ員の視野と見識を広げる―として、平常時または特別企画記事の主なものとして次の事項を計画している。

◆平常時の編集企画

一、クラブ活動・状況のニュース
▽魅力あるクラブ活動を進めるための事例と方法▽単位クラブ活動の紹介（シリーズもの）▽組織強化の実例（組織とリーダー）

一、農政、農業問題、農協の動きなどの解説と紹介
▽相談コーナー▽農政時評▽近代農業のパイオニア（先駆者）

一、プロジェクトの紹介、農業技術の解説、農機具、資材などの紹介
▽東と西日本における農業▽生活改善の事例▽4HクラブOBの活躍▽農業賞受賞者の紹介

一、海外の4Hクラブ活動と農業事情の紹介
▽国際交流についての体験や研究の発表など

一、クラブ員の声、教養、文芸、健全娯楽など
▽文通コーナー▽精神訓話的なもの▽民話的なもの▽健康管理▽レクリエーション、ゲーム▽4Hの広場（青春と仲間）▽花ヨメ・花ムコ募集中▽クラブ員の紹介

◆特集記事企画

▽4H会館建設問題▽過疎問題▽ヨメ・ムコ問題▽4H活動（リーダー・彩）▽出かせぎとクラブ活動▽農政の動き▽家族問題（主に住生活）▽飛歩記（農業経営など）▽消費者の声を聞くなど。

このほか、全国クラブ員の要望や意見を考慮して愛され、親しまれる紙面づくりをと考えている。

結婚で女性がハッパ

大阪の青年農業者会議　「生きがい」中心に討議

【大阪】将来の大阪農業を担う大阪府下各地区代表のクラブ員と助言者、農業改良普及員、先輩など六十余名が参加して、さる一月十三、十四の両日、府立青年の家で府4Hクラブ連絡協議会主催の第十一回府青年農業者会議が開かれた。

都市化の波によって、年々、農家戸数の減少にともない農業後継者も激減しつつある大阪で、将来農業の中枢者となる仲間たちが「生きがいをどこに求めるか」「いま自分はどんな信念を持ち農業に励んでいるか」などについて互いに意見を交換し、今後の方向を探し求めた。

一日目は、形通りの開会式のあと問題提起があり、七地区（豊能、三島、北中南の各河内、泉南、泉北）の代表が「生きがいを求めて」と題して発言、直ちに分科会討議に移った。クラブ員二人に一人という、いわばワン・ツー・マン形式で進められたので、いささか面くらったのか意見が少なかったようだ。

夜に入り技術競技が行なわれ、難問と取り組んだ。例年より高度な問題が多かった。このあとカセットテープによって「現代の生きがい」と題する茨城県農協中央会副会長、山口一門氏の講演を聞き続いて話し合いが行なわれた。

二日目は午前九時から分科会に入って討論、前日とは違い、みんなが活発に意見を出し合っていた。十一時からレクリエーションそして昼食後分科会の討議報告。各分科会とも内容は似かよい、そのしめくくりとして普及員の司会で全体討議が行なわれた。その中で、結婚問題に触れたとき、ある女子クラブ員から「農家の長男はだらしない」と厳しく批判されたが、これはまさに今後の農業への問題提起でもあった。

最後に各自がこの会議の反省をして幕を閉じた。

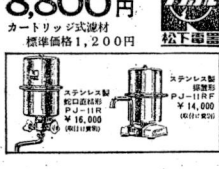

長所多い礫耕育苗

簡単で、良質の品を
肥料、薬などの問題あるが

大阪・別所4Hクラブ 上野 修

近年、のどかであったわれわれの地方にも時代の波が押しよせ、ほんのすぐそこまで泉北ニュータウンが、また大手会社の進出、新都市計画法による市街化区域の問題、新しくは円切り上げが農業にあたえる影響など、安閑とはしておれない時代となってきました。

こういう時代の中にあって、頭打ち状態といわれるみかん中心時代の農業から脱皮して、時代に先がけて一歩進んだ農業をしようと若さにまかせて、昨年二〇アールあまりのみかん園を切りたおして二百坪のガラス温室を建てました。そして水耕プラントを導入して、今までとは違うまったく新しい技術の野菜栽培に取り組みました。

そこでは、トマトやきゅうりの苗を礫水耕育苗で作るのですが、苗の発育がよくそろい、素質のよい苗が非常に楽にできるので、それを露地用に利用できないかと思ってこのプロジェクトに取り組みました。

目的

普通、農家では多くの労力と時間を費して床土を使用して苗作りをしています。しかし、床土を使って上手に苗を作るには、そうとうな技術と経験がなければうまくいきません。しかし、この礫育苗だと育苗用ポットを使うため、移植もなく育苗期間が短いうえに、初めての素人でも上苗ができるなどの長所をもっています。

苗作り半作といわれる大事な育苗を、利点の多いこの礫育苗法を露地物育苗に利用しようというわけです。

方法

露地メロンの種子を使って、実際に育苗を栽培してみました。

まず苗床として水平台を作るのに、透明ビニールホースを使用しての水準器で水平をだし、その上に木枠を作り、その底に一・五ミリの電熱線を張って、〇・一ミリのビニルで覆い、そして礫を入れた海面ポットと礫耕用培溶液を入れました。保温としてその上に〇・〇〇五ミリのビニルで覆い、温度の調整をしました。

礫はホルマリン八〇倍液で四十八時間消毒を行ない、種子はプリンスメロンを使用し、ウスプルン千倍液で五十分間処理したものを芽出しをしてからポットに直播しました。

使用した肥料は一トン中、硝酸石灰九五〇グラム、硝酸カリ一〇グラム、硫酸苦土五〇〇グラム、第一リン酸アンモン一五五グラム、テイサン一号四〇〇グラムの培溶液を使い、最高摂氏二五度、最低一五度を目やすに生育させました。

労働時間は次年度より水平台、枠づくりがなくなって、ポット、礫詰め配置に二時間、播種苗の管理に八時間から十時間となり、床土育苗のほうは三十三時間で変らず約三分の一で済みます。

労力は家族三人として考えましたから、実際は三倍になります。

経費の点からみますと、礫育苗では枠板代、電熱線代など購入費が多く余計にいるようにみえますが、じつは床土法よりも少なく、次年度以後も毎年同じように多く費用のいる床土法よりはるかに少なくなっています。

また床土育苗は断根、踏み込みの上手、下手による温度の不均一などにたいへん技術を要し、それにネズミやモグラにせっかくの苗を荒されたり、育苗日数に六十～七十日の期間を必要とするのに対して、私の考えた礫育苗では、海面ポットを使用し、苗床は水平台を作って高くし、また電熱線にサーモスタットをつけ、自由な温度に調節できますので苗の生育阻害もなく、育苗日数も三十五～四十日という短い期間で仕上ります。

ですから同じ日に定植しようとするならば、約二十～三十日後で種まきをしてよいということになり、光熱費も労力もその分だけ少なくてすみます。

また床土法ではクロルピクリンなどによる消毒もやっかいで、床土に病害虫のひそんでいる可能性をもっていますが、礫育苗ではホルマリン消毒が簡単なのと、この方法では高く作ってあるので雨水のはね返りが少なく、外からの病気の侵入も少ないようにと考えてあります。

礫育苗についても肥料の問題、病気に対する薬の問題など少し問題点もありますが、今述べたように、全般的にたいへん有利であることがおわかりになったと思います。ですから全部この方法に切り変えよとはいいませんが、私が実際露地メロンをやってみて非常によかったので、少しでもいいですから取り入れてみることをおすすめします。そしてまた、近年クローズアップされてきた礫耕・水耕というものがどういうものであるのかを、この育苗法で実際に苗を作ることによって少しでも理解されれば幸いです。

総合経費

初年度 礫育苗法		初年度 床土育苗法		次年度 礫育苗法		次年度 床土育苗法	
種子代	4,900	種子代	4,900	種子代	4,900	種子代	4,900
枠板代	8,000	枠材代	3,000	枠板代	—	枠材代	1,500
ビニル代	2,000	ビニル代	1,000	ビニル代	2,000	ビニル代	1,000
育苗ポット代	1,950	薬剤代	500	育苗ポット代	1,950	薬剤代	500
礫・消毒代	150	床土代	10,000	礫・消毒代	150	床土代	10,000
労働費	10,800	労働費	19,800	労働費	6,600	労働費	19,800
電熱線代	4,500	醸熱材料代	2,500	電熱線代	—	醸熱材料代	2,500
その他	2,000	その他	—	その他	2,000	その他	—
合計	34,300	合計	41,700	合計	17,600	合計	40,200

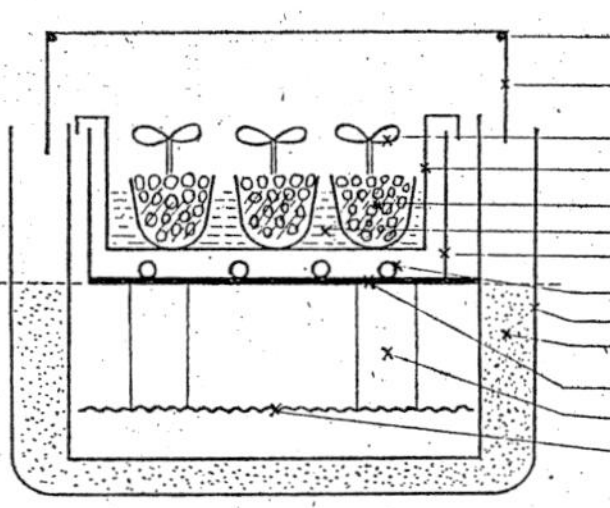

新機種を近く発表 三菱重工 コンバインMC700

農業の省力化を担う機械はいろいろとあるが、とくに稲作部門では田植機、トラクター、コンバインが、ここ数年来、着目されてきた。なかでも最近めだって普及しているのがコンバインだろう。このようなコンバインに対する注目に応えて、三菱重工ではコンバインの新機種を発表する予定である。その新機種の名は三菱コンバインMC七〇〇＝写真＝といい、今後の農業の合理化の一端を担うものとして期待される。

凍結精液普及し改良
◆酪農こそ生きぬく道

富山 高岡市紅屋・4HOB 角田竜男

わが家の経営規模は、水田・二七アール(うち飼料畑二〇アール)、乳牛十七頭の水田酪農経営である。水稲部門は父母が担当し、酪農部門は妻と私が責任をもって経営している。

経営概要は、成牛十頭、育成牛七頭、飼料面積＝専用畑二〇アール、裏作七〇アール、年間一頭当りの乳量六三〇〇キロ、年平均分娩間隔十二・五カ月、一頭当りの種付回数一・六回である。わが家では飼料代が経営費の七〇％以上をしめており、そのなかでも三〇％が乾草、ビート草など、本来自給すべき粗飼料の購入費である。

また、乾牛を改良し、いかに一頭当りの産乳量を増加させるかということも、経営における根本問題である。さいわい、凍結精液の普及により全国の精液を導入できるので改良速度がアップされた。私は乳を森永へ出荷している。そして高岡に住む酪農青年たちで乳牛改良同志会を結成して、各自の飼料している経営成果を交流しあっている。

ここでこれからの問題点を箇条書きしてみよう。

一、粗飼料の確保と購入飼料費の低減、現在の圃場整備を早くやっていただき、飼料作物を大幅に作付し、それと裏作を利用してのサイレージをつくっていきたい。

二、一頭当りの年間搾乳量は六三〇〇キロで標準より多いと思うが、さらに能力向上のため、種牡牛の交配を考え、資質の向上をはかりたい。一頭当りの種付回数は一・六回で、一～二回で受胎するが、精液代は優良な凍結精液を使用するために高くつく。

三、育成管理技術向上のため、各種の畜産共進会へ進んで出品する。

これからの対策としては、今後は米の見通しがよくないので、農業で生活するのは酪農以外にないのではないかと思う。私としては労力、耕地面積、その他からみても乳牛三十頭が当面の目標である。それを実施するにあたって①労力②飼料の自給化促進③乳牛の資質の改良④糞尿処理などの問題がある。

以上のような点を充分考慮すれば、酪農で豊かな生活をすることも決して夢ではないと思う。

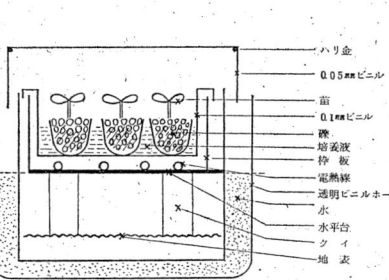

心にも花咲かす
朝顔の共同プロジェクト

福島・西長4Hクラブ 佐藤佐吉

西長4Hクラブでは、クラブ員相互の協調性と親密性を図るとともに、近年、花卉栽培にたいする関心がクラブ員の間で高まり、朝顔の鉢栽培によって花に対する親しみと、その一端を知ることを目的として共同プロジェクトを実施した。作業計画と、作業実施経過は簡単ではあるが表にしてみた。それにもとづいて、具体的な作業内容を紹介したい。

種子は、赤と青それぞれ一五〇粒、白と紫をそれぞれ一〇〇粒ずつの合計五〇〇粒を播種した。播種床は魚箱を使い、ふるった砂八分目ほどを入れて筋播をした。そして充分灌水し、本鉢定植まで一人ずつの当番制として、一日一回昼に灌水を続けた。

約七日後に発芽した。発芽率は約四〇％であった。種子が腐敗してしまったのである。あきらかに水分過剰ではないかと思われる。砂の中には充分水分があるのだが表面が白いために灌水しすぎてしまったらしい。

いよいよ本鉢への定植である。用土はなるべく有機質のものがよいということで、早朝の五時頃から全員で山にでかけ、腐葉土採めを二日間おこなった。これらを用土として定植し、それから油粕をひと握り施肥した。なかには施肥する油粕がひと握りの半分であったり、また逆にひと握り半であったりしたものもあったが、結果的には大差がみられなかった。

仕立て方はラセン仕立てで、十番線の針金をラセン状にして、随時誘引した。

八月七日午後、小売りを始め、価格二百～二百五十円で郡山の団地へいったが、わずかに二～三鉢売れたにすぎなかった。しかし、市街地では小売り八十七鉢と大部分売れた。ほかに市場に出したのが八十二鉢であった。

収支決算の内訳は、支出部面においては、六寸鉢八千五百円、針金千四百六十五円、種子千円、支柱(竹)八百円、油粕百六十円、その他千三千円で、計一万二千九百六十一円となる。また収入部面においては、小売り一万九千六百三十円、市場四千六百十二円で、計二万四千二百四十二円となり、差引収益は一万一千二百八十一円であった。

最後に、この共同プロジェクトについての反省を述べてみよう。まず栽培面では発芽数不足があげられるが、これは前にも述べたように水分多過により種子が腐ったことによる結果であった。逆に生育期では腐葉土が多すぎ、乾燥したため水分不足におちいった。

また、水かけの当番を一人ずつにしたことは、かえってクラブ員同士の親密感を失う結果をまねくことになった。

実際に小売りをして、つくづくと売ることとの厳しさとむずかしさをあじわった。朝顔はどこの家の庭にも咲いている。きゅうりなどの野菜は、曲っているものでも味に変りがなければそれなりの価格で売れるが、花は観賞するものであり、みてくれが悪ければ消費者は目もくれないなど、やはり考えさせられた点である。

何はともあれ、私たちはこの共同プロジェクトによって、さまざまなことを学んだ。それは実践してみて初めてえることのできる何かであろう。朝顔は私たちの心にも花開いたのである。

作業計画と実施

作業名	計画	実施	内容
播種	5月8日	5月7日	魚箱に筋播
本鉢移植	5月22日	5月19～25日	119鉢、他腐敗
施肥	6月12日	6月13日	腐葉土、生油粕、各一握り
除草	6月中旬	随時	
摘心剪定	7月13日	7月10日	生育遅れ、1本仕立て
仕立て	7月中旬	7月23日	ラセン仕立て
販売	8月上旬	8月7.11.14日 8月20日	小売り 市場出荷

結婚を考える ▶4◀

長女の結婚

長女を嫁がせて

娘の幸福を願って "よい夫はよい息子"です

山口県・柳熊農村青少年クラブ生活部

商家に生をうけ、ソロバンをはじく音の中で育ち、農具の名称さえ知らなかった私が農家に嫁いで二十五年、はや娘婚式を迎えようとしています。

ただ、今、三人の娘たちの母親として、さまざまな反省と追憶が交錯し、なにか複雑な気持が忍びよってまいります。

思えば、娘たちの少女時代は保証人としての責任から経済的に逆境のどん底にありました。

とても辛いことの連続で、忍耐の難しさをずいぶん体験させました。でもその苦しさは、むしろ人生の尊い試金石として大切にもち続けていくことと信じております。

さて、娘ばかり三人といえば、長女に「養子」を迎えるのが世の常識でございましょう。ですから、長女は当然その責にあう宿命をせおい、いずれは私と同じように無経験な農業を営まなければならないのだと、ひそかにあわれさを感じていました。

でも一方では、それとは裏腹に家督を相続してくれるのではないかと、一縷(る)の望みをもっていたこともいなめません。

しかしながら、長女は、昨年縁あって他家に嫁ぎ、先方のご両親や家族の方々によくしていただき、楽しく新生活を築くっております。その幸福そうな生活をみるにつけて、「これでよかったのだ」と、ほのぼのと心あたたまる思いがいたします。

幸いにして婚家が近く、娘夫婦はよく訪ねてくれます。最良の息子をえた私たちは心強く、何よりの喜びでございます。夫がよき話し相手、よき飲み相手と、えびす顔で息子と盃を傾けあっている姿は、まるで楽しい一幅の絵をみるような心地さえいたします。次女、三女と子宝に恵れている私たちですが、この二人の娘もよき配偶者があれば他家に嫁がせても悔いはないと思うようになりました。娘たちがよき夫をもつということは、換言すれば私たち夫婦がよき息子を授かったことになります。何ごとも「縁」だと思います。

親としては、娘たちが養子を迎えても他家に嫁いでも、終極は本人たちが幸福な結婚をしてくれれば、他に何を望みましょう。娘たちがよき縁の糸をたぐってくれることをのみ願っております。核家族をとやかくいうほうがおかしいのではないかと自問自答しております。

親子のつながりは切っても切れぬもの、両者の心に相通ずるものがあれば、時々は訪ねてきてくれるでしょうし、忘れはいたしますまい。老後は趣味を生かして余生をおくりたいと思います。

最後に「母親になるのはやさしいが、母親であることはむずかしい」という言葉を娘たちに贈りたいと思います。この意味をよく咀嚼(そしゃく)し、賞味して子孫繁栄につくしてくれることを祈っております。

プロジェクトと経営

NHK農事番組 (2月21～29日)

テレビ

明るい農村 6・30～6・55 総合
21日 村の記録「出稼ぎ能役者」～山形県樹引町～
22日 きょうの話題
23日 産物往来「花木」
24日 話題の広場「色で育てる・アルファー米誕生」
25日 村をむすぶ「広島、松山、名古屋、東京」
26日 農村新地図「高知県土佐清水市」 山崎春成(大阪市大教授)
27日 明るい漁村
28日 村の記録「税金倍増」～神奈川県・大阪府～

農業教室 7・30～8・00 教育
21～23日 ヨーロッパの酪農 三井計夫(新潟大学教授)
24～26日 園芸施設の高度利用 内藤修一(全購連)
28～1日 農村工業化の中の農民 中村広次(全国農業会議所)

あすの村づくり 日 7・00～8・00 教育 再 土 13・00～14・00 教育
27日 「グループだより」～北海道紋別市～小向青年グループ、「都市化の中の農業」・北九州市曽根・農業青年部～小関七郎ほか、「青年像」～岡俊彦～埼玉県入間市宮森

ラジオ

早起き鳥 5・41～5・57 ①
21日 農村の医療と健康①進む兼業化と農民の健康～長野県下
22日 農村の医療と健康②増える農村婦人の貧血～秋田県下
23日 農村の医療と健康③大型化する農機具事故～千葉県下
24日 農村の医療と健康④悩み多い辺地医療～新潟県小国町
25日 梨作り六十年 安藤英輔～川崎市
26日 ハウス病と取り組んで 中沢忠雄～山梨市
27日 農民の健康を考える 内田昭夫(千葉大学助教授)ほか
28日 肉自慢のイノブタ～和歌山県畜産試験場
29日 最後の分校～野々宮分校(岐阜県郡上八幡町)

話の広場 日 6・10～6・30 ①
27日 成功したオガクズ養豚 吉原徳(今市市)

新しい農村 6・00～6・30 ②
27日 農業白書を語る 中野和仁(農林省官房長)

ラジオ農業学校 日 6・30～7・00
27日 「農業講演会」～今、農民は何をなすべきか～山口一門(茨城県農協中央会副会長)＝新潟県農村青年大会から ②

参加者を募る

毎日新聞 富民協会 第21回全国農業コンクール実施

毎日新聞社と富民協会は毎年、全国農業コンクールを実施しているが、今年度開催する第二十一回コンクール参加要領をこのほど発表した。このコンクールの主旨は農家の協業化・共同化や自立経営の強化、あるいは技術研究などについての実績を発表し、これを広く紹介、普及して、これからの農業、農村の発展の糧にとしようとするもので、多くの人の参加を呼びかけている。

コンクールの参加要領はつぎのとおり。

▼参加するものの資格

一、農業をやっているもので構成している研究グループ(農事研究会、養鶏研究会、果樹研究会、生活改善グループのようなもの)

一、協業化、共同化をやっている実践グループ。

一、園芸組合、防除組合、農業協同組合のような農業団体。

一、現在、農業をやっており前記のような団体に属する個人。

以上のような団体で、その規模の大、小は問わない。

▼参加団体(者)の経営規模はそれぞれの種目においてつぎの経営規模を有するものであること。

一、穀作―耕地五〇アール以上の経営

一、園芸―耕地五〇アール以上、果樹園の場合は三〇アール以上の経営

一、畜産―搾乳牛、和牛は二頭以上、また豚は十頭以上、成鶏は百羽以上の経営

一、養蚕―耕地五〇アール以上、桑園の場合は三〇アール以上の経営。

▼参加の区分

一、協業(共同)部門

一、自立経営部門

一、生産技術部門

一、生活部門

▼参加調書の種類

一、協業(共同)部門

一、自立経営部門、生産技術部門、生活部門(共通)

㊟この部門には共通の調書と種目別の調書とがあり、生活部門だけは種目別調書がない。

なお、この調書は二部提出すること。

▼参加の手続と締切り

一、参加希望団体(者)申入書(指定用紙以外でも可)を各都道府県の農林部・農政部などの農業関係の部または課へ届けること。農業(生活)改良普及員、営農指導員などに依頼するとよい。

一、締切りは三月末日まで

▼開催予定地および開催予定月日

八月二十五、二十六、二十七の三日間、宮崎市で開催の予定。

なお、詳細については、毎日新聞・富民協会発行の「農業富民」、「農業と経済」などに発表される。または毎日新聞 文局、富民協会(大阪市北区堂島 毎日新聞社内)へ問い合わせのこと。

ワッペン運動へ 自由化に反対して
「第18回全国農協青年大会」開かる 組織を体質改善

全国農業協同組合中央会

第十八回全国農協青年大会はさる一月十九日、二十日の両日にわたって東京で開かれました。

この大会には、全国から千百余名にのぼる盟友が参加し、当面するいろいろな問題について活発な討議を行ない、激変する社会経済環境のなかで、農業と自然環境を守り、新しい地域社会の建設に、組織の体質改善を基調とした活動のうえで、取り組むことを誓い合いました。

大会第一日は、「組織」「農協」「稲作」「畜産」「青果」「農政・都市化、農村」の六つの分科会に分かれ、組織の体質、活動の方向、米の生産調整、自由化の強行、新都市計画法の実施などの問題を身近なところから具体的に討議する方法がとられました。

大企業・経済成長優先の政策が、農政の後退、農業の犠牲のうえで進められている現実を具体的に自らの体験のなかから話し合い、対策についての組織の取り組みかたについて討議しました。

二日目は、全体会議を九段会館で開催し、各分科会の討議経過を中心に活発な意見交換を行ない、組織の性格を明確にし、十分な学習活動を強化していくとともに、貿易の自由化、みなし課税など当面する農政問題については、例えば、ワッペン運動など具体的な活動を展開することとし、次のような大会決議を満場一致で決定しました。

大会決議

一、昨年五月決定した「農協青年組織の活動と組織」の徹底を図るとともにその実効を期すこと。

一、沖縄県民の生活水準を向上させるため特段の措置を講ずること。

一、経済諸制度を本土なみに完全適用、沖縄復帰に伴い、政府は農地を奪い自然を破壊するものに対し断固反対する。

一、農地を奪い自然を破壊するものに対し断固反対する。

一、国内の農畜産物を窮地に追い込む貿易の自由化に反対するため、全盟友のワッペン運動に取り組む。

一、農協はその総合機能を発揮して対処する。

一、米の余マスなど産地間競合を避けるため、都市近郊農協の存続を図る。

一、土に生きようとする農民を締め出す「みなし課税」を廃止し、都市近郊農協の存続を図る。

一、激変する経済社会に対応するため、農協は組織を総点検し、積極的な体質改善に努める。

一、会員千円を目標とした自主財源の確立に努める。

(教育広報課)

こんなことをしています
各種農業団体

家の光協会

"土地収用"を追う
『地上』5月号の内容 転換期の牛飼育も

新しい農村・農業のリーダーの必読誌『地上』五月号の編集企画内容をお知らせします。

―〇―〇―

第一特集 土地収用と農業

国土開発の進展とともに、公共用地の取得が、各地で問題となっています。その"伝家の宝刀"となるのが「土地収用法」です。農地や住宅地が、この土地収用法の対象となって、ひとつの村が反対派と条件派の真二つに分裂するケースも、多く見られてきています。新幹線や高速道路の伸長に伴い、他人事でなくなるこの問題を、これまでの収用事例に即して、住民サイドの対策をさぐってみます。

おもな内容

〇土地収用法にみる基本的人権と公共の福祉

〇〈ドキュメント〉土地収用がもたらす人間の悲劇 三里塚

〇〈法律相談〉知っておきたい土地収用法の知識 むつ・小川原

〇〈レポート〉今後土地収用は如何にすすむか

―〇―〇―

第二特集 牛乳と牛肉を考える

消費の停滞、原料安の製品高に悩む牛乳と、需要に追いつけぬまま、輸入自由化におびやかされる牛肉。その流通・消費・生産構造を追って、転換期に立つわが国のウシ飼育の方向を考えます。

座談会 農協界にもの申す

農協界の消息通・与田静衛氏、田中豊稔氏、中村吉次郎氏に集まってもらい、"農協栄するが故"の苦言を呈してもらいます。

商社インテグレーションの手口を追って

商系資本によるインテグレーションが叫ばれて、すでに久しくなります。これに対抗する農協系統も、いろいろ手を打っていますが、問題は多いようです。商社の手口を追って、そのカラクリを明らかにします。

▽現代ドロップ・アウトのかっこよさ▽新しい農協理論▽ユートピア紀行・有島共生農場⑤▽現代に生きる農の思想

(計画係)

遠吠

危険の感覚は

耳をつんざくようなエンジン音を街中に轟かしながら、オートバイがふっとばしてゆく光景をよく目にする。イキな格好をした若者が、荒馬にまたがる西部男さながら、オートバイを右に左に、左に右にとあやつっている。彼らは、自らの身をもって、自らも危険を満じ、それを見ている人たちにも危険をふりまく。文字どおり、危険がいっぱいである。

私たちは、日常生活のなかにおいても、この〝危険〟という言葉や感覚にしばしば出合うものである。たとえば、道路を渡るときとか、ガスを扱っているときとか、また〝危険、立ち入り禁止〟といった工事現場の立て札などを見たときとか数えあげたらきりがないほどである。大げさな言いかたをすれば、私たちは、毎日何らかのかたちで危険に接しているといえよう。

その反面、現代は、過去の時代に比べて、危険がもっとも顕在化していない時代だともいえよう。つまり、危険という感覚が、一個人にとって、非現実の合い言葉になったということである。一個人の危険の感覚が、社会全体の危険の感覚にとって替わられたというべきだろうか。

常に危険の感覚をもって生きてきた、また生きている人間は数多い。なじみ深いのを例にとるなら、宮本武蔵などはその典型的人物だろう。武蔵にとって危険とは現実そのものであった。危険の感覚を忘れることは、彼自身の死を意味していたからである。いうなら危険の感覚が武蔵を一流の兵法者にしたのではなかろうか。

時代も違い、また、事実か虚構かも定かでない人物を類推してとお笑いになるかもしれない。しかし、現実と個人のかかわりかたをつきつめてゆくと、たいていは、このようなかたちになってしまうものである。あやとりではないが、それゆえに危険の感覚が個人にとって問題になってくるのである。

危険の感覚は、スパイ映画の代名詞ではない。私たちが生活してゆくなかにおいて、私たちが意識化しておかなくてはならないものである。それによって私たちは、現実の生活のことをより深く考え、より多く実践するだろう。しかし、危険の感覚を意識化することは、一個の針やまを飲み下すような痛みをともなう。

現代人には、本能的な危険の感覚さえも少ないという。

危険の感覚は失せてはならない
道はたしかに短かい、また険しい
ここからみるとだらだら坂みたいだが

これは、イギリスの詩人W・H・オーデンの詩の一節である。この一節のうちに二十世紀後半を生きる私たちに対して発せられた、時代をも超える心のこもったオーデンの警鐘を聞くのは私一人のそら耳であろうか。（野）

現象よりも本質を

福島県・東北ブロック評議員 斉藤賢一

現代の青年像

現代の青年の姿につぎの二つの型があると思う。一つは過激派学生に見受けられるような思想偏重から破壊行動にでる青年や政治についてかなり高度な探求を試みている層。もう一つはエコノミックアニマル化した日本経済の本当の犠牲者?である、その日さえ楽しく過ごせば良いというせつ那的享楽に明け暮れ、目的意識に乏しく、また政治や社会に対して極めて無関心な青年層。

現代の青年を大別すれば、多分どちらかに属するのではないだろうか。

そしてそれらの青年の姿を長い人生経験者は前者に対して現実社会を無視した暴挙であると非難し後者に対しては人生の目的も計画もないぐうたら青年と評する。私もこれらの評価は的を得ている当然なことだと考える。

根本的問題

しかしこれらの批判は、あくまで現代の社会の矛盾からくる表面的現象のみの批判であり、この現象（なぜ青年はこのように追い込まれたか）に対しての本質をまったく理解していないのである。

私たちが青年サークル活動をしていてしばしばこれらについて論じ、青年をそのようにさせた現代の社会構造、あるいは政治体制についての問題の本質に触れようとすると青年を指導する立場（社会教育委員、公民館など）の側から残念ながら拒否されるのである。そして表面的病状に対してだけを私たち青年が、また、指導者団が口角泡を飛ばして論じているのをしばしば見受ける。実にこっけいなことであると思う。

このように本質を避けて表面的現象をとらえ、論じ、エネルギーを浪費していることが現代社会には、青年問題ばかりでなくほかにもたくさんある。去年は選挙の年といわれ、各地で首長や議員が有権者の投票によって選出されたが依然として金を多くバラまいたほうが有利で、また逆に金のない者は不利であった。その結果、選反行為などが次々とまかり通った次第である。同時にいつも叫ばれている明正選挙の推進もかけ声ばかりで何らの効果も表わしていない。それ以前の選挙民の意識、選挙そのもののあり方の問題であり、それらの改善を図らなければすべては空念仏なのである。

また、私たちが直面している農村問題（出かせぎ、農家主婦の健康、後継者不足等）も関係筋の間でさかんに議論されているが、相変らずその問題の本質、あえて言えば政治（農政つまり予算の中に占める農林予算の割合、工業化重点施策、または農業高校などの後継者養成機関の貧弱）などについて論じるものは微少であり、補助金で団地造りをやっても、後継者に低利の資金を用意しても、親がステレオや車を買い与えても、農村問題の解決には何んらの役には立っていないのである。

勇気ある行動

少々古いが安保条約闘争もいまや既成の事実化した。自衛隊是否論争もまたしかり……。問題の本質を避けて表面的現象をとらえ、けんけんごうごうの傾向に最近の青年活動、あるいは4Hクラブ活動があるのではないだろうか。

今年もまた多くの青年が社会に巣立つわけだが、つねに真実と問題の本質を追求する姿勢と勇気ある行動に期待し、教科書通りの理想社会、農村建設にまい進して欲しい。

今年二十歳を迎えられた人に私はこの言葉を送りたい。

碑

仲山尚江

あかぎの　まつり
しろぎの　まつり
早生がある
中生がある
晩生がある
土が吐き出した原種

父が作った
祖父が作った
曾祖父も　また
母が
祖母！
曾祖母と
蜿蜒とつづいている
汗の語らいがある
「ばあちゃん
今　見ているのが私の秋なのですよ」

稗みのり
風に飛び
畑に散り
月の光にさえはぜる虎軀
もう
どうしようもない

地番　三三七
地目　休耕田
面積　十アール
収入代金　二万六千と三百四拾八円
つまり負けです
百姓に降参した
私の人生

（『農民文学』百四号より）

カキクケコ婦人へ

鹿児島県・種子島地区 久保田真吏子

今、十九歳、あと何年したらお嫁さんになるのかなあ、なんと考えてみても、主婦という言葉は漠然として遠い浮雲のようにつかみにくい。主婦のあり方、家庭生活のあり方などという理論は、口に出しても実際にはわからないのが本当です。真剣になって考えてみるのもなんだかおかしいというのが現在の心境です。まだまだ主婦になることよりも青春時代を大切にしてゆきたいという気持のほうが強い。

しかし、女である限りいつかは「主婦」という立場に立たなければならない。農家の主婦と聞くとなんとなく地味で、苦労すると思われるのがごく平凡な最近の若者の考え方、世間一般のイメージであるかと思います。今日ではマスコミによって芸能界でのできごとなどが派手に書きたてられるのに対し、未だかつて、農村に生きる花嫁さんの生きた姿を目にしたことがありません。同じ世代に生きる女性として、はなやかな生活を望みマス・コミに耳をかたむける私たち。農村女性の立場もそれらと同様にあつかわれるようになると、農村婦人という立場ももっと楽しく、また重要視されるのではないでしょうか。

「現在の社会はまちがっている」と冗談にさえいわれる言葉ですが、まさに真実に思えてなりません。「月給取りのオッサンと同じで、毎日同じことばっかいしちょい」、つまり働け、働けの意味で、おじいちゃん、おばあちゃんたちが現代の若い人たちに対していうぐちかもしれません。昔はサシスセソ婦人といって、裁縫・仕事・炊事・洗濯・掃除と一日が追いまくられる状態でした。最近では、カキクケコ婦人へと望まれる傾向にあります。すなわち、物語を考え、毎日の行動を記録し、いろいろと工夫し、共に研究し合いどこでも公表できることが、現代婦人のあり方であると思います。

今日ほどうつり変わりの激しい社会はありません。しかし、そうかといって古い教え方・しきたりが通用しないというのではありません。

世の中さまざまといいますが、自然を相手に働くことを生きがいとしている人も多分にいるでしょう。そういう環境のなかにあっても楽しく生きようというのは人間誰しもが考えることですが、思いどおりにいかないのがおもしろいところなのかも知れません。

女は育児と家計、男は農作業、現在の世の中の流れにそっていうとこれが理想なのかも知れません。でも私はこういう主婦生活は好みません。一緒に畑にでて、苦労も楽しみもともに―子供を思い……。

育児というのは女としてかかせない重要な役割だと思います。これらが両立してやれるような生活を夢みます。「上をみても限りがない、下をみても限りがない」とことわざにもあるように、その日の生活を大切にしながら、昔の封建的な考えやエゴイスティックな考え方はやめて、やさしくおもいやりのもてる妻、それに夫の良き理解者でもありたい。私はこのような主婦になるために、これからの毎日を大切にしてゆきたいと思います。

めざすは専業農家

岐阜県・丹生川村4HクラブO・B 生津政江

農業はまがり角、専業ではとってもやってゆけない、と最近よくいわれています。わが家も、かあちゃん農業でがんばらねばなりません。今までは専業でやっていたから不安です。農業、家事、育児、どうなることかと……。

でも農業ばかりがたいへんなのではありません。普通のサラリーマン家庭だって、近頃はたいへんらしい。友だちと「とってもサラリーマンだけの家庭ではお嫁にゆけない。だって共稼ぎでなければやってゆけないもの」と勝手なことを話したりします。兼業でも農家のほうがまだまだいいと思ったのです。

最近は、農家へお嫁さんやおむこさんのきてがないということですが、若いあなたの気持と心の通じ合う人が見つかったら、自信をもってひっぱってきてください。だって、農業そのものは健康的で昔とは比べものにならないじゃあないですか。農業経験はそんなに問題にはならないと思います。

私も、今はかあちゃん農業でいいのです。でも、きっといつかは専業で安定した農業経営をと夢みながら、現況のなかの幸わせを毎日の生活のうちに求めてがんばっています。環境のいいこと、食べるだけは困らないこと、村の仲間とずーっと一緒にいられることなどが、私にすれば大きな幸福なのです。今までどおり、声をかけてくれることがとってもうれしいのです。

わたしの海外体験

第十八回青年の主張コンクール全国大会

世界のかけ橋に…

東京地方代表 横田邦子（一九）

私たちすべての人間に、生れながらにして何らかの環境的運命を背負っています。青春とはその運命に対する自力による挑戦であり、自分自身のきびしい開拓の場なのです。

思わぬ運命が、幼ない私を混乱に落し入れたのは、ちょうど十歳になったころでした。父の仕事のため、私たち家族はブラジルへ渡ることになったのです。ひとりの何も知らない少女がある日突然、人々も、言葉も、習慣も、すべてが異なる世界に押し込まれ五年もの歳月を適応と自己形成に努力することは、決して容易ではありませんでした。初めの一年間、私はあまりの混乱にとまどい、明るかった性格もすっかり失ってしまいました。

そんなある日のこと、サンパウロ郊外にある大きな農場へ見学に行ったのです。はてしなく広がる緑のコーヒー園、また何百頭もの牛のたわむれる広大な草原が日本人移住者の手により未開の原始林から、貧困と熱病との戦いの末、切り開かれたことを知った時、私は何か、大きな新たな力にめざめたのです。

日本人のエネルギー、日本人としての誇り！これこそ、私を暗闇から立ち上がらせた励ましの力となったのです。

帰国して二年後、アメリカ主催の奨学金留学に参加し、マサチューセッツ州に一年間学びました。初めのうちは、人々の日本に対する意識と関心があまりにも薄いのに驚くばかりでした。「日本には自動車とカメラの工場しかないの?」とまじめに聞かれた時、私は日本を正しく紹介するという大きな任務を自覚したのでした。

以来、多くの学校でスピーチをおこない、異国の若い世代とともに活発に意見を交換したりまた教会、婦人団体、青年団体などの熱心な聴衆に向って、日本文化のみならず、国内的国際的問題をも語りかけ、アジアへの関心を必死で求めたのです。時には戦争中の出来事をもちだされるなど、困りはてたことも幾度かありました。「過去の悲劇を繰り返すことのないよう、私たち若者こそ国境を越えて心を開きましょう」と訴えながら日本人であることを唯一の支えとし、相互理解の重要性を固く信じて生きぬいた日々でした。

やがて、私の手もとには多くの人々から激励と感謝、そして快い批判の手紙が送られてくるようになりました。このような励ましを受けて、さらに生花、折紙の講習会を開いたり、新聞に寄稿するなど努力を惜しみませんでした。

一九七〇年の夏、私は新たな希望と勇気に燃えて東京にもどりました。そして感じたことはどの社会にも平和を欲しない人はいないということです。海に隔てられ、偏見に惑わされ、言葉でさまたげられているこの散在する人々は、今こそ真のかけ橋を必要としているのです。

もし私の体験が役立つならば喜んでそのかけ橋の一端を担うつもりです。私たち青年ひとりひとりの真心による国民外交が、今日ほど国際社会で必要とされている時代はないのです。（大学生）

あえて友に反論す

山梨県・つくしクラブ 相川三幸

やぶにらみ

一月十四日号の三面に掲載されたS君の、「神奈川に農業は必要ないのか――都市化の波に乗れ」という記事を読み、私は大いに失望した……。

私たち農民は過去、現在を問わず、いつの時代にも必ず何かの犠牲になってきたことを忘れてはならないだろう。私は彼をはじめとする全国の4Hクラブ員（農民）に問う。

――なぜ、農民が新都市計画法によって農業をやめなければならないのか！

――なぜ、東北の農民が減反に苦しめられ、出稼ぎにいかなければならないのか！

――なぜ、農民が、農民の命である土地をとられなければならないのか！

――なぜ、農民が農業で生きてゆくことができないのか！

私たちは大きな誤解をしているのではないか。それは、農民が農業をやめるのではなく、やめさせられているのだということに気づいていないことだ。

私たち農民が農民として生きてゆくには、新都市計画法やそうしたいっさいの問題から逃避してはならない。波にのって泳いでいるのではだめなのだ。それに真正面から立ち向ってこそ、私たち農民の真に生きていく道が初めて開けるのではないだろうか。

都市化を利用するというけれどはたして何人の農民が都市化の波にのって泳げるのか、私たちはもっと考えてみる必要がある。条件の良い農民はそれでいい。しかし条件の悪い農民は波にのまれて沈むより他に道はない。そのとき、波にのまれ、溺れかかっている農民にむかって、「泳げないおまえが悪いのだ」といって、ただ見捨ててしまえばいいというのだろうか――そうじゃない！

だから立ち上がろう。私たちに残された道は、連帯と団結を叫びながら立ち上がるよりほかに道はないのだ。

私は彼自身を否定しない。だけど、私たちの前でそういう考えを述べることは、私たち農業で生きている農民の足をひっぱることになるのだということに気づいてほしい。

これから五年～十年、農業ができるかどうかいきることはできない。しかし、私たちは「今」農業で生きているのだということを忘れないようにしよう。

恥ずかしさで奮起

富山県・魚津4Hクラブ 広世幸広

ぼくは、学校を卒業してから、はやくも三年間を過ごした。はじめの一年は、家で養豚をやったり、また、農業の手伝いなどをして過ごした。

しかしその頃、近辺の同級生の友だちや一、二年先輩の人たちは、農業を離れて、会社などへつぎつぎと勤めていった。ぼくも友だちと同じように、農業をやめ、会社に勤めた。

ある日のことだった。ぼくが会社から帰ると、4H新聞が届いていた。そこで新聞を広げて読んでみた。すると、雨にも負けず、風にも負けずに農業と戦い、がんばっている全国の若い農業者の人たちがたくさん掲載されていた。

「恥ずかしい……」ぼくは思わずこうつぶやいてしまった。

農業高校を出ながら、農業を捨てるとはなんてことだ。現在、農業をやっている日本中の仲間に、たいへん恥ずかしいと思った。

ぼくは、その日4H新聞を見て以来、朝は六時に起き、七時までの一時間は家畜に餌をやったり、掃除をしたり、また、会社の勤務が四時に終ると、すぐ家に帰り、六時ぐらいまでは、毎日、養豚の世話をするようになった。今では豚に対して愛情さえもつようになった。

ぼくは、現在飼っている繁殖豚十頭を百頭に伸ばす計画を立てている。日本一の養豚家を目指してがんばっている。

農業を営んでおられる全国の若き農業者のみなさん、交通事故や病気に気をつけ、これからの日本の農業に勇敢にアタックし、世界に切り込んでいこうではありませんか。

ぼくは学生だけど

大阪府・別所4Hクラブ 藤田芳彦

ぼくは、何のために4Hに入っているのだろうか。将来、農業をするかどうかも、はっきりきまっていないのに……。と、ときどき、4Hに入ってもしょうがないと思うことがある。

ぼくら学生の場合は4Hでみんなに会うというのは毎月の定例会で一、二回ぐらいだ。このほか4Hが、平日何か行事あるというときは授業があるため参加できない。だから、学校を卒業するまでは、4Hをやめようと思うときがしばしばだ。

しかし、先輩は学生時代から4Hに入っていて、いま立派に農業をしている。そう考えるとぼくもこのまま4Hに入っていたほうがよいような気がする。なぜなら、昨年の全国大会、また今年の近畿大会のようないろいろの行事に参加でき、腕をみがけるからである。

ぼくは、4Hに入っていて、将来、先輩たちに負けない別所4Hをつくってゆくつもりだ。それには、もっと多くの大会や行事に参加して、より自分をきたえることだ。そして4Hをもっとよく知ることだ。

俳句

埼玉・騎西町連合4Hクラブ 青木由江

ウメモドキひたきの声に秋深し
障子はるうしろ姿の秋の風
モクスイの匂う窓辺に本をとじ

◀投稿案内▶

本紙は、みなさん方の新聞として、全国のクラブ員に利用して戴きたいと考えています。それでクラブの催しや個人のプロジェクト、詩、短歌、随筆、写真、悩みや意見、村の話題、伝説、行事、その他なんでも原稿にして送って下さい。

お願い ❶長さや形式は自由です ❷できるだけ記事に関連した写真をそえて下さい ❸送り先 郵便番号162 東京都新宿区市ヶ谷船河原町11 日本4H新聞編集部

日本4H新聞
4Hクラブ 農事研究会 生活改善クラブ 全国広報紙
発行所 社団法人 日本4H協会
東京都市ケ谷家の光会館内
電話（269）1675郵便番号162
編集発行 玉井 光
月3回・4の日発行
定価 1部 20円
一カ年 700円（送料共）
振替口座東京 12055番

クラブ綱領

私達は、実践を通じて自らを磨くとともに、互いに力を合わせて、よりよい農村、よりよい日本を創るため、四つの信条をかかげます。一、私達は農業の改良と生活の改善に役立つ腕をみがきます。一、私達は科学的に物を考えることのできる頭の訓練をします。一、私達は誠実で友情に富む心をつちかいます。一、私達は楽しく暮らし元気で働くための健康を増進します。

北海道連で「機関誌」展

溢れる苦悩と喜び

受賞作 各紙とも強い個性

組織強化や意識向上に

このほど北海道4Hクラブ連絡協議会（会長 中山寿雄君）では道内における昭和四十六年度の機関誌（紙）と写真展を開催した。

これは、機関誌を中心として組織強化をはかるとともに〝考えるクラブ員〟の場の伸展をうながすといったねらいで開催されたもので優秀作には、全国4Hクラブ連絡協議会、日本4H協会の両会長賞が贈られた。全国各地でも機関誌の発行が盛んであるが、その参考とするために、全国でもレベルが高いと言われるこれらの受賞作について紹介してみよう。

暖いムード出すガリ刷

機関誌（紙）部門は、優秀賞三点、佳作三点、全国4Hクラブ連絡協議会会長賞五点、日本4H協会会長賞（優秀賞三点に対し授与）の四賞からなり、写真展は日本4H協会会長賞二点と組写真の部入賞、一枚写真の部入賞とわかれている。

機関誌（紙）の部で、優秀賞の日本4H協会会長賞に輝やいたのは、後志支庁の赤井川4Hクラブの機関誌「わかい足跡」、日高支庁の白雪クラブの機関誌「しらゆき」、空知支庁の栗山4Hクラブ連絡協議会の機関誌「栗山町4Hクラブ便り」の三点である。

これら三点ともガリ版印刷であるが、それぞれのクラブの特徴をうまく生かし、手作りのアジをだしている。なかでも白雪4Hクラブの「しらゆき」は素人ばなれしたできばえであり、編集陣の豊富さを感じさせる。カットのうまさと使い方は抜群であり、全国でもこれだけのものはあまりみない。まさに、ガリ版印刷機関誌のお手本といったところである。

また、赤井川4Hクラブの「若い足跡」もスマートなできばえで、これといった欠点のないきれいな機関誌である。「しらゆき」が大きなカットでまとめているのに対し、「わかい足跡」は小さなカットで本文を生かすといった感じである。

栗山町4Hクラブの「栗山町4Hクラブ便り」は、本文がぎっしりつまっている地味な機関誌であるが、嫌味のない堅実さがなんとなくなじみやすい。

以上、優秀賞三点の外見を紹介したが、内容については、どの機関誌をとっても真しなものばかりである。やはり機関誌は、外見に内容がともなわねば、そのゆえんを失なうということだろう。

全国4Hクラブ連絡協議会会長賞をうけたのは、上川支庁では東旭川若葉クラブの機関誌「若者の館」と旭川市、旭川地区農業改良普及所、旭川市4Hクラブ連絡協議会、同市営農改善推進協議会が協力して発行している「こがね」、上川町4Hクラブ連絡協議会の「太陽」、それに当麻町農友クラブの「あゆみ」、また十勝支庁で清水町農村青年団体連絡協議会の機関誌「清協」のそれぞれであった。

追悼

黒薔薇に　隠れし
　君の面影を
偲びて　泣きゆ
　鴛鴦（おしどり）の
見いて　若き旅人は
思い新たに　遠路ゆく
遼路　辿りし
　君の御魂を
求めて　歩む
　乙女をば
見いて　若き旅人は
永遠の望み　胸に挿ぐ

この詩は、昨年八月二十一日不慮の事故でこの世を去った亡き親友（井上勉君）を偲んで仲間が贈った追悼の詩です。＝赤井川4Hクラブの機関紙より

全協会長受賞作の一つ

背なで吠えてる4H

内容はみな真剣

若葉4Hクラブの「若者の館」はまず表紙をみて驚いてしまう。というのは、4Hのイレズミを背中にした若いヤクザが表紙に大きく描かれているからである。そのイラストも実にすぐれており、一風変った機関誌のムードを作りあげている。

「清協」は活版印刷、「こがね」はタイプ写植で、この二つは一般商業雑誌なみの作りである。

また、農友クラブの「あゆみ」は清楚な表紙、落ちついた編集の機関誌であり、ガリ版印刷の暖かみをひしひしと読む者に感じさせる。

佳作に選ばれたのは、上川支庁旭川市4Hクラブ連絡協議会・東鷹栖支部と下川町4Hクラブ連絡協議会、それに網走支庁北見市青年農業クラブの各団体の機関誌であった。

機関誌部門の各賞に選ばれたものの全体をとおして感じるのは、それぞれが各々の個性をもっているということである。そして、内容も前述したとおり真剣なものばかりであった。各クラブ員の悩みや喜びが、一クラブの持つ問題点、つぶさに読みとれる。

また、これらはガリ版刷りの機関誌でもやりようによっては、素晴らしいものができるということを示している。

発表の場としての機関誌が、組織強化や各人の意識向上に、非常に重要な役割を果たしていることは再びここで述べるまでもない。それを伸展させようというねらいの機関誌展が有意義なことはここにつけ加えるまでもないだろう。

なお、写真展の入賞者はつぎのとおりである。

▼日本4H協会会長賞
上修得4Hクラブ　高山　孝
藤山4Hクラブ　中尾　克実

▼組写真の部入賞
滝の上町農村青少年クラブ
サラトキマナイ4Hクラブ　本田憲二
クトネベツ4Hクラブ　水野孝男
上修徳4Hクラブ　高山　孝
下勇知4Hクラブ　佐々木正
藤山4Hクラブ　中尾克実
西川4Hクラブ　中山正富
御保内4Hクラブ

▼一枚写真の部入賞
藤山4Hクラブ　中尾克実
西川町4Hクラブ　中山正富

早期建設をめざして 4H会館

—4—

各県連の意思統一を

募金を伸ばす方法は何か

これまで三回にわたって募金活動に関する県連の動きや、4HOBの意見を紹介してきたが、今回は、さる二十三日から東京・文京区の「本郷館」で開催されている全国県連会長会議に焦点を合わせてみよう。

この会議は、昨年夏、静岡県御殿場市の国立中央青年の家で開かれた後期全国4Hクラブ中央推進会議における道府県連会長会議で、4H会館建設問題が十分に審議されず意思の統一を図ることが出来なかったので、総会以前に会長会議を開き会館建設の早期実現を図る必要があるとの申し合わせによってもたれたものである。

そこで、今回の会長会議では当然、前回の会議の延長線上で論じ合われるものと思われるので、中央推進会議における会長会議で交わされた討議内容をふり返ってみたい。

まず、各県連から報告された募金状況は、大別して次のようなものであった。

▽スペース買取り方式では早期実現は望めないので、一戸建ての方式を再考してほしい。

▽具体的に割当て金額を明示してほしい。

▽青写真ができた段階でなければ募金活動は展開できない。

▽スペース買取り方式の際、維持管理の方法を具体的に示してほしい。

▽クラブ員の力で建てるのは根本理念であるが、指導機関や大企業のバックアップも必要であり、また行政との関連性をもう少し持てないものだろうか。

また、各県連で交わされた意見は、次のとおりである。

▽総会で一戸建ての会館からスペース買取り方式への移行が決議されたが、あくまでも一戸建てで進めていくべきである。

▽土地や資金など各面から検討した結果、一戸建てが無理であるとの判断からスペース買取り方式への変更が機関決定された以上、いま再び一戸建てについて論じ合う必要はない。

▽会館建設後の管理、運営についての具体案が出ていない。

▽全協が示している各県連の募金目標額は、急激なクラブ員の減少でその達成は難しい。

▽全協執行部を批判するよりも、みんなで自分たちの組織を盛り上げ、またブロック内の意見交換を図り、ブロックの意思統一が必要ではないのか。

これら各県連の意見や要望に対して全協執行部からは、①スペース買取りになってもクラブ員の総力の結集に変りはなく、一戸建てのイメージを受け継いだものと考えている②家の光会館の改築についての青写真作成が家の光協会の方で遅れており、全協執行部としても家の光協会から具体的なスペースなどが示された段階で早急に青写真を提示する③各県連で進めた募金は早急に送金してほしい。それが他県連に対するリーダーシップを発揮することになる④今は課題設定の段階だという意見が出たが、現在は募金という実践活動の段階である⑤募金目標や構想の提示など種々の要望に対して応えてきたが、条件ばかりつけて一向に資金が集められていない。お互いに前向きになって考えてほしい⑥募金活動が長びくことは確かに不利であるが、実際に募金活動に入ったのは、さる四十三年十二月からである。その後募金額が上昇しているので、さらにクラブ員への呼びかけをしてほしい――という説明があった。

以上のやりとりから強く感じられることは、まず、まだ十分に各県連の意思が統一されていないことである。たとえば、スペース買取り方式への移行は不動の既成事実であるとはいえ、一戸建ての会館建設を要望する声が根強く残っていることだ。これは組織としての問題にも関連してくる。

次に、各種の要望や意見と募金活動がどう結びつくのかという疑問。そしてさらに重大なことは、全県連が足並みを揃えて募金額を伸ばすにはどうすれば良いかという方法論である。

今回の会議では、青写真などについて新たな情報があるものと思われるが、これらの点について十分に審議してほしいものである。

涼風暖風

秘書官への失言

先日、大失態を演じた。事の成りゆきは大臣からの酒の御下賜品に始まる。労をねぎらって、大臣が皆で楽しくやって欲しいと酒肴を下さったわけである。みんな感激した。

翌日、みんなの喜びを秘書官に伝えたが、表現に失敗した。「秘書官、昨日はありがとうございました。みんな感激し、酒の味は変っていないが、お心くばりに勇気百倍、すばらしい仕事をしようとファイトをかきたてました」―秘書官が変な顔をしていた。

部屋へ帰ってその話をしたら、「それはまずいですね。酒の味が変っていない、といえば、変質していなかったということですよ」といわれてがく然とした。酒の味が変っていないという表現は、「大臣からの酒だといっても、中味は大蔵大臣承認のものであって、普通の酒と味が違っているわけではない。むしろ、大臣のお心配りにいたく感銘した」ということである。酒の味が変っていないと表現することは、感激の度合を正確に伝えたいためのウルトラCであった。結果はご覧のとおりで、再度「秘書官、ありがとうございました」という破目になってしまった。

最近、政治家の失言問題でにぎわった。失言の内容の是非については、私の立場からは何ともいえない。ただ、集団運営という技術的なことに限定していえば、失言は注意不足とともに、表現にアクセントをつけすぎて、集団内の共通理解枠をこえたときにおきる。味が変らない、といえば、共通理解枠の中では、変質していないということ。科学的にいえば「恩賜の煙草も市販の煙草も同一であるが、その背景にある精神的なものにおいて違う」ということを、「味は変っていないが」ということで表現すれば、それは集団内の共通理解枠をこえていることである。

話は変るが、NHKの連続テレビ小説、「繭子ひとり」も終りに近づいた。主演女優の繭子の演技には未完成のところもあるが、ばっちゃま、多々良とその妻、菊八、憲吾、菓子屋の主人夫婦、植木職の夫婦など、芸達者な人たちで人気を盛りあげている。それはともかくとして、先月の新聞で繭子が「私は芸をわかってもらおうとは考えない。観客は、むしろ私が教育するものと考えている」という意味のことを話していた。「繭子ひとり」のファンがカンカンにおこったことはいうまでもない。

二、三年前のこの番組で、森村桂の作品を放映したときも、番組が終る頃、主演女優が「私が演じた女は、私自身は大嫌いです」とやって、ひんしゅくを買ったことがある。番組の終る頃にこの種の発言をさせるのは、人気番組のイメージをこわし、次の番組に期待させるPR担当者の作戦かも知れないが、共通理解枠をこえていたことは事実。集団生活では、ウルトラCの表現には危険がつきまとうものである。

（文部省　伊藤）

本紙の購読料を改定

四月から装いも新たに

愛読者のみなさん、日本4H新聞をご購読いただき厚くお礼申し上げます。

ご承知の通り、本紙は、全国クラブ員の広報機関紙として活用され、全国各地の志を同じくする仲間の意見や情報交換の場として、また、クラブ員の貴重な体験や研究の成果をお互いに発表して研修し合い、相互の進歩発展に寄与するための貴重な広報媒体となることを目的としております。

ところで、近年、諸物価の高騰はみなさまのご承知のところでございますが、新聞発行費についても同様であり、印刷代、用紙代、発送料、人件費などの値上がりによって商業紙はじめ各業界紙や機関紙も相次いで、販売価格を度々改定してきております。

こういう情勢下にありながらも、本会では、その使命とする農村青少年活動の育成、援助という奉仕的な立場から、新聞発行費の高騰を一般事業費でカバーし本紙定価の値上げを極力避けてまいりました。しかし、それにも限界があり、これ以上現状を維持するときは、本会事業に支障をきたすところにきております。

つきましては、諸般の事情をご考慮のうえ、来る四月一日から本紙の定価を

一部三十五円、年間千二百円に改定するのやむなきに至りました。この値上げ幅については、諸物価の高騰と比較していただければ、ご納得ねがえることかと存じます。県連に対する助成（普及推進奨励金）制度も従来通り継続することとして、先きに開かれました全国県連会長会議においても同意されております。

また、今後ますます紙面の充実と刷新に努め、クラブ員の新聞として装いも新たに取り組むつもりでありますので、諸事情ご賢察のうえ、よろしくご了承下さいますようお願いいたします。

全国で普及運動を展開

農林省も指導と助言

さらに、全国クラブ員の広報媒体としての使命を達成するため、本年一月以来、全国4Hクラブ連絡協議会とともに、各県連の力強いご支援のもとに購読者の一大普及運動を展開しております。

この普及運動については、農林省（農政局普及部・普及教育課）におかれましても、農村青少年活動の推進上、諒とされ、いろいろとご指導ご助言をいただくことになりましたので、どうか全国クラブ員のみなさんも、この普及運動にあたたかいご支援を賜わりますよう重ねてお願い申し上げます。

社団法人日本4H協会

模擬青年議会も

全国青年農業者会議 事務局は大忙し

各県の会議

農林省など主催の「第十一回全国青年農業者会議」は、来月六日から東京のオリンピック記念青少年総合センターで開催される。その準備のため主催者側では、さる一日から港区新橋の全国農村青少年教育振興会内に事務所を設置して、各県から報告されてきた参加者のレポート、名簿の整理や資料作成などに当っている。

今年は、各県からの報告も早くかなり順調に運んでいるが、なにせ全国の資料ともなると莫大、連日追われっぱなしというところ。

なお、各県の会議の模様は次のとおりである。

北海道 〝実地農業の確立〟をテーマに、さる一月二十六、二十七の両日、札幌市の道赤れんが庁舎で開かれた。分科会は、農産、畜産、生活改善、グループ活動。

青森 さる一月二十七、二十八の両日、青森市の市民文化センターに県下のクラブ員約二百人が参加して開かれた。「出かせぎ問題」テーマの分科会も。

岩手 県内の農業青年のほか高校生、農村青少年指導員ら約千人が参加して一月二十五、二十六の両日、盛岡市内丸の県公会堂で「第五回農業新世代のつどい」が開かれた。実績発表、研究討議、パネルデスカッション、特別記念講演など。

山形 さる二日から四日まで天童市の青年の家で。板垣副知事や農村婦人問題研究家らを迎えて、優良農家の五人の体験談やクラブ員の意見発表などがあった。

鳥取 一月二十五、二十六の両日、米子市の皆生温泉会館で「冬のつどい」が開かれた。実績発表やパネル討議、分散会などで、若い根っ子の会会長・加藤日出男氏の講演も。

兵庫 さる五、六の両日、明石市の県高等学校野外活動センターで。講演、プロジェクト実績発表、分科会、野外レクリエーションなど。発表では経営の生産性向上だけでなく、今年は、時代の流れに取り残されないための〝仲間づくり〟や農業への決意も。

高知 一月二十六日、二十七の両日、香美郡野市町の県立青少年センターで。農村青年の発言、県庁、同農協中央会関係者をまじえての模擬農業青年議会、分科会、全体会などで、議会では流通問題に対処するため「総合情報センター」設置の要望も出ていた。

熊本県連女子部でも「機関紙」発行

【熊本県＝中川孝一連絡報道員発】熊本県農村青少年クラブ連絡協議会（会長　池田隆義君）の女子部（部長　園山信子さん）では、さる一月下旬に行なわれた県農村教育青年会議に合わせて、女子部の機関紙「クローバー」を発行した。

この機関紙発行は、昨年度の女子部長・佐村ハルミさんによって計画され、今年度に引き継がれたもので、女子部長会で具体化し県下の女子クラブ員から原稿を寄せてもらって作成した。内容はクラブ活動、4Hクラブについて、詩歌や体験記などバラエティに富んだもので六十頁にうまくまとめられている。

今回は第一回目の発行で、予算も少ないためガリ版刷りだが、園山部長が大奮闘、原稿募集から印刷に至るまですべて一人で行ない発行にこぎつけた。これによって今後、女子クラブ員の意識の高揚とともに、女子クラブ活動がいっそう活発になるものと期待されている。

大阪で七回目のグループ員大会開く

29日、府農林会館講堂で

【大阪】第七回大阪府農村青年婦人グループ員大会は、来る二十九日午前十時から大阪市の大阪府農林会館講堂で開催される。

心頭抜健

北京での歴史的な米中両国首脳の会談は、いよいよ核心に入り、連日長時間にわたって討議が続けられている。ニクソン大統領の訪中について触れなかった人民日報も、二十二日は一転して毛主席との会見を写真とともに一面トップに掲げ、中国の関心の大きさをみせた▼一方、ニクソン訪中に大きな関心を示している米国人の反応ぶりがわれわれにも伝わってくる。米大統領として初めてニクソン氏が北京入りしたときの模様は宇宙中継によって中国から初めてテレビ生放送された。しかし、初のアポロ打上げと同じような興奮で見守っていた人たちにとって、空港での出迎えは〝簡素でクール〟に映ったようだ▼詰めかける群衆も、拍手も、メッセージも、赤いジュータンもない。このような歓迎式典は米国人の常識からいえばおよそ物足らず、一種の〝きびしさ〟を感じとったようである。だが、国交のない国の元首に国民的歓迎をしないのは当然で、中国側が派手なお祭り騒ぎではなく、率直な話し合いの場にしようと意図していたと受け取られている▼これにひきかえ、第一日から毛沢東主席とニクソン大統領の会見、周恩来首相の招待での同首相の演説などが「よきスタート」として歓迎されている。演説は、一九五五年以来一貫して米政府と話し合う用意がある態度をとってきたとして、両国民同士の交流、正常な国家関係の樹立を要望したものである▼毛主席との会談は、ニクソン大統領が同主席邸を訪問して行なわれたもので、哲学者毛沢東の書斎深くまでテレビの目が向けられた。最近亡くなったエドガー・スノー氏と七〇年十二月十八日に会見したとき、毛首席は「ニクソン大統領と話し合ってみたい」と述べたが、今回の米中会談が早く実現したのは、やはり毛主席自らの気持からだといわれる▼人民日報に掲載された写真と記事は、ニクソン大統領から手をさしのべる格好になっているが、「偉大な人民」同士の出合いは複雑。繰り返す〝カンペイ〟（乾杯）にも、いろいろの味があるに違いない。

明日へ新しい光

独自の経営めざすクラブ員

熊本県の青年会議 「青年の使命は良い結婚に」講演

【熊本県＝中川孝一通信報道員発】さる一月二十七日から三日間、県と県農村青少年クラブ連絡協議会（会長 池田隆義君）主催の第十二回県農村教育青年会議が国立阿蘇青年の家に県下の農村青少年約二百名が集まって開かれた。

全体討議 全体討議分科会の報告をもとに全員で熱心に討議した

一日目 暖冬とはいえ阿蘇高原の寒さに参加者は震えながら受付けをすませて、午後からの開会式にのぞんだ。

河津運営委員の開会あいさつ、松下県出納部長はじめ来賓多数のあいさつのあと、池田県連会長が「クラブ員の自覚をもってこの会議を有意義に進めよう」と呼びかけた。

午後二時四十五分から分科会。今年から野菜と畜産が細分化された九つの班で討議が行なわれた。夜に入ると冷え込みも一段と厳しくなったが、体育館で行なわれた前夜のつどいでは、阿蘇地方のクラブ員の指導のもとに歌やゲーム、出し物など、バラエティに富んだ内容で楽しく過ごした。

二日目は、昨日に続いて分科会討議が行なわれた。全国大会派遣者の予選もかねているためか、参加者のまなざしは真剣、意見の交流も活発であった。

続いて熊本日日新聞社・岩下雄二論説委員の「青年の使命」と題する講演が行なわれた。"青年の使命は良き結婚をすること"という話は大変ユーモラスで有意義。クラブ員は興味深げに耳を傾けていた。午後は再び分科会に入り、お互いの悩みや問題などについて語り合った。

夜は、各地区連（県で十一）ごとの交歓会。一時間半にわたって語り合ったが、どの分科会でも恋愛や結婚の話題が中心で楽しい交歓会となった。その後の自由時間も食堂で菓子や果物を囲んで親しくなった人たち同士で楽しく過ごした。

三日目 前日まで行なわれた分科会のまとめとして全体討議が開かれ、分科会報告のあと質疑応答がかわされた。とくに共販、貿易の自由化、協業化などの問題がとり上げられた。

閉会式は、日永県農政部次長のあいさつのあと三月六日から東京で開かれる第十一回全国農業者会議の参加者が選ばれた。

なお、会議を通じて感じられたことは、最近の厳しい農業情勢の中にありながら独自の経営を確立しようと努力しているクラブ員が大勢いるということで、今後の農業の"新しい光"となるものと思われる。

畦道

同情という名の電車

"欲望"という名の電車に乗って、ブランチ・デュボラはニューオーリンズにやってくる。その欲望は嘘、自惚れ、虚栄心によって飾られ、ブランチはまるで顔に白粉を塗るように、それらを心に塗りたくる。彼女はいう。"真実なんて大嫌い。魔法がいいんですよ……あかりをつけないで!"

テネシー・ウィリアムズの戯曲"欲望という名の電車"には、やがて身を滅ぼしていく女の哀しさが描かれている。たとえそれが優雅なものへの憧れや、醜い現実を美しく飾ろうとする哀しい欲求であったとしても、ひとたび虚飾のハズミで回転した車輪はもう自らの手で停めることはできない。"欲望"という名の電車は、現実によってブランチの虚飾が剥ぎとられたあともひたすらに暴走する。愛する男からは逃げられ、ブランチ自身も瘋癲病院へと送られ去れていってしまう。

ことは"欲望"だけの問題ではない。私たちが他人に対して抱く"哀れみ"や"同情"の感情は、ともすると一人よがりに走りださないともかぎらない。公害病や未だ原爆病で苦しんでいる人たちに向って、"おかわいそうに"と哀れみの言葉をいくら口でいったとしても、それは決して自分と彼らとを結びつけはしない。同情は逆に彼らとの距離を広げるだけだろう。もし私たちが単なる同情や署名や寄付などによって彼らと同じ地平に立ったのだと錯覚するならば、それは虚飾によって空転する欲望と同じく相手とは無関係に暴走するだけだ。外部から拒絶されやすい欲望とは違って、同情はより曖昧に無責任な偏見を覆い隠す。

身勝手な欲望や、うわべだけの同情は、同じ電車の二つの呼び名である。それはどちらも相手を傷つけ、どちらも自分を傷つけない。そしてひとたび動きだしたら暴走するのだ。【宇】

女子クラブ員は"こう考える"

山口県連で「意識調査」

プロポーズOKよ 両親を尊敬している

【山口】女子クラブ員は結婚や異性との交際などをどう考えているか――山口県農村青少年クラブ連絡協議会（会長 松尾耕助君）は、さる十一、十二日の両日、防府市牟礼の県農業技術研修所で開いた「女子クラブ員のつどい」で意識調査をした。

このアンケート調査は二十四名（うち既婚者三名）の女性に対して行なわれたもので、二十五項目からなっている。このアンケートを私たちが参考とする場合、前もって頭に入れておかなければならないことがある。それはアンケートに答えてくれた女性が農村女性で、しかも4Hクラブ員であることである。だから当然アンケートの回答は、一般の女性をランダム（無差別）に抽出して得られた回答とは異ってくるであろうし、この回答がそのまま女性一般の意識を代表するものとはいえないであろう。しかし、農村に生き、明日の農業を真剣に考えている女性から下されたこの回答は、逆にいえば農村女性が抱く恋愛や結婚についてのモラルや価値観を、他人事ではなくもっとも真しに語ってくれるであろう。

意識調査の結果

一、あなたは婿を迎える立場ですか
▽はい 十二名
▽いいえ 十一名
▽どちらでもいい 一名

一、結婚するときは見合いまたは恋愛ですか
▽見合い 八名
▽恋愛 十四名
▽わからない 一名

一、現在結婚を考えて付き合っている相手がいますか
▽いる 十二名
▽いない 七名
▽無回答 五名

一、失恋の経験がありますか
▽ある 十五名
▽いない 五名
▽無回答 四名

一、付き合っている相手の人を家族の人に紹介しますか
▽する 二十一名
▽しない 三名

一、恋愛についての悩みを誰に話しますか
▽友達 十五名
▽親 三名
▽姉妹 六名
▽その他 一名

一、相手の職業は何がいいですか
▽農業 十名
▽サラリーマン 二名
▽好きなら何でも 六名
▽その他 六名

一、相手の学歴にこだわりますか
▽こだわる 五名
▽こだわらない 十九名

一、男子交際で性の関係は必要と思いますか
▽思う 十一名
▽思わない 十名
▽わからない 二名

一、交際する場合に相手の容姿にこだわりますか
▽こだわる 五名
▽こだわらない 十九名

一、相手の家族と同居することを望みますか
▽望む 十四名
▽望まない 七名
▽わからない 三名

一、友達として付き合う場合に男性と女性のどちらがいいですか
▽男性 五名
▽女性 十八名
▽わからない 一名

一、男性との友情は成立すると思いますか
▽思う 十名
▽思わない 十一名
▽わからない 三名

一、ボーイフレンドと恋人を区別しますか
▽区別する 七名
▽区別しない 二名
▽わからない 十五名

一、恋愛と結婚は結びつくと思いますか
▽思う 十名
▽思わない 十一名
▽わからない 三名

一、見合いの経験がありますか
▽ある 十一名
▽なし 十一名
▽無回答 二名

一、結婚したら子供が早くほしいですか
▽早くほしい 十名
▽あまり早くはしくない 十二名
▽その他 一名

一、今までに結婚を考えた人と別れたことがありますか
▽ある 九名
▽なし 十三名
▽わからない 三名

一、流行を気にしますか
▽する 九名
▽しない 十二名
▽わからない 三名

一、花嫁修業として何か習っていますか
▽花 五名
▽茶 二名
▽その他 二名
▽習っていない 十五名

一、女性からのプロポーズをどう思いますか
▽よい 十名
▽よくない 三名
▽どちらでも 四名
▽わからない 四名

一、両親を尊敬していますか
▽尊敬している 十六名
▽尊敬していない 五名
▽別に考えない 三名

一、お嫁にいくなら長男と長男以外のどちらがいいですか
▽長男 八名
▽それ以外 二名
▽こだわらない 五名
▽無回答 七名

"嫁にも仕事させる"

大いにわいた初の「パネル討議」

クラブ対抗で発表 プロジェクト

飛田4Hクラブ大会 夫婦、農高生迎えて

【岐阜県＝中野俊一通信報道員発】飛騨4Hクラブ連絡協議会（会長 築山和夫君）では、今年度一年間の総仕上げである4Hクラブ大会を、さる一月二十三日高山市上岡本町の飛騨総合庁舎で開いた。今年は昨年と内容を変え、単位クラブ対抗のプロジェクト発表を行なった。「どうなる今後の地域農業」と題して各クラブとも熱心に発表した結果、最優秀賞は高山久々野4Hクラブ、優秀賞は高山四ツ葉クラブ、丹生川4Hクラブが獲得した。午後は部門別分科会にひき続いて優秀農家を招いて（三夫婦）パネル討議を行ない、終始なごやかなムードであった。

例年なら真白の飛騨も、暖冬の今年は雪一つなく会場の飛騨総合庁舎に集まったクラブ員は薄着姿が目立ち春らしい大会となった。

築山会長、中田久男（高山四ツ葉クラブ）実行委員長のあいさつに続いて来賓として飛騨農業改良普及所の安江孝所長は「クラブ員の減少が4H活動の衰退とは思いません。飛騨の農業は君たち4Hクラブ員の力で改革してほしい」と励ましの言葉が述べられ、大会の幕が切って落された。当日は地元唯一の農業高校・斐太実業高校から農業科の生徒も出席し、大会議室は定員オーバーという盛況の中で生徒も真剣に聞き入っていた。

発表は、国府4Hクラブの船坂繁詳君をトップにスタート、切平政美君（久々野4Hク）道田正春（古川4Hク）田中利治（高山四ツ葉ク）津田幸太郎（丹生川4Hク）の順に行なわれた。各クラブとも実行委員会発足の九月頃から課題と取り組んできたこともあって、壁一面に張りめぐらした図表には細かな数字から各地域の地図まで描かれていた。そのため聞き手のクラブ員や生徒にも理解しやすく、また発表者も制限時間を超えるほどの熱の入れようだった。

各クラブとも情報の収集にはそれぞれ苦労の跡がうかがわれ、とくに地元や地域のことだけに五年から十年先を見越しての数字に天文学的な数字もみられ、興味をひいた。

午後は地元の指導的農家を招きそ菜、果樹、花、畜産、生活の五分科会に分かれ、農改普及所、飛騨高冷地試験場の関係者に助言をもらいながら一時間半にわたって討議した。

各分科会では、高校生も加わって自己紹介。彼らは「将来、ぼくもこの部門に入ってやって行きたい。大きいことをやってみたい」と若いだけに思い切った発言をしていた。それに三年生はあと一ヵ月余りで卒業ということもありクラブ員とともに楽しく語り合い、農業と真剣に取り組もうという姿勢がうかがわれた。

そ菜部門では、助言者として招いた農業、林正彦氏（同市江名子町）は、総合資金の借入れから三年間の経過について話され「農業も一つの企業という考えに基づいてやらなければならない。また、帳簿をつける必要性」を強調された。

フィナーレは期待のパネル討論。高山から招いた三組の夫婦とクラブ員二名が加わり「バラ色の人生を築くために」と題して二時間にわたって参加者が一つとなって語り合った。初めての討議形式でみんな少し戸惑っている様子だったが、夫婦のおのろけにクラブ員の顔もほころんでいた。

三夫婦とも4Hクラブのリーダーとして活躍されただけに、自分たちの4H時代と現在の生活をうまくミックスしていた。と同時に仕事の中における夫婦の役割や家庭の模様まで披露され、クラブ員はあてられどうし。ときどき夫婦の間で意見がくい違ったり、ピッタリ意気が投合したりで司会者も顔を赤らめての脱線ぶり。

討議の中で、嫁をもらったら①仕事をさせない②少し手伝ってもらう③二人でやっていく――という質問に対しては、二人でやっていくという答えが非常に多く、どうやら女性は嫁いでも仕事をしなければならないようだ。

最後に、斐太実業高校の浜（よなぶさ）教諭から講評してもらった。

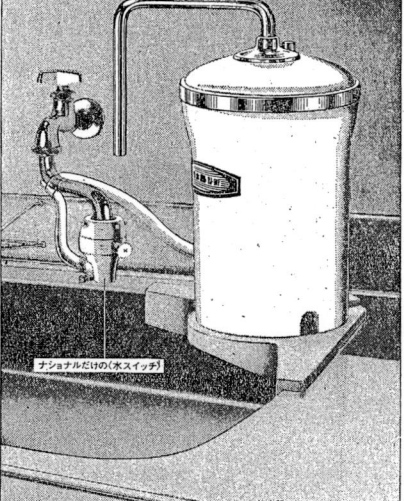

女性の保健を聞く女子クラブ員

「性」も取上げる

山梨のクラブ員研修 七宝焼を楽しむ

【山梨県＝相川三幸通信報道員発】山梨県4Hクラブ連絡協議会（会長 飯島晶由君）は、さる一月二十二、二十三の両日、甲府市岩窪町の県立青年の家にクラブ員男女五十余名を集めて「クラブ員研修会」を開いた。これは、これまでの「女子研修会」の名称を改め「クラブ員研修」として多くのクラブ員に参加してもらい、それぞれが一人の人間として自からをみつめると同時に、相互に人間関係を深めてもらおうと生活部が主体に企画、運営を行なった。

まず、甲府市保健所の望月栄子普及係長を迎えて「青年期女性の保健について」と題する講話を聞いた。同係長は話しを始めるに当って、性教育のあり方が問われているさいきんの風潮から性の問題を主体的に話された。性についてマスコミ以外には知る機会の少ないクラブ員は大担な性の説明や結婚についての注意などに顔を赤らめながら真剣に聞き入っていた。

夕食後は、みんなで思い出をつくろうと、「七宝焼」の専門家の説明を聞きながらブローチやネクタイピンを焼き上げていた。

二日目。二日酔い?の頭をかかえながら朝のつどいに出る男子クラブ員が二～三人。ジュースを飲みながら前日、夜遅くまで討論していたのがたたったらしい。八時半からはレクリエーションで、新しいリズムのダンスやゲームなどで楽しく過ごした。

十時からは講演。「おつき合いとマナー」と題して、家庭裁判所調停委員・上床富氏の話しを聞いた。内容は問題から少しかけ離れたが、長い人生の経験と調停委員という立場から若者の生き方などについて説かれた。

戦争を知らない若者、戦後の貧しさ、苦しさを知らない若者、親の尊さを考えない若者、物質文明の中に育った若者、国民は、そうした中で生きる若者の未来を「不安」と受けとめ、日本の将来が心配されると訴えられた。これには私たちクラブ員に深く考えさせられた面もあったが、話しの中に大きなゼネレーション（世代）の相違が感じとれた。午後から分科会に分れて話し合いを行なった。

お久しぶりですネ

台湾の草の根大使 李君ひょっこり来局

李君

国際農村青年交換計画に基づく交換生として六年前（四十一年度）日本4H協会の招きで来日、約二ヵ月間にわたって各地の農家で生活した台湾代表の李義郎君が、さる十七日、ひょっこりと東京・新宿区市ケ谷の4H協会事務局を訪れた。

李君は、現在、会社に勤務していて、その用事で来日したついでに立ち寄ったもの。すでに二児の父親となっており、当時よりかなりふけてみえる。

李君は「しばらくぶりです。あの時は大変お世話になりました。できれば、自分を受入れてくれた農家を訪問しお礼をいいたい」と顔をほころばせていた。

米国で半年間生活

男女各一名を派遣 農業実習と親善に

社団法人日本4H協会（会長 宮城孝治氏）は、国際農村青年交換（IFYE）計画に基づいて四十七年度もアメリカへ4Hクラブ員代表の男女各一名ずつを派遣することになり、その希望者を広く全国から募集している。この交換事業は、日米両国が相互に4Hクラブ員を派遣、クラブ員は受入れ国の農家の一子弟として生活、農業技術や農家生活、風俗、4Hクラブ活動などを学ぶとともに、4Hクラブ員を中心とする地域の人たちと交歓して自国のそれらについても紹介、両国の相互理解と親善に寄与するもの。農業実習だけでなく、地域の中に深く根を張った民間外交官的な役割を果すため、別名「草の根大使」と呼ばれている。今年度で十九回目の派遣。

実施と応募要領は次のとおりで多くのクラブ員の応募を望んでいる。

一、実施機関
▽派遣機関 社団法人日本4H協会
▽派遣先合国の受入れ機関 アメリカナショナル4Hクラブ財団

一、派遣の時期と期間
六月中旬から約六ヵ月間

一、派遣される者の資格
（一）現在、4Hクラブ員であって、これまでに三ヵ年以上4Hクラブ活動（学校農業クラブ活動も含む）の経歴があり、プロジェクト活動の実績をもつ者
（二）年齢は、来る四月一日現在、満二十歳以上～二十三歳までの未婚の者
（三）健康で人柄などがこの派遣にふさわしい者
（四）中学校卒業程度の英語を習得している者
（五）帰国後も4Hクラブ員として組織活動に参加し、積極的に4Hクラブの伸展に協力する者

一、派遣される者の選び方
派遣される者は、第一次、第二次の審査を経て選ばれる。
（一）第一次審査
第一次審査は書類審査とし、三月下旬に完了の見込み。審査を受ける者は、これに必要な次の書類を三月二十日までに道府県担当課長を通じて4H協会に提出するものとする。
①履歴書（自筆のもの） 一通
②戸籍謄本 一通
③健康診断書 一通
④写真（三ヵ月以内に撮影した無帽正面半身のタテ・ヨコ5cmの背景白、無台紙のもの） 三葉
⑤両親またはそれに代る者の同意書 一通
⑥クラブ歴の明細書 一通
⑦知事の推せん状 一通
⑧派遣を希望する理由書（八百字程度） 一通
（二）第二次審査
第二次審査は、第一次審査の合格者について行ない、作文、英語および面接試験とし、四月下旬に実施の予定。

一、派遣される者の研修
派遣される者は、出発前約五日間の事前研修を受ける。

一、派遣に要する経費
（一）日本とアメリカとの往復旅費は4H協会で負担する。
（二）アメリカでの経費は、派遣される者の個人経費（自由時間の見学費、帰国に際してのみやげ物購入費など）を除いて、いっさいアメリカの受入れ機関で負担する。
（三）派遣される者は、出発前の研修費、諸手続き費などの一部として4H協会に三万円、また国際農村青年交換日本協議会の入会金として一万円を同協議会にそれぞれ納入する。

募集 草の根大使

――日本4H協会

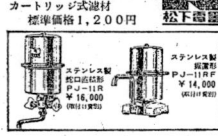

ぼくは豚が大好き

仔豚は精肉出荷へ 3年後

新潟・小出地区農村青少年クラブ　星野正勝

ぼくがほんとうに養豚家として生きてゆこうと考え始めたのは高校時代のことだった。

ぼくの家では十年ぐらい前から豚を飼育していたが、豚舎などという立派なものはなく、おんぼろ豚小屋の零細養豚の一つだった。田畑もあわせて七反そこそこで、農業だけでは生活できない状態におかれ、父はなんとか豚をふやし、養豚だけで生活できるようにしたいと六年前に豚舎をつくり、種豚十頭前後の一貫経営を始めた。

しかし、ぼくが卒業して養豚をやることになると、とても現在の規模ではやってゆけず、かといって少しなりとも養豚という基盤がある以上、それを生かしてゆかなければならないと思った。将来性の大きい部門のひとつであることは確かなことで、また、ぼくは豚が大好きだし、自分の性格に合っているような気もしたからだ。

しかし、学校を卒業してすぐにはやってゆく自信がなく、両親を説得して一年間養豚の先進地へ研修にいくことにした。その研修が無駄にならないように出発する前にある種豚の目標をつくり、やれるところまで自分なりに学んで帰ろうと意気込んでいた。養豚技術も重要だが、それよりもまず経営が基本になるから経営のやり方を重点にと思い、卒業の春、神奈川にある研修先へと出発したのだった。

いざ行ってみると、あまりにも規模が大きすぎて雲をつかむような気持だった。最初のうちはとまどってしまい、ただ与えられた仕事をやり、時間がくればやめ、あとは寝るのが精一杯という毎日だった。出発前の意気込みなどまったく忘れかけてしまい、一日過ぎるごとに不安になる一方だった。

ぼくの研修先はまさに大企業的養豚経営で、株式会社の形をとり、従業員が三十名ぐらい。六ヵ所の分場をもち、種豚三千、肉豚一万二千頭で、仔豚生産から肉の販売までの一貫経営を行なっており、予想を数倍も上回るすばらしい経営状態だった。

ようやく研修生活に慣れてはみたものの、ぼくの不安はつのる一方だった。しかし、頭数の多少に変わりはあっても、豚を育てる基本はひとつであり、豚から利益を得ることは同じだから、学ぶべきところは無数にあるように思われた。それを自分なりにできるだけ多く吸収して、将来の自分の養豚経営に生かしてゆこうと努力したのだった。

そんなことを考えているうちに一年間は過ぎた。ぼくはその研修をもとにこれからの自分の経営方針を考えた。まず一番有利な方法として、雇用しないで家内でできる最大の規模で行ない、経営状態を明確に把握できるように毎月タナ卸を行なうことを考えた。また多頭飼育ばかりが道ではなく、土地、環境条件などに適した規模で行なうことが、うまく経営をしてゆくには必要であることを実感した。

ぼくはこれをもとに、三年後にはこの目標にあった種豚五十頭の一貫経営をやってゆく計画をたて、研修終了後すぐに種豚舎を建てるつもりで豚舎を設計し、近代化資金借入れの手続を進めた。

また、現在飼育している豚では市場に出してもたたかれるのは明らかなので、思いきって神奈川の実習先から更新豚、雄一頭と雌十頭を導入した。そして種豚舎も完成し、種豚五十頭の一貫経営をめざして第一段階に入りつつ努力を始めた。

現在は種豚二十五頭、肉豚百四十頭しか飼育していないが、今年の夏には種豚を五十頭にするために、さらに二十五頭を育成することを始め、仔豚生産に力を入れ、肉豚はいまある豚舎に飼えるだけ飼って、あまった仔豚は出荷する予定だ。三年後には第二段階として、自家生産仔豚は全部肉豚出荷したいと考えている。

養豚を実際に始めてから一年足らずであり、経験が浅くてなかなか思うようにはいかないが、しかし、養豚で生きようと決心した以上は、石にかじりついてでも自分なりにやってゆきたい。自分の選んだ養豚の道、ぼくは一生豚とともに人生を送れるよう、これからの長い道のりを生きてゆきたい。広い視野をもち、新しい技術などもどんどん吸収し、他の経営を真似するのではなく、自分にあった理想的な形を作るために努力してゆきたい。

山形県神明リンゴ産地に大被害

野その大群リンゴ園襲う

退治に力発揮する石灰窒素

減反で荒れた休耕地が増え、畑に出没する野そが異常繁殖している。とくにリンゴ園ではこの被害を多くうけている。以前はドリン剤の水溶液を木部に塗布する方法をとっていたが、一昨年農薬の使用制限で、ドリン剤が使用することができなくなったことは痛手であった。しかし、残留する危険な農薬にたよることはできないから、栽培者は野その駆除に別な方法をとらざるをえない。

被害地の一つである山形県神町の農業協同組合佐藤営農販売部長を訪れてその被害状況を聞いてみると、「被害面積などまだはっきりしたことはわからないが、しかし相当な地域にわたっていることは確実だ。神町にはリンゴ、桜桃、モモなどが三五〇㌶もあり、市街化現象と天適の減少などが野その異常繁殖を助長したようだ」と説明していた。

その被害金額は数千万円にも及ぶものと推定され、対策が急がれている。若木は根もとから食い荒らされる。成木は地ぎわ上部の皮部がやられ、廃木や木の生長障害の原因となってリンゴの収量が著しく低下してしまう。

野そに荒されたリンゴ園

大きい野そは子猫ぐらい

山形県東根市神町の矢萩良蔵氏は、野その防除をこう語る。

「野そは二、三年前から急に増えだし、今頃ではもう手に負えないまでのあばれようで、どこのリンゴ園でも野そ退治には一苦労だ。野そは積雪期の二月頃、エサを求めて集中的にリンゴ畑に群がってくる。大きいのは子ネコぐらいのものがいる」

矢萩氏の石灰窒素使用歴は古い。三十二年頃に石灰窒素の肥効効果とハコベに対する除草の目的で使いだした。すなわち石灰窒素の肥効と除草効果をねらう。

リンゴ園の元肥は十一月中旬に一〇㌃当り石灰窒素七五㌔を草生の上から全面散布する。骨粉と油かすを使って地力培養につとめる。春肥はリンゴの品質を悪くするので秋口に施すのが一般的なやり方であるという。

「はじめ野そ退治にはドリン剤と石灰窒素を併用していたのだが、ドリン剤が使用禁止になったので、昨年は石灰窒素だけで処理した。そして、その効果の高いことにおどろいたわけだ」

強い臭気が忌避剤になる

「私のリンゴ園では野その被害があまりみられない。それというのも石灰窒素の臭気が強力に残り、そのため野そが寄りつかないのだ。つまり石灰窒素は忌避剤としての効果があり、一石二鳥といえる」

もとより石灰窒素は、虫かごに入れて果樹園の鳥害防止にブドウ棚に下げたり、また山林、畑のモグラに対する忌避剤として使われている多くの事例がある。「花壇のモグラ退治」に石灰窒素を土の中へ混ぜ合わしておくと、モグラがひどい臭気のために寄りつかなくなる、ということも、昨年十二月二十日の朝日新聞に書かれてあった。

リンゴ樹皮がかじられると生育にどう響くか。村山農業改良普及所の今野技術普及課長、渡辺技師、村岡技師の意見を綜合してみると、「野そはエサを求めて積雪下の穴洞で行動しやすい。木の皮が食われると栄養分の通路である導管の破壊によって、炭水化物（澱粉・セルローズ）が上から下へ流通しなくなり、また根からの肥料養分も[illegible]行できなくなる。被害の程度にもよるが、それは発育や木の[illegible]育にも影響し、果実もつかなくなる」ということである。

石灰窒素は窒素肥料であり、雑草をとり除き、また病害虫防除もできる農薬でもある。忌避剤としての効果は、石灰窒素のアンモニアとアセチレンガスなどの複合ガスによる効果と考えられているが、その正体はまだ明らかにされてはいない。いずれにせよ、一つの肥料がこのように多目的な効果を発揮するということは注目に価するといってよいだろう。

（日本石灰窒素工業会・[illegible]誠之介氏寄稿）

米価に不満はない

富山市浜黒崎　関野群輝

現在の米価について私は不満ではない。これまでの米価値上げ運動は全農民を一律化し、自分の首を締めることとなっただろう。それはただ生産性を低下させることになると思う。私はそれらの農家を吸収し、十分農家を実現したいと考えている。

そしてそれは、国際状勢に耐えることのできる資本家としての農業経営者を育成する道ではないか、と思う。―あとは、いえない。

プロジェクトと経営

地域に強い影響力

バインダーの共同利用

福島・大平4Hクラブ　武藤義康

私たち大平4Hクラブでは、複合経営の過剰投資の防止と稲作の省力化、また農業の近代化に不可欠な農民（クラブ員）の共同精神の高揚と、クラブ員と地域社会の緊密性を図ることを目的として、昨年から単位クラブでバインダーを二台購入して共同利用を行なっている。

計画に際して問題となったのは購入資金の調達、バインダー運用上の責任の所在、親の同意をどう得るかなどであったが、まず購入資金の調達は、組合員一人当り一万円の出資と貸金代金、農協からの借入とローンの利用などで解決した。バインダー運用上の責任の所在は、バインダー使用日誌の作成、管理センターをつくって会員との連絡を密接に行ない、五日に一度の会合をもつことによって解決した。また親の同意は、バインダー利用計画書などをもちよることによって、親達との会合が多くなり、親子のコミュニケーションを深めるのに役立った。

機種の選定は、土地条件、クラブ員数、価格、農協との関係などを考慮し、一条刈りと二条刈りの二台を農協から購入した。

刈取り実績を具体的に示すと、刈取り面積七・八一㌶、運転延べ日数三十四日、運転時間二百十六時間、総労働六十八人、一時間当りの能力七・一四㌃であった。

共同利用がクラブ員および地域社会に与えた影響は、まず第一に地域社会での存在価値が高まり、その後の活動にも理解が深まり、クラブ活動そのものも活発になったことがあげられる。第二にクラブ員相互の連帯感、親睦がより深まったこと、第三に共同利用の必要性、可能性が再認識されたことであった。

だが反省もなかったわけではない。大平地区の水田の零細性（規模的・地形的）のため、機械本来の機能が発揮できなかったことや、クラブ員の機械に対する不慣れなどがそれである。そのため次年度からは、刈取り場所の事前調査や機械センターオペレーターによる再講習を実施することにした。

まだまだ経験の浅い私たちであるが、初年度の成果を生かし、今後は刈取り能力をより円滑にするため、栽植方法やミゾの切り方などの水田管理と、バインダー運転者への労力配分を考慮してこの共同利用に組りくんでいきたいと思う。

結婚を考える ▶5◀ 〈上〉

こころ

山口県・柳熊農村青少年クラブ生活部

ほろ馬車にゆられて嫁入り……

辛い姑の仕打ち

私が結婚いたしましたのは戦争中でしたので、食糧物資も不足しきっていました。花嫁道具を探し求めてもなかなか手に入らず、衣類も切符制度で思うように買えず、いまのように自動車もなく、ほろ馬車に揺られて嫁いでゆきました。仲人にすすめられるまま、あまり詳しいことも知らずにまいりました。姑、それに夫の兄弟が八人という大家族で、そのうち五人はすでに嫁いでいましたが、まだ妹が二人、弟が一人おりました。

結婚式がすむと、もうあくる日からモンペ掛けで野良仕事です。朝から晩まで一生懸命、人一倍働きました。戦争中なのでお米もお芋も供出です。食糧も不足し、七人家族の食事の仕度はほんとうに大変でした。芋の茎や家畜の飼料にするような大豆を食べていました。

そんな生活のなかにあって、姑や小姑への気がねは大変辛いものでした。夫よりはまず姑や小姑の世話に一生懸命です。姑や小姑はあまり仕事をしないでいつも何かひそひそと話したり、また聞こえよがしに悪口をいわれたりするのがとても悲しいことでした。短気でわがままな姑は、考えなしのことをいっては私を毎日責めて、その言葉に私は身もほそる思いでした。花嫁道具がお粗末とか、衣類が足りないとか、買うにも買えない時期とわかっていながら責められるのです。どんなに肩身の狭い思いをしたことでしょう。

姑は頭が痛いといっては何日も寝て食事を運ばせたり、肩をなでさせたり……看病と野良仕事の毎日。私は一生懸命真心をこめて優しくつくしてあげました。でも、私が疲れをだして一日でも寝ようものならそれこそ大変です。「私の子どもには嫁にいっても病気をする者はいない。つまりもせん。弱虫だ。里にでも帰って治してもらうがいい」と看病どころではありません。それどころか口ぎたなく罵られ、あまりの冷たい言葉に幾度泣いたことでしょうか。

またお産をしましたときも姑は「私はお産をしても三日と寝たことがない」とか、「食事の仕度がしてない」とか、「子どもを産むな」とかいろいろ気にさわるようなことばかり耳に入ってきますので、起きて洗濯、掃除などをしていましたら、お産婆さんに「誰がなんといっても産後の回復するまでは決して起きてはいけない」と注意されたこともありました。でも結局は熱がでたり、血の道があがりなんとも苦しい連続でした。

いまから嫁がれる皆さん、産後だけは誰がなんといおうと無理をしないように。また、どんな言葉も気にしないで強くなってください。強くなっていただきたいと思います。

暇さえあれば近所へ出かけて嫁の悪口をいいふらす姑、二言目には自分の娘の自慢をしては私をなじり、子どもを叱り、夫婦の楽しい生活などありませんでした。一日でもいい！のんびり寝てみたいと幾度思ったことでしょう。働くこともできないほどの辛いことに、いまでも涙がでます。それでも一度も口答えをせず、これもみな嫁の義務だと思い、ただただ耐え、仕事も一生懸命に働き、姑、小姑には優しくつくしてまいりました。

頭が痛い農家

美濃　暖冬で野菜は伸び放題

【岐阜】ことしは暖冬異変で野菜の生育が良く、価格が暴落しているが、県下の野菜どころとして知られる美濃市中有知の農家では、ホウレンソウが伸び放題。市場価格も昨年の二十分の一と安いために、手間賃にもならないと、たい肥にしたり、植えたまま耕運機で耕す農家がふえている。

地元の武儀農業改良普及所や市農林課では、この状態では四月ごろに不足し、高値をよぶとみて種まきをすすめているが、各農家では、すでに夏野菜の準備に追われており、頭を痛めている。

NHK農事番組（3月1〜10日）

テレビ

明るい農村　6・30〜6・55　総合
1日　産地往来「ジャム」
2日　話題の広場「山村をひらく」
3日　村をむすぶ「大阪、佐賀、松山、東京」
4日　農村新地図「宮城県鳴子町」
5日　明るい漁村
6日　村の記録「工場倒産その後」〜島根県掛合町〜
7日　きょうの話題
8日　産物往来「たまご」
9日　話題の広場「うまい牛肉をつくる」「ホテイアオイでし尿処理」
10日　村をむすぶ「仙台、静岡、広島、東京」

農業教室　7・30〜8・00　教育
2〜4日　牛肉の肥育技術　大川忠男（全国肉用牛協会）
6〜8日　ブロイラー生産の展望　藤岡勝次（中央畜産会）
9〜11日　果樹園の土壌改良　大野俊男（山梨県果樹試験場長）

あすの村づくり
日　7・00〜8・00　教育
再　土　13・00〜14・00　教育
5日「グループだより」〜静岡県引佐町〜鉢物研究グル[illegible]「青年像」〜渡辺省吾（[illegible]庫県多紀郡丹南町

ラジオ

早起き鳥　5・41〜5・57　❶
1日　出稼ぎ先へ移動農協〜弘前農協
2日　タケノコの周年栽培[illegible]府農業試験場（大和田正[illegible]
3日　スタートした農業経[illegible]制度〜神奈川県
4日　生活改善車"そよか[illegible]
5日　ジュース攻防戦（[illegible]
6日　山村の花嫁銀行〜香[illegible]上町
7日　減反から生れた逆[illegible]鳥栖市

こんなことをしています

各種農業団体

全国共済農業協同組合連合会

考える農業へ

最優秀賞に田中さん

第3回の生活設計作文コンクール

農協の共済では、全国の系統組織をあげて、農家組合員の生活安定としあわせを願い、将来の生活にゆとりと繁栄をもたらすための生活設計を普及する運動を全国的に展開しています。

その一環として開催された第三回農協共済生活設計作文コンクールの最優秀賞などを決定する最終審査会が去る一日、全共連ビルで開かれました。全国からこのコンクールに応募された作品は、四十八点と量としては少々さびしかったものの、内容的には相当レベルが高く、各審査員は頭をひねることしきりの状態でした。選考にあたり、文章の表現力はもちろん、将来の生活設計に農協の共済がどのように生かされているか、その結果、着実な生活が営まれているかなども考慮されました。

この作品に登場している農家は、単に馬車馬のように肉体だけを酷使するのではなく、生活に、営農に、農協の共済を活用し、人間性豊かな"考える農業"に専心しようとする心意気が随所ににじみ出ていたことは印象的でした。入選した八点はいずれも気候風土に恵まれ、大消費地に接した太平洋岸の農家であったことは偶然の結果とはいえ注目すべきことでしょ[illegible]

最優秀賞に選ばれた京都[illegible]中ふき子さんの作品には、農村の人の持つ合理性と、[illegible]がまん強いねばりとをあわせもつことで、見事な生活設計[illegible]て、実行していることが鮮[illegible]に描かれていました。

特に農協の共済―近代の[illegible]主義から生まれた協同制度[illegible]活用し、掛金の捻出は農業[illegible]し進める基礎の中に位置づ[illegible]しかも養豚と果樹栽培を組[illegible]補い合う方向で結びつけ[illegible]

全国販売農業協同組合連合会

暖冬で軒並み安い

―品質管理に万全を―

生鮮食品

昨年暮いらいの暖冬で生鮮食品が全体に大きく値下りしています。潤沢な出回りが最大の原因といわれますが、そういうときほど品質管理に万全を期して、市況の立て直しを早めたいものです。

《野菜》暖冬で生育がはやまり、出回りが潤沢なため、昨年暮から値上りしていたレタスをはじめ、全体に大きく値下りしています。

東京市場における入荷量と価格を、おもな品目について前年と比較してみると、ざっとつぎのようになっています。（いずれも二月中旬）カッコ内は入荷量

ダイコン三九%（九五%）
ハクサイ三一%（一一四%）
キャベツ一五%（一二七%）
ホウレンソウ四五%（九三%）
ネギ二九%（一〇七%）
トマト六四%（一五五%）
キュウリ一一一%（八八%）
タマネギ六四%（八七%）

このように入荷量では前年に比べて、必らずしも多くないものでも、値段は概ね昨年の水準を下回っており、わずかにキュウリ、ゴボウ、ジャガイモが前年同期より一割高、ナマシイタケが前年並み、その他は概ね半値以下になっています。

《クダモノ》ミカンの入荷は昨年より少な目なのに、値段は概ね昨年並み、その他の[illegible]ん類も全体に安く、リンゴ[illegible]部に昨年よりやや高目の[illegible]あるほか、イチゴも大体[illegible]みです。とくに温州ミカン[illegible]量はともかく、暖冬による[illegible]の低下で値下りしている[illegible]伺え、貯蔵品の品質管理[illegible]にしてもらうよう、市場[illegible]のぞんでいます。

《肉》ブロイラーが[illegible]から引き続き安値となって[illegible]すが、とくに正月以降値[illegible]ひどく、年明けから二月[illegible]

いちご研修に 新潟のクラブ員

[illegible]

交通遺児に愛の寄金 布施町4Hクラブ

[illegible]

待って!!
ちょっとジョア飲んでから…
いざというときの力を左右するのは日頃のスタミナ。スタミナを決めるのはジョア。大らずに栄養が身につくジョアはまさに現代人にピッタリ。さわやかな風味に加えて高タンパク含有、特殊乳酸菌もたっぷり。毎日お続けください。
ヤクルト
Joie
ジョア

負けてたまるか!

岐阜県・丹生川4Hクラブ　津田幸太郎

ぼくは、幸か不幸か、農家の長男として生まれた。いまだ二十二歳になっても、親のすねかじり。理想論だの、理屈だけはこねるようになったが、いまだになんで生活を立てていくのかわからない。

ぼくはどうして長野へ行ったのか?三ヵ月も……。三ヵ月も土方をやればいい金になるのにと自分自身に問いつめる。わからない。

しかし、なにか希望があったはずだ。希望?希望!そうだ、減反というショックのなかでうろたえている現在、減反から楽しいものをひきだすには、田畑転換で、以前より収入をあげている先進地へ行って、やってみることだ。そう思ったからだ。

松本のUさんは、田畑転換をして十年になるという。ぼくの行った六月一日、すでに露地トマトは三段目までが着果していて、誘引するところだった。セロリー、玉ねぎ、レッドキャベツ、カリフラワーなどが田んぼで大きくなっていた。ぼくが行ってからも、玉ねぎのあとへキューリ、トマトのあとへホーレン草、セロリーのあとへまたセロリーとつぎつぎと土地の回転をはかっていた。

ぼくは、もう夢中で働いたなあ。朝五時から夜遅い時は十時頃までと、それでも身体は調子が良くて八キロもふとった。今思えば不思議なくらいだ。やろうと思えばなんでもできる。気力しだいだ。

Uさんのまわりの人が野菜を作るようになったのは四、五年前からで、グループを作って農協出荷をはじめたのが三年前からだという。人がやってることをまねるのはできるが、自分で作りだすことはむずかしいものだ。ぼくにはそれができるのだろうか。わからない。

昨年の秋、早く降った雪で仕事がなくなり。やり始めたのが民芸品の台座作り。内職のつもりが三月になり、野菜の苗を作るときになっても、やらなきゃならんだろう。二つとも始めてのものばかりで、ようりょうが悪く、うまくゆかん。それにこのところ、夜は青年の劇で遅くなり、今のぼくはただうろたえるばかりだ。

くそ、負けるものか。飛騨の冬はどうしたって農業は無理だ。夏の野菜作りは天国だが……。今はそりゃあぶなっかしい。けれども時さえたてば、技術も上達し、米や山の木をあてにしなくとも生活ができるようになるんだ。そう信じて生きてゆく。

遠吠

古いもの好みは……

『……こんなことを申し上げる私も、ふるうーい人間でござんしょうかね』

これは、鶴田浩二の歌謡曲"傷だらけの人生"のセリフの一節である。この歌詞の内容に反して、この曲は、いがいと若者たちに人気があるらしい。とくに都会の若者たちは、古いものがお好きなようである。

これは歌謡曲に限ったことではなく、いろいろなものに及んでいる。たとえば先日、私がなんの気なしに友人と顔を突っ込んだスナックなどは、その典型的なものであった。うす明りのもれる木戸のようなドアを引いて室内に入ると、靴を脱いで席につくようになっており、土間はジュータンならぬムシロ敷きであった。そのスナックはおしゃれな若者たちでいっぱいだった。若者たちは、「古い人間でござんしょうかねえ」と笑いながら、カッコいい洋服の話なんかをしていた。

また、オシャレな若者たちの間で、番傘やワラジなどの、いわゆる古いものが静かなブームをよんでいる。彼らの説によると、とにかく"古いものはカッコいい"のだそうである。

このような若者たちに対して、現代のある社会学者は"近代化の結果、失なわれた人間臭さを求めて彼らは古いものを愛する"といった見解を述べた。しかし私は、彼らの見解に、あえて異議をとなえたい。なぜなら、古いものを求める若者たちは、彼の見解とは無縁の地に立っているからである。つまり彼らは、古いものを古いものとして受け入れているのではなく、古いものを新しいものとして一種のカッコいい流行として追い求めているのである。社会学者が真に問題にしなければならないのは、ここのところだろう。

しかし、私は古いものを追い求める若者たちに対してはナンクセをつける気はない。また、弁護しようという気も、もうとうない。ただ一言、いわしてもらうならば、古いものにヘタな価値感をつけるなということである。古いものを好きだって嫌いだって、それはそれでいいと思うからである。だが、古いものには、好き嫌いを越えたなにかが存在していることも事実だろう。その事実があるからこそ、あえて私たちは、好き嫌いで古いものを割り切ってゆくしかあるまい。

「こういうと、なんとも味気のないような気もするが……」。

(野)

土に喜びと命を

宮城県・本吉地区連　高橋輝義

昨年の春学校を卒業して社会に芽を出した私は、大きな希望と不安に悩まされながら、今日までの月日を過ごしてきました。

私たち一年生は「やるぞ!」と思って、土に根を張り芽を出して歩むのですが、土に栄養がないのか、種が悪かったのか、雑草に負けそうになることがしばしばありました。

私の希望とか、不安とかは、聞かれても答えられないようなあいまいなものだと思います。それを強いてあげるなら、豊かな人間生活を目標に農業を営んでいるということになります。そのような私の希望は、当然不安も含んでおり先が暗くなることもしばしばあります。「土を耕やし、大粒の汗に喜びを感じ、生産する」というより、「土を耕やし生活することに喜びを求める」という考えで農業をやっているので、私は楽しく生活したいとの願望が強いのです。

私は、お金では買えない精神的なものに価値があると信じています。この世の経済社会にもまれた人々は、ストレスで神経がいら立ち、いこいを求めている現象をあわれに思います。それにひきかえ私たち農業人は、その意味においては幸わせなのだと考えます。

私たち一年生は、よくキャンプ大会や研究集会などの4Hクラブの集いや、そのほかの青年たちの集いにも参加しました。そこで感じるのは、青年たちが社会・マスコミで問題になっていることを、宮にかみかえして理解しているのかなと考えることがたびたびあります。

今日、難解な問題がたくさんあります。けれども、自分の生活を考えるなら、戦うべきところは戦うべきでしょう。また、手を引くべきところは手を引くべきでしょう。多くの青年は、そのけじめがはっきりしないように感じられます。たとえば、土を守るために農民が命がけで戦ったことがありましたが、あのようにといいたいのです。青年たちがあのようにしないということは、"どうにかなるさ"という無気力の現象だと思います。そして、なにもしないで農業は暗いとかなんとかいって弱音をはいている人は、他産業へ勤めることです。

しかし、私の真の気持は、農業の良さを満喫できずにいる青年たちに、私たちと一緒にやろうと言いたいのです。私は、やる気をだし、アイデアを充分に発揮して、私たちの住む経済社会の反省を本気に考えて農業に精をだすなら、農業ほど陽のさし込む、明るい社会はないと思います。

私たちは、仲間とともに、それらを練り磨きながら歩んでいかねばなりません。なぜなら、そうしなければ、明白の農業社会は築けないからです。私の考えはちょっと飛躍しているかもしれません。しかし私は、私たち青年は理想とか夢をもち、またそれらを求めてやまない一粒の種子でありたいと考えるのです。

思ったとうりやる

埼玉県・騎西町連合4Hクラブ　〈無名夫〉

農業には他人に使われて働くということがあまりないだろう。いってみれば、自分の思いどおり仕事ができ、自分の計画によって作業を左右できるこんなすばらしい職業は農業だけだと俺は思う。

俺は小さい時から人に用事を言いつけられても、まったくやる気がない、そんな男だ。

だから、俺は、人に何も言われないような職業で、自分の力をためしながら、生きてゆくことにする。

◀投稿案内▶

本紙は、みなさん方の新聞として、全国のクラブ員に利用して戴きたいと考えています。それでクラブの催しや個人のプロジェクト、詩、短歌、随筆、写真、悩みや意見、村の話題、伝説、行事、その他なんでも原稿にして送って下さい。

お願い　❶長さや形式は自由です　❷できるだけ記事に関連した写真をそえて下さい　❸送り先　郵便番号 162　東京都新宿区市ヶ谷船河原町11　日本4H新聞編集部

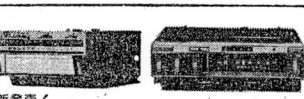

珍客万来

神奈川県戸塚地区　飯島孝夫

ポツンと、焼けたかと思われるようなトマトの苗が、翌日には、半数の二千本あまりが、葉をくるっと巻くようにたれ下がり、黒かっ色の病斑と白いカビ状のものができた。また、くきには、黒っぽいしみができ、どうみても疫病としかみえなかった。

これを止めるにはどうしたらいいのか。空気伝染を考えると、抜きすてるほかにないと思った。それでもせっかく育てたものをと思うとなかなか割り切れず、なるべくひどいものからなどと悠長なことをしたものであった。

しかし、抜きすててゆくうちに形状のなんともなさそうなものまで、病菌のついていることがわかった。かくして、ハウストマト二年目にして全滅のうきめに会う。

こんな時どういう気持になるかは、書きあらわすこともないだろう。これまでに失敗は数知れずあったが、これほどバッテリ決められたのは、これが初めてである。

「おぬしら、よくもこんなことをしてくれやがって」と大きなため息がでたものだ。

生育中のトマトやキュウリを見ていると、ハウスに笑われているような気がしてくるものだ。また自分のねらったとおりの育ちをしてくれた時には「ありがてえ」とやたらに感謝したりしてしまう。どういうものか、トンネルでもハウスでも大苗、大作りのトマトになるクセが私にはある。トンネルはいいとしても、ハウスの場合には、高さに制限もあり困ることがある。しかし、もっと困るのは、私以外の人では上蔟まで手がとどかなくなってしまうと手伝ってもらえないということである。「作る人に似るんだよ」と笑い話になるが、悩みは深刻である。

ハウスには、わりとお客さんが多いものだ。困った客には、病気や害虫がいる。車の通るたびに訪れるホコリもそうだ。こうした連中は、無作法者でひとたび入ったが最後、出てゆくことをしないでまつわりつこうとする。

客はまだいる。雀にカエル、そして、ヘビにモグラである。連中はなかなか愉快な客であるが、雀などは堆肥に巣をつくったりしていたずらもけっこうやる。雨ガエルはかわいいものだ。牛に目の形が似ていて、パチクリ……。いつも私は、びっくりしないように通りぬけてやる。

あまり好かれてはくれないが、ヘビなどは困る。ふつうは青大将だが……。人類は、は虫類に対して先天的に弱いのだそうだが、とすると私などは、人類の見本のようなもので、お会いすると、身の毛がよだち、鳥肌がたち、ぞっとして背筋が寒くなる。しかし、これは必要不可決のスリルでもある。

とにかく世の中、何にでも変婚はあるものだ。何でもかんでも楽しくみえる。けっこう私も馬鹿なもんだ。しかし、自然界の不思議さというか、バイタリティーには恐れいる。まさに、自然と人間とのあくなき戦いといったところ。

ヘビ、蛙、モグラ…　いつまで自然を守れるか?

だが、自然破壊の一途をたどる都市近郊にとって、自然と人間との共栄はむりのようだ。無策な現状では……。

農地の減少は、その地域の秩序の乱れとなってあらわれる。たとえば畑が消え、林が消え、田んぼが消え、河流が消え、虫が消え、鳥が消え、家が増え、人が増え、ゴミが増え、車が増え、川が汚れる。人間回復といえばいうほど、人間疎外が強くなってゆくような気がする。

人間は、人間にとって都合のよいように自然を変えようとする。しかし、その実、人間は人間にとってよくないように自然に変えられている。それから自然を懐しんでももう遅い。

農業は五反ではできない

農業は五反じゃできやしない。土地はいくらあっても農業経営のじゃまにはならない。少面積でできる農業をなんて考えるのはまちがっている。農業は、自然界との環境を絶ってできるものではないということを考えなければならないのではないか。

健康な、調和のとれた地域社会でなければ、雀とも、雨ガエルとも、ヘビとも、モグラとも会えないし、自然界の不思議な快よいため息と出合うこともできない。

私たちの住む環境は、ただ便利なものだけであってはならない。私は、ハウスへの珍客に心をなごませ、土と光と水がもたらす数々を学び育てることに、生きている感を新たにしている。

量より質をめざせ

山梨県・山梨地区連　宮下恵美子

現在のように4Hクラブ員の数が減少してきているのを私たちはどうとらえたらいいのでしょうか。私はこう考えます。世は量より質へうつる時にあると……。

そのような時代の潮流のなかに生きていて、私たちクラブ員はどうでしょう。地区連のクラブ員数が多いからとか、単位クラブ員数が多いのでといった声をよく耳にします。これは量というものに重きをおく考え方を表わしていると思うのです。

しかし、これからはそういうことではいけないのです。新規就農者が減っていることでもわかるように、今後農業後継者はますます減少してゆくことでしょう。そういった現実を前にして、数的な問題解決のために奔走、努力したとしても満足すべき解答は得られないでしょう。なぜなら、このような数量的な問題提起それ自体に欠陥があるからです。

むしろ私たちは、数より質の方向へ考えを進めてゆくべきなのです。もともと人数が減少していることから考えれば、質の方向へ進まざるをえないのは当然であるかもしれません。しかし、そのような考え方のなかでも、4Hクラブ活動にどれだけ真剣に取り組んでゆくかというところに着眼点をおかなければならないと思います。

女

細貝和子

寝覚めてからの
はじめて　そね
借り着だども　そね
何たらいい

どげな女でもよく映ると
ちょっこと鏡をのぞいたれば
まあ　ほんに
ばかいいれ
こねだのげた入れ物が
気になるどもしに
口ぞしめていれば
まあわからんろ

男が言いたつようで
すっきり裄にそってくる
てめえの姿に見ほれてたれば
あっきゃあ　おら
おじじが死んだが
忘れてた

おじじみじょげらら
おじじなあして死んだやれ

おじじよ　おら
喪服着るがなんて
やだれや
そいだども

(『農民文学』百五号より)

心と心を通わせよ

栃木県・藤岡町協議会　田村文男

高校を卒業と同時に4Hクラブに入れられた。そんな感じで入ったクラブに今では、愛着さえ覚えてくる。4Hに入ってまったく顔を出さずにいた私が、ふとしたきっかけで、集会に参加するようになった。しかし、参加はしてみるものの何もわからず、ただ先輩があれこれ話をしているのを聞いて帰ってくるというありさまであった。

こんな4Hクラブ活動のどこにひかれて、クラブ員は集まってくるのか、私には疑問でならなかった。しかし、4H活動に参加しているうちに、何人かの人と友だちになり、一クラブ員としての自覚をもつようになった。

ときには、農業問題や青春の悩みやそのほか語り合うが、仲間たちのしっかりした考えに驚いたり教えられたりすることもある。私はそんなとき、4Hクラブが私を人間的に成長させ、社会人としての認識を更に深めさせてくれるのだとしみじみ考えてしまう。

べつに入りたくて入ったクラブではないが、クラブ員の暖かい思いやりと明るさが、仲間としての自覚に向い、自然と心が開かれてゆくのである。

『心と心の通じ合い』それを作れたクラブ員こそ4Hクラブへ入った価値があるのではないだろうか。これからも自分の出られるかぎり、クラブに参加したいと思っている。

苦労の感覚は同じ

北海道・河東自営クラブ　山崎雄一

「とにかく今の若い者は」と俺の親父はよく言う。しかし、これは俺の親父だけではなく、どこの親たちもすぐ口にする言葉だろう。

長い太平洋戦争が終ったとき、廃墟そのものだった日本。食糧不足、インフレ、農地法の新制度で小作農から自作農へ、食糧制度の制定……。

当時は、社会がめまぐるしく変わるなかで、人々は生きる限界ぎりぎりの生活であっただろうと思う。その頃、俺は生まれた。親たちが苦労し育ててくれた幼いときの記憶はない。ただ、親の話を聞き、苦しかったであろう日々を想像するだけである。要するに、肌に感じない苦しさといったところだろうか。

真の苦しさを肌で感じない今の若者と、真の苦しさを舌先でなめてきた親と、人生観が違うのはあたりまえだろう。そして、親が俺たちに「今の若い者は」と言うのも、これまた当然だろう。

しかし、これから俺たちにも、生きるための苦しい闘いが始まろうとしている。流動する社会のなかにあって、公害、米の過剰、自動車事故(俗に交通戦争)……など、一見太平にみえる俺たちの生きる現代も文明自身の力によってむしばまれているのだ。

もちろん二十数年前の苦しさとは異なるところも多いだろう。だが、人間が生きる過程において味わう苦労の感覚はなんら違ってはいないような気がする。

まず希望の復活を

山口県・豊田4Hクラブ会長　岡島春雄

私たちの豊田4Hクラブは、山口県の西側中央の山間の人口九千五百人、世帯数二千四百戸の小さな町にある。

私たち4Hクラブの歴史は創立して十数年経っている団体であるが、ここ二～三年前から下り坂になっている。その原因として考えられるのは、農政と農業自体の貧困があげられるだろう。私たちの4Hクラブ活動もそれらにつれて下り坂になり、一年ほど前からストップ状態になった。

そこで私は、六年間のクラブ活動歴をもとに、私たちのクラブのあり方を反省し、新しい道を開こうと決心したのである。そんなとき私は四十六年度会長になった。それから私は、クラブ員三十八名全員が希望をもてる農業の道を求めて、前年度とは企画を変えた。

そして、四十六年度基本方針を「われわれ農村青年は希望のもてる農業へ」とし、実践課題として他団体との交流の場を多くし、青年同志の手を結ぶことに重点を置いた。加えて、新しい家庭生活をつくり、それにより組織を充実させる方向へ……と私たちは活動を進めてきた。

高度成長の時代といえども、農村の現況はどうか。稲作減反などで、私たちが出経営者に一段と苦しくなった。今日、この一年間のクラブ活動をふり返ってみると、それがクラブ活動に反映し、町政策や農協、農政などの一環として稲にかわる転作を指導されたものの成果は少なく、私たちは困難な問題につきあたったままである。

このような農業経済を中心にしたものは何か……と私たちは話し合う時間も少なく、それにつれて農村青年の多く、農業に対するビジョンを見いだせない、農業資金などを借りても返済のメドが立てにくいということから青年たちは悩み苦しむ。こうして現在、農業を捨てるのは若者だけでなく、年寄の人たちまでもつぎつぎと農業を離れて、毎月の現金収入の道を求めるといったような状況をつくりだしているのだと思う。

私たちは昨年十二月末にそれらに関する調査を実施したが、それによると、私たちのクラブで現に農業を継続している人はわずか十名しかいないことがわかった。

農村青年セミナー、収穫祭、研修視察旅行などの行事を行なっても、参加者は十～十二名とさびしいくらいである。役員でこの問題をとりあげても、まったく話しにならず、前途多難である。このような実態では、四十七年はわがクラブにとってもっとも多難な年になるような不安に襲われる。

だから、その対策として、私はもう一度クラブ員の家を訪問し、一人ひとりと話し合い、将来、私たちの町の農村青年問題を解決の方向へもっていくつもりである。なぜそうまでしてと疑問をもたれる人も多いと思う。しかしながら、私たちの仲間にも外部の空気に負けず、農業と熱心に取り組んでいる若者も何人かいるのである。だから、私は負けたくないのだ。

私は少数の仲間とともに、まだまだ生きる道を開いていかねばならない。そのためには、もう一度農村生活に"希望"を蘇らせるほかないだろう。私はこのことを関係者やOBなどと共に話し合ってゆきたいと思う。

全国の仲間のみなさん、何か良い方法でもあれば教えて下さい。参考にいたしたい。

「モー」で始まる一日

熊本県・玉東4Hクラブ　小山英代子

『モー』という一声に目がさめて私の一日が始まる。

顔も洗らわず、牛小屋にかけつけると、子牛があどけないかんだ瞳で私を見つめる。手をさしのべると、鼻をピクピクさせながらなめてくる。

朝、戸をいっぱいあけてやると、矢のように突っぱしる。あの小さくもじょうぶそうな足、まっすぐのびた首が私を安心させる。小さな体をすり寄せ、「いつまでもかわいがってネ」と私に問う……。この子牛も、やがて成人し"お嫁にいく日がくるのか"と思うとふとさみしくなる。

今日もまた、「モー」という一声で目がさめ、私の一日が始まろうとしている。

日本4H新聞
4Hクラブ 農事研究会 生活改善クラブ 全国広報紙
発行所 社団法人 日本4H協会
東京都市ケ谷家の光会館内
電話(269)1675郵便番号162
編集発行 玉井光
月3回・4の日発行
定価 1部 20円
一カ年 700円(送料共)
振替口座東京 12055番

クラブ綱領

私達は、実践を通して自らを磨くとともに、互いに力を合わせて、よりよい農村、よりよい日本を創るため、四つの信条をかかげます。一、私達は農業の改良と生活の改善に役立つ腕をみがきます。一、私達は科学的に物を考えることのできる頭の訓練をします。一、私達は誠実で友情に富む心をつちかいます。一、私達は楽しく暮らし元気で働くための健康を増進します。

会館の特別委開く

臨時会長会議に先立ち、日本4H会館建設委員会の岩崎茂委員長（全協初代会長）を迎えてさる二月二十二、二十三日の両日、東京・文京区の本郷館で4H会館建設の特別委員会が開かれ、施設、維持・管理などについて協議した。

「募金」に強い決意

早期建設をめざして 4H会館

―5―

全国4Hクラブ連絡協議会（会長 黒沢健一君）では、さる二月二十三日から三日間、東京・文京区本郷一丁目の「本郷館」で臨時の道府県連会長会議を開き、全国クラブ員が直面している4H会館の建設、とくに募金活動を中心に真剣に討議した。この臨時会長会議は、昨年暮、静岡県御殿場市の国立中央青年の家で開かれた「後期全国4Hクラブ中央推進会議」の会長会議において、4H会館建設の審議が十分に尽されなかったとして早急に開催する必要があるとの申し合わせによって持たれたもので、三十余名の県連会長や代表者が出席した。とりわけ今回は、スペース買取りを予定している農村文化センター（仮称・家の光協会が建設）の青写真が三月中に完成し、今夏ごろから着工に入ることがほぼ確実となったため、「やらねばならぬ」という意識が高まり、各県連会長から具体的な募金方法などが提示されるなどその決意が示された。

風雲急を告げる会館

臨時の全国県連会長会議開かる 完成間近か青写真

全国クラブ員も自覚を

4H会館建設の募金活動について熱心に討議する各県連会長

スペース買取りを予定している農村文化センター（仮称）の建設が本決まりとなり、着工が目前に迫ったことから今回の会長会議における発言は多少堂々めぐりする状態もみられたが、追い詰められた切迫感が漂っていた。

全協執行部や各県連会長の口から「考える時期から作る時期へ変った」「幻の会館から現実に目の前にある会館へ」「前向きの姿勢で取り組む」「なかば強制的にでも募金を集める」「他力本願の根性を捨てよ」「頭で建てるのではなく足で建てるのだ」「アイデアによる解決をすべきだ。募金は具体的な計画に置き替える時期である」「この会館建設はクラブ組織だけでなく、次代を背負う農業青年の意気も問われている」などの発言が次々に出され、これまでより本腰を入れて募金に取り組もうとする姿勢が示された。

このため、一部クラブ員の中に根強く残っていた一戸建ての4H会館を主張する意見は影をひそめ会館の利用度について疑問を持つ発言も、すでにその点については審議つくされているとして、現時点ではその問題を取り上げて時間を費すべきではないとの意見が大勢を占め、いかに募金額を伸ばすかの方法論に目は向けられた。

募金の方法としては、各県連から①一人当り三百円を募金してもらい、その不足分は、OBにもこの会館建設については責任があるので協力してもらうように考えている②4HクラブOBによる4Hクラブの支援団体を結成するよう準備を進めている③バザーを開いてその収益を募金に当てる④プロジェクト圃場を設け、その収益から募金の不足分に当てたい⑤ステッカーやパッチを販売して、その収益を募金にまわす⑥各地区に募金箱を設置していろいろの大会や行事で募金してもらっているが、募金箱だけでは集まる額も少なくマンネリ化するので奇抜な方法をと考えている⑥一人三百円ずつ募円してもらったが、全協執行部が示した割り当て額に達しないので再募金してもらう――などの計画が出された。

これとともに、各県連の募金の足並みをそろえよ、と訴える声がやはり強く、募金が伸び悩んでいる各県連への風当りも強かった。しかしその反面、募金を集めながら各県連の募金状況をみて判断するとして送金を見あわせている県連に対しても、このような状態になったので早急に募金を全協事務局へ送るべきである、という意見も強かった。

また、募金活動を積極的に展開するため各県連と地区連に「4H会館建設推進委員会」を設置することを決めているが、まだ設置していない県連が多いので、各県連の実情に合わせて早急に同推進委員会あるいは同委員を設置することを申し合わせた。

しかし、このように急上昇したムード、各県連会長の発言を疑問視する声も少なくない。それは、これまで何回となく決議し、申し合わせた事項が必ずしもみんなに守られていないからだ。

このため、現県連会長が今後中心（核）となって募金運動を展開することを申し合わせた。さらに①今回の県連会長会議における審議内容を各県連で報告する②決議事項を新役員に引き継ぐ③新年度における募金方法を協議する④それを全協事務局に報告し、それをもとに全協総会で審議する――などを申し合わせ、さらにこの申し合わせを確実に実行することを申し合わせるというダメ押し的な方法をとった。

また、一部県連の中から、組織の弱体、青少年会館の建設、4H会館建設のPR不足などの実情が訴えられたが、それらを乗り越えて募金目標額の達成に努力しようということになった。

なお、農林省・普及教育課の大賀忠直課長補佐も閉会式に出席され、激励された。

また、日本4H協会から全協参与の新田事務局長（常務理事）や大塚常務理事らが出席「募金については4H協会としても応分の援助をしたい」というのが協会の考えなので大いに頑張ってほしいと激励、また、4H新聞の普及活動に対する協力を依頼した。

土壇場に立つ募金

全国のクラブ員とOBの心の寄りどころとするクラブ員の殿堂――4H会館の建設は、スペース買取りを予定している農村文化センター（仮称）の建設が決定したことによって、いよいよ現実の問題となってきた。このため募金活動を展開している全協、各県連、地区連、クラブ員は土壇場に立たされたといえる。

同センターを建設する家の光協会から同センター建設を決定したという伝達を初めて受けたのは、さる一月二十七日だった。それによると、三月末まで業者に依頼している設計図の素案が出来上がり夏ごろから着工に入る見通しであるという。敷地面積は約千六百五十平方㍍（約五百坪）で地上六階・地下二階の構想のようである。一フロアーの面積は約六百六十平方㍍（約二百坪）で、三・三平方㍍（一坪）当りの経費は三十五万円前後になる模様である。

「財団」設置へ

この中に全協が要望している研修室、会議室、視聴覚室、和室、談話室、事務所、書庫、給湯室などをどう組み入れていくかという点については、経費を見合わせながら今後両者で検討していることになるものとみられる。

全協執行部では、4H会館を維持、管理するため「4H会館財団」のようなものを作り、その面についての経費はクラブ員に負担をかけない腹構えである。

こうして永い間、夢に描いてきた会館もやがて東京の空の一角にそびえることになったわけだが、それだけに全国クラブ員、OBと関係者から積極的な募金が望まれよう。

各県連目標額

県連名	募金額
中央	210,800円
北海道	3,478,200
青森	790,500
岩手	843,200
宮城	1,054,000
秋田	474,300
山形	790,500
福島	1,212,100
茨城	1,897,200
栃木	1,739,100
群馬	843,200
埼玉	1,633,700
千葉	1,001,300
神奈川	527,000
山梨	474,300
長野	1,317,500
静岡	843,200
新潟	1,212,100
富山	527,000
石川	263,500
福井	263,500
岐阜	632,400
愛知	895,900
三重	685,100
滋賀	421,600
京都	368,900
大阪	368,900
兵庫	790,500
奈良	368,900
和歌山	632,400
鳥取	474,300
島根	368,900
岡山	895,900
広島	527,000
山口	368,900
徳島	527,000
香川	316,200
愛媛	1,475,600
高知	1,159,400
福岡	790,500
佐賀	579,700
長崎	843,200
熊本	1,475,600
大分	685,100
宮崎	1,739,100
鹿児島	1,159,400
沖縄	105,400
合計	40,052,000

なお、各県連の目標額は募金額4,000万円を全協と全国農村青少年教育振興会が行なったクラブ員の実態調査をもとにして算出したもの。

いよいよ6日開幕

第11回全国青年農業者会議 全国代表が研究討議

農林省など主催の「第十一回全国青年農業者会議」は、東京・渋谷区代々木神園町のオリンピック記念青少年総合センターを会場として三泊四日間の日程でいよいよ六日開幕する。

この会議は、激動する農業情勢の中で、農村の中核者として実践活動を行なっている農業青年と農業経営者が、農業や農家生活の改善、向上などについて日ごろ体験した成果をお互いに発表し、その問題点の解決策や発展の方向を研究討議、近代的農業と農村建設のために努力しようというもの。

各都道府県から選ばれた農村青少年、農業経営者夫妻の代表と農業改良普及員、担当者など八百余名が参加し、合宿する。

主な行事は、分科会の研究討議を中心に、農村青年と農業経営者の交換討議、代表討議、表彰式、テレビなどでおなじみの竹腰美代子さんを招いてのヤングフェスティバル、村のはなし懇談会、自由交換会などである。

なお主催者は、農林省、NHK、社団法人全国農村青少年教育振興会、全国農業改良普及協会、社団法人日本4H協会、全国4Hクラブ連絡協議会、全国農業研究会協議会

スローガン決る

全国青年農業者会議の主催者では今回のスローガンを検討していたが、このほど次のとおり決定した。

若い力を世界にむけて
われらが創ろう日本の農業

NHKで放送

この全国会議の模様は、NHKのテレビとラジオで放送される。NHK▽総合テレビ（カラー）＝十一日（土）午後二時十分〜三時三十九分、テーマ「農村青年に問う〜国際化時代をどう生きる〜」▽ラジオ（第二）＝十日（金）午後四時五分〜五時三十分▽教育テレビ（あすの村づくり）＝午前七時〜八時 十二日「沖縄からの発言」、十九日「変わる村のくらし」

本紙の購読料を改定

四月から装いも新たに

愛読者のみなさん、日本4H新聞をご購読いただき厚くお礼申し上げます。

ご承知の通り、本紙は、全国クラブ員の準機関紙として活用され、全国各地の志を同じくする仲間の意見や情報交換の場として、また、クラブ員の貴重な体験や研究の成果をお互いに発表して研修し合い、相互の進歩発展に寄与するための貴重な広報媒体となることを目的としております。

ところで、近年、諸物価の高騰はみなさまのご承知のところでございますが、新聞発行費についても同様であり、印刷代、用紙代、発送料、人件費などの値上がりによって商業紙はじめ各業界紙や機関紙も相次いで、販売価格を度々改定してきております。

こういう情勢下にありながらも、本会では、その使命とする農村青少年活動の育成、援助という奉仕的な立場から、新聞発行費の高騰を一般事業費でカバーし本紙定価の値上げを極力避けてまいりました。しかし、それにも限界があり、これ以上現状を維持するときは、本会事業に支障をきたすところにきております。

つきましては、諸般の事情を考慮のうえ、来る四月一日から本紙の定価を一部三十五円、年間千二百円に改定するのやむなきに至りました。この値上げ幅については、諸物価の高騰と比較していただければ、ご納得ねがえることかと存じます。県連に対する助成（普及推進奨励金）制度も従来通り継続することとして、先きに開かれました全国県連会長会議において同意されております。

また、今後ますます紙面の充実と刷新に努め、クラブ員の新聞として装いも新たに取り組むつもりでありますので、諸事情ご賢察のうえ、よろしくご了解下さいますようお願いいたします。

全国で普及運動を展開 農林省も指導と助言

さらに、全国クラブ員の広報媒体としての使命を達成するため、本年一月以来、全国4Hクラブ連絡協議会とともに、各県連の力強いご支援のもとに購読者の一大普及運動を展開しております。

この普及運動については、農林省（農政局普及部・普及教育課）におかれましても、農村青少年活動の推進上、緊要とされ、いろいろとご指導ご助言をいただくことになりましたので、どうか全国クラブ員のみなさんも、この普及運動にあたたかいご支援を賜わりますよう重ねてお願い申し上げます。

社団法人日本4H協会

凉風暖風

問題発見のあとが問題

クラブで取り組んでいる共同プロジェクトはいろいろあるが、目だって多いのが調査の活動である。地域の農業や生活の近代化をはかるために、まず、現状をみつめ直して問題点を明確にしようという意味では、だいじな共同プロジェクトだ。

農業労働や栄養摂取の実態を調べたり、除草剤の使用や施肥方法についての聞きとり調査とか、経営に対する考え方をアンケートで調査するなど、問題発見に大きな成果をあげている。いままで見過してきた慣行技術の欠陥を見つけたり、一部の農家の問題だと思いこんでいたことが実は地域全体に通ずる悩みであることがわかったりする。現状をあらいなおす調査によって意外な事実を発見することが多い。これは重要な成果であるし、その経過は貴重な学習でもある。

さらにクラブでは、調査活動によって得た問題点について、このように解決すればよいのか、みんなで調査結果を検討し、意見を述べ合い、疑問をただし、解決方法を創造していく。こうした努力は大変なものである。ぎっしり書き込まれた調査用紙の山、何か月にもわたって記録した野帳の数々、それらは、分析や集計に何度も使われるため、用紙のすみはめくれ上がり、インキのしみがつき、なかには紙まで黄色に変色してしまうなど、見るも無惨な様相である。それだけにクラブの苦労がしのばれよう。

ところが、それほどの努力によって発見した問題点や解決方法なのに、その後の取り扱いは全くぞんざいである。解決のための実践活動に反映していくことになると全く弱い。一つの調査が終わったのだから次は別のテーマで調査するとか、前回の調査結果をもとに細部について調査しようというのが多い。私は、どうもこのへんが気になってしかたがない。せっかく問題点をつきとめたのだから、こんどは、その解決をめぐっての学習や実践の活動をはじめるのが重要なことである。

もちろん、いっきょに解決できるとは限らないし、経営主や主婦のグループの援助が必要なものもあろうが、クラブが問題解決を中心とする仲間である限り、問題発見でクラブが息切れしてしまっては残念である。つかんだ問題点を糸口して本格的な活動をはじめてほしいものと思う。

クラブ活動にとっては、問題発見のあとが問題だと思うが、どうだろう。

（北海道・三輪）

発表内容に進歩

茨城県のプロジェクト実績発表会 演示の方法も抜群

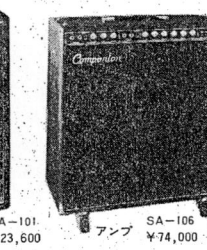

図表を使ってプロジェクトの成果を熱心に発表するクラブ員＝茨城県の実績発表大会で

【茨城県＝藤本芳一連絡報道員発】茨城県と県農業研究クラブ連絡協議会（会長 相馬正仁君）主催の県農村青少年プロジェクト実績発表会は、二月十六日、第十一回県クラブ大会を行なった水戸市の県民文化センターで開かれた。

この大会は、県下各地区（二十六地区）の大会で予選された人たちが参加するもので、今回は二十四地区の代表とクラブ員二百余名が参加、四名の女性を含めて代表者たちは自分のプロジェクトや共同プロジェクトについて発表し合った。

会場が文化センターであったため、一人ひとりの演示、発表の仕方も例年に比べて群を抜いていた。また、二十四地区の発表を一日で終えなければならないので二つの会場に分かれて発表した。

今回の発表者は、自分が何を訴えるか、そしていかに自分のプロジェクトを理解してもらうか懸命で、発表の内容も毎年徐々に進歩してきているように感じられる。

なお、入賞者は次のとおり。

▽最優秀賞（二点）前田恵助（麻生）塙慶誉（谷閭）▽優秀賞（四点）下山田誠司（高萩）大塚一郎（常北）大山嘉也（石岡）吉葉正信（谷田部）▽優良賞（六点）小橋進（石下）大木満（境）・総引準（那珂）皆川一郎（鉾田）小林芳行（土浦）張替純（岩井）

心頭技健

全国のクラブ員とOBが永い間、夢に描き続けてきたクラブ員の殿堂――4H会館の建設は、いよいよ時間の問題となった。スペース買取りを決定している農村文化センター（仮称・家の光協会が東京都新宿区市ヶ谷船河原町十一に建設）の青写真が今月中に出来上がり今年の夏頃から着工するという▼もう「待った」なしである。一歩も後にひきさがれない。すでに会館について考える時期は過ぎ制限時間内に、いかにして募金目標額を達成するかという新しい問題解決の時期に入っているといえる。全国クラブ員があえて選んだプロジェクトの答案を出す時間が迫ってきたわけだ▼ひるがえしていえば、クラブ員に何ができるかという可能性、創造力、実践力、同志意識、組織力、研究意欲、将来への志向などが問われていることになる。それだけにクラブ員は、この問題を避けて素通りすることができないのではないか。その力をみせる時がやってきたのである▼しかしいざ募金となると、なかなか難しいのが実情である。組織的な感覚の豊かな人や趣旨に賛同して自主的に協力してくれる人は別として、一般的にはやはりギブ・アンド・テイクでないとなかなか金を出さない。また、酒代や遊興費には惜しまない人でも、納得しないと少額の金でも出すのを渋るのが普通だ▼そこで、足を運んで一人ひとりに接して趣旨を説明し協力を求める必要がある。そのためにも、ここにくるまで時間がかかったというのが実態だ。だが、それにも限界があり、すべての人に納得してもらうには時間が足りない。このため組織的な立場からなかば強制的にでも集めるという県連がふえてきている▼また、クラブ員に趣旨が徹底しなかったり、クラブ員になるべく負担をかけないようにと考えて、事業を行なう県連もふえているようだ。みかん販売で実績を上げた滋賀県連の場合など良い例である。各県連でも、農産物の即売、バザー、共同プロジェクト圃場の設置、ステッカー、バッチの作成、販売による収益を考えてきている▼さらに、OBにも、この会館建設には責任があるとして、強力に働きかける動きもみられる。いずれにしても、自分たちが会館の柱一本、釘一本を立て、作るのだという意識の盛り上がりこそ大切なわけである。

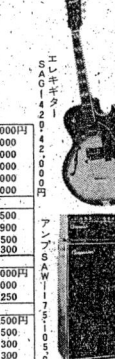

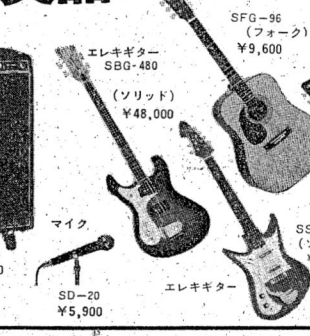

4Hクラブは研磨機

北九州三県の女子部が賑やかに懇談会

大きな輪で文珠の知恵

【福岡県＝大屋恵子連絡報道員発】北九州三県（福岡、佐賀、長崎）合同の女子部懇談会が、さる二月六日、佐賀市成章町佐賀市農協本所で開かれた。先だって静岡県御殿場の国立中央青年の家で開かれた全国4Hクラブ中央推進会議のおり、福岡県連女子部の提案によって三県会長合意のもとに計画され、実行の運びとなったもの。

この懇談会にはちょっとしたいきさつがある。というのは、福岡県連女子部が同県専技渡辺技師との話し合いのとき、「自分たちのまわりに小さな円を描くのではなく、大きい円を描いてごらんなさいな。そこには数多くの仲間がいるじゃありませんか。新しい人（現役）、古い人（OB）、そしてこれからの人（後輩）、県下にも県外にも、お互いに知恵を出し合って、そう、三人よれば文殊の知恵とか……。大きく円を描いて幅広い活動をしてみたら？」という助言から生まれたものである。

さて当日、佐賀県下から、長崎から、福岡から、そして遠く大分からも、男子クラブ員の車に揺られたりして、ここ佐賀市にやってきた。出席者は女子三十三名、男子二十名となり、会議室は何となくすばらしい雰囲気になった。それでいてちょっぴり緊張のほぐれないところもなきにしもあらず。

「女性ばかりなのにお花もないの」と久留米の竜頭さん。さっそくお花屋さんへ駆けつけ、フリージャー、カーネーションの花々が竜頭さん自身の手によって飾られ二階会議室は一段となごやかなムード。

長崎の久本邦子さん、福岡の酒見美幸さんは司会をかってでて、女性らしさをフルに発揮しての大はりきり。そして陰ながらの功労者、佐賀県連女子部の人たち。

三県の仲間が一番感激したのは大分の人たちの出席だった。懇談会でのテーマの一つである草の根大使の、四十五年台湾へ派遣された広畑春枝さん、四十六年アメリカへ派遣された石井方代子さんらに出席を依頼、あわせて同県の方々の参加を希望したところ、「仲間として一緒に活動しましょう」と、遠路を車で駆けつけ、自発的に参加してくれた大分の人たち。また、大分県産のみかんも出荷用のかご一杯に、松本作一さんの手によって届けられ、ほっぺをオレンジ色に染めながらいただいた。

草の根大使の経験談では、さきに紹介した二名の女性のほかに佐賀県からは四十四年アメリカへ派遣された麻生すみ子さんが出席して、日本と比較しての外国生活や、よしあしを興味深く聞いた。たとえば、夢をもって行ったアメリカでは、日本に対する偏見視が多かったことや、逆に帰国後は周囲の人の目があったこと。また台湾には味噌づけやおふくろの味といった感じのものがあり、大家族制度も印象に残っていること。今後とも政治に左右されない青年らしい交換をもちたいことなど。

OBの人たちもすばらしい言葉を残してくれた。「4Hクラブは私たちの研磨機だ」と。悩みや問題意識が大きければ大きいほどよりよく頭脳を磨く研磨機となるのではないかと示唆してくれた。まことにOBの方のいったように「玉磨かざれば光なし」である。

ちょっとしたお叱りもなかったわけではない。女子クラブ員は、ともすると男性にあまえがちだ。女性らしい一面は捨てるわけにはいかないと思うが、活動においては責任ある活動を、また女子クラブ員としても組織を形成する一人であることを忘れないでほしい。活動や行動において、女性であるということと女子リーダーであるということのあいだに、一つの境界線をもうけてほしいなど……。

集うということ、語り合うということのすばらしさを再確認し、またこれからの女子クラブ員の活動にも何らかの指針ができたものと確信した。思いはさまざまでも私たちはやはり、集い、語り合ったこの日の懇談会を、すばらしいクラブづくりに生かしていきたいと思う。

県農業祭の布石に　岐阜県連

15・16日大垣市で「4Hフェスティバル」

【岐阜県＝中野俊一連絡報道員発】岐阜県4Hクラブ連絡協議会（会長 林新太郎君）では、これまで行なってきた4H大会の一大改革を計画、昨年九月以来その準備を進めてきたが、「4Hフェスティバル」と銘打ち、いよいよ来る十五、十六の両日、大垣市で開催する運びとなった。

これまで4H大会は県の計画によってプロジェクト発表や意見交換というような形で進められてきた。最近は意見交換の中味も変り、またバスによる他産業の見学なども取り入れられてきているが、クラブ員自らの行動、計画性がなく、同じクラブ員でありながら主催者と招待者というように分かれていた。

そこで①みんなの手で、村の若者みんなの力を結集すれば何か大きなことができるのではないか②岐阜県に農業祭、いわゆる農民の祭りがなく全県の農業者が一堂に集まる機会がないので、4Hクラブがフェスティバルの回を重ねて県全体の中にそのようなムードを高め、将来は県農業祭が開かれるように、という願いから今回の改革となったもの。

このフェスティバルの計画は昨年九月からあったもので、実行委員長を西濃4Hクラブ連絡協議会の小寺会長とし、また開催地の大垣市4Hクラブ（会長 林一郎君）を中心とした実行委員会も同時に作られ、関係者の努力により実現の運びとなったものである。

フェスティバルは、パレード、展示、即売の三本の柱からなり、各地区、普及所単位十三地区にそれぞれ展示や即売などのスペースが割り当てられている。

会場は大垣スポーツセンターで屋内では展示を、屋外では即売を約四十分、市のメインストリートで盛大に行なう。

関係者をはじめとし、クラブ員一人ひとりが、自分たちクラブを多くの人に理解してもらおうと大はりきりで開催を待っており、活気があふれている。また、全国のクラブ員にも広く参加を呼びかけている。

草の根大使

申込み20日まで

社団法人日本4H協会（会長 宮城孝治氏）は、国際農村青年交換（IFYE＝イフィー）計画に基づいて四十五年度も4Hクラブ員代表の男女各一名をアメリカへ派遣することになり、その希望者を広く全国から募集している。

応募要領は次のとおり。

一、派遣の時期と期間　六月中旬から約六ヵ月間

一、派遣される人の資格

1、現在、4Hクラブ員であって、これまでに三ヵ年以上の4Hクラブ活動（学校農業クラブ活動を含む）の経験があり、プロジェクト活動の実績をもつ人

2、年齢は、来る四月一日現在満二十歳以上～二十三歳までの未婚の人

3、健康で人柄などがこの派遣にふさわしい人

4、中学校卒業程度の英語を習得している人

5、帰国後も4Hクラブ員として組織活動に参加し、積極的に4Hクラブの伸展に協力する人

応募者は、必要書類をそえて来る二十日までに道府県担当課長を通じて4H協会に提出すること。

日赤の婦長さん招く　着付けの勉強も

静岡　25・26日、国立青年の家で「女子研」

【静岡県＝鈴木政美連絡報道員発】静岡県農村青少年クラブ連絡協議会生活部（部長 鈴木民江さん）は、来る二十五、二十六の両日、御殿場市の国立青年の家において今年度二回目の女子研修会を開催する。

昨年九月に開いた一回目では、OGを囲んで分科会を開き、結婚問題などについて話し合い親睦を深めることに重点を置いた。

今回は、それと視点を変えて開くよう計画している。目まぐるしく変化する農業情勢の中で農業に従事している女子青年は、現在の姿でよいのか。とくに近年、女子クラブ員が著しく減少している現在、どのような活動を行ない、また、どのような考えを持って取り組むべきか、そして、二度と来ない青年期において考えなければならない問題が山ほどある。こうした考え方に立って日赤の看護婦長さんに話題を提供してもらい、それに対してお互いに意見を思う存分かわすことにしている。

また、地元の呉服店の協力によって着物の着付けや帯の結び方、着物の手入れ方法などを習い、農作業や家事労働に追われている女性が日常生活に着物を取り入れ、心のゆとりをもってもらうことにしている。

さらに、料理コンクールを計画している。

生活診断を課題に

第20回農山漁家生活改善実績発表大会　10・11日、東京で

農林省主催の第二十回農山漁家生活改善実績発表大会は、来る十、十一の両日、東京・千代田区霞が関の農林省ホール（七階）と同区内幸町のイイノホール（飯野ビル七階）で開催される。

一日目は午前九時半から農林省ホールで開会、研究分科会、農林省別館展示室で写真展を見学、昼食のあと会場をイイノホールに移し、農林大臣を迎えて公開発表会に続いて優秀賞の授与と記念講演がある。

二日目は午前中、農林省ホールと同省一階の共用会議室で研究分科会、午後一時からイイノホールで分科会全体報告を行なう。

研究分科会では「わが家の生活診断」を共通テーマに①計画性のある家庭づくり②たのしさのある家庭づくり③老後の生活設計④快適ですみよい村づくり（農・漁）について話し合う。

なお、NHKが後援、生活改善実行グループ全国連絡協議会が協賛している。

悩みは希望へ続く

山口県連でリーダー研修会　自由化問題など討議

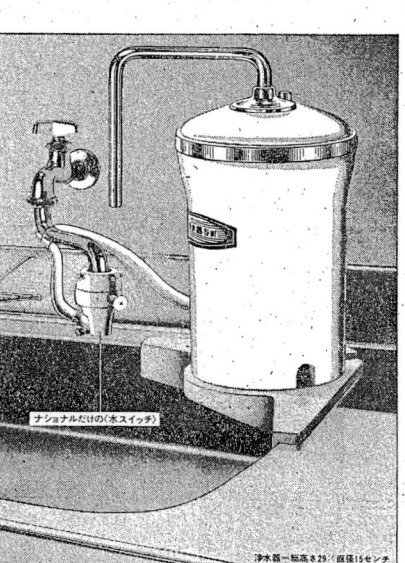

【山口県＝須内和明連絡報道員発】農村青少年クラブ連絡協議会（会長松尾耕助君）は、さる二月十一、十二の両日に女子クラブ員のつどいを、十二、十三の両日にリーダー研修会を、山口県防府市牟礼の山口県営農技術研修所新生館において開催した。

先だって行なわれた女子クラブ員のつどいは、二十四名（うち既婚者三名）が参加、農村青少年クラブ活動を行なっている県下の女子クラブ員や農家生活の諸問題に関心をもっている一般農村女子青年が一堂に会し、相互の親睦をはかるとともに平素の体験をもとに農家生活やクラブ活動の問題点を話し合い、農村における女性のあり方、女子クラブ員の役割などについて研究討議した。

まず十一日は、十二時半から開会。オリエンテーションのあと、山口女子短大の福田百合子助教授による「男女交際について―社会人になって結婚するまでの交際」と題する講演を聞いた。

続いて、県普及教育課生活専技・吉村京さんの指導による料理実習が行なわれた。夕食後は、同じく吉村さんの指導によって「着物の着付け」を習い、そのあと「男女交際」というテーマで男女交際での女性の立場、結婚問題および家庭に入ってからの嫁の立場について話し合った。

十二日は記念写真のあと、「クラブにおける女子クラブ員の役割について」の問題を活発に討論し合った。

また、日本4H協会から派遣され「草の根大使」としてアメリカへ留学した坂本重子さんと、全国4Hクラブ連絡協議会から推せんされ「青年の船」で東南アジア六ヵ国を訪問した藤田富美子さんらによる「外国生活の一面」と題する報告を聞いた。

リーダー研修会は二十五名（うち女性十名）が参加して行なわれたが、十二日午後一時からの意見交換では、女子クラブ員のつどいの参加者が全員出席して、女性だけでは解決できない問題や男性に理解してほしい問題などを話し合った。

この研修会は、現在のきびしい社会情勢の中で農業を進めてゆくためには、すぐれた知識とたくましい実践力をもった農村青年が期待されることから、県下各地で活躍している農村青少年が、日頃の実践活動の中で生れた問題点や意見をお互いに交換するとともに、よりよきリーダーシップを養うために必要な知識技能を体得することを目的として開催されたものである。

女子クラブ員との意見交換のあと、クラブリーダーとしてこれだけは知っておかなければならないことについてのアンケート調査が行なわれ、相互に検討し合った。

夕食後、実技に入り、レクリエーション、フォークダンス、歌唱指導など、基本的なもののうえにいかに新しいものを取り入れてゆくかについて実際に行ないながら、研究し合った。

十三日は、前日の意識調査をもとに話し合ったあと、「リーダーとしての心得」について、リーダーとは何か、またどうしたらよきリーダーになれるかなど、日頃の活動をもとにして分科会で十分検討し、そのあと行なわれた全体討議で再度確認し合った。続いて反省会、閉会式を行ない、全日程を無事終了し、十二時解散した。

参加人員は今までのうちの最低ではあったが、内容は充実していたものがあった。自由交歓での話題で、農村青年の減少、自由化問題、過疎問題などの悩みがでたが、希望がなければ悩みもないというように、それはやがて新しいものへ挑戦する力になると思われる。

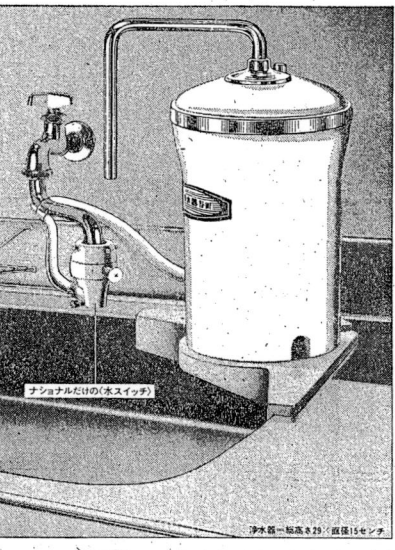

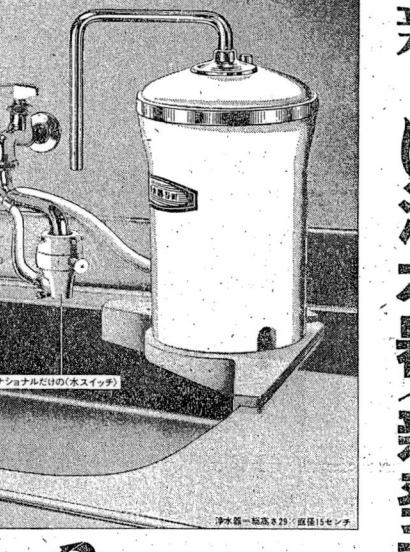

勝利のVサインを示して肩を組む同志たち

強い意志で

宮城・吉田野菜部　創立10周年を祝う

【宮城県＝丸子京子連絡報道員発】亘理郡亘理町にある吉田農協農業後継者クラブ吉田野菜部（会長 斎藤敬一君）では、クラブの創立十周年を迎え、そのほどその記念大会を盛大に開いた＝写真＝。

同クラブは、さる三十七年十一月、農村問題について話し合える場をつくり仲間づくりをしようと初代会長の斎藤孝さんを中心に十部落の農村青少年が集まって発足されたもの。

当時の会員は七名だったが、今日までに二十四名の先輩を送り出し、現会員は十六名でいまも活発に活動を続けている。その間に、名称は吉田4Hクラブから会員の減少や農協との関連を持つために変ったが、内容は4H活動の特徴をひき継いでいる。

また、三十九年には県の優良クラブに選ばれたり、実績発表会では県代表として全国大会に出席したことも数回ある。そして、多くの部落の中から二、三の部が独立し新たに活動を続けたところもあるが、吉田4Hクラブはいつも"育ての親"として吉田地区のクラブ員にとっても重要な役割を果してきた。

記念大会は、町長はじめ農業改良普及所長、組合長、関係各機関の代表者、各単位クラブの会長、OBを含め約五十名が参加、さまざまなあいさつのあとクラブ員によりアトラクションがあり、大好評を博した。

出し物は"秋田音頭"に合わせたトックリ踊りやクラブ員の脚色による総出演のコメディタッチの"ラブストーリー"などで「クラブ員にこんな才能があるとは知らなかった」という声も聞かれた。

続いて、OBをまじえての懇談会があり、青少年活動の組織のあり方や農業に対する心構えなどを話し合った。

現在、農業をやるには、いい加減な気持は許さない。クラブ活動においても同様で、一人ひとりが現状をよく見つめて「われわれ青年は何をすべきか……」を自覚し農村の中堅青年として明るい生活ができる農村建設に強い意志をもとうと誓い合った。また、意を新たにして、次の十年へ向って進もうという意欲を燃やしていた。

成果生かそう

筑後市4Hクラブで研修　問題点など話合う

【福岡県＝下川和子連絡報道員発】農村社会や4Hクラブでの問題点を話し合い、その解決の方向をみつけよう―と、筑後市4Hクラブ（会長 下川良夫君）では、さる二月四日から三日間、英彦山青年の家で、クラブ員三十二名の参加のもとに研修会を開いた。

主な内容は、これからのクラブ活動とリーダーのあり方についての講義、それをもとにした分科会討議、部門別活動の反省と計画、今年度行事の反省と四十七年度計画、全体討議、自由交歓としてのスポーツ、レクリエーション、他団体との交換会、青年の家アワーとしてのキャンドルの集いなどであった。

分科会などの討論でクラブ員は自分の意見や考えを述べると同時に、みんなの意見を聞いて自分にとっての利点や反省点などを見い出していた。これからのクラブ活動にその効果が出るものと期待される。

また、今までクラブ員の間で時間厳守されていなかったが、青年の家での規律正しい生活をいつまでも忘れずに今後、大いに役立ててほしいもの。クラブ員たちは「この研修の成果を大いに生かし、お互いに助け合って、さらにより良いクラブ活動を進めよう」と語っている。

ふえた共同プロ発表

福岡で「明日を築く農村青少年の集い」　4Hの玉子を激励

【福岡県＝松沢富美連絡報道員発】「第三回福岡県明日を築く農村青少年の集い」が、このほど三日間にわたって福岡市の県社会福祉センター・県農協会館で開催された。

一日目は、各農業改良普及所段階で選出された二十八名の代表が二会場に分かれ、青春を土にぶつけ、明日のために努力している貴重な体験を発表した。とくに本年の新しい傾向として共同プロジェクトの発表が多かったことで、これに対し二百名の参加者から活発な質問が飛び出していた。

二日目は分科会討議が行なわれた。水稲、野菜、花き、果樹、畜産、農家生活の六分科会で「クラブ活動と私たちの役割」（共通）「豊かな農業をめざす私達の生産活動」（部門別）をテーマに、あらかじめ提出したレポートを中心に活発な意見交換が行なわれた。助言者には県連から推せんされたOBを迎えて貴重な体験をもとにアドバイスが行なわれ好評。

昨年は、一日間で実績発表と分科会の両方が行なわれたため分科会の中身も薄いものであったが、今回は日程もクラブ員の要望で一日延長されたので、全体会議で報告された分科会討議の内容も時代に即応したものがみられた。

三日目は、今春県下の農業高校や伝習農場を卒業する五百五十名の新卒者を集めて"新農業者のつどい"を開いた。新しく農業を志す若者を激励し、お互いに交流を深めて自信と誇りをもって農業に取り組もうというもので、まず代表発表が行なわれた。筑後市4Hクラブがスライドを使用してクラブ活動を紹介、続いて県連活動を説明、ともに進もうと訴えた。

また、「新しい農業者像を求めて」というテーマで新農業者、4Hクラブ員、経営主が二名ずつ壇上に並び、適確な助言者の意見に耳を傾け、会場からも若者らしい答えがはね返り、明日の農業に力強いものが感じられた。

ついで亀井県知事らから激励のことばを受け、これに対して新農業者代表から、これから農業に取り組む心構えについて力強い決意表明があった。

最後に「青春と農業」と題してテレビなどでおなじみの竹腰美代子さんの指導で健康体操。竹腰さんのリズミカルな動作に会場はのみこまれたよう。座席でもできる体操など実用的なものが提示された。隣席の丸々と太った女生徒も"頑張らなくっちゃ"とばかりピアノに合わせて動作していた。

この三日間、激動する農業情勢の中にあって黙々と土に挑戦している仲間の声と、明日から自分たちの仲間となる活気ある後輩に接し、クラブ員たちは新たな希望を胸にいだいて家路についた。

畦道

哀しみのピエロ

幼い頃、私の小さな町にもサーカスの一団がやってきた。神社の境内に、まるで天にまでとどきそうな円錐形のテント、五月の風にゆたう万国旗、それをみて少年の私の心はおどった。

光と闇の交錯する世界、スポットライトのまるい光の輪は、闇のなかで固唾（かたず）をのんで見守る観客たちと、光に照らしだされる芸人とをくっきりと色わけする。光の輪のなかで少年の驚嘆と幸福の世界が花ひらいていく。

遠いいまとなっては、出し物が何と何であったか思い出すことはできないが、ただサーカスの最後を飾る"空中サーカス"のピエロのことだけは何故か心に残っている。厚く顔をおおったドーラン、大きな花模様のついただぶだぶのズボン、足の長さの二倍もある先のピョコンととびでた靴、どこから見ても人に笑いをさそう、あのピエロだった。

ブランコ台にかけられた綱梯子をピエロは登ってゆく。途中でゴムまりのようにクルクルと足を踏みはずし、危うく落下しそうになるのを片手で綱をつかんで命びろい。ようやくブランコ台にたどりつき、いよいよ空中ブランコの始まり始まり。だがピエロは空しくここでも失敗をくり返す。もう一歩のところで向ってくるブランコに手がとどかず、ピエロは落下する。落ちる、落ちる。手をぶらぶら、足をぶらぶら、そして観客の頭上に張られた"命網"に、まるで弾むピエロ……。

私もきっと、他の観客たちと同様に、ピエロのあの滑稽な演技に涙を流して笑ったことだろう。だがふっと思うことがある。あのときピエロは心臓ポンプのように、観客の涙を吸いとって、かわりに笑いと幸福を与えていたのではなかったかと……。顔を隠したあの厚いドーランは、きっと私たちの涙が固まってできたものなのだ。【守】

揺れる農業情勢を反映

昨年の全国会議から拾う

第十一回全国青年農業者会議は六日から開催される。農業をめぐるきびしい情勢のなかにあって、全国から選ばれた農村青少年と農業経営者夫婦、青少年育成指導者の間で、日頃直面している農業、クラブ活動の問題やこれからの農業経営について真剣に討議されるものと思われる。そこで、去年の第十回大会における分科会での報告をふり返ってみることによって、今年の大会の参考とするため、継続されている問題点などを浮きぼりにしてみた。

生産調整に論議（水稲）　価格や都市化の問題（野菜）

水稲

昨年の分科会のいくつかを拾ってみると、まず水稲では、参加者の耕作規模が比較的に大きかったために、技術問題よりも経営問題に論議が集中し、省力方法としての機械化の問題、規模拡大の問題、資金調達の問題、将来の方向づけなどについて話し合われた。それらは独立した問題としてではなく相互に関連した問題として把握されていたことに注目される。たとえば自立経営の場合、労働時間の短縮が機械化に結びつき、これが規模拡大の要請につながるといったように。また、規模拡大には当然資金調達の問題がでてくる。そして多くの人が制度資金を利用していて（参加者推せんの基準としてこれらの資金を借りていることという条件もある）、これらの借入資金額の上限をもっと高くして、有効な利用をはかりたいとしていた。

この他の問題としては、やはり生産調整が議論を呼んだ。それによると、生産調整を機に規模拡大、農業の拡大のチャンスにしたいという意見がでた一方、東北地方のように転作する方法がないといった悩みもだされた。なかには、この政策を前向きの姿勢で捉え、過剰割合分だけ減らしても、米価収入は確保できるとか、高生産農業者の自然選択をはかるべきだという意見もみられた。

全体的にみると、プロとしての稲作経営は規模拡大をはかり、企業経営へと移行させ、その手段としては、買う、借りる、請負、開田などの方途をとるということでまとまっていたようだ。

野菜

露地野菜もまた、米の生産調整と関連して、水田転作が問題となっていた。また労力と規模拡大については、規模拡大の可能なところと不可能なところがあり、拡大そのものはできても労働力の面で不可能に近いという矛盾があり、そのためか、作付品目を少なくして経営の単純化をはかるという意見もみられた。しかし逆に、一品作目では価格、収穫の不安定が収入の不安定につながるとして、田畑複合経営を考えるというものもあった。

農産物の価格決定に関する疑問や不満から、流通機構の欠陥の指摘、販売対策の組織づくりをする、産地形成による技術や品質を統一するなどの意見がだされ、また通年所得を増大させるために、畜産、永年作目、施設利用の作物を導入したり、消費者志向をめざすという意見も聞かれた。

機械化は省力化推進のために必要であるが、個人では過剰投資になりがちなので、国の開発補助を求める声もあった。また残留農薬による公害の問題は、安価で使いなれたものが禁止されたために不安感が先走り、具体的な解決策にはまだ手が届かないといった状況であった。

今日的問題である都市化現象にも言及され、農外所得を求める、農地の移転を考える、都市近郊特有の野菜を育成しなくてはならないという意見がだされたが、なかでも、後継者同士の団結が肝腎だという呼びかけには切実なものがあった。

公害の解決を（畜産）　仲間づくり強調（花き）

畜産

公害問題は養豚にまで及んでいる。といっても、ここでは昔ながらのし尿処理の問題である。現在は田畑への還元が多いが、多頭化専業になった場合、固形物を除いて尿だけを還元する方法や、振動ぷるいが必要だと報告されていた。

これからの経営の推進にあたっては、記帳の必要性がかなり認識され、また飼料輸入はアメリカ依存から脱して、中共を考えてはという意見がでて注目された。規模拡大については、農協との契約、資金の借入れ、流通機構の改善などを考えるほか、豚舎をフル回転させること、合理的な豚舎にすること、品種改良の必要性などが報告されていた。

しかし具体的な内容についての報告は全般に乏しく、多頭化に伴って生ずる諸問題、たとえば糞尿処理、病気、粗飼料などの問題に対する解決はこれからのように思われた。

花き

花きでは、仲間作りと低価格対策を中心に話し合いが行なわれ、結束を堅くするためには若者たちがリーダーとなって積極的に仲間作りをやること、また組合の出荷規制を厳しいものとし、品質の悪いものは出荷停止にするなどの組織強化が叫ばれていた。

価格対策としては、良品質作物の継続的出荷、消費者志向、適地適作、専門分化（経営規模拡大によるコストダウン）、市場機構の近代化、経済・市況の情報キャッチなどが要請されていた。花のように特殊的性格をもつ農産物においては、組織を強化することによって発言力を高め、市場に対するイニシアチブを取る必要性が高いと強調され、また単独で栽培を行なっている者に対しても、研究会などをとおして組織作りをはからねばならないという意見は注目された。

具体性を欠く

以上概観しただけでも、昨年の分科会の報告には、農業をめぐる今日の厳しい状勢が色濃く反映していることがみてとれる。しかし問題が農業の範囲内のみならず、さまざまな社会状況と密接に絡み合っているため、現在直面している問題は何なのか、それに対してどのような解決方法があるのか、という具体的な内容が不十分であったことはいなめない。

ともあれ、困難な問題をかかえつつも、これからの農業を担う青年たちが集い、真剣に討議されるであろう今年の全国青年農業者会議に期待されるものは大きい。

50頭酪農の夢

青森・八甲4Hクラブ　小笠原正男

私は現在、水田二・九㌶と乳牛十七頭（成牛九頭、育成牛五頭、肥育牛三頭）の水田酪農を営んでいる。この規模は自分なりの経営目標からみれば、まだ中途半端ではあるが、それなりに自らの試練に耐えてきたつもりだ。

さきゆき暗い米作専業では、これ以上農業収入を伸ばすことはとても不可能なことだと考え、私は水田酪農を計画した。そして四十五年の夏、水田酪農で成功している長野県へ三ヵ月間の研修に行った。その研修で三㌔の体重の減少というハプニングもあったが、米プラス酪農でなんとか農業所得を伸ばすメドもつき、研修の成果は上々であった。

昨年六月、資金調達もでき、いよいよ牛舎の建築と牛の導入に踏み切った。十二月、三十頭牛舎（六百八十平方㍍）が立派に完成。舎内は自動車の出入りも可能とし、仕事も能率的にと、バンクリーナー（堆肥自動運搬機）とパイプライン、ミルカー（自動搾乳機）を取り付け、スイッチひとつで牛糞が舎外にかたづけられ、搾乳もできるなど完全オートメ化方式にした。

いまの私にとっての一番の問題点は、牛舎のわりには頭数が少ないことであり、いち早くこれを調整しないことには、私の酪農経営は不和の状態に陥るものと思う。またこの計画が軌道にのることによって、搾乳牛だけで三十頭、できれば育成牛二十頭の五十頭酪農という、いまは夢の段階だが、その大きな夢に向って毎日張り切っている。

白は若さと清純のシンボルだ。管理のゆきとどいた牛舎で、また健康な市乳工場でビン詰めにされたその白さ…。そしてすぐれた栄養を日本の進歩と繁栄のために、絶えることなく多くの消費者に送りつづけるこの酪農という仕事に私は生きがいと誇りをもっている。

若い力ここにあり　このほど、2日間にわって米子市の皆生温泉会館で開かれた鳥取県の「冬のつどい」に集まったクラブ員の写真が鳥取県連の入江志津子さんから送られてきた。

このつどいには、県内から179名のほか島根（5名）北海道（1名）岩手（1名）各道県のクラブ員も参加し、プロジェクトの実績発表やパネル討議、分散会などで大いにハッスルした。写真の前にドカッと広がる4H旗はあいにく県連旗がなかったためにそれに代えたもので、四つ葉のマークは入江さんが刺しゅうした。

結婚を考える ▶6◀

山口県・柳熊農村青少年クラブ生活部

心の修業も花嫁道具

夜通しの看病が実り　今はいいお婆ちゃん

こころ〈下〉

お嫁にくるときに里の母が、「どんなに苦しくても、どんなにひどいことをされても誠意をもってつくしていくように」と申しました。その言葉を思い出して、私はどんな悲しみにも苦しみにも耐え忍んでまいりました。里に行ったときも、辛いことも、悲しいこともかくし、親に心配をかけまいと「みなさんとてもやさしく、私をよくかわいがってくださいます」と安心させておりました。

そんな月日が長い間続きましたが、あるとき姑は重い病気に倒れてしまいました。もう助からないのではないかと心配し、私は昼も夜も眠らず、お医者を呼んで一生懸命看病し、食事を口に入れてあげたり、便をとってあげたり、また神様にもお祈りしたりいたしました。やがて姑の病気は回復し、もとのように元気になったとき、姑は私に涙ながらに詫びていうのでした。

「私はいままであなたにあんなにむごいことをしたり、病気のときもひどいことをしたので私が病気のときもひどいことをされるのではないかと思っていました。でもあなたは、毎日お医者にきてもらって手当てのかぎりをつくしてくれたり、夜も眠らずに看病してくれたり、また神様にまでお祈りをしてくれました。私はなんとお詫びをしたらよいか、どうして恩返しをしたらよいのか……」

それ以来、姑は急に人が変わったように優しいお婆さんになられたのです。いまでは「自分の娘よりもあなたが一番頼り。あなたのおかげでいま生きているのです。あなたになにをしてあげたらよいのでしょうか」と、チョッキや袖なしなどを縫ってくださったり、ほんとうによいお婆ちゃんです。

私はただ嫁としての義務をはたしただけでしたが、こんなにいいお婆ちゃんになられて私もほんとうに嬉しく、これからも精いっぱいつくしてあげたいと思います。誠意をもってつくせば、どんなに厳しい姑もいつかはきっとわかり合えるときがくるものと信じます。

でも、息子の嫁には私の味わったような辛い思いはさせたくありません。よそさまで大事に育てられた娘さんに、なんであんなむごいことが言えましょう。私はまだ姑にはなっていませんが、私と同年輩の方のなかには、嫁の条件として、姑を優しく世話してくれることを第一にいわれる方がありますが、私はそんなことであってはいけないと思います。それでなくても姑と同居を嫌う人の多い今日、古くさい考えを捨てきれない姑は、いまの時代をよく考え、若い者を理解し、一緒に住んでいても夫婦で楽しく過ごせるようにしてやり、嫁に喜ばれる姑にならなければならないと思います。

親よりも家よりも、まず息子にとってよい嫁であること、仲のよい夫婦であること、それが私にとって一番嬉しいことです。顔かたちよりも、また立派な花嫁道具や衣類よりも、健康で明るく、そしてどんな苦労にも耐えぬいていく強い精神のほうが、なによりも立派な花嫁道具であり、また嫁ぎ先へのおみやげではないでしょうか。花嫁修業には心の修業も大切だと思うのです。

農家の嫁としては農業の好きな人、息子のよき相談相手となり、共に励まし、共に努力してくれる人なら六十年の豊作といえましょう。

農家に嫁ぐのを嫌う人の多い今日、農業に従事し、一生懸命に励んでいらっしゃる若いみなさんはほんとうにたのもしく、またすばらしい人たちだと思います。美しい自然のなかで、公害を知らない新鮮な空気を胸いっぱいにすって、野に山に緑や花を咲かせ、大きな希望や夢のある近代的で豊かな農村を築いてください。

そしてみなさんの幸せな結婚生活をお祈りいたします。

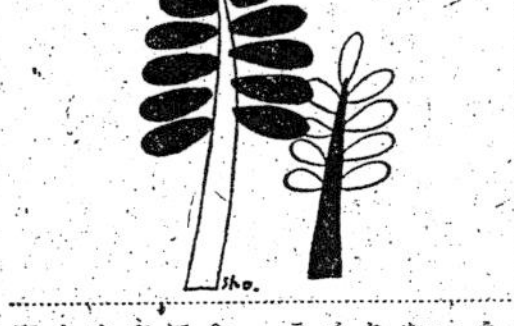

プロジェクトと経営

地域の花作に一歩　菊の電照栽培と取組む

鳥取・関金町農村青年会議　笠原英子

私は家の農業経営を改善してゆく立場にあるため、農業高校に学びました。学校でカリキュラムのほかに、課外活動として菊の電照栽培を手がけ、大きな興味をもちました。

学窓を巣立ち、農業経営の流れに入ってみるといろいろの問題がありましたが、なかでも一番大きな問題は米の生産調整でした。米を作るな、ほかのものに転作せよ、どこからもよく聞かされました。家でもこのことについて話し合いました。しかし、生産調整がなかば強制され、何を作るか切実な問題になると、転作する作物がそう簡単に見あたりませんでした。そこで、検討を重ねた結果、新たに作物を導入するしかなく、それなら思いきって学校で習った菊の電照栽培をやってみようと思い、両親の了解のもとに始めることにしました。以下それについて述べたいと思います。

秋菊や寒菊は短日植物であり、日照時間が短かくならないと花芽分化が行なわれない。この性質を利用し、自然の花芽分化期の少し前から電灯照明を行なって、長日条件を与え、花芽形成を遅らせ、開花を抑制する栽培法です。

施設の面積は一〇四平方㍍で、フコクハット鋼、屋根ポンセット天窓、側面ビニールなどで構造されています。四十六年五月に三十三万円をかけて設置しました。資金は近代化資金を利用しました。

それらによる菊の生産量は、植付本数六二〇〇本×商品化率百分の八〇＝販売予定数四九六〇本となり、また販売金額は、四九六〇本×販売単価十五円＝七万四千四百円となりました。なお収支予想は初年度なので調べてありません。

実際に経営というベースで行なってみると予想しない問題がありました。規模は一応一〇四平方㍍ぐらいが初心者にはよいが、施設内の利用面積が少ないため、生産量があがらず収入にも影響してしまいました。

栽培技術にも多少問題があり、また、水田を利用したため、排水、地力などに少々無理があって、それは品質にもあらわれました。現在のところ菊栽培だけにとどまっており、この栽培期間外に何をするか苦しんでいます。先進地は球根類の半促成、宿根類の促成をしているので、この点なども考えてみたいと思っています。

私の地区には、花木生産を行なっている人などなく、菊作りも私一人です。女の私にも菊作りはできました。さらに今後研究して地区の花作りの一歩に少しでも役に立てばと思っています。

農林中央金庫

上陸する中国農産物　輸入方法に秩序の検討を

中国の国連加盟を契機として日中貿易、とくに中国農畜産物の輸入問題がクローズアップされてきたが、今後の日本農業にとって問題をはらんでいるように思われる。

中国は、日本の二十五倍の土地に、六億の農業人口を擁しており、圧倒的に農業の比重の高い一大農業国である。国土の九〇㌫以上の地域が温帯、亜熱帯圏に属し、日本にできる農産物はすべて豊富に生産されるほか、バナナ、パイナップルなどの熱帯農産物も華南地区で増産されている。生産の組織は三十戸ほどの生産隊を基盤に、その上に生産大隊、さらに上部組織として人民公社がある。人民公社は農業生産のほか、その大きい組織を利用して、農機具や肥料の生産工場や施設を運営している。

中国の食糧政策は、各省ごとに、さらに県ごと、人民公社ごとに食糧を自給自足することを目指しており、国として一年ないし二年分の食糧を備蓄するほか、人民公社や各農家でも相当量の備蓄が進められている。

日本との貿易は、日本側のは農民を苦しめるようなことはしないとくり返し述べているが、商社間の過当競争で、日本の農家の利害を考えない無秩序な輸入が行なわれるおそれがあるので、農協組織としても早急に対策を講ずる必要がある。

日本農業との競合関係の品目をあげてみると、牛肉、豚肉、鶏卵、ブロイラー、飼料、養蚕、蜂蜜、青果物などがある。そのうち六六㌫を輸入に依存し、その五割以上をアメリカに頼っている飼料では、畜産経営の安定化のために中国からの飼料原料の輸入は大いに期待されるものであり、また、蜂蜜も国内生産は三四㌫にすぎず、中国産は日本産とは風味も異なっているため、中国からの輸入量が増えたとしても共存していくものと思われる。

しかし、その他の品目は現在行なわれている輸入制限のための枠がとりはらわれたり、中国側が積極的に輸出に力を入れてくれば、日本の農作物に与える影響はかなり高くなってくるものと思われる。

そのため、日本の農民の要望や利害関係を中国側に正しく理解してもらうため、早急に日中間の農民同士の接触、農協段階の交流が望まれるとともに、農産物については、秩序ある輸入方法を検討する必要がある。（総務部）

こんなことをしています　各種農業団体

全国購買農業協同組合連合会

土壌分析13万点に　活躍するくみあい園芸相談車

園芸相談車は、現在、全国の八割、三十八県連に設置され、活発な活動を展開している。土壌分析数もすでに全国累計で計十三万点に達するという実績。また、診断活動を通じ、農家と農協との緊密化を促進した効果は大きい。いまのところ農協が多忙であることもあって園芸相談車に対する協力体制がまだ弱いので、今後、運営の充実をはかるため、さらに強い協力体制が必要になってきている。

くみあい園芸相談車は、系統の園芸対策強化の一環として、さる四十四年度から各県連に設置をすすめてきたが、同年十二月に設置された栃木、三重、宮崎の三県連を皮切りに満二年を過ぎた現在までに三十八県連、全国県連の約八割が設置している。

相談車は土壌診断を中心に病害虫の診断、栽培指導など各県連の実態に応じて、それぞれ多角的に活発な活動を展開し、このため農家からも非常に好評で着々と成果をあげている。

このほどまとめた各県連の相談車の活動状況についての概要を要約すると次のとおりである。

▽農家生産者組織との接触の場ができている▽診断結果の説明会は、単なる講習よりも受講意欲が高まっている▽農家と農協との意思疎通に役立つ▽生産者組織、出荷組織で技術的に好評を得ている▽農協の指導強化に役立つ▽非常に好評で、一台では応じきれない状況である▽果樹地帯、施設園芸、茶園で好評▽診断にもとづく施肥設計の改善によって、商系から農協に注文替えした▽診断の申し込みが殺到し、調整に苦労している。

このように技術面での評価のほかに農家と農協の結びつきが強まるなどの点でも大きな効果をあげている。

しかし、相談車が設置されてからまだ日が浅いこともあって運営面で今後さらに改善しなければならない問題も多い。

例えば▽人手不足のため専任技術者の確保が困難である▽診断結果の応用が農家まで徹底していないなど、効果的なアフターケアが不十分▽一台だけでは限度があり、農家の要望に対応しきれない、などである。

今後、これらの問題については技術講習の徹底、体系的な運営の確立、また関係機関の一層の協力を得て運営の充実をはかる必要がある。さらに、経験の積み重ねと技術指導の強化をはかって、単に土壌分析だけでなく「動く園芸相談コーナー」として、広く栽培、経営指導までできるように質的向上を進め、遅れている系統の園芸対策強化の一環とすることが、今後の課題である。（広報課）

NHK農事番組（3月11～20日）

テレビ

明るい農村　6・30～6・55　総合
- 11日　農村新地図「愛知県安城市」
- 12日　明るい漁村
- 13日　村の記録「日本農業賞代表にきく」
- 14日　きょうの話題「日本農業賞代表にきく」
- 15日　産物往来「日本農業賞代表にきく」
- 16日　話題の広場「日本農業賞代表にきく」
- 17日　村をむすぶ「日本農業賞代表にきく」
- 18日　農村新地図「日本農業賞代表にきく」
- 19日　明るい漁村
- 20日　村の記録「わらび座入門」～秋田県田沢湖町～

農業教室　7・30～8・00　教育
- 13～15日　施設園芸の土壌改良　[illegible]（農林省園芸試験場興津支場）
- 16～18日　近郊酪農の方向　服部進（愛知県農業総合試験場）

あすの村づくり　7・00～8・00　教育　再　土　13・00～14・00　教育
- 12日　「沖縄からの発言」～第十一回全国青年農業者会議から～
- 19日　「かわる村のくらし」～第十一回全国青年農業者会議から～

ラジオ

早起き鳥　5・41～5・57　❶
- 11日　炭焼き復活～新潟県三川村
- 12日　農村青年会議から
- 13日～18日　日本農業賞受賞農家に聞く
- 19日　牛乳を食べる～石垣純二ほか
- 20日　特集「新しい農業を築く」

話の広場　日　6・10～6・30　❶
- 12日　スタートした共同バラ園　谷一浩（千葉県鴨川市）
- 19日　集会は落語で～群馬県利根郡片品村

新しい農村　6・00～6・30　❷
- 12日　農村青年にのぞむもの（第十一回全国青年農業者会議関係番組）
- 19日　営農団地発表会出席者　小口芳昭（全中営農生活部次長）

ラジオ農業学校　日　6・30～7・00　❷
- 12日　経営手帳～野菜産地をのばすには（第十一回全国青年農業者会議で収録）
- 19日　優秀農家に学ぶ（酪農）富山寛～栃木県真岡市

ただ今、失業中
冬眠できる農業を
新潟県・中魚沼地区　池田　誠

ただ今、私は失業中である。冬稼ぎに昨年暮れ上京したが、日頃の悪遊びがたたり、体の調子をくずし帰郷した。農村でのんびりと構えて育った自分は、都会の華々しさや過密都市のもつ環境には合わないらしい。

かといって、家にいても稲と野菜の経営では、仕事らしい仕事もない。また、今となっては、近くに働き口があろうはずもない。では、どうすればよいか。

もちろん働かねばならない。夏に充分働きすぎるほど働くから、今寝ているかといっても、夏にそれだけの所得をあげ得ない現況では、そううまい話にはならない。

やり方によっては、豪雪下に冬眠できるだけの経営を組織することも可能かもしれない。それは一体どのようなものなのか。今の自分には見当もつかず、頭が痛い。何かよい方法はないものであろうか。農業の道か！

家を離れて生活してみることは若い時代には大切なことだと思うが、長い将来を思うと安易に出稼ぎに出ていてはいけないような気もするのである。農業への取り組みの意欲の面でも、一定期間、他産業の人に雇われるというのは、農業というものから一歩後退することだとも思う。

年中農業のみで生活することが私たちの目標としてやらねばならぬことなのだろう。しかし、理想はそうであっても、現実としてはむずかしい。むずかしい、だからといって、そこから手を引いてよいとは思わない。ここにひとつのやりがいがあると思う。

今、仲間は各地へ出稼ぎに出ているが、そこで何かしら農業自立への計画を練っていることと推察する。私もまた、私は私なりに、ここでじっくりと思案し、大きな未来を見通した計画を練ろうと思っている。特別大もうけする必要はない。冬の間、家族が楽しく過ごせる最低の働きを、何らかの方法によって、農業をやるなかで獲得していきたい。

十日町の地域性を生かした畜産やキノコをやろうとも考える。そのほか、いろいろ考えられるが、ひとつを選択することはなかなかむずかしいものである。そこで自分は、今年は何でもやってみようと考えている。何がよいか迷っていてもしようがないので、農業本来の姿に返って、鶏を飼い、豚を原野に放し、できれば乳牛も飼育から始めようかと思っている。

企業性とか、生産性とかも必要な基準だと思うが、私は、野菜を多種作り、米を作り、冬になったら家畜を肥やして、浮いた時間にゆっくり本を読み、やりたいことをじっくりやりたい。

現在、春にそなえての野菜作りの本や、より豊かな人生を求めて小説などを読んでいるが、何とか食える生活なので気長にやっていきたいと思う。

金で人生を送ることより、農業を生かした生活の組みたてというのも可能ではないだろうか。また、それこそが私たち農業者の求める真の生活なのではないだろうか。私はそれでやってみるつもりだ。みな様方の御批判、御意見をお聞かせ下さい。

花ある心に
松本美恵子

寒々とした風が吹きすさむ
けしの花のごとき　花びらは
音を立てて　ガクより・こぼれ落つる

あわれなる私の心よ
あわれなる私の姿よ

私の心は　塩気の多い海中に
身をくずして泣きさけぶ
そして　単なる物体にすぎぬ私は
ホコリにまみれた風景画の中に
足を運び入る
そこには区切られた現実と理想が
天と地のごとく
いつ交わるとも知れずに
続いているのみ——

あわれなる私の心よ
あわれなる私の姿よ

たとえ人の形はすれど
それは店頭に置かれた玩具にすぎぬ
あざやかな着色料で
色づけられた玩具にすぎぬ

あわれなる私の心よ
あわれなる私の姿よ

私は一体何を望んでいるのか
人目をひくように
それとも——

無になることはもはやできまい
それは死に等しいから
死に到達したところで
死から生へはもどれない

あわれなる私の心よ
あわれなる私の姿よ

心の奥底にさく花は
陽の光を浴びることはできないものか

あわれなる私の心よ
あわれなる私の姿よ

いや　いつしかもろもろに
くずれ去る日がくるだろう
そして　あらゆる万物が
透明なる光を浴びる時がくるように
あわれな私の心の中にも
カラカラと風車がまわることを信じよう

心の中の自分と　物体とが一致し
現実と理想が交差し
ああ！
その時こそ初めて無が始まる

（熊本県・郡築4Hクラブ）

生と死をみつめる
ある悲しみをのりこえて
山口県・厚狭4Hクラブ　千々松妙子

先日、祖父が亡くなりました。半年ぐらい病床に臥していましたが、病気と老衰に勝てなくて…。でも、医者に御臨終ですと言われても、私にはピンときませんでした。死とは一体、何なのでしょうか。生と死はどう違うのでしょうか。その時の私にはよくわかりませんでした。

しかし、翌日祖父と二人きりで向かい合った時、ハッキリとわかったような気がします。祖父の冷たい体。その目から涙が流れることもなく、その口から笑い声がもれることも決してないのです。

そんな死に比べて、私の体は温かく、この目には涙が浮かび、この口からは、笑い声をたてられます。私は死んでいるのではなくて生きているのです。生きている喜びとまではいきませんが、私は今、生きているのだということを痛切に感じました。そして、人間は生きている限りいつかは死ぬのだということも、また、その生のはかなさも……。

そう感じると同時に、私は何か焦りを感じました。もっとこの生を大切にして、生きている間にしかできないことをしなくてはと感じました。悲しい時は思いきり涙を流し、嬉しい時は思いきり喜び、そして、私のこの頭が働いている限り、納得がいくまで悩み考え、この体が動く限り、やりたいことやらなければいけないことをしなくては……。

そうでなくては、生きている意味がありません。いくら体が温かくても、またいくら脳や体が動いていても、そうでなくては、「宝の持ちぐされ」になってしまいます。

でも、何ともったいない時間を過してきたのでしょう。ただ適当に涙を流し、笑い、そして、悩みや考えていることも適当にかたづけ、仕事も適当にやってきたのです。だから、それによって自分に返ってくるものは、適当な喜びと適当な悲しみでしかありませんでした。

それでも生きてゆけるのですし平穏に死んでゆけるのかもしれません。でもそれは何と味気ない、何と活気のない人生でしょうか。

私は、祖父の死によって、生というものをハッキリと知らされたような気がします。この短い人生を思いきり生きなければならないと思います。

私も、もう二十一歳になってしまいましたが、まだ遅すぎることはないと思います。今から新しく出発しようと思います。一日一日を大切にして、精いっぱい生きてゆこうと思います。

あの冷たく横たわった祖父の死を思いうかべながら……。

4Hクラブと4H精神を説明する豊川会長

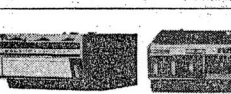

重複でない交流を
青森県・青森市農村青年の会　有志

私たち青森市農村青年の会（会長・豊川民男君）では、去る十二月十九、二十の両日、市内青年団体幹部研修会に参加した。この幹部研修会は市教育委員会が市内青年団体の会長、副会長、事務局長クラスの幹部を集め、十和田湖へ通ずる県雲谷青年の家において一泊二日の日程で開催されたもの。

当日参加した青年団体は、青森市連合青年団、青森市勤労青少年サークル連絡協議会、青森市青年学級連絡協議会の四団体で、いずれも市内において、日夜活発な活動を続けている青年団体だけに白熱した討論が展開された。

主な内容としては、4Hクラブ（青森市農村青年の会）を初めとし、現存する青年団体の抱えている問題点の提示、さらには、その解決策と方向、それに自主独立団体としての体勢の確認など、今後の直面する課題に対する事前策などであった。

青森市では、何といっても農業農家が多いため、4Hクラブとほかの青年団体とに重複して参加する人が多くなった。とのことについては、その人本人の自覚と青年活動に対する自主性を尊重するしかないと思う。しかし、いくら多才な人間でも両立は不可能であろう。そういうことからか、多人数の重複者がでてくれば、それがかえって、各団体の運営に支障をきたすのではなかろうかという意見もかなりでていた。

しかし、これからは、近代的かつ合理的な青年活動を押し進めてゆかねばならない。その方法としては、やはり自己の所属する団体だけの殻に閉じ込もっていては進歩がないのではなかろうか。もっともっと他団体との交流を深め合うべきだ。そうすることによってお互いの励みとなり、青年活動マンネリ化を防止できるなどの意見もかなりあった。他団体との重複しない交流こそが大切なのかもしれない。

4Hクラブから参加した前会協副会長の山本たい子さんの意見がめだち〝4H精神ここにあり〟といった感じであった。

わが世代の人々

最近のことであるが、私は〝バニシングポイント〟という映画を見た。バニシングポイントとは、消えゆく点という意味であろうが、映画の内容もまさにそのとおりであった。

それは一人の自動車陸送屋の青年がシカゴからサンフランシスコまで、二日でゆくという筋であった。しかし、その青年には二日でサンフランシスコまでゆく理由もなければ必要もないのである。ただ、二日でゆかなくては……ということがあるばかりであった。山を越え、川を越え、砂漠を越え、スピード違反なので警察に追われながら彼は一路サンフランシスコをめざした。しかし、とうとう最後に彼は、トレーラーの壁に向って自らの車を突進させる。目的もなく、理由もなく、それにつづく無意味な死……なんとも気の滅入る映画であった。

このような若者を、私たち若い世代の人間はどのようにとらえてゆくべきなのだろうか。現代社会が生んだ非運な落とし子としてとらえ、割り切ってゆくには彼はあまりにも私たちに似ていすぎる。彼を割り切って整理することは、つまり自らの人生を割り切って簡単に整理しているような気がしてならないのだ。

新宿でシンナーに明け暮れる宿なし、旅カッコいい車で飛びまわる女たらし、ジに出て戻らぬ仏教かぶれの若者たち、ジャズにのって一心に踊り狂う尻軽女、わき目もふらずに働いている青年、そして批評家きどりの何にでもさめた目を向ける青二才……。

私たちの世代には実にさまざま若者がいる。私たちは彼らを、社会との関連性においてのみとらえてきた。彼ら自身の主体をまったくぬき去った次元で、彼らと自分との対比のうちに自らを位置づけ保ってきたのであった。私たちは、彼らのことをとやかくいうまえに、自らのうちに彼らを見い出すべきであろう。昔はやった探偵映画ではないが、ある時は聖者、ある時は気狂い、またある時は道化師と、これが私たち世代の人間の生き方ならば、私たちは彼らと同種の人間なのではないだろうか。

一台の車が厚い壁に向い突っ走ってゆく画面を見て思わず戦慄したのは、彼がまさにわれらの世代の人間であると感じたからである。

日本の現代作家大江健三郎は、今から約十年ぐらい前に〝われらの時代〟なる小説を書いた。その本の結論は、われらの時代の若者のたった一つの行動は自殺であるが、われらはそれをすることができないといったようなことであった。しかし、バニシングポイントの主人公は激突して死んだ。

〝われらの時代〟は常に動いている。私たちの世代にどのような人間がいようと私たちは彼らとともに歩まねばならない。このような世代をのりきる契機は私たち自身のうちにあるのかもしれない。

しかし、私たちは世代をのりこえることはできないだろう。それは、今、怪獣ごっこをしている悪タレたちがしてくれるのだろうか。

（野）

遠吠

おばこの里の米は
埼玉県・騎西町連合4Hクラブ　金久　保

クラブ員のみなさん、〝トヨニシキ〟って何だかわかりますか。ほかにササニシキやウゴニシキなどがありますが、これは日本でも指折りの米どころ秋田米の品種なんです。

昨年の秋頃、私はある女性を訪ねて一人旅をしました。二人で野道に腰をおろして話に花を咲かせながら、私はフッと手にふれた稲穂をもぎとり籾をつかんで見ました。米どころの秋田米とはどんなのかなと思って……。

私にはよくわからなかったが、でもこの米がわが家の日本米よりよい米だということはわかりました。あとで、二人しておばこの部屋でご飯を食べた時、そのごはんが実においしかったのは今でもおぼえています。また、その瞬間脳裏のなかで、この米の籾を手に入れてわが家の土壌に植えたら、どんな味の米が実るのかなと感じました。

ふたたび二人でたんぼに行き、穂をもぎとりました。両手にひとつ山ぐらい。帰る時、おばこが父に話してくれて、二、三升ならゆずってあげると言いました。しかし、私は、いやこれでいいとことわりました。この籾を君の家に来た思い出にしようと思って……。

その米を私は、減反でマスを放して空いているたんぼに植えました。それは少しだったけれど、あまりよく実りませんでした。でも私は、この籾を少し持って、またおばこの家に行って、この籾と比較してみようと思いました。そして、今度は、おばこの両親に話して、二升ばかり籾種を手に入れてこようとも考えています。

私は今年、親父にこのことを話して了解を得たので、来年も減反だろうから、その減反の水田に秋田米のトヨニシキを植えてみようと思っています。秋田米がわが家の土壌でどんな味になるのか。

埼玉の日本晴、トネワセと秋田米のトヨニシキとのどちらに軍配が上がるのか楽しみです。私は、こんな方法で味の良い米をと思っていますが、みなさんはどんな方法でやっていますか。

もっと考えようぜ
神奈川県・楽友会　柳川弘一

最近よく思うことは、ものごとを真剣に考え話し合うことをさける傾向があるのでないか、ということである。少し堅い政治のことや人生についてなどを話し合いだすと、すぐに話をほかへそらしてしまう。それよりもレジャーといった調子だ。車を走らせてボーリングにでも行ったほうが楽しいことは事実だが、それでいいのだろうか。

社会的傾向と言ってしまえばそれまでだが……。しかし、その流れに染まって自分を見失うことがあると思うので私自身もよく反省している。

今日の世の中は、物質面においてお金さえあれば、たいがいなんでも買うことができる。いろいろな金融制度もあり大変便利になってきた。しかし、人間どうしのつながりは、それらのことだけでは解決できない。〝対話があり人格を尊重する〟このことは人間関係を伸展するうえに不可欠だ。

ははたき　(1)
越湖正孝
〈北海道・若葉4Hクラブ〉

台風コンビ

「あのおじさん、いつも奥さんに叱られてばかりいるのよ」

「ホント、奥さんから解放されると急に気が大きくなるのね。男ってかわいそうなもんネ」

「ウフフ、ハハハハハハ」

玄関の外から、恵美と幸枝のかん高い声が部屋の中に響いてきた。

「オッ、来たな台風コンビ」会長の飛馬が言った。

今日は収穫を始めて久し振りに皆が顔を会わすスミレクラブの会合である。集合時間三十分過ぎ、飛馬、銀次、進一の三人はすでにストーブを囲んで座っていた。

ガラガラッ—。「遅くなってすいません、ハハハハハ」二人が笑いころげながら入って来た。

「笑いながら、すみませんはないよ、それより今日はどんなニュース」飛馬が言った。この二人は会合があるたびにいつも大騒ぎしてニュースを持ってくる。いつもくだらないニュースではあるが、またそれが男性クラブ員にとって楽しみのひとつでもあった。

恵美が話そうとすると先をついて幸枝がしゃべり出した。この二人、しゃべり出すと止まらない。

「あのネ二人でここへ来る途中あそこの雑貨屋さんに寄ったのヨそしたらネうちの隣りの長太郎さんがネお酒飲んでるのヨ私たち見ない振りしてボールペン探してたのそしたらネおじさんが私だってえことに気づかずおいねえちゃん一杯やらんかなんて言うのヨそしてサ今の若い娘はいいケツしてるネエなんて店の人に言ってるのヨハハハハハ」二人は笑いころげながらしゃべり続ける。

「私びっくりしておじさんのほう見たのヨそしたらサおじさんもびっくりしてサやあ恵美さんだったか、悪いところ見られちゃったななんて言うから私おじさんこんなところ奥さんに見られたらどうするのって言ったのヨそしたらおじさん急に顔色変えていやかあちゃんにだけは言わんでくれって頼むんだからハハハハハそしてサおじさんったら私にやあ源さんとこの娘さんしばらく見ないうちに大きくなったもんだネ気立ても器量もいいし源さんもいい娘さん持って幸せだなんて言うのヨいつも顔合わせているのにハハハハハそして何でも好きなもの買ってやるって言うのヨこのボールペンもいいって言うのに無理やりお金出してくれるんだからそしてチョコレートとかお菓子とかを持って買ってやるから持ってけって言うのヨよっぽど奥さんに言われるのが恐ろしかったのネワハハハハハ」

「そのお菓子どうしたの」進一が言った。

「わるいから置いて逃げてきちゃった」

「バカだなあ貰ってくればよかったのに」飛馬ががっかりしたように言った。

「それよりサッチ（幸枝のこと）ったらお酒飲んでくればよかったなんて言ってんのヨ」と恵美が言った。

「イヤーン恵美ったら」

このスミレ会館の六畳間は銀色のかん高い笑い声に響きわたっていた。

時計の針が八時を過ぎようとした時、「オース」ドスのきいた声と共にガラガラッと戸が開いた。「おお」「やあ」「あーら矢吹さん」みんなが声を揃えて言った。

「もう来ないかと思ったよ」そう言う飛馬の顔が嬉しそうだった。

「おお、出張で今留守から帰えってきたとこなんだ」矢吹の家は耕地面積が少い。彼は町に勤めながら家を手伝っていた。従って、クラブ行事には顔を出していなかった。しばらくぶりの対面である。

「よお恵美、しばらく見ないうちにおしとやかになったみたいだな」

「何も出ないわよ」

「いや舌ぐらい出るだろう」

「いーだ」

「ほうら出た。やっぱり変わんないか」

恵美は苦笑しながら矢吹の背中を軽く叩いた。

「痛テテテ、前より力だけは強くなったみたいだ」「ええ、結婚したら亭主を尻にしくために今から鍛えているんですの」「へーえ、お嫁に行けるつもりでいるの」ボカン「イテテテテ、オー痛ェ」

矢吹は恵美に叩かれることに快感を覚えているかのように、恵美もまたからかわれることを内心喜んでいるかのように、この二人が顔を合わすといつも面白い漫才が見られた。

日本4H新聞

4Hクラブ
農事研究会
生活改善クラブ
全国広報紙

発行所
社団法人 日本4H協会
東京都市ケ谷家の光会館内
電話（269）1675 郵便番号162
編集発行　玉井　光
月3回・4の日発行
定価　1部　20円
一カ年　700円（送料共）
振替口座東京　12055番

クラブ綱領

私達は、実践を通じて自らを磨くとともに、互いに力を合わせて、よりよい農村、よりよい日本を創るため、四つの信条をかかげます。一、私達は農業の改良と生活の改善に役立つ腕をみがきます。一、私達は科学的に物を考えることのできる頭の訓練をします。一、私達は誠実で友情に富む心をつちかいます。一、私達は楽しく暮らし元気で働くための健康を増進します。

世界に開かれた"眼"

第11回全国青年農業者会議ひらく

農業の未来を模索

激論した青年農業者

第十一回「全国青年農業者会議」は、去る六日から四日間にわたって、東京・代々木のオリンピック記念青少年総合センターで開催された。これは農林省、NHK、全国農村青少年教育振興会、全国農業改良普及協会、日本4H協会、全国4Hクラブ連絡協議会、全国農業研究会協議会の七者の主催によるもので、全国各都道府県から選ばれた農村青少年、農業経営者夫妻、篤志指導者、普及員など七百余名が参加。とくに今回は、貿易の自由化が促進され、日本農業も国際化の波にさらされることなどが予想される内外のきびしい情報のなかで開かれたもので、七〇年代の日本農業についての活発な討議・研究が行なわれた。＝関連記事3、4面にもあります

全国から東京・佐々木のオリンピックセンターにぞくぞくと集まってきた七百余名の仲間たち。一年ぶりの再会を喜びあう人、初めての出合いに"ヨロシク"と頭を下げる人、経営者夫妻につれられた子供どうしの笑い声。いつもながらの和やかな交歓風景が、あちこちにみられた。と同時に、明日に向う若き農業者の意欲を熱っぽく感じさせていた。

一日目（六日）は、四日間にわたる今後のオリエンテーションにはじまり、夜は、自由交換会で旅の疲れと、心の緊張をときほぐした。

二日目（七日）午前九時、新装なった体育館で開会式が行なわれた。壇上には、来賓、主催者が、会場には参加者が整然と並ぶなかを、マーチにのせて、県旗、県連旗が入場。テレビでおなじみの竹腰美代子さんの紹介で、北は北海道から、南は沖縄まで四十七都道府県の参加者の入場が続いた。

そして、力強い開会の宣言、主催者あいさつが行なわれた。主催者として、伊藤宗一郎農林政務次官（農林大臣代理）、東畑精一全国農村青少年教育振興会会長、黒沢健一全国4Hクラブ連絡協議会会長が、また来賓として衆議院議員の中垣国男氏があいさつした。どのあいさつにも、日本農業の次代を担う青年に対する大きな期待がこめられており、参加者もうなずきながら聞き入っていた。

参加者代表の山口賀美代さん（和歌山）の先導によって全員でスローガンを斉唱。続いて、全員で4Hクラブの歌を合唱し、式を終了した。このあと、研究討議に先立ってNHKテレビの番組視聴が行なわれた。

開会式　各県旗を前に主催者あいさつをする黒沢全協会長

笑い、歌い、踊って

午後に入り、参加者は三十五の各部屋にわかれ、いよいよ分科会研究討議に移った。この日は、自己紹介をかねて、あらかじめ提出されていたレポートにもとづいて自己の経営の問題点や抱負などの発表があり、これからの農業経営のあり方やクラブ活動のすすめ方などについて真剣な討議がかわされた。

夜は"ヤングフェスティバル"が行なわれ、楽しい、くつろいだムードのなか、竹腰美代子さん指導のダンスや体操などでひとときを過した。大いに笑い、汗を流し、全国の仲間たちは、お互いに親睦を深めあった。

三日目（八日）は、分科会研究討議が前日に引き続いて行なわれ、昨日の討議の中から提起された問題をより一層深く掘り下げた。今年の傾向としては、各分科会とも国際的な感覚が強く、とくに、果樹作や、酪農、肉牛、養豚、養鶏などでは、農産物の貿易自由化が新しい問題としてクローズアップされてきた。昨年は減反が共通テーマとなったが、今年もやはりこの問題は大きな論点であった。

また、夜は、"村のはなし懇談会"が、青年と経営者夫妻などがまじって各分科会ごとに行なわれ、それぞれ趣向を凝らした企画によって歌ったり、踊ったり、笑ったり、ヤジったりの楽しいひとときをすごした。

最終日の四日目（九日）は、まず午前中、青年農業者、経営者夫妻、指導者、それに助言者をまじえての合同交換討議。激動する農業をいかに生きぬき、高水準の農業経営を創造するか。また、よりよいクラブ活動の推進や家庭生活の改善などが、熱心に話し合われた。ある分科会では、青年と指導者の間に激しい意見交換があるなど盛り上がった。

クラブ活動部門では、女子活動の推進方法、リーダーのあり方、先輩との協調方法、プロジェクトに関する問題などがとりあげられ、さまざまな角度から活発な意見が述べられた。

学者や知識人を迎え「国際化時代をどう生きるか」というテーマで行なわれた代表討議

午後に入り、会議の総括ともいうべき代表討議が「農村青年に問う―国際化時代をどう生きるか」というテーマのもとに行なわれた。伊藤宗一郎農林政務次官にも加わってもらい、参加者全員による全体会議で、とくに農産物の自由化問題、減反問題、農村の工業化問題などを話しあった。（この模様は三月十一日（土）午後二時十分から、NHK総合テレビで全国に放送された）

引き続いて、閉会式が行なわれた。主催者として豊田明NHK副総局長、徳安健太郎全国農業改良普及協会会長、新田健吉日本4H協会常務理事塩出啓典のあいさつがあり、来賓として参議院議員があいさつ、万歳三唱の音頭をとった。そのあと参加者を代表して岐阜県の津田幸太郎君と熊本県の佐村ハルミさんによる明日の農業への誓いが声高らかに読みあげられ、会場は若き農業者の熱気にみなぎった。

このあと、表彰式が行なわれ、農林大臣賞（青少年 技能 研究集団）、農林省農政局長感謝状（篤志指導者）、振興会と4H協会の両会長感謝状（育成協力機関）、NHK会長感謝状（放送利用グループ育成功績者）、改良普及協会会長感謝状（農業研究集団育成協力機関）がそれぞれ贈られて、第十一回全国青年農業者会議の幕を閉じた。

心頭技健

現役のクラブ員、いわゆる農村青年からみると、現在の農業経営者には夢がないという。クラブ員が単一経営の拡大に夢を広げているのに比べ、経営者が複合経営に走っているためだ▼これは、今回の全国青年農業者会議におけるクラブ員と農業経営者夫妻との交換討議でみられた光景の一コマ。専業農家の育成をめざしている農政とは逆に、兼業農家や出かせぎがふえているように、実際に財布のヒモを握っている経営者としては複合で金儲けしなければならないというのが実情のようだ▼このため、交換討議では、技術や流通などの問題よりも、むしろ夢や女性の扱い方の話題に熱気がこもっていた。奥さんに対してどのような態度をとったらよいかという質問が出ていた。これに対して、さすがに主人方は「例を示してもみんなに当てはまるとは限らない。真心をもって接するのが一番」とすらりと切り抜けていた▼また、クラブ活動の交換討議では、農業改良普及員に対してクラブ員からの突き上げがあった。例えば、普及員に教えられた通りにやったが失敗した。普及員はクラブ員の行事の多い日曜出勤を嫌うだけでなく、夜の会合にもなかなか顔を出してくれない、普及員に世話にならなくてもやっていけるクラブの指導を誰がしてくれるか、などである▼これに対し普及員さん方は「かあちゃんとの会話も必要だし、学校の先生のように聖職視されるところもあり、青少年担当になり手がない」などと普及員さん同士が悩みを打ちあけていた。これらを聞いていて残念だと思ったのは、特殊な問題に多くの時間を費し、自主性、クラブ員の異質性、プロジェクトの重要性など基本的な問題の討論がおろそかにされたことである▼いかに司会者の役割が重要か、そして、その中に熟達した人がいないと話が進展しないということを痛感した。全国大会としてはもの足りない感じをしたのは私一人でなかったはずである。

今年は「全国のつどい」

中山会長を再選　北海道連で早くも総会

中山道連会長

【北海道】北海道4Hクラブ連絡協議会（会長 中山寿雄君）の第一回総会は、全国各府県連に先がけて、このほど道立労農会館二階会議室で各支庁（十四支庁）代議員、役員三十三名の出席のもとに開かれ、活動方針に基づき事業計画を次のとおり決めた。

一、4Hクラブの組織強化
（1）4Hクラブ活動実態調査の実施
（2）支庁連協組織との連携を深める。
（3）ブロック活動の助長
十四支庁連協を大体三つのブロックに分けて各ブロックに役員の派遣を行なうとともに、ブロック当り一万円の研修助成を行なう。

二、4Hクラブ活動の充実強化
（1）青年農業者会議の開催・北海道と共催
（2）リーダー研修会の開催
（3）レコードブックの発行
プロジェクト活動の助長を図るためレコードブックの普及を行なう。
（4）全道4Hクラブ活動記録・機関誌（紙）と写真展の開催
（5）優良参考図書の紹介

三、4Hクラブ相互の連携
（1）クラブ便りの発行
通信員制度を一層強化し、クラブ活動事例の紹介、情報交換などを中心に編集し、機関誌として二回発行する。
（2）クラブ員交換、研修に対する協力
クラブ員の道内外研修交換、青少年海外派遣、海外4H代表などについて積極的に協力する。
（3）日本4H新聞の普及
日本4H新聞第二次普及運動資料に基づき普及運動を行なう。
（4）北海道4Hクラブバッチの普及

四、第八回全国4Hクラブ員のつどい開催

五、会議の開催
①総会（一、九月）②執行部会議（二、三、六、八、九、十一、十二月）③評議員会（二、六、八、一月）④支庁連絡調整会議（三月）⑤委員会（青年農業者会議、リーダー研修会、その他）

六、その他の活動
（1）クラブ活動の啓蒙
マスコミ、その他の機関を通してクラブ活動の紹介、啓蒙を行ない、広く地域社会からの協力と理解を深める。
（2）加盟団体の活動に対し、積極的に参加協力を行なう。
（3）日本4H会館建設募金運動を積極的に行なう。

新役員は次のとおり。

役職名	氏名	地区名
会長	中山寿雄	網走
副会長	中尾克美	留萌
〃	山田則子	網走
書記局長	沢田義美	空知
広報局長	前川英明	日高
事務局長	堤辰雄	空知
〃次長	篠原健一	胆振
評議員	中川論	空知
〃	小野寺俊幸	網走
〃	藤原和子	日高
〃	佐藤とし子	渡島
監事	宮島敏一	上川
〃	竹内千恵子	桧山

予算は百八十三万五千円で、収支の内訳けは会費七万円、資料収入百三十一万円、寄付金・雑収入六百三円、繰越金百四十七円、未収金四十五万四千二百五十円となっている。

つどい実行委決る

第八回全国4Hクラブ員のつどいの「つどい実行委員会（北海道連の役員で構成）」が、さる二月八、九の両日、岩見沢いなほ荘二階和室で開かれ、役員の互選と今後の準備活動の方向について協議された。

実行委員会では、さきに行なわれた総会におけるつどい準備委員会からの報告をもとに今後の活動について話し合われた。また役員の互選では、十九名の委員の中から道連の中山会長が委員長に、前年度書記長の赤松宏君が事務局長に推された。

実行委員は次のとおり。

委員長	中山寿雄	網走
副委員長	二川健司	後志
〃	仲西信之	空知
事務局長	赤松宏	後志
〃次長	沢田義美	空知
〃	中川論	〃
現地交歓訪問	谷口威裕	上川
輸送担当	小栗力	石狩
散策担当	丹正臣	上川
〃	小野寺利博	胆振
宿泊担当	吉田澄子	石狩
開閉会式担当	田村捉一	十勝
歓迎キャンドル	高橋一夫	日高
広報担当	菅野多喜夫	桧山
渉外担当	前川英明	日高
〃	小野寺俊幸	網走
経理担当	篠原健一	胆振
〃	阿部実知子	宗谷
事務担当	大西信子	留萌

（北海道連・前川英明広報局長発）

全員、3分間スピーチ

静岡県連のリーダー研修会　企業家招き学習

【静岡県＝鈴木政美連絡報道員発】さる二月二十四日から三日間静岡県農村青少年クラブ連絡協議会（会長 渥美登美康君）主催のリーダー研修会が、引佐郡引佐町奥山の奥山方広寺研修館で開かれた。これには県下の五地区連から次期リーダー四十五名が参加し、プロジェクトや、クラブ活動の進め方、リーダーとしての基本姿勢などについて研修、また初の試みとして三分間のスピーチを行ない自分の考えていることなどを発表し合った。

まず一日目は、プロジェクトの進め方や実習について県の鈴木専門技術員の講義を受けた。実習では、クラブ員がそれぞれクラブの年間行事計画、年間予算、計画表などを用いて行ない、クラブ活動の中での問題点や改善方法を出し合ってさらにバイタリティに富んだ活動をするために頑張った。

二日目は五分科会に分れて「4Hクラブの今後の活動」について話し合った。

また、リーダー研修会では初の試みとして企業経営者に講演してもらった。主な内容は、農業者はこれからは全体企業的経営を行なわなければならない。そしてクラブ員の若い力で、この厳しい農業情勢に打ち勝って下さい、というもので、非常にユニークな講演であった。

午後は、話し方の学習会を行ない、参加者全員が三分間ずつスピーチを行なった。そして終了後、NHK静岡放送局の高梨敦一郎アナウンサーによる上手な話し方についての講義を聞いた。人の前で話すことは非常に難しいが、まず、とにかく考えていることを、どれもこれもしゃべるのではなく、マトを一つにしぼって落着いて話をしてほしいとアドバイスがあった。夜は班別のレクリエーションを行なった。

最終日は、県連活動の方針と事業計画、組織図などについて渥美会長の説明のあと質問を受けた。

続いて、「リーダーとしての基本姿勢」と題する清水市公民館々長・西ケ谷悟氏の講義を聞いた。青少年活動の中におけるリーダーの必要などにふれられ、この一番大事な青年期に集団活動をすることがいかに大切であるかを強調された。

来月14・15日東京で

全協の通常総会日程決る

全国4Hクラブ連絡協議会（会長 黒沢健一君）は、四十六年度の通常総会を来る四月十四、十五の両日、東京・新宿区霞ケ丘十一の財団法人日本青年会館で開催することをこのほど決めた。

総会に上提される主な議案は①昭和四十六年度の事業経過と収支決算の報告②四十七年度の事業計画と収支予算両案の審議決定③役員改選④日本4H会館建設に関する件、などで、このほか規約の一部改正案の上提も予定されている。

規約改正案は、現在の評議員（各ブロックから男子一名、二ブロックから女子一名）の位置づけが不明確で、その役割に疑問がもたれるため、会協役員の中に新たに理事制をひこうというもの。

また、緊急の案件である4H会館問題では、スペース買取りをする農村文化センター（仮称・家の光協会で建設）が今夏ごろから着工される見通しなので、募金の推進についてさらに真剣に討議されるものと思われる。

涼風暖風

"たまたまあったことだが"

思いがけない方々からお祝いをいただいて、あらためてその友情の深さに感謝し、心の温まる思いをしたのであるが、その中に何と同じ趣好の品が四つも重なったのに驚きと戸惑いを感じた。

御香典かえしとやらを頂いたが、またここで同じ品物を次々と三つも重ねて頂いた。前のものは、つるくびの花入れであり、後のものは、ざぶとんカバーであった。ただこれだけのことであるが、不思議な気もする。偶然のことなのだろうか……。それとも皆同じようなことを考えているのだろうか……。それとも何かの本によい例が示されていたのだろうか……、それにしても……と。

友達が亡くなり、お悔みに出かけた。ところが葬式が終ったところで"忙しくて顔が揃いにくい折柄、これから初七日の法要をつとめさせて頂きますので……"とその行事が取り進められ、それが終ったところで"お送りするのも手間のかかることですので香奠返しをお持ち帰り下さい"と包みが各々に配られた。手順よく運んでいるというのか、簡単にというのか、あまりの早わざにしばしあっけにとられた様であった。

これらのことは、ここ半年程の間に体験したことである。

祝いごと、悔みごとといったことは、時折ぶつかることで、毎日の暮しの延長とも考えられることで、生活に対する考え方が集約されて現れるものである。あたかも氷山の一角のようなものでもあろう。ともに喜び合い、ともに悲しみつつ……といったことから、諸々の行事が生れて来たのであろうが、それが何の考えもなくただ形式的に、画一的に進められるところに、いささか淋しい思いがするし、また問題ではないだろうか。さきのことはやればいいのでしょう、すませばよいのでしょう、といった感じがしないでもない。もっと気持のこもったものに、心のこもったものに……、そしてやる必要性や理由があればやるし、ないと思えば形式にとらわれてやることはないではないか。

一方、やればいいでしょう……といった人々の気持を、巧みにとらえた商業ベースの消費攻勢は実にたくましく、水ももらさぬ手ぎわのよさである。ここに消費者が乗せられると、全くおしきせの祝いごと、法要……贈りもの、といったものになるおそれがある。

物は豊かになり、暮しは楽になったというこの時代に、あたたかな人間関係をかもし出すに適わしい在り方を各々が創り出していくこの大切さをあらためて考えさせられたのである。

この方のために……、この方でなければ……といった贈りものや、手紙に接した時の、心温まる思いと、友情の深さをあらためて感ずるものは、私一人ではないであろう。（T）

早期建設をめざして 4H会館 ―6―

みかん販売で実績

募金の目標額達成　一番乗りの滋賀県連

4H会館の建設は、スペース買い取りを予定している農村文化センター（仮称・家の光協会が東京都新宿区市ヶ谷船河原町十一に建設）の青写真が大体今月いっぱいにでき上がる見通しになったため、いよいよ時間の問題となり、考える時期からいかに募金活動を展開するかという方法論に重点が移ってきた。

そこで今回は、みかん販売によって早くも目標額をほぼ達成した滋賀県連の募金活動の状況を紹介してみよう。

どちらかといえば、滋賀県農業後継者クラブ連絡協議会（現会長・中江弘嗣君）は、このところ全国4Hクラブ連絡協議会との関連も薄く目立った活動もなかった。その同県連が、本格的に募金活動と取り組んだのは前県連会長の中村利夫君が全協の評議員として活躍した昨年（四十五年）度からである。そして、この二年間に四十万円の募金を集め目標額をほぼ達成したのだから拍手を送っても当然である。アイデアや努力によって、〃やればできる〃という実例を示したといえる。

同県連の大きな特色は募金活動を重点目標としてかかげ、産地直送によるみかん販売の益金によってまかなった点である。

みかんは、四十六年度和歌山県連会長の谷君を通じて和歌山県の粉河町から仕入れ、各地区連を通じてクラブ員に配布するという方法をとった。

四十六年度の場合を例にとると、四月の総会でみかん販売を決定、六月各地区を巡回して趣旨説明、十月みかん価格などの問合わせ、十一月にクラブ員数による各地区基本販売個数の割り当て協議、みかん販売についてのちらしを作成して県下のクラブ員に配布。申し込み締切り、みかん買上げと各地区への配達、十二月県青年農業者会議で代金回収という手順で進めた。

その結果、みかん販売代金はしめて二百四万円にのぼり、みかん購入費百六十六万八千円、運送経費、ガソリン代約十万円を差引いても二十七万余円の収益。このうち二十万円を募金にまわしたというわけである。

同県連では、募金の目標額をほぼ達成したので、このような大がかりな活動はいったん打ち切ることにしているが、みかん販売は今後も続けたいといっている。このようにユニークな方法と精力的な行動によって実績を上げたものであるが、みかん販売に当ってクラブ員に対する呼びかけも急所をついている。

▽県連の取り組み方　全協の一員である。会館建設という目的のため、一人の力は小さくてもみんなの力がまとまれば、大きな力、形となって現われるのだ！対外的にも、今こそ組織としての力が必要である、という理解のもとにみかん販売を行ない、その益金をもってこの募金に当てることになった。

▽ねらい　①自主的活動に必要な自主財源の確保の一つの方向②県下全体として取り組む組織の強化、全協の一員であるという自覚意識の高揚③流通機構の改善、産地直送に取り組む。

▽現在のクラブ員のみなさんは、近い将来、市町村において非常に重要なポスト（政治、経済、社会的）につかれ、地域社会に貢献される方ばかりです。現在のクラブ活動は青少年時代のみで終ると考えないで、十年、二十年先を考えた活動の展開を考え、実行していこうではありませんか。明日の日本農業、農村の指導者、日本を考えて……。

さらに、4H会館の建設のねらいとして「世の人々にやろうという意気、自主独立、相互扶助の精神を発揮する機会」と訴えていることも見逃せない。

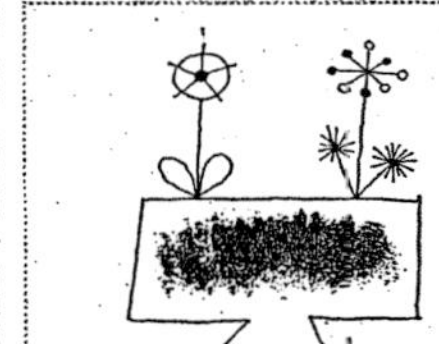

リーダー研修会　宮城県連

仲間は生涯の宝だ

リーダーに必要な8つの条件

【宮城県＝丸子京子連絡報道員発】宮城県農村青少年クラブ連絡協議会（会長　門間忠君）では、さる二月二十二日から三日間、野蒜の松島野外活動センターでリーダー研修会を開いた。

このリーダー研修は昨年六月に予定していたが、冷害や天候不順で田植えが遅れたために日程がとれずに延期されていたもの。今回の参加者は、現リーダーと次期リーダー約八十余名で、全員が係を分担して運営したのでお互いに勉強になり、また楽しく過ごすことができた。

一日目は、午後一時から「組織活動とリーダー」と題した講義があった。

リーダーとしての必要条件は①広い視野②責任感と積極性③正確な判断力④思いやりと寛容⑤明朗性と気分の平衡⑥ユーモア⑦誠実で公平⑧大胆にして細心――というような八項目があげられた。これに対し「自分たちはリーダーとして合格かどうか」などという声が会場の方々で聞かれ良いリーダーになろうとするみんなの意欲がうかがえた。そして「自分たちは組織に利用されるのではなく、組織を利用し自分を成長させよう」という話に、うなずいていた。

三時半から分科会研修。①プロジェクト活動の進め方②連絡協議会活動のあり方③女子クラブ活動のあり方――の三部門に分かれて話し合いが進められた。

このうち、女子クラブ活動のあり方についての分科会討議をみると、約二十名の女性の中に数人の男性がまじって熱心に話し合いをした。

県内には、女子だけのクラブが数個あるが、活動の内容では地域によって大部差がみられた。

男子クラブ員と一緒に活動している女子クラブ員は、はっきりした目標がなく、何となく行事に参加し、男子のマスコット的存在になってしまい、女子クラブ員としての存在が軽視されているのではないだろうか、という大きな問題がなげかけられた。そして、女子クラブ員は減少の一途をたどり、部落単位の集団を作るのも難しくなってきている面もクローズアップされた。

しかし、町内で一つの女子クラブを作り、すばらしい実績を上げて男子クラブ員からも一人の人間として、また一つの単位クラブとして尊重され、活発に活動を続けているという実例も出された。

同じ県内でも地域差があり、一概には結論づけられないが、それぞれの実情に応じたクラブ結成の方法をとるべきであるようだ。また、はっきりした目標をもち、それに向って努力し内容が充実すれば、黙っていてもついてくるのでお互いに頑張ろうとはげましあった。そして、生活改善というと作業服や台所の改善など物質的な面だけが取り上げられがちだが、それよりも先きに、昔からの古い考え方にとらわれない精神面の改善が必要である。それらは、自分たちの力で変えていかなければならない、と力強い意見も出された。

夕食後は、県連活動の報告があり、今年八月に開かれる第十二回全国農村青少年技術交換大会の詳しい日程と場所の説明があった。

二日目は午前九時から「レクリエーションの理論と実技」というテーマでゲームをしながら指導を受けた。しまいには外に出て大漁唄い込みの踊りの指導を受け、クラブ員は覚えるのに一生懸命だった。

十一時からは意識調査。これは昨年十二月静岡県の国立中央青年の家で開かれた全国4Hクラブ中央推進会議の際、全国4Hクラブ連絡協議会が行なったものとまったく同じもの。クラブ員は頭をしぼって四苦八苦の様子。ちょっと難しかったようだった。

午後一時からは「クラブ活動の進め方」というテーマで分科会パネル討議が行なわれた。

ここでは①農業の多様化によってクラブの運営が難しくなってきている②活動に参加する人は限られてしまう傾向がある③活動内容がレクリエーション的になってしまう④女子クラブ員の存在価値が軽視されている④地区連では広域になり、話が合わず役員の会合だけに終ってしまう――などの問題があげられていた。

それらに対する解決策や今後の方向として次のことがらがあげられた。

一、専門的なもの（プロジェクト）と一般教養的なもの（レクリエーション）の二面性を持つ活動が必要である。

一、少数精鋭主義でいく。

一、農協と密着し、技術向上を図る。

一、クラブ員の家族の理解と協力を得る。

一、主体性のある女子活動をする。

以上のようであるが、問題意識（悩み）の多いクラブこそ、飛躍・前進の可能性があるのではないだろうか。また農業にしても、クラブ活動にしても問題だけが多過ぎるかもしれないが、それに直面し、解決のために努力することによってお互いに前進しようではないか、というところで熱のこもった話し合いは幕となった。

最後の夜はキャンドルサービスで過ごした。各部屋のレク係が集まって計画をたてて運営、各部屋とも「幼な馴み」「三セ医者」「事件」「原点に返れ」「ファッションショー」などの寸劇に笑い声が絶えなかった。初めて運営に当たった人もいて一生懸命に取り組む姿は若者らしくはつらつとして張り合いが感じられた。

三日目は「仲間づくりの本質」と題する海外農業開発財団専門委員・中田正一氏の講演を聞いた。クラブ員がお互いに影響し合うことによって人間形成がなされるので、クラブ活動ほど人間形成に有益なものはない。そして人間関係は成長するもので、その活動によって得た仲間は一生の宝である。長い人生の中で、二、三年間クラブ活動に没頭しても価値がある――という内容であった。

今回は、三日間を通じて、4Hクラブの本質やクラブ活動のあり方にマトをしぼって話し合いが進められ、クラブ員一人ひとりの意識低下が心配されている昨今、大変意義のある研修会であった。

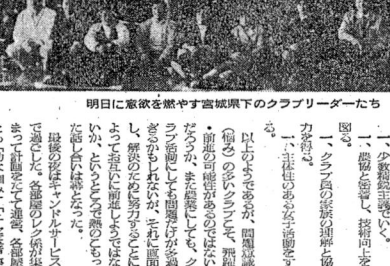

明日に意欲を燃やす宮城県下のクラブリーダーたち

全国大会の準備進む

全国大会の開催についても二月一日付けで準備事務局が設置され準備も着々と進んでいる。また、県連の行事があるたびにクラブ員の深い理解と協力を得ようと努力したかいもあって、大会を成功させようとする意欲が盛り上がり、クラブ員は張り切っている。いま宮城県連は一丸となって全国大会成功への道を歩んでいる。全国のみなさんのご協力もよろしくお願いします。

畦道

生きよ、堕ちよ

〃人間は堕落する。義士も聖女も堕落する。それを防ぐことはできないし、防ぐことによって人を救うことはできない。人間は生き、人間は堕（お）ちる。そのこと以外の中に人間を救う便利な近道はない〃とは、坂口安吾の〃堕落論〃の一節である。

その安吾が最近若い読者の間で静かなブームを呼んでいる。戦争直後の混乱していた一時期に、時代の寵児として当時の青年の心に衝撃と感動を与えはしたものの、その後はすっかり忘れ去られていた坂口安吾が、いわゆる〃戦争を知らない世代〃である現代の若者の魂の底を揺さぶるのは一体なぜだろうか。

終戦は価値の崩壊過程でもあった。それまでの精神的な支柱は一挙に崩れ去り、かといってそれに代わる新しい価値を見いだすこともできず、人々は虚脱と旋脱の中で、窮乏にあえぎ、むきだしの生にしがみついた。闇屋、パンパン……人々は生きるためには堕ちなければならなかった。魂のよりどころをもたない当時の青年にとって、〃生きよ、堕ちよ〃という、堕ちることの人間らしさ、正当性を主張した安吾の言葉は、どれほど切実に胸をうったことか……。

物質的に繁栄した現代、しかし若者の心にはぽっかりと空洞ができ、冷たい風が吹きすさぶ。多様化する価値観のためか、機械化によって助長される疎外感のためか、若者は満たされない精神をかかえてさまよう。一面において比較すれば、未来を見失ない、よりどころをもたない精神状況は、あの戦後の混乱時とよく似ている。だから現代の若者は、堕ち、そして生きた当時の実存的な人間の生き方に一種の郷愁を抱くのであろう。

そのためにも次の安吾の言葉を胸に刻む必要がある。〃だが人間は永遠に堕ちぬくことはできないだろう。――人間は可憐であり脆弱であり、それゆえ愚かなものであるが、堕ちぬくためには弱すぎる〃【宇】

現在の〃花嫁修業〃についてプロジェクト発表する堀見としさん

〃一豊の妻〃手本に　OBに質問攻め

高知県連で初の女子研修会

【高知】高知県農村青少年クラブ連絡協議会女子部（部長　白木竹子さん・県連副会長）は、二月十九、二十日の両日、初めての農村女子リーダー研修会を開いた。

開会式では「私たちは山内一豊の妻のように、ひかえめである反面、いざという時、夫の片腕になれるような女性になり、明日の農村に根をはりましょう」と白木部長のあいさつがあり、明るいムードのうちにスタート。午前中は、「土佐と女性」と題する元高知県立図書館長・川村源七氏の講演を聞いた。

午後は、五名のOBを招き「OBと語る」と題して堀見としさんの司会で座談会を開いた。クラブ員は、農家主婦の役割りや立場、結婚問題、悩みなどについてOBに問いかけたが、さすがに新婚ムードのぬけきらぬOBのおのろけ話にあてられどうし。うらやましいなあーとタメ息をついていた。

夕食後「アメリカの家庭生活を体験して」と題して、昨年度〃草の根大使〃として日本4H協会から派遣され、半年間アメリカで生活した明神節子さんの体験談を聞いた。明神さん独得のユーモアと手ぶり身ぶりのゼスチャーをまじえての話に時間のたつのも忘れて耳を傾けた。

二日目は、クラブ員のプロジェクト活動の発表や取り組み方の勉強。プロジェクト活動にどれくらいの関心があるだろうかという執行部の心配をよそに各クラブ員の意欲ある活動内容を聞き、「大変勉強になった」「ファイトがわいてきた」「今後もこういう活動の勉強をしたい」など意欲的な返事がかえってきた。

高知県連では、初の女子研修会とあって、クラブ員の反応に興味を持ちアンケート調査を行なったが、ぜひ来年も、女子研修は絶対に必要だという声が多く、年一回は女子の集いを開きたいということになった。（高知県連・川淵美恵さんより）

農家主婦とも交流

岡山・美作地区で実績発表交換大会開く

【岡山県＝松原泰明連絡報道員発】美作地区農村青少年クラブと生活改善クラブ主催による恒例の実績発表交換大会が、さる二月一日、美作町農協生活センターで開かれた。

開会式では主催者あいさつ、来賓の激励のことばなどがあり、このあとプロジェクトの実績と意見発表に入った。

青少年クラブからは、七名の代表がタバコ、酪農、メロン、ブロイラー経営などの実績、また生活改善クラブの四名の代表がグループ活動、明るい村づくりなどと題して発表、さらに農業高校生の意見発表もあった。

午後から表彰と感謝状の授与があり、勝央町後継者クラブ「大空会」など優良クラブとクラブ員が表彰された。

続いて、「三方〃農業を築いた二十五年を顧みて」と題して、余湊町の農家・水島長さんの講演があった。戦後、開拓者として入植し、苦難の二十五年間をたくましく生き、立派な経営を確立した現在までの体験を披露され、参加者全員が真の経営者の言葉を味い深く聞いた。

このあとレクリエーションが行なわれ、各クラブによる歌やおどりなど出し物に心をやわらげた。なかには詩吟やかえ歌、舞踊などクラブ員自慢の余芸もあり、出席者は感心して見いっていた。

ふだんは農家の奥さん方とクラブ員はお互いの意見を聞く機会もなかなかないため、こうした行事を通じて交流し、お互いに認識しあえたことは有意義であった。また、このような交流の場をできるだけ多く持ち、お互いに手をとり合い、明るく豊かで住みよい農村を建設していきたいと語り合った。

からだの不自由な子どもたちに愛のプレゼントをした浮羽4Hクラブのクラブ員たち＝福岡

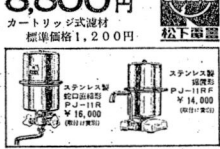

肢体不自由児に愛のプレゼント

浮羽4Hクラブ

【福岡】浮羽4Hクラブのクラブ員十五人は、さる二月二十八日、久留米市の社会福祉法人ゆうかり学園を訪ね、学園の庭にツバキ、ツツジ、吉野サクラ、ツゲ、イブキなど十種類の庭木を植えた。

この苗木は、クラブ員が自分たちの果樹園で愛情こめて育てたもので、同園はみどりの木が少ないため、これからも毎年続けて手を入れていこうと話し合っている。

同学園には、現在、手足の不自由な子どもたち百二十人が収容され、毎日、治療と教育を受けているが、浮羽4Hクラブでは、その恵まれない子どもたちに愛の贈物をしようと昨年十二月六日にも浮羽町の体育館で同学園慰問のためのチャリティダンスパーティを催した。

このパーティには、福岡県連の角会長はじめ百五十人が参加し、のど自慢やゴーゴー、ホークダンスなどをくりひろげたほか、商店街から寄付してもらった品物のバーゲンセールを行なった。その収益は一万三千二百五十円で、さっそく同月十四日同園に届けた。

クラブ員たちは、今年の十二月にも慰問を計画、街頭に立って募金をやろうと考えている。

「このように全国にも手足の不自由な子どもたちが大勢いると思います。自分たちは手足を動かして農業をやれるのです。全国の4Hクラブのみなさん、からだの不自由な子どもたちに、愛の手を伸ばそうではありませんか」と全国のクラブ員に呼びかけている。（浮羽4Hクラブ、高松岩夫君より）

おことわり　さる六日から東京で開催された第十一回全国青年農業者会議に編集部員も主催者の一員として参加していたため、新聞の発行日が遅れていますのでご了承ください。

本紙の購読料を改定

四月から装いも新たに

愛読者のみなさん、日本4H新聞をご購読いただき厚くお礼申し上げます。

ご承知の通り、本紙は、全国クラブ員の準機関紙として活用され、全国各地の志を同じくする仲間の貴重な意見や情報交換の場として、また、クラブ員の貴重な体験や研究の成果をお互いに発表して研修し合い、相互の進歩発展に寄与するための貴重な広報媒体となることを目的としております。

ところで、近年、諸物価の高騰はみなさまのご承知のところでございますが、新聞発行費についても同様であり、印刷代、用紙代、発送料、人件費などの値上がりによって商業紙はじめ各業界紙や機関紙も相次いで、販売価格を度々改定してきております。

こういう情勢下にありながらも、本会では、その使命とする農村青少年活動の育成、援助という奉仕的な立場から、新聞発行費の高騰を一般事業費でカバーし本紙定価の値上げを極力避けてまいりました。しかし、それにも限界があり、これ以上現状を維持するときは、本会事業に支障をきたすところにきております。

つきましては、諸般の事情を考慮のうえ、来る四月一日から本紙の定価を

一部三十五円、年間千二百円に改定するのやむなきに至りました。この値上げ幅については、諸物価の高騰と比較していただければ、ご納得ねがえることかと存じます。県連に対する助成（普及推進奨励金）制度も従来通り継続することとして、先きに開かれました全国県連会長会議において同意されております。

また、今後ますます紙面の充実と刷新に努め、クラブ員の新聞として装いも新たに取り組むつもりでありますので、諸事情ご賢察のうえ、よろしくご了解下さいますようお願いいたします。

全国で普及運動を展開

農林省も指導と助言

さらに、全国クラブ員の広報媒体としての使命を達成するため、本年一月以来、全国4Hクラブ連絡協議会とともに、各県連の力強いご支援のもとに購読者の一大普及運動を展開しております。

この普及運動については、農林省（農政局普及部普及教育課）におかれましても、農村青少年活動の推進上、諒とされ、いろいろとご指導ご助言をいただくことになりましたので、どうか全国クラブ員のみなさんも、この普及運動にあたたかいご支援を賜わりますよう重ねてお願い申し上げます。

社団法人日本4H協会

吹き荒れる国際化の嵐

第11回全国青年農業者会議

分科会報告をみる 〈第11回全国青年農業者会議〉

米の生産調整、都市化の波紋、公害、そして農産物の自由化など、いくつもの難問をかかえながら第十一回全国青年農業者会議は開かれた。分科会での報告や討議はそんな情勢を反映してか、複雑な様相を呈していた。だが、吹き荒れる国際化の嵐の中で、若い農業者たちが、模索の段階にせよ、それに立ち向おうとする強い意志のきざしが現われたことは、今回の会議の一つの成果であった。なかでも目立ったのは、分科会全般をとおして、共同化と組織の強化を望む声が多いということであった。カド番に立たされた農業が、若い力によって、自らを自衛する方向に動きだしたことは大きな飛躍である。――そこで活発に討論された分科会のなかからいくつかを拾ってみた。

自由化恐れず

共同利用で機械化体系へ

水稲

青年部会では十六名の参加者によって、各自が取り組んできた水稲作プロジェクトの体験発表があり、それにもとづいて経営、技術、農政、生活の問題が論議された。

まず経営問題では、規模拡大として、請負耕作による拡大、土地取得の拡大があげられたが、地域によってはそれも限界にきているので、機械化などの省力化によって余剰労働を他部門にふり向けるという意見がだされた。また、基盤整備は水稲経営の絶対的な前提条件であることが確認されたが、それも地域環境によってニュアンスの違いがある。都市近郊では地価が問題になり、専業地帯では改善意欲があまりみられないというように。

技術問題では、規模拡大、機械による省力化を当然考えてゆかなければならないが、機械は個別所有者が多く、過剰投資になっているので、共同利用や組織化を考えるべきであるという意見がだされた。また、予想される将来の労働力不足、生産のコストダウンから、直播（湛水、乾田）を考慮すべきだという意見も聞かれた。

農政問題では、生産調整、食管制度、過疎山間地域の振興対策、農協の今後のあり方などの問題が論議された。生産調整の問題は、地域や経営規模によって異なってくるが、他部門を強化することによってのりきろうとするものが多かった。農協のあり方については、金集めに終始するのではなく、生産、流通の面にも力を入れ、若者の要求をつないでいくべきだと、かなり辛辣な意見もあった。

経営者部会の方では、農業全般にわたってより具体的なつっ込みがあったように思われる。現時点では複合経営もやむをえないとしながらも、具体的な請負耕作の進め方については、共同体制の中で進めていくという方向がうちだされた。土地生産性については、基盤整備を進めることによって生産性向上の余地があるとし、労働生産性は、機械化一貫体系の確立をはかり、その機械化もコストダウンの意味から、共同利用が叫ばれていた。

さらに、問題は日本農業の発展方向にまでおよび、国際的視野に立って日本農業を考えていかなければならないとし、自由化をおそれることなく、それに対応しうる心構えを、農業者自身がもつ必要のあることを強調した。

また、食管制度の問題については、現状維持を望みながらも、国内世論の動向を無視してはならず、そのためにも消費者に喜こばれる米を生産する必要があると、前向きの姿勢をみせていた。

一日一万円 所得目標

自由化には"団地"で対抗

野菜

青年部会、経営者部会で提出された問題点をまとめてみると、次のようになる。

1、都市化の影響について
2、価格安定対策
3、土地の集団化
4、農業所得目標
5、農産物の自由化

都市化問題については、参加者の多くが都市化の波をうけていることもあって、宅地なみ課税ということが都市近郊農業を圧迫しているとする意見、市街化区域内の土地を売った場合、県や市町村は責任をもって代替地を斡旋してほしい、という意見が多かった。

価格安定対策については、農協や普及所で強力に奨励した作目はその年暴落するといわれているだけに、なかなか難かしいようだ。だが、共販体制を行なえば価格安定補償制度ができること、農協独自で価格補償制を実行し、強力な共販体制を推進でき、またしているところもある、という意見がだされ注目された。

土地の集団化については、参加者の大半が散在した農地をもっており、合理化を阻害していることもあり、今後の課題と思われる。また、同規模、同形態の人たちと力を合わせれば団地化をはかれるのではないかという意見がだされた。土地の集団化と並行して、心と心の触れ合いも強調された。

農業所得目標については主に経営者部会で話し合われた。土地の高度利用や施設園芸との関連性から、露地野菜作りの所得目標をどのへんにおいているかということで意見がかわされた。その結果、生活費の残りが、夢をかなえるくらいの額であればよいということで、一日一万円の所得目標が大半の希望であった。その目標達成のためには、地域性の活用はもちろんのこと、施設園芸農家ではできない分野を露地野菜栽培者が開拓してゆきたいと、意欲的なところをみせていた。

農産物の自由化については、地域性を生かし、鮮度の面などで対処してゆき、また農協を主体として大きな生産団地を作り、市場性を確保して安定した農業経営をはかりたいという意見であった。

最後に指導者からの助言を紹介すると、"野菜はいくら貿易の自由化が促進されても、不利になることは少ない。希望をもって野菜を生産してほしい。また、なんといっても野菜の産地化をはかることが大切である。若い経営者が農業安定への道しるべを打ち立てなければ、明日の農業に明るい道はない"ということであった。

生産組織が必要

まず技術の向上めざせ

花き

花き経営の基本は栽培技術であり、その熟練した技術と並行して経営能力を高めることが必要であるとの観点にたって、まず技術導入のあり方についての話し合いが行なわれた。

なかでも先進地での研修視察の重要性、生産者自らの指導機関への積極的な働きかけの必要性がいわれた。そして生産者の仲間づくりと、それによる技術交流、また参考書や指導機関による技術講義も必要だが、やはり技術というものは生産者自身による研究的態度の積み重ねによって、自ら体得し、地域条件に適した技術を摂取していくことにあるという意見であった。そのためにも栽培日誌の必要性が説かれていた。

経営合理化については、単に粗収入を多額に上げるということだけでなく、やはり収益率を高めることにあるとし、一戸当りの生産量には限度があるから、仲間づくりによる生産組織づくりが必要であるとされた。また、生産者は経営者でもあるのだから、自分の経営診断ができるように、日常の記帳能力を身につけなければならないという意見もあった。そのほか、施設利用、輪作体系の確立、良品質均一生産、商品化率の向上、作業の能率化と省力化などの意見がだされた。

合理的な出荷対策としてだされたのは、①生産型、地域条件に適合した出荷体制②花き流通機構の改善③市況情報、消費動向の積極的な活用④良品質均一生産で、良心的な出荷のもとに信用を高める⑤計画的な生産出荷の形を整えるなどであった。

産地づくりについては、旧生産地の場合は、①共選共販のシステム化②産地間で横の関係を形成するなどの意見がだされた。新生産地の場合は、①仲間づくり②後継者づくり③花き組合の発展による生産地づくり④県、市、町からの協力⑤一人ひとりが実績をつくることによって仲間をつくり、規模拡大をする、などがあげられた。

経営者部会では、これらの問題のほかに、ベド病に対する対策が話し合われた。

国有林の開放を！

新鮮で良質の乳を消費者へ

酪農

酪農と一口にいっても、地域によってその性格が異なってくる。たとえば、北海道、東北などの専業酪農・山間、農村地域における水田と酪農、あるいはそ菜と酪農というような複合経営。東京、名古屋、大阪などの大都市近郊における近郊酪農というタイプ別にわかれてくる。各タイプによって直面している問題点はさまざまであろうが、問題の論点をしぼりながら話し合いが行なわれた。

多頭化にともなう飼料生産対策をどうすべきか、については、水田における飼料栽培ということがいわれた。しかし、湿田での粗飼料栽培には、①収量が少ない②機械の使用が困難③周囲の水田からの水もれ、といった問題点もあり、栽培するより購入した方が安上がりだという意見もみられた。また、多くの未使用の山宿林がわが国に残存しているのに目を向け、農民がスクラムを組んで国に働きかけ切り開いてはどうかという意見がだされ、関心を集めた。

機械の共同利用については、共同利用によって個人の費用の負担は安くなるが、損傷がはげしいという声も聞かれ、両面が指摘された。

規模拡大をするにあたって、記帳を行ない経営分析をし、細かな数字をつかむことの必要性が指摘された。記帳は経営上、重要であり、また複式簿記を確実にするのが理想的であるとのこと。

糞尿処理対策としてあげられたのは、①園芸農家への販売②ビニールハウスで乾燥糞をつくる③飼料畑への還元④焼却炉を利用するなどであるが、北海道の参加者は実感としてわいてこないそうで、ほかの参加者をうらやましがらせていた。養豚ほどには深刻ではないにせよ、糞尿処理の問題は酪農にとって一つの難題となっているようだ。

また、国際競争に対処するために、今後の酪農経営のあり方について、政治的改善が望まれるとともに、①牛乳を高く売り、生産費を安くする②牛乳の流通機構の改善③新鮮で良質の牛乳を消費者へ与える、などの個人の経営技術を高めることがあげられたが、具体性に乏しかったようだ。

経営者部会では、労働関係に関する問題として、ヘルパー制度がとりあげられた。不十分なヘルパー制度を早急に制度化する努力を払うとともに、相互の理解と協力

基本はプロジェクト活動

どう農村を創り守るか！

クラブ

ある分科会では「農村を創り、農村を守るクラブ活動とは何か」ということで話し合いが行なわれたが、クラブ員減少状態にある現在、いろいろな難問をかかえているようだ。

クラブ活動が直面している問題としてあげられたのは、①幽霊クラブ員が多い②クラブに対する認識が乏しい③結婚によるクラブ員の減少、などであった。クラブ員が去っていく原因として考えられたのは、第一に魅力に乏しいということであった。それには認識不足が影響しているだろうし、加入してよかったという体験が少ないということもいえる。また、クラブに加入するときの主体性の欠如や問題意識の欠落が、そのまま尾を引いてクラブを去るという結果に結びつくのではないかという指摘もあった。

打開策として"クラブの社会参加"ということがいわれた。それによると、日常のクラブ活動のなかで、アンケート、機関紙などの発行を通じて地域の具体的諸問題を調査し、地域社会と密接に結びつき、クラブ員同士が力強く地域の問題解決にあたっていかなければならない。クラブプロジェクトの選択を、地域の農業や生活上の問題のなかからとりあげるべきだということであった。クラブ活動の基本はプロジェクトにあるということの再確認がなされた。

また、"他団体との交流"を求める声もあった。地域青年団、他産業に従事している青少年などとの交歓を通じて、視野を広げている多くの事例が報告され、農村青年だからといって"農業"だけを学習をすることは、かえって視野を狭くするのではないか、という意見もあった。

そのほかの解決策として、①役員とクラブ員との対話を多くもち意志疎通をはかる②篤志指導者制を取り入れる③地区連で専門部会をつくる、などがあげられた。

ともあれ、クラブ活動を活発化していくためには、つねに原点にたち返り、人生のプロジェクトとしての地平を見つけることが大切のようだ。

こんなことをしています 各種農業団体

全国農業協同組合中央会

局面打開に勇断を

総合三か年計画推進 全国研究集会開く

さきの第十二回全国農協大会で決議し、全系統農協の取り組んでいる「総合三か年計画」について、全体的に現状の把握と問題点について研究討議し、今後の推進を促すため、二月十五、十六の両日、東京・大手町の農協ビルを中心に（総合三か年計画推進全国研究集会）を開きました。

この集会には全国の農協・連合会から四百余名が参加しました。

第一日目の十五日は、全体会議がもたれ、"順風満帆の状況下での農協の役割よりも現在のような苦難の時機こそ農協の真価が問われる"という宮脇全中会長の基調報告、吉田全中常務理事の経過報告につづき、岩手、神奈川、宮城各県から県全体の推進状況と併せて岩手県一関市農協、神奈川県横浜北農協、宮崎県都城市農協から、それぞれの農協の実例が報告されました。

「総合三か年計画」は、本年度を初年度として取組んでいますが、府県の実情から四十六年度は趣旨の徹底と、計画樹立の準備期間とし、四十七年度を初年度として推進する県もあります。全体としては約半数の農協が計画の策定を終ったが、四十六年度中に策定するという現状です。

このような実態のうえで第二日目は、「農畜産物生産販売一貫体制の確立について」米・畜産・青果の三つの分科会、「生活活動について」「金融事業について」「農協合併と経営対策について」の計六つの分科会に分かれて討議を進めました。

米の分科会では、当面の問題である生産調整を含めた生産対策、生産に対応する販売対策の強化、配給事業、倉庫対策が討議の中心となり、畜産では、系統の事業シェアの向上をはかるため総合的事業展開の強化策、畜産事業関連投資の効率化対策と施設の経営改善対策、畜産物の需給調整対策、青果の分科会では、青果団地の造成推進と組織・事業体制、生産合理化対策と資材・施設の供給体制、販売体制の確立と価格安定対策が主要な議題となりました。

生活活動の分科会では、農協事業のなかで比較的おくれている生活活動のすすめ方、生活購買の強化に論議が集中し、金融事業については経営体質の強化と貸出機能の強化で白熱した討議が進められました。

農協合併と経営対策の分科会では、農協運営の基盤でありますので幅の広い意見が続出し勇断をもって局面を打開することの必要性が確認されました。（教育部）

家の光協会

47年産米価の特長紹介 地上

家の光"産地と消費者の直結"

新しい農村・農業の担い手である青年の必読誌『地上』、一戸に一冊の家庭雑誌『家の光』のおもな内容（六月号）をお知らせします。

地上

特集・47年産米価をめぐる情勢 国鉄運賃をはじめとして公共料金を中心に軒並みに上がる諸物価の中で、上がらないのは生産者米価だけ。三年据え置き米価にたいする米作農家の悲願をこめて、今年度米価要求運動の推進に役だつ情勢分析記と、各種資料を豊富に掲載します。

特別企画 契約生産を評価する 青果物の価格安定、供給量の確保などをねらって、生産者と大口需要者との直接取り引きが全国各地で始まっています。そこで、直接取り引きの方式や契約内容などを検討し、生産者にとっての利点と欠点を探ってみます。

家の光

特別企画 産地と消費者の直結 物価高への戦いから生まれた"産直"は、いまや販売作戦の花形として脚光を浴びています。その実績、問題点を探り、"産直"発展の手だてを考えます。

感動読物 妻の座に刻まれた沖縄の28年 沖縄決戦の血に染まった娘時代、貧困と基地の中の妻の座。そしていま念願の本土復帰の喜びをかみしめる沖縄の母たち。彼女たちの胸に刻まれた二十八年の"生活詩"です。

座談会 女らしさ、男らしさを徹底解剖 ワンマン亭主、夫唱婦随は昔のこと。今は女性上位、ゴキブリ亭主などと呼ばれる時代ですが、その中にも神のつくりたもうた「女らしさ」「男らしさ」はあるはず。

健康手帳／乳ガンと子宮ガンの早期発見法

生活センター／食中毒と台所の衛生 梅雨どきは食中毒が激増します。原因は台所まわり、とくにふきん、まな板、包丁、食器の不潔。その点検と上手な衛生管理のテクニックを詳しく解説します。

梅雨どきのしゃれた装い方 若い人から中年までの装いのポイント集。

〈好評連載中〉小説・あした天気に 平岩弓枝 1000万人の農協講座 山口一門 グリーン情報

（文化課）

NHK農事番組

テレビ

明るい農村 6・30～6・55総合
21日 きょうの話題
22日 産物往来「たけのこ」
23日 話題の広場「民芸品をつくる・緑をうる」
24日 村をむすぶ「札幌、高松、姫路、福岡」
25日 農村新地図「奈良県明日香村」
26日 明るい漁村
27日 村の記録「ある青年教師の周辺」河合敬一～天間林分校
28日 きょうの話題
29日 産物往来「蜂みつ」
30日 話題の広場「日本農業賞・沖縄代表に聞く」
31日 村をむすぶ「盛岡、金沢、宮崎、東京」

農業教室 7・30～8・00 教育
21～22日 木材利用と林業経営 野村勇（農林省林業試験場）
23～25日 きゅうり生産の経営と技術 門田寅太郎（高知大学教授）
27～29日 稲作の集団化 馬場昭（日本大学講師）
30～1日 肉牛の一貫経営 中野正雄（東京農業大学教授）

あすの村づくり 日 7・00～8・00 教育 再 土 13・00～14・00 教育
26日 「グループだより」～広島県世羅郡世羅郷グループ、「青年隊」～保坂一久さん～山梨県北巨摩郡高根町

ラジオ

早起き鳥・5・41～5・57 ①
21日 身売りする牧草地～岩手県岩手町
22日 特集「農村・北から南から」
23日 川のりを救う～静岡県芝川町
24日 わさび畑で沢がに養殖～長野県穂高町
25日 精進湖の養魚作戦～山梨県上九一色村
26日 全国種豚共進会から
27日 海を渡るペーパーポット
28日 花粉の仲人さん～上野実朗（静岡大学教授）
29日 どうなるうまい米づくり～広島県庄原市
30日 新産地をめざす桃の里～山梨県韮崎市
31日 女性師範誕生

話の広場 日 6・10～6・30 ①
26日 繁昌する大脳会園～栃木県佐野市赤見町

新しい農村 6・00～6・30 ②
26日 白書からみた日本農業～今村寛夫（農林省農林企画室）

ラジオ農業学校 日 6・30～7・00 ②
26日 農村青年による「村のはなし」～第十一回全国青年農業者会議で収

消費者にも一言……

新潟県・加茂農青サークル　金子辰英

減反政策二年目の昨年は、野菜の作付けが全国的に増えた。その結果、今年の冬は、きわめて野菜が安く、出荷しても運賃にもならないとの声を聞く。家畜の飼料にするにしても、処理しきれずに、トラクターで踏みつぶすなんて……。農林省も、それを奨励しているのだから、農民不在もいいところだ。

去年の一月には、十五キロで千円していたキャベツが、今年は高くて二百二十円、安いのは百二十円で去年の二、三割にしかならない。キャベツ十五キロの原価が二百五十～三百円ぐらいだから……これじゃ生活できないねェ。

野菜が少し高くなると、新聞などで大々的に報道される。そしてさも生産農家が罪人でもあるかのように書きたてる。

しかし、安くなったときは、ほとんど載らず、載ってもおめでたいことで、万人が喜んでいるみたいな記事であることが多い。

中間の儲けを含めて二百円ぐらいのキャベツが高いと目くじら立てる女性の多くは、原価のすごく安い化粧品などに五百～千円の大金を投じているではないか。

近頃、食費を削ってまでも車だ、旅行だとさわぐ。そのあげくの果てが、排気ガスによる公害、行楽地にゃ人が溢れて人間公害、交通事故で医者がかり。ふだんロクなものしか食べてないので、体力がなくて治療に長時間を要す。

まあとにかく野菜を食べよう。ビタミン、ミネラルなど栄養もある。セルロースを含んでいるので便秘になんかならない。また、低カロリー食品だから女の子は"肥るってコワイ"なんていう心配もなくなる。

大根が一本百五十円、キャベツが一個二百円、これがほんとうに高いだろうか。安いとはいえないにしても、高くはない。現今は人手が高いのである。一分間何円の時世だ。野菜作りは労力を多く必要とする。夏の強い太陽の下での播種、その前には耕てん、整地、畦立もやる。また、発芽してからの間引き、キャベツ、レタスなどは移植もする。病虫害防除や寒風をついての収穫、市場出荷ともなれば、鮮度を落とさないために調整は大体夜業となる。

それに機械の減価償却費、肥料代、農薬代も増える一方である。

主婦たちのなかのバカさんたちに言いたい。野菜が高い高いと騒ぐ人々の気持の底辺に、百姓は昔ながらのどん百姓であるべきで、生かさず殺さず、人間並みの生活をしなくても当然だなどという差別感が潜んでいるのではないか。

美容と健康に野菜をどうぞ。野菜を食べて、知性と教養溢れる人間になろう。安いか、高いかは、みなさん方の判断しだいです。

青年会議に参加して

帰ってからが勝負

北海道・愛別町4Hクラブ　谷原未知子

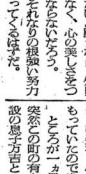

第十一回全国青年農業者会議がオリンピック記念青少年総合センターで開催されたが、この大会に私も大きな期待と不安のうちに参加させていただいた。小さな町で小さなクラブ活動の参加経験しかない私にとって、見るもの、聞くことすべてが珍しく、そのスケールの大きさには驚くばかりであった。

毎日の日程が規則正しく、生活時間の無駄のないような配分により、参加者全員がとてもスムーズに行動できた。

各分科会二十数名に二人の助言者をおいて行なわれた分科会研究討議。私がもっとも期待していた行事のひとつであった。その討議会では、地域的な意見の相違が目立った。ひとつの問題・テーマの話し合いにしても焦点が合わなかったほどである。私の意見に対して、あまり多くの反論がなかったということに、なぜか不満を覚えてならない。

全員に見せたかったH・P

それと同時に、私が参加したH・Pの発表の場を、参加者に評価や批判をしてほしかった。私はH・Pの生活科で作業衣関係だったのだが……。

私は生産プロを目ざし、作成にあたってきた。今日、私のH・Pは、十社の繊維問屋の展示発表の品として、また、ある一問屋からは試作品として作成にまで至っている。このH・Pの研究が、同じような立場で農業を営んでゆこうとする参加クラブ員全員に見てもらうことができなかったのが、今だに残念であるとともに、心残りである。

また、いろいろと多くの問題が話しあわれた。"井の中のかわず大会（タイカイ）を知らず"と言うが、私のこのタイカイで得たものの、たとえどんな小さなことであっても、自分の身につけ、わがクラブに帰ってから、クラブ員のために何らかの形で役立てたい。

やはり心に残る感激の数々

全国の諸地域の人々と、三泊四日という期間、ともに研究し討議し合えたという感激は、言葉ではいいあらわすことができないような感謝の気持となって、私の心に残っている。私は、この大会を、青春の思い出のひとコマとして、一生忘れることができないだろう。

一参加者として、全国の仲間のみなさんの農業者としての発展を祈ってやまない……。私もこれからが勝負だ。

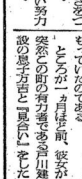

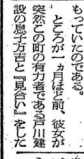

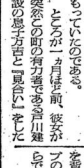

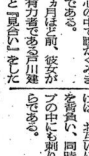

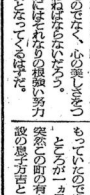

竹腰美代子さんの指導で体操をする参加者＝ヤングフェスティバルで

遠吠

また今年も桜の花開く季節を迎えた。小さなつぼみがかすかな陽光のなかでふるえるとき、あるいは無数の花ビラが気ままな春風にのって漂い流れるときなど私たちは何か得体の知れぬもの想いにとらわれがちである。人間の思考は、どうも季節に左右されやすいようだ。

大地は暖かいような、それでいて冷酷な感じの息吹に支配され、万物は不気味にその装いを新たにする。気の滅入りそうな躍動感――まさに、ときは春。

私たちも少年少女の時代にこれと同じような感覚を自らの意識や体のなかで、不安におののき、期待に胸を熱くしながら味わったような気がする。俗っぽい表現をすれば、"春のめざめ"といったところか……。

『冷血』の作者で有名なアメリカ作家のトルーマン・カポーティは、『遠い声遠い部屋』という彼の処女作のなかでこう書いている。

"彼の内部では一輪の花が開きつつあった。やがて堅くむすんだ花弁がすっかりひろがり、青春の正午がひときわ赤々と燃えさかるとき、彼もまた他の者たちのようにふり返り、他の扉の出口を捜し求めるのであろう"

"めざめ"再考

やや長い引用になったが、この一節は傷つきやすい豊かな感受性をもった少年が、精神的成長の途上で、子供から大人への意識の変化を、別の言葉でいえば、自我を見い出した瞬間を美しくとらえたものである。

私たちにも少年少女の時代はあった。人間誰でもが、このような経験を多かれ少なかれ味わっているはずである。そのような瞬間を憶えている人も少なくないだろう。

しかし、それらを現在冷静に思い起こして、自らの大人としての視点、また自我の確立の拠点を再び探ってみようと思う人は、あまりいないだろう。これらはおうおうにして単なる思い出・感傷となり、心の奥底から湧きあがる清水のように脳裏をさらさらと何の抵抗もなくかけ去っていってしまう。

私たち自身が、迷路のような現代社会のなかで迷っているとしたら、もしかするとそれらは、さまよえる自我の拠点をおしえてくれるかもしれない。

桜の花ビラが鼻先きで私たちをからかう季節に、私たちの"めざめ"を再考してみることも、まったく無意味なことではないだろう。

(野)

視野の狭さを痛感

青年会議でインタビュー

〈キリッとネクタイを結んだ真面目そうな、ハキハキした青年。閉会式終了後、体育館前で〉

――この会議に参加してどうでしたか。

大いに勉強になった。一番つよく感じたのは自分の視野の狭さだった。これを機会に、恥かしくないような視野の広い農業者になりたい。

――どちらから参加されたんですか。東京はどうでした。

沖縄です。初めてこの会議へ来たが、思ったより暖かかった。

〈黒のブレザーとミニスカートをはいた、とてもステキな女性〉

――この会議の印象はどう？

大変役に立った。同じ世代の農業者が活発に討議することはすばらしいことだ。みんなの意見が同世代者としてよく理解できた。

――どちらから参加されましたか。また、何を経営してますか。

愛媛県から、初めて会議に参加した。家では、主に水稲と栗をやっている。これからは、この会議で得たものを、自分自身の問題として、自家の経営に反映させたい。

気づかなかったよ

山梨県・MI男

今まで気づかなかったもの、あたりまえだと思ったもの――。寒さにふるえて家に帰るとあたたかい風呂と手作りの夕食、ひまな時など親父とさしでブドー酒を飲む……。

対社会的にいろんなことを親父は教えてくれる。それに今まで反発していた俺だった。

両親の愛につつまれ、自由に生き、わがままだったのか。自分なりに苦労はしたつもりでわめくが……しょせんまだ若すぎるのか。やがては受け継がなければならない一家の主の立場は、俺にはまだ高価すぎるようだ。

人間だれしも、長所、短所はあるだろう。しかし、忘れてはならない家庭の幸せを、人間生活において目につきにくいが一番重要であるこの愛情を明るく笑いのたえない生活のうちで育ててゆきたいと思う。

結婚を考える　▶7◀

生きる道は苦しくとも……

女の喜びを持とう

山口県・柳熊農村青少年クラブ生活部

つれづれに想う ①

農家の主婦としての三十年間を振り返りながら成人となった子供たちの将来のことを思い、すこし、書いてみることにします。

まず初めに、適齢期を迎えた娘に母としての願いをこめて気持を……第二次世界大戦さなかの昭和十七年、一度の見合いもせずに結婚して一生を送らなければならない私ですので、娘には自分で好きな人を選んでもらいたいと思います。この人とならどんな苦労も共にできるという自信をもてる人、終生愛し続けられる人に出合って下さい。妻として私と二人分の幸せをつかんでほしいものです。

結婚生活は、いくら愛情が火と燃えようとも生活がなりたたなければ破綻がきます。生活能力があり、意志が強く思いやりのある理想の男性から暖い手をさしのべられようとも、決しておぼれてはいけません。冷静に考えて行動しなさい。女の操は決して軽くあつかってはいけません。結婚式のその日から、その時から夫と定まった人を心の底から愛することです。そして、愛し続けていって下さい。誰にも負けない幸せな妻としていくひさしく可愛がってもらって下さいね。

次に、姑としての私の気持ですが、昔から女は"三界に家なし"といった悲しい言葉がありますが、私はそうは思いません。女の一生を考えてみますと、生まれ育った家は"仮の宿"と思います。嫁として骨をうずめる家こそ本当のわが家ではないでしょうか。

昨年三月、長男が結婚して娘が一人ふえました。私の娘が帰ってきたのです。これからの長い人生を私と共に生きて行くことになるのです。多人数の家族構成の中で、食事の世話、つき合いと大変なことと思います。が共に耐えていきましょう。女の生きる道は険しくとも、その中で女でなければ味わえない喜びがあるのです。利口に生きていきましょう。出産を前に「ダルマ」のようになって台所で働いている嫁の後姿に「元気な初孫をね」と祈っています。

快き朝のねざめに鍋より嫁の手作る味噌汁の香

やがて、私のような充実した五十の年代がやってきますからね。

次に、三十年間土に生きてよかったとしみじみ思い出をたどりながら私の心境を書いてみます。

防府の町の中から柳井市と平生町の境にある海抜百五十㍍の山の中に一軒だけあるお寺。それも棚田八反、畑二反、乳牛七頭、山林原野合わせて三十町歩の農業を主体とした家なのでした。

娘時代に、和裁と生花で花嫁教室の先生になることを夢に見て、お寺を選んだのでした。住む所がどんな山の中で、日々の生活がどれほど不自由な淋しいものであるとも知らず、夫となる人に出合うことさえせずに一生を決めてしまったのです。いまの娘さんには考えられないことです。

だって女だもの

熊本県・益城4Hクラブ　和田アキ子

近頃、女性が男性化し、男性が女性化しているなどといったことを耳にする。が、それは、うわべだけのことではないだろうか。たしかに、昔と違って仕事の面でも女性の意見というものが、じゅうぶん表現できるようになったことは事実である。

しかし、それだから女性が男性化しているとはいえない。逆に、たとえ女らしいモードにつつまれていても、女らしさを感じない人もいると思う。では女らしさというのはどのようなことをいうのだろう。

これらを定義するのはむづかしい。自分は女らしくと思っていても男性の目にはそう映らないかもしれない。ある本に、真の女らしさとは、自分自身のために、またみんなのために、そしてただ一人の男性のために美しくあることが義務であるとこころえる女性が身につけているものだ、と書いてあった。

美しいということは、顔や服装の問題ではない。いわゆるその人自身の心づかいや精神的に豊かであることではないだろうか。

われわれ女性が、ほんとうに女らしくありたいと願うなら、外見的なものでなく、心の美しさをつちかわねばならないだろう。

それにはそれなりの根強い努力が必要となってくるはずだ。

ははたき (2)

越湖正孝
〈北海道・若葉4Hクラブ〉

銀次の秘密

「ところで会長さん、陽子はまだ来ないの」幸枝が言った。飛馬は一瞬ギクッとしたようだが、開き直ってとぼけるように言った。

「うん、さっき電話したら出かけたまままだ帰ってないんだって」

すると銀次がムッとした口調で言った。

「あいつきっと市議会議員さんの息子とおデートだよ。あいつも見かけは純情そうに見えて、あんがい男好きだからな。今頃セリカの中ででもいちゃついてんじゃないの」すると進一が言った。「いやおとうい万吉さんサバンナに乗ってたよ、きっと車変え……」進一は銀次の視線とぶつかって、ひょっと何かを思い出したように黙り込んだ。

沈黙が続いた。それはほんの三十秒ほどであったが、ここにいる者にとって、それはすごく長い空間であった。

銀次は、このクラブ員の中で一番年上でもあり、ふだんは話す言葉も穏健で、また良きリーダー格でもあった。ここにいるクラブ員も、これほど理性を失った銀次を見たのは、ほとんどはじめてと言ってよかった。

また、クラブ員は、その理由を知り尽していた。銀次と陽子は、以前このクラブで密かに噂されていたカップルだったのである。

陽子は、恵美や幸枝と違って、ひときわ女性的な要素をもち、容貌も整いすぎるような美しさをもった女性であった。

かわいいキューピットの口からひばりのような言葉を発し、手やえりもとにみる繊細な曲線、足から腰のあたりの……。

二人は、ともに純情な性格をもち、その仲をはっきり表には出さなかったが、銀次が会長をしていた頃など、時々彼女をかばうようなしぐさや言葉はクラブ員も一目おいていた。

恵美や幸枝が、時たま二人の仲にやきもちを焼くこともあったが、クラブ員の誰もがこの二人のむつまじい姿を、心の中で暖かくみまもっていたのである。

ところが一ヵ月ほど前、彼女が突然この町の有力者である戸川建設の息子万吉と『見合い』をしたという噂が流れた。

この噂は、クラブ員にとって意外中の意外であった。「まさか」「そんな馬鹿な」「陽子は銀次さんじゃ……」

銀次のいないところで、この噂が話題の焦点となっていたさなかだったのである。

銀次が我にかえったように、ふと顔をあげた。同時に、自分に対する嫌悪感を隠すようにおちつきのない素振りをし、ひょいと時計を見上げて言った。

「おっ、もう八時半になるぞ、会長、会合をはじめようや」

飛馬もそわそわしたしぐさで、あわてたように

「あっ、そうだ。それじゃあ、会合を始めます」

「えーと、まずレク委員会からの連絡事項で、今週土曜日午後七時から、公民館において、フォークの集いとダンスパーティーをやるそうです」

「あっ、そうだ、進ちゃんもバンドに入ってるんだったよな」

「えっ、進ちゃんも出るの」

幸枝が言った。

「いやあ、恥ずかしいから来なくてもいいよ」

進一が言った。

進一は、今年クラブに入ったばかりで、長髪の現代っ子という感じのする男性であった。まだ、お坊ちゃん的な感じがする、それが女の娘たちにかわいがられているようであった。

「まあ、カッコイイー、私絶対行くわ。バンドの名前何んていうのよ」

幸枝が言った。

「ザ・ファーマーズ、日本語で百姓たちかな」

「まあ、カッコワルイー」

「そりゃないよ、エヘヘヘ」

「ワッハッハッハッ」

スミレ会館は再び銀色の笑いの渦を取り戻していた。しかし、その笑い声には、細いローソクの火のような、いつ風が吹いて消えるとも知れぬ心細さがあった。

表向きはなごやかに見えるこのクラブも、今ひとたび我を振り向けば、お互いに不安な農業の局面を背負い、同時にその毒矢がクラブの中にも刺り込んできていたからである。

◀投稿案内▶

本紙は、みなさん方の新聞として、全国のクラブ員に利用して戴きたいと考えています。それでクラブの催しや個人のプロジェクト、詩、短歌、随筆、写真、悩みや意見、村の話題、伝説、行事、その他なんでも原稿にして送って下さい。

お願い　❶長さや形式は自由です　❷できるだけ記事に関連した写真をそえて下さい　❸送り先　郵便番号 162　東京都新宿区市ヶ谷船河原町11　日本4H新聞編集部

日本4H新聞
4Hクラブ 農事研究会 生活改善クラブ 全国広報紙
発行所 社団法人 日本4H協会
東京都市ケ谷家の光会館内
電話（269）1675郵便番号162
編集発行 玉井 光
月3回・4の日発行
定価 1部 20円
一カ年 700円（送料共）
振替口座東京 12055番

クラブ綱領

私達は、実践を通じて自らを磨くとともに、互いに力を合わせて、よりよい農村、よりよい日本を創るため、四つの信条をかかげます。一、私達は農業の改良と生活の改善に役立つ腕をみがきます。一、私達は科学的に物を考えることのできる頭の訓練をします。一、私達は誠実で友情に富む心をつちかいます。一、私達は楽しく暮らし元気で働くための健康を増進します。

農村の花嫁不足を探る

住居の改善を急げ

定休日なく少ない労働報酬

農村の「若妻」の意識をみる

現在、わが国の農業は、経済の高度成長にともなう農業就業人口の急激な減少、地価の高騰による経営規模の拡大困難、米の生産過剰、畜産物や果物などの需給の不均衡、経済の国際化による農産物の自由化の要請などまさに激動の渦中にある。とくに、都市化・工業化の進展は、農業の近代化には一役かったが、農家労働力の非農業部門への労働力の流出を生む結果ともなった。それらを象徴するかのようにここ数年来、農家の嫁不足問題がクローズアップされてきた。そこで、富山県農業会議は、現在の労働力流出問題、とくに花嫁不足の問題を徹底的に究明するため、農村の若妻に対する意識調査を行なった。これをクラブ員一人ひとりの問題として投げかけている。

この調査は昨年十月十五日を調査時点とし、満三十五歳未満で年間最低六十日以上農業に従事している若妻を対象に、十六市町村百六十名にわたって県青年農業者連盟会員が調査したもので、回収は百四十名であった。

まず家族構成の面における調査結果だが、調査戸数百四十戸を世帯員別にみると六〜七人が五九・二㌫、五人以下二六・五㌫、八人以上一四・三㌫と六〜七人家族が大部を占めている。農業専従者を数別にみると三人以上五七㌫、二人三三㌫、一人以下一〇㌫と、三〜四人の労働で農業に従事している割合が高い。また、その他補助者は全体の七八・六㌫がいると答えている。

〝夫婦のほかに誰がいるか〟という問いには、自分の子供がいると答えた人が全体の八二・九㌫、母が七六・四㌫、父六七・一㌫、兄弟、祖母、祖父の順になっており、子供の人数は二人が五六㌫、一人が二九・三％、三人以上が一四・七㌫となっている。これによると、子供は二人くらいという最近の傾向があらわれている。

また、経営耕地規模別では一五〇〜二〇〇㌃が二八・六㌫、一〇〇〜一五〇㌃が二七・七㌫、二〇〇㌃以上一七・九㌫と、中農層が七四・二㌫も占め、ついで五〇〜一〇〇㌃が一四・三㌫、五〇㌃未満七・九㌫となっており調査では下層農家が少なくなっている。

農作業労働はどうか

		割合にらく	余りきつくない	ややきつい	きつい	計
農繁期	人数（人）	29	36	68	7	140
	対比（％）	21	26	49	4	100
農閑期	人数（人）	81	41	17	1	140
	対比（％）	58	29	12	1	100

対象農家を主要農産物別の状況でみると、何といっても米に占める割合が六七・九㌫と高く、酪農一〇・七㌫、養鶏四・二㌫とつづいている。

一方、収入面では、農業収入だけによって家計を営む農家の比重は八〇・七㌫と断然高く、農外収入中心の農家はわずか十九・三㌫となっている。この理由として考えられることは、本調査の対象となった若妻の家庭では比較的に専業経営農家が多いためであろう。

若妻の実家の所在地については隣接市町村三五・七㌫、市町村内三四・三㌫、部落内一二・四㌫の順であり、比較的小範囲からの受け入れが多いことを示している。

また、実家の職業は農業が一三〇人で九三％を占めている。実家の経営面積については、一〇〇〜一五〇㌃が三六・三㌫、一五〇〜二〇〇㌃が三三・九㌫、五〇〜一〇〇㌃が二〇・一㌫の順になっている。これを現在の経営規模と比較してみると、結婚前は一〇〇㌃未満の階層が二七・四㌫を占めていたが、結婚後は二二・二㌫と減少、また二〇〇㌃以上の階層は一二・四㌫から一七・九㌫と逆に増加している。これは、現在より少しでも大きい農家へというあらわれとみてよいだろう。

若妻の続柄は長女に占める割合がもっとも高く四六・四㌫となっており、ついで次女三一・四㌫、三女一二・二㌫の順である。

若妻の学歴については、農業高校以外の高校卒が四三・五㌫、中学卒二八・六㌫、農業高校卒一五㌫、研修所卒二㌫、短大・大学卒二㌫、特に記入なしが八・九㌫であり、全体では高校卒が五八・五㌫も占めている。

現在、農家へ嫁として嫁いでいる若妻たちは結婚前どのような職業に従事していたのだろうか。調査結果では勤め人が四〇・七㌫と最高で、これについで無業二七・一㌫、結婚前から農業に従事していた人は二五・八㌫である。ということは、過去に農業をやっていた人は若妻の二五・八㌫にすぎず、残る七四・二㌫が農業未経験者で占められていることは注視にあたいする。また、自家農業従事者でも全体の六四㌫が年間三〇日未満と答えている。

夫婦間の生活状態については、〝まあまあ〟六四㌫、〝幸せです〟三三㌫、〝不服が多い〟四㌫の順になっており、従来のように不服や不満を抱いている若妻はほんのわずかにすぎなく、明るく平和な家庭が築かれているともとれる。

都市と違って農村では家族構成が複雑化しているため三十五歳未満で一家の財布を握る例はあまりない。従ってこの調査でも、労力報酬は夫からあるいは母親からもらっている人がほとんどである。

月々決めてもらっている人は四五㌫で、その月額平均賃金は二千〜五千円がもっとも多く三八㌫、一万〜一万五千円が二二㌫、五千〜一万円が一八・五㌫の順になっている。

不定期的にもらう人は全体の五二㌫だが、年額平均は、五千〜一万円が二七・五㌫、一万〜五万円二六㌫、五万〜十万円八㌫、十万円以上五・五㌫と個々の農家によって差がでている。これは子供の養育費を含んだものか、自分だけのものかはつかめない。

現在、農村の住居改善が叫ばれているが、夫妻の寝室についてはどうだろう。この調査によれば、同一家族の個室が六四㌫と最高で、フスマなどを境に同室一九㌫、離れた個室一六㌫の順になっており、フスマだけを境に生活している農家が意外に多い。これはやはり改善すべき点である。

若妻の年間農業従事日数は一五〇〜二〇〇日が二五㌫、一〇〇〜一五〇日が二四㌫、三〇〇日以上が一六㌫となっている。

わが子の教育やしつけ

	まかされている	いない	記入なし	計
人数（人）	89	28	23	140
対比（％）	64	20	16	100

女性が農家へ嫁ぐのを嫌う理由のひとつに労働条件が厳しすぎるというのがある。実際に否定することはできないが、しかし、農家も時代の推移とともに大きく変貌し、民主化した。それゆえ、農繁期のみ〝きつい〟とか〝ややきつい〟と答えた人が五三㌫と平数を越えた。

年間を通じての労働条件をとってみても〝重労働で苦しんでいる〟は一九㌫程度に止まっている。若妻全体をとってみれば、重労働で苦しんでいるようすは表面化していないが、実際問題として兼業化の進展にともない婦人や老人に労働がしわ寄せされている現実は無視することはできない。

食生活については水準ぐらいと答えた人が七四㌫となっている。

また、休日については〝ある〟と答えた人が八一㌫、〝ほとんどなし〟が一四㌫もあった。しかし、実際に定休日がある人は全体の一二㌫にすぎない。

それでは若妻たちは将来の農業についてどう考えているのだろうか。まず〝現状維持で農業をやりたい〟が七五㌫で最高、〝農業をやめたい〟一三㌫、〝積極的にやりたい〟一一㌫と続いている。

若妻たちが自分の子供に将来農業を継がせる意志があるかについては、〝継がせたい〟と答えた人はわずか八㌫であった。これは昨今の農業状勢や将来の農業に対しいかに若妻が不安を抱いているかを示しているものと思われる。

早期建設をめざして4H会館

―7―

OBに協力依頼

各県連の募金活動 どう足並み揃える

前号では、みかん販売によって募金目標額をほぼ達成した滋賀県連の実例を紹介したが、今回は各県連の今後の計画を中心に募金活動に焦点をあわせてみよう。

まず、さきに各県連から全協に提出された資料だけからみると、意欲的に募金活動と取り組もうとしている大流のほかに、当初の募金目標額を達成したために募金活動を一応打ち切っている県連や、組織の弱体などの理由から募金活動にいま一つ身が入らない県連などがある。

前者の募金目標額とは、クラブ員一人当り三百円の割合で算出した場合や、県連が自主的に決めた場合などで、全協が示している各県連の目標額（クラブ員の実態調査をもとにして、募金目標額四千万円を各県連ごとに割り振りしたもの）とは異っている。

しかし、これらの県連においても、募金打ち切りは絶対的なものではなく、新しい方向を探し求めているようである。例えば、「全体の情勢（募金額、建設に必要な金額、全国の状況）からみて、新たに募金活動を開始しなければならないと判断した場合には、次年度以降にその具体的な方法を検討していく計画である」（静岡県連）、「本年度からOB会に募金を依頼する」（福島県連）などである。とくに福島県連では、大会などの行事に募金箱を備えても大した額にならないので、ステッカーやバッチの販売などの方法を検討していきたいとしている。

また後者の、いわゆる本腰を入れて募金活動と取り組めない、あるいは取り組んでいない県連の事情はさまざまである。県青年会館や記念碑の建設とかちあっているもの、組織が弱体であるなど。しかし、これら県連の場合は、どちらかといえば現時点での執行部の考え方、組織のとらえ方などによって左右されるケースが多いように見受けられる。

そこで、組織強化が先きか、この募金活動を通じて組織を強化させるかなどについて、もっと真剣に話し合う必要があるように思われる。そこから各県連が足並みを揃えるエネルギーが生まれてくるのではないか。

次に各県連の募金活動の方向をみると、「従来まで県連として目標をかかげて募金活動を推し進めてきたが、今後は地区ごとの割当目標を定め、オルグ活動によって一層徹底させたい。四千余名のクラブ員の力を示すべく今年度の目標額を百万円とした」（宮城県連）、「機関紙、パンフレット、地区連会長を通じてPRする」（熊本県連）、「各地区連へ目標額の割当てを行ない、やや強制的にその目標を達成するよう呼びかける。そして募金協力者には何らかの記念品を贈呈するようにする」（香川県連）、「クラブバッチの販売と募金箱の設置」（長野県連）など、かなり具体的で意欲がみられる。また、現役クラブ員だけでは目標額に足らないので、「新入会員にも呼びかける」（神奈川県連）ものから、OBにもこの会館建設には責任があるとしてOBにも協力を依頼する県連（福島、香川、熊本）、さらに「スペース買取り方式の青写真がはっきりすれば、関係機関にも働きかける」（高知県連）などもある。

いずれにしろ、各県連に設置されている、あるいはこれから設置される会館建設推進委員会を中心に募金活動が展開されることになっているが、会館建設の時期は目前に迫っている。理論よりも行動が要求されよう。

キャンドルサービスで抱負を語り、これからの努力を誓い合う群馬県連のリーダーたち

原点に返ろう

群馬県連でリーダー研修 4H活動に強い意志

【群馬県＝斎藤竹代連絡報道員発】群馬県農村青少年クラブ連絡協議会（会長 前原保夫君）は、さる二月二十四日から三日間、国立赤城青年の家で、クラブ員七十余名の参加のもとにリーダー研修会を開いた。

上州特有の「からっ風」の吹く中、受付をすませて会場に次々と姿をみせたクラブ員たち。一日目は、午後一時から開会式が行なわれ、オリエンテーション、日程説明、班編成のあと、農業技術課の森専門技術員から「4Hクラブの本質」についての問題提起があった。夜は班別討議が行なわれる予定になっていたが、開会式が一時間も遅れたため、翌日にくりこされることになった。また、前原会長は「リーダーとしてめざめ、自分たちのクラブであるという自信をもって頑張ろう」と呼びかけ、汗だくで熱弁をふるっていた。

二日目は「4Hクラブ活動の本質」についてと、クラブ員が各自もちよったレポートを交換し合い、班別討議が行なわれた。続いて「リーダーの任務について」の問題提起を西形専門技術員から聞き、午後それらについて班別に分かれて活発な話し合いをした。

夜はキャンドルサービス。歌やゲーム、各班の出しもので和やかに交歓し、全員のもつローソクの炎の中で、リーダー研修会に参加しての感想や、これからの4Hクラブ活動に対する抱負などを語り合った。

三日目は、前日まで行なわれた分科会のまとめとして全体討議が開かれ、前夜分科会の代表によってプリントされた報告書が全員に配られ、それぞれ発表し合った。発表のあと活発に意見が出されて熱のこもった話し合いになり、〝これからの4Hクラブ活動はこのように進めていくんだ〟という確固とした意志をみなぎらせていた。

講評として西形専技から「原点に返ってみよう」というまとめが出され、また、閉会式で前原会長は「県連と地区連とのパイプを太く短くするよう努力したい」と強調した。参加者代表による「誓いの言葉」を最後に全日程を無事終了し午後二時に解散した。クラブ員たちはお互いに励まし合いながら、雪の散らつく赤城を背に家路へと向かった。

今回のリーダー研修会は本年度の最後を飾るべき行事となった。参加したクラブ員たちがそれぞれの地区連や単位クラブに帰って、よきリーダーとしての活躍が期待される。

「郷土を考える」と題して活発に意見交換された討論会＝青森市民会館ホールで

青年は過保護だ

青森市農村青年の会で「市民の集い」開く 市民から突上げ

豊川会長

【青森】さる二月十三日、青森市農村青年の会（会長 豊川民男君）主催の年間行事の一つ「第二回市民と青年の集い」が、青森市民会館大ホールに老若各層から約千三百人を集めて開かれた。

年々、青年活動に参加する青少年が少なくなってきているため、青年活動をスムーズに運営する方法は、現存する青年団体が一つに結合する以外にないという前提のもとに、昨春、青森市の農村青年の会（市町村単位クラブ）と連合青年団が一緒になって青年団体連絡協議会が結成されたが、この集いはその一周年を記念してもたれたもの。

この集いは、午前と午後の部に分けて行なわれた。午前は青年と市民の両代表によるデスカッション、午後は青年団体有志による歌謡ショーや民謡など盛りだくさんのアトラクションがくりひろげられた。

午前の部では「郷土を考える」をテーマにまず四人の青年代表から意見発表があり、そのあと青年と市民のパネルデスカッションが行なわれた。中でも「政治や行政に青年が積極的に参加し、青年の行動力を生かし、意見を反映してほしい」という声や、「いまほど若い人の行動に社会や先輩が注目し、意見に耳を傾けている時代はないのに、社会への貢献を避け、気骨がなくなっているのは母親の過保護が原因だろうか」という反省もあり、参加者から大いに注目された。

また、青森の未来については青年に対する期待も大きいが、「青年の意欲がない、発言、政治へのファイトも乏しい、人前で言える訓練も必要だし、人の喜びを喜びとし悲しみを悲しみとする習慣もほしい」など、すべて青森の発展に結びついた意見に焦点がしぼられた。

これら両者の意見をもとに、さらに会場からの発言をまじえて活発な討論が続いたが、老人と若者の断絶がいわれている現在、こういう討論の機会をもっとふやすべきだという声が強かった。このため、青森市総合開発計画のテーマでもある〝青い森、青い海、青い空〟づくりに積極的に団員、クラブ員の力を貸そうと決意を新たにして、再度、4H精神を自覚した。

なお、青森市青年団体連絡協議会の役員は次のとおり。

会長	豊川民男	4Hクラブ
副会長	赤坂誠市	青年団
〃	木立誠	4Hクラブ
理事	桜田喜秀代	青年団
〃	三上一政	青年団
〃	福士雅朗	4Hクラブ
〃	蛯名光実	青年団
会計	木立光子	〃
事務局長	鍋谷司	4Hクラブ
監事	井上主税	〃
〃	中村昭二	青年団

涼風暖風

おもんぱかる

新平家ブームだといわれている。ゆかりの地には新平家物語にあやかった観光地や土産品が雨後の筍のように誕生することと考えられる。

先日、相原組合長の大友端立さんが久しぶりに上京され、新平家物語にまつわる話をされたが、その中にこんな話があった。

ある日のこと、知り合いのお菓子屋さんが、新製品をつくったので、試食して欲しいと訪ねてきた。大友さんが、何の気なしにふたをあけたところ、その菓子の名は、「新平家物語」であった。

大友さんは、吉川英治が新平家物語を書いていたときの担当記者である。それだけに、銘菓「新平家物語」には驚いた。

お菓子屋さんに、吉川英治のご遺族の了解を得て名前をつけたのか、と問いただしたところ、了解は得ていないという。お菓子屋さんは、そんな必要があることも知らず、いうなれば善意のミスであった。そこで、急いで上京し、大友さんの紹介で吉川英治の未亡人を訪れ、非を詫びた。未亡人は、お菓子屋さんの話を聞き「新平家物語」と名付けることを快諾された。そしてお菓子屋さんが、お詫びとお礼をこめて、十万円を吉川英治の霊前へそなえたものを固持して受けとらなかった。

やむなく帰郷したお菓子屋さんは思いあぐねて大友さんに相談をもちかけた。お菓子屋さんにしてみれば、一たん出したお金は、今さら自分のものにするわけにはいかないという。それにも増して、未亡人の好意にご恩がえしをしたいという気持ちが強かった。

二人で話し合った結果、十万円は、NHKのたすけあい募金によせることとした。その十万円は、再度了承を得て、吉川英治の未亡人の名前にし、別にお菓子屋さんの名前で三万円をそえた。

その話は、未亡人、お菓子屋さん、それに大友さんしか知らないと思う。この人たちは、今度のことが、売名のようにとられるのは、不本意だろう。その意味からいえば、ここに紹介されることは当惑されるであろうし、逆に、叱られるかも知れない。しかし、すじをとおし、それでいてお互いに他人をおもんぱかる姿に強い感銘を受けた。

最近の社会の出来事をみると、我を張り、自分の考えを押しとおすためには手段を選ばないものが多いようだが。

他人をおもんぱかることができる人、それこそ今の世の中で一番求められているのではなかろうか。（文部省 伊藤）

来月10日に年次総会開く

福島県連

【福島】福島県農村青少年クラブ連絡協議会（会長 菅野寿広君）は、来る四月十日午前十一時から郡山市富田町の県農業試験場会議室で第二十四回目の年次総会を開催する。

議題は①昭和四十六年度事業と収支決算両報告の承認②同四十七年度事業と収支予算両案の審議③4H会館建設特別委員会の設置④役員改選などである。

心頭技健

農村の花嫁対策の一環として、このほど富山県農業会議が県内農村の若妻に関する意識調査を行なった。富山県の4HクラブOBでつくっている農業者連盟会員が調査員となって個別訪問し、三十五歳未満の若妻百四十人から直接聴取したものである▼それによると、まず驚くことは、若夫婦の寝室が家族と同室で、ただフスマなどで仕切りしてあるだけという家庭がまだ二割近くもあることや、仕事がきつい割には労働報酬が少なく、月額平均賃金が二千円から五千円という若妻が最も多いなどの事実である▼かつては夫婦の寝室がつい立てなどだけで仕切られていた家もあったが、夫婦のプライバシーを守り、幸せな結婚生活を送るべき密室がフスマだけで仕切られている家がいまもあるとすれば、やはり花嫁不足の一因にならないとは言い切れない。離れ部屋はまだ一六％と少ないが、せめて同じ棟でも個室はほしいところだ▼また年額平均五千円から五万円（五割強）という労働賃金も、三十五歳未満の若妻では一家の財布を握ることもできないため、月々決めてもらう人よりも不定期にもらう人が多い。この点も、生活必需品程度の処置が自由にできるサラリーマンの妻よりも不利であるということができる▼農作業の面では、農繁期を除けば機械化が進んで重労働という意識は薄くなり、「結婚当初は苦しかったが現在は楽になった」という人が半数近い。しかし、農作業と同時に家事や育児に追われるために農家は本当に大変だ、という声は少なくない▼これら若妻の実家の職業も農業がほとんどで、農作業の体験をしていないわけではないが、結婚前に勤めていた人が四割以上もいる。これは男子クラブ員が結婚相手としてOLまでを対象に考えている最近の傾向と似ているが、それだけに農業に抱いていた夢が破られたと訴える人が多い▼労働がきつい割に収入が少ないという理由が第一だ。そして、あとどりには農業を継がせたいと答えた人は一割に満たない。これらの実態をふまえて、いかにして娘さんが喜んで農家に嫁ぐような環境をつくるか、男子クラブ員のプロジェクトでもあろう。

国際化時代をどう生きるか

全国青年農業者会議から

「農村青年に問う　国際化時代をどう生きるか」——をテーマに、さる六日から東京・代々木のオリンピック記念青少年総合センターで開かれた農林省など七者共催の「第十一回全国青年農業者会議」の最終日に全体討議が行なわれた。講師として松浦竜雄（毎日新聞報道部）並木正吉（農林省・農業総合研究所）団野信夫（評論家）神谷克己（日本経済調査協議会）川延謹造（東京大学教授）吉田寛昊（鳥取県智頭農協組合長）の各氏を迎え、NHKの杉山徹、有馬ふき子両アナウンサーの司会で進められた。青年よりも講師に問う形になったが、農村の役割、環境保全、安全食品などを取り上げながら国際化の嵐が吹き荒れる中で、いかに生きるかを農村青年、農業経営者がともに考え合った。

自由化に賛否両論
農業再編成に好機か

講師			
松浦竜雄	毎日新聞報道部	神谷克己	日本経済調査協議会
並木正吉	農業総合研究所	川延謹造	東京大学教授
団野信夫	評論家	吉田寛昊	鳥取県智頭農協組合長

食糧を供給するだけでない

まずはじめに、会場の参加者に質問をしたあと、壇上の講師六氏が問題提起した。

農業と農村の役割は何か

並木氏　コメには三つの柱を考えている。それは①まず日本人の主食である②農家の大事な働き場所である③水田の維持管理を通じて地下水にきれいな水を供給することから国土の保全に役だっている。

団野氏　自由化問題については国内で作って採算に合い日本に適した農産物なら、あくまで何らかの政治的力を加えて温存すべきで、安いから輸入すればよいというのは単純すぎる。

神谷氏　食糧生産においてたくさんの農薬を使い、生産性をあげなければならない現実もあって、やむを得ず使用しているが、コメをはじめ食糧が余りだした今は根本的に反省しなければならない。そして、美しい水と緑の国土をつくっていくには、農業の分野にどんな役割があるかを考えていかなければならない。

川延氏　農村工業化は農業の生産基盤と環境を破壊し、さらに兼業農家が安定するという意味で日本農業にとってマイナスである。低コストを得られる工業側にとっては有利だが、農業側にとってトクな面はない。

松浦氏　〝農村には緑を守る役割がある〟ということがいわれている。たしかに都市では空気も水も汚れ、失ったものがあまりに多い。農村の役割は、単に食糧を供するだけではないだろう。

吉田氏　管内の農家千六百戸のうち自立経営農家十九戸、第一種兼業農家百戸、残りは村内に導入された七十五の工場に勤務する第二種兼業農家という現状である。とくにさいきんの減反政策のもとでは農業に生きがいをもつ若者がいない。

以上の問題提起をふまえて、会議は①農産物の自由化をどう考えるか②農村工業化をどうみるか③安全食糧はつくれるか④農村と緑の保全、の四つのテーマにしぼり具体的な討論に入っていった。

青年の経営を押しつぶすな

農産物の自由化をどう考えるか

昨年、農産物は三十品目近くが自由化された。今年は、オレンジ、果汁、牛肉がまもなく自由化されるだろうと、とり沙汰されている。さて、青年農業者は自由化に賛成か、反対か。

会場の意見は二つに分かれた。一つは当面の自由化品目に含まれていないか、自由化してもあまり影響のない作目の農家の意見で、作目によっては自由化賛成、とにかく今の自分の経営には関係ないというもので、「兼業農家が農地を手ばなし、残ったわれわれが規模拡大できるよい機会だ」と期待する声すらあった。一方は当面の自由化対象品目の農家の声。あるミカン農家は、「われわれはレモン自由化でいためつけられ、いま低価格と生産増のもとで基盤整備を一生けん命やっているところだ。今すぐの自由化はムリではないか」とのべ、酪農家も絶対反対を訴えた。しかし、肉牛農家は「日本の和牛の質は自由化にビクともしない。問題は素牛の安全確保だ」「世界的にも牛肉の供給はアンバランスで、自由化しても輸入は二〜三年ぐらいのものだろう」と自由化賛成の意見だった。

これに対し、講師の並木氏は、日本の牛肉が世界一おいしいというのは一種の迷信である、ときめつけ、「アメリカの牛肉は決して日本のものに劣らぬもので、日本にもってきても半値以下だ。また世界的に牛肉が不足していても、外貨のあり余っている日本が輸入自由化をきめれば日本に集中するのは目にみえている。事実認識を誤らないように」と指摘したあと自由化の対抗措置としては、広い面積を要する子牛育成を外国で引きうけるという保証があればよいとのべた。

団野氏は「コメ、肉、牛乳、野菜、果物は日本で完全自給まで望みたい。しかし、青年たちが創意工夫を生かしてなんとかやっていこうというときに、政府が一方的に自由化して青年たちの経営をつぶしてしまうのは反対だ。農民の立場にたった政策がほしい」とのべた。

これに対して、川延氏は「技術面からみると、自由化に対抗してやっていける経営が、北海道などで育っている。この機会に脱落する農家がでるだろうが、むしろ刺激を与えてそれを進めるべきだ。そのかわり、意欲のある農家には選別的に大きな補助をだし、自由化を機に日本農業を再編成すべきだ」と、問題提起と同様の意見をのべた。

遅れた環境づくり
工場誘致反対はエゴ？

農村工業をどうみるか

日本の各地で農村工業化が進んでいる。どこの村や町にも大小の工場が進出している。農村工業化は政策のひとつにもなっているのだが、これはわれわれの村や町をどのようにかえているのだろうか。

会場からは、農村工業化の経営者に与えるマイナス的な影響がつぎつぎとだされた。

「はじめは、余剰労力を工場に投入しつつ経営規模拡大ができると考えていたが、現実には年々環境破壊がすすみ、規模拡大も進まない」

「兼業化を促進し、ヤル気をなくしている。二十〜三十歳代の人も勤めにでて日曜百姓をしている」

「兼業農家は助長するが土地の移動がなく専業農家の規模拡大につながらない。地価もあがった」

これに対して、並木氏は「技術的には大規模経営をやれる条件は日本にある。しかし、それだけの農地をまとめていくには複雑な権利調整の問題があり、地価の上昇もあって、兼業化の進行がそのまま農地の移動にはつながらない。誰れかが規模拡大のジャマになる農家を追い出してくれる、そこで自分の理想経営をやろうというのは空想にすぎない」と青年の意見を批判した。

これに対して、川延氏は「いま農村自体が過密である。北海道で規模拡大がすすんでいるのは、そこが農業的に過疎になっているからだ。だから、農村工業化もバラバラに工場を設置するのでなく、工場を団地化して、そこに農村労力をあつめていけば、規模拡大につながるのではないか」と反論した。

松浦氏は「大都市近郊でも施設の農業は活発で生産額ものびている。それは人口がふえ、情報も早く入るからで、工場がくるのを恐れるのでなく、利用すべきだ」とのべ、ついで「農民も同じ日本の高密度社会に生きておりながら、農村へだけは工業はくるなというのは農村のエゴイズムだ」とのべた。

食生活への影響を重視せよ

安全食糧はつくれるか

日本はアメリカの七倍という世界一の農薬消費国。現在、市販されている農薬の種類は五千五百種類を上回る。そのなかで、われわれはあるていど制限されながらも、農薬を多量に使用している。それが農産物のなかに残留している現実をどうみるか。

会場の青年の意見は、〝危険とは思いながらもヤムを得ない〟と苦しいものだった。しかし、一部には、「身近かな人間が農薬の体内残留で死んだ。自分もつよい不安をもっている」「豚に生長促進の抗生物質をやっているが、それが肉として直接人間にとり入れられている現状は危険と思う」と不安を口にする参加者もいた。

こうした安全食糧の問題を論ずるのは時期尚早なのか、との司会者の問いに、壇上の講師は一様に〝早くはない〟〝むしろ遅すぎるくらいだ〟と答えた。

並木氏は「自由化や農村工業化につよく対抗するには、農家自身が手をきれいにしておかねばならない。それが消費者を納得させることにもなる」とのべ、団野氏は「五千五百種をこす農薬を無制限に売りつける体制をとっておきながら、残留毒がでるとその責任のすべてを農家におしつけるのはムリだ」と暗に農業者以外の責任を追求した。

川延氏も氏自身、常時四十頭余の乳牛を飼育している経験をあげながら、「日本の技術者はメーカーと結託しているのか、農薬をどんどん使わせる。農家はこれにのせられることなく、自分のつくっている農産物が人間の食生活にどのような影響を与えるのか、よく考えるべきだ」と現状をきびしく批判した。

都市問題のスリカエでは！

農村の緑の保全

さいきん、都市側からの要求として、農村は食糧生産のみではなく〝緑を守ってほしい〟という声がでている。この点をわれわれはどう考えたらよいのか。

会場の青年の声は聞かれなかったが、講師の意見は一様に、「それは、農業政策の行き詰まりをたくみにすりかえるタメにする議論だ」というものであった。

団野氏は「都市の住民のために農村が緑の場を供給しなければならぬと農民に押しつけるなら、政府は予算的な措置で裏づけねばなるまい」とし、川延氏も「農業者の労働の場でもある自然に、都市側のこのような要求をだすのは、ひとつの都市エゴイズムだ」ときめつけた。

吉田氏も「きのうは農村工業化、きょうは緑の保全、そして減反というネコの目農政に、現場のわれわれはついていけない」とのべ、神谷氏も「日本の環境保全に対する考え方はあまりにも遅れていた。都市の問題を農村の緑で、というようなスリカエでは問題は解決できぬ」とのべ、いずれも大きな拍手をうけた。

最後に、一時間半にわたる討議を会場で傍聴していた農林省農林政務次官、伊藤宗一郎氏がつぎのような感想をのべ、全体討議を終了した。

補助面で選別する

伊藤宗一郎政務次官　きびしい情勢下にあるが、これからは、外国にでていっても勝てるという国際競争力をもった農業を長期的に育てる、という展望のもとに、地域別にも、また、農業に意欲のある者、〝女性で農業を継続している者を補助面で選別しつつ、よりわけていく必要がある。これからの日本農業の担い手である諸君の情熱、意欲、希望が絶対挫折しないよう、われわれ農政担当者は謙虚に努力していくことを誓いたい。

参加者の感想をまとめた資料やサイン集を作成し思い出に残した。そのガリ刷りの記念誌から一参加者の感想を紹介してみよう。

心の励みに

吉田　澄子

「ひとりぼっちよ、さようなら」——私が一番最初、ここにきて目についた言葉です。

同じ道を歩く仲間が、この大会に集まり、心が一つに結び合う。寂しい私の心が満たされるようでした。平取に来たとき、雪のないのにびっくりしました。雪深い当別地方では想像もつかぬことです（都会ほど雪が多いもんネー）

大会の内容も充実していて、楽しい雰囲気がいっぱい。この大会に参加するのも多分、最初で最後になるように思います。お互い顔を知らぬ者同士が一つに溶けあっている光景……すばらしいと思います。クラブ員が減少の道をたどる現在ですが、こういう大会があって心の励みともなります。

楽しい思い出をありがとう。ここで生まれた友情をいつまでも。

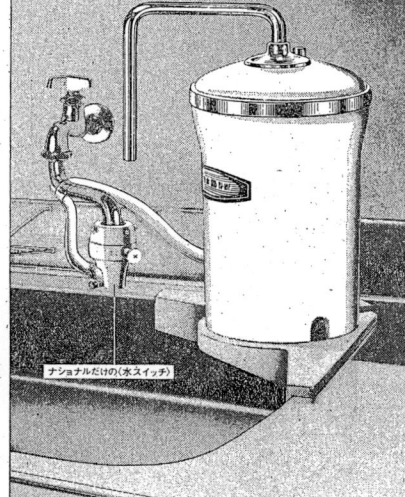

交歓の夕べ　地元クラブ員がエレキのサービス。参加者の疲れをいやし、みんなの心の扉をたたいた＝ドラムを叩いているのは奥村全協副会長

第四回「道南の集い」開く
雪の中、仲間づくり
ミニミニ運動会などで楽しく

【北海道】学ぼう鍛えよう未来のために——をテーマに、日高管内4Hクラブ連絡協議会主催の第四回「道南農村青少年の集い」が、さる二月二十八日から三日間平取町の町民体育館で開かれた。

南北海道農業の担い手として農業の改良や生活の改善に努力している4Hクラブ員が集い、自らの手で企画運営し、自主性の高揚や新しい技術の研鑽とともにクラブ活動の話し合い、レクリエーションを通じて仲間づくりをしようというもので、来賓も含めて約七十余名が参加した。

一日目は午後一時から開会式、オリエンテーションのあと記念撮影し、三時から日高西部地区農業改良普及所・田中嘉男所長の講演を聞いた。夕べのつどいに続いて夜はみやげ品の交換を行ないながら歓迎交歓会で親ぼくを深めた。

二日目の午前中は3232（ミニミニ）運動会。綱引きなどのスポーツやゲームで寒さを吹き飛ばした。午後は散策として白銀の世界に散在する平取町の名所や史跡などを訪ね各会場で話し合った。そのあと料理の実技研修でハッスルした。一人当り二百円の予算でそれぞれ自由に献立をつくり、お互いに力を合わせながらいろとりどりの夕食を作った。夜はキャンドルサービスで、各支庁ごとに出し物を披露し、エンジョイした。

三日目は分科会討議のあと反省会を開き、別れのつどい・閉会式を最後に正午幕を閉じた。

なお、運営担当者の苦労話しや

女子クラブ員をしっかと抱き上げて悦にいる男子クラブ員＝ミニミニ運動会で

畦道

〝雨月物語〟考

〝雨はれて月おぼろにかすむ晩春の夜……〟に書かれたという〝雨月物語〟は、描写の怪異さ、幻想性もさることながら、徳川封建社会という時代背景を考えれば教えられるところの多い作品である。

〝雨月物語〟は九つの短篇からなり、いずれも和漢や古典を典拠として、作者上田秋成によって開花結実された稠密小説である。化身や怨霊、亡魂、幽鬼がつぎつぎと登場し、読者を戦慄と恍惚の渦にまきこむ。

たとえば〝夢応の鯉魚〟という一篇は、絵の名手である老僧が病で息絶え、三日後に蘇生するのであるが、その間、鯉となって湖水を自由に泳ぎまわり、魚としての体験をするというはなしである。また〝蛇性の婬〟は、ひとりの美青年が美人に化けた蛇（おろち）にみこまれ、一度ならず二度も堅い夫婦の契りをむすぶのだが、いざ正体を知ると男は胆をつぶして逃げまどう。だが蛇の執念はおそろしく、すでに一命のあやうくなったところを法力によってからくも退治するという、妖しくも艶なるはなしである。

秋成が〝雨月物語〟にたくした意図はなんであったのだろうか。それは自由を求めてやまない精神の飛翔（ひしょう）であったと思われる。封建制——おしつぶされた人間性、ワクにはめこまれた生活のなかではかなえられない精神の自由を、虚構としての文学において、逆に現実の拘束をすべてぬぐいさり飛翔をこころみたのであろう。

鯉になって湖水を自由に泳ぎまわる、というなかには、自由への強い憧れと解放された人間の喜びをみることができるし、また蛇の化身なればこそ、この世の掟やモラルをのりこえて、ただひたむきに男を愛し、男を独占しようとする執念と愛憎をつらぬきとおせたのである。

〝雨月物語〟がいまも私たちの胸をうつのは、そこに時代をこえようとする精神の孤独な彷徨をみるからであろう。【宇】

〝なし〟栽培へ転換
浜名4Hクラブの共同プロジェクト　米の生産調整で

【静岡県＝鈴木政美連絡報道員発】浜名4Hクラブ（会長　奥野道広）は、このほど開いた定例会で共同プロジェクト（なし園）を持つことを決めた。

浜名は近年、工場の進出がめざましく、近くには数多くの中小企業の工場が立ち並び、すでに工業都市へ移り変ろうとしている。このあおりを受けて同クラブではクラブ員の減少が目立っている。

一昨年まで水田（二七アール）を借用して共同プロジェクトに取り組んできたが、米の生産調整などで借用不能になったので、今回は近くの農家からなし園（一〇アール）を借りてプロジェクトと取り組むことになった。このなし園は、なしを定植してから十年になり、毎年収穫を上げているもので、先日、クラブ員全員でせん定や園地の中の耕耘、草取りなどをした。

同クラブでは、このほ場で上げた収益をクラブの助成金、他団体との交換会、先進地視察などに当てることにしている。

このクラブの特色は、ほとんどのクラブ員が地域青年団（学級）に加入して他産業の人たちと接触していることで、広い視野から農業をみつめバイタリティにとんだ活動をしている。クラブ員がそれぞれ九月の収穫をめざし、プロジェクト活動に取り組んでいる。

クラブの体質改善を図る
浜北市連で総会

【静岡県＝鈴木政美連絡報道員発】浜北市連合協議会（会長　有谷国博君）は、坪井市長と市の田光農林課長を迎えて、さる十八日浜北市小林の市立研修所で四十六年度の通常総会を開いた。

当日は、市内の4Hクラブから、クラブ員多数が参加し、四十六年度の事業と収支決算の報告を承認したあと四十七年度の新役員の紹介、事業計画、収支予算の両案などを満場一致で決めた。

新会長に選ばれた川合孝夫君は「現状のクラブ活動ではどんどん低下していくので、まず体質改善をしたい」と抱負を述べた。

新役員は次のとおり。

会長	河合　孝夫	北浜4Hク
副会長	富永　茂夫	浜名〃
〃	松島紀己宿	あら玉〃
事務局長	伊藤平太郎	中瀬〃
書記	大村　孝	北浜〃
監事	奥野　道広	浜名〃
〃	有谷　国博	あら玉〃

◀投稿案内▶

本紙は、みなさん方の新聞として、全国のクラブ員に利用して戴きたいと考えています。それでクラブの催しや個人のプロジェクト、詩、短歌、随筆、写真、悩みや意見、村の話題、伝説、行事、その他なんでも原稿にして送って下さい。

お願い　❶長さや形式は自由です　❷できるだけ記事に関連した写真をそえて下さい　❸送り先　郵便番号162　東京都新宿区市ヶ谷船河原町11　日本4H新聞編集部

プロジェクトと経営

住民の意欲を刺激

ブルトーザーのような地鳴りで

過疎の歯止めに一役買ったサラダ運動

新潟県佐渡農業改良普及所・羽茂支所　佐々木昭子

◎たまり水が飲み水

「お光、吾作のたらい舟の里」で知られた佐渡小木町が私の担当するところである。

(真)青にすみきった海、自然の美そのままの山野が水に映え、一服の画をみるようなこの岬は、海岸線にそって部落がよりそうように点在し、人々は一見平和そうな生活を営んでいた。しかし、この土地に足をふみ入れ、巡回してゆくうちに、あまりにもこの世の流れにとり残された生活であることに驚いてしまった。

外海につきでた岬に馬の背のように道路が走り、段丘のあちこちに耕地が点在し、入江に風をさけるように家がかさなりあっている。部落から部落への道は岸壁にさえぎられてない。川らしい川もなく、水不足は深刻で飲料水も田の水も、たまり水をくみ上げている有様であった。半農半漁とはいえ、生産性は低く、わずかな魚を主婦が背負って三~十㌔の道を一日がかりで歩いて売りにゆく。海岸はゴミで汚され、不衛生な暮しぶりは赤痢患者の多発となっていた。そのたびに消毒や手洗いの設備を強制的にさせられても、一ヵ月とは続かない。

◎行政動かした住民

こうした時、「新潟県明るい村づくり事業」が計画され、希望して実践市町村となった。

役場に担当がおかれ、推進会議も発足し、調査にもとづく課題の摘出がされ、地域住民との対話が町長を先頭に部落から部落へと夜も昼も続けられた。住民の素朴な願いが行政を動かし、行政の考え方が住民の心の中に浸透していった。主婦を対象とした生活教室の出席は九〇%と多く、いつも会場いっぱいだった。しかし話を始めて三十分もたたないうちに居眠りが始まり、ゴロリと横になって眠りだす人もいた。私の技術不足か、若いせいで馬鹿にしているのでは と最初は焦った。次回にはさぞ欠席が……と心配して行くと、また例のようにいっぱい集まっている。そして居眠りが始まる。泊りこみで情報を集め、分析しあった結果、連日の激しい肉体労働の結果とわかり、集会は公然と休める主婦の息ぬきということでホッと胸をなでおろした。

◎野菜栽培と取組む

(閉)ざされた岬の生活しか知らない人たちに"難かしいことは無駄"と、本所のHA(生活改良普及員)と協力し、先進地視察、生活綜合実習、交換会など、"百聞は一見に如かず"と回数を重ねた。

バスで初めて岬の外に出た時、窓外にうつる草花に喚声があがった。どうして感激するのかと考えてみたら、狭い家々には花を育てる空地もなく、関心もなかったことに気がついた。花もないわびしい暮しぶりが前向きの姿勢を阻んでいるのかもしれない。しかし、訪問先の集会所の行き届いた掃除に目をみはり、しだいに表情がイキイキと輝くようになっていった。

緑もとりくみやすい課題からと野菜栽培を皮きりとした。大根、いも、白菜などしか作らない地域に、レタス、ホウレン草、キャベツ、ブロッコリーなど、農改に指導の場をもっていただいた。下から水をかつぎあげるなど管理の苦労は大変であったが、二年がかりで新しい野菜を手にした喜びは大きかった。

野菜づくりと平行して、サラダづくりをとりあげて指導をかさねた。どんな講習会にもサラダを加えることをモットーとし、明るい村づくり推進大会では、ソースのいろいろとか、サラダ料理などを展示し、ムードのもりあげをねらっていった。こうした時に、複数のHAの力がありがたいと思った。

とくに喜ばれたものは中華風サラダ、味噌サラダなどであった。夏だけ食べるものと思っていたサラダが年中食膳にのぼり、油脂摂取で四十四年六・二㌘が、四十五年八・一㌘と増加し、"一日一回フライパンを"という油脂と野菜の摂取に努力をかさねていった。

◎岬の発展に希望わく

(人)気を得たサラダ運動は自分の家の味を創りだし、日稼ぎの休憩は技術交換でもちきりとなり、隣部落に負けまいと実践は思いのほか早く拡がっていく。素朴な人たちだけに信じたら疑わず実行するよさがある。

こうしたサラダ運動をとおし、ものの考え方が急速に変わってきた。これまではどんなに話し合っても、岬の暮しは私たち一代かぎりと諦めて前向きになってくれない住民が、今後の岬の発展に希望をもち始め、若妻グループが生まれ、住民運動は会をかさねるたびに高まってゆくことが感じられてきた。

馬の背のような道路の幅が拡げられ、車が通るようになった。"観光地としての計画もねられ、"自然のままの美しさを"と、住民が一体となって計画にあたっていた。美しい岬でありたいという住民の願いが、「美崎」という作文集になって家庭に届けられ話題豊富にしている。また、海岸がゴミの場となっていることが問題となり、清掃日が設定されたり焼却炉が設置されるなど、きれいな海岸を自分たちの手でという活動に拡がりをみせた。

◎自慢の調理実習室

(集)会所は学校以外にないこの地域に、気楽に集まれる場がほしいという要求がで始め、住民が案をねり、考え、県の協力を得て、延べ二、二五四平方㍍の鉄筋コンクリート二階建てのスマートなセンターが海岸に沿って建設された。日本海の青い海原を一望にできる調理室、ピカピカの新しい調理実習室は住民の自慢となった。

そして自分のことしか考えない消極的な態度から、協力することの尊さを学んだのである。

この活動を中心に普及も行政も一体となり、本所と支所の協力をかさねながら、ブルトーザーで地ならしをするように音をたてて、普及の本質を惜しみなく投入できた。五年も十年もかかったであろうサラダ運動が、三~四年の短期間に進んだ体験は、今後の活動のあり方を教えてくれる貴重なものであった。

みかんが熟れ赤い椿の咲くこの岬に、力強く踏みとどまり、村づくりに意欲をかきたてている住民の姿に、町では乏しい財政の中から生活環境整備のための予算化に努めている。どうせこの地は衰退してゆくものと手をかけられなかった住宅も、新築、改築が日毎に多くなり、一本しかない自動車の通れる道を今日もトラックが音をたてて走っている。

先輩がコツコツと積みあげてきた普及活動の足跡が、いまここに熟し、小さな灯となってこの岬の発展の一助となっていることの尊さに感激するとともに、私の生きがいとしてもこの灯を燃やし続けていきたい。

(第20回全国農山漁家生活改善実績発表大会から)

水田を植木畑に

腕一番の植木屋めざす

富山県・新湊市4Hクラブ　浦上治吉

私の父は副業として植木屋をしていた。一・三㌶の水田だけでは生活ができないからだ。父は私をサラリーマンにしたかったらしい。だけど私は植木が好きだ。まつ、かし、もみじ、ひいらぎ、かいづか、つげ、いちい、もっこく、さるすべり、つつじ……。一枝一枚ハサミを入れた後で、できばえをみる時の気分は何ともいえずいいものである。

それに私は一番の植木屋になりたかったのだ。そのためにはよい木をたくさん用意しなければならない。そこで私は水田に木を植えようと思ったのである。

私が手伝うようになったので、父は私の計画に賛成してくれた。種がなると播いた。手入れをして、落とした枝で挿し木をした。一本売れば苗を二本植えた。また山林から植木に作れる木をとってきた。こうして植木はどんどん増えて、水田もしだいに畑になった。

ふり返ってみるとよくやったものだと思う。売れなくて自分の育てた木を燃やしたこともあった。移植して枯らすこともあった。でも幸いに父が経験豊富だったので大きな失敗にはならなかった。それに他の苗は大きく育っていたので、失敗した分はすぐとり返した。

水田を埋めて苗木や原木を植えると当然多くの労力がいる。でも人手を借りることはできない。この仕事は一年中働けないからである。だから家族に多くの負担がかかってくる。それを少なくするために、移植の時はレッカーを使いたいと思っている。しかし、これから一番大切なことは、同業者がお互いに植木や労力を提供し合って助け合うことだろうと思う。そのためにも、私たち若者が集まって情報を交換したり、レクリエーションをする場を作り、進んで参加することが大切だと思う。

20年の歩みの上に

全国農山漁家生活改善実績発表大会開かる

農林省主催、NHK後援、生活改善実行グループ全国連絡研究会協賛による第二十回農山漁家生活改善実績発表大会が、さる十、十一の両日、東京・霞が関の農林省ホール(七階)、農林省共用会議室(一階)と内幸町のイイノホール(飯野ビル七階)で開かれた。

今大会の標語は、「新しい生活めざして二十年 豊かさを緑でつつもう農山漁村」で、本年度はとくに二十回を記念し、長期にわたって農村漁家の生活および地域社会の改善を力強く推進してきた生活改善実行グループの歩みと、その実績を広く一般に紹介した。また、最近の社会情勢、農業情勢の変化に対処した農山漁家生活の改善などを交換し合い、生活改善の推進に役立たせた。

十日はイイノホールにおいて、参加記念章と優秀賞の授与が行なわれたが、児童作文・自由詩の部で農林大臣賞を受賞した角田理恵子ちゃんが、多数の授賞者にまじって顔を赤く染めながら賞状を受けていた。そのかわいらしさに、会場に集まった人たちも思わず頬をくずしていた。

結婚を考える ▶8◀

つれづれに想う ❷

夫との離別に思いとどまる

わが宝(子ども)のために

山口県・柳瀬農村青少年クラブ生活部

主人は大学時代柔道で狩猟を痛めて兵隊からも帰されるような身体で、自分から労働はさけていく人でした。戦死した義弟が大農園を計画中出征したため残された乳牛七頭と作男が三人いましたが、その作男たちも次々に戦地へ行き残された働き手は女の私一人でした。現在は減反の声高く、いくらでも水稲はやめられますがその当時は一粒の米も一片の畑田も耕作し供出しなければ非国民といわれた時代でした。

見渡す限り山峡に広がる段々畑田を見た時にはただあきれるばかりでした。私の運命は決まってしまったのです。満州の開拓農民になったつもりでやるより仕方がないと覚悟を決めました。乳牛の飼料も配給です。草も刈り、乳もしぼりました。義弟の残していった乳牛は、わが家の宝です。両親が最愛の末子を戦地へ送られた気持を考えても、嫁としての私のつとめは牛を可愛がることでした。こわごわ牛の背もはきました。後と前につなをもって牧場へも出しました。目にたまった涙で道の見えなくなったこともたびたびです。誰もいない田のあぜで初めて"マムシ"を見た時、今でもそのこわさを思い出します。走って逃げました。"ヘビ"さえも見たことがなかったのです。夏の農作業は私にとっては恐怖の連続でした。次々に生まれた子供たちもみんな夏にです。身重で苦しかった苗取り、目から火がでるとはこのことです。

義弟の戦死以来、両親は魂もぬけがらのような身体で、気力も何もありません。生活の重荷は私一人の肩にのしかかってきました。

ある日、街の中で道路工事夫として、汗を流して一生懸命働いている人を見ました。この人は妻子のため、生活のため、男としての責任をはたすことに喜びを感じて頑張っているのだ。共に働いてくれる人にどうしてめぐり合えなかったのか、労働者でもよかったのにと、日頃の不満が一度にでたのです。耐えることにも限界があるこの生活から逃げだそうと思ったのです。私の心は迷いました。悩んだのです。でも、すやすやと無心に寝むっているわが子を見ると、決心もにぶってしまうのでした。

"ごめんなさい"——私の宝はこの子たちだったのです。心をもちなおして学資の足しにもと、女の手でできる養鶏五百羽の飼育を始めました。長男が中学一年の頃です。幼な子を背に、寒い冬の夜も、夜中じゅう何回もの温度調節に寝むれなかった。種鶏として成鶏表に優の並んだ時のうれしさは忘れることができません。この養鶏場とのおつき合いが、みかん園の肥料源になろうとは思ってもみなかったのです。

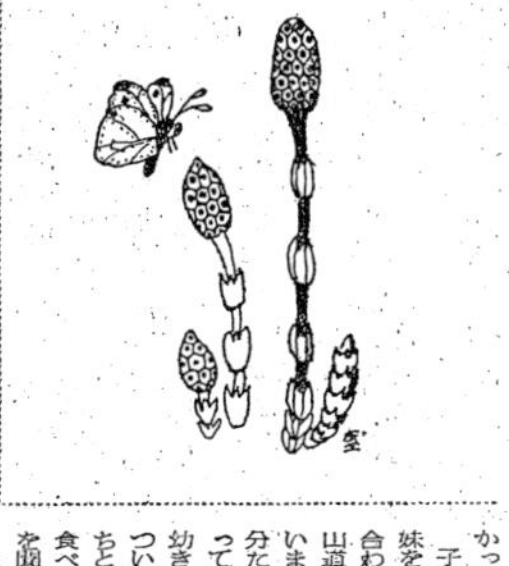

子供たちは、兄は弟を、弟は妹をと、互いに下校時間を待ち合わせ、仲良くかばい合いつつ山道を帰ってきます。成人したいまも、兄弟が仲の良いのは、自分たち肉親がよりそって助け合っていかなければならなかった幼き日の思い出が、自然と身についているのでしょう。子供たちと陽ざしをさけて、おやつを食べながら、学校でのできごとを聞くのが楽しい日課でした。

よく参観日に、「お宅のお子さんは反抗期はありませんか」と、お尋ねになるお母様がありましたが、私の子供も人並に思春期もあったと思います。反抗したい時も、不満をぶちまけたいときも、あったでしょう。しかし、子供たちは計画したその日の仕事に、きびしい母の姿に、そのすきさえなかったのだと思います。

同窓会に着飾って行くより、育ち盛りの子供に栄養豊かな夕げの支度をしてやることに幸せを感じる私でした。家のため、子供のためと思って努力してきました。乳牛も養鶏もただ生活の手段だったのです。

栄養のバランスを

食生活の改善　一日三百円でも十分

私たちの毎日にまず健康が第一であり、それを支えるものは栄養のバランスを保つことだと思う。そこで、わが家の栄養の状況と食費について一週間の記録をもとに標準と比較検討してみた。

現在、私の家の家族構成は祖父と両親と私の四人で、消費割合でいくと三・六人。四十才の男子一人一日当りの標準必要量と、わが家の一人一日当りの分量を比較してみると、果物その他の野菜は自家生産物のため必要以上にとっているが、血や肉となるタンパク源、身体の調子を整える有色野菜、カロリー源となる油が非常に少ない。

農林省統計資料による一人一日当りの平均食費は、二百五十円~三百円となっており、それを三百円として、穀類六十円、嗜好品調味料六十円、タンパク源百二十円、野菜・果物六十円という数字を基準としてわが家の実態と比較すると、決して均衡がとれているとはいえない。

私の家の一人一日当りの食費は二百八十二円であり、約三分の一に当る八十七円が自家生産物で占め、みかんは出荷から落とし、野菜類は自家消費分だけ作っている。卵は養鶏家で安くわけてもらう。このように農業経営の中で生活しているために経費も安くあがり、この分をタンパク源へ回していこうと考えている。食品の購入となると店が遠く、購入しにくいということも一つの大きな原因となっている。

経費が少なく、バランスよく栄養をとるにはどうしたらよいかを私なりに考えてみると、①一週間の献立の目安を作る②特売日にはなるべく買物をする③自家生産物を有効に使う④冷凍食品の利用、冷凍庫の設置、また生活改善友の会や組合などで大量に購入してもらう——などである。

ここで私は一日三百円の予算で栄養のバランスのとれた献立をたててみた。

朝……御飯、みそ汁、おひたし

昼……御飯、八宝菜、食後にみかん

夕……御飯、魚フライ、サラダ

おやつ……牛乳、ハイココナッツ

分量と経費は、魚貝肉類一二五㌘、牛乳一二〇㌘、卵六〇㌘、豆類八三㌘のタンパク源が百三十七円七十銭。有色野菜一〇〇㌘、その他の野菜一九五㌘、果物一〇〇㌘、いも類七〇㌘の野菜果物が四十三円十銭。穀類が二七〇㌘、四十九円五十銭。油脂類一六㌘、砂糖二〇㌘、その他の嗜好品調味料を合わせて三十一円三十銭。合計二百六十一円六銭である。

調理方法などについても、テレビや講習会、本、料理学校などで研究すればもっとよくできると思う。このように自分の生活をふり返ることで、よりよい生活が営まれることと思う。今後も生活を科学的に診断して、問題点を解決するよう勉強したい。また共同購入をきっかけに、友の会のお母さんとも交流をもち、世代の断絶をなくしてゆきたいと考えている。

和歌山県日高郡・由良町4Hクラブ　山口貴美代

こんなことをしています　各種農業団体

全国共済農業協同組合連合会

農協ぐるみで対策

春の交通安全運動を展開

「農協共済」の四十七年春の全国交通安全運動実施要領はつぎのとおりである。

一、趣旨　国が実施する春の全国交通安全運動に協力するとともに、農村における交通事故防止対策および被害者救済対策のほか、自賠責共済などの普及推進による保障体制を確立する必要がある。このために農協共済として全国一斉にこの運動を展開する。

二、交通安全運動スローガン

(1) 全国統一スローガン

①子供向け「ああドッキリ フイなどびだしもうしません」

②運転車向け「とっさの時に避けられますか その運転で」

③歩行者向け「ゆっくり待ってさっさと渡る」

(2) 農協共済の運動スローガン「一生を事故で泣くまい 泣かすまい」(この運動スローガンは全日本交通安全協会が発表した入選作品から選んだもの)

三、運動実施期間　昭和四十七年四月六日(木)から十五日(土)までの十日間

四、実施事項

(1) 交通事故相談の実施　共済連の本・支所事務所の管内における事故相談のほか、とくに巡回相談を重点的に行なう。

(2) 無共済車の解消運動の実施　全国交通安全期間中に自賠責共済の特別推進を実施するとともに、自動車共済、傷害共済の加入運動を推進する。とくに四月は県別に自動車共済、自賠責共済普及強調旬間を設けて普及推進活動を展開する。

(3) 交通安全教室の協力　春期は、市町村の交通安全協会などが実施する地域住民を対象とした安全教室に協賛し、組合員に対しその趣旨の徹底をはかり参加をよびかける。

(4) 車両診断・定期点検運動の実施

(5) 広報活動の展開　①全共連が輸送[illegible]泣くまい"の[illegible]ガンを募示[illegible]国の共済連[illegible]こととする。[illegible]会主催、全[illegible]・作成した[illegible]共済連およ[illegible]全共連提供[illegible]百科」で、[illegible]どに交通安全[illegible]事掲載を促[illegible]その他適宜[illegible]ーキャー[illegible]する。共済[illegible]道機関に対[illegible]ずる。

全国の4H[illegible]もとの交通[illegible]さい。

全国販売農業協同組合連合会

「全農」が誕生へ

販売、購買の一本化で安定

全購連(全国購買農協連合会)と全販連(全国販売農協連合会)が、三月三十日に合併、あらたに「全国農業協同組合連合会」《全農》としてスタートしました。

両連合会は昭和二十三年、農業協同組合の全国組織が発足すると同時に設立され、いらい系統農協の全国機関としてそれぞれの事業に専心してきました。

いうまでもなく全購連は生産資材や日用品など農家の必要な物資を系統を通じて供給、反対に全販連は農家が生産した農・畜産物を、系統農協を通じて集荷、販売する仕事を、そして購買、販売、それぞれの立場から生産農家に対する生産指導をおこなってきました。

実のところ、全購連と全販連の合併については、すでに十年ほど前から話題にのぼっていました。それは、販売、購買といった系統農協の経済事業が、県の連合会までは「経済連」一本にまとまったのに、全国連だけがそれぞれにわかれているのでは事業をすすめるうえになにかとやりにくい点が多い、とおもにこうした意見から"合併すべきだ"というものです。しかし、当時はまだ反対意見も多く周囲の情勢もそこまで煮つまっていませんでした。

その後、日時をへるに従って、商社の農村進出がさかんになり、インテグレーションがすすんで農協の事業、ひいては農家経営にもいろいろな点で問題が出てきました。

こうして全購連と全販連の合併は、話題にのぼりはじめてから十年あまり、"多難"といわれる七十年代を迎えていよいよ実現した[illegible]・合併は[illegible]農家にも[illegible]を生みます[illegible]買が一本に[illegible]蓄積され、[illegible]より大きな[illegible]販売、購買[illegible]円におよぶ[illegible]生産物の販売[illegible]的に関連づ[illegible]な生産のア[illegible]行なわれる[illegible]そこから、[illegible]生まれてき[illegible]家にも、ま[illegible]メリットに[illegible]

人間性の回復願う

観光農園をスタート

石川県・河北郡農業青少年グループ　奥村仁則

私は現在、石川県中央部に約一〇〇㌃の山林を保有し、観光農園をめざしてその基盤作りにとりくんでいる。メンバーは農業に従事している者、および農業関係者(第三次産業者など)で、五人が主に活動している。

近年の社会情勢をかえりみて思うのは、機械化人間、公害、情報化社会——など、文明が進むにつれ、真の人間性が失われつつあるということである。そこで土に親しみ、緑の草木に囲まれ、身心ともに安らぐ——という真の生活を営むため便を計ることを目的とした事業を思いたった。

私の計画としては約一〇〇㌃の山林を目的に合わせて整地、植林、作付などを行ない、それにともなって遊地帯、道路整備を行なうことである。

現在、約一〇〇本のくりの苗木の植付、五㌃の整地が終っている。

簡単にはできない難事業であるに違いない。機械力はもとより、人力、資金、そして何よりもアイディアが必要である。

私たちのモットーは"マイペースで行こう"である。今後の課題は第一次産業と第三次産業をいかに結びつけるかであるが、私は失われた人間性をとりもどすためにも、目標に向かって進んでゆきたいと思っている。

ブドウの早期出荷に成功

四葉4Hクラブの三人

【山梨】韮崎市穂坂町の四葉4Hクラブの三人は、ブドウの枝梢(ししょう)キャプ栽培に成功したと、このほど韮崎市民会館で開かれた北巨摩地区の青年会議で発表、注目された。

海瀬基一、猪股重数、猪股昭治君の三人で、同方法によると市内のブドウ通常栽培に比べて二週間から三週間早く出荷でき、現金収入増ができるという。

NHK農事番組 (4月1~10日)

テレビ

明るい農村 6・30~6・55 総合

1日 農村新地図「沖縄・宮古島」

2日 明るい漁村

3日 村の記録「離島の公営闘争」~長崎県五島列島

4日 きょうの話題

5日 農業百科「豚肉」

6日 話題と人「がむしゃら養豚」並木盛豚~千葉県木更津市

7日 農村新地図「茨城県結城市」

8日 村をむすぶ「札幌、大阪、広島、東京」

9日 明るい漁村

10日 村の記録「過疎バス始末記」~高知県下~

農業教室 7・30~8・00 教育

30~1日 肉牛の一貫経営 中野正雄(東京農業大学教授)

3~5日 自由化の再検討 逸見謙三(東京大学助教授)

6~8日 日本人と食糧 唯是康彦(農業総合研究所)

あすの村づくり 日 7・00~8・10 教育 再 土 13・00~14・10 教育

2日「グループだより」~徳島県阿南市加茂谷~果樹研究グループ、「茶産地の伝統と近代化」~京都府綴喜郡和束町~青年経営者グループ、「青年像」~鈴木康~大阪府和泉市

9日「若き志向」~酪農者大学校生の意見

ラジオ

早起き鳥 5・41~5・57 第1

1日 コーライきじを育てる 林正和~長野県飯田市

2日 全国農協連会長に聞く 三橋誠

3日 成功した冬どり玉ねぎ~大阪府農林センター

4日 炭[illegible]城県築館[illegible]

5日 カナ[illegible]井県今庄[illegible]

6日 さば[illegible](鳥取大[illegible]

7日 くも[illegible]害虫 桐[illegible]術研究所[illegible]

8日 笠原[illegible]

9日 食物[illegible]食糧研究[illegible]

10日 馬鈴[illegible]晩種馬鈴[illegible]町)

話の広場

2日 みか[illegible]小田原・[illegible]

9日 日本[illegible]館林市[illegible]

新しい農村

2日 今年[illegible]

9日 スタ[illegible]仁木功[illegible]除 竹田[illegible]

ラジオ農業[illegible]

2日 グル[illegible]をどう進[illegible]

9日 経営[illegible]酪農経営[illegible]を成功[illegible](東京[illegible]

本社事務所を移転

(株)ハイチオ

[illegible]ともない[illegible]はかるため[illegible]した。

新住所 [illegible]

電話 (〇三)四〇二ー五六二一(代)

破れたぼくらの恋

ああ、遅かったよ

滋賀県・農業青年クラブ　一青年

ぼくがK・Mさんと知り合ったのは、クラブに入って二年目、夏の全国技術交換大会に行ってのことでした。

彼女とのはじめての出合いは班が一緒ということからでした。K子さんのほうから「どこかで以前会ったような気がするのですけど……」と話しかけられました。ぼくもどこかでK子さんを見たような気がしたのだけれども思い出せずじまいでした。

そして閉会式のとき、またどこかで会おうと約束をして別れたのでした。

大会後、半月ぐらいしてK子さんの家へ電話をしたら憶えていてくれて、ぼくは彼女の町の体育祭を見物に行きました。ぼくは農業をやっていたせいか忙しかったので、女の子とドライブなどしたことがありませんでした。それゆえK子さんとどこかへ行くのがなによりの楽しみでした。

K子さんは女子部のリーダーとして、県や府のほうへよく出るようになり、ぼくも彼女に会いたいものだから、何か行事があると進んで出るようになりました。K子さんはぼくと会っているときとは逆に、大会などではぼくなど及びもつかないようなことまで議論するタイプの人でした。

でも二人で遊びに行くところといえば子供がいくようなところばかり……。ぼくはもっと変わったところへも行きたかったが、K子さんは子供っぽい人だったから。

またそんなところで彼女と遊んでいると農業のつらいこと、苦しいことなどを忘れられるからです。だからいつもぼくたちは「子供みたいな幼な友だちだね」とふざけていたものでした。

いつの間にかぼくの枕元にはK子さんの写真が立つようになり、母もそれに気づきました。また、妹の祝儀のお祝に彼女が友人とともに来てくれ、家中の人にも知ってもらえました。そう、こんなことがあってから、いつか彼女のことを好きになっていたのです。

でも会えば、好きだと言えず、テレビや歌手のくだらない話ばかり。だからK子さんの気持がわからなく毎日苦しくなるばかりでした。いつだったか、彼女の家へクリ拾いに行った時も、友だち数人と遊びをかねてのことだったのでぼくらの話しなどですじまい。

それから二ヵ月たった一月三日K子さんから次のような文面の手紙がきました。

「長い間のおつき合い、まるで兄妹のようでしたが、三月八日結婚をしますのでもうお別れです。夢にまであなたのお嫁にと想っていたのですが、何もかもが私の夢に終ってしまったのです。ステキな女性をお嫁さんに捜してください」

それまでぼくが手紙や電話などをしても、なにも好意をしめしてくれなかっただけに、ぼくの片想いだと思っていたので……。それに、結婚の話も二カ月も前に決まっていたなんて！

ぼくは、その手紙を持ってK子さんに会いに行ったのですが、彼女は「女性から好きだともいえないし、あなたがもう少し早く打ち明けてくれたら」と泣きくずれるだけでした。

……ああ、打ち明ける機会があったら。もう少しぼくという人間をみてもらいたかったのに。ぼくは彼女と駆け落ちまで考えたが、ただ母一人で大きく育てられた彼女を駆け落ちさせたら、彼女の母上があまりにみじめに思われて……。

そうしてぼくたちの付き合いも終りました。二人が好きだと言えるようになったら、K子さんは人妻、こんなことがあってよいものかと男泣きしたこともたびたびでした。

友だちに相談しても「お前が悪い。女の気持を知ってやれば」と言うだけです。一、二ヵ月は仕事も手につかず、ただ自分を忘れたくて死の道を歩もうかとも思いました。

もう今は春、結婚のシーズンですが、ぼくはK子さんとの甘い恋愛の夢も破れ、彼女の面影を忘れるために苦しい毎日をすごしています。そして好きな農業もK子さんのことを忘れるようになる日まで休み、勤めようと自分勝手なことを考えておる次第です。

仲間意識は変らぬ

宮城県・鹿又農業後継者クラブ　高橋信一

クラブ活動を始めてから三年になるが、これまでの歩みを振り返ってみると、われわれの周囲もこの短期間に大きく変わり、種々の問題がわれわれの身近なものとしてあることは見逃せない。たとえば米に関することでも、私が入会した当初は、増産を叫んでいたのがいつか生産調整に変わり、この生産調整の声も次第にうまい米の生産・販売に変わった。

こうした激動する農業情勢のなかにおいて、われわれクラブ員の農業に対する考え方、またクラブ活動自体も変わってきてることは確かだろう。

しかし、この激流のなかで、われわれのクラブの昔から変らないものがひとつあると思う。それは仲間意識にほかならない。

ひとつの行事に参加して、悩みを話し合い、問題を見つけ合い、そして共に助け合いながら自分の進む道をみつけてゆく。一面かも知れぬが、これこそ昔となんら変らないクラブの素顔ではないか。

土

宮崎県・高木町　東　賢志

ひとかたまりの黒く色づいた土
手でつぶせばバラバラになる土
あの小さな粒
どこにでもある土
足元の土
今　立っている　この大地
地球が　成り立つための大地
無限の力
宇宙の神秘を　秘めた土
自然の土
働いている土
切っても　切れない人間
土と人間
土と俺
生きるための土
俺に　その無限の力を
貸してくれ
どこにでもある土
足元の土
今　立っているこの大地
我々はもっと見なおそう
この土を
大地を
生きるために

農業にも厳しさを

青森県・同門4Hクラブ　佐藤幸男

私は昨年六月から、市内のある農機塗装会社に勤めました。塗装の仕事について私は、まったく経験がありませんでした。

今までオヤジの下で、のんびり百姓をしていた私にはまったく予期しないことが相次ぎました。赤く塗る機械を青く塗ってみたり、上司に逆らってみたりしました。

また、あるときこんなことがありました。トレーラーに色を塗っているときでした。無我夢中になって働いていて後ろに置いたペンキの缶を忘れていました。その缶を突然ひっくり返してしまったのです。そのとき運悪く、後ろに工場長が立っていたのです。すぐガーンときました。「子供じゃあるまいし一度いわれたら、わかるじゃないか。ひっくり返してまけたぶん給料からひくから」こう言いました。

冗談ではなく真剣な顔でした。たまのミスとはいえ、会社というところはこんなにきびしいところだろうかと思いました。給料は引かれませんでしたが、失敗やミスなどはなにごとでも確実に処分です。仕事上においての不注意とか未経験ということは許されないのです。

しかし、月日は人の気持を変えるものです。会社の環境と上司に慣れてくると、次第にこういうものかとマンネリになってきます。

良いことではないと知りつつ、人に使われている以上、そうしなければならないことは多くあります。別に高い給料でもなし、将来、管理職に付ける見込みもまったくだめ、さらに、自分の一生と思うとまた絶望的になります。この地方においての会社では、ほかの地方よりさらにそうではないかと。

他人はよく勤めていると感心します。その職が好きか、給料が高いか、それとも将来、会社の実権をにぎってやろうという野心でもないかぎり、会社勤めは気分的にも耐えられません。

自分が家庭を持ち、オヤジとなったときを想像すると、本当に嫌気がさしてきます。そういうときに思うのが自由な農業なのです。

百姓はいい、自分の思うようにやれる。人につかわれなくてすむ。失敗が許される。財産がある。しかし、農業はだめだ。働けば確実に金が得られるとはかぎらないし、時間に区切りがつきません。

最後に百姓で農業で成功するためには、会社経営のようなきびしい態度がもっとも要求されます。土のにおい、山の緑は下劣だ、と思うことからの出発しかないのではないでしょうか。

いやだった農作業

熊本県・田浦4Hクラブ　山野順子

私は学校を卒業したとき全然農業をやる気がなかった。勤めでもと思っていたが、どうしても農業をやらなくてはならない破目になり、いやいやながらやり始めた。だから、農業をやることはむしろ苦痛に近かった。

勤めている人がうらやましく思えた。また、同級生や友人などにも農業をやっている人がいなかったので、自分はあまりにまじめすぎるのか、それともあまりに弱気でこんなことをやっているのだろうかと、考えこむときもあった。

しかし、両親がせっせと土を耕やしているのをみると、どうしても勤めに出る気にはなれない。仕事は上手じゃないが一緒に農作業しているだけで親はうれしいのかもしれない。これも親孝行のうちと思いはしたが、心の中では、こんな汚れた格好でこんな仕事をするのはいやだった。近所の勤めの人なんかはいつも化粧をして、きれいな服を着て、鼻を高くして歩いているではないか。くやしいな。

そんな同級生とすれ違うときは隠れたいような気がし、もう農業なんか絶対……と思ったものだ。

しかし、二年目の今は、そう考えた自分がばかばかしく思える。4Hクラブに入って、初めて参加した女子部研修が、農業をやることの誇りと自信を強く私自身に教えてくれたから……。

4Hクラブ二年生

北海道・赤井川4Hクラブ　国重幸子

私は4Hクラブに入会して今年で二年目になろうとしている。昨年はクラブに関し何もわからず、あっというまに過ぎてしまったような気がする。しかし、何もわからないなりにいろいろ勉強になったので、クラブに入ってとてもよかったと思う。そして研修会などに参加し、自分自身を見直すことができ、なによりの収穫だと私自身思うのである。これからもみんなで協力し、より一層よいクラブにしていきたいものだと思っている。

遠吠

証書片手に

毎年今頃になると、街や駅などで、卒業証書を片手にさっそうと歩いている若者をよく見かける。彼らはこれから、家で息子や娘の卒業を首を長くして待っていた両親に証書を見せに帰るところなのか、それとも、一枚の紙に記された何年間かを想い浮べ、茫然とその味気なさを痛感しているところなのか、その心は私など知る由もない。

ここ数年来、大学是否論が各方面から活発に出されているが、私はそのことについて語ろうとしているのではない。私が語りたいのは、当惑しながらも卒業証書を手にした若者、つまり当り前の学生についてである。これは、ある面では本質的でないかもしれない。しかし、私たちは、このようにあいまいな日常性のなかでしか自己を発見できないのである。

証書片手に街をゆく若者……。その足どりはまちまちである。証書を破り捨てて学校の無意味さを主張するのが現代の若者というなら、証書を大切に額に飾る、これも現代の若者である。

卒業式・入学式のシーズンになると、私たちの世代は大々的にマスコミをにぎわす。いわゆる〝戦後っ子〟とか〝マンモス入学式〟とか〝ジャンボ卒業式〟とかこういった具合である。これらの呼称は非常に漠然とした数量的感覚でしかない。一人の人間の苦しみや悲しさなど全然入ってはいない乾ききったものなのである。

このようなしらけた呼称のなかで、私たちは、中学や高校、あるいは大学の卒業証書を手にするのである。要するに自分は、うじゃうじゃいる〝戦後っ子〟のなかの一人なのだと痛感しながらということだ。同世代の人が多いというのは悲しいことではない。むしろ喜ばしいぐらいだ。しかし、自己が統計的な数量のなかに消えてゆくなら、やはり問題があるだろう。そして、それらは私たち自身のこれからの問題であることも確かだ。

『卒業』という映画が何年か前にはやった。私はその映画をみたわけではないから内容はまったくわからない。しかし私の思い過ごしでなければ、その主題歌はなぜか悲しい数量的な響きをもっていたような気がする。実際にこの曲についても調べたわけではないので、こじつけになっているかもしれないが……。

もう日本全国どこの学校でも卒業式は終ったことだろう。卒業証書をもらった若者は、それぞれどのような感慨をもってそれを眺めたことか。（野）

はばたき (3)

越湖正孝〈北海道・若葉4Hクラブ〉

クラブの危機

ちょっとしたきっかけで前のような沈黙が襲ってくるあぶなっかしさを秘めながら、ときどきかん高い笑い声をはさみ、またときには真剣な目付きでお互いになにものかを見つめながら、なんとか会合は続いていった。

そして会合も終り近くになったとき、恐れていた沈黙が再びクラブ員を襲うことになった。

「それじゃ、この共同プロジェクトの発表準備は来週の月曜日から始めますので、ここに集まってください」

・飛馬が今日決まった事項を再確認したとき、ポツリと矢吹が言った。

「俺、悪いけど来れないと思う」

すると幸枝もそれに続けて言った。

「私も一週間も続けて出られないと思うわ」

飛馬の困ったような顔を見て、さらに矢吹が言った。

「俺、みんなに迷惑ばかりかけるから今年いっぱいでクラブやめるつもりなんだ」

再びクラブ員の間に緊迫した空気が流れた。また、幸枝が言った。

「私も来年から習いものとかで忙しくなるし、このクラブにもそう長く居られないと思うわ」

すると恵美も「サッチがやめたら私もやめる」と……。

飛馬は来るべきものが来たと思った。矢吹は兼業、幸枝と恵美はもう年頃、さらに銀次も老齢な父をかかえ仕事に忙しく、それぞれクラブに在席する期間も長くないということはわかっていた。

今まで活発に続いたこのクラブの将来も、事実暗闇であった。この厳しい農業情勢を背景に、この地域にも後継者はほとんどなくなり、また、新入クラブ員もまったく見当らぬ現状であった。

この問題はちょっとやそっとじゃ結論の出るものじゃない、今話し合うには大きすぎる問題であると飛馬の心の中は混迷していた。

そうしているうち、銀次が年の功らしく、みんなを説得するような口調で話しだした。

「まあ、この問題は別の機会に改めてゆっくり話し合うことにしてさぁ、今は今年の締めくくりでもあるこの共同プロジェクトに全力を尽くすことがまず先決だと思うんだ」

すると飛馬も力を取り戻したように

「そうだよ、去年は全道大会にまで出場したんだし、今年は全国大会めざして、また今年の締めくくりとしてもみんなで一旗あげようよ」

恵美も笑顔を取り戻して言う。

「そうね、ガンバラナクチャ」

女性は単純である。もう何もなかったようにニコニコした顔をしている。そんななかで、ただ矢吹だけは冴えぬ顔をしていた。

「それじゃあ、この辺でいちおう会合を終ることにします」

安心したように飛馬が言った。

「あんたに乗せてもらうと、なお危いわよ」

「こっちもそのほうがいいよ、車がいたまなくて済むから」

「プラザにゴーゴー踊りに行こうか」

「うん行きたい。でももう遅いからやめとくわ」

ワイワイ、ガヤガヤ、ある者はぼやきながら、またある者は笑いながら玄関を出た。サヨナラひとつ。「ご苦労さん」

ブォーン、キキキーッ、バリバリバリッー、にぎやかに飾りたてた進一の車が恵美と幸枝を乗せて去った。

「送って行くから乗れよ」

「いや、逆方向だし、近いから歩いて行くよ」

「そうか、じゃ……」

ププーッ、矢吹も進一を追うように去った。

「それじゃ俺たちも帰るとするか飛馬君」

「オオーしばれるなあ、今晩も霜だな」

「そうらしいね」

最後に残った銀次と飛馬の二人も、一緒に家路へ向って歩きはじめた。二人はポケットに手を突っ込んだまま口をとざしていた。それは寒いという理由だけではなかった。お互いの心の中に二人の会話をじゃましているなにものかがあったのである。しばらくして銀次がその壁を破るように言った。

「飛馬君さっきすまなかったな」

「なにがさ」

飛馬はそれが陽子のことであるのがわかっていた。また、それを慰める勇気すらなくなるほど、銀次の傷ついた気持もわかっていた。何も知らないような素振りをするのが精一杯であった。

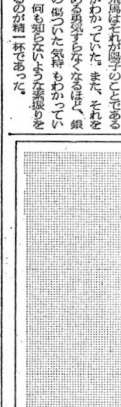

日本4H新聞
4Hクラブ
農事研究会
生活改善クラブ
全国広報紙
発行所
社団法人 日本4H協会
東京都市ケ谷家の光会館内
電話（269）1675郵便番号162
編集発行　玉井　光
月3回・4の日発行
定価　1部　35円
一カ年 1200円（送料共）
振替口座東京　12055番

クラブ綱領

私達は、実践を通じて自らを磨くとともに、互いに力を合わせて、よりよい農村、よりよい日本を創るため、四つの信条をかかげます。一、私達は農業の改良と生活の改善に役立つ腕をみがきます。一、私達は科学的に物を考えることのできる頭の訓練をします。一、私達は誠実で友情に富む心をつちかいます。一、私達は楽しく暮らし元気で働くための健康を増進します。

8月3日から4日間　景観 松島を会場に

島と船上でスクール

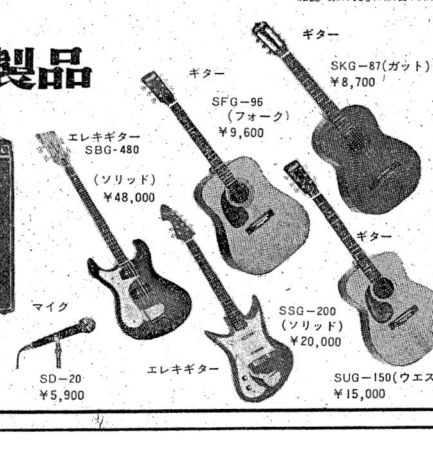

第12回全国農村青少年技術交換大会

プロジェクト部門ごとに宿泊

大阪、岩手と引き継がれてきた全国農村青少年技術交換大会は今年で第十二回を迎え、来る八月宮城県で開催される。その第一回の準備委員会が、このほど主催者である宮城県農村青少年クラブ連絡協議会（会長　門間忠君）と宮城県の間でもたれ、その大綱がまとめられた。

全国のクラブ員を待つ松島の景観、五大堂と八百八島

この大会は、日ごろ農業経営や農家生活の改善について研究実践している全国の農村青少年の代表が一堂に集い、農業や農家生活について体験した知識や技術を相互に交流し、友情を深め合い、農業に対する希望と自信を培うとともに青年農業者としての連帯を深め合うことをねらいとしたもの。

主催は、全国農村青少年教育振興会、宮城県、宮城県農村青少年クラブ連絡協議会の三者で、次の関係機関、団体が後援している。

農林省、NHK、全国4Hクラブ連絡協議会、仙台市、松島町、宮城県市長会、宮城県町村長会、宮城県教育委員会、宮城県農業協同組合連合会、宮城県警察本部、陸上自衛隊東北方面総監部。また協賛には県農協中央会などを予定している。

開催期日など実施要領は次のとおり。

一、期日
八月三日（木）～八月六日（日）三泊四日間

一、会場
（一）松島町、松島公園、松島町体育館、福浦島、雄島、西行戻の松、松島自治振興会館、松島湾内。（二）仙台市の県民会館、青葉城跡。

一、宿泊
松島町内旅館にプロジェクト部門ごとに宿泊とする。

一、参加者
（一）農村青少年　千二百名
東北を除く都道府県　各十二名
宮城を除く東北五県　各三十名
海外農村青少年代表　十名
宮城県内　五百九十二名
（二）指導者・運営委員　三百名

一、技術交換大会事務局
▽七月三十一日まで　宮城県本町三丁目八番一号、宮城県農政部農政普及課内。TEL＝〇二二（六三）二一一一、内線七二一番
▽八月一日から　松島町の松島自治振興会館。TEL（未定）

一、運営
別に定める方法により宮城県農村青少年クラブ員および関係指導機関職員が当る。

一、参加者経費
一人当り七千円（旅館宿泊代および大会諸経費）

一、参加者受付け
▽日時＝八月三日六時～十一時
▽場所＝仙石線松島海岸駅（県外参加者）
松島自治振興会館（県内参加者）

一、携行品
（一）洗面用具、筆記用具、雨具、運動ぐつ、ビニールふろしき、その他日用品、健康保険証
（二）郷土品の交換を行なうので各自二百円程度のものを必ず持参すること。

一、大会内容
（一）技術競技
▽農村青少年がプロジェクト活動や研修などで得た知識・技術を鑑定、判定、審査、診断の要素に、作業を通しての組立思考を高める技能的内容を加えた交換競技とする。
▽技術競技は全員参加する共通コース（農業経営、生活、農業機械の三部門）と、希望選択する専門コース（作物、園芸、畜産のうち一部門）について行なう。
▽技術競技の方法は、村を基本として、参加者の希望コース別に五～六名の男女混合のグループ単位に行なう。
▽技術競技で優秀な成績をおさめたグループは表彰する。
（二）演示（プロジェクト）発表
▽プロジェクト活動を通じて自らの創意工夫によって開発し、または習熟した農業や生活の技術および経営内容を演示発表する。
▽発表者は各都道府県一～二名（一～二組とする）
▽発表は、作物、野菜、果樹、花卉、農機、林業、生活の部門ごとに分れて行なう。
▽発表時間は、一発表十五分、質疑応答五分とする。
▽発表部門ごとに部門賞、全発表者の中からフェンガー賞を授与する。
（三）島上スクール
港内各島々に分れ、新しい農業のあり方を見いだすとともに、農業青年としての友情を深める。
（四）全体交流
▽昼食をともにしながら、松島公園で参加者全員による交歓交流し、港祭りの御座船見学を行なう。
▽キャンプファイヤー
若い情熱と友情を一層深めるために福浦島公園で行なう。
（五）船上スクール
松島湾内に散在する自然のおりなす造形美に接するため、大型観光船五隻に村ごとに乗船し、船上での交流と自然観察。
（六）青葉城跡探訪
（七）歓迎レセプション
みちのくの郷土芸能の数々、花火、流灯などを夜の松島港にくりひろげる。
（八）開会式
（九）閉会式、別れのつどい

大会終了後は東北三大祭りへ
閉会式終了後、東北三大祭りの雄・仙台七夕祭見学をしてもらい思い出を一層かみしめていただく。また三大祭りの青森ねぶた祭りは八月三～七日、秋田竿灯まつりは八月五～七日の日程である。

スローガンなど募集

大会事務局では、大会の意義を一層深めるため大会の「スローガン」と「賛歌」を次の要領で全国のクラブ員と関係者から公募する。

（一）大会スローガン
この大会に寄せる今日の農村青少年の心意気を簡潔に力強く表現したもの（第十一回岩手大会では「若いこの芽大地に伸ばそう　未来にむけて」）

（二）賛歌
▽詩　全国の農村青少年に呼びかけ、訴えるなかから、この大会を讃え、この大会の意義を強調するもので、朗読できるもの。
▽歌詩　大会の期間中に気軽に歌え、長く思い出に残るキャンプソング風のもの
▽全体営火への献詞　大会最後の夜をかざる全体営火の献詞を詩の形式にまとめ朗読できるもの。

（三）入選および表彰
各部門とも入選一点、佳作二点として、入選者にはそれぞれ記念品を贈り表彰する。

（四）応募方法
原稿用紙を用い住所、氏名、年齢、所属団体を明記のこと。

（五）期限　来る五月三十一日まで必着のこと

（六）送り先　宮城県仙台市本町三丁目八番一号　宮城県農政普及課　第十二回全国農村青少年技術交換大会準備委員会事務局あて

涼風暖風

目標のあいまいさ反省

クラブ活動を進めるのには、目標を明確にすることが重要である。目標がはっきりしていないと、活動のすじみちも混乱するし何が重点なのかもわからない。

それなのに、クラブの中には活動目標があいまいなものが見られるのは、どうも気になってしかたがない。たとえば、「生産学習の向上をはかる」とか「地域との結びつきを高める」などの目標はよいとしても具体性に乏しく抽象的である。生産学習とはどんな事項なのか、向上とはどの程度のことなのか、地域との結びつきとは具体的に何をすることなのか、その辺のことになるとモヤモヤしてつかみどころがない。目標があいまいなので活動内容もあいまいになりやすい。

目標とは、「めあて」「ねらい」「まと」のことである。陸上競技でいえばゴールであり、ボウリングでいえばピンを倒すことである。ゴールやピンの位置が明確でなければ競技は成立しない。競技に限らず、どんな行動でも成しとげようとする「めあて」がばんやりしていたのでは全力をあげて進むことができないのは当然である。

たとえ、目で確かめることができない目標だって、数字で表現すれば具体的に認識できるはずである。乳量を何％増加させたいとか、所得額を何百万円にしたいなど、はっきりした目標を立てることができよう。プロジェクトの場合の目標は、一般に具体的ではっきりしているのに、クラブの活動目標になると、あいまいになってしまうのはどうしたことだろう。

クラブの活動目標だって具体化できないわけがない。「生産学習の向上」の場合、「飼料計算ができるようになる」とか「経営診断と設計のしかたを習得する」などのように学習事項や学習程度を明確にする。「地域との結びつきを高める」という目標は、地域の農休日設定に協力、地域の問題点調査、経営者集団との共同行事の実施などのように、結びつきの内容をはっきりさせる。数字で目標を具体的に表現できなくても、一つの目標を分析して幾つかの小目標にわけることによって具体的に表現できる。

活動目標が具体的であればあるほど、活動計画が立てやすくなるし、実践結果の評価もしやすくなる。それに、目標達成の分業と協業のしくみも充実できるので、活動は生き生きしてくるにちがいない。すぐれたクラブとは明確な活動目標をもっているクラブのことである。（北海道・三輪）

レコードブック作成か

全協で執行部会　プロジェクトの強化へ

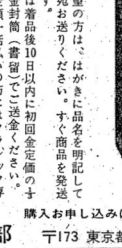

黒沢会長

松浦副会長

奥村副会長

松本副会長

全国4Hクラブ連絡協議会（会長　黒沢健一君）は、来る十四、十五の両日、東京・新宿区霞ケ丘の日本青年館で開催する通常総会に先立ち、さる三月二十七日から新宿区市ケ谷船河原町、家の光会館内の同協議会事務局で執行部会を開き、総会に上提する資料を作成した。

新年度の事業計画では、プロジェクト活動の強化、海外青年との交流、4H会館の建設のための募金活動促進などを重点項目としてかかげている。

プロジェクト強化は、4Hクラブの生命ともいえるプロジェクト活動が、さいきん一部において停滞し、その認識さえあいまいになってきているため、原点に返ってプロジェクト活動の推進を図ろうというもの。その具体的な方法としては、北海道4Hクラブ連絡協議会が発行しているプロジェクトの「レコードブック」に類似した資料を作成、クラブ員に配布する計画をたてている。現在十人に一人の割でクラブ員の手にわたるようにして、全員が記帳するようにもっていきたいとしている。

小宮山事務局次長

神田事務局次長

原田　事務局長

海外交流事業は、農産物の貿易自由化など国際化時代を迎えて、国際的視野と感覚を身につける必要性が強まってきたことや海外4Hクラブ員との交歓をねらいとしたもの。

4H会館は、スペース買取りを予定している農村文化センター（仮称・家の光協会が建設）が今夏ごろから工事に着手することがほぼ確実になってきたため、募金活動に拍車をかけることにしている。

なお、全協総会では役員改選が行なわれるが、現執行部から何人が残るか注目されている。

欧州、シベリアも

全協　海外交流事業を検討

ハワイでは民泊予定

全国4Hクラブ連絡協議会（会長　黒沢健一君）は、四十七年度事業の一つとして海外の農業事情の視察や4Hクラブ員との交歓を計画し、来る十四、十五の両日東京・新宿区の日本青年会館で開催する通常総会で各県連代表の意見を聞くことにしている。

全協では、過去三回にわたって実施した全国4Hクラブ員による沖縄親善交歓訪問を沖縄の本土復帰を機会に中止する予定で、かねて海外青年との交流を検討していた。しかし、この沖縄訪問が好評のうちに進められたばかりでなく沖縄のクラブ員から引き続いて訪問してほしいという強い要請があるため、海外青年との交流を沖縄訪問と別途に計画したもの。

また、海外青年との交流については「4Hクラブに入れば海外に行く機会があるとクラブ員は思っている」との強い声があることや農産物の貿易自由化時代に入り、クラブ員も海外の農業事情を知る必要が出てきたために実施の方向へ動いてきたようだ。

現在、全協執行部が検討している案は、ハワイ4Hクラブ交歓訪問、欧州農業事情見学の旅、シベリヤ八日間の研修旅行で、このうち一つを選ぶものと思われる。

ハワイ訪問は、出発から帰国まで七日間。4Hクラブ大会への参加や交歓、一泊二日間の農家民泊（同地の4Hクラブ員宅宿泊）による家族との交流、農業施設の見学などを予定している。

費用は、航空運賃（全行程エコノミークラス）空港とホテル間の送迎バス代、宿泊料金（ホノルル市内に三泊）などで十三万円。これは四十名以上が参加した場合の計算で、旅券印紙代、注射代、手数料三千六百円などの旅行手続き費用は含まれていない。

次に、欧州旅行は出発から帰国まで十三日間。訪問国はオランダ、フランス、西ドイツ、スイス、イタリア、ギリシャなど六ヵ国で各国でのスケジュールは次のようになっている。

▽オランダ　酪農と園芸地域を見学（アムステルダム一泊）
▽フランス　フランス農業の中心地・ツール市訪問～パリ近郊農業地域と市内の見学（二日間、パリに三泊）
▽ドイツ　ハンブルグ生活協同組合本部見学～特別バスでドイツ工業地帯を通り、ドイツの首都ボンへ～ライファイゼン（農協本部）訪問と近郊農家を見学～ライン川に沿ってハイデンベルグ城を経てスイスのチューリッヒへ（四日間、ハンブルグ一泊、ボン二泊）
▽スイス　アルプスを通りスイスの酪農地帯を見学しながらジュネーブへ。ジュネーブの国連欧州事務局本部見学（三日間、チューリッヒ一泊、ジュネーブ一泊）
▽イタリア　FAO（国際農業食糧機構）見学（二日間、ローマ二泊）
▽ギリシャ　首都アテネ経由で東京へ

経費は二十九万九千円で、ローンによる支払方法を考えている。頭金九万九千円納入した場合は六回払いで毎月三万四千五百円、十二回払いで一万七千八百円、二十四回払い九千五百円。頭金十四万九千円の場合、六回払い二万五千八百円、十二回払い一万三千三百円、二十四回払い七千円、となっている。

この経費の中には、航空運賃、バス代（空港～ホテル間、観光、ガイド料金、入場料などを含む）宿泊料金（一部屋二人、税金、サービス料も含む）食事代、手荷物運搬料金、空港税などを含んでいる。なお、これは二十五名以上の参加者を予定した計算である。

シベリア八日間の研修旅行は、往路が飛行機、帰路は船（五千トン）を利用し、十七万五千円。

早期建設をめざして　4H会館　—8—

心の寄りどころに

青写真　宿泊施設は今後の課題

全協に対する各県連の要望はさまざまである。会館建設の趣旨をクラブ員に周知させて意欲的に募金活動を展開している県連と、それらが全体的に遅れている県連との間に、少なからず意識のずれがみられる。

たとえば、まだクラブ員の利用価値の問題から抜け切れないでいる場合と、この会館建設に結集する若い力が農民意識の改革と明るく住みよい社会をつくる基となるとしている場合などである。

しかし、大部分の県連に共通している要望がある。それは、（具体的な）青写真の提示、会館の早期建設、全国の各県連が足並みを揃えるよう努力すべきであるなどである。とくに早期建設については、いたずらに会館建設を遅らせることは募金したクラブ員から不信を招く結果となるので、とりあえず事務所だけでも買上げて使用できる方法はないかという声さえある。

また青写真の提示は、募金上不可欠のものであり、クラブ員に納得してもらう最大の材料であるとして長い間各県連から要望されてきたものである。だが土地の広さも建設場所も、そして募金がどの位集まるかさえ全然つかめない状態において、クラブ員を十分に納得させる設計図を示すことができず、ただ最底必要とする施設をあげ、クラブ員の殿堂という構想をイメージとしてあげるにとどまっていたといえる。

それが今度は、ビルの一フロアー買取り方式への移行によって解決されようとしているわけである。全協では買取りを予定している農村文化センター（仮称・家の光協会が東京都新宿区市ケ谷船河原町十一に建設）の設計図ができ次第、早急に4H会館の青写真を作成し、県連、クラブ員に提示する考えである。三月いっぱいに完成するといわれていた同センターの青写真は、四月三日現在、まだ全協執行部に示されていないが、もはや時間の問題である。

この4H会館の青写真を作成するため、今年度、全協で特別委員会を設置して具体化を進めている。これまでに方向づけされた主な点としては、維持管理費を稔出するため会議室をふやして貸す、クラブ員以外の人たちにも利用できるような宿泊施設は、同センターに作られる予定で、また、その維持管理が大変であるなどの点からムリであろうということだ。

このため、これに替る施設として和室を考え、クラブ員が気軽に休憩したり、宿泊できるようにしたいとしている。この宿泊施設の必要性については意見が分かれるところで、これから募金活動を展開しようとしている県連などからは望む声が強いようだ。

このほか、具体的には全協の事務室、展示室、全協の健全な発展のための資金源とする会議室などを要望している県連が多いが、「美しいことばを並べるよりも、まず全協事務局体制確立のため事務所を確保し、全国のクラブ員が二十四時間利用できること。和室の会議室を設けることを最低条件として一日も早く会館建設の実現を望む」（茨城県連）「与えられたスペースの中で、4Hの情報センターとしての機能をもつこと」（高知県連）「全国の仲間が一堂に集まり、研修、講演、話し合いなどができ、全国の仲間が『会館ができてよかったと』と思われるような施設に」（山梨県連）という声もある。

いずれにせよ、会館は全国クラブ員のためのものである。そのクラブ員一人ひとりの、心の寄りどころとなるような会館が建設されることが望まれよう。

心頭技健

桜の開花が日本列島を縦断し、光と風と花の季節がやってきた。この四月はクラブの総会の時期である。いま全国の単位クラブ、地区連、県連などの総会が真盛りである▼多くのクラブでは今春学校を巣立ち、新たに農業に就いた人たちを迎え入れて、新年度への意欲をみなぎらせている。そして前年度の役員が描き上げた筋書き通りにあるいは育成指導関係者がお膳立してくれた案にそって新年度の活動方針や事業計画を決め、新役員を選んでの再出発だ▼とはいえ、さいきんは激動する農業事情を反映してクラブ活動もいろいろの面で難しくなっているのが実情。農産物貿易の自由化、米生産の減反による転作、兼業農家と出かせぎの増加、仲間、とくに女子クラブ員の減少、行事のマンネリ化、クラブ意識の低下、都市化などにクラブ活動も少なからず揺さぶられている▼それだけにクラブ員一人ひとりの意識が重要視され、とりわけリーダーの役割が大きくなってきているといえる。と同時に、今こそクラブ活動を離れのために、なぜやるのかという問いを発し、原点に返ってクラブ活動と取り組むことが必要だと思う。そうしないと形だけで中味のない活動に終ってしまう危険性がある▼単に、人集めのためにレクリエーションなどの行事を追うだけでは、マンネリ化も行詰りも出てくるのも当然である。やはりクラブは事業、ことに自分たち一人ひとりの研究活動、プロジェクト活動を中心に進めるべきだ。人数が少なくともすばらしい実績を上げることができるし、そこにはマンネリ化はないはずである▼また、活動内容も年齢や経験の差異によって段階的に区分するのも一つの方法であろう。プロジェクトにしても学習的なものから生産的なものと発展するという具合に。口では易く行ない難しだが、ともかく自分たちのクラブとして何をすべきかを考えるべきだ。全協は今年度、プロジェクトとクラブのレコードブックを発行する予定だが、それを参考にするのも一つの手だ。

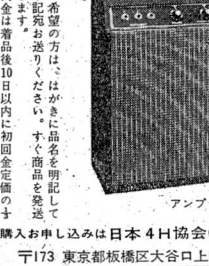

甘いロマンスも？

カッコいいなあー

山門地区4Hク連　ダンスパーティー開く

クイッククイック、スローと、さる三月十二日、福岡県山門地区4Hクラブ連絡協議会（会長　小宮一範君）主催のダンスパーティが柳川市の市民会館大会議室で開かれた。

このダンスパーティーは山門地区連が四十六年度最後の地区連事業としてクラブ員の親睦と地区青少年との交歓を図るために催したもの。高田町農協のバンドの協力を得てナマのバンドで演奏したこともあってムードが盛り上がり、会場せましと踊り回るカップルもみられた。

なかにはダンスパーティーをやるということを聞いて、以前に練習したクラブもあったようで、なかなかの出来ばえ。最後まで同じパートナーと踊り続けるカップルもあれば、次々にパートナーを変えて踊り歩く人もあり、さまざまな光景がみられた。このような中からロマンスが生まれるのではなかろうかとは役員一同の願い。

このダンスパーティーを最後に四十六年度の事業も終ったわけだが、新年度もさらに前進しようという意気に燃えて楽しく時間の過ぎるのも忘れて踊りまくった。

（福岡県山門地区＝花島一美連絡報道員発）

ダンスパーティーに花をそえたドレス姿の女子クラブ員

岡山県連で研究集会

ここも悩みは女子の不足　ピンとこない「位置づけ」

【岡山】このほど岡山県農村青少年クラブ連絡協議会主催の県農村青年研究集会が新見市備北青年の家で開かれた。

今回は従来の研究集会とは主旨を変えて、単位クラブのリーダーや将来リーダーとなるような人に参加してもらい、リーダー研修会的な内容にしようという執行部の立案によって行なわれ、約九十名のクラブ員（うち女子七名）が参加した。

一日目は午後二時ごろからオリエンテーション、開会式のあと、「人生をいかに生きるべきか」と題する岡山大学・福田教授の講演を聞いた。同教授は中国のことわざを引用しながら、「人間社会の中での生き方として、自分に適合した生き方で努力し自分を失なわないように生きることが大切である。立身出世は必ずしも幸福な生き方ではない」と述べられ、クラブ員はユーモアたっぷりの話に熱心に耳を傾けていた。

夕べのつどい、夕食などのあと交換の夕べがもたれた。みんなが車座となり勝山地区連の内田君のリードで自己紹介やゲーム、ダンス、プレゼント交換などで過ごした。クラブ員の親睦を深めてクラブ員もお互いを知り合うということでは大変よかった。

二日目は、起床、朝のつどい、掃除、朝食のあと分科会。「クラブ活動を考える」を共通テーマに五つの会場に分れて討議した。

各分科会とも、停滞気味のクラブ活動をどうするか、また、これから先のクラブ活動はどうあるべきかなどについて話し合った。プロジェクトとしては、しいたけ、すずらん、花木などの共同栽培をしているクラブが多く、その問題点としては、人数が少ない、女性がいない、どういう活動をしてよいかわからないといった悩みも聞かれた。

きびしい一般社会、農業社会の中で自分たち農村青少年が、後継者クラブや新経営者クラブをどういった目で見、位置づけをするかということについてはピンとしたものが浮ばなかった。

昼食のあとスポーツレクリエーションを行ない、サッカーを楽しんだ。大変寒い日であったが、みんな青春をボールにたたきつけていた。

ついで「私たちのクラブをいかにするか」を共通課題に五分科会に分かれて話し合った。そして夜は自由なテーマで自由交歓。

最終日は分科会のまとめをしたあと全体討議に移り、分科会討議の報告を中心に話し合い、反省会、昼食に続いて閉会式を行ない大会の幕を閉じた。

（岡山県＝松原泰明連絡報道員発）

レクリエーションを楽しむクラブ員

今号から定価を改定

本紙の紙面刷新へ努力

愛読者のみなさん、「日本4H新聞」を購読いただき、誠にありがとうございます。

すでにご承知のとおり、本紙は全国4Hクラブ員の準機関紙として活用され、全国各地の仲間の意見や情報交換を通じて、相互の経営および人間性の向上に寄与する広報媒体となることを目的としております。

ところで、先般よりご報知いたしておりました購読料の改定の件ですが、今号より一部三十五円、年間千二百円とするやむなきに至りました。この改定につきましては、近年の諸物価の高騰と比較していただければ、ご納得ねがえることかと存じます。

また、これを機会に、今後ますます紙面の充実と刷新をはかり、みなさんの新聞としてより本紙を活用していただけますように努力いたしますので、なにとぞご了解下さいますよう重ねてお願い申し上げます。

なお、今後の編集方針としては平常時として①クラブ活動・状況の紹介②農政、農業問題、農協の動きなどの解説と紹介③プロジェクトの紹介、農業技術の解説、農機具、資材などの紹介④海外の4Hクラブ活動と農業事情の紹介⑤クラブ員の声、教養、文芸などを基本に、いろいろの角度からメスを入れていきたいと思います。

このほか特集記事も企画しておりますが、みなさんの意見や投稿をどしどしお寄せ下さいますようお願いします。（編集部）

山口県連で営農近代化集会

制度資金ふやせ

農業対策に強い要望

【山口県＝久保山誠連絡報道員発】山口県農村青少年クラブ連絡協議会（会長・松尾耕助君）と山口県の主催、山口県農業改良普及協議会の後援による「第一回山口県営農近代化研究集会」がさる三月二十三、二十四の両日、山口県立油谷青年の家で百余名の参加者を集めて開かれた。

これからの山口県農業を担う農村青少年が日常活動の成果をもちより、生産の合理化と流通改善、農家生活の近代化などに関して研究討議し、部門活動の強化をはかり、営農近代化を推進することをねらいとしたもの。

この会には、先きに東京で開かれた「第十一回全国青年農業者会議」に参加した人たちによる報告がなされたあと参加青年たちが運営委員となって作物別の分科会が行なわれた。促成いちご、トマト・きゅうり（施設）、露地野菜、電照菊、温州みかん、肉用牛肥育、採卵鶏、しいたけ、それに農村青年指導者部会と、十一の分科会にわかれ、三〜十六名で討議を行なった。

部門別の話し合いではなく、作物ごとにわかれての分科会であったため、自分の経営に直接関係があるからか会議の内容もつっ込んだ話が多く大変意義深いものがあった。各分科会からだされた主な問題点と要望事項は次のとおり。

一、農産物の価格決定が買手側の意志のみで行なわれている。

二、やる気のある人には、総合資金などの制度資金を二回も三回も貸付けてほしい。

三、遊んでいる国有林、町有林の解放を願う。

四、マンガン、ホーソなどの微量要素も測定できる検査機関の充実をはかってほしい。

五、生産者の横のつながりを強固にするような「場」をつくり、体外的な交渉にあたろう。

六、施設園芸の団地、過疎化対策、畜産公害の一環としての畜産団地の新設を願う。

このほかにも、しいたけを盆栽として販売する案や、育林中の山頂から糞尿を流し、肥料と糞尿公害の問題解決という一石二鳥をねらうなど、ユニークな意見もだされた。

昨年までの会議と異なり、今回は二日間とおして分科会討議が行なわれたが、内容は大変充実し、参加者青年の気はくもみなぎり、今後の農業経営にも大いに役立つものと思われる。

全国仲間の夢育て

北海道連でリーダー研修会

【北海道】北海道4Hクラブ連絡協議会（会長　中山寿雄君）はさる三月二十〜二十三の四日間道立青年の家（深川市音江）においてリーダー研修会を行なった。

これは、4Hクラブ活動をより推進するために、各支庁連協4Hクラブリーダーを対象に各種研修や意見の交換により必要な知識と技術の修得を行ない、リーダーとしての資質の向上をはかることを目的としたもの。

なかでも実技学習では、実際にテキストを用いて「公的な文書のつくり方」と「プログラムの組み方」について学習した。グループ討議では「リーダーシップ」と題して、4Hクラブ活動本来のリーダーシップについて話し合った。

また、今年の八月には北海道で「第八回全国4Hクラブ員のつどい」が開かれることから、つどい開催要領の説明と支庁連協への協力要請がなされた。参加したあるリーダーは「このような大きな事業は、われわれの時代には二度と北海道にくることはないと思う。だから道連の役員だけでなく、クラブ員自らも大会を運営するという心構えが必要だ。われわれと全国の仲間の夢を育ててゆく大会、別れの集いのときよかったという実感のもてる大会にしたい」と語っていた。

なお、この研修会には全国4Hクラブ連絡協議会の原田事務局長も出席し、仲間づくり交歓会ではゲームの出しもの“ウッフンダンス”で、第一のギセイ者にまつりあげられていた。

海外の4H活動

スキーも楽しめますよ

このほど、国際農村青年交換計画に基づいて、昨年日本4H協会の招きで来日し、約三ヵ月間にわたって各地の農家で生活体験した台湾代表の草の根大使（4Hクラブ員）廖金添さんから、近況を知らせる次のような手紙が、協会事務局に寄せられた。

◇　◇

時間の立つのは早いもので、帰国してからもう五ヵ月余がたちました。お世話になった思い出は懐しく生涯忘れられないことでしょう。

いま台湾は暑く、摂氏二五度から三十度。みんなの着物も長袖からノースリーブなどさまざま。

自分の家では、現在、花や野菜が多く今年は値だんも高い。

帰国してから多くの4H大会やキャンプ大会に参加しましたが、来る十一日から十五日まで台北の金山海水浴場で開かれる台湾の省露営（日本の全国農村青少年技術交換大会と同じ）に参加します。

みなさん台湾においで下さい。家族みんなで歓迎し、私が案内します。首を長くして待っています。手紙も下さい。

台湾にも雪が降ります、とスキーを楽しむ廖さん＝台湾で一番寒い合歓山で

時言

言葉のない世界

“言葉なんかおぼえるんじゃなかった”という一現代詩人の悲痛な叫びがある。“言葉のない世界　言葉が意味にならない世界に生きていたら　どんなによかったか……”

恋人との愛の語らい、親しい友への別れの言葉……。確かに言葉は虚しい。唇にのぼるのはいつも手垢のついた言葉だけ。まるで笊（ざる）にそそがれる水のように、決して私たちの心を満たすことはない。

あるいは“ふるえるような夕焼けのひびき”を前にしての、私たちが発する言葉にならない叫び。言葉は陽炎（かげろう）のごとく私たちの意識をかすめるだけだ。

言葉のない世界——鳥や獣はこの世界と直接的に結ばれている。空を舞い、地を蹴る。それはなんと充実した存在であろうか。それ自体がすでに世界の一部になっている。

詩人は言葉のない世界を夢想する。鳥や獣のように言葉のない世界に生きていたら、恋人の“やさしい眼のなかにある涙”や、“沈黙の舌からおちてくる痛苦”を、ただ眺めて立ち去るだけだという。だが、詩人は言葉をおぼえてしまった人間であった。“日本語とすこしばかりの外国語をおぼえたおかげで　ぼくはあなたの涙のなかに立ちどまる　ぼくはきみの血のなかにたったひとりで帰ってくる”——といわざるをえない人間であった。

人間は鳥や獣のようにこの世界と直接的に結ばれているのではない。人間は言葉によって世界を意味づけ、記号化する。それは世界と〈関わり〉をもつことを意味している。人間はもはや鳥や獣のように自由ではなく、自ら発する言葉に制約されざるをえないのである。

“言葉なんか……”という詩人の悲痛な叫びは、たとえ言葉に復讐されたとしても言葉を使い続けなければならない、人間の宿命から発せられた言葉なのであろう。【宇】

クラブ往来

少数精鋭で充実した活動

私の所属しているクラブは福岡県の南部に位置し、県の4Hクラブの中でも最も活発にクラブ活動を推進している地域である。

その中に七つの単位クラブから成立する八女西部地区連があり、その単位クラブのひとつ「八女4Hクラブ」が私の所属しているクラブで、それも六つの支部があり、その他に女性だけの生活改善部がある。クラブ員数七十名のクラブである。発足して二十二年目、主に4Hクラブの本旨にもとづき親睦を中心として個人と全体のプロジェクト活動にとりくんでいる。

現在のクラブは、行事のマンネリ化とクラブ以外のサークル活動が多いため行事がスムーズにいかず、またクラブ員が多角経営のために技術的な共通問題がなくレクリエーションなどはみんな参加するが、研修会部門活動に出席する人が少なく、クラブを遠ざかっていく部員が多くなっている。これらの問題は、私たち「八女4Hクラブ」だけの問題ではなく、どこのクラブも口にこそださないけれど同じ状態だと思う。

クラブ員七十名をかかえるクラブなので、全体で行事を行なうとまとまりが悪くなる。そこで私たちは、全体での行事を減らし、少数で充実した支部活動にきりかえ、マンネリ化ぎみの例会にクラブ員の意見を多くとり入れ、少し暇があったらゲームをし、議題を決めて班別や全体討議を行なっている。また、上下、横のつながりを多くし、一般の人や家族の人たちに4Hクラブの認識を深めてもらおうと、クラブ員の家を訪問したり仕事の手伝いにいくよう努力している。

高校卒業後二年間、クラブ活動をとおして痛感することは、4Hクラブという仲間を通じての組織のありがたさ、大切さ、また運営のむずかしさである。実績といっても、ただ計画された行事を精一杯やっただけだ。それがよかったにせよ、悪かったにせよ……。

口では何でもいえる。しかし、それを実行することは非常にむずかしい。人数ばかり気にしていたら何もできない。どんなところにも壁があるし、それにつきあたる。それによって悩みもでてくる。要は興味のある、やる気のある者同士が集まって進んでいくのが一番だと思う。

4Hクラブの理念を一個人が自分のものとし、その原点から本来の4Hクラブ活動を推進すべきであると考える。そのためには現在の若者の悩み、とくに家族関係、恋愛問題を話せるクラブにして、その中で人間形成し、またプロジェクト、課題解決をやっていかなければと思う。今後は生活改善などにもとりくみ、わが家と地域社会に貢献してゆきたいと思っている。

（福岡県・八女4Hクラブ　国原さちよ）

育児問題など研修

静岡県で女子クラブ員のつどい

【静岡】静岡県農村青少年クラブ連絡協議会生活部（部長　鈴木民江さん）主催の四十六年度二回目の女子クラブ員のつどいが、三月十九、二十の両日、駿東郡小山町の中央公民館と御殿場市青少年センターで開かれた。県下各地区から積極的に4H活動と取り組んでいる人たちが参加し、女子青年としての生き方、4H活動などについて語り合い、レクリエーションをまじえながら青春のエネルギーを燃やした。しかし、ちょうど役員の改選、各地区連の行事とぶつかったため、参加者が少なくこのつどいのために会議を重ねてきた役員をがっかりさせた。

一日目は午後二時から開講式を行ない、鈴木部長のあいさつに続いて県後継者養成課の担当者や東部農業改良普及員を審査員に迎えて料理コンテストに入った。各班とも一時間内にそれぞれ同じ材料で日ごろ磨いた腕を競って作りあげ試食会を行なった。

夜は御殿場市青少年センターに会場を移し社交ダンス。女子クラブ員ばかりでは物足らないため、地元北駿4Hクラブの男子クラブ員に参加してもらい、長時間にわたって踊りまくった。

二日目は午前八時から「女子青年の今後の活動について」と題して県後継者養成課の朝比奈係長の講義を聞いた。このきびしい農業情勢の中でクラブ活動を活発にするためにはリーダーの養成が必要である。年々クラブ員が減少していく中で、どのような活動方針を打ち出すべきか、クラブ員と一緒になって考えなければならない、という内容であった。

次に、日赤の看護婦長さんから農村青年としての心構えや健康管理、育児問題などについての話を聞いた。

午後はクラブ員全員で今後の女子活動について話し合いをした。あるクラブ員は「女子クラブ員の減少が目立っているので、農業従事者だけでなく、他の職業の人たちにも加入してもらい、広い視野での活動をしなければならないと思う」と語っていた。（静岡県＝鈴木政美連絡報道員発）

おめでとう

山本たい子さん

山本さん

全国4Hクラブ連絡協議会の前副会長、山本たい子さん＝青森市大字戸門字山部八〇、現全協評議員＝は、弘前市青女子の下山公栄さんと来る九日正午から青森市戸門の公民館で結婚式をあげる。

梶原厚美君

大分県農村青少年クラブ連絡協議会の四十四年度副会長、梶原厚美君＝日田郡天瀬町川原＝は、かねて心臓病のため病院で加療中であったが、その甲斐なくこのほど死去された。

同君は、当時本紙の連絡報道員としても活躍された。その死去は4Hクラブ員や関係者から惜しまれている。全国のクラブ員とともに同君の冥福をお祈りしたいと思います。

プロジェクト 経営

グループで村づくり

岩手県・長瀬野生改グループ
照井　愛（60歳）

貧しさを乗越えて
村ぐるみで"新しい郷土"を創造

== およねの里に新部落

東北の代表的民謡のひとつである「沢内三千石およねの出どこ」と歌われる沢内甚句のふるさとが私たちの生活の地、沢内村です。県都盛岡の西部に位置し、県下でもまれな豪雪地です。南北二十八キロほどの細長い村の中心部から約十キロほど北寄りに泉沢部落がある。そこから長くて新しい橋を渡り終えた堤防のそばに、新しい家がそれぞれの個性を表わして三十五戸立ち並びました。これが誰いうこともなしに「新集落」と呼ばれる部落、長瀬野です。

上下水道が完備し、陽のあたる暖かい部屋があり、気持よく働ける台所、きれいな便所のある家に、去年の十二月からそろって移転して生活するようになりました。長い年月の住みなれた家、土地から離れる時は淋しい気もしたけれど、もうそのような気持は吹きとんで部屋ばかりでなしに誰の顔もみな明るくなり、たがいに顔が合えば最初の一声は、「暖かくてよいなあ」という。東京へ行ったようだと喜ぶおばあちゃん、旅館に泊ったようだというお母さんたち…。本当によかったと思います。

今までの家は広くてすき間風が激しく、どんどんストーブを燃やし続けても本当の暖かさになれなかったのに、今では陽が照る日中にはストーブをとめても暖かく、また、以前は隣家に行くのに汗を流しながら雪をかきわけて歩かねばならなかったのに、そのようなこともなくなり老人層の喜びはまた格別です。

== 老人層の喜び格別

それに設備の整った立派な集会所が誰の家からも近い中心部に立っているので、話し合いにも楽しみの会にもらくに集まれるし、共同畜舎、共同車庫があり、それに現金収入を得るための椎茸（しいたけ）栽培施設も整っています。

私たちの理想が現実に私たちの手に握られたともいえるのでしょうが、ここまでくるのに関係機関の方々の並々ならぬ御指導と御協力、リーダーの方々の御苦労の賜と、集まるたびに話し合っております。私たちも今になってようやく、自分たちのこれまでの生活をふり返ってみることができるような気がします。戦後の貧しい食生活を少しでも向上させたい願いからつくられた私たちの食生活改善グループも、あれから十六年の歳月が流れ、社会情勢の変化に驚くばかりです。

== 最初は共同で購入

当時は現金収入も少なく、しみこんだ生活の知恵というか、少ない所得を少ない支出でかばい、健康を守るためにこれだけは必要だと教えられても、金がないからと手がけようとしない人たちが多いものでした。

しかし、こんな生活をなんとかしようと、まず煮干し、食油、塩、肴などの共同購入を手がけました。また、児童の体位が他に比べて低いことを知らされ、学習の中でさらに原因を追求していくうちに栄養調査に発展、そして栄養不足と不調和を発見し、自給できるものは何でも自給しようと、鶏の飼育、野菜づくりなど、手近にできるものを生産することにしました。

そうこうしているうちに意欲が燃え始め、典型部落の指定をうけ、公民館活動とも手をつなぎ、集団記帳と話し合い活動を続けました。村、普及所、婦人会と各方面の御指導をいただき、研修の場があればどこへでも泊りがけで交替で必ず出席するようにし、お招きした講師さんに「このところお母さんたちの顔は生き生きとしている」といわれ、お世辞かもしれませんが嬉しく思った記憶がございます。

== 集落再編まで発展

またこんなこともありました。正月になると主人たちばかりが御年始だと御馳走を食べ、酒を飲み、賑やかに回り歩くのに、主婦たちは正月中準備や後始末やらで明け暮れるのをなんとかならないものかということになり、主人たちに話しましたところ、これはかなりの反響を呼び、悪口までとびだしましたが、日を決めて家族ぐるみの会食で一日を楽しむということに落ちつき、今日まで続いております。

また、年に一回、まわり番で村中が集って餅をついて「山の神」祝をやるのですが、たまたま住宅改善をやった家にあたった時、陽のあたる暖かい部屋でふとこんな話がでました。「たいしたよいことだ」と。どんなに部分改造しても、やはり古い時代の家は生活に合わないものがあり、不便であるから「どうせ改良するなら思いきって新築した方がよい」と……。

こんなことから端を発し、共同作業のこと、仕事や機械のこと、冬の暮しにくさのこと、子供の通学、通院、買物の不便さなどについて話し合うようになりました。

この話し合いにでた問題をなんとかしようとリーダーの人たちがとりあげ、それが現在の集落再編に至ったのです。"すべてを一度に改善しようと"――しかし、これまでにはいろいろ苦労がありました。地区に水道を引きたいと思って村に働きかけても、隣が遠いため莫大な経費を要するのでとてもやれないという問題、保育所の設置、学校給食などもそうでした。私たちがせっかくやろうと思った意欲がつみとられていくような連続でした。

なんとかしてこんな生活から立ちあがらなければ……また、人並みの生活ができるようになりたいという気持が一致したのでしょうか、私たちはそれでもあきらめきれませんでした。よく他の部落の人たちから「長瀬野は働かないで集まって話ばかりしているから貧乏なんだ」といわれたことがありますが、私たちは貧しければ貧しいほど協力し合うことが大切であることをかかげ続けてきたのです。

また、よいことは自分たちで多額の負担をしてまでもやりとおしました。その結果として、保育所の設置、学校給食の実現をみたのです。壮年層、青年層と手をつなぎ、勉強や話し合いの機会を多くもちました。とくに公民館の集まりは一日おきにもたれたほど。

長年住みなれた地を思いきって去ることは容易なことではなく、始めは反対する人も多くいましたが、落成式も終え、三十五戸そろって移転完了した今は、まったくの別天地にとまどうこともありますが、すっかり落ち着き楽しい毎日を過ごしております。

== 和衷協同して歩む

残された問題はまだあるにしても、夢のようなことを皆がよくここまで頑張ったものだと感無量であり、この喜びの声を消してはならないと身のひきしまる思いがします。掃除ひとつとってみても、ほうきに水ぶきだったのが電気掃除機や油ふきに変わったのです。

お母さんたちも、増々勉強しなければならなくなりました。年老の仕事であったまき割り、風呂たきなどもなくなった現在では、出費の多い生活をどのように安定維持してゆくかという大きな問題があります。しかし、いろいろな困難にぶつかっても皆で協力し合い今までにない"新しい村"を私たちの手でつくりあげてゆこうと思っています。

入れものが変った現在、今度は"中身"の改善です。私たちは生活にうるおいをと、三年前からグループで始めた楽器演奏に張り切っています。「十人で十歩前進するよりは二十人で五歩前進する」という考え方で、グループ員五十余人は、たどたどしい歩みを今日も続けております。村長さんが書いてくださった「和衷協同」の記念碑に恥じないように……。

25年のあゆみ

長瀬野地区の変遷と生活改善グループの活動のあらまし。

昭和二十二年～　地主と小作の争い。水稲の生産性が低く、炭焼き生活をする。

昭和二十五年　婦人会として活動を始める。

昭和二十七～二十八年　炭焼きが斜陽となり、酪農の話が出される。

昭和二十九年　酪農研究会が作られ、酪農を始める。

昭和三十年　部落の振興計画が作られる。（土地改良、酪農、なめこ、生活改善）

昭和三十一年　部落民の意識が開放し、話し合いが活発化する。

昭和三十二年　農業家振興対策典型部落の指定を受け、食生活改善、農家経営の合理化、農休日の設定、部落慣例の排除などの課題にとりくむ。

昭和三十三年　婦人グループが発足し、学童体位向上を課題とし、食生活改善にとりくむとともに公民館の設置に努力。

昭和三十五年　新生活運動育成地区として活動、新暦の採用、冠婚葬祭の簡素化、合理化を課題にとりくむ。（優良地区として大臣賞を受ける）

昭和三十八年　土地区画整理事業の実施およびトラクター導入、集落内耕地に散在する住宅が農業の近代化を阻む要因であることに気づき、冬期の交通確保とともに住宅の集団化の必要性が強く意識づけられた。

昭和三十九年　農業格差是正パイロット地区として、住宅中心の環境整備を実施、住宅改善のきざしをみいだした。

昭和四十二年　電化モデル地区に指定。

昭和四十三年　集落再編計画（長瀬野地域、開発調査研究協議会結成）

昭和四十六年　第一次移転完了。

結婚を考える ▶9◀

山口県・柳熊農村青少年クラブ生活部

夢を遠く未来にはせて
息子と観光みかん園を計画

つれづれに想う ④

私の本来の目的は伝説のあるこの寺の観光発展にあったのです。私の腕の中で静かにあの世の人となられた両親の「孫たちを立派に育て寺の再建をしてくれ、肉体は消えても魂はいつまでもお前たちのそばから離れずに行末をみたい」という遺言を思えば、生活のためとはいえ、仏教で禁じられている生きものの飼育はできません。

聖地としてなお生活のできる方向をと考えておりましたところへ、昭和三十九年～四十年にかけて県営パイロットの指定をうけ開畑をしました。そして四町歩のみかんを植付しました。観光農業を計画したのです。

その頃、長男は仏教大学、次男は農大と、それぞれ高野山と東京とに別れて学生生活を送り始めました。新種の畑の経費と子供へ仕送るお金、二人の若者が満足するだけの送金はできるはずがありません。アルバイトでおぜん運びや、高層ビルの窓ふきもしたそうです。血を汗ったかもしれません。食べない日もあったでしょう。でも、二人とも卒業証書をもらって無事私の手もとに帰ってきました。

山肌をきり開いて作った畑にみかんの育つ肥土はありません。二人の兄弟は養鶏場へただでもらえる鶏糞をもらいに、二年間、雨の日も風の日も通い続けました。単車を買うお金にも不自由したでしょう。みかん農家の先行の暗さも聞いていたと思いますが、夢を遠く将来にかけて、兄弟の心は堅く結ばれていたのでした。

冬になれば一枚の葉もなく枯れ木になっていたみかんも、昨年は六トンの収穫をみせてくれました。今年は十八トンを計画しています。

秋のみのりを約束するかのように、連日の寒波にもすでに新芽がのぞいています。ひと山越えた農業計画も、制度資金の返済と農協の支払いとで、だんだん苦しくなってきます。二人ともみかん作りを女手にたのみ、現金収入の道を選んで兼業することになりました。毎月の収入をためて返済にあてるのです。

咋年、三男が千葉大造園科に受験しました。高校の先生と面接の際、先生がすべりどめに私大をといわれましたが、国立の発表までに支払うむだなお金はとうていありません。二人の兄たちが青春時代を犠牲にして、現在のみかん園を作りあげたのですから、三男だけ安楽な大学生活を送らすことは、私の気持として許されません。強い人間形成のためにも、若いうちに兄たちと平等に百姓で根性をつけさせたかったのです。

学びの道は本人の気持しだいで開けることを三男と話し合いました。向学心さえ失わなければ、百姓をしながらでも道はかぎりなく開けることを、三男は自覚してくれました。千葉大の受験に失敗した現在、専業農家としてみかんを作りながら、大学の通信教育を受けています。

品種改良急ピッチ
みかん産地浜名湖　自由化のあおり

【静岡】みかん所の浜名湖地方では、いま県奨励品種の石川系を改植する計画が急ピッチで進められている。

同地方には石川をはじめ在来尾張系、青島、宮川、興津、杉山などの品種があり、引佐郡下の三ヶ日、細江、引佐三町ではいずれも石川品種が一〇%程度となっている。

石川は昭和三十年ごろ県の奨励品種に指定され、一時盛んに導入されたが、他品種に比べて外観が悪く、市場の評価も低いことから青島系への切り替えが検討されている。石川系は樹勢が強く肥料不足のところや、やせ地には適していたが、同地方のように土地の肥えた場所で、しかも肥料も十分ある現在では養分が樹へ回って果実に回らないため、かえって悪いみかんとなっているのが現状だ。

また、現在のように密植にはブルトーザー代、苗木代、肥料代などの直接経費だけでも一〇㌃当り五万五千円程度必要のうえ、対象園地は細江町六〇㌶、引佐町七〇㌶、三ヶ日町一五〇㌶と広い。このため郡下全体で数億円の大事業となり、また新しい苗木が収穫できるまでの三、四年間は土地を遊ばせてしまうわけで、改植方式は各農協ともまちまちである。

「貿易の自由化などで、みかん農家はいま難しい時期にきている。ため、広い視野から考えて品種を改良していかなければならない」とあるクラブ員は語っている。

（静岡県＝鈴木政美通信報道員）

NHK農事番組（4月11～20日）

テレビ

明るい農村　6・30～6・55　総合
11日　きょうの話題
12日　産物百科「トマト」
13日　話題と人「暖地の球根づくり」　山本勝（静岡県菊川町）
14日　農村新地図「北大フォークグループ」（北海道幌加内町）
15日　村をむすぶ「仙台、名古屋、福岡、東京」
16日　明るい漁村
17日　村の記録「ふるさと買います」～長野、京都府下～
18日　きょうの話題
19日　産物百科「金魚」（名古屋、松島）
20日　話題と人「安行の植木市」　正木三郎（埼玉県川口市）

農業教室　7・30～8・00　教育
10～15日「酪農経営のシステム化」　川延謹造（東京大学教授）
17～19日「飼料生産の新しいところみ」　飯田克実（農林省草地試験場）
20～22日「大規模稲作の方向」　七戸長生（農業総合研究所北海道支所）

あすの村づくり
日　7・00～8・00　教育
再　土　13・00～14・00　教育
16日「現代米作考」～その1、他人の土地に作る米～　栗原勉（埼玉県）稲見信夫（茨城県）金内与夫（新潟県）今村奈良臣（信州大学助教授）

ラジオ

早起き鳥　5・41～5・57　❶
11日　牛をつれたおムコさん～赤木信正（岡山県美作町）
12日　高い春野菜～東京
13日　山の緑化で出稼ぎ追放～福島県川内村
14日　日本農業をインドの土に～柴田菊次郎（福岡県前原町）
15日　ふるさと通信～水戸局
16日　話題の窓～減反三年
17日　開発の中の農業①～東北縦貫道と農業～群馬県館林市
18日　開発の中の農業②～工業開発と農業～千葉県君津市
19日　開発の中の農業③～線引きと農業～大阪府泉南郡下
20日　開発の中の農業④～都市化と農業～横浜市

話の広場　日　6・15～6・30　❶
16日　メロンに取りくむ青年たち～東茨城郡常澄村

新しい農村　6・00～6・30　❷
16日　どうなる今年の農業～四十七年度農業観測から～平弘（官房庶務課長）

ラジオ農業学校　日　6・30～7・00　❷
16日「新時代の経営をめざす」～鉢物栽培にかける～大野梅吉（埼玉県草加市）

行政に意見反映を
いま、組織の強化が必要

滋賀・甲西YFC　井上　喜代一

私の住む甲西町は、名神高速栗東インターから国道一号線を約十キロ東に走ったところにある。

以前は江州米の産地として農業の盛んだったこの町も、名神高速道路の開通以来急速に工場が進出し、農地は減少の一途をたどってきた。そしていま、広大な土地と多額の費用をかけ、湖南工業団地ができあがった。農業者はつぎつぎと土地から離れ、サラリーマンになっていった。そのような環境で、私たち十数人の仲間は農業にとりくんでいる。酪農あり、養鶏、養豚あり、野菜、花木、肥育牛と、それぞれ作目は違うけれど一生懸命にやっている。

私たちは昨年から、定期的に団地内をトラックでまわる青空市場を始めた。これは消費者の生の声が聞けることをねらいとしたものである。自分たちが生産したものを喜んで買ってもらい、また新鮮なこともあって好評をはくしている。

しかしながら、私たちがこの町で農業者として生きぬく道は容易ではない。工場排水による公害、畜産公害、農地の減少、地価の上昇と、困難な問題点が数多くある。これらの問題点を解決することは並たいていではない。しかし、ひとつずつでも解決してゆかねば、この地で農業をやってはゆけない。

都市計画に農業ゾーンを

私たちは、町が湖南工業地帯という現代の怪物を造成した以上、私たち農業者に対しても農業団地を造成する必要があると考えている。いま私たちは、私たちが安心して農業にとりくめる農業ゾーンを、都市計画のなかに組み込んでもらうよう要求しようと、みんなで頑張っている。

一時、農業の後継者不足のおりに"仲間づくり"がやかましくいわれ、その時私たちのクラブも結成されたのであるが、しかし、今後私たちのクラブは単なる仲間づくりに終ることなく"組織の強化"をはかる必要があると思う。私たちは農業後継者というより、むしろ一人の農業者である。だから、農業者としての生活と権利を守るためにも、組織を強化して、私たちの意見を広く行政面に反映してゆかなくてはならない。

日本には、世界一を誇る立派な農業協同組合がありながら、時代の流れとともに組合員の質的変化をもたらし、いまや、真の協同組合としての活動は不可能に近い状態となっている。私たち農業者はいつの時代においても一歩遅れをとり、行政面においても十分な援助を受けてこなかった。

いまこそ私たちクラブ員は、組織の強化をはかり、私たちの権利を主張する時だと思う。私は大自然を相手にする農業が好きだ。人間誰しも土に愛着をもっている。この素晴らしい職業を誇りとし、いまや世界を相手にたち向かう時、しっかりとスクラムを組んで頑張ろうではないか。

余暇の善用で"断絶"解消
家族そろって観劇に

千葉・長柄町若樹会　花沢　敏江

わが家は稲作中心の兼業農家である。稲作は農繁期と農閑期の差がはなはだしいために、農閑期には皆出稼ぎにでて生活を維持している現状である。

平均してみても、ほとんどが休みなしの生活で、農繁期に入ると腰が痛い、肩がこるなどとよく母がこぼしているのを耳にする。健康ということがいかに精神衛生に影響が大きいかを感じた。健康が肉体面、精神面のいずれかが欠けてもなりたたないということはわかりながらも、現状からは余暇は望めない状態なのである。

これでは現代社会の進歩に足なみをそろえられない。

わが家では話し合いで最低月一回の休日を設けることを決めた。そして労働と休養のバランスをとるようにして、生活をレクリエートするよう心がけることにした。

昨年は観劇を計画し、実行に移した。皆の気持がひとつになり、よい家族間の雰囲気をかもしだすことができたとともに、そのことが仕事の能率化にもつながってきている。また、母は部落のグループ活動に参加して、料理講習、野良着の改良など、地域ぐるみで生活の向上をはかっている。

以上のようなことをとおして、家族全体が余暇を善用していくなかで、生活のはり、ゆとりがでてきていると思う。家族間の結びつきを深めるうえにも、また、暖かい人間関係を育てあげるためにも余暇を利用して"話し合いの場をもつ"ことを一番大切にしている。

親子の断絶とか人間不信などといわれているが、わが家では余暇時間の活用を計画するなかで話し合いの場を設け、お互いの意志疎通をはかり、問題解決の場として明るい人間関係をつくりあげている。そのことは、一人ひとりの心の健康と深く結びついており、明るい家庭生活の基礎だと思うのである。

これからも余暇時間を善用し、皆が楽しめ、生活の一部となるようにして、家庭の健康の増進をはかっていこうと思っている。

明日の農業へ向って
各種農業団体

教育に高い関心
経営と生活のアンケート　悩みは価格問題

農林中央金庫

農林中金では、毎年全国各地の農家から農業経営や生活についてアンケートを行なっているが、今年二月の調査結果がまとまった（回答農家総数一、三六七、カッコ内は各意見の割合）。

それによると農業経営上こまっている問題は、農産物の価格（六四・八%）所得の確保（五六%）人手不足（二六・八%）米の減反（三三%）後継者問題（二一・三%）農地の取得（二一%）で、米の減反や農産物自由化の動きの中で農産物価格問題に最も頭を悩ましていることがハッキリわかる。

つぎに生活上の悩みとしては子供の教育（三二・五%）子供の結婚（二四・一%）老後（二三・二%）をあげている農家が多い。とくに教育について関心が高く、将来子供に受けさせたい教育としては男の子の場合、大学（三八・五%）高校（二一・四%）と大学が多い。女の子の場合は、高校（二七・三%）短大（一八・一%）大学（一〇・三%）で高校が多いが、短大と大学を合わせれば、高校を上回っている。

ところで、農家がこれらの悩みを誰に相談しているかをみると、農業経営上の問題については農協（六八・五%）が一番多い。しかし、土地などの財産の処分や運用問題になると、農協に相談する割合は少なくなり、「誰にも相談しない」という農家が一五%もある。また生活上の相談は、家族（四五・四%）親類（二九・六%）農協（二五・四%）知人（一四・五%）と家族で相談するケースが最も多い。

アンケートによると、「農協は営農相談には熱心だが、財産管理や生活上のことになると、どうもまだ受け身で、あまり相談に乗ってくれない」という声が多い。とくに最近、都市の周辺部で農地の宅地化や工場用地化が進んでくると、土地を中心とする財産管理が農家にとって大きな問題になる。

このアンケート調査を行なった農林中金（推進部）では、「農協の信用事業はただ貯金を集めるだけではなく、組合員の相談に応じられるような活動をしなければならない。そのため、生活上の問題も外務員に相談をもちかけてほしい。とくに農地の処分方法や税金問題、処分後の土地代金の運用など財産管理相談には力を入れていく。アンケートの結果ではまだまだ不十分な面が多いので、相談活動のいっそうの強化をはかる」と言っている。総合企画本部（広報）

農業向上に役割
組織の勇敢な脱皮へ

全国農業協同組合連合会

全国購買農業協同組合連合会と全国販売農業協同組合連合会は、さる三月三十日に合併し、新たに「全国農業協同組合連合会」（全農）としてスタートしました。

そこで今回は、全購連の三橋誠会長のあいさつを紹介し、全購連の二十四年間の歩みを振り返ってみたいと思います。

全購連が設立されたのは、二十三年十月十二日、事業の開始は二十三年十一月十五日でいまから二十四年前。

ちょうどその時代は、日本全体が敗戦の痛手から立ち直ることができず、それに加えて極度のインフレの嵐にさいなまれ、経済不安がつのる一方でした。

農業は国民食糧の確保を至上命令として課せられた戦争中に引き継ぎ、食糧増産に努力を重ねてきました。こうした農家の実情を背景に、全購連の事業活動が始められました。

しかも、農協の経済事業はインフレに続く「ドッジ・ライン」による占領軍の財政・経済政策によって、重大な影響をこうむりました。しかし、われわれは農協運動の旗のもとに固く結集し、あらゆる辛苦を克服して、海外協同組合との直接取引による原料購買の開拓など、系統農協購買事業のレールを敷くことに成功しました。

以来、このレールの上をばく進した系統購買事業は、国民経済のなかに、農協の力をおしも抑されぬ強大なものとして、確立することができました。

その間初年度事業分量は約七十億円、三十四年度で約一千三百億円と一千億円台を大きく突破、四十五年度でついに八千六百億円にまで達しました。

これまで長い間、農業は封建社会の下積みとして、低い地位で苛酷な条件を強いられてきましたが、これだけの水準に引き上げてきた農協運動がどれだけ大きな役割りを果してきたか、この歴史を振り返れば明らかだと思います。

いま、われわれは、第二の出発点に立たされています。日本農業に大きな転換が迫られているとき、農協もまた、その組織のありかたに深い反省を加え、勇敢な脱皮に踏み切る必要があります。このときにあたり、われわれ全購連は、全販連と合併し、三月三十日をもって全国農業協同組合連合会（全農）として、新しく発足することになりました。

全農の最大の課題は、何といっても全購・全販両連の融和一体化の速かな実現にあります。

これまでの暖かいご指導と、ご協力に心から感謝の意を表しますとともに「全農」へのご支援をお願い申し上げます。

グループ活動十七年をふりかえって

多難、再出発の前途

幸田八重子

空は澄みきって高い。風がないので寒くはないが、からだ中がきりっとひきしまるある日の午前十時、心地よい光に包まれ、山々は五色のファッションショーをしているところだ。私は例によって、集卵のため公民館の前にある鶏舎へと急いでいた。

数年前、一枝も残らず丸坊主にされた公民館の大銀杏であったが再び芽を出しかっこうよく大空にそびえ、色鮮やかに公民館に君臨し、部落のアクセサリーとなっている。その格調高い姿に、私は思わず「ああ、きれい」と叫び、歩を止めた。

公民館は、十七年前、戦後のどさくさに荒れ放題になっていた観音堂跡に、青年と協力して建てた集会所がその始まりであった。鮎川公民館と名づけられたものの、まことにお粗末である。しかし、私たちはここでいろいろなことを学び体得し、黙々と十七年もの間グループ員という意識のもとに有形無形のみやげを家へ、そして部落へと持ち帰ったものだ。

大国（だいこく）グループができて、鮎川部落はたしかに変ってきた。所得倍増、構造改善、消費は美徳なりとつぎからつぎへの変移……。マスコミの影響を受けながらも部落は堅実に成長した。

今日も公民館でテーブル実習がある。二人三人と集まってくる人たちは、嬉々として足の運びも軽い。この光景を満喫し、思い出の糸をたぐっている私に遠くから会釈をして石段を登りゆく友……。

過去のグループ活動は苦難の道であった。何度挫折しそうになったかわからない。けれどそのつど、普及所長様の力強い励ましと指導を受け、また生改普及員の熱意によって今日までどうにか歩んできた。

そうして、これからも歩もうとする私の目の前に拡がっている世相は…。出稼ぎなどにより職場への主婦たちの出勤、また現代の断絶の風潮・思想はあらゆる面で私たちに遠慮なく浸透している。荒漠たる休耕田は政治の貧を思わせる。整備された田舎の道路を騒音のこだまを残して車は走る。

感覚が左右する衣生活はもちろんのこと、住い方も、食生活も、そこに住む人たちの表情も変わってきている。グループ活動も自ら変らなければならないはずである。そこに複雑な問題が起こり、運営の悩みが生じる。そして今なお、解決の鍵はみあたらない。

私はすっかり疲れたのだと気づいたとき、サッとやさしく風がほほをなぜた。ヒラヒラと落花を思わせるように銀杏の葉が散った。すぐ横の竹やぶがサラサラとわずかな音をたててささやいた。

銀杏が散った。強風にあおられてではない。わずかに斜めになりながら、しかもヒラヒラと、足をはこぶグループ員の肩に舞いたわむれつつ…。

「ああ、きれい」私は再び目をみはって叫んでしまった。

（徳島県・大国グループ）

青春と仲間

生きがいとは何か

栃木県・大平町協議会 横塚喜造

〝農業のなかに生きがいをもって生きたい〟とある友がいっていた。俺はその言葉にすんなりとは同意できなかった。なぜなら、俺の意見として、生きがいをもつということは〝生きているだけの価値打ちをもつ〟ということだからである。

農業のなかにはたして生きてゆくだけの価値があるだろうか。農業（ほかの職業もだが）とは、単なる生活手段にしかすぎないのではないか。その友は〝農業をやるなら、そのなかに生きがいを求め、もっていかなければ、その人はやってゆけないし、その人は不幸にもなる〟という。

俺が農業をやろうと思いついたのは卒業して三年後である。その間、俺は何を求めていたのだろう。今になって思えば、自分の求める目的もわからず、ただ迷い子のようにキョロキョロ、ウロウロして過ごした三年間だったかも……。

農業をやるようになったのは、農業のなかに生きがいを見つけたからではない。こうすることによって、自分が社会的責任がとれると思ったからである。この世に、生きがいをもって生活している人はどのくらいいるだろう。

〝あなたの生きがいは、何ですか〟と問われたときに、あなたは何と答えるだろう。俺には、今そう問われたとしても、何と答えていいかわからない。ただ答えられることは、何か生きがいを求めているということだけだ。

友と俺は、最後まで意見はわかれたままだった。俺はそれでよいと思った。なぜなら、人によって生活のリズム、性格の違いがあるように、生きがいを求める方法、求める個人の主体にも違いがあるのはあたりまえだから……。

生きがいをもったとき、人間はもっとも充実した幸福な瞬間なのかもしれない。

書評

若き魂に贈る書

『明日に向かって』 森村誠一編

暇なときはもちろんだが、どんなに忙しい生活を送っていても、ふと本が読みたくなることがある。日常生活のなかで、そう感じるときはおうおうにしてあるものだ。そんなときに手軽に、また、興味をもって読める本が手元にあるのは楽しいことだ。ましてその本が良書だったら言うに及ばずである。

そのような意味も含めて、本書は良本としておすすめできる。

本書は七十人の執筆者から成っているが、それぞれその分野において道をきり拓いてきた人たちばかりである。その人たちが自らの青春をふり返って、若き世代のために書かれた若き日の魂の記録である。執筆者には政治家、実業家、学者、評論家、作家、詩人、俳優、画家、スポーツマン、歌手などまことに多彩な顔ぶれである。内容についても、ひとつひとつが非常に興味深く読める。

深大寺の管主の谷晃昭さんは十一～二十歳まで上野の天王寺で修行していたが、その時代を回想しながら、〈……当時は、そうした厳しい修行に心の中で泣いた。そして、師の心を知らない私は何度も師をうらんだものである。しかし、いまふりかえってみると、あのときの修行が今日でも私の大きな支えになっている。……〉と記し、初心を私たちに説いている。

また東京医科歯科大の名誉教授である島崎敏樹氏は、人間の真の愛とは何かを究明しつつ連帯という問題を浮きあがらせて〈協同はあるが、共同はない……〉といい、現代の若者が考えなければならない〝連帯〟にひとつの示唆を与えてくれている。

随筆家の佐々木久子さんは、自分の若き日々を省みて、〈大事なことは、人生の転機に際して、自分の投げたサイコロを人のせいにしないことである。人間はいつも独りであることを肝に銘じて生きてゆきたいものだ……〉と結んでいる。これは、いうまでもなく若者一人ひとりの胸に投げられた言葉である。

このような本を手元に一冊置くことは、自分の生き方の戒しめにも潤いにもなる。毎日一篇ずつ、気軽に読めるのも魅力のひとつだろう。

（修養団出版部 五五〇円）

笹笛

賭のパンチ

〝チョウのように舞い、ハチが刺すように打つ……〟〝朝五時に起き、五マイル走り、ジュースを五杯飲み、娘は五歳、だからオレはフォスターを五回でKOする〟〝それにしてもフォスターはみにくい男だ〟――これらは、去る四月一日、東京・九段の武道館で世界ヘビー級九位のマック・フォスターを相手に闘った元世界ヘビー級チャンピオン、現同級一位のムハマド・アリことカシアス・クレイが、この試合前にフォスターに向けて浴びせかけた言葉の一部である。

クレイは勝った。しかし、クレイはフォスターを五回でKOできず、彼の予告は〝ホラ〟となってしまった。クレイは試合前にいつでも相手をののしり、KOを予告するという。そして、それが果たされなかったとき、人々は彼を〝ホラ吹きクレイ〟と呼んだ。それでも彼は対戦相手をののしることをやめなかった。

現代アメリカ作家の第一人者といわれるノーマン・メイラーは、約一年前に行なわれたクレイ＝フレーザー戦について書いたエッセイのなかで、クレイをこう評している。

『ムハマド・アリは、まずすべてのなかで最も扱いにくいエゴの持主だ。彼は舞台を一人占めにしておいて、他の役者に譲ろうとしない』

メイラーはこういいつつ、ボクサーのエゴの正当性とクレイの偉大さを感動的な文章で表わしている。クレイのことを考えていると、私たちにもアメリカ人の心がかすかに伝わってくるような気がするから不思議である。カシアス・クレイ――彼は現代アメリカにおけるひとつの夢なのではないだろうか。

また、彼のエゴは決して気まぐれだけでないようにも感じられる。それは彼がKOを予告するということにあらわれていると思う。つまり、クレイの強烈なエゴは、各試合ごとにKOを予告することによって、自己の状況を設定し、かつその状況をのり越えて闘うべく自らを運命ずけているという見方もできるからである。自らの生をひとつの可能性に向けて投げだしてゆく人間のけなげな力強さをクレイのボクシングのなかに私は見るのである。

夢と現実のはざまをチョウのように舞うクレイ――なんとも日本人の感覚ではつかめそうにない男である。（野）

ヤング！ ヤング！ ヤング！

村と私と農業と……

大阪府・千早赤阪4Hクラブ 浅井知子

千早赤阪村……私はこの村がとっても好きである。今では大阪府下で唯一の村となってしまった。しかし私は、わが村が永遠に村として存在していてほしい。なんといっても今のままの自然をこわしたくない。この大自然のなかで生まれ育った私、やっぱりここが一番いいと一日の出勤を終えて帰ってきたとき、ふとそう思うことがある。

どんなときでもこの村に帰ってくると安心できるのだ。やっぱり私はここで生まれた人間だ。

自然――私はこの〝自然〟という言葉に感謝している。大都市のなかで目まぐるしく生活している人たち。私は、この人たちには得られないすばらしい〝自然〟というものに恵まれているからだ。

私は今、夢を持っている。農業に対してと言えば過言になるかもしれない。しかし私は、将来、土とともに生活したいと思うようになったのである。

農業は、そんな甘い考えではできないかもしれない。相手は自然という大きなものだし、天災ということも考えなくてはならないからである。私のような意志の弱いものにつとまるかどうか……。でも、私はやってみたい。

4Hクラブに入ったから、こう思うようになったのだろうか。いや、そうではない。それでは毎日の生活が充実していないからなのか。これも違う。やはり自分の意志でこう思ったことなのである。

今は農業を実際にやっているわけではない。しかし、両親の仕事ぶりや生活をみているから、農業とはこういうもんなんだと自分の目で確めることはできる。だから単なるあこがれや甘い考え方で言っているのではない。

あんな人こんな人

黒川正信 三重

理解ある女性に恋

〝子供の頃から牛とともに育った。牛が本当にかわいい〟とさりげなく語ったにこやかな男。現在父親ゆずりの酪農をやっているという。父と子あわせて酪農歴は二十三年になるそうだ。彼の名は黒川正信、三重県連の会長である。

彼は地元津市の工業高校を卒業してから、自分の意志で農業をやり始めたという。構造改善の時期だったので酪農で一旗あげてやろうという強い決心でこの道に入ったという。

彼の家の経営規模は、水稲が一・五㌶で乳牛が二十八頭である。

自分の将来の経営に関しては実現可能な目的を立ててから向かうつもりである。要するに、いたずらに規模拡大、経営改善と叫ぶより、自分の実力を着実に答えてゆくことだそうだ。

県連会長としての苦労は行事のときぐらいで、ほかにはあまり感じたことがないという。しかし個人的な悩みは多いという。たとえば、結婚問題、経営問題、県連の問題といったぐあいである。結婚の問題は、相手の女性があととりの長女なのでなかなか話が進まないそうである。彼女とのなれそめは昨年の七月愛知県で開催された「第七回全国4Hクラブ員のつどい」だったという。それから彼女と個人的につき合うようになり二人の距離は急速にせばまったらしい。なんといっても一番うれしかったのは、彼女も酪農をやっていて、彼自身がなぜ農業をやっているのかを理解してくれたことだという。彼は彼の両親に話し、自家の経営を休ませてもらっても彼女に会いに行ったということだ。

彼女の理解ある暖かい心は、彼に結婚の決意をさせたという。彼女の家は長野県にあり、会いにゆくのも仕事だそうだ。その仕事だけはあとに残したくないらしい。彼女は長女、おまけに家が遠いなど問題はある。しかし、彼は、今年中に結婚したいときっぱりと言いきった。そして、自らの人生にあるひとつのけじめをつけたいそうだ。

自家の経営に関しては、彼の双肩にすべてまかされているということだ。彼自身は、疲れないで、農業をやってゆくことをまず第一に考えているという。要するに、コンバインやバインダーを使って省力化に力を注いでいるらしい。そこから、自家の経営改善の糸口を見つけたいそうだ。

県連については、彼はどんな行事にも楽しさを取り入れてゆきたいという。つまり、県の技術交換大会などでは民泊に重点を置いたりして、なごやかなムードをどんどん取り入れたいそうだ。また、県連の役員・リーダーについても問題はかずかずあるらしい。やっと運営方法をおぼえると、年令制限や結婚で役員が現役を去ってしまう。この問題に対して、何らかの対策を今、私たち現役クラブ員が考えてゆく必要があると思うのだが……。

百姓という言葉は嫌い

4H会館建設には、県連としても個人としても協力を惜しまないそうである。しかし、彼が県連、地区連、単位クラブに帰って会館問題をクラブ員に説明したとき、彼らが理解してくれるかどうか心配だという。なぜなら、末端クラブ員にとって4H会館とは何なのかということを明確に説明できないからだ。一度でも、大きな行事に出席した人ならわかってくれるだろうが、ほかの人たちにはピンとこないかもしれないからであるという。

彼は高校を卒業して、農業が好きだから農業の道を志した。そんな彼も〝百姓〟という言葉がなによりも大嫌いだそうである。

クラブ活動を一考

北海道・荷菜白留クラブ 鹿糠新治

クラブ活動で一番大事なことを考えてみた。それを語るには、まだクラブ活動歴二年と日も浅いのでよくわからないが、私の気づいた点を二、三あげてみたい。

まず第一に連絡は早めに内容をじゅうぶん伝えること、これが全員の気持をひとつにまとめる最初の仕事と思う。そしてその内容の中で重要なのは目的をはっきりさせることであり、また、個人個人においてはその目的をわきまえて、活動のうちにそれらを反映させるようにすることである。

なんといってもグループ活動においては、その責任は全員の問題であり、それを推進してゆくのは個人の個性の積み重ねと言ってよいだろう。そこに個人個人の自信と自覚が生まれてくるのではないだろうか。

はばたき（短編小説）

越湖正孝〈北海道・若葉4Hクラブ〉

さらば弱虫

「いゃあ、さっき陽子の話がでたとき、俺、馬鹿な態度見せちまってさ」銀次が言った。

飛馬は黙っていた。というよりも何と言ってよいのか、その言葉が見当らなかったのだ。銀次は空を見上げながらポツポツと話し続けた。空には星くずが寒そうに光っていた。

「実は今日、陽子の奴から手紙がきたんだ。あいつ、やっぱり万吉と結婚するそうだよ。今までのいろいろな御親切、心から感謝しています。これからもすえ長く友だちとしてよろしくお願いいたします。銀次さんもはやく良い人を見つけて幸せになって下さい、なんてぇことが書いてあったよ」

すると今まで黙っていた飛馬が突然心の中にあったものを爆発させるように言った。

「あのうぬぼれやろう、ふざけやがって！ほんとうは銀さんのごと好きだったくせに……」

「いやあ、いいんだよ」

微笑を浮かべながらそう言う銀次の顔には、はっきりと悲しみの影が秘されていた。

「いいことなんかないよ。あいつは愛情じゃなく、お金と結婚したんだ。美人づらしやがって中身はやっぱりズベ公じゃないか。もうあいつなんかと会っても口なんかきかないぞ」

銀次よりもむしろ飛馬のほうがはるかに感情的になっていた。銀次には、もうまったくあきらめきったような冷静さがあった。

「いゃあ、飛馬君、考えてみりゃあ当り前のことなんだよ。女にとっても結婚は一生の問題、万吉と結婚すりゃぁゆくゆくは社長婦人、俺みたいな百姓がどうあがいてみたって知れてる。俺が女だったとしても、やっぱり万吉と一緒になるのが常識だよ」

それを聞いて飛馬は大声をたてた。

「銀さんらしくないぜ、なぜ百姓を悲観しなきゃならないんだよ」

ふだん飛馬はおとなしい青年であるが、いったん何かのきっかけで爆発すると火のついたガソリンのようになってしまう。革新的でまたそれが過激派的でもあった。だが、その無鉄砲さは若者らしい純粋さを持っていた。それとは対象的に銀次は保守的で現実的な考え方の持ち主であった。

「いやあ、飛馬君の言うこともわかるが、世の中はみな現実的にこういうもんなんだよ」

それを聞き飛馬は、さらに興奮して白い息をはずませて言った。

「その現実がまちがっているんだよ。その現実に目をつぶっちゃいけないんだよ。その現実をわれわればぶち壊さなきゃならないんだよ」

そしてそのかん高い声を急に低くさせてまた言った。「俺だって女にふられた経験がないわけじゃないんだ」

飛馬のその言葉はふと過去を思い起こすような実感がこもっていた。再び二人の会話が絶えた。しばらくして銀次が話しだした。その顔は笑顔であった。その笑顔は前とは違って、心の底から沸き上がったような純粋な笑顔であった。

「飛馬君、俺がまちがってたよ。済まなかった。俺達はまだ若い。これからなんだ。もっと力強く生きなきゃなあ」

「そうだよ、銀さん。俺たち百姓に道を決めた以上、誇りと夢を崩しちゃおしまいだと思うんだ」

飛馬は冷静さを取り戻していた。そして、本来の静かな口調で話し続けた。「俺の夢はさあ、世界中で一番愛する人と結婚して幸せにしてあげることなんだ。考えてみりゃ、当り前のことだけど」

二人の心は一つになっていた。

「そうだなあ、俺も嫁さんには苦労かけたくないと思ってるよ」

「そうだよ、それをまず第一の前提として、これからの経営を考えてみんな作っていかなきゃ……」

「俺も年だな、後輩に勉強させられるんだから」「年は関係ないよ」 また飛馬のガソリンに火がつきそうになった。「いや、わかってるよ」 その銀次の言葉には力強いものがあった。飛馬は我にかえり苦笑いした。

「この調子じゃ、とうぶんお嫁さん貰えそうにないよ」と銀次が言うと飛馬も「いや、お互いさまだよ」と答えた。「ハハハ」「ワハハハハ」 二人の笑い声が力強く夜空にこだましていた。夜空は明日へはばたこうとする、二人をじっと見守っていた。

道ばたの田んぼには稲の切株が白いつゆを浴び、それが若い月の光をうけてキラキラ輝いていた。二人のはばたきに拍手を送るかのように……。

日本4H新聞

4Hクラブ
農事研究会
生活改善クラブ
全国広報紙

発行所
社団法人 日本4H協会
東京都市ケ谷家の光会館内
電話(269)1675郵便番号162
編集発行・玉井　光
月3回・4の日発行
定価　1部　35円
一カ年　1200円(送料共)
振替口座東京　12055番

クラブ綱領

私達は、実践を通じて自らを磨くとともに、互いに力を合わせて、よりよい農村、よりよい日本を創るため、四つの信条をかかげます。一、私達は農業の改良と生活の改善に役立つ腕をみがきます。一、私達は科学的に物を考えることのできる頭の訓練をします。一、私達は誠実で友情に富む心をつちかいます。一、私達は楽しく暮らし元気で働くための健康を増進します。

「つどい」特集号

北海道連のつどい実行委員会広報部の協力により、増頁して「つどい特集号」といたしました。

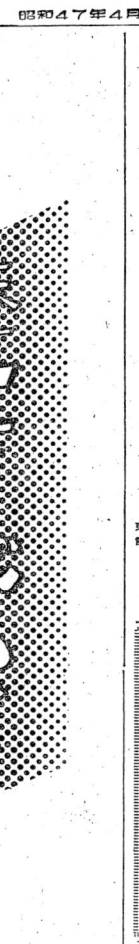

大自然とフロンティア精神を秘めた歴史があなたを待つ　道立野幌森林公園

北海道百年記念塔

北海道は、昭和四十三年に開道百年の記念すべき年を迎え、同年九月二日、天皇・皇后両陛下ご臨場のもとに北海道百年記念式典を挙行、栄光の未来を築く決意を新らたにしたところである。産業、経済、文化など、あらゆる分野において、めざましい発展を続ける北海道の現状を思う時、かつて原始の密林を伐り拓き、厳しい風雪に耐え抜いて、本道発展の基礎を築いた多くの先人の想像を絶する辛苦を忘れることはできない。

われわれ道民は先人が示したこの不朽の開拓者精神を受け継ぎ、開道二世紀にふさわしい躍動する産業と香り高い文化が融合する偉大な北海道の建設に向って力強くまい進しなければならないと考える。このような趣意から先人の偉業を長く後世に顕彰し、慰霊の誠を捧げるとともに輝く未来を創造する決意の表徴として、道民の総意をもって、北海道百年記念塔の建立を企画したところである。

このため、北海道百年記念塔建設期成会が結成され、全道民の協力によって建設資金を造成し、道央要衝の地の一角、野幌森林公園のこの地を建設地と定め、昭和四十三年十一月二十一日工を起こしたところであるが、一年有年、いまここに、その竣工をみるに至ったのである。未来への限りない発展を象徴するこの記念塔が、五百二十万道民、なかんずく次代を担う青少年に、開拓者精神の真髄を伝承するとともに、道民としての誇りと郷土愛に燃えて、遠大な北海道の建設にまい進するための指標ともなることを祈念してやまないものであります。

昭和四十五年九月二日
北海道百年記念塔建設期成会

高さ　一〇〇メートル
鋼材使用量　一五〇〇トン
建設費　五億円

光あふれて

わたる原野の　風青く
　光あふれてきたぐにの
朝をうたうよ　北海道
　さちありここに　かぎりなく

森よみずうみ　今もなお
　秘めるつたえは　数しれず
歴史はるかな　北海道
　みちありここに　たくましく

あおぐ牧場の　空たかく
　山は招くよ　あこがれを
若さもえたつ　北海道
　ゆめありここに　うつくしく

雪よかがやけ　ふるさとの
　鐘は平和の　空とおく
ゆくて明るい　北海道
　あすありここに　はてしなく

(「道民のうた」)

キャッチフレーズ

目覚めよう再び開拓の意気に!!

8月28日から5日間

第八回 全国4Hクラブ員のつどい

今夏八月二十八日（月）から五日間にわたって全国4Hクラブ員の一大祭典――「第八回全国4Hクラブ員のつどい」が北海道で開催されるのはご承知のことと思うが、このほど、このつどいの主催者である全国4Hクラブ連絡協議会（会長　黒沢健一君）、北海道4Hクラブ連絡協議会（会長　中山寿雄君）、社団法人日本4H協会（会長　宮城孝治氏）の三者で協議し、「第八回全国4Hクラブ員のつどい」の開催要領を正式決定した。なお、参加者申し込みは四月十四、十五日に開かれる全協総会終了後ただちに受付をはじめることにしている。締切は一応六月十日にしているが、北海道連では、宿泊等の契約業務の関係上、早期申し込みを要望している。参加人員は二千人程度見込んでいる。また、キャッチフレーズに「目覚めよう、再び開拓の意気に!!」を決めた。

第8回　全国4Hクラブ員のつどい　日程表

日＼時（6〜23時）	日程	場所
8月28日	受付・昼食／オリエンテーション／移動／現地交歓訪問／民宿	拠点地／石狩 空知 上川 後志 胆振 日高 留萠の各支庁
8月29日	現地交歓訪問／民宿	前日に同じ会場
8月30日	現地交歓訪問／集合／Well come festival／パネル討議／移動／入浴・夕食／交歓の夕べ／自由交流／宿舎泊	前日に同じ／厚生年金会館ホール／定山渓温泉
8月31日	起床・洗面・朝食／散策／ファイヤー／移動／自由交流／宿舎泊	定山渓／札幌市内 江別市内／大倉山／定山渓
9月1日	起床・洗面・朝食／移動／記念講演／お別れのつどい／解散	定山渓／厚生年金会館ホール

直接現地で受付　広大な地域性配慮

一、趣旨
このつどいは、日本農業の担い手として、日夜農業の改良と生活の改善に努力している4Hクラブ員が自らの手で企画・運営し、自主性の高揚に資するとともに、新しい技術の研鑽とクラブ活動状況の話し合いや現地交歓訪問などを通じて、青少年の仲間づくりや地域社会から理解される家族ぐるみの4Hクラブ活動の推進を図るため開催する。

一、主催
全国4Hクラブ連絡協議会、北海道4Hクラブ連絡協議会、社団法人日本4H協会

一、後援（予定）
農林省、文部省、総理府、北海道、札幌市、全国農村青少年教育振興会、NHK、全国農業協同組合中央会、富民協会、青少年育成国民会議、北海道青少年育成推進会議、中央青少年団体連絡協議会、北海道青少年団体連絡協議会

一、協賛（予定）
日本農業新聞、家の光協会、ホクレン、雪印乳業、サッポロビール、その他各種団体

一、期日
昭和四十七年八月二十八日（月）―九月一日（金）四泊五日間

一、会場
北海道厚生年金会館ホール（ウエルカムフェスティバル、お別れのつどい）大倉山シャンツェ（ファイヤー）、野幌森林公園、札幌市、石狩、空知、後志、胆振、上川、留萠、日高の各支庁

一、参加者
4Hクラブ員、OBならびにその家族、農業講習所生徒、農業高校生、外国クラブ員、農村青少年育成指導者など　計二千名

一、つどい事務局
▽八月二十五日まで　郵便番号一六〇　東京都新宿区市ケ谷船河原町十一　家の光会館内　全国4Hクラブ連絡協議会事務局　TEL＝〇三（二六九）一六七五、〇三（二六〇）〇〇七九
▽八月二十六日から　札幌市定山渓西区　ときわ旅館　TEL＝〇一一三六五―二六三一

一、運営
別に定める方法により全国4Hクラブ連絡協議会、北海道4Hクラブ連絡協議会、次期開催県（予定、神奈川県）4Hクラブ連絡協議会の各役員および日本4H協会職員が当る。

一、参加者経費
六千五百円

一、参加者受付
▽日時　八月二十八日午前十～十二時（地区によって多少移動がある）
▽場所　民宿各拠点地（石狩＝札幌、空知A＝岩見沢、空知Bおよび留萠＝滝川、上川＝旭川、後志＝倶知安、胆振A＝伊達、胆振Bおよび日高＝苫小牧）民宿場所については府県連ごとに連絡する。

一、携行品
▽洗面用具、筆記具、雨具、運動ぐつ、作業衣、ビニールふろしき、その他日用品、健康保険証など
▽郷土品の交換を行ないますので各自二百円程度のものを必ず持参すること。

一、つどい内容
▽現地交歓訪問
（1）目的　北海道のクラブ員の生活と経営状況を見聞し、仲間づくりと家族ぐるみ、地域ぐるみの4H活動を実践する。
（2）内容　①クラブ員の生活を体験する②家族や地域の篤志指導者との話し合い③クラブ活動状況の話しあい④現地視察、見学、奉仕活動⑤その他
（3）期日　八月二十八～三十日（二泊三日）
（4）注意　①生活体験をするため作業衣を用意すること②単なる儀礼的な歓迎会に終らないよう努める③交換資料などの用意があれば好ましい④この交歓訪問の旅費は自己負担とする。
▽wellcome Festival
▽パネル討議「どうする4H!!」をテーマに参加者全員で4H活動の方向を討議する。
▽自由交歓の夕べ　郷土品の交換など楽しい夕べを宿舎ごとにすごす。
▽散策「北海道の姿を見つめる」……札幌市内や北海道開拓記念館、野幌森林公園などの会場を移動しながら話し合いを行なう。
▽ファイヤー、火の儀式を通じて4H精神の高揚を図ると共に、各地の郷土の芸能を披露しあう。
▽記念講演
▽お別れのつどい

申込み六月十日まで　二千五百円を前納金として

一、参加申し込み
府県連会長は参加者をとりまとめ、申し込み金一人当り二千五百円をそえて別紙様式により昭和四十七年六月十日まで、つどい事務局に申し込むこと。但し、六月三十日まで（当日消印有効）に中止の報告があった者には前納金は返金するが、それ以後の中止者には返金しない。また、大会三日前に中止の連絡がなく中止した場合残り全額を納入願うこともある。
▽北海道連以外は二十名以上の多数参加のこと。

一、その他
▽参加者は全日程参加し、期間中の個人行動は認めないものとする。
▽常に4Hクラブ員としての自覚と誇りをもち、つどいの意義を良く理解して自主的で規律ある行動に努めること。
▽医療関係については旅行傷害保険を使用するが、該当しないものについては自己負担とする。
▽参加者は車での参加は遠慮すること。但し、貸切バスのみ許可するが事前にその旨を連絡すること。
▽参加者にはつどい期間中、[illegible]契約するので参加申し込みは[illegible]入すること（特に住所、氏名、[illegible]っきりすること）。

様式
「第8回全国4Hクラブ員のつどい」参加申込書
（記入例）

氏名	年齢	性別	住所	クラブ名及び役職	経営
北海太郎	23	男	北海道余市郡赤井川村赤井川	赤井川4HC 会計	水稲

昭和47年　月　日

申し込み金　2,500円×　　名　合計　　　円

　　　県4Hクラブ連絡協議会
会長　　　　　　印

第8回全国4Hクラブ員のつどい
事務局長　殿

つどいの意義を考える

青少年自身と組織の自主性の確立、4Hクラブ精神・同志意識の高揚と仲間づくり、現地交歓訪問による農業技術の研鑽と視野の拡大、さらには、家族と地域ぐるみの4Hクラブ活動の推進――これらによって人間形成を図り、ひいては、明日を担う勇気と誇りをつちかおうというのがつどい開催の大きな目的であり、意義である。しかも、それを自分たちの責任と負担のもとに企画運営し、実践を通じて学びとろうとする＝青年のための、青年による、青年の大会＝である。とくに、青年の自主的な運営、民泊による現地交歓訪問、家族と地域ぐるみの参加などは、このつどいの大きな特色でもあり、回を重ねるごとに参加者は増加の一途を辿っている。

では、なぜ、このようなつどいが先輩たちの情熱と努力によって始められ、これからも開かれなければならないか――その基本的な考え方に立ち返って先輩の意を汲みとり、それを後輩にも伝える必要があろう。

先輩たちの努力の足跡を辿るとき、つどい開催に対する情熱とさけびは、肉付けされた現在の主旨よりもっと純粋で、内外から押し寄せてくる危機感の中から生まれたものであったようだ。将来の農業への不安感、仲間の減少、時代とともに薄らぐクラブ活動に対する認識と意識、クラブ員と組織の自主性の喪失――これらに対する反省と打開策の探究心が交錯して自分たちの意思と力で自分たちの大会を持ちたいという願望につながっていったのである。その蓄積された若いエネルギーは火山のごとく爆発した。さる三十九年、周囲の非協力、無視という厳しい環境の中、一途な若い情熱を傾け、汗と油にまみれ、大分県城島高原でついに旗上げをしたのである。そこには、クラブ活動について原点に立ち返えり、認識を新たにして、共鳴するすべての人と力を合わせて4Hクラブ発展への道を歩もうという切なる願いと、後輩がそれを踏み越えて力強く前進してくれるだろうという期待があったことを忘れてはならないだろう。

しかし、日常のクラブ活動をみるとき、過保護のもとに、この育ばるべき青少年の自主性が骨抜きになり、自分たちの活動を自分たちで考えないといった極めて将来にとって憂慮すべき事態が一部に生じていることは否定できない。

いかに文明が進もうと、青少年は夢と創意、改善への情熱を失なってはならない。現状に甘んずることなく、限りない夢かな思考のもとに、自分たちの手で、いかなる困難もいとわず解決していかなければならない。

つどいに参加する人は、すべて自主的であると同時に、このつどいの企画者であり運営委員であるという基本的な思想はここから生まれてくる。

つぎに、4Hクラブ活動は家族や地域社会からの理解と支援のもとに進める必要があるということである。いかに正しい活動といえども、単独で行なう場合には限界があって、本来の力を十分に発揮することができない。これまで、クラブ活動は、職業や年齢を超越した活動にまで広げることが少なく、農業従事青少年という土壌の中でだけ行動し、極端に限定されていた観がある。クラブ活動は、あらゆる職業や階層の人たちにも正しく理解され、支援を受ける態勢の中でこそ、はじめて本来の目的を達成できることに目覚めなければならない。これは、農業問題についても同様で、農民以外の人々の協力や理解がぜひとも必要である。今後、4Hクラブは"ゆりかごから墓場まで"のスローガンのもとに、すべての人々と協調していく必要があるが、こうした中からこそ父兄や地域社会の人々からも理解され支援される4Hクラブができ上がるということがいえる。

つどいは、年齢や職業も超越し趣旨に賛同する人なら誰れでも自由に参加できるという自主参加に大きな意味がある。また「豊かな農村」を築くためには自主独立の精神で青少年自らの手で解決してゆく姿勢が要求されるが、これを全国クラブ員の祭典"つどい"を起点として、活動の輪を全国的な規模に広げようという大きな目的がある。

北海道で多く学んで

北海道知事　堂垣内尚弘

全国の4Hクラブ員をお迎えするにあたって陽春の季節を迎え、北海道の山野にも春のいぶきが活気づいてまいりました。

さて、ことし八月に、「第八回全国4Hクラブ員のつどい」が北海道で開催されますことはまことに喜ばしい限りであり、北海道4Hクラブ員一万人の方がたとともに、皆さんのおいでになる日を心からお待ちしています。北海道は多くの先人のたゆまぬ努力によってめざましい発展を遂げ、開道百年の歴史を経て、今日ではわが国における主要な食料生産基地としての役割を果たしております。

さらに、第三期北海道総合開発計画が四十六年から実施に移され、わが国産業経済発展の先導的役割を担うという雄大な構想のもとに生産と生活の調和する豊かな地域社会の建設が力強く進められております。

この計画のなかで、農業においては、広大な未利用農牧適地の開発と今後需要の伸びが期待される牛乳や肉類の生産適地としての有利性をいかし、大規模で生産性の高い農業の確立をめざしています。

このようなときに、農業の担い手として日ごろ農業ならびに農家生活の改善に努力を重ねておられる全国の青年農業者のかたがたが、北海道に[illegible]ぐるみの4Hクラブ[illegible]め、実践活動や意見[illegible]おして親睦を深め、[illegible]の農業技術の研さん[illegible]経営感覚を養われる[illegible]道は[illegible]本農業[illegible]めま[illegible]議な[illegible]ます[illegible]に開[illegible]のり[illegible]おさめられますとと[illegible]の4Hクラブ員にと[illegible]と遂祈念し歓迎のご[illegible]します。

ともに先駆者として

北海道4Hクラブ連絡協議会々長　中山寿雄

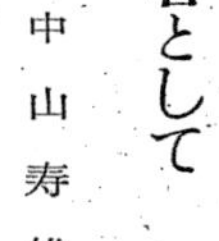

全国の仲間のみなさん、いよいよ「つどい」が北海道で開催されます。

私たち道産子の父や母、祖父や祖母のほとんどは本州やほかの日本各地から、未開の北海道へ開拓の意気に燃えて海を渡って来たのです。その祖先の汗が今、たくましく北海道を前進させ、日本の食糧基地としての役割を担うまでになりました。この開拓者の血をひく私たちは、百年前に想いを起こし、今一度新たな意欲に燃えて、より一層豊かな郷土を創ってゆかねばなりません。

だが、私たち4Hクラブ員をとりまく環境は必ずしも明るい材料ばかりではありません。明日の農業に不安を感ぜずにはいられませんが、かつての北海道の開拓もまた大きな不安のなかで続けられてきたことを考えるとき、これからの日本農業の行く道を拓いてゆくのは私たち自身でなくてはならないと思います。単なる指導者ではなく自ら進んでいばらの道を歩む"先駆者"こそが必要なのです。そのための汗と血を流す勇気こそが必要なのです。

ふたたび、全国の仲間とともに開拓の意気に燃え、未来を築く一つの機会にしたいと北海道のクラブ員は受入れの準備に余念がありません。そして、「つどい」が単なるつどいに終ることなく、点が大きくなり、そしてその点が線で結ばれ、やがて大きな面に、そして幅と深さを増した豊かな"もの[illegible]らみを増していくよ[illegible]い」に直接参加する[illegible]送り出すクラブ員も、[illegible]智恵を集めて意義あ[illegible]してゆく必要があ[illegible]す。

ともあれ、雄大な[illegible]然と、たくましく生[illegible]た開拓者の魂が、全[illegible]待っています。新た[illegible]意気に燃えんがため[illegible]

青春のプロジェクト

全国4Hクラブ連絡協議会々長　黒沢健一

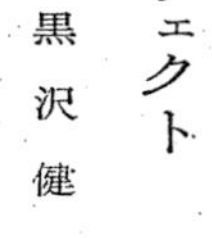

札幌冬期オリンピックの開催された北海道で、今夏「第八回全国4Hクラブ員のつどい」が開催されますことを主催者の一員とし厚く御礼申し上げます。

開道以来百有余年、私たちの先人がこの地へ入植してから、厳冬の寒さは内地の人々にはどんなにか耐え難き辛さであったことでしょう。原始の林を拓きゼロからの出発は、私たちの想像を絶するものでしょう。

打ち寄せる波浪、厳しく激しい労働の詩（うた）は、今日、立派な寒地農業を築き上げてまいりました。北国の小走りに去る夏の風情、やがて聞こえる収穫の喜びのなかに、現代の忘れられた郷愁が甦ってきます。

「全国4Hクラブ員のつどい」は私たち農業青年が日常の活動を通じて得た体験を心と心を通じて交歓し、新しき農業の担い手として社会的連帯感を培い、4Hクラブ活動を再度認識することができます。たとえば秋田や山形の水稲作の青年と愛媛や和歌山の柑橘青年の交歓ができます。神奈川や大阪の都市化にみまわれた青年と鹿児島や広島、島根のような過疎化にみまわれた青年との交歓もできます。また、北海道の農家に民泊しながら、家族のみなさんと長い開拓の歴史をひもとくこともできます。親の立場や私たちの立場も、相互理解し信頼しあうことができます。

私はこの「つどい」が縁で結婚にゴールインした友だちをたくさん知っております。みなさん立派な農業経営者としてがんばっております。「つ[illegible]いうささやかな種子は[illegible]な植物に変化してい[illegible]

この大会は青年の[illegible]画が基本であり、青[illegible]青春の一ページをか[illegible]エクトなのです。あ[illegible]プロジェクトを実践[illegible]んか！

参加してみようと[illegible]とき北海道の「つどい[illegible]ているのです。全国[illegible]の仲間がたくさんの[illegible]られることを、期待[illegible]

実り多い「つどい」へ

日本4H協会々長　宮城孝治

新緑の若葉が萌え競う皆様の季節となりましたが、皆様には益々お元気で、ご活躍のこととお慶び申しあげます。

さて、私たちが、毎年非常に期待しております「全国4Hクラブ員のつどい」が本年は北海道で八月下旬に開催されることになり、これが準備のため、地元では道庁の先生方を始め、クラブ員の皆様に大変お世話になっておりまして心から感謝申しあげている次第でございます。

ところで、皆様もご承知の通り昨年夏頃から急変してまいりました国際諸情勢を背景としてわが国の農業も、好むと好まざるにかかわらず、いよいよ世界の檜舞台に立つ覚悟をしなければならない段階となってまいりました。

このように、世界の農業の中での、わが国農業の発展を実現するためには、行政面において思い切った施策の実施を切望するのはもとよりですが、農業者としては、全く新しい感覚で経営に精励する必要があると信じます。

皆様は、4Hクラブ活動を通じ日頃から農業経営や生活の改善に真剣に取り組んでおられ、次代のわが国農業の担い手を目指してたゆまない前進を続けておられます。

本年の「つどい」が、これからの、わが国農業発[illegible]ンとして注目されて[illegible]で開催されますこと[illegible]時局から極めて意義[illegible]れると同時に、参加[illegible]に対しては誠に適切[illegible]的な[illegible]強の[illegible]ていま[illegible]とと[illegible]この[illegible]の「つ[illegible]よって[illegible]皆様の[illegible]楽しく、実りの多いも[illegible]ますことを祈って止[illegible]

終りにのぞみ、地元[illegible]この「つどい」に対[illegible]とものご支援を、重ね[illegible]申しあげます。

Wellcome Festival

第1部に開会式　2部で歓迎を

「第八回全国4Hクラブ員のつどい」では、開会式のないつどいが演出しようと準備している。実は北海道の広大な地域性を配慮に入れ、直接現地に入るというこれまでに例のない組み立て方をしたのである。初日に一同に会してつどうことができないため、なか日である第三日目、札幌に集合して従来の開会式を含めて二時間にわたってウェルカムフェスティバルを行なう。

ウェルカムフェスティバルは二部にわけ、第一部では集合式といった感じにし、道府県連旗入場、主催者あいさつなどを含め団結を強めるための演出を考えている。また、第二部は「ようこそ、北海道へ」と題し、北海道の芸能、風物を紹介しながら参加者全員と対話を通して北海道の姿を理解していただくための企画をすすめている。

なお、この催しは、昨年九月中旬オープンしたばかりの北海道の福祉と文化の殿堂——北海道厚生年金会館で行なう。八階建てのクラブ棟と六階建のホール棟からなっており、つどいに使用する大ホールは座席が二千三百もある北海道一のホールであり、IOC総会や札幌オリンピック芸術行事が催されたことは記憶に新らしい。七二年冬期オリンピックの成功にあやかる訳ではないが負けずに素晴らしいつどいにと企画している。

ウェルカムフェスティバルなどに使われる厚生年金会館

三日目にパネル討議

代表者を全国から募集

ウェルカムフェスティバル（三日目）の終了後、同じ会場の厚生年金会館ホールでパネル討議が予定されている。その内容などについては、正式に決定されていないが、目下、各方面の助言を受けながら検討している。

これまでパネル討議というと、とかくテレビや、ラジオ放送用として作られた感じのものが多かったが、「第八回全国4Hクラブ員のつどい」では本当の実のはいったパネル討議を考えていきたいと三者で話しあわれている。

テーマは、4Hクラブ活動が日本に上陸し、二十五年の年月を経た現在、日本にあった4Hクラブ活動の方向への転換を余儀なくされる時期にさしかかっているため、ここで、現状を分析し、新しい方向を見い出したいという高い願望があることから「どうする4H!!」といった観点ですすめたいとの意向のようだ。

パネラーについては一応、五名程度でそのほかに司会者一名、助言者一名の七名を考えている。パネラーについてはクラブ員、特に「つどい」参加予定の中から選出することにしているが、出席者を公募する考えのよう。選考方法の内容は検討している。新しい4Hクラブ活動の感覚で、活動推進に努めている人やすばらしい組織感覚、アイディアの持ち主を中心に登場させる予定である。

パネル討議の時間については、一時間少々考えている。パネラーの発言と一般参加者との討論に重点をおき盛りあげていく。これらについての公募は、近日中に日本4H新聞を通じて公募することにしている。パネラーとして発言する希望の者はその旨を各県連を通じて申し込むようになると思われるが、多くの申込みを望んでいる。

記念講演の講師を選考中

最終日の五日目には記念講演を予定している。当初、北海道の生んだ偉大な女性作家、三浦綾子女史（作品「氷点」「道ありき」など）を予定していたが、女史は病弱で体の状態がすぐれず、みなさんの希望にそえない状態になった。

ただいま記念講演の講師を各方面より選考している。佐賀での高田好胤氏、愛知の加藤日出夫氏の講演に強い感銘を受けただけに期待されている。今年も「心」と「農村」を講演のテーマに考えているよう。時間は約一時間半を予定している。

畦道

″石をもて追はるる如く故郷を出づる″といいつつ、石川啄木が岩手県渋民村の

啄木と北海道

教職の座を奪われて北海道へ渡ったのは明治四十年五月、啄木二十二歳のときであった。前年に長女を出生し、老父の家出も重なり、生活は貧窮をきわめていた。

啄木はまず函館の弥生小学校の代用教員になる。そこで妻子、母を迎え入れるが、八月、函館大火に会い、再び生計の途を失って札幌へと移る。札幌の北門新報社に入るが二週間で退社。つぎの小樽日報社では営業事務長と衝突、暴力をふるわれて十二月に退社している。

翌年一月、啄木は釧路へ渡る。″凍った天、凍った土″と″食ふべき詩″のなかに書いた釧路では、啄木は土地の歌妓に愛され、生れて初めての酒を飲む。

四月、中央文壇の新しい思潮の興隆を知り、単身東京へ……。

わずか一年弱の北海道生活であった。しかし、厳しい自然とドン底の生活は、啄木に現実を見据（す）える眼を養わせ、それ以後の詩作活動にはかりしれない影響を与えた。在りし日の啄木の面影を忍ぶかのように、小樽、空知河畔、阿寒湖畔、釧路に歌碑がたっている。

啄木が二十七歳の若さでこの世を去ったのが明治四十五年四月十三日、ちょうど六十年前の今日である。【宇】

散策

原始林の中を探訪

北海道の歴史を開拓記念館で

○第四日目は約十時間にわたる長時間、北海道の歴史と自然、産業をテーマにした散策の時間にあてられている。散策は歴史の名所である野幌森林公園、開拓記念館、サッポロビール、雪印乳業、月寒などをバスで結んで行なう。ある人が言っていた、「若者は語るために集う」と…討論の場にして行く予定である。ここで討論の場となる会場にスポットをあててみよう○

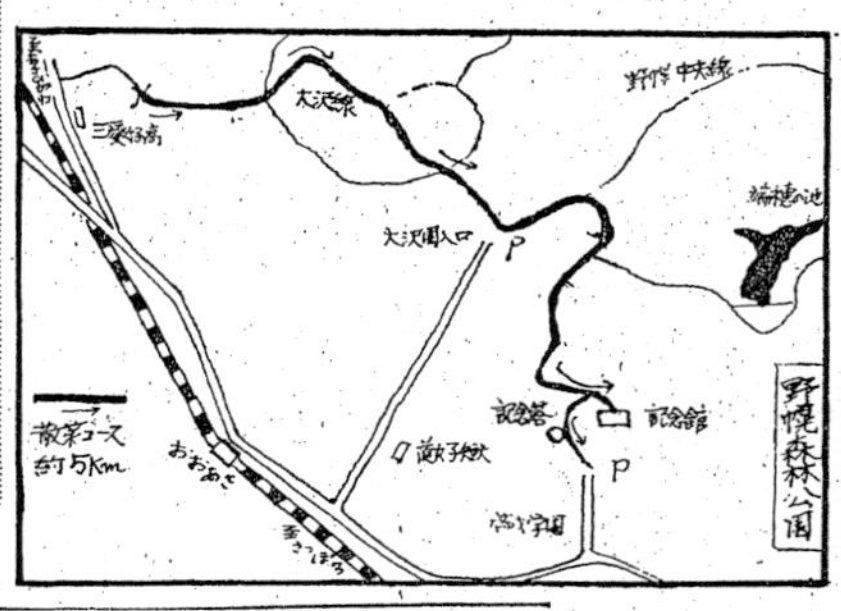

自然公園

道立自然公園野幌森林公園は、北海道百年を記念して昭和四十三年五月に指定された。

この公園は札幌市、江別市、広島町にまたがる面積およそ二千四十㌶におよぶ地域で、都市の近郊にありながら原始性の強い天然林が残っており、しかも平地林であることは非常にめずらしいものといわれている。この森林のほとんどは国有林で、自然休養林にも指定されている。

ここではまだ自然が豊かだ。温帯と亜寒帯双方の要素が混りあった植生はその種類も豊富で、およそ四百五十種におよぶ植物があるといわれている。植生が豊かであるということは昆虫や野生鳥獣も豊富ということで、事実ちょっと注意してみれば、クワガタ虫やリスやめずらしい野鳥にであうことはしばしばである。

この恵まれた自然の森林緑地帯は、だれもが憩いと安らぎを得られるように作られ、永久に護り育てていかれようとしている。この中の五㌔のコースを討論しあいながら散策を行なう。

北海道百年の歴史は開拓使設置よりはじまる

アイヌのチセなど

開拓の歴史を秘めて

開拓記念館

開拓記念館は開道百年を記念する事業の一つとして企画され、道立野幌森林公園の一角に、総工費十五億円余をもって着工、四十五年に竣工し四十六年四月開館した。

北海道のおいたちから開拓の歴史と、開発への課題を示す諸資料を収集・展示・保存し北海道の歴史をたずねることによって、これからの北海道のあるべき姿を考え、あわせてこの種の施設の中心的役割を果たそうという構想のもとに運営されている。

記念館では、①展示②資料の収集③調査・研究活動④資料文献情報サービス⑤講座・研究会・見学会⑥移動開拓記念館⑦体験学習室などの事業が行なわれている。

つどい参加者には、北海道の歴史を次の順に見学してもらう。

一、北の夜明け
二、先住人の人びと
三、新天地を求めて
四、開けゆく大地
五、産業のあゆみ
六、北のくらし
七、新しい北海道

時間的に余裕があれば、収蔵陳列室や特別展示室、体験学習室にも足を伸ばすことができるだろう。

これらの展示の中に開拓移民や屯田兵制度など開拓の姿、開拓使の設置と北海道の命名、原住民アイヌ民族の生活といった興味深い多くの歴史が秘められている。

開拓に活躍した馬の蹄鉄

北大ポプラ並木

アカシヤの街、エルムの街、詩の都とうたわれる札幌に、クラーク博士のフロンティア精神をうけつぐ北海道大学がある。そこは、牧歌的雰囲気が漂う北海道最大の総合大学である。構内には名物となったポプラが天をつくようにそびえたっている。若者にロマンをあたえてくれる。

クラーク博士像

ウイリアム・S・クラーク　ホイラー、ハローの二人の教師を伴って札幌農学校の教頭職につき八ヶ月という短い期間であったがキリスト教による道徳教育と、高等農業教育の確出によってうかがわれる。成果は幾多の異色ある英才の彼の残した業績は大きい。また「ボーイズ・ビー・アンビシャス」はわれわれ青年にも限りない夢と意欲を与えてくれている。

（写真は北大構内にあるポプラ並木とクラーク博士胸像）

工場を見学

雪印乳業・サッポロビール

羊ヶ丘、円山両公園も

そのほか、散策では道内企業のトップレベルにある雪印乳業とサッポロビールなどの会社を見学する計画を企てている。見学は時間の都合により片方ずつになる模様である。

また、羊ヶ丘、円山両公園にも足をのばすことになっている。羊ヶ丘公園のめん羊は有名である。今、肉用、羊毛資源として農家の飼育もあるが、ここでは観光資源として欠かせないものの一つになっているようだ。

また″羊群声なく牧舎に帰り″と北大の寮歌に歌われている通り平野が夕日を浴びる頃に、羊の群れが三々五々牧舎に帰る風景は、遠く彼方にそそり立つポプラの並木と共にまことに平和な詩的情緒を漂よわせ、ここを訪ねる人に深い感銘を与える。円山公園は市民の野外スポーツ、いこいの場として利用されている場所であり、これらの公園を舞台に、心ゆくまで討論の場として活用できたらと期待している。

札幌冬期オリンピックの開会式やスピードスケートの競技が行なわれた観客五万人のマンモス競技場やフィギャ、アイススケートなどの一万二千の観客をのみ込む真駒内屋内スケート競技場なども回る。

バスを利用して以上の散策を一日実施するが、移動の間、要所を紹介しながら、開拓と希望、メルヘンの世界へ案内することになっている。

（写真は羊ヶ丘公園）

未来へジャンプ

百万都市見おろす大倉山で

ファイヤーは冬期オリンピック施設であった大倉山ジャンプ競技場を利用して開催するよう交渉をすすめている。大倉シャンツェは都心から西へ約五㌔の大倉山に九〇㍍級のジャンプ競技場で、観客五万人を収容できるスタンドに囲まれたランディング・バーンには新しい試みとして雪を固めるための転圧装置や世界ではじめての飛距離自動判定装置などが研究されており、世界一を誇るジャンプ台である。

また、この競技場からは眼下に百万都市・札幌の夜景が広がる素晴らしい場所でもある。この素晴らしい舞台を使い、最後の夜を、歌やゲーム、各地区よりのお国自慢の催し物を披露するなどの楽しいひとときを火の儀式を通じて4H精神の高揚を図る企画を考えている。

このジャンプ台では過日のオリンピックにおける九〇㍍級で日本の笠谷選手を筆頭に四人のジャンパーたちが無念の涙をのんだ一幕は記憶に新らしい。その中で、誰もが彼らの姿に試練という教訓を教えられたと思う。いま変革期にある日本の4Hクラブにとって、青年に、仲間になにか通ずるものがあろう。クラブ員が試練に向ってすすむにふさわしい、男らしい大倉山ジャンプ競技場を利用してのファイヤーになりそうである。

ファイヤー

大倉山シャンツェの思い出

笠谷幸生

高校生からA級大会に参加できるようになる。それと同時に九〇㍍級の大倉シャンツェを飛ばなければならない。これが一つの試練である。私の兄も気絶した。

例年だと春の宮様大会にくるのだが、私の場合シーズン初めにきた。この年はスクォーバレーオリンピックの時で、その代表選手選考会を兼ねた選抜大会が大倉シャンツェで行なわれたのである。試合の二、三日前に練習にいったが五〇㍍以上のジャンプ台を飛んだことのない私にとって、苦痛であった。

兄と一緒に居合せたスクォーバレーを目指す吉沢選手、菊地選手、杉山選手、酒井選手などに紹介されて「笠谷の弟か見てやるから飛んでみろ」などといわれ半泣きでスタートに上った。オリンピックシャンツェに変るまで大倉シャンツェは地山でアプローチができていたのでスタート地点はどこからでもできた私は皆んながスタートした所でスキーをつけたが遠くに見える踏切り台に恐れをなしだんだん下にさがって、私がスタートした所は皆んなの所から二〇㍍も下であった。

どうして、どんなフォームで落ちてきたのかぜんぜんわからない。両方の手とお尻が「シビレ」ている。着地するかしないうちに両手とお尻で身体をささえたのである。ともあれ気絶だけはせずに済んだ。

（「成人の書」より抜すい）

郷土芸能を募集！

ファイヤーでお国自慢を

ファイヤーの中で各道府県、郷土の芸能をたずねての時間を設ける。この時間では古くから郷土に伝わる芸能をお互いに披露しあいながら正しく日本の古い伝統を後世に伝承していく使命感を持ち、自らの郷土をつくりあげていく意気を養ってもらおうという願望がある。

全国からこのつどいに集った仲間に、あなたの道府県連の参加希望をまとめ、お国自慢の芸能を披露していただきたい。

出演希望団体については、左記様式に従い、つぎの事項を記入のうえ申し込んでほしい。

団体名　道府県連協名、もしも単位連協出演の場合はそのクラブ名を記入すること。

責任者　出演責任者の氏名、年齢、住所、TELを記入。

連絡場所　責任者以外のところに事務所などの連絡場所を入れること。

芸能題名・芸能のいわれ　芸能のいわれについては歴史・伝統など詳しく、また、自分たちがどのように受け継ぎ、今後どのように伝承していくかなども記入すること。

所要時間　準備時間と両方記入。

出演者数　男女別が判れば記入すること。必要のない場合は合計数字を書く。

用具　使用用具について詳しく記述のこと。

希望事項　あれば詳しく書く。

申し込み　七月三十一日までにつどい事務局に申し込むこと。

<様式>　郷土芸能参加申し込み書

団体名		
責任者	氏名	年令　才
	住所	
連絡場所		
芸能題名		
芸能のいわれ		
所要時間		
出演者数		
用具		
希望事項		

七つの拠点地で受付
千五百人分の民宿農家確保

全国4Hクラブ員のつどいの目玉商品は何と言っても現地交歓訪問である。第一回の九州のつどいから第七回までのその価値は高く評価されているし、つどいの根本精神がここにある。「第8回全国4Hクラブ員のつどい」も二十八日から二泊三日の日程で現地交歓訪問の行事が計画されている。そのすすめ方にスポットをあてることにする。

現地交歓訪問

「百聞は一見にしかず」……話し合いを通じて家族ぐるみの4H活動を行ないたい、これが目的である。家庭実習は農業や生活技術の修得以上に人間修養の面で価値があるといえよう。

さて、北海道での現地交歓訪問はどうすすめられるのであろう。

現地交歓訪問の一点だけをとらえてみると今までの流れとどうようである。しかし、受け入れ現地では府県と異ってそうとう苦心しているもよう。広大な地域のため（東北六県と新潟県をあわせた面積に等しい）全域に渡って配置することができないことがとりあげられている。また、その上にたってより広い地域の配置を考えるとき、従来までのいったん集合して配置といった方式がとれないことで、最初から現地へ入ってもらう方式がとられる。札幌より最高百五十キロ程度離れているなど輸送面で難しい問題をかかえているようだ。とくに主催者側が心配していることは、受付が従来一ヶ所であったのが七つの拠点地に分かれるため、受付は業務がスムーズにいっても、参加者がまよわず到着するかどうかという点である。参加者は情報を的確につかんでいてほしい。各自の民宿場所については、決定次第、一括して各府県連に連絡することになっている。

現地交歓訪問受入地区は、石狩、空知、後志、胆振の全域と上川、留萌、日高の一部になることになっている。民宿については、空知の六百を筆頭に後志三百、上川二百、胆振百八十、石狩百五十、日高五十、留萌四十と千五百名分の民宿農家を確保できている。

受付方法についてであるが、後日七つの拠点地区の担当部局より列車ダイヤ、そのほかを検討のうえ、発表になる予定。八月二十八日の午前十～十二時をメドに受付を拠点地において行なうが、拠点地によっては多少異動があることが予想されている。

受付のあと、拠点地ごとに「つどい」の四泊五日のオリエンテーションを行ない、受け入れ式を終えてから現地へ配分されることになっている。

現地においては、第三日目札幌でおこなわれるウェルカムフェスティバルまでの二泊三日の間、クラブ員宅民宿を二泊と最低半日以上の農業実習を行なうことが義務づけられている。そのほかに、各地区ごとに篤志指導者との懇談会、篤農家視察、町内見学、プロジェクトほ場での学習会、懇談会などかず多くのプログラムが組まれているようだ。

なお、主催者側では現地を訪問して、視察などを行なう場合、次の点を注意するよう指示している。①大局的にとらえる②多面的にとらえる③具体的にとらえる④歯的にとらえる⑤組織的にとらえる⑥計数的にとらえる⑦原因をつかむ⑧問題意識をたえずもつ。

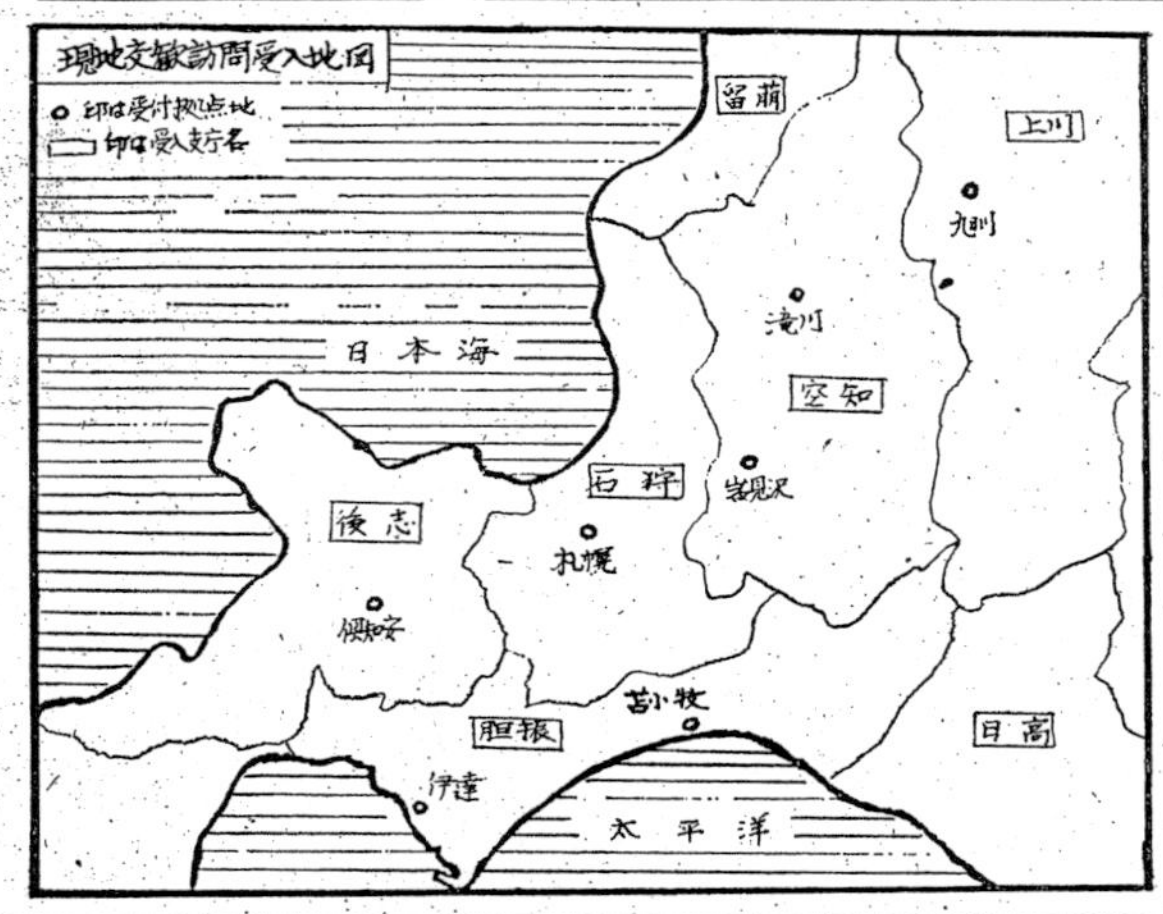

宿泊
定山渓温泉で宿泊

四泊五日の日程の「つどい」の中で前半二日はクラブ員宅の民宿を予定している。民宿の味は格別のものであるが、また宿舎泊もなかなか楽しい雰囲気を出すことができる。

後半の二日間は札幌の奥座敷定山渓温泉の旅館で宿泊を共にする計画である。約二十近くの分宿になる見込みである。旅館においては、各旅館ごとに第一日目は旅館責任者と宿泊者により、交歓の夕べを行ない楽しい一時をすごしてもらう計画であり、楽しい「つどい」をすすめるためのステーションにしていただきたい。ここで定山渓温泉について少々ふれておこう。

「支笏洞爺国立公園」の表玄関定山渓温泉には、札幌市内から約三〇キロの快適なハイウェイがつづき、車窓からの景色が旅情を慰めてくれる。昭和三十二年度の全国温泉コンクールで第一位となり、名実ともに北海道の代表的温泉地となった。泉質は単純塩類泉で泉温九十四度、湯量も誇る豊富である。周囲はうっそうたる原始林におおわれ春は山桜が咲き乱れ、夏は青葉が温泉郷に涼を添え渓谷美が一段と映える。秋は満山紅葉に埋まり、冬はスキーの醍醐味を満喫できるなど、四季を通じて恵まれた自然に親しめる理想的な観光地である。例年八月上旬に〝かっぱ祭り〟を開催、全街をかっぱ提灯その他で賑やかに飾付け、三千人余の〝定山渓かっぱ音頭〟に合せての群舞は圧巻であり、終日観光客が押し寄せ、共に踊り、楽しい夏祭りの名物になっている。

観光旅行をお手伝い
道南・道東の二コース設定

☆近年、北海道の観光が脚光をあびてきている。このつどい終了後北海道の観光旅行を計画している仲間もいるようである。道4Hクラブのつどい実行委員会では、そんな仲間のために、旅行のお手伝いをしようということで、このつどいに全日程参加した者に限り案内することにしている。コースは道内の代表的な道南・道東の二コースを設定をしている。☆

百万ドルの夜景といわれる函館

道南コース

道南コースは札幌—苫小牧—登別温泉で一泊—オロフレ峠—昭和新山—洞爺温泉—長万部—函館市内見学—百万ドルの夜景—函館山—函館駅—二日午後九時頃解散である。

このコースには登別温泉の地獄谷があり、常に白煙をあげて豊富な種類の温泉を湧出している。またオロフレ峠の風景は抜群。昭和十九年に生まれた昭和新山はもうもうと噴煙を上げ、旅人の興味を引くに充分。それに加えて函館市内、百万ドルの夜景といわれる光景は、このコースならではの演出である。

このコースはバス代三千八百円、宿泊料として二千五百円、その他雑費七百円の合計七千円。なお、函館で宿泊の場合はあっせんするので旨を連絡のこと。

道東コース

道東コースは、札幌—旭川—層雲峡温泉で一泊—石北峠—網走—美幌峠—川湯一泊—摩周湖—阿寒湖—糠平湖一泊—帯広—日勝峠—日高—苫小牧—千歳—札幌午後六時頃解散である。

このコースにも延長二十四キロ日本随一の峡谷美をうたう層雲峡があり、流星・銀河の滝は見ごとなものである。網走国立公園の天都山山頂展望台からは、能取湖、網走湖、オホーツクの大観が目にとびこみ、強烈な印象を与える知床の岬も遠望できる。そして美幌峠の大観、湖の神秘性を一層ひきたてている霧の摩周湖、マリモの阿寒湖、人工美が融合して雄大な景色をみせる糠平ダム、十勝平野を一望する日勝峠など見どころは多い。

このコースはバス代五千円、宿泊料七千五百円、その他雑費千円の一万三千五百円である。

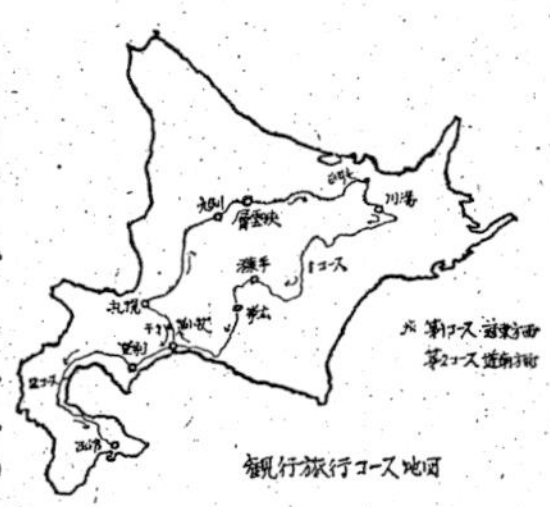

観行旅行コース地図

申込み 五月一杯
四十名以下の時は中止

申し込みについては、五月三十一日までに〒060札幌市北三条西六丁目北海道庁農業改良課内北海道4Hクラブ連絡協議会つどい実行委員会まで、①希望コース②住所、氏名、年令③印かんを押印のうえ申し込むこと。なお、代金については、申し込み〆切後に再度連絡するのでその時、代金を納入していただきます。

また、各コースともバスを利用するため、四十名にみたない場合は中止することもあります。定員を越した場合は受付を中止します。

この他に道北コースも検討しますが代金、日程は道東とほぼ等しくなると思います。希望があればその旨連絡下さい。

"えぞ富士"は招く

後志4Hクラブ連絡協議会々長　二川健司

雄峰羊蹄、蝦夷富士と呼ばれ目前に広がるその雄々しい姿は、後志4Hクラブのシンボルとなっている。春夏秋冬、その華麗な姿を見せる。蝦夷富士を中心に北海道の縮図といわれる後志の農業を背負ってたつクラブ員は「つどい」を夢見て、いまその準備に最後の追い込みをかけています。

果てしなく広がる草原にのんびりと草を喰む牛の群、北国の牧歌そのままの酪農の町黒松内町（会長 福田一彦君）・道内でも有数のすし米の産地、黄金の稲穂が波うつ米の町、ヤング4Hの蘭越町（会長 向山博君）、東洋のサンモリッツ、ニセコ連峰を背景に全国でただ一つのカタカナの地名、酪農と畑作の町ニセコ町（会長 林良一君）・

豊かな北国の旅情をさそうのはジャガイモの味と香り、東洋一の合理化澱粉工場を持つ馬鈴薯と酪農の真狩村（会長 藤本民夫君）。

おとずれる仲間のために北海道の味と作業を十分に楽しんでもらおうとすでに共同プロほ場を設け張り切っているジャガイモ、アスパラ、酪農の留寿都村（会長 吉川政徳君）・

ここから見る蝦夷富士は美しく女性的、世界のグレードルで名高いアスパラ缶詰工場を持ち、ほろにがく漂うアスパラと酪農の町喜茂別町（会長 越後耕二君）。

同じ蝦夷富士でもここから見ると男性的、食品化工[illegible]工場を持つ馬鈴薯、ビート、アスパラと酪農の町京極町（会長 南川勝美君）。

相場市場をにぎわす赤いダイヤで代表する穀倉の町倶知安町（会長 原田芳男君）、ここは支庁の所在地であり受入れ拠点地でもある。

「リンゴはなんにもいわないけれど……」、後志にあってくだもの香り高い果樹と野菜の町仁木町（会長 井内邦明君）

北国の秋の味覚、トウモロコシをはじめ、近年、蔬菜栽培が盛んな箱庭を思わせるカルデラ盆地、北海道のミニ村、赤井川（会長 岡本孝志君）

これが受入れ町村の顔です。いま後志では銀世界の中からところどころ黒い春の息吹が顔を出している。じっと雪の下で春を待つフキノトウや福寿草がやがて花開くように全国の仲間が後志の地で友情の花を咲かせてくれることを信じて八月二十八日、その日を待っています。

蝦夷富士の見える後志に一人でも多くの仲間が訪れますように、また、後志の仲間に新しい全国の情報を提供してくれるのを楽しみにしています。

つどいに向う留萌

留萌4Hクラブ連絡協議会々長　中尾克美

長い冬からようやくはい出すかのように、黒い土が雪の中から顔を出してきた道北のマチ留萌。やがて方々から春耕のひびきがせわしなく聞こえてくる。そして、緑豊かな八月になると全国各地からのクラブ員が道内へくる。もちろんわが留萌へも……。では、仲間を迎える道北の小都市留萌の素顔を紹介しよう。

留萌市は市制二十周年を迎えるが、全国の人口流動にみられるように人口も年ごとに減少し現在は四万弱である。産業の中心は水産加工業と農業である。水産加工業は遠い昔のニシン漁最盛なる頃からの産業である。また、農業のほかには立地条件を利用した商業貿易港として活躍している。大きなとらえ方をした留萌市の顔であるが、つぎにもう少しまわりから紹介してみよう。

道内一円に十四の支庁があり、各々に支庁連協（府県の地区連に当る）があるが、留萌市が属する留萌管内4Hクラブ連絡協議会は、そんな中では小さい規模の組織体である。立地としては南北に細長く、全市町村が日本海に面している。九ヵ市町村、会員三百余名の会務はなかなか多様である。では一走り全市町村の活動、立地などを……。

北は幌延町、最北の地へ車で一時間余という北方酪農の中心地である。そして天塩町は幌延町と並んで酪農の町で天北原野の一角をなしている。ともに4H活動も向上しつつある。天塩を南下すると稲作の北限地、遠別町があり、近年の冷害にもめげず、農民は経営に意欲的である。つぎに初山別村、ここは管内でも特に過疎化がはげしく、4H活動も一考をせまられている。さらに南下すると羽幌町、何かと話題の多いところで、4H活動そのものも多分にもれず再三にわたる建て直しでゆれ動き、昨年ようやく地が足についた感がし、今後が期待される。苫前町、小平町はともに穀倉地帯であり、4H活動もまた、なかなかでいるところである。そして小平町にイチゴとリンゴの町で知られてある。管内最南端は増毛町、全国と、増毛町の間に留萌市があり、水稲、野菜そして肉牛という農村地図は農村の縮図でもあるかのようだ。クラブ員は二十八名の小家族で組織力は小さい。

全国の皆さん、我々は心から迎えたい。わずか二泊の現地交換であるが、海と農業の町をじっくり見つめてほしい。海と山の幸をどうぞ。留萌っ子をどうぞ。今は二十八名を中心に管内三百余名が心から迎える準備である。何がどうなのか、ぜひきていただき、本当の留萌の姿を体得して下さい。

北海道や各方面から写真提供をうけましたので申し添えます。

稲田の波爽やかな空知へ

空知4Hクラブ連協「つどい」準備委員　後藤勝史

「第八回全国4Hクラブ員のつどい」も残すところ四ヶ月余りとなり、空知4Hクラブにおいても参加者の四割近くを受け入れるため日夜、準備委員会（委員長 尾崎静夫君）の委員により計画を企てている。約一千名余りの空知管内クラブ員も、それぞれの市町村連協で「いかに有意義にするか、印象の良いつどいに」と思案中である。

趣旨にもあるように日本農業の担い手として、日夜農業の改良と生活の改善に努力している4Hクラブ員が自らの手で企画運営し、自主性の高揚に資するとともに新しい技術の研賛とクラブ活動状況の話し合いや現地交換訪問などを通して、青少年の仲間づくりや地域社会から理解される家族ぐるみの4Hクラブ活動を図るため……というように府県から来るクラブ員のみなさんと交歓できることを空知一千名のクラブ員は心待ちにしております。

北海道の中心都市・札幌より車で約一時間あまりのところに、石狩川を背景に雄大な空知平野が広がっています。アイヌ語で滝下る川という意味の空知は北海道の稲作地帯で気候風土の良い、土地の恵まれたところでもあります。つどいの開かれる八月下旬から九月にかけては、北海道ではとくに良い気候の時期です。

黄金色の稲田の波が、一千名の空知の仲間が、全国の若い4Hクラブの仲間を、また、その家族のみなさんをお待ちしております。ぜひ、今年は北海道のつどいへおいで下さい。

これらの準備を

次の実行委員を中心に準備をすすめていますので宜しく

委員長	中山　寿雄	網走
副委員長	二川　健司	後志
〃	仲西　信之	空知
事務局長	赤松　宏	後志
〃次長	沢田　義美	空知
現地交歓訪問	中川　諭	〃
輸送担当	谷口　威裕	上川
散策担当	小渠　力	石狩
〃	丹　正臣	上川
宿泊担当	小野寺利博	後志
〃	吉田　澄子	石狩
開閉会式担当	田村　捷一	十勝
歓迎ファイヤー	高橋　一夫	日高
広報担当	菅野多喜夫	桧山
渉外担当	前川　英明	日高
〃	小野寺俊幸	網走
経理担当	篠原　健一	胆振
事務局員	阿部美智子	宗谷
〃	大西　信子	留萌

以上十九名の委員で実行委員会を構成しています。

編集に当って

第八回全国4Hクラブ員のつどいPR号の編集を終え、ホットしたというのが本音です。何年も編集活動から離れていたため、満足いく取材が出てきなかったのが残念で仕方ない。ただ、この「つどい」が成功するように、この「つどい」がどう企画されているかを皆様に伝えることが業務と思い無心で編集しました。発行に当たって投稿下さいました北海道知事をはじめてとする各位に感謝申し上げたく思います。編集に御助言下さった各位に心よりお礼申し上げます。

（実行委員会事務局長　赤松宏）

わきだつ4Hフェスティバル

トラクターもパレードに参加

即売、主婦に大モテ
パレードや農産物 岐阜の色彩豊かに

好天にめぐまれたさる三月十五、十六の両日、岐阜県4Hクラブ連絡協議会（会長 林 新太郎君）では、かねてより計画していた「岐阜県4Hクラブフェスティバル」を大垣市スポーツセンターと公園広場で開催した。会場に当てられたスポーツセンターの体育館は展示会場に、また隣接する公園広場では農機具展示や生産物即売会にと、フェスティバルはパレードやプロジェクトなどの展示を含め盛大にくり広げられた＝中野俊一連絡報道員発

さすがヤルー!!

十五日は午前十時に平野岐阜県知事、大垣市長、伊藤県会議員をはじめ、名関係機関から多数の来賓の出席を得て開会式が行なわれた。

開会宣言に続いて立った林県連会長は「農は国の元なり」という格言を前置きに、「全県の4Hクラブの皆さん、よく頑張ってくれました。今こそ県農業祭の一端として、4Hパワーをここで発揮せねば……」と、声を大にして呼びかけた。また、平野岐阜県知事は県会の真盛中にもかかわらず審議を午後に伸ばしての出席。知事は県の農業の実態ならびに総合農政下におかれている農業者の姿をとりあげ、「今こそ、若い農業者が固まるときだ。このフェスティバルを契機に、さらに大きく飛躍してください」と激励。三百余名の出席者の拍手をあびた。

開会式のあとテープカットが知事によって行なわれ、縦三十メートル、横五十メートルの展示場はいよいよ幕が切って落とされた。十三の地区連ならびに協賛団体の中部電力、県経済連、大垣農協、農業共済組合、大垣農業高校の展示も合わせ、待ちかまえた人々で会場は人の山となった。

十二時、公園広場よりパレードが出発し、大垣市の目抜き通りを行進した。名地区ごとに用意された出し物には、展示、即売のPRをかねてか、若い農業経営者の意気を示すためか、見物の人たちもビックリするようなものが続出。本巣4Hクラブのイチゴとカキは高さや直径が四メートル以上の代物でかつぐのに一苦労。伊奈波4H連協は、本場岐阜の鵜飼（うかい）の出し物。「鵜」の姿をした十余名のクラブ員が大きな舟をかつぎ、早くも鵜飼のシーズン入り。

一方、飛騨連協ではさすがに雪国だけあって、タタミ二枚と大人もスッポリ入ってしまうくらい大きなズンベ（ワラで作った長グツ）のみこし、クラブ員は特産の位（いちい）笠を身につけ、一風変ったスタイルで行進した。パレードの長さは百メートルを優に越え、パトカーが先導、それに大垣農業高校のブラスバンドが続く。風になびく県連旗と地区連旗、それをもつ地区連会長や県連会長の顔は喜びと緊張が入り混っていた。

平日というのにねり歩く4Hクラブ員に、何がおきたと飛びだすおばさん、奥さん連中……。昼休みで見物していた若いOLは「さすがヤルー」の一言。「前から知っていたけど、これだけ組織力があるとは……」とは一見紳士風の男性。また若い奥さんは「4Hって全然知らなかったけど、パレードも何かのデモみたいな感じでなく若さがある」と語っていた。お世辞でもそんな答えに大喜びのクラブ員の顔はゆるみっぱなし。

お客でにぎわう農産物即売会場＝岐阜県の4Hフェスティバル

パレードに加わったトラクター五台も、ハチ巻き姿のクラブ員にうまく歩調を合わせていた。

こちらは即売会。「いらっしゃいませ」「まいどありー」の声に五十メートルも続くテント内はテンテコマイ。コイにダンゴ、コンニャクにシイタケ、それにツケモノ……。白菜五十円、ミカン五百円。季節的にも生産物の少ない時期だけに心配されたが、出てくる出てくる。「さすがは4Hパワー」の声も出るほど。「安いわ」と買いこむ奥さんに、「上手な買い物をしてくださいヨ、これもどうですか」と売りつけるクラブ員。クラブ員が作った生産物をできるだけ安く買ってもらうとともに、対話を通じて消費者と意見交換するという即売会のねらいは十分に果されていたようだ。

夕方六時からは会場の一部を利用して"夕べのつどい"が行なわれた。フォークグループバンドの出演、ゲームなどで幕あけ。さらにのど自慢、ダンス…と、八時までの二時間、司会者も時おり脱線しての集いになり、クラブ員たちは明日に向かって大いに騒いだ。

十六日はNHKのテレビのニュースにも放映され、ラジオも宣伝に一役買った。まさにフェスティバルも最高潮。初日にひき続いて公園広場で行なわれた農機具展示会では、田植機やコンバインなど農機具一般に乗りこんで運転するクラブ員に、係員も親切に応対していた。

午後四時から行なわれた閉会式では、大会開催地の西南濃4Hクラブ員と西南濃普及所の人たちに大きな拍手が送られ、挨拶に立った西南普及所の福田氏は、「4Hクラブとの親近さも増し、クラブ員の人たちとの結びつきを強くすることができた」と語った。また林会長は「本大会は年度初めに計画がなかっただけに皆さんに苦労をかけました。しかし4Hの力でフェスティバルは大成功でした」と挨拶。そのあと全員で4Hクラブの歌を大合唱してフェスティバルの幕を閉じ、トラックに積みこんだ荷物とともに家路へと向かった。

展示の準備から本大会に参加していただけに、クラブ員一人ひとりがつかんだ中味はきっと大きなものだったに違いない。また、泊りこみで応援してくれた西南濃普及所の普及員の人たち…。「このつながりを大切にしよう」と、最後まで協力的だった各協賛団体との"つながり"の意義も大きかった。この大会が岐阜県農業祭の布石となるとき、それは私たちの4Hクラブがさらに大きく伸びるときだろう。

17日に総会 岐阜県連

さる三月三十一日、岐阜県4Hクラブ連絡協議会（会長 林新太郎君）は、さきに行なった4Hフェスティバルの反省会をかねて今年度最後の理事会を開き、通常総会を来る十七日に可児郡の青年研修館で開催することを決めた。

ゴールイン

【岐阜】春は結婚シーズン。岐阜県下でも多くのクラブ員が第二の人生へと出発した。

☆……県連副会長の吉川みどりさん（一昨年度、日本4H協会から日本代表の"草の根大使"として米国へ派遣され半年間生活）は香川県の関輝男君とさる五日にゴールイン。

☆……飛騨では異色の結婚。生活改良普及員・佐藤信子さん（秋田出身）と築山和夫君とが結ばれた。

☆……県連監事の山本隆平君と谷口美雪さんと。

築山、山本両君ともクラブ員が主催して会費制による祝賀会がもたれ、全員で祝福した。

涼風暖風
思いがけない三百円の贅沢？

ゴリラでも猫でもないらしい。一家全員風邪で全滅、誰もかれも不景気で、食欲がない。牛乳は最も栄養の高い食品ということは、誰の頭にもあること。一人一本以上飲む努力は、大方の人がしていることである。

ところが、最近の牛乳のまづいこと、本当の味の知らないものは、白い液体であれば、牛乳ということであろうが……搾りたての牛乳の味を知っているものには、我慢のならないこと。元気な時でも仕方なく飲むのであるが、体の調子が悪く食欲不振になると、どうしても手が遠のいてしまう。頭では、十分わかっているのだが、口が受けつけない。

こうして冷蔵庫の中は次々と牛乳がたまる一方で相当の面積を占めるにいたった。ゼリー菓子にしたり、プリンにしたり、使い方を工夫してみたが飲む程にはこなせない。

"どうしよう"

"捨てるのは勿体ない"

"風呂に入れたらどうだろう"

"牛乳風呂？"

"そんなぜいたくな"

"くさらして捨てる位なら、試しにやってみては？"

十数本の牛乳を洗い桶にあけ、あつめにわかした風呂湯に流しこんだ。水色のタイルの浴槽の中に、白い液がサアーと下りたと思うと、下の方から左右にわかれてモクモクとわいて来て、たちまち浴槽は、白い液一杯にかわってしまった。

家族が次々とこの牛乳風呂を浴びた。ところが以外と快い。体も心からぬくもり気分もよく、あたかも温泉にいったような楽しみと快適さを味わった。そして肌がツルツルとなめらかで、全身パックをしたような化粧水をつけたような感じ、そしてはだが、十も、二十も若返えった感じで鏡の中の自分をながめるのであった。

牛乳は飲むものだが、肌から飲んでみるのもまた意外と効果的ではないか……などいろいろ勝手な意味づけがとび出した。

そして"牛乳か、貯らないかなあ――飲むより牛乳風呂はいいなあ……"

一方、"二十本近い牛乳をのまないで勿体ないよ"というつぶやきもあったが、

"たかが、三〇〇円にもならないぜいたくではないか"というところに落付いた。（T）

次号から新登場
連載小説「落日」
作者 山中康司君（栃木県の4Hクラブ員）

山中君

前号まで連載していた北海道・若葉4Hクラブの越湖正孝君の小説「はばたき」に変って、次号から、栃木県・小山4Hクラブの山中康司君が書いた小説「落日」が新登場する。

この小説は『農民文学』百六号にも掲載され、若き農業者の作品として注目されている。小説の内容は、農業高校を卒業した一青年が、恋愛、経営、結婚問題などで悩む姿が、その主人公の精神の軌跡をとおして語られている。

作者の山中君は昭和二十二年生れで今年二十四歳。四十一年に栃木農業高校を卒業し、自家の経営を引き継ぎ農業に従事するかたわら4Hクラブ活動にも力を注ぎ、四十五年度には小山の単位クラブ会長をやり、その翌年農民文学会に加入した。現在は二ヘクタールの米麦中心の農業を経営しながら、勉学にうちこんでいる。

作者のことば　"落日"は私の初めての作なのですが、できれば今後とも、農村・農民を深くみつめて、農業と創作を両立させてゆきたいと思っています。

青春はクラブの中に
熊本県・真士会　牧野良江

青春――この言葉は私に快さを与え、また救いようのない空しさを感じさせもする。青春は無形なるものゆえ、意義ある青春、価値ある青春と、その度合いをはかる万人共通のものさしはない。

単なる自己満足にすぎないといえばそれまでだが、私のこれまでの浅い経験のなかで脳裏をかすめるものは高校卒業と同時に取り組んだ青年団と4Hクラブ活動である。親に苦い顔をされながら、仕事を犠牲にして出席することも少なくなかった。

なかでも4Hクラブでは二十数名のサークルを結成し、農業青年に欠けている文化活動の一環として演劇活動を始めた。そこにはわれわれが普通これらの組織を通じて学んでいることとは違った趣きがあり、日々興味を増していったものだ。

しかし、農家にとっては、昼間は宿命的な農作業があるし、種々の学習会もあるし、したがって演劇の練習も十二時をすぎることがしばしばあった。また、そんな夜更けに、仲間といろんなことで議論し合ったこともあるし、場所を変えて飲んで陽気になった日もあった。

親は「嫁入り前の娘が夜遅くまで……」といい、私がどんなに納得させようとしても理解してもらえず、口争いは絶えなかった。

ひや汗をかきながらの公演は、危険な道で車の運転をするようなこころもちになるものだ。しかしそれだけにそれを遂行しえたときの感激は格別のものである。演劇は決して機械的なものではない。それは一人ひとりがその役割に徹するのがいかに大切かを教えてくれる。最大の効果は一個人のレパートリーが広くなり、生活にもゆとりができ潤いがでてくるということだ。それは、私自身の生活の糧となり、生の指針であるといっても過言ではないだろう。試みることによって私は私自身を高めてゆきたい。

ということは、真実を直視する自己をめざすということだ。卑屈な人間にだけはなりたくない。それを克服する唯一の手段は努力だと思う。自然にふるまいのできる人間――自己を訓練することによりそれを可能にすることこそ私の一生のプロジェクトであると信じてやまない。

早期建設をめざして　4H会館　―9―
無気味、OBの沈黙
いつ腰を上げるのか!?

いま、4H会館の建設を通じて、4Hクラブの結束力や英知の真価が問われ、奥深くひそんでいた問題が次々に掘り起こされている。それらが一挙に、まぶしいほどの照明にさらされ、ストレートにわれわれの眼の中に飛び込んできている。その一つがOBの動きである。

というのは、この会館建設がOBの口から発せられ、募金を開始したにもかかわらず、いまだに表面立った動きが見られないからだ。いつ腰を上げようとしているのか。現役クラブ員からの呼びかけを辛抱強く息をひそめて待ち続けているとしか思えないOBが、全国に大きな渦を巻き起こすのはいつか。量的にみて、OBの方が人数や経済能力において現役クラブ員を上回るだけに、沈黙はかえって無気味に映る。

4H会館の建設は、さる三十八年の夏、和歌山県の高野山で開かれた4Hクラブの全国大会で参加者の中から発意された。そこには、全国のOBと現役、それに未来の4Hクラブ員の心が一つに結ばれるようにという大きな願望があったはずだ。また、この会館建設を通じ、あるいはこの殿堂を拠点に4H活動や農業に新しい息吹きを、新たなる出発を試みようと夢に描いたのではなかったか。一部にはその心意気をひややかなまなざしで見つめている人もいるが、そう考えないでどう思えというのだろうか。

しかし残念ながら、そのOBから力強い声が響いてこない。率直に言わしてもらうなら現役やOBから何回となく出された文書に対しても、ほとんどがなしのつぶて。打てば響くような反応がかえってこないのはどうしたことか。

確かに、現実問題としてクラブ員が一家の柱となり、家庭を守り、それぞれの地域で重要な地位につけば時間的な余裕もなく、おいそれと呼びかけに応じ切れないのが実情であろう。だがその半面、単位クラブなどでも指定されるOBとクラブの関係、いわゆるいったんクラブを卒業するとクラブとの関係が疎遠になるというマイナスの面が二重の映像となって迫ってくるのをどうしてもぬぐい去ることはできない。

4H会館の建設が提唱されてからすぐに、全協の歴代役員を中心とするOBで会館建設準備委員会が結成された。その翌年、建設委員会に切り替えられ、募金運動のための方法が練られた。そして全協の役員もその委員に加わるというシステムで募金活動に突入、いよいよ歴史的な一大事業と四つに取り組むことになったわけである。

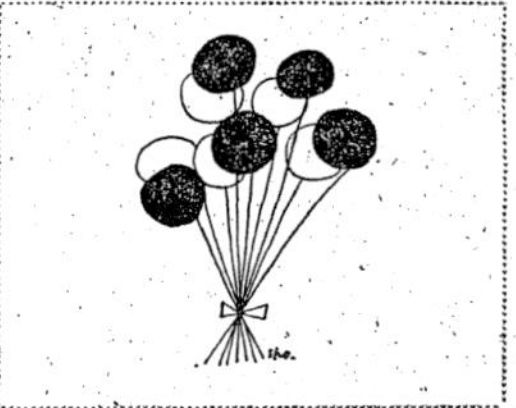

しかし、いざ募金活動に入ると、OBは募金にかけずり回るというわけにはいかない。そこで募金の主導権は全協、現クラブ員に移ってきた。この主役交代の時点から現クラブ員が表面に立ち、OBはその陰にかくれる格好となり、今日までその状態が続いている。

では、再びOBが現クラブ員とともに会館建設と取り組むのはいつか。再びその力をよみがえらせるエネルギーは何か。各県連でもさいきん、OBにも募金の協力を求める傾向が強まってきているが、会館の建設（一フロアーの買取り）はすでに目前に迫っている。OBが動き出しても早い時期ではないと思う。

またこの機会に、いかにしてOBと現クラブ員との結束を強めることができるかにメスを入れ、今後、ともに力強い一歩を踏み出すチャンスとするようにしてはどうだろうと考えるのだが、ムリだろうか。

心頭技健

マリモで有名な摩周湖で代表されるように北国、北海道は神秘的なイメージが強い。しかし、さいきんは知床旅情や網走番外地、函館の人などの流行歌によって身近かに感じさせている。また、札幌で開かれた冬季オリンピックも記憶に新しい▼この北海道で今年の八月二十八日から九月一日までの四泊五日間にわたって4Hの祭典――「第八回全国4Hクラブ員のつどい」が開かれる。参加者はこれまで最高の二千名を予定し、いま、北海道のクラブ員がその受入れ態勢と歓迎の準備に追われている▼今回のつどいの特色はなんといっても、その会場と現地交歓訪問を行事の最初にもってきていることだ。北海道開拓の百年の歴史を秘めた大自然、その原始林の中で散策などがくりひろげられる。また開・閉会式場となる札幌の厚生年金会館はオリンピックの総会が開かれたところ▼とくにファイヤー場がすばらしい。あの笠谷幸生が金メダルを惜しくも逸した九十メートルジャンプ台がある場所だ。そのジャンプ台からは真珠のように輝く札幌の夜景が一望できるどという。このような会場で全国のクラブ員が交流できるということは実にすばらしいことだと思う▼クラブ員宅の宿泊交歓を最初にもってきたのは、つどいの統一行事が行なわれる札幌から民泊先まで遠いためだ。往復だけで八時間もかかるのでは現地交歓訪問の時間が少なくなりその意義が薄らいでしまう。また交通費も馬鹿にならない。初のケースとして興味深いところである▼地元の北海道連ではせっかくきてくれたクラブ員に対するサービスとしてつどい終了後、知床などへの旅行を計画しているようだ。これも魅力的な案である。確かに北海道はわれわれの旅情をさそう。▼これまで経営の都合などでつどいに参加できなかったクラブ員からも北海道へは行ってみたいという声が多いもしかしたら参加者は予定の二千名（北海道のクラブ員千名）を上回るかも知れない。

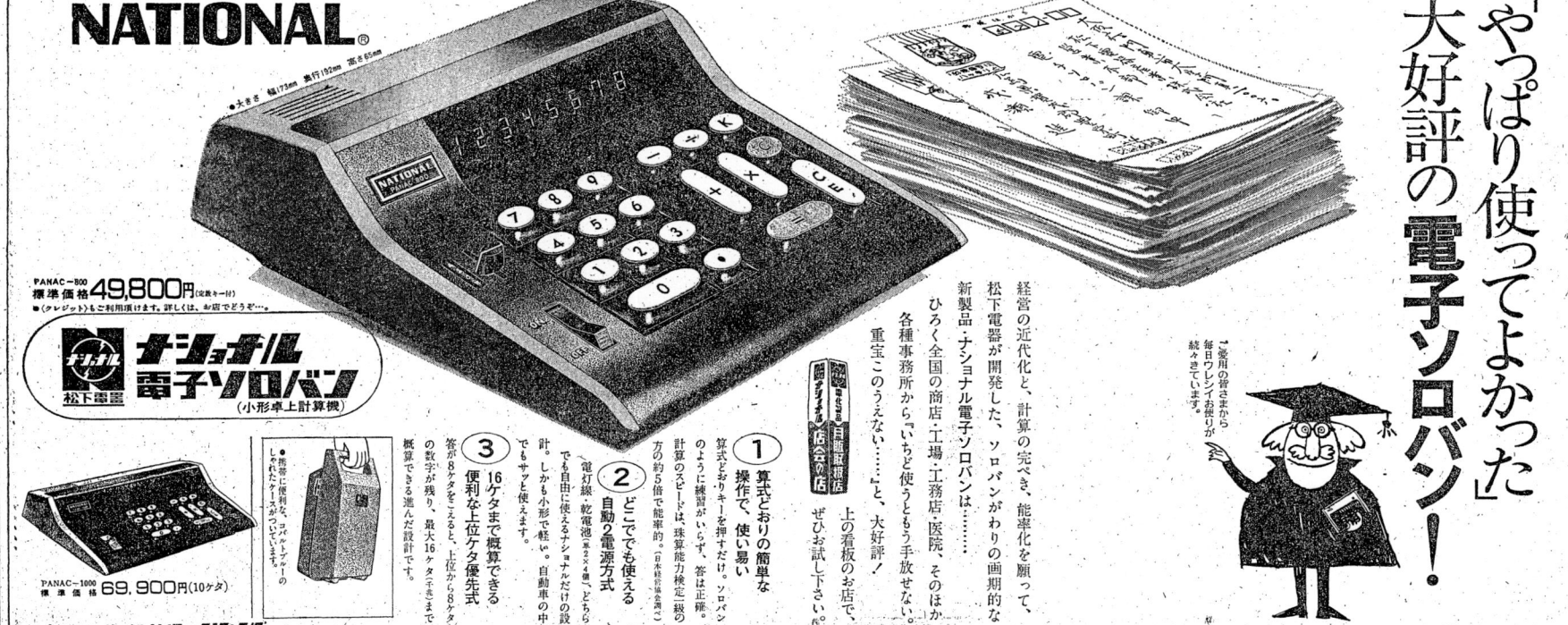

組合わせで有利に
和牛と乳用牛の比較検討

栃木県・都賀町
農村青少年クラブ
初光正光

プロジェクト

私の住む町は県南の都市近郊地帯で、いちご、施設園芸が盛んなところである。私の家は水田一・八ha、畑〇・二二ha、肉牛十六頭を主体とし、労働力は父母と私の三人であり年間総生産額は約二百八十万円をあげている。

和牛肥育をめざして研修を受けてきたが、最近、乳用牛の肥育が普及されてきたために私自身迷いが生じた。安定した有利な肉牛経営を行なっていくには、和牛肥育がよいか乳用牛肥育がよいか……私は両方を肥育し比較検討してみた。

まず、着眼点を①素牛の導入価格②枝肉価格③飼養管理の点④一頭一日当りの利益⑤将来の需要—の五つにおき、後継者育成資金、農業近代化資金を借入れて計画を実施した。そのあらましは表のとおりである。

実績をふり返ってみると、素牛導入については和牛の方が乳用牛に比べて品質の点が重要であり、そのために優良な素牛導入が困難であった。また、枝肉価格は和牛肉の方が需要と供給のバランスがとれて安定しているが、一頭一日当りの純利益は、和牛が百五円、乳用牛が百四十九円で、乳用牛の方が四十四円多かった。

飼養管理の点では、和牛は素牛価格が高く、品質のよいものをつくらなくてはならないので手間が多くかかった。それに比べると乳用牛は、初めから濃厚飼料でも十分に仕上がり状態の牛ができることがわかった。

プロジェクトの実績経過

	和牛	乳用牛
導入頭数	6頭	6頭
開始時月齢	7～8ヵ月	7～8ヵ月
肥育期間	18ヵ月	12ヵ月
仕上げ体重	600キログラム	600キログラム
販売価格	300,000円	200,000円
素牛価格	90,000円	30,000円
一頭当り飼料費	150,000円	110,000円
一頭一日当り純利益	105円	130円

これらのことから、和牛肉は高級肉として、乳用牛肉は大衆向きとして肥育を選すべきであると考える。また、和牛と乳用牛を飼育していたため、価格の変動に対応した導入販売ができたことから、有利な肉牛経営を行なうため、私は当分の間、和牛と乳用牛を組合せた経営をすることにした。

私はこのプロジェクトの経験と反省点を生かし、牛肉の消費が伸びている現在、五年後には和牛二十頭、乳用牛八十頭を年間出荷し、肉牛部門の所得の目標を四百万円とし、これからも精一杯の努力をして農業に生きようと思う。

紋次郎ステキ！

〝あっしには、かかわりないことでござんす〟こう一言すらりと吐いてカラッ風のなかに飄然と去ってゆく一人の旅の男。その男の名は上州三ヵ月村無宿——木枯し紋次郎。最近、この木枯し紋次郎がテレビや雑誌で、現代の若者たちにうけている。

どうして紋次郎がこれほど若者の心をとらえるのだろうか。やはりそれは紋次郎がカッコいいからであろう。カッコよさ、この言葉は具体的なようで抽象的である。紋次郎のどこがもてるのかをさぐる第一歩は、このカッコよさを解明することでもあろう。

粗雑で性急のそしりはまぬがれえないが、カッコよさとは、あいまいな自己否定からくる無目的な飄然としたナルシスティックなあこがれではないだろうか。

カッコよさという言葉には、必ず他人と自己が、つながりしない区別のうちに融合されている。カッコよさを求める自己は、カッコいい対象としての他人を自己のなかに融合すると同時に否定する。なぜならカッコよさとは自己自身の変化へのあこがれでもあるからだ。つまりカッコいいというのは、特定の動かぬものを指すのではなく、流動する自己と他人との関係をさすのではないだろうか。カッコよさを主体的に求める若者に安息はないかもしれない。しかし、カッコよさということが、自己の日常生活にどのように関わっているかによって、とらえ方も表出する形もさまざまだろう。

カッコいい男——木枯し紋次郎。冷淡で孤独、気まぐれで腕も立つ、貧しい家庭から出た狂った英雄……。なんとニヒルなニクイやつである。しかし、この紋次郎のカッコよさも、私たちの意識や日常生活をぬきにしては語れない。それは時として現代社会に生きる一人の人間として、紋次郎が彼の状況に対する生き方への共感であることもあろう。

だが、私たちにとって、いくら紋次郎の生き方がカッコよくても、彼のように生きられはしない。私たちの生活そのものが彼の生き方の否定形なのである。紋次郎は私たちを拒み、私たちは彼を拒む。そこに紋次郎のカッコよさが逆説的に成立するような気がしてならない。

カッコよさなんかはどうでもいいことかもしれない。それより〝紋次郎はカッコいい〟とただくり返していたほうが本質的だったような気もする。（野）

笹笛

輝く県農業研究賞
和歌山・打田町4Hク会長、井口君

【和歌山】那賀郡打田町4Hクラブ会長の井口通君は日ごろの研究活動の実績が認められ、このほど年齢の農業経営者にまじって和歌山県農業研究賞を授与された。

同賞は、自ら産業にたずさわって新しい技術の研究と実践、地域農家の近代化と農村社会の向上に貢献した人たちに贈られるもので今年は、農民賞六人、農業研究賞として三人が選ばれた。

井口君は、農林省の平塚園芸試験場で研究したあと農業に従事、町4Hクラブ会長としてクラブ活動で活躍するかたわら米作主体の農業からシクラメンを中心とした花き園芸を導入して経営改善を推し進め、現在は温室に約六千鉢を栽培しているが、その実績が高く評価されたもの。

結婚を考える ▶10◀
山口県・柳熊農村青少年クラブ生活部

つれづれに想う⑤
〝老年の青春〟を迎え いま満ちたりた心境
働く母の姿こそ尊い教訓

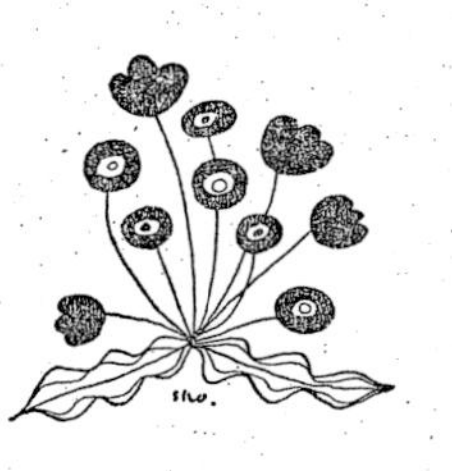

健康をわが家の宝と誇りに思っていましたのに、四十二年五月主人の交通事故と末娘の骨折があい続き、半年間の入院。私も病院での看病生活の疲れから、ついに肝臓とじん炎で倒れたのです。そのとき長女は京都の嵯峨芸術学院の学生でしたが家の急場を考えて自分から進んで退学し、農業をすることになったのです。それでも〝初心すてがたく〟の精神の甲斐あってまもなく裏千家の教師の許状がもらえることになりそうです。

それぞれに自分の進む道は険しくとも、いったん心に決めればいかなる障害も乗り越え、必ずやりとげるという子供たちの精神力は、幼い日、母親のふところに抱かれながら乳房に口をつけ、じっと母親の顔をみつめていたその頃から植えつけられて育ったものだと思います。働く母の姿こそ、どんな教訓よりも尊いものだったに違いありません。

先代よりの懸案でありました参拝道路の完成も間近くなりました。もち山のまん中を通る八…道路の航空写真もできているとか、高級住宅地としての買い手の話も聞こえ始めました。今、波静かな瀬戸の海を見おろすみかん畑で、和気あいあいとしてのどかな日曜日を楽しく働らいているわが若者たちの話題はなんでしょう。〝一本の矢は弱くとも三本の矢は強いのです〟とうしろから叫びたい……それが母としての私の気持なのですが、三人のがっちりした肩の肉づきはもうわかってくれています。いわなくとも私に教えてくれているようです。

銀も金も玉も何せむに
勝れる宝子に及めやも

私の今の心境にピッタリの歌です。現在あることをありがたく御仏に感謝しながら

清浄と松の梢を渡り初む
朝の静寂に建長の鐘

こんな心静かな歌がつくれる心境になりました。持仏堂には副住職の長男がたきそめる香のかおりがあたりを包んでいます。幸せいっぱいの新春を迎えることができました。

〝四十歳は青春の老年、五十歳は老年の青春〟という言葉どおり、私もその年になってしまいました。大自然をこよなく愛し、天地の恵みに感謝し、きびしく毎日を過ごしてきました。母の姿を子供たちはどのように受けとってくれたでしょうか。

一年中、豊かな果物や新鮮な野菜、清らかな空気に恵まれて、将来の農業計画の話題に花咲く温い茶の間……。もしサラリーマンの家庭だったらと、ふと思います。主人の定年退職、子供の学資……卒業した若者は都会へ出て行き、年老いた夫婦の語り草は愚痴と不安の淋しい毎日であるのかもしれません。

いま、静かに三十年間をふり返って思いますことは、私は自分の力の限り、やれるだけやったという満ち足りた心境です。

〝若い時の苦労は買ってせよ〟という言葉どおり、苦のあとには必ず楽があります。子供たちがよく、〝うちのおふくろはボケ〟といって笑いますが、よく親を〝ボケ〟というまでに成長してくれました。〝よかったね〟と、うれしく若者たちの顔を見あげ、お腹の底から満足の笑いがこみあげてきます。

みちのくの母の姿を一目みん
一目みんとてとはに急ぎぬ

この先生のお母さまにあやかって人生を送れたなら、最高に幸せな母の道ではないかと私はつれづれに思うのです。（おわり）

テレビ

明るい農村　6・30～6・55総合
21日　農村新地図「和歌山県大塔村」米山俊直（京大助教授）
22日　村をむすぶ「大坂、松山、新潟、東京」
23日　明るい漁村
24日　特集「〝米〟新時代」の物統令廃止以後
25日　特集②うまい米、高い米
26日　特集③新米価と米づくり
27日　話題と人「親子契約五年」一河野秀勝夫妻（宮崎県新富町）
28日　農村新地図「青森県金木町」篠原一（東大教授）
29日　村をむすぶ「札幌、名古屋、広島、東京」
30日　明るい漁村
農業教室　7・30～8・00　教育
24～26日　農村工業化と農業　吉田寛一（東北大学教授）
27～29日　害虫の総合防除　河野達郎（農業技術研究所）
あすの村づくり
日　7・00～8・10　教育
再　土　13・00～14・10　教育
23日「現代米作考」～その2、米は商品か～北原西郎治（長野県）東原近農協（同県）守田志郎（暁星商業短大教授）
30日「農業国アメリカの教え」

NHK農事番組（4月21～30日）

ラジオ

早起き鳥　5・41～5・57 ①
21日　開発の中の農業⑤～日本経済研究センター理事長　大来佐武郎氏に聞く
22日　ふるさと通信～高松局
23日　話題の窓「広域生活圏構想を聞く」高橋弘篤（建設省計画局長）ほか
24日　公害を学ぶ青年団～愛知県田原町
25日　漁民の作ったイチゴ団地～北海道増毛町
26日　減反でヤマメ養殖～大分県竹田市
27日　茶づくり名人～吉田富三郎（宇治市）
28日　農機具貸します～愛媛県
29日　ふるさと通信～函館局
30日　話題の窓「かすむ酪農を追って」中原保（全国農協連）ほか
この広場　日　6・15～6・30 ①
23日　嫁さがし条例～栃木県下都賀郡国分寺町
30日　ブーム続く果樹苗木～埼玉県川口市安行
新しい農村　6・00～6・30 ②
23日　今年の畜産振興対策をきく　斉藤吉郎（畜産局参事官）
30日　新しい農業技術　川井一之（農林水産技術会議参事官）
ラジオ農業学校
日　6・30～7・00 ②
23日　産業講演会「野菜の販売戦略」小野誠志（農業技術研究所）～前橋市構造改善研究会で収録
30日　農業ゼミナール

同志結集の核へ
『地上』6月号　農業軽視の打破を

家の光協会

新しい農村、農業の担い手である青年の必読誌『地上』の編集方針と、六月号の主な内容をご紹介いたします。

〈編集方針〉

一、農業者をはじめ、日本農業の今日、明日を考えるすべての同志を結集する核となるための企画。

二、農業の持つ構造的特質が日本経済の発展に対応して惹起する諸問題を、農業、農協、農村、農民の視点でとらえ、毎号特集で重点編集。

三、農業軽視の理論を打破し農業の敗北感を吹き飛ばす力強い主張を盛る。

四、協同組合理念の徹底を図るため、その系譜をたずね、新しい理論の展開を試みる。

五、農業記事は「作る農業から売る農業へ」の指向を重視し農畜産物の流通、販売、加工部門に重点をおく。

六、日々進歩する農業技術、農業経営の面では、全面的規模において事例中心に、伸びようとする新しい芽をとらえて、これを理論づけその実際を紹介する。

七、広く海外に目を向け、日本農業の将来に関連する外国農業の実情を紹介する。

八、社会人として、だれしもが知っておきたい政治、経済、文化、社会の動き、および教養記事も重視した企画。

〈六月号の内容〉

○特集　47年産米価をめぐる情勢
・米価値上げの理論的根拠　東京農工大　梶井功
・米価値上げ運動を成功させるポイント（北海道、秋田、岩手、山形、埼玉、長野、新潟、石川、三重、滋賀、鳥取、広島、高知、福岡、熊本県の各参事、農政部長に聞く）
・ルポルタージュ①　米価値上げを望むこの切実な声（新潟）
・ルポルタージュ②　米生産費調査が語るもの（山形）
・物統令適用除外と産地格付けのもたらすもの

○特別企画　契約生産を評価する。　高倉弘
・契約生産とは何か
・契約生産成功の条件
・生産者のための契約生産、今後の展望
・現地にみる契約栽培

（文化部）

明日の農業へ向って
各種農業団体

農業の担い手に
46年度　日本農業賞決る

全国農業協同組合中央会

〝農業近代化をめざし、あすの農業の担い手となる優秀な農業者、共同または協業組織、営農団地を全国から選び表彰するとともに、その技術、経営、組織活動などの成果をNHKの放送を通じて全国に紹介することにより、日本農業発展の一助とする〟という趣旨で、全中とNHKの主催で今年から始めた「日本農業賞」には、全国からの推せん・応募が個人二〇七事例、共同もしくは協業一一三事例、営農団地三事例ありました。

第一次の選考は、各都道府県ごとに行なわれ、都道府県代表として個人、共同もしくは協業それぞれ一事例を選出、これらの県代表について、全国八ブロック（北海道、東北、関東甲信越、東海、北陸、近畿、中国、四国、九州）と沖縄で第二次選考を行ない、個人九事例、共同もしくは協業七事例が中央審査会に推せんされました。

中央審査会（審査委員長　磯辺秀俊東京大学名誉教授ほか委員一〇名で構成）は、三月一日東京・南青山のNHK青山荘で審査委員会を開き、ブロックで推せんされた事例について、いろいろな視点から慎重な審議を行ない個人三事例、共同もしくは協業二事例、営農団地一事例を、はじめての「日本農業賞」として選定しました。

表彰式は三月一七日東京・渋谷区神南町のNHK放送センターで行ない、全中・NHK会長賞、農林大臣賞がおくられました。

なお、受賞者の経営内容などはNHK総合テレビ「明るい農村」ラジオ「早起き鳥」で三月一三日から一八日まで紹介するとともに、三月一九日には午前一〇時から一時間にわたってテレビ特別番組「新しい農業を築く」として放映されました。

〈個人の部〉▽矢野征男氏（[illegible]）主要作物＝ビート、馬鈴薯、アズキ、菜豆、コムギ　北海道河西郡芽室町美生六〇三五▽斉藤昌美氏（[illegible]）主要作物＝リンゴ　青森県弘前市大字一野渡野尻二二五▽中上誠氏（[illegible]）主要作物＝米、プリンスメロン、イ草　熊本県八代郡鏡町北新地三二一

〈共同・協業の部〉▽北穂高農業生産組合（組織員数二六一人）主要作物＝米、長野県南安曇郡穂高町大字北穂高一七九五▽マルエム甘夏柑生産組合（組織員数五六人）、主要作物＝甘夏柑　愛媛県南宇和郡御荘町平山

〈営農団地の部〉▽茨城県・石岡地区農協畜産団地（玉川農協ほか一四農協で構成）

沖縄から推せんされた当銘進氏（[illegible]）は、畜産、野菜、さとうきび中心の経営で、特別に奨励賞をおくりました。（教育部）

日本4H新聞

4Hクラブ
農事研究会
生活改善クラブ
全国広報紙

発行所
社団法人 日本4H協会
東京都市ケ谷家の光会館内
電話(269)1675郵便番号162
編集発行　玉井　光
月3回・4の日発行
定価　1部　35円
一カ年　1200円（送料共）
振替口座東京　12055番

クラブ綱領

私達は、実践を通じて自らを磨くとともに、互いに力を合わせて、よりよい農村、よりよい日本を創るため、四つの信条をかかげます。一、私達は農業の改良と生活の改善に役立つ腕をみがきます。一、私達は科学的に物を考えることのできる頭の訓練をします。一、私達は誠実で友情に富む心をつちかいます。一、私達は楽しく暮らし元気で働くための健康を増進します。

普及部長に田中氏
―農林省

さる四月十四日付で農林省農政局普及部長に、前東海農政局次長の田中彝三氏（元農林省普及教育課長）が就任され、前普及部長・安尾俊氏は科学技術庁の審議官に栄転された。

全協総会　待ったなし会館募金

記録簿などの作成へ
新会長に松浦君（静岡）
つどい、来年は神奈川

全国4Hクラブ連絡協議会（会長　黒沢健一君）の通常総会は、さる十四、十五の両日、東京・新宿区霞ケ丘の財団法人日本青年館で開催された。四十六年度の事業経過と収支決算、監査の各報告を承認するとともに、四十七年度の事業計画と収支予算を執行部提出の原案通り決定、また会長に前副会長の松浦幸治君（静岡）を選んだほか新役員を決め四十七年度へスタートした。とくに日本4H会館の建設は、スペース買取りを予定している農村文化会館（家の光協会が東京都新宿区市ケ谷船河原町に建設）が今夏ごろから着工されるため、責任をもって募金目標額を達成しようと決意を固めた。さらに規約を一部改正して事務局次長を一名ふやし、事務局体制の強化を図り円滑な事業運営を進めることにした。＝2面にも関連記事掲載

総会は、農林省、全国農村青少年教育振興会、全国農業協同組合中央会、日本4H協会など育成機関団体の関係者を来賓に迎えて開かれ、開会のことば、4Hクラブの歌の斉唱、黒沢会長のあいさつ、来賓祝辞、資格審査の報告と総会成立宣言に続いて総会運営委員の選出、沢田義夫同委員長（北海道）のあいさつと日程説明、ついで議長に堀川龍（宮崎）鳥居久雄（愛知）長芳孝（栃木）各君の三名を選び、議事録署名人と書記の任命のあと議事審議に入った。

まず四十六年度の事業と収支決算、監査の各報告が承認され、続いて事務局次長の一名増加や評議員の位置づけを明確にするために規約の一部が改正された。このあと四十七年度の事業計画と収支予算を別記（二面掲載）の通り決定した。

とくに問題となった点は、プロジェクトレコードブックと、クラブレコードブック的要素を含んだ「4H手帳」の発行で、4H会館の建設や4H新聞の購読普及運動などを推進している折、さらに負担が重くなるという意見が出された。しかし、独自にこれらの発行を企画している県連もあり、また、プロジェクト活動や記帳の重要性から発行すべきであるとの意見が強く、発行にこぎつけるよう検討していくことになった。

続いて、4H会館の問題を検討するため四十六年度に設置された「特別委員会」の委員をまじえて同会館建設について協議し、「自分自身がやるんだ、なにがなんでもやるんだ」という強い決意をすべきであるとの申し合わせをした。ついで会費を八月末まで納入することにし、役員改選に移った。ブロックごとに選ばれた選考委員各一名に全協役員二名が加わって協議した結果、別記の通り会長、副会長、監事を選出、また松浦新会長から事務局長と同次長の指名があり総会で承認された。

この間、今年八月二十八日から北海道で開催される「第八回全国4Hクラブ員のつどい」について北海道4Hクラブ連絡協議会の中山寿雄会長らが説明、また、来年度に予定されている神奈川県の杉崎正章前県連会長から第九回の同つどいについて説明があり、満場拍手のうちに承認、決定された。

顧問と参与の推たいについで、感涙むせぶ新旧役員代表のあいさつがあり、4Hクラブの歌の斉唱を最後に閉会した。

なお、このあと4H協会から4H新聞の購読普及運動の推進に対する依頼とその方法についての説明があった。

4H会館建設の討議で熱っぽい総会々場。

新執行部の陣容成る

会長	松浦　幸治	静岡県前副会長
副会長	奥村　秀宏	北海道留任
同	原田　正夫	大阪府前事務局長
同	堀見　とし	高知県前評議員
事務局長	長　芳孝	栃木県連会長
同次長	佐藤　春雄	神奈川県元県連会長
同	中江　弘嗣	滋賀県前県連会長
同	山田　桃子	千葉県前評議員
監事	門間　忠	宮城県県連会長
同	瀬戸　治斉	新潟県前県連会長
同	角　繁男	福岡県前県連会長

評議員

総会終了の時点で決定した評議員（ブロック代表）は次のとおり。

北海道	阿部美智子	枝幸郡浜頓別町
関東	杉崎　正章	神奈川県小田原市
〃	大沢美智子	埼玉県北葛飾郡
東海	黒川　正信	三重県津市

早期建設をめざして4H会館
手持金は送ろう
目標額達成に全力投球を

—10—

審議打切りと募金納入の期限決定―各県連の代議員から相次いで出される緊急動議が、熱っぽい会議場をさらに緊迫したムードへと高めていく―これが、スペース買取り方式を決定してから一年を経た今回の総会の雰囲気であった。

4H会館建設問題は、施設などを中心に審議するため、昨年、会長の諮問機関として設置された「特別委員」を迎えて討議され、まず全協執行部の経過報告のあと各県連から募金状況について説明が行なわれた。

しかし今回も「末端のクラブ員にまだ周知徹底していない、クラブ員に納得させるような態度が示されていない、組織が弱体なので思うように募金活動を展開できない、ほかの県連はどうなっているか」―など、これまでにも多くの機会で幾回となく論じ合われてきた問題について長時間を費し、討議内容が堂々めぐりしたため、審議打切りの動議が出されるという一幕もあった。

これに関し、特別委員会の黒田保委員長（四十五年度全協会長）らが組織的な意識の重要性を訴えるとともに、4H活動は結果よりもそのプロセスが大切であるように、会館建設も自分たちの終局の目的ではないと述べ、さらに建設界のしきたりとして、業者に落札するまで設計図は示されないのが常識なので4H会館の青写真を示せといっても限度があると説明、

また全協執行部はクラブ員間のコミニュケーションの重要性を強調し、埼玉県連の元会長、細川信夫君（全協評議員）がゴルフの玉拾いまでして募金を達成したクラブの例をあげながら募金の体験談を披露して注目を集めた。

このような討議の中で、募金納入の期限決定を迫る動機が出されるなど、かなり熱っぽい空気に包まれた。

これらの討議の結果、特別の事情のある県連を除き、各県連とも手持ちの募金を早急に全協事務局に送り、募金の遅れている県連の索引車的役割を果す、目標額を必ず集めるよう確約する―などを申し合わせた。とくに、血判状くらい作るような気持で、なにがなんでもやるという強い意志を持つべきであるなどの発言も聞かれた。

また、募金の遅れている県連からは、クラブ員に納得してもらうため全協役員の派遣を望む声が多かった。さらに、全国各県連の会館建設推進委員長の会議をもってほしいとの要望も出された。

第六回「青年の船」団員を募集
今年は十月下旬予定
申込み期限、例年より短い

全国4Hクラブ連絡協議会は、今年度実施される総理府主催の第六回「青年の船」の一般団員候補を推せんするため、各道府県連を通じて広く全国のクラブ員から希望者を募集する。今回の実施期間は十月中旬から十二月中旬までの約六十日間で、候補者の推せん期限が五月十日となっているので、早急に申し込んでほしいと望んでいる。

オーストラリアへも

この青年の船は、次代の日本を担う青年に、国際的視野と教養を身につけさせようと政府が明治百年記念事業の一つとして行なっているもので今年で六回目。これまで、毎回、全協推せんの4Hクラブ員をはじめとして全国各都道府県から選ばれたクラブ員が乗船し活躍している。また、東南アジア諸国を訪問し、国際親善、視野の拡大、規律ある団体生活による訓練と研修など各面で大きな成果を上げ、高く評価されている。

今回の訪問国は、オーストラリアとニュージーランドも新たに加えられ、フィリピン、インドネシアの四ヵ国が予定されている。

全協が総理府に推せんする第六回「青年の船」一般団員候補の募集要領は次のとおり。

一、応募資格と人員

クラブ員で満二十歳以上～二十六歳未満（昭和四十七年四月一日現在）の男女、各県連一名。

一、中間選考

応募者の中から十名以内を全協と4H協会職員で構成する選考委員会で選び、総理府に推せんする。

一、応募しめ切り期限

総理府への書類提出が来る五月十日までなのでそれ以前に必着のこと。

一、提出先

東京都新宿区市ヶ谷船河原町十一、家の光会館内　全国4Hクラブ連絡協議会（〒一六二）

一、応募方法

次の書類を添えて期限内に申し込むこと。

（1）申込書　一通

（2）団員候補者に対する推せん状　一通

（3）作文

①テーマ「青年の船」に応募して。

なお、この青年の船団員に応募した理由と団員に選ばれた場合、帰国してからクラブ活動や地域の発展のために体験をどのように生かしていくかという点を中心にまとめること。とくに、この作文は選考のうえで大きなウエイトを占めるので留意すること。

②二百字詰原稿用紙（B5版）五枚以内（タテ書き）、氏名、住所を明記すること。

（4）戸籍抄本　一通

（5）履歴書　二通

（6）健康診断書　一通

公的医療機関の医師によるもので、三月一日以降のもの。

（7）写真　二葉

上半身正面脱帽、タテ・ヨコともに3センチで、さる三月一日以降に撮影したもの。申込み書に貼付すること。

六、選考結果

総理府における選考の結果、一船団員に内定したものについては推せん者と本人に対してその旨を通知する。

総理府が実施する事前研修（六月下旬、約一週間）と出航前研修（三、四日間）のほかに、全協の行なう各種の研修、行事に参加するものとする（正当な理由なくて出席しない場合、推せんを取り消すこともありうる）。

涼風暖風
新婚さんと南へ行く

所用があって、九州方面を旅行してきた。いつものように、あわただしい旅である。

往きは新幹線をつかい、大阪から寝台車にした。窓外の移り替りは、季節のかげをうつして、旅のこころをなぐさめてくれた。

新幹線の客にも新婚さんが幾組かいて、春のシーズンを感じさせ、第三者の身でありながら、何となく楽しかったのだが。

朝早く別府駅へ着いて、驚き、かつ、あきれた。別府駅は、おびただしい新婚さんのムレである。ねむそうな目をこすって、通勤途上のサラリーマンが、新婚さんの間をぬって小走りにホームへかけこんでくる。宮崎、鹿児島方面へいく新婚さん達であろうが、せっかくの旅行を、もっとのんびり謳歌できるようなスケジュールに何故できなかったのだろうか、と疑問に思った。新婚旅行とは、新しい人生を築くために、二人でじっくり話し合い、お互いが理解し合って、想い出多い礎にすることだと考えていたのだが。旅館を六時、七時にと飛び出す観光中心の旅行では、肉体的にも精神的にもストレスがたまり、イライラ旅行になってしまうことは、ちょっと旅なれた人ならわかるはずである。

その日は、大分県を南に北にとびまわり、いろんな人たちとお会いして、新婚さんのことはすっかり忘れてしまった。夜は旧友、新友たちと別府のまちをのし歩いたが、さすがに、呑み屋へ顔を出す新婚さんはいない。

次の日は、湯布院の公民館建設現場などをとび歩き、夜も遅く宮崎駅へ降り立つ。タクシー乗り場は、新婚さんの列がえんえんと続く。こんな遅くまで、どこをまわってきたのだろうか。

順番がくるまで、新婚さんを視察していると、いろんな共通点があるのに驚いた。一つは、どの組も白い旅行カバンをもっていること。二つは、新婦が帽子をかぶっていること。新婚の帽子といえば、婦人の正装は帽子をかぶることなので、馬鹿の一つおぼえとして馴れない帽子をぎこちなくかぶるのか、とばかり思っていたら、そうではないらしい。同行の物識りが言うことには、旅先ではセットができないので、髪のほつれかくしに帽子をかぶるとか。三つは、男性側は疲れ、目はトロンとしているのに対し、女性側は目がイキイキとしていること。主導権は新婦がにぎっている。新婚そうそう、すでにカカア天下なのか。それとも、家庭へ入ると主婦は旅行もできないので、千載一遇のチャンスを思う存分に楽しんでいるのだろうか。

宮崎の仕事も終り、日南海岸への漂遊をさそわれたが、新婚さん攻勢にうんざりしたので、飛行機で早々にいとまをつげた。しかし、機内にもアツアツのカップルがあふれ、完全にノック・ダウンの旅であった。

（文部省　伊藤）

決定を持越す　会費の値上げ
福岡県連総会　事業部の新設へ

【福岡】さる八日、福岡県農村青少年クラブ連絡協議会（会長　角繁男君）の総会が福岡母子福祉会館で開かれた。十四地区連の理事と代議員五十余名が出席し、四十六年度の事業経過と会計報告が行なわれた。また規約改正とともに新年度の事業計画や新役員を決めた。

規約改正の主な点は総会の地位構成で、総会を代議員制として代議員は、地区のクラブ員百名以下は男女各一名とし、百名以上は五十名増すごとに一名ふやしたこと、役員構成の中に事業部が新設されたことなどである。また事業運営に加担していた広報部は今年度は広報活動だけに専念することにした。

新年度の事業方針と計画では、単位クラブの会長会議の開催、体力づくり、農業青年祭に新規就農者を加えることになったことなどが目新しい。とくに体力づくりは4Hクラブの綱領にかかげてあるが、あまり実行されていないので新しい試みとして企画したもの。地区連対抗の体力づくりを通じて地区連の組織強化をはかっていく。

また会費の値上げについても審議された。昨年まで年百円のものを今年度は一挙に三百円にしようという案が提出された。これは、初め一日一円の活動費という案であったが、端数を切り捨てて三百円ということで示されたもの。賛否両論に分かれたため、長時間にわたって慎重に審議したが、審議継続か理事会持ち越しかの状態になった。そこで採択した結果、賛否同数となったので議長の権限によって理事会持ち越しに決定し、もう一度地区連で審議し、再び理事会にはかることになった。

新役員は次のとおり。

会長	古沢　寧男	八女
副会長	中野　新俊	浮羽
同	酒見　美幸	久留米
事務局長	中隈　健次	糸島
同次長	井上　信喜	朝倉
同	白石　洋子	穂
会計	小宮　一範	山門
事業委員長	桃園　一美	柳川
事業委員	能谷　経美	朝倉
同	森　正樹	粕屋
同	柿添さよ子	大川
広報委員長	大庭　茂弥	糸島
広報委員	鬼木　晴人	福岡
同	板倉さち子	早良
同	中江美智子	築上

新年度事業計画は次のとおり。

一、クラブ組織の強化と主体性の確立

二、クラブ使命と精神の高揚

三、国際交流の推進

四、他団体との連絡協調

五、全国4Hクラブ員のつどい誘致

なお、広報部は三月に県連機関誌「あゆみ」第二号を発行したが、他県連との交換を願っていますので、左記へご連絡下さい。

▽福岡県糸島郡前原町大字泊八三七、大庭茂弥広報委員。（福岡県連＝大庭茂弥広報委員長より）

会長に河崎君
神奈川県連

【神奈川】去る四月十日、神奈川県農村青少年クラブ連絡協議会（会長　杉崎正章君）の総会が開かれ、新年度の役員が次のとおり決定された。

会長	河崎　幸一	川崎
副会長	鈴木　実	秦野
事務局長	飯島　孝夫	戸塚
事務局次長	鈴木時保	小田原

なお副会長（女子一名）は保留。

全国大会の誘致へ
長崎県連

【長崎】長崎県農村青少年クラブ連絡協議会（会長　木下評君）では、去る四月十日、同県庁において県知事や県農林部長、農政課職員などを囲んで明日の農業振興などについて懇談した。話し合うなかで、県内の青少年の組織の一本化を強力に進めることを県側が要請し、また長崎県連絡協議会も中核となっての活動推進を約束した。四十九年度には同県で4Hクラブの全国大会を開きたいとの協議会側の意見も県側から賛意を受け、実り多い懇談会となった。

心頭技健

別れのあいさつは聞いている方もせつないものだ。桜の花とともに全協の役員は多くの思い出を残して去っていくが、その涙ながらの別れのあいさつは、じーんと胸をうつものがある▼「桜の花も散りました。私も散って行きます……」と、絶句したのは昨年の坂井副会長だった。これは去る者のひとしい気持であった。そして今年もまた、感涙にむせびながら言葉少なに語りかける松本良子副会長のあいさつが会場の涙をさそった▼退任者の中には、経営や結婚、家庭事情などの理由で去っていく人が多い。それだけに、みんなぎりぎりのところまで精いっぱい頑張ってきたといえる。そこに、長い間4H活動に青春をうち込んできた充実感とそのあとに訪れる一抹の淋しさがまじりあって一滴の涙となってあふれ出るのではないだろうか▼しかし、全協の役員までになるような人たちはみんな燃えるクラブ員だ。涙のあとには、また新たな情熱を燃やしているはず。後に続くクラブ員が彼らに甘え、貴重な4H体験をひき出して行くべきでだと思う▼また役員として残った人たちも、やはり農業経営の改善や結婚問題などをかかえる中でクラブ員のために努力しているわけだ。よく、リーダーの問題として犠牲が云々されるが、このような先輩の努力によって全協の活動が一歩一歩前進し、歴史や伝統がつちかわれているといえる▼この伝統の上にさらに改善を加えて前進させていくのが後に続くものの義務でもあろう。しかし全国のクラブ員がつくっている全協という組織が、ややもすると他人様がやっているように見られないこともない。そこからは組織的な感覚が生まれない▼この点を改善していくのも新執行部の一つの役目であろう。また下からの盛り上がりも大切であると思う。

本来の姿に返れ
プロジェクトを重視

新年度の活動方針と事業計画の内容
全協

活動方針

近年、めざましい経済の高度成長にともない農村における構造の変化は目を見張るものがある。農業をとりまく諸問題は農家生活の根底にまで影響を及ぼし、農村の過疎化は農業後継者不足が象徴している。仲間の減少とあいまって末端のクラブ活動は混乱し、4Hクラブの基本となるべきプロジェクト活動が低調であることは否定できない。実践活動を通じて自ら成長すべき意識は薄らぎ4Hクラブの存在すら不明確なものになってきている。

しかし、近代農業と明るい農村建設はわれわれ4Hクラブ員に課せられた大きな使命であり、自主独立の精神とたくましい実践力で対処しなければならない。

地域社会や家庭に理解される4Hクラブ活動の展開はむろん、プロジェクト活動を中心としたクラブ組織こそ基本的な姿である。プロジェクト活動の重要性を再認識し、主体制のある組織活動を強化しなければならない。

本年はこのような意味からプロジェクト活動を基本とした組織体系の確立とその活動をより一層推進するため次の事業を実施する。

事業計画

一、組織強化と主体性の確立

(一)事務局体制の確立　4Hクラブ活動の機能を充実しその使命を達成するとともに組織の主体性を確立させ、自主的に企画運営のできる事務局を充実強化し、連絡協調を図る。

(二)役員派遣　県連に対して役員を派遣し、全協の活動、事業などについて相互理解を深めるとともに、組織運営上の問題点を把握してその解決に努め、より一層の連けいを図る。

(三)クラブ活動の充実強化　激動する社会情勢の中にあって4Hクラブ活動は多種多様である。時代に即応した高度な活動展開が要求されるとはいえややもすると運営技術偏重の傾向がみられる。人間形成の自主的な教育の場として存在する4Hクラブの基本的な姿勢を強力に啓発推進する。

(四)日本4H新聞の普及と活用　クラブ員が4H新聞を連機関紙として活用し、情報の交換や知識の習得、組織強化をはかるため日本4H新聞第一次普及計画による普及運動を展開する。4H新聞の内容充実と記事素材の提供および普及運動の推進に協力するため、連絡報道員を推せんすることとし各県連に対しその選出を依頼。さらに連絡報道員研修を実施して技術の習得と資格の向上を図る。

二、4Hクラブ員の使命達成とプロジェクト活動の展開

(一)道府県連会長会議の開催　4H活動の推進を図り、全協と県連との連絡協調を密にするため年四回実施する。

(二)全国4Hクラブ中央推進会議の開催　4Hクラブの使命と精神を理解したリーダー養成は急務であり、クラブ活動上リーダーの資質は不可欠なものである。正しい問題意識と高度な組織運営技術をもったリーダー養成の最高の場として、4Hの基本となるプロジェクト活動などの知識修得を体系ずけ、現リーダー、次期リーダーを対象として年二回開催する。

(三)全国4Hクラブ員のつどい　全国のクラブ員はもとより、4Hクラブを理解する人々や家族が自由に参加でき、クラブ員が自主的に企画運営するつどいを八月下旬北海道で開催する。回を重ねるごとに充実発展し、今年第八回を迎えるつどいを通して4Hクラブ精神と同志意識の高揚、農業技術の研鑽と視野の拡大、さらに家族と地域ぐるみの4H活動の推進を基本として実施する。

(四)全国青年農業者会議　近年、農業情勢の推移にともない、プロジェクト活動の推進や展開に大きな変化がみられる。全国のクラブ員(農業者)が実践活動を通して体得したプロジェクトを発表、研究討議し、将来の農業や人生設計に正確な認識と判断をもち近代化農業に資するため主催者として取り組む。

(五)海外青年との交流および派遣事業の実施　4Hクラブ員は進んで海外に雄飛し、海外青少年と積極的に親睦を深め日本青年としての責務を認識する必要がある。このため青年の船などに多数のクラブ員を推せん派遣するとともに主催事業として積極的に取りくむ。

(六)日本4H会館の建設(省略)

(七)プロジェクトレコードブックの発行　プロジェクト活動の助長を図るためレコードブックを発行し、普及推進につとめる。

(八)4H手帳の発行　4Hクラブ員の意識高揚を助長し、クラブレコードブック的要素を含めた手帳を発行する。

(九)沖縄親善交歓訪問の実施　過去三回実施して大きな成果をおさめた。本年もこの事業を実施し、さらに充実したものにする。

三、外部団体との連絡協調

(一)中青連関係　中央青少年団体連絡協議会加盟団体の一員として、他の青少年団体との連けいを深め幅広い連絡協調を図る。

(二)青少年育成国民会議関係(省略)

(三)指導育成機関関係　農林省、文部省、総理府、全国農村青少年教育振興会、日本4H協会などより指導と助言をあおぐ。

(四)4HクラブOB関係　4Hクラブ活動の展開においてその本質に基づく高度な指導と助言は不可欠なものである。このため全協はもとより県連や単位クラブを体験したOBから組織的助言をいただくよう積極的に取りくみ地域社会から理解された4H活動を推進する。

「4H手帳」発行へ
4H新聞の普及運動を展開

4H会館建設の募金目標額に対する達成率
(昭和47年4月15日現在)

	県連名	%(約)
1	滋賀	95
2	奈良	56
3	福岡	42
4	神奈川	41
5	高知	33
6	鳥取	32
7	愛知	28
8	徳島	21
9	埼玉	20
10	沖縄	19
11	静岡	16
12	群馬	16
13	石川	16
14	三重	14
15	大阪	13
16	長崎	12
17	山梨	11
18	福島	8
19	千葉	8
20	青森	6
21	宮城	5
22	福井	4
23	山口	4
24	和歌山	3
25	岡山	3
26	広島	3
27	岩手	2
28	長野	2
29	北海道	1
30	茨城	1
31	新潟	1
32	富山	1
33	岐阜	1
34	佐賀	1
35	香川	1%以下
36	鹿児島	〃
37	熊本	〃
38	兵庫	〃
39	大分	〃
40	秋田	未提出
41	山形	〃
42	栃木	〃
43	京都	〃
44	愛媛	〃
45	宮崎	〃
	中央	203
	総額	10

旧役員の感涙にむせぶ別れのあいさつのあとだけに、新執行部の人たちの顔も複雑。上の写真左から長事務局長、奥村副会長、松浦会長、原田副会長、佐藤事務局次長、下は堀見副会長(左)と山田事務局次長

池田農政局長らを推たい
全協の顧問・参与

全協は、新年度の顧問、参与に次の人たちを推たいした。

【顧問】▽池田俊也(農林省農政局長)▽田中基雄(同農政局普及部長・元普及教育課長)▽矢野晴男(同普及部普及教育課長)▽矢口光子(同部生活改善課長)▽川崎繁(文部省社会教育局青少年教育課長)▽宮脇朝男(全国農業協同組合中央会々長)▽東畑精一(全国農村青少年教育振興会々長)▽常忠義(同会常務理事)▽小倉一郎(NHK農林水産部長)▽松下幸之助(日本4H協会名誉会長)▽宮城孝治(同会々長)▽新田俊吉(同常務理事・事務局長)

【参与】▽大賀忠直(農林省農政局普及部普及教育課々長補佐)▽藤井文信(同普及教育課青少年班活動促進係長)▽星野武四郎(篤志指導者)▽大塚茂(日本4H協会常務理事)▽金田三郎(全国農村青少年教育振興会事務局長)▽岩崎茂(全協初代会長)▽恩田保(同会元会長)▽久野知英(同元会長)▽黒沢健一(同前会長)

オルグを高く評価
監査報告　常任委員会を検討せよ

全協の総会において監査報告が行なわれ、四十六年度の事業と予算について多くの点で指摘された。これは新年度における事業展開などの上で大いに参考にすべきであると思われる。三人の監査から指摘された主な点は次のとおり。

【会務関係】めまぐるしく移り変る今日の厳しい情勢の中で、全協執行部は数少ない役員構成のもとで各種事業を着実に消化し、多大の成果を収めたことは大いに評価しなければならない。

ただ、事務整理については多くの改善がなされているものの、まだ各県連との連絡事項などにおいて改善すべき点がみられる。このことは事務局員の負担の軽減にもつながる。

また、今後、クラブ活動を展開するためにも全協、県連との連絡協調をいっそう密にして、どのような困難な問題にも耐えられる強固な組織に成長されることを強く願うものである。

【事業関係】

◇組織強化と主体性の確立

▽事務局体制の確立　本年度、専任に近い事務局員を配置する計画であったが、経費などの関係で実施することができなかった。このため事務局員の負担が過重であったことは事実で、なんらかの手段を講じないかぎり、この問題は解決しないように思われる。今後、財政面を考慮するとともに具体的にさらに検討する必要がある。

▽役員の派遣　組織において重要なことはクラブ員と役員との意思統一がなされていなければならないことである。この中で、本年度はオルグを中心として各県連の大会などに積極的に役員を派遣し県連との連絡協調に努力したことは認めなければならない。

▽クラブ活動の拡充と啓発　時代に即応したクラブ活動を展開するため、新しい試みとして経験豊かなOB諸氏に常任委員を委嘱したが、委員会が一回だけに終ったということは残念に思われる。このことについては重要なことだけに、さらに検討する必要があり、明年度具体的な方針が打ち出されることを期待する。

▽日本4H新聞の普及と活用　今まで連機関紙として活用されているが、本年においては購読部数が減少した。このような状態では連機関紙としての価値が失なわれるので、発行者である4H協会の協力を得て編集などの問題をも検討し、多くのクラブ員に連機関紙として活用されるよう努力することを望む。

◇4Hクラブ員の使命達成と精神の高揚

▽全国4Hクラブ中央推進会議(前期と後期の二回)、全国4Hクラブ員のつどい、全国青年農業者会議　以上三つの大会が開催されたが、それぞれ新しい企画も取り入れられ特長ある会が開かれたようで参加クラブ員からも好評であった。ただ、クラブ員のつどいでは、技術交換大会との問題、また全協と開催県連との運営上の問題などは今後の検討課題として残されている。

▽海外青年との交流　全国4Hクラブ員沖縄親善交歓訪問　国際的感覚が必要とされている今日、草の根大使(日本4H協会が実施)青年の船(総理府)沖縄訪問(全協)がそれぞれ実施され、数多くのクラブ員が視野を広め、海外青年との交歓交流を深めた。しかし、これら事業のねらいの一つとして各県連のリーダー養成も含まれているので、全協、県連においてもそのことを十分に考えたうえで選考や推せんをしなければならない。

▽日本4H会館の建設　何回となく検討されてきたが、未だに目的が達成されないということは残念に思う。スペース買い取り方式という新しい方向に進んでいるが買い取ろうとしている建物はまもなく建設されようとしており、会館問題は最終段階に入ったといえる。しかし、未だに募金状況に問題を残しており、このことについては早急に各県連とも努力し、目標を達成しなければならない。

【会計】収入の面では一部未収金を残すほかは問題がない。また支出面においても多額の未払金を清算し、会計事務の点でも明確であり執行部の努力がうかがえる。ただ今後に残された点として、予算の大半に会費と4H協会の奨励金に頼っていることである。これからは自主財源の確立を図っていく必要があるように思われる。

クラブ往来
仲間づくりから再出発

クラブ員三十三名のうち女子クラブ員が十八名と他のクラブにとってうらやましいようなクラブ、それが四十六年に市全体で一本化した滑川市4Hクラブである。また農業専従者よりも、農家でありながらサラリーマンが多いのも特色。

昨年度の主な事業を紹介すると五月十五日の歓迎会を皮切りに視察(六月)施設慰問(六月と十二月、花鉢と老人ホームに白菜百株贈る)視聴覚講習会(七月)キャンプ(八月)新米試食料理講習会(九月)プロジェクト巡回(十月)農産物即売会(十一月)クリスマスパーティ(十二月)などである。

しかし、クラブ員の条件がバラバラで出席率も悪く、女子クラブ員は晩の会合が遅くなりがちなので出席しにくかった。また単位クラブが市に一本化されたばかりなのでみんなの心がいまひとつ打ちとけず人間関係もしっくりいかなかった。そのような状態の中で開いた農産物の即売会がそれらの悩みを吹き飛ばしてくれた。

というのは、一時にお客さんが集中したためにみんなが大いに働かされたこともあって人間関係の面でプラスになったことだ。また、残った花を全員で病院に持って行き患者さん一人ひとりに手渡して喜ばれた。

この行事を通して、クラブ員の明朗さや自主性、責任感、奉仕の精神、協調性などが表面化されたわけである。その後も十二月に富山市の老人ホームへ白菜を持って行き、お年寄りをなぐさめたりしたことが仲間づくりに効果的であったと思われる。即売会では時期を少し遅らせ、越冬用として、また安く消費者に与えるべきだと考える。

このようにして楽しいクラブとなり、団結力も強まったので、今年度は、他地域の4Hクラブや婦人会、サークルなどとの交歓会、農産物即売会、しいたけ原木作り、女子クラブ員宅の家庭訪問、料理・性教育・花などの講習会、研修視察を主体に活動をすすめるよう考えている。

行事面ではサラリーマンや女子を主体にすすめ、農業専従クラブ員対策として個人プロジェクトを中心に研究活動を継続するようにしたいと思っている。

このように仲間づくりを優先したのは、クラブ員の家庭条件や農業生産に対する姿勢に相違が大きいためであった。

(富山県・滑川市4Hクラブ　高橋信子)

第六回「青年の船」実施要領
約六十日間の航海　ニュージーランドなど四カ国

このほど総理府が発表した昭和四十七年度「青年の船」(第六回)の実施要綱は次のとおりである。全協では多くのクラブ員の応募を望んでいる。

一、概要

(1)運航日程　昭和四十七年十月中旬から十二月中旬までの約六十日間、東南アジアとオセアニアに航海を行なう。

(2)訪問国予定　フィリピン、インドネシア、オーストラリア、ニュージーランドとする。

(3)使用船　商船三井客船株式会社の「にっぽん丸」を使用する。

(4)活動

▽船内活動

【船内研修】①英会話②……③リーダー養成④体育・レクリエーション⑤その他

【船内団体活動】①全体行事②班・組活動③クラブ活動④寄港地活動の準備

▽寄港地活動　①寄港地における視察・見学および交流などを行なう。②オーストラリアとニュージーランドにおいて団員半数ずつによる二泊陸路旅行を予定する。

▽事前研修　約一週間(昭和四十七年八月下旬の予定)にわたり国立中央青年の家(静岡県御殿場市)で行なう。また出航前に三〜四日間、オリンピック記念青少年総合センター(東京渋谷区)で出航前研修を行なう。

二、「青年の船」の団員と組織　「青年の船」には、一般団員のほか、管理官および管理要員ならびに団長、副団長、教官、班長と渉外団員を乗船させる。団員の組織は班(一般団員十数名、渉外団員一名)と組(三個班合同、担任指導教官がつく)を単位とする。

三、参加者負担金　参加者に対しては、参加費用として一人八万円を徴収するものとする。このほか、旅券発行手数料、旅行保険料や事前研修などの参加費用、予防注射の経費を負担。

四、募集選考

(1)一般団員の募集選考　一般団員の募集選考は下記一般団員募集要領によるものとする。

(2)団長などの選考　団長、教官、班長、渉外団員などは総理府において選考する。

一般団員の募集要領

一、募集資格要件

(1)国籍・年齢など　日本の国籍を有し、昭和四十七年度四月一日現在二十歳以上二十六歳未満の男女。

(2)身体条件　長期の船上生活や団体活動に適応できる健康な者でとくに伝染性疾患のない者。

(3)規律遵守　①事前研修から解団式までいっさい主催者の計画に従って規律ある行動のできる者②協調性に富み、団体生活に適応できる者。

(4)語学　中学校卒業程度以上の英語会話能力のある者。

(5)社会の貢献　将来、職場、地域、青少年団体などで中堅的な活動を期待できる者。

二、欠格条件

(1)海外渡航の経験のある者(沖縄へ渡航した者は除く)。

(2)原則として、大学(短期大学を含む)高等専門学校または高等学校に在学中の者。

(3)都道府県議会議員または市町村議会議員の職にある者。

(4)近い将来において、海外渡航をすることがほぼ確実である者。

三、人員　一般団員の定員は、約二百六十人とする。

四、募集方法　都道府県および全国的組織をもつ青少年団体を通じて行なう。

(1)青少年団体の行なう中間選考①全国的な組織をもつ青少年団体の代表者は、会員中の応募者について選考のうえ、団員候補者を総理府総務長官に推薦する②一団体からの団員候補者の推薦人数は十名以内とする③特別事情の場合を除き青少年団体から推薦する団体候補者のうち、女子はおおむねその三分の一とする。

(注)ここにいう全国的な組織をもつ青少年団体とは、次の条件をそなえたものとする。

1　青少年を主たる構成員とする団体またはその連合体であって社会教育、社会福祉または社会奉仕のための活動を行なうことを主たる目的とするものであること。

2　会員が一万人以上。

(2)提出書類　都道府県知事または青少年団体の代表者が総理府に団員候補者を推薦する場合には男女ごとの推薦順位を付した団員候補者一覧表と団員候補者それぞれについて、書類(省略)を提出するものとする。

五、総理府における選考

(1)選考方法(省略)

(2)調整　内定にあたっては、都道府県知事より推薦された者が百五十〜百九十人、全国的青少年団体の代表者より推薦された者が七十〜百十人になるようにする。

(3)通知(省略)

六、決定およびその取消

(1)一般団員に内定した者が良好な成績で事前研修を修了した場合に、一般団員とし正式に決定する。

(2)決定後であっても、出航前または出航後において、団員として不適当と認められた場合は、一般団員としての決定を取り消すことがある。

(3)出航後、一般団員としての決定を取り消された者は、下船させることにし、その帰国に要する経費などは本人負担とする。

会長に樋田君
大分・宇佐4Hクラブ

大分県宇佐4Hクラブ(会長大久保清君)の総会がさる十日開かれ、新役員が次のとおり決定した。

▽会長　樋田貞夫▽副会長　池田裕、城寿美子▽事務局長　折口耕次▽同次長　北崎隆、田畑由美子

成功事例など発表
川井村地区連で

【岩手】岩手県下閉伊郡川井村農村青少年クラブ連絡協議会は、このほど宮古農業改良普及所との共催で、川井村農業青年活動実績発表会を川井村役場会議室において開催した。

この発表会は、同村内の4Hクラブ員約二十人が四十六年度中に全国の農業青年研修会などに出席して学んだことを発表し、今後の農業経営の中で生かし合おうというもの。川井村の基幹部門となっている肉牛飼育、養蚕、葉タバコの生産などについて問題点や実践研究を通しての成功事例を発表し熱のこもった討論を展開した。

畦道
大自然の中の死

あれは確かブッシュマンだったと思う。ブッシュマン──現代に至るまでの何万年かのあいだ、人類がひたすらに"文明"をむさぼり続けてきた裂け目にひっそりと原始時代そのままの狩猟と採集で生活を営んできたアフリカでも唯一といわれている原始原住民のことである。

それは雄大な自然の"儀式"であった。ブッシュマンの精悍な男たちと華麗に草原を駆けぬけるキリンとのあいだでくり広げられた無言の"儀式"──私はそれを"文明"の利器であるテレビのブラウン管をとおして見たのだったが……。

数日分の食糧と毒を塗った矢をもって狩猟に出かけるブッシュマンの男たちは、獲物を手に入れるまであの乾ききった草原を何日もさまようのだった。足跡を見つけてからの根気のよい追跡……。そして最初の矢がキリンの胴体に突き刺さる。二発、三発……キリンは前足を大きくもたげ、驚きと痛みに身をひるがえして草原の彼方へと走り去る。それに続く追跡、追跡……。

だが、私がもっとも心うたれたのは、やがて力尽きて倒れてゆくキリンの死に際だった。

キリンは強烈な太陽の照り返しをまともに受けながら、萎えた足をかばいつつ必死に立っていた。矢は、弱りはてたその胴体めがけてとどめをさそうと舞い飛ぶ。キリンは矢をうけて静かに前足を折り曲げる。するとブッシュマンの動きが止んだ。……数秒後、キリンはついに土埃をあげながら大地に沈んだ。

キリンは長いクビをかすかにもたげ、その眼は透明な大地のはるか彼方の虚空へ向けられ、やがてゆっくりと大地に吸い寄せられていった。

それは威厳にみちた死、自然のもつ雄大な死であった。そしてキリンの死を見とどけるブッシュマンの無限のやさしさを含んだ眼も、やはり自然のものだった。一人ブラウン管の外側にいる私を除いては……。【宇】

結婚を考える ▶11◀

栃木県・栃木地区4Hクラブ連絡協議会

嫁ぐ立場、継ぐ立場 ❶

語る人

〈嫁ぐ立場〉
田中つね子(二〇) 藤岡町
高山 和子(二〇) 毛生町
大川 初江(二〇) 栃木市
小平キクエ(二〇) 毛生町
大垣 幸子(二〇) 〃
田中 久子(二〇) 岩舟町
国分 貞子(二〇) 大平町
横田 節子(二〇) 藤岡町
田中 三枝(二〇) 毛生町
佐藤千代子(二〇) 〃
猿山 君子(二〇) 大平町

〈継ぐ立場〉
海老沼京子(二〇) 藤岡町
大島 愛子(二〇) 岩舟町

〈司会者〉
熊倉 信子(二〇) 栃木市

昨年十一月十九〜二十一日の三日間、中核者養成講習会が日光梅屋敷で開かれたが、その第一日目の晩に女子クラブ員だけによる討論会が行なわれた。「嫁ぐ立場と継ぐ立場」と題して、約三時間あまりにわたって活発な討論が展開された。その内容はクラブ員に大いに参考になると思われるので連載して紹介してみることにした。

× ×

司会 今年七月に栃木地区女子クラブ員の集いが開催され、その時の話し合いの中でも、この「嫁ぐ立場と継ぐ立場」のことが私たちにとって一番身近なことであり、また興味あることとして活発に話し合われました。そこで、今日は女子クラブ員だけの集まりですし、同じ立場にたっている人の悩みや考え、また、これからどのようにしていったらよいかなどを話し合い、今後の励みにしていってほしいと思います。

（自己紹介）

——いま、討論者の方から自己紹介をしていただきましたが、嫁ぐ立場の人は十三人、継ぐ立場の人は私を入れて三人と、嫁ぐ立場の人が多いですね。

田中（つ） 最初にお聞きしたいのですが、農家に嫁ぎたい人はどのくらいいますか。

（全員手が上がる）

——それでは嫁ぐ立場にいる人から意見を出していただいて進めていきましょう。いま全員の人の手が上がりましたが、どんなことから農家に嫁ぎたいと思いましたか。

（五、六人口をそろえて『夫婦ともに働くことができる』ことをあげる）

サラリーマンは絶対イヤ！

嫁ぐなら専業農家へ

高山 私もいちばんそれが農業のよいところだと思います。サラリーマンの夫人だと家庭に閉じこもっているだけで、いまの私には性格に合わない。また、同じ勤め人でも共稼ぎでは家庭生活がおろそかになってしまい、不安だと思います。

国分 現実的な考え方ですが、農業は経済的に安定していると思います。食生活の面でも米、野菜など自給自足で間に合うこともあるし恵まれています。

横田 農業は他の職業に比べて確かに労働の面では辛いです。でも、そのピークを越えれば、時間的に余裕があります。

——旦那さまとともに働けるということがみなさんの最大の魅力のようですね。大規模で専業農家なら問題はありませんが、今日のように兼業農家が多くなっている点についてはどう考えますか。

田中（三） 都市化していくのはとめられないことですが、農家に嫁ぐのだったら、なるべく大きなところへ行きたい。もし小規模であっても専業農家を望んでいます。

佐藤 兼業農家では、結局、女性が家事全般の他に農業経営も全部担当することになります。農業にかける時間がどうしても多くなり夕方遅くまで泥まみれになって働かなくてはならないし、かえって専業農家に比べ両方の面がマイナスになります。精神的にも肉体的にも疲れるし、兼業農家は賛成できません。

枝肉の黒化現象にメス

変色犯人は鉄分？

ドラムカン飼そうに多発

プロジェクト

鳥取県・溝口町 農村青年会議 篠田卓男

最近、肉牛を大阪の枝肉市場に出荷するようになってから、黒ずんだ肉色の牛がでる。そのために肉の単価が下がり、わずかな利潤を追求する肥育経営にとっては多大な損失となっている。そのうえ、この現象が何によるものか、まだ明らかにされていない。そこで、その原因を知り、対策をたてようとプロジェクトにとりくむことにした。

まず、黒化現象の原因を①気候条件②環境条件③飼料④飲み水⑤飼養方法⑥遺伝——の六点から考えてみた。そして、このなかから関係のないと思われるものを除外することにした。

遺伝によるものならば、種牡牛間に違いがでるわけだが、それがなく、どの牛にも黒化現象がでている。また、飼養方法については、屋外、舎飼の別なく発生していることからみれば、これも関係ないと考えてよい。もちろん、気候条件や環境条件にしても、都市のように空気が悪いわけでもなく、これも除外してもよいと思う。残るのは飼料と飲み水である。

このことに注目して、近くの発生地を地質学的に調べてみると、そこは昔、"タタラ鉄"の産地であったことがわかった。鉄分が土中に多く含まれていれば、当然、飲み水に混入してくるものと考えられる。そして、毎日少しずつ牛の体内に蓄積され、肉が黒化されていったのではないだろうか……。

この肉と鉄分との関係を調べていったら、またも黒化現象の原因と思える事項がでてきた。その一つに、同一農家でも多発する牛舎とそうでない牛舎があり、両者を比較してみると、ただ一つ飼そうが違っていることがわかった。多発する牛舎には、ドラムカンを利用した飼そうが使われていたのである。

コンクリート飼そうでは鉄分はあまり含まれていないが、反面、ドラムカン利用の給飼水そうは鉄で作られているので、毎日少しずつ水に溶けこんだり、牛が直接なめたりして牛の体内に蓄積されていったのではないかと考えられる。

また、私のところでは試験することができなかったが、濃厚飼料によっても肉色変化がおこるといわれている。この肉色変化をおこすといわれる特定濃厚飼料は、乳用オス仔牛の若齢肥育に使用する目的で作られたものである。この飼料のなかでも、肉の色つけ用に鉄分が含まれている可能性がありその鉄分が影響して肉色変化がおこったとも考えられる。

以上の調査結果から、鉄分が含まれている方が肉の黒化現象の発生が大と考えられる。鉄分が犯人と決めつけるわけではないが、肉が黒くなるのは事実だし、それにより経営が苦しくなることも事実である。

このプロジェクトの結果をもとにして、早急に対策をたて、そのことにより一頭でも黒化現象が少なくなれば、経営に大きくプラスすると思う。

飼そう別発生率

区分	発生率
コンクリート飼そう	0/8頭 (0.0%)
ドラムカン利用飼そう	2/9 (22.2%)

五年で規模拡大

複式簿記で経営診断

北海道 栗山町4Hクラブ 沢田義夫

わが家の経営概況は、現在、水田面積が八・三ヘクタールで、大農具にトラクター（七・六PS）一台、耕耘機二台、乾燥機二台、稲刈機一台、貨物自動車が三台ある。また、家族は父母と私、弟、妹の五人で、労働能力を換算すると三・八五人である。

私が経営診断を始めたのは高校二年の時であった。わが家の経営状態を知り、後継者として経営を継ぐだけの能力を身につけるとともに、仕事に従事することに"はり"をもたせかったからである。以来、複式簿記を記帳して八年になり、それに合せて労働調査を四年間行なっている。

複式簿記を記帳して、五年目には自分のものになった。そして、パターンも定まりつつあるのと、四十四年より北海道中央農業学園（道単事業）において細部について学んだことから、五ヵ年計画を立案、実施した。現在、その計画どおりに規模の拡大がすすみ、トラクターの購入も計画どおりに進んでいる。そのあらましは別表のとおりである。

五ヵ年計画の結果（大農具）

	43年	現在	目標（計画作成時）
規模	3.8ヘクタール	8.3ヘクタール	7ヘクタール
耕耘機	1台	2台	1台
自動車	2台	3台	1台
稲刈機		1台	1台
トラクター		1台（大型）	1台（小型）
コンバイン			1台
ミスト		1台	1台
草刈機		1台	1台

明日に夢を描いて雪の上でトラクターを運転する沢田君

実績をかえりみると、五ヵ年計画の目標が短期間において達成できた部門もあるので、今後は夢のある目標の再調整をはかり、高度の農業経営の確立に努めたい。

現在の稲作は暗中模索の状態であり、どのような計画性をもたせるかが課題である。農業を行なうのに、ただ単に日々の生活をおくるのではなく、生活をエンジョイし、そのなかで農業にいそしみたい。また、私の地域における役割を明確にし、地域ぐるみ、町ぐるみの政策（対策）を考えて、消費者に喜ばれるものを作り、商品として出荷できる態勢を作ること、それと農業にも企業的な考え方を十分生かしていきたい。

五ヵ年計画の結果（農業所得）

	43年	現在	目標（計画作成時）
農業収入	2,627,591円	4,043,702円	5,008,000円
農業支出	512,523円	1,788,838円	1,516,510円
農業所得	2,115,068円	2,312,364円	3,563,490円

解決の糸口に

次号からシリーズで 赤松君の体験談を紹介

若いクラブ員には、結婚、クラブ活動、農業経営、家庭生活、さらには青年の生き方などの問題が多い。本紙ではそれらの悩みや問題解決の相談を受け、それをみんなの問題として考えていきたいと思っている。しかし、その回答には責任の問題や回答者の選択などの問題がある。

そこで、その手がかりとして、というと甚だ申し訳けないが、それらの問題を自分のものとして受けとめ、仲間とともに解決してきたクラブ員の体験記を紹介しクラブ員の悩み解消の糸口にしたいと考えている。

そのシリーズの先陣を切ってご登場願うのが北海道・赤井川4Hクラブの赤松宏君。同君は北海道4Hクラブ連絡協議会の昨年度の書記長、今年の夏、北海道で開催される「第八回4Hクラブ員のつどい」準備委員会の事務局長という重要なポストにある。その彼がまず機関誌（紙）などの編集上の注意や連絡報道員のあり方などを自己の体験を通して語ってくれる予定である。

赤松君の新聞編集の腕前は玄人なみで、前号の「つどい」特集号も彼の企画によるところがほとんどであった。彼は高校時代、新聞部に在籍していたというが、卒業後4Hクラブで、その技術をどのように生かし、どのように伸ばしてきたかは誠に興味深い。

彼もみなさんのように若い。失敗もあるだろう。しかし、その失敗を仲間と対話するところに、赤松君自身の、そして読者のみなさんの発展があるのではないだろうか。ともあれ、期待される。

（編集部）

省力よりも土壌改良

みかん生産費の低減に

山口県・大島郡 農村青少年クラブ 田村俊昭

私の家はみかんを生産しており経営面積は成木園三〇アール、幼木園一七〇アールで、生産量は三〇トンである。家族構成は、祖母、父、母、私、妹の五人で、このうち父と妹は公務員として働いているので、実際家で農業にたずさわっているのは、母（労働日数二〇〇日）と私（労働日数二五〇日）の二人でありその他に雇用労働日数が三〇日である。

近年のみかん栽培は、生産費は上がる一方なのに収量はあまり伸びず、価格はむしろ下がる一方である。このままではみかん経営は成りたたなくなる。そこで、私は生産費をうんと引き下げる栽培方法はないものかと考えた。

経営を合理化するには、経営規模を拡大し、機械を導入し栽培の省力化をはかることがまず考えられるが、私たちの地方では面積の拡大はいろいろと制約があって非常に困難である。また、小さい規模を機械化することは過剰投資であり、不合理である。生産単価の引き下げは、省力栽培よりも秀品多収、単位面積当りの収量増加が先決だと思う。そこで私は、土壌改良を徹底して、よい樹を作り、連年多収するよう手をつくすことにした。

土壌改良にあたっては、〇・三立方メートルの穴を一〇アール当り三〇〇カ所掘り、肥料（配合肥料）を土と混和して投入した。

一年目（四十四年）
三月 チップ推肥 三トン
　溶燐 八〇キロ
　石灰 八〇キロ
十一月 有機配合 八〇キロ
二年目（四十五年）
三月 剪定くず 四〇〇キロ
　石灰 八〇キロ
　溶燐 八〇キロ
十一月 有機配合 七〇キロ
三年目（四十六年）
三月 剪定くず 四〇〇キロ
　石灰 八〇キロ
　溶燐 八〇キロ
　有機配合 八〇キロ
十一月 有機配合 四〇キロ
〈以上一〇アール当りの分量〉

土づくりを実行して三年目で、みかん園の土の腐植も増し、実施前に比較して細根が非常に多くなった。その結果、みかんの品質も向上し、一〇アール当り四トンの生産量を確保することができるようになった。

三年間の努力の結果、単位収量増加に効果があったので、今後は五年計画で全園に実施しようと思う。そして、五年後の経営全体の目標生産量を七〇トンとし、規模拡大の手段としては、山林開発による協業経営を考えている。

試験地で共同研究

リンゴなど栽培

長野・山ノ内町クラブ

【長野】長野県下高井山ノ内町の農業後継者クラブ（会長 鈴木照康君）では、今年から町有地を無償で借り果樹の試験地を作ることにした。

山ノ内町は山ノ内温泉郷や志賀高原のある観光の町だが、観光以外では農家が圧倒的で、農家約千八百戸、農家人口は約九千人。水田約五八〇ヘクタールに対し果樹園はざっと五〇〇ヘクタール。果樹のうちリンゴが三二〇ヘクタール、ブドウは六〇ヘクタール。そこで、こうした町内の農業を振興しようと、昨年五月、町内四つの4Hクラブなどに呼びかけて農業後継者クラブが結成された。

同クラブは今年度の重点事業として、農業経営の中心にもなっている果樹の試験地設置を決め、同町穂波管にある町有地約十二アールを町から無償で借りた。近く、リンゴ、ブドウの優良品種を植え、適地試験、栽培方法などを共同で研究し合い、リンゴのわい化栽培の研究なども行なう予定である。

この試験栽培では、地元の人々から4Hクラブ員の若い力が大いに期待されている。

NHK農事番組

テレビ（5月1〜10日）

明るい農村 6・30〜6・55 総合
1日 村の記録「開拓再出発」〜島根県三瓶山
2日 きょうの話題
3日 産物百科「野菜紀行」
4日 話題と人「ジャンボまゆを作る」田村三郎（東大教授）
5日 農村新地図「岩手県田野畑村」金沢嘉市
6日 村をむすぶ「仙台、大阪、福岡、東京」
7日 明るい漁村
8日 村の記録「夜なべ兼業」〜鹿児島県伊集院町
9日 きょうの話題
10日 産物百科「茶」

農業教室 7・30〜8・00 教育
1〜3日 肉用子牛生産の方式と技術 佐藤正美（広島県専門技術員）
4〜6日 花の流通を考える 瀬川弥太郎（京大助教授）
8〜13日 養鶏経営のシステム化 森鶏隆（農業技術研究所）

あすの村づくり 日 7・00〜8・00 教育 再 土 13・00〜14・00 教育
7日「山村・名栗村」〜埼玉県入間郡名栗村 竹沢算蔵（名栗村林業研究会）浅見敬一（林業4Hクラブ）町田仲太郎（林業）

ラジオ

早起き鳥 5・41〜5・57 ❶
1日 山菜を楽しむ 片岡博（日通常務）
2日 蜜蜂と共に 松田正義（日本養蜂協会）
3日 みんなで築いた開拓史〜北海道湧里町工南地区
4日 新しき村の養鶏村長 渡辺貫二（埼玉県毛呂山町 農協理事）
5日 チビッコ農民論〜岩手県和賀町
6日 ふるさと通信
7日 牛肉・豚肉 大川忠男（全国肉用牛協会）ほか
8日 チューリップ販売作戦 水野寮孝（富山県花卉球根組合）
9日 夏みかん只今改植中〜愛媛県南予地方
10日 さぼてん作りに取り組む 小島文雄（千葉県神崎町）

新しい農村 6・00〜7・00 ❷
7日 やさいの価格安定対策 関谷俊作（農林省野菜花き課長）

ラジオ農業学校（講座）月〜土 6・40〜7・00 ❷
1〜3日 請負耕作 武井昭（農業技術研究所）
4〜6日 農村の新しい生活像 道見善彦（東京学芸大助教授）
8〜13日 どうする日本の林業 野村勇（農林省林業試験場）兼古朝史（全国林業改良普及協会）

ラジオ農業学校 日 6・30〜7・00 ❷
7日 グループの集い「経営拡大と資金」尾田猛（北海道阿寒鶴居村農郡友会）

多い北海道、東北

「出かせぎ」の実態調査 日当は2千円強

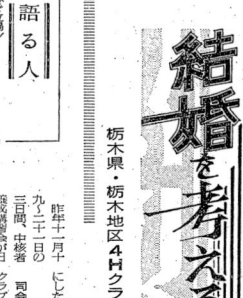

農林中央金庫

農林中金（推進部）は今年二月、全国各地の農家から「出かせぎ」についてアンケートを行なったが、その結果がこのほどまとまった（回答農家数は一、三六七）。

▼だれが出かせぎに行ったか？

この一年間に家族のだれかが出かせぎに行った家庭は一五・六%で、そのうち「主人」が五六・三%、「息子」が三二・九%となっている。地区別にみると、出かせぎ家庭は北海道・東北地方が二八・七%と最高だが、この地方では主人より息子のほうがよけい出かせぎに行っている。また専業農家では息子が行く割合が高く、逆に兼業農家では主人が行く割合が高くなっている。

▼どこへ出かせぎに行ったか？

全国平均では県内二八・六%、県外六五・三%と県外が多い。しかし地区別にみると関東、中国、四国地方の場合は県内が八〇%以上になっている。また山村では県外が四五%を占めているが、逆に都市近郊農村では県内が八〇・八%を占め、立地条件による差が大きくあらわれている。

▼何か月、出かせぎに行ったか？

「一〜三か月未満」が最も多くて三五・七%、「三〜六か月未満」が二八・二%、「六か月以上」が二四・九%となっている。六か月以上の長期出かせぎが多い地方は、東海（五七・一%）、四国（四六・七%）、近畿（三九・五%）。また第二種兼業農家では六か月以上が五五・六%を占めている。

▼出かせぎの日当はどのくらいか？

昨年の場合、全国平均は二、二四〇円となっている。高いのは東海（二、六三八円）、近畿（二、四六九円）で、逆に低いのは北信越（二、〇一九円）、北海道・東北（二、〇四一円）、四国（二、〇二七円）、九州（二、〇九七円）。日当は前年に比べて上がったという人が四六・九%におよんでいる。

▼出かせぎ収入の送金はどうか？

出かせぎ先から家族への送金を行なった人は六二・三%、送金しなかった人は三七・六%。送金は現金書留や郵便為替など郵便局利用が多く（六二・五%）、農協系統金融機関を利用した人は一七・九%で少ない。これは出かせぎ先が東京、大阪などの大都会の場合、街の中に農協がないので送金依頼ができないということによるものと思われる。

（推進部）

1億円を上回る

交通遺児救済募金 全国から愛の手

全国共済農業協同組合連合会

警察庁の発表によりますと、昨年中の交通事故による死者は一万六千二百七十八人、負傷者は九十四万六千余人と史上最悪といわれた一昨年より死者は四百八十七人減っています。

死者、負傷者とも減ったことは国や国民あげての交通安全運動の結果であり、それなりに喜ばしいことです。しかしながらそれはあくまで統計上のことであり、依然として事故にあわれた方の遺族の悲しみ、苦しみは大きいことは言うまでもありません。

すでに今年もさる四月二十日現在で四千四百三十八人の死者がでており、とくに注目すべきことは昨年の例をみても大都市包含県の東京、愛知、兵庫、神奈川などで減っていますが、農村や首都近郊各県で死傷者が急激に増えていることです。このような事故のかげに、家族の悲劇はますます強まっています。

とくに、小さい子供をかかえる家庭では一層深刻です。総理府の発表によると、幼稚園から高校までの遺児合計数五十一万九千人のうち、交通遺児約六万人、災害遺児三万四千人です。この六万人の交通遺児のうち要保護世帯、準保護世帯は合計二万二千世帯で全体の三七・三%に達しており、このうち三分の一は農村の家庭ともいわれています。これらの家庭のこどもたちの進学が大きくはばまれていることも容易に想像されます。

全共連では、農村の子弟に進学の夢をかなえさせる一助としようと一昨年の昭和四十五年十月から、全国各県の共済連と各地の農業協同組合に呼びかけ、募金活動をつづけてきました。また全共連、県共連では全役職員が春・秋の交通安全運動期間中には東京や各県の県庁所在地で大規模な街頭募金活動を行ないました。

この募金運動には全国の農協組合員をはじめ一般の人々に大きな反響を呼び、今年四月二十五日までに一億六百万円の募金が寄せられ、このうち六千万円は、すでに全共連から財団法人交通遺児育英会（永野重雄会長）に納付し、四月二十七日には残りの四千六百万円を育英会へわたすことになりました。

これらの募金活動では、広島県農協婦人組織協議会、福岡県農協婦人部協議会、熊本県農協婦人部協議会、佐賀県生産組合連絡協議会の農協団体はそれぞれ三百万円以上の募金を行ない、また長野県松本市の農協組合員玉井さんは交通事故になった経験から、毎月給料の中から四、五百円をさいて寄付し総額五万四千円になるという方もいました。

（普及部）

わかった主婦の尊さ

熊本県・菊陽4Hクラブ　宇治原哲矢

今、ぼくの家では農業をやっていないといったほうが適切なような気がする。というのは、畑でタバコを少し作っているだけだからだ。それも今年は雨が多くて、葉が落ちてあまりとれないようだ。

わが家の農業がふるわない原因は二つある。父が家畜商になったためと母の長い病気である。父は畑のほうからお金があまりとれないので、仕方なく週に二～三日はかならず出かけていってしまう。

家に残るぼくたちはその分だけ荷がかかる。ぼくは、今年から農業をはじめたばかりだから、あまり仕事ができない。そのような状況ゆえに、母ひとりに労働の重みがかかり病気になってしまったのだ。このような例ひとつみても、主婦の労働過重はこれから改善されなければならないということがよくわかる。

ぼくは母が病気を治しに家をあけていた二十日間あまり、猛烈に働いた。仕事、タバコをかくことで、働いたのは父とぼく。朝から晩までぶっ通しで働いた。ある日などは、一日中働いたうえに、夜もぶっとうしで働き、夜が明けても終らず昼までかかったこともあった。その日は眠ったこと、眠ったこと……。

そのときは、父が一度も炊いたことのないご飯を毎朝炊いていた。ぼくはそれを見ていて、なんだかかわいそうに思えた。そこで、やりたくなかったが、ぼくもご飯の仕度を何度かした。カレーライスとかラーメンが続いたけれど、父も弟もしかたなく食べてくれた。

今では、母も少し良くなってきた。ぼくの料理の腕もよくなってきた。ときどきは母よりうまくカレーを作ることさえある。それでも、主婦がいないと本当に大変なんだということをつくづくわが身をもって理解した。

これからはわが家でも機械をとり入れ、規模拡大と多収入をめざしてやってゆくつもりだ。そしてみんなが健康に暮したいものだ。

女子後継者も一言

徳島県・上勝農業後継者クラブ　大滝正子

時代は流れ……。山間部の人はだんだん都会へ、まして長男のいない家庭では、女の子がみんな嫁にとられ、仕方なく出てゆく人も多い。そんな具合で過疎現象はますますひどくなる。そんななかで数少ない農業後継者である自分たちが、さびれゆく農村を少しでも盛り立ててゆかねばならないと思うのである。

とくに女性の場合はむづかしい問題が多い。まず第一に今日の悪化する農業情勢を反映してか、農業をやろうといってお婿さんにきてくれる男の人がいないことをあげておかねばならないだろう。都市近郊の人は恵まれた条件下にいるので問題はなかろうが、郡部では深刻な問題である。

現在、農業専業で生活できる農家は少なく、何らかの形で兼業が入ってくる。それにしても、勤めと農業の両道はムリである。また勤めるにも職場がない。それでは何をすればいいのか……と言いたくなる。そこに私たち女子農業後継者への課題と問題がある。

そのような諸々の問題があるから、多くの長女は農家の長男と恋愛して、すぐに家を出ていってしまう。農業をめざす両者の力をひとつにすれば、すばらしい結果がでるだろう。しかし、それはあくまで理想論である。

あとに残ったものはどうなるのだろう。両親は！妹たちは！妹が継いでくれればいいが、彼女らだって結局いつかは私と同じ気持になって悩むだろう。あとに誰もいないとなると、姉妹のいずれかに養子を迎えるか、それとも両親だけで暮すことになってしまうだろう。そう考えると、長女に生まれた者が家を継ぐのが一番いい方法なのだろう。

……というようなことで年頃を迎えた女子農業後継者に、結婚問題が最大の悩みだろう。その上に経営面でも、自分の主体性が要求されてくるとなると問題はより複雑になる。

結婚後も農家の主婦はさまざまな問題をかかえている。家事、育児などの生活面、そして仕事とつねに両面性を要求されている。一般には〝養子娘は苦労しなくて、親もとでわがままいっていられるから幸せですね〟などといわれている。しかし、親と一緒で楽な面も多いだろうが、実際には両親と旦那さんの間に立って板ばさみになる苦労のほうが大きいように思われてしかたない。それは長男が嫁と姑の板ばさみで苦しむのと同じことだ。

だから養子娘といっても、のんびりした気持ではいられない。男子の農業後継者と同じくらい、ある意味ではそれ以上のいろいろな問題をかかえた女子農業後継者……私もその一人として多くの悩みをもっている。

問題の多い私たち。しかし全国に同じような気持で悩みながらも夢と希望をもって未来に向ってまっしぐらに進む若者仲間がいる。自分がくじけそうになったり、また、壁につきあたり悩んでいれば励まし、手をかしてくれる仲間がいる。

ある全国大会の讃歌に「額の汗をこぶしでぬぐい、見上げる青空、白い雲、たとえいばらの道だって自分で選んだ道だから、まっすぐ歩いて行くだけさ。語り合おうよ、土に生きる若者の苦しみ、喜び、生涯を！」とあった。ほんとうに私たちの心をあらわしてくれたいい歌だった。私もますます努力しよう。全国の友に負けないように心して！

笹笛

仮面の下から

わが国には実にたくさんの面がある。能面、舞楽面、伎楽面、行道面、狂言面と連ねてみてもピーンとこないかもしれないが、おかめ・ひょっとこ、般若（はんにゃ）などと言えばすぐにうなずけるだろう。

また、それらのように名があるわけではないが、一地方の神社の祭事や民俗芸能にどにも面は多く用いられている。なんとも日本人は面となじみの深い民族である。

しかし、ある文献によると、舞楽面などはもともと日本にあったものではないらしい。約一千年余り前に中国大陸から伝わったということである。そのような大陸伝来のものにもかかわらず、私たちは面に対して何とも言えぬ親近感を抱くのは誠に奇妙な話である。そして、それよりも不思議なのは、私たち日本人のもつ仮面という発想のあまりにも日常的なことである。

仮面という発想についてのみみれば、現代でも月光仮面や鉄仮面などという形で子供の世界にまで広く及んでいる。現実の自己から一枚の殻をへだててもの申すというのはなんとも日本的な行動のひとつであるようだ。ある意味においては黒頭巾や紫頭巾もその例に入るかもしれない。また三島由紀夫の『仮面の告白』という小説もその点からみれば、以上のような発想と深くかかわっているように思えてくる。

私の生まれ育った村に江戸時代から伝わる民俗芸能の獅子舞があるが、それには農民の喜びと悲しみ、そして舞全体に封建制度への素朴な抗議がただよっている。そこにも、仮面の内側からものを言うという日本人の特質があらわれているようだ。それは歴史的な要因に深く根ざしたものなのであろう。

悲しい面、楽しい面、怒った面、さとりすました面、またそれら全部を同時に表情に込めた面など、面にはいろいろのものがあるが、面は面としてだけあるのではない。それを着けて舞う人間がいるからこそ、面が生きてくるのだ。仮面という発想の生まれてくるのはまさにこの意味においてである。

現代に生きる私たちも何らかの仮面を着けて生活しているような気がする。だが、それは人間として生きる以上、宿命的なことかもしれない。だが、それをはがしたら、一体何が表われるというのだろう。（野）

自分のほかに誰が

福島県・桜4Hクラブ　渡辺幹男

〝若いってすばらしい〟などといわれているが、最近、若年寄が増えているように思う。若さのない社会環境がそうさせるのか、それとも若者自身の問題なのか。実際、自分を含めて、現代の若者には行動力がない。あまりに現実を見すぎているためかもしれない。二十歳——なんとも悩みの多い年だ。

まず第一に自分の生きてゆく目標は何なのか、自分でもわからない。ぼくは生きていて世の中にどれぐらい役に立っているのだろうか。ぼくはこのことを過去二十年間あまり考えなかった。したがって惰性で生きてきたようだ。やはり行動力がないのだ。

その点からみれば、過激派学生には頭があがらない。〝自分たちがやらなくて誰がやる。革命には犠牲がつきものである〟と彼らはいう。自分も見習わなければならない。現在、ぬるま湯につかっている自分がはずかしい。

要するにだ、彼らの思想を学ぶのではなく〝自分がやらなくては誰がやる〟という言葉を頭にたたきこんでおかねばならないのではないか。ぬるま湯につかっている自分自身の精神を打解しなくは、自己に進歩はないだろう。

二十歳を越え、社会的責任を与えられた現在、人にたよらず自分で歩みやってゆくのだ。多いに考え、悩み、そこから行動を導かなければならない。あせる必要はない。ゆっくり考えることだ。

広島さんと大久保君がゴールイン

四十五年度に日本4H協会から日本代表の〝草の根大使〟として台湾へ派遣され、三ケ月間生活した大分県宇佐4Hクラブ員・広島春枝さんは、同宇佐4Hクラブ会長大久保清君と来る五月七日、宇佐神宮で結婚式をあげる。

〈詩〉人間というもの

北海道・翠友クラブ　川添健一

人間の心が
機関車のように強かったら
泥棒なんかはいなくなる
でも人間の心は
針金ほど強くない
豆腐のように弱いのだ

人間の心が
炊きたての御飯のようにあたたかかったら
貧しい人にも笑顔が見られる
でも人間の心は
氷のように冷たい

人間の心に
神様が住んでいたら
世の中は喜びであふれるだろう
でも人間の心には
悪魔がはびこっている

青春と仲間

わが十代

佐賀県・多良4Hクラブ　田崎さよ子

二十七年三月三十一日、この世に人間として目を開き、父を知り母を見た。両親の腕のなかである年月が流れ、春は桜の花の下、ランドセルを背負って小学校へ、それからまた流れた義務教育の九ヵ年……。

そして、また桜が咲く月がやってきた。親もとを離れての学園生活……それから三年やはり季節は春だった。庭さきに若芽をふりまく樹木が私のまわりをつづんだ日、私は変った。土に命をかけ、手にかま、くわなどを持った百姓姿に変わった。

なんとなく悲しかった。若い人たちに地下タビ姿を見られて、ひとり泣いた日もあった。

話し合い手もいない山のなかで犬と話し、草花と笑った。ある日、自分にできることは何なのかと考えた。酪農の好きな私は牛や鶏についての勉強をやり始め、実際的に学習してみたいと養鶏場や牛をやっている所へ通った。しかし、両親から酪農を反対され、一週間ばかりしか通えずじまいだった。

今度こそはと意欲に燃えた。私はアスター（えぞ菊）の花作りをやることにしたのだ。少ない土地をもらって種をまいた。数日後、それらは芽を出し、私に笑顔をあたえてくれた。

移植そして、定植をやり八月三十一日、赤い花がひとつ……。そして十二日目、何本かの花が太陽と顔をあわせた。私は、十本ずつ束にして市場へ出荷した。あまり高くはなかったけれど、私の作った花がどこかの家にかざられると思うと、天まで飛び上がりたいぐらいうれしかった。

また花を売ろうと考えた。今度は町の個人の家に持っていった。「ワァー、美しい」とみんなから言われて、その場で三十束ばかり売れてしまった。「また、明日もお願いします」と店主さんから声がかかり、「ハイ」と笑顔で答える私の心のなかはなによりもうれしく明るかった。

私の心が理解してもらえるならお金なんかいらない。ただでもいい……と思うとみんなにわけてやりたい気持だった。

私は農業をやり、作る喜びとこの世の広さを十代のあのとき知った。

短歌

青森県・暁友クラブ　佐々木耕作

工事場の電気溶接チラチラと雪降る中に光りて見える

青森県・同門4Hクラブ　豊川勝美

啜り泣く荒野のススキあなあわれ北風と共に粉雪の舞う

今度はあなたの出番です！

あんな人こんな人

ただ今4H七年生　藤本芳一　茨城

ゴツイがやさしい

〝何故そんなに長いこと4Hクラブ活動をやってるのか〟とよく他人から質問されるという。〝それについては、自分でもよくわからない〟と細い目を笑顔でよけいに細めながら語るその人とは、茨城県の4Hクラブ活動歴七年のベテラン、藤本芳一君である。

しかし、クラブ活動歴七年にしては、昭和二十三年生れの二十四歳と以外に若い。何故こんなに長くクラブ活動をやっているか判らないとトボケてはいるが、彼は彼なりのクラブ活動観をもっている。

彼の意見によれば、クラブとは若者一人ひとりの問題を提示してゆく大切な場だそうだ。それ以上に重要なことは、その問題に立ち向って解決してゆく原動力となる個人の主体性である。その積み重ねがクラブ活動であるという。

彼はクラブ活動のなかに多くのものを求めている。友人や自分自身の発展などをである。彼はこれからも、できるかぎり長くクラブ活動を続けて行きたいと力強く言っている。〝4Hクラブの古狸〟というアダ名のひとつくらいは生まれてくるかもしれない。

彼はクラブ活動と同様に自家の経営にもうち込んでいる。昨年までは、稲作二五〇アールと畑地一五〇アールを経営していたが、今年から稲作二五〇アールのうち休耕転作で一〇アールを後継者育成資金を利用して苺ハウスを立てたのを見ても、彼の経営に対する意欲の一端はうかがえる。現在、畑地一五〇アールの主な作物は露地きゅうり、かぶ、落花生、特用作物（ホーキ草、ごまなど）と種類は多い。

将来の経営に対する希望はハウス栽培であるという。また、いろいろな作物をかたっぱしからやってみたいそうだ。なにしろハウスの面積一千坪を目標にして、どんな困難をも乗り越えてがんばるつもりだというから力強い。

一見コチコチの真面目人間のようだが、趣味なども多くおもしろい人間でもある。彼は自動車のレースが好きだそうだ。とくにオートバイのレースを見るのは大好きだそうである。また、あてもなく街をブラブラ歩いたり、旅行なども大好きらしく、ロマンチストでもあるようだ。

本人はとり立てていおうとはしないが、彼のレタリングやデザインの腕もまんざら捨てたものでもない。そっちのほうも、ひそかに研究しているもようである。

彼は体のガッチリした大柄な男である。しかし、彼はちょっとテレ屋でもあるようだ。彼の理想の女性像とは、健康で明るく、正直で親切な人ということだ。〝結婚観は？〟との質問には、〝私には難かしすぎてよくわかりません〟と逃げてしまって答えない。根っから純情（？）な男なのか、能あるタカは何とかなのか、それは本人でないとわかりかねる。

彼は、これからも4Hクラブ活動や自家の経営改善、そのほかいろいろの方面に力いっぱい努力してゆくつもりだという。そのほかいろいろとは、聞く人の興味を微妙にくすぐる。

上州名物、カカア天下にカラッ風——なにはともあれ、彼の前途に勝利あれ！（茨城県東茨城郡小川町下馬場）

イカしたポーズ、ゾウのような目でほほえむ藤本君

◀投稿案内▶

本紙は、みなさん方の新聞として、全国のクラブ員に利用して頂きたいと考えています。それでクラブの催しや個人のプロジェクト、詩、短歌、随筆、写真、悩みや意見、村の話題、伝説、行事、その他なんでも原稿にして送って下さい。

お願い　❶長さや形式は自由です　❷できるだけ記事に関連した写真をそえて下さい　❸送り先　郵便番号162　東京都新宿区市ヶ谷船河原町11　日本4H新聞編集部

落日 (1)

栃木・小山4Hクラブ　農民文学会会員　山中康司

十一月のうす暗い田圃に人影はなかった。霧雨は止んだが、相変わらず暗い雲がある。田圃を二つに割って走るアスファルトの道に稲束を山に積んだクボタやヤンマーのエンジンの響きが賑やかだったのは、つい十日前までだった。今は濡れたその道を、定期オーバーの砂利ダンプが時たまうなって走る。道のわきの窪地に、まだ新しい金色の花輪が一つあったが、それが秋の優雅な風情だとは言えない。その日、紺青の空とすじ雲、きらめく銀杏の葉、焦げた落葉、紅葉の林は灰色の中に沈んでいた。西の空から奇跡的にも陽がさせば秋はすぐさま回復するかもしれない。だがそれにしても、もうあの日焼け顔、汗水顔の農民達を見ることはできない。寸暇をおしんで働く人は、取り入れ時の足跡をぬかるみの田圃に残して、今は鉄骨現場へ、道路工事場へ、下請工場へと去っていった。

二十の青年は孤独だった。芳男は一人で架干しの材料を取りはずしていた。杭をうち込み、横竹を組み、そこにむかでの足のようにつっかい棒をした架干しの骨組は干枯らびた腐魚を思わせる。雨の多かった今年は、どこの家でも架干しかけが盛んだったが、生の稲籾をある程度乾燥させるという役目がすむとたちまち取り去られる。いつまでもそれを残しておくと、手遅れしているか、仕事がのろまな証拠になった。架干しの材料がいまだに残っているのが、金色の花輪の窪地のすぐ下の芳男の田圃だ。だのに彼の動作は緩慢だし、服装なども疲れて見えた。

足場が悪かった。地下たびをはいている足はくるぶしまでもぐった。架干しをばらした杭や竹を六本位づつ束にすると、それを肩にかつぎどろんこの足を一振りしながら、あぜ道まで運び出すのだった。杭の重みが肩にくい込む。丸太の束はテーラーの荷台に近ずく度に思いきり投げ出させるのだった。

あぜ道の草には水分があったが水滴はそれほどでもなかった。枯れ草の上にどっかり腰をおとすと芳男は地下たびの泥をはらうのだった。が、たびと足のひらのぬるぬるした感じはとれなかった。

県道を三時のバスが走り、短い秋の空気は冷えた。タバコの味を知らない芳男はぼけんとして、濡れて汚れた地下たびをじっと見つめた。

人は個人的にも社会的にもたいがい何らかの劣等感をもっている。それは時には自分自身の才能だったり、性格だったり、社会的地位であったり、ある場合は己れの職業といった具合に。劣等意識が極度な場合は自己破滅にもなりかねないが、生活には知恵がある。慣れるということがすべてをいやしてくれる。しいたげられ悔蔑された人も長生きすればピエロになるし、過ぎしは甘い。農民が学校の先生に劣等感を持ったとは普通聞かない。劣等感はまた純粋な農高生が、駅の待合室で英語の本等を読んでいる普通科の女子高生に対したような時に抱く。彼は最初はその可憐なそして清楚で賢こそうな姿に魅かれて、沸き立つ気持を抑えることで苦労する。止むに止まれず夜遅く机に向うと、若き日の情熱と勇気をたのみにして一心不乱で手紙を書くのだ。翌日は授業の声など耳に入らない、終業ベルと同時に学校を出て、昨日より三十分早く駅に行って彼女の出現をいまかいまかと待つわけだ。すました彼女がくる。決死の覚悟で近ずいてやっと手紙を渡すと逃げるようにして去るのだ。そして次の日からは連日期待と不安と恐怖の日が続くのだが、自分の過失に気がついて悩むのは一ヶ月程度になる。愛する乙女は農高生など相手にしてくれない。情熱と勇気の他に数学や英語の本が読めないと彼女達の交際相手として不十分なのだ。

一昨年まで芳男は栃木の農学校に通っていた。小山に住む芳男がわざわざ栃木まで行ったのは、栃農の伝統ということもあるが、二つ年違いの従兄が行っていたのと電車通いの興味もいくらか手伝っていた。だがいくら伝統があるといっても農学校は農学校だった。上級になるに従って実習の時間がやたらに多くなって本来なら教科書やノートを入れるカバンに実習道具や作業衣を入れて運ぶのだった。普通科の生徒が重いカバンを大事そうに開けて、座席でゆっくり本を読む時、芳男等は弁当のカタコトするカバンを片手にさげて昇降口に立っている。乗客は帽子の記章を見ないでもあれが農高生だなとわかる位だから、芳男等にとってはたまらないわけだった。

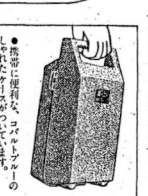

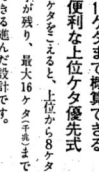

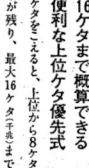

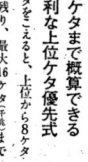

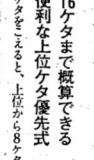

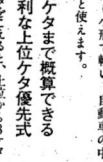

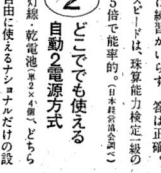

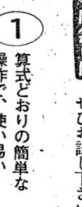

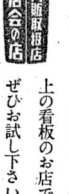

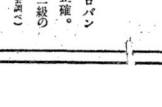

日本4H新聞
4Hクラブ 農事研究会 生活改善クラブ
全国広報紙
発行所 社団法人 日本4H協会
東京都市ケ谷家の光会館内
電話（269）1675郵便番号162
編集発行 玉井 光
月3回・4の日発行
定価 1部 35円
一カ年 1200円（送料共）
振替口座東京 12055番

クラブ綱領

私達は、実践を通じて自らを磨くとともに、互いに力を合わせて、よりよい農村、よりよい日本を創るため、四つの信条をかかげます。一、私達は農業の改良と生活の改善に役立つ腕をみがきます。一、私達は科学的に物を考えることのできる頭の訓練をします。一、私達は誠実で友情に富む心をつちかいます。一、私達は楽しく暮らし元気で働くための健康を増進します。

頑張れ〃大使〃

〃派米クラブ員〃決る

来月中旬に米国へ

今年度、米国に派遣される日本代表の〃草の根大使〃二人が、このほど決まった。社団法人日本4H協会（会長 宮城孝治氏）は国際農村青年交換（IFYE＝イフィ）計画に基づいて今年度、米国に派遣する4Hクラブ員代表を各道府県を通じて広く募集していたが、第一次（書類選考）と第二次（面接試験）審査の結果、このほど山形県の原田茂光君（二三）と福岡県の堤千恵子さん（二二）の二名を決定した。このところ女性上位時代を反映して女性だけが選ばれ花やかさをましていたが、このように男女各一名が選ばれたのは三年ぶり。

二人は、来月中旬に羽田を立ち米国に六ヵ月間滞在し受入れ家庭（ホストファミリー）で家族の一員として生活する。一戸の農家に滞在する期間は二、三週間で、その間、農業や家庭生活、風俗習慣、4Hクラブ活動などについて学ぶ。また4Hクラブや村の会合、学校などに出席して交歓し、あらゆる機会を通じて日本の正しい姿を伝え、両国間の相互理解と親善に尽すことになっている。このように単なる農業研修だけでなく民間外交官的な役割も果すことから、この交換生は〃草の根大使〃と呼ばれており、日本からの米国派遣は今年で二十回目。

晴れの日本代表に選ばれた原田君と堤さんは、ともに今後の活躍が期待される人たち。原田君は昨年、農林省農業者大学校の第一期生として卒業後、クラブを結成して活動を続け、これまで疎遠がちだった全協と県連との関係を密接にしたいと意欲を燃やしている。また、堤さんは農業改良普及所の臨時職員として勤務していたためクラブ歴も浅く、目立った個人プロジェクトの実績はないが、生活改善部の発足と同時に共同プロジェクトを始めるなど普及所勤務の経験を生かして今後活躍するものと思われ、県連のリーダーとしても期待されている。

二人の略歴は次のとおり。

①現住所②最終学歴③所属クラブ④クラブ歴⑤プロジェクト⑥趣味、特技

原田茂光君 ①山形市大字元木三九②県立山形南高等学校・農林省農業者大学校③コナム（CONAM）③果樹クラブ二年、コナム十ヵ月④柿果実の生理落葉に関する研究⑤普通自動車一種免許、書道教授免許

堤千恵子さん ①福岡県八女郡黒木村大字土窪七九一②県立福島高校、大和農芸家政短期大学農芸家政科（奈良県）③黒木4Hクラブ④神奈川県若草会二年、黒木4Hクラブ一年⑤食生活の改善（共同プロ）、福岡県八女東部農業改良普及所臨時勤務⑥中学校教諭二級普通免許（家庭・職業）普通自動車一種免許

原田君（山形）と堤さん（福岡）

6月7日、東京で

全国4Hク前期中央推進会議

全国4Hクラブ連絡協議会は総会後初の執行部会を開き、前期の全国4Hクラブ中央推進会議を来る六月七日から九日までの三日間、東京・渋谷区のオリンピック記念青少年総合センターで開催することを決めた。

この前期中央推進会議は、各道府県連の現リーダーを対象にして4Hクラブの本質、理念、リーダーのあり方などについて研修し、4Hクラブ活動を積極的に推進するための実力を養おうというもので日本4H協会（会長 宮城孝治氏）との共催。

道府県連会長はじめ4H会館建設推進委員、日本4H新聞連絡報道員などが参加し、全協活動の方針説明、組織、4Hの本質、プロジェクトなどについての講義のほか道府県連会長会議、女子クラブ員研修、4H新聞連絡報道員研修、会館建設推進委員会などを開いて実践的知識を収得することにしている。

なお、詳しい実施要領などは後日各道府県連に連絡することにしている。

第九回「全国4Hのつどい」開催要領案

箱根か大山で宿泊

来年九月上旬を予定

「都市化の中の農業」を表面に

来年度、神奈川県で予定されている「第九回全国4Hクラブ員のつどい」の開催要領案が、このほど地元神奈川県農村青少年クラブ連絡協議会（会長 河崎幸一君）の手でまとめられた。それによると、開催期日は九月上旬の四泊五日間を予定、開催場所は平塚市（開会式場）はじめ伊勢原、藤沢（閉会式場）両市を候補地にあげている。また現地交歓訪問は県下一円で実施する予定である。

主な内容は、クラブ員宅に宿泊しての現地交歓訪問を中心に記念講演、散策、自由交歓、キャンプファイヤー、アトラクション、歓迎レセプション、お別れパーティー、開・閉会式などで、現地訪問では農作業の実習を主体に優良農家の見学、討論会、レクリエーションなどを企画し、各地区のカラーを打ち出そうという趣向。また散策場所としては天下の険で知られる箱根か大山を予定している。

とくに、都市化に対応する神奈川県の農業と、その中で創意と熱意によって立地条件をうまく活用して、新しい時代に生きる神奈川県内の青年農業者の姿を全国のクラブ員にみてもらうことにしている。すなわち時代の先端をゆく神奈川農業の実態を把握してもらうとともに、県下のあらゆる特色を県内クラブ員の力で表現して神奈川のカラーを強く打ち出そうというわけである。

参加経費は約六千円で、開催要領案は次のとおり。

▽主催 全国4Hクラブ連絡協議会 神奈川県農村青少年クラブ連絡協議会、社団法人日本4H協会

▽参加者 4Hクラブ員、OBとその家族、農業大学校生、農業高校生、外国クラブ員、育成指導者 計千二百名（県内クラブ員四百名、県外クラブ員八百名）

▽後援（予定） 農林省、文部省、総理府、伊勢原市、全国農村青少年教育振興会、NHK、全国農業協同組合中央会、神奈川県農政部、同県農業協同組合（四連）その他各種団体

河崎県連会長

▽協賛（予定） 家の光協会、日本農業新聞その他各種団体

▽運営 全国4Hクラブ連絡協議会、神奈川県農村青少年クラブ連絡協議会、次期開催県の県連絡協議会役員と職員、日本4H協会職員

主な日程

一日目 受付、開会式、歓迎レセプション、現地交歓訪問（民泊または施設宿泊）

二日目 現地交歓訪問（農作業の実習）を中心に、優良農家の見学、討論会、レクリエーション（キャンプファイヤーなど）をおりまぜ各地区のカラーを出す（クラブ員宅に宿泊して家族とも交歓）

三日目 二日目と同じ。

四日目 散策（大山か箱根を予定）自由交歓、話し合い、キャンプファイヤー（各県の民芸大会）など（大山か箱根の旅館に宿泊）

五日目 閉会式、記念講演、アトラクション、お別れパーティーを最後に解散する。

神奈川県連では、さる四十五年度の総会で「つどい」の誘致を意志決定し、特別委員会として「つどい誘致準備委員会」を発足させて検討していたが、昨年度の総会において正式に誘致を決定。今回全協の総会において承認されたため、直ちに「つどい準備委員会」を結成して具体的に現地調査を開始することにしている。なお、これから調査を行なうため、開催期日や場所、参加経費などの面で多少の変更がありうると、その了承を求めている。

港北地区連が加入

神奈川県連の総会

【神奈川】前号で既報のとおり神奈川県農村青少年クラブ連絡協議会（会長 杉崎正登君）の総会がさる四月十日、海老名の県立農業大学校で開かれた。

当日は県下各地区の代表六十余名が出席し午前十時に開会。まず、杉崎会長、農政部長のあいさつのあと議事に入り、四十六年度の事業と決算両報告が承認された。

続いて役員の改選があり、前号で紹介のとおり新役員を選出。また保留となっていた女子副会長にはその後、湘南地区の広田孝子さんが選ばれた。

次に、来年度、「第九回全国4Hクラブ員のつどい」の誘致が正式に決定され、また、港北地区連の県連への加入が承認された。

ひき続いて四十七年度の事業計画と収支予算を決定した。

四十七年度の活動方針としては、めまぐるしく変わる農業情勢の中で、クラブ活動のあるべき姿を求め、各自の農業者としての自覚を高めるとともに、クラブ員相互の親睦をはかることにしている。これに基づいて次の事業を行なう。

①リーダー研修会②農村青少年クラブ員の集い③青年会議④県連だよりの発行（年四回）⑤諸団体との連けい強化⑥各地区連との連けい強化⑦その他活動方針に基づく活動（鈴木時保連絡報道員発）

涼風暖風

異質性の魅力

活発なクラブ活動が行なわれるための条件の一つに、メンバーの等質性がある。年齢や興味や関心に共通したものがあるとか、境遇や考え方などが似ているという条件である。

クラブのメンバーのうち、数人は経営改善に関心が強く、ある何人かはスポーツに興味を持ち、他の数人は音楽に熱中するなど、バラバラなメンバーでは活動の焦点が合うはずがない。このクラブの人たちは酪農について共通の意欲を持っているとか、あのクラブは野菜の栽培研究に熱心な人たちの集まりだというように、クラブの活動目標をめぐる共通の問題意識があれば、同志としての仲間づくりも強く問題解決の活動だって盛んになろうというものだ。この場合、年齢もだいたい同じくらいであれば話し合いの一致点が広がるし、経営が似ていれば研究の焦点も絞られてくる。

つまり、質が等しいということは、クラブとしてのまとまりを強め、みんなが協力して目標達成に努力することになるわけだ。これはだいじなことである。

ところが、問題解決のための新しい方法を生み出すこととか、マンネリ化を破って新しい活動を創造していくことになると、メンバーの質が似ていればいるほど、そうした創造的な活動が弱いという心配がある。みんなの質が似ているだけに、考え方も同じようだし、ものの見方だって同じ角度なので、いつでも常識的で無難なものに落ち着き、型破りな発想が見られなくなる。きまったことを正確に能率的に実行するのには強さを発揮するが、障害と取り組んで臨機応変の活動という面では弱さがあるようだ。

むしろ、メンバーの年齢や興味や関心が少し違うほうが、異なった立場や角度の違う視点から検討が加えられて、新しい活動方法や解決のアイデアを生み出すことができよう。クラブの等質性は重要にちがいないが、何から何まで同じでなくてもよい。関心にしろ意識にしろ何か一つはメンバーに共通性が保たれており、それが活動目標に結びついている限り、残った異質性をだいじに活用していきたいものと思う。

一人一人の考え方に違いがあっても、クラブの活動目標に統一され方向づけされていれば、その協力はねばり強さが増し、その活動は創造性が加わるにちがいない。これは異質性の魅力でもあろう。

（北海道・三輪）

受賞祝賀会開く

【佐賀】鹿島市鮒越4Hクラブ（会長 小池正人君）では、「第十一回青年農業者会議」において優秀クラブとして農林大臣表彰を受けたが、その祝賀会が去る四月十九日午前九時から鮒越公民館で盛大に開かれた。

「6円が運ぶ、仲間の声!!」

赤松 宏▼1

「六円が運ぶ、仲間の声!!」——何のことなんだろうと感じるだろう。何も説明しなければ何を書こうとしているのだろうと感じるにちがいない。実は、今回から何回かに分け、広報活動についてといおうか、組織における、私たちであれば、4Hクラブにおける連絡活動をどうするか、報道活動をどうするかなどについて多少、触れてみたいと思い書き始めた。

しかし、タイトルの「六円が運ぶ、仲間の声!!」が何に関係あるのだということになるだろう。それほど大きな意味があるわけではないが、4H活動の中で一番組織、いや、私たちの組織仲間に情報を提供しているのはいまのところ「日本4H新聞」のように思う。

「仲間の声!!」とは全国の4Hクラブの仲間の記事が載っているから、また私と同じように読んでいる仲間が想像できるからなんです。「六円が運ぶ」……下図のように印刷され、ハトロン紙の帯封につつまれ十日ごとに送られてくる「日本4H新聞」、第三種郵便物の認可を受けた定期刊行物、郵便料金六円なわけです。少し、タイトルとして最初からふざけた感じになったが、でも、いま、一人、机に向って、自分と「広報活動」について反省してみて、随分、多くのことを覚えたなあ、また、教えられもしたなあと思っています。そして、十日に一度送付されてくる、「六円が運ぶ、仲間の声!!」＝「日本4H新聞」が楽しみでもあります。いま、「日本4H新聞」を通して教えられたことや、広報活動を通して覚えたことを反省の意を含めて頭の中で整理しようとしているのだが……

仲間を知りたい

声かける気易さが

私が、4Hクラブ活動を始めたのは昭和四十年度で、実質計算されると自信はないのだが、今年で八年目になります。遠い道程であったと一人で溜息をついています。いま、私が4Hクラブの中で学んできた道程については別の機会にゆずり、広報活動に関する点から考えてみようと思います。

まず、最初に私の4H新聞の出合いから話した方が良いのかも知れない、まあ、私の場合、「4H新聞」のあることを知ったのは、四十三年度で、道4Hクラブ連絡協議会の監事の任にあったとき、道庁を訪ねたおりであった。そのときは横目でチラリながす程度であった。いま、正直にいって、編集者、発行者には悪いが、一目ぼれするような代物でなかったことだけは確かです。

ところが、好むと好まざるとにかかわらず、これにタッチしなければならない任に就くことになった。当時の道4Hクラブは事務局次長が、いまの広報局の仕事もするシステムだったので、何とかしなければという気持から、その是非は別にしていろいろ考えてみた。

まず、第一点は道内一万の仲間に不規則に発刊されていた、「4Hだより」を正しく出すように、年四回、四万部、十万の予算をとり編集発行したことです。

第二は、あまり感じていなかった「4H新聞」の普及であったが、目標を一千部において足かけ二年でやっと半数の五百の仲間の手に配布されたのが、そのときの実績です。

第三に機関誌づくりの普及に努めたが、その時点では失敗に近かった。この三点に力を入れたのだが、もう少し本質的に学習しておけばということが現在の反省です。まあ、この三点は別にして、なぜ、いま、一行残らず「4H新聞」を読むようになったか考えてみた。

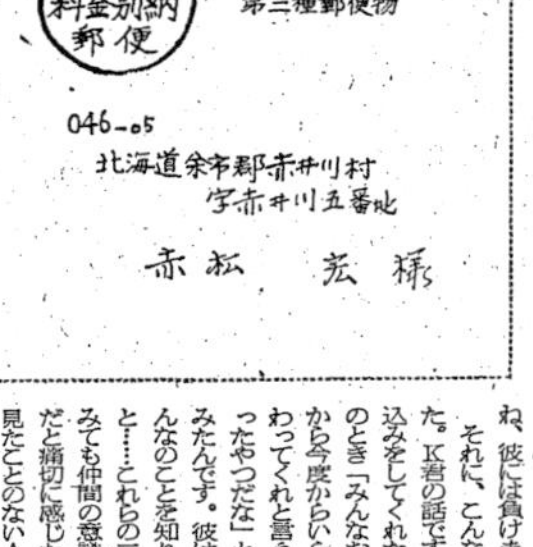

仲間だと思えるようになったからです。自分と顔を合せている者だけが仲間だと思っている連中には本当の意味で「4H新聞」は読めませんよ!! 本来の意味でこれだけはいいきれる。

ここで事例を上げてみる。私は、あえて身近かな仲間といいますが、そのT君は「4H新聞」を見るなり、「これはおもしろい、いい新聞だ」と言ったんです。そして「やはり、みんな同じようなことを考えているんだなあ、俺も今度から取ってくれ、いくらだい」と聞いた。「千二百円ぐらいなら安いな」とつけ加えた。彼が本当の読者だと思いました。私の愛読経過からみて少しはずかしかったね、彼には負けましたよ。

それに、こんな話もありました。K君の話ですが、継続申し込みをしてくれたんですよ。そのとき「みんなおもしろくないから今度からいらないので、ことわってくれと言うのにお前も変ったやつだな」とわざと言ってみたんです。彼は「やはり、みんなのことを知りたいからな」と……これらの二、三の例からみても仲間の意識は大切なものだと痛切に感じた。また、顔の見たことのない人でも仲間と呼べる人になりたい。遠くにいても声のかけられる仲間を持ちたい。「4H新聞」で仲間が私に声をかけてくれていると信じています。何かこれがすべてにつながるような気がして……。

（前北海道4Hクラブ連絡協議会副会長）

「つどい」誘致へ

長崎県連 知事も援助を約束

【長崎】前号で既報のとおりさる四月一日、長崎県農村青少年クラブ連絡協議会（会長 木下評君）と久保知事との懇談会が午後一時から二時間二十分間にわたって県庁で開かれた。あすの農業振興について話し合い、県内青少年の組織の一本化を強力に進めることや四十九年度に4Hの祭典——「第十回全国4Hクラブ員のつどい」を誘致することなどを決めた。

この日は、県連役員と県側から久保知事はじめ高比良農林部長、農政課職員が出席し、木下県連会長のあいさつのあと県連の実情について紹介した。県内で農業に従事している十六歳から二十五歳までの男女の集まりで、農村青少年の組織としては県下で唯一の団体であり今年で県連が結成されてから十八年目を迎える。しかし離島や西彼の一部が未加盟という組織の伸び悩みをかかえているなどという内容であった。

また、久保知事は「今後の農業振興に対する活躍を大いに期待しており、ナマの声を聞いて参考にしたいのでザックバランに話し合いたい」とあいさつ。このあと双方の意見をかわした。

まずクラブ員から「県は四十五年から農村青少年を対象とした青年農業者連絡協議会づくりを始めているが、どのような方針で行なわれているのか、既存のクラブから一部反発もあるが……」という質問が出された。

これに対し、県側は「県内の農業青少年は現在二千四百七十一人だが、まだクラブに加入していない町村単位のグループも多い。そこで県全体の話し合いの場をつくろうというのが目的であり、組織の再編成ではない」と説明し、県連に一本化の中核になってもらうよう協力を求めた。

さらに県連側から「四十九年にクラブ結成二十周年を記念して、本県で第十回全国4Hクラブ員のつどいを開きたいので県の協力をお願いしたい」と県側に要望した。これに対し久保知事は「四十七年度中に県内の農業青少年を一本化させることができたら全国大会の成功のため県としても百万円を援助する」と約束した。

このほか、県園芸連と県経済連の早期合併、農業後継者資金の償還期間の延長などについて県の積極的な対策を要望した。（この記事は、前号と一部重複します）

（森川政則連絡報道員発）

駅周辺にミニ花壇をつくる

魚津市4Hクラブ

【富山】魚津市4Hクラブでは〃町を花で楽しくかざろう〃という呼びかけのもとに、同市の表玄関である国鉄魚津駅の出札口や待合室などに季節の花々を色とりどりに盛ったミニ・花壇をそなえつけた。

心頭技健

さる一日、税務署で公示された高額所得者番付によると、昨年中に全国で二千七百四十四人の億万長者が誕生した。しかも、上位百人のうち九十五人までが土地成金で独占した。その中のトップは宮城県の不動産会社社長関兵馬氏（六〇）この三十九億円で、これまで一、二位を争っていた松下電器産業会長松下幸之助氏（日本4H協会名誉会長）も前年の六位から十一位に下がった▼プールつき敷地約五千五百平方㍍、七千万円の邸宅、ブルドーザー五十台、セスナなど軽飛行機九機、ロールスロイス、ベンツなど高級車五台（会社名義）——これが高額所得日本一の財産。家族五人の所得総額は六十億円を越し、年利五・七五％で預金しても一日で百万円の利子がころげ込む計算。われわれ庶民にとっては気の遠くなるような「かせぎ」だ▼このように土地成金が一挙にふえたのは、土地税制がかわって今年一月から税率が五％アップし、譲渡価格の一五％に引上げられたので、その前に処分したことや、ドル・ショックのあとの金融緩和で、会社が大口の土地買占めに動いたこと、などが原因とみられる▼この事実から、必ずしも「庶民に安い土地を」という税制がねらい通りにいっていない。また、大都市周辺の地価の上昇率は年間一七・八％で、税率一〇％を上回っているため、相変らず「土地は寝かしておいた方がトク」ということになるようだ▼神奈川など東京周辺地域のクラブ員の中には、自分で田畑をブルで宅地造成したり、ボーリング場に貸したりしている人もいるようだが、彼らに言わせると、優雅な生活が送れるのも先祖がよいからだそうである▼三十九億円は一日いくらになるかなどいくら計算しても、しょせん雲をつかむような話。われわれも、よい先祖にならなければと思うわけだが、ムリか。

友のペン

『4Hとわだ』

農村青年像を問う
希望、焦燥、脱出

今号から新シリーズとして機関誌（紙）紹介の欄をもうけることにした。まず今回は青森県・十和田地区農村青少年クラブ連絡協議会（会長　加賀副君）の機関誌である『4Hとわだ』第二号を紹介してみよう。

『4Hとわだ』は三四ページからなるタイプ印刷のととのった機関誌である。表紙には、火の儀式の写真が大きくのっており、読む人の興味をそそる。

〃心・頭・技・健・磨く我等が未来を拓く〃というメインタイトルがあり、それに沿って内容が構成されている。そのメインタイトルを〃希望〃〃焦燥〃〃脱出〃という段階に区切っている。

『4Hとわだ』のような形式の機関誌もめずらしい。この機関誌のねらいは、現代の農業における希望、焦燥、脱出を赤裸々に提示することにあったようだ。それゆえに掲載文の多くは青年の生き方に関するものであった。

希望の段落で目立つクラブ員の主張は、経営プロジェクトの推進、こんな主婦になりたいとか、こういう農村男性として生きたいといった内容のものである。現代農業の激流のなかに力強く生きてゆこうとする叫び声がなまなましい。

焦燥の段落では、後継者問題、出稼ぎ問題、またクラブ員が農村で必死に生きてるうちに心に忍びこむ不安といったものを浮き彫りにしている。本紙でかつて連載した矢口邦生氏の「経営の原点」が掲載されており、問題をより深くさぐっている。

脱出というのは、農業・農村からの脱出なのか、古い農業・農村を打破した結果の脱出なのかがはっきりしていないのが少々惜しまれる。しかし、そうはっきりと分けられない現代の農業の本質を遠まわしに語っているのかもしれない。

そのほかには、普及員の方が三名「青少年に望む」と題してプロジェクトの強化を説いている。また、特集としての「組織とリーダー」も非常に内容が濃く興味深いものである。

第三号の発行が待ち遠しい。

会館募金を再開
静岡県連で総会
新会長に鈴木政美君

【静岡】静岡県農村青少年クラブ連絡協議会（会長　渥美啓治君）の通常総会は、さる四月十七日午後一時から県庁四階会議室で開かれた。当日は県下五地区連から新旧役員と青少年担当普及員三十二名が参加、来賓として松浦幸治全協会長が出席した。

体質改善望む声も

まず四十六年度の事業について鈴木紀久安事業部長、同収支決算について長谷川光義会計からそれぞれ報告があり承認された。続いて四十七年度の事業計画と収支予算案が満場一致で決定された。とくに活動方針では4H会館建設の問題が論議され、今年度再び募金運動が展開される運びとなった。

また、理事から体質改善を要望する意見が強く出された。時代にマッチした活動が必要とされる。また県連の活動が活発でも、末端の単位クラブの充実、育成、事務連絡の円滑化、農改普及員による指導が今後の活動に必要とされるなどが強調された。

松浦全協会長から4H会館建設と募金の現況報告があり、全国のクラブ員が一丸となって協力しなければ早期建設は不可能であると訴えた。

このあと役員改選が行なわれ、会長に前事務局長の鈴木政美君が選ばれたほか次のとおり新役員が決まった。

鈴木県連会長

会長	鈴木　政美	浜北市
副会長	勝又　啓治	富士市
同	鈴木　民江	浜松市
会計	坪井　治男	掛川市
書記	望月　絹代	静岡市
会計監事	和久田政広	浜松市
同	勝又　政朗	御殿場市
事務局長	鈴木紀久安	静岡市

新年度事業計画は次のとおり。

一、農村青少年クラブ組織の拡充

クラブ組織を充実し、自主的な活動の発展を期すため専門部活動の充実をはかるとともに県連、地区連絡協議会の行なう事業に特長をもたせ、事業の効果的な推進と内容の充実を期す。

二、県連活動、事業内容の周知徹底

広くクラブ員を県連事業の周知徹底をはかり、事業の効果的な推進に資するとともに、組織強化のための意見交換の場とするよう単位クラブ会長会議を開く。

三、4Hクラブモニターの設置

クラブ活動の民主的で公正な推進をはかるとともにクラブ組織の充実を期すため4Hクラブモニターを設置し、クラブ員の意見を広く聴取する。

四、単位クラブ活動の発展

事業の適正な推進を期すことによって単位クラブの活動を積極的に発展させるよう配慮する。とくに近代的農業経営者としての資質を高めるためプロジェクト活動を推進する。

五、事業の実施

クラブ員の仲間づくり、研究成果の発表、スポーツ大会を通じてクラブ意識の高揚とクラブ活動の推進とともに、クラブリーダーの養成を積極的に推進する。

▽クラブ実態調査の実施（五月）▽単位クラブ会長会議（同月）▽地域連へのオルグ実施（六〜七月）▽県農村青少年技術交換大会（八月）機関紙の発行（八、一月）▽女子クラブ員のつどい（九月）▽スポーツ大会（十月）▽クラブ県農村教育青年会議（一月）▽クラブ功労者表彰事業（同）▽リーダー研修会（二月）

六、県連バッチ、日本4H新聞の取りまとめ

県連バッチ、4H新聞の購読推進と取りまとめを行なう。

七、4H会館建設活動の推進

4H会館建設のための募金活動を推進する。

八、他団体との連けい

他団体との連けいをはかり、県連活動の向上に資する。

（鈴木政美連絡報道員発）

農薬の被害防止に作業衣を防水加工
浅瀬石4Hクラブ

【青森】黒石市浅瀬石の4Hクラブ農生会ではさる四月七〜十日までの四日間、農薬散布による害を少なくしようと、作業衣の防水加工の作業奉仕を実施した。

作業衣の防水加工は各地区に広く普及しているが、管内の4Hクラブが申し出たのはこれが初めてである。最近、同地区で農薬散布に携る人たちに農薬被害とみられる症状が現われたため、農薬に対する意識の改善と安全な農業をめざして作業奉仕を買ってでたもので、地元の人たちはクラブ員たちに感謝している。

勤労青少年の貯金は?

貯蓄増強中央委員会では、このほど勤労青少年を対象に貯金に関するアンケート調査を実施し、その結果をまとめた。調査対象は、国立青年の家（二ヵ所）、勤労青少年ホーム（三ヵ所）、およびオリンピック記念青少年総合センターの各施設を利用している勤労青少年千四十名。このうち回収率は八二・九％であった。

多い「結婚資金」
9割以上が通帳もつ

調査のねらいは①貯金の保有状況②保有貯金額③貯金の方法④貯金をしない理由⑤臨時収入からの貯金割合⑥貯金の目的⑦借入金の有無⑧金銭収支の記録状況⑨金銭収支を記録しない理由などの八項目。

それによると、貯金の保有者は全体の九二・二％にのぼり、年齢の高い者ほど、貯金の保有率が高い。また、男子より女子の方が貯金の保有率が高い。保有貯金額を「十万円未満」「十万円〜三十万円未満」「三十万円〜五十万円未満」「五十万円〜百万円未満」「百万円以上」の五グループに分けてみると「十万円〜三十万円未満」が三五・一％でもっとも多く、これに「十万円未満」（三三・九％）を加えると、保有貯金額「三十万円未満」が全体の約七割を占めている。

年齢別にみると、十代は「十万円未満」が約七割を占め、二十〜二十四歳は「十万円〜三十万円未満」が中心（四二・九％）であるが、二十五歳以上は「十万円〜三十万円未満」以上各グループとも二割前後を占めている。しかし、二十五歳以上は「百万円以上」をもっている者が男子では二三・三％、女子では二九・四％とかなりの比率を示しており、注目される。

毎月必ず貯金を「している」者は、全体の約六割。これに「時どきする」者をあわせると、九割近くがなんらかのかたちで貯金をしている。

貯金の目的は、「結婚資金」、「旅行資金」がもっとも多い。また、年齢別では、二十五歳以上では「病気などの万一に備えて」、「結婚資金」、「趣味娯楽」、「土地家屋購入資金」の順で、二十〜二十四歳では「結婚資金」、「旅行資金」、「趣味娯楽」の順であり、十代では「趣味娯楽」、「結婚資金」、「旅行資金」の順と、年代によってそれぞれ貯金の目的に若干の差がみられる。

借入金の利用者は四人に一人の割合。年齢の高い者ほどその割合が高い傾向にある。また、金銭収支の記録は、記録を「していない」者が全体の七六・四％。その理由としては「面倒だから」が全体の半数を占め、「つけていてもお金がいる時はいるのだから」が二割以上となっている。

		10万円未満	10万円〜30万円未満	30万円〜50万円未満	50万円〜100万円未満	100万円以上
全体		※33.9%	35.1%	15.2%	8.0%	6.8%
	10代	69.0	26.5	3.9	0.6	—
	20歳〜24歳	31.3	42.9	16.7	6.2	1.6
	25歳以上	11.9	24.0	20.9	17.7	24.5
男		※32.9	31.5	15.3	9.6	9.8
	10代	70.9	22.6	6.5	0.0	—
	20歳〜24歳	36.8	37.4	15.2	6.9	2.8
	25歳以上	12.7	26.6	19.0	17.1	23.3
女		※35.2	39.7	15.0	5.9	3.1
	10代	67.7	29.0	2.2	1.1	—
	20歳〜24歳	26.0	48.1	18.2	5.6	0.4
	25歳以上	8.8	11.8	29.4	20.6	29.4

仲良く手をつないで体力づくりゲームを楽しむクラブ員＝北海道連のリーダー研修会

意欲的なメンバーを
会員との調和も必要
北海道連でリーダー研修

【北海道】このほど北海道4Hクラブ連絡協議会（会長　中山寿雄君）主催のリーダー研修会が、四日間にわたって深川市の道立青年の家で開かれ、実技学習、連絡調整会議、つどい説明などが行なわれた。

各地区の代表五十六名が出席して一日目は、開会式のあとオリエンテーション、実技学習が行なわれた。実技学習では「リーダーとして必要な知識、技術の習得を行なう」と題して、公的な文書のつくり方、公文書の構成、プログラムの組み方などを研修し、夕食後は仲間づくり交歓会で過ごした。

二日目の午前は三つの分科会に分かれ連絡調整会議、報道員と女子クラブ員の両研修が行なわれた。午後はレクリエーション委員の指導で体力づくり、夕食後は海外派遣クラブ員報告として、中山会長が東南アジアの農業、4Hクラブ活動の実態などを紹介。

三日目の午前は、今年八月二十八日から北海道で開催される「第八回全国4Hクラブ員のつどい」の開催要領と支庁連協の協力について説明があった。午後からは「連協活動の今後の方向」と題してパネル討議が行なわれ、夕食後、女子クラブ員の指導のもとにキャンドルサービス。

最終日は「4Hクラブ活動本来のリーダーシップについて」というテーマで三分科に分かれて話し合った。

なお、研究協議の中から主な意見を紹介すると次のとおり。

一、連協活動の今後の方向

▽連協は必要か　クラブ員や単位クラブにとって本当に必要な支庁連協の活動とは何か、それぞれの連協の果すべき役割を再認識してみたい。

（1）支町村連協　▽連絡的役割を果す▽広い視野、地域にわたっての活動▽交流の場、リーダーの育成が主な役割。

（2）支庁連協　▽情報交換、交流の場である▽連絡的、仲人的役割を果す▽地域カラーを出す。

▽道連、全国4Hクラブ連絡協議会　▽内容、活動が知られていない▽立場の接点を見い出す、意見を反映させる▽教育全体の源泉である▽支庁、市町村の性格を深めたものとする。

二、支庁連協の今後の方向

▽メンバーの問題　①行動の積極的なメンバーをつくる②入会が自由なので真剣にやる気になる。

▽運営面での問題　①会員の望む活動を取り入れる②リーダーと会員の調和が必要③OB・農改普及所を多く活用する④マンネリ化を防ぐ。（前川英明北海道地区主席連絡報道員発）

時報道

あわれ、水鳥……

十年ほど前、私はヤコペッティ監督の〃世界残酷物語〃という映画を見た。おそらく多少の誇張とセンセーショナリズムを含んではいるものの、その映画は、いまだに残存する世界の悲惨な裏側を垣間見させるものであった。人身売買、鎖につながれた奴隷、飢えの大陸……。どこまでが真実でどこからが誇張なのかはわからない。だが、一つだけ確実に実証されたものがあった。

それは、現代と、それに続く未来を予告するかのような痛ましい水鳥の運命であった。水鳥は、工場排液で汚染された水面から飛び立とうとして飛び立てないのだった。文明の〈毒〉の矢に刺された水鳥の羽は、小刻みに痙攣（けいれん）し、虚しく羽ばたきをくり返すばかりだった。すべての抵抗の火が消え、やがて水鳥が褐色の汚水に沈むときに見せた死魚のような眼は、確かに私たち人間の行く末を暗示させるものだったのだ。

いま私たちは、この国のいたるところで水鳥の運命を見てきている。文明の〈毒〉の矢は、日本においては人間をも射とめてしまった。一㌶当りに散布された農薬の量は、ヨーロッパの五倍以上、アメリカの七倍以上、アフリカの八十倍以上だという。また、一人当りの蓄積量は、BHCはアメリカ人の五十倍、水銀、カドミウムの蓄積量も世界一だという。私たちは確実に水鳥の運命を歩み始めている。

そして、スウェーデンの一記者が日本についてつぎのようにいうとき、私たちはそれに対してなんと答えるべきなのか……。

〃日本は公害の一大実験場だ。ここでは、一億三百万人の人間が汚染物質や毒物でモルモットのようにテストされ、それがどのような恐しい結果を生むか、だれも想像できない。われわれ西洋諸国が、ネズミやウサギでテストしていることが、この国では人間で行なわれ、全人類のために暗示を与える役割を引き受けている〃

【宇】

クラブ往来

本土の新技術導入

本土復帰を間近にひかえながらも、私たちの住む勝連村は、いま工業化の波をまともに受けている。しかも、農産物の貿易自由化の方向に進んでいる今日、沖縄も復帰の時点でその影響をまともに受けることはまぬがれない。

そんなきびしい情勢の中でより豊かで、他産業に遅れをとらない近代的な農業経営に改善しなければならないと思い昭和三十四年、村に残っている若者十名で4Hクラブを結成した。

私たちの村は伝統的に農業が産業の主柱で、農家戸数一、五四八戸は村全体の六七・五％に相当し、農家一戸当りの経営規模は約四〇㌃。だが、これも分散している状態であり、沖縄平均の八二㌃に比較しても零細である。また、農家の五三㌫が五〇㌃未満の零細農家で、一〇〇㌃をこえる農家は一五戸にすぎず、専業農家は皆無である。主要産物は、きび、野菜、養豚で、年間所得は九〇〇㌦。現在、村は婦女子、老人によって昔風の農業経営が営まれている。

このような現状に対し、クラブ員が話し合った結果次のことがとり上げられた。①旧態依然とした農業をどのように改善するか②新しい魅力ある農業経営を営むためには、私たちクラブ員は何をなせばよいか——そして、村の自然的、社会的立地条件などを検討したところ、施設園芸による野菜の主産地を作ることがとり上げられ、さっそく実施することに決まった。先決問題として土地改良事業が必要であり、いまその実施計画にとりくんでいる。

私たちは、本土に復帰する時点までにはぜひ野菜の主産地形を実現させたいと思い、そのためには、まず、クラブ員自身が農業に対する視野を広め、新しい農業技術をいち早く私たちの村にとり入れることによって、一般農家の農業に対する考え方を改めさせようと思った。

そこで私たちは、本土の先進地農業を実際に自分たちの目で見ることが必要だと思いクラブ員が毎月五ドルの積立貯金をして旅費を作り、昭和四十五年七〜八月にかけて約二十日間、本土の野菜地帯の視察を実施した。

そして、私たちは本土のより進んだ新しい農業技術を実際に自分たちの農業経営の中にとり入れながら、あるいは本土視察についての報告会をもったり、また機会あるごとに一般農家に訴えてきた。その結果、農家の考え方も変わり、今後の農業はぜひ土地改良をして機械化による新しい近代農業でなければならないという考えや、今後は主産地を形成しなければならないという機運が高まり、村当局、琉球政府を通して、現在、パイオニアプランテーション事業の実施を要請している。

私たちの村は、いま新しい農業の改革の方向に進みつつあるが、困難な問題も残されている。その一つに農業後継者の育成の問題がある。農業の後継者育成には、それぞれの農業の経営改善も必要だろうが、その他に政府も積極的に農業構造改善などにのり出し、本土に適用されているような後継者近代化資金、また、若者たちが利用できるような営農資金制度を一日も早く沖縄に適用し、若者に興味をもたれる農業環境の建設を積極的に推進して欲しいと思う。

現在の零細農業から脱皮することはこれからも非常に困難であるかもしれない。私たち南風原4Hクラブは、クラブ員が協業を行なうことによってこれらの問題に対処していきたいと思っている。

（沖縄・勝連村・南風原4Hクラブ、喜久山栄正君より）

売値の調整に有利

ハウスによる「しいたけの不時栽培」

栽培の息切れなし

大分県・宇目町青少年クラブ　小野篤一

稲作部門では、規模拡大や省力栽培による生産性の向上は望めないため、私は土地にあったしいたけ栽培を勉強したいと思い、あまり栽培の行なわれていないしいたけの不時栽培を手がけてみることにした。

今までのしいたけ栽培では乾燥しいたけだけに頼り、生産が不規則であった。そこで私は、年間を通じての生産体系の確立をはかり正月を中心とした生しいたけの出荷を目標に栽培を計画した。そして、初年度の四十五年は試験的に九〇平方メートルのハウスを作り、ハウスによるしいたけの不時栽培を実施した。

まず、十二月の初めに、四年生のホダ木を一七〇本、二日間浸水打木して蒸した。しかし、しいたけは一本のホダ木に二～三つしか発生せず、私は最初から壁にぶつかってしまった。つぎに新木を十二月の中頃に作ってみたところ、これは自然発生と変わらないくらい発生した。

さらに、最初に作ったのと同じ四年生のホダ木を、十二月末から一月始めにかけて作ってみたところ、今度は自然発生以上の伸びを示し、八年生のホダ木も同じように発生した。こうして、十二月初めから二月初めまでの二ヵ月間でストーブによる加温を行なって、二六五キロの収穫をえることができた。

不時栽培による収支の概況は、収入が十七万四千二百三十四円、支出が設備費一万一千五百十六円、燃料費一万四千七十二円、生産費一万二千七百円で、計三万八千二百八十二円になり、差し引いた収益は十三万五千九百五十二円であった。なお、使用したホダ木の量は駒約一万個分六四〇本。

倍以上の値段も

別表にあるとおり、月別の平均価格をみると二月の上旬が高いことがわかる。また、表にはないが十二月上、中旬も高い。調べてみた結果、十二月上、中旬は自然発生がなくなり、また、不時栽培者は年末、年始をねらって栽培を行なうため、自然発生から不時栽培に移るまでひとつの切れ目ができて、その間にしいたけが出まわる少なくなることがわかった。

小野君

また、二月以降もやはり栽培の息切れで少なくなり、自然発生ほどには価格が下がらない。さらに消費者の需要が十二月上、中旬や二月上旬以降も多いことが一つの原因であるという結論に達した。

なお、正月の市場のない時に従来の方法で乾燥してみたところ、乾燥率は一一％であった。乾燥しいたけ一キロ三千円は、生しいたけ一キロ三百三十円に相当する。結局、不時栽培の場合、生で出荷するほうが倍以上の値で売れるのである。

ただ、ホダ木の寿命が自然栽培に比べて三〇～四〇％も短くなるので、私はその分だけ収量の増大につとめたいと思っている。

このプロジェクトを通じて、十二月上、中旬はホダ木が〝寒〟に当たらなければ〝発生しにくい〟ということがわかった。今後は、それ以前か、一月になってからの発生しやすい時期にしいたけを作り、一月の終りから二月にかけての値段の高い時期に出荷目標をおき、三年後には、一、〇〇〇キロ、八十万円の収入をあげたいと思っている。

月別の収量・価格（生しいたけ）

時期		収量	平均価格（1キロ）
12月	下旬	55キロ	650円
1月	上〃		512円
〃	中〃	150キロ	739円
〃	下〃		759円
2月	上〃	60キロ	911円
		計 265キロ	平均730円

みかんジュースはいかが！

熊本・橘4Hクラブ　開　みち子

年ごとに生活も向上し、食生活も豊かになってきました。しかし、ここでも市販食品添加物、殿物食品などの食品公害が私たちを狙っています。そこで農業という特権を利用して、何かいい自衛手段はないものかと考えてみました。

私たちが自家生産物（果物、野菜、乳、卵その他）などを出荷するとき不良品がたくさん残ります。毎日毎日手をかけ、一年に一度しか実らないのに畑やカゴの中で腐敗させるのはもったいないものです。そこで私は、これら不良生産物でも手を加えたら役に立ち、食卓を立派に飾る主役になるのではないかと夢を抱き、保存加工に着眼して実際に作ってみました。

私たちの町はみかんを中心とした農家ですので、みかんによるジュース、ママレード、ピール、果汁酒などが簡単にできます。全糖なので長期保存が可能であり、また、安心して食べることができます。美容と健康の一石二鳥と喜んでいます。

みかんジュースの作り方

ここで作品の一つ、みかんジュースの作り方を紹介します。

美容と健康に一石二鳥

〈材料〉

みかん汁、砂糖（果汁の重さの六〇％以上）、鍋二個、シャモジ一本、保存ビン一本。

〈作り方〉

（一）腐った部分を切り捨てたみかんをしぼって汁をだす。

（二）鍋に（一）を入れ、砂糖を加えて沸騰するまで煮る。

（三）別の鍋に水を入れ保存ビンを殺菌する。

（四）（三）のビンが温かいうちに（二）を入れる。

（五）ふたたび（四）を殺菌し密閉して冷暗所に保存しておく。

約一年間保存できます。大きなビンのときには一度口をあけたら冷蔵庫に入れて早目に飲んでください。ジュースは約四倍に薄めてからどうぞ。みかんの他にぶどう、いちごジュースなどもいいようです。夏など冷たいものがほしいとき、また楽しいデザート作りに一役かってくれます。

野菜類では、グリーンピースの水煮、カリフラワーの酢づけ、たけのこの水煮、トマトケチャップ、ピクルスなどを作っておけば、忙しいときに利用できます。

農村に生れてつくづくよかったなと思います。自由に使える果物や野菜が私の好きなこれらの料理を作る環境を生みだしてくれました。どうですかみなさん、あなたも始めてみませんか？そして傑作ができたらおたがいに教え合いましょう。

純収、米の6倍

たが時間当りの報酬が問題

福島県・朝日4Hクラブ　中山重一

私の家は、標高二五〇メートルの日和田町久留米にあり、郡山から北に六キロ、四号国道から西に四百メートル入ったところに位置している。

経営概要は、水田二ヘクタール、畑三〇アールを有し、六人家族で私と両親の三人を主な働き手とする、いわゆる米作中心の農家である。

私は高校を卒業すると同時に、これからの農業は共同による規模の拡大、あるいは米プラスそ菜、畜産といった多角的経営による収入の増大をはからなければならないと思った。それは、昨年の一律減反ということで、農家にとって非常に深刻な問題となった。

私自身、この転換期を乗り切るために、その減反を利用し、米作中心の経営から脱皮し、土地生産性の向上をはかり、現在より以上の収入をあげる新しい経営の方向を見いださなければならない問題にぶつかっている。

さいわいにして、わが町では数年前より東京出荷のトマト栽培が盛んとなり、将来の農業に明るい見通しをもたらしている。そこで私も、比較的労力の少ない時期を利用でき、しかも反当り収益のあがるトマトを研究かたがた出荷組合の一員となり、この栽培に取り組んでみた。

その結果、トマトは純収三十万円に対し、米作は純収四万六千円と、トマトが米の六倍以上の収益をあげた。しかし、一時間当たりの労働報酬はトマト約二百円に対して、米作は三百六十円と米作のほうがよい結果となった。

ここでトマトは一時間当りの労働報酬が低いので、価格を上げるか、または労働時間を短縮するかという二つのどちらかが要求されてくる。トマトばかりでなく、一般的に野菜類の価格は不安定なので、これからの野菜栽培には価格の安定が強く望まれる。その点、夏秋トマトと米作との組み合わせは、労働の配分、また余剰労力の利用からいって、わが家にとっては適した作物だと思う。

反省として、私は今年初めて農業に従事し、それにトマトも初めて栽培したということで、栽培技術が未熟であった。これらはまず、適期作業の不確実ということにつながった。たとえば、摘果の遅れや潅水の遅れなどである。

しかし、共同出荷のため、組合員たちの箱数をいくら出したかということで競走にもなって、いかにしたら多く出荷できるかなどという点で栽培技術を話し合ったりして大変よい仲間ができた。

プロジェクト経営

現金収入に魅力が

転作物にそ菜を栽培

長崎県・吉井町青年農業者協議会　松永英司

わが家の経営概況（昭和45年度）

種目	面積・収量	粗収入
水田	80アール	420,000円
畑	20アール	
山林	30ヘクタール	500,000円
和牛	2頭	200,000円
乾燥しいたけ	500キロ	1,300,000円
生しいたけ	265キロ	174,000円

私の家は長崎県の北部に位置し、佐世保市を消費地としているところである。経営内容は水田二〇〇アール、畑四〇アール、山林四〇〇アールで、主に水稲、野菜を栽培している専業農家である。家族は六人、そのうち農業従事者は四人で、労働能力を換算すると二・八人である。

現在の農業情勢は、農産物の自由化、米の生産調整と、農業者にとって決して楽観できる状態ではない。私の家でも水田三〇アールを減反することになったが、休耕するほど耕地があるわけではない。しかし、何かに生かさなければならないと思い、これを契機として、また、いままでの米作中心の農業経営では、とてもこれからの農業に打ち勝ってゆくことはできないと思い、稲作転換作物にそ菜をとりいれることにした。

一例としてピーマンをとりあげると、計画では一月下旬に播種し、四月中旬に定植、五月中旬より十月下旬まで収穫を続けることにしていた。ところが育苗前半にあまり大切にあつかったせいか、苗の生育が予定より早くなった。これでは大苗すぎて植えられないと思い、後期は温度を低くし、潅水をひかえて生育をおさえた。そのために苗の抵抗が強くなったのか、定植後の成育はすこぶる順調で、予定よりも約十日早く収穫することができ、反当り一〇トンの収穫量をあげることができた。

今年度は、すべて水田に作付けをしたので、土地の高度利用という点では非常によかったと思う。だが、水田のために雨が降るとすぐ滞水し、また、かんばつの時はすぐ土地が乾燥してしまい、栽培という点ではあまり適していなかったようだ。

労働配分の点では、計画的に作付けをしていたこともあって、六月と十月を除きうまくいった。収益の点についても、これまでは米の販売代金だけだったが、そ菜を出荷することにより毎月の現金収入があって非常に助かった。

これまでの実績では、十二月から三月までの出荷がなかった。これは労力の面、経済の面で非常に不利なことだと思う。

そこで私は、ハウス栽培でこの期間を補うよう目標を立てた。私の町で特産として栽培されているメロンをこのハウスで作ることを計画したのである。現在、後継者育成資金を借入してハウスを建設している。これからはそ菜の専業農家として自立経営をめざすとともに、地域発展のために努力する覚悟である。

結婚を考える　►12◄

栃木県・栃木地区4Hクラブ連絡協議会

嫁ぐ立場　継ぐ立場　②

農業はやりがいある仕事

司会　農業以外の産業に勤めている方は、農業をどう思いますか。

猿山　かえって農業のよいところを多く発見できます。上役の指図で動かなくてはならないし、また、毎日が単純な作業のくり返しで、なんとなく味気のないものです。私はそんなことのない農業に嫁ぎます。

――昔から、いろいろ農業については封建的なことがいわれてきました。これから私たちはそれぞれ見知らぬ家庭の中に入っていくわけですが、不安など感じたことはありませんか。

大川　最終的には、やはり本人同士の問題ですから、お互いに理解し合えれば不安ではありません。

小平　私の家は非農家です。母は農家の出なのですが、昔の農家の苦労をみてきたせいか、私には農家にだけは嫁がせたくないといっています。でも、今は農家も機械化され、生活もずいぶん近代化されて合理的になってきており、一般の家庭との差がなくなってきています。相手の人がしっかりしていれば、私も農家に嫁ぐつもりです。

大垣　私の両親も農家に嫁ぐことを、あまり賛成してくれません。それはやはり、昔からの封建的なこと、嫁、姑との対立などを見たり聞いたりしているからでしょう。私も正直なところ、なぜか迷ってしまうことがあります。

田中（つ）　もし、大垣さんが農家の長男を好きになってしまったらどうしますか。

大垣　たぶん、反対を押しきってでも結婚してしまうでしょう（笑い）。大川さんがいったように、本人と結婚するのであって農業という職業と結婚するわけではないのだから……。

田中（久）　高校時代は農業なんて縁遠いものであったし、理解しようとも思いませんでした。しかし、家に入るようになってから手伝いもするようになり、また、4Hクラブに入ってからは、農業は素晴しいものだと思うようにもなりました。

――田中（久）さんがいわれたように、農業に接してみることが農業を理解できるようになり、好きになっていくのですね。

田中（つ）　私も手伝いをしているうちに、自分は農業が好きなんだということを見いだしました。今年はみつば栽培をしました。ほぼ成功に近かったので、この体験によって自信がついたような気がします。

国分　私は、土、日曜日が暇なのでアルバイトをしていますが、仕事がいくらよくできてもそれに対する報酬は一定しています。その点、農業は自分でやっただけの報酬は必ずかえってきます。やりがいがあると思います。

――私は今勤めていますが、やはり農業に真剣に取り組んでいる人がうらやましく思います。

横田　農作業はすごく疲れます。でも、汗を流したあとはさわやかな気持になりますね。なにか一人前になったようで嬉しくなります。

NHK農事番組（5月11日～21日）

テレビ

明るい農村　6・30～6・55　総合
- 11日　話題と人「女性農民作家」隅元エキ子（鹿児島県牧園町）
- 12日　農村新地図～徳島県鳴門市
- 13日　村をむすぶ「名古屋、松山、甲府、東京」
- 14日　明るい漁村
- 15日　村の記録「減反ゼロ」～宮城県田尻町ほか
- 16日　きょうの話題
- 17日　産物百科「山菜」
- 18日　話題と人「多摩を写す」小泉勇二（八王子市）
- 19日　農村新地図「島根県八束町」
- 20日　村をむすぶ「仙台、広島、福岡、東京」藤井巌

農業教室　7・30～8・00　教育
- 15～17日　ブロイラー経営の採算　堀切充幸（農林省家畜改良課）
- 18～20日　肉牛経営の合理化　岩谷三四郎（愛媛大学助教授）

あすの村づくり
- 日　7・00～8・00　教育
- 再　土　13・00～14・00　教育
- 14日「むらの母を語る」丸岡秀子（評論家）

ラジオ

早起き鳥　5・41～5・57　❶
- 11日　畜産に生きて五十年　鈴木一司（高萩市多賀畜産農協）
- 12日　さかんな田植機の導入
- 13日　ふるさと通信
- 14日　集落再編成を現地に見る～山形、島根、鹿児島～ゲスト大久保毅一（全国町村会）
- 15日　量産すすむ国産ヘイキーブ　高橋保（十勝農協連）
- 16日　二十二冊の指導記録簿　柄アサ（熊本県宇城農改）
- 17日　診療船十年　大和人士（岡山済生会総合病院）
- 18日　昆虫と暮す　矢島稔（日野市）
- 19日　過疎地を生かす和牛生産～兵庫県浜坂町
- 20日　ふるさと通信

新しい農村　6・00～7・00　❷
- 14日　冷夏対策をきく　遠藤寛（農林省技術審議官）

ラジオ農業学校（講座）
- 月～土　6・40～7・00　❷
- 15～17日　新時代の米づくり　吉田寛一（東北大学教授）
- 18～20日　りんご経営の発展方向　渋川潤一（岩手県園芸試験場）

ラジオ農業学校
- 日　6・30～7・00　❷
- 14日　経営手帳「れき耕経営のポイント」板木利隆（神奈川県園芸試験場）ほか

明日の農業へ向って　各種農業団体

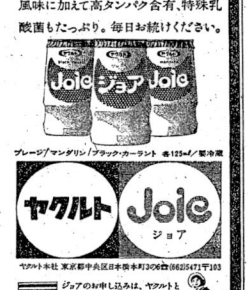

全国農業協同組合連合会

市場の要請に弾力性を

農村の生活事業も強化へ

一九七〇年代を迎え、農業および農協をとりまく情勢は一段と厳しさを加えてきている。

すなわち、農業生産の面においては、米の生産調整がひき続き実施され、農業労働力の流出と兼業化が進行するなかで、生産の地域分担や生産規模の拡大などによる農業生産構造の変化が急速に進みつつある。また、農村生活の都市化の進行による消費構造の変化もいちじるしい。さらに生産・流通の大型化と合理化による物流革新は、従来の流通体系を大きく変化させつつある。加えて、昨年行なわれた国際通貨調整にともなう円切り上げや、貿易・資本の自由化の進行は、農業および農協にさらに大きな影響をもたらそうとしている。

これらの変化にともない農協内部においても、組合員の多様化・異質化の進行と、農協の地域格差・規模格差・経営力格差の拡大などによって、組織・事業・経営の各般にわたってその運営がむずかしくなってきている。

このような情勢に対処するため、第十二回全国農協大会において、高能率・高所得農業の建設と新しい地域社会の建設を基本課題とする総合三ヵ年計画を樹立し、その基本施策として農畜産物の生産・販売の一貫体制の確立、生活活動の拡充強化、物的流通体制の確立を決定した。そして、この基本施策を遂行するため、連合組織整備の一環として全購連・全販連の合併を行ない、農協の組織力を結集して総合力を発揮できる体制を確立することを決定し、ここに「全国農業協同組合連合会」の設立をむかえるにいたった。

こうした情勢および経過にもとづいて設立された全農の事業は、農業生産・流通・加工・輸出入などの事業を通じ、たんに農業・農家に関連するのみでなく、国民経済とも深い関わりあいをもっている。合併を機会に全農に対して組織の内外から多くの期待が寄せられており、全農に課せられた課題は大きなものがある。

これにこたえるため全農は強力な執行体制による統一された意思のもとに、つぎのような基本方針にもとづいて、全農の事業推進および管理運営をはかるための具体的諸施策の検討をすすめるとともに、系統経済事業体制全体の刷新強化をめざすものとする。

事業方針

事業推進の基本方針は、大別して農業生産面と流通面の二つにわけてたてられた。

まず、農業生産面では、従来ともすれば分断されがちであった販売事業と購売事業を総合して、農業生産に対応しようとするものである。

米麦生産では、集団化をすすめて、生産性を向上させると同時に、高いものが生産されるようにする。野菜・果樹の生産地に対しては、総合的にとり組み、市場の情勢に柔軟に対応できる生産・販売の体制をつくることを目標にする。畜産では、団地ごとに計画生産・計画販売ができるような諸施策を実施する。

つぎに、流通面で第一に問題になるのは、なんといっても米の流通をどうするかであろう。物価統制令廃止など、米流通のかたちの変化は、十分予想されることなので、これにすぐ対応できなければならない。そのために、自主流通米の販売をひろげ、配給事業の強化をはかり、あわせて農業倉庫の経営対策もすすめる必要がある。

大消費地での青果物販売体制を強化しなければならないが、それには集配センターなどを新増設する。また、同時に、販売先を系列化したり、加工業と提携することをすすめ、独自で新市場を開発していく。畜産物でも同じような対策が強化されることはいうまでもない。

農業生産資材の生産会社とその関連商社は、寡占化と合理化がすすんでいるので、これに対応して安定した有利な購売をつづけるためには、もちろん、自主的に流通機能を働かせられるような体制をととのえ、一方では原料を生産会社に供給する方法も強化していく。

原料の輸入を安定して有利におこなうためには、輸入先の多角化、多元化をはかると同時に、変動の多い国際通貨事情に対処できる輸入業務体制をととのえる。とくに、飼料原料については、国内受入基地を整備し、配合工場の近代化をはかる。

変革のはげしい流通段階に、系統農協の力を浸透させるために、系統各段階で経済事業が拡大され、あるいは新たに創業されることになるが、全国的立場でこれらを強力に支援する体制がとられねばならない。そのためのひとつとしてリース事業によって施設や機器を容易に投入できる体制をつくる。

農村生活の変貌に対応するために、生活事業を強化する。農家需要を中心にしたスーパー形式の店舗を整備してこれをチェーン化し、自動車、燃料、住宅の供給も整備強化していく。

また、全農自体の新体制確立をすすめるのと併行して、これを機会に系統経済事業全体を再点検して、各段階で機能調整や合理化をはかっていくことも必要である。そして、系統経済事業全体の長期経営計画を策定することをはじめなければならない。

（広報課）

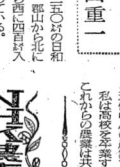

ひとり、故郷を偲んで

心に浮かぶあの池

静岡県・オーロラクラブ　山本和子

今の小笠農高の向い側になるのですが、あの茶の原の向うに小さな人造池があるのです。その池はぞうの形にとてもよく似ているので、私たちは、ぞう池と呼んできました。昔、雨が降らず、私たちの祖父母が困った時、あの池の水門を開き、田んぼの稲をうるおしたのだそうです。

幼ない頃、あの池の水がひけたと聞くと、私たちはこぞってしじみ拾いに行ったものです。それから夏になると水泳です。目にしみるような空の青さと茶の緑、すきとおった水の深緑……今でもくっきりと心の中に浮かんできます。

思い起こせば、なつかしいものです。今すぐに自転車をこいで行ってみたくもなります。山から堤防へ続く斜面には、戦争当時の防空ごうが、おい茂った草の中にぽっかり口をあけていました。その道を通る時はいつもなぜか急に怖くなり急ぎ足になったものです。

今ではコンクリートの橋になってしまったと思いますが、昔はその道に小さな木の橋がかかっていたのです。男の子にまじり、その橋を渡っては栗拾いに行ったものでした。小さな栗しかなくてがっかりして帰る途中、橋のたもとのところにあった家のおじいさんから丹波栗（たんばぐり）をもらいました。あんな大きな栗を手にしたのは初めてでした。とってもうれしかった……。

生きてた風情

高校三年の、そう、もう卒業も間近かな二月のことでした。ふと思いたっての土曜日の午後、私は友だちをさそって〝あそこ〟へ行ってみたのです。もうあの池は、あの時のままではないようなそんな気がしたからです。きっと、ぞうの足のほうも、鼻のほうも、茶畑かなんかになってしまっているのだろうと……。

その日は二月だというのに、とても暖かだったように記憶しています。自転車で長い坂を登り、小学校の横を通り、暗い林道をぬけて……。茶畑の間の細い下り坂、ああ、思いがけず昔のままの光景が目に飛び込んできました。

池はしんと静まりかえり、枯れた木立ちは深い水に枝をつけてうずくまっています。青い空、春を待つ茶畑……昔と何ら変ってはいなかったのです。私と友だちはそれを眺めながら、堤防に腰をおろしました。私たちの話はいつまでもつきませんでした。

そして、その帰り道、枯れ草の中からあの防空ごうが口をあけていました。何やら私に語りかけたげに……。私は友に思い出話を聞かせながら、復雑な心境でした。

そして、風に髪をからませ、いっきに茶畑の間の細道をおりてきました。

青春と仲間

わが青春よ、どこへ

山梨県・昇竜会4Hクラブ　飯島正美

「おい、おれんら、最近変ってきたなあ、去年にくらべ落ちついたというか、若さがなくなったというか、おかしいど——」

今年に入り、そんな言葉がみんなから出るようになった。

「ほんとだなあ」

当年とって二十二歳。高校卒業のころは、えらく遠くに思えた年齢だが、今、思えば、早すぎるくらいだった。キザな言葉で言うと、青春のまった中に、俺たちは生きているのだ。そしていくつかのサークル活動をしている。また、農業を自己の職業として……。

四年の間にいろんなことがあった。そして、今後もどんな問題に出合うかわからない。ここで、今、俺が強く思っていることを書いてみたい。

まず、わが家の経営からいってみよう。養蚕と水田の経営で俺は果実一本化のために人より十年くらい遅れながらも改善しようとしている。高校生時代に植えつけた桃が、今では本格的な収穫に入りだした。しかし、未熟な技術のため樹型はひどい。

ネオマスの若樹が十本枯れちゃった。初めてやったハウスも失敗しちゃった。今までいいことがなかった。俺の歯車はなかなか噛み合わさってくれない。くやしさのあまり飲んだ酒のほろにがさ、エレキの音のすさまじさ、俺は夜の酒場のレコードに酔いしれた。そして、自分の部屋に戻り、一人になった時のいいしれない苦しさ、さびしさ。

また、なにくそと思い、がむしゃらに汗を流した時もある。そんな時のせめてものなぐさめは、4H活動での充実感だった。

ちょっぴりした失恋の経験。そして、今までほど強く感じなくなった、権力に対する反発……。

人間はがむしゃらにものごとをする時、精神的にも人間的にも伸びるという。しかし、それは反面利己的になりやすくなる危険を含んでいる。俗にいう、広く社会を見れなくなるということか。

あたりまえかもしれない。人間ひとりの力なんて小さいものだ。身体はひとつしかないし、頭脳だって天才じゃないもん。大きな夢、激しく自分をゆすぶるできごと。そんな場合、身体がいくつあってもたりないほど、とびまわる毎日の生活。ある者は途中で家庭をとびだすだろう。ある者はノイローゼにもなるだろう。そしてある者は自らの命をも断つだろう。

そのようなことが俺の身近にもあったゆえ、俺はそう強く感じざるを得ない人の心もよくわかる。燃えるような環境のなかでのサークル活動、4H……。その言葉が美しく感じる時、力強く感じる時、汚なく感じる時、ばからしく感じる時、いろんな時があった。

青春とサークル、俺と4H。俺は一体何を求めていたのか。

俺の今の夢は、はやく一人前になり幸わせな家庭を作ることだ。しかし、まだキザになるのかな。こんなことを言うには……。

笹笛

虹の行方は…

天にかかった美しい七色の橋——私が一瞬、驚嘆の叫び声を上げたのは三月下旬のある昼下がりのことであった。それは、短かい桜の命を冷たく打ちつけた春の雨が、気まぐれに一条の陽光をふところに抱きこんだとき、東京の空をあやしく駆けぬけた。

デパートの屋上から地上を見渡す。整然と並んだビルの波、それらは傲慢（ごうまん）に自らの幾何学的統一を誇示する。風景に眼を拒まれた人間をすっぽりと包みこむように天ににわかにわき立った七色の帯。それに心を奪われたのは私ひとりではなかったようだ。

そう、私ひとりでも、この二十世紀に生きている人たちだけでもなかった。遠い昔から虹は人々の心を驚かせ続けてきたのである。私たちの祖先は虹が立つと急に市を設けて品物を売買したり、陰陽師（おんようじ）に占わせたり、あるいは読経などをさせたりしたという。もし、虹が生物ならばこう尋ねてみよう——二十世紀とは何なのか——と……。

〝虹は神の橋である〟というのは欧州の伝説である。それは、女神イリスが神の伝言をたずさえ、虹を下って人間の世界へ来るというギリシャ神話に端を発した伝説だろう。ここで伝説をひねくり回すつもりはないが、現代の西洋人は虹をどのように眺めているのだろうか。

アメリカの現代作家であるJ・D・サリンジャーは、彼の代表作『ライ麦畑でつかまえて』のなかで虹について語っていたような気がする。虹は、もはや天空には見られず、路上の水たまりに数滴のガソリンがしたたったとき見られるものである。頼りない私の記憶が正しいとすれば、サリンジャーは虹についてそのように述べている。

休日のデパートの屋上は家族づれでごった返している。ゆっくりと回り続ける観覧車から身をのりだして虹を眺める人たち——母も、子も、若い二人づれも、老人も……。ある日曜日の午後のひとときを奪い、静かに静かに去ってゆく虹。感嘆の叫び声がひとつ消え、ふたつ消え、デパートの屋上は再び雑然たる音でないような騒音にまぎれこむ。幼児が突然、なぜか金切り声で泣きわめく。

虹で天気を占うというのは、今だに聞く話である。たとえば、虹が西に立てば翌日は雨、東に立てば風といった具合である。また、虹に予兆をみることも世界で広く行なわれているらしい。しかし、それは凶兆とされている場合が多いということだ。

なぜか幼児の不気味な泣き声が気にかかってならない。（野）

今度はあなたの出番です！

あんな人こんな人

中野俊一　岐阜

4H新聞で新入会員を指導

『新しくクラブに入った人に何か書いてもらいます。そしてそれを4H新聞に投稿して、新聞に載せてもらいます。すると新入クラブ員の人は大変喜び、自分に自信をもち、クラブ活動にも積極的に参加するようになります。私は、このように4H新聞を組織強化に利用しています。自分たちの書いたものが活字として一生残るということは理屈ぬきでうれしいことです。私たちは4H新聞をもっと生かすべきではないでしょうか』

中野君宅へ訪れたシェリーさん、サンディさん、妹と一緒に開墾地で。

中野俊一君——岐阜県の連絡報道員。彼は連絡報道員らしく組織強化に4H新聞の利用をと目を輝かしながら訴える。

彼の名は4H新聞でおなじみである。この機会にそのおなじみの名の中身を切ってみよう。彼は昭和二十三年生まれで、今年二十四歳。東に長野県境の乗鞍連峰から焼岳、奥穂高、西穂高、笠ヶ丘、黒部五郎岳、薬師岳を、西に加賀の白山、そして木曽の御岳を望む高山の江名子という町が彼の住んでいる所である。

彼の家では、水田一・七㌶、畑〇・六㌶そして山十二㌶を経営している。飛騨は山間単作地帯のため、昔から米を主に作っていたが、同時に標高六百㍍という気象条件を生かした高冷地そ菜の産地でもあった。彼も白菜（春秋）、ホウレン草などを栽培している。また、安定作としてタバコも作っている。

本年は七〇㌃の減反で、転作として夏秋トマト用ハウス六百坪を作り、やる気十分。経営には何よりも刺激が必要と、現在で百二十年目になるという住家にノコを入れ、営農管理室（事務室）なるものを建造し、家人を驚かせた。

彼は自家の経営に対する熱意をそのままクラブ活動へと転化してゆくそうである。彼によれば、クラブ活動とは〝個人個人の経営に対する意識改革〟の総合体なのだ。リーダーはつねに自らの経営の問題意識を原点にもつこと、つまり原点は自分だということを頭にたたき込んでおく必要があると彼は語る。

彼は、クラブ活動についても自家の経営についてもなかなか固いことをいう。しかし、いったんふざけだしたら、とどまるところを知らないオカシ（？）な若者である。

『好きな女性のタイプは？』なんて聞くと、ニヤニヤしたりしてとてもしまらない。『私はもてないから何もいうことはない』といいながら『うす化粧で多少お茶目な人。冗談がいえて静かで（冷たい人じゃないよ）、あまり細くない人（太っていてもいい）、その上しっかりしている人が好き』と臆面もなく言ってのけるからちょっとにくたらしくもなる。

趣味はテニスやスキーなどだそうである。なかでもテニスは大好きで中学時代からやっているらしい。トラックのシートの下にラケットとシューズをいつでもいれていて、暇さえあればやるそうだ。その帰りにダンスを少々とかなんとか……優雅な男といったらいいのか、キザな

キザそれともイキ？

男といったらいいのか、その選別は彼をよく知っている女性におまかせしよう。

彼は、県連、地区連、単位クラブ、個人の問題とを問わず、多くの記事を4H新聞に送ってくれた。連絡報道員としての任務は十二分に果たしたものと新聞編集部一同敬意を表する。

しかし、それ以上に敬意を表したいのは、彼が4H新聞を利用してクラブの組織強化や個人の悩みなどの問題にぶつかったことだ。『新入クラブ員の人たちに多く書いてもらうように働きかける』という連絡報道員中野君の示した方向には、学ぶところが多い。

飛騨高山のどこまでも澄んだ青空の下、春のそよ風とともに彼は今日も4H新聞片手に新入クラブ員の人たちと話し合っているのかもしれない。彼が自らの方法でどこまでも進んでゆくことに、小さな拍手を送ろう。そのかすかな音が、いくらかでも彼の励みになることを祈って！（岐阜県高山市下江名子町二三八二）

★★★なぜ生きるのか★★★

佐賀県・牧島4Hクラブ　△△△　樋口美千代

「人間はなぜ、何のために生きているのか」わが4Hクラブの人が言った。〝自分が生きている〟ということは、私とてまぎれもない事実である。時たまスランプはあるが、〝生きたい〟と思うから生きているのも確かである。その人は「人間は生きているのではなく、生かされていると思わなければならない」と言っていた。

もちろん、私も彼の言うこともわかる。そのことを忘れると、人間は横暴になったり、怠惰になったりする。そこは、心の安らぎのない世界だ。人間の尊さ、人々に対する尊敬、信じる心を理解すること、そして自ら謙虚になってこそはじめて、私は〝生かされている〟と言えるのではないだろうか。私はそういう意味で〝生かされている〟ということを理解したい。

そのような認識のうえに立てば、それ以上に重要なことがあるのに気がつく。つまり、生かされてはいるが自分はそのような社会でどう生きてゆくかということである。〝なぜ生きているのか〟という問いに、私自身はやはり私自身にこう答えたい。やりたいこと、やらなければならないことが数多くあるからだ、と……。いってみれば使命感みたいなものだろう。

なにしろ私には、学びとりたいことばかりなのだ。私自身は、自らのうちにいくらかでも価値を見いだせるよう努力したい。人間の価値とか、人生の目的とかを考えはじめたらきりがないものだ。反面、そこに魅力があるのだろう。

私にとって働くことは、その人生の目的を達成する一手段にすぎない。しかし、一生の大半を仕事に関わって生きなければならないことも事実である。ならば仕事に情熱をささげるのが一番だろう。

どうとやかくいってみても、私自身は農業というむずかしい職業に悩んでおり、ただ執着しているといった現実である。誰かよきアドバイザーを求む一人でもある。

4Hクラブへ入会した時は

青森県・深持4Hクラブ　沢目勝弘

私は学舎を巣立ち村へ入った。農業危機が叫ばれ、右も左も解らぬ私は困った。今後の農業の方向など私にはつかめなかったのだ。三月二十七日だった。四Hクラブ員が私に4Hへ加入をすすめてくれ、私は加入した。そして四月、私は盛大な歓迎会のなかで身にしみて感ずるものがあった。いや、感じねばならないものがあった。

先輩たちの表情は決して明るいものではなかった。しかし、それらは自らの手で困難を打ち破るべく立ち上がろうとする激しいまなざしに感じられた。

そう感じたとたん、私の心に先輩たちと共に波乱の農業界を広い視野で積極的にぶつかる覚悟が生まれた。農村に生まれ、農業を職とすることを宿命だとは思っちゃいない。逆に黒くなり、汗を流すことに生きがいを感じている。

百姓のプロになりきろう

熊本県・合志町4Hクラブ　村上桂祐

百姓なんかしてたんじゃ、もったいない——よく、こういうことを聞く。あなたも一度は耳にした文句でしょう。農村に生活基盤を求め、農業で生きようと志している人たちにとって、こんないやな言葉はほかにない。

どうしてだろう。百姓は馬鹿がする職業なのだろうか。りっぱな者が百姓をして何がもったいないのだろう。

日本農業の危機が叫ばれてすでに久しい。困難な状況にあるからこそ、逆にわれわれが農業に誇りを持ってやってゆくべきなのではないだろうか。

大自然を相手に植物や動物を育てる。このような大地に根を下ろして働くことこそが人間本来の尊い姿なのではないだろうか。

実りの秋の風がそよぐ夕暮れ時私はしみじみ感じる——農民自身が誇りをもたないからこそ〝もったいない〟と皮肉られるのであると。あなたは百姓プロなのだ。ほかの人には真似することのできないプロなのだ。

農業をすることを楽しもう。育てることに愛情を感じよう。

落日　(2)

栃木・小山4Hクラブ　農民文学会会員　山中康司

中間期末の試験が近づいたことは芳男等の乗っている電車の雰囲気で知れた。普通科商業工業科の生徒はたいがい英語と数学の勉強に熱が入っていて、中には堂々と男女して一つの問題を検討している光景もある。ところが農高生は昇降口で小さくなって家畜と野菜の病名とか品種名を丸暗気するのだった。

芳男が農学校に失望しているのも無理はないのかもしれない。学校には実習農場というのがある。県の農業基本計画にあわせた営農類別の農場をつくり、そこでの実習を中心とした教育が最も大切な教育方針で、担当の先生はほんとうの知識は実習で身につくのだからといって、やたら実習時間を多くした。だがそのほとんどが、田畑の草取りとか家畜小屋の掃除、花壇の整備というものだった。山林実習の時は朝から晩まで木の葉をさらったり薪をたばねたりだった。時には先生も考える農民になれとか創造力などという言葉も使った。だがそのくせお前らはどうせ将来百姓なんだから数学英語など関係ないからというのだった。農学校は高校でなく職業訓練所じゃないか。もう少し高校生としての教養と貫録をつけて貰いたい。せめて女子高校生等にひけ目をとらないためにも、電車の中で歴史や文学の話ができるようなそういう教育をしてほしい。そう思うのは農高生の中で芳男だけではなかった。確かに農民は、すでに彼が高校生の時から劣等感を味わうというのではかわいそうだ。高校教育の問題はただ大学の予備校化した普通高だけにあるのではないといえる。

それにしても、農高三年の時、芳男が偶然にも、黒髪とセーラー服の清潔な普通科女子高生と知り合ったということは意外だった。

きっかけは地下たびにあった。

小山から栃木に向う七時の電車は、栃木にある六つの高校、その先の佐野足利の生徒、大平下にある日立製作所の従業員が一緒に乗り込むのですごく混雑した。発車二十分前には、座席はおろか通路もいっぱいになって、電車のなかはいつも熱っぽかった。発車寸前には、自分の力ではどうにもならない人達を無理に押し込むのが駅員の仕事の一つだった。二年半の経験から、芳男はこの混雑には大分慣れていたが、その日はカバンが重いので手こずっていた。右手はつり手を握っていたものの、足もとが自由にならず、身体はゆみなりにしなっていた。学生服のすそが、うずくまって座っている女の子の髪にふれ、左手くびはカバンの重みで痛かった。女の子は英語の本を読んでいた、網棚は荷物がこぼれそうだ。芳男が左手のカバンを右手に持ち変えようとした時、天の恵みがあった。ふくらんでいたカバンがパッカリ開いて、そこから地下たびがセーラー服の女の子の英語の本の上に落ちた。わずかな教科書と作業衣は落ちずに残った。さいわいに、地下たびは清潔だった。前日までは鶏舎や豚舎の糞の臭が浸み込んでいたわけだが、その日の服装検査（農学校では月に一度それがあって、ボタンの不備なもの、名札のないもの、衣服の汚れたものは注意された）のために地下たびは、布目が見えるほどに、ゴム底は波型がくっきりわかるほどにきれいに洗濯してきたのだった。落ちた地下たびで女の子の鉛筆は飛んだが、英語の本は破れなかった。顔が燃えたのは芳男以上に女の子だった。

「どうもすみません」

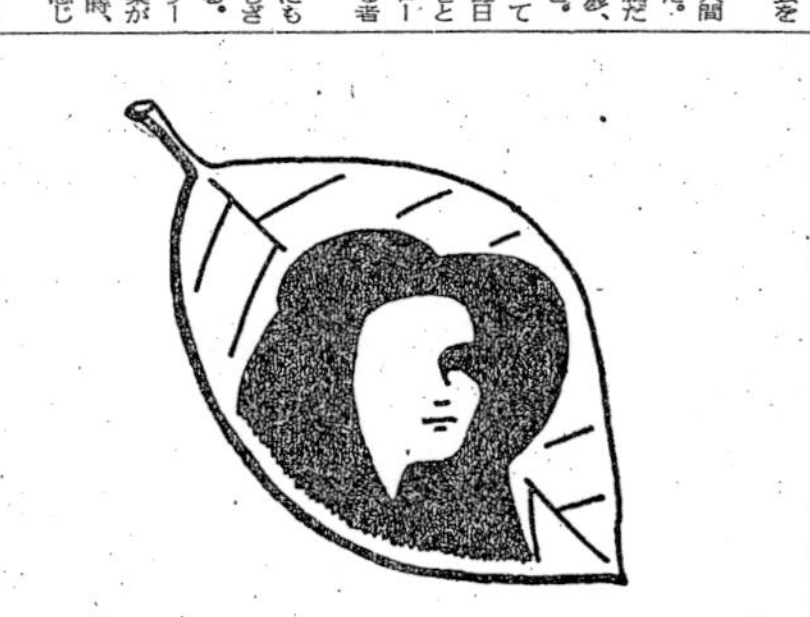

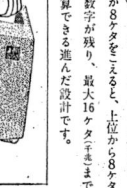

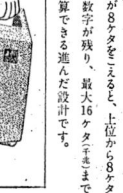

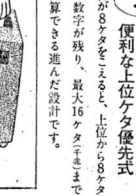

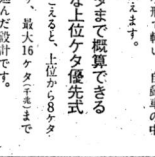

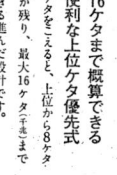

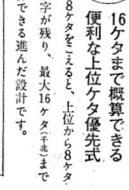

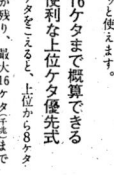

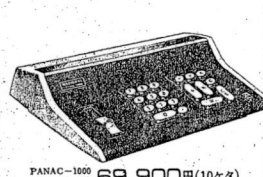

日本4H新聞
4Hクラブ 農事研究会 生活改善クラブ 全国広報紙
発行所 社団法人 日本4H協会
東京都市ケ谷家の光会館内
電話(269)1675郵便番号162
編集発行 玉井 光
月3回・4の日発行
定価 1部 35円
一カ年 1200円(送料共)
振替口座東京 12055番

クラブ綱領

私達は、実践を通じて自らを磨くとともに、互いに力を合わせて、よりよい農村、よりよい日本を創るため、四つの信条をかかげます。一、私達は農業の改良と生活の改善に役立つ腕をみがきます。一、私達は科学的に物を考えることのできる頭の訓練をします。一、私達は誠実で友情に富む心をつちかいます。一、私達は楽しく暮らし元気で働くための健康を増進します。

4H活動の強化にマト

現役に期待の特訓

来月、前期中央推進会議

六月に東京で開催される全国4Hクラブ前期中央推進会議の開催要領がこのほど次のように決った。この会議は、全国でも最高の水準をもち、毎年参加県連、人数とも増加の一途をたどっているが、今回も大勢のクラブ員の申し込みが待たれる。

農林省など関係者とも懇談

開催要領は次のとおり。

一、目的 4Hクラブ活動の推進を図るため、現役リーダーを対象にして、4Hクラブの本質、理念、リーダーのあり方、クラブ活動のあり方などについての研修を行ない、その実践的知識と技術を修得する。

一、主催 全国4Hクラブ連絡協議会、社団法人日本4H協会

一、後援(予定) 農林省、全国農村青少年教育振興会

一、期日 来る六月七日から九日までの二泊三日間

一、場所 オリンピック記念青少年総合センター(東京都渋谷区代々木神園町三ノ一)

一、参加者 ①道府県連会長②4H会館推進委員長③4H新聞連絡報道員④道府県連役員男女各一名 各県連とも五名

一、内容 ①道府県連会長会議②4Hクラブの本質と活動③プロジェクト活動の推進④全協の活動方針と事業⑤4H会館建設⑥クラブ活動とリーダー⑦4H新聞連絡報道員研修⑧女子クラブ員研修⑨意識調査

一、参加経費 一人当り三千円

一、参加申し込み 五月三十一日までに参加者の氏名、年齢、性別、役職名などを全協事務局へ文書または電話で連絡すること。

▽全協事務局 東京都新宿区市ケ谷船河原町十一、家の光会館内。電話=東京(〇三)一二六九―一六七五、同一二六〇―〇〇七九

日程は次のとおり。

一日目(六月七日) 正午から受付は、午後一時から開会式、オリエンテーション、全協活動方針の説明と質疑応答、四時から意識調査。夜は七時から「4Hの本質とクラブ活動」について日本4H協会・新田健吉事務局長の講義、続いて全協OBなどによる問題提起、全体討議。九時半からグループタイム。

二日目(八日) 午後八時半から分科会討議。道府県連会長と4H会館建設推進委員長による「日本4H会館」についての討議。4H新聞連絡報道員、女子クラブ員、男子クラブ員の各研修を並行して行なう。

午後一時半から道府県連会長と4H会館推進委員長の両会議。一方「プロジェクトのすすめ方」についての講義。講師は北海道専門技術員の三輪敢氏を予定。七時からキャンドルサービス、九時半からブロックごとの意見交換。

三日目(九日) 午前八時半から道府県連会長会議と「リーダーのあり方」についての講義。講師は未定。

午前一時からは、初の試みとして「指助機関の方々と語る会」を企画。農林省、全国農村青少年教育振興会、日本4H協会関係者の出席を願い懇談する。二時半から閉会式を行ない閉会する。

草刈りの奉仕
朝日町4Hクラブ

【佐賀】武雄市の朝日町4Hクラブ(会長 北川順久君)が、今年もさる四月二十五日、同町朝日ダム公園の草刈り奉仕をした。

涼風暖風
初夏の落葉に何を知る

大通の車の流れと、その騒音に追われるように、人混みのアスファルトの道を、急ぎ足で歩いていたところ、ふと足もとに黄色のたんぽぽの花の咲いているのに気がついた。

こんなところに……と立止って目をやると、わずか十糎四方にもならない程の土が見える。そのわずかな土に根を下ろして、花を咲かせているのであった。何と可憐な……こんな車の洪水で、排気ガスの充満している都心に、どうやって根づいていたのだろう……? よくも春を忘れずに花をつけて……自然の力強さと、花の生命力の偉大さに驚きを感じながら、改めて眺め入ったのであった。

いつか大分前のことになるが、春先き、郊外にピクニックに出掛け、美しく咲き乱れている、たんぽぽやすみれの花に魅せられた。とうとう、一株持ち帰って、庭の花壇に植えたのだが、野原より余程条件がよいと思われる庭だと思ったが、根づかずに枯らしてしまった。植え方が悪かったのだろうと思っていたが、聞くところによると、野の草花は、花壇や、家の囲りに移植しても、環境が違いすぎて、殆んど根づかずに枯れてしまう、とのことであった。

最近、郊外へ、郊外へと、住宅が建ち並び、次第に農村は都市化しているが、これにともない、今までそこに咲き乱れていた野の花は、次第に姿を消していることを思い出した。大自然の中に育った草花は、人工的な環境の中では育てにくいものなのだなあ…と改めて思い知らされたのであった。

この春、これまで見たこともない紫の花をつけたかたばみ風の草花が、庭にはびこり出した。きれいなのでそのままにしていると、庭一面にひろがり、これまであった他の草花をおびやかす程にはびこった。都心に咲くたんぽぽ、庭にはびこるかたばみ風の花、いずれもそのたくましさに驚いていた矢先きに、これらの花のことが新聞記事になっていた。最近、都心にみられるこの種の花は、最近外国から移入された帰化植物で、公害に強く、これまでの草花が育ちにくくなった環境に強く、今やそこを我がもの顔にはびこっている、ということが書いてあった。そして「悪貨は良貨を駆逐する」のたとえを思い出し、今更のように怖ろしくなった。

昨今、我が家の、けやき、もちの木など、庭木の精力の落ちたのが目立つ。秋でもないのに風が吹く度に、パラパラと葉が落ち、掃いても掃いても追いつかない程に、庭一面を落葉がおおってしまう。「もちの木やけやきの育つところは空気が澄み、水が豊かな所だ、そのような所に住いをかまえるがいい」と祖父の言ったことばを思い出すとともに、初夏に落ちる木々の葉、一枚一枚が、何かを警告しているように思われた。(T)

負担金で紛糾
山口県連 再度煮つめ直す
会長に白松君

【山口】山口県農村青少年クラブ連絡協議会(会長 松尾耕助君)の通常総会は、さる四月二十八日防府市の営農技術研修所で開かれた。

まず松尾会長が若さと情熱と団結を強調し、お互いに助け合ってほしいとあいさつ。県普及教育課長、営農研所長の激励のことばのあと議長に下関地区の沼君、書記に県連理事の水津信子さんを選んで議事に入った。

四十六年度の事業報告と経費収支決算の承認について四十七年度の事業計画と予算両案について協議した。この中でとくに問題となったのは県連の分担金であった。クラブ員の減少によってクラブ員と会費との関係上、現在の額を収めるのはムリとして、①規定線を決め、残りを総クラブ員で割る②会費を総クラブ員で割る③現状のまま、という三つの意見に分かれ、審議の結果、第一案に決定した。執行部からみれば現状のままで決定してほしかったわけだが、各地区連ともこの点については協力するということになり、次回の地区連会長会議で、もう一度煮つめていくことで了承した。

また事業面では、事業を少なくして昨年と違った内容の濃い活動を進めることにした。主なものは、部門活動の推進、昨年にひき続いての地区連活動の強化、クラブ員相互の親睦をはかるための機関誌を七回(うち一回は雑誌)発行することにした。新役員は次のとおり。

会長	白松博之	阿武・萩
副会長	岡島春雄	豊田
同	水津信子	阿東
理事	須内和明	柳態
同	内田俊二	吉山
同	水津元広	阿武・萩
同	古谷幸男	徳山
同	岩田学	同
同	田崎育子	下関
監事	白石耕三	宇部・厚狭
同	田坂恭子	柳態

(須内和明連絡報道員発)

31日に総会
4H協会

宮城会長

社団法人日本4H協会(会長 宮城孝治氏=共栄火災海上保険相互会社社長)は、来る三十一日午後一時半から東京・港区新橋一の共栄火災で理事会をかねて通常総会を開催する。

主な議題は、①昭和四十六年度の事業報告および収支決算承認に関する件②同四十七年度の事業計画および予算決定に関する件③役員改選、などである。

新年度の事業計画では、中国の国連加盟という国際情勢の変化から台湾との国際交換(草の根大使=4Hクラブ員代表の交換派遣)を見合わせたほかはとくに問題はないようである。

諸事の都合上、4H協会の総会は毎年九月ごろ開かれてきたが、今年度は、年度初めに事業計画や収支予算などを決定し、事業遂行に当たることにしたため、総会の時期は例年よりかなり早められており、総会での審議が注目される。

早期建設をめざして
4H会館 ―10―
構想は示されてる
あくまでも「殿堂」としての方針

4H会館の青写真を示せ、という声は全国的に強い。クラブ員が募金する場合に要望するだけでなく、クラブ員を納得させる材料としてリーダーが求めているものだ。

しかし、その青写真はまだ出来上がっていない。というのも、全協ではスペース買い取りを予定している農村文化会館(仮称・家の光協会が東京・新宿区市ケ谷に建設)の設計図が提示されしだい、4H会館の青写真を作成して全国のクラブ員に示す考えだが、そのもととなる農村文化会館の設計図がまだ示されていないからである。現在、その設計図作成はかなり遅れている模様で、全協執行部の中にもあせりのいろが見えないこともない。

だが、現在の募金状況からみれば、青写真について論ずるよりも金を集めることが先決であるというのが実情ではなかろうか。また、青写真や設計図とまではいかなくとも、すでに構想が打ち出されているのでほとんどのクラブ員が知っているはずだ。もし、それが周知徹底されていないとすれば、先輩の責任問題になる。しかし、いまそれを責めてもプラスの材料とはならない。現在のリーダーが構想について十分認識し、クラブ員に納得してもらうように努力することが必要であると思う。

その構想については、現在全協会長の諮問機関として設けられた「4H会館建設特別委員会」(代表・黒田保元全協会長)によって検討されているが、維持管理費のねん出方法や宿泊施設などが問題となっているほかは当初の構想とは余り変っていないようだ。

主な施設は、大・小会議室をはじめとして気楽に宿泊りができる和室、事務室(全協の事務局、財団法人が結成された場合の事務所)、印刷もできるような倉庫、資材の展示室をかねてクラブ員が自由にくつろげる談話室、そのほか給湯、洗面室なども計画している。

ことに大会議室はアコーデオンカーテンで仕切り、大・中・小の会議室として利用し、視聴覚の設備もそなえる考えのようだ。また、維持管理費のねん出方法として、当面はこれらの会議室を第三者に貸すようにしたいとしている。しかし、農村文化会館の中に貸会議室が作られることも予想されるので、果して利用者があるかどうかなどの問題もないことはない。

また、ビルの高さは八階建てくらいになることが予想されるが、その何階に入るかも分らないため、当初考えた農産物の展示・販売や農機具の展示などの可能性もはっきりしていない。

会館の主な用途も、クラブ員のいろいろな研修会や会合、交歓や休憩、クラブ活動の資料、作品展示と保管、情報提供などクラブ員に対するサービスセンターとしての機能、日本を訪れた世界各国のクラブ員との交流の場、さらには全協事務所などとしていく方針。

当初計画した一戸建ての4H会館建設も、国有地払い下げの実現不可能、地価の高騰などの事情によってスペース買い取り方式へと移行したが、あくまでもクラブ員の殿堂として、あるいは全国クラブ員とOBの心の寄りどころとして計画を進めることには変わりない。

4H会館建設の募金目標額に対する達成率
(昭和47年5月11日現在)

	県連名	%(約)
1	滋賀	95
2	奈良	56
3	福岡	42
4	神奈川	41
5	高知	33
6	鳥取	32
7	愛知	28
8	徳島	21
9	埼玉	20
10	沖縄	19
11	静岡	16
12	群馬	16
13	石川	16
14	三重	14
15	大阪	13
16	長崎	12
17	山梨	11
18	福島	8
19	千葉	8
20	青森	6
21	宮城	5
22	福井	4
23	山口	4
24	和歌山	3
25	岡山	3
26	広島	3
27	岩手	2
28	長野	2
29	北海道	1
30	茨城	1
31	新潟	1
32	富山	1
33	岐阜	1
34	佐賀	1
35	香川	1%以下
36	鹿児島	〃
37	熊本	〃
38	兵庫	〃
39	大分	〃
40	秋田	未提出
41	山形	〃
42	栃木	〃
43	京都	〃
44	愛媛	〃
45	宮崎	〃
	中央	203
	総額	10

村民一体で村づくり
過疎の暗さなんて
赤井川村4Hクラブ

ダンスも一緒に 村内の奥さんたちとダンスを楽しむクラブ員

【北海道】最近、地域と密着した活動の展開が叫ばれているが、村民一体となって明るい村づくりを行なおう―と、積極的に地域ぐるみの活動を続けているクラブがある。

それは赤井川村4Hクラブ(会長 岡本孝志君)。同クラブでは地域の青年会、農協婦人部、婦連協と協力して、さる四月二十一日「四十七年度村民のつどい」を開いた。これは四者共催によって三年前から催しているもので、とくに今回は村教育委員会も主催に加わり、文字通り村民のつどいとなった。

午前中は「家庭内における人間関係のあり方」と題する小樽市家裁調停委員・小杉八千代氏の講演を聞いた。

午後は分科会に別れて討論したあと全体討議が赤井川4Hクラブの二川健司君の司会によって行なわれた。討論では、とくに家庭内における親子の対話、経営移譲の問題や、団体活動における親の理解など百余名の参加者から意見が百出、終始熱気に満ちていた。

このあと全員でフォークダンスやゲームを楽しんだ。老年の主婦から若いクラブ員まで年齢を越えて楽しむその輝く顔からは、道内でも有数の過疎に悩む同村の暗さをみることはできなかった。

明るい村づくりへ

岡本会長のことば センターに青少年婦人室が設置されたとき、私たちが「青年と婦人のつどい」(事務局長・前4Hク会長松沢彰君)を提唱して始められたわけです。それぞれの団体がその立場を守りながら互いを有機的に結びつけ、地味でも明るい村づくり運動を展開しようとしたのがねらいです。毎年、春にはこのような討論会、夏には4Hの農産物品評会、生活工夫展、また青年会は盆踊り仮装大会、婦連協、農協婦人部がバザーなどをやりますが、やはり「村民のつどい」と銘打った赤井川の総合的な祭りのようなものにしています。昨年の秋には、文化祭として同じように私たち教育委員会、小中学校文化連盟、村内の各種愛好会の参加を得て行なってみました。

私たちは自分たちの団体だけではその力は限られ、地域に密着した活動や理解は得られないと思います。これらの活動を通して村民一体となって活動することの偉大さや重要性を徐々にみんなが認識してきました。まだ経営者層の参加が少ないのは残念ですが、このような催しも私たちのような小さな村だからできるのかも知れません。

これからも4H活動の一環として続けて行きたいと思います。(三間茂連絡報道員発)

中四国連協で総会
16・17日 出雲で

中国四国農村青少年クラブ連絡協議会(会長 矢野元秀君・島根県)の総会は、来る十六、十七の両日、出雲市塩冶町の農林総合研修所研習館で開かれる。

主な協議事項は、四十六年度の経過報告、規約、役員改選、四十七年度の事業と予算の決定などで、このほか「第五回中国四国地域若い農業者のつどい」などについても協議することにしている。

出席者は、四十六、四十七両年度の県連会長など各県連とも四名で、懇親会も予定している。

新鮮で安いわ
大和郡山市4Hク 人気、いちご即売

【奈良】このほど桜が満開の郡山城跡で行なわれた大和郡山市主催の「お城まつり」で、大和郡山市4Hクラブがイチゴの即売会を開き人気を集めた。

自分から求めて農業に生きようとして努力している青年がこんなにいるんだ、ということを知ってもらうために開いたもの。この日はあいにく北風が強く肌寒い日ではあったが、花見や出品された郡山名産の金魚の見物人でにぎわい市価より五、六十円も安く原価でイチゴが買えるとあって「新鮮だ、安い、来年もやるんだネ」とすごい人気。みるまに五百余ケースが売切れてしまった。

われわれ郡山4Hクラブ員も天気のよい暖かい日であったら、もっと売れたろう―と来年に期待を寄せて、毎日農作業を楽しくやっている。(佃[illegible]連絡報道員発)

会長に橋爪君
富山県連総会

【富山】富山県4Hクラブ連絡協議会(会長 竹松幸夫君)の第二十二回定期総会がこのほど開かれ、四十六年度の経過報告を承認のあと研修会など四十七年度の事業計画を決定、また、次のとおり新役員を選んだ。

会長	橋爪忠則	福野
副会長	福島幸雄	入善
同	藤井よし子	滑川
事務局長	藤村広治	小矢部
同次長	野上佐[illegible]	婦中
同	竹林順子	砺波
理事	髙木正実	魚津
同	村上常秋	立山
同	杉田友幸	富山
同	中井幸子	城端
監事	竹松幸夫	小矢部
同	竹内茂樹	高岡
同	宝田良次	魚津

八頭技健

総理府の青少年対策本部がこのほどまとめたところによると、「みんなと楽しく過ごしたい」という青少年は多いのだが、青少年団体の加入者は全体のわずか一八・四%にとどまっているという。しかも、その入会者の場合でもスポーツや趣味のためというのがほとんど▼この調査に応じたのは、全国で十五歳から二十五歳までの未婚者五千七百十八人。年齢層からみれば4Hクラブ員と同じだ。しかし、クラブ加入者も多く、研究活動を中心に人づくり、地域社会の奉仕などにも力を入れている農村のクラブ活動からみれば、やや意外な結果であるといえる▼未加入者の理由は「時間やヒマがない」というのが三五・五%で最も多かったが、「適当な団体があれば、はいってもよい」と参加意欲を持っている人は未加入者の半数以上(五〇・七%)を占めている。それと同時に「参加したいが適当な団体がない」「どんな団体があるのか知らない」という人も合わせると約四割(三九・七%)にもなる▼仕事に追われて、余暇活動ができない実態が出ている反面、グループ活動のPR不足という一面がのぞいている。農村では先輩やクラブ員、また農業改良普及員さんがクラブ加入の勧誘をするが、それらの働きかけがないわけだ▼また、4Hクラブでは、研究活動と職業、さらには地域改善運動などと直結しているのも特長。プロジェクト活動が即、クラブ活動となっている。このため団体活動をするのに時間やヒマがないというような答えはかえってこないはずである▼だが、この調査でも団体活動加入者千五十三人のうち、スポーツやレクリエーション関係、それに文化、芸能、趣味をかねたものが多い。クラブでも人集めにレクリエーションを中心にしているところも少なくないが、やはり活動と事業を区別して考えるべきだ。

「6円が運ぶ、仲間の声!!」

赤松　宏 ▶2

前回は、「自分が顔を合わせている者だけが仲間だと思っている連中には、本当の意味で、『4H新聞』は読めませんよ」と書きましたが、これは私の本音です。

この原稿を読んで、頭にきた(HEAD, COME UP!!)仲間もいることだろう。気にさわったら許してほしい。このことについて、もう一歩前進させて、いや、前進というより逆に考えてみるといった方が適当かも知れない。

広報というそれ自体の意味がわからないのでは！と思えて仕方ない。いま、広報の本当の意味を考えてみる必要があるだろう。

まあ〈広報活動とは何のことはない。簡単に言ってしまえば「広く知らせる活動、ピーアール活動」にすぎない〉が、この簡単に説明される「広く知らせる」という事実の奥に大きな意味を持っていると思う。知ろうとしない者には、その意味はあるはずがないし、メリットもないであろう。また、自分でとくに行動を起こさず、他人を受入れない範囲においては広報という言葉はなくても良いはずだ。

広報の特異性を
組織活動のバロメーター

ただ、知ろうとしない者で片ずけてしまえば簡単なわけだ。一つの意識を持って4Hクラブに加入している仲間であるなら、いや、状況はどうあれ、いま、加入しているあなたであるなら〈知ろうとする努力をしてほしい〉〈知ろうとする努力〉をと書いたが、この記事を読んでくれている人たちは知ろうとして努力しているので、何も言うことはない。が、一歩進めて、いまそんな努力をしていない仲間にリーダー的役割を果してほしいと考える。

こんな仲間がいました。私が道4Hクラブ連絡協議会の役職にあったとき、どんな訳か、よくオルグに廻された。そんなオルグの中で知ったM君です。三年前のことで彼は十九歳でした。

まあ、リーダー研(修会)といえばだいたい相場がきまっていますが、分科会の中で、M君は若さにまかせて、かなり発言していました。内容は詳しく覚えていませんが、その最後の方で私に助言ということで発言の番がまわってきました。その中で4H新聞についてのPRをしたんです。そしたら、4H活動に対する批判を一人前にしていた彼が「4H新聞なんて見なくたって!!」と……。

私も若かったんですね、ムカッときて、彼を敵あつかいして論議をかわしたんです。青年の家でしたが、私の部屋へ彼を招いて午前三時ごろまでも話しをしました。本当に腹がたって他地区のクラブ員だったが「お前のようなやつ、やめてしまえ!!」「勝手にすれ!!」とまで言ったんです。

そして広報活動の意味とか、広報活動の経験や考え方、今後のすすめ方などについて話したりしました。それに「知ろうとする努力」についても。でも、彼は譲ろうとしてくれませんでした。「若いんだからいろいろ考えてみるんだな」といって、その夜は別れたんです。そして私は朝早く、次のオルグのため出発しました。しかしそのときどうしても「勝手にすれ!!」と言ったものの気になって、彼あてに、名刺の裏に「もっと話したかったね、またいつか」と書いて置いてきた。

それから何日か後、わが家へ帰ってみると、机の上に予想もしていなかったM君からの手紙が届いていた。全文を紹介できないので要旨だけにするが、こんな内容だった。

「名刺の裏の十五文字、赤松先輩と私の広報だね。あのときは敵意だけで考えなかったが、一人で考えてみると大切なことだと感じました。私にも『4H新聞』を読ませて下さい。七百円あとで送金します。昨晩は本当に有難とう」というものであった。

嬉しかったね、M君も本当の意味の「4H新聞」の読者だと思っています。私と同じように十日ごとの新聞を楽しみにしている一人でしょう。彼と逢ったびに成長の足跡が見えるんです。M君については拾い物でしたが、それと同時に彼から教えられたこともたくさんあります。

その中でも、新聞〈広報の大きさを再確認〉しました。私も一年に何度か講演の依頼を受け二～三時間話しをします。しかしそれは、一時間に過ぎず、対象も多くて百人程度。地域も限られた範囲で、狭く短いわけです。それに比べると、4H新聞は今回で六百七十七号、十五年余りになる。そして今後も続けられる。その中に組まれている情報も莫大である。クラブ員全員に行きわたるようになると千万余とかいう莫大な数をもっている。

いま「4H新聞」に例えてみたが、〈広報の特異性はみのがせない。早くこの特異性を発見し、どしどし組織活動の中に利用して行きたい。ある人は「広報活動は組織活動のバロメーターである」といっていたが…〉

(前北海道4Hクラブ連絡協議会書記長　題字も筆者)

組織のあり方などについて講演する赤松君

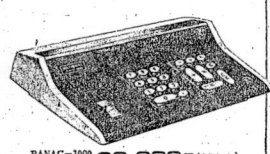

なぜ嫁がこないの!?
胸に刺さる答え
農村の暗さだけが…
同年代の女性にマイクを向ける　宮城県連

農村ではあいかわらずの嫁不足。そこで、4Hクラブ員と同年代の娘さんたちが4H活動や農村青年をどのように理解しているか―と、このほど宮城県農村青少年クラブ連絡協議会(会長 門馬忠君)の編集部が特別企画として、仙台市で街頭インタビューを行なった。

それによると、大多数の女性は4Hクラブの存在については知っていたが、活動内容になると漠然としか理解されていないようであった。

農業問題、とくに農家以外の人たちも関心をもっている米の生産調整についての質問には、「反対ですね」「あまりわからない」と、ややあいまいな返答。

今春高校を卒業して市内のデパートに勤めているという三人の女性に、「農家のお嫁さんになりたいと思いますか」と質問したところ、三人とも「正直のところなりたいとは思いません」という返事があり、続けて「では、どういう職業の人となら結婚したいと思いますか」との質問には、「サラリーマンならよい。収入が安定しているから……」ということであった。農家が安定していない理由としては、「工業化や減反などをかかえ、農家は曲りかどにきていて、結局、農業一本では食えなく、出稼ぎをしている状態ではないですか」と、農業に将来性がないことを指摘。農業後継者自身が不安におちいり、動揺しているなかだけに、嫁さん探しはなかなか大変なようだ。

この問題と関連して、「農村青年はどのようなことで悩んでいると思いますか」の質問に対しては、ある女性から「あまり後継者がいないということではないでしょうか」とのこと。さらに、なぜ少なくなったのかと尋ねたところ、「それは農政にも責任はありますでしょうし、また、都市化、工業化という社会情勢も、若者が農村から離れていくのに拍車をかけたことになるでしょう。が、やはり農業をやる人個人の、農業に対する取り組み方にあまさがあったのでは……。ただ漫然と親から財産を引き継ぎ、農業経営またはその技術なりを踏襲し、農業経営というものを合理的に、しかも企業的にもっていく努力を怠っていたのではないでしょうか」と、現在農業を営んでいる青年にとっては鋭く胸に突き刺さる言葉が返ってきた。

「なぜ農家に喜こんで嫁がこないのか」―この街頭インタビューにおいては、あまり色よい返事は返ってこなかった。現在の農村青年は率直にそれを認め、自らの問題として苦しみ、悩みぬかなければならないとともに、4Hクラブおよび農村青年のPR不足、また、暗い面のみを報道するマスコミについても考えさせられるものがあった。

PR不足も！

瑞宝章勲三等
三宅副会長

社団法人日本4H協会副会長・三宅三郎氏(七〇)＝全国農村青少年教育振興会常務理事・中央畜産会副会長＝は、このほど春の叙勲とし、瑞宝章勲三等を受けられた。永年にわたって畜産振興のために尽してきた功績に対して贈られたもので、さる十一日、農林省から伝達された。

三宅副会長

はるかなる"遠野"

"花巻より十余里には町場が三ヵ所あり。その他はただ青き山と原野なり…"と、柳田国男が書き記した"遠野郷"は、日本民族学のメッカである。

その拠典ともいうべき柳田の『遠野物語』には、古くから遠野郷に言い伝えられてきた数多くの不思議な民譚が収められている。里の神、家の神、山の神、天狗、山人、雪女、河童……。

なかでも、四方を深い山々にかこまれている遠野郷には、山にまつわるはなしが多い。

たとえば、こんなはなしがある。遠野のある長者の娘が行方不明になった。数年後、同じ村の猟師が山の奥でその娘に会った。驚いた猟師は"どうしてこんなところにいるのか"と問うてみると、娘は"あるものにさらわれて、いまはその妻になっている。子供もたくさん生んだけれど、夫がみんな食べてしまった。自分はここで一生涯を送るけど、人にはいわないでくれ"という。猟師は怖しくなって、そうそうに逃げ帰ったということである。

今日では、小さな子供でもこんなはなしは信用しないだろう。だが、視点をかえて考察すれば、この、一見嘘のように思えるはなしも、ある真実さをともなって私たちに迫ってくる。

原始文化に禁制(タブー)がつきものであることはよく知られていることである。外部から遮断された共同体の住民にとっては、共同体の空間が世界のすべてである。未知に対する不安や恐怖は、やがて禁制として具体的な像に結晶されてくる。それは、全住民をとらえることによって〈共同性〉を獲得し、より生々しく〈実在〉し続ける。そして、共同体を維持する楔(くさび)はますます強固なものとなるのである。

遠野郷を離れた娘は子を食う山人の妻になった―共同体の他の住民にとっては、それは絶対に〈真実〉でなければならなかったのである。【宇】

友のペン　『CLOVER』
女性問題に挑戦

CLOVER―まめ科の多年草。春から夏にかけて白い花が咲く。そして4Hクラブのシンボルマークでもある。

熊本県農村青少年クラブ連絡協議会の女子部では、女子クラブ員だけで「CLOVER」という名の機関誌の創刊号を発行した。彼女たちはCLOVERをこう訳している。C・LOVERはC(クラブ)LOVER(愛する人)である。すなわちクラブを愛する人ということだそうである。

そのクラブを愛する乙女たちが作成した機関誌は、ガリ版印刷のぶ厚いものである。また、編集者の苦労は大変なものであったろうと思う。

内容は、あいさつ、地方紹介、研修記、4Hクラブの本質、プロジェクト、随想、詩、短歌、俳句など、多彩である。プロジェクトはなんといっても生活改善が多い。なかでも女性でしか気づかないような独特のアイディアにあふれているのが目にとまる。

しかし、この機関誌の特長はほかにあるようだ。それは随想、詩、短歌、俳句などのうえに脈々と流れている女性から発せられた"女性とは何か"というひとつの問いかけだろう。

"農村女性の青春とは何なのか""農村女性のこれからの生き方はどうあるべきか"などという問いかけと答えが織りなす不協和音は、そのまま現代の農村婦人の問題としてなまなましく甦ってくる。

それらは、『私は玩具』と叫ぶ詩のなかに、『母は悲しく生きた』『人生のプロジェクトを』と訴える随想のなかなどいたるところに力強く、また健気に首をもちあげている。

どんな女性でも必ずぶつかる問題、とくに農村女性の問題に真正面から挑んだ"クラブを愛する人たち"……。彼女たちの勇気は大いに評価されるべきであろう。

第二号の発行が待たれると同時に、種々の農村問題に取り組んだ女子部の活力に頭を下げたい。女性でもやれるんだということをいかんなく発揮している機関誌である。【熊本】

47年度　農業観測をみる(1)

畜産・果樹ふえる　生産
農業所得 7~8%の増収か

農林省は、このほど四十七年度の農業観測を発表した。これは、農業経済と農産物および農業資材について、四十六年度実績見込みと四十七年度の見通しをまとめたものである。本紙では、(1)農業経済(2)~(3)農産物(4)農業資材と、四回にわけてその要旨を紹介する。

四十六年度の農業経済の動向を一みると、農産物の国内需要は個人消費支出の増大を背景に着実な増加を続けており、四十五年度は一三・四%の増加、四十六年度も同程度の伸びを示している。品目別では、主食一・二%減、乳卵五・〇%減に対して、肉類八・九%、果物一六・五%、飲料九・〇%といずれも増加している。

一方、米を除く農業生産では選択的拡大が進み、その水準の上昇をみているが、米の比重はいぜんとして大きく、農業生産全体の水準は、四十五年度は前年度(一・四%減)にひき続き二・四%の低下、四十六年度には異常低温や台風などによる米や普通畑作物の作柄不良が加わり、全体では前年度に比べ五・一%減少した。

農業経済

これに対し、四十七年度の農業経済の見通しは、まず、農業生産では、米が二二五万㌧の生産調整、麦類、いも類などの畑作物がひき続き減少することが見込まれるものの、畜産および果実に増加が見込まれるので、気象を平年並みとみれば、全体としては減産した前年度よりやや増加する見通し。

四十七年度の農産物価格は、全体の水準では前年度に比べわずかな上昇にとどまるものと見通される。類別にみると、豆類は生産の増加が見込まれており、価格は減産のため高かった前年度よりかなり下回るとみられ、果実の価格はほぼ前年度並み。工芸作物の価格はかなり上昇するものとみられ、野菜の価格も前年度並みないしわずかな上昇が見込まれる。畜産物の価格は、生産の増加もあってわずかな上昇にとどまるものと見込まれ、繭の価格はかなりの下落をみた前年度に比べ、やや上昇の見込み。

農業生産資材価格は、前年度よりわずかに上昇するものと見通される。これは工業製品のうち、飼料は値下がりするとみられるのに対し、肥料、農薬はわずかに、農機具はやや値上りするとみられ、農業へ再投入される種苗・苗木、畜産用動物の価格と賃借料・料金も前年度よりかなり上昇するものと見込まれるからである。

また、四十七年度の農業総産出額は、農業生産がやや増加し、農産物価格もわずかに上昇すると見込まれることから、減少した前年度(四兆三千七百億円)よりやや増加する見通し。この農業総産出額から物的経費などの推定額を控除し、これに米生産調整奨励補助金などを加えた四十七年度の生産農業所得は、減少した前年度(二兆四千四百億円)をかなり上回るものとみられ、七~八%の増収が見込まれている。

〈農業生産・農産物価格・農業資材価格および農業総産出額〉

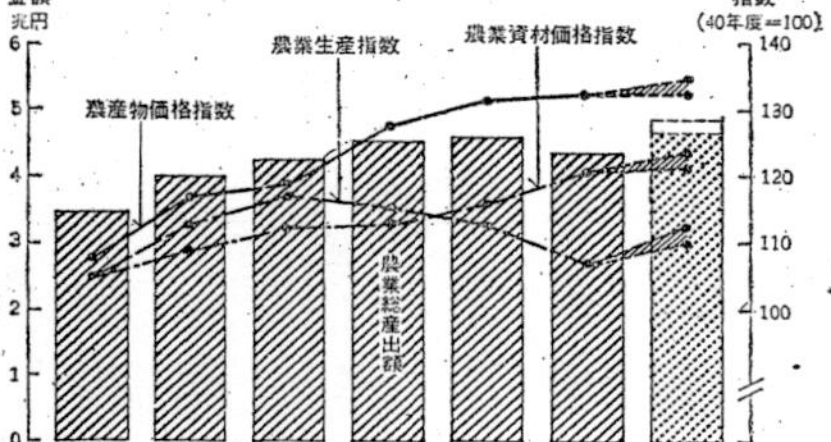

ヒル退治の妙案は？
タニシ養殖に打撃
南部町4Hクラブ

【和歌山】タニシの養殖を始めた水田にヒルが住みつき、タニシの血を吸っていることがわかり、日高郡の南部町4Hクラブのクラブ員は、いま、ヒル退治に頭をかかえているという。

このタニシは、さる三月三十一日、空路輸送で桐生市から百五十㌔を購入したもので、繁殖に大きな期待をかけていた。

同クラブでは、県水産増殖試験場に問合わせるなどしてヒル退治作戦を考えているが、ヒルを殺す薬はタニシも一緒に殺してしまうため、いまのところ妙案はなく、アミで取るしか手がないという。全国のクラブ員の中でヒル退治の妙案があったら、ぜひ同クラブにアドバイスを。

高橋君会長に
岩手県連

【岩手】岩手県農村青少年クラブ連絡協議会(会長 及川正紀君)の定期総会がこのほど開かれ四十七年度の事業計画や新役員を選出した。

新役員は次のとおり。

会長	石渡　高雄	山形村
副会長	藤原　敏幸	石鳥谷町
事務局長	熊谷　太一	水沢市
会計監事	有馬　富博	沢内村
同	三上　洋一	二戸市
同	菊池喜代志	江刺市

クラブ往来
因習打破に女性の知恵

私たちの地域は水田地帯で一戸当りの平均水田面積は一・五ヘクタールという極めて零細規模であるため、現在では肉牛や野菜などを経営に取り入れる農家が多くなっている。

そのような厳しい農業情勢の中で、私たちのクラブは約三十名の農業青年が相互の研究練磨と地域の発展のために一人ひとりがプロジェクトの実践、視察旅行、プロジェクト発表会、新世代の集いなどを通して、仲間づくりとともに自らの経営を正しく見つめ信頼される後継者となるよう日夜精進している。

農村といえば何を思い浮べるだろうか。広々とした田園風景、青草を食う牛の群れ、赤く染まる夕焼け空を眺めるのんびりムード、それとも……。

ところが、農村社会は外見上は都市化が進み、都会と少しも変わらない生活様式が取り入れられている反面、中味は古い因習に右往左往する若い嫁、封建的な考えを頑固に守り続けて後継者のいなくなる家など、まだまだ問題はある。

私たちは、これら農村社会をとりまく諸問題を、女性の立場を生かしながら解決してゆきたいと考えた。

まず最初は、身近かな取り組みやすい料理を工夫して主婦に紹介することから始めた。そして、反応をみながらあらゆる機会をとらえ、展示、PRをして地域住民の心をつかむことが大事だと考えた。それにはいろいろな人たちと話し合うことがもっとも重要なことであり、話し合いなくしては何も問題の解決にはならない。今後、いかに住みよい農村社会を築くかは、私たちの若い腕にかかっているといっても過言ではないであろう。

自分のまわりを眺めてごらんなさい。これはおかしいと気づくことがたくさんあると思うのである。たとえば、環境整備ひとつ取り上げてみても、衛生に対する考え方の相違、時代とともに移りゆく考え方の相違からくる諸問題など、人間関係を複雑にする要因は数多くある。

クラブを通じて仲間とともに、次代を明るい農村にするため、いろいろな角度から研究してゆきたいものである。

(岩手県石鳥谷町農村青少年クラブ 連絡協議会・佐藤秋子)

プロジェクト

ポイントは良質飼料の確保
将来は放牧経営も

高知県宿毛市平田4Hクラブ
増田泰男

わが家の経営概況は、水田五〇㌃、飼料畑二三㌃、山林一〇㌶、乳牛一七頭(うち成牛一〇頭)で、この乳牛を祖父、祖母、父、母、私の五人で経営している。

高校在学中から父が酪農を行なっていたので、私はあとを継ぐ決意をし、岡山県の蒜山酪農大学校に入学、酪農に関する技術を身につけ昭和四十四年より酪農に取り組んだ。

当初は山地酪農を目標に土地の取得に努力したが、条件の整った土地が入手できず、水田酪農を続けることにした。水田酪農のポイントは、「良質粗飼料をいかに確保するか」にあるため、これをプロジェクトとして取り組んだ。

四十四年、酪農に取り組んだ時点の経営内容は、成牛換算一〇・五頭、飼料作付面積二三㌃で、頭数と作付け面積の割合からみれば十分と思えるが、ほ場が分散し、湿田もあって生産条件が一定でないため生産量は上がらなかった。

四十五年、自分の所有する土地のほか借地三〇㌃を加え、さらに四十六年には借地一〇〇㌃と共に水稲を減反、飼料専用ほ場として利用し、成牛換算一三頭に対して年間作付け面積四六四㌃に拡大。

この粗飼料の生産をもとにしてある程度の経営実績をあげることができた。資金は農業後継者育成資金百万円を借入し、主として畜舎とサイロの建設にあてた。

実績をかえりみて思うことは、この三年間に水田酪農経営の体制が徐々に整備されたが、また、面積の割には粗飼料の生産量が少ない点に問題が残されているということである。また、父から受け継いだ牛に繁殖成績の悪いものや事故牛がでたため、多頭化が計画より遅れている。今後は、これをプロジェクトとして取り組んでゆきたい。

多頭化の目標は、五十年までに飼育頭数二〇頭、搾乳牛常時一六頭、生産乳一〇万㌔を予定。目標達成のためには現在以上に小作地をふやさなければならないし、課題になっている単位当り生産量の増大にも努めなければならない。また学生時代からの夢であった放牧経営も、適地が入手できれば実現させたいと思っている。

残留の塩害が問題　収穫は安定へ
大型ハウスのきゅうり・トマト栽培

山梨県中巨摩郡甲西町・進栄4Hクラブ
村松正幸

私の住む甲西町東南湖地区は、県下一のそ菜栽培地帯である。農家の長男として生まれた私は、県立農業高等学校に進み、卒業と同時に父の経営する一・四㌶の土地に飛び込んだ。当時のそ菜作りは水田を利用したハウスの促成栽培であり、稲刈りをした水田にカマボコハウスを作り、田植期の六月までに収穫を終える、トマト、きゅうり栽培であった。

この方法だと、①年間の収入が春のきゅうり、トマトだけである②このため栽培面積も多くなる③年間の労働が平均化されない④田植のためハウスを毎年作らなければならない――などの数多くの問題があった。

これらの諸問題を解決するために、三年前、CT型ハウス(八二五平方㍍)を建て、水田に稲を作付けすることをやめた。十一月まきトマトを入れて七月まで収穫、七~八月の一ヵ月は残肥料をとり除くために水を入れ、八月中旬、年内に収穫できる作型のきゅうりを取り入れてみた。

結果は良好。そこで、もう一棟大型ハウス(ひかり型五〇〇平方㍍)を作り、温風暖房機、地中暖房機を買い入れ、きゅうりの超促成栽培を行なった。

十二月播種、二~七月収穫。地中暖房のおかげで土の中の温度が自由になり、定植後の活着もよく、根も十分にはり、安定した収穫ができ、単位当りの収入も高くなった。水を入れたあと、七月に播種した抑制トマト(十~十二月収穫)を入れ、大型ハウスの周年利用は軌道にのってきた。

しかし、残留肥料による塩害が出て、毎年栽培できるというわけにはいかなくなった。この大きな壁に当り、私は①肥料は残留しないように十分計算し適量の肥料をかける②水を入れる期間を長くして流すようにする③有機質を十分入れる――などのことに注意しながら、大型ハウスの単位当りの収入の増大をはかるべく、毎日父と努力している。

将来の経営は、もっと大型のハウス(三、三〇〇平方㍍)を導入した経営にもっていきたいと考えている。きゅうり、トマト栽培にすべてをかけて、これからの大型ハウスの周年利用を自分のものにしたいと思っている。

生活改善

農村の早期老化現象に――
ジュース作戦

福島県郡山市中田4Hクラブ
横田孝子

私の住んでいる中田町は、郡山市の中心から一四㌔東の阿武隈山系の一角にあります。そのためか、農業は零細で多角的であり、同時に山あいの段々畑といった状態ですから、農業機械化が叫ばれている今日でも、人による作業が多いのです。そのため労働過重がひどく、農繁期になると病気になりやすく、しかもそれは働きざかりの人に多いのです。老化が都市よりも十年は早いといわれています。

私の家でも、祖父が三年前に脳内出血で約三カ月入院しました。それまでの男仕事をすべて一人でやっていたのですから家族のあわてようも大変でした。幸いにも軽かったので歩けるまでになりましたが、しかし、いつ再発するかわかりません。そこで私は、それを防ぐためにはどのようにしたらよいかを考えてみました。

祖父が退院するとき、医師より①食事は塩分を少なくするように②酒、タバコはやめるように――と、この二点が大切だといわれました。そこで私は食事の仕方を考えてみたのです。

祖父は辛口で生野菜が嫌いです。いかにして食べさせるか――そのときに考えたのがジュースにして飲ませることでした。最初はいやがっていましたが、どうにか飲むようになりました。野菜でも果物でも、血液の若がえりを考えると必要なのです。また、好きな酒はやめてしまうことはできないので、量を決めて飲んでもらうことにしました。

このようなことを続けてみた結果、祖父ばかりでなく家族全部が病気をしなくなりました。でも、ちょっぴり反省していることは、あまりにも無理おしだったこと……。

今後は、生野菜ばかりでなく肉、牛乳などを使った料理を考え、家族全部で生活を楽しみたいと思っています。

結婚を考える ▶13◀

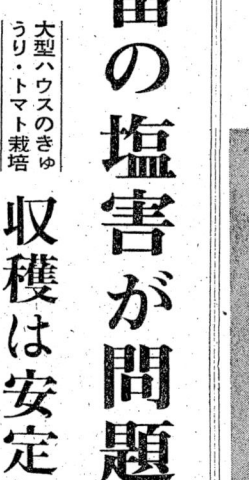

栃木県・栃木地区4Hクラブ連絡協議会

嫁ぐ立場　継ぐ立場 ③

司会　先月号の雑誌に、私たちと同じ年代の女性からこんな投書がありました。「農家に嫁ぐということは、他からみると低くみえるのではないかという考えをもった」というのですが、みなさんはどう感じますか。

国分　マスコミで嫁不足を大きく叫んでいるからだと思います。最終的には誰でも農家に嫁げるという、変な安心感を世間一般に与えている……。

佐藤　昔から職業の中で、農業はいつも底辺を歩いてきました。それは、封建的な考え方がまだたくさん残っていること、他産業からみれば貧困なところがあることなどが、原因として考えられます。

――それは農業人口が多いための錯覚だと思うのです。現在の農業こそ、生産性向上のために機械化などによる高度な技術と知識が要求されてきています。では、農業という職業は一般からみてどんな立場にあると思いますか。

佐藤　決して明るいものとはいえないでしょう。前にみなさんがいったように、やっただけの答えはでますが、それで満足してよいものでしょうか。経営の規模拡大はやろうと思えば決してできないことはないでしょう。でも、その弊害はあまりにも大きいのです。長時間重労働といったような肉体的な悪循環のくり返しになってしまい、健康面や家庭生活の面で支障をきたす結果になり、現在の状態をみると困難な面も多くあります。

――大浜さんの講演にもあったように、労働だけに頼る資本では限度があり、必ずある時期で途絶えると思いますね。

海老沼　労働面では、専業農家より兼業農家に問題が多いと思います。私の知っている専業農家では、農業面はだんな様、家庭生活面では奥さんが営むといったように、ハッキリ区別しているそうです。だから奥さんは労働の点では問題がないということでした。そういうことに対して、みなさんはどう考えますか？

大川　合理的でよいと思いますが、やはり主婦業だけでなく、農業も一緒にやったほうがよいと思います。

――労働の面では、農業はまだまだ改善する面がありますね。

国分　農政を考えてみると、難かしいことがたくさんあります。たとえばいま大きな問題である減反ですが、稲の作付を転換しろといわれても、一概には決めかねることだと思います。

高山　4Hクラブにおいても、もっと専門部会や共同プロジェクトを活発にすることが必要ではないでしょうか。

田中(つ)　みなが同じ作目のものを作ることによって、減反に対する作目転換の決定に役立つようになると思います。

夫婦一緒に働きたい!!

すばらしい男性とは？

佐藤　私たちは4Hクラブの男性のように、直接経営にあたるものではないので、農政に対してもまた経営に対しても、まだまだ真剣ではないと思う。そして、男性と女性とは考え方に差があり、また目的も違うのではないでしょうか。男性は技術や資本を得るといったような目的をもっているし、その点、私たち女性は、将来の家庭はどのようにするかといったところで具体的なことはわからず、家にいても手伝いのような形です。目的といっても……すばらしい男性にめぐり会うことでしょうか。

――いま、すばらしい男性ということがでましたが、いちばん興味あることですので、みなさんが考えている理想の男性像について話してください。

猿山　親にいつまでも頼っている人はいやです。独立心があって、やはり、いつも明るい人…。

大垣　丈夫で長もちする男性がいい。(爆笑)

経営

どう解決すべきか
頭が痛い糞尿処理

神奈川県・瀬谷4Hクラブ
川村悟

私は県北の相模湖町で酪農をしている二十四歳の青年です。今日、農業公害、畜産公害など世間でいろいろ騒がれておりますが、私たちの相模湖でも公害問題がもちあがってきました。

一年ほど前、同じ酪農家の一人が自分の畑に牛糞をまいていたところ、近くに越してきた人が「臭くてしかたがない」と保健所に投書したそうです。そのために、その酪農家は保健所より注意を受けたそうです。何十年となくそうした仕事をしておりましただけに、越してきた人たちにそんなことをいわれては、どうにもやりようがありません。それでなくとも畜舎よりかなり気を使っているのに、「臭い」とか「ハエが多くてしかたがない」といわれ、どのような手を打ったらいいのかわからなくなります。

またこんなことがありました。いつのことだったかはっきりしませんが、新聞に「県民の水がめ相模湖、津久井湖に家畜の糞尿が流れこんでいる」という記事がありました。確かに数ある農家のうち、二、三の人が川に流していました。そのために他の酪農家までが保健所の検査を受けたり、迷惑を被ったことがありました。でも、今はそんな人はいませんが、何年か先には前に述べた人のようなこともでてくると思われます。

そんなおり、役場の補助でビニールハウス利用の牛糞乾燥法という話がありました。さっそく何人かの酪農家が作ってみましたが、三十頭、四十頭の牛の糞を朝晩一輪車で運んで、一日二回くらいかきまぜたり広げたりすることは時間的にとても無理だと思います。

ハウスを使えば良く乾くのはわかります。薄く広げて一日二回かきまぜて、水分八〇％の牛糞を六〇％くらいに乾燥すれば臭いもしなくなり、また扱いやすいことはわかっているのですが、糞の乾燥ばかりに時間を費すことはできないのです。だからハウスを作っても利用していない人もあるようです。

尿溜にも問題があります。尿溜は、県と町の補助で作っていますが、私たちの内郷酪農部にはコンクリートミキサー型枠もあり、仲間が助け合えばほぼ一日で作ってしまいますが、他の町では県や町から補助は出るが、自分一人で作らなくてはならず、工事請負業者にまかせるため、補助金ではとても足りず、補助金の倍も自分で負担しなくてはならないのです。といっても、作らなければお役所がうるさいし、作るにはあてにしない金がかかるし、頭の痛いことだと思います。

共同プロジェクトにさといも植える
かつらぎ町の若葉4Hク

【和歌山】伊都郡かつらぎ町の若葉4Hクラブ(会長 松岡信和君)は、共同プロジェクトとしてさる四月二十四日、同町国道二四号線沿いの休耕田十㌃にさといもを植えた。

クラブ員たちはミカンだけを栽培しているので、短期収穫できるそ菜類の栽培を研究しようと、共同プロジェクトとしてさといもを選んだもの。

この日は、休耕田を耕したあと施肥を行ない、たねいもを植えて干しワラを切って被覆した。これからは除草剤などを使って省力化し、交代制で管理することにしている。

さといもの需要が多い月見ごろの九月に収穫し、その利益金で年末に"もちつき"などをして養護施設の慰問をしようといまから心待ちにしている。なお、収益は十万円を見込んでいる。

腕の向上かねてせん定奉仕
池田青少年クラブ

【香川】小豆郡池田町の池田青少年クラブ(会長 岡本久男君・会員十九人)が、このほど農家のミカンのせん定作業を奉仕し、家族の人たちから喜ばれている。

同町には約六十㌶のミカン園があるが、農家では電照菊などの栽培でミカンのせん定が遅れ気味のため、自分たちの技術向上をかねて奉仕作業をしたもの。これから四月いっぱい作業を続け、約二十㌶のミカン園をせん定するという。

NHK農事番組 (5月21~31日)

テレビ

明るい農村　6・30~6・55 総合
- 21日　明るい漁村
- 22日　村の記録「牛飼いの抄」~北海道帯広市
- 23日　きょうの話題
- 24日　産物百科「メロン」
- 25日　話題と人「乳流れる里を築いて」　黒沢西蔵(北海道長沼町)
- 26日　農村新地図「愛知県南知多町」
- 27日　村をむすぶ「札幌、名古屋、大阪、東京」
- 28日　明るい漁村
- 29日　村の記録「ある企業農園の進出」~福島県西郷村
- 30日　きょうの話題
- 31日　産物百科「うなぎ」

農業教室　7・00~8・00 教育
- 22~24日　大規模養豚の経営管理　松下道夫(全国農業協同組合連合会)
- 25~27日　土を使わない野菜作り　板木利隆(栃木県園芸試験場)
- 29~31日　システム化とインテグレーション　竹中久二雄(東京農業大学助教授)

あすの村づくり　日 7・00~8・00 教育

ラジオ

再　土 13・00~14・00 教育
- 21日「自立への道―豚とみかんとお金」　山口和男(山形市)　藤生浩一(宇佐市)　片柳真吉(農林中金理事長)　山本修(神戸大学教授)ほか
- 28日「都市化と農業」　竹内稔(愛知県半田市)　浮野義鷹(一宮市)　早川農園(岡崎市)ほか

早起き鳥　5・41~5・57 ①
- 21日　どうなる牛乳の産地直結~千里ニュータウン、大山町
- 22日　茂木びわを語る　月川雅夫(長崎県農政課)
- 23日　減反克服　小林次郎(滋賀県稲枝町)
- 24日　牧草づくりにかける　宮田憲一(北海道中頓別町)
- 25日　共同育苗でのびるキュウリ産地
- 26日　養蚕小作~広島県世羅町
- 27日　ふるさと通信
- 28日　農産物をつつむ　満田久輝(京大教授)ほか
- 29日　移転酪農　田村廣(島根県温泉津町)
- 30日　廃止される過疎バス~宮城県栗駒町
- 31日　落花生ガラで合板作り　伊藤進(茨城県工芸指導所)

新しい農村　6・00~7・00 ②
- 21日　農協の合併をめぐって　鶴酒山幸夫(全国農協中央会)
- 28日　木材の流通改善対策をきく　吉田雅文(林野庁林産課長)

ラジオ農業学校(講座)　月~土 6・40~7・00 ②
- 22~27日　農村計画　渡辺兵力(農業総合研究所長)
- 29~30日　農業法人　中村広次(全国農業会議所)

ラジオ農業学校　日 6・30~7・00 ②
- 21日　新時代の経営をめざすみかん経営「キロ十五円をめざす」　森朝雄(福岡県古賀町)
- 28日　農業講演会「農業のシステム化をすすめるには」　竹中久二雄(東京農業大学助教授)

明日の農業へ向って
各種農業団体

思想の流れを追求
『地上』の連載企画「現代に生きる農の思想」

家の光協会

農業の歴史は、少なくとも、人間社会の歴史始まって以来のことであるはずだが、日本において、農業そのものが、農業を営む農民自身の立場で考えられ論じられてきた時代がどれだけあっただろうか。

とりわけ、農業というものが一つの産業として重要視され、学問のテーマとして扱われる(つまり、それが農学の発生であり農書の成立であるが、日本では、中世・室町末期と考えられている)ようになって以来、ときの権力者をはじめ世間一般が農業を論じてきたやり方、考え方は、直接、農民の幸福の問題にはつながってはいなかった。

このことは、日本という国が世界有数の経済大国になったといわれる現在においても、政治のなかでの農業のとり上げ方や一般に論じられる農業問題の論理にも通じる問題である。

それでは、この長い日本の農業の歴史のなかで、農民の立場に立った農業思想の流れというものが、ときの権力構造にかかわらず、社会の底辺に根強く流れてきたといううようなことは、まったくなかったのであろうか。

『地上』では、ことし一年の連載企画「現代に生きる農の思想」で、毎号一人ずつの歴史上の人物をとおし、その問題をとりあげようとしてきた。

時代は、日本最初の農書といわれる『清良記』第七巻(戦国期末期、伊予宇和島の領主・土居清良の生涯を記した戦国武将伝で、その第七巻で農業問題をとりあげている)の成立以降の中世から現代にいたる時代。登場する人物は、著名な歴史上の人物や、あるいは、まったく地方史のなかに埋もれている人々を含め、農業者や農村指導者たちまで、これまでに、松浦宗案(『清良記』第七巻)、宮崎安貞(『農業全書』)、大蔵永常(『農家益』『農具便利論』ほか)、二宮尊徳、大原幽学、富田高慶(『報徳記』)がとりあげられた。( )内はその人物の代表的な著書。

また、今後の予定としては、佐瀬与次右衛門(『会津農書』)、釈浄因、吉良上野介――以上江戸時代――や横井時敬、石黒忠篤――以上、明治以後現代――の人物たちであり、最終号では筆者である筑波常治氏(青山学院大学講師)が、全体をとおしての、日本の農の思想の流れについて解説する。

農業に生きようとする若い青年層が、これら歴史上の人物の、思想、生涯、業績をとおし農民の立場に立った農業の論理、農の思想とはなにかを考えるきっかけをつかんでくれれば、さいわいである。

営農団地造成など
経営総点検運動進める

全国農業協同組合中央会

全国の農協および連合会は、現在、第二回全国農協大会で決議した、「総合三か年計画」に取組んでおりますが、米の減産と海外農畜産物輸入圧力の増大、都市化の進行による生産基盤の縮小、国際通貨調整を契機としての貿易・産業政策の転換、金融情勢の変化等々、農業・農協をとりまく情勢は、かつてないきびしさで迫ってきております。

このようなきびしい内外環境の変化に対処し、系統農協としては積極的な姿勢でこの難局をのりきるため、昨年十二月、「内外環境の変化と総合三か年計画こんごの推進にあたって」という考え方をまとめ、(一)営農団地を軸とする農畜産物販売体制の強化(二)農協合併の推進と系統事業の効率化(三)生活活動の強化等を重点施策として決定いたしました。そしてこのような重点施策に取組む前提としても、この際、全系統農協で経営の総点検を行なうことになったものです。

経営点検という言葉からは、ややもすると組織・事業・財務等の静態的な把握というように考えられがちですが、現在進めている点検運動では、農協が目的に向かってどのように取組み、どのように実践されているかを動態的な面からもとらえようとするもので、その狙いを次の点においております。

一、農協の運営は協同組合原則にもとづき、常に組合員の協同組合意識を高め、農協に結集する施策を適切に、講じているか。

二、農協は地域農業発展の長期的展望のもとに営農団地の造成推進によって計画生産、計画出荷体制を確立し効果をあげているか。

三、地域社会環境の変化のなかで、組合員の生活の安定向上のためにどのような活動を展開し、効果をあげているか。また、豊かな地域社会づくりに寄与しているか。

四、農協の経営体制は、長期安定と高い効率性を確保しうるように、執行体制、要員、財務等常に適切な施策を計画的に実行しているか。また、系統活動への参画とこれを強化するためには、どのような課題があるか。

五、内外環境条件の変化とこんごの展望に立って営農団地の造成、生活活動の強化、経営体制の充実を期するためには、組織経営基盤の拡大強化をはかる必要があるが、その具体化に積極的に取組んでいるか。

本来、農協活動は、組合員の営農・生活の改善向上そのものであるはずです。そこで、現在進めている運動は、決して、そこにとどまっての点検運動ではありません。(教育部)

青春と仲間

自分でつかめ"4H"

埼玉県・騎西町連合4Hクラブ 田村勇

私が4Hクラブに入会して五年になる。月日の流れの速さには驚いてしまう。その間、私はいろいろの活動へ積極的に参加してきた。レクリエーション、文集発行、話し合い、交換会、キャンプなど……。参加するたびに何かを感じて楽しくなったり、さびしくなったりした。それらは今でも、なつかしい思い出として心に残っている。

二～三年前と比べてわが騎西町4Hクラブはクラブ員数が少なくなってきた。一クラブ員としてたいへん残念に思う。何か行事をやるにしても参加者があまりに少なく、進行が遅れてしまっている。

このような現状がマンネリ化して普通になってしまっている。これでいいのか、と疑問をもつことはしばしばだ。他団体でもこう思っている人は少なくないだろう。

われらは若いのだ。若さと未来があるんだ。しかし、若者たちが今までの習慣から脱皮して、新しい方向へ歩きはじめなければいつになってもなんにも変化はしないだろう。いま必要なのは、若者の新鮮な気持である。

責任と自覚を

そうは思ってみても、なかなか実行することはむずかしい。だが努力は忘れちゃならない。それは考えと行動であるが……。ものごとは頭と体のバランスがとれていなければうまくいかない。

一私は4Hクラブという団体のなかで、いろいろと悩み、疑問を感じ、私の人生のなかへ少しでもなにかを注ぎこもうとしている。そして、社会の一員としても遅れをとらないように……。

どのような団体、または組織でも"各個人の責任と自覚"ということで最後の結論が出てしまうだろう。自分で頼りにできるのは自分だけである。活動するときは、自分から積極的に参加し、自分の考えを述べ、そしてその行動を起こせる場が4Hクラブであってほしい。たとえ一部分だとしても。

われわれは4Hクラブのなかから自分の力で団体行動のすばらしさや人とのつながりの尊さを見つけ出さねばなるまい。そうしたらいつの日か、知らないうちに自分の身に何かが宿ることだろう。

今度はあなたの出番です!

ふん切りのときだ

静岡県・オーロラ4Hクラブ 戸塚初枝

就職して二年、私は何を考え、何をしてきたのだろうか。また、自分自身のためになにが役立ったのだろうか。こう思うと、私は不安になってしまう。

長すぎたのか、短かすぎたのか、この二年、私の人生のうえにこれらの年月はどのように反映されてゆくのか。私には見当もつかない。

『やめたい!やめたい!』と思ってきた私の職場生活。これでは自分のためにも、職場のためにもマイナスだったことだろう。何のために私は就職したのか。最初は社会勉強だと思っていたのに。

大人のずるさ、それを私は自分の力ではどうすることもできなかった。現実の苛酷さ、組織のなかにポツリと存在する自分、そして泣き寝入りしているだけが、とりえのような女性の地位、私には何から何まで不満だらけだった。

どの職場にもそれぞれ特徴があり、欠点や利点もさまざまだと思う。だから、私はこの職場はこうなのだから、自分がどうするのも仕方がないんだと思っていた。だが、それが今、一番こわい。

たしかに人間にはいろいろあきらめなければならないことが数多くあるかもしれない。でも、あきらめたくない。自分の力をフルに発揮し仕事をしてみたいからだ。

いろいろなことを考えながら、この二年間、よくも無事にすごしてきたものだと自分でも感心してしまう。でも、考えるだけで何もできなかった自分に腹が立ってしかたがない。

もう、私自身に余裕はない。ふん切って職場をやめなければならないときがとうとうきたのだ。

君もやれよ

中尾克美

君の力は? 自分では何もできない、何をしてもだめなんだと思っている君よ!本当にだめなのか。そうじゃないよ。それは自分で思っているだけだよ。

となりの人を見てごらん。反対側の人をさ。すてきに見えるだろう。そう。すばらしいのさ。でもさ、だれかが君を見て『すばらしい人だな』って言ってるぜ。字を書く、絵を描く、歌を歌う、踊りをやる、話をする、本を読む。ほら、いろいろあるじゃないかよ、君の特技がさ。だから君の特技をもっとみんなに知ってもらうべきだよ。自信をもてないって? それじゃ何かに努力しなよ。何かひとつでも、ほかの人よりすぐれている君は、きっとすばらしく見えるぜ。

だってさ、となりの人がすばらしく見えるのも、何かひとつすぐれているものがあるからだろ。君もがんばってみろよ。ただ、努力している姿だって、ものすごくすばらしいもんだってこと忘れちゃだめさ。それを忘れると何をやっても本当にだめになるような気がするな。

まあ、とにかく何かひとつやってみろよ。そしたら、ぼくは大好きになるぜ。君の強さが、そして君の力がさ。(北海道・留萌4Hクラブ)

落日 (3)

山中康司
栃木・小山4Hクラブ 農民文学会会員

心臓がトコトコしていた。耳たぶには火がついていたが、満員電車は芳男の動作を自由にしてくれなかった。頬に紅の女の子の瞳は不思議なほど黒い。芳男とまわりの乗客は、彼女のしぐさ、まず芳男の手からカバンを受けとり、その中にこぼれた地下たびをやさしく詰めて、それから自分の英語の本をかたずけ、スカートのひざの上に二つのカバンを重ねるまでのその動作を静観していた。

だが、実際に芳男が普通科女子高の三枝子と知り合いになったのは、そのことがあってさらに一週間たってのことである。学力において劣等意識をもつ農高生も、クラブ活動のスポーツや文化面ではたいして差はなかった。栃木市長杯を競う庭球大会は、女子高が会場で、一回三回と勝ち進んだ芳男のチームは、今華やかな決勝の舞台を待っていた。軽いフットワークで白線のコートを走る選手達、白球はパカンという快音とともに明るい日差しの中を飛んでいた。いよいよ主審が男子決勝戦を合図した。その時に、ベンチから立ちあがる芳男の肩を後からポンとたたいた人がいた。それが他ならぬ三枝子だった。

「がんばってね」

初めてかけられた言葉。なんというにこやかな表情、そこにはあの時の涼し気な姿があった。芳男はどぎまぎした。

「あ、どうもこの間は」

三枝子はいつものセーラー服姿だったが、まるでこれから自分で試合に臨むような、それほど真剣な欲望が黒く明るい瞳にあった。

「この間はどうも」

「いいから、さ早く、がんばってね」

期待は裏切られた。芳男のチームは決勝戦で惜しくも敗けた。芳男は残念だったが悔しくはなかった。三枝子が同情してくれて帰りは同じ電車に乗ることになった。

「もう少しだったのに」

話題は主にその日の試合のことだった。その他としては、初対面の男女のごくありふれた、しかし特別に楽しい会話だった。心は騒いだ。別れの時、芳男は三枝子から女子高文化祭の招待券をもらった。三枝子は書道部だった。二人はそれからというもの時々同じ電車に乗って対等に話した。勿論書道展も見に行ったし、日曜日にはスケートに行って手をつないで滑走するということにもなった。すべてのことが芳男には夢のようだった。卒業間際のことだった、二人は筑波山にハイキングに行って、横瀬夜雨の石碑の前で写真を撮った。霧が流れて小枝のゆれた日で、二人が堅い握手をしたのは頂上の岩影だった。

「どんなことがあっても、ずっと一緒な」

気障な言葉だったが三枝子が喜んでいるのはその目で知れた。二人とも初めての口付けをした。

三枝子は情熱家でもあり身体とは逆の気の強さをもっていた。最初三枝子の両親と兄は芳男との交際に猛烈に反対したのだったが、彼女は、「芳男さんていい人よ。その気になればあたしだって農業の手伝いできるわ」といじらしく強情をはったのだった。

三枝子は進学を断って、卒業すると役所に勤めたが、農家の長男を尊重することもなく勤務服はセーラー服と同じく似合っていた。約束のデートは欠かしたことがなく、別れた夜は手紙を書くのだった。

どんなにあたりが暗くとも
手をさしのべてくれるなら
漂う小舟は あなたのもの

あんな人こんな人

私だって年頃だもん

丸子京子 宮城

4Hの心を身をもって理解

富士山をバックにちょっとすました丸子さん＝後期中央推進会議（御殿場市）で

『"マル"——これが私の通称です。本名は丸子京子。丸子という性が珍らしいらしく、幸か不幸か一度会ったらすぐ名前を覚えられてしまうの』

そう陽気に語る"マル"こと丸子京子さんを、これを読んでいるあなたも、どこかで一度会って彼女の名を覚えているのではないだろうか。

彼女は4Hクラブに入会して今年で四年になるそうだ。昨年、宮城県連の副会長として、積極的に活動していたことは、まだ記憶に新しい。そのような丸子さんの実践をささえていたのは多くの仲間と彼女自身の思想であったことは彼女が次のように語るのを聞けばよくわかる。

『クラブ活動のために、ほかのことが少々犠牲になったとしてもわずか一～二年でしょう。それを惜しむより、その間にできた仲間のほうが大切なのではないでしょうか。だって仲間は一生の宝だから……。若いうちだからこそ、それくらいの心の豊かさをもっていたいと思うの』

彼女はいつでも▽クラブとは何か▽何のために活動するのか▽仕事との両立はできるのかなどと考えつづけてきたという。そして、それは一口にいって受身の楽しさから、能動の楽しさへの変化であった。

丸子さんは今までのクラブの実態として『クラブ活動の良し悪しはいくら口で説明しても、また、されてもわかるものではなく、いろいろな会合や行事に参加して感じとるものである』と語っている。そして、その結果は個人の価値判断にまかせるしかないとつけ加えている。

このようにクラブ活動観をテキパキと語る丸子さんも、男性と激しく議論したあとなどは、ちょっぴりさびしくなるらしい。『かわいい女の子でいるには役をもつのもホドホドなのかもしれない』彼女はポツリという。

さて、ここらで彼女の家の経営についてのぞいてみよう。彼女の家では、水田一・六㌶、ビニールハウス七百坪（苺株冷蔵栽培）、果樹二五㌃（梨とぶどう）、普通畑五〇㌃（露地苺、その他野菜）、家畜（牛一頭、豚二頭）という典型的な複合経営をしている。主な労働力は父・母・彼女の三人なので、年中"忙しい、忙しい"で過ごしてしまうらしい。

東北一の苺の産地である彼女の住む亘理では、今が苺の最盛期である。彼女も毎日、苺摘みに精を出しているという。苺はかわいいし、また換金性が高いのでやる気が湧いてくるそうである。

クラブも仕事も、ともに体力を要する。丸子さんは中学・高校と六年間もバレーボールに熱中してきたという。そのときに鍛えた精神とファイトだけは、今でも自信があるそうだ。

と言いながらも、丸子さんは『私も女の子、ウクレレで歌ったり、編み物したり、お料理したりするのもうまいのよ』と間髪をいれずに女の子を強調する。

そして、丸子さんは二十二歳。そろそろ結婚したいなァとしみじみ語る。彼女によれば『4Hクラブの男性はみんなすばらしい人たちなのに長男がほとんどだから悲しくなっちゃう』らしい。彼女はお婿さんをもらわねばならない立場だからだ。

いい人にめぐり会えたら、今後の経営については二人で助け合いながらゼロからスタートするつもりで、彼に主導権を握ってもらう。家庭生活においては二人でダンスしたり、歌を歌ったりして楽しく暮らしたいそうだ。

"マル"という愛称にぴったりの陽気でやや太り気味のかわいい女性——丸子京子さん。彼女を射止める幸運な男性は誰なのか。"マル"よ、どうぞ幸わせをつかんでください!

（亘理郡亘理町長瀞字大畑二三〇）

後継者としての実感・雑感

山梨県・?クラブ 山梨I・M生

後継者ときくとかっこよく聞こえるが、あととりとなるとなぜかさえないもんだ。

社会人生活四年目のおれにとり今まではなにしろ技術的に高度化し、良質の生産物を作れば良いと思っていた。しかし、月日が流れるにしたがって、わが家のあととりとして、また長男としていろいろな問題があることに気がついた。

たとえば、長男としてのわが家における責務、あととりとしての地域との交流などにおける社会的責任というものを強く感じるようになった。

『親は子供のために、自分のぶんまで子供に食べさせた』などの言葉がやけに頭にひっかかる。家庭というものは温かいものだとばかり思っていたが、そのためには主人ともなるべき人がそれだけの力をもつべきだろう。よくいう大黒柱ってやつだ。

とにかく、しっかりしなくてはならない。

◀投稿案内▶

本紙は、みなさん方の新聞として、全国のクラブ員に利用して戴きたいと考えています。それでクラブの催しや個人のプロジェクト、詩、短歌、随筆、写真、悩みや意見、村の話題、伝説、行事、その他なんでも原稿にして送って下さい。

お願い ①長さや形式は自由です ②できるだけ記事に関連した写真をそえて下さい ③送り先 郵便番号 162 東京都新宿区市ヶ谷船河原町11 日本4H新聞編集部

笹笛

天国での冗談

"歩行者天国"が実施され、マス・コミなどに多くの話題をまき散らしてからもうずいぶんになる。今では時代遅れなのか、"歩行者天国"などと口にする若者たちはほとんどいない。

先日のゴールデン・ウィークのときであったが、私はちょっとした用事で銀座へ出かけた。その日は祭日だったので、銀座のメイン・ストリートは、人また人の"歩行者天国"であった。

昼夜ひっきりなしに行き交うぼう大な数の自動車を締め出し、道路を歩行者に解放する。いってみれば、都会人の小さな、ほんのひとときのオアシスである歩行者天国……。

路上にあふれる人たちはさまざまである。老人や子供の数も多い。しかし、何といっても若者の数が抜群に多い。ひと口に若者たちといっても、それはそれでまたさまざまである。

肩まで髪をたらし、深々とルンペン帽をかぶり、孤独ぶっているような若者。道路の縁に腰を下ろしてただニヤニヤしているしまらない若者。アイスクリームを彼の頭にくっつけて彼氏の腕をひっぱる低能くさい女の子。サングラスをずり落として、だれに因縁つけようかとキョロキョロ物色しているチンピラ集団……。さまざまな、実にさまざまな若者たちがさまよっている。

多くの目が動く。路上へ、きらびやかなショーウィンドウへ、街頭の占師へ、デパートのたれ幕へ、ゾッとするほど短かい女性のスカートへ、そして名もなき写真家のカメラへと——。それらの目は何を求めているのか、何を見ようとしているのか。

しかし、路上を去来するそれぞれの人には、やはりそれぞれの目的があろう。買物、デート、仕事などというようにである。べつにどうということのない人たちのちっとも不思議ではない集団といってもさしつかえはないだろう。私とてその一員である。街角を歩いていて何を気にしよう。

だが、ひとつ気になることがあった。それは裸足の若者グループとすれ違ったときのことだ。『おれたちゃ、ここで自分を確めるのさ』という若者から浮きでた一言……。うなずけるようでうなずけない言葉——なぜなら、私はここで自己を見失っていたからだ。彼だってそうだろう。珍犬をこれみよがしにつれて歩いていたあの女性だってそうかもしれない。裸足はやはり裸足でしかない。

こんなところで自分を確められるわけはないという前提のうえに立ち、その言葉を靴をはき、もう一度言うのなら、私は彼の意見をむさぼるように聞くだろう。

歩行者天国——ここではさめた顔つきで歩くか、狂って飛びはねるか、そのどちらかしか通用しないようだ。私も低能な若者の一人だ。ここは天国なのか地獄なのか……。（野）

定植後のある夜に

群馬県・豊受4Hクラブ 細谷武司

夜、ハウスに行く。闇のなかに暖房機の青白い光が見える。懐中電灯を照らすと、小さいがたくましい苗が光のなかに映じる。そばへ寄ると葉を垂れ下げていっぱいに体を広げている。

トマトも眠っているのか。この小さな苗がやがて大きく育ち、わが家の生活を支えてくれるのか、と思うとなんだかたのもしく思えてくる。

灯を回して温度計を見る。七度C強なのでホッとする。暖房機は順調に働いているな。ご苦労さん、頼りにしてるよ、と言葉をかけてやりたくもなる。灯をもってひとどおり温度を見て歩く。場所によりずいぶん温度差がある。帳面に場所と温度を記入。ダクトの配置がまだまずいな。みんな調べ終って、暖房機のところへもどった。ヤレ、ヤレと思いタバコに火をつける。うまい、なんだか心がうきうきしてくる。なんのせいなんだろう。『ガチ、ブォー』 おお回り始めたな。

男女の友情に一考

熊本県・菊陽4Hクラブ 徳永つち子

男女間の友情について一言。私は相互の長所を尊敬するという意味で男の人と友だちにならない。お互いに傷つけられた運命ということで友情を結び合うのだ。

女性には、その親愛なる男子から長き才能をひき出し、それを養い花を咲かせる力があるようだ。

私たち女性がその力をフルに生かすことこそ正しく深い友情にとってもっとも大切なものではないだろうか。人間は男女の差なくある運命のなかで生きてゆくのだから、お互いに弱いものとして努力すべきなのかもしれない。そこに男女の友情の余地がある。

日本4H新聞

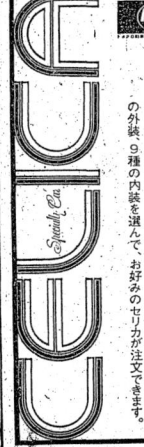

4Hクラブ
農事研究会
生活改善クラブ
全国広報紙

発行所
社団法人 日本4H協会
東京都市ケ谷家の光会館内
電話(269)1675郵便番号162
編集発行　玉井　光
月3回・4の日発行
定価　1部　35円
一カ年　1200円(送料共)
振替口座東京　12055番

クラブ綱領

私達は、実践を通じて自らを磨くとともに、互いに力を合わせて、よりよい農村、よりよい日本を創るため、四つの信条をかかげます。一、私達は農業の改良と生活の改善に役立つ腕をみがきます。一、私達は科学的に物を考えることのできる頭の訓練をします。一、私達は誠実で友情に富む心をつちかいます。一、私達は楽しく暮らし元気で働くための健康を増進します。

脱公害へ新しい実験

4HOBらがウサギ飼育

兎舎による大量飼育　農業でない農業といわれる。上＝パイロジェン（発熱試験）用の実験に好評、健康で良質といわれる耳の長いウサギ。下＝餌に固型飼料を使用しているため、各ケージごとに給水用の設備をほどこしてある。

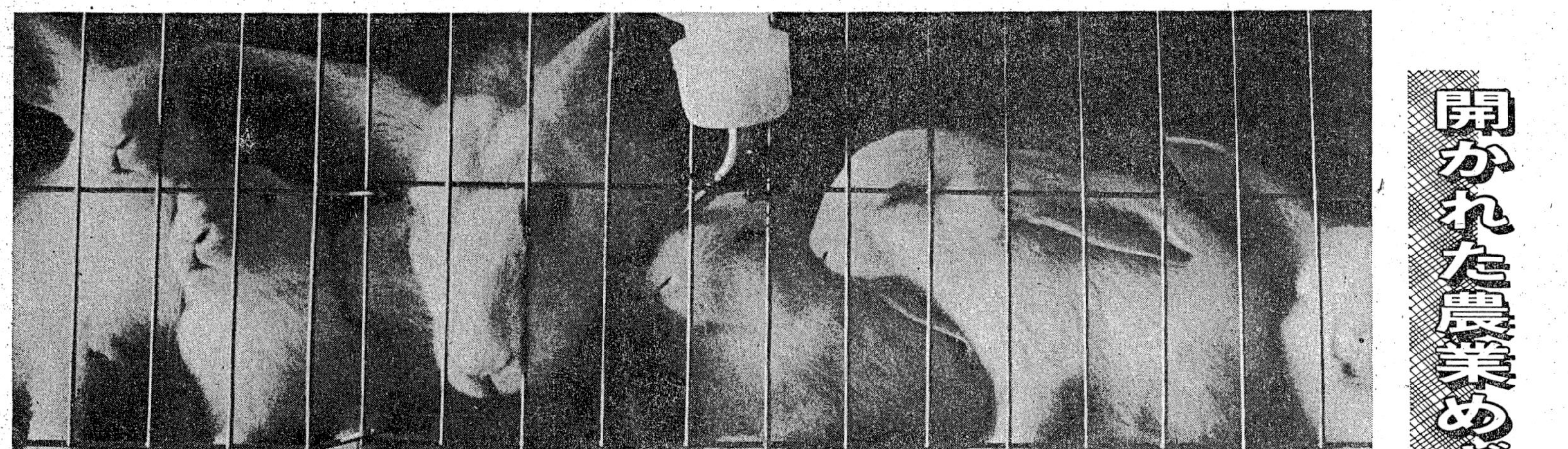

開かれた農業めざす

実験動物と取組むヤングパワー

このところ公害が大きな社会問題となってきているが、公害防止のために実験動物の飼育と取組み、ウサギの出荷数では全国一にまでのし上げた4Hクラブ員とOBが、いま脚光を浴び、各方面から注目されている。大分県・宇佐4HクラブのOB・麻生浩一君(32)＝全国4Hクラブ連絡協議会四十一年度の副会長＝を代表者とする実験動物豊源農園がそれ。さる四十三年二月に設立され、現在、農薬会社や大学の研究室などに一ヵ月平均六百羽から八百羽を送り込んでいる。いま農業は、米の生産調整による転作、土地流動の硬直化による規模拡大の困難などカベにつき当っているが、それを打破するアイデアとして、また、科学の進歩につれて今後ますます公害問題がクローズアップされてくることが予想されるところから、この実験動物の飼育は社会に貢献する農業の新しい道として大いに注目されよう。

出荷数は全国一に

農薬会社や大学と契約

実験動物豊源農園の経営者は、ともに4H時代苦労をともにした仲間たちだ。宇佐の松崎正勝、四日市の佃節雄、日田の井上敬司、国東の末藤勝美各君と佐賀の坂井邦夫君（前全国4Hクラブ連絡協議会副会長）で、みんな各分場所の所長である。

現在、総面積が二㌶、兎舎敷地面積千六百五十平方㍍、兎舎面積六十六平方㍍のもの五棟、三十三平方㍍のもの三棟があり、出荷数は全国一を誇っている。

出荷する場合、ふつう仲介人がウサギを飼育している農家を回って買い集めるが、同農園では直接農薬会社や大学の研究室などと契約を結んで出荷している。いわゆる直売の方法だ。また、同農園では同質のものを定期的に一定数量を出荷できるという強味をもっている。この同質のものを定期的に決った数量を供給できるというのは、商売するうえで不可欠の条件である。

しかも、品不足とはいえ、さいきんは良質のものが要求され、実験動物はウサギやモルモットであれば何でも売れるという時代は過ぎ去った。裏を返せば公害問題と取り組む姿勢が変ってきたといえる。

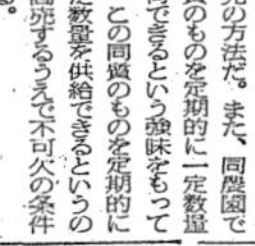

麻生君

たとえば、パイロジェン（発熱試験）用に使うウサギは健康でなければならない。ウサギの体温はだいたい三九度から四十一度あるが、健康でないウサギは三十八度にもならないので実験用としては不合格である。それに無傷、きれいなもの、耳が大きいものなどの条件が必要だ。このため、これまでの感覚、大家畜を飼うような飼育方法ではダメなわけである。

また、ウサギは秋から春にかけては順調に育つが、暑さに弱いため冬から夏にかけて繁殖がとまったり死亡率が高くなるために飼育をあきらめてしまう人が多い。そこで、いつまでも絶対数が足らないということになる。

「日本人は世界一薬の好きな国民のようだが、文明が進めば進むほど実験動物が必要になってくる。さいきんは、まったく薬に関係のない会社までが薬の開発を始めている。公害防止のために始めた対策が薬の開発につながったように思う」と麻生君はいう。

また「大学に出荷した場合、あまりいい商売にならないが、良いものを収めていい研究をしてもらうことが社会のために役立ち、農業や自分たちのやっている仕事が社会の貢献につながっている」「ウサギの飼育には面積をあまりとらないので、4Hクラブでもいままでのように副業で五羽や十羽飼育して仲介人に渡すのではなく、クラブ員が組合をつくり会社あたりと契約して共同出荷すれば、おもしろい仕事になると思う」と語っている。

その麻生君がウサギ飼育を始めた動機は借金からだった。みかん園を拡大するために借金したものの、貿易自由化によるグレープフルーツの輸入などでこれまでのみかん経営では借金返済に何年もかかってしまう。そのうえ買い求めた山を開発したところ、出てきたものは岩石だった。みかん園を手放すか、自分の好きな道を選ぶかの選択に追い込まれた。そのころ公害が社会問題としてクローズアップされ、耳にしたのが実験動物だった。

かねて何とか農業で生きる道はないか、時代の進歩に背を向けるのではなく、社会の福祉に貢献できる農業の道はないかと迷っていた同君は実験動物に関心を示し、いろいろ調べた結果、ウサギが一番よいことがわかった。というのも、ウサギは草食動物なので自分のみかん園を利用しようと思いついたのである。と同時に、ふつうの土地だったらウサギは穴を掘って逃げるが、ちょうど入手したみかん園は岩石だったので、ここに放し飼いをして将来は観光農業をと頭の中に描いていた。みかん園を利用したウサギ飼育と社会への貢献、まさに一石二鳥であったわけだ。

しかし結局、資金不足から兎舎による手飼いを始めたが、ウサギの放し飼いの夢は捨てていない。

ひょうたんから出たコマともみられないこともないが、社会福祉に貢献する農業と、米の生産調整による転作、規模拡大の困難などのカベを打ち破る農業の新しい方向、また、若き農業者の独創的な発想法として注目されてよう。

募集　パネラー、スローガン

第八回「全国4Hクラブ員のつどい」

八月二十八日から北海道で開催される「第八回全国4Hクラブ員のつどい」の第三日目にパネル討議が予定されているが、主催者側（全国4Hクラブ連絡協議会、北海道4Hクラブ連絡協議会、日本4H協会）では、そのパネラーを広く全国のクラブ員から募集することになり、多くの申し込みを待っている。また「つどい」の意義をいっそう深めるため、スローガンも同時に募集している。

パネラーとスローガンの募集要領は次のとおり。

パネラー

一、募集人員　五名

二、応募方法　▽作文提出　①題名『私と4Hクラブ活動とこれから』②長さ四百字詰原稿用紙三枚程度　▽住所・氏名・年齢・所属団体を明記すること

三、提出期限・送付先　昭和四十七年六月末日までに各道府県連を通じ全協事務局（〒一六二　東京都新宿区市ヶ谷船河原町十一、家の光会館内）あて送付のこと

四、資格　「つどい」に全日程参加するものに限る。

五、選考・決定　主催者が選考・決定し本人に通知する

六、その他　パネラーには記念品を贈呈する。

スローガン

一、スローガンの内容　「つどい」に参加した4Hクラブ員の心意気を簡潔に表現したもの

二、応募方法　原稿用紙を用い住所・氏名・年齢・所属団体を明記のうえ、各道府県連を通じて全協事務局あて送付のこと

三、期限　昭和四十七年六月末日まで

四、その他　入選作については記念品を贈呈する

涼風暖風

親愛・素直・信念

私の敬愛する橋本祐子さんが、アンリ・デュナン賞を受賞された。余りにも嬉しかったので、何度かお宅へ電話したが、残念ながら連絡がとれず、お喜びを直接お伝えすることができなかった。

幸いにして、先日、受賞祝賀会が国立教育会館で開かれた。とるものもとりあえずといいたいところだったが、丁度ラジオ放送の録音取りとぶっつかり、スタジオの中でイライラしていたが、防音設備のしっかりしたところ故、泣いてもわめいても祝賀会場へは心が通じない。

ようやく会場へかけつけ、4H協会の新田さんや老若それぞれの関係者とともに、橋本さんの受賞をお祝い申しあげることができた。

アンリ・デュナン賞は、赤十字運動に貢献した人に贈られるものであり、橋本さんを含めて、まだ世界で七人しかこれを受けていないという。もちろん、女性では橋本さんが初めてである。

橋本さんは、日本の青少年赤十字（JRC）の推進者であり、日本の青少年運動のカミナリ・ママさんである。不思議なことに、橋本さんは、いつの日からか年をとることを忘れてしまわれた。たしか、私よりはるかに年上だと思うのだが、私は恋人に対するような親しみを感じ、母親に対するような甘えを感じる。多分、ほかの青少年や青少年指導者の人たちも同じではないだろうか。青少年指導者は、全てかくありたいものだが。

祝賀会での橋本さんは、からだ中から喜びを発散されていた。参会者の間を縫い、ひとりひとりと喜びをわかち合い、楽しみを楽しみとして受けとめておられた。他人に不快の念を与えることなく、喜怒哀楽を素直に表現できる橋本さんに接していると真の集団生活を送るための潤滑油とは何かを教えられるようだ。

橋本さんの受賞の功績は、赤十字の常設活動であるという。戦争とか、天変地異での功績ではなく、日常の、地味な活動の積み上げが認められたという。常設活動での受賞も始めてであるとか。

橋本さんの受賞を知って、沢山の新聞記者がかけつけた。その中の一人が、看護婦になられた動機は何か、と質問した。橋本さんは看護婦ではない。ただ、赤十字の活動が看護活動だけだと理解されていることが淋しかった。橋本さんは、猛然として赤十字精神を説き始めた。昼食抜きで三時間余にわたりぶちまくられた。記者もようやく納得したので、遅くなったが一緒に昼食でも、とさそったところ、記者は「実は朝食も食べておりません」とかまぞく答えたとか。橋本さんは、[illegible]ある。

（文部省　伊藤）

会長に西山君

兵庫県連

【兵庫】兵庫県農業青年クラブ連絡協議会の新役員がこのほど次のとおり決定した。

会長	西山　利幸	美濃郡
副会長	米口　守	赤穂郡
同	十川あずさ	津名郡
書記	小森　美則	加東郡
会計	新村　良子	神戸市

また、四十七年度の事業としては、農村青少年技術交換大会の開催と参加（県、地区、全国大会）県、地区、全国段階の青年農業者会議の開催と参加、リーダーや女子クラブ員の研修、農青連会報の発行などのほか近畿ブロックや全国段階で開かれる各種行事に代表クラブ員を派遣することにしている。

関東ブロックで総代会ひらく

関東ブロック農村青少年（4H）クラブ連絡協議会（会長　綱川信夫君・埼玉）の総代会がさる十日午前十一時から藤沢市の神奈川県立藤沢青少年会館で開かれ、四十六年度事業の実績と収支決算、四十七年度事業方針と収支予算、規約改正、役員の選出などが行なわれた。

心頭收健

ここ二、三年、農村で育った人たちのUターン現象がみられるが、まだ都会生活に魅力を感じている農村青少年が少なくないようだ。高知県農業会議がこのほどまとめた「農業青少年の実態と意識調査」によるとその主な理由は文化施設があることや自由でよい、サラリーマンが良いなどであった▼もちろん、都会に魅力がないとする人は五三・五%で魅力がある（四四・七%）を上回っているがその差は意外に小さいといえる。とくに注目されるのは、この調査で「今後とも農業を続ける」と答えた青少年が八一・二%と圧倒的に多かったにもかかわらず、こういう結果が出てきたことだ▼つまり、意欲に満ちて農業と取り組んでいる青少年たちも、決して農業生産や環境に十分満足していないことを物語っているのではないだろうか。また、農業の過渡期にあって、かなり流動的な証拠であり、一面には、都会へのあこがれや好奇心がないともいえない▼現在、各県でも農業後継者確保のため、結婚相談などあの手この手と知恵をしぼっているが、この調査結果では、若者が残るための三大条件として、道路、交通の改善、文化施設の設置、産業の導入——を浮き彫りにしている。産業の導入についてはどこでも賛否両論にわかれるところ。しかし、文化施設や道路の改善にもつながっていて、後継者確保にはよいわけだ▼それよりもまず農村に文化施設をふやし、農村の魅力を都会の人たちにも持たせるようにした方がよいことはいうまでもない。これまでこれらとは違った視点から論じられてきた産業導入や後継者対策も見直す必要があるのではないだろうか▼また、農業をやめたいという人の一番多い理由は経営拡大ができないことで、意欲はあるが条件が悪いとしている。これらの点を改善するための強い対策が望まれよう。

男女関係も論談

福岡　思い出の研修会ひらく

【福岡】昨年度の全国4Hクラブ後期中央推進会議の出席者十四人が、十二月と二月の久留米市での思い出研修に続いてさる二日、三回目の研修会を福岡市のホウライカクで開いた。この思い出研修は、推進会議での研修成果をいつも新しい感覚でクラブ活動に生かしていくことをねらいとしたもので、今回は納屋の森正樹君を幹事として開いた。

中央推進会議　成果いつまでも

当日は、県連の新旧役員を迎え具体化されてきた4H会館募金運動の展開に対しての取り組み方や複雑で広域化してきた農業情勢、農村環境と単位クラブのあり方、全国や県、地区連絡協議会と単位クラブの結びつきや組織強化などについて話し合った。

まず、4H会館の募金活動について県連の方針とそれにもとづく指針を聞き、自分たちも何らかの形で協力体制をとっていこうということになった。しかし、これについては新執行部の具体的な案がみられなかったのが残念であった。

また、農業情勢については、これまでの水稲中心や果樹一本といった経営から、米の生産調整などの問題のため多極、多様化しつつある経営の変化、さらには、それらからの脱皮、大型機械、大型ハウスなどの導入による専門的、企業的経営への移行とそれにともなうクラブ活動のむづかしさなどが話題となっていた。

クラブ組織の強化に関しては、行事と内容や広域化、クラブ員の問題、地区連・県連とのつながり、次期リーダーづくりと役員をやめてからの問題などが話題にのぼった。

これらの問題に対して、別に解決策が出たわけではないが、みんなの共通した意見として、役割分担を徹底して役員の個人負担を軽くしていくことの必要性、また、それぞれの県行事には、これまでに参加したことないクラブ員を一人でも多く送り、活動の実態を肌で味わってもらう。交換会や視察会などをもってクラブ同士のつながりをもつ。タテ・ヨコのつながりを密にして他クラブの良い点を学ぶとともに悪い面を反省し、相互理解のうえで進歩発展のあるクラブ活動に——などさまざまの意見が出ていた。

真剣に話し合っている中で、深刻に考えこんでいる友、また突然話しの中へ割って入り、何を話すのかと思えば、「ねえ、あなたのお嫁さんに男性の友だちがよく遊びにきたら、あなたやきもちやく!」と、聞くクラブ員もいる。これでぐんと熱っぽく話もはずむ。「ぼくはやっぱり、我慢できないと思う」「でも、男女の間でも何か本当の友としてつきあえるのでは……」といった賛否両論。

「結婚はクラブ員同士では…」「養子もいてヨ……」などの声があった。

また、今回のこの研修会では、福岡県内でもトップクラスの筑後市4Hクラブの一年間の活動を記録したゲントウを見て活動への参考とした。

最後に、第四回の思い出会は八女市で、八月下旬にやろうかということになり別れを告げた。

この話し合いの間、福岡の美酒に酔い、推進会議でのヒット曲〃雪山に消えたあいつ〃や中央青年の家の歌、また四季の歌に花が咲いていた。

森幹事談　筑後市4Hクラブのみなさんありがとうございました。すばらしい活動の記録を見せていただき、この会がいっそう有意義になりました。こんどもこの会へのご協力をお願いします。

友のペン

『農業改良クラブだより』

よみがえる体験

オレンジ色の表紙に『農業改良クラブだより』と黒ぐろと書かれている機関誌。発刊してもう三十八回目になるというから大したものだ。

今回は、新潟県農業改良クラブ連盟の機関誌『農業改良クラブだより・NO38』を紹介してみよう。表紙には、新潟県青少年実績発表研究大会の写真が印刷されている堅実な感じのする機関誌である。ページ数約三十ページのタイプ印刷で、なかなかできばえも立派なもの。

『農業改良クラブだより』では毎回〃特集〃をしているが、今号には「私の体験」というタイトルで特集が組まれている。その主な内容は、北海道での酪農実習体験、第十一回農村青少年技術交換大会体験、ある農家研修記、東京での通信教育スクーリング体験、婦人生活講座生との交換経験などである。

この特集のねらいは、さまざまな体験をどう自らのプロジェクトに生活に人生に生かすかということだろう。たとえば東京・神田の古本屋へ来て、自分のイメージと現在の東京との間の断絶に驚き、そして、東京から逆に新潟を見つめなおしてゆく一女性の体験談にも、それらはしめされている。体験がすべてではないが、体験なしの人生は味のない砂糖のようなものだろう。体験を、自らの職業、生活人生のなかで、さらに追体験してゆくというこれらの例が大変有意義なことは、ここにつけ加えるまでもないだろう。

特集の延長線上に『第十一回全国青年農業者会議』という独立した一章があり、当会議の参加者が学んだことや現代の農業問題などを投げかけている。

第三章には『県青少年実績発表研究大会』の参加者が今後われらは何をなすべきかを鋭くついている。ほしいのは勇気だと言わんばかりに……。

随想・詩・日記などによるクラブ員の声も、人生の問題、現代農政、自分たち農業後継者の問題などをきびしく追及している。旅で感じた自分、自分で育てた錦鯉への哀歌、美の探険、怒り、恋愛雑感、出稼ぎ問題などを心をこめて、自分たちの生活として描いている。

〃若いこのときこそ　苦しい自由のこのときこそ　苦しさから　悲しさから逃げられない……力と勇気とやさしさが……吹けばどこかへ　とんでいってしまう幸わせでも　笑顔でそれをとどめたい〃

巻末のページで一女性がこのような詩を書いていたのは印象的だった。【新潟】

「一万円が運ぶ〃仲間の声〃!?」

赤松　宏　▼3

何が仲間を結ぶ?

考えたい広報の真価

広報の特異性といっても難しい。でも、特異性を発見しない限りにおいて、強い意図をもたない広報にしかならない。また、これらを発見することによってその価値を本当のものにしていく方向への手段をつかむことができる。

広報といっても、「広く知らせる」という意味からいって多くのものが含まれてくる。とかく広報といったら、新聞であったり、冊紙になったもの、機関誌のようなものに限定しがちであるが、〈もっと広義にまたがる〉ことも覚えておく必要がある。これは重要なことです。

広義に解釈するとはどんなことなのかということにもなるが、簡単にいってみれば、私たちの組織体がながす俗にいう「公害」もそうなのである。もっと詳しく、ことしの八月二十八日から九月一日までの五日間にわたって北海道で開催される「第八回全国4Hクラブ員のつどい」に関する広報活動の事例をあげながら紹介してみよう。

いままでの既成概念では、4H新聞に載せられたものだけが真の本当の広報活動だと思われがちだが、それは氷山の一角にしかすぎないわけである。

まず四月十四日発行の4H新聞の「つどい特集号」は誰の目にもわかるものである。一月二十四日号も同じである。内部に対して、主催者から出される開催要項であったり、参加申し込み書のたぐいもそれに入る。

やはり、開催される内容や申し込みの方法、規制などを組織・ルートにのせて〃広く知らせる〃からである。

また、外部に対しても、後援依頼であったり、協賛依頼であったり、その中には当然、内容そのものが入り、必ず、それ自体を知らせているはずである。会場の申し込みもしかりである。正しく報告されなければ利用させてくれるはずもないし。

募金活動も考え方によっては広報活動の一つに数えることができる。道4Hク連協で出した〃つどい協賛マッチ(一本百円〃についても、主目的は資金調達であったが、ただ資金集めばかりでなく、あの販売によって、第八回のつどいがどれほどPRされたか計り知れない。やはり広くつどいを知らせていきます。オルグ活動もはいってきましょう。まあ、このようにあげれば限りがないほど方法はあります。

しかし、いろいろある中でどの方法を使うかによって相当違ってくる。十分その効果を研究して利用すべきである。

前号で書いた「広報活動は組織活動のバロメーターである」という言葉の意味がやっとわかってきたような気がする。私なりに言い直すと〈「広報活動の怠慢な組織はダメである」〉といいたい。現に4Hクラブにおいてもそうだろう。私自身、4Hクラブの一員として、良い感じに進められているとは思えない。全国で連称十万の仲間の気持は一つに結ばれているとは言いかねる状態であろう。

道内の4Hクラブにしてもしかり、残念ながら何年かの役員生活の中で、一度としてまとまっているなあと感じることができなかった。なぜだろう?……

機会あるごとに組織論を吐いては、口に泡の出るほど話したんだが。何人かはまるで私のファンのように寄ってくる。だが、私の接した連中だけで終っているようで、広く浸透していかない。どうしてなんだろうと幾度も自答してみたんだが……わからなかった。いくら考えても、方法に問題があったことを…。

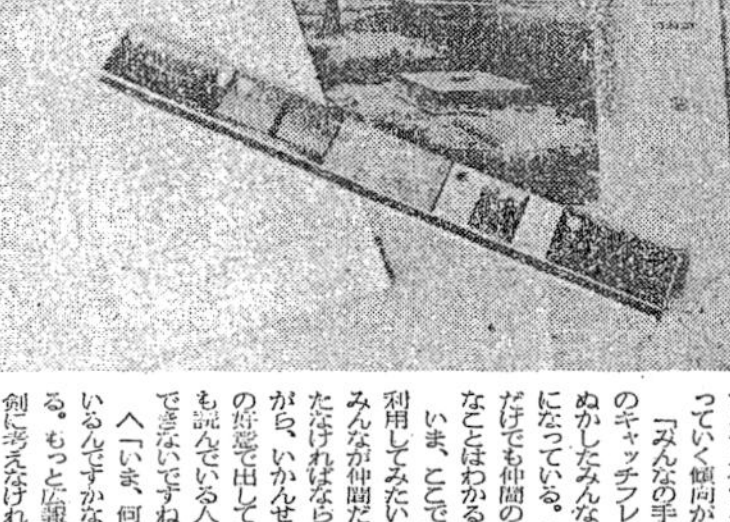

そのバラバラの状態を表現するのに4H会館の建設がいい例でしょう(おこられるかな?)総会の席で建設が決定し、募金方法も決っているんだが、十万人に正しく伝達されているか疑問なところがある。県連の段階ですら役員から役員にさえ正しく伝承されていない事実がある。組織論が確立していないからかも知れぬが。でも、完全になし得るなら結構なんだが、現実を考えてみると、組織論だけでは納得のいかないところが多分にあるようだ。組織がとくにマンモス化するに従ってこうなっていく傾向がある。

「みんなの手で4H会館を」のキャッチフレーズも、「俺をぬかしたみんなの手で会館を」になっている。この現象を見ただけでも仲間の意識がバラバラなことはわかると思う。

いま、ここで広報の特異性を利用してみたい。本当に十万人みんなが仲間だという意識を持たなければならない。しかしながら、いかんせん日本4H協会の好意で出している本紙にしても読んでいる人が多いとは自慢できないですね。

〈「いま、何が仲間を結んでいるんですかな」といいたくなる。もっと広報活動の価値を真剣に考えなければならないような気がする〉

(前北海道4Hクラブ連絡協議会書記長　題字も筆者)

47年度　農業観測をみる　(2)

農業生産

生産とともにふえる

見通し暗いブロイラー　鶏卵は昨年並み

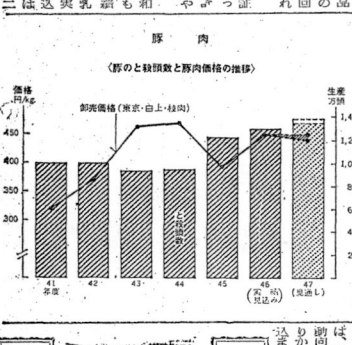

牛乳　搾乳牛の飼養頭数は、四十六年八月現在における一～二歳の頭数が前年同月にくらべ二%増にとどまっているものの、乳廃牛のと殺の伸び率が四十六年度十月以降は前年同月にくらべて急速に縮小しているため、前年度をやや上回る程度とみられる。したがって、四十七年度の生乳生産量は、前年度(四八五万㌧・実績見込み)よりやや増加するものと見込まれる。

飲用需要については、過去の平均的な伸びを期待することはできないとしても、学校給食用牛乳供給量の増大もあり、その伸び率は前年度より上回る見込み。乳製品向け処理量も、生乳生産の伸びの回復を反映して前年度をやや上回る程度に推移するものとみられる。

農村価格は、加工原料乳の保証価格が引き上げられたこともあって、全体としては前年度(一〇㌔当り五百九十円・実績見込み)をやや上回るものと見通される。

牛肉　肉用牛のと殺頭数は、和牛はめす和牛および去勢和牛ともほぼ前年度(五四万二千頭・実績見込み)程度とみられ、また、乳廃牛も前年度(三七万三千頭・実績見込み)並みに推移する見込み。乳用肥育おす牛のと殺頭数は、乳用おす子牛の保留がここ一～二年急増を示していることから、前年度(二一万四千頭・実績見込み)より大幅に増加するものと見通される。このため、四十七年度における牛枝肉総生産量は、前年度(二七万八千㌧・実績見込み)よりやや増加するものと見通される。なお、牛肉の輸入量は、前年度(四万二千㌧・実績見込み)より増加する見込み。

需要は、前年度に引き続き堅調とみられることから、四十七年度における牛枝肉の卸売価格は、上ものは前年度(㌔当り八百六十六円・実績見込み)をわずかに上回るとみられるが、中ものおよび並ものは堅調に推移した前年度(中もの七百四十二円、並もの五百五十八円・実績見込み)とほぼ同水準の見通し。

豚肉

〈豚のと殺頭数と豚肉価格の推移〉

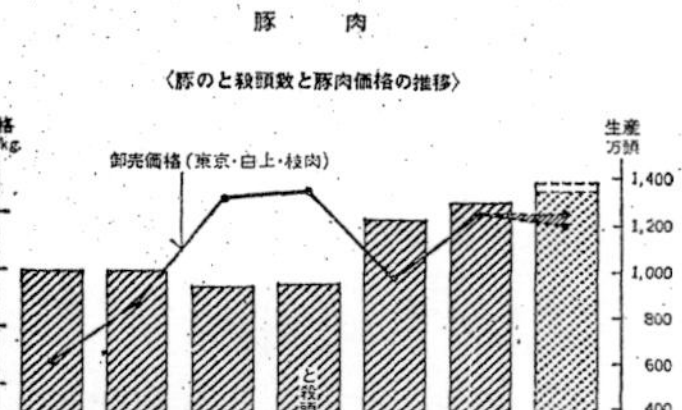

豚肉　上期における肉豚のと殺頭数は、四十七年二月現在における生後一～三カ月齢の豚の頭数が前年同月を三%上回っていることなどからみて、前年度上期よりやや増加するものと見込まれる。また、下期における肉豚のと殺頭数は、最近の子取り用めす豚の飼養動向などからみて、前年度下期よりかなりの程度増加するものと見込まれる。したがって、年度間のと殺頭数は、前年度(一千三百万頭・実績見込み)よりやや増加するものと見通される。

また、需要は、家庭消費、加工需要ともに引き続き堅調とみられ、四十七年度における豚肉の卸売価格は、上期では高かった前年度上期(㌔当り四百六十三円・実績見込み)をやや下回るとみられるが、下期には肉豚と殺頭数がかなり増加するとみられるものの前年度下期(四百三十八円・実績見込み)をわずかに下回る程度にとどまるものと見通される。したがって、年度間の平均卸売価格は、前年度(四百五十円・実績見込み)をわずかに下回る見通し。

鶏卵　成鶏めす羽数は、四十六年の秋びなえ付羽数や最近の成鶏めす羽数の動向からみて、前年度よりわずかに増加するものとみられる。したがって、鶏卵生産量は、昨年度(三一三億個・実績見込み)よりわずかに増加する見通し。

凍結卵の輸入量は、国内産凍結卵の生産・流通体系の整備が進みつつあることに加えて、関税率が改正されたことなどから、月平均千五百～二千㌧程度にとどまるとみられる。鶏卵の需要は、家庭消費は一人当り消費量では前年度程度とみられるが、全体としては前年度よりわずかに増加するものと見込まれる。

農村価格は、上期および下期とも前年度上期(㌔当り百六十五円)および前年度下期(百九十一円・実績見込み)と同水準で推移するとみられ、年度平均価格としても前年度(百七十八円・実績見込み)とほぼ同水準の見通し。

ブロイラー　出荷羽数は、最近のひなのえ付羽数ならびにブロイラー価格の動向などからみて、前年度(三億三千四百万羽・実績見込み)よりかなり増加するものと見通される。

需要は、家庭消費、業務需要とも堅調に推移するものとみられるため、全体としては前年度よりかなり増加する見込み。

ブロイラーの卸売価格は、以上のような需給事情からみて、上期には高かった前年度上期の水準(㌔当り二百五十一円)をやや下回るものと見込まれ、下期にも前年度下期の水準(二百五十九円・実績見込み)をやや下回るものと見込まれる。したがって年間としてのブロイラーの平均卸売価格は、高かった前年度(二百五十九円・実績見込み)をやや下回るものと見通される。

われらの〃世代〃

時代とともに生きる人間にとって、時代の制約からまぬがれえないのは必然である。ある世代の〃世代感〃とか、〃世代意識〃と呼ばれているものは、その世代が時代を〈共有〉することによって生じてくるものである。

〃青年の特質は、もっとも激しく時代におし流されることによって、逆にその時代のもっとも本質的な問題をつかみとってくることにある〃——おそらく世代意識は、この青年の特質をぬきにしては語れない。みずみずしい感受性と鋭敏な嗅覚とによって、彼らは時代の〈毒〉や〈傷〉を、彼ら自身の内部に膿む〈毒〉や〈傷〉としてうけとめ、その存在の根にこびりつく癒やしがたい腫れ物を通して時代や社会に接近する。いつの時代にも変わらない、この青年の〃特質〃に写しだされた時代の〈特殊性〉を世代意識ということができる。

時代に浮沈していった青年たちを〃世代〃というプリズムで眺めると、その時代の青年像の輪郭がよりはっきりしてくる。

たとえば、ビート・ジェネレーションと呼ばれたアメリカの一群の若者たち。彼らは非人格化され画一化された文明社会を脱れ、自我の旅に出た。詩、ジャズ、禅、麻薬、セックス……など、あらゆる可能な手段を用いて、人間の本性への探求に旅立ったのだった。だが、ビートは終る。打ちひしがれながらも、至福の世界を求めてやまなかった〈〃ビート〃の意味はその両方〉ビート・ジェネレーションの嵐のあとは、風俗としてのビートが残ったのみだった。

ビート・ジェネレーションはその時代の反措定であった。たとえそれが負の方向への消耗にすぎなかったとしても、青年の〃特質〃を身をもって証明したことには変りはない。

私たちの世代は、どんななのだろう。また、私たち内部に巣喰う〈腫れ物〉とは、一体どんな怪物なのだろうか。【宇】

クラブ往来

心結んだユニホーム

知多女子4Hクラブは、市町をこえた広域で組織され、今年で4年目をむかえた。活動としては、クラブ交換会、生活技術研修会など数多くの仕事を行なってきた。それと並行して、生活時間調査などの共同プロジェクトも積極的に行なった。

先輩の方に聞くと、ユニホームについては女子クラブが発足した当時からの懸案だったが、なかなか実行できなかったようである。

ところが、昨年は「第七回全国4Hクラブ員のつどい」が本県で開催されようとしていたこともあって、〃このへんでユニホームをそろえて、つどいに参加するとステキだね〃と、ユニホーム作製の計画をたてた。

ユニホームを作るなら自分たちの手で作ろうということになった。それは、女子クラブ員十五人が一体であるということを自分たちで認識したかったし、また、他の人たちにも認識してもらいたかったからである。

結果的には、つどいまでにはできなかった。でも、直接のきっかけとなったつどいがなければ、昨年もできなかったであろう。そして、九月二十四日知多4Hクラブ体育祭までということで、七月中旬から作製にかかった。

型の選択にあたり、初めての人もいるので簡単な型ということで、襟なしおよび一枚袖、うしろ身ごろはスリットを入れることにした。布の選択にあたっては、若さが強調でき誰にも似合うこと、組み合わせが容易であること、長期着用できることを配慮した。費用は一人当り三千円見当で始めたが、できあがりは平均二千九百八十円となった。

利点としては、気楽にはおれること、共同プロジェクトであると同時に個人プロジェクトであったこと。欠点としては、機能面にやや欠けること、しわになりやすいことがあげられた。

ユニホーム作りは、計画、実行をとおして、私たちに話し合いの場をもたらしてくれた。また、できあがったユニホームを着用したときには、〃クラブ員は一つだ〃と、満たされた心の中でみんなが確かめ合った。

今年度からの新クラブ員には、ユニホームの型は同じだが、色は自由に選択してもらい、また、昨年度の欠点を改善して、よりよいものを作ってもらいたいと思っている。

(愛知県・知多4Hクラブ　山本松代)

桑がまっ黒に

K・I4Hクラブ　大風や遅霜で打撃

【群馬】さる二日、群馬県下を吹き荒れた大風によって、伊勢崎地区連内のK・I4Hクラブ(会長　高柳英人君)では、クラブ員の栽培するプリンスメロン、スイカなどのビニールが飛ばされるなどして大きな被害を受けた。

また、三日の朝、養蚕地域でもあるこの地区に遅霜が降り、桑がまっ黒になってしまい、大きなショックを受けている。

しかし、クラブ員たちは「こんなことで負けてたまるか」と、いま懸命に今後の計画をねっている。

(斉藤竹代連絡報道員発)

浜松市地区連会長

一日園長に招かる

【静岡】浜松市農村青少年クラブ(4Hク)連絡協議会の小出研一会長は、さる八日、浜松市豊岡町にある知恵遅れの子どもたちの職業訓練施設・浜松学園に〃一日園長〃として招かれた。

同学園に年二回程度、野菜などの農産物を贈り続けている同クラブの小出会長らが児童福祉週間にちなんで招待を受けたもので、園児代表から花束を贈られたあと、社会復帰をめざして木工、金工、縫製などの作業に励む子どもたちの実習を見学した。

普及教育課長に山極氏　農林省

さる十五日付けで農林省農政局普及部普及教育課長に、前農林省大臣官房調査官の山極(きわ)栄司氏が就任された。なお、前普及教育課長・矢野晴男氏は農林経済局作物統計課長に就任。

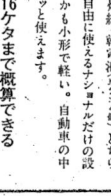

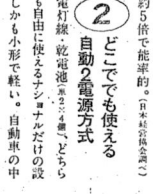

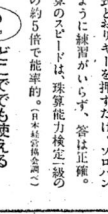

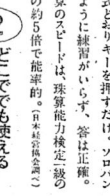

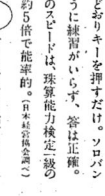

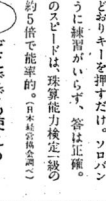

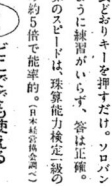

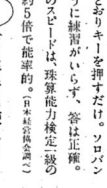

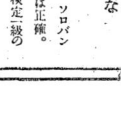

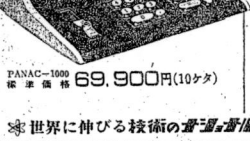

プロジェクト経営

農民よ"和"を

個人プレイの時代は去った

計画生産こそかなめ

長野県・池田町
若い農業者の会
水野竜二

いまの農業で一番の課題は、いかにして規模拡大をはかるかということである。他の産業に勝てる農業、もうかる農業をいかにして作りだすかということである。

いままでの農業は、すべて上からの指導によるものだった。結果が悪ければ、国の基本構想や指導方針が間違っていたといって、農民は自分自身から日本の農業を作りだす心構えがなかったような気がする。また、規模拡大、企業化への道という呼び声で、農民は農地の拡大、機械化、省力化などによって個々に即した道を見つけてきたと思う。

さて、その道をおし進めていって、本当に農民の道が開けるかということである。私はそれだけでは明るい明日への道は開けないと思う。なぜなら企業農業といっても、いままでのような小さな作目別の団地化では他の産業に勝てるわけがない。企業とは、私なりにいうと、自分の生産した品物に自分で価格をつけうる"力"をもつもののことである。

いま、流通機構の問題が大きく取り上げられてきている。だが、農民は本当に流通について考えているのだろうか。考えていても手のだしようのないのが実情である。また、いまの流通機構の中で自分の作りだした農産物を有利に売るための道、団地化さえ思うように実現できていないのが実情である。これでは農民は生き残れない。個人プレイの時代は過ぎた。「農民よ、自分たちの道を"人の和"をもって切り開け」と私は叫びたい。

農民が作り、売るということはすばらしいことだが、一生懸命生産したものが生産コストを割って販売されているのが今日の実情である。農民が"和"をもち、一体となって計画生産を試み、流通問題に対処しなければならないのではないだろうか。計画生産こそが日本農民の生活を安定させる要因である、と私は考える。

昔から、物事にあたる場合、東洋人は"和"をもってし、西洋人は"効"をもってなしたといわれる。戦後、日本は外国との交流が深まり、西洋の文明を生みだした"効"――効率とか効果によって産業の発展を行なってきた。農業もその例外ではない。だが、これからの日本農業を考える場合、はたして"効"の字だけあてはめていってよいものだろうか。資源の乏しい日本農業にあって、大型化、機械化が進むだろうか。

私が選択し、また、それを生活の柱としてきた養蚕も、昨年はドルショックや生糸の無制限な輸入により糸価の暴落が続いた。しかし、全国の養蚕農民が立ち上がり、全国大会を二回開き、またあらゆる団体へ自分たちの考えることを要望した結果、無制限な輸入はなくなり、明日の養蚕が開けそうである。これは、全国の養蚕農民が、"和"をもってこそできたことである。

小さなところでも"和"をもってできたことが沢山ある。農道、農産物団地、農業の協力、桑園改善……いろいろあるではないか。そして、小さな集落、市町村、さらに都道府県の枠を越えて日本の農業者全員が一つとなって、明日の農業を自分たちの手で作りだそうではないか。

デンマーク農法を肉牛肥育経営に

1日1万円めざす

岐阜県・蛭川村４Ｈクラブ　永治兼明

わが家の経営概況は、水田一〇〇㌃、普通畑二五㌃、果樹園（草地）二二〇㌃、山林十二㌶、水田裏作五〇㌃、肉牛三〇頭で、農業従事者は三名。

高校を卒業後、私が全国有数の肉牛肥育農家や研修所で研修していたとき、ある先生からデンマーク農法（有畜農業）の生産→消化→還元という方法を学んだ。

それまで肥育のことしか頭になかった私は、草地に草だけではなく上部に栗を作り、下部に草地を生やし、それを家畜の腹をとおして土に還元するという立体的な方法を思いたった。

この方法で畜産をやるならばまず土作りが基本である。まして、わが国のように耕地面積の少ないところでは、少ししかない土地からいかに多くの生産物（栗、草）をあげるかにより、その経営が左右されるからである。この農法が私の経営の基本であり、実践である。

そこで私は、初年度に農業後継者育成資金を借り入れて、肥育牛を一〇頭にした。また、裏山を一㌶開園して栗を植え、牧草を播いた。第二年目に肥育牛一〇頭を増頭、二〇頭にし、三年目には栗園をさらに一㌶開園して二㌶とした。もちろん草生である。四年目には牛舎を新築し、肥育牛を三〇頭にした。

その間、栗園の農道整備と機械導入を行なった。トラクターをはじめダンプ二台、草刈機、動力噴霧機などである。また、サイロ四基を作り、経営の省力化につとめた。

就農以来四年が経ったが、私がかかげた有畜法もまだ日が浅く、目にみえるほどの実績はあがってはいない。しかし、栗園は予想以上に順調に伸び、牧草も堆肥、尿の施用で、毎年収量も増えている。

肥育は、最初のうちは和牛の若齢肥育を行なっていたが、素牛は高値であり、良質肉を作らなければ有利に販売できなくなった現在、経営の回転が悪くなり、一昨年よりホルスタインの肥育もとり入れた。

現在は、ホルスタイン六割、和牛四割の割合で肥育している。素牛の導入、販売は、家畜商と行動をともにしながら生体市場で行なっている。

昨年の実績は、出荷頭数二三頭、一頭平均飼育日数二六八日で、販売高から素牛代金、生産費をさし引いた純利益は、一頭平均四万七千三百八十六円、一日一頭当り百七十六円であった。

これは、一昨年より少し悪い成績であった。その原因は素牛の高騰によるものと思われる。

今後の計画としては、栗も今年度から本格的に収穫できると思われることから、昭和五十年までに栗園を三㌶に広げ、草地を五㌶開墾し、肉牛を五十頭にして、一日一万円の収益が上げられるよう、ますます私の有畜農法を育て拡大していくつもりである。

荷造り、選別が容易に

安定した価格―加工ねぎ

徳島県・満東４Ｈクラブ　中山雅夫

私の家は、畑一・七㌶、水田四〇㌃、休耕地七〇㌃で、そのうち畑一・七㌶は、ねぎの周年栽培を行なっている。

野菜の価格は非常に不安定であるが、加工ねぎとして売ると価格が一定になる。加工ねぎは太いほどよいので、収穫、選別、荷造りが容易となって省力化になる。

現在のところ、加工ねぎは青果用のねぎの三〇％位で、淡路の加工業者へ送っている。淡路の加工業者にねぎを販売したのは最近のことで、それまでは三重県の加工業者に販売していたのだが、そこが倒産し、多額の損害を与えられた。市場と違い、販売先には十分気をつけねばならない。

また、今までは市場出荷ができないような不良ねぎを加工用にむけていたが、これからは太くていい品物を作らないと選別に時間がかかり、加工による省力化とはならなくなる。

私たちの地域は市街化区域となり、農地が宅地並みに課税されるようになるので、一〇㌃当りというような単位では経営がなりたたなくなり、坪当りいくらというような土地生産性の高い農業をやっていこうと思っている。だが、私たちの地域で有利なことは、徳島市中央市場が、今秋、すぐ近くにできるので、ねぎのような輸送に弱い軟弱野菜には有利になると思われるし、また、今後は青果用、加工用をとおして計画生産、計画出荷を他のグループ員とともに推進し、新しい"村づくり"を進める計画である。

価格がよく安定

シクラメンの鉢物栽培

直売のルートを確立

神奈川県・港北青少年クラブ　加藤一男

現在、私の家は、鉢物温室一六五平方㍍（七二・六平方㍍と一〇〇平方㍍）、ビニールハウス一六五平方㍍（八二・五平方㍍のものを二棟）、カーネーション温室六六〇平方㍍（三連棟）とがあり、鉢物栽培を行なっている。

昨年の鉢物栽培品目は、シクラメン三〇〇〇鉢、カルセオラリア一二〇〇鉢、グロキシニア一二〇〇鉢、ゼラニウム八〇〇鉢、ペラルゴニウム五〇〇鉢、アグラタム一二〇〇鉢、ベゴニア二〇〇〇鉢、夏菊二〇〇〇鉢、アポリアンサ六〇〇鉢、他に春の草物として、百日草、アリーゴールド、松葉ボタン、サルビアなどを栽培している。

家が横浜に近いため、都市化の波はここでも激しく、住宅や団地は増える一方である。そこで、私はシクラメンを住宅や団地の人に直接買ってもらえば、市場などより高く売れ、お客さんも安くよい品物が自分で選べて買えるので喜ぶのではないかと思い、シクラメンの販売ルートの確立にのりだした。

販売方法として、看板などを立てて通る人に宣伝するほか、庭先販売と予約販売の二つの方法を考えてみた。

庭先販売では、買いにきた人によい品物を選ばせ、まわりの人に宣伝してもらうことにし、また、一〇鉢以上の人には配達をした。予約販売では、農協を事務局として、神奈川区内、各町会に予約注文をとり、農協関係内の生産者が各町会に配達をした。

実績をかえりみていくつかのことを感じた。まず、直売を強くするにはサービスをよくし、優良なものを作らなければお客さんが離れていってしまうこと、また、市場販売より手がかかることなどである。しかし、なんといっても、市場より価格がよく、安定していることが最大の利点であった。

今後は、カーネーションを少しづつ減らし、鉢物を主体とした経営にきりかえていきたい。また、庭先販売をもっと宣伝して、電話でも注文できるようにするとともに、栽培品種を定めて鉢数を増やしていきたいと思っている。

結婚を考える

栃木県・栃木地区４Ｈクラブ連絡協議会

▶14◀

嫁ぐ立場　継ぐ立場　④

ムコさんは頼りない！

嫁ぐ人がうらやましい

司会　いろいろな意見がでましたが、嫁ぐ立場としてどんな農村婦人になりたいと思いますか？

田中（つ）　旦那様の片腕となれるよう努力していきたい！

海老沼　家庭を明るくすることが私たちの役目であり、そのためにも、家族だんらんで話し合えるような農村婦人になりたいと思います。

大川　経営面でも、家庭内のことでも、助言的な立場に立って旦那様を立てて上げられるような人になりたい。

――家庭生活を円滑にするためにも、農業に掛（か）ける時間が「一時間遅く一時間早く」の方式になっていってほしいですね。

大垣　私は「嫁がきてから家庭が明るくなった」といわれるようになりたいと思います。

海老沼　私の知っている家ですが仕事の関係で自分の子供を小さいとき他人に預け、面倒をみてもらったそうです。ところが、大きくなってやっと自分の手でみられるようになりましたが、親子の断絶のようなものが生じてしまい、反省しているそうです。そんな話を聞くと、やっぱり、どんなに忙しくても育児に専念できる時間をもちたいと思いますね。

――嫁ぐ立場の方からいろいろ積極的な発言がありましたが、みなさんの考えを一つでも多く身につけ、家庭が明るくなったといわれるように努力していきましょう。それでは継ぐ立場の方から何か……。

大島　嫁ぐ立場の人の発言を聞いていて大変うらやましく思いました。私たちに比べると夢がありますね。

海老沼　お婿さんをもらっても、なんとなく頼りないような気がします。他に職業をもっている人がきてくれた場合、すごく心苦しく思います。私としては農業にどうしても従事してほしいと思っていますし、前に佐藤さんがいったように、兼業農家ではいやだと思っています。今の時勢から考えると、とても難しい問題だと思います。半ばあきらめています……。

――私も不安です。どんな人がきてくれるか……その人によって家庭生活が大きく変わってしまうこともあるでしょうし、農業をしている以上、経営面でもいろいろ方針が変わる結果になることもあるでしょうから。

国分　今月の討論会をみてもわかるように農家に嫁ぎたいという人がたくさんいましたが、お婿さんをもらうということの方に困難な問題が多いですね。

田中（つ）　私は思うのですが、長男の人は家があり田畑があって問題はないですね。でも、次男、三男となると、ある程度仕事につくようになれば独立しなければならないし、考えようによってはお婿さんになって他の家に入った方が、経済的にも精神的にも楽だと思います。

国分　やはり、そういう立場の人は肩身の狭い思いをするのではないでしょうか。

佐藤　私もそう思います。現実にお婿さんの立場を考えてみるとつらいのではないでしょうか。一人の男性がほかの家に生活を依存するということは、大げさにいえば、男のプライドに傷がつくということですね。

横田　そうですね。昔から何年経ってもお婿さんだということがいわれてきました。

高山　封建的なときはそうだったでしょう。でも、今はそんなことはありません。理解ある明るい奥さんならきっと楽しい家庭になるでしょう。

――悩み、不安が先きに述べられてしまいましたが、継ぐ者としてよかったなあと思ったことはどんなことですか。

海老沼　親にいつまでも甘えていられることでしょう。でも、それがかえって親を頼ろうとする依存心を増し、いざとなったときにひとり立ちができなくなるのではないかと思います。

大島　自分の親と一緒にいる以上、姑とのいざこざというものは問題ないでしょう。でも、責任の重さは人一倍感じました。

ＮＨＫ農事番組（6月1～10日）

テレビ

明るい農村　6・30～6・55総合
- 1日　話題と人「ポットマム工場」～埼玉県行田市
- 2日　農村新地図「埼玉県横瀬村」
- 3日　村をむすぶ「鹿児島、広島、徳島」
- 4日　明るい漁村
- 5日　村の記録「サラリーマン特訓中」～北海道北見市
- 6日　きょうの話題
- 7日　産物百科「あゆ」
- 8日　話題と人「オートメ酪農」～栃木県那須町
- 9日　農村新地図「鳥取県大山町」
- 10日　村をむすぶ「愛媛、帯広、京都」

農業教室　7・30～8・00　教育
- 1～3日　飼料の効率的利用技術　高野信雄（農林省草地試験場）
- 5～7日　養鶏の新技術　山田卓郎（愛知県農業総合試験場）
- 8～10日　稲作の合理的作業体系　川近謙道（東京大学教授）

あすの村づくり
日　7・00～8・00　教育
再　土　13・00～14・00　教育
- 4日　「新ふるさと論」～私都村（きさいち）の若者たち～徳永進（鳥取県八頭郡郡家町・私都村グループ）ほか、安藤周二（広島県双三郡作木村・作木未来会議）ほか、乗本吉郎（島根大学講師）

ラジオ

早起き鳥　5・41～5・57❶
- 1日　海老洋一（横浜動物検疫所検疫課長）
- 2日　組織化すすむ庄内の米作り～藤島町
- 3日　ふるさと通信
- 4日　うめ
- 5日　使いすぎる農薬①「九七〇億円の農薬」
- 6日　使いすぎる農薬②「公害農薬を使う」
- 7日　使いすぎる農薬③「害虫を知る」
- 8日　使いすぎる農薬④「問題多い防除技術」
- 9日　使いすぎる農薬⑤「新しい総合防除」
- 10日　ふるさと通信

話の広場　日　6・10～6・30❶
- 4日　植木にかける青春～野田市植木生産組合

新しい農村　6・00～7・00❷
- 4日　スタートする果樹共済　板野稔二（農林省保険管理課長）

ラジオ農業学校〈講座〉　月～土　6・40～7・00❷
- 1～3日　複合経営　竹中久二雄（東京農業大学助教授）
- 5～10日　団地化をすすめるには　松下満雄（農業評論家）

ラジオ農業学校　日　6・30～7・00❷
- 4日　グループの集い「米作りをどうすすめるか」～金沢市水稲青年グループ

会長に今本君　鳥取県連

【鳥取】鳥取県農村青年会議連絡協議会の新役員は次のとおり。

会長	今本　徹	気高郡
副会長	岸田　拓三	東伯郡
同	石賀　洋子	西伯郡
事務局長	西谷　光典	倉吉市
同次長	川北　隆司	八頭郡
同	吉田　千恵	東伯郡
事業部長	高橋　広吉	同
広報部長	田中　智	八頭郡
総務部長	西村　憲志	鳥取市
理事	森山　和明	気高郡
同	家森　政雄	東伯郡
同	山根　公昭	西伯郡
同	井田　速実	同
同	平田　宏	
監事	山本　哲嗣	東伯郡
	西尾　正之	八頭郡
顧問	稲田　卓郎	県庁普及研究係長
同	安住　秀雄	元県連会長

◀投稿案内▶

本紙は、みなさん方の新聞として、全国のクラブ員に利用していただきたいと考えています。そこで、クラブの催しや個人のプロジェクト、詩、短歌、随筆、写真、悩みや意見、村の話題、伝説、行事、その他なんでも原稿にして送って下さい。

お願い　❶長さや形式は自由です　❷できるだけ記事に関連した写真をそえて下さい　❸送り先　郵便番号 162　東京都新宿区市ケ谷船河原町11家の光会館内　日本４Ｈ新聞編集部

明日の農業へ向って

各種農業団体

農林中央金庫

経営面にもプラス

中金法改正の基本方向

農林中金は、大正十二年に設立された農林漁業協同組合の全国金融機関だが、その当時と今では農林漁業をめぐる環境や情勢は大きく変わっている。そこでこの際、中金法の中身を手直しして新しい時代に見合った農林金融が行なえるようにしようという検討が進められている。

中金法の改正については各方面でいろいろ意見が出されているが、このほど中金では、法律改正の要望をまとめた「農林中金法改正の基本方向」を打ち出した。これは現行法ではなにかと規制されている融資業務のワクを広げることに重点を置いている。その中から農家に関係深いものを拾ってみよう。

まず農家に対して中金の資金を直接貸し付ける道を開くこと。これは最近急増している大規模農業経営の資金需要にこたえようというネライ。単協段階では資金に限度があり、大型化した資金需要に応じられないケースが起きているので、資金量の豊富な中金が応援しようというもの。このため単協が中金の貸出業務を代理できるように法律改正する。

また、これからの農林漁業の発展のためには、いままでにも増して加工・流通や生産資材の生産高度化など関連産業を伸ばす必要がある。そこで中金の関連産業貸出の範囲や融資を拡大して、農林漁業の発展を側面から大いにバックアップしようというもの。現行法では関連産業貸出は中金の余裕金の一時的運用にとどまっているが、これをチャンとした業務として位置づけようというのが改正のネライだ。

つぎは地域開発金融への道を開くこと。これからの地域開発は住民の生産基盤や生活環境の整備など総合的に進められる必要がある。それには地域住民の組織である農漁協系統団体が果たす役割りが大きい。そこで中金が系統資金を農林漁業地域の開発・振興に積極的に役立てようというもの。このため府県、市町村、農林漁業地域の開発事業を行なう法人に対して融資できるように法律を改正する。

中金では、こうした改正点を五月二十四日に開催される総代会で正式に決議し、政府・国会に対してその実現を強く働きかける。そして今秋には法律改正案がまとめられ、十二月から開かれる通常国会で審議される見とおし。これは今後の農林漁業経営にとってプラスになる面が大きいといえよう。（総合企画本部・広報係）

全国共済農業協同組合連合会

力強い盛上りの中

沖縄県共済連設立さる

沖縄の日本復帰により、沖縄県共済農業協同組合連合会の創立総会がさる五月十一日、那覇市において行なわれ、会長理事に山城栄徳氏（沖縄県農協中央会会長）、副会長理事に与儀実弘氏（沖縄県伊江村農協長）、理事に宮城岸清（名護農協長）他七名、監事に瀬名波芳松氏他二名を満場一致で選任し、他の提出議案を原案どおり可決した。

共済事業の開始にあたっては、一年半の準備期間を終え、沖縄県農協中央会に農協共済事業促進委員会を設立し、その事務局を中心に県下七十四の農協（農家戸数六万三百四十六戸、組合員数九万四千三十四人、一農協当りの組合員数千二百七十人）に、共済事業の理解と準備体制をつくっていった。

沖縄県共済連は、今や、沖縄県農協中央会、沖縄県経済連、沖縄県信連と肩をならべるスタート・ラインに立ったわけである。

昭和四十二年の佐藤・ジョンソン会談における共同声明から五年、百万の県民の期待と不安の中に本土との経済的・社会的福祉の一体化をはかるため共済事業サイドでは体制整備の問題や、事務局の役職員の本土での農協共済に関する研修に力が注がれて来た。

農家所得が本土の半分という変則的沖縄農業の実態の上に、二十七年間に出たる米軍の占領下で、ドル経済にそのまま動かされて来たこの年月の後の、復帰は、昨年八月のニクソン・ショックと云い、昨年十二月の切上げという県民には両サイドからのしめつけられた交換差損金がどう保障されるか急激な物価上昇そのままの基地という大きな問題をかかえながら、四十九年度末には長期共済保有一千億円実現へと、推進目標を掲げ、系統農協団体の支援と力強い協力と相まって、あの創立総会で発した、高まりと盛りあがりのある雰囲気に象徴されたように、うぶ声をあげたばかりの沖縄県農協共済事業を育てるための努力が、全共連をはじめオール農協にせまられている。三年後には、内地の県連並みまで到達したいという熱い決意を交換した。（普及部）

われらの文化はどこへ

農村の本質に戻れ

佐賀県・南波多4Hクラブ　浦田健

先日、頼まれてある部落へ空家の解体に行った。

しばらく働いていたところ、その辺一帯の感じが異様なのに気がついた。いくら見渡しても人影がないし、車もほとんど通らない。昼過ぎに老人がひとり通りかかったので聞いてみると、昼間はみんな働きに出ていて子供と老人ばかりが家にとじこもっているということであった。その老人は農村の変貌ぶりに、淋しさと空しさを感じているようで、その想いを切せつと語ってくれた。

私は西部劇にでも出てくるような『ゴースト・タウン』を思い起こし、背すじが冷たくなった。

……やがて田畑も荒れ果て、すすきが立ち……もし昼間、この小さな村に火事でもあったら……

人がいないといっても、まわりの家はアルミがまぶしく光り、屋根の色も美しい立派な家ばかりである。きっと家のなかには深いソファーの応接間にステレオやカラーテレビも揃っているだろう。

老人がポツリポツリ淋しく語ったように〝変わった〟のである。

私たちが子供の頃、麦踏みなどを手伝いに外へ出ると、畑には大勢の人が働いていて誰もが声をかけ合い、ときには大人たちでさえ畦に腰をおろし、世間話に花を咲かせていたものである。

最近は近所でも顔を合わせることすら少い。子供の頃は、遊びにしても美しい自然の懐での心暖まるものであった。私は若いくせして、その頃の農村風景がなつかしくてならない。

敗戦後二十数年、日本は工業を中心に飛躍的な経済成長を続けている。そして文明も都市や核として拡がって行き、人びとは異常なほど都市周辺に群がっている。都市では過密と公害が進み、農村では過疎現象が進展する。

しかし、今では農村の青年も髪をのばし、車をぶっとばし、ボーリングに興じ、カトリーヌ・ドヌーブにあこがれ週刊誌を読むようになった。いくら田舎といっても花の東京で流行するものならば、猿まねでも遅れてはならない。都会での現在は最高のものであり、それは進んで無抵抗にまねねばならない。

麦藁屋根に黒ずんだ柱は悪、いろりは前近代的、だからアルミの光る色つき屋根の下で赤いジュータンの応接間でなければならないのである。そんな私たちの姿を見て、人びとは数年前から〝ノウキョウさん〟と呼び冷ややかな嘲笑を浮かべたのだ。

農村の、農業団体の指導者の多くが『都会並みの生活へ向上させるために……』といろいろ親切に指導してくれるのに、何か割り切れないものを感じているのはひとり私だけであろうか。もしかして何かが狂ってはいないか。

農村は都会の人びとが自然を求めに来る所ではない！出稼ぎのオヤジが帰ってくるところでもないのだ！百姓サラリーマンの住宅となるところでもない！そして農民である私は、都会生活のモノマネ文化をしいられるために農業をやっているのではないのだ。

気まぐれな大自然と闘い、額に汗しながら生物を育てあげることに没頭する。そこに農業の本質があり、農村の本質がある。

嬉しいかな、泥に汚れた青年は何かを感じはじめている。

困難でも一歩を　農村女性の道を求める

青森県・八甲4Hクラブ　△△△　赤石つい

『朝日がまぶしく私に輝くとき農業っていいなあ、と感じるのです。なぜならば、このように自然のなかで働き、それも自分の力しだいで、どうにでも儲かり、生活も豊かになると思うからです』

これは私が何年か前に研修所に入っていたときに書いた文の一節である。しかし、これも現実となっては厳しく、経済問題、労働力問題などむずかしいことばかり。

今の私たちにとって一番身近かな問題だと思うのだが、よく雑誌などで〝農家に嫁のきてがない〟とか〝後継者がいない〟とかいうことが目につく。私も友人たちから「あなた、本当に農業が好きでやってるの？」ってよく聞かれることがある。そんなとき、私は好きだよと言えば嘘になるから、むしろ「仕方なくやっているんだわ」と答えてしまっている。

しかし、4Hクラブに入り、仲間と学んだり、キャンプに参加してみんなの意見を聞き、また話し合ったりするときに、私は勇気づけられるのである。もっとハッキリ「農業って大好きだ！」と言えるように、積極的に農業に取り組んでいこうと……。

友だちは「農業はダメだよ、姑さんがいるから」と言う。また、ある人は「いまどきの若い人がよく農業をしてるね、感心するよ」とも言う。私は、反発を感じた。

私は、これからの農家の主婦のあり方を少しでも探る機会とばかり、みかんもぎにも行ってきた。そこには、そんなは暗さなどちっともなかった。学ぼうと思えば、いくらでも機会はあるものだ。これらの機会、機関を利用しながら明日の農業は私たちの若い手で作りだしてゆかねばならないだろう。作りだしてゆきましょうよ！

青春と仲間

今度はあなたの出番です！

鏡を見る眼は

ふと、なぜか得体の知れぬ視線を感じて立ちどまることがある。それは、フラフラとあてもなく行方不明のヤジ馬のように街をほっつき歩いているときにも、一群の人の間をぬうように抜け、つぎの人波めがけて急ぎ足で歩む出勤どきにも同じように私を襲う。闇夜を鋭く急降下する稲妻のように、私の体をつらぬき落下するもの――それは私自身のグロテスクな姿である。

つまり、私の感じる不気味な視線とは、ショーウィンドウやビルのガラス窓に映じる私自身の視線ということだ。

われわれ普通の人間は、毎日、一度は鏡をのぞきこむ。ならば、街のショーウインドウに自分の姿がうつったとて、なんら驚くにはあたらないではないか。私は自分にこう言い聞かせて、足に力をこめて堅いアスファルトの路上を蹴る。これが日常生活なのだとこじつけて……。

鏡と人間とのつながりは遠い昔からあったようだ。中国では周代（紀元前五世紀）のころから銅鋼製の鏡が作れていたらしい。また、日本でも古墳時代末期から銅製の鏡は作られていた。しかし、もっともっと古い時代の人間が、美しい水辺を自分の鏡ときめ、自己の姿をうつしていなかったとは誰もが言いきれないであろう。ナルシスほど美しくなかった人たちがさめた意識のもとで、あたかもナルシスが水をのぞきこんでいるような格好をして……。

鏡のなかに私たちはなにを見るのか。まぎれもなく自分の姿をである。そして鏡のなかの自分を他人の目でもってしげしげとながめるだろう。たとえば、このヘアースタイルは彼氏にどう見えるかしらなどと思いながらである。

フランスの哲学者ジャン・ポール・サルトルは『出口なし』という題名の戯曲において、鏡のなかの自分の姿を「みんなが私を見ているように、私は自分を見ていた」という女性を描き、他人と自己との関係を述べている。私たちも、よく鏡をのぞく。それは他人を意識せずにだと言いきれようか。

私が街なかのショーウィンドウにうつった自分を見て驚いたのは、まさにそのような他人の目のうちに赤裸で立っている自分を見たからだった。自分の視線さえも他人の視線のように……。自分の姿を自分の眼で確めていながらも〝おお、私はどこだ〟と大げさな人なら叫ぶかもしれない。

春近しというのに京都の洛北は雪が残っていた。寂光院の近くを旅行者として歩いていた私は建礼門院がその御姿をうつしたという小さな水たまりの前に立ちそれをのぞいてみた。しかし、あたりに夕闇がせまっていたせいか、私の姿はうつらなかった。なんとなく心細かった。（野）

笹笛

人と土と牛を愛して

宮城県・館矢間4Hクラブ　半沢善信

実際、私が酪農に従事するようになってから、一年そこそこだが、ますます酪農に愛着がでてきた。

そもそも私が酪農へ進もうとした大きなきっかけは、わが家が酪農を経営していたことである。それに他産業へ勤めることより、なんとなく酪農が好きで農業高校へ入ったことだ。

卒業後は一年間、北海道の酪農家へ研修に行って、そして、現在に至っている。

スモッグ、騒音などさまざまな公害で住みにくい都会で工業のひとつの歯車となって、毎日、同じように機械的な仕事を行なうより、自分の体を張ってやれるような仕事が私は大好きだ。真夏の炎天下での乾草収穫やコーンサイレージのサイロ詰の作業などのきつい仕事も少なくない職業であるが、それが自分の経営なら働きがいもまたでてくるというものだ。

現在、三十二頭の牛を飼育しているが、十六頭ほど搾乳している。それを三十頭搾乳で平均乳量六千五百㌔を目標に努力している。それに昨年、人工受精師の資格をとることができ、今までの夢にもうひとつ大きな夢を加えることが可能となった。つまり、いかに多く乳を出す牛をつくるかということだ。

そんな夢をいつも頭のなかで、どのようにしたらできるかなどと思念をめぐらしていると、搾乳しているときなど楽しくなってつい乳頭を操る手に力がはいってしまうものだ。

なぜ、そんなに酪農が好きなのか、と友人などによく言われる。私はいつもきまってこう答える。

「だってさ、おカァちゃんと一緒に仕事ができるもん。サラリーマンじゃムリだろ」それに「牛が好きだからヨ」とも言う。

単なる夢だけで終ってしまわないようこれからも、もっともっと勉強して、ゆとりのある経営をめざしてやってゆく覚悟だ。

そして、私の信条は『人を愛する』『土を愛する』『牛を愛する』という〝三愛〟の精神だ。

あんな人こんな人

もう、そろそろね　頑張らなくっちゃー

中谷洋子　静岡

親子契約で部門協定を結んで意欲的に農業に取り組んでいる娘さんがいる。この娘さんの名は、中谷洋子さんという。

中谷さんは、浜北市の中心部から北へ約十㌔の大平というところに住んでいる。この地方はみかん、かき、茶の産地で純農村地帯である。すぐ西には、都田川が流れており、夏になるとバカンスを楽しむ人たちがドッと押し寄せ、キャンプ場、水泳場として、近年、脚光をあびてきている。

中谷さんは、昨年、農業経営高校を卒業すると同時に、自家の経営に関して、家族と部門協定を結んだ。その協定によると父・母はみかん、かきなどの栽培を行ない、彼女は養豚経営ということだ。中谷さんは最終的には自立経営をめざしているというからたくましいかぎりだ。

彼女は農業に強い信念をもっており、なにごとも納得するまでやりとおすというファイト・ウーマンらしい。中谷さんは『農業ほどやりがいのある職業はない』と友人たちによく言うそうで、はやくもモーレツぶりを発揮しているということだ。

中谷さんの職業に対する情熱は男まさりで、まわりの人から頼もしがられるが、彼女も一歩農業を離れると子供好きのやさしい女の子に変身する。現在、彼女は、そんな自分の性向を考えてのうえか、保母の国家試験を取得しようと勉学に励んでいるらしい。

4Hクラブ活動にも中谷さんは積極的に参加しており、現在地元の新玉4Hクラブに所属し活動を続けている。彼女に今後の女子活動のあり方はどうかと質問すると『今まで私がクラブ活動に参加してみて感じたことは、あまりにも農業的なことに重点をおいているということでした。私は将来、農村の主婦となるでしょう。だから今後のクラブ活動には、農村の主婦としての一般教養などをどんどん盛りこんでほしいと思います。また、私もそうなるように努力しますが……』と答え、クラブ活動にも熱気をみなぎらせている。

中谷洋子さん、十九歳。経営面積百五十㌃の家の長女。家族は父と母と妹とそして彼女の四人。彼女は女子農業後継者である。十九歳と若い中谷さんも、婿さんのことに想いをはせることはたびたびだそうである。

中谷さんの養豚自立経営への努力には、男性クラブ員諸君も大いに見習うべき点がありそうだ。彼女は全国のクラブ員のみなさんの考えや意見などを聞かせてほしいと願っている。腕におぼえのある男性クラブ員、また、彼女の心がよくわかる女性クラブ員のかたがた、浜北市大平五八七へご一報を！（記事提供　鈴木政美君）

心の時代に贈る書　『愛についての断章』　遠藤俊夫著

〝私は自分自身が百姓の次男坊として生まれ、それだけに農村や、農村青年を愛してきた〟と、著者自らが語っているこの『愛についての断章』という本は、それだけに農村青少年にとってなじみ深い本となるはずである。

著者の出発点は時代的な反省のうえに立っている。「はじめに」で書かれてある言葉からもそれは明らかである。〝科学、技術の進歩と高度成長経済によって、わが国はGNP世界第二位といわれるまでに飛躍的な発展をもたらした。しかし、その反面、自然破壊、大気汚染、公害病などさまざまな弊害をもたらし、人間の心と身体がむしばまれつつある。まさに、人間性の危機である〟――そして、七十年代を〝心の時代であり、人間復興の時代〟であるととらえる著者は、その根底に〝愛の心〟を置こうとする。心を愛と同義語にみなす著者のとらえ方は、私たちが日常、愛について抱いている狭義的な意味あいにおける〝愛〟を大海原へと導き出すだろう。

この本は、「愛についての断章」「仕事と人生」「青年に贈る」「先人に学ぶ」「心を育てる」の五篇からなり、青年期における悩みや不安、戸惑いを、広く世界の宗教、哲学、文学を例にとりながら、また、ときには著者自らの体験をまじえながら、心のこもったやさしい口調で読者に語りかける。そして、その根底に流れている呼びかけこそ、この著者の属する修養団の教えなのである。

青春の生命を燃焼しつつも、私たち若者は絶えず何かの壁にぶちあたっている。愛情、友情、仕事、学問、家庭……ともすると自分の固い殻の中で悩みがちなこれらの問題に、この本は多くの示唆を与えてくれるだろう。もちろん、読者が〈愛の心〉に導びかれてどこへ行くかは著者自身にもわからないことであろうが……。（修養団出版部刊）

友が救ったよ　おれの人生を

福岡県・筑後市4Hクラブ　江崎利吉

友、とも、トモへ……

あれはたしかある月始めの日のことであったように思う。農業一念に賭けていたこのおれの心が揺れ動き、惑い、都会の未知への渇望へと荒れ狂った。

どうしたことだろう、心のなかは不安と解決へのあせりとが入りまじり脳裏が熱くかっかとしている。そして、生活態度に乱れがでてき、両親の意見にいやでも反対するようになってしまった。また、仕事の失敗を妹弟につらくあたりちらした。

このままでは農業、いや人生がいやになってしまう。これではいけないと思い〝どうしておれはこうなるのか〟と考えた。農業に対する一時のスランプだろうか。

頭の中は混乱でいっぱいというような感じだった。友に相談しようか。しかし、相談すべき問題なのだろうか。そして悩んだ。仕事も手につかず、遊びに行ってもおもしろくない。

これではますます駄目になる。やはり、友に話そう。心は決まった。あるリーダー研修会のときであった。友に悩みをもちかけ、今後の農業や人生について語り合った。そこで、農業問題の解決法の糸口、人生への自信が湧いて出たように理解できた。農業への、また、人生への信念も生まれた。

やはり、もつべきものは多くの友である。友、とも、トモ……いいなあー、本当にいいものだ。

落日 (4)

山中康司（栃木・小山4Hクラブ　農民文学会会員）

だが、予期が反する時は来た。交際始めて一ヶ年六ヶ月。それは今年の四月で草木の萌え出する頃で、土がぬくもり農民が出稼ぎから帰って苗代作りを始める頃だった。桜のつぼみもふくらんだというのに、きっぱりと二人の心の炎は消えたのだ。その時芳男は、なつかしい公衆電話の赤い色が恐ろしく、受話機を握く手が震え、心はもっと震えていた。

三枝子はやさしいだけでなく賢い女だった。結婚が単に二人の愛だけでは無理なこと、自分の体力と厳しい農作業、芳男の家の暗たんたる家庭の現状なども含めて考えると、軽卒な決断を下すことはしなかった。芳男の父が神経痛にかかったのが暮の十二月で、三枝子が「あたしに農家は無理だわ」と初めてこぼしたのが今年の一月だった。

「農作業は俺一人でやる。あんたは家庭の方をやってくれればいいんだ」

そうして、その後の交際は芳男の一方的な執念みたいなものだったが、四月には祖母が中風にかかって約束のあった三枝子とのデートがフイになり、春の陽はほんのりと電話ボックスに暖かかったのに、デート変更のはずの三枝子との通話は、永久の別れの言葉に終った。三枝子は「単なる友達としてなら……」という芳男の悲願も受けつけてくれなかった。その後はたった一枚の風鈴の暑中見舞が舞い込んだきりだった。

伯母が見合話を持ってきたのはつい一週間前のことだ。脱穀作業のせわしない晩で、芳男の母は夕食の準備にあわてたが、伯母の話には喜んだ。父もなれぬ笑顔を見せた。当人は二つ年上で農学校の生活科出だという。両親はまだ若いしできれば非農家にやりたいというのに、本人は農業で共に生きる人がいいのだという。今の時代にはめずらしい娘だと伯母はいった。

二十の芳男の家で結婚をせきたてるには訳がある。母は彼が小さい時結核をわずらってしばらく療養生活をした。その間父は男手一つで二町歩の田畑をやりくりした。芳男が中学の頃は母も一旦元気になったが高校に入ると今度は胃を悪くして入院した。父はまた一人になったが、子供可愛さから何とか高校だけは出してやると、歯をくいしばって頑張った。待望の芳男が卒業した年の夏は父子二人して元気に働いたが、その年の冬に父は不意に神経痛にかかり足腰が不自由になってしまった。不幸は続くもので、明けて今年の暮はこれまた八十過ぎまで病気を知らなかった祖母が中風というやっかいな病気にかかった訳だ。八月に妹が交通事故にあって入院した時はさすがに芳男の顔も青ざめていた。この間芳男の家に並々ならぬ献身をしてくれたのが間々田に住む父の姉たち伯母二人だった。身内の援助、伯母達の徳義心に芳男は感謝しないわけにはいかなかった。

で恩人である伯母の一人が、今度は百姓仕事がかたずくそうそう、農家嫁不足の時代であるのに、気をつかって見合話をもってきてくれたのである。だが結婚の意志は芳男にはなかったので誘いで出た話を一応打ち消した。

それは三枝子のことが頭にあったからではない。三枝子はすでに手の届かぬ人になっていた。汚れた地下たびを見ると彼女の思い出につながるのだが、芳男の家庭を知る者には、二人が似合いのカップルに成り得ないことはすぐ理解できるはずなのだった。

日本4H新聞

4Hクラブ
農事研究会
生活改善クラブ
全国広報紙

発行所
社団法人 日本4H協会
東京都市ケ谷家の光会館内
電話(269)1675郵便番号162
編集発行　玉井　光
月3回・4の日発行
定価　1部　35円
一カ年　1200円(送料共)
振替口座東京　12055番

クラブ綱領

私達は、実践を通じて自らを磨くとともに、互いに力を合わせて、よりよい農村、よりよい日本を創るため、四つの信条をかかげます。一、私達は農業の改良と生活の改善に役立つ腕をみがきます。一、私達は科学的に物を考えることのできる頭の訓練をします。一、私達は誠実で友情に富む心をつちかいます。一、私達は楽しく暮らし元気で働くための健康を増進します。

農民泣かせ！冠水して泥沼と化した水田

草の根大使　花やぐ交歓、女性二人

米国の4Hリーダー

18日に来日予定

ことし来日する米国の"草の根大使"が、このほど米国の実施機関である4H財団から社団法人日本4H協会（会長　宮城孝治氏）に伝えられてきた。それによると来日する米国の4Hクラブリーダーは、ドナ・L・ハーコビィッツさん(二七)＝ニューハンプシャー州出身と、ジャニー・F・ビハークさん(二七)＝ロード・アイランド州＝で、昨年に続いて女性二人。年齢はさいきんになく高いが、ことしも花やかな親善交歓になりそうである。

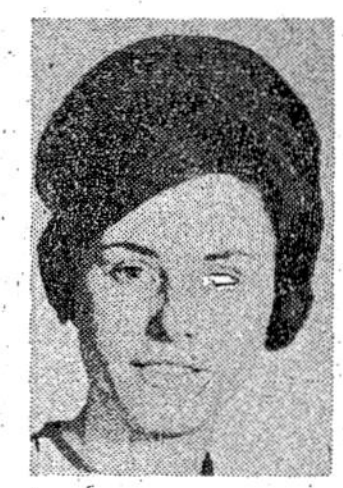

ハーコビィッツさん

ビハークさん

ハーコビィッツさんとビハークさんは、今月十八日に来日し、十一月下旬までの約六ヵ月間滞在する予定。東京で農林省関係各課担当者によるオリエンテーションを受けたあと各県の受入れ農家に入り、その家族の一員として生活することになっている。一戸の農家に滞在する期間は約三週間。その間、日本の農業や家庭生活、風俗・習慣、4Hクラブ活動などについて体験するとともに、八月下旬北海道で開催される「第八回全国4Hクラブ員のつどい」、同じく八月上旬宮城県で開かれる「第十二回全国農村青少年技術交換大会」をはじめ県や地区など4Hクラブの会合に出席して交歓、米国の正しい姿も伝え両国間の相互理解と親善に尽すことにしている。

このように地域に根をひろげ民間外交官的な役割も果すことから、この交換生は"草の根大使"（グラスルート）とも呼ばれている。米国からの来日はことしで十九回目。

この草の根大使は、国際農村青年交換（IFYE）計画に基づいて日本4H協会が招くもので、受入れについては全国農村青少年教育振興会のバックアップをえている。

二人の略歴

①出身地②家族③宗教④語学⑤学歴⑥組織活動の体験⑦農場体験⑧趣味⑨関心事項

ジャニー・E・ビハークさん（Jayne・E・Viherck）①ロード・アイランド州②両親と兄弟二人（男女）③キリスト教（カトリック）④英語、フランス語少し⑤大学卒業⑥4Hクラブ員八年、青少年活動のリーダー、保母クラブ、地域と大学のグループ活動⑦小農場で生活、野菜園、家畜、羊、ニワトリ、馬⑧料理、裁縫⑨▽4Hクラブ関係＝教育計画とその発展、家庭との関連▽農業関係＝主な生産物、機械化とその設備、学校教育▽料理と裁縫▽伝統、習慣、家庭生活

ドナ・L・ハーコビィッツさん（Donna・L・Harcovitz）①ニューハンプシャー州②両親と兄弟二人（男女）③キリスト教（会衆教会）④英語、フランス語少し⑤家庭経済学士⑥4Hクラブ員六年、青少年活動のリーダー、キャンプカウンセラー、教師四年、生活改善クラブ⑦家は百二十エーカーの農場経営、主な作物・野菜⑧切手収集、銘酒ビン収集、スキー⑨4Hクラブ関係＝リーダーの役員（各レベルとも）、教材と視覚教育、会員の資格、大会・キャンプ・技術競技・表彰▽教育＝入学前から大学レベルまで▽栄養▽家族の役割▽伝統、いろいろな儀式・儀礼、（手工）技術、宗教▽養蚕、米作▽スポーツ、劇場、お祭り▽老人福祉対策

事務局を移転

日本4H協会・全国4H協議会

社団法人日本4H協会と全国4Hクラブ連絡協議会は、さる六月二日から事務局を左記住所へ移転しました。

【新住所】東京都港区西新橋一丁目五番十二号　佐野ビル　〒一〇五
▽電話（五九一）一七六〇・三六八三

この移転は、現在家の光協会から借用している家の光会館旧館が取り壊され、そのあとに同会がビルを新築するためで、移転先については全国農村青少年教育振興会のご好意により同会の一部を借用することになりました。

県連活動の監視役

静岡県連　4Hモニター発足

【静岡】静岡県農村青少年クラブ連絡協議会（会長　鈴木政美君）は、四十七年度から県連にモニター員を設置することになった。このモニター制度の設置は昨年度決定されていたもので、その後検討の結果いよいよ実施の運びとなったもの。このため県下五地区連から十五名をモニター員に選び、その初の打合わせ会をさる五月十七日、県庁で行なった。

当日は、鈴木会長のあいさつに続いてモニターが自己紹介、それぞれ意気込みを述べた。

ついでモニターをひきいる広報部長から、県連活動の民主的で公正な推進とクラブ組織の充実を期すためにモニターを設置した旨とその任務として、県連の諸活動・方針に対する意見、要望の伝達や各単位クラブ員におよぼす県連活動の影響と効果を観察し、その結果に基づいて勧告、助言をする。また県連活動に対するクラブ員の不満、相談とこれに対する措置についての意望を通信することなどをあげ、モニターに協力を依頼した。

モニターの特典として、県連の主催する各種大会、研修会に参加する場合、その参加費用は免除されることになっている。

続いて、事業部長が四十七年度の県連事業計画について説明、クラブ員の意見や要望などを聴取して充実した大会や研修会にもっていく方針であることを強調した。

このあと質疑に入り、活発に意見交換がなされ、モニター規約の一部を補足、モニターと県連役員ともに力強く前進することを誓って閉じた。

4Hクラブモニターの運営要綱は次のとおり。

第一条
この要綱は、静岡県農村青少年クラブ連絡協議会の活動を民主的、公正に推進するために設置する。静岡県4Hモニターの運営に関し必要な事項を定めるものとする。

第二条
4Hモニターは、クラブ員の静岡県農村青少年クラブ連絡協議会の行なう事業に対する率直な意見、要望を吸収し、県連活動に反映させるとともに、県連活動の資料とするため定期または不定期に広報部長が招集するモニター会議に出席するほか、ずい時、必要に応じて通信連絡等により次の事項を伝達する。
（一）県連の諸活動方針に対する意見・要望
（二）県連の活動がクラブ員に及ぼす影響と効果を観察し、その結果に基づいた県連活動に対する勧告と助言
（三）県連活動に関するクラブ員の不満、相談およびこれに対する措置の要望
前項各号に定める通信連絡は4Hモニター通信用紙によりこれを行なうものとする。

第三条
広報部長は第二条の規定に基づき4Hモニターからの伝達を受けた時は県連役員会で処理するものとする。

第四条
4Hモニターの活動は、その公平と公正を保障するため、第二条の規定に基づき伝達された事項の処理にあたっては匿名を原則とし、氏名を公開しないものとする。

第五条
4Hモニターの任期は一年とする。

第六条
4Hクラブモニターの設置趣旨および次の基準により地域連絡協議会が選定し、県連に推せんするものとする。この場合において地域連絡協議会役員、県連絡協議会役員は4Hモニター員より除外するものとする。

・第七条
4Hモニター員が県連の主催する各種大会、研修会に参加する場合は参加費を免除する。

附則
この要綱は昭和四十七年四月一日から実施する。

なお、モニター員は次のとおりである。

加賀　主　西伊豆4Hクラブ
稲葉　守彦　三筋4H
横山　保作　北駿4H
佐野　正江　花の実会
渡辺　充由　青空4H
青木　要　清水4H
鈴木　初江　静岡4H
大畑　寿文　志田農業青年会
平野美代子　若鮎会
安井　幸夫　西浅羽4H
平井　文明　掛川市後継者
奥野　道広　浜名4H
水野婦美子　のぎく会
安間　利和　引佐4H
加藤　公俊　湖西4H

（鈴木政美、有谷邦博両連絡報道員発）

これからの方針を打合わせる静岡県連の4Hモニター

一夜で泥沼に！

宮城　時期はずれ　集中豪雨襲う

"これからどうすっぺ"　イネの発病を心配する農家の人たち

【宮城】宮城県では、さる五月十五日から降り出した雨が十七日まで続き、農産物に相当の被害が出て農民を悲しみの中におとし入れている。その集中豪雨の模様をこのほど本紙連絡報道員の山口実君が次のように伝えてきた。

例年だと、この時期は田植えの最盛期である。ところが、ことしは田植機のめざましい普及と連日好天に恵まれて苗の生育が順調であったことも手伝って、すでに植え付けた田は七、八分の仕上がり状態であった。それが一夜の滝のように流れる集中豪雨で田んぼが冠水し、農道さえかくれてしまうほど一面広大な沼に早変りした。

昨年は、異状天候による苗代の被害、そしてことしは時期はずれの集中豪雨、なんと農民泣かせの天の悪戯か……。どうしてこんなにまで農民は苛められなければならないのか。十六日夕方になっても依然として雨足は弱まらず、用水路は泥水と上流からながされてきたゴミで氾らん。このような冠水状態が長びけば、苗代の被害はもちろん、植えつけした田んぼにも被害が出ることは必至。とくに、植えつけしてから間がないことに加えて稚苗ということもあって、稲の生育に一番大切な時期だけに農民の心配はかくしきれない。

稲の生育初期の冠水で一番心配されるのが黄化萎縮病。その症状は見るも無残な姿で、想像しただけでもゾットするほど。

その被害を最少限に食い止めようと、農家の人たちは、もうダメだと知りながら豪雨のなかでシャベルを持って田の水はけをよくするための泥よけに懸命だった。

農民の一人は「この泥水では、病気にかがんねほうがどうかすてっぺや」と吐き捨てるように語っていた。またこんなことも言っていた人がいる。「おらたち農民の力だなんて何んでこんなにも弱いんだべ」「おれたちの味方と思っていたお天とう様にも見放され、これがらどうすっぺ……」と。

わたくしも農民の一人として、この出来事を単なる天災として片付けてよいものかと考えさせられた。

涼風暖風

共同プロジェクトの強弱

このごろ、共同プロジェクトが盛んになってきたようである。これは、クラブ活動の発展を意味するだけに心強いことと思う。

プロジェクトをクラブ全員の協力で行なうわけだから、問題解決の共同思考や共同研究を通じて、助け合い励まし合いの仲間づくりも強くなるというものだ。だから、個人プロジェクトでは荷が重すぎる初心者でも、先輩クラブ員と一緒に実践できよう。つまり、容易に取り組むことが可能である。共同プロジェクトが充実し発展すると、一方では、自立経営にかかわる個人プロジェクトに移行するし、他方では、協力のしくみを整備して乳牛クラブとか施設野菜クラブのように機能集団化する場合もある。

ところが、共同プロジェクトのこの強み自体が、うっかりしているとクラブ活動にとってマイナスの作用に変わることがある。クラブ員一人ひとりの主体性や責任感が、共同というしくみの中に埋もれて不明確になりやすい。メンバーの行動や意欲にも差が目だってきて、プロジェクトの過程の重要事項や高度な技術を担当する者と、補助的な実践分野や単純作業を担当する者とにわかれ始める。これは、支配と従属の関係に似ている。しかも、この傾向は、クラブ員の年令や経験の差が大きいほど、取り組む課題の規模が大きいほど、実践の阻害条件が多いほど、表面に現われやすい。

このように、特定少数のメンバーにリーダーシップが集中すると、実践の能率が高まり成果も早く上げられるかも知れないが、共同思考や共同研究を通じた仲間づくりのほうは衰えてしまう。そこで、対応策として考えられるのはリーダーシップの分散である。

たとえば、作物栽培の共同プロジェクトの場合、生育調査・技術研究・作業調整などの係制や委員制を設け、メンバーの一人ひとりの役割と責任範囲を明確にし、互いの情報交換を円滑にする方法である。この場合、プロジェクト実践の能率は一時的に低下するかもわからないが、メンバーの活動に張り合いが生まれ、それが結局はプロジェクトの促進に威力を発揮するにちがいない。

共同プロジェクトが盛んになるのはよいことだが、そのためにクラブが単なる作業集団になったのでは困る。共同プロジェクトの強みだけでなく、その弱みを自覚したとき、クラブ活動はもっと飛躍するだろう。

（北海道・三輪）

やっと会費値上げへ

福岡県連　推進委（会館募金）は設置せず

【福岡】福岡県農村青少年クラブ連絡協議会（会長　古沢堯男君）は、さきの通常総会において持越しになっていた会費値上げの件について、このほど開いた理事会で再審議した結果、県協の原案通り一クラブ員三百円ということで承認された。

理事会は十九地区連のうち十六地区連代表の参加をえて開かれ、まず、古沢会長が「クラブ員に一人でも多く行事に参加してもらうことや、内容ある事業推進のためには値上げはぜひ必要である」と訴え、また中隈事務局長から通常総会の経過報告があり、このあと議事審議に入った。

まず、会費値上げの反対意見として朝倉地区連代表から「地区連会費、日本4H新聞なども値上げになっており、クラブ員の負担が大き過ぎる」という事情説明があった。また、八女西部地区連からは「クラブ員の多少にかかわらず各地区連一万円の負担金にして、会費（個人）は百円としてはどうか」という案が出された。

これに対し、賛成側から「県協が充実するなら多少の犠牲はやむをえない」など県協に対して前向きの意見が出され、採決の結果十三対三で一人三百円の県連会費値上げが可決された。

こんご県協としては値上げに準ずる、またそれ以上に内容ある行事を行なえるよう望みたい。それには、なによりもクラブ員一人ひとりのクラブ組織の自覚と協力が必要なことも忘れてはなるまい。

これとあわせて4H会館建設について説明が行なわれ、各地区連に会館建設推進委員を設置するか否かについて討議した結果、役員が多すぎるなどの理由で保留となった。このため現時点では県協役員で推進していき、各地区連でも前向きの姿勢で協力することになった。

また募金の方法として、県連バッチ、ステッカー、行事ごとの募金やOBに協力を呼びかけるなどを行なっていくことを決めた。

（福岡県連＝大庭茂弥広報委員長発）

築こう！みんなを
結ぶ4H会館

日本4H会館建設委員会
全国4Hクラブ連絡協議会

菅野君会長に

福島県連

【福島】福島県農村青少年クラブ連絡協議会の新役員がこのほど次のとおり選ばれた。

会長　菅野　寿広　安達郡
副会長　紺野　保夫　福島市
同　山内あけみ　河沼郡
監事　平野　茂夫　耶麻郡
同　久保木　勝　西白河郡
同　遠藤　礼子　安達郡

心頭技健

東京・新宿の空に一万匹のモンシロチョウを飛ばそうという話がある。この計画を立て準備を進めているのは、ベルギーからやってきた二十八歳の元鉱山技師、ポール・ゴンゼ君だ。それに共鳴した千葉県の青年が協力している▼このチョウを飛ばす意味はなにもなく、ただおもしろければいいという。機械の歯車のようになってしまった現代人が、突拍子もない行動に自分なりに何かを感じてくれればいい、というのがポール君の本心のようだ。この計画に対しては、いろいろの面から賛否両論がある。しかし、発想だけをみると大変愉快である▼この「一万匹のチョウを世界中の大都市のまん中で飛ばせよう」というバタフライ・プロジェクトを考えたのは約一年前からで、来る九日、イタリアのベネチア国際ビエンナーレで放つのを皮切りに、東京、西ドイツのケルン、ニューヨークで決行の予定だ▼今年の一月に来日してから二人でチョウ集めに取りかかった。チョウを売っている店にもいってみたが一匹百円もするというので、千葉県市原市の指導農場から無料でもらったキャベツの苗五百株を借りた土地に植えて、チョウのふ化と取り組んでいるという。これに成功すれば、夜のチョウならぬ本物のチョウの大軍が新宿上空を乱舞するというわけである▼とくにそれをプロジェクトとして取り組んでいる点が注目される。4Hクラブ員は毎日プロジェクト活動を続けているが、こんなプロジェクトもおもしろいのではないだろうか。めっきり少なくなった夜の風物詩、ホタルなどをふ化させ、サバクと化した人間社会に放てば、実にすばらしいと思う▼毎日、農作業などで忙しいだろうが、たまには、こんな発想をしてみるのも必要ではないかと考えるのだが。

「6円が運ぶ、仲間の声!!」

赤　松　宏▶4

全国クラブ員の準機関紙として活用する「日本4H新聞」の普及率が高いとは言えない。理想ばかり言ってもはじまらないことであろう。どこに問題があるのか、いま考えてみる必要がありそうだ。私なりに考えるところが二、三あるので、その例をあげてみよう。

まず、一番問題なのは〈「日本4H新聞」が存在することすら知らない仲間がかなりある〉ことだ。「4H新聞」を知っている連中にしてみれば「まさか!!」というだろう。しかし、現実にはその「まさか!!」が本当なのです。

オルグのおり、ときどき初対面の人を中心に、「君、4H新聞って知っているかい?」と聞いてみるが、本当の意味で、実際に知っているというのはマレである。

また昔話になるが私が普及運動に取りかかったとき、もうすでに4H新聞自体は創刊から十年余りの歴史を有していたはずであった。しかし、私のように広報気狂いといわれるほど以前から広報活動に興味のあった者ですら、道4Hクラブの役員をやっていなければわからずじまいだったと思う。だれかが教えてくれない限り、そんな状態なのにましてや地元で地道に活動している仲間にはその存在を知る由もなかったような気がする。このような仲間がいないとは思いたいが、否定することはできない。

もっと学ばねば

"おもしろい"とは何か!

つぎに内容についての考えである。私の知っている範囲では、おお方の連中は「おもしろくないから、今回限りで終りにするので断ってほしい」と言って、継続申し込みの数は少ない。「なぜ」と問うと、「身近かな記事が載っていないからだ」と答える。身近かな記事とは何なんだろうか?、何が彼らのいう身近かな記事とは自分の地理的にいう近くのことで、自分の知っていることが載ればいいということらしい。「北海道の記事が載っていないじゃないか!!」「○○の記事が載っていないじゃないか!!」。私であれば、赤井川の記事のことなんであろうが。

まず、〈「身近かな記事とは自分の知っている記事のことなのか」ということです。なぜか、いま、身近かな記事、身近かな記事とさわいでいるが、本当の意味での身近かな記事とは何であるか、見失っているような気がする〉

みんなの意識の中に、もし、身近かな記事が自分の近くの記事だけであったらどうなるであろうかなと心配している。知っていることに主点を置いて読む「4H新聞」であるなら、それ自体の真価が失なわれていくような気がする。

また、理論よりも現実としてその方法が不可能なことだと思う。「なぜ?」となるだろうが、みなさん、一回の4H新聞に活字が何文字入るか知っていますか。一度数えてみたらおもしろいと思いますね。ただ、普通の活字で八万一千文字です。原稿用紙にして二百枚強です。そのうち普通・広告が三分の一で、あと原稿となると五万四千字です。記事となると、見出しも、リードというやつも、ときには写真も使うわけで、一応、体裁を整えるのに平均すると原稿用紙四枚から五枚程度必要になるんですね。

そうすると、一回に三十の記事ですか、一年に千記事くらいになりますね。でも、全国にクラブ数がいくらあるか知っていますか?、某統計によりますと約五千クラブくらいだそうです。一つずつ平均に載せていくとしても五年かかりますね。気の遠くなるような数です。この数値からみても一字一字大切にしなければならないことがわかると思う。

第三点目をあげるとするなら〈連絡報道員について〉であります。私も何年間かにわたってその任に就いたことがありましたが、何をして良いのかあまりわからず、ただ、一か月に一回くらい原稿を送る程度のことで、ます、いってみれば、書かないよりは良かったくらいのことである。これで本当に良かったのかどうかと反省してみると、真に連絡報道員の役割をつとめることができなかったような気がする。

現在もこの制度を採用しているらしいが、その数は以前の一県一人制から増員され、北海道においても正式に十五〜六名登録されているとか聞くが、4H新聞に目を投じて感じることは全員がその役割を果していないように思われる。私を含めて連絡報道員は学ぶべきだと思う。

私のいろいろな役務の経験からいって〈広報に関する(特に新聞機関紙などに限定するが)仕事だけは独特のものがあります。他の役職をこなせたから、これもとはいくものではない。特殊な技術と磨かれた才覚、センスの持ち主でなければならない。学ばなければならない!! 今まで以上に、もっと、もっと!!〉

特別会計一人二百円を負担

県連の名称を変更

群馬県連　20周年の記念事業も

【群馬】群馬県青少年クラブ連絡協議会(会長　前原保夫君)の総会がさる五月八日、渋川の農民センターで開催された。

当日は、県下各地区の代表約七十名が出席し午前十一時に開会。前原会長のあいさつのあと議事審議に入り、四十六年度の事業実績と決算両報告が承認された。続いて規約改正がなされ、県連の名称を「群馬県農業青年クラブ協議会」(略して県協)と改称、その後、役員選出を行なった。今年度から役員構成が大きく変わり常任理事(男女合わせて八名)と理事(各地区連より男女各一名)から構成されることになった。

ひき続いて四十七年度の活動方針と事業計画、収支予算を決定した。

四十七年度の活動方針としては農業近代化が困難な社会状勢の中で、明るい農村社会、豊かな農業経営を築くためにプロジェクト活動の推進とクラブ員相互の同志的結束を強化する必要があるので、県、地区、単位クラブとの連けいを深め、自主的機能集団としてさらに活発な活動を展開することにしている。これに基づいて次の事業を行なうことになった。

県協創設二十周年記念事業として第二回青少年クラブ員の集い、女子クラブ員研修会、リーダー研修会、実績発表大会、県協だより(四ツ葉)の発行(年三回)、諸団体、各地区連との連けい強化などがあげられた。

続いて四十七年度特別会計の計上について活発な討議がなされ、会員一人当り二百円の会費を徴収することに決定した。この会費は主に二十周年記念事業の運営費にあてられる。さらに日本4H新聞普及推進についての説明があり、午後三時閉会した。

四十七年度の役員は次のとおり決定した。(カッコ内は地区名)

会長　保坂初次(沼田)
副会長　萩原久雄(安中)兼報道係
同　磯八重子(太田)同
事務局長　高柳哲人(伊勢崎)
書記　斎藤秀雄(富岡)
書記　木暮きさ子(渋川)同
兼広報係
会計　田端義晴(館林)
同　中島勝美(中之条)
監事　樋口久男(前橋)
同　斎藤竹代(伊勢崎)
(群馬県連=磯八重子報道係発)

「新たな団結」を強調

関東ブロック連協　執行体制も強化

佐藤会長

さる五月十日、既報の通り関東ブロック農村青少年(4H)クラブ連絡協議会(会長　綱川信夫君)の総代会が、神奈川県藤沢市の神奈川県立藤沢青少年会館で開かれた。

当日は、各県連の代議員、会長二十七名と役員が出席、来賓に神奈川県農政課の田島普及教育係長、全協(全国4Hクラブ連絡協議会)の松浦会長、長事務局長を迎えて午前十時から開会。

来年度五周年を迎えようと発足している関東ブロック連協は、活動内容、事業消化の面でも、激動から困迷へと転化しつつある農業情勢に立ち向うために農村青年の資質向上と組織人としての形成をはかるよう新たな団結と組織充実がさけばれている。このような情勢をふまえて綱川会長が自己の体験をまじえながらそれらの点を強調した。田島氏の祝辞のあと議長に長野県連の山本博和君を選んで議事審議に入った。

主な議題として、組織活動にともなう役員運営面の充実をはかるため、従来の負担金三千円を五千円に値上げする案を上提し承認された。

またもう一点として、評議員の位置づけの問題が取り上げられ、役員会の出席などについて討議された。その結果、規約の一部を改正し、これまで明文化されていなかった評議員の立場の明確化をはかった。

役員の改選では、いままでの局員分担制を改め、幹事を位置づけして適切な執行を推進するため規約の一部を改正、新たな執行体制が決まった。

このほか群馬県連が名称を変更し、茨城県連が名称の一部削除を行なったことについてそれぞれ説明があった。このあと会場を移して懇親会を開き、意見交換を行なった。

新役員は次のとおり。

会長　佐藤春雄　神奈川
副会長　江沢直　千葉
〃　古屋始芳　山梨
幹事　山本博和　長野
〃　鈴木政美　静岡
〃　大谷重雄　栃木
〃　藤本芳一　茨城
〃　河崎幸一　神奈川

時言

かけがえのない地球

私たちはなにを得てなにを失ったのか——"かけがえのない地球(ONLY ONE EARTH)"というスローガンをかかげて、六月五日からストックホルムで開かれる国連主催の「人間環境会議」は、私たちに失ったものの大きさを教えようとしている。

海が死んだ。河が死んだ。魚が死んだ。鳥や獣が死んだ。そして人間が死んだ……"イタイイタイ病とは、痛い痛いといって泣きうめいております間に、だんだん歩き方が変ってくるのでございます。アヒルが歩くような歩き方、おしりをふってよちよち歩く……そのうちちょっとつまずく、それで足が折れるのでございます……"

イタイイタイ病にかぎらず、世界最悪の公害である水俣病、それにカネミ油症、四日市ゼンソク、いまだ原因が究明されていない難病、奇病など、"汚染列島"日本には、公害による犠牲者があまりにも多すぎる。そしていまや水俣市は"公害のメッカ"として世界に名をとどろかせているという。かけがえのない自然の荒廃は、かけがえのない人間の生命までも蝕(むしば)んでしまった。

"プロメテウスの火"は人智の象徴であった。しかし、神々から盗みとったその〈文明の火〉は、かつて広島を死の灰にさらし、いままた公害で私たちを脅やかしている。それはどちらも地球と人類の破滅を暗示している。日本はその二つの不幸の原点に立たされているのである。「ノーモア・ヒロシマ」と被爆者が世界に訴えたように、「ノーモア・ミナマタ」と水俣病患者の叫ぶ人類滅亡の警鐘が聞こえてくるようだ。

「人間環境会議」には、政府代表者たちのほかに、重症度の胎児性水俣病におかされた十五歳の少女や、カネミ油症被害者たちが参加するという。人類はかけがえのない彼らの身体とひきかえに、いったいなにを得たというのだろうか。【宇】

初の試み「つどい」

高知県連　4H会館募金に全力

【高知】高知県農村青少年クラブ連絡協議会(会長　白石智之君)は、このほど青年研修所開成館で、今年度初の地区連会長会を開き、全協(全国4Hクラブ連絡協議会)総会の報告と県連事業の説明のあと各地区連会長に対し協力を求めた。

県連四十七年度の主な事業計画は次のとおりである。

一、高知県4Hクラブ員のつどい(仮称)
新しい試みとして、従来の技術交換大会と4H祭をかねて実施し、4Hクラブの正しい姿を内外に示し、クラブ員の交換、交流を通して成果をわかちあうもの。
二、スポーツ大会
三、リーダー研修
四、地区連、単位クラブの実態調査
五、高知県農業者会議
六、県連オルグ派遣
七、広報活動
県連機関紙「いしずえ」を年二〜三回発行する。
八、青年の家建設推進
「室戸国立、大方県立」の建設を従来通り運動する。
九、4H会館募金の推進
建設委員会を設置し、ことし一年をメドに全力をあげる。また、よさこい踊りにも参加を予定している。
十、各種派遣事業の参加

なお、新役員は次のとおり。

会長　白石智之　葉山
副会長　坂本寿美男　大方
〃　大坪啓助　安芸
事務局長　川渕美憲　朝倉
同次長　立仙光正　夜須
理事　岡村誠介　土佐山田
〃　岡村愛子　春野
〃　中越計満　檮原
〃　豊永明男　大豊
〃　佐賀野富朗　土佐
〃　門脇香代美　香北
〃　久保ちづ子　〃
〃　横川隆英　土佐
監事　中町幸蔵　高岡
〃　酒井一　十和
(高知県連=岡村愛子事務局次長発)

訪花害虫航空防除の予行演習で活躍

豊町オレンジ会

【広島】豊町オレンジ会沖友支部は、このほど下島全域にわたって行なわれた松食い虫の航空薬剤散布に協力、ヤングパワーを大いに発揮した。

これは松食い虫の防除というよりも、むしろ目前に迫った訪花害虫の予行演習といったところ。クラブ員はダスターを背負って早朝から高山へ登って背高く伸びた雑草の中を歩き回った。

友のペン

『四つ葉』第6号

カッコよく内容深く

『人生に重装備ではやってゆけません　できるだけ身軽にしてそうたった一つの物をもって　それは貴方の胸にあふれる勇気…』

表紙をめくり、目次を見る。そして、なんの気なしにもう一頁めくったときに目に飛び込んできた言葉がこれであった。

カッコいい、ちょっとキザな機関誌……。今回は、佐賀県4Hクラブ連絡協議会発行の県連機関誌『四つ葉』第六号をまな板の上にのせてみよう。

この機関誌には、池田直県知事と香月旭男県農林部長が寄稿しておられ、そのため、内容は充実し、格式もグーンと高くなっている。また、いろいろくふうをこらしたカットや写真などを多く使っているので、全体的に整った感じをかもしだしている。

この機関誌には、随筆、雑感、随想、詩、短歌、俳句などといろいろの形式でクラブ員の声が集められているが、おもな内容としては、関係者あいさつ、4Hクラブに対する論文、さまざまな大会・会議・研修会の体験記、クラブ員の生活・人生・クラブ主張、4H会館建設問題などであった。

4Hとはなにか、農村青年の生き方はいかにあるべきかなどを多くのクラブ員があらゆる角度から、執拗にくいついてゆくのをまのあたりに見るとき、それをなんの感傷もなしに読みおおせる人があるだろうか。現代農業のなかに自己の情熱をうちこみ生きようとする青年の胸を去来する疑問、前進への意欲などが機関誌という小さな枠を飛びだしてくるとき、読む人の心に湧きおこるなにかを揺すぶるような語り口をことさら理屈をつけて大げさにしようとは思わない。しかし、それを、たとえば"農業に生きよう"とにがさとも希望ともつかぬ言葉で語るクラブ員の文章を読んだとき、アイクチのように喉元につきつけて考えてみなければならないだろう。

『四つ葉』はそのような深さとある種のすご味を感じさせる機関誌であった。(佐賀)

会長に石田君

厚狭地区連で総会

【山口】宇部厚狭地区農村青少年クラブ連絡協議会の通常総会は、さる五月十八日午前十時から宇部農業改良普及所で開かれた。

四十六年度の事業経過と会計両報告の承認、役員改選、四十七年度の事業計画と予算案、こんごのクラブ運営などについて審議し、新役員を次のとおり決めた。

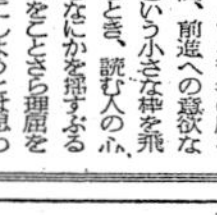
石田会長

会長　石田義雄　宇部
会計書記　渡辺和正　厚狭
監事　久保山誠　〃
〃　遠山勝彦　宇部

午後は、出席者全員で親ぼくのバレーボールを行ない、楽しいふん囲気のうちに総会を終了、新年度活動への意欲をもやした。

石田新会長のことば　こんど、この協議会の限りない発展と調和を十分に考えて、みんなの理解と協力のもとに努力したい。

(宇部厚狭地区=野田一生連絡報道員発)

もてる"香り米"

大野見村4Hクラブ員　無料配布アンケート

【高知】去る四月末、高岡郡窪川町、大野見村の4Hクラブ員たちが、高知市で自作のイチゴや香り米などを配ったが、消費者からの反応は上々であった。

この農産物の無料配布は高南台地の六つの4Hクラブで組織している高南地区農村青少年クラブ協議会(会長　横山邦夫君、会員六十人)が新規就農者の歓迎会と作物のPRを兼ねて実施したもの。ライトバンいっぱいの農作物のまわりに大勢の人が集まったが、そこでアンケートはがきも三百枚あまり配った。

最近になって、百数十枚のアンケートの返事が戻ったが、それによると香り米の人気が抜群であった。ほとんどの人がおいしかったと答え、無料配布は好評そのものであった。

しかし、4Hクラブのことを知っている人はわずか三五%で、二七%の人は名前も聞いたことがないと答えており、クラブ員たちも複雑な表情。それでも、産物の好評には顔をほころばせ、人気の高かった香り米などの栽培、販売などを促進することをきめた。

種子島で10月に「集い」開く

鹿児島県連

【鹿児島】鹿児島県農村青少年クラブ連絡協議会の四十七年度の事業計画と新役員は次のとおり。

◇事業計画

①役員派遣②機関紙発行(年三回、六月下旬、技術交換大会、青年会議後)③全国4Hクラブ中央推進会議への派遣④全国4Hクラブ員のつどい参加⑤全国農村青少年技術交換大会への参加⑥九州地域農村振興親子会議への参加⑦県技術交換大会、県農村教育青年会議の主催参加⑧農村青少年の集い開催=ことしの十月上旬(二泊三日間)種子島全域で民泊。経費は参加者負担⑨レクエーション大会=十一月末、鹿児島市でバレーボール大会⑩農村青少年クラブ幹部研修会=九月上旬、始良町の県農協教育センターで、参加者五十名程度⑪海外研修事業=クラブ員やOBを対象に三人を米国へ派遣、滞在期間は四ヵ月(三ヵ月間実習、一ヵ月間視察)⑫日本4H新聞の活用普及⑬日本4H会館建設の募金活動

◇新役員

会長　児玉健志　川内市
副会長　西園和良　南種子町
同　白坂民子　日置郡
理事　三枝秀一　贈於郡
理事　横峯均　出水郡
同　板元岩雄　始良郡
同　瀬川みえ子　揖宿郡
監事　勝目育男　同
同　加龍光秀　贈於郡
顧問　中間有敏　鹿児島市

クラブ往来

若いってすばらしい!

わが「麻の実4Hクラブ」の四十六年版"麻の実日記"をご紹介します。

五月五日快晴。入脱クラブ員歓送迎会は、心地よいそよ風が青葉の香りを運ぶなかでのドライブ、ハイキング。多野郡の下久保ダムを経て、道路から山のなかへ歩むこと四十分、群馬の秘境といわれる鐘乳洞である。洞内は約二・二㌔もあるそうで、ロウソクの炎を頼りに見てまわる。

五月二十六日晴れ。協同栽培のこんにゃく植え(二・五㌃ずつ出し合う)を会長宅の畑で行なう。和やかムードでたちまちのうちに終り、そのあとみんなで浅間山に登る。下で見るよりかなりの急坂で若い足もさすがにダウン。でも、見晴らしはバツグン。心も広くなり、まるで英雄きどりで噴火口を一周。"異様"な音と"イオウ"の臭いで、"もうイーヨ"というダジャレが出る始末。岩陰にひっそりと残る雪に感激、残雪を握りしめる。男性でもかなりきついコースを、さすがは4Hの娘さん二人、見たとおり強くたくましくすばらしきかな!(ゴマすりなし)

七、八月に、約一週間ずつの大行事である水田消毒も、みんなが力を合わせての協力で無事終了。年々クラブ員が減少していくなかで、人数が少ないと一番悩むのが消毒。家の仕事に追われるときもあり、とにかく大変だ。でも、4Hから"消毒"をとったら仲間意識が薄くなるのも事実だ。

十月五〜七日に行なわれた二泊三日(車中一泊)の旅行。"消毒"の苦労をねぎらって、北陸の金沢周辺を観光した。バス一台にしては人数が少なく、チョッピリ淋しい面もあったが、楽しい三日間だった。

十一月一日晴れ。おだやかな秋の陽に包まれ、今日は、力の入いる"こんにゃく掘り"の日。掘って、芽を取り、荷作り……さすがはこんにゃく玉作りの本場の百姓たち、慣れた手つきで六俵を作り上げた。こんにゃく玉作りについての講演(だどうしゃく)をやる人もいたり、仕事っていう感じがしない。若いってほんとうにすばらしい!

年の明けた一月二十、二十一日にはスキー講習。草津の青葉山で、ゲレンデに穴をあけながら滑(すべ)ったのです。二十一日は、ロープウェイとリフトに乗って白根の噴火口が見えるところまで登った。ものすごく風が強く、寒さで手袋が凍るほど……新雪で樹氷のなかをさっそうと転がりながら降りてきたが、途中、霧が濃くなり道がわからない。急坂が多くて、生きて帰れるかどうか心配だったけどすごくバラエティーにとんだコースで、いい経験だった。

——こんなことがあって無事一年は終わるのでした。(群馬県・麻の実4Hクラブ　大塚利雄)

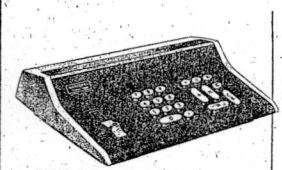

どうぞ食品添加物にご注意!

アンケート調査

埼玉県・福原4Hクラブ　田畑美智子

わたしたちの地域は畑作地帯。そのため農村青少年の数も多く、クラブ員は男子四十五人、女子三十五人で、単位クラブとしては県内でもっとも人数が多い。

クラブ活動はプロジェクト活動を中心とし、個人プロジェクトで解決できないことをもちより、クラブ内で解決している。

現在、食品添加物として使われている商品が多く、新聞、テレビなどでさわがれているが、そのわりに一般の認識は低い。そこで、わたしはクラブ活動のなかでその問題を取り上げてみようと思った。

×　×　×

まず、クラブ員にアンケートをとってみた。それによると、「食品添加物をどう思うか」については、〝恐しいと思う〟六六%、〝ときどき意識する〟一八%、〝なんとも感じない〟一六%。「食品を購入するとき、添加物の表示や製造年月日を注意して見るか」では、〝ときどき見る〟七〇%、〝見る〟一六%、〝見ない〟一四%であった。

この結果をみると、クラブ員の意識はまだまだ低いと思われる。わたしは商店から食料品を購入して実験した。そして、天然の色をしていてもほとんどのものに添加物が含まれていることがわかった。

このようなことから、わたしは食料品を購入するときは次の点に気をつける必要があると思った。

▽表示をよく見る。
▽色や見ばえにだまされない。
▽極端に安いものには注意する。
▽衛生的な店を選ぶ。
▽一度に多く購入しない。

×　×　×

今後は、クラブの機関誌などにのせ、できるだけ多くのクラブ員に実態を訴えるとともに、婦人会生活改善グループなどの地域集団にも訴えたい。また、食品に対する知識を身につけるためと、家庭で作れる保存食のための研修会を開きたいと思う。そして自分の家で生産している野菜をできるだけ多く食べるように働らきかけていこうと思っている。

47年度 農業観測をみる (3)

良いりんご・ぶどう
みかんはやや不安　桃わずかに上向き

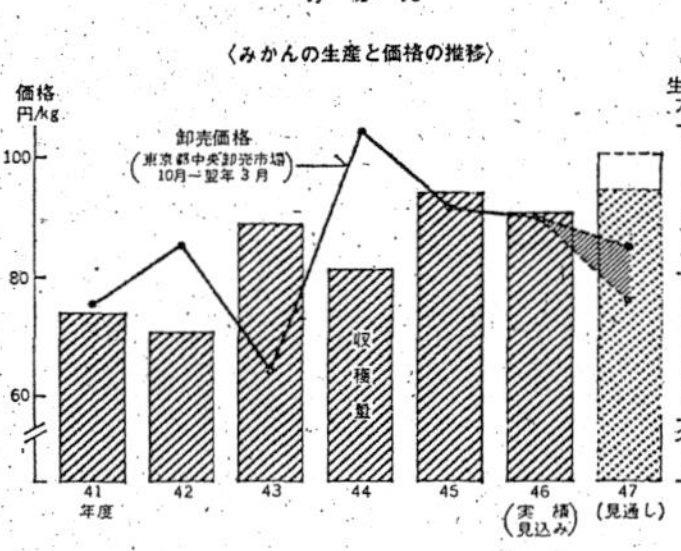

みかん　結果樹面積は、前年産よりやや増加するものとみられ、単位面積当り収量も、暖冬に推移したことや、摘果剤が普及段階に入るとみられるものの着果数は増加するものとみられ、収穫量は前年産(主産県二百三十四万四千トン)よりかなり増加するものと見通される。

需要は、個人消費支出が八・一%増加(実質、「政府経済見通し」による)するものとみられるため、生食需要および加工需要とも堅調とみられる。

主要出回り期の東京都中央卸売市場における卸売価格は、品質が平年並みであれば、前年同期(キロ当り九十円・実績見込み)をかなり下回るものと見通される。

りんご　結果樹面積は、廃園面積が増加していることや品種更新が進められていることもあって、前年産よりわずかに減少する見込み。また、単位面積当り収量も前年並みにとどまるとみられるため、収穫量は前年産(主産県九六万七千七百トン)よりわずかに減少する見通し。

需要は、生食需要はスターキングデリシャス、ふじ、陸奥など良質品種を中心に引き続き堅調とみられる。なお、加工需要は原料価格の上昇、生果の輸出は円為替レートの切り上げの影響もあって、ともにほぼ前年産並みにとどまるものとみられる。

主要出回り期の東京都中央卸売市場における卸売価格は、以上の需要見通しに加え、全入荷量に占める良質品種の比重が引き続き高まるものとみられることから、平均すると前年同期(キロ当り九十五円・実績見込み)をやや上回る見通し。

もも　結果樹面積は、過去の新植の傾向からみれば、前年産並みか、わずかに増加するものとみられ、東北地域において四月下旬～五月上旬にかけての異常低温による作柄の低下をみた前年度にくらべると、単位面積当り収量も増加するものと見込まれる。このため、四十七年産ももの収穫量は、前年産(主産県では二十二万一、千トン)よりやや増加する見通し。

需要は、生食需要、加工需要とも増加するものとみられ、全体として引き続き堅調であるものと見通される。

主要出回り期の東京都卸売市場における卸売価格は、品質の低下がなければ前年同期(キロ当り百二十八円)をわずかに上回るものと見通される。

ぶどう　結果樹面積は、前年産並みないし前年産をわずかに上回るものとみられ、東北および北陸地域を中心として、開花期の降霜と低温の影響を受けて不作であった前年産にくらべると、単位面積当り収量も前年度を上回ることが見込まれるため、収穫量は前年産(主産県十九万七千六百トン)よりわずかに増加する見通し。

需要は、個人消費支出が八・一%増加(実質、「政府経済見通し」による)するものと見込まれるため、生食需要、加工需要とも引き続き堅調に推移するものと見通される。

主要出回り期の東京都中央卸売市場における卸売価格は、これらの需給見通しからみて、前年同期(キロ当り二百六十六円)をやや上回るものと見通される。

プロジェクト 経営

作型改善で増収に
4Hの仲間と相談して

いちごの加温株冷栽培

大阪府・富田林市4Hクラブ　南　義信

わたしの家は、果樹が一・七㌶、水田五〇㌃で、そのうち果樹は早生みかんが一四㌃、晩生みかんが一・三㌶、雑柑が一六㌃であり、水田五〇㌃には水稲三五㌃、いちごの露地栽培八㌃、小型トンネル栽培四㌃、大型加温ハウスの株冷栽培が一二㌃、そ菜二〇㌃を作付けしている。

近年、みかんの価格が低下し、耕作面積を増やすにも耕地はないし、増やしたとしても貯蔵庫の問題が起きてくる。わたしは五〇㌃の水田を利用した本格的なそ菜経営をしようと思った。普及所や4Hクラブなどで検討し、果樹との労働配分を考慮し、比較的労働時間の少ない冬を利用したいちごの加温栽培がよいのではないかということになり、株冷栽培を実施することにした。

いちごの作型にはいろいろなものがあるが、わたしはみかん栽培と労力の競合のない栽培を取り入れようと思った。

露地栽培は七～八年前から作付していたが、昭和四十四年に小型トンネルを取り入れてみた。しかし、思うほどの収益がなかったので、四十五年には大型ハウス栽培を取り入れ、さらに普及所や4Hの仲間とも話し合って、四十六年からは大型加温ハウスによる株冷栽培を取り入れ、現在順調な生育をみている。

たとえば、露地栽培は、九月仮植、十月下旬定植、五～六月に収穫。小型トンネルを利用すると九月仮植、十月中旬定植、一月トンネル、四～六月に収穫。大型ハウスでは、九月仮植、十月中旬定植、一月ハウス、三～六月に収穫。大型ハウス加温株冷では八月中旬仮植、十月中旬～十一月中旬株冷蔵、十一月下旬ハウス、二～六月に収穫となる。

また、四十四～四十六年のみかんといちごによる粗収入の変化をみると、みかんは年々収益が減少し、いちごは作型の改善によって著しい増加をみせ、みかんの減少を補っている。

今後は、私の家の主幹作物であるみかん栽培を極力省力化し、いちごの面積を拡大して、安定した農業経営を続けたいと思う。また、半促成栽培、促成栽培、株冷栽培、抑成栽培など、いろいろな作型を積極的に取り入れ、いちごだけで九千㌔、二百四十万円と、全収益の六〇%以上をめざしてがんばりたいと思う。

みかん・いちごの粗収入変化

	44年度	45年度	46年度
みかん	1,470,000円	1,400,000円	1,30,000円
露地いちご	100,000円	100,000円	80,000円
小型トンネル		230,000円	
大型ハウス			650,000円

モノレールで
傾斜地みかん園の運搬に

佐賀県・多良4Hクラブ　大銘　勝

わが家は、果樹園二五〇㌃、水田四〇㌃のみかん農家で、みかん園二五〇㌃のうち一五〇㌃が普通温州、一〇〇㌃が早生温州である。今後は早生みかん主体の経営に進みたいと思っている。なお、四十六年度の生産量は四十五㌧であった。

わたしは、〝みかん園における運搬作業の省力化〟という課題を設定し、プロジェクトとして取り組んだ。というのは、家のみかん園はすべて傾斜が急で、園道の整備を行なうにしてもわが家だけでは解決できない面があるため、園道整備までの期間、運搬作業の軽減が最大の課題であると思ったからである。

傾斜地での運搬作業は、従来は天びん棒を使用していた。そのため労力の負担はばく大で、身体の疲労は言を絶っするものがあった。なんとかしなければと思い、考えついたのがモノレールの設置であった。

四十六年に、もっとも傾斜のひどいみかん園に三百㍍設置したところ、肥料の運搬、果実の運搬などに思いのほか能率があがり、身体を酷使することもなく非常に便利になった。とくに、収穫時など期間の制約がある場合には、運搬作業の労力が省けて助かっている。

問題としては、施設費がかなり高くつき、全園に取りつけるとなると大変だということである。また、将来園道の整備をはかることによって、二重投資になるおそれがあり、今後の研究課題である。

資金面では農協から融資を受けて、モノレールの設置を広げていきたいと考えてはいるが、園道整備との関連もあり、地域におけるみかん団地の方向づけのほうが先決であると思う。

みかん経営の省力化をはかり、良品質のみかんを生産するためには、地域集団が力を合わせることが必要で、部落の人たちと話し合いを進め、生産基盤の整備、とくに定置配管、園道の整備を行ない、生産コストの低減をはかりたい。

一方、良品みかんの生産のためには、せん定、施肥、防除技術などの改善をはかるべきで、とくに早生みかんを主体とした経営を考えているため、これらの技術とみかんの質との関連性を追求してゆきたい。また、流通、販売の面でも共販体制を崩さず、市場での取り引きにあたって「大良みかん」の名声を高め、優位性を確保すべく努力していきたい。

結婚を考える ▶15◀

栃木県・栃木地区4Hクラブ連絡協議会

嫁ぐ立場　継ぐ立場 ⑤

まずお互いの理解が必要
生活時間の改善に努力

司会　異性問題ですが、4Hクラブのほとんどの男性は長男の方ですね。交際の面ではどう感じますか。

大島　クラブの人と恋愛感情があっても、それは自分の立場を考えると許されないことだと思っています。結局、自分が傷つく結果になってしまうし、他の人と比べれば、交際の範囲がきめられてしまっています。

――長男長女同士の結婚の例はいくつかありますが、みなさんの考えはどうですか。

海老沼　とてもうらやましいですね。でも、わたしは両親のことを考えたら自信がありません。

大島　わたしも自分の立場を自覚しているせいか、できないでしょう。

田中(つ)　でも、それは相手しだいでしょう。やはり、本人同士が深く理解し合っていれば、どうすることもできないと思います。最終的には親は子供の幸福を願っているのですから、好きな人のところへ嫁ぐことによって幸わせになることをよいと思うに違いありません。

――それでは、将来、お婿さんをむかえる方は、どんな農家生活を営んでいきたいと思っていますか。

大島　わたしの家は、いま両親とわたしの三人で農業に従事しています。お婿さんがきても農業に従事し専念していきたいと思っています。現在はぶどう栽培と水稲を経営の主体としていますが、どのようにしていくかはお婿さんにまかせ、私はそれに従っていきます。つまり、お婿さんだからといって他人扱いをするのではなく、一家の農業経営者として指示し、操縦してほしいのです。

海老沼　わたしの家で経営の主体となっているのは水稲と養豚です。やはり、専業の農家でいたいし、将来は農業を知っている人との結婚を望みます。

――わたしの地域では、市街化区域に指定されているから宅地化が進み、どんどん農地が宅地になってきています。わたしの家でも全耕地面積の半分はその区域に入り、今後、農業の規模拡大は無理のようで、将来を思うとたいへん暗い気持です。現在は水稲とイチゴが主作物ですが、これからを考えると労働力はそれほど必要とはしないし、お婿さんは勤め人の方がふさわしいと思っています。兼業農家はみなさんから敬遠されましたが、わたしの家は確実にそうなるでしょう。農業と家事の両方をうけもつことで不担がかなり重くなるでしょうが、もっと生活時間を改善していきたいと思います。

ところで、継ぐ立場の人の意見を聞いて、嫁ぐ立場の人はどんなように感じましたか。

横田　継ぐ人は、いわば長男のクラブ員と同じ立場であり、考え方がしっかりしていますね。その反面、悩みも多いことと思います。

高山　わたしたち嫁ぐ者は、将来の家庭はどうしたいとか、理想の男性像は……などと、夢のようなことをいっていますが、継ぐ人の場合、もっと深刻なんですね。もう永久的に変わりないと思うと、なにかつらい立場のように思える。でも、悲観的な気持にならずにがんばってください。

――そうですね。ときには長女として生まれるんじゃなかったと思うこともあったでしょう。でも、長女として生まれたからこそ農業ができるんだと思ってほしいと思います。将来は自分から真剣に農業に取り組みお婿さんを引っぱっていくような意気込みをもってほしいと思います。今日のこの討論会は学ぶところがたくさんありました。まだまだ続けたいのですが夜も更けましたのでこのくらいで終りにしたいと思います。長い間、どうもごくろうさまでした。

(嫁ぐ立場、継ぐ立場」は今回で終り)

NHK農事番組 (6月11～20日)

テレビ

明るい農村　6・30～6・55　総合
11日　明るい漁村
12日　農薬①～安全食糧への道～「安全食糧が欲しい」
13日　農薬②「農薬総点検」
14日　農薬③「リンゴ村からの報告」
15日　農薬④「安全な農薬をつくる」
16日　農薬⑤「安全食糧は可能か」
17日　村をむすぶ「盛岡、長野、高松」
18日　明るい漁村
19日　村の記録「工場誘致係長」
20日　きょうの話題

農業教室　7・30～8・00　教育
12～17日　野菜経営のシステム化(近郊)　加賀見宏(農業技術研究所)
19～21日　トマト生産の経営と技術　本多藤雄(農林省園芸試験場久留米支場)

あすの村づくり　日　7・00～8・00　教育　再　土　13・00～14・00　教育
11日「新しいコミュニティへの模索」①～港北ニュータウンの試み～秋本富作(横浜市)、小沢恵一(横浜市緑政課長)、渡辺兵力(農業総合研究所長)ほか
18日「新しいコミュニティへの模索」②～小国町再編成～高橋常男(山形県小国町)、高橋睦美(小国町農政係長)、渡辺兵力(農業総合研究所長)ほか

ラジオ

早起き鳥　5・41～5・57　①
11日　養鶏も生産調整　井上喜一(農林省食肉鶏卵課長)ほか
12日　観光牧場新経営　小池司朗(神戸市六甲山・牧場長)
13日　どうなる国際ハイキューブ
14日　みかんの樹上貯蔵　平岡藤夫(浜松市)
15日　長寿村今昔　太田垣博雄(広島県向島町・医師)
16日　農村青年と共に二十五年　安田　勲(鹿児島県農村センター館長)
17日　ふるさと通信
18日　食品コンビナートの一年　松原隆一(香川県大川農協)ほか
19日　消えゆく伊勢たくあん～三重県下
20日　干拓地のナス団地～岡山県灘崎町児島湾干拓地

話の広場　日　6・10～6・30　①
11日　野菜加工のかあちゃんグループ～吾妻郡中之条町
18日　はげしさを増す米の販売合戦～横浜市

新しい農村　6・00～7・00　②
11日　検討される農業機械化銀行　川田則雄(農政局参事官)、石光研二(農村開発企画委員会)ほか
18日　今後の酪農の方向　島谷孝(酪農問題研究会)

ラジオ農業学校〈講座〉　月～土　6・40～7・00　②
12～14日　果実生産の動向　小野誠志(農業技術研究所)
15～17日　養鶏経営の発展方向　木村唯一(日本養鶏協会)
19～21日　粗飼料栽培の再検討　飯田克実(農林省草地試験場)

ラジオ農業学校　日　6・30～7・00　②
11日　経営手帳「酪農経営と流通粗飼料」　真島雄二(栃木県黒磯市)、高野信雄(農林省草地試験場)

大うけ即売会
滑川4Hクが花苗を

【富山】滑川4Hクラブでは去る二十、二十一の両日、滑川市民会館で、滑川市中央公民館、新川花き園芸組合と共同のもとに、花苗の即売会を行ない大うけした。

これは『家の庭を美しい花で飾ろう』―と、花いっぱい運動を推進している滑川4Hクラブ、滑川市中央公民館、新川花き園芸組合が数年前から行なっているもの。

明日の農業へ向って 各種農業団体

全国農業協同組合連合会

販売

「全農牛乳」を販売
団地などへ1日から

全農、全酪連、協同乳業の共同出資で設立した全国農協牛乳直販株式会社(三橋誠社長・資本金二億五千万円)は開業の準備をすすめていたが、この六月一日から販売を開始した。流通の合理化と純正牛乳の消費拡大がねらいで、各県や機関から注目されている。

米につぐ副主食である牛乳は大手メーカーのか占化のもとで還元牛乳などの氾濫、小売り流通段階の不合理などへの消費者の不信から、最近は消費減退がめだち、酪農の将来へ不安を深めている。

一方、全国の農協系乳業プラントは、現在百五十あまり。販売シェアは五一%前後と推定され、生産者の手による〝純正牛乳〟をめざしながらも、企業の老朽化に加えて、組織と販売の全国的結集による展開がないため、力を発揮できないのが現状。

このため、農協系乳業プラントや、関係会員からの全国連による牛乳事業への対処、とくに大消費地での〝純正牛乳〟の市場確保と、これを足場とした系統牛乳事業の全国的な再編成をはかるよう、強い要請がでている。全農ではこの期待にこたえて、全国農協牛乳直販株式会社を他団体とともに設立し、首都圏など大消費地での農協牛乳の直販事業を担当し、〝純正牛乳〟の消費拡大を通じて系統牛乳事業の整備を強化する一方、県連との協同による地方市場(農村市場)の「購買牛乳」の開発と拡充をめざすことになった。

取り扱う牛乳は、一般消費者向けの「全農牛乳」と購売用の「農協牛乳」で、一般消費者向けも当面は「農協牛乳」で販売する。一般市販の市乳(牛乳)に行なわれているような脂肪の標準化(三・〇%に調整)は行なわず、牛乳に含まれる脂肪率(平均三・三%)をそのまま殺菌、パックして市場に出す。テトラ、ピュアなどの紙容器を使い、容量は二百cc、五百cc、千ccの三通りで、団地自治会、エーコープチェーン(系統直営セルフサービスストア)、スーパー、生協、協力小売り店、学校給食、会社・工場などの職域に販売する。

注目される価格面では、流通コストの低下をねらうことにより、末端価格の上昇をおさえ、二百cc牛乳では、現在の家庭配達は二十八円ほどだが、五円前後は安くなるものとみられる。

首都圏の推定牛乳需要は二百cc換算で、現在一日一千万本。三年後には一千二百万本とみられるが、農協牛乳は三年後に百五十万本を販売、一五%のシェアをめざしている。

購買

防火、品質保管まで
農倉・保管強化月間を展開

恒例の「農業倉庫・保管管理強化月間」が、五月十六日から全国いっせいにはじまった。この強化月間は、全農と(財)農業倉庫受寄物損害補償基金が音頭をとり、系統農協あげて政府寄託米麦の保管管理に万全を期そうという運動で、七月十五日まで二か月間にわたって行なわれる。

農業倉庫における米、麦の保管管理については、これまでにも施設や管理体制の整備をはじめ、火災、盗難、虫、鼠害などの防止に、かなりの成果をあげてきたが、米に対する要求が量から質の向上に移り変わるとともに、品質保全という意味あいも加わって、いっそう重要度をましてきた。

そこで、今年の強化月間では①保管管理に対する責任感の高揚②病虫、鼠害の防止③盗難の絶滅④自主的な在庫数量検査の実施、などを重点に、品質保全対策まで、幅広い運動展開を計画している。

農業倉庫の保管管理強化については、たんに倉庫関係者だけでなく、この場合農協の役職員一人ひとりが運動に直接参加する気がまえが必要。とくに火災については、これまでの例でも倉庫自体からの出火はごくまれで、ほとんどは倉庫に隣接する農協施設や一般の民家で発生した火災による類焼だった。

また、盗難にしても、施設の不備よりも、むしろ建物や施設の損壊によるものが多いことから、農協役職員はもちろん、周辺の民家や一般組合員にも〝保管管理強化〟の主旨を周知させ関心を高めさせることが運動の重要なねらいになっている。

さらに、こうした運動を、たんに期間中のものにせず、年間を通じて管理に万全を期するようにしたい。

今回の農業倉庫保管管理強化月間の推進はつぎの方法で系統各段階で実施することになっている。

【全農・農業倉庫受寄物損害補償基金】①食糧庁、関係機関との連絡を密にし、その協力を得て運動を推進②全農通信、新聞などを利用しての広報活動③農業倉庫保管管理強化月間を表示したポスターを全国の農業倉庫などに配布。

【経済連】①食糧事務所や関係機関と連絡を密にし、その協力を得て運動を推進②部別会議の開催③経済連情報や新聞などによる広報活動④模範事例の紹介。

【単協】市町村農・産物検査官、関係機関との連絡を密にし、その協力を得て運動を推進②部落集会などを利用し、意識高揚につとめる。

理想的農村青年像を追う
時代に鋭い反応を

奈良・奈良市4Hクラブ ☆ ☆ ☆ 巽 源 之

現在の私の生活状態をみていると、理想とされている農村青年像とは、はなはだ遠く離れており、まず最低の部類に入ると思う。

実際の経営内容においても、仕事の量においてもまったくダメである。また、精神生活においても農業あるいはそれに関係したことに心を使う時間があまりにも少なすぎる。

うまくプロジェクトを仕上げたにしても、それは実質のないものとなるであろう。せめてうまくないにしても、私はときたま、人によっては非理想だと思うが、理想的な青年像について書いてみたいと思うのである。

ただ、生理学的に生きるということなら、つまり人並みに生きてゆくなら、現代社会は、農業にかぎらず、まず問題はないと思う。まったく世の中は豊かになったものである。

これからの農家の所得は、近代的な構造改善による経営形態の改善と情報化時代の対応によって増加するものと考えられる。他産業と同様、農業も経済的には対等に、多くの問題を抱えつつも、前進する可能性があると思う。

でも、十年後に現在の農村青年が他産業の人と同等以上に所得がうわまわるとしても、彼らに対して優越感をもてるという確証にはならない。土地や労働の生産性、創造性を高めることは農業経営を成功に導くための大切な条件であろうが、全体的に眺めて見て、ただそれだけでよいのであろうか！

われわれ農村青年が都市の産業労働者などに質的にはともかくとしても、近代的な感覚として負けないためには、遊戯機関や余暇をまずねらって活用することを挙げてみたいと思う。

例示すると、キャンブル的な競輪、競馬、パチンコ。趣味的なマージャン、囲碁、ファッション、映画、音楽、スポーツ的なゴルフ、ボーリングなど、それらが平均して他産業就業者水準をうわまわらなければならない。

このことは、彼らに対等であるという姿勢をもつことであって、このように小さな問題ではあるが、劣等感をもたずにすむ第一条件だと私は考えるのだ。われわれ農村青年は、農村文化に固執しないで、都会の一般的な文化にも大いに目を向け学ぼうではないか。

しかし、農業という職業に対しては理想主義的な目標を堅持していて、そのうえに、たとえポーズにしても現代的精神態度を身につけなければ、異性からは、ある意味において魅力的な男性と認められないかもしれない。

だが、われわれ農村青年にとって大切なのは、農村青年である以前に現代青年でなければならないことである。流行に敏感で、グッドフィーリングをもった、そして野辺にあっては農村青年としての個性的な哲学を作り出してゆく若者であってもよいのではないか。

私はときどきこう思うのだ。

六月の憂うつ

六月の声を聞いて、あなたはなにを想起するだろうか。衣がえ、夏の始まり、尾瀬の水芭蕉、あるいは北海道のスズランーなどなどと、その答えは人によってさまざまであるにちがいない。もっとも、私たちがそれぞれ異なった体験をし、独自の想像力を発するというたてまえから眺めれば、それは当然すぎるほど当然なのであるが……。

ところで私は、六月の声を耳にすると必ず"憂うつ"という言葉を連想してしまう。六月に対する"憂うつ"というイメージはべつに新鮮でも、珍らしくもないだろう。むしろ陳腐な臭いさえするので、鼻をつまんで『いまさら、ふざけたことをほざくな』と嘲笑するかたもおられることと思う。

しかし、私はもう何年もの間、この六月の憂うつというイメージを自己から切り離すことができないでいる。現代社会に生きる人びとのうちにはもちろんのこと、女子高校生の甘っちょろい交換日記にさえ発見できないようなイメージに、なぜに私はかくもこだわっているのだろうか。

それには、私なりの理由がある。私は高校時代に、そう、あれはちょうど毎日毎日カバンや靴にたっぷり雨をしみこませられ、ひどく不快な気持で通学路を急いだある六月下旬の日々であったが、一冊の文庫本を読んだ。

その本とは、佐藤春夫の小説『田園の憂鬱』であった。それは武蔵野の一隅で、ある青年が、その愛人と何匹かの犬猫と、憂うつなあまりも憂うつな梅雨に耐えるという筋の小説であった。幻覚、焦燥、混沌、倦怠に自己をさいなまれながら、その青年の精神は脱出口を求めて徘徊する。そして、ついに病める一輪の薔薇（そうび）に脱出の糸口を見い出すところでこの小説は閉じている。

私にとって六月の憂うつとは出発点であった。あれから何年かの歳月が流れたが、私はあの時代の六月の憂うつを真にのりこえ得たとはいいきれない。私自身にはげしく犬のように吠えたてつづける六月の憂うつ——。私は、このイメージにたびたび出合った。あの頃むさぼるように読んだボードレールや萩原朔太郎の詩篇のなかで、また、日常生活においては空気のように日々、胸の奥深くで…。

私は、凡夫の理解を拒むような芸術家の高慢な憂うつや渋面ではなく、小さな頭脳から発せられた、自己の存在と切り離すのが困難な憂うつを語っているのである。ならば、私は最初から六月の憂うつではなく日々の憂うつと書くべきであったろうか。それらは六月の不安、六月の恐怖、いや日々の不安、日々の恐怖と不吉な和音をなして私の憶病な精神をブルブルと震撼させるのだ。

（野）

笹笛

青春と仲間

友よ、過程が大切だ

神奈川県・小田原農業改良クラブ 朝日義和

私が4Hクラブに入会した当時4Hについていろいろと考えた。これは私ばかりでなく、だれでもそうだろうと思うが……。

農業における諸問題が私を考えこまさずにはおかなかった。農産物の貿易自由化、米の生産調整などのむずかしい問題に直面したとき、私は4Hクラブとはなんなのかと考えた。そのような問題の解決の糸口をさぐる組織として、私は私なりに意義づけていた。

しかし、4Hクラブは政治的活動には参加しない、と聞きガックリきたことも確かだ。私もクラブに入ったからには、なにかトクになることがあると思い、昨年の四月はじめの新入クラブ員歓迎会から、三月の総会までほとんどの行事に参加した。

参加するたびにいろいろな人と接し、その人たちの自主的な農業経営方法などを聞いたりし、私もけっこうタメになったと思う。

今年はクラブで役をもたされ、昨年と同様にただ参加していればよいというわけにはいかなくなった。選ばれた以上、自分の力をふりしぼって行事などを運営しなければならない。しかし、成功しなければ、しなければと結果をあせるばかりであった。

そんなとき、ある先輩が私にこう言ってくれた。『結果よりも過程を重視し、過程のなかから人間性（心と心のふれあい）を求めようとしなければ、どんな行事も無意味になってしまう。行事を行事として終らさず、集団のなかで経験した多くのこと——対話、行動、個人の在り方、人間関係、集団のルール、若者に欠けているマナーの必要性、自分が未知だったものの発見、社会生活への展望、自律性——を生かし、自分に磨いてくる農業への自信を育て、クラブ員をひっぱっていかなければならない』 私は4Hクラブの意義を改めて理解したような気がした。しかし、そのむずかしさに尻ごみもした。

とかく、われわれ若者たちは、私自身も含めてだが、安易な道ばかり選ぼうとしているようだ。若いエネルギーを自己の弱さに勝つために、あえて苦しいなかへ飛び込んでゆく気力に転化できないのだ。それは、つい最近テレビで見た『大学生』のクラブ状況でもそうだったようだ。苦しいクラブには入部する者がいなく、楽しいクラブは逆に満員になるという。

自己中心的というのか、傍観的態度というのか、いささかがっかりしてしまう。理由はさまざまだろうが、過程を通りこえて英雄・スターになりたい気持はあってもその間のつらさを考えるとつい入るのをやめるのだろう。

結果だけを求めず、その過程を大切に、われわれ若い農業後継者に与えられた4Hクラブというこの場を利用し、自分という人間を育てていこうではないか。4Hクラブに多くの内容があることを知り、お互いに努力すれば、人生の意義も生きがいもともに高まることだと私は信じてやまない。

時間は大切にしましょうよ

静岡・オーロラ4Hク 岩堀いさ子

私たちは生活しているなかで時間を有効につかっているのだろうか。仕事が終ると食事をして、なんとなくテレビを見て寝てしまう（もちろんお風呂などの時間もあるが……）。

そのような生活をしていると、ふっと自分の生活が自分のものじゃないような気がしてくる。『これじゃあ、いけない』と思い、反省することたびたびだ。

しかしながら、反省はするものの自分の頭をつかわずに生活してゆくのは本当に楽なので、ついついズルズルともとの生活にまきこまれがちな私である。楽に生きたいというのが人間の願望であるけれども、せっかく頭脳があるのだから働かせないというのはもったいない。また、楽しているだけでは、人間は真の満足を得られないものだ。

生理的に必要な時間と受動的な時間のつかい方の代表だろうテレビを見る時間……これ以外に私たちはどんな時間を所有しているというのか。好きなことができる自由な時間に人間として向上するための独習をする。そんな時間を意識的にこさえてゆくのも大切なことだと思う。

それには、まず計画的な生活をすることだと思う。

今度はあなたの出番です！

あんな人こんな人

男児志を立てて 新しい農業へ突進

須内和明 山口

月性師といってもピンとこないかもしれない。だが"男児志を立てて郷関を出ず……"の作者といえば、ナルホドと思うだろう。その月性師のゆかりの地として名高い町、また、万葉集にも歌われている古い町。まだある。聖徳太子の父であった用明天皇の后（きさき）「般若姫」のわびしい伝説の地でもある。

その地とは山口県の大島という町である。その大島で4Hクラブ活動にうち込んでいる好男児（?）がいる。歴史的な臭いのするような名の男児とは"和ちゃん"こと須内和明君である。

これを読んでいるみなさんは"須内"という彼の姓をなんとお読みになったであろうか。たぶん"すうち"とか"すない"とか……しかし正しくは"ずのうち"だそうであるから念のためにひと言——。

須内君の家では、ミカン二百ア、山林百五十ア、蜜蜂六群を経営しているミカン専業農家である。労働力は父と彼、それに年間三百人を越える雇傭労働力だそうだ。

須内君の家ではミカンを作りはじめてから、もう百十五年ぐらいになるそうで、彼はその三代目であるとのことである。適地・適作、公害もなく、太陽の光をいっぱいに浴びて生まれ育つ果実……。

みかんはなんにも知らないけれど、みかん栽培者には大きな問題がある。農産物の自由化問題はそのさいたるもののひとつだろう。須内君の家ではその対策として、三年前から『須内オレンジパーク』というみかん園を開いた。近くに都市をひかえていることもあり、その時節になると、オレンジパークは新婚さんやら恋人さんやら団体さんやらでごったがえすという。

須内君は将来について『早生温州を主体にして、ミカンジュース、ミカン盆栽などの販売にも力をいれたい。また、面積も三百アぐらいにふやして、レジャー農業・観光農業へ一歩いっぽ前進していきたい』と語り、新しい農業への意欲をのぞかせている。

彼はクラブに入会して五年目だという。今までの4Hクラブ活動をふりかえって、彼はさまざまな問題をつぶやく……。『クラブ同士のコミュニケイションは?行事が多すぎるのでは?ある行事の必要性を十分検討しているかどうか?親との会話は?4H精神の理解度は?4Hクラブは私たち青年にとってなんなのか?活動のため、多少なにかを犠牲にしているが、それにかわるプラスアルファーを持ちかえっているか?……』

彼はきびしいことをボンボン言う。しかし、彼は彼なりの4Hクラブ活動観を持っていて、自省としてそれを口にしているようだ。たとえば、彼が4Hクラブ活動について『活動を分類すればプロジェクト活動と一般活動にわかれるが、どんな小さな行事をやるにしても4Hの理念を忘れてはならない』と語るのを聞いてもすぐわかる。彼によれば大切なのは、各自の個性だそうだ。そして、会員の知識をのばし、みんなの理解の融和をはかり、余暇を建設的・創造的に利用してゆく、これがクラブの在り方だと語っている。

須内君は、クラブ員一人ひとりに原稿用紙をわたし、県機関誌、日本4H新聞などへその人の意見が載るように努力している。負けてもよい、しかし、どう立ちあがるかが問題なんだと彼は言う。あたかも、いま再出発のときだと叫ぶように……。

『ひとりの人間に出あうことは百冊の本を読むよりすばらしさがある』と彼は仲間のことを語る。情熱と団結——それは農村青少年（4H）クラブに実をつけるだろうとも言う。

『一寸の虫にも五分の魂』の精神でどこまでも歩みつづけるという須内和明君。昭和二十三年生まれで二十四歳。好きな女性のタイプは明るく、ユーモアがあり、化粧のうすい人だそうだ。レコード狂で水泳はバッグン。また、室内装飾も玄人なみにやってのけるという変り種。ビタミンCの豊富な男子、男児志を立てて郷関に残った心意気を祝す！（玖珂郡大島町上原東）

◀投稿案内▶

本紙は、みなさん方の新聞として、全国のクラブ員に利用していただきたいと考えています。そこで、クラブの催しや個人のプロジェクト、詩、短歌、随筆、写真、悩みや意見、村の話題、伝説、行事、その他なんでも原稿にして送って下さい。

お願い ❶長さや形式は自由です ❷できるだけ記事に関連した写真をそえて下さい ❸送り先 郵便番号 162 東京都新宿区市ヶ谷船河原町11家の光会館内 日本4H新聞編集部

落日 (5)

山中康司 栃木・小山4Hクラブ 農民文学会会員

たとえ生活は苦しくても、結婚はまだ早いと思った芳男よりも、親切な伯母の意見は強かった。座ぶとんの上にどっかと落した腰は容易に動くものではなかった。人間の執念も年とともに強くなるのでないか、人生を苦るのは中年の婦人が一番しつっこいのかもしれない、そう芳男は思った。伯母は何度もお茶をすすり込んだ。

「芳ちゃんの気持は良く解るけどさ、誰だって遅かれ早かれ結婚するんだし、芳ちゃんの場合は家のことも考えなくちゃな、お祖母ちゃんや父ちゃんが今までどんなに苦労してきたか、それは良く知ってんだろう。今度はその恩返しのつもりで、早く嫁さんもらって安心させてやらなきゃ。そうでないとこの伯母さんだって御先祖様に対して申し訳がない。芳ちゃんが他に好きな人がいるんなら別だけど、でなかったら、今度の話も、相手の人はけっして悪い人じゃないし、器量だって成績だっていいんだから、一度会ってみたらどうだろうな」

勿論父と母は大いに賛成だった。

「他の家と違っておら家（ち）じゃ手がねえんだから、伯母さんだってこんなに心配してくれるんだし、どうだ芳、一度会ってみたら 芳もそろそろ家のことを考えてくろな」

家のために結婚しろという伯母や父の意見に猛烈に反対したかった。がそうしたところで相手を怒らせるだけで自分に勝算がないことは知っていた。脱穀作業で疲れてもいた。まあしかたがないなるようになれと思って芳男は黙っていた。

「芳ちゃん、来週の日曜日は、栃木の農業祭だっていうんじゃない。どうだいその日一緒におつきあいしてみたら」

「そうだね。もし気が合わなけりゃ、どうしてもというんじゃないんだしね」

母が微笑んで相づちを入れた。

「わたしがあちらさんに行って話をつけてくるからさ。ぜひそうしてみな。そう待合せ時間はいつ頃にしたらいいかな」

計画はちゃんとできているのである。話はトントン拍子だった。伯母は手さげから小さな手帳を取り出すと、そこに細い鉛筆で「十一月二十三日（日）栃木駅、十一時」と書いた。額にしわを寄せていたが、それは自信に満ちた顔でもあった。松本陽子は小山と栃木の間の旧美田村という水田地帯に住む農家三人姉弟の長女で芳男の二年先輩だった。

灰色の田圃の空気は静かに冷たくなった。西に陽は出ない。ぬかった稲株。汚れた地下たび。ぼけんとつま先を見ていた芳男は我に帰った。枯れ草の水分が尻にしみていて芳男が立ち上がるとヒヤリとした。

「農業祭か……でもな」

松本陽子との見合い。自分の気持。これからの方針、否定しながらも魅かれる甘い生活。いろいろ考えてみることはあった。

足が冷たかったが、仕事が半ばなので芳男はまた動き出した。ぬかるみで地下たびはたちまちどろんこになった。枯干しの杭や竹はテーラーの荷台に山になった。時が過ぎ北の工場団地からは、労働者が解放される五時のサイレンが響いてきた。仕事が全部かたずくまではあと一時間はかかる。芳男も一人前に家が恋しくなった。烏は鳴かなかった。夕餉のけむりも見えない。でも仕事の済んだこの一時は、孤独と憂うつはない。晩秋の田圃を行く芳男の乗ったテーラーは軽やかな音をたてていた。

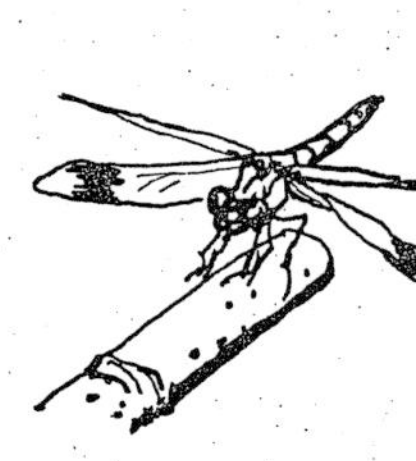

日本4H新聞

4Hクラブ
農事研究会
生活改善クラブ
全国広報紙

発行所
社団法人 日本4H協会
東京都港区西新橋1の5の12 佐野ビル
電話(591)1817・3683〒105
編集発行 玉井 光
月3回・4の日発行
定価 1部 35円
一カ年 1200円(送料共)
振替口座東京 12055番

クラブ綱領

私達は、実践を通じて自らを磨くとともに、互いに力を合わせて、よりよい農村、よりよい日本を創るため、四つの信条をかかげます。一、私達は農業の改良と生活の改善に役立つ腕をみがきます。一、私達は科学的に物を考えることのできる頭の訓練をします。一、私達は誠実で友情に富む心をつちかいます。一、私達は楽しく暮らし元気で働くための健康を増進します。

世界でも初の試み

モミガラ利用の牛糞処理

富山の4Hクラブ員（松下君）が考案

牛糞の尿と糞の分離に成功、その糞をモミガラを利用して焼却する松下君の改良焼却炉。鶏糞以外は利用できるとして大いに注目されている。

農家へ普及の動き

畜産公害の悩みを解消

畜産公害――畜産農家にとって糞尿処理の問題は頭痛のタネだが、このほど富山県砺波市の4Hクラブ員、松下信夫君が世界でも初めてといわれる「モミガラ利用による牛糞（一〇〇㌔）十二時間処理法」を確立した。これは、さる五月十四日付けの本紙三面に掲載された神奈川・瀬谷4Hクラブ、川村悟君の「どう解決すべきか、頭が痛い糞尿処理」という題の記事に対して松下君が本紙に寄せてきたものである。これまで糞尿処理問題が多頭化への一つのブレーキともなっていたが、松下君の考案した方法によるとそれも解決できると、いま関係者から大いに注目されている。

＝関連記事3面にあります

松下君が考案した処理法は、牛が排泄した糞尿を糞と尿に分離し焼却炉で燃やすというもの。とくに、焼却する場合、これまで一部で使用されてきたオガクズに替えてモミガラを利用するのが大きな特色である。

以前からオガクズはワラの代りに敷かれ、一部では試験的に、しかも全体の何分の一かを数日かかって焼却されてきた。しかしオガクズは、ナメタケ、オガライト、また豚や鶏にも利用されるようになってきたために確保がむずかしくなった。そこで、農協やライスセンターなどからやっかい視されているモミガラの利用に着眼、実験の結果、オガクズでしか焼けないというこれまでの常識を実証をもって打ち破った。

また、焼却炉も改良型。さいきん工業的に牛糞焼却炉が作られているが、電気やバーナーなどを必要とし、労力がかかるうえに効率も悪かったので、研究を重ねて先輩たちが発明した炉をさらに改良し、その実用化に成功した。

また、糞尿処理は、遠心分離機や鶏糞乾燥機にかけたり、川村君の酪農グループのようにハウスの中に糞を敷きつめ、発酵あるいは乾燥させて堆肥にする試みも行なわれているが、いずれも能率が悪かったり、莫大なハウスが必要であるなどの難点があった。

それが、この松下方式（十二時間牛糞処理法）によると、労力を半減させるだけでなく、作業も簡単、しかも衛生的で乳房炎も急減するなどのリミットがある。焼却炉から出る灰は、リン酸やカリを含んでいるので、肥料として近所の農家などにも販売できるとしている。この方法だと養鶏以外の畜産農家にも利用できるため、地元の普及所でも普及へ動き出しているという。

花で町づくり

【富山】花いっぱいの美しい町づくりを進めようと、富山県朝日町4Hクラブ（会長 佐藤実君）は、このほど国鉄泊駅ホームの花壇や泊病院前庭の花壇に松葉ボタン二百五十本、ベコニア苗二百本を植えたほか、役場の窓口に季節のはち植えを飾った。

前進への転機迎える

振興会と連けいへ

新田事務局長が辞任 常務理事に大塚、菅、窪田各氏

日本4H協会の総会開く

社団法人日本4H協会（会長 宮城孝治氏）四十七年度の通常総会は、さる五月三十一日午後一時半から東京・港区新橋一ノ十八ノ八の共栄火災海上保険相互会社五階会議室で理事会をかねて開催された。今回の総会では、同じく農村青少年の育成を目的としている社団法人全国農村青少年教育振興会（会長 東畑精一氏＝東京・港区西新橋一ノ五ノ十二、佐野ビル）と連けい、事業面で相互に補完し合い、4H活動の推進に力を注ぐことにするとともに、約十五年間事務局長の職にあった新田健吉氏（常務理事）と伊藤末吉常務理事が辞任、常務理事として大塚茂（兼総務部長）、窪田角一両前常務理事と全国農村青少年教育振興会常務理事、新たに菅忠義の三氏が選ばれた。また、事務所も永年家の光協会から借用していた家の光会館別館が、同所跡にビルを新築する計画で取り壊されることになったため、これを機会に振興会と同じビルに移転することにした＝関連記事2面にあります。

宮城会長

三宅副会長

大塚常務理事

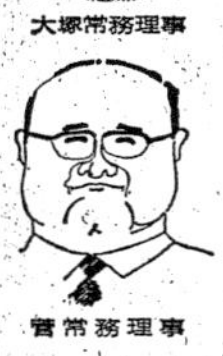

菅常務理事

窪田常務理事

総会は、宮城会長が議長となり議事録署名人の指名のあと議事審議に入った。はじめに宮城会長から全国農村青少年教育振興会との連けいや役員改選などについての意向表明があり、続いて四十六年度の事業と決算について新田事務局長、監事結果について藤巻吉生監事から説明と報告があってこれを承認。ついで四十七年度の事業計画と予算両案について大塚常務理事が説明、審議の結果原案通り決定した。

四十六年度においては、ドル・ショックによる経済界不況のあおりを受けて協会財源の基幹でもある会費や寄付金などが減収したため、赤字となったことが注目された。また四十七年度では、全国クラブ員の準機関紙として活用されている本紙の普及を推進することになり、その方法や紙面の充実などについてかなり突っ込んで話し合われた。

新田前事務局長

このあと事務所移転にともない定款の一部を変更、続いて役員改選が行なわれ、新役員を決定した（二面掲載）事務局長は欠員。二年前の総会が九月に開かれたため旧役員の任期満了まであと約二か月間残っているが、事実上は新役員体制で事業を遂行していく。

このあと新田前事務局長の退任あいさつ、菅新常務理事の就任あいさつがあり閉会した。

これによって、振興会と4H協会の事務所が一つとなり、職員間でも兼務するなど相互に補完し合い、農村青少年育成に総合力を結集していくことになった。

また、4H協会の中に事務所をもつ全国4Hクラブ連絡協議会（会長 松浦幸治君）も自動的に同所へ移ることになった。このように農村青少年に密接な関係をもつ団体が一つの事務所に入り、相互に協力し合うことになったことに対して、農林省はじめ各県の関係者などから歓迎されている。4H協会としても一つの歴史的な転機を迎えたといえる。

各団体とも従来の自主的な事業のほかに、それぞれ共通した行事などの面で協力し合うことになっており、大いに期待されよう。

なお、4H協会に約十年間勤務した坂本龍馬渉外部長は身体上の理由から五月末で退職した。

新年度の事業計画などについて審議する4H協会総会＝共栄火災で

涼風暖風

その場にあった行動で示す家庭教育

今日は息子の誕生日、今年成人式を迎えたのだから満二十歳の大学生である。ジーパンとハッシパッピーシューズを、ささやかなプレゼントとして用意し、夕食を共にしようと帰りを待っていたが、なかなか帰って来ない。今日はクラブ活動がある日なので、少々遅くなるとは言っていたが、九時過ぎには帰るはずである。九時半、十時。十時過ぎる時は連絡がくることになっているが、その時間を過ぎ十一時半……待つ身はつらいもので、どうしたのだろうと案ずる一方、お腹がすいてくるので、あられを一つ二つつまんでは、腹の虫をおさえていた。

十一時半を過ぎた頃電話のベルが鳴った。クラブが終って駅にかけつけたが、終電車が発車した後だった。"帰れないので友達の下宿に泊るので……" "仕方がないでしょうね……"と返事をしているところを、主人が出て来て受話機を取った。

"今日はお前の誕生日だぞ、食事をしないで待っていたのだよ、電車がなければ迎えに行ってやろう。どこで待っているのか…"と言ったかと思うと、待ちくたびれたお腹にごちそうの半分程をかきこんだかと思うと、自動車のハンドルを握っていた。そうして息子を乗せて戻って来たのは、夜中の二時近かった。

これは、"我が家の昨夜の出来ごとだ"とその情景が目に映るように友達が話をしてくれたのである。これだけ聞けば、どこの家庭でもあることであろう、息子を迎えに行くなど甘いことだと思う人もあろう。しかし、友達はその先を語ったのであった。

"主人が言うには、『電車がないので友達の下宿に泊るなど理由にならない。計画的にことを運べばこういうことにならなかったはずである。また、結果的になった外泊を一度聞き入れると、常にこのようなことをすることになる。けじめがなくなるもとである……』と。つまり、例外を一度認めれば、例外があたりまえのことになる。また、電車にのりおくれた事情はその時に具体的に知ることが親として大切だと。そして、口で小言を数多く言うより、その場に合った適切な行動をもって対処することである"と力説されたのである。そして"仕方がないでしょうね"とあいまいに答えた自分の行動を反省した"としみじみと語ったのである。

ここまで聞いて、おやじと息子の断絶とか、子供の家庭教育ができていないとか、親が自信を失っているなど、最近家族の関係について、いろいろと論議がにぎやかであるが、口で小言を言うより、親自身が相手の立場を理解する姿勢と行動で示すことの力強さと、それだけのことが自らできる自信と、実行力がまず基本であると……、そしてまた、そのきびしさをあらためて思ったのである。（T）

申込み、千五百名越す

全国のつどい パネラー、スローガンを募る

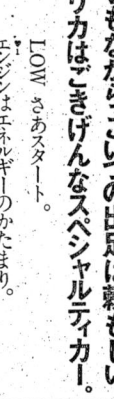

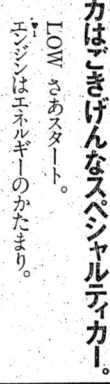

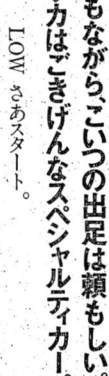

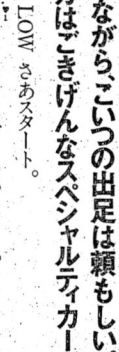

今夏、八月二十八日から五日間にわたって北海道で開催される「第八回全国4Hクラブ員のつどい」の県外参加者（北海道以外）はすでに千五百名を上回ることがほぼ確実となった。

これは、さる七日から東京・渋谷区のオリンピック記念青少年総合センターで開かれた全国4Hクラブ前期中央推進会議における会長会議で各県連会長から報告された結果と、第一次参加申し込み締切りの十日までに文書、あるいは電話連絡のあったものを集計したもので、予定の千名をはるかに上回っている。

このため、地元の北海道4Hクラブ連絡協議会（会長 中山寿雄君）では、これまで確保した宿泊施設や現地交歓訪問で受入れるクラブ員の数をふやす必要に迫られている。しかし、こんごさらに参加申し込みがふえる場合は、最終的な申し込み締切りの今月末を待たずに、参加申し込みの受付けを打切ることもやむをえないとの声が強まっている。

なお、つどい主催者（全国4Hクラブ連絡協議会、北海道4Hクラブ連絡協議会、社団法人日本4H協会）では、参加者の中から、つどい行事の一つ、パネル討議に出席するパネラーとスローガンを次の要領で募集している。

【パネラー】

一、募集人数 五名

二、応募方法 ①作文提出▽題＝「私と4Hクラブ活動とこれから……」▽長さ 四百字詰め原稿用紙三枚程度②住所、氏名、年齢、所属団体名を明記すること。

三、提出期限と送付先 来る六月末までに各道府県連を通じて全協事務局（東京都港区西新橋一ノ五ノ十二、佐野ビル・〒一〇五）へ申し込むこと。

四、資格 つどいの全日程に参加する人に限る。

五、選考・決定 主催者が選考・決定し本人に通知する。

【スローガン】

一、スローガンの内容 つどいに参加した4Hクラブ員の心意気を簡潔に表現したもの。

二、応募方法 原稿用紙を用いて記載し、住所、氏名、年齢、所属団体などを明記のうえ、各道府県連を通じて全協事務局へ申し込むこと。

事務所移転のお知らせ

日本4H協会、全国4Hクラブ連絡協議会

社団法人日本4H協会と全国4Hクラブ連絡協議会は、さる六月二日から左記へ移転しました。

東京都港区西新橋一丁目五番十二号 佐野ビル（郵便番号一〇五）電話（五九一）一八一七、三六八三

（この移転は、これまで家の光協会から借用していた家の光会館旧館あとに同会がビルを新築する計画で、同館が取り壊されることになったためです）

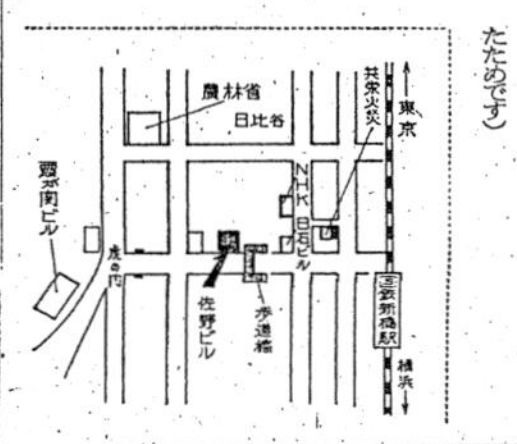

心頭技健

戦後、日本で4Hクラブ活動が始まってから、すでに二十四年目を迎えたが、その4Hクラブを民間の立場から大いに伸ばしていこうということで日本4H協会が設立されてから、早や二十年の歳月が流れ去った。しかし一口に二十年といってもその道のりは長く、しかも茨の道の連続であったといえよう。

▼アメリカの4Hクラブは、対象者が低年齢層で立派な市民を育てるのがねらいだ。そこで四つのHを磨いた子どもたちが、やがて社会に出て大いに活躍している。現在は農村部よりむしろ都市部の方に4Hクラブ員が多いといわれ、社会の認識も高く、民間団体からの支援も多いのが実情である▼これにくらべて日本の場合、対象は農村部で、年齢もおおむね中学卒から二十五歳までと高い。4H活動で育った農村の二・三男が産業界に入ったとはいえ、アメリカのように、社会から深く認識され、民間の支援を受けるところまでにはいかない。しかも教育や育成という目に見えないものには金を出さないのが普通だ▼ここに、青少年育成のために支援を惜しまない民間団体や個人の心づかいが光ってみえる。だが、民間団体として活動している協会としても、財政面が弱体のために思うように仕事が進めることができないのが実情である。それだけに青少年の自主的な団体である全協（全国4Hクラブ連絡協議会）を支援し、クラブ員の活躍に少なからず期待してきたことは確かであろう▼それとともに、今回、同じく農村青少年の育成を目的としている振興会と共通している事業などについて協力し、お互いに補完し合うことになったことは、一歩前進への歴史的な転換ともいえよう。

野菜転作に活路

試験栽培へ

青森県大耕農4Hク

【青森】北郡鶴田町大巻の大耕農4Hクラブ（会長 島谷勝広君会員六名）では、土壌に適した転作物を見つけてきびしい農業経済を乗り切ろう――と野菜の試験栽培を始め、観察をつづけており、結果しだいで来年から本格的な栽培をしようと張り切っている。

これまで大巻地区では水田が一㌶、リンゴ六十㌃耕作というのが農家の平均で、ほかの野菜はほとんど栽培されていないので休耕、減反政策で同地区の農業事情は厳しくなった。それに対し、若い農業後継者で現状を打破して、転作に活路を見い出し、出かせぎのない農業を――と町から七万円の補助を受け、同4Hクラブが野菜栽培に着手した。

現在、スイカ、メロン、玉ネギ、レタス、ナス、ピーマンなどを植え付け、4Hクラブ員が管理・観察をしている。

島谷会長のことば レタス・玉ネギなどが有力とみられるが、結果をみて適作物があれば本格的に栽培を進める計画である。将来も農業一本でやってゆくつもりなので畑作転作を今後とも考えたい。

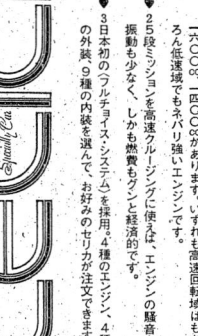

時評

情報化と若者たち

若者たちの間では〃フィーリング〃という言葉がささやかれている。頭で理解するよりは感じとか感覚とかで……〃要するにフィーリングなんだなあ〃とジュークボックスを揺るがすロックの叫びに酔いしれ、あるいはしびれたように痙攣（けいれん）する速度メーターの針をけるスピードに酔いしれる。〃フィーリング〃とはつまり、ありあまる情報に向っての不信の表明なのかもしれない。

人間が本来の自然の状態で外界から受け入れる情報は、一般に視覚が六〇㌫、聴覚が二〇㌫、あとの二〇㌫が触覚や嗅覚からのものだという。だが、この人間が本来もっていたコミュニケーションの機能配分が大きく狂ってしまったとしたらどうだろう。

情報化社会と今日いわれているのがそれである。視聴覚情報の爆発的増大――テレビは私たちを見知らぬ国や月の世界へ運んでくれるし、コンピューターは膨大な情報群を短時間で処理してくれる。しかし、それは眼や耳や肌で全感覚的に感じるナマの世界ではなく、機械や装置を媒介とした記号の世界としてである。私たちは間接的な記号の世界に閉じ込められることになる。そして、私たちは空想小説を読みふける少年の夢から不意に醒め、しらじらしさの隙間をぬって不安が忍び寄ってくる。〃おれは月にいるんじゃない〃〃これはホントウだろうか〃〃だがおれにはカンケイのないことだ〃

私たちのちっぽけな日常生活をはるかに飛び越えて、もうひとつの世界が無限に広がっていく。私たちとはまったく無関係に……。私たちは〈見る〉ことはできるが、手で触れることはできない。触れようとすると冷たいブラウン管が私たちを拒んでしまう。

ロックやスピードに酔いしれる若者たちは、こんな無力感や消滅感を吹き飛ばそうと自分の全存在をかけているのかもしれない。だが、それはもうひとつ別の自己消滅への道だともいえないこともない。（宇）

物足りないとの声も

福岡県連で リーダー研修

女子連絡員を送ろう

【福岡】福岡県農村青少年クラブ連絡協議会（会長 古沢宣男君）は、さる五月十九、二十の両日、田川郡県立英彦山青年の家において、県農政部との共催で農村青少年クラブリーダー研修会を行なった。

この研修会は、自主的な農村青少年クラブの内部リーダーに対して、クラブ活動を促進するために必要な知識や技術について研修を行ない、農村青少年クラブの健全な育成を目的としたもので、参加者は各単位クラブの新規リーダーを中心に約百三十名。

一日目は、午前十一時からのオリエンテーションのあと、午後一時から〃グループ活動とリーダーの役割について〃と題して、吉丸農業技術課教育係長による講義の予定であったが、急用で出席できず、かわりに今年から新たに始まった農業者ゼミナールについてと四十七年度福岡県農業後継者育成対策事業計画の説明があった。

三時からはレクリエーションの取り入れ方についての講義実習。団体ゲームおよびフォークダンスを、青年の家の職員の人から指導を受けた。

夜は、女子クラブ員による今後の女子部活動の方針についての話し合いが行なわれ、県協に女子連絡員を送ることを検討することになった。

二日目は午前九時から事例発表が行なわれ、嘉穂、築上、八媛の三地区からこれまでの活動状況の報告があり、また、プロジェクトの発表や、現在かかえている問題などが出された。しかし、各地区とも行事報告が主体であり、クラブ運営上の問題点、その解決策などの発表は少なく、ひき続いて行なわれた分科会の問題提起とはならなかった。

午後は、「青春と生きがい」と題して、婦人九州社編集長で家庭裁判所調停委員でもある平島久子さんの講演があった。その〃生きがい論〃は、クラブ員の心をしっかりとつかんだ。

反省会では、参加者から〃討議する時間が短かかった〃〃リーダー研修としての内容に物足りなさを感じた〃――という声が聞かれ、県協としてもリーダー研修について、さらに内容を検討する必要がありそうだ。

（福岡県協＝鬼木晴人広報委員発）

日本4H協会の新役員

名誉会長	松下幸之助	松下電器産業㈱会長
会長	宮城孝治	共栄火災海上保険相互会社会長
副会長	三宅三郎	全国農村青少年教育振興会常務理事
常務理事	大塚茂	社団法人日本4H協会総務部長
〃	菅忠義	全国農村青少年教育振興会常務理事
〃	窪田角一	東洋瓦斯化学工業株式会社専務理事
理事	岩佐凱実	株式会社富士銀行取締役会長
〃	江崎利一	江崎グリコ㈱社長
〃	奥原潔	社団法人家の光協会副会長
〃	宮地吟三	久保田鉄工㈱専務取締役
〃	本郷感与男	ライオン油脂㈱社長
〃	鈴木万平	三共株式会社社長
〃	福井信吉	財団法人富民協会理事長
〃	徳安健太郎	日本てん菜振興会理事長
〃	土井正治	住友化学工業㈱会長
〃	小倉一郎	NHK農林水産部長
〃	綾井浙	全国農業協同組合連合会常務理事
〃	鶴田三雄	松下電器産業㈱取締役・東京支社長
〃	安井三郎	農林中央金庫理事
〃	柳田久	全国農業協同組合中央会常務理事
〃	山中義数	全国共済農業協同組合連合会専務理事
〃	吉田宏	インターナショナル・ミネラルズ・エンド・ケミカルコーポレイション日本代表
〃	高田正明	三菱重工業株式会社機器部長
〃	新田健吉	日本4H協会前事務局長
監事	松野幸吉	松下電器㈱常務取締役
〃	小林紫次郎	農業団体労働問題研究所顧問
〃	藤巻吉生	株式会社白子代表取締役社長

糸島地区で新農業者ゼミナール開く

【福岡】さる五月十六日午前九時から糸島地区の新農業者ゼミナールが糸島青少年研修センターで開講された。

講師の話しに耳を傾けるクラブ員

参加者は（基礎コース五十二名、部門ゼミナール五十九名の百十一名で、みかん十九、スイカと花各十二、いちご十六名、このほかに女子だけの生活という構成。これから一年間、糸島農業改良普及所の専門技師や大学の講師を招いて学習していくことにしている。

新農業者ゼミナールとは、地域農業経営の担い手となるため、現地学習を主体に専業部門による高度技術経営を身につけるとともに農業者の社会性も養うことにしている。

事業の主体は農業改良普及所で、地区農村青少年クラブが運営することにしている。一年間の研修を終了した者は、農業改良制度資金を優先的に融資してもらえるなどの特典がある。

主な学習内容は、果樹と野菜の両部門に分かれて一泊二日の現地研修視察旅行や技術交換大会を行ない連帯感を深めることなど。こんどは各部門に分かれて学習計画をねり、一同農業に対する決意を新たに一年間の学習活動に取り組んでいくことにした。

なお、浜地農業改良普及所長から「一年間、学習活動を行ない現在の激しい農業状勢に打ち勝つ、地域農業の担い手になってもらいたい」という激励があった。

（糸島地区＝井上孝治連絡報道員発）

恋愛論まで発展

群馬県連　近代化ゼミナール交換研究大会　組織論を討議

【群馬】さる五月十六、十七の両日、県と県農業青少年クラブ連絡協議会（会長 前原保夫君）共催の県農業近代化ゼミナール交換研究大会が箕郷の県農村青年研修館で開かれた。

一日目は午後一時からテストが行なわれ、六十余名の仲間が日ごろ身につけた知識を競い合った。今回は昨年と違って必須科目に機械、土肥、病虫害の三科目がふやされたために、広い知識が要求され参加者のなかから「むずかしい」との声も聞かれた。

夜は農作業で忙しいためか約半数に減ったが、レクリエーションでお互いの親ぼくを深めた。

翌日はみんな早起きしてバレーやバドミントン、散歩にとそれぞれ汗を流した。八時半から二班に分かれて交換討議に入った。テーマは①グループ活動の意義とそれを進めるうえでの問題点②新しい農業者としての青少年の役割③指導者への要望――の三つ。しかし一班では、それと関係なく「恋愛と結婚」について豊富な体験談をおりまぜて話し合いが進められたようだ。二班では各議題について話し合ったが、各地区の問題点や青年はどうあるべきかなどの話まで発展、前向きな姿勢がうかがえた。

このあと講評と一位入賞者の発表があった。今回の入賞者は沼田地区が独占（中村松太郎君と小林美智子さん）、全国大会での活躍が期待される。午後一時、県4Hクラブの歌を最後に幕を閉じた。（群馬県協＝碓八重子連絡報道員発）

クラブ往来

大地に根をはる叫び！

四日と二十日の月二回の定例日には、土に汚れた手をひろげ、汗にまみれた黒い顔にまっ白い歯をみせ、大声と高らかな笑いとともに大平町東公民館二階に集まってくる。

〃さあ、ちょっと公民館をのぞいてみよう〃（午後七時三十分）〃オッス〃〃やあ、どうしたいイチゴの成績は〃〃まあ、どうにか……〃――会話のなかに農業の熱意を感じ、熱い友情のかよい合う場面でもある。

酒好きのA君は〃今日も一パイいくか〃と喉が鳴る。編集部のB君は新聞を配っている。〃えーと、こんどの新聞の内容は……来月はC君とD君、原稿をたのんだぜ〃と、はりのある声が飛ぶ。新聞は毎月だしていて、内容もすぐれたものが多い。クラブ員一人ひとりの青春の叫びが、笑いと悲しみが、そして悩みが綴（つづ）られ、読む人の心をたたく。また、自分一人で独自の新聞をだしているK君も忘れてはならない人だ。

新聞に加え、年一度「あゆみ」と題して機関誌が発行されている。素晴らしい！編集部に拍手を送りたい。昔はよく〃読み書きソロバン〃といって、一人前の人間としての土台を表わす言葉としていわれたが、彼らはただ読み書きにすぐれているだけなのだろうか。いや、そうではなさそうである。彼らのもっているものは、若さと、それにこたえる情熱と明日を夢みる青年の表現なのだ。

話題を変えよう。大平町には教育産業文化祭という行事がある。わが大平町4Hクラブも参加し、野菜の即売をやっている。文化祭前日には、スピーカーのついた車で町内をまわり、即売会のPRや客集めに奔（ほん）走する。その効果はバツグンで、当日は午前中で売れ切れ。買い物にきた奥さんは〃いえね、とっても安いでしょう。毎年きているんですよ〃と上機嫌。野菜即売のほかに、プロジェクト発表や4Hの年間行事の記録を展示して、4HクラブのPRにもつとめている。

最後に、大平4Hクラブの特色を述べて一まいと三まいにしよう（つまり、一と三で四、おしまいだ！）。それは、一つひとつの行事に実行委員がつくということである。行事ごとに実行委員は違うわけで、年間の行事を決める四月に、クラブ員一人ひとりにそれぞれの行事の実行委員としての責任があたえられるわけだ。行事に参加するという一般クラブ員の立場から、行事を企画運営する役員としての立場をだれしもが経験することによって、いままでの自分の意見が妥当であったか偏（かたよ）っていたかがわかり、各人おのおのの意見の相違がよく読みとれるのである。こういう立場に一度立ったことのある人とない人とのものの判断や洞察力、協調性の違いはまさに月とスッポンほどの開きがある。実行委員をやることによって、他人の意向を理解し、判断する力ができるわけである。（栃木県・大平町青少年クラブ連絡協議会・戸田良知）

「6円が運ぶ、仲間の声!!」

赤松宏▶5

ペンを持とう

連絡報道員　中心的役割を

4H新聞や広報活動についていろいろさぐってみたり、理屈を並べてみた。しかし、理屈も理論も、その対象がはっきりせず、何か馬耳東風の感がするかも知れない。

ところが、問題は、どの段階から推し進めることによって、この特異性を伸ばすことができるかである。その芽を早く探し出せというわけである。前回、連絡報道員について一考を要するようないい方をしたが、いま、連絡報道員の存在を確かめ、その任を最大に発揮するとともに、この特異性を十分に発揮させることが大切だと思われる。

まず、連絡報道員の役割は何なのか、どんな活動をしなければならないのか考えてみるべきだ。私の思うところを多少書いてみる。

第一点として、「連絡報道員は、地域広報活動のキーステーション的な役割を果せ」ということであります。

しかしながら現実では、広報担当者の位置ずけが明確でないのが多く、役職はあるにもかかわらず、実際にその活動、行動は十分に認められるに価しない場合が多い。そんななかにあって地域の広報活動を十分に推進していけるとは考えられない。

このような悪循環によって、この状態が当然のごとく考えられている。連絡報道員自体のなかに広報の重要性を認識する意識を早期にうえつけなければならない、とともにそれを自覚していかなければならない。まず自らの組織において広報活動の位置ずけを明確にしない限りにおいて、その任は完全なものにはならない。

自覚するとはどんなことなのかということになるが、〈広報活動というもの自体の理論と性格をハッキリ、完全に覚えろ!!〉ということなんです。一般的にみて、ただ「出せば良い」くらいの考え方の者が多いのは残念である。その人は「真剣にやった」と言うだろう。真剣にやったことには間違いはないと思う。しかしそれは、ただ出すことだけに真剣であり、その真剣が本当の意味において、肌に伝わってこないのです。そこに筋のとおった一本の編集理念がないからなんです。

まず、理論、性格を知り、地域において中心的役割を果せということなんです。

前に述べたように理論を解釈することの重要性は、誰もがすべての面を通じて知っているように、ここでも例外ではないわけである。

次に私は〈書くことに興味を持ち、すすんでペンを持て!!〉といいたいのです。広報活動の性格からいって、とくにいまあげている問題からいってペンをもち、実際に書かなければ話になりません。日ごろ、農業という職業柄、誰にしてもペンを持つ時間が少ないと思われる。〈一体、一日平均してラブレターの分も含めて、あなたは何時間くらいペンを持っていますか?」また「連絡報道員のあなたは?」…〉なかなかペンを握るとなるとおっくうなものです。私自身、一日平均すると三時間少々ペンを持っています（中指にペンダコがあります）が、原稿となると書けないものです。何の原稿にしてもしめ切りギリギリになり迷惑をかけているような状態です。

いま、こうして書いているこの原稿「六円が運ぶ 仲間の声!!」についても、考え考え、頭が悪いのもあって、一時間に四百～五百字ペースです。もし、この原稿をのべ五十枚書くとしたら、四十～五十時間という時間を費します。

へんな引用でしたが、まず、書くための時間を持つということです。その時間を利用して、原稿や文章が、何かに載るとか載らないとかは別にして書きこんでいつでも書けるように、文章自体が整理された内容に仕上げられるよう訓練しておく必要がある。

とくに練習とはいえ原稿用紙にはじめから改まって書くとなるといやになるので、日ごろつけている日記をいろいろ工夫して書いてみるのも一つの訓練の方法だと思う。また、友人や恋人に出す手紙にしてもムダにしてはいけない。訓練にひそかにつかってほしい。

O君と私はこんなことをしていました。彼とは組織上で知りあった仲間であり、同じように役員をやっていた関係上ふだんいろいろ用件があったわけだ。用件のたびごとに電話で済ませば済むはずであったが、お互いに手紙を大切にしてきた。まあ、普通であるなら、用件だけで終えてしまうのであるが、彼との場合は、用件だけではなく前文を書くことにしていたのです。

前文といっても、総体の半分以上の長さでしたが、いつも用紙二枚程度使っていました。その中で、人生観であったり、組織論であったり、その他種々のものについて意見をまとめたり発想を書いたりして交換してきました。それが、いまになって大変役立っているようです。まずは〈書くことに慣れることです〉。

題字・カットも筆者

私はこうして成功した

＝モミガラ利用の100%　牛糞12時間処理法＝

富山県・礪波市4Hクラブ　松下信夫

糞尿を分離し焼却

畜産――それは糞尿……公害へと直結していることはご承知の通りである。

公害とは"不特定な大衆に精神的、経済的、肉体的被害を与えること"ということであるようだが、われわれ酪農家にとって関係するのは、悪臭、水質汚染、すなわち糞尿の河川および地下水への流出などである。

これまで、家畜の糞は土壌に還元し、農耕に利用されることをねらいとして家畜は飼養されてきたが、現在のように多頭化が進み、労力不足が目立つようになると、毎日の牛糞処理が大きな問題となっています。従来のように糞尿を野積み、垂れ流すことは許されない情勢となり、公害の波紋を呼んで次第に広がり、都市近郊から山間酪農家にまでおよんでいます。

・牛は一日十五回から二十五回の排糞をする。しかも、人糞と比べて一日、BOD（生物的酸素要求量）で百二十人分、S・S（浮遊物）で五十人分を排出し、五十頭飼養の場合、人口二千五百人から六千人の町並みの排泄量をかかえていることになる。この糞尿処理をしない限り、酪農経営は窮地へ追い込まれることは火を見るよりも明らかである。

関西地方では、一頭分一か月千二百五十円で畑地へ運搬してもらっているようだが、これを五十頭で一年に換算すると七十五万円にもなる。これだけが糞の処理のために使われることを考えると、一日も早く糞の処理法の確立が望まれるわけです。こうした状態の中で、ある地方では遠心分離機にかけたり、熱風乾燥機にかけたりしてきたようだが、あまり能率は良くないと報告されています。

また、川村君の酪農グループのようにハウスの中に糞を敷きつめ、発酵あるいは乾燥させ、推肥化しようという試みもなされましたが、一頭当り五平方㍍必要といいますから多頭化になると莫大なハウスが必要となるうえ、土地の少ない酪農家にはムリ。また労力不足などからみても困難です。こういう状況のもとで糞尿処理の笑えぬ悲劇があるといえる。

私も、大学卒業前には、多頭化に踏切るか、教育者になろうかと悩んだが、現在の焼却炉のおかげで三十頭飼養の酪農家になっています。

以前から、一般にバンクリーナーの糞はヘドロ化し、焼却できないと言われてきた。その理由の多くは糞尿の分離ができなかったからである。

わが牧場ではその分離と焼却に成功した。

さいきん、工業的に牛糞焼却炉が作られたが、電気またはバーナーなどを要し、労力がかかるうえ効率も悪いようである。そこでわが牧場が全国に先きがけ、全精力を投入して先輩たちの発明された炉を改良、実用化に成功したものです。朝夕一回ずつ三十頭分の糞を一度に炉に投下する方法で"十二時間牛糞処理法"として、今日まで数百人の見学者や手紙などの質問にこたえています。また当地普及所でも全国に普及をめざしているようです。以前からオガクズはワラのかわりに敷かれ、一部では試験的あるいは全体の何分の一かを数日で焼却されてきた。しかしオガクズの用途は多く、ナメタケ、オガライトなどに、また豚や鶏にも利用されるようになり、オガクズの確保が容易でなくなった。

私はそこで、日本全国津々浦々どこへ行ってもある、モミガラ利用に着眼し、オガクズでしか焼けないというこれまでの常識を実証をもって打破した。

水穂の国にあって、モミを利用することは、農協やライスセンター側でやっかい視され、その廃棄にゴウをにやしていただけに費用はもちろん無料。現在、日本中、いや世界でもモミガラによって牛糞を一〇〇%処理しているのは、わが牧場だけである。

そういう私にも、昨年は一つの問題があった。それは積雪地帯のため、越冬用を多量に確保しなければならないことであった。ちょうどこの時期は、越冬用のワラの収集めや稲の収穫どきとピークが重なったことだ。しかし、今年から、これもライスセンター側との話し合いで解決、昨年はモミガラのほか電気カンナのクズ、オガクズ、ラバンクズなど木工業者によって公害の対象になるものを集めてくるのだから、これももちろんタダ。それら三～四種のものの混合によって材料を切らすことなく焼却できた。そのことが労力を半減させ、朝と夕食後は一～二時間の睡眠時間をとれるようになった。わが牧場では、糞出しという言葉も作業もない。衛生的で乳房炎が三分の一以下になったのも、これに起因するものであろう。

作業簡単で、きれい

次に、炉の構造については「デイリージャパン'71」十二月号でわが牧場の焼却炉を次のように説明している。

コンクリートブロックで炉を作る。その構造は内径で長さ三㍍、幅一・二㍍、高さ一・四㍍、下から四十㌢のところにロストルを付けたもので、それに三・六㍍～四㍍の煙突（φ二十㌢）を付ければ良い。自家労力で作れば一基七万円程度であるという。

焼却の方法は、まずロストルの上にワラなどの燃料を置き、その上にモミガラを敷きつめ、下から点火し、種火ができればその上へ徐々に糞を詰める。一杯になったら鉄棒で穴を数十個あけフタをする。わかり易く言えば、ちょうどレンタンの原理を思い出してもらえば良い。

問題の悪臭はまったくない。煙もいまのところ公害の対象とはならない。またハエや蚊の発生源をシャットアウト。昨年十月に点火以来、炎は一度も消えず、一度も糞出作業はしない。

私がもっとも気にいっているのは、何んといっても作業が簡単できれいにできること。作業は全無。一日十㌔㌘程度の灰が出るが、リン酸一三～一五%、カリ九～一一%を含み、ときとして肥料として近所の農家などに販売できることだ。

さて、前述したように、バンクリーナーの糞は尿と混合し、ヘドロ化することによって焼却できないと記述したが、わが牧場では、いかにして糞尿を分離したかというと、ほとんどの見学者は焼却炉ばかりに気をとられ、これに気がつかない。

「あなたと同じ方法でやったが全々焼えない」との苦情が舞い込んでくる。

焼却するには、なんといっても糞尿を分離することで、それをしない限り、決して燃えることはない。

信用できないことかも知れないが、われわれの糞尿の分離は、バンクリーナーの床面に長さ二㍍、厚さ四㍉の鉄板に直径十一㍉の穴を無作意にあける。全面に敷きつめることによって、尿は尿留へ一分とかからないで入る。このため糞は常に水分がなく、床面は乾いていることが多い。

従来から行なわれてきた一輪車によるものも、この鉄板を敷くことによって焼却できることを保証するものである。

牛糞焼却に利用するオガクズなどの比較検討

松下牧場試験結果

	糞	材料
モミガラ	6	4
ノコクズ（オガクズ）	4	6
電気カンナクズ	5	5
ラバンクズ	5	5
ラバンクズ＋モミガラ	6	4
モミガラ＋ノコクズ	5	5
〃＋電気カンナクズ	6	4
ノコクズ＋〃	5	5
〃＋ラバンクズ	4	6
ラバンクズ＋ノコクズ	5	5

〔備考〕この表は一定時間内に一定量の糞を焼却するのに要する割合である。

モミガラ30頭で冬は2トン

具体的には、材料（モミガラなど）はどれほど必要か？ 材料にもよるが、糞の量、頭数などによっても異る。

わが牧場（三十頭）では、一週間に、冬期で二㌧（モミガラ）夏期で一・五㌧ほどである。

材料の混じる量は別表のとおりであるが、焼却初期（一週間ぐらい）は材料を表より二～三割増とする。

焼却寸前に混ぜると良く焼けること、また、良く焼けて穴あるいは灰が表面にまで達しているときは、とくに良く焼けそうなところを入れる。そうでないと、火力が落ちてくることも念頭におくことが必要である。

以前まで"オガクズでなければ"といわれてきたが、実は最も能率が悪いことを別表は示しています。また、オガクズは鉄板の穴から落ちるうえ、初めから混っていることに焼けにくい原因がある。焼却状態は外部から煙の色で判断する。

◇

松下君の住所　富山県礪波市福山　〒九三九－一四

松下君が考案した改良焼却炉

焼却炉1基製作経費

ブロック	200（単位55、運搬費含む）	
セメント	2～3俵	9千円
砂	軽自動車2台余	
火穴その他・鉄工所関係		5万円
計		7万円

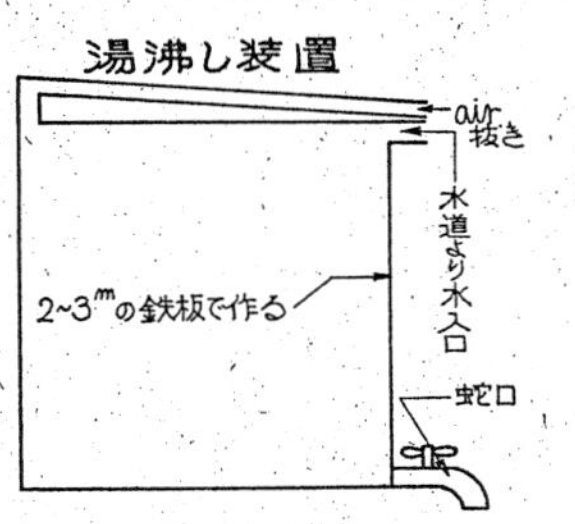

余熱で朝風呂も　改良焼却炉

私たちは焼却炉の発する高温の利用を考えた。上図のようなタンクを入れることによって、三日間分の乳房、パイプライン、酪農機器の洗滌に必要な温臓を得ている。

余分な温は朝風呂に使ったりして利用している。

タンク容量は小さいが、摂氏九七～一〇〇度に沸騰しているので十分使える。

私は、この熱をさらに利用し、こんどは牧草の乾燥や熱帯植物の栽培に当ててみようというアイデアをもっている。

とくに注目されるのは、最後に排出される灰のことだ。それは信じられないほど少ない。さらに水分を与えれば容積がまし、体積が少さくなるので、私は昨年十月から三月までの灰を七回、普通のテーラーで運んですんだ。一ヵ月約一台と考えて良い。考えてみると六か月間の糞を一日で運搬してしまったことになる。

「毎日、朝に夕に糞に労力をかけて屋外に運び出し、しかも公害だ!!」といわれるのに比べ、まさに天国と地獄である。

川村君も述べているように畑に生糞を撒布すれば、臭気、ハエの発生などに苦しめられるうえ、その部分に繁茂した草は、牛の嗜好性をすこぶる悪くすることは酪農家でなくてもご承知のことだ。

それに比べても灰化した糞は、嗜好性を落すことなく牧草も強健となる。肥効も割合長く、土壌酸性を矯正する。生糞のように腐熟をまたなくとも良い。生糞としては運搬不可能な山間酪農家でも、老人や子どもでも運搬できる利点がある。

わが家では、N肥料以外、来年より化学肥料を使うことはしない計画である。

養鶏以外の畜産家は利用されるとよいと思います。

NHK農事番組（6月21～30日）

テレビ

明るい農村　6・30～6・55総合
- 21日　産物百科「牛乳」
- 22日　話題と人「ふえる輸入動物」～横浜動物検疫所
- 23日　農村新地図「秋田県大潟村」
- 24日　村をむすぶ「長崎、札幌、大阪」
- 25日　明るい漁村
- 26日　村の記録「米価一九七二年」
- 27日　きょうの話題
- 28日　産物百科「びわ」
- 29日　話題と人「ホタル条例」～岐阜県本巣町
- 30日　農村新地図「愛知県設楽（しらく）町」

農業教室　7・30～8・00　教育
- 22～24日　きゅうり生産の経営と技術　本多藤雄（農林省園芸試験場久留米支場）
- 26～28日　ぶどう経営の新方向　岸光夫（農林省園芸試験場安芸津支場）
- 29～1日　畜産経営と土地利用　林兼六（東北大学教授）

あすの村づくり　日　7・00～8・00　教育　再　土　13・00～14・00　教育
- 25日　「人間復活」～ある農業研究所の試み～大曲仙北農業指導研究所（秋田県）、草薙辰郎、加藤四方治、武蔵信悦（無農薬米栽培農家）ほか、築地文太郎（協同組合経営研究所）ほか

ラジオ

早起き鳥　5・41～5・57　❶
- 21日　老後に生きがいを～宮城県下
- 22日　野菜の価格補償・京都方式
- 23日　高冷地に生きる　杉山乙五（茅野市）
- 24日　ふるさと通信
- 25日　農産物をたくわえる　緒方邦安（大阪府立大教授）ほか
- 26日　指導農業士誕生　橋田武（恵庭市）ほか
- 27日　甘夏団地をささえる　明地柑尚（愛媛県御荘町）
- 28日　しいたけのイオン栽培、清水良規（福岡県田主丸町）
- 29日　スタートした農業機械化銀行　有本市雄（栃木県那須町農作業受託組合長）
- 30日　マツクイ虫撲滅作戦　笹川満広（京都府立大教授）

話の広場　日　6・10～6・30　❶
- 25日　しらさぎ異変～浦和市野田

新しい農村　6・00～7・00　❷
- 25日　米の生産調整と米作農家　杉山克己（食糧庁企画課長）ほか

ラジオ農業学校〈講座〉　月～土　6・40～7・00　❷
- 22～24日　有機質農業　築地文太郎（協同組合経営研究所）
- 26～1日　やさしい食料経済学　唯是康彦（農業総合研究所）

ラジオ農業学校　日　6・30～7・00　❷
- 25日　農業講演会「自由化と肉牛経営」　児玉賀典（農業技術研究所）

47年度　農業観測をみる（4）

野菜、やや上向き

大豆は強含み　いも類は昨年並み

野菜　春野菜の収穫量は、キャベツ、だいこんは減少するものの、きゅうり、トマト、にんじん、府県産たまねぎなどの増加によって前年度よりわずかに増加するとみられる。夏野菜の収穫量も、きゅうり、トマト、なす、キャベツ、だいこんなど主要野菜の増加によって、前年度よりわずかに増加する見込み。また、秋冬野菜は、施設もののきゅうり、トマト、北海道産たまねぎは前年度より増加するが、キャベツ、はくさい、にんじんが前年度並み、だいこん、ねぎは減少するとみられるため、前年度並みと見通される。この結果、年度全体における野菜の収穫量は前年度よりわずかに増加するものと見通される。

需要は、個人消費支出の伸びを背景に高級化、多様化など需要構造の変化をともないつつ、引き続き堅調に推移する見通し。

農村価格は、春野菜および夏野菜が前年度にくらべ並みないしわずかに上回り、また、秋冬野菜が気象の影響などによる時期的な出荷の集中から安値に推移した前年度にくらべてかなり上回るものと見込まれ、この結果、全体としては、前年度にくらべ並みないしわずかに上回るものと見込まれる。

いも類　甘しょの作付面積は、食用甘しょが前年並み、原料用甘しょがかなり減少すると見込まれるので、収穫量は、全体で前年度（二百四万㌧）よりかなり減少する見通し。春植馬鈴しょの作付面積は、北海道では前年並み、都府県ではやや減少すると見込まれるが、収穫量は、北海道では一〇㌃当たり収量が増加傾向にあるためやや増加し、都府県ではわずかに減少すると見込まれるため、全体では前年産（三百十六万六千㌧）にくらべわずかに増加する見込み。

甘しょ、春植馬鈴しょの需要は、でんぷん用については調整販売による需要確保対策がとられているため安定的に推移するとみられ、また、食用（販売用）需要も堅調に推移するものと見込まれる。

原料用甘しょ（出回り期、十～十二月）および原料用馬鈴しょ（出回り期、九～十二月）の農村価格は、ともにほぼ前年同期（十㌔当たり百七円、七十七円）並みに推移するものと見込まれる。また、春植馬鈴しょの食用価格（出回り期、六～八月、東京）は前年同期（㌔当たり三十六円）並みと見通される。

大豆　作付面積は、畑作付面積は前年に引き続きかなり減少するとみられるが、米生産調整対策にもとづく稲作転換のため、田作付面積が四十六年度をかなり上回るとみられるので、全体では前年にくらべやや増加するものと見込まれる。収穫量は、このように地力の高い水田での作付面積の増加が見込まれ、また気象が平年並みであれば、前年不作であった北海道の生産回復が見込まれるので、減産した前年産（十二万二千㌧）よりかなり増加する見通し。

国産大豆の出回り期（四十七年十一月～四十八年一月）の農村価格は、輸入大豆の価格が堅調に推移すると見込まれ、また、食品用国産大豆の需要も引き続き堅調とみられることから、かなりの値上がりをみた前年同期（六十㌔当たり五千九百八十円）にくらべ強含みに推移するものと見通される。

野菜

〈野菜の生産と価格の推移〉

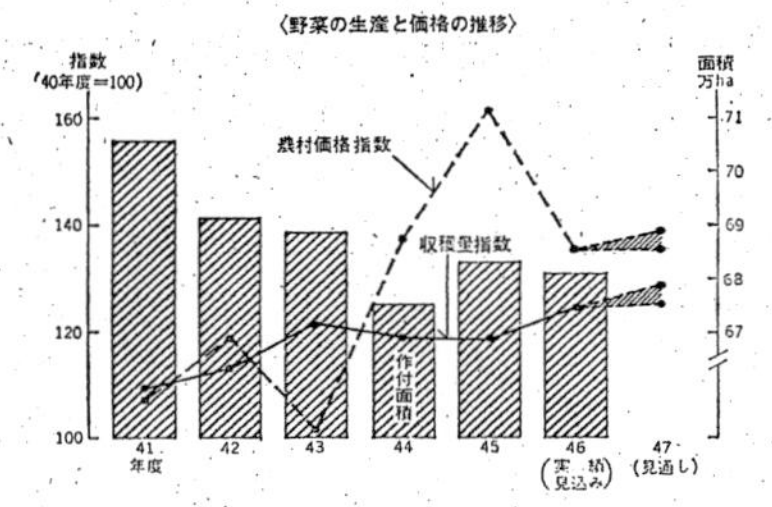

家の光協会

女系地主三代で時代の潮流を描く

日本農民文学界の重鎮、和田傳が書き下ろす大河小説・三部作『門と倉』

この小説は、明治から、戦後の農地解放までの相模平野を舞台にして繰りひろげられる女系地主三代の変遷を通して、激しくゆれ動く日本の農村の歴史を語っている。

第一部は、明治時代、地主が農村を支配し、卒いていく、実力指導者としての地位が確固としていた時代を背景として描かれる。

地主は、経済力のほか、知力、体力その他あらゆる面において衆にすぐれ、たとえば、土地改良といい、肥培技術や経営の改善といいながら、すべてにわたって、むらの先頭に立って指揮をとり指導し、その責任において、むらを護るという心意気に燃えていた。

のちに（それはこの作品では第二部の大正期になる）地主は野良着を脱いで羽織を着てしまい、田畑に立ってみずから汗を流すことも忘れ、ただ農民の小作料収益にのみ依存していくという、寄生地主としての道を歩んでいくのである。しかし、明治期の地主とは、けっしてそういうものではなかったのである。

血と汗で織りなす人間模様

しかし、それとともに、一面、これら明治期の地主たちは、また苛酷無残な土地兼併の荒武者でもあり、阿修羅、餓鬼、畜生の生まれかわりのようなすさまじさで、貧農を踏まえ、土地の収奪、兼併に明け暮れたともいえるのであって、それが人間世界というものであろう。

そんな人間世界のおもしろさ悲しさ、つまり、そのさまざまな人生図を描写しながら、そのなかで明治の農村と農民のあとを書きとどめ、確かめてみようとしたのが、この作品『門と倉』の第一部である。

著者和田傳氏は、ふるい農家の長男に生まれ、明治期に小学校、大正期に中学、大学を出、昭和のはじめから執筆生活に入る。その時代は、地主の時代、小作農民の覚醒・台頭の時代、農業恐慌・農民闘争を経て農地解放を迎えるまでの時代であり、この長い作品は、その三つの時代のすがたを歴史の流れのなかで確かめんとした力作である。

明日の農業へ向って　各種農業団体

全国農業協同組合中央会

体験発表なども

総合3か年計画　特別研修会開く

農協は、組織を挙げて現在総合三か年計画の実践に取組んでいますが、その後の国際・国内の経済的社会的な変動は激しく農業・農協をとりまく情勢は極めて深刻なものとなっております。

全中では、このような困難な事態を協同の力で克服し"農民の協同組織の発達を促進し、以って農業生産力の増進と農民の経済的社会的地位の向上を図り併せて、国民経済の発展を期する"という目的に向かって前進するため、昨年春、（一）営農団地を軸とする農畜産物販売体制の強化、（二）農協合併の推進と系統事業の効率化、（三）経営総点検の実施、（四）基本農政の確立推進を柱とする総合三か年計画の推進方策を決定いたしました。

そして現在、各県ともこの組織的な推進のため、経営の総点検を進めておりますが、この運動が個々の段階で終結することを避け、単協→県連→全国連がそれぞれの段階で機能分担を明確にして組織的に対応することができるような成果を狙いとして運動に取組んでおります。

このため、全国総合三か年計画推進委員会（事務局・全中）では、趣旨の徹底と運動の推進のため、七月二十六日から八月八日まで四回に分けて"総合三か年計画特別研修会"を開催することになりました。

研修会は、三重県伊勢市の、「神宮会館」で行ない、一回の研修日程は三泊四日、研修会の参加者は農協組合長、中央会・連合会常勤役員および中央会参事・担当部長でそれぞれ二百名としております。

研修内容は、（一）内外情勢と農協の基本姿勢、（二）総合三か年計画の推進と経営総点検、（三）金融情勢の変化と組合金融、（四）系統経済事業と金融の事業展開の方向、（五）国際経済の動向と日本経済の対応、（六）体験発表、（七）グループ別懇談となっております。最終回（八月五日より八月八日）では、特に生活問題を取上げ、（一）農協における生活活動の課題、（二）国民生活のビジョンと消費者問題を加えております。

研修会は、参加者相互間のコミュニケーションも重要です。そのため講師は、全中会長・同常務、農林中金理事長、全農常務、農協長があたり、それぞれ十分な討議の時間を予定しております。さらにグループ別の懇談では参加者相互間で身近な問題から具体的な討議を行ない、研修の効果が十分に挙がるよう配慮しております。

（全中教育部）

青春と仲間

ぼくのなかの地獄
人間の醜さをまず知ろう

福岡・筑後市4Hクラブ
☆　☆　☆
井出良介

最近、飲めばすぐ効く疲労回復剤のように、"頭のよくなる本"とか"○○に強くなる本"とかいうものが多く出まわっている。そんな本一、二冊読んだところでなんにも効果はないのだが、いまの社会風潮が安易な方法で目的を達成しようという傾向があることはいなめない。

そういう社会に生活しているぼくら自身にも、外見やみせかけに翻弄（ほんろう）されてしまうという、〈魂の滅亡〉とでもいおうか、そんな危険にさらされていることも事実ではないだろうか。

ぼくはちょっと変っているかもしれないが、自分にだけ幸運がめぐってこないかという期待と欲望が、心の底にちらちら顔をのぞかせるのを意識することがある。西洋のことわざに"人はだれでも他人の不幸には同情できるが、他人の幸せを喜べる人は少ない"というのがある。ぼく自身も他人の不幸をみてホッとする気持が全然ないとは確信をもっていいきることができないのだ。人間はすばらしい面を少しはもっているが、醜い面も必ずもっている。

—中学時代の社会科の時間であった。先生が説明をし終り、みんなにわかったかと聞いた。"ハーイ"とみんなが答えた。ぼくはその場で"わからん"と大声で怒鳴った。そしたらぼくは前へひっぱり出されて頭をポカポカされたのだった。"このヤロー、交通事故かなんかで死なねえかなあ"とぼくは本気で思っていた。

また、二年前の夏のことだが、登山部の友だちと二人で山に登ったことがある。ぼくは山は初めてだった。二日目ともなると、奴は慣れた足どりでつかつかと歩くが、ぼくの方は足の裏に大きな豆がいくつもできている。精神的にも肉体的にもまいっていた。二人ともむっつりしたツラで口も聞かなくなった。そして心の中で"こんちくしょう、オレの前でぶったおれて死なんかなあ"と、本気で考えたのである。

そのときぼくは思った。人間というものは、精神的、肉体的に極限まで達したとき醜いものだと。

相手がどんな人間であっても、その人の不幸を喜ぶことは絶対に許されないことだということは百も承知しているのだが、ぼくはそれを真剣に実行することはできない。四十、五十を過ぎ、社会的に尊敬され、先生と呼ばれている人間がいかに紳士的な言葉を吐こうともそれはそういう醜いドロドロしたものの裏返しでしかないのだ。

ぼくは、人間の醜さの弊害を承知しているにもかかわらず、その醜さを簡単に認める。なぜなら、人間の醜さというのは、より人間本来の姿に近い気がするからだ。今後、ぼくら若き百姓たちが、こういうことを覚悟しないかぎり、いかに将来、集団的、共同的に規模拡大をやろうとしても敗北への道につながるしかないだろう。

今度はあなたの出番です！

どんな人よいかナ
クラブ活動、今度は本気よ

あんな人こんな人

石賀洋子　鳥取

『いくら好きでも、どうにもならないことがある——そう思うようになりました。恋愛即結婚——いまや、私はその言葉にちょっと小首をかしげたい、そんな心境です』と淡々と語る女性。こう聞くと、年寄りくさいとか消極的すぎると口をとがらせるかたも少なくないことだろう。しかし、当の彼女自身は若々しくピチピチしており、行動も積極的だそうであるから、なにとぞご安心のほどを……。

チャーミングでイキイキしている女性といおうか、それとも胸の奥にあこがれと強さを秘めているような女性といおうか、いや、そのどちらでもあるような彼女とは、4Hクラブ二年生の石賀洋子さんのことなのである。彼女は二十一歳、三人姉妹の長女。そう、石賀さんは"あととり"でもある。

彼女の家は典型的な兼業農家（父＝公務員、祖母・母・彼女＝農業、妹＝OL、末妹＝中学生）である。現在、祖母・母と彼女の三人で水田九十アール、梨園五十五アール、普通畑二十アール、山林二ヘクタール、和牛二頭を経営している。梨は二十世紀がおもで、畑では野菜、イモ、スイカなどを栽培しているということだ。

経営に関する将来の希望については、経営面積はいまのところ現状維持だそうだ。また、梨がまだ若木（五年生）なので、その成長を待ちながらじっくり考えてゆきたいという。しかし、ともかくハウスだけはやってみたいとのことである。

『私はクラブに入っての二年間、いくたび、やめようと思ったかわかりません。行事に参加するのもクラブ員だからという義務感みたいなものでした』と彼女はいままでのクラブ活動感を語る。町の女子クラブ員は三名だが、定例会などに出席するのはいつも石賀さんひとり。そこで彼女は、はりあいのなさと自分の無力さを痛切に味わったという。まわりの人は彼女が消極的に見えたことだろう。

石賀さんは決心した。いろいろと悩みつづけたあげく『私はクラブをやめよう』と……。ところがちょうどそんなとき、石賀さんに『県連の役員をぜひやってほしい』という声がかかった。彼女は迷いに迷ったということだ。『一クラブ員としても失格な私なのに、なして？なして？』と激しく自己を問いつめたそうだ。

結局、先輩から『畑の草取りは子供でも年寄りでもできる。いましかできないことがありはしないか』と説得され、役員をひきうけたということだ。石賀さんは正直だ。『県連の役員になったものの、私は4Hのことがまだよくわかりません』とつけ加える。役員になってクラブ員同志の協力と連結がどんなに大切かわかったという。彼女も一心に努力するとのこと。

『クラブをやめようと思ったけれど、昼間の仕事を終えてからの定例会や集いで仲間の顔をみるのは本当に楽しみでした』とも石賀さんは言った。4Hクラブに彼女の力はいまやフル回転をはじめようとしている。

さて、彼女も年頃、胸がときめくことはほかにもある。『ひとり、ふたりとお友だちが結婚してゆきます。いいなあと思います。また、お友だちに赤ちゃんができたとも聞きました。赤ちゃんか、かわいいだろうなあとしみじみ思います』

しかし現実問題として結婚は、まだ彼女にとって遠いもののようだ。

『結婚？　まだ、まだ……』

『私の接する男の人といえばほとんどが長男ばかり、みんな素通りしていっちゃって、ひとりとして振り向いてくれない』と寂しげに、だが明るく笑う石賀さん。『理想の人？　やっぱり"いい人"がいいわ。お勤めの人か、農業をやっている人か、どんな人が私のお婿さんになってくださるかわからないけれども、いつの日か、遠いところからひょっこりと私の目の前に現われてくださる、そう思っております』

颯爽と歩くことと野球が好きだという石賀洋子さん。さわやかなあなたの青春の炎が赤々と燃えつづけることを祈る！（西伯郡中山町退休寺二四八）

タイのドーシット公園で

笹舟

希望も絶望も……

陰鬱で重々しい雲が低くたれこめ、湿気と街の喧噪（けんそう）が鈍く心につきささってくるある初夏の月曜日、ぼくは安っぽい飲屋の汚れたのれんを力なく押した。やけにかたく歯切れの悪いモツをビールでむりやり胃に流しこむときの奇妙な消滅感に、ぼくはやはり奇妙に耐えていた。

そんなとき、ぼくの横で数人の仲間と飲んでいた若者のひとりが、突然、大声で『おれたちゃ、絶望さ』と叫んだ。彼らがなにについて話していたかは、むろんぼくにはわからない。しかしその"絶望"という言葉は、ぼくの頭から容易に去ろうとしなかった。

……中学時代。放課後の教室にはだれもいなかった。ときおり、校庭からぼんやり響いてくるホイッスルやかけ声や女生徒の黄色い笑い。落ちようとしながらもしぶとく熱さを送りつづける太陽。ぼくは窓越しにさしてくる西陽に全身を洗われながら、一心にクラスの機関誌のガリを切っていた。ぼくは、そのとき、ある言葉に吸い寄せられた。ある言葉、それは"絶望"という二字であった。

苦しみぬいたとうぬぼれてはならない
苦しみきれぬと絶望してはならない

これはその機関誌の巻頭に書かれた詩の出だしである。この詩に接して以来、

楽しいにつけ、悲しいにつけ、ぼくはいくたびその一節を口ずさんだことか。

例の若者たちは飲みに飲み、荒れに荒れては口々に"絶望""絶望"と叫びたてていた。ぼくはぼく自身が鉄のラセン階段をガラガラと落ち転がってゆくような気がした。ひどくめいった。しかし、それは彼らに同情してではない。むしろその逆であった。

ぼくら若き世代の人たちは、すぐ、それも安易に"絶望"という言葉をはく。だが、ぼくらにとって"絶望"とはなんなのか。ぼくは、これ以上このことに関して語るすべをしらない。ただ、ぼくにできることは、さきにあげた例の詩の一節を苦々（にがにが）しく想い起こすことのみである。

『……絶望しすぎず、希望をもちすぎることもない……僕はこのようなイメージの人間こそを、正統的な人間という名で呼びたいのである（文前、中略）』

大江健三郎は「ヒロシマ・ノート」のなかでこう記している。

ぼくは、もう一度だれかが"絶望"と声高らかに言ったとき、ふたたびのれんを押して表へ出た。そのときばかりは、暗くぼくにのしかかってくる"絶望"というイメージをより絶望的な気持でうち消そうとした。ゆっくりと天に向って唾（つば）を吐いてみたりした。（野）

溶けちまうぜ恋は

群馬県・原町4Hクラブ　都所耕治

すべての人間には"眼"がないんじゃないかと、ぼくは考えるんだ。

恋人たちがスポーツカーに乗って、速度制限をはるかに越えるスピードで車を走らせる。時速百五十キロで車を走らせるということは自殺、殺人の可能性を含む大それたことなんだが、恋をしている娘には運転のうまい彼氏が英雄にしかみえないんだな。

要するに、恋とは客観的な現実じゃあなく、ぼくらがどれだけ相手を誤解できるかということだ。これはある意味では"人をみる眼がない"ともいえるが、別のいい方をすればそれだけ相手をふくらませて考えられる、つまり、ひとつの才能なんだ。

"当節は命がけの恋愛なんてなくなってしまいましたねえ"という人がいるが、それは人々が冷静になったと同時に、相手を"ふくらませる"才能がしぼんできたからなんだと思う。

親に反対されたって家を出てしまえば、いまでは健康な男女ならその日から職にありつける。社会も若者たちには"理解"がある、というポーズをとりたがり、息子たちの恋愛に反対する親というものは、よほどものわかりの悪いやつだ、というい方をしてくる。

昔は社会の掟や戦争があったため、愛し合う男女がどうしても結ばれないというケースが多かったらしいが、いまの日本には戦争も社会の掟もない。だから恋人たちにとっては乗り越えるべき苦難も本質的にはないわけなんだ。そこでは、恋は溶けかけたアイスクリームのようなだらけたものになり"愛の不信"などということがもっともらしくいわれるようになる。もともと愛なんて"誤解"であり、相手をふくらませた自分の心の"錯覚"にすぎないというのに……。

川柳

北海道・茶志骨酪進会　太田明人

〈酪農シリーズ〉
去る者は追わず酪農に汗流し
草も伸びトラクターの歌声響く
馬糞風農家の蒔き付け告げて吹き
母の乳抗生物質で飲まれない（仔牛の嘆き）
湿地改良蛙の住家侵害し
夫婦（めおと）ガラス仔牛の若毛で巣を作り
種蒔きを横目で見てたやせガラス
農道を牛歩くタイヤ厚化粧

〈自然と生き物シリーズ〉
緑増すクローバー群落牛の群
夕日に映え草原の舞台鶴の舞い
オタマジャクシ私は沼の泣きボクロ
ひばりの子フキの雨傘に身を隠し
遅咲きのタンポポ猛暑に汗をかき
春の陽にタンポポ摘みし童歌
春の陽にスミレ乙女と咲き競い
熊さんも春の陽恋しく目を覚まし

〈一般シリーズ〉
中絶の悲劇罪なき子を殺し
公害の街に帰れば母の口害
千羽鶴は待つ我家の夢見つつ

◀投稿案内▶

本紙は、みなさん方の新聞として、全国のクラブ員に利用して戴きたいと考えています。それでクラブの催しや個人のプロジェクト、詩、短歌、随筆、写真、悩みや意見、村の話題、伝説、行事、その他なんでも原稿にして送って下さい。
お願い　❶長さや形式は自由です　❷できるだけ記事に関連した写真をそえて下さい　❸送り先　〒105 東京都港区西新橋1丁目五番地十二号　佐野ビル内　日本4H新聞編集部

現状から脱出せよ

熊本県・大津4Hクラブ　村田敏郎

私は農業を生涯の仕事と決め、農業高校を卒業し、現在、農業に従事している。農業を始めてから三年ばかりで、農業の情勢などえらそうに語くほどのこともないが、自分なりに現在の農業の情勢について感じたことを書いてみようと思う。

現在の農業は、明治、大正などの時代にくらべ、収入も高まり、農業者も他産業の人たちと同等の生活水準をもっている。しかし、一昨年来の米の減反、畑作物の不作などときびしい情勢になりつつある。さらに、農機具への多額の投資により、経営は行きづまり、出かせぎ、日雇いなどは、農業者にとって当り前のことになっている。これらは"農業の危機"とさえいわれているが……。

このような状勢により、農業を離れていく私たちの仲間もふえ、若者もかと恐しくなってしまう。農業の原動力ともなるべき後継者の離農こそ、農業の危機といわれる最大の根拠であるといえるだろう。

なぜ、農業がこのような情勢になったのか。私たち農業後継者は反省し、勉強し、そして行動しなければもっときびしい立場に追い込まれるものと思う。農業が栄えてこそ、国も栄えることと確信しているのだが——。

私たち農業後継者は、ともに学びそして行動し、明日の農業に向って大いに前進しようではありませんか。

現状はきびしいが、やればどうにかなると思う。

落日　（6）

栃木・小山4Hクラブ
農民文学会会員
山中康司

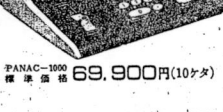

家に帰ると、夜のとばりはおりていて、雨戸からは明りがこぼれていた。芳男が玄関口を開けると台所の方には湯気がたち、妹の富江がてんぷらをあげていた。

「うまそうだな」

「ダメ」

「一つだけな」

てんぷらは富江の背中に回った。香りがよかった。芳男は玉ねぎやジャガイモのからっとした揚げもので一杯やる楽しみをもう知っていた。酒はうれいのたま箒などと、"にも似合わぬことをいった。

「今夜4Hの集会があるんでしよ、早く風呂にでも入ったら」

富江はさもおし気に小ざらに三つだけくれた。芳男は戸棚から一升びんを出すと、それをコップについでチョビチョビと飲んだ。

「兄ちゃん、気をつけてよ車」

「なにをいってる。お前とは腕が違うぞ。兄ちゃんはな、酒が入ると運動神経が良くなるんだ」

昼間の気分はうそになった。

芳男は風呂の中で歌謡曲を歌うと、頭の中がポーとしてきた。急いで風呂から上がり、きしむ階段を昇って自分の部屋に入った。部屋のとば口には敷ぶとんや寝まきが積んである。窓側には机が一つあって、その上には一週間前と同じ形で本や印刷物がちらかっている。本棚にはくもの巣がかかっている。すすやほこりも遠慮なくついている。ステレオやテレビはない。衣紋掛けの背広は作業衣とこみにかかっていて、芳男はそこから、ねず色のセーターとジーパンをつかんで外出の仕度にかかった。

「父ちゃんごはんですよ。兄ちゃんも早く」

階下で妹の声がした。居間の父はテレビを見ていた。奥の間の祖母に、母に手伝ってもらって用をたしていた。

公民館は芳男の家から四百メートル程南にある氷川神社の一角にあった。「塚崎公民館」と書かれた看板でそれと知れるが、看板がない限りそれは人気のない廃屋だった。前庭は小学生がキャッチボールする程度のもので、そこからさらに奥の方へ神社の参道は延びていた。両側にはうっそうと杉の大木が並んでいた。火の見は公民館の入り口にあって、その下にあるポンプ小屋には明治時代の手押車があったが、活躍することはめったにない。

霧の深い晩だ。歩いても五分とかからないのに芳男は車に乗り込んで、静かにアクセルを踏んだ。コロナの中古車は妹の交通事故後のものだが調子は割によかった。たちまち火の見のガス灯の下に来た。公民館の庭には、すでにセドリック、ブルーバード、スカイライン等の豪華な車が並んでいた。時間に遅れても悪びれる様子は芳男にない。トタン張りの戸を開けてのっそり入ると、友達のにぎやかな会話がはたと止んだ。芳男は冷たい視線をまともに受けた。いつものことだった。

公民館の天上にはすすが厚ぼったい。まわりの土かべは半分落ちている。畳もすりきれていたが蛍光灯が暗いので目立たない。そのたった一つの灯の下に杉の枯枝が火花を散らした火鉢があった。若者はそれを中心にして円を組み、酒を飲んでいるのだった。堂々とあぐらをかいたそれぞれの前にはするめとかピーナツ、あられせんべい等が散在していた。一升びんは一本がからになり、一本は安夫の手で半分に減っていて、もう一本はまだせんが固かった。これもいつものことだった。

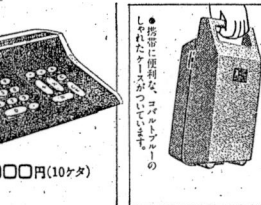

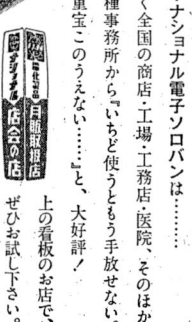

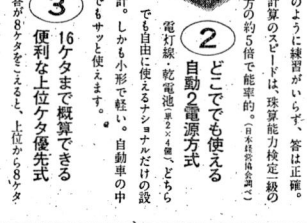

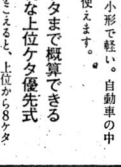

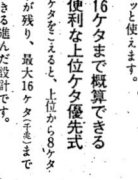

日本4H新聞
4Hクラブ
農事研究会
生活改善クラブ
全国広報紙

発行所
社団法人 日本4H協会
東京都港区西新橋1の5の12
佐野ビル〒105
電話 (591) 1817・3683
編集発行 玉井 光
月3回・4の日発行
定価 1部 35円
一カ年 1200円(送料共)
振替口座東京 12055番

クラブ綱領

私達は、実践を通じて自らを磨くとともに、互いに力を合わせて、よりよい農村、よりよい日本を創るため、四つの信条をかかげます。一、私達は農業の改良と生活の改善に役立つ腕をみがきます。一、私達は科学的に物を考えることのできる頭の訓練をします。一、私達は誠実で友情に富む心をつちかいます。一、私達は楽しく暮らし元気で働くための健康を増進します。

全国4Hク前期中央推進会議開かる

4Hの認識新たに

"やる気"は十分

農林省など懇談

男・女子、報道員も研修

全国4Hクラブ連絡協議会と社団法人日本4H協会共催の昭和四十七年度全国4Hクラブ前期中央推進会議は、去る六月七日から二泊三日間にわたって東京・渋谷区代々木のオリンピック記念青少年総合センターに、百余名の参加者を集めて開催された。この会議は、4Hクラブ活動のより一層の充実を図って、現役リーダーを対象とした研修が主で、参加者も現在、各県で活躍中のリーダーばかり。

第一日目（七日） 正午から受付開始。はじめのうちは参加者の出足がそろわず、事務局を心配させたが、受付終了まぎわになってから続々と到着し、関係者をホッとさせた。

午後一時の予定より少々遅れてオリエンテーションが行なわれ、同センターの係員の方から説明や要望などがあった。ひき続いて開会式。主催者あいさつとして、松浦幸治全協会長、日本4H協会の大塚茂常務理事から、それぞれ参加者への激励の言葉があった。

そのあと、全協活動方針の説明と質疑応答があり、松浦会長から活動基本方針、原田副会長から年間事業計画の説明があった。

続いて、参加者全員による意識調査が行なわれたが、これには全国のリーダーたちも『マイッタ、マイッタ』の連発。問題は、クラブ関係、農業関係、一般常識など。なかには、となりの人の手元をチラッと横目でのぞきこんだりひそひそ話したりする人もあるなど、全員大苦闘。

夕食後七時から「4Hの本質とクラブ活動」についての講義がもたれた。講師は、日本4H協会の新田健吉前事務局長（理事）で、4Hの本質、理念、クラブ活動などを情熱的に話された。新田氏の講義が終ってから、その場で全体会議が行なわれたが、参加者の発言は活発。新田氏もまじえて、"4Hクラブと4Hの本質"について激しい討論を展開したが、時間切れとなり参加者と講師を残念がらせた。

第二日目（八日） 折り悪しく朝から激しい風雨。午前中は、分科会方式の会議と研修。"日本4H会館建設について"と題し、道府県連会長、道府県連4H会館推進委員長からなる会議が班別に二つに分けられて行なわれた。これは各道府県連の会長と会館推進委員長が一体となって募金活動を推進する具体的な方法について話し合うというねらいでもたれたものである。

真剣なまなざしで育成指導機関、団体関係者の話を聞く各県連のリーダー

46万円をポンと

4H会館建設

まず全協から、これまでの経過と方向について説明があり、それに対する質疑応答があった。それから、各県の募金をより活発にしようということで、募金の進んでいる県の募金方法を説明してもらい、遅れている県はそれを参考にするということで意見が一致。

全体的に募金に対する考え方は積極的になってきたようだ。たとえば香川県連などは『いままではゼロだったが、今年度末までには絶対に目標額を全額、たとえ借金しても払う』といい、意欲をのぞかせた。また、茨城県連もいままでほとんど出していなかったが、全員の前で現金四十六万円の札束を出し、『この金を有効に生かしてほしい』と言ってポンと投げ、茨城県連の熱意をみせた。埼玉県連も『自分の県のメリットなんか言ってたらダメだ。もっと遠方にいるクラブ員、また後輩のためにどうしてもやるんだ』と述べ、会場を熱っぽい雰囲気にした。

しかし、まだ募金以前の段階にある県連もあったが、それはそれでやる気はあるようだ。積極性から、ある種の危機感さえ述べられ、会館問題も後半戦の土壇場にさしかかったようであった。

午前中、『日本4H会館建設について』と並行して、男子クラブ員研修、女子クラブ員研修、4H新聞連絡報道員研修がそれぞれ行なわれたが、どの研修も活発。

男子クラブ員研修では、4Hの本質・理念を正しく認識し、現状の問題点をいかにのりこえ、今後クラブ活動を進展させてゆくかというテーマのもとに研修が進められた。各県連から、活動現況や今後の見通しなどについて意見が出され、実り多い研修となった。

女子クラブ員研修では、松本良子前全協副会長をまじえて、女子クラブ員の減少からくる女子活動の低迷などにどう対処してゆくかということをテーマに話し合いが進められた。また、女子クラブ員のプロジェクトの弱さも話し合われ、その解決法として"日常生活における小さなプロジェクト実践"という意見が出され、注目された。

また、連絡報道員研修は、全国4Hクラブ員の準機関紙として日本4H新聞をより充実したものにしようということで、記事の書き方や連絡報道員の任務などが話し合われた。そこで、4H新聞の普及運動の推進と多くのクラブ員に記事を書いてもらうよう一致団結して強力に働きかけるということを申し合わせた。

午後は、県連会長、県連4H会館推進委員長は再び4H会館について会議をもち、そのほかの参加者は「プロジェクトのすすめ方」と題する講義学習をした。講師は北海道の専門技術員である三輪聡氏で、実践学習活動をとおしての講義は好評であった。

夜はキャンドルサービス。新聞紙を筒にし、頭にそれを立てての競走は参加者をわかせ、それぞれ楽しみながら交流を深めた。

最終日（九日） 前日の激しい風雨も嘘のように晴れ、気候は夏そのもの。全員、額に汗しての会議や講義であった。

午前中は道府県連会長会議と講義が行なわれた。

会長会議では、全協活動方針、各事業、道府県連における現状と今後の方向、道府県連からみた全協のあり方、「つどい」説明、日本4H新聞の普及運動などについて話し合い、全体的に前向きな姿勢であった。

また、講義は「組織とクラブ活動について」と題し、常葉女子短期大学の学生課長である深沢一平氏がゆかいでピリッとからい講演をされた。参加者は笑ったり、メモをしたりの大忙し。

昼食後、参加者全員と指導助言機関の人たちとの話し合いがもたれた。助言者には、農林省普及部普及教育課の大賀忠直課長補佐、全国農村青少年教育振興会の菅忠義常務理事、日本4H協会・大塚常務理事で、参加者と農政、クラブ活動、青少年の自主性などについて活発に、適切な助言・激励を与えられながらコミュニケーションをした。

なお、意識調査の結果は、"なんで悩んでいるか"という問いに対しては"クラブ活動と仕事の両立"という答えが断然多く、また常識テストはほとんどの人ができていたが、"4Hクラブの四つのHとは何か"で、二、三の人ができていないのが目についた。事務局では、これらの調査でリーダーとしての"自分"をよく知ってほしいと語っていた。

涼風暖風

また、暑い夏がやってくる。夏バテを防ぐためにも、ときにはスタミナ料理にありつきたいと思う。

ところで、夕暮れどき、やすい呑み屋やラーメン屋がたて混んでいる横町へくり出すと、まともに油くさい熱風をふきつけられる。目の高さに換気扇をとりつけて、調理場の悪臭をまき散らすのだからたまらない。換気扇と同様に、クーラーも曲せ者である。ワイシャツの腕をまくりあげ、汗をふきふき行く路地の庶民を、突如として生あたたかい酸欠気味の空気がつつみこんでしまう。加えて、クーラーは、ポタリ、ポタリと水滴攻勢をかけてくるのでしゃくにさわる。

役員・会員・指導者

それぞれの店内は、換気扇やクーラーのおかげで快適かも知れないが、路地にはもっと沢山の人たちが往き来している。自分の店のお客ばかりが永遠のお客ではないはずだ。

☆　☆

駅の階段を、ミニスカートのおじょうさんが昇っていく。奇妙なことに、ミニスカートのお尻を、ハンドバックや紙袋で抑えて昇っていく。

エッチな視線を意識しての、はじらいをこめたしぐさなのかも知れないが、ドッコイ、男性群の好みは変ってきている。第一に、近頃はパンティ・ストッキングという便利なものが開発されている。それにも増して、ミニ、ミニのはん濫で、「ソンナコト」には食傷気味になっているようだ。パンタロンのほうがカッコイイというヘソまがりの男性がふえているのだから。

ともあれ、お尻にハンドバックをあてることはおやめになったほうがよろしい。ホントに育ちのいいおじょうさんなら、わざわざ抑えなくても、「ナカ」はみせない歩き方をするものだ。それがヤマトナデシコの礼儀作法だろうが。基本のできていない自意識過剰のおじょうさん、地球は貴女を中心にまわっているのではありません。

☆　☆

テレビ局は、全国の家庭がカラーテレビをもっていると錯覚しているのだろうか。

自然を失った人びとを救うつもりなのか、ワイド番組に、各地の風物を中継する画面が多くなった。そして、男女ペアーのアナウンサーが、美しい色ですね、を連発する。こっちのテレビの花しょうぶは白と黒だ。

「このグラフの中の黄色い部分が日本経済の……」と三色も四色も使って解説しているが、こっちのテレビの画面は灰色一色にしかうつっていない。

当分の間は、画面の片すみに「カラー」と入れる位にとどめて欲しい。カラーテレビの方が聴取料を沢山とれるので、とはかんぐりたくないが、少しは他人のことも考えてくれ。

（文部省　伊藤）

壮大な造形美「松島」へ

近づく全国技術交換大会　県民あげて友を待つ

全国技術交換大会の開幕まであと62日

【宮城】近づく宮城県大会――このほど今夏八月三日から六日まで宮城県の松島で開催される「第十二回全国農村青少年技術交換大会」の準備状況と全国のクラブ員を待つ宮城県連の心意気を山口実連絡報道員が次のように伝えてきた。

岩手の滝沢村で発展させた若者のエネルギー、農業やクラブ活動に対する情熱と炎がとだえることなく岩手の関所をくぐりぬけ、いま、宮城の地、松島で再び全国の仲間の手によって、より大きな、強く明るい炎を天高く巻き上げようとしている。

大会実行委員長（門間忠宮城県連会長）をヘッドとした県内四千名のクラブ員はもちろん、県民あげて八月三日を待ち望み、現在、大会事務局を軸に最後の調整に余念がない。

国民の祭典が国民体育大会であるならば、全国技術交換大会は、われわれクラブ員の数少ない唯一の交流祭典の場であり、日ごろ実践を通して学び習得したことを発表、討議検討する場でもあるわけである。

この大会は、仲間と仲間、青年と青年のふれあい、若さと若さをぶつけあい、そこに生まれる「友情」と「信頼」を思うとき、この大会のもつ重要性は言葉に余りがあり、責任の重大さを必然的に覚えるものである。

主会場となる松島は、青々と澄みきった海に浮かぶ松と奇岩がおりなす絶妙のコントラスト、その造形美の壮大な景観、わが郷土が、いや日本が誇りとする日本三景の一つとして知れわたっているところ。

その男性的な造形美をバックに宮城のカラーを十二分に取り入れ全国のクラブ員のみなさんに、宮城県大会は「楽しかった」「素晴しかった」と、一生の思い出にふさわしいものであったと言える大会にしようと日夜頑張っている。

大会準備進行状況もいくつかのカベに直面し座礁したが、そのつど中味が充実し、結束力が強固になり一人ひとりの自信につながっている。

全国の仲間が、宮城県大会に希望と期待を寄せていると知ったとき、私たち四千余名のクラブ員は、その期待に応え、何かしら自分自身に闘志めいたものが湧いてくるのを覚える。

全国クラブ員の皆さん！宮城の地に全員集合！……若い情熱で、友情と信頼をより大きく強いものにしようではありませんか。

最後になりましたが、全国大会への「大会スローガン」「賛歌」「歌詩」を多数お寄せいただきありがとうございました。紙上をもってお礼を申し上げます。

申込み受付ストップ

「つどい」主催者 嬉しい悲鳴!!

八月二十八日から五日間わたり北海道で開催される「第八回全国4Hクラブ員のつどい」の県外参加者（北海道以外）はすでに千七百名程度に達したため、「つどい」主催者（全国4Hクラブ連絡協議会、北海道4Hクラブ連絡協議会、社団法人日本4H協会）は、六月十七日をもって参加者申し込みの受付を打切ることにした。

これは、六月十七日までにかねて予定していた千名をはるかに上回る千七百名の参加申し込みがあったため、最終的な申し込み締切りの今月末を待たずに参加申し込み受付の打切りのやむなきにいたったもの。

参加申し込みが予定をはるかにオーバーしたことから、地元の北海道4Hクラブ連絡協議会（会長中山寿雄君）では、宿泊施設や現地交歓訪問で受け入れるクラブ員の数を大幅にふやす必要に迫られ嬉しい悲鳴をあげている。

なお、つどい事務局より伝えられた参加申し込み打ち切り要領はつぎのとおりである。

▽現在、県連などへまとまっているものは受付ける。

▽原則として、これからまとめて申し込むものについては受付けないこととする。

ということで、現在、県連などにまとまっているものは早急に申し込み手続きを済ませるよう「つどい」事務局では呼びかけているとともに全国のクラブ員にお願いしている。

また、つどい主催者では、参加者のなかから、つどい行事のひとつであるパネル討議に出席するパネラーとスローガンを募集しているので、応募したい方は全協事務局（〒一〇五 東京都港区西新橋一―五―十二 佐野ビル内）あて今月末までに各道府県連を通じて申し込みのこと。

会長に今本君

中四国ブロック連協

中四国ブロック農村青少年クラブ連絡協議会の新役員が次のとおり決定した。

会長　今本　微
副会長　岩田　拓三
事務局長　西谷　光典

出発　― 草の根大使 ―　来日

魚市場を見学

女性二人、ドーナさんとジェーンさん

今年度米国代表の4Hクラブリーダー（草の根大使）＝ドーナ・F・ハルコヒッツさん（二三）ニューハンプシャー州出身とジェーン・E・パファイヘリックさん（二三）＝の二人は、さる十八日午後七時五十七分、予定より約三時間半遅れてノースウエスト航空機で羽田に到着した。また日本代表の草の根大使（4Hクラブ員）＝原田茂光君（二三）山形県・コナムクラブと堤千恵子さん（二二）福岡県・黒木4Hクラブ＝の二人も、入れ替るように翌十九日午後二時十五分、パン・アメリカンのジャンボ機で羽田から米国のシアトルへ向けて出発した。＝関連記事と写真四面にもあります

予定より大幅に遅れて到着したドーナさんとジェーンさんは、同じ飛行機の搭乗者の中に銃らしいものを持っている人がいるということで税関で足止めをくい、空港から出てきたのは飛行機が到着してから約一時間後。しかし旅の疲れもみせずに元気。出迎えた同じく草の根大使の堤さんや4H協会職員とあいさつをかわしたあと、さっそく都内の宿舎に向かい、腰も落ちつけないまま、その足で宿舎近くの堤さんの親戚の家を訪ねて草の根大使同士の楽しい、日本での第一夜を過ごした。

二日目は、農林省はじめ全国農村青少年教育振興会、宮城4H協会会長、協会会員のIMC東京支社、アメリカ大使館など関係機関、団体を訪問し来日のあいさつ、三日目と四日目はオリエンテーションとして農林省の普及教育課など関係者から日本の農業やクラブ活動、生活改善などの説明を聞き、二十二日に神奈川県の農業経営者大学校に向かった。

彼女たちは、百七十五センチ以上もある長身。カタコトの日本語で愛嬌をふりまいている。とくにドーナさんは、二年前に来日した経験があり、ぎっしりつまったスケジュールの中、一度見学したかったという東京・築地の魚市場に、ジェーンさんとともに早朝から出かけるというタフぶり。

二人は富山など六県の受入れ農家で生活、その間宮城県で開かれる全国農村青少年技術交換大会、北海道で催される全国4Hクラブ員のつどいなどにも参加するが、大いに人気者になるものとみられる。

米国草の根大使の主な日程

神奈川	6月22日～7月2日（農業経営者大学校）日本語の勉強
富山県	7月3日～24日
宮城県	同月25日～8月19日「第12回全国農村青少年技術交換大会」に参加（8月3日～6日）
北海道	8月20日～9月13日「第8回全国4Hクラブ員のつどい」に参加（8月28日～9月1日）
静岡県	9月16日～10月3日
福岡県	10月5日～23日

原田君と堤さん元気に

一方、原田君と堤さんは期待と不安を胸に秘め、肉親や知人、4H協会職員などに見送られて元気に出発した。

この草の根（グラスルート）大使は、国際農村青年交換（IFYE）計画に基づいて社団法人日本4H協会（会長 宮城孝治氏）と米国の4H財団がそれぞれ交換派遣するもので、ともに派遣先国の受入れ農家で家族の一員として約六ヵ月間生活、農業や農業生活、クラブ活動などを体験するとともに、4Hクラブ員や地域の人たちと交歓して自国のそれらについても紹介し、両国間の相互理解と親善に大きな役割を果すことになっている。

老人ホームを慰問

花の和4Hクラブで

【栃木】さる四日、鹿沼市北犬飼地区の花の和4Hクラブ（会長宇賀神好美君）の十二人が市内の老人ホーム千寿荘を慰問、手ぬぐいやせっけんなどの日用品を贈るとともに、歌や「花笠音頭」などの踊りを披露し、大変喜ばれた。

心頭技健

ことしも青い目の草の根大使二人がやってきた。ともに女性で昨年同様、花やかムードがいっぱいである。ドーナさんとジェーンさんだが、ドーナさんは二年前日本に来て浅草などを見物した経験があるだけに、カタコトの日本語が話せるのでクラブ員と早くなじむことができるものと思われる▼彼女たちと入れ替るように、派米クラブ員の原田君と堤さんが米国へ向けて旅立った。今回のように米国クラブ員が到着した翌日に派米クラブ員が出発したのは珍しいケース。そこで、堤さんが自分の親せきの家へ彼女たちを招いて交歓し予備知識を得ることができた。しかし、かえって英会話に自信を失ったという。これにひきかえ原田君は平然。出たとこ勝負といわんばかりだ。

同君は七年前から、この日を首を長くして待っていたという。そのために農林省・農業者大学校に在学中も英会話を勉強していたようだ。目標をかかげ、それを実現させるなどはさすがである▼その彼が、これまで全協（全国4Hクラブ連絡協議会）に積極的に参加していなかった山形県連の組織を強化し、大いに協力するように努力すると意欲を燃やしている。彼のような積極的な意欲がこれからの農業やクラブ活動に期待されるところだ▼これまで、全国クラブ員の代表として選ばれて海外で生活してきても、組織的に活躍しない人が多い。これらの海外派遣は相互理解や親善とともに、帰国後、それらの体験を生かしてクラブ活動や組織活動の核として大いに活躍してもらうことを期待している。それがなくては派遣の意味も薄らぐといえる。

「6円が運ぶ、仲間の声!!」

赤松宏 ▶6

連絡報道員は「地域の広報活動の中心になれ」ということと「書くことに親しめ」ということを書いたが、今回は「同じ書くなら"良い記事を書け"」ということです。

以前に読者の心得の中に書いたことと逆になるが、良い記事でなければ読まないからです。読者自体の教育、読ませる方策を考えるのも結構だが、読む方の立場に読まないから悪いのだと責任をおしつけるのは良くないことだ。

まず、各自は読者と広報というシステムを使う段階においては立場が異なるのだと自覚してほしい。それは読者に対してみなさん方は教育する、伝える、教えるという立場にあるということなのです。知りたくないものばかり、感銘しないものばかり書いていたのではその価値は皆無に等しい。先に書いた身近かな記事問題に触れるかもしれないが、私の聞きとめた範囲では、自分たちの近所（距離的）に起きた記事が載ることが良い記事だと思っているようだ。そして、遠くの記事は良くないものとしている。残念な考え方である。

良い記事、身近かな記事とは、より多くの者の本質的な中からくるところにうったえたものでなければならない。赤井川の連中だけがこれは良い記事だといっても、他の何千もの読者が良い記事と云わなければ良い記事とはいえないはずです。

そんなところから、記事の重みを考えて原稿を書かなければならない。かわりばえのない行事などを大々的に取り扱っても意味のないことで、こんな記事は「ああ、あそこのクラブでもやっているんだな」程度の書き方で良いはずである。そして、とくにこれはほかと違うという点に力を入れて書くことが大切なわけです。

肝心 目のつけどころ
良い記事 評価し合うのも大切

良い記事とは果してどんな記事なのか、具体的に教えてほしいと言いたくなるだろうが、一口には……簡単に良い記事良い記事というが、なかなか難かしいものです。ただ、書けるものでもないのです。ある者は「そのもの自体の目標をはっきりつかまえ、それらの記事によって読者を高い次元に導く記事を書け!!」と言うが、……私は、良い記事は目のつけ方にあると思う。どこに眼点を置くかによって、その記事自体が生きたり死んだりすると思う。

良い記事を書くためには構成メンバーを知れということです。メンバーの特徴を知れということです。やはりメンバーにあうということが大切なことですから、そうすると、おのずといいところに目を置くことができてくる。

次に、良い記事を書く記者、ペンマンは必ずといってよいほど、編集する力、企画する力を持っているものです。十五字×九十二行×十五段×四頁（新聞の字数）の中における価値判断をすることができることにより、その長さ、大きさを効果的に表わすことができるからである。しかしながら、私のいままでの知っている範囲では、本当の意味で編集する力を有する仲間は少ないようです。より素晴らしい広報活動の展開のためには、その役にある連絡報道員をはじめとする担当者の特訓の必要性がありですね。

もう一つ大切なことは「互いに評価しあえ」ということなんです。4H新聞においても、載せられた記事について手紙などで批評しあっていくべきである。そのことによって、より向上していくと思われる。

良い記事を書いたときには称讃するし、よくないときには遠見を述べることなどをするのは大切なことである。そして、お互いに連絡報道員は、こんど全国的視野にたって、情報を交換しあいながら広い意味での新聞作りに努力してほしい。全国的なスケールの記事の出現がこんな中から生まれてほしい。ただ、一地域だけの記事でなく広域にまたがるルポなどは興味をもてるものだ。

以上の点をとらえていくと素晴らしい接点を見いだせるはずである。また、最後の仕あげとして、文章の構成、つくりが下手であったり、そのものの形を整えていないものは、その意味を半減してしまうものである。やはり、きれいな文章、読みやすい文章を書くことです。右記の表のようなことに気をつけると良くなると思う。

いままでのことを簡単にまとめると、連絡報道員は新聞という独特の制約の中でまとめるという仕事をするのだ。その中には、必要な条件から生まれる制約があり、それをつかんでおくことだと。

その制約として

一、締め切り時間がある（4H新聞なら発行日の五日前のはず）

一、スペースが限られている（十五字×九十二行×十五段×四枚）

一、事実を客観的に表現すること。

一、社会的責任を考えること。

一、わかり易く魅力的なこと。

などがあげられるわけだ。

連絡報道員の役割としては普及活動であるとか、また多くの注文があるんだが、余り多く書くといっ叱されるか判らないのでこの位にしておくが、われわれは連絡報道員なんだという意識を常にもって行動観察してほしいことをつけ加えておこう。

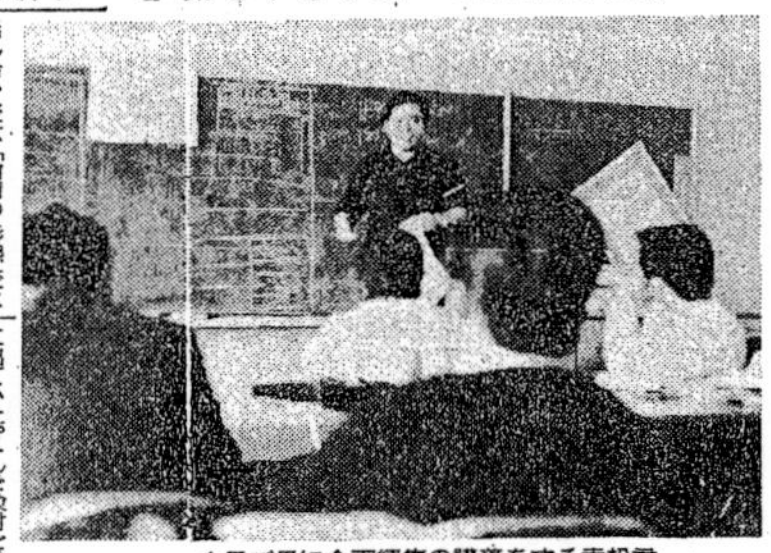

クラブ員に企画編集の講義をする赤松君

◎やさしく読者の身になって書くために

1、一つの文が長すぎないこと、「が」を乱用して文を続けないこと
2、主語と述語動詞を離しすぎないこと
3、主語を大事にすること
4、頭でっかちの福助文にしない
5、漢字が多すぎないこと、また、かなばかりにしないこと
6、話しことばを使うこと
7、熟語、動詞の使い方に注意
8、二重否定やまわりくどいことばはなるべく使わないこと
9、一つの記事で同じ言葉は何回も使わないこと
10、外来語や専門語をあまり使わないこと
11、翻訳調、直訳体は使わないこと
12、形容詞や副詞はそのかかることばのすぐ前にもってくること
13、カッコや符号はなるべく避ける
14、略語を文の最初から使わない
15、たとえなど使ってわかりやすくすること
16、ひとり合点しないこと、注釈や図解をつけること
17、内容に応じて個条書きとして、わかりやすい文章とすること

花嫁学園と合同で
岐阜県連で若者の集い　来月25日から、ひるがの高原

【岐阜】岐阜県4Hクラブ連絡協議会（会長 中野俊一郎）はさる二日、岐阜県庁で理事会を開き、今年度の県連二大行事である「夏のつどい」と「4Hフェスティバル」の開催場所や日程などについて協議した。

その結果、夏のつどいは東海の軽井沢といわれる郡上郡のひるがの高原を会場として七月二十五日から二十七日までの二泊三日間の日程で開催することになった。参加者は二百名を予定している。

内容については、昨年、農村花嫁学園との合同を試みたが、大変好評だったので本年もその形式を取ることになった。

昨年は、三泊四日の日程で開かれた県農業技術課主催の農村花嫁学園が一日終了したところへ4Hクラブ主催の夏のつどいに参加した4Hクラブ員が押しかけたために、中にはその事情を知らない学園生徒がびっくりするということもあった。また行事内容も終始合同で行なうのではなく、その内容によって合同で行なったり離別して行なうという具合に大変複雑であった。このため4Hクラブ員から「こんなに短い日程の中で一緒になったり離れたりして活動する必要があるのか」という意見が出た。また、ようやくなじめたところに離れて……というような声も出るなど合同で行なうというねらいも薄らいだ傾向にあったので、今回は最初から終始合同で行なうことにして、日程も二泊三日間となり、名称も新しく「ひるがの高原若者のつどい」と改称して行なうことになった。

一方、4Hフェスティバルついては、来年二月に岐阜市で開かれることになった。しかし具体案は決定しなかった。

第一回は大垣市で開かれ、今年は第二回ということでその方向づけがいっそう重要となってきた。話し合いでは「前回の形態でよい」「いやあれではダメだ」「もっと経費を少なくしては」「一般の人びとにわれわれの主張を……」などといろいろな意見が活発に出ていた。こんご検討を重ね、前回の反省や意見をとり入れてさらに充実した大会となるように協議していくことになった。（岐阜県連＝棚橋範行連絡報道員発）

女子少なく会員減少
神奈川県連でリーダー研修　地区の悩みは同じ

【神奈川】さる五月二十六、二十七の両日、神奈川県農村青少年クラブ連絡協議会（会長 河崎幸一君）主催のリーダー研修会が県農業大学校で開かれた。今回は、新たに県連に加入した港北青少年クラブ地区も加わり、五十五名のクラブ員が参加、仲間との交歓とリーダーとしての知識を学んだ。

一日目は、オリエンテーションのあと来年度神奈川県で開催する第九回全国4Hクラブ員のつどい＝神奈川大会の説明があり、続いて各地区連の問題と現状について各地区連代表が、約五分間ずつ紹介、ついで参与をまじえて班会議で話し合った。

二日目は「リーダーとは……」というテーマで話し合い、反省会をかねて作文を作成した。

その中で各地区とも共通する問題は、女子が少なく、会員の減少が目立つということであった。

短い日程で行なわれたため少々ムリな点もあったが、作文を読んだところではなかなか好評に終ったようである。（神奈川県連広報部・松沢久君発）

募金再スタート
4H会館建設　静岡県連で単位クラブ会長会議　クラブ員が納得する方法で

【静岡】静岡県農村青少年クラブ連絡協議会（会長 鈴木政美君）はこのほど二日間にわたって浜名郡舞阪町の地方職員共済組合浜名湖保養所で単位クラブ会長会議を開いた。県連事業を広くクラブ員に周知・徹底をはかるとともに、県連事業に対する意見や組織強化について協議したもので、県下四十のクラブから総勢四十八名が出席、全協会長で県連参与でもある松浦幸治会長の参加を得て話し合いが行なわれた。

まず鈴木会長と県後継者養成課の山内課長からあいさつがあり、このあと県連新役員の紹介が前の渥美前会長によって行なわれ、ついで議題に入った。本年度県連の事業計画と収支予算、クラブ組織図の説明があり、活発に質疑応答が行なわれた。

また、4H会館建設についての現況と県連の方針説明のあと、活発に論議がかわされたが、まとまりがつかないまま時間切れとなり、翌日に持ちこすことにした。

続いて「クラブリーダーの果す役割」と題する常葉短大学生課の深沢一平課長の講義を聞いた。

会長会議は夜になって一段とさえてきたようであった。

二日目は雨も上がってそう快。まず昨日から持ち越された会館建設問題についての討論会が行なわれた。多種多様の意見が出て、予定していた分科会をとりやめて真剣に話し合った。

結局、会館建設活動はクラブ員の納得のいく方法でということで県連に一任することになった。

次に「グループのかかえている問題点と会長としてのクラブ運営に対する抱負」と題してレポートをまとめた。

このあと県連役員会が開かれ、会館建設の活動方法をどうすべきかについて協議した。その結果、本年度中に多額の資金を必要とするので、募金という形をとることにして、バザーなどを催しその収益をそれに当てることにした。

これらの詳しい説明は印刷物にして配布し、オルグのときに協力を呼びかけることにした。（静岡県連＝有谷邦博連絡報道員発）

一地区四千円に　会費
山口県連　来月25日から「つどい」

【山口】さる五月二十六日、県農村青少年クラブ連絡協議会（会長 白松博之君）の第一回地区会長会議が、防府市の営農技術研修館で開かれた。

県下各地区協から三役が出席、午前中、県連会費の納入について討議された。

まず、総会において決定保留となった「クラブ員と会費納入」について、現在のクラブ員減少から値上げは非常にむずかしいとの意見が出され、真剣に討議した結果、三案が提示された。それをもとに採決した結果、多数決によって一地区四千円の基本線を決め、残りの金額については県下の総クラブ員数で割ることに決定した。

ひき続いて変則技術交換大会について話し合った。昨年から仲間づくりを主体に「若者のつどい」として開いているが、ことしはクラブ員から要望を取り入れ"村"をつくって村別対抗のゲームなどを行なう参加者が撮影した写真を農業祭に展示し表彰を予定。

また、一歩前進したクラブ活動をするには、まずお互いの団結が必要、ということで、テーマも変えている。第十二回山口県農村青年のつどい・十種が峰サマーフェスティバルと銘打ち、来る七月二十五日から二十七日までの三日間にわたって開催。スローガンは「若者よ自然の中へ!」

午後からは、県連事業の方針説明、各地区協活動の方針説明。

県連としては、昨年にひき続いて各地区協、県協のパイプをさらに太くしていくために、お互いの情報交換を盛んにしていく。その具体策として広報新聞、機関紙作成に当る連絡報道員を各地区協におくことにした。（山口県＝須内和明連絡報道員発）

雑記
おいらイチぬけた……

都会の夜に赤いネオンがチカチカと点滅するころ、どこへいくというあてもないままに乗りこんだ夜行列車の暗いデッキに躰をもたげて、酔いカスが燻（くす）ぶる頭のなかでひとりつぶやく言葉だろうか。"おいらイチぬけた……" それとも、新宿の雑踏でふと垣間みた他人の顔があまりにも自分の顔と酷似しているのに驚き、嫌悪感としらじらしさを感じながら、白く乾いた路面に唾をはきつけてつぶやく言葉だろうか。"おいらイチぬけた…"

巨大な管理機構、プラスチックの肌ざわり……。まわりの世界が無感動すぎるのかもしれない。ある若者は自分の心をセンチメンタルな雨で湿らせ、またある若者はまわりの世界よりももっと無感動になろうとする。満たされぬ心をかかえた若者たちは、自分のものとは思えないこの社会からの脱出を試みようとする。ドロップ・アウトと呼ばれている現象がそれである。

それは、つまり他者に所有されることからの脱出だ。だが、どこへ……。若者たちは"自分を失っている"という感覚にたえきれず、社会からドロップ・アウトするが、肝心なところでまた自分を見失ってしまう。そして最後に"おれには失うものなんかもともとなかったのじゃないか"という自問自答の地獄のなかへと落ちこんでいく。

私たちの世代を"ロスト・アイデンティティの世代"と名づけた批評家がいた。アイデンティティとは＜自我の存在証明＞という意味である。つまり、私たちの世代には、私たち自身を写しだす鏡のような価値感が欠落していることをいっているのであろう。無から有を引きだしえない以上、私たちは"どこか"と"どこへ"という二つの実体の中間にぶらぶら浮いていることになる。そして"おいらイチぬけた……"というつぶやきはむなしい反復をくり返すことになる。【宇】

クラブ往来
去っていくぼくだけど

茂木4Hクラブが結成されてから、早くも四年が過ぎ去ろうとしている。だけど、この四年の歳月とともに、ぼくも4Hクラブを去らなければならない。いまになって考えてみると、さまざまな思いがぼくの頭のなかをかけめぐる。

ぼくたちが茂木4Hクラブを結成した四年前は、クラブ員の数も五名という少人数。農業に従事している若者が一人ひとりで孤立していてもダメだと思い、定期的に集いをもち、話し合いをし、仲間としてのつながりをもとうと結成したのだった。

普及所の先生によって市連に加入したが、結成してまもないためプロジェクトももたず、各種大会にもあまり参加しないので、加入していても加入してないのと同じような状態だった。しかし、最近は農業に対し真剣に考えるクラブ員がふえ、ことしはプロジェクトももち、各種大会にもよく参加した。

ことしにかぎっていえば、市連の単位クラブのなかでもよかった方だと思っている。ぼくも思いのこすことはない。これからは、よき仲間をふやして、いま以上のクラブの発展を祈るだけだ。

この四年間を通じてぼくがいえることは、個人の考えや意見というものは限られるが、団体のもつ力は強いものだということだ。だから4Hクラブこそ、団結心の乏しい農業者にとっては唯一のものだと思う。このクラブで団結心を養い、農業をとりまく多くの問題点を打破し、明日の農業のよい担い手としての基礎を築いていかなければならないと思う。

"このクラブは自分たちのクラブだ" "自分たちが運営していくんだ" という、農業に対しての自覚と誇りをクラブ員一人ひとりがもち、しっかりと進んでいってほしい。（長崎県・茂木4Hクラブ東啓之助）

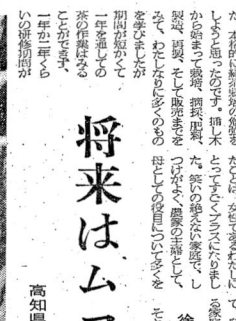

47年度 農業観測をみる (5)

価格はまずまず

茶、マユ・生糸
麦 飼料用・醸造用ふえる

茶 茶生葉収穫量は、摘採面積がやや増加するとみられるものの最近の収穫量の動向からみて、気象が平年並みであれば前年産（三十八万八千三百トン）にくらべわずかに増加する見込みである。荒茶生産量も前年産（九万二千九百トン）にくらべわずかに増加する見通し。茶期別には、最近重点的摘採を行なっている一番茶がやや増加するとみられるが、二番茶はわずかに増加すると見込まれ、三、四番茶は価格の安い中華民国産の輸入緑茶と競合関係にあるため、横ばいに推移すると見込まれる。

なお、緑茶の輸入量は前年（六千四百九十六トン）とほぼ同程度の見通し。

荒茶の需要は堅調に推移するものと見込まれ、価格も前年産（六百八十円）をやや上回るものと見通される。茶期別には、上級茶へのし好の高まりなどから、一番茶は前年をやや、二番茶もやや上回るものと思われる。

繭および生糸 収繭量は前年産（十万八千トン）とほぼ同程度、生糸生産量もほぼ前年度（三十三万俵、実績見込み）並みと見通される。生糸の輸入量は前年度（十一万俵、実績見込み）をかなり上回るものとみられ、繰り越し在庫を加えた生糸総供給量は、前年度をかなり上回る見通し。

純内需は前年度（四十万俵、実績見込み）をかなり上回り堅調に推移するものとみられ、一方、生糸および絹織物などの輸出量は、ほぼ前年度（一万二千俵、実績見込み）並みとみられるため、生糸総需要量は前年度をかなり上回るものと見通される。

生糸価格は、以上のような需給事情からみて、前年度（キロ当たり七千円、実績見込み）をやや上回るものとみられ、繭価格については前年産（キロ当たり九百七十二円）をやや上回る見通し。

米 作付面積は、四十七年産の米の生産調整の目標数量を二百十五万トンとしているので、目標数量をほぼ達成した前年度の作付面積（二百六十二万六千ヘクタール）と同程度と見込まれるため、全体としては前年度と同程度の見通し。

収穫量は、作柄が不良であった前年産（十アール当たり、水稲は四百十一キロ、陸稲は百五十三キロ）にくらべて収量は増加するものとみられ、前年度（千八十九万トン）よりかなり上回る見通し。

国内需要量は、人口の増加が見込まれるものの、一人当たりの消費量が前年度に引き続き減少すると見込まれるので、前年度にくらべてわずかに減少する見通し。

麦 作付面積は、前年産に引き続き稲作転換対策の一環として水田麦作の生産振興策がとられたものの、最近の麦生産のすう勢や収益性などからみて、前年産にくらべて、六条大麦および裸麦は大幅に、また小麦はかなり、二条大麦はやや、それぞれ減少するものとみられる。

収穫量は、全体に作柄が良好であった前年産（九十四万トン）よりかなり減少するものとみられる。

需要は、小麦については主食用および加工用はともにほぼ前年度並みとみられるが、飼料用はやや増加する見込み。大麦、裸麦については、主食用（精麦用）はやや減少するとみられるが、加工用は醸造用を中心にかなり増加するとみられ、また飼料用もかなり増加する見通しである。

過疎の中で緑茶の香りに夢

おいしいお茶を

将来はムコさんしだい

高知県・中村4Hクラブ　佐竹房子

高知市から西へ約百三十キロにある中村市。わたしの家は中村市よりさらに北へ十六キロほど奥に入った山村の一部落にあります。山々に囲まれたこの小さな村は、山林を主として水稲、しいたけ、養豚、茶と多角経営。

わたしの家では、水田七〇アール、野菜畑一〇アール、茶園四五アール、山林六ヘクタール、それにしいたけを少しやっております。家族は父母、祖父、私、妹二人の六人で、父が農協に勤務しているため、実際農業に従事しているのは祖母と母と私の三人。男手の少ないことがわが家の悩みのタネ……。

高知県立帰全農場を卒業してことしで五年目。卒業した当初のわたしは、「帰全」という暖かいハウスのなかから突然ほうり出されてしまった感じでした。あんなに楽しみにしていたなつかしいふるさとだったのに友もなく青年活動もない村で父母たちの手伝いをする日々……。いま思えばわびしい毎日でした。"若さがない"と、ある若者はこんなわたしの生活をみていいました。そのときはほんとうになにかとり残されたような感じで、そういわれても仕方ないと思いました。

十八のとき、県の中堅青年研修生に応募し、生活改善の部で研修を受けました。翌年、静岡県袋井市へ緑茶栽培の留学研修生として二か月間行ってきました。本格的に緑茶栽培の勉強をしようと思ったのです。挿し木から始まって栽培、摘採、肥料、製造、再製、そして販売までをみて、わたしなりに多くのものを学びましたが期間が短かくて一年を通しての茶の作業はみることができず、一年か二年くらいの研修期間があればよかったなと思います。

でも、受け入れ農家の鳥居家を通じて家庭生活の勉強ができたことは、女性であるわたしにとってすごくプラスになりました。笑いの絶えない家庭で、しつけがよく、農家の主婦として、母としての役目について多くを学びました。母である以上に、あるときは友として対話したおばさん……。いろんな面からみて、鳥居家はわたしの理想とする家庭でした。

徐々に品種改良

それから二年、二〇アールあった紅茶園も少しずつ緑茶にと品種改良をやりつつあります。まだ十分ではありません。全国青年農業者会議では、わたしよりもっともっと意欲的な同志に圧倒され、ややシラケた感じ！　高知の茶味や香は他県より劣っているかもしれない。でも、わたしは高知で作れる高知の茶を作っていきたいと思っています。

現在のわたし……女子青年生活講座、4Hクラブ、村での青年活動、そして通信高校二年生。レポートに追われっぱなしの毎日です。忙しいのを覚悟で始めた勉強だから、いくらせっぱつまっても、泣きたくなってもやめようとは思いません。

将来のわたし……それは家を継いでやっていくわたしのところへきてくださるお婿さんだい。さいわい農業をやってくださる人がきてくれれば四五アールのわたしの茶園は七〇アール、八〇アールにも伸びていくことでしょう。

残り一〇アールの改殖と土壌の検査、そして消毒、肥料などについて勉強することがありすぎるわたしの緑茶栽培ではありません。でも"いましかできないことをやる"という、若さに対するわたしのモットーにしたがい、4H活動や青年活動との両立のためにも頑張っていこうと思っています。"小規模でもおいしいお茶を作る"というわたしの夢のためにも……。

労力の調整が問題

ブロイラープラスいちご

山口県・大津青少年クラブ　水野隆

私の家は、水田八〇アールを父が担当し、ブロイラー三千羽が私、いちご一〇アールを母と私で担当している。父の時代は水稲一・四ヘクタールを中心に経営を支えてきたが、私は新しい農業のしくみをつくりあげようと思い、狭い水田に依存せず生産性の高いブロイラーをさる四十三年に導入して今日に至っている。

私が複合経営による経営の安定化をはかろうと思ったのは、畜産物は需要の伸長が考えられるものの、必ずしも価格はそれに併行するものではなく、価格の下落も当然考えねばならないこと。また、病気などの事故も確率ゼロに抑えこむことは不可能であることなどから、労力の調整ができれば二本立ての複合経営の方が有利ではないかと考えたからである。また、農協が水稲にかわるハウスいちごの導入を積極的に計画していたこともさいわいした。一連の指導体制のよさも不安感を解消してくれた。

プロジェクトとして三百三十平方メートル程度の小棟にしようかと考えたが、たんなる技術習得ではなく、かなりの労力を必要とする複合経営のなかに定着させる意味あいから、一〇アールの半促成のハウスいちごを計画した。資金は改良資金を利用し、普及所のすすめで小さな一棟を将来に備えて株冷栽培の確認として受けもつことにした。

出荷時期がいくらか遅れたが、一〇アール当たり三トンの収穫をあげることができ、従来の作物にくらべて生産性の高いことが確認できた。ただ、労働力の調整配分についてブロイラーとの複合をどう展開するか、労働力の不足をどう処理していくかの問題が残った。パートによる労力の導入、箱詰めの改善など、知恵を使うことがいかに大切であるかを痛感した。

今後は、いちごについては現在の一〇アールのハウスを中心に、二〜三年は作型、労働力の調整などを研究したいと思っている。ブロイラーはことしから六万羽への増羽を計画しているが、このいちごを複合のもう一つの柱とさせたい。

プロジェクト

乳質の向上をめざし

牛舎（搾乳器具など）は清潔に保つ

群馬県・若竹クラブ　津金沢稔子

BHCなどの農薬や、抗生物質の牛乳への残留問題がクローズアップされ、これからの酪農をしょって立つ者にとっては放っておけない問題である。わたしたちの健康にプラスする牛乳も、場合によってはかえって健康を侵すことにもなりかねない。増産も大事だが、それと同時に質の面の改善が重要である。そのようなことから、わが家では乳質について総点検し、改善の方向を見い出したいと思った。

乳質改善にあたり、わたしはほかの人の意見を参考としつつ、自分なりの計画をたててみた。そしてつぎの六つに重点をおいた。①すばやい冷却②搾乳器具の清潔③牛舎の清潔④乳牛の健康保持⑤牛舎の清潔管理⑥搾乳者の健康と清潔。

その結果、まず、糞をそのつど除去することによって牛体の汚れが少なくなった。牛床に鋸屑を敷いたことが効果を高めた。また、わたしは健康を保持させるための一つの方法として栄養剤を給与してみた。目にみえてはっきりとはわからなかったが、効果ありとみた。十二月に行なわれた健康管理において、乳房炎牛が一頭もでなかったのである。また、搾乳時に着用するアクションコートを購入してみた。加工がほどこしてあるので容易に洗え、大変便利であった。

乳質向上をつねに頭においてやってきたわたしだが、まだまだ不十分なところも多い。それでも、月二回行なわれるレサズリン検査においては満足できる結果をあげている。目新しいものはあまりないが、乳質向上をめざして定められたことを確実に実行していきたいと思っている。

結婚を考える ▶16◀

福岡県・八女西部4Hクラブ

毎日の生活を大切に

いま、さかんに花嫁修業ということばが使われ、年頃の娘さんたちは、お茶、お花とけいこごとに通います。花嫁修業とはたんにお茶やお花を高い授業料を払って習うことをさすものなのでしょうか。

花嫁修業とは？

わたしはお花を習っていました。先生のお花の活け方のセンスは、それはすばらしいものでした。でも、教室に行ってはただ与えられた教材でお花を活け先生の手直しを受けるだけ。どこの教室でも変わりはないと思いますが、そのようにただ漠然とお花を活けて帰るだけが花嫁修業でしょうか。

"花嫁修業とは？""なぜお花を習うのだろうか？"と、わたしが思い始めたのは、ひとつのきっかけがもとでした。

ある週のお花のおけいこに、家の都合でどうしても行けないことがありました。一週間後に行くと、ただ一言"もう、あの花は捨てました"という返事。そのときわたしは、心にポッカリと大きな穴があいたような気持になりました。

わたしはいままで、人に対しては"花嫁修業のためにお花を習っているのではない"といいながらも、ただ漠然と教室に行き、いかにカッコよく活けるかという気持しかなかったのではないかと思うのです。ほんとうにお花が好きで、精神修養のひとつと思う心があったならば、当然あくる日にでもお花を取りに行かなくてはならなかったのです。だれかがどうにかしておいてくれるだろうという安易な気持が、わたしの心にお花を枯れさせてしまったのです。（つまり、花を愛する気持がなかったのでしょう）

お花を活けていれば気持がおさまり、心に安らぎを与えてくれます。美しい花だけが花ではなく、家のまわりに咲いている雑草にも生命があります。だから、折らなくてもいい花を折って活けるからには、より以上の生命を与えなければならないのではないでしょうか。そのようにして活けた花のなかには"調和"が保ちだされ、人間の世界にたとえればそれが"友愛"ではないでしょうか。

習いごとをするときは、ほかの人たちが習うから自分も習うという安易な気持ではなく、自分はなぜこれを習うのかと、つねに考えて行動すべきではないでしょうか。

花嫁修業といえばなにかを習わなくてはいけないような錯覚におちいりがちですが、修業とは一生続くもので、一日一日の生活を大切にすることが真の花嫁修業だと思う、今日このごろです。（中嶌悦子）

NHK農事番組（7月1〜10日）

テレビ

明るい農村　6・30〜6・55総合
1日　村をむすぶ「青森、金沢、松江、東京」
2日　明るい漁村
3日　村の記録「ある帰島」〜東京都利島
4日　きょうの話題
5日　産物百科「輸入肉」
6日　話題と人「三百頭酪農」〜北海道士別市
7日　農村新地図「北海道早来町」
8日　村をむすぶ「函館、姫路、福岡、東京」
9日　明るい漁村
10日　村の記録「米価一九七二年」

農業教室　7・30〜8・00　教育
3〜5日　消費者の好む果物　小倉栄三（全国農業協同組合連合会）
6〜8日　経営発展のための技術　川廷謹造（東京大学教授）

あすの村づくり　日　7・00〜8・00　教育　再　土　13・00〜14・00　教育
2日　「パイロット地区のもたらしたもの」　佐伯尚美（東京大学助教授）、内村良英（農林省農政局長）ほか
9日　「わが農業の未来を語る」　神谷克己（日本経済調査協議会）ほか

ラジオ

早起き鳥　5・41〜5・57 ①
1日　ふるさと通信
2日　米価決まる　小倉武一（米審会長）ほか
3日　農家の生活改善二十年　足利実（宮崎大学講師）
4日　にぎわう老人農園〜札幌市
5日　肉・乳兼用牛を育てる　西山太平（日本獣医畜産大学教授）
6日　阿波葉たばこ昨今　渡辺米一（池田町たばこ耕作組合）
7日　ほうずき市を守って　山口繁次郎（七五）（ほうずき生産組合長）〜東京都江戸川区
8日　ふるさと通信
9日　グレープ・フルーツ自由化一年　荒勝巌（農林省蚕糸園芸局長）ほか
10日　コンピューターで出荷調整　千田祐寿（水沢市農協組合長）

話の広場　日　6・10〜6・30 ①
2日　棒体操で疲労回復〜長生郡長南町
9日　消える川のり〜矢板・市宮川、藤原町鬼怒川ほか

新しい農村　6・00〜7・00 ②
2日　新米価決定
9日　鶏卵の価格安定をめぐって　井上喜一（農林省食肉鶏卵課長）、渡辺貫二（埼玉県毛呂山農協）ほか

ラジオ農業学校〈講座〉　月〜土　6・40〜7・00 ②
3〜5日　畑作をどうするか　一戸貞光（農林省農林水産技術会議）
6〜8日　農業の経営部門分業を考える　吉田六順（日本獣医畜産大学教授）

ラジオ農業学校　日　6・30〜7・00 ②
2日　グループの集い「伝統産地の悩み」　木村義孝（和歌山県かつらぎ4Hクラブ）ほか
9日　経営手帳「集団養鶏の衛生対策」　伊東正己（栃木県家畜衛生研究所）ほか

家族で楽しめるレクを募集

日本レク協会

4Hクラブでもレクリエーションは盛んだが、このほど財団法人日本レク協会の発行する月刊誌「レクリエーション」が特集"ファミリー・レクリエーション"の企画にちなんで家族そろって楽しめるレクリエーションの方法を広く募集している。

募集要領は次のとおりで、入選と佳作原稿は月刊誌「レクリエーション」四十七年十月号（九月十日発行予定）誌上で発表し、それぞれ賞金がおくられる。

募集要領は次のとおり。

▽内容　「ファミリー・レクリエーション」にふさわしい、家族そろってのレクリエーション実践記、ユニークな旅行体験（計画）記、そのほかファミリー・レクに描くあなたの夢、思うことなど。

▽原稿枚数　一点につき四百字詰用紙八枚程度（原稿内容と関連のある写真があれば添付して下さい。原稿はお返しません）

▽賞金　入選作二点＝各一万円、佳作二点＝各五千円

▽締切り　来る七月二十日（郵便の場合も同日必着のこと）

▽送り先　東京都渋谷区神南一ノ一ノ一、岸記念体育館内、日本レクリエーション協会「レク誌」編集部、ファミリー・レク係　電話　〇三（四六八）四三八一

住民参加呼びかけ

7月1日から「社会を明るくする運動」

"住民の力で防ごう少年非行"の標語をかかげて、来る七月一日から一か月間、第二十二回「社会を明るくする運動」が実施される。この運動は、法務省が主唱、中央と都道府県および市区町村などを単位とする地区に実施委員会がおかれ、すべての国民が犯罪の防止と罪を犯した人たちの更生について理解を深め、それぞれの立場において力を合わせ、犯罪のない明るい社会を築こうとする全国的な運動。

今回の運動は、"住民参加による青少年の非行防止"を重点目標におき、地域住民すべてが青少年の非行防止と非行におちいった者の更生のため行なわれる諸活動に参加するよう呼びかけ、希望にみちた青少年をはぐくむ明るい社会を築くよう、広く地域住民の理解と協力を得ようとしている。

七月一日を「更生保護の日」として多くの行事を行なう。

畜産など公害防除施設の導入は慎重に

農林中央金庫

国連の人間環境会議が開かれ公害は今や世界的な大問題となった。中でも"公害の先進国"というありがたくないニックネームまでもらった日本では、各界で公害対策がやかましく取り上げられている。

畜産界でも"畜産公害"が問題になっている。畜産公害の場合には、直接それが人命にかかわるようなケースは少ないようだが、臭いがクサイとか、鳴き声がうるさいとか、まわりの住民から苦情がでる。同じ農家仲間からも近くで豚や鶏を飼われると土地の値が上がらないと文句をいわれる例も少なくない。良心的に畜産に打ち込んでいる人ほど、こうした公害対策にアタマを痛めているのが現状だ。

この弱味につけこんで、最近さかんに公害防除施設の売り込みが行なわれている。これからの成長部門は公害防除産業だというので、多くの会社が進出、セールスマンがりっぱなカタログを持って農家をまわっている。むろん良心的なものもあるが、なかには技術的にみても、経営採算上からみても問題が残っているものが少なくない。畜産農家が公害防除のため新しい投資をするときには、よくよく検討する必要がある。

畜産公害の横綱は豚と鶏だといわれているが、鶏の鳴き声の騒音防止にはあまり決め手がないようだ。奈良県の畜産試験場で、鶏舎をビニールでスッポリ囲うという実験をしてみたところ、鳴き声がだいぶ小さくなったといわれる。鶏フン乾燥機を利用して乾フンで有利に売る方法が広く行なわれている。これは機械の選択を誤らなければ、何とか多少の利益をあげられるが、鶏フンの売り上げと処理費の収支がトントンにいけば、まず大成功といえよう。

豚の場合は非常に問題がある。肉豚の場合、豚一頭当りのフン尿処理施設は約一万円かかり、これではとても収支が合わない。四百頭から五百頭程度の経営規模で、こんな高価な施設を導入するのは、特殊な経営以外は無理である。したがってフン尿の土地還元を本気で考えることが必要。土地還元はとても夢物語りだという人もいるが、高価な施設を導入して収支を苦しくしてはモトも子もなくなる。防除施設への投資を行なう際には、広い角度から慎重な検討が大切だといえよう。（農業部）

幸わせの輪広がる

共済加入額平均　1農家255万円

全国共済農業協同組合連合会

全共連では、農村地域社会にひろがっている各様の危険を保障し、組合員のしあわせを守るために、昭和四十六年度の長期共済新契約の目標を二兆七千五百億円とし、四十六都道府県共済連、全国の六千農協とともに共済普及の運動を展開しました。

この結果、長期共済新契約では、生命共済合計で二兆二千億円余、こども共済三百二十億円余、建物更生共済六千六百億円余で、合計二兆九千億円余の契約がありました。これは前年の昭和四十五年度にくらべ二六％増です。また、件数では百七十四万件です。

とくに「みのり共済Ⅲ型」（死亡事故の場合、三倍の共済金額を支払うもの）は一兆三千億円余と前年度に比し二・二倍という驚異的な契約額でした。さらに共済掛金を毎月払っていく、まい月払い共済も前年度にくらべ三倍近くもあります。このことは、組合員の生活態様や考え方が一層都市化し、また深まる危険に対する大型保障がますます必要になってきたことの反映といえるでしょう。

これで四十六年度末の長期共済の保有契約高は、件数で一千八百七十万件、共済金額で十三兆三千六百五十億円とぼう大なものとなり、これは保険会社とくらべると、国内では「日本生命」についで第二位、世界でも第九位（昨年第一〇位）の位置にあります。

これで一農家当りの平均共済加入額は二百五十五万円と前年度より五十万円ふえ、全国の農家組合員の保障によるしあわせの輪は一層大きくひろがりました。

沖縄でも共済事業開始

沖縄県の日本復帰により、沖縄県共済農業協同組合連合会の創立総会が、さる五月十一日、盛大に那覇市でひらかれ、本格的に共済事業が沖縄県ではじまることになりました。

総会では共済連会長に山城沖縄県中央会長、副会長に与儀・伊江村農協組合長が就任し、本土より多数の来賓の出席のもと沖縄組合員にも本土の組合員と同じように相互扶助としあわせの輪をひろげようと熱気に包まれました。

こうして沖縄県の組合員九万四千人の保障をはかるため、四十七年度百四十億円、三年後の保有契約高一千億円をめざしています。（普及部）

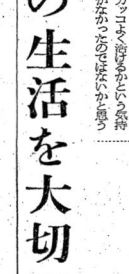

青春と仲間

ハッスル、"草の根大使"　では、行ってきます

山形県・コナムクラブ　原田　茂光

IFYEでアメリカに渡り、そこで世界各国から集まってくる人たちと接し、一緒に生活し、考え合い、ともに勉強することが私の永年の念願であり、また、若い二十代になすべきひとつの努力目標でもありました。

このたび、機会に恵まれIFYE日本代表としてアメリカに派遣されることになったのはこのうえない喜びです。この喜びを与えてくださいました関係機関のみなさん方と全国の4H仲間のあたたかい支援に対し、厚くお礼を申しあげます。

IFYEも今年で二十回目、記念すべき二十回世界大会に日本代表として出席できることもこのうえない喜びです。言葉、風俗、習慣、そして社会構造の異なる他国への旅、私は日本にいては経験できない何物かが得られるものと確信しています。と同時に、日本の良さを再認識させてくれる材料をも提供してくれることも確かでしょう。

広い視野を持った若い一農村青年としてアメリカの農業者と、また、世界のIFYE仲間と親善の和を広げて帰国できるなら本望です。

出発を前にして福岡の悪友から便りをもらいました。農林省・農業者大学校を卒業してこの一年間まったく音信不通だっただけに写真同封の便りはとてもうれしいものでした。彼の便りのなかに私の意を見いだしたので、一言、拝借して全国の4Hのみなさんにお伝えいたしましょう。

『アメリカに行ったら、日本にもアメリカにも共通してあるだろう人間の共通性をじっくり見てきてほしい。"日本との違い"よりもむしろ"日本と同じもの"をもし見つけられたら、きっとすばらしいだろう。また、それらは、ぼくらが生きてゆくうえで必要な理念にもなるだろう……』

今度はあなたの出番です！

福岡県・黒木4Hクラブ　堤　千恵子

まず、これまでお世話になった関係機関の多くの方々にお礼を申しあげます。そして、いつも私の心のささえとなってくれた全国の4Hクラブ員（とくに九州のある県のクラブ員）に感謝の辞を申しあげるとともに、現在の私の心境を述べさせていただきたいと思います。

出発を明日（十八日）にひかえあわただしいなかで、アメリカから来られた二人の草の根大使、ドーナ・ハルコビッツ嬢とジェーン・E・バァイヘリック嬢に会えて心暖まるものを覚えております。彼女たちは日本という異国にたった二人で、それも三時間半余も彼女たちの乗ってきたノースウエスト機が遅れたにもかかわらず、大変元気で少しも疲れなど見せてはおりませんでした。

彼女たちは午後十時過ぎに宿泊地にやっと着きました。それから休む間もなく私の親せきの家に来てくれました。おかげで楽しい夜を過ごせました。私にとってのラスト・ナイト・イン・ジャパンだったわけですが、彼女たちとの愉快なそしてちょっぴりトンチンカンなおしゃべりのおかげで少しもオセンチにならずに出発を迎えることができそうです。

彼女たちは私の故郷の福岡にも来るそうです。そして、私もジェーンの出身地であるアメリカ東部のロードアイランド州へ行く予定になっています。それでなんとなく親しみを感じます。

言葉に対する不安、ひとりぼっちになる不安などいろいろありますが、"人間である"という根本的な同質性を改めて知ったような気がします。二〜三日前からなにかよくわからないあまりにも巨大な機構のなかにまきこまれて自分がわからなくなり、大事なものを見失いそうになっていたのですが（草の根大使日本代表という肩書きがそうさせていたのかもしれません）今ようやく"私は私なのだ"という自覚ができました。

私もアメリカから来られたすばらしい草の根大使に負けないようがんばります。つたない文を掲げてしまいましたけれど、それではみなさん行ってまいります！

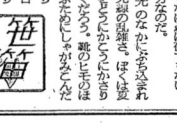

出発前の原田君（右）と堤さん＝羽田空港で

笹笛

長い昼と長い夜

昇りくる朝日があせっているわけでもないだろう。まして、沈みゆく夕日がぼくらに未練を残しているということではおさらないだろう。六月二十一日――今年の夏至。そう、昼間が一年中でもっとも長い日。正午に太陽が地面を照らす角度はいちばん高く、また、地面が受ける日射量は一年中で最高だという。

子供の頃、ぼくにとって夜の闇は恐怖だった。それは、ぼくの小さな手ではどうしてもつかみきれないぬるぬると湿った底のない暗黒への無意識的な拒絶反応でもあった。ぼくは女々しくも思ったものだ。一年中世界が昼間だといいのに……と。また、それが不可能なら、夏至がいつまでも続けばすばらしいんだがと。そう念じつつひたすら夜明けを待ったものだった。

今日、ぼくは、あの頃夢にまでみた夏至の太陽に全身をくまなく愛撫されたのだ。彼女の黒い涙のようなほこりまみれの汗がひとしずく、ミミズがのたくるごとく額を流れ下る。それと相呼応するかのように、ゆっくりとぼく自身が低下する。無感動。あえて言うなら、光への異和感。白日にさらされた巷にぶざまに映じるぼくを含めた存在すべてそのもの。ぼくは、なににもまして光そのものが余計なもののように感じざるをえなかったのだ。といって"夜は友だち"と口笛を吹くほどの男にもなれなかった。なぜなら、暗黒は暗黒でまた余計なもののような気がしたからである。

抜けでるわき道のない世界。ぼくらはその大きな袋小路のなかで累累（るいるい）として生きている。一条の曙光が心臓を射ぬくとき、ぼくらはどのように大地につっ立っていればいいのだろう。ああ、明けることのない世界。ああ、そして暮れることのない世界……。

かつてフランスのノーベル賞作家であるアルベール・カミュは、『異邦人』という小説のなかで、地中海の灼熱の太陽がギラギラと輝くとき、その光ゆえに殺人を犯す人間を描いた。しかし、カミュには夜がなかった。彼にとってはアルジェの永遠の夏しか存在していなかったのだ。ぼくらが凝視しなければならない世界、それは昼でもなければ夜でもない。と同時にその両方なのだ。

再び、ぼくは光のなかにぶち込まれる。冷めきった光線の乱雑さ。ぼくは夏至の太陽のなかをどうにかこうにかさりげなく歩いてゆくだろう。靴のヒモのほどけたのをむすぶためにしゃがみこんだとき、まだかなり先である冬至の日のことを考えたりして……。（野）

あんな人こんな人

心に残る恋がいい

結婚―適齢期は自分できめるものよ

堀見とし　高知

青い空、青い海、白いビニールハウスの南国土佐。黒潮の寄せくる太平洋で産湯（うぶゆ）をつかい、情熱的な日差しのもとにすくすく育った女性。彼女のなかを流れるもの――それは熱い高知の血と黒潮の激しい気性。今もなお旧家の面影が漂う佐川町という情緒豊かな静かなところに住んでいる彼女には、やはり町と同じような静けさがただずんでいる。

ところで彼女とは、姓は堀見、名はとし、そう、ご存知全協の今年度の副会長である。

堀見さんはいつも髪を後ろで束にゆわいている。一見、平凡な田舎娘（？）風な彼女であるが、いったん彼女がスラックスをはいて動き出すと彼女の前に立ちはだかれるものはいないらしい。いつでもスラックスで張り切る彼女――つらいときも悲しいときも顔には出さず、明るい笑い声をたやしたことがない（顔で笑って心で泣いて、笑う笑顔は百万ドル＝高知県連評）。

堀見さんはよく食べるそうだ。しかし、彼女曰く『私はいくら食べてもこれ以上太らないから、ちっとも気にならないわ』でも、決していやしい食べ方はせず、スカッとさわやか！だそうであるから、男性はひと安心といったところだ。そればかりじゃない。彼女は『腹がへった』とわめく男性どもにもそっと自分の弁当を提供してくれるらしい。

堀見さんはすばやく行動をおこし、クラブ員をひっぱってゆく。そんな彼女を知っているすべての人たちは彼女を信頼しきっているということだ。

だが、高知県連の人たちにもそんな彼女を見ていて少々心配になってくる点があるらしい。というのは彼女が"まったく人がよすぎる"からだという。人一倍おおらかな心の持主である堀見さんが、ときとしてわが身をふり返らず4Hクラブや友だちの面倒をみ、泣いたり喜んだりしているのを目にすると、『もうすこし自分自身のことにも気をつかって』と言いたくなるらしい。

『彼女ほど心も体も健康でほがらかな人はいるでしょうか』ある人はこうも言う。

さて、高知県連一同の人気を一手に引き受けている堀見さんをもう少し深く追ってみよう。

堀見さんの家の経営規模については、七七アールの水稲（今年は三十アール）と五十坪の観葉植物だということだ。堀見さん自身は『二種兼業でもっともダメな農家』というが、彼女の意欲はすばらしいもんだ。それというのも、彼女は観葉植物をやるために後継者育成資金を借り、彼氏のごとく大事に観葉植物を育てこれからの自家の経営をなんとか改善しようと口には出さぬ闘志をもやしているというからである。

『自分の成長のためにすばらしい恋も失恋もするほうがいいと思います。でも、思い出したくもないような恋はすべきじゃないわ』と堀見さんは言う。そして、また、結婚についても、『県連の人たちは今年中に売れてもらわないと困ると言っているようだけど、これぱっかりわね……』と彼女はうつむく。

堀見さんは昭和二十四年生まれの二十三歳。もちろん結婚のことは考えているという。しかし、結婚適齢期というのは人それぞれによって異っているものだとも言い加える。

『結婚はお互いが結婚したいと思えばできるでしょうが、嫁ぐ立場として私は、農家へ嫁ぐ場合、お互いに家族があり、家としてのつき合いがあり、また相手方の家では近所（部落）づき合いがあることを忘れてはいけないと心に言い聞かせています』

熱き血潮が、南国の太陽のもとでさん然と輝く。その光は、全国の仲間の上にもおしみなくふりかかる。堀見としさん――全協副会長、あなたの熱き血潮があるすばらしい人の上にもさん然と輝くよう――ガンバレ！

高知県 高岡郡 佐川町 柳瀬（記事提供は高知県連一同）

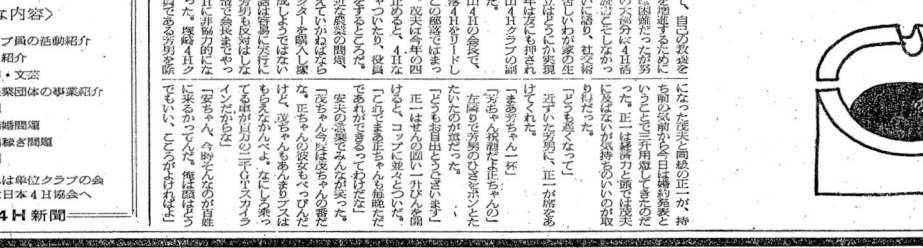

灯台よりも、もっと高らかに笑う堀見さん＝足摺岬にて

美を求める心

新潟県・細島4Hクラブ　関　裕子

若い女性にとって、生活の美とうるおいということはなにを意味するのでしょうか。花で部屋中を包んでしまうことかしら。そう、それも大切なことですね。しかし、昔だったらそういうふうなことは心の内側に秘めておかなければならないことだったのかもしれません。なぜなら、個人の欲望などは押しつぶされていたことでしょうから……。

でも、私たち人間はいつでも生活のうちに美とうるおいを求めているような気がします。お金では得られないなにかを。それはひとつの生き方というべきだろうか。

私たち日本人の背後には数百万人の不幸な人々がいます。むろん私もさほど余裕があるわけではないし、また自分の心が狭く醜いことも知っています。けれど、ほんの一端でも切りつめて細い手をさしのべるべきではないでしょうか。それらは逆に私たちの生きる力にも、生き方にもなるでしょう。

優雅な生活などという舌ざわりの良い軽薄な言葉に負けてはなりません。自分の自己意識にもとづき、そして生活してゆくなかで自然に自分を包み込むような美を見つけるべきです。

しかし、まだ私の心をつきぬけるなにかがあるのです。

若者よ

山口県・下関地区　沼　房光

若者よ
あの日のことを思い出そう
だれもいないところで
チョッピリ母さんに
甘えてみたかったことを

若者よ
あの日のことを思い出そう
酒の入った父さんにチョッピリ
甘えてみたかったことを

若者よ
あの日のことを思い出そう
赤い夕焼けの浜を
弟と　とぼとぼ歩いたことを

若者よ
あの日のことを思い出そう
雨のなか　靴を両手に
三キロの道程を歩いたことを

若者よ
あの日のことを思い出そう
青白い月の光の中で
そっと手紙を読んだことを

若者よ
あの日のことを思い出そう
友と一言もしゃべらずに
登校下校したことを

若者よ
あの日のことを思い出そう
重いカバンを持ったあの娘に
席をゆずって
あげられなかったことを

若者よ
あの日のことを思い出そう
あの娘の瞳に
自分の影法師を映したことを

若者よ
あの日のことを思い出そう
涙　涙　涙　アア
人間の世界がイヤになったことを

若者よ！
君は今
自分に忠実に生きているかい？
二十年という歳月に
喜びを感じるかい？

若者よ！
"思い出"を
"思い出"とする時間の速さに
未来の大いなる不安に
君は今
戦い勝たねばならない
父や母に
ものたりなく思われている
君でもだ……

落日 (7)

山中康司　栃木・小山4Hクラブ　農民文学会会員

部落の4Hクラブ員は十名いる。芳男の上には二十二の茂夫と正一、その下に一級上のおとなしい誠司がいて、同級生は進と一夫で生意気な安夫が一級下、英雄と道夫と守は十八だった。

4Hクラブの目的は遊びであった。遊びであるが故に芳男は大切だと思った。農民はけっして仕事以外に価値あるものを認めないが芳男にとって、旅行もスポーツも読書も音楽も生活の余分なものとすることができなかった。だから高校終った時から4Hクラブに積極的だった。人間の生活は仕事だけではない。一日の三分の一は睡眠、三分の一が仕事、残りの三分の一は余暇として、自己の教養を高めたり、健康を増進するためにあてる。実行には困難だったが努力はした。余暇の大部分は4H活動に当てられ、読書こそしなかったが、友とは大いに語り、社交術も身につけた。苦しいわが家の生活とそれとの両立はどうにか実現されたので、今年は友にも押されて八十名近い小山4Hクラブの副会長になっていた。

茂夫は昨年小山4Hの会長で、今年は十名の部落4Hをリードしていた。芳男はこの部落ではまったく無力だった。茂夫は今年の四月で小山4Hを止めると、4Hなんかは女といちゃついたり、役員だけがいい思いをするところだ。俺らはもっと身近な農業の問題、生活の問題を考えていかねばならない。大型トラクターを購入し塚崎営農集団を結成しようではないかと持ち出し、話は容易に実行に移った。むろん芳男も反対はしなかった。ただ先輩で会長までやった茂夫が突然4Hに非協力的になったのが残念だった。塚崎4Hクラブは4Hの役員である芳男を除いて、全員脱退し営農集団と名前を替えた。だから、今夜の集会は営農集団の集会だった。

火鉢の小枝はパチパチと音をたてて燃えていた。一升びんを握った安夫の顔は赤く焼けて、長髪も乱れて細い目がいっそうひきつっていた。とがった口からは盛んな言葉が流れ出ていて音声は誰より高かった。丸い大きな顔に目がねの光っているのがリーダーの茂夫だった。ふっくらした頬にでかい手をあてて安夫の話を聞いていて芳男が入って行った時も身動き一つしなかった。

酒は祝杯だった。営農集団の中で今年初めて結婚式をあげることになった茂夫と同級の正一が、持ち前の気前から今日は婚約発表ということで三升用意してきたのだった。正一は経済力と頭では茂夫に及ばないが気持ちのいいのが取り得だった。

「どうも遅くなって」

近ずいた芳男に、正一が席をあけてくれた。

「まあ芳ちゃん一杯」

「芳ちゃん祝酒だよ正ちゃんの」

左隣りで芳男のひざをポンとたたいたのが熊だった。

「どうもお目出とうございます」

正一はせんの固い一升びんを開けると、コップに並々とついだ。

「これでまあ正ちゃんも毎晩ただであれができるってわけだな」

安夫の言葉でみんなが笑った。

「茂ちゃん今度は茂ちゃんの番だな。正ちゃんの彼女もべっぴんだけど、茂ちゃんもあんまりブスはもらえなかんべよ。なにしろ乗ってる車が百万の二千GTスカイラインだからな」

「安ちゃん、今時そんなのが百姓に来るかってんだ。俺は顔はどうでもいい、こころがよければよ」

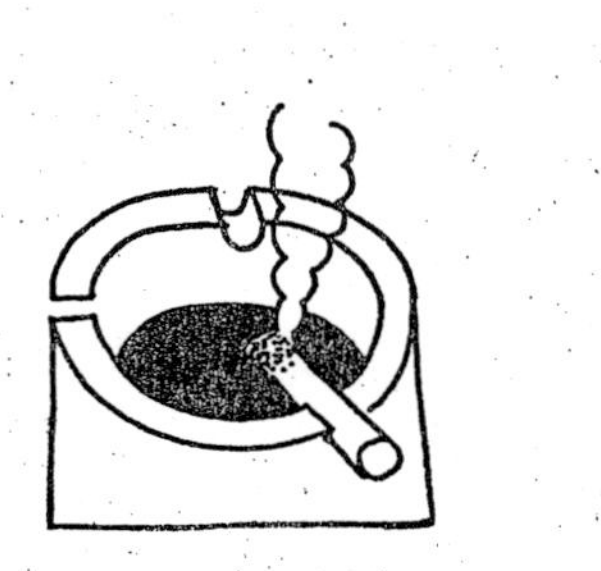

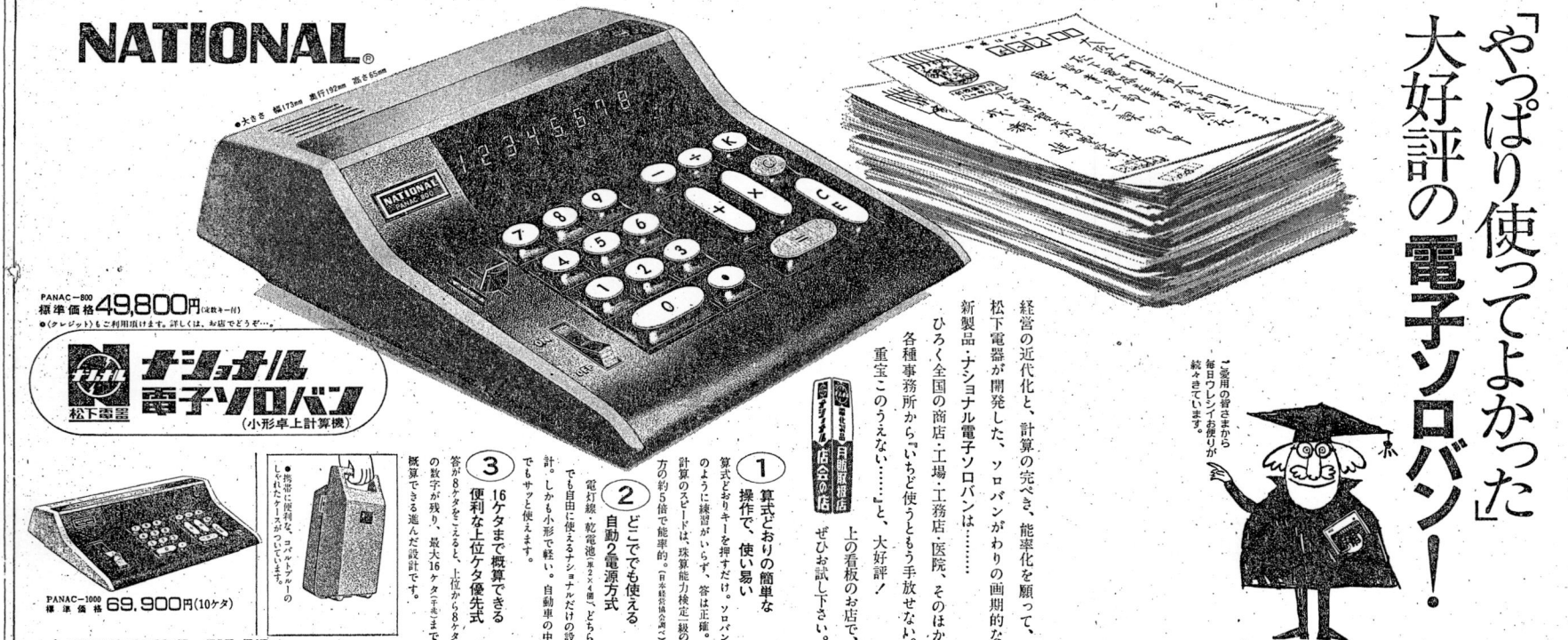

日本4H新聞

4Hクラブ 農事研究会 生活改善クラブ 全国広報紙

発行所 社団法人 日本4H協会
東京都港区西新橋1の5の12 佐野ビル 〒105
電話（591）1817・3683
編集発行 玉井 光
月3回・4の日発行
定価 1部 35円
一カ年 1200円（送料共）
振替口座東京 12055番

ようこそ 都会っ子田植団

まばゆい青空の下で、都会を離れ、初めての田植えに精を出す"都会っ子旅行団"の若者たち

加須市の4Hクラブ員が受入れ（埼玉）

汗と泥と笑顔と

どこまでもつづく緑、気まぐれにチョウが舞い小鳥がさえずる。すぐ近くを流れる阪東太郎こと利根川が運ぶ豊富な水に息づく苗の上を初夏の風が気持ちよさそうにいったりきたりする。

埼玉県加須（かぞ）市――東京から電車などで約二時間。茨城県に近い埼玉県の北東部、県内でも米どころの一つ。

この加須に、さる六月十～十一日と十七～十八日の二回、都会の若者たち約四十名がやってきた。名づけて"田植え体験旅行"、"農作業体験旅行"団。受入れたのは現地の加須市4Hクラブ連絡協議会（会長 赤坂俊郎君・会員五十五名）のクラブ員たち。

田植えやハウスのきゅうり収穫などさまざまな体験をした都会の若者たちも、また、彼らを受け入れたクラブ員たちも笑顔。しかし、あるクラブ員はいう「いろいろタメになったけど、複雑な気持でもありました……」と。

＝関連記事2、3面にあります。

望む交歓会

岐阜 大垣4Hクラブ

岐阜県の大垣農業青年クラブ、通称「大垣4Hクラブ」は、全国のクラブとの交換会を希望しています。同クラブの概況は次のとおりですので、大いに申し込んで下さい。

クラブ員数 二十名（うち女性二名）
派米研修中 三名
県外研修中 二名
年齢 平均二十一歳
経営内容 洋ラン、花卉、酪農、蔬菜、梨、メロンなど複合
クラブ内容 仲間づくりを中心課題とした活動を行ない、地区連、県連などの行事に参加
希望するクラブ 特別にはないが、できたら女性クラブ員も加入されているクラブ
連絡先 ①岐阜県大垣市横曽根町一八〇五 森谷健五
②大垣市役所 農業改良普及所内 大垣農業青年クラブ
電話 大垣（〇五八四）八一－四四一一（内線三二四）

女性もいるクラブが良い

7・14共同プロ貫徹会議

山梨県連 プロジェクトの徹底図る

【山梨】山梨県4Hクラブ連絡協議会（会長 内田操君）では、来る十四日、共同プロジェクト推進の一環事業として、7・14共同プロジェクト貫徹会議を東山梨郡春日居町の中央公民館で開くことになった。＝金原徹連絡報道員発

この会議は、網蔵育朗企画係長を中心に要項案が作られ、さる六月十六日の常任委員会で承認されたもの。当日は午後二時までに開会式とオリエンテーションなどすませ、このあと元山梨県連会長の伊藤基先輩を講師に迎えて、プロジェクト活動の本質やその必要性などについての講演と質疑を行なうことにしている。四時から二時間にわたって分科会を開き、講演の内容を中心に話し合い、夕食をはさんで七時半までフォーラム・フォーラム、続いて全体討議に移り九時まで話し合い、閉会する。

会議のねらいは、現在、社会がめまぐるしく激動する中で、自分たち農村青年が、将来、農業に誇りを持って続けることができるだろうかという不安がある。このような現状を力強く乗越え"明るい農村建設"を合言葉に、相互の連帯と自主性を確立するため、本県4Hクラブの柱として実践している共同プロジェクトの徹底をはかり、真のプロジェクトの意義を認識しようとするもの。

この会議によって県下のクラブ員に少しでもプロジェクト活動を理解してもらい、来年二月十八日に予定している共同プロジェクト発表会の内容を大いに意義あるものにしたいとしている。

高野山で「つどい」 和歌山・15、16日

【和歌山】和歌山県と同県4Hクラブ連絡協議会（会長 宇井伸夫君）共催の第三回県農村青少年のつどいが、来る十五、十六の両日、伊都郡高野町高野山の遍照尊院で開かれる。

主な行事は、"高野山を発見しよう"というキャッチフレーズによる班別行動をはじめ、キャンドルサービス、高野山真言宗教学部次長、新居僧正を迎えての「人の心・仏の心」と題する講話、分科会、全体討議などを予定している。

参加費は一人当り千八百円。

野菜の本土上陸作戦

沖縄 七草会4Hクラブ

【沖縄】東風平村の七草会4Hクラブ（会長 金城良栄君）は来年から野菜の本土出荷を計画、その前に本土市場の視察調査をするため、メンバー二人を派遣することになった。これはさる六月十七日農協会議室で開かれた第三回の総会で決定したもの。

同クラブは二年前に発足したばかりでメンバーは十五人。ともに若者の離島問題が深刻になってきている中で、野菜作りを中心に農業に取組んでいる。クラブ員の中には大型トラクターを持っている人もおり、機械化による野菜作りを進め、サラリーマンに負けない収入をと張切っている。

中高で技術交換大会

【長野】さる十九日、長野県中高4Hクラブ連絡協議会と下高井農業改良普及所主催の中高地区農村青少年クラブ技術交換大会が中野市社会体育館で開かれた。

青少年対策本部次長に吉里氏就任

総理府・青少年対策本部次長にさる一日付で前文化庁文化部長の吉里邦夫氏（[illegible]）が就任された。なお、前青少年対策本部次長の清水成之氏（[illegible]）は、文化庁次長に栄転された。

クラブ綱領

私達は、実践を通じて自らを磨くとともに、互いに力を合わせて、よりよい農村、よりよい日本を創るため、四つの信条をかかげます。一、私達は農業の改良と生活の改善に役立つ腕をみがきます。一、私達は科学的に物を考えることのできる頭の訓練をします。一、私達は誠実で友情に富む心をつちかいます。一、私達は楽しく暮らし元気で働くための健康を増進します。

涼風暖風

敬遠のプロジェクト

プロジェクトというのは、なぜ一般に敬遠されがちなのだろうか。的確にプロジェクト実績を上げている人が多いというのに、一方には、プロジェクトの荷重さを感じている人が少なくないのも事実である。

敬遠というのは、うわべは尊重しているような態度を示しながら、実際にはなるべく近づかないようにすることである。クラブ活動でいえば、プロジェクトを理解しているといいながら実践したがらないことである。プロジェクトを嫌悪したり忌避したりするのとは違うが、プロジェクトをやっていないのには変わりがない。つまり、逃げ腰である。

私たちは、日常の不安や疑問の問題を解決しながら生活しているわけだ。その問題は大小さまざまであり、すぐ解決できるものや長い年数をかけなければ解決できないものもある。しかし、生活の必要に迫られれば敢然と取り組んでいくにちがいない。それが生活というものであろう。もちろん、問題解決は容易なことではない。高度の知識や技術も必要だし、集中的な努力もいる。活動するための体力だって欠かせない。だが、いつでも問題解決が成功するとは限らない。困苦・失望・中絶・敗北などが絶えずつきまとう。

しかし、生活の必要に迫られての問題解決であればあるほど、一つ一つ障害を乗りこえる喜びと張り合いがあるし、生きがいもある。そこでの活動は、目標を定め、計画を立て、合理的に実施し、結果を反省するというシステムが活用され、その活動の中では新しい知識や技術が身についてくる。このような活動の連続が日常生活だと思う。

プロジェクトというのはこういうものではないだろうか。だから日常生活そのものがプロジェクトだともいえよう。一年に何回かクラブの行事に出席さえすればよいというのとは違う。このように考えると、プロジェクトを敬遠するということは生活から逃げ出すことにも通ずるわけだし、また、生活をだいじにするというのはプロジェクトを実践する態度のことといえよう。

もしも、プロジェクトの中に敬遠される何かがあるとすれば、それは努力の集中化と科学的な手順を要する活動に対しての緊張感である。つまり厳しさに対する敬遠のように思うが、その厳しさに耐えていく仲間づくりの活動が4Hクラブだし、また、そうあるべきだと思う。

（北海道・三輪）

全員が同居賛成派

川崎市協議会で「母を囲む会」 姑嫁の関係にメス

【神奈川】川崎市農村青年協議会がこのほど青年館で「母を囲む会」を開いた。当日はクラブ員の母親七名、クラブ員二十三名（協議会十四名、青友会九名）と普及員さん二名、市農政課担当者一名の計三十三名が出席して、クラブ員の母親を対象として行なったアンケート調査の結果をもとに話し合いが進められた。

この席で、お母さんたちは、息子の結婚について十分理解を示してくれた。しかし、嫁はやはり農家からほしいという声が圧倒的に多かった。さすがに誰一人として恋愛を認めないという母親はいなかった。

女子クラブ員からは農家に嫁ぎたいという意見が多かった。それには嫁にいった場合、その家の母あるいは親の理解がほしいというのが希望。

農家では、娘さんがサラリーマンに嫁ぎ、自分の息子には農家からほしいというのが現在の一般農家の要望である。

男子クラブ員も農家から嫁をもらったほうが近所つき合いや仕事の面でいろいろとやりやすいという意見が多かった。

お母さんたちは、農家から嫁をほしいが、本人同士で決めるので、必ずしも農家でなくてはならないということではなかった。クラブ員もやはり本人同士、相手次第ということであった。

同居か別居かについては、全員から「同居」という答えが返ってきた。その同居を前提として、家庭内をよりよくしていくにはどうしたらよいかの問題については、話し合うことが一番だとの意見が多かった。

話し合う機会は、食後やお茶のときなどで、テレビがあると余り話しをしないが、テレビも話題の媒体として必要ではないかという声もあった。

なお、この会に先立って行なわれた母親に対するアンケートの結果は次のとおりである。

回答者は三十一名で、平均年齢が五十歳。結婚の平均年齢は二十三・八歳となっている。

▽両親の結婚
見合い 六九%
恋愛 二一%
その他 一〇%

▽現在の生活について
まあまあである 五四%
満足している 四〇%
不満もある 三%
その他 三%

▽息子の結婚について
結婚している 三五・六%
そろそろしてもらいたい（二二・七歳） 三三・二%
まだ早い（二一・六歳） 二一・六%

▽お嫁さんについて（十一名）
まあまあである 六〇%
気に入っている 四〇%

▽嫁の実家の職業
農業 八三%
その他 一八%

▽嫁さんの結婚について
恋愛 六四%
（両親が気に入っている三〇%）
見合い 三六%
（同 五〇%）

▽長男の結婚相手について
恋愛をみとめる 六〇%
農家の人なら良い 四〇%
家柄にこだわらない 五五%
農家からほしい 四五%
職業は同格ぐらいの人が良い 五二%
こだわらない 四八%

▽現在、息子に好きな人が…
いないと思う、 六〇%
いると思う 四〇%

体験発表や体育競技

第3回全国農村青少年研修教育センター研修生交換大会 19日から八ケ岳で

第三回全国農村青少年研修教育センター研修生交換大会が、来る十九日から二十二日までの四日間長野県諏訪郡原村の八ケ岳経営伝習中央農場で開催される。

全国の農村青少年研修センターの研修生が集まり、日ごろの学習や体育活動、文化活動の成果を交流し合い、お互いに視野を広めて農業への意欲を高めようというもので、全国農村青少年教育振興会、農村更生協会、経営伝習農場全国協議会、経営伝習農場同窓会全国連盟の主催。農林省、全国農業改良主務課長協議会、NHK、全国農業協同組合中央会など九つの関係機関・団体が後援している。

主な内容は、経営部門ごとの体験発表と先進農業者との交換討議、ソフトボール、バレーボール、卓球、柔道、剣道、駅伝など六種目にわたる体育競技、キャンプファイヤー、懇親の夕、自由交換などで大会期間中はキャンプ生活をおくり、お互いの交流をはかることにしている。

一日目は午後二時から班と村を編成したあとテントを設営し、オリエンテーションに続いて四時半から開会式。夜は自由交換。

二日目は朝六時半から一時間にわたって食前作業、そのあと午後四時まで体験発表と交換討議。続いて技術競技に入り、鑑定や判定、審査などで腕を競い合う。六時から懇親の夕。

三日目も同じく食前作業を行ない、午前と午後にわたって体育競技をくりひろげる。午後四時から表彰式と閉会式、ついで最後の夜を飾ってキャンプファイヤーを行なう。最終日の朝、テント撤収と会場整備をして解散する。

参加者は、経営伝習農場や高等農業教育施設など農村青少年研修教育センターの研修生、同指導者、先進農業者と関係者など約千名を予定している。

クラブ運営方法などを研修

滋賀県連

【滋賀】滋賀県農村青少年クラブリーダーの研修会がさる一、二日の両日、滋賀県と同県農業後継者クラブ連絡協議会（会長 小川正彦君）の共催によって蒲生郡安土町大中の県立高等営農学園で開かれた。

一日目は農林部長を囲んでの話し合いや[illegible]

心頭技健

[illegible]ック・アニマルの推進役、通産省と経済企画庁も、こんどは余暇問題に取り組みはじめた。ここ一、二ヵ月間の間に経企庁に「余暇開発室」、通産省には「余暇開発産業室」と外郭団体の「財団法人 余暇開発センター」がそろって店開きした▼公害実験台ともなっている経済大国から人間尊重、福祉優先、生きがいある社会へとカジを切替えようというわけである。このように発想を転換して、経済にふりまわされず人間性を取り戻そうとする努力は必要だし、休みがふえても利用の方法を知らない人が多いので、それを教えるのも大事だと思う▼しかし、まだ休みもろくにとれずに、安い給料で働いている大勢の労働者がいることを忘れてはならないと思う。とくに、農村では農休日さえ満足にとっていない農家も少なくない。サラリーマン並みの所得と生活をめざして努力しているクラブ員にとって、余暇利用も都市並みになるようになるのはいつか。

駅などにサルビアの苗をプレゼント

【大分】[illegible]

「6円が運ぶ、仲間の声!!」

赤松　宏 ▶7

前号まで、六回にわたって「4H新聞」の考え方などについて書いてきましたが、いつの間にか「地域における広報活動のキーステーションになれ!」という書き方をしたように思います。

地域における広報活動の中心的なものに機関紙があるが、今回からは、これらについての考え方や、作り方などに多少ふれてみることにする。

まず、機関紙によらず、何ごとにおいても「何のためにするのか」というように理由、そのものの意味が重要なのです。意味のないことはする必要がないのです。こんな言い方をするとひらき直る人もいるかも知れないが、正しく意味を考えていただきたい。

「機関誌は何のために作るのか」ということになる、が、むしろ、機関誌の中から何を知ることができるかと考えた方がわかりやすいかも知れない。

多くの機関誌に接する機会がありますが、それらのものを開いてみると、「私の青春」「農業に生きる」「私のいきがい」などの発言が必ずといってよいほどあるようだ。これらは自分のことや考え方を他人へ告げることや、発表することであり、それで機関誌の体裁を整えている一つの表現の場であるわけだ。

一方では、昨年から世間をさわがせている諸々の赤軍派の事件や、その他多くのさわぎもこれらすべて身体でまた、デモなどといった形で、その意ずるところを認めてもらおうとする表現方法なのである。同じ表現方法だとかたずける訳にはいかないが、文字による表現の方法は大きな意義を持つものである。

絶好の対話の場
活動のバロメーター「機関誌」

私は、あえて「農村グループに必要な機関誌」と表現したいのです。農村には対話の相手が少なく、特定の人との対話が多くなりがちであり、噂やかげ口が広まりやすい。知らない間に噂によって、一人の人間がいろいろに変化し素晴らしくなっていたり、その反対のこともある。

・つまらない噂によって、仲の良かった友人同志がけんかをしたり、また、それによって起きた悲劇はいうにおよばないはずである。噂にのぼらないためには、自分の私生活や意見を他人に見せたくない、知られたくないという秘密主義的態度をとるようになり、他から意見を求められても容易に口を開かない習慣が自然についてしまったきらいがある。でも、いま、どうしたら良いのか判らないというのでなくもっと考えなければならない。

話せと云われても、はじめから人前で話すことはむずかしいことです。私は人前で話す以前の段階として、まず書いてみることが大切だと思います。その書いたものは、ただ書いたというだけでなく機関誌などを作り、それに載せるんです。そうすると、話すのと同じに、いや、それ以上に強く報せられるはずです。そうすることによって前向きな姿勢に発展するものと思います。対話の場に使うのに絶妙の方法と思われます。

次に、機関誌は正しく現況を表現するものである。というのは、組織活動を行なっている際にその組織自体がこれによって表現されるからなのであります。機関誌を発行しているか、いないか、また、その機関誌の内容がすぐれているかいないかによって、その団体の評価がなされることがある。機関誌はそんなところから「活動のバロメーター」といえそうである。

最後に機関誌は人をつくるということです。私も、編集に興味を持ち、いろいろな機関誌をいただいたり、また、編集者との対話をすることがありますが、何か、それらのすべて人々は真剣ですね。

四十五年度の道4Hクラブの機関誌展において優秀賞に選ばれた三クラブの編集者すべてを覚えていますが、平取町の鹿糠君、吉田君、栗山の鳥居君、赤井川の竹下さんの各々はこの編集を経験したことによって大きく成長したといっても過言ではないようだ。

地元になるんだが、竹下さんの例を紹介してみよう。

彼女は、年に似あわず、ニキビの多い少しかわいい女の子です。彼女は当時、機関誌を編集する役にあったが、なかなか思うように進まず、誰れもができるのかとうたぐっていたと思う。というのは、割合進んでクラブの中で事をするような女の子でなかったからです。何とかと思い、編集の技術や機関誌の考え方を教え、その重要性を認識させようと努力しました。

発行締切日まで半月くらい前に、「十日間で作りあげれ、できなければ、一日前まで何もいわないで俺のところへ持ってこい。仕事を休んででも俺が作ってやる」とおどしてみたんです。それがきいてか、十日間の間夜も寝ないようにして作りあげたんです。

「私がやらなければ」という気持になったと思う。そんな彼女も、いまは後志支庁の副会長として頑張っているようだ。彼女ばかりでなく、こんな試練の中に成長しているようである。リーダー諸君よ、もっと機関誌を大切にしてみては!!

(題字も筆者、北海道4Hクラブ連絡協議会前書記長)

機関誌の編集について説明する赤松君(左端)

女らしさを欠く 女子クラブ員
頼りがいがある 男子クラブ員
広川・筑後市両4Hクラブが新入会員迎え交歓

【福岡】八女西部地区の広川4Hクラブ(会長 藤島俊雄君)と筑後市4Hクラブ(会長 中富直俊君)との交換会が、さる六月五日筑後市中央公民館で行なわれた。

この交換会は、とくに新入クラブ員を対象に、4Hクラブについての認識と両クラブ員同志の親ぼくを深めようということでもたれたもの。

この時期は、同地区ではぶどうやい草などの農繁期であるが、それにもかかわらず約八〇%の六十名という高い出席率だった。

交換会は午後八時半に開会、広川・筑後両4Hクラブの会長あいさつのあと四分科会に分かれて、「4Hクラブに何を得ようとしているか」「4Hクラブで得たものをどう生かすか」の二つのテーマのもとで話し合いをした。

日ごろの4H活動についての悩みや問題点、これから先の農業に対する不安やその解決法などについて、一時間半という短かい時間ではあったが、両クラブ員はみんな真剣に意見を交換し合った。

続いて十時半から全体討議に移った。まず分科会での話しの内容を代表者から発表してもらった。

そこでは、クラブ員同士のまとまりがない、本当のクラブ活動がなされていない、クラブ内でのプロジェクトに関する専門活動が下火の状態になりつつあるという意見や、女子クラブ員は勉強不足で女らしさが欠けているなど、女子クラブ員にとっては少々ショッキングな声もあった。

しかし、農村の女性は、町の女性に比べて女らしさこそないが、それがまた農村女性のよいところでもあるという声や、農村の、また農業をやっている男性は頼りがいがあるといった、男性にとってはちょっと嬉しいような意見の交換もあった。

そんな中でクラブ員に共通する大きな問題は、いまや都市周辺だけでなく農村における農薬などによる公害問題で、これから農業をやっていく上において常に考えておかなければならないということであった。その結果、これからさき自分たち生産者は消費者に安心して喜ばれる良い品を作ることに一人ひとりが努力していこうということにまとまった。

最後に全員で記念撮影し盛り上がるなか、十一時前に終了した。

同地区からも、八月二十八日から北海道で開催される「第八回全国4Hクラブ員のつどい」に大勢のクラブ員が参加するようだが、交換会で得た成果をもとに大いに張り切るものと期待されている。

4Hクラブ員のみなさん 北海道で逢いましょう。(福岡県＝青山正博広報員発)

4H会館建設の募金目標額に対する各県連達成率
(昭和47年6月20日現在)

	県連名	%(約)
1	滋賀	95
2	奈良	56
3	神奈川	41
4	高知	39
5	鳥取	32
6	宮城	31
7	愛知	28
8	茨城	25
9	徳島	21
10	埼玉	20
11	沖縄	19
12	大阪	17
13	静岡	16
14	群馬	16
15	石川	16
16	三重	14
17	長崎	12
18	山梨	11
19	福島	8
20	千葉	8
21	青森	6
22	福井	4
23	山口	4
24	福岡	4
25	和歌山	3
26	岡山	3
27	広島	3
28	岩手	2
29	長野	2
30	北海道	1
31	新潟	1
32	富山	1
33	岐阜	1
34	佐賀	1
35	香川	1%以下
36	鹿児島	〃
37	熊本	〃
38	兵庫	〃
39	大分	〃
40	秋田	未提出
41	山形	〃
42	栃木	〃
43	京都	〃
44	愛媛	〃
45	宮崎	〃
	中央	203
	総額	13

40人がクラブ員宅に分宿 田植え体験旅行団
キャー、ヌルヌルね
初の農作業に喜び

「ほら見て!まだ土の香りがするわ」―ハウスで

このほど埼玉県で行なわれた都会の若者たちの〝田植え体験旅行〟と〝農作業体験旅行〟は、「なんでもやってみたい、土にふれたり田植えをしたりしてみたい」という日本青年旅行会(会長森田勇三氏)の申し出を加須市4Hクラブ連絡協議会が受け入れて実現したもの。参加した都会の若者は、十八歳の学生から三十歳のサラリーマンまでと年齢・職業もさまざまだった。

十、十七日の夕方六時頃、田植え旅行と大きなタレ幕をかけたバスが加須市の〝むさしの村〟に到着。クラブ員たちは一行を車で出迎え、受け入れ式が終るとすぐに一行は二、三人ずつに分かれてクラブ員の車で各クラブ員宅へ直行した。

その夜はどこの家でも家族ぐるみの交歓で、都会の若者たちは農家の人たちの情の深さにしんみりとか……。都会の若者二人を受け入れたある農家の主人は晩酌をすすめつつ「このへんは昔から水の豊かなところでしてねえ、水の豊かなところは人間も豊かじゃないと――」と笑いながら愉快にお国自慢。また、主婦は大忙がし。気をつかったり、料理を作ったりして都会の若者を歓待した。しかし、農家の朝は早い、ということでほどほどにしてその日は就寝した。

翌日は早朝からクラブ員や両親の指導のもとにビニールハウスできゅうりやナスの取り入れ作業を行ない、それから朝食。早起きして一仕事終えてからの食事に、ある都会の若者は「いつもはあまり朝食はすすまないが、やはり今日はうまい」と言っていた。

朝食後、あまり休む暇もなく全員田んぼへ集合し、午前九時ちょっと過ぎから田植えを始めた。なんといっても都会の若者たちにとっては慣れぬこと、クラブ員たちがスイスイと植えてゆくのとは対象的なぎこちなさ。それにはクラブ員も笑ったり、叱ったり、あきれたりの大わらわであった。

進む機械化にもびっくり

とくに女性は田んぼに入るまでが一騒動。「キャー、ヌルヌル」「足の裏がくすぐったい」とかいろいろの声があがった。それを見ていたあるクラブ員の父親は「そう言われてみりゃそうかもしれんですなあ」と楽しそうに笑う。また、苗を入れたモッコをかつぐ二人のお嬢さんは「ちょっと重いわ」と言いながらもがんばる。手には苗、額には玉の汗、ジーパンは泥だらけ。それでも都会の若者たちは喜びにあふれて生き生きと作業を進めた。

共同田植え作業は約一時間で終り、あとは全員が各分宿した農家へ戻って仕事の手伝い。早朝に引き続いてきゅうりやナスの取り入れ、選別、箱詰め。また、ある家では農薬散布やマユの点検などをした。これには都会人も大喜び。「農業には働く楽しみがあるみたい」とは東京のある女子大生。

都会の若者たちに、農家生活、または農作業の体験の感想を聞いてみると、ほとんどが「想像していたのとは違う。機械化も進んでいて、みんな車をもっているので驚いた」というような答えであった。これに対し4Hクラブ員たちは「都会の人は農村や農業に対する認識が浅いんですね」と複雑な表情。

機械化といえば、現在、この地方の田植えはほとんど機械で行なっており、例の田植えの田も赤坂俊郎会長が都合をつけてあけておいてくれたところである。ワラ屋根やイロリを想像してきたという都会の若者は「日本の農業も大したもんなんですね」と感嘆することしきり。クラブ員は「もっとよく農村を知って」といわんばかり。

クラブ往来
農村に若い仲間の輪を

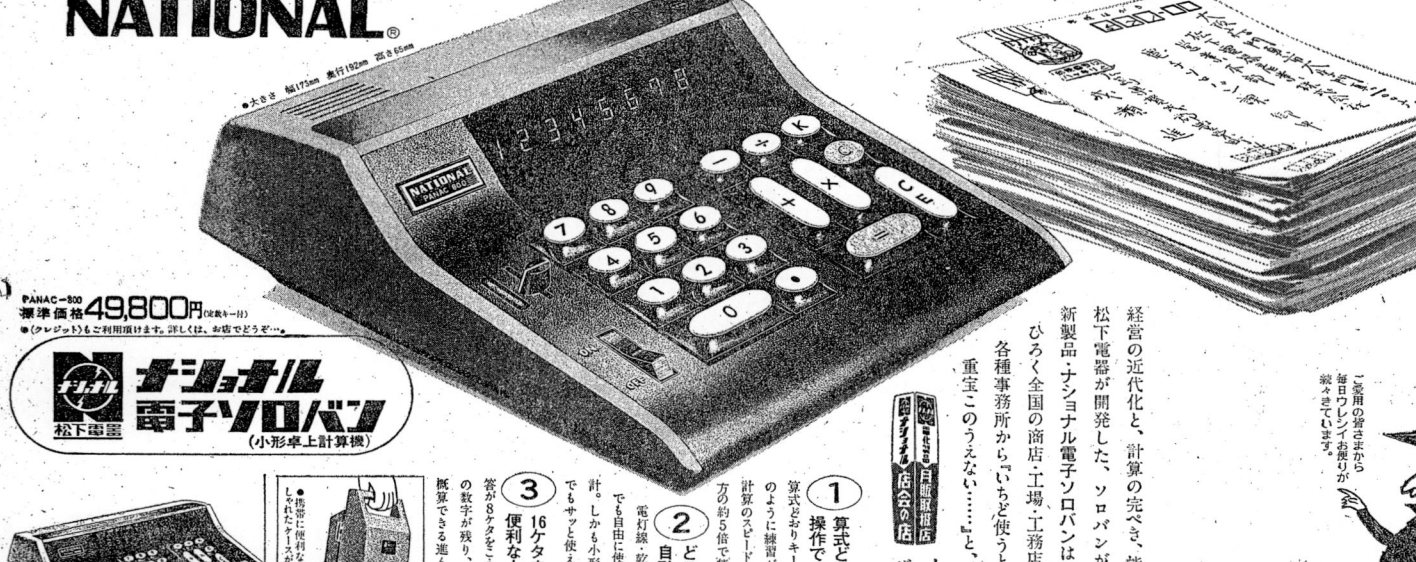

夏の陽に焼かれた六甲山の山々を見あげるぼくたちの北神戸にも団地ができはじめ、また中国縦貫自動車道の工事も進み、のどかな農村も大きく変わろうとしている。

そのなかで、ぼくたち北神農業青年クラブは、男子五十名、女子十四名で活動している。酪農、養鶏、野菜、農家生活にと、みんな農業に意欲十分な連中たちばかり。ぼくもこのクラブに入って多くの仲間と友だちになり、また、いままで知らなかったことを教えてもらい、いまではほんとうにクラブに在籍してよかったと思っている。

いま、ぼくたちのクラブの一番の悩みはクラブ員の減少問題。参加する仲間もしだいに決まったもの同士となる。女子についても、勤めている人がいる関係で集会は日曜日に限られ、それもお茶やお花の稽古ごととぶつかるせいか、集まりが悪くとても残念だ。それでも料理講習をしたときは、人数が少なかったが、世間話なんかしたりしてみんな楽しそうだった。

堅苦しい話になるとみんな集まりにくくなり、レクリエーションであれば、みんな集まってくる。だからぼくは、なにか一つのテーマを立案し計画、実行、反省評価するというプロジェクトをもちたいと考えている。楽しかったことはすぐ忘れるけど、苦労して喜こびをえたものはいつまでも忘れることがないだろう。そのためにも仲間づくりが必要だ。

農業をしている人たちは、自然や家畜が相手なので孤独になりがち。日頃つもりつもったモヤモヤを晴らすのも仲間がいなかったらできないことだ。よい仲間をもった人ははりきっている。話し合える場所を設け、そこでいろいろなことを話し、また、結婚の相手も……。ぼくたちのクラブにおいても甘いカップルが誕生した。

農業を志す若者が少なくなっていく今日、お互いに手をとり合って一つの輪が二つになり、三つになり、やがて大きな輪ができるように……。

ひとりさびしそうにしている人をみれば、仲間にならないかってさそってあげよう。そしてその人がまた仲間をさそい、どんどんふえていく……。決してひとりぼっちにならないようにお互いにがんばりたい。

(兵庫県・北神農業青年クラブ 辻井千種)

漫画・コント 募集

本紙では、紙面にユーモアをもたせるため、次の要領で、ひとくち「漫画」と「コント」を広くクラブ員から募集することになりましたのでふるってご応募下さい。

1、内容 ユーモアと機智に富んだもの(風刺的なものを含む)

2、用紙 ハガキ使用▽漫画の場合は黒(鉛筆でもよい)か赤色を使用し、タテ・ヨコの大きさが同じもの

3、住所・氏名・所属クラブなどを明記して下さい

4、送り先 東京都港区西新橋一ノ五ノ十二 佐野ビル(〒一〇五)、日本4H新聞編集部 電話＝〇三(五九一)一八一七、三六八三

5、掲載分には記念品を贈呈します。

クラブ員の中には、漫画の得意な人やユーモアに富んだ人が大勢いると思われますのでどしどし応募して下さい。

出来ばえを競う
北部町4Hクラブで品評会と即売

【熊本】飽託郡北部町4Hクラブ(会員四十人・会長 中島啓也君)は、さる六月十八日町公民館でそ菜の品評会を行なった。

クラブ員が丹精こめて育てたスイカやメロンなど約五十点が出品され優秀を競った。このあとクラブ員たちは熊本市黒髪町一帯の家庭を回り出品作物を即売した。

なお、利益の一部を同町交通安全協会に贈った。

「初恋談義」テーマ
川崎地区連、18・19日にキャンプ大会

【神奈川】川崎市農村青年協議会では、来る十八、十九の両日、棚沢キャンプ場でキャンプ大会を開く。「初恋談義」をテーマとする班別の話し合いや手料理による夕食、などを計画している。

4H関係百人乗る
高知で青年の船

【高知】高知県主催の「第二回青年の船」がことしも実施される。

この青年の船は、団体生活を通して青年の心身を鍛えるとともに外国の教育、文化、産業などを視察、見学し国際的な感覚を高めて郷土の姿を正しく理解してもらおう、と高知県が昨年から始めたもの。ことしも実施してほしいという強い要望が出されて継続して行なわれることになった。

今回は、各市町村から推せんされた三百十五人と〝明治の青年〟十人も加わる。このうち4Hクラブ員は百名。このほど事前研修が行なわれ、訪問先の現地事情、外国語などの研修をすませた。

来る十四日に結団式を行ない、午後チャーター船「にっぽん丸」(一万一千トン)で出航、船内研修を行ないながら、二十六日までの十三日間マニラ、香港を訪問する。

また、本年度の新しい試みとして、マニラを訪問したさい、現地青年を招待して船内生活、研修生活をともにしながら帰国、国際交流をより深めようとしている。

(岡村愛子連絡報道員発)

友のペン
『青空』
土をキャンバスに

〝私たちは土をキャンバスにして、一年間を通じて最高の芸術作品に取り組み、力のかぎり自己を磨きあげるのです〟

見知らぬ仲間たちが精魂を打ち込んで綴(つづ)った機関紙を手にするときの楽しみのひとつに〝巻頭言〟がある。機関誌の信条みたいなものが、まるでキラキラと輝やく宝石のように表現されているからだ。今回紹介する群馬県吾妻町青少年連絡協議会の機関誌『青空』にあてはめれば〝土をキャンバス……〟という言葉がそれにあたるだろう。それでは宝石のもととなる〝原石〟に焦点を合わせてみよう。

この機関誌は、吾妻町長や農協組合長、普及所長などの指導機関の方々の寄稿文を筆頭として、太田、原町、麻ノ美、本宿、須賀尾、萩生の各単位クラブで構成されている吾妻4Hクラブの全貌をあますところなく伝えている。内容も、単位クラブの紹介から意見発表、感想文、実績発表、活動報告、文芸と多種多様。クラブ員全員の顔が生き生きとのぞいている。

とくに、この機関誌のすばらしい特徴のひとつに、クラブOBコーナーが設けられていることがあげられる。かつて4Hクラブ活動に青春の一ページを投入したOBからの発言は、それを読む現役クラブ員に教訓として胸を打つ。〝孤独に耐えろ〟と叫ぶOB、クラブ員同士で結婚し、いまは父親になったOBは〝せがれの時代は……〟と語りだす。そして、OB自らの口から〝その当時は無駄なことだと考えたことも、いまにしてみればそういうことの一つひとつが血となり肉となり自分のなかに生きている……〟という言葉を聞くとき、現役クラブ員はなににもまして力づけられるのではないだろうか。

『青空』第十二号は、そのように現役クラブ員とOBがしっかりと手をつなぎ合った機関誌だった。それは〝土をキャンバス〟とした同じ共通基盤をもつ農村青年だからこそできうることなのかもしれない。【群馬】

畦道

銀河鉄道のゆくえ

梅雨晴れの星空に咲く一夜の悲しい恋物語に思いをよせるよりも、ぼくの心は銀河鉄道を旅するジョバンニのゆくえをさがそうとする。セロのように響きわたる"星めぐりの歌"を聞きながら、ジョバンニはどこへたどりつこうとしていたのだろうかと……。

すべての生きとし生けるものの世界は殺し合いの世界、修羅の世界だという。修羅とは仏教でいう六道のなかのひとつの世界のことだ。"おれはひとりの修羅なのだ"と、喉もとをえぐるような言葉を発しなければならなかった宮沢賢治は、まさに修羅をおのれの世界として生きた作家であった。

——鷹に"つかみ殺してしまうぞ"とおどかされたよだかは、自分も小さな虫たちを殺していることに気づいてぞくっとする。"ああ、かぶと虫やたくさんの羽虫が毎晩ぼくに殺される。それがこんなにつらいのだ。ぼくはもう虫を食べないで飢えて死のう。いやその前に鷹がぼくを殺す……ぼくは遠くの遠くの空の向こうに行ってしまおう"……しかし、よだかはお日さまや星から冷たく拒絶されてしまう。力を落としたよだかは羽をとじて地上へ落ちていった。もう一尺で地面に足がつくというとき、よだかは俄かにのろしのように空へ飛びあがり、夜の空に星をめがけてまっすぐに昇っていった。しかし、星の大きさは少しも変わらなかった。よだかは涙ぐんだ眼をあげてもういっぺん空を見た。それがよだかの最後だった。しばらくたって、よだかは自分のからだが燐の火のような青い美しい光になって静かに燃えているのをはっきりと見た——。(童話『よだかの星』より)

よだかは星になった。銀河鉄道を旅するジョバンニもやがて自分の星を見つけるだろう。精神のカタルシスを求めてやまなかった宮沢賢治の、それが唯一の救いだったのではないかと、ぼくは考えるのだ。【宇】

プロジェクト

市場の動きを予知

価格の不安定を逆利用

奈良県・生駒 4Hクラブ 乾 実

私は切花を中心とした農業を営んでいる。私の家は、水田七〇㌃、畑八〇㌃で、水田七〇㌃のうち水稲は四〇㌃、残りの三〇㌃と畑八〇㌃で切花を栽培している。そのうち約五〇㌃ほどを花き、残り六〇㌃が蔬菜。花きの主体は小菊で約五〇㌃、つまり家の収入は大部分が切花によるものであり、その約半分が小菊ということになる。

小菊は、ほかの花きや野菜以上に価格の変動がはげしく、一本三十円、四十円で売れることがあるかと思えば、一円や二円で売らなければならないこともある。私はこれをなんとかしたいと考えたが、流通機構の改革とか、価格安定対策などは一朝一夕にできることではない。自分以外のものにたよってはなかなかむづかしい。私は自分でできることから始めようと思った。

価格は毎年安い時期もあれば高い時期もある。なんとかして高い時期をつかむことである。私は市場の値動きをしらべてみた。また農業簿記をつけていたのでこれを整理し、毎日の値動きを表にしてみた。そして、同じ価格の不安定に取り組むなら、いま栽培しているもののなかで一番不安定と思われる小菊を選ぶことにしたのである。

いままで一輪や二輪の菊を主に栽培していたのだが、私は全部小菊にとり替えた。小菊は手間が少なくてすむので、面積は二〇㌃だったものを五〇㌃にし、出荷は一時期だと大変なため、それまで九月、十月が中心だったのを六月から十二月までとした。このようにして、昨年はじめて実施したのである。

"この時期は安い""この時期は高い"といろいろ予想する。高い時期に多く作り、安いと思う時期はあくる年の苗だけを作るようにする。昨年は稲作転換などで安値のときが多く、私の村のなかではみんなが"安い""安い"で一年を過ごしたが、私の予想はかなり当り、小菊の一年間の平均では一昨年より少し高く売ることができた。

一年目はまずまずだったが、値は浮気もの、なかなか思うように動いてくれない。天候にも左右されるし、考えなければならない問題も数多い。しかし、いまはこの予想が私の一番の楽しみになり、また、思った時期に一度に出荷するためたいへんスリルがある。毎年データーの増えていくのが待ち遠しい。そしてほかの花きなどにもこのような方法を利用し、高い時期と安い時期をつかむためにいろいろとデーターを集めたいと思っている。

もっとよく農村を知って!

「はるばる東京からやってきました」とイカス格好の都会っ子たち。「あんなからだで田植えができるのかネー」とはひどいぜアンタ!

嫁ぐなら農家ね!

ナマきゅうりをバリバリ

加須市の4Hクラブ員で地区連会長でもある江森正君は、女性二人を受け入れた。同君は「いろいろ勉強になりました。都会の人がわれわれに対してもっているイメージ、そして、その裏がえしであるわれわれの都会の人に対してもっているイメージがいかに小さいものかがわかりました」と両者の認識の浅さを指摘していた。

また、あるクラブ員は「都会の人たちが旅行にきたのか、勤労奉仕にきたのかわからなくて困りました。そうなると仕事をしてもらっていいのかどうか迷ってしまって……」と首をひねっていた。クラブ員の両親たちも「4Hクラブ員を受け入れるのと違って気を使っちゃいましたね」と一言。あるクラブ員宅で朝から晩までふだんと同じように働いてもらったところ、その人は口もきかなかったとか。

「きゅうりをおいしい、おいしいって何本もナマでバリバリ喰うのには驚きました」とハウスできゅうりを培栽しているクラブ員は笑う。ある女性が「お嫁にゆくなら農家ね」と言えば、となりの女性が「でも、朝は早いし農家って大変よ」と答える。それを聞いていたクラブ員の母親は「今日は農家生活を体験させるということで早く起こしたけど、実際、お嫁さんとなれば別ですね」と語っていた。

作業は午後五時頃になって終了した。昨日の集合場所へ再びクラブ員のマイカーでつぎつぎと到着。両手に持ちきれないほどのきゅうりやトマト、ナスなどのおみやげを下げた人がほとんどで、口々に「どうもお世話様でした」。

モッコが肩にくいこんで"キビシイ!"

一行が帰ったあと、赤坂会長はクラブ員全員に「どうもいろいろと迷惑をかけました」と頭を下げた。もっとも、農業をやったことのない人が一日ばかり働いたとしても仕事のうえではゼロに近い。多くのクラブ員は「働いてもらってこんなことを言っては申し訳ないが、いつもより忙しいばかりでした」と語っていた。

ただ都会の人たちに農家の本当の姿を見てもらいたかったというのが受け入れ側の目的であった。それが今回の催しで少しはかなったようだ。

加須市4Hクラブ連絡協議会では、今年の稲刈りのときに今回と同じような"稲刈り体験旅行"を計画しているという。しかし、農繁期なので、各クラブ員宅に与える負担が大きいため慎重に考慮するとのことである。

ともあれ、今回の催しが都会の若者にとっても加須市の4Hクラブ員にとっても意味深いものであったことは確かなようだ。また、全国的に見て画期的なことでもあった。この催しから勉強しなければならぬことは多くあるようだ。

アイスクリームときゅうりとお茶……加須ならではのティータイム

効きめ大 混合剤

雑草退治の実験

鳥取県・赤碕町 グリーンクラブ 那須俊春

除草は現在でもひまをみつけて行なえばよいという考えがあり、適期に除草を実施しないため、果樹園に雑草が繁っているものがある。私は除草剤を使用すれば労働力の節約ができ、また経済的だということを知り、プロジェクトとしてとりあげた。

四十六年八月十日に除草剤をわが家のなし園に散布。はじめの一週間は毎日、それ以後は十五日おきに雑草の枯死状況と再生状況を調査した。調査の対象とした雑草は、広葉一年生、広葉多年生、禾本科とし、草丈二十㌢～八十㌢のものについて観察した。使用した除草剤はレグロックス乳剤、グラモキソン乳剤、カソロン粒剤で、乳剤は背負式加圧噴霧機にパラジェット噴口をY型に二個つけて散布し、粒剤は手で散布した。

除草剤散布の結果、手刈り除草では五月中～下旬の袋かけ前、七月中旬の梅雨あけ前、八月中旬の収穫直前、九月下旬の収穫後と四回の散布が必要であるのに対し、レグロックスは再生が早いため五月中、下旬、六月下旬、八月中旬と三回、グラモキソンは効果が長く五月中～下旬、七月下旬と二回の散布でよいことがわかった。

除草剤による雑草の枯死、再生の状況は、レグロックスでは広葉雑草によくきいたが再生が早かった。グラモキソンは禾本科によくきき除草効果も長い。レグロックスとグラモキソンの混用は、除草効果もよく再生も遅かった。カソロン粒剤は、規定量の散布ではしおれたがそれ以上の効果はみられなかった。しかし、カソロン粒剤三倍量は効果がいちぢるしく(とけるように枯れる)、果樹園の地肌がみられるようになった。

除草剤の特徴としては、レグロックスやグラモキソンは草を枯らすのに対して、カソロン粒剤は生育がおさえられて枯れるような感じであった。レグロックスとグラモキソンは単用するよりは混用する方が効果がよい。また、カソロン粒剤は雑草の根を害して枯らし、禾本科にくらべ広葉多年生の雑草に効果のあらわれ方が遅かった。

以上の経験を参考としつつ、今後は、カソロン粒剤がなしの樹の根を害することなく除草効果を高める方法について検討していきたいと思っている。

NHK農事番組 (7月11～20日)

テレビ

明るい農村 6・30～6・55 総合
11日 きょうの話題
12日 産物百科「うに」
13日 話題と人「空の検疫官」
14日 農村新地図「石川県松任町」
15日 村をむすぶ「仙台、名古屋、新潟、東京」
16日 明るい漁村
17日 村の記録「百人委員会誕生」(岩手県衣川村)
18日 きょうの話題
19日 産物百科「ぶどう」
20日 話題と人「アイデア園芸・廃棄物利用の合板づくり」

農業教室 7・30～8・00 教育
10～12日 もも経営の新方向 原田良平(福島県園芸試験場)

ラジオ

早起き鳥 5・41～5・57 ①
13～15日 道路開発と農業 福田稔(岡山県家畜衛生研究所)
17～19日 複合経営を考える 竹中久二雄(東京農大助教授)

あすの村づくり
日 7・00～8・00 教育
再 土 13・00～14・00 教育
16日「キャベツのおもわく」～群馬県嬬恋村農協

11日 野菜価格補償・京都方式
12日 彦島の宅地造成～下関市
13日 団地に作った農協直売所～日野市七尾農協
14日 帰化植物を追って 長田武正(山梨女子短大教授)
15日 ふるさと通信
16日 農産物をたくわえる 緒方邦安(大阪府立大教授)ほか
17日 エノキダケにかける 岡恵治郎(大阪府能勢エノキダケセンター)
18日 りんご「ふじ」の生みの親 定盛昌助(園芸試験場)
19日 過疎地で始めたカーネーション栽培 岩田正男(鳥取県日南町)
20日 情報センター店開き～埼玉県農業普及課

新しい農村 6・00～7・00 ②
16日 実現するか野菜の標準価格制度 入交則邦(高知県園芸連)ほか

ラジオ農業学校〈講座〉
月～土 6・40～7・00 ②
10～15日 七〇年代を生きる(私の農業観)
17～22日 世界の農業(海外農業の歩み) 大内力(東大教授)

ラジオ農業学校
日 6・30～7・00 ②
16日 新時代の経営をめざす「ぶどう団地をきづく」 横尾健三郎(山形市本沢果樹生産協同組合)ほか

結婚を考える ▶17◀

世界のヤングの結婚観

世界の若者たちはどのような"結婚観"を抱いているのだろうか。ここにおもしろい資料がある。シチズン時計株式会社が七〇年に行なった意識調査"世界のヤングはこう考える"がそれだ。

世界五十六か国、六十三都市に住む十六～二十二歳の若者たちを対象としたこの意識調査は結婚のほかに生きがい、レジャー、伝統、流行、国家、戦争など十三項目からなっているが、ここでは"結婚"に焦点を合わせてみよう。

"結婚をどのように考えているか"の質問に対し、①相手を慎重に選び、軽率には別れない②お互いに愛情がなくなれば別れてもよい③結婚は重要なこととは思わない、の三つの回答が用意されていて、おのおののパーセンテージによってその国の特徴をとらえようとするものである。

いうまでもなく若者の生き方は、その国の歴史や社会的要因に大きく左右されるが、この意識調査では、セックスを含めた結婚についての意識を世界的に四つのタイプに分けている。日本型、アメリカ型、ヨーロッパ型、北欧型。

日本型は、①の慎重で軽率に別れないというタイプで、これが六〇～七〇㌫と高いパーセンテージを示している。これに属するのは東南アジア、中南米、中近東、アフリカなど。日本は①が極端に多く七三㌫、②の"お互いに愛情がなくなれば別れてもよい"が一九㌫、③の"結婚は重要なこととは思わない"が八㌫となっている。

アメリカ型は、①が約五〇㌫、②、③が二五㌫ずつというタイプ。ヨーロッパ型の代表はパリで、①、②、③が均等になっている。これに属するのはロンドン、ウィーンなど。北欧型は、①、②、③の比率が三・三・四の割合で、ヘルシンキ、コペンハーゲンなど。

女性は損する ——日本の社会

日本が将来どのようなタイプになるかは予測しがたいが、この意識調査ではアメリカ型でもなく北欧型でもないタイプをつくりあげていくことになるのではないかと述べている。その理由の一つとして、日本には性道徳の二重構造(ダブル・スタンダード)があることをあげている。たとえば、婚前交渉についていえば、日本では男には許容的で、女には非許容的という二重構造が存在している。もう一つの理由として宗教の影響をあげている。シンガポール、マニラ、メキシコシティー、リマなど、カトリック圏や回教圏では①の数字が高いのはそのためだという。

また、日本の場合、②の数字が低いのは、女性の結婚への依存度が高いことを示し、いまだに女性が損をする社会であることのあらわれとしているのは、やはり考えさせられる問題であろう。

この意識調査では、結婚の項とは別に婚前交渉の是非を問う項がもうけられている。結婚前の性交渉について日本の若者は"お互いに愛情があればかまわない"に六五㌫、"愛情がなくてもかまわない"に五㌫、"どんな場合でも避けるべき"に三〇㌫と答えている。それに対し、性解放百年の歴史をもつ北欧、なかでもストックホルムは"どんな場合でも避けるべき"がわずかに一㌫。

一概にどちらかと決めてかかることはむろんできないだろう。しかし、北欧では結婚後の浮気に対しては社会的制裁が強いのに、日本ではしまりがないという事実を考えてみれば、日本のどちらにも徹しられないという中途半端さがはっきりとしてくる。

私たちがいだく結婚のイメージや意識、それが社会構造とどんなに大きく関わり合っているかということについて改めて考えさせられるものである。

きれいな農産物を

安全防除運動 全国に浸透

◆購買

「安全できれいな農産物づくり」が、昨年秋から系統をあげてすすめられている。ことしも防除の最盛期を迎えて、この運動がさらにいっそう徹底されることが期待されるので、運動のすすめ方の具体的な指針をご紹介する。

"クスリの使い方は、いろいろやかましくなるし、やる人手もいない。いったいどうしたらいいのだ"……こういう悩みがいま多くの農家におおいかぶさっている。

自分のからだを安全に守り、周囲にも迷惑をかけず、しかもきれいな作物をつくる……そんなふうに防除をやるのはたしかにナマやさしいことではない。自分だけでそれをやることはとてもむずかしい。

農薬は、使用禁止になったものもあるし、法律できめられた使い方でなければ使ってはならぬものもある。また、きれいな農産物をつくるには、こういう使い方をする、という規準もきめられた。これをきちんと守って、まちがいなく作業をするには専門家の力をかりるほかない。新しい薬剤、器材をとりいれるにしても同じことがいえる。生産者にとっては作業がやりづらくなった。しかし、ここで防除を放棄すれば農業は成り立たない。

農協には、専門の防除指導員がいるし、県、普及所、防除所の指導者のかたの意見もまとめられてある。だから、ひとりで考えるのはやめて、早く農協に相談することだ。

「防除暦」づくりは共同で

いきあたりバッタリにする防除、その日ぐらしの無計画な防除、商人にすすめられてやる防除はやめて、まず作物別、栽培型別、地域別で共通の暦をつくる。これが防除のすべての基本になる。その暦をつくるために部落代表か栽培グループの代表が集まって農協に相談をもちかけてほしい。この暦もひとりだけで作ったのでは意味がない。

防除作業をする労力がきゅうくつならば、農協に委託し、防除暦にきめたとおりの作業をしてもらう。自分で作業ができれば、防除暦できめたような計画でなるべく共同作業をする。薬剤は作付面積だけ農協にしらせれば、暦にしたがって必要薬剤を農協が準備する。

また、防除の時期に労力があまっていれば、農協の防除班の共同作業に働きに出ることを申し込んでほしい。

明日の農業へ向って 各種農業団体

全国農業協同組合連合会

情報の提供に新手

全農協にVTR普及へ

全農ではこのほどVTR(ビデオ)の取り扱いを開始した。これは、全国の農協をビデオでネットワーク化し、それを通じて農業情勢や中央情勢を伝達するのをはじめ、経営指導、職員教育の手段などに活用して、農協経営の近代化をはかろうというもの。同時に組合員に対する指導、教育、サービスなどを提供する立場から、農村の近代化や農業経営の近代化など、農家生活の向上に必要な情報を視聴覚化して提供し、豊かな農村地域をめざして再開発をはかるための重要な手段として位置づけられることになる。

わが国では情報氾らんの様相を呈している。その中で系統農協および組合員が真に必要とする情報を提供し、こうした情報にもとづいて相互の意思疎通をはかり、結束を強めることが望まれている。そうした意味でVTRが全農協に設置され、系統ビデオネットワークが実現すれば、系統農協だけの情報網が全国各地にはりめぐらされることになる。

VTRを農協がとり入れればどんな活動が行なえるだろうか。農協ごとにVTRのワンセット(VTR本体、カメラ、テレビ)を設置した場合、①情報が確実に伝達される。必要な情報を収録したビデオテープが大量にプリントできるので、画一的に情報が伝わる。②じん速性がある。③身近かな問題をとらえるので親しみがわく、といった利点が考える。

このようにビデオのネットワークを確立することによって、農協、経済連、全農を通じた「総合システム」ができ、新しい情報機能が誕生することになる。

また、VTRは農協活動のコミュニケーションをはかり、農協組合員の生活改善から農業経営のコンサルタントなど幅広い問題まで、実に多くの利用方法が考えられ、今後の組合員サービスの手段として大きな役割をはたしそうだ。

商品市場の動きや養豚、養鶏などの企業経営診断にビデオを利用すれば生産能率を上げられる。また、農家の住宅設計や主婦の料理の技術指導、台所の改善など、生活指導面でもVTRのはたす役割は大きい。

農協によるビデオシステムの導入は、農村社会の情報化を推進し、農村の体質改善、農家意識の改善、改革などにつなげていくことができよう。

◆販売

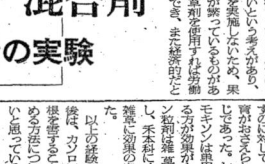

おつぎはあなたの出番です！

失恋！君も幸せに

長野県・上高井　信州アル男

ぼくは失恋をしてしまった。相手は婿とりのかわいい女性……。ぼくにとって彼女はしんそこ惚れた初めての人だった。彼女はスポーツが好きで、明るくてしっかりした人であった。ほんとうにぼくにはもったいないようなすばらしい女性でした。

その彼女と初めてのデート——心が痛むような楽しさだった。話しらしい話をしたのは、やはりそのときが初めてであったが、なぜかウマが合った。何を話題にしても非常に楽しい会話だった。ぼくは、ただ話しをするだけで満足だったのだ。

それから数回デートをした。ぼくはもう自分の気持が抑えきれなくなってしまった。そして、ある日、ぼくは彼女に言った。「ぼくは君が好きだ……」と。

しかし、彼女の口からぼくの期待する返事は返ってこなかった。

「……そういうつき合いはできません。私もあなたを好きになったら、あなたとの結婚を考えるだろうけど……。でも、あなたは長男でしょう。私は幸福な結婚というのは、家族をはじめ親戚、友人などまわりの人みんなに祝福されるものだと思います。私は小さいときから婿とりとして育てられました。家の人のことを考えると、私は家に残らざるをえません。あなたもそうでしょう。だから、もうお互いに会わないほうがいいでしょうね……」

その後、ぼくらの間にはいろいろのことがあった。しかし、結局、ぼくの恋は破れた。ぼくが考えた家の合併とか駈け落ちなどの案も一人相撲で終ってしまった。幸福とはそういうものなのかとぼくはひとり思案にくれたものだ。

人生は短かい。青春はもっと短かい。そのようなほんの微々たる青春のなかで精一杯生きることが若者の使命なのか。破れたって、精一杯やり、悔いが残らなければ生きている価値があるのだとぼくは自分に言い聞かせた。

ぼくには彼女の気持もよくわかる。でも、無難な幸福よりも、もっと大きな真の幸福をつかむために彼女はなぜ一歩を踏み出さなかったのだろうか。もちろん、限られた環境と制約のなかでぼくらは生きているのだけれど、それを突き破ること、それも大切なのではないだろうか。

いま、ぼくはやっと失恋の痛手から立ち直りつつある。ぼくにとって彼女への失恋は血となり肉となったような気がする。あの苦しみもみんな……。あの喜びも、ぼくはもっともっとすばらしい女性をさがそう。

そして、ぼくの惚れた君よ。ぼくは君が、すばらしい婿さんをもらって幸福になることを陰ながら祈っています。

母の手をふり返ってみよう

福岡県・筑後市4Hクラブ　近藤たけ子

赤ぎれとしもやけでふくれあがった手。その手で頭をなぐられてもわたしには優しい母としか感じない。

口にはださぬが、わたしはその手こそ母の愛情だと思う。色白いやさしそうな手なんて、愛情のない都会の他人のものとしか思えない。ばかばかしい田畑の仕事！とその手は思ったかもしれない。でも、子供たちへの愛情、家族への思いやりをふくんだその手は、けっして無意味ではなかったのだ。

赤ぎれバンザイ！しもやけバンザイ！そんな母の手に、わたしは暖かいハンドクリームをぬってあげたい。

愛のかたちを探る

大阪府・千早赤坂4Hクラブ　岡山真美

〝恋愛とは何か〟〝愛とは〟このたぐいの問いは、およそ昔から古くて新しいものであり、同時にその答も必然的に千差万別、数限りないほどの答え方があることだろう。

〝愛とは何か〟その答えのひとつとしてフランスの哲学者デカルト（一五九六～一六五〇）は「愛とはあるよきものにおのれを結びつけたく思う情念である」と言っている。

この場合のデカルトは広義においての〝愛〟を定義したのであり（恋愛とは愛のひとつの形、部分にほかならない）これはどんな人、あるいはあらゆるものごとにもあてはまるものである。

たとえば、みかん（の木）を育てることがあるとする。みかん作りに精を出すには、みかん作りということ、すなわちみかんの木そのものを愛することである。みかんを愛するなどというとおかしいかもしれないが、みかんを育てるにはみかんの木そのものをよく知ることが先決のはずである。そのためには自分の気持とみかんの気持を一体にすることが大切であろう。すなわちあるよきもの—みかん—におのれを結びつけたく思う気持をもつこと、つまりみかんへの愛である。

犬好きの人がいるとする。犬へ愛情をそそぐということは、自らが犬のもつ何かよいものに一緒になろうとすることなのである。もちろん、一番よいのはその人自身が犬になることである。

しかし、実際には人間が犬になることは不可能なので、犬になったような気持で犬を飼うことである。つまり、これも犬への愛である。

このようにデカルトの愛の定義から恋愛を考えてみると、ちょっとやそこらのことで恋愛などできないではないかと反論されるかもしれない。デカルトの定義をもって自らを振り返ってみたとき、なるほどと思うふしがあるなら、それはホンモノ(?)だと言えよう。

しかし、昨今、十七世紀的思考は古い古いものである。古いものは通用しないのか、それとも手軽に楽しもう、否、楽しむための恋愛観のほうが大切な時代なのか、現実的な思考は古いものをすぐ捨ててしまう傾向にあるようだ。

だが、思考や定義は多数決できめるものではない。たとえ世が変り、時代が変っても良い考えは良いのではないだろうか。

闇をよぎる光

ただひとつ、仲間とはぐれて迷った渡り鳥のごとく孤独げに群がる星々の闇を落ちてくる小さな青白い光。そして、それは茫然と眺めるぼくらの網膜へちょろちょろ燃えるリンを見たときのような寂しい不安な光の点のみを残して去ってしまう。そう、性急にあまりにも性急に去っていってしまうのだ。

また、光が走る。ゆっくりととろけるような軌跡を残し闇から闇へ動くあやしげな光。

淋れたロマンとものうさが心をじっとりと包みこむ。夏だ。あなたはいま、大空からこぼれ落ちた一粒の涙をぬぐっているところだろうか。それとも、虚無の暗黒のなかを狂ったように舞う自分の魂をじっと見つめているところだろうか。

《……夏は夜。月のころはさらなり。闇もなお蛍のおほく飛びちがいたる。また、ただ一つ二つなど、ほのかにうちひかりて行くもおかし。……》

そういうぼく、いま、『枕草子』の一節を読みながら、ぼく内部の蛍が奇妙な音を発しつつ閉じてゆくのを苦々（にがにが）しく感じているところだ。小さな消えてゆく光を追って、また、闇から闇をぬっては身をひそめるほの白い光にさそわれて暗い巷をさまよったとしてもなんになろうか。自分自身をほかならぬ自分自身のうちで行方不明にするだけのことではないか。眼をつむると見える小さな光をじっと見すえつつ、ぼくはぼく自身のぐうたらな重みを二本の足に感じなくてはならない。そして、パッと眼を開いたとき、なだれのようにくずれながらぼくに飛び込んでくる一切のものを引き受けなくてはならないだろう。

それでもなお、小さな青白い光が闇をよぎる。

焼け跡派作家の野坂昭如は、その著書『火垂（ほた）るの墓』のなかで、戦争で両親を失い戦禍のなかで悲惨に死んでいく兄妹を描いた。年端もゆかぬ幼い妹が栄養失調で重い体を動かして、死んだ蛍の墓を作るというくだりは、動揺なくしては読めないだろう。その兄妹が見た曳光弾（えいこうだん）のようないくつかの光、それらはぼくのうちに消えさることなく不気味に光る。

夏の夜、夜空を力なく横ぎる流れ星ならぬチカチカと露骨に輝くネオンを、また、闇に身をひそめる蛍ならぬ酔っぱらいの投げ捨てたタバコの光を見つめながらぼくはこうつぶやくのだ。『ホーホーホータルこい。こっちの水は……』

そしてぼくの内部に蛍の墓石をまた、ひとつつみ重ねるのだ。（野）

笹笛

落日

栃木・小山4Hクラブ　農民文学会会員　山中康司

1 (8)

とはいっても内心では茂夫は自分のライバルである正一が自分より先に決まったのが気になっていた。タバコをふかすその顔つきには自分はもっといい女をという自信が出ていた。

「塚崎ってばよ、嫁にやるなって評判だっていうんじゃないかい、働き過ぎるんで、そこにゆくと正ちゃはうまくやったどな」

赤いセーターの斉がいった。

「それは昔のこと、今じゃどこの部落だって同じさ。ところで芳ちゃん、おめえもいい人いるんだべよ。この間小山の駅で手をつないで歩いてたとこ俺等見たぞなあ」

「これで芳ちゃんもすみにはおけないかんな。4Hの副会長だからもてんべよ。頭がいいし女の子なんかに不自由はなかんべな。俺らも何とかしなくちゃな」

斉は高校にこそ行かなかったが、それだけ世間は広く話もうまかった。それほど意地が悪いわけではないが、人の悪口を面白く上手に話すことができた。芳男は二コリともせずにまかせを聞いていたが、寂しかった。黙って冷酒を口にあてた。

「とにかくかかあもらえばよ、トルコで三千円も五千円も取られないですむし、えらいみやげももらう心配もねえ、今は赤線がねえんだから早くかかあもらうことだな茂ちゃん」

十九歳の安夫は口もたっしゃだが経験もあった。彼の話には珍奇なものが多く内容も未青年向きで興味をひいたので、英雄と道夫と守はじっとして耳をかたむけるのだった。主にトルコとかストリップ劇場の話だった。

「道ちゃんおめえ出稼ぎでいくら位もらってんだ」

「うん。二千百円」

道夫の出稼ぎは水道配管だった。手回しのいい道夫の家では出稼ぎも一足早く、親子して親せきの水道屋に勤めて一ヵ月になる。二千百円というのは残業も含めてで定時では、千八百円だった。

三升の酒はかたずいてきた。話し手の安夫と斉は相変わらずとうとうとしゃべっている。聞き役が年端の茂夫と正一、若い三人も黙ってすわっている。誠司と一夫は昼間の疲れかもしれない、円陣からはずれてあお向けに寝ている。芳男は耐え難く沈黙していた。

「だが今の時代じゃ三千円ももらわなくちゃな、それだってトルコのあまに一回マッサージしてもらうと吹っ飛んじまう。斉ちゃんおれもよ女に生まれてくるんだっけよ。何も資本をかけないでガバガバ金が入るんだからよ」

「安ちゃん、なんてったって一番バカが百姓。朝から晩まで休みなく働いてよ、いくらになるかってんだ。米の金なんかはみんな農協と機関屋だべな。まあこれからは百姓はだんだん小さくして出稼ぎに行くに限るよ」

「斉ちゃんなんか出稼ぎに行く必要あんめな。レタスでずいぶん儲けたって話だど。百姓やるんなら野菜作り、俺もよ来年は春白菜を大ざに作ってやっからよ。俺は本当は百姓が嫌いじゃないんだ。なんてったってわがままがきくしよ。出稼ぎで年中頭ペコペコさげてるよりいいかんな。斉ちゃん一反歩三十万もどったんじゃこんど一度飲みにつれて行けよ」

「よし俺が安ちゃんに好きな女をあつけてやる。シボネー（小山にあるキャバレーの名）でよ」

「ほんとかよ」

いったん火に焼けた安夫の顔はもう蒼白だった。斉の顔は反対にまっ赤にほてっている。

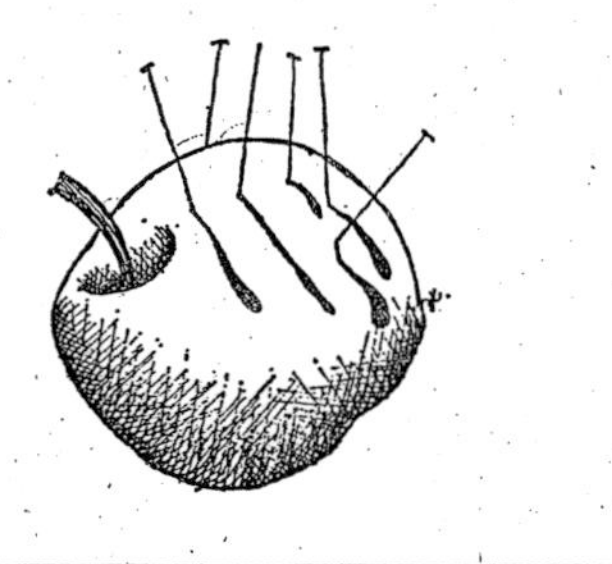

知らない所の魅惑

神奈川・ひびき4Hクラブ　相原重幸

まず、山に登ってみたい。でもあまり混みあっているところは好きじゃない。最近はどこへ行っても人が多すぎる。

富士山にも一度登ってみたいと思うが、あのものすごい混雑ぶりを想像するとうんざりする。

冬山といえばスキー。雪におおわれた山の頂上から見る景色はどこへ行ってもすばらしいものだ。でも、ここも人が多すぎる。たいていの人間はどうも混雑しているところほど好きなようだ。

ドライブもしてみたい。知らないところへ行くのはとても楽しいものだ。でも、道路は車でいっぱい。また、行楽地も〝待ってました〟とばかりに店をひろげたりなんかして大騒ぎで迎えるところが多くなってしまった。

なんにも知らないところ。誰ひとりとして知っている人のいないところ、そんなところへ行って一日中歩き廻ってみたいものだ。

世の中すべて忙しすぎる。春の暖かい陽の下、芝畑にゴロリとなって仕事や友だちのことなどすべて忘れて、空飛ぶ小鳥や流れる雲を一日中じっと見つめていたい。

そんな一日を過ごしたいとときどき思うことがある。

あんな人こんな人

〝人間づくり〟も大切

佃　繁憲　奈良

「農業という職業には楽しみがある。つまり、自分の播いた種が発芽し、すくすく成長して実るという生産の喜びがある」と、誠実な感じの彼は語る。身長一六五㌢、体重六〇㌔とやや小型ではあるが、健康には自信があるという。その証拠のひとつに小学校から高校までの十二年間、彼は無遅刻・無欠席でとうしたというのがある。まったく驚異的な人でもある。

昭和二十三年五月六日生まれの二十四歳。妹と二人兄弟、現在、長男として家業の農業に従事している。まじめすぎるほどまじめな男とある人は評する。その人とは古い歴史の国、奈良県で育った佃（つくだ）繁憲君である。

「父のあとを継いで農業をやりたいと思いだしたのは高校時代でした」という。しかし、佃君はその頃、普通高校の生徒であったというから驚きだ。卒業後の二年間、彼は猛烈に勉強をしたという。「何の知識もなしに農業はやってゆけないからね——」

そのようにして飛び込んだ農業のなかで、まず佃君をあたたかく迎えてくれたのは植物であった。植物は人間と違って正直だと彼はいう。肥料や水を与えるとすぐにそれに答えてくれて与えられたら与えられただけのものを表面に出してくれると佃君は笑顔で語る。だから、彼は農業が大好きだという。彼は大たんにも「私は趣味のような気持で農業をやっている」と語る。仕事は大変楽しいねと笑いつづけるフシギな男——佃君。

さて、佃君の家の経営概況についてであるが、彼の家ではいちごが主幹である。彼の家では冷凍抑制栽培二十㌃、促成栽培二十㌃、株冷栽培十㌃、半促成栽培二十㌃といろいろの方法でいちごを一年中出荷している。彼は数種のそ菜をひとりで栽培技術を向上させるのはむずかしいことだという。しかし、ただひとつの作目、たとえばいちご栽培に熟達することは比較的にやさしいのではないかということだ。その方法で彼はいちごの違った作型を組み合わせ、高能率の経営をめざしている。

それにトマト二十㌃とナス、野菜各種、水稲などをやっているそうで、労働力は現在のところ両親と彼の三人だそうだ。

佃君は言う。「仕事に追われての〝忙しい、忙しい〟ではないんです。仕事を追っての〝忙しい、忙しい〟だから、じつに楽しい毎日です……」

しかし、と言いながらも佃君、「何のために働いているのだろうか」とふと考えることがあるそうだ。そのたびに彼は自己中心的な根性で利益ばかり追求している自分に気づき「食べる身になって作らなければ……。自分のためでなく他人のために働いているんだ」と自分に言い聞かせているということだ。そして、彼は苦々（にがにが）しくつけ加える。「でも、私の心の中は自己中心的で自分の利益ばかり考えていることは否定できません……」

彼は心まで人のために働けるような人間に成長したいともつけたした。

先日、郡山城跡で「お城祭り」が行なわれた際に、佃君ら地元の4Hクラブ員はいちごの即売会をしたそうだ。そのときも佃君は「消費者に喜んでもらえるものを作らなければ」と感じたらしい。「いちご、トマト作りは一生懸命だったが、私は人間作りを忘れていた」と佃君は素直な気持で語る。

さて、話しはとぶが、好青年という形容のぴったりな佃君の結婚観はどんなものなのだろうか。「二十歳ともなれば結婚のことも考えますね。また、仕事のメドもちょっとついてきましたからよけいにですよ。私の好きな女性というのは、まず健康な人、親孝行な人、ヒステリーをおこさない人です。こんな人とめぐりあえたら結婚したい」

彼は4Hクラブに入会して四年目である。役をもたせてもらってはじめてリーダーの苦労がわかったという。それは人の親のような心と同じではないのかと彼は語る。クラブにとって親になれるような、また自分自身の真の親になれるような人間に成長したいと彼はいう。

さあ、佃君いこう！君が澄みきった大空のなかで羽ばたく姿はきっとすばらしいにちがいない！

（大和郡山市城町四八一）

ああ楽しきわが農業

（お花ばたけ）腰巻の使用法（その1）

南那須楽農クラブ会長・中山一郎君の語るところによると、キジはよほど赤い腰巻きが好きらしい。

ある日、畑で仕事をしていると、隣接しているヤブからキジが一羽でてきた。いつも見るキジなので中山君は〝きれいだなー〟と追いもせず眺めていると、キジはふと、赤い腰巻を下げて用をたしている母の方を見てソロソロと近づいていった。母は、いつも逃げられているキジが今日は近づいてくるのでどうも意味がわからない。

少し考えた末、キジは赤い腰巻が好きなんじゃないかと思い、用がすんでもそのまま赤いのをヒラヒラさせていると、案のじょう近づいてくる。そこで十分近づけさせといてパッと捕まえた。その後、小屋から逃げられたときも赤い腰巻を見せたらすぐ捕まったそうである。

中山君はまた語る。「女性は腰巻に対して再認識すべきではないか」

（栃木県西那須町・小池田洋君より）

◄投稿案内►

本紙は、全国クラブ員の準機関紙として、みなさんに大いに利用していただきたいと考えています。

クラブの催しや個人のプロジェクト、詩、短歌、随筆、写真、悩みや意見、村の話題、伝説、行事、お知らせ、小説、その他なんでも結構ですから原稿にして送って下さい。

❶長さや形式は自由です❷できるだけ記事に関連した写真をそえて下さい❸送り先　〒105 東京都港区西新橋1の5の12　佐野ビル内　日本4H新聞編集部

——日本4H新聞編集部——

日本4H新聞

4Hクラブ 農事研究会 生活改善クラブ
全国広報紙

発行所 社団法人 日本4H協会
東京都港区西新橋1の5の12 佐野ビル 〒105
電話 (591) 1817・3683
編集発行 玉井 光
月3回・4の日発行
定価 1部 35円
一カ年 1200円(送料共)
振替口座東京 12055番

クラブ綱領

私達は、実践を通じて自らを磨くとともに、互いに力を合わせて、よりよい農村、よりよい日本を創るため、四つの信条をかかげます。一、私達は農業の改良と生活の改善に役立つ腕をみがきます。一、私達は科学的に物を考えることのできる頭の訓練をします。一、私達は誠実で友情に富む心をつちかいます。一、私達は楽しく暮らし元気で働くための健康を増進します。

フレッシュ全協へ躍動

農林省などから意見聞く

会館に焦点合わす

これからの事業運営はどうあるべきか——全国4Hクラブ連絡協議会（会長 松浦幸治君）は、さる七日午後、育成指導機関・団体の関係者を東京・港区西新橋一丁目佐野ビルの全協事務局に招き、全協の事業、予算などについて意見を聞いた。指導機関・団体の関係者は農林省・普及教育課の大賀忠直課長補佐、同課青少年班の藤井文信活動促進係長、社団法人全国農村青少年教育振興会の菅忠義常務理事、財団法人農村更生協会・井上勝英常務理事、社団法人日本4H協会・大塚茂常務理事で、その内容は全協のあり方や事業、予算など全般にわたっている。

指導機関・団体関係者から述べられた意見の要旨は次のとおりで、このアドバイスをもとに、こんご全協執行部内において検討し、改善を図っていくことにしている。

全協では先月東京で開いた全国4Hクラブ前期中央推進会議においても、これら関係者を招いて話し合いをしたが、4H会館建設などで全協の真価が問われているときだけに、これらの助言をもとにいかに充実、発展をはかるかは大いに注目される。

農林省など育成指導機関・団体の関係者から意見を聞く全協執行部

全協のあり方

一、組織のつながりという面からみて、道府県連との連携は必ずしも十分でなかった。組織のつながりとしては（パイプに）一貫性をもたせることが理想である。それに沿った規約にすべきである。

また、農業とクラブ活動をいかに両立させるかなど、連絡協議会としてのあり方を再検討すべきである。

一、役員の選出方法についても問題がある。規約で、全協は各道府県連をもって組織するとしているが、全協役員はクラブ員の中から選出することになっている。そこに矛盾はないか。役員はブロック・道府県連から推せんされた者が選ばれることが理想である。

一、組織の原則を厳しく認識して、役員の選出方法、事務局長の位置づけ、役割、予算決定とその明確な処理を考慮していくべきである。現在までの全協活動を反省・評価してこれからの事業に取り組むことが必要である。

年間事業について

海外派遣事業 これは、本来育成指導団体（全国農村青少年教育振興会、日本4H協会など）が行なうべき性質のものであると思われる。

趣旨に異論はないが、方法論や派遣先などに問題があると思われるので、指導、助言機関に相談すべきである。また、視察と研修をかねた視野の拡大がねらいならば事前に研修、育成団体との協議も十分行なうべきであろう。

沖縄親善交歓訪問 本土復帰を契機として全協を組織する一県であるという方向に、ざんじ意識づけをする必要があり、あわせて4Hクラブの啓蒙と啓発に努めるべきである。

レコードブックの作成・配布 これも、日本4H協会や全国農村青少年教育振興会などの指導・助言機関にゆだねるべきである。4H新聞の普及運動さえ十分に進展していない現状から、レコードブックの配布、PRの方法は慎重に検討し、準備周到にして取り組むべきであろう。

全国4Hクラブ員のつどい 全国から多くのクラブ員が参加するのは結構。しかし、全国農村青少年技術交換大会とのねらいの違いなど理論体系を明確にすべきである。

こんごの課題としては、内容とともに財政的な裏づけなどを検討していくべきであろう。

4H会館の建設 本当に建てる気があるのか。会館建設に取り組む姿勢に真剣さが足りない。

現在までの募金状況を明確にして、こんごの見通しをつけることが必要。何年間で建てるつもりなのか、はっきりすべきである。早急に特別委員会を開き、問題提起（スペース買取りの行詰まり）して次の手だてを考えるべきだ。さらに会館の基本的な考え方を十分検討し、全協の方針を明らかにしていく必要がある。

法人化は現状では非常にむずかしい。

全体として 一つひとつの事業に対する意義をさらに検討すると同時に、全協の役割、指導機関の役割を明らかにして、単に事業消化で終ることのないように努力する必要がある。

とくに4H会館建設にのぞむ姿勢として、申し送り的な気持でいるのではいけない。直ちに会館が建設できないにしても、一年一年何らかの実績を残すような手だてをする。全協は当面、会館建設に焦点をしぼって厳しく取り組む姿勢が先決である。

予算と事務局体制 経費の節約には事務局体制の改善がある。アルバイトを置いて単純な作業はそれにまかせ執行部は合理的な事務執行をするようにすべきである。事務局の職務は整理して、役割分担をすべきであろう。

レコードブックの事業収入については、振興会、4H協会と話し合って効率よい方法をとることが必要。なお、組織強化という名目で会議を開催し、振興会から援助を願うことも可能である。

沖縄から初参加、四人

第八回全国4Hクラブ員つどい 史上最大の規模に

二千四百五十八人（七月八日現在）を突破——今夏八月二十八日から五日間、北海道で開催される全国クラブ員の祭典「第八回全国4Hクラブ員のつどい」参加者は史上最大の人数になることが確実となった。このため、主催者の全国4Hクラブ連絡協議会、北海道4Hクラブ連絡協議会、社団法人日本4H協会では、その対策と資金の捻出方法などの検討を迫られている。

また、地元北海道連（会長 中山野雄君）では、七月二十日からつどい専従の事務員を置き、予定より参加人数がふえたために旅館の確保やバスの増車などにてんてこ舞い。ようやく見通しがついたというのが現状である。

このように今回参加者が大幅にふえたのは、北海道という開拓百年の歴史を秘めた地域性に魅力がもたれたことが第一の理由と思われるが、つどいの趣旨が徐々に全国のクラブ員に徹底してきていることもあげられよう。

とくに今回は、沖縄からも四名のクラブ員が初参加するのをはじめ、これまで未参加の県連から多数のクラブ員が参加を申し込んでいるのも大きな特色となっている。

県連別では、昨年の開催地・愛知県連の二百四十一名という大量参加をトップに、埼玉、福岡、静岡がともに百五十名以上、青森、茨城、栃木、群馬、神奈川、岐阜、和歌山、佐賀、熊本などがいずれも五十名以上のクラブ員を送り込む予定だ。

このほか岩手七、福島四十八、新潟十五、石川七、滋賀二十七、兵庫四十二、岡山二十五、広島十、香川十一、宮崎三十五、鹿児島二十五などが、これまでの参加状況や地域性などからみて注目される。

地元北海道連では、六百三十人が参加の予定。

この参加人数については、現在参加者の変更や中止、新規申し込みなどが続いているため、かなり流動的ではあるが、史上最大の規模になることは間違いないとみられる。

なお、主催者側では来る十八日から三日間、北海道内において打合わせ会議を開き、連絡調整や会場準備の進捗状況などを確認することにしている。

涼風暖風

創る喜び

〝子供達に新鮮で甘いものを……〟と父は、庭木の代りに、屋敷内一杯に、桃、李、すぐり、ゆすらうめ、葡萄……など、四季折々の果物の木を植え、その間を縫って、その頃まだ店頭では見られなかった、レタース、アスパラガス、トマト、メロン……など、その土地で育ったものは殆んどが手がけられていた。

中でも、うちの屋敷の砂地は、葡萄の適地だと、その頃、入手できる世界中の品種三十余種が集められていた。温室葡萄といわれていたアレキサンドリア、びわの大きさ程あるかと思われる大粒のホワイトプリンス、黒い色のマスカットオブハンブルグ、ブラックハンブルグ、貴婦人の指の形をしたレディフインガー、長い房の甲州三尺……など、いま店頭に並んでいるデラウエアーやキャンベルスアーリーなど、庭の片隅に植えられ、子供心にも〝キャンは狐くさい〟など生いきなことを言って見向きもしなかった。

この我が家の稔りは、これ以上熟し切れない程に熟した頃を見はからって、家族がみんなで舌つづみを打ったものである。その時期の来客にはこれが唯一のもてなしとなった。

これらの果物や野菜など、その季節に食べ切れなくなると、母の手によってジャムやシロップ、ピックルス……などになって地下室の棚に並び、季節はずれに家族の前に現れて来て家族を楽しませてくれた。そしてまた母は手づくりのパンを焼き、卵や牛乳、バターをたっぷり使ったクッキー、パンドケーキ、ロシヤケーキ、アイスクリーム……など、家族の口に入るものは殆んど母の手作りであった。そしてこれらのものは一流の店のものと比べても、見劣りするものではなかった。母の手づくりは食物だけではなかった。子供達の着るものは、すべて母の手によるもので、新しい感覚で次々と作られていた。

これは三十年も前の、子供の頃のことである。こうしたことはあたりまえのことだと思っていた。しかし父母は、都会育ちのサラリーマン生活の子供達に、自然の恵みと、そして創る喜び、育てる喜び、そして生活は各々が創り出していくものであるということを体得することを期待していたのではないだろうか。

いま兄弟姉妹各々が家庭を持ち、子供を持つ身となった。いまや、省力化、既成品化、人工化、そしてすべて金だ、物だという世の中である。このような中で、私達兄弟姉妹は、父母がやっていたようなことを各々各自の暮しの中で工夫してやっていることに気がついた。

自然の恵みを知り、自然の味を知り、創る喜び、育てる喜びを知り、そしてそれができるということは大きな力であり、今や最大の楽しみでありまた贅沢ではないだろうか……としみじみ思う昨今である。

そして一方農家の人々はこれまでこれらのことをいとも自然にやっていたのではないだろうか。ところが都市化の波の中で、この持っていた最大の特権を忘れようとしているのではないだろうか……と思うのである。（T）

初の「つどい」 千葉県連

18日から市原で 記念講演や技術交換

【千葉】千葉県と同県農村青少年クラブ連合会（会長 花沢広吉君）では、来る十八日から二十日までの三日間、市原市で第一回の「県農村青少年クラブ員のつどい」を開催することになった。参加者はクラブ員のほか農業青年経営者研修生など約四百名を予定している。

主な行事は、記念講演はじめ技術交換大会、ハイキング、キャンプファイヤー、自由交換の夕べ、パレードなどを計画している。

一日目は午前十時からパレードを行ない、十一時から開会式とオリエンテーション、午後一時から三時まで記念講演、このあとバスで宿舎に移動し、夜は自由交換会。

二日目は、朝九時から養老渓谷から麻綿原を経て清澄までハイキング、夜はキャンプファイヤーをくりひろげる。最終日は午前中技術交換大会、午後二時から閉会式を行ない解散する。なお、参加経費は一人五千円。

ドーナ、ジェーンさん富山へ出発

今年度米国代表の草の根大使＝ドーナ・F・ハルコビッツさんとジェーン・E・パファイヘリックさんの二人は、さる四日、午前八時三十分上野発の金沢行特急「はくたか」で最初の受け入れ県である富山に向けて元気に旅立った。

二人はこれに先立ち六月二十二日から七月二日までの十日間、神奈川の県立農業大学校で、日本語や日本の農業などを学習していたが、その印象についてつぎのように語っていた。

ドーナさんは『日本のみなさんはみんな本当に親切だ。私は神奈川で多くの人にお世話になった。その人たちの誠意にこたえるためにもここで学んだことを生かしたい』と語り、ジェーンさんも『多くの人の親切が身にしみた。なかよくなった方々と別れるのは本当につらい』と感謝することしきり。

近畿ブロック一巡（1）

ある視点　原田正夫

離農を共に考える 大阪府連

大阪府4Hクラブ連絡協議会

新都市計画法の実施以後、とくに離農ないしは兼業する若者が激増している。これは、第十回全国大会終了後とほぼ一致するが、やる気のある者でさえ農業ができないといった現実もあり、これが現在、クラブ員数四百名たらずという数字に表われている。

この傾向は、道路の新設、都市化への激動のなかで弱まることはあるまい。だが、全国大会を支えたクラブ員がいま、府下4Hの中堅として、畳より畜へのきりかえに成功しており、内容的には、むしろ良いものになってきている。

また、クラブのなかで土地問題、税制、資金運用などの問題がかなり重視されてきていることは、土地がらやむをえず、むしろ好ましいとさえ思える。

府連のなかでも、仲間の離農を自分たちの問題としてとらえ仲間がどうしてもやめるなら、ほかに有望な職業はないかというようなコンサルタント的役割を果たそうとしていることは、今日的な活動として推奨したいと思う。

リーダーの反省を 京都府連

京都府農業青年クラブ連絡協議会

京都市周辺、山間部、日本海側と三つの地域からなる京都では、その三つの流れが交わっていない。また、リーダーによる交わらせようという努力もなく現在に至っているようだ。

現在は、都市部の革新府政ベースの高年齢層グループが強い発言力を持ち、要求活動をすすめようとしている。これが末端クラブ員との完全な断絶となっている。

これらの現象は、執行部のごく一部の強引さが因であると思えるが、彼ら執行部は〝ついてこないのは、みなの意識が低いから〟という。しかし、彼らは自らのリーダーシップを強く反省するべきではないのか。近畿連のなかでも大きな問題として呼びかけているのであるが……

三年以前の田宮、村田と続いた頃の強くすぐれたリーダーの出現は昔のことでしかないのだろうか。

琵琶湖を越えて 滋賀県連

滋賀県農業後継者クラブ連絡協議会

従来、現在の京都県連ほどでないにしても、とかく近畿連のなかで問題になりがちな県連であったが、元全協評議員、現常任委員の中村会長、昨年度の中江会長が出てから4Hクラブの良さをリーダーが理解し、それを県下に根気よくオルグして、ついに現在の強い組織を作るまで発展させた。

この努力は敬意に価する。4Hを否定もしくは無理解であった担当者をも説得し、近畿連のなかでも、ここ二年間、リーダーシップをとってきた。県下クラブ員の意欲も決して低くなく見通しは明るいと考える。

ただ、県にとってのキャッチフレーズでもあり、また、その恩恵なくしては考えられないだろう琵琶湖が、県連のまとまりに決してプラスしていない。湖北部に対する浸透が今後の課題だろう。（全国4Hクラブ連絡協議会副会長・大阪）

草の根だより

さる六月十九日午後羽田から米国へ向けて旅立った今年度日本代表の草の根大使（派米4Hクラブ員）＝原田茂光君（山形県・コナムクラブ）と堤千恵子さん（福岡県・黒木4Hクラブ）＝の二人からこのほど米国での生活の第一信が届いた。デンバーでオリエンテーションを受けた二人は、いよいよホストファミリー（受入れ農家）に入り、家族の一員としての生活が始まったようだ。便りの主な内容は次のとおり。

日本人は頭イー 堤さん

早くも乗馬の特訓 原田君

〈堤千恵子さん〉

私たち二人とも無事、ジャンボ機でサンフランシスコに着き、それから予定より二時間ほど早く同地を発って、デンバーに十九日の午前中に着きました。

東京を十九日午後二時十五分に発って、その日の午前中にアメリカに着いたわけですから、まさに私たちはタイムマシンに乗ってきたようなものです。

飛行機の中ではとても愉快でした。私たちの前のシートにフロリダへ行くというオランダの親子（母親と二人の娘）がすわっていました。原田さんはいつのまにかオランダ娘と仲良くなって（でも彼のガールフレンドとしては若すぎる十歳くらいの子です）彼女を私たちのシートに呼び、片ことの英語で話しかけると通じたのか日本語で答えたのです。これには二人とも苦笑してしまいました。彼女はまだ幼いけれども、とても賢いらしく、話をしていても（私たちは英語で、彼女は日本語で）とても楽しく童心にかえったみたいにワイワイキャキャーの大騒ぎでした。

また機内では、私たちの英語が通じるかどうか試みるチャンスがいっぱいありました。原田さんが私に「ミルクを飲みたいから、ひとつ、君の英語で通じるかどうかやってみてくれ」と言いました。

私はスチャーデス（アメリカ人）の所へ行って、無事、二杯のミルクをもらって席へ帰ってきました。二人とも飲み終ったあと、今度は原田さんの番です。「またミルクをもらってきて」と頼みましたら、彼はいさぎよくスチャーデスの所へ行きました。でも、もらってきたのはミルクではなく水でした。彼はスチャーデスのあまりにも美しいのに圧倒されて（？）ミルクをくださいって言えなかったのかな？

デンバーで世界中から集まるIFYEの代表を待ち合わせ、みんな集まったところでロレットハイト大学の寮へバスで向かいました。そのとき、みんなが、私の車付きのスーツケースを見て〝これはいい〟とほめてくれるのです。ですから私も〝日本人は頭がいいんだ〟と（もちろん英語で）言いましたら、ワーイといっせいに歓声があがり、私まで笑って楽しい気分になりました。このような冗談は結構通じ合うものです。日本にいるときとまったく変らないように毎日ケラケラ笑って過ごしています。

大学の寮では、ブラジルの少女（といっても彼女は高橋とも子という日系二世なので日本語がペラペラなのです）と同じ部屋でしたので、日本語ばかりで話していました。原田さんもすぐ近くの部屋だったし、隣と向かいの部屋がまたブラジルの二世の部屋で遊びに行っては日本語ばかり使っていましたので、まったくアメリカへ来たという実感はわきませんでした。

あまりにも彼らと親しくなったので、さすがに別れてホストファミリーへ向かうときは淋しくなりました。しばらくは日本語が使えないねと言いながら、とも子は涙を浮べていました。やはり日本人なのですね。だって生っ粋の外国人だったらカラッとしていますものね。

〈原田茂光君〉

無事米国に着き、毎日楽に過しておりますのでご安心下さい。くすんだ東京の空から太平洋の青さに驚きを覚えてサンフランシスコにつき、すぐデンバーまでやってきました。そして、デンバーから車で約四十分の所にあるロレットハイト大学でオリエンテーションを受け、世界から集まった約四十名ほどのIFYEと一緒に二日間を過ごしました。集まったIFYEも高校生から高校の先生までといろいろでした。言葉もブロークンながら意志を通じ合えるので、いまのところ頭の痛くなる思いをしなくても良さそうです。

二十一日からコロラドにおける第一のホストファミリー、ノーマンフレンチーズさんの家庭でお世話になっております。家族は妻と高校三年の息子を頭に十四歳と九歳の二人の息子、六歳の女の子で、なかなか良い家庭です。

こちらに来て早々乗馬の特訓を受けております。というのもノーマンさんの農場はヘレホード（肉牛）主体の放牧農業だからです。ここには九日までお世話になり、そのあと十三日までコロラド州立大学でオリエンテーションをやり（世界大会）その後第二のホストステート、ワシントン州に向う予定です。

堤さんもお別れのときには淋しそうな様子でしたが、意外と活発で積極的に立ちふるまっておられましたので安心しました。

心頭技健

将来の日本農業は見通し明るい——そう思っている農村青少年は全体の二割足らずで、逆に暗いというイメージを抱いている青少年が四割から五割を占めている。そんな結果がこのほど宮城県や茨城県の農業会議などで行なった調査で出た▼暗いという理由としては、やはり農産物の自由化、農産物価格の不安定、米の生産調整、米価抑制、経営規模拡大の困難さなどをあげており、中にはだんだん生活が苦しくなるという声もあった。広島県でさいきん行なわれた調査でも同じく農業の将来に対する不安は、農村青年の悩みのトップだった▼しかし、このように農業への意欲がそがれる現状にもかかわらず、七割五分以上の青少年が今後も農業を続けることを希望している。しかも、これらの人たちの中で、規模拡大して専業化を図る、農業中心で兼業を進めるという人がそれぞれ三割以上を占めている▼これは日本農業の暗い見通しと矛盾しているようであり、また、他産業への就職が難しかったり、土地を手放したくないという気持もあろう。だが、なんとか農業でサラリーマンに負けない経営や生活を築いてみようという意欲が強く表われているものと思われる▼とくに、さいきんは、農業はやりがいがあるという考えをしている青年や農業が好きだからという人たちがふえてきていることは確かだ。

全国の農村青少年、とくにクラブ員は自己の成長とともに、農業技術や生活の向上、農業経営の近代化に取り組み、地域社会の発展のために努力している▼しかし、現状のままではやはり不安が大きい。その不安の解決策を真剣に検討し、何らかの手を打っていく必要があろう。今回誕生した田中新内閣に期待されるところ大である。

「6円が運ぶ、仲間の声!!」

赤松 宏 ▶8

機関誌は「クラブ活動のバロメーターだ」と言ったが、そのものの中にその状況を知ることができることと、もう一つ考えられるからそのような書き方をしたのである。機関誌発行活動は簡単ではないということかも知れないが、それだけに、その価値が認められてくると思う。

ここで、機関誌の発行活動に関する問題を探求してみることにしよう。

まず第一点は、タイム(時間)との戦いだと思う。とかく遊ぶヒマがあっても、めんどうなことになると取り組む姿勢に欠けるようだ。

クラブ員各自、個人としての時間はもっているはずである。そんな時間を大切にすることです。集めることです。ただ、一同に集まらなければ、機関誌はできないと考えているのでは、せっかくの少しずつの時間を大切に使えるまでにはほど遠いと思う。「時は金なり」といいます。一時いっときを使いたいものです。

次に考えられるのは、マネー(お金)との戦いであります。よく「そんな金ない」などと聞きますが、はたして本心なんだろうかと聞きかえしたくなる。もしかしたら、失礼だけれど、お金の計算ができない人ではないのだろうかと疑うことすらあります。この程度の計算のできないあなたのクラブの役員さんたちならやめていただくことですね。だって、あなたのクラブは計算のないクラブですもの、全然伸びる可能性なんてありませんよ!!

あまり皮肉を書くとやみ夜がおそろしいのでこのくらいにするが、はたして一冊の機関誌を作るのにいくらくらい、経費を必要とするか、私と一緒に考えてみようか。

表紙に画用紙程度の上質紙を使うとして、大体本文三十ページくらいの機関誌を作ると仮定すると、

○表紙 画用紙 一枚五円
○トビラ・目次 上質紙一枚と
本文 上質紙 十六円
○原紙 十七枚 百七十円

まあ、三十冊くらい作るとしたら、一冊当り原紙代は六円くらいだし用紙など合計すると二十七円で、大体一冊三十円くらいでできあがると思えば間違いはないと思うが、三十円という金額は、いまではガム一個の代金に相当する安価なものです。

第三点目をあげるとしたら、機関紙編集技術との戦いのように思われる。

私たちの仲間の編集した機関誌のほとんどが、ガリ版刷りのものです。そんなところからガリ版刷りの難しさを苦にしたり、また種々の技術の弱さからそれら活動を低迷させているように感じられる。技術にしても頭の中だけで考えていないで勉強していただきたいと思う。

日高管内平取町の白樺クラブの機関誌などは、編集上にあと一歩のところがあるが人並以上の努力のあとがうかがわれる。また、それと反対に、ただ、いいわけに出したと思われるようなものも見られる。目次のない機関誌、文字だけでカットのない機関誌、半分以上ハッキリ見えないものなど多種多様です。そんな機関誌を見るたびに教えてあげられたらと、生意気に思っていましたが、紙面でいくらか書くチャンスがありますので多少あとで触れることにする。

機関紙作りの問題点などを説明する赤松君

時間、金との戦い
機関紙作り 編集技術も問題

いまあげた三点に問題がありそうなので、十分検討することが発刊活動への早道のように感じられる。早く仲間の声を表わしたいものです。

ここで《機関誌づくりへの導き》ということで考えてみることにしたい。

まず、最初に考えておきたいのは、何度も触れたが、機関誌は投稿された原稿(とくに題名を指定しないもの)だけで作りあげようとするだいそれた考え方で取り組んでほしいことをつけ加えておく。となるとどういうことになろう。それは編集部を設けることです。とくに明確な位置づけをし、臨時的に設置するのではなく、専門的にあつかうべきである。そして、それ自体、内容について考え、編集を計画的に実施していかなければならないのであります。原稿を作る、創造するような心がまえでなくてはならない。そのためには編集部の組織が完全であり部員のより洗練された能力が要求されてくる。

いまのべた編集部の構造、理想的なものは何であるかといえば《機関誌を民主的に十二分なグループ活動を助長するための発刊活動であれば良い》ということであるが、不明確な中で形だけのものができあがっても意味がないことはいうまでもないだろう。この点に留意してほしい。

余り適当な書き方ではいけないと思いますので組織の一例を別記してみよう。

作業を分類してみると、部長—総括する役目であるが、次の点を考えるべきだ。①部員の適性を見抜き、適当なポストに配置する②部員の取材活動がどうか常に知っておく③部員の融和を常に保てるよう心がける④機関誌発刊のいっさいの責任をもつ

編集長—機関誌のプログラムを作る。編集長の手腕によって半分まではその良し悪しが決る。

会計—必要経費を調達する。

記者—六月二十四日号に準ずるが、課題の接点と真剣に取り組む。

印刷—最後の仕上げであり原紙のきり方、印刷の方法などを考える。

詳しくは、後記することにするが、各自の役割に大きな意義を見い出す活動がなされるべきである。

(題字も筆者、北海道4Hクラブ連絡協議会前書記長)

編集部の組織の一例

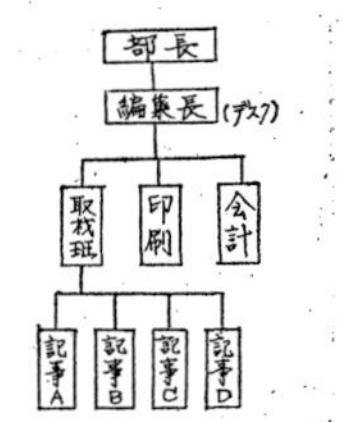

記事分類

A——組織活動やプロジェクトなど
B——行事などの催し
C——青年のモラル、人生など
D——地域活動に関するもの
E——その他

即売会の益金を交通安全協に寄付
北部町4Hクラブ

【熊本】 飽託郡北部町4Hクラブはこのほど同町交通安全協会に五千円を寄付した。これは、同クラブの四十人がこのほど同町公民館で開いた野菜の品評即売会で、出品したそ菜、メロン、スイカなど五十点が全部売切れたので寄託したもの。

若者の役割を再認識
広島・沖友で意識調査 はがゆい"現状の満足"

みかんの里、広島県沖友農業後継者協議会(代表 藤田克幸君)では、このほど「沖友の現状」と題して戸別訪問による経営者のアンケート調査を実施した。これは同協議会の生活部が"明日の向上のために"というテーマをかかげ、価値ある農業構造の解明をめざして取り組んでいる意識調査のひとつとして行なわれたものである。

アンケート調査は二十の質問からなっており、調査の対象となった経営者も二十代から七十代におよぶ幅広いもの。

沖友地区でのみかん作りの将来性には、"絶対に大丈夫""ダメになる"がそれぞれ二〇%ずつを占めている。ダメになると答えた経営者の七〇%が四十歳以上の人たちである。

経営者にとっては次代を担う後継者づくりが悩みのタネ。「後を継がせるか否か」の質問に、"継いでもらわなくてもよい""わからない"が全体の約二〇%、残りの八〇%は継いでもらいたいという意志をもっていることになる。だが、さすがに"有無をいわせることなく継がせる"は八・五%と低く、"本人の意志にまかせる"五一・五%、"なんとか継いでもらいたい"二〇%は、良識のあらわれとみてよいが、将来に対する不安がやや見られる。

将来に暗い影

規模拡大については四一・五%の経営者が"現状で満足"と答えている。その人たちにみかん作りの将来性を聞くと"絶対に大丈夫"が一六・七%と意外に低く、複雑な現実を反映しているものと思われる。規模拡大は至難のことに違いない。しかしこれでよいのだろうか。調査を行なったクラブ員は「あまりにも堅実すぎはしないか」と疑問を投げかけている。

農外就業の有無には、五〇%強の人たちが"なし"と答えている。だが三〇日以上の農外就業者は三六・二%にものぼっている。かろうじて五〇%を保つ専業農家という沖友の現実をふまえて、若い後継者は「産地作りのために指導者の奮起を望む」と語る。

また、他産業にくらべての生活程度については、半数以上の人が"悪い""悪すぎる"と答えている。"良い"という答えはわずか十%、"同じくらい"が二三・一%である。物神両面から考えた生活水準は、"中の上"以上と思っている経営者は全体の三分の一。

そのほか、このアンケート調査では、農道、交換分合、経営内容などにふれているが、調査をしたクラブ員の反応は、沖友の現実に対して"じれったさ"を感じているようだ。だが反面、沖友のかかえる問題を具体的につかむことができ、地域の農業発展にはたす若者の役割を再認識したようだ。産地内でリーダーとして活躍していくクラブ員には、この調査結果を冷静に受けとめ、若いエネルギーを噴出させていくことが望まれる。

新しい方向へ一歩
北海道連が事務所移転

北海道4Hクラブ連絡協議会では、去る五月十五日事務所を移転した。移転先は北海道青少年会館で、冬期オリンピックの際にセンターとして使用された建物である。

青少年会館には、青少年団体の合同事務所のほか宿泊施設(三十六部屋・定員百三十八人)小劇場(ホール固定席六百六十四席)体育館、温水プールなどの施設があり、こんご青少年の活動に大いに利用されるものと思われる。

道連が今まで道庁内に置いていた事務局を、こうした施設内に移したことは、事務処理などを自分たちの手で行なうという新しい方向へ一歩踏み出した訳である。こうした姿勢がこんごどのような活動に展開してゆくのか興味深いものがある。

写真は 近代的な美観を誇る北海道青少年会館

どう打破する

全国の女子リーダーが"赤い気炎"
まず"量より質"
プロジェクト 身近かな問題から

女性として立派な生活態度を身につけることが女子クラブ活動の終局の目的である——四十七年度全国4Hクラブ前期中央推進会議(さる六月七日から三日間にわたって東京・オリンピック記念青少年総合センターで開催)のなかで、第二日目に行なわれた女子クラブ員研修は、そのような認識の上にたって活発な討論が展開された。女子クラブ員の減少からくる女子活動の低迷にどう対処するか、女子リーダーの顔は、困難な現状を打破しようと真剣そのものであった。なお、この研修には前全協副会長松本良子さんも参加、現役の女子リーダーたちを激励した。

立派な生活態度を

自己紹介のあと、各県の女子クラブ活動の現状報告と問題点がだされた。

▽女子クラブ員の減少▽活動のマンネリ化▽プロジェクト活動の低下▽地域社会との連携が稀薄▽男子クラブ員に依存し、主体性がない▽活動期間が短かい(結婚などによって)ため、組織に対する意識が低い——など、どれもこれも女子クラブ活動が現在かかえている大きな問題である。

女子クラブ員の減少は、どの県連でも悩みのタネ。女子のいる地区といない地区があるため、女子活動が全県下的に行なえないという意見、男子クラブ員に混っての活動になりやすく、女子クラブ員独自の活動がなかなかできないという意見など、苦しい現実の活動状況をふまえてのことだけに、発言する女子リーダーの顔も複雑であった。

また、男子クラブ員のように農業に従事している人ばかりが集まって構成されているわけではない女子活動は、農業以外の職業の人たちとのかね合いがむずかしく、とかくちぐはぐな活動になりやすいという意見もあった。

それに対してある女子リーダーは、はじめは女子クラブ員を対象として行なったひん血の調査を、男子クラブ員、家庭、地域へと広めていった実績を紹介し、「女子活動を地域社会のなかで有効に位置づける方法としてとりあげたらどうか」という発言をしてみんなの注目を集めた。また、ある女子リーダーは、「これからは量より質でいかなくっちゃ!」と、鋭いひと言。

プロジェクトの意味は頭の中ではなるほどとわかるのだが、具体的にどのようなことをしたらよいのかがわからない——ある女子リーダーは率直に語る。"実績発表のためのプロジェクトに終っている""行事におわれてプロジェクトをもつ時間の余裕がない""本来の目的が失なわれている"口ではプロジェクトと簡単にいえる。だが、いざ現実の活動のなかに応用することになるとつまづいてしまう。とくに女子クラブ活動は、男子とはまた違った困難な問題があるようだ。司会役でもある全協副会長堀見としさんはそれに答えていう。

「プロジェクトということを大げさに考えるのではなく、毎日の生活、たとえば買物、台所、身のまわりの整理というように、身近かなあたりまえの問題から取り組んでいったらどうか。それは日常生活における立派なプロジェクト実践であり、女子クラブ活動の終局の目的につながるものである」

富士山へ集おう
北駿4Hクラブ 全国の仲間を募る

毎年、全国のクラブ員に参加を呼びかけて富士登山を実施している静岡県の北駿4Hクラブ(会長横山保作君)は今年も第六回の「富士登山の集い」を実施することになり、全国のクラブ員に参加を呼びかけている。

実施時期は今月三十一日と八月一日の二日間で、富士登山のほか話し合いや名所・農業施設めぐり、キャンプファイヤーなども計画している。

参加経費は宿泊代やバス代などを含めて一人当り三千五百円。

連絡先きは、御殿場市中山六三一、長田房枝さん。電話〇五五〇(七)〇八五〇

秀麗富士には、なかなか登る機会がありませんが、このようなときに仲間と助け合いながら登山し、体力の向上とともに全国のクラブ員と交流してみてはいかが。どしどし申し込んで下さいネ。

女子活動の低迷

〝自分たちは結婚前の娘という重荷を背負っている。だが、農業とクラブ活動を両立させて精いっぱい頑張る〟と快気炎をあげる

〝婚前の重み〟負う

精一杯の努力が充実感に

クラブ活動と農作業ははたして両立しうるものなのだろうか。〝クラブ活動に熱中するあまり農作業がおろそかになる〟〝つい帰宅時間が遅くなってしまい、親に心配をかけることになる〟女子リーダーたちはそう語る。責任ある地位にあるためクラブ活動にかける比重は大きく、また、結婚前の女性という社会通念の重みを背負っているだけに、彼女たちのジレンマの根はなかなか深い。

だが、そうばかりはいってはおれない。〝何のためのクラブ活動か〟と、自らに重い鉄のような問いを発しつつ、ある女子リーダーは語る。「クラブ活動をしているからということは理由にならないと思う。私は計画をたててクラブ活動と農作業を両立させ、親からうしろ指をさされないように努力している。確かにつらいことだけど、家庭や農作業の犠牲の上にたっての4Hクラブ活動なら、活動そのものの意味が失なわれてしまうのではないかと思う」彼女はつけ加えていった。「両立させ、自分の力を精一杯だしつくしているとき充実した自分というものを感じる」――この女子リーダーも数年前は、女性というワクづけられた自分にジレンマを感じていたという。自己の体験からにじみでた彼女の言葉は、ほかの女子リーダーの心に強く響いたようだ。

目を大きく!!

各県連における今年度の活動方針にも、苦しい女子クラブ活動の現実が反映されている。提出された資料をみると、たとえば福岡県連では、単位クラブにおける女子クラブ員の減少のため単独の活動はムリだとして、広域のなかで活動を展開する方針をとっているという。他のクラブとの交流、たとえば生活改善グループ、OBクラブ員、若妻会などとの連携の必要性をあげている。また、佐賀県連では、急テンポで進行する現代社会に対処しようと、農村社会に閉じ込もるのではなくほかの社会にも積極的に眼を向けることを根底において計画を進めているという。

女子クラブ員研修に出席したリーダーの意見をみるかぎり、女子クラブ活動の低迷は認めつつも、今後は質の向上をめざし、それによって量の拡大をはかるという強い意気込みをはっきり読みとることができた。

なお、この研修には前全協副会長の松本良子さんが出席、自らの体験を語るとともに、明日の女子クラブ活動を支えるリーダーたちを激励した。

松本良子さんのことば　わたしたちは、自分の地区、県にとどまっていないで、目を大きく開いて他県との交流を深め、全国的な視野をもたなければならないと思います。たとえば、4H新聞によって全国の仲間の活動を知ることも大切だし、他県で行なわれる女子研修に行き、ただ聞くだけのものから、実際の〝場〟で接することも必要でしょう。そうすることでより密接さを増すことになるのではないでしょうか。これからも女子クラブ活動躍進のために一緒にがんばりましょう。

時道

イメージの時代

〝アメリカの生活はイメージのショーウィンドーである〟――社会学者ブーアスティンの言葉である。イメージの氾濫はグラフィック革命の所産であり、今日巨大に膨張したマス・メディアはイメージを大量に生産している。

ブーアスティンによれば、イメージとは〝人工的な模倣、再現〟のことであり、人間の意識の作用によって作りだされた〈かたち〉である。原始人のみずみずしいイメージの結晶であるアルタミラの洞穴壁画を思い浮かべるまでもなく、イメージは古代から芸術や文化に大きく関わってきた。それらのイメージは狩猟や呪縛によって支えられていた現実の生活をより生き生きと再現させたのである。

〝イメージの時代〟と呼ばれている現代はどうであろうか。〝現代のイメージの目的は現実をおおい隠すことにある〟とブーアスティンは指摘する。イメージを売りものとしたカッコいい商品、マスコミによって作りだされた〈イメージ人間〉としての〝有名人〟、またポスターやパンフレット、ユニホームまでそろえて戦われる〝イメージ選挙〟……。イメージはいたるところで氾濫し、私たちはいささか食傷気味でさえある。

フランスの哲学者サルトルは意識の二大要素として〝知覚〟と〝想像力〟とをあげた。そして想像力を〝意識が己れの自由を実現する場合の意識の全幅〟と定義づけている。その意味からいえばイメージは想像力によってもたらされた人間の自由を保証するものということができる。それは現実をのり越えようとする意識の不断の戦いだ。

マス・メディアによって日々生産されているイメージは、私たちの想像力から遠くかけ離れたものだ。そこにはイメージだけが存在して、実物（オリジナル）は影をひそめている。私たちはイメージによって現実を検証するというむなしい作業を強いられることになる。【宇】

NHK農事番組（7月21～30日）

テレビ

明るい農村　6・30～6・55　総合
21日　農村新地図「岡山県倉敷市」
22日　村をむすぶ「大阪、広島、高知、東京」
23日　明るい漁村
24日　村の記録「汗と泥の日々―熊本県八代郡」
25日　きょうの話題
26日　産物百科「れんこん」
27日　話題と人「酪農電化センター」
28日　農村新地図「山梨県富士吉田市」
29日　村をむすぶ「釧路、津、佐世保、東京」
30日　明るい漁村

農業教室　7・30～8・00　教育
20～22日　複合経営を考える　竹中久二雄（東京農業大学教授）
24～29日　養鶏経営のシステム化（〈あすの農業への指針〉再放送シリーズ）　森鳰隆（農業技術研究所）
31～2日　酪農の多頭化と経営管理　服部進（愛知県農業総合試験場）

あすの村づくり　日　7・00～8・00　教育　再　土　13・00～14・00　教育
23日　「むらのカギッ子」　大宮あい子（長野市）ほか、蓮見音彦（学芸大学助教授）、もるさわようこ（作家）
30日　「離農した長男坊」～その損得勘定～　せがれ会（鶴岡市田川）、松田昌二（農業総合研究所）ほか

ラジオ

早起き鳥　5・41～5・57　❶
21日　里におり炭焼きがま　佐々木兼治郎
22日　ふるさと通信
23日　レジャー時代の農業を考える　藤井信雄（農業技術会議）ほか
24日　どうなる牛乳の本州輸送　高橋節郎（北海道酪農協同組合連合会々長）
25日　昆虫地図を作る　古川晴男（前東京学芸大学教授）
26日　農協のあられ工場～岐阜県
27日　山合いの民宿～埼玉県
28日　八丈島の観葉植物～東京都八丈島農協
29日　ふるさと通信
30日　清涼飲料　大塚滋（東洋工業短期大学教授）ほか

話の広場　日　6・10～6・30　❶
23日　観光つり舟ブーム～那珂湊市
30日　誕生した市民の森～横浜市

新しい農村　6・00～6・30　❷
23日　組合金融の現状と問題点　片柳真吉（農林中金理事長）
30日　発足した自然休養村

ラジオ農業学校　日　6・30～7・00　❷
23日　農業講演会「米と農協」　山崎春成（大阪市立大学教授）
30日　農業ゼミナール「米と農協」　山崎春成

めざすは一千万円

酪農　個体能力の向上に努力

北海道・振分青年会　菊地清紀

私の家は、以前は豆作りを中心とした畑地酪農経営を行なっていたが、昭和三十九年、四十年の冷害を契機として酪農専業への転換をはかってきた。現在家族五人で、耕地二四㌶を基盤に乳牛三十頭を飼養し、共同利用によって大型機械体系を確立している。

私が経営に参加したのは四十四年末からであった。当時は経営規模が小さく、畜産収入の比率も低く、さらには一頭当たりの産乳量が四千六百十㌔と個体能力が低いなど数々の問題があった。そこで四十五年、初産牛が六頭分娩するのをきっかけとして、酪農専業へ近づけるとともに、個体能力を十分発揮させることを目標にプロジェクトに取り組んだ。

四十五年度は個体乳量の向上をはかるため、①飼養管理の改善②良質粗飼料の生産確保の二つを重点に、三回搾乳と管理時間の一定化、追肥の実施、機械化体系の確立、追肥の実施に力を入れた。その結果、個体乳量が前年を千八百㌔上回る六千四百三十㌔と非常によい結果がでた。しかし、個体乳量が向上した反面、受胎率が低下した。

このことから四十六年度の目標を、①個体乳量の維持向上②受胎率の向上の二点においた。飼料管理を変化させないで給与量に慣れさせる、粗飼料の多量確保、日常管理に気を配る、などに重点をおき飼料の時期別給与計画をたてて実施した。

その結果、個体換算乳量は前年と比較して百㌔低下したが、実個体乳量は三百㌔向上して五千七百㌔となった。受胎率は前年より向上した。このように乳量、受胎率とも向上したのは、牛が飼養管理に慣れたためと、飼料の給与面において高蛋白質、高カロリーの飼料の給与により、牛体の維持調整がとれたからであろう。また、生産乳量の波が夏冬とも変化が少なかったのは、夏期において乾草の多量給与により生草との調和をとり、冬期において乾草サイレージ、多汁質飼料の給与と不足分を配合飼料で調整をとったためである。

また、個体別成績表の作成により、個体別の能力経済効果が把握でき、個体別の比較ができ、選択淘汰の材料ができた。計画前の四十四年度と比較して大幅に生産性が伸びている。問題点としては、受胎率の低い牛がまだ数頭いること、粗飼料の量不足、三回搾乳のための労働過重などがあげられる。

このように専業化を達成し、個体能力も向上したので、今後は経営規模の拡大をはかり、耕地四〇㌶、乳牛五十頭、粗収益一千万円を私の当面の目標としたい。さらに、規模の拡大とともに省力化をはかり、労働生産性を高めてゆくために二回搾乳にきり換え、バンクリーナ、パイプラインの導入による施設の充実につとめたい。

こうして規模の拡大、単位生産の向上、および労働生産性の向上が満たされて、はじめて自由競争の中での寒地農業が確立されるのだと思う。

交換しませんか　女性もいる方が

岐阜・大垣4Hクラブ

クラブ交歓会をしませんか――岐阜県の大垣4Hクラブ（農業青年クラブ）が全国のクラブとの交流を希望しています。同クラブの概況は次のとおりですので、どしどし申し込んで下さい。

【クラブ員数】二十名（うち女性二名）派米研修中三名、県外研修中二名。
【年齢】平均二十一歳
【経営内容】洋ラン、花キ、酪農、そ菜、梨、メロンなど複合
【クラブ活動内容】仲間づくりを中心課題とした活動を行ない、地区連、県連などの行事に参加
【希望するクラブ】特別にはないが、できたら女子クラブ員も加入されているクラブ
【連絡先】①大垣市横曽根町一八〇五　森谷健五　②大垣市役所　農業改良普及所内、大垣農業青年クラブ　電話＝大垣（〇五八四）八一―四四一（内線二二四）

漫画・コント　募集

本紙では、紙面にユーモアをもたせるため、次の要領で、ひとくち「漫画」と「コント」を広くクラブ員から募集することになりましたのでふるってご応募下さい。

1、内容　ユーモアと機智に富んだもの（風刺的なものを含む）
2、用紙　ハガキ使用▽漫画の場合は黒（鉛筆でもよい）か赤色を使用し、タテ・ヨコの大きさが同じもの
3、住所・氏名・所属クラブなどを明記して下さい
4、送り先　東京都港区西新橋一ノ五ノ十二　佐野ビル（〒一〇五）、日本4H新聞編集部　電話＝〇三(五九一)一八一七、三六八三
5　掲載分には記念品を贈呈します。

クラブ員の中には、漫画の得意な人やユーモアに富んだ人が大勢いると思われますのでどしどし応募して下さい。

プロジェクト

47年度　農業観測をみる (6)

わずか値上りか　飼料除く農業資材

農業機械　動力耕うん機の農村価格は、けん引型、駆動型ともに前年度をやや上回ると見通される。このほか、動力田植機、動力刈取機（バインダー）、平型乾燥機は、それぞれ前年度と同水準に推移するとみられるのに対し、乗用型トラクターをはじめ、動力防除機、動力脱穀機、立型乾燥機についてはやや値上がりが見込まれ、自脱型コンバインも強含みに推移する見通し。

肥料　複合肥料の農村価格は、高度化成および普通化成ともに前年度をやや上回ると見通される。このほか、主な肥料では過りん酸石灰、よう成りん肥、石灰窒素がそれぞれやや値上がりが見込まれる。輸入に依存している加里質肥料については、硫酸加里が内外需給の堅調を背景に輸入価格の上昇が予想されるため、かなりの値上がりが見込まれるが、塩化加里の輸入価格は、円切り上げによる差益は生ずるものの、国内の流通経費の増加などによるコストの上昇が予想されるため、ほぼ前年度と同水準とみられる。また、流安、尿素は、生産業者販売価格のとりきめいかんによるが、ほぼ前年度程度と見込まれ、これに伴って塩安も同水準に推移する見通し。

農薬　農村価格は、企業による生産合理化がはかられてはいるものの、農薬の使用規制に伴って新農薬に対する生産設備費用の増加など、生産コストの上昇が予想されるため、殺虫剤をはじめ殺菌剤および除草剤についてもそれぞれ前年度をわずかに上回るものと見通される。

飼料　農村価格は、ほぼ現在の水準で横バイに推移するものと見通されるが、配合飼料の工場建値が前年度後半に引き下げられたことから、年度平均価格としてみれば、前年度の水準をわずかないしやや下回るものと見通される。（おわり）

結婚を考える ►18◄

私たちの結婚

初めて握る妻の手に

佐賀県4Hクラブ連絡協議会　小林秀敏

「ことしは早よう済んだネー」「うん、こがん早かこともめっちゃなかろうーない」

昨年七月二十七日、田植えを終えての父との対話である。薄緑色の早苗を渡る夕風は涼しくカエルの声はいかにも楽しそうに聞こえる。

それから十日、植えた苗には根がつきいっそう緑を増してきた。私もそろそろ身をおちつけようと、やがて妻になってくれるであろう『寺野』の家へ、〝一升カタメ〟なるものを生まれて初めて持参したのだった。儀はとどこうりなく進み、嫁にもらうことが決まった。

アッという間に半年間の婚約期間が過ぎ、明けて一月十五日新たなる世界にフレッシュな気持でスタート。気持に反して心の動揺はほとんどなく、自問自答しながら朝の搾乳を済ませた。いつもより一時間も早い搾乳で不気嫌顔をしている牛に、〝一生に一度だから祝ってくれ、許してくれ〟とわびて、二時間前に式場に着いた。

神前に二人並んで立ったときも、心の変化、動揺もなく、なぜか暖房が抜群にききすぎて体調に微妙な変化を認めた。異様な寒さの中でヒヤで飲む三三九度の酒の味は、この世のものとは思えぬ絶妙のひと言につき、願わくはもう一パイ／指輪交換で初めて妻の手を握ることができ感激、感激。型通りの式が済みホッとして記念撮影。

何年かぶりに会う友、遠くからはるばる駆けつけてくれる友、そして恩師の方々……。頭をさげながら心の底から「私たちのためにありがとうございます」と感謝の念で一杯だった。

その夜、近所披露が済んだあと、女性二名を含む悪友たちの策略で二階と一階に夫婦別々に寝せられ、ともに案じながら夢の中へ……。

明けて十六日はすばらしく晴れあがった。初夜の夢をはかなくも破った悪友に見送られ、いよいよ愛車ブルーバードスリーエスは南へ向けて出発。

ぬけるような青い空、ひきこまれそうな紺碧（こんぺき）の海、真白な燈台に真紅の影を落とす夕日、ここちよく二人の肌をなでる暖かい潮風……。日南海岸の南国の情緒を私たちは満喫した。西都原古墳群、青島、都井岬、佐田岬、湯の町指宿、桜島と、四泊五日にわたり新婚旅行は夢のように過ぎていった。

私たちの新しい人生のスタートは、このようにして平和で思い出多いものになった。いまは多くの方々の暖かい愛と祝福に心から感謝の気持でいっぱいである。

明日の農業へ向って　各種農業団体

家の光協会

農業の方向を探る

『地上』10月号　別冊付録で企画

目玉商品は〝団地構想〟　昭和四十七年度の農林予算では、総額五百七十五億円余が農業団地関係予算として計上されている。この農業団地とはなにか。農政の〝目玉商品〟といわれている農業団地構想とは、つぎのようなものだ。

言いふるされた言葉だが〝急激な経済成長〟は農業や中小企業を取り残して進み、農業の相対的な生産性の低さは、農産物の国際的競争力を弱めていった。生産者は、内には生産資材、生活物質、各種公共料金等の上昇、外からは農産物自由化の圧力におびやかされている。食糧の国内自給度向上は国民的課題であることは疑いないが、一部国内の自由化促進の声、諸外国からの輸入攻勢のもとに、わが国が農産物輸出国の草刈り場となることは生産者、消費者ともに望ましいことでなく、真の解決は経済成長のひずみを正すことである。この解決策の一つとして、農業団地構想は生まれたと見られる。

つまり生産性を向上し、需要に見合った生産をし、流通の合理化と農村環境の整備を行なうために、国が各種の事業に補助金を出そうというのである。一つの見方としては、これは農業者不在の、経営不在の、これまでのお役人的な発想と変わらないという声もある。そこで、これを本当に農民のものとするためには、受け入れる側の考え方、対応の仕方が重要になってくる。

〝今後の農業〟のために全国農協中央会では、かねてから営農団地構想を打ち出し、農協による生産・流通・加工・販売の一貫体制を整備しつつある。その考え方と方向は、政府と基本的には大きな食いちがいはない。農協はこれまでも機会あるごとに政府に農業の基本方向を説いてきたが農政が真の農民のものとして定着するよう、今後も主役として働かなければならない。

政府の農業団地構想の方針はなにか、農協の考えは、農協の役目はなにか。農業団地をどう位置づけるか。また規模拡大で当然問題になる経営の集積、機械・施設の利用、生産組織の整備、流通体制はどう進めるか。そして農協の営農団地はどんな活動をしているのか、また生産性向上にはどんな技術が開発され応用されているのか。

家の光協会発行の『地上』は毎月、農政、農協、農業、社会、経済などの情報を読者にお届けしているが、農業団地についての問題点、技術経営の方向を、十月号別冊付録（百七十二㌻）として刊行すべく編集を進めている（九月一日発行、定価本誌とも二百円）。

全国農業協同組合中央会

営農団地拡充へ

国の対策と連携し

系統農協では、農業・農協をめぐるきびしい情勢に対応して、昭和四十六年度を第一年度とする総合三か年計画をすすめ、今年はその第二年目に入っております。そして、第二年度の事業の重点として、（一）営農団地の計画的な拡充、（二）生活基本構想にもとずく組合員の生活近代化対策、（三）農協の経営基盤確立のための農協合併の推進、（四）基本農政の確立のための対策をすすめております。

一方、政府は赤城農林大臣就任と同時に、新しい農政の展開として農業団地育成対策が強く進められることになりました。

系統農協は、すでに十年余にわたって営農団地造成にとりくみ、困難な情勢のなかで着々と成果を挙げております。国の重点施策として、農業団地対策が具体化したのも系統農協の努力に負うところが大きいといえましょう。したがって全中は、国の農業団地育成については、あくまでも農協の営農団地造成との一貫性、連続性を確保することを基本として対応することにいたしております。

系統農協が進めてきている営農団地造成運動は、もちろん系統農協・組合員の自主的な運動です。これに国の農業団地育成という施策をスムースに受けとめるということは、なかなかの困難性が考えられます。

全中は、このための措置として、各都道府県中央会に〝農協営農団地推進総括共同対策室〟を設置することを指導しております。この設置要領では、①総合三か年計画にもとづき中央会・連合会の連けいを一層強化し、営農団地の計画的造成を図るとともに、国が昭和四十七年度より実施する農業団地事業に対応するため、県中央会に営農団地推進のための総括共同対策室を設置する。②県段階に設置する総括共同対策室は、営農団地推進のため県段階に設置運営されている作目別共同対策室と密接な連携を保ちつつ、団地対策の総括的な企画、推進ならびに行政に対する系統農協の統一した窓口としての機能を果たしうる機構として組織し位置づける。③総括共同対策室は都道府県中央会・経済連・信連・共済連および農林中央金庫支所等をもって構成する、とし、主要な役割として、④県農業団地育成協議会および同幹事会の運営に参画し、都道府県における農業団地育成対策の方針策定・計画樹立および事業実施について系統農協がすすめている営農団地造成の実績・計画との調整および推進を行なうものとする、としております。

自然と人生を問う愛野天望

長崎県・茂木4Hクラブ　田川　和信

岬というものは夢想を誘うものだ。それは人間の文化がまず始まった地だからではないだろうか。そこには、古代から幾世代にもわたって人間たちの歩みたものが跡をとどめているような気がする。

愛野展望台は岬とはいえないだろうが、雄大な風光に恵まれている。展望台の下は長閑な地上の春。

しかし、その長閑な春、絶壁の下に白く牙をむいて岩をかむ怒涛のすざましさに一瞬にして打ち砕かれてしまう。それを見ていると、突然この世のものとも思えないあるスゴさを体中に突き立てられたような心地になってしまう。日頃いい加減に過していた自分の心をいきなりひんむかれて何ごとかを詰問されるような気持にもなってしまう。

その反面、橘湾の沖合からかなた天草灘を眺めると、「雲か山か呉か越か……」とある詩人の詩のごとく水平線にもうろうと天草の島が浮かぶ。どこか異国を眺めているような幻想が心をかすめ、この展望台の片隅に立っている詩人の碑はなぜかさびしげなロマンチックな夢想をそそる。

笹笛

遠い夜の遠い声

子供のころ、ぼくは聞いていた。ひとり寝床のなかで、小さな体に宿るほんのちょっぴりの恥ずかしさと寂しさに全身を小刻みにピクピクとけいれんさせながら……。澄み渡った天空を駆けぬけていくようだったあの声。あのときの不協和音をあなたはいま聞いているかもしれない。青春の重さと躊躇に強く唇を噛みながら……。

あの声は、いつも遠くから聞こえてきた。未来を感じたこともあった。また、過去を思ったこともあった。あの声はつねに小さな体を麻薬のようにしびれさせ深く静かな世界へぼくを導いたものだった。あの声の明朗さのなかに沈んでいた[illegible]。さわやかな初夏の夜風が田んぼを越えてやってくると、とりつけたばかりの風鈴がここぞとばかりに歌をうたう。すると、あの声はさも愉快げに不気味な笑い声をたてたものだった。

あの声はいつしか聞こえなくなった。しかし、十何年以上も、あの声はぼくの心のなかから消えようとしない。消えようとしないどころか、より澄んだより不気味な声でぼく自身に語りかけてくるのだ。

先日、ある友人がテープレコーダーをもって、ぼくをたずねてきた。テープがまわる。かすかに響くあの声……。だが、それはあの声ではなかった。おびえ、そして燃えながら、ひとりうずくまって聞いていたあの声ではなかった。それは、ただ単に『ゲーゲーゲロゲロ』という、何十人もの酔っぱらい集団のゲロを吐いているときの声のようなものだった。あの声は、遠く天をつらぬき、そのままかなたへ飛び去ったのだろうか。

中学時代、生物の実験のとき、多くの好奇心に囲まれて短かく〝グェッ〟と聞こえたあの悲しげな声。ぼくらはその声を聞いて、身震いしながら笑ったものだ。そのときの笑い声が、うす緑色の蚊帳（かや）をかすかに揺すったあの声と奇妙に混ざりあってぼくをつつむ。

ある詩人は、あの声を、やさしい不気味な一篇の詩にした。そして、また、ある歌人は、死にゆく母のかたわらで〝天に聞こゆる〟ようなあの声を悲しく美しい格調高い短歌として残した。

ぼくは、ぼく内部に寄せては返す波の音のように反響するあの声を聞きつつ、鋭い洞察力をもった詩人が書いた『蛙の死』という詩の一節を何度も何度もつぶやいてみるのだ。

『蛙が殺された……』

そして、ぼくはあの声を追って、迷路の奥深くに迷いこんでいるぼく自身を発見し、「ケロ、ケロ」と弱々しく鳴きながら出口を探すのだ。（野）

青春と仲間

まっ黒な話しさ、カラスは自由なヤツ……

神奈川・飯田4Hクラブ　飯島孝夫

まっくろいカラスがうらやましい。カアカアだかアホウアホウだか知らないが、人の頭の上をバカにしたように飛んで行く。落花生を掘ってさらっていっても、とうもろこしを食い荒らしても、スイカをつつきまわっても、「カラスのヤロウ、しようがねえやつだ」と、こんどは人間がカラスをバカにしてしまってうらまれることもない。

「きょうはカラス鳴きが悪い」とよくいわれる。カラスはそのように他人の不幸を知らせるといわれるほどの不吉な、あまり縁起のよくないものだが、たまにはほめられることもある。どういうわけか「初ガラス」は縁起のいいものとされているようだ。

そうこう考えているとあのアホウガラスも憎めなくなってくる。かわいい生き物でもある。

人間にこのようなカラスのマネができるだろうか。いたずらが仕事である。不吉だ、まっくろな体だといっていやがられもする。そのくせ、初ガラスとして人に夢や希望をも与える。なんだか得体の知れぬやつだがそんなところがうらやましい気もする。

人間関係に波風の立つことを恐れ、どんな人にも難なく同調し、何をするにも三番目か四番目にして、適当につき合い、つねに周囲の気嫌をそこねないようにする。

そんなりこうさはカラスには無縁のものだ。しかし、人間の社会には、多くありがちなことではなかろうか。だれあろうこの私自身もそのひとりだともいえる。

私は、およそ主体性のない、足元の不安定な、腹のすわりのわるい、まるで青年らしさのない男である。自分の手で新しい農業に、すばらしい仲間のいるクラブ活動に男気をもって立ち向う若者らしさが私にあるのだろうか。あるひとつの夢と希望に向って強力なエネルギーがひたむきに進みはじめたときこそ本当の青春といえるのだろう。さすれば、私は青春をもっていない。いや、もてないんだろうか。まるでドスのきかない男だ。

ところで、カラスのヤロウだがあいつはニワトリの卵をくわえて運び去るということを聞いたことがある。そして、きっと、どっかの畑のすみに埋めておき、そのうち埋めた場所すら忘れてしまうんだろう。なんとくったくのないヤツなんだろうか、あいつは。

古巣にはかわいい七つの子があるというのに、それでもいたずらをやめない。一生アホウガラスでいられるやつがうらやましい。

はじめっから終りまで黒い、まっ黒な話になったちゃったけれどよお、なんせカラスの話だからな、かんべんしろよな！

恋に全力を傾けよ

大阪府・千早赤坂4Hクラブ　仲谷清子

いまここに改まって「恋愛とは何ぞな？」と思っても、恋愛と名のつくような気のきいた恋をしたことがないので、あまりにも漠然としていて夢のなかの物語のような気がする。恋愛とは字のごとく恋して、愛することなのだろう。情熱と信頼の合体が恋愛の根源のひとつでもあるのだろう。

よく「大恋愛のすえ結婚した」ということをきいて、かつて私は半信半疑であった。愛するとは、その人のために死ねることだという。だが私は自分自身が冷たい人間なので相手の欠点ばかりが目につき、その人がいなくては夜も日も暮れぬというような感情とは無縁なものであった。

人を好きになるというのはすばらしいことだ。人を愛せない人間は不幸だと言い、何かにうちこんでいる人間は美しい。その美しさはその人の幸福さでもあろう。

最近は、私も恋愛というと、どうしても結婚を考えてしまう。なぜなら、結婚とは二人の愛のうえになりたつものだと思うから。二人の人生を切り拓くもの――それが結婚だとも思うようになった。

何をするのもいいことだ。だが恋をしたら恋に全精魂を傾けるべきだ。そうすること自体に意義があるのだとも思う。そして、後悔のない人生を――。私はかたいことばかりいってるけど、本当は心の底から「愛してる！」と叫びたくなるような気持に一度はなってみたいと思っている二十二歳の女性なのである。

クラブ活動は花嫁修行よ

埼玉県・不動岡4Hクラブ　藤原　友江

私にとってクラブ活動は立派な花嫁修行でもある。4Hクラブの活動の根本は、立派な人間になることだという。そして、私は思う。習いものは必要だけど、その前にまず人間としての勉強をすることによって初めて真の女性になれるのだということを。

活動という字は生活を動かすと書く。自分の生活を動かせるだけ動かして得る私だけのおもしろみもまんざら捨てたものではない。クラブ活動なんて、とぐちる人は活動しようとしなかった人に多いことでしょう。なにごとにおいても本当のおもしろさとは、自分でやらねばわからないものだ。

こう言って、落ちついた女らしさを失っていくのに気づきながら私は人間修業と花嫁修業をしてゆくのだ。

おつぎはあなたの出番です！

あんな人こんな人

4Hに燃える青春

山田桃子　千葉

若さだよ山ちゃん！

「私は4Hクラブに入って今年で五年目になるけど、まだまだわからないことが多いわ。それで、いろんな人に迷惑をかけてしまって、いつもすまない、すまないと思っているの」

ひかえ目な女性ピンコちゃんは笑いながら語る。自分の青春は4Hクラブのなかにある、とばかり4Hに自らの若さをぶっつけてきたピンコちゃん。

ピンコちゃん、こう聞いてあなたはどんな女性を想像しているだろうか。たぶん、多くの人は知っているだろう。それが、本年度の全協（全国4Hクラブ連絡協議会）の事務局次長　山田桃子さんの愛称であるということを……。

「はじめてピンコって呼ばれたときは、なんかいやらしいみたいでいやでした。でも、今じゃなんでもない。むしろ楽しい気分ね」　山田さんは静かな女性だがユーモアも解す。彼女の愛称はピンコだけではない。日本語でモモちゃんと呼ぶ人も多いということだ。しかし、そう呼ぶ人たちは、ほとんどが4Hクラブの仲間だという。

「4Hクラブに入っていなかったら、私は[illegible]人間になっていたと思うわ。4Hクラブで農業を学んだ。でも、それ以上に人間的なことをいろいろと学んだわ。いままで私にいろいろ教えてくださった先輩たちのことを考えると、私でもなんか後輩の役に立ちたいという気になってくるの」

山田さんはそう思ってクラブ活動を続けてきた結果、現在の全協の事務局次長になった。そんな彼女を松浦幸治全協会長は「山田さんはおとなしいが、うちに秘めたる闘志はすばらしいもんだ」と評している。

さて、このへんで山田さんの家の経営をのぞいてみよう。経営の主体は、水稲（一㌶）と花木（一・二㌶）である。また、労働力は、両親と妹と桃子さんの四人だそうだ。彼女は花木の一本化を図って努力してきたという。しかし、団地や架線工事などで規模拡大とか花木の一本化はきわめて困難だそうである。彼女はいまじっくり機会を待っているという。

「でもね、それもお婿さんしだいね」、彼女は顔を赤らめながら語る。そして「そう思っいるんだけれど、結局は勤め人をもらって私がわが家の経営の中心になるみたい」と言いたす。4Hクラブにはいい人がいっぱいいるけどみんな長男だからまいるという。その点だけは4Hクラブに入って間違ったなと思うと彼女は冗談を言う。

山田さんは、私には恋愛結婚はムリだろうとしんみり語る。お見合いがあるわと彼女は言うが、そう語る心の奥には長男と恋愛しても結ばれない後継者の重い責任感があるからだろう。

山田さんはこんな人が好きだという。「自然を愛する人（ということは農家育ちの人）、私ができるかぎりつくせるような人、適度に明るい人、背が自分より高い人……」でも、心は一対一だからつまらないことにはこだわらないそうだ。一生けん命にだれかと生きれば、後継者の悩みなんてきっとふっとぶと力強さをも彼女はみせる。

「私の力は微々たるもんでしょうけど、私がなんかしてあげたとき、だれかが喜んでくれた瞬間が最高に幸わせ」だそうだ。それは、人に限らず、動物でも植物でも同じだという。自分はもっともっと知るべきだ。4Hクラブ、農業、結婚などについて……。いま努力がたりないと反省しているができるだけはやるという。

「私は農業高校を卒業したとき、農業なんてやる気がなかった。でも4Hクラブに入ってから自分に誇りがもてた」と語る青春を4Hクラブで燃やしてきた女性、山田桃子さん。二十二歳、身長一五五㌢、体重五五㌔、スポーツと演歌と占いものが好きだという。あなたは男の人好き？と聞いたら「失礼しちゃうわ」と陽気に笑った彼女。あなたの4H魂がいつまでも星のように輝きつづけるのをわれらは見ていよう。（君津郡袖ヶ浦町大曽根一二〇五）

（たち見席）苗字、拝見します

日本の苗字は約十万種類といわれている。こんな小さな国に十万もあるとはまったく驚きである。

その十万のなかで第一位は鈴木で東日本に多く約二百万人ぐらいだという。第二位は佐藤でやはり東日本に多く約百九十万人、第三位は田中で西日本に多く約百三十万人だそうだ。以下第四位は山本で約九十万人、第五位が渡辺で約八十五万人となっている。

私たちの群馬県はどうかというと、第一位が高橋、二位小林、三位佐藤、四位鈴木、五位斉藤と続いている。また群馬県らしい苗字としては都丸、木暮、狩野、反町、増田などがある。

群馬県の珍難奇姓として北爪、花見、百鬼、八月一日などがあげられるだろう。

日本全国をみると、なかには珍しい苗字がたくさんある。たとえば、調味料や食物、台所用品などに関連した苗字をひろってみると、台所、鍋、炭、味噌、塩、菓子、清酒などがある。また、米屋、中屋、京屋などと屋号のつく苗字もいくつかある。

コンビの苗字もおもしろいものだ。たとえば五条の大橋とかなんとか。そのほか、道路に関連した苗字や県名関係、魚関係などもおもしろい。

また、苗字のおもしろさは読み方にもある。難しくて読めないのも数多い。たとえば小鳥遊（たかなし）とか倭文（ひとり）、己己己己（いえしき）、い（かながしら）、馬〆（まじめ）などとあり、そのほか数えあげたらきりがないだろう。

いくつか珍しい苗字をあげておくので、まあ、暇でもあったらなんと読むのか考えてみてください。

十、月見里、包、四十物、目、鴉、七五三、睦、梟、安心院、五十殿、杠……。

これらは辞典をひいても出ていませんよ。なんと読むのか？わかったら、群馬県・麻の実4Hクラブ　E・Xへ御一報を。

落日（9）

山中康司　栃木・小山4Hクラブ　農民文学会会員

「ちょっとここでみんなに聞いてもらいたい話があるんだけど……」

茂夫のあらたまった声に寝ていた誠司と一夫も起きた。時計は十時をうたった。うす暗い公民館がシーンとしてきた。

芳男が仲間から敵視されるには訳があった。それは芳男が八十名近い小山4Hの副会長をやっているということへの嫉妬もあったがそれとは別に芳男自身もこの部落の営農集団には非協力的だった。最初は茂夫の考え、営農集団を作り共同して大型機械を買って、個人の投資を少なくしようという考えには賛成だったのだが。二百万もするイギリス製のトラックターが部落の人を驚かしたのは今年の四月だった。青年達の背たけほどある大きなタイヤ、まっ白なボディには塚崎営農集団と書かれてある。一間幅もあるロータリーはまっ赤で、つめは銀色に光っていていかにも強力な機械なのだ。若者にはおそろいのつなぎの制服がくばられた。背にはトラックターのマークがあざやかで、彼らは早速それを着るとかわるがわる運転台にのってさっそうと誇らしかったのだ。一反歩の耕耘は四十分しかかからない。そばで見ていた大人たちが驚きあきれた。部落の農業も変わってきたのだと思った。若い者にはかなわない、たいしたもんだとつぶやいた。その時仲間はみな得意だった。だがそのうちそういい気になってもいられぬことに気がついた。自分達の仕事だけでは採算が合わないので請負仕事をさがす必要があったのだ。

茂夫が小山では一番北の網地区の構造改善事業、半月間で約五十万円儲かるというその仕事を相談にかけたのは農繁期の六月だった。

みんなはしかたなく賛成した。十五日間で四十万にもなったから茂夫が言ったことに嘘はなかった。だがその金は、新たに購入した水田車輪、機械の修理、消耗費、燃料代などをさし引くと仲間の酒代くらいしか残らなかった。麦刈り時に交替で六日づつ出稼ぎした芳男等の賃金は皆無で弁当は自分持ちだった。両親とも弱い芳男の家は手遅れして田の稗は勢いよくはえたが取る暇がなかった。世間の人にも自分の仲間にも笑われているような気がして、自分にはとても友達のまねして出稼ぎは出来ないと思った。それからというもの芳男はトラックターの整備にも、また別の請負い仕事にもなるべくさぼった。八月に妹が交通事故に会ってからは集会にも顔を出さなかった。自然みんなからよく思われなくなっていた。

火鉢の残り火は白い灰の中でほんのり赤かった。誠司と一夫が特に寒そうにしていた。茂夫はポケットからハイライトを出すと、火鉢の火をかきまぜた。火のついたタバコがゆっくり口もとにいく。プカリと出たにぶい煙をみんなはじっと見ていた。

「あのよ、他でもないんだけど、今夜は全員揃っているし、みんなに相談してもらいたいことがあるんだ。俺らの営農集団のことだけどもよ今のままじゃたいした稼ぎはできないと思うんだ。今度市の方で営農集団に資金が出るという事知ってるべな。それでよこの際思いきってそれを利用して田植機からコンバインまで全部揃えたらどうかと思うんだ」

「ああ、あの国から半分補助がでるっていうのか」

安夫が言った。

◄投稿案内►

本紙は、全国クラブ員の準機関紙として、みなさんに大いに利用していただきたいと考えています。

クラブの催しや個人のプロジェクト、詩、短歌、随筆、写真、悩みや意見、村の話題、伝説、行事、お知らせ、小説、その他なんでも結構ですから原稿にして送って下さい。

❶長さや形式は自由です❷できるだけ記事に関連した写真をそえて下さい❸送り先　〒105 東京都港区西新橋1の5の12　佐野ビル内　日本4H新聞編集部

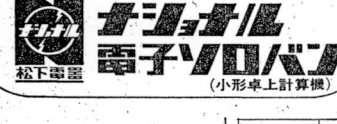

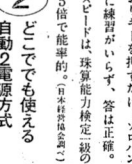

―日本4H新聞編集部―

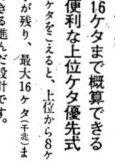

日本4H新聞
4Hクラブ 農事研究会 生活改善クラブ 全国広報紙
発行所 社団法人 日本4H協会
東京都港区西新橋1の5の12 佐野ビル 〒105
電話 (591) 1817・3683
編集発行 玉井 光
月3回・4の日発行
定価 1部 35円
一カ年 1200円(送料共)
振替口座東京 12055番

クラブ綱領

私達は、実践を通じて自らを磨くとともに、互いに力を合わせて、よりよい農村、よりよい日本を創るため、四つの信条をかかげます。一、私達は農業の改良と生活の改善に役立つ腕をみがきます。一、私達は科学的に物を考えることのできる頭の訓練をします。一、私達は誠実で友情に富む心をつちかいます。一、私達は楽しく暮らし元気で働くための健康を増進します。

近畿ブロック一巡 (2)

役員の交代期か 奈良県連

奈良県Hクラブ連絡協議会

卒直にいって「全国4Hクラブ員のつどい」をやった頃（四年前）の力はなく、組織的に弱ってきている……という声が少なくない。

あの頃に生まれ育ったリーダーによって今日まで進んできて、ちょうど交代期にきているのではないかと思われる。が、しかし、4Hクラブに対する認識や個々の活動はよくできており、リーダーの努力がわかる。

地域的に南部の山間部の組織化が十分でないのが長年にわたる懸案事項である。

また、政治的にもそうであるが、保守王国といわれるように古いものを大切にする県民性からか時代とともに変わるクラブの一面を忘れ、やや批判の声があがっているとのことである。自主性の弱さが目につくのも、先輩の後から常についていて見ならうという姿勢から出ているようである。

あの視点 原田 正夫

大きいOB組織の存在 和歌山県連

和歌山県4Hクラブ連絡協議会

県民性をあらわすように、クラブ員の明るさはうらやましい。リーダーもまた、この点を大切に育てようとしているのがよくわかる。

問題点としては、みかん栽培のクラブ員が圧倒的に多く、行事の日程もこれに合わせられるなどの特殊事情があり、他の部門クラブ員との調和をどうはかるかが問題である。

また、南東部の和歌山市から遠い地域がリーダー不足に悩んでいることなどもあるが、今年度そうした地区から、県連の会長に宇井伸夫君が出たことで、オルグもしやすく、ある程度良くなろう。

何にしても、明るいムードのクラブ員、クラブ、県連をさらに伸ばすためクラブOBによって作られている経営者会議の存在は、より重要ともなってくるであろう。

リーダーの継続性を欠く 兵庫県連

兵庫県農村青少年クラブ連絡協議会 淡路島、神戸市周辺、山間部、日本海側とそれぞれかかえている問題がある。

例えば、神戸市周辺では大阪府連のように、山間部では過疎が激しく、日本海岸は冬の出かせぎなどがある。また、組織としては淡路島、神戸周辺がまとまりにくいようだ。

さらに、リーダーに一貫した考え方の継続性がなく、県連よりも地区連、単連にみるべき活動が多い。それが県連につながらないのが大きな問題であろう。

京都府連が問題 近畿連

近畿地方農村青少年クラブ連絡協議会 従来から全協に対する考え方において若干の差異はあったが、今日、京都府連選出委員の極端な考え方が、ともすれば近畿連の〝近畿はひとつ〟というまとまりにヒビを入れる傾向にある。個人的あるいは一部の意見だから……と楽観するむきもあるが、それは第三者の声であり当事者としては大問題である。個人的見解とはいえ、それが府連を代表した者の意見である限り……。

「近畿地方農村青少年のつどい」も今年で第七回を迎える。大阪の全国大会を近畿が一丸となって支援した組織力は衰えてはいないが、それが近畿というワクから外へ反映できるような傾向になってほしいと思う。

事務局は、つどいの担当県連（会場提供府県）となるが、実質的には農政局にあり、これが担当者の方々の連携にもプラスしており相互の交流は良好。

京都府連が今後どう変わるか近畿連の重大な問題であるといえる。

（全国4Hクラブ連絡協議会副会長・大阪）

われらの季節がやって来た

各地で大会花ざかり

日本八景の一つ、宮城県の松島を主会場として来月三日から開催される第十二回全国農村青少年技術交換大会を目前にひかえて、その参加者の予選会ともいえる大会が全国の各県、各地区でくりひろげられている。ともに、日ごろのプロジェクト活動の研究成果を競う演示発表をはじめとして技術競技、話し合い、講演、体育競技など多彩な行事がそれぞれ趣向を凝らして行なわれているが、折からの豪雨で予定を急きょ変更した県も出ているようだ。以下は各県、地区の大会やつどいの模様である。

豪雨の中で演示 福岡

――福岡県連

さる十二日、福岡県の技術交換大会が福岡県の主催・同県農村青少年クラブ連絡協議会（会長 古沢章男君）の後援によって宗像郡津屋崎町の厚生年金スポーツセンターで開かれた。降りしきる雨の中、約百名のクラブ員が参加し、日ごろのプロジェクト活動の成果である農機具の改良や料理などの演示発表に熱心に耳を傾けた。

しかし、内容は昨年より充実していたものの、実績発表らしきものがみられなかった。

当初、この大会では一泊二日の全員キャンプ生活によって演示発表はじめ実物鑑定競技、地びき網、料理コンテスト、ソフトとバレーボールの地区別対抗試合など多彩な行事を計画し準備を進めてきたが、豪雨のため急に予定を変更して演示発表だけを行なった。

全国大会の県代表者に次の四名を推せんし、残り四名については運営委員と協議して推せんすることになっている。

永長田美子（糸島）篠原美里（福岡）梶原範男（浮羽）草野節夫

なお、当日の豪雨のため、土砂くずれや浸水などで道路が不通になり、帰れない人が出る一方、参加者の中でも家屋や田畑が被害にあった人もいる。

また、昨年度からの念願で、クラブ意識の高揚を図るために県連パッチを作成し、一個百五十円でクラブ員に販売、その益金を4H会館建設募金に当てることにした。

（大庭茂弥連絡報道員発）

〝宮城への道競う〟 長野

――長野県連

さる七、八の両日、長野県農村青少年クラブ技術交換大会が小諸市にある農村青少年教育センターで開かれた。県下のクラブ員二百五十余名が参加し、日ごろ考案し改良した作品を発表し合い、全国大会をめざして技術を競った。

一日目は、午前十時半から受付を開始、オリエンテーション、開会式のあと演示の部の発表に入った。十二点の発表の中から二点に最優秀、優秀賞が与えられた。日ごろの農作業の中から生まれた技術、アイデアの結集だけに、どれをとっても見事な作品ばかり。

二日目は、早朝から技術競技が行なわれ、眠い目をこすりながらも奮闘。日ごろ鍛った力をいまこそ発揮せんと、六部門にわかれて競い合った。朝食後は県体育課指導主事の指導によるフィジカルレクリエーション。会場狭しとばかりに動き回った。午後からは五つの分科会にわかれ、〝クラブ活動の進め方〟について話し合った。

また、この大会では、4H会館特別委員が4H会館建設の意義を訴え、コーラ、クラブ活動用品などを販売し、その利益を会館建設募金にあてた。（倉科晋一連絡報道員発）

のことば こういった大会を青少年のみなさんが自主的に計画、実行したということは大変立派だと思います。今回は農業問題（普及所の出題）も現場のものを農家から貸していただきましたので生きた勉強になったと思います。（斉藤正昭連絡報道員発）

ゴールイン！

全国でも初の企画、千葉県印旛郡連の「オリエンテーリング大会」は歩け歩けの問題解答。見事にゴールイン

オリエンテーリング大会 千葉・印旛郡連

――印旛郡連

このほど千葉県印旛郡で全国でも初の試みと思われるオリエンテーリングという風変わりな名称の大会が開かれた。

この大会は、従来行なわれてきた技術交換大会をオリエンテーリングの中に組み入れた形で行なわれたもので、今回は第一回目のため正式な名称に困り、このような名称になったようである。

主催は、印旛郡市農村青少年クラブ連合会と印旛農業改良普及所で、印旛村平賀の平賀青年館に郡内の六つのクラブから約百三十名のクラブ員が参加した。

内容は、参加者を一班六名ずつに分け（各班とも各クラブから一名ずつ参加）全行程約十二キロに設定された三十のポイントを地図から読みとって、各ポイントでその問題を解いていくというもので各班が三分間隔でスタートして早さと正確さを競った。

この三十ポイントのうち普及所の技術問題が十、郡連提出の一般常識問題その他が十五、残りの五ポイントではコーラや弁当が配られるという趣向。参加者は汗ダクながらも全員無事にゴールイン。タイムは最短チームで三時間二十七分、最長チームは四時間四十分近くもかかった。

参加者の一人は「あたし、もうクタクタヨ、でも楽しかったワ」と語っていた。

新時代にふさわしく創造性に富んだこの企画、まずまずの評判でこんご県下の4Hクラブや郡市連あたりにも波及しそうだ。

なお、印旛支庁長はじめ地元の吉岡村長、井上県議、県改良課からもかけつけ参加クラブ員を激励した。

山下茂郡連会長のはなし 初めての試みですし、百三十名近くの参加は成功だと思う。この大会は六人が力を合わせないとできないし、これでクラブ員同士も郡（連合会）も今までよりずっと身近に感じることできると思う。

印旛農業改良普及所・永島所長

裏大山でつどい 鳥取

――鳥取県連

鳥取県農村青年会議連絡協議会（会長 今本徹君）では、さる六、七日の一泊二日間にわたって大山隠岐国定公園の大山鏡ケ成で、県下の4Hクラブ員など百四十名を集めて「第十二回鳥取農村青少年のつどい」を開催した。

六日はあいにくの雨。前夜からの大雨で大山寺から鏡ケ成までの道路は不通となり、クラブ員の足が心配され、前日から準備に当っていた役員をいらだたせたが、それでも総勢百四十名ほどのクラブ員が集まり、ホッと一息。

開会式を終わり、昼食後、福政実県農林部長を囲んで、参加者代表のクラブ員十名が座談会を行なった。〝観光と農業〟などについて、活発な論議を展開し、クラブ員たちは未来への意気込みをのぞかせていた。

そのあとひき続いて演示発表、発表者は六名だったが、〝豚の水飲器の工夫〟高橋広吉君〝ビニールハウスの畦間道路専用運搬車の改良〟石賀勝馬君〝これからの若夫婦の作業衣〟山根公昭君と山根美知子さんらが入賞し、見事、賞品のスコップを獲得した。

夕食後は、部落単位で自由交換に花を開かせ、お互いに親睦を深め合った。

翌七日は起床後、体操をすませてから散策。幸いに雨のあがった裏大山の美しい自然を見ながら、参加者は大きく深呼吸などをしていた。

朝食後は、鳥取県農業協同組合中央会会長の加藤重蔵氏を囲んで、参加者全員が車座になり、農協に対する不信、不満、今後の農協に望むことなどを話し合った。

それから、今回はじめての試みとして、NHKの協力により〝明るい農村〟のVTRを全員で視聴した。内容は「転作三年目」「倉吉のプリンスメロン」「月野郡の水田」「鳥取市近郊の直まき」などであったが、全員目をこらして見いっていた。

その後、参加者は、酪農、梨、花卉、水稲、和牛、やさいなどの部門別に分かれて話し合いを行なった。各部門とも、普及員をまじえて、農業について活発に討論をした。

（県連連絡報道部発）

豪雨のため室内で日ごろのプロジェクト活動の成果について演示発表するクラブ員＝福岡県の大会で

応援も賑やかに 静岡

栃木では野外大学講座

――静岡県連

さる七日、静岡県農村青少年クラブ連絡協議会（会長 鈴木政美君）主催による全国大会（全国農村青少年技術交換大会）派遣プロジェクト発表会が、清水市の柑橘試験場で催された。

当日はあいにくの天候ではあったが、県下各地域から選ばれた発表者十一名と、それに応援者が押し寄せ、わがクラブから全国大会へ代表者を送ろうという意気込みがみられた。

大会は十一時から開会。抽選によって発表順番を決めていよいよ発表。予想通りの熱弁に五名の審査員も盛んに筆を走らせていた。

また、参加したクラブ員にも審査の参考とするために、上位二名の名前を投票してもらうという方法をとった。

相次ぐ質問も時間の関係で十分に受けられず、打ち切りの連続だった。今回は女性の発表者が一名だけだったので、花やかさに欠けたが、ユーモラスな発表者もいてなごやかな雰囲気の中でスムーズに進められた。

審査の発表までレクリエーションを行ない緊張の一瞬を待った。

晴れの代表に選ばれたのは「アイデア作業帽」と題した北駿4Hクラブの杉山美代子さんと、「去勢は一人で」と題して発表した同じ北駿4Hクラブの長田久司君の二人で、同時に県知事賞も獲得した。

「年々発表の内容が良くなっていて、みなさんに全国大会へ行ってもらいたいが、規定が二名ということで残念である」と審査委員長から講評があり代表者二名が発表された。

（有谷邦博連絡報道員発）

――栃木県連

栃木県と同県青少年クラブ協議会（会長 長芳孝君）主催の〝夏の祭典〟農村青少年野外教養大学講座が、二十四日から二泊三日間の日程で矢板市八方ヶ原の学校平を会場として開かれる。

主な内容は、知事との懇談や講演、部門別の話し合い、素人演芸と民謡、市町村別行事、キャンプファイヤーなど盛りたくさん。

これには矢板市、自衛隊など多くの支援を受けており、参加者は地区を越えた班別生活のなかで、多くの仲間との交流を通じて友情を深めながら課題解決できるものと期待されている。

一日目は、受付け、オリエンテーションのあと一時から入場行進に続いて開会式を行ない、一時半から知事と懇談する。二時半から「現代を生きる」と題する東大教授・大田堯氏の講演がある。炊飯による夕食のあと夜は自衛隊音楽演奏会、八時から地区対抗による素人演芸と民謡をくりひろげる。

二日目は午前八時から元県協会長の折原一好氏を迎えて「農村青年の心構え」というテーマで、先輩の話を聞く。九時から部門別の話し合い、十一時から地区と市町村行事、午後は健全なレクリエーションやキャンプファイヤー、出し物などについて県レクリエーション専任指導員・野沢重治氏の講演のあと班別ごとに実技を行ない、夜はキャンプファイヤーをくりひろげる。

最終日は清掃のあと別れの集いを開き、閉会式を最後に終了する。なお七百名の参加者を見込んでいる。

〝ひるがの高原〟で

岐阜・25日から「つどい」

【岐阜】岐阜県4Hクラブ連絡協議会（会長 中野俊一君）と県主催の「ひるがの高原若者のつどい」は、二十五日から二泊三日間の日程で東海の軽井沢といわれる郡上郡の〝ひるがの高原〟で開かれる。

涼風暖風

グループを創る

今月の初め、ある作業をするためのグループをつくることを目的として、一〇日間ばかり青年諸君と生活を共にした。

私の役目は、グループづくりのトレーナーである。グループのメンバーは一〇人、平均年齢二十四歳。一〇人は全国から集まった人達で、当日まで文字どおり一面識も無い。

Aさんは北海道で、商工会議所の事務員。B君は東京で、鉄道関係の信号機をつくっている技師。C君は埼玉で、中学校の先生。D君は岐阜で、役場の職員。Eさんは東京で、国際電電のオペレーター。F君は和歌山で、溶接工。Gさんは京都で、婦人交通指導員。H君は大分で酪農青年。Iさんは香川で看護婦さん。とにかく多士済々である。

このグループの団長はすでに決定していた。東京の有名大学の法学部教授である。

グループづくりは、無から有をつくるにひとしかった。そこで、グループづくりのプロセスとして、目的を理解する→中心をつくる→みんなが仲よくなる→作業ができる仕くみをつくる→一度ぶちこわす、をねらった。もちろん、グループづくりのベースにしたのは、お互いの信頼関係であり、目的意識の堅持であり、全員参加の原則であった。

性別、職業、グループ経験の厚薄等々、おまけに性格の違いのような決定的な要因まで含めて、千差万別のメンバーを短日時に一つのグループに仕立てあげることは容易なことではない。幸いにして、メンバーの人たちが優秀であったので助かった。

中心をつくる、という命題については、団長が名目上はオシキセであり、メンバーの総意で推戴したものでないだけに当初は危惧したが、これは取り越し苦労であった。団長がもつ人情味と人格的深み、それに豊かな学識は、メンバーの心を魅了し、尊敬のまとになったからである。あとは団長の人間的魅力を組織としての効率的な仕くみ（意志の集約・指揮系統）に結びつけるだけである。

それにしても、今の若者たちは、仲よくなる（M機能）ということには馴れている。うたい、おどって、たちまち百年の知己の如くなってしまう。二〜三泊程度の短期間の研修の経験が多いからだろう。

しかし、最初のうちの「仲よくなる」は、ホンネでなくタテマエでしかなく、カミシモを着ているにすぎない。これでは、仕事をする（P機能）グループにはなり得ないのである。

最後は、一たんつくったグループをぶちこわすことにした。といって、決定的にするのではない。ミーハー的なグループからの脱皮である。メンバーの一人ひとりが現状に疑問をもち、グループの目標を考え、自分のなすべき役割を自ら創造することを期待した。

このグループは、秋にも一度集まってきて、大きな仕事をするはずである。

（文部省 伊藤）

心頭技健

やっとツユが明けて、いよいよ本格的な夏を迎えたが、こんどの四七・七豪雨によって被害を受けた人たちは、復旧や後片づけに忙しい毎日を送っているものと思われる。クラブ員の中にも家屋や田畑に大きな被害を受けた人も多いようで、本紙にも全国から一日も早い立ち直りをと激励文が寄せられている▼やはり、クラブ員は、どこかで大雨による被害が出たということを聞けば「彼は大丈夫かな」と心配し、仲間の消息を気づかう。高知県で死傷者が出たときも、ちょうど東京に来ていた全協執行部が心配し、列車不通のため船を利用して遅れて上京してきた高知県の堀見副会長（全協）の話で安堵の胸をなでおろしたほどだった▼今回の集中豪雨は規模、降雨量、影響期間とも三百五十人の死者、行方不明を出した「三六豪雨」を上回り、観測史上まれにみる暴走豪雨だった。福岡県では技術交換大会のときに襲われ、土砂くずれや浸水で道がふさがれたために家に帰れない参加者も出たが、また他県でも同じく大雨にたたられたようだ▼とくに今回は山間部や過疎地がひどくやられたため復旧も遅れているという。しかし、このような中で、愛知県下で最も被害のひどかった西三河地方の被災地に近くの都市に住む学生やサラリーマンが車で乗り込み、復旧の手伝いをかって出たというニュースは闇夜の中に灯った明りのようだった▼その後も、東京のある奉仕団体が深夜放送で救援作業を呼びかけたところ、関係者もびっくりするほど若者たちの申し出があったという。非人間的な都会から離れて人間らしい暮しをしたいと望んでいる都会の青年がふえている現実とともに、やはり被災地と被災者の復旧を願う心の表われか。

「6円が運ぶ、仲間の声!!」

赤松宏 ▶9

前回は、機関誌づくりの問題点と機関誌が言葉につくれる組織をつくることが先決だということを書きました。今回は組織の上に技術をプラスしたつくり方について多少ふれてみます。

まず、技術の第一点目として取材（記事内容）があげられるわけだが、機関誌の取材のあり方は、とくに私たちの身近なものを中心に扱うという性格から、先にあげた新聞における取材と共通する面もあるが、異なる面も多い。その中心的なものとして人間の生き方を示唆する方向のものであるべきであり、考える、創造するといった、とくに人生、経済、生活の行動・活動を根底にして、それも身近かな位置でのものをテーマにしていかなければならないという点である。

先に「対話の場」にしてみたら、と書いたが、どんなとらえ方があるかということである。

一つの考え方には、誰かが原稿を書き、記事をつくり、誰かがそれを読む。それも一つの対話の方法なのだが、深く参加するという面からみるとその効果は少ない。

ここでは、もう一歩進んだ機関誌を考えてみてはと思うのです。私は機関誌に接する機会は多い方だと思いますが、その多くはバラバラなんです。ある者は「青春とは何か」とか、ある人は「農作業機の考案」、またある人は「私と農村の生活」さらに詩、俳句、短歌といったまとまりのない内容の編集、作り方なんですね。

本当にその意味や内容を考える者、技術的に堪能な者の目からみるとみにくいものです。まあいかえれば、特集であったり、スクープとしての扱いをするように、一貫した編集の仕方をすることが重要なポイントとなってこよう。バラバラであっても一応は機関誌であり、出さないよりいいんだが、もう一歩考えて、体裁だけ、出すだけという考え方から脱皮してほしいと願うのです。

特集的なものを
機関紙 ガリ刷が分相応

「特集的」なものへの組み立て方とは何かということになろうが、一つのテーマについてみんなで考えてみる、書いてみるということなんです。

もし今回の共通テーマを「異性」とすると仮定します。そうすると……

A君　失恋をテーマにし、それで得た教訓の中から自分の生き方を考える。異性の価値を扱う。

H君　「則子という女」恋人としての立場、女としての立場を考える。

M子さん　異性のイメージ、男性のイメージからくる交際のあり方。

D子さん　こんな男性に弱いといったふうにみんなが書くんですね。

それが、機関誌を通じて広がる対話になると思うのです。みんなで同じことを考え、同じことをやるということなんです。若い仲間には若い仲間の、年長者には年長者の独得のものがあります。そんなもののあつまりが機関誌の中に広がってほしい。こんな機関誌への導きには取材者、編集者の技術、力量が要求され、それによって左右される面が多分にあるので、この点は、編集マンのプロジェクトにするに不足はない。

次に印刷の問題になるわけであるが、われわれのような貧乏4Hクラブでは活字刷などはムリで、もしそうしても、年一回だけで終るようなナンセンス発行活動になっている。まあガリ版刷の機関誌がいいとこです。

ガリ版刷とするなら、その作業は重要な位置を占めるわけである。時間や技術を要する仕事です。まず作業工程の中で考えられるのは、割付（次回に詳しく説明）があり、その次にガリ切りがある。

ガリ切りは、美しく、読みやすく文字を書くことが原則ですが、なかなか思うようにいかないのが常のようです。でも、一字一字ていねいに心をこめて書くと美しくみえるものです。文字の上手な人でも、心を抜くと文字が死んできます。たいした上手でもなく、どちらかと云えば下手な方なのに、いいかげんに書くから読めたものでないのです。文字から書いた人の心がわかるものです。上手下手は別にして一字一字ていねいに書くことです。

また、文字ばかりでなく、カットも重要な意味を持っています。絵の下手な人は苦手でしょうが、そんな人でも上手に書ける方法を別記してみましょう。

カットといっても、何んでも良いというわけでなく、文にあったカットを入れるようレイアウトしてほしい。原紙ができあがると印刷、製本とすすむわけだが、最後まで手をぬかずに作業をすすめてほしいと思う。

（カットも筆者・北海道4Hクラブ連絡協議会前書記長）

カット書きの作業課程

① まず書きたいと思うカットを必要な大きさの紙に下書きする（印刷物のカットをそのまま利用するのもよい）左右、天地　7×5cmの大きさが必要なら7×5cmのワクを書き必要な図案を下図のように入れる。

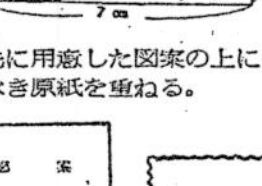

② 先に用意した図案の上にそれを書くべき原紙を重ねる。

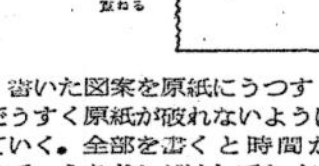

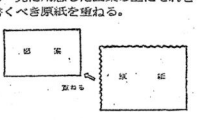

③ 書いた図案を原紙にうつす（鉄筆でうすく原紙が破れないように書いていく。全部を書くと時間が要るので、ふちどりだけしておく）

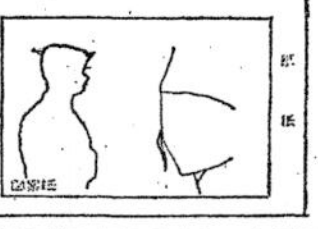

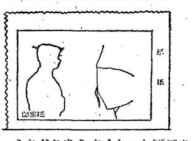

④ ふちどりをうすくとった原紙をこんどはガリ版の上で印刷して写るだけの強さで書いていく。

落日 (10)

山中康司
栃木・小山4Hクラブ
農民文学会会員

「うんそうだ。コンバインだけはサトーの四条刈り、たしか百五十万円だと思ったがそれでなけりゃ補助が出ないっていうんだが、他の機械はどこのメーカーのでもいいというんだ。田植から刈取りまでの一式が揃えば半分補助を出すっていうんだ」

「百姓は今のままじゃだめなんだからよ。この際思いきってそれを利用してな、時代に遅れない農業をやって行くべきだな」

茂夫のライバルの正一も賛成だった。寮は四条刈りという大型コンバインが、自分達の田圃に使えるがどうか心配したが、資金を利用することには反対ではなかった。

市の農務課の係員が総合農政の一環である営農集団育成の説明に来たのは、一昨日の部落寄合いのあった日だった。

「とにかく今の零細経営では、われわれ農業者はいつになっても安定した生活は望めない。これからは政府の方針に従って集団化営農を推進し、機械化の一環作業体系を確立し、生産性を上げる必要がある。当小山地域においては昭和五十年までの間に構造改善事業費として二億円の予算がおりることになっている。野菜指定産地である当地域では、今共同してハウスを始めればその七割は……」

という係員の挨拶があって、その他にも農業の装置化だとかシステム化などという言葉を使って部落民をとまどわせたが、その話が一回で理解できるような利口な農民はいなかった。一番すみにいた茂夫だけが寄り合い解散後個人的に係員と話し合ったのだった。今の自分達の営農集団を本格的な請負耕作会社にする下相談で話はきわめて真剣だった。

田植から刈取りまでの機械を一式揃えるとだいたい五百万円かかる。その半分の二百五十万は国の補助、残りの二分の一は無利子の五年返却の資金を借りて、そうすると自分達の自己資金は百二十五万円。それを十人で割ると一人二十五万円。一人二十五万円で田植機から大型コンバインまで全部入る。塚崎営農集団は一大飛躍するのだという。自分達は新しい農業者としてこれからの塚崎を背負って立つ、いや部落だけではない。小山地域でも先進的な営農集団として注目されるようになるというのであった。

「そうなった時はよ、この中で何人かが専属のオペレーターになって残りの人は、寮ちゃんみたいに野菜作りの好きな人は野菜専門、畜産の人は畜産専門、勤めたい人はれっきとしたサラリーマンになるのさ」

真面目な話だった。これからの農業をどうしたらいいか、若者は真剣だった。自分個人を越えて部落の農業をどうするかも考えていた。だがどうした訳か芳男はこの話に乗って行くことができなかった。勇気と気力だけではどうにもならない。芳男は茂夫を初め部落の友達を信頼することができなかったのだ。

芳男にとっては営農集団は苦痛の種だった。生活の圧迫にさえなっていた。あの六月の出稼ぎ以来どうも仲間としっくり行かず、なんかみんなが敵のような気がしてきた。陰で自分の悪口をいつも言われている気もした。分担金を払って止められるものなら止めてしまいたいと思う時もあった。自分にだって夢はある。なにも営農集団に世話にならなくても生きては行ける。

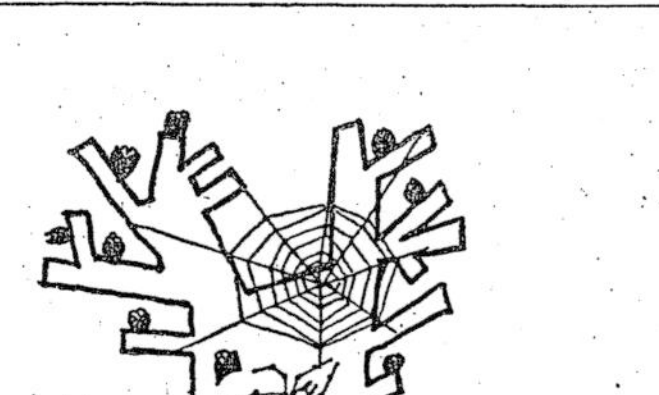

4Hに境なし
稲武と上矢作 両4Hクラブ 県を越えて交流

4Hクラブに境はないと交換会で同じ悩みや喜びについて語り合う上矢作、稲武両4Hクラブ員

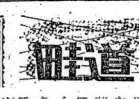

【愛知】稲武4Hクラブ（会長林利元君）では、去る六月二十八日午後七時から、町内の飲食店において隣接地域である岐阜県の上矢作4Hクラブ（会長小木曽賢一君）との交流会を開いた。

この二つの4Hクラブは、隣接しているにもかかわらず、いままで交流がなかった。そこで、このたび、4Hクラブに境はないということで交流会が実現した。

交流会には稲武4Hクラブから会長はじめ西尾保雄君ら九名、また上矢作4Hクラブからは、会長含む十二名、それに愛知県の普及員三名、岐阜県の普及員二名の合計二十六名が参加した。

討議は、稲武町4Hクラブ広報委員である川角宇生君の司会で、「プロジェクトについて」と「家庭内での悩みについて」と題してお互いに活発に意見を交換した。

県はちがうといっても、同じような地形に住むクラブ員たちにとって共通の問題点や悩みは多く、参加者たちは真剣そのもので話し合った。

この交流会は、新しい知識を得たり、違ったクラブを知るというような感じではなく、まったくひとつのクラブでの話し合いのようであった。そこには、地域に密着して生き、地域に合ったクラブ活動を展開し、住民との一体化を求める青少年の姿があった。

この交流会をとおして、参加したクラブ員たちは、このような4Hクラブどおしの交換会の必要性を知らされたうえに、4Hクラブに境のないことを確認したようだ。（山田隆広報委員長発）

友のペン
『めがみ』第3号

あまずっぱい一粒の涙、郷愁をそそるさわやかな緑のなかにのびる日焼けしたかわいい手、春にめざめた木々のようにどこまでも伸びようとするけなげな心。おお、このあたたかさ、このやさしさ、このきびしさ——君もきっと感じるに違いない。この機関誌『めがみ』第二号を読みとおしたならば……。

声高き女性のうた

『めがみ』は静岡県のオーロラ4Hクラブが発行している機関誌であるが、書いた人は『めがみ』という題字が示すように全員が女性である。ガリ版刷りの味が内容と手をつなぎながら話しかけるもの、それは美しく燃える彼女たちの青春の讃歌。その合唱は高くなったり低くなったりしながら、深緑のお茶畑の畦をゆっくりとこだましながらゆききする。

めがみたちは口々に歌う。悲しい歌を、力強い歌を楽しい歌を……。巻頭言が“みんなが集まれば何かができる”と呼びかければ、綱領は“私たちは徹夜してでも書くのだ”と陽気につぶやく。

ある人は青空に向って愛を叫び、ある人は会社に勤めながら仲間に自分を語る。反省と努力をと声を大にして言う口、遠い昔の思い出にそっとひたる胸、ひたむきに農業を見つめる目、恋ぐ日を夢みる心、クラブ活動にはりきろうという腕、夕焼けに映える十九の魂、ペンをとって動く手など、じつにさまざまな影が動いている。

仲間と仲間が堅く手を握り、はるかなる前途をみつめたときそこに幻のようにみえた光。それがほかならぬ彼女たちの希するこの世のものとは思えないような美しい美しいオーロラなのだろう。

ある人はこう書いている。

「……たとえこの機関誌がなくなっても、ここでとどまらず書き続けてください。その命のあるかぎりは……」

いつまでもこの機関誌が続き、オーロラが永遠に輝くことをわれらは祈ろう。茶を摘む女性のようないでたちの“女神”もきっと見守っていてくれることだろう。【静岡】

まるで“子供会”のよう
日本語のコーチも大変

草根だより　堤千恵子

海や山の恋しい今日この頃ですが、みなさんにはお変りございませんか。

私は、一週間で第一のホストファミリーであったニルセン家を離れて、いまフィールド家にお世話になっています。前の手紙ではオリエンテーションのことまで書いたので、今度はホストファミリーや生活様式のことについて感じたことを書いてみます。

ここロッキーフォードという所は、デンバーから南下すること約二百マイル（三百二十キロ）、車で約四時間もかかる農村地帯ですが環境は抜群にいい所です。それにここはアメリカの代表的なトウモロコシ地帯でもあります。私が到着したとき、まず驚いたのは、何もさえぎるもののない青い空の広がりと、果てしなく続く緑の畑でした。

そんな片田舎にあるニルセンさんの家に一週間お世話になったわけです。ご主人はトウモロコシや蔬菜を作ってらっしゃる農夫で、奥さんは町の福祉関係の職場に勤めてました。

ダイアンという今秋短大へ進学する娘とロスという十三歳の少年がいましたので、私はいつもダイアンとレコードを聞いたり、ピアノをひいたり、また、ボーリングや映画に行ったりして楽しく遊びました。

一昨日はフィールド家の次女ドナが会長をやっているこの地区の4Hクラブの会合に出かけてきました。ドナはまだ十三歳ぐらいですが、とてもしっかりしていてちゃんと会長という大役を果たし、三、四人のリーダと呼ばれる母親たちの助けをかりながらも、十四、五人のクラブ員をうまくまとめていました。

前々からアメリカのクラブ員は年齢が若いということを聞いてはいましたが、実際に4Hクラブの会合に出かけてみんなのやってることを見てると、まるで日本の子供会のようなのでびっくりしてしまいました。

内容をくわしく述べますと、まず、ドナが会長としてみんなの指揮をとって4Hの旗や星条旗を机の上に飾ったあと、みんなで4H綱領を声高らかに言います。

それからドナが私を日本からのIFYEだと紹介してくれ、私に何かひとことあいさつをしてくれという目つきをしました。さあ困りました。私は、英語を聞くのはまあまあだけど、しゃべるほうはまったくだめなのです。どうしようとまどいながらもエーイと覚悟をきめて、「私は日本から来た堤千恵子といいます。えーと私は英語を話すことがうまくありません。でも、日本語を話すことはとてもうまいんですよ」

そこまで言ったらかわいい少女たちの間からくすくす笑いが聞こえてきました。さらに私は続けて「私はこの町がとても好きです。どうぞよろしく」と言ってタメ息をつき一安心。

それから会はそれぞれのクラブ員のプロジェクト発表がはじめられみんな自分で苦労して作った裁縫箱やアルミ箔を利用した壁かけなどを見せ合いました。

私はいままで着ていたパンタロンをゆかたに着かえました。そしたら、みなさんが「きれいだ、きれいだ」を言って大変喜んでくれました。アメリカ人というのはおせじ（?）と言うのがとても好きな国民だと思うのですが、私が日本語で手帳に記録を書きこんでいたら、みんな珍らしがって寄ってきて「日本の字ってわからないわ、でもきれいね」と言ってくれるのです。

そして、私があいさつのときに自分で日本語がうまいと言ったせいかどうか知らないけれども、日本語や日本の歌を教えてくれと言ってくる子供が大勢いました。私はやさしい歌からと思い、鳩ポッポの歌を教えたり、数の数え方、イチ、ニ、サン、シ……を数えたりそのほか簡単な日本語を教えてあげました。子供たちはのみこみがはやいですね。

話は変りまして、昨日、普及所のハルゲンさんやダイアナさんの案内でベネズエラのIFYEであるマリアと一緒に漬け物工場や玉ねぎの冷凍工場を見学いたしました。写真はそのときのものです。

そしてハルゲンさんのおかげでひょんなことから日本人の牛山さんや浜野さんというこちらで農業をやってらっしゃる方とお会いすることができましたことをお知らせして、今回はこのへんで失礼いたします。

ロッキーフォードの冷凍工場見学＝左から生活改良普及員さん、堤さん、日本の牛山氏、ベネズエラから来たマリアさん、普及員さん

韓国—佐賀　友情の橋渡し
三日月町4Hクラブ

【佐賀】小城郡の三日月町4Hクラブでは、かねてから日韓両国児童の絵の交換を呼びかけていたが、それがこのほど実現した。

これは同町4Hクラブの森満治君ら四人が、去る三月上旬、韓国に農業研修に行った際、「農業視察だけでなく、青少年教育も」ということで、韓国の蒲項市国民学校に立ち寄り、日本の児童の絵をプレゼントしたのがきっかけ。そのとき同国民学校と絵の交換の約束がまとまり、このたび来日した迎日郡農協の組合長らが、むこうの子供の絵をもってきたもの。

時道
ぼくの青春、ぼくの消耗……

それはぼくのやせこけた肩を軽く撫でて吹きぬけていったあぎけりの風。気圧の変化に敏感な、蜍やバラの花やいっさいを舞い散らすひねくれたつまき。ぼくの涙を吸いとることもせず、ぼくの笑いの穂先を摘むこともしなかった。

ぼくの脳の中でうずいていた世界。無限に生長し、ぼくの視界からはみでることもなく等身大だったあの世界……。セーラー服の下からかすかに漂よう甘ずっぱい汗の匂いを、気づかれることを恐れながらも必死に嗅ぎわけていたぼくの焦燥、ぼくの夢、ぼくの世界……。

“キャベツをむくと芯がでる。じゃあ、玉ねぎをむくとなにがでる?”——ある映画の中で、小さな女の子が主人公の少年にそんなナゾナゾをだした。答えにつまった少年に少女は無邪気にいうのだった。“〈なみだ〉がでる”と……。

思考の転換!“ここより他のどこかへ……”と、ぼくの内部の声が叱咤（しった）する。だが、ぼくはどこへも行かなかった。問いの虚妄性を知りつつ、あえて未来を失なう瞬間をぼくはのがしてしまったのだった。

そのときぼくは聞いていた。飲みほしたウィスキーのグラスに、カチッと氷がはじける音を。カチッ、カチッ……まるで鳩時計からはじきだされて、ぼく内部の世界の〈とき〉を刻むように……。世界に氷のはじける音の中に沈んでいた。

やがてぼくは、酔いが急速に炸裂するのを感じる。血が逆行し、吐瀉物が再び胃をかき乱す。便器にうずくまり、指を喉笛に押しこんで奮闘する。ぼくの消耗……。むなしい夜の沈黙を引き裂く叫び声。あいつが死んだ。そしてぼくは、たとえばある作家が吐き捨てるように書いたつぎの言葉を少しの感動もなくつぶやくのだった。“きみが手にいれるのは、ウィスキーと燃えかすだけだ。おしっこで濡れた燃えかすだけだ”【宇】

◀投稿案内▶

本紙は、全国クラブ員の準機関紙として、みなさんに大いに利用していただきたいと考えています。

クラブの催しや個人のプロジェクト、詩、短歌、随筆、写真、悩みや意見、村の話題、伝説、行事、お知らせ、小説、その他なんでも結構ですから原稿にして送って下さい。

❶長さや形式は自由です❷できるだけ記事に関連した写真をそえて下さい❸送り先　〒105 東京都港区西新橋1の5の12　佐野ビル内　日本4H新聞編集部

——日本4H新聞編集部——

クラブ往来

"視野の広い人間に"

のぎく会―これがわたしの所属するクラブ。現在女性七人で活動している。

市内（浜松市）一円にクラブ員が広がっているため、全員で集合する機会が少ないのが惜しまれる。ちょっとした集まりでも半日は費やしてしまう。忙しいと言外出するのは気まずいもの。かといって夜遅く帰るのはそれ以上に両親に心配をかけることになる。口うるさい田舎でのこと、悪いうわさがたちやすいのである。

そこで考えたのが、宿泊費の安い青年の家の利用。若いわたしたちのこと、夜を徹してのプロジェクト活動にもおのずと力が入ってくる。まして楽しい時間は睡魔の近寄るすきもない。ひるま話せないことも、夜は不思議なものでお互いの心を打ち解けさせてくれる。

4Hでよく仲間作りという声を聞く。だけど、わたしのみるかぎり、たんなるうわべだけの仲間作りに終っている場合が多いと思う。いちばん顔を合わせる単位クラブにしてもそうである。わがのぎく会の活動内容は、共同プロジェクトを中心に交換会、視察、料理、地区連・県連の行事参加など、どこでもみかけるものばかり。でも、なかなか会えないということを逆に利用しての宿泊は、日頃の個人的な悩みを相談し合うことができ、より親密なクラブになりつつある。

「三年前、わたしは男子ばかり十名足らずのある4Hクラブに誘われるままに入った。年に一、二度地区の大会に参加する程度で、何も知らないわたしは"4Hクラブってこんなものか"と、がっかりしたのを覚えている。そして毎日、家族の顔と近所の付き合いで終る生活……。"これでいいのだろうか""何かすることがあるのではないのか"―私は悩んだ。勤めにでた友達は、会社という組織の中での人間関係のむずかしさ、仕事上の問題、そのほかわたしには考えもつかない社会のきびしさにもまれていることだろう。そう思うと、自分ひとりだけとり残されていくようないい知れぬ不安と淋しさが襲いかかってくるのだった。

そんなとき、のぎく会を知ったのである。入会して三年目、県連の理事としていっそう外出する日が増えてきた。多くの仲間を得た喜び、話し合う楽しさ、リーダーとしての責任……わたしの生活に一段と張りができた。それに反して母の4Hに対する反感がつのり、衝突も何回かあった。ことあるごとにわたしはいかにわたしが勉強し充実しているかを話し、4Hを理解させることにつとめた。

いましかできないことをしたい。習いものは何歳になろうと"やる気"さえあればできる。しかし4H活動はいましかできないのである。習いもの以上にわたしに多くのことを教えてくれる場なのである。高校を卒業して家を手伝いながら習いものをして結婚……親としてみればわたしにそうなってもらうことが安心なのであろう。しかし、何と考え方の狭い人間になってしまうことか。わたしは4Hクラブを通じて、視野の広い人間になりたいと思うのである。（静岡県浜松市・のぎく会・鈴木民江）

経営

夏場の管理が影響大

乳雄肥育のかんどころ

栃木県・南那須町4Hクラブ　仲沢清一

私が乳雄肥育を始めた動機は、学校を卒業するとき、何か自分で責任のもてる作物はないものかと考え、新しい部門でもあった乳雄肥育を経営の中に取り入れたのが始まりである。

最初は、群飼育のため技術的にも自信がなく、多くの頭数を飼育することができなかったのだが、それでも徐々にふえてきた。昨年は営農団地事業によって牛舎も増し、飼養頭数も多くなった。牛舎は家から一、二キロくらいしか離れていないので、通って肥育を行なっている。

家の経営は、水田一三〇アール、畑一二〇アールで、水稲、陸稲、加工トマトが主な作付品目。肥育飼養頭数も現在では八十頭に達している。

飼養方法は、屋内飼養と屋外飼養とをとっている。屋内飼養とは牛舎内で五頭ぐらいの頭数を一群として肥育する方法である。また屋外飼養として、私の場合は山林を利用して放牧（三か月～六か月齢）する方法をとっている。飼料は最初から濃厚飼料を不断給与し、粗飼料は稲ワラを利用している。

肥育時の問題点としては、群飼育のため育ちの遅れる牛ができることがあることだ。また、仔牛の場合、脱粉を飲ませる時期に下痢をさせてしまうと育ちが非常に遅れてしまう。仔牛の下痢はとくに注意をしなくてはならない。

夏期の八月においては、とくに蚊の発生防除と暑さから牛を守ってやることに注意をはらわなくてはならない。蚊は多くの病気を誘発するから防除は大切である。また、牛を夏の暑さから守り、過ごしやすい環境を作ってやることは、牛の育ちを遅らせることなく、年間を通しての増体重を平均させることにつながる。

牛肉の自由化の問題が最近さわがれている。だが現在の情況からみて、牛肉の需要も年々増えているため問題はないと思う。それよりも私は、日本人にあった肉質の改善をはかり、販売経路を確実なものにしていきたいと思っている。そして毎月五～六頭の出荷ができるようがんばりたい。

プロジェクト

共同開発へ七人衆

ブロッコリー栽培に着手

福岡県・嘉麻川4Hクラブ　佐藤義則

筑豊は、石炭産業の合理化によって、相次いで閉山のやむなきにいたり、そのため筑豊の人口も減少の一途をたどっている。私はほろびゆく筑豊路のなかで、恵まれた自然環境を有する嘉穂町千手で母と二人で野菜栽培を中心とした農業を営んでいる。

嘉穂町は筑豊の中心飯塚市から十五キロのところ。嘉穂盆地の南端に位置し、古処、馬見連山をいただき、遠賀川の水源をなす静かな農村地帯で、東西が山に囲まれた日照時間が短い僻地である。米麦、野菜を中心に栽培する北部の平坦な地域と、米や果樹、酪農を主要作物とする七十％の森林をようする南部山間地域からなっている。

私がブロッコリー（花野菜）をプロジェクトにとりあげた動機は生鮮食糧品に対する政策などの関係もあって、近年とくに野菜流通の阻害が原因で一般露地野菜の価格が暴落することが多く、これがもとで野菜栽培が伸び悩み、計画生産、計画出荷体制が充分でないように感じたからである。そこで私たち嘉麻川4Hクラブの野菜部十四名でわが町の伸び悩む野菜栽培を打破しようと立ちあがったのである。

なにを作るか検討した結果、ブロッコリーを選び、有志七名で栽培を計画し、面積は一五アールにした。

ブロッコリーを選んだ主な理由としては次の五つがあげられる。

一、トンネルトマトの後作に適していること

二、価格が白菜、カンラン、そのほかの野菜に比べて安定していること

三、労力が少なくて栽培できること

四、ブロッコリーの主な産地が県内にないこと

五、ブロッコリーをトマトにつぐ主作目として、経営の安定がはかれそうだということ

そのブロッコリーの実績は上表のとおりである。品種としては、長岡交配の早生緑花野菜を作る計画であったが、私たちのグループ結成が遅れたため種子の入手ができず、サカタのグリーン一八という品種を使用した。品種の変更とともに播種期、定植期が計画より遅れた。

播種後の台風の襲来、また、曇天、雨天が多く、苗が徒長してしまった。これは、ペーパーポットが小さかったことも原因のひとつだと反省している。

定植は二回目の台風で十日間かかった。初期生育は順調に進んだが、後期に乾燥にあい収穫が長くなった。

共同出荷は十一月三日から一日おきに、大同青果や北九州中央青果に出荷した。最盛期は十一月十五～二十日までで、一日に約二百六十ケースを両市場に出した。十二月六日で私たちの共同出荷はどうにかこうにか終ったが、はじめのうちは計画倒れになるのではないかと心配したものだ。

価格は予想をはるかに下まわったが、これは全般的に野菜の価格が安かったせいだと思う。しかし、等級を分けて毎日出荷することができれば、価格も高くなり安定するものと思う。試作結果でグリーン一八という品種は、品質が長岡交配の早生緑花野菜より劣っていることがわかった。

これからの私たちのブロッコリー栽培経営上の問題と改善策は、①集団栽培による規模拡大②展示園を設置し優良品種を選定する③作付体系を確立し、作型を選択する④生産組織を確立するために生産者はより団結する、などがあげられる。

それらの問題をひとつひとつ解決し、記帳を通して農業経営の把握と経営計画の樹立を行ない今後も大いにやってみるつもりだ。

ブロッコリー栽培経営実績（面積　10a当り）

		実績
播種期		7月31日
品種		グリーン18（サカタ）
播種方法		ペーパーポット（5×6）
定植		25～30苗　10a当り　3,600本
定植月日		8月25日～9月5日
施肥		N（20.6kg）P（19.8kg）K（20.2kg）
病害虫防除	ベト病	ダイセン水和剤
	ヨトウ虫	ディプテレックス粉剤
	アオ虫	PDVP乳剤
収穫始め		11月3日
収穫終り		12月25日
収穫量		931kg
平均単価		76円
粗収益		69,861円
経営費		37,323円
農業所得		32,568円
15a 1日当り労働報酬		1,447円

これでいいのか！

――農村女性の生き方

高知市農村青少年グループ　川渕美恵

わが家は五年前、六・七アールの山を切り開き、現在山地酪農に取り組んでいます。成牛十一頭、育成牛三十二頭（うち肉牛二十一頭）を、弟を柱に母と私の三人で経営しています。そのなかでわたしは農業を志す女性として弟を手伝うとともに、女の生き方を模索しているのですが……。

衣、食、住と、豊かな生活が送られるようになった現在ですが、農業をやろうという意欲ある女性は減少しつつあります。4Hクラブ員であっても自ら農業をやっている人が少ない実情のいま、わたしは、農村女性として農業を職業としてどう受けとめるべきか、農家に求める姿や自分のあり方などを、当面している問題として考えてみることにしました。

わたしは、大会や会合などにおいて"農業者と農業外の女性のみる農業""農業外から農家へ嫁いだ女性""農家から農業外へ嫁いだ女性"と、以上の三点を重点として意見交換をしてみました。

農家生活と女性

農業を自ら進んでやろうとする人は、働くことに生きがいをもつ人であると思います。現在の農業が政治的、社会的におかれている立場を知ってでしょうか、進んで農業に取り組む人が少ないようです。わたしは、女として母をみていると、これでいいのかと疑問に思うのです。

反面、農業外から嫁いでくる人は緑土を愛し、太陽の光線を受けて自然のなかで生きることへのあこがれや情熱にかりたてられているように思います。自ら作業や経営にあたり、そこに働く喜びを見い出す人、頭から嫌う人、コンプレックスをもつ人などさまざまです。

そしてわたしは、多くの人が波乱のなかで現在に至っていることを知ったのです。女として、主婦として、母として、農婦としての配慮の仕方など大変なことだとわかりましたが、農業は生きるための職業であり、働くことを失なった女がいかにたいくつで魅力ない女であるかも知りました。そして農業が「夫婦でともに汗を流す励みのある職業」の一つであることを知りました。

これからの計画としては、クラブ員がどれだけ農業に意識をもっているのか、姿勢はどうなのかということを、OBや主婦をも含めてのアンケートによる実態調査をやりたいと思っています。また、男性、女性からみた主婦のあるべき姿について意見交換をし、それを自分自身におきかえて"望むべき主婦"へ近ずくよう、わたしのプロジェクトとして取り組んでゆきたいと思います。

結婚を考える

▶19◀

埼玉県・加須市4Hクラブ　江森正

嫁キキン

最近、新聞などでよく"嫁不足"という言葉を耳にします。農村共通の問題として、とくに農家の嫁になる人が少ないということと、それと関連して後継者対策があげられます。

嫁姑の関係などで離農、離村していく人、農家の嫁になるのはイヤだという人……このような人たちを農村にひきとめようと数々の対策が講じられていますが、ぼくはイやな者を無理にひきとめる必要はないと思います。むしろそのような人にはどんどんやめてもらうべきです。農業は、やる気のある人だけになればもっと改善され、伸びることでしょう。

"嫁不足"――この言葉は女性を一種の消費物資として扱っているような感じをうけます。ぼくのみるところ、農家の嫁になる人が少ないということは、マスコミがさわぎたてるほど深刻ではないと思います。嫁問題より、むしろムコ問題の方が深刻だという後継者のむすめさんもいると思うのです。さいわい、わが家の付近では適齢期を過ぎてなお適当な相手がないため結婚できないでいるという人はいませんが……。

農業に愛情と誇りをもっている人はまだ大勢います。しかし、このままでいいというわけではありません。精神面での改善も必要だと思います。それはぼくたち若者の義務です。明日の農業後継者として4Hクラブ活動を盛んにしようではありませんか。

三拍子（労働、余暇、睡眠）揃った生活を

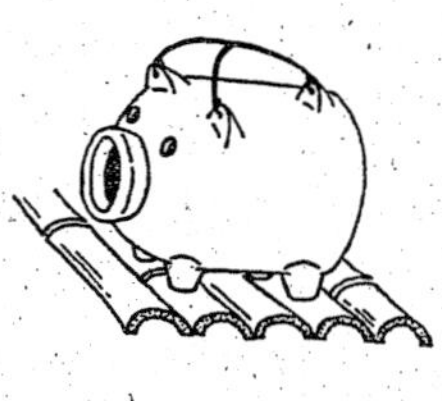

農村でも"八・八・八"の生活、つまり労働、余暇、睡眠の時間を均等にとることができれば、嫁さんがこないという悩みも少しは解決できるのではないでしょうか。農業は労働時間が平均しませんから、一日八時間労働というわけにはなかなかいかないと思います。だけど、一番労働力を必要とする田植えは直播で、稲刈りは機械の導入によってそうとう省力化できると思うのです。こうして生みだされた余暇は、明日の労働力を生みだし、楽しい人間関係を生みだすことでしょう。

また、人間にとって睡眠は必要かくべからざるもの。何かの薬や機器で代用するわけにはいかないものです。労働、余暇、睡眠――三拍子そろってこそ農村に嫁さんたちの豊かな息吹きがかもし出されてくるのではないでしょうか。

ぼくら若者の力で、農家の嫁キキンを解除しようではありませんか。

4H会館建設の募金目標額に対する各県連達成率

（昭和47年7月20日現在）

	県連名	%（約）
1	滋賀	95
2	奈良	56
3	神奈川	41
4	高知	39
5	静岡	35
6	鳥取	32
7	宮城	31
8	愛知	28
9	茨城	25
10	徳島	21
11	埼玉	20
12	沖縄	19
13	大阪	17
14	群馬	16
15	石川	16
16	三重	14
17	長崎	12
18	山梨	11
19	福島	8
20	千葉	8
21	青森	6
22	福井	4
23	山口	4
24	福岡	4
25	和歌山	3
26	岡山	3
27	広島	3
28	岩手	2
29	長野	1
30	北海道	1
31	新潟	1
32	富山	1
33	岐阜	1
34	佐賀	1
35	香川	1%以下
36	鹿児島	〃
37	熊本	〃
38	兵庫	〃
39	大分	〃
40	秋田	未提出
41	山形	〃
42	栃木	〃
43	京都	〃
44	愛媛	〃
45	宮崎	〃
	中央	203
	総額	13

工夫したい機械の共同利用

茨城県・かす　4Hクラブ　篠崎芳高

わたしは、高校を卒業後、農業改良普及所の世話で先進農家で一か月ばかり実習を行ない、現在、経産牛十頭、育成牛九頭を飼育している。

酪農経営においても、機械利用によって労力の節減や経営の合理化などができると思うが、機械の購入は個人ではなかなか困難である。そこで、わたしは共同購入、共同利用によって機械化ができるのではないかと考えた。まだ始めて三年あまりしか過ぎていないので、規模拡大にともなう畜舎の増築や機械化などに必要な資金についても考えてみた。

機械の共同利用は、トラクター、モアー、集草機などを四十四年に導入し、組合で利用している。だが、利用に限界があるので、共同牧草地（河川敷地）四〇アール内での利用を決めた。資金は、初めに後継者育成資金を活用し、畜舎の建築、乳牛の導入などに用いた。

機械の共同利用をとおして気づいたこととして、利点は①共同利用によって個人の費用の負担が少なくてすむ②機械化によって仕事が容易になる、ということであった。また、欠点としては①機械の使い方が雑で損傷がはげしい②利用時が重なり、利用できないときがある③運営方法にまずい点がある――などであった。

資金は、あとの返済のことを考え計画的に経営する必要があった。また規模拡大にともない、飼育管理における技術の未熟さがめだった。

以上のことを考慮しながら、今後は、ハーベスター、ヘイベーラー、ヘイメーカーなどを購入し、運営の合理化、牧草地の高度利用などに力を注ぎ規模を拡大したい。

NHK農事番組

（8月1日～10日）

価格低下の技術（筑後市4Hクラブ）など紹介

秀（茨木県鉾田町）ほか

テレビ

明るい農村　6・30～6・55　総合

1日　きょうの話題「社会主義農業の新しい道・ポーランドの場合」

2日　産物百科「かんぴょう」

3日　話題と人「酪農の家 庭学校」

4日　農村新地図「北海道 大野町」

5日　村をむすぶ「福島、大津、下関」

6日　明るい漁村

7日　村の記録「訪日中国農業視察団」

8日　きょうの話題「若さが築く日本農業」～全国農村青少年技術交換大会から

9日　産物百科「にんにく」

10日　話題と人「牛肉の産地直結販売」

農業教室　7・30～8・00　教育

3～5日　草地酪農の採算　大原久友（帯広畜産大学教授）

7～12日　養豚経営のシステム化　新井肇（全国農業協同組合連合会飼料中央研究所）

あすの村づくり　日　7・00～8・00　教育

再　土　13・00～14・00　教育

6日「現代農民運動論」大原勇三（法政大学教授）、山口武

ラジオ

早起き鳥　5・41～5・57　❶

1日　早起対談　杉山朋一（岡山県旭町町長）、中村徳夫

2日　早起対談　天明佳臣（山形県白鷹町）、三神茂

3日　早起対談　鶴田源志（熊本県田浦町）、中村徳夫

4日　早起対談　蒔井清（町田市）、三神茂

5日　早起対談　次家幸徳（灘神戸生協組合長）、中村徳夫

6日　早起対談　伊藤まつを（岩手県胆沢町）、三神茂

7日　早起対談　杉浦明平（愛知県渥美町）、中村徳夫

8日　早起対談　斉藤昌爽（弘前市）、三神茂

9日　早起対談　清水淳（前橋市永明農協組合長）、中村徳夫

10日　早起対談　草薙辰郎（秋田県仙北村）、三神茂

話の広場　日　6・10～6・30　❶

6日　廃校利用の山の家～桐生市

新しい農村　6・00～6・30　❷

6日　第二次林業構造改善の課題　池田正範（林野庁林政部長）ほか

ラジオ農業学校〈講座〉　月～土　6・40～7・00　❷

3～5日　農村工業化と農民　大久保毅一（全国町村会）

7～12日　生活と法律　渡辺洋三（東京大学教授）

ラジオ農業学校　日　6・30～7・00　❷

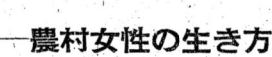

6日　グループの集い「コストダウンの技術」～福岡県筑後市4Hクラブ

青春と仲間

幅広い人間になれ

神奈川県・飯田4Hクラブ 飯田 実

私は4Hクラブに入って三年になる。最近、クラブ員の集会などに出席していて、私はいろんなことを感ずる。

われわれは顔を合わせるたびに「キュウリがキロいくらだった」とか「キャベツが安かった」などということを話し合う。どんなときでも、こんな調子で野菜の値段などの農業関係のことばかりを話題にのぼらせている。

それを一概に悪いとは考えないまでも、はたしてわれわれ二十代の若者が金もうけ一辺倒的な話しばかりしていていいのだろうか。それだけが現代の農業経営なのだろうか、とふと考えてしまう。

私は、4Hクラブ員はもっと社会に対し広い視野をもつべきだと思う。いってみれば、人間的視野をもっと広めなければならないのではないか。

人は言うかもしれない。「百姓は農業のことだけを勉強していればいいのさ」と。しかし、そんなことは、現在においては時代錯誤もはなはだしい考えだ。

現代において私たちは、ボウリング、ドライブなど遊びの面でも他職業の若者たちとなんら変ることはない。しかし、自営業のため社会にでる機会がなくて「農業」という殻に閉じこもってしまっているのだ。と同時に、人間的にも視野が狭くなってしまうのだ。私たち4Hクラブ員は、それに甘んじていていいのだろうか。

確かに、私たちにとって野菜作りの生産技術が必要なことは言うまでもないことだ。しかし、それらは、自分自身で研究し、技術を修得してゆくものだと思う。

私たち自身がすることは数多くあるだろう。たとえば、他職業従事者と接し合い、第三者的な立場から農業を見て、農業をそして自分自身を確めるのもよいだろう。また、4Hクラブ員同士で社会問題を討論するのも必要だろう。

私たち4Hクラブ員は、農業をしているから同じなのではない。反発し合っていても、広い人間性と仲間同士の真のふれ合いを求めるからこそ同調するのではないだろうか。そうあってこそ、私たちは4Hの本質に戻れるのではないかと考える。

女性諸君！農業はどうかな

長崎県・茂木4Hクラブ 城下 康治

女性の諸君、現代の農業をしてみたいとは思わないかな？

農業とは二人の力をフルに発揮し、物を作っていくことだ。これほど、血のかよった仕事はないと思う。たとえば、一本のミカンの苗があったとする。

それを人間にたとえれば、一人の赤ちゃんを育てていくのと同じだろう。苦労に苦労を重ねて、赤ちゃんをりっぱな人間に育てあげたとき、ほとんどの人が人には言えぬ喜びを抱くと思う。苦しいこともあるが、その苦しさこそ喜びにつながるのである。どうだろう、女性諸君、これからの夢ある農業に賭けてみては!!

自然と人生と私 自己を求めて歩もう

栃木・岩舟町協議会 鈴木 操

ある日、何げなく見上げた空に真赤に映える夕陽があった。じっと見ていたら、吸い込まれそうになった。夕陽とはどこまで美しいのだろう。

人々は「忙しい、忙しい」とグチをこぼしながら働いている。どんなに忙しいときだって、こんな美しい夕陽を見たら、きっと手をやすめてながめいるだろう。またこの夕陽を、もの想いにふける女学生が見たなら、焼けつくような恋や情熱を連想するだろうなどと思いながら、私はひとりでもの想いにふけっていた。

自然がとても崇高なものに思えた。手のとどかない、遠い遠い国のようにも思えた。そして、自分ひとりの世界がそこに広がってゆく。自由に行動できて、誰にもじゃまされない自分自身の世界が。

そんな世界にいるときが一番楽しい。現実の醜さも、わずらわしさも、そこにはまったくないからだ。また、自分の思っているとおりのことが言え、そして行なわれ、思っていたとおりの答えが返ってくるからだ。

でも、ふとわれに返ったとき、自分の醜さを知る。同時に、人の目のわずらわしさを知る。それを一度でも知ってしまうと、もう忘れることはできない。なんと悲しいことか。みんな、あの夕陽のように真赤に燃える心をもっているのに……。

また、いつかは自分自身を確めたい一心で、ひとり、部屋にとじこもり手紙を書いた。出すあてのない長い手紙。なにかを、とりとめのないなにかを書いているときがとても楽しかった。なぜかそんなときだけ、本当の自分に会えるような気がしたからだ。

「生きていくうえで、最高の美徳とはなんだろうか。それは他人から信頼されることだと思う。そして、忘れてはならない一番大切なことは、他人を信ずることだ。それには、自分自身がもっともっと純粋で素直でなくては……。

そこには流行も気品も、また、なにもない。そして、その姿が本当の自分なのだ。「馬鹿正直」「でくのぼう」と言われてもいい。

私はどんなときでも、自分を冷静に見つめることのできる人間でありたい。さらに、本当の自分をいつでも確めることのできる自分でありたい。そして、私はあなたに希う。いつでも自分自身を確めるような人間であってほしいと。

私も、もう二十一歳になった。時は走馬燈のように過ぎてゆく。人が悩み、苦しもうと、大声で叫んでみたとしても、おかまいなしに行ってしまって二度とは帰ってこない。北風の身にしみる厳しい冬をじっと耐え忍んで春を待つ草木のように、私はなにかを乗り越えるために、ある苦しみに「さよなら」を宣言したい。

笹笛

再び巡る道化の道

……友の高笑いが古びた木造の校舎のなかをこだまする。ぼくが笑う。通りかかったほかの組の生徒が挑戦的なニヤニヤ笑いを浮べてぼくらをチラリと見る。ぼくらはなおもふざける。羞恥心が頬を痛がゆく愛撫する。笑いの底でドスのようにキラリと光るいくつかの眼。建物の底にけだるく残っていた空気。回転、すばやい回転。女生徒の軽蔑的な一べつ。ぼくは、それらのなかを光のような速さでめぐるめく転落していきながら思ったものだった。

〝おれは道化だ〟と……。

中学・高校時代、ぼくらはぼくら自身をひとつの可能性として信じていた。そう信じこんでいた精神の裏側でカサコソと乾いた音をたてて、ぼくら自身をズタズタに切りきざんでいたある感覚。〝このおれは本当のおれじゃない〟

本当の自分、それは可能性と一直線につながっていた。しかし、ぼくらは見抜いていた。ふだん、友だちとふざけまわって、女生徒に、また、厚い近視のメガネをかけた優等生に侮蔑の一撃をくらっている自己がなければ、本当の自分もまた存在しないのだということを……。

ぼくらは、そのように思わざるをえない自己に耐えていた。その卑少な自尊心になかばおびえながら耐えていた。そっとひとり自分の部屋で何度も何度も繰り返して読んだ太宰治の小説にまばたきもせずに耐えていた。

いつしか、ぼくらはそういったことを考えなくなった。それは、ぼくらのうえを、言葉にするとくすぐったくなるような小さなある選択が通過したからだろう。その結果ぼくらに残ったものは、可能性の裏側でおどおどと暮してきた自己であった。もちろん、可能性と一体化した自己を残したという人も多くいるだろう。それはそれでいいことだ。

しかし、ぼくはそのどちらかを選べなかった人間かどうかは知らぬが、いまだに道化ということを考えざるをえない。メルヘンとしてではなく、どうしようもないあるひとつの生き方として……。

『置かれた立場がきわめて悪化し、まったく解決の見とおしのつかぬとき、残された道は殺人か自殺かのどちらかだ。あるいは両方か。そのどちらも果たせぬとなれば、あとは道化になるしか道はない』

少々長い引用になったが、これはアメリカの作家、ヘンリー・ミラーのその著書「ネクサス」の一節である。

再びぼくらがかかわらざるをえない道化の道は光も陰もない世界への入口のようだ。（野）

おつぎはあなたの出番です！

あんな人こんな人

都市化の荒波の中で

ぼくは4H八年生！

堺市の最南端に位置する別所というところ。そこには、最近泉北ニュータウン住宅公団などの建設により、激しい都市化の波が打ち寄せているという。その市街化調整区域で農業に生きようと闘志を燃やしているある若者――。彼は昭和二十一年生まれだというから、もう二十代の中間地点を折り返している。

「歳のことは忘れたまま、八年間の歳月を送ってしまった」と彼は言う。どうしてと問いたら、彼は「4Hクラブ活動と農業、そして遊びに……」と答えて笑った。

そんなぐったくのない男性――北本博士君。現在、彼は大阪府連会長、そして近畿連の会長という二つの重要な役についている。

北本君は、農業高校を卒業してから八年間も4Hクラブ活動をやっているだけあって、4Hクラブには数々の思い出があるそうだ。良き先輩たちに囲まれて楽しく過ごした入会当時の日々。その年の八月、第六回全国農村青少年技術交換大会に参加したとき人知れず流した感激の涙。その翌年の千葉大会……。前年度は代理で参加しただけに、その年、果樹の部の演示発表者として大阪から参加できたことは本当にうれしかったという。そのときの来年こそはという決意は、いまでも彼の支えになっているそうだ。

昭和四十三年には、大阪府連の役員、また、単位クラブの書記として4Hクラブ活動に専念した。彼は、「あの一年間は4Hクラブというものを理解する基礎ができた意義ある日々だった」と回想する。

四十四年には、近畿連役員、府連役員、単位クラブ会長として忙しい毎日を送るなかでフッと4Hクラブ活動とは何なのかと考えこむことがしばしばあったそうだ。

翌四十五年度には、第十回大阪大会に全力を傾けたという。大会行事部長として、また、自己のうちにくすぶる4Hに対する疑問を吹きとばそうと無我夢中で仕事をした。そのように仲間を迎える努力をしていて、北本君は疑問があるにもかかわらず、深く深く4Hクラブに入ってゆくようになったという。と同時に、本職の農業を忘れそうになったこともあったようだ。

そして、四十六年、彼は近畿連・府県から身を引いた。しかし、北本君は、後継者の育成と末端単位クラブの充実こそが地区連、府連、近畿連のクラブ活動の充実につながるのだという強い信念のもとに、平均年齢十八歳ぐらいの単位クラブへ入りこんで活動した。

今年、北本君は近畿連と大阪府連の会長として、近畿、大阪の4Hクラブ活動に取り組んでいるが、彼の豊富な4H経験は頼もしいものがあ[illegible]は、トップの席に座るような人間性はもっていません。また、性格でもない。私は、クラブ員一人ひとりの力を借りずにはなんにもできないでしょう」と彼は謙虚だ。「私は、大阪の、近畿の農村青少年がいま何を求め、何をしなければいけないのかを知りたい。と同時にクラブ員一人ひとりのなかに溶けこんでみたいと思う。だって、みんなのクラブだし、みんなのための事業だし、みんなのための役員なんだから……」

北本君の家の経営は、みかん四・七㌶、水田八十㌃、柿二十㌃、竹二十㌃、その他二十㌃というようにみかんが中心である。労働力は父母、妹、弟と彼の五人である。北本君が4Hクラブで家をあけることが多いため毎日忙しいという。しかし北本君は家をあけるときには前もって計画し、できるだけ負担をかけないように努力している。

時代の動きを正確にキャッチして、未来の農業経営を見つめる眼を養おうと、大阪府連では今年度から〝農業経営ゼミナール〟を開講したという。激しい都市化の波のなかで近郊の農業者はどう生きるか、それが北本君の最大の問題だそうだ。それは彼だけでなくクラブ員一人ひとりの担っているものでもある。

彼の好きな言葉は武者小路実篤の「日常生活の内に火を。人間の心の内に火を。たえざる火を」だそうだ。関西の空を焼きこがせ！北本君（堺市別所八九五の一）

北本博士 大阪

お花ばたけ

問題は中身さ

ぼくは二十一歳の若者だ！農業が好きだ！豚が好きだ！

以上は、ぼくの三原則だ。ぼくは、この三原則のもとに〝農業〟という道のなかで、毎日毎日、水田の稲や豚とともに明日をめざしてがんばっている。

しかし、そんな生活をしているなかでときどきこう思う。現在の農村はまちがっているのではないかと……。親たちは世間に、若者たちは親たちに甘えているような気がしてならないのだ。

親たちは「これからは若者たちの時代だ」と口ぐせのように言い、また、若者たちの多くは、新しい施設やら何やらを建ててくれなければ農業をしたくないなどと親に言う。本当の農業者の姿はこれでいいのか。農業者の資質や人生観をぼくらは再び問い返すべきではないのか。

いま、まさに親たちは何十年の経験をもとに、これからの時代の農業と取り組むべき時点に立っているのだ。そのように考え、親たちよ、もっとがんばってください！

親たちが激動する農業をまともに全身で受けとめて立ちあがろうとするならば、ぼくら若者たちも後に続いてゆくだろう。そして、ぼくらは親に負けないように歯をくいしばってがんばるだろう。

ひとりの若者に最初から農業経営の自信や経験があるはずがないではないか。だからぼくは、若者が最初から施設などを建てたりするのにはあえて反対するのだ。農業は体裁ばかりじゃない。中身が大切だ。見かけばかり良い農業をやろうとする者は、いつしかその見かけの良さに自分の首をしめられるだろう。

全国のクラブ員のみなさん、ぼくの考えに意見や批判を寄せて下さい。（福岡県小郡市二タ 六九一の一 小郡4Hクラブ・山田新一）

日本4H新聞
4Hクラブ 農事研究会 生活改善クラブ 全国広報紙
発行所 社団法人 日本4H協会
東京都港区西新橋1の5の12 佐野ビル 〒105
電話 (591) 1817・3683
編集発行 玉井 光
月3回・4の日発行
定価 1部 35円
一カ年 1200円(送料共)
振替口座東京 12055番

クラブ綱領

私達は、実践を通じて自らを磨くとともに、互いに力を合わせて、よりよい農村、よりよい日本を創るため、四つの信条をかかげます。一、私達は農業の改良と生活の改善に役立つ腕をみがきます。一、私達は科学的に物を考えることのできる頭の訓練をします。一、私達は誠実で友情に富む心をつちかいます。一、私達は楽しく暮らし元気で働くための健康を増進します。

共通課題にメス

理論よりも実践を

山梨で共同プロジェクト貫徹会議 全員が協力

全員で確認
1、小さなものから大きなものへ
2、〝結果より過程〟が大切である
3、発表のためのプロになるな!
4、完全な記帳を行うことが必要

山梨県4Hクラブ連絡協議会（会長 内田操君）では、さる七月十四日、東山梨郡春日居町の中央公民館で県下のクラブ員五十余名の参加のもとに「7・14共同プロジェクト貫徹会議」を開催した＝金原徹連絡報道員発

開会式、オリエンテーションのあと、「4H活動と共同プロジェクト」と題して、元同県農村青少年クラブ会長の伊藤基氏から講演があった。講演のなかで伊藤氏はプロジェクトについて「問題点を発見し、また解決するためには、どんな小さなことでも完全な記帳を行なうべきだ」と語った。また、「農業関係のプロジェクトはすぐにまとまるが、地域の問題や農協問題をクラブで行なうとなるとすぐにはまとまらないものだ。これに対し私たちは、全員に共通する課題を全員でみつけることだ。それをクラブ全員で行なうことに意義がある」と共同プロジェクトについて述べた。先輩の経験豊かな話しに一同は真剣そのもの。

そのあと、五つの分科会にわかれて、それぞれ自分たちのプロジェクトに関する悩みや昨年度の反省などを話し合った。

話し合いのなかで各クラブ員とも「クラブプロジェクトを実践する気はもっているのだが、激動する現代農業のなかでは問題が多い」などという意見を出していた。これについての助言者の見解に全員熱心に耳をかたむけていた。

夕食後はフィルムフォーラム。NHKの「あすの村づくり」のビデオテープを全員で視聴した。

ひき続いて全体会に移り、各分科会で話し合ったことを全体で討論し合った。

その結果として、

一、プロジェクトは小さな問題から手をつけ徐々に大きなものにしてゆく。

一、プロジェクトは行なう過程が大切である。

一、発表のためにやるプロジェクトになってはならない。

一、完全な記帳を行なう。

などをあげて全員で再認識し、こんどもより一層プロジェクト活動を進展させることで意見が一致した。

また、地域に密着した共同プロジェクトを確実に行なうことを全員で確認し合った。

なお、この会議の運営委員長であった網蔵育朗君は会議終了後、つぎのように語った。

「共同プロジェクトについてはいつも理論ばかりが先走っていたが、今回の貫徹会議ではこの問題をまっこうからとらえることができた。4Hクラブでの実践活動、つまりプロジェクト活動こそが自己学習の展開であり、クラブ組織の中核であることを全員で確認した。また、こんどは共同プロジェクト貫徹のために全員一致の体制で進むことを決意したので期待される」

プロジェクトについてユーモアをまじえながら話す先輩の伊藤君＝山梨の共同プロ貫徹会議で

涼暖風

プロ抜きクラブの危機

クラブは、プロジェクト活動を中心とする集団だというのに、実際は、そうでないクラブも少なくない。リーダーは、どうしたらプロジェクト活動が活発になるか本気で心配し、その解決に苦心している。

クラブ活動からプロジェクトを除いたとすれば、あとに残るのは行事であろう。行事はプロジェクトと違って年に何回か開催するわけだから、そのつど参加すれば事足りる。そこでは、受身の活動になりやすいだけに主体性が弱まろう。主体性がなければ興味がわかないし、興味がうすければ不

位クラブでの開催が困難になり、かわりに町や郡の連合体が行なう行事が目立ってきた。つまり、クラブの活動から行事の機能が連合体へ移りはじめたとみてもよかろう。クラブで行なっていたレクリエーションにもそれがみられる。自家用車の普及もあって行動範囲が拡大されたこととレジャー産業の躍進によって、クラブの外で求める娯楽がふえはじめた。これは、クラブ内部でのレクリエーションに限界があることを意味しよう。

それでは、学習活動はどうであろうか。研修施設の整備や教育機器の発達や情報の

このように、クラブ活動の機能のうち、行事やレクリエーションや体系的学習などは機能が分化していく気配すら感じられる。クラブの年間活動計画を見ると、自ら行なう活動よりも外部が主催する事業に参加する計画が目立ってきた。いったい、それでは何が残るのだろうか。4Hクラブは、日常の農業や生活の問題解決と取り組む同志が結成したはずである。だとしたら、クラブでなければ活動できないもの、つまりプロジェクト活動を中心とする仲間づくりではないだろうか。

クラブからプロジェクト活動を除いたとき、クラブは崩壊の危機にさらされよう。（北海道・三輪）

救援活動始める

七月豪雨 広島で大会を中止

三日から宮城県の松島で開幕した第十二回全国農村青少年技術交換大会をめざして全国各地区でその予選ともいえる大会が開かれていたが、広島県農村青少年クラブ連絡協議会（会長 前田克美君）は、七月の豪雨で県下クラブ員の約半数が被災したため技術交換大会を中止した。

県連事務局では、比較的被災の軽かった県南部のクラブ員を中心に一口二百円の救援募金を呼びかけているが、クラブ員の善意が早急に結集されることを強く要望している。

なお、遅くなりましたが、被災地の方々には心からお見舞い申し上げます。（藤田治之連絡報道員発）

鹿児島でも延期に

鹿児島県でも七月二十五日から牧園町の県農村センターで農村青少年技術交換大会を開く予定であったが、台風七号接近のため延期になった。八月中旬になる予定。

豪雨の影響も注視

全国4Hのつどい 主催者、現地で打合せ

4Hの祭典——「第八回全国4Hクラブ員のつどい」の開幕をまじかに控え、つどい主催者＝全国4Hクラブ連絡協議会（会長 松浦幸治君）北海道4Hクラブ連絡協議会（会長 中山寿雄君）社団法人日本4H協会（会長 宮城孝治氏）は、さる七月十八日から三日間、札幌市で運営打合せ会を開いた。

この会議では、①つどいの概要の確認②運営についての意識統一と運営組織の決定③マイクロバスによる現地会場などの視察④運営分担ごとの細部打合わせ、などを行なった。

今回のつどいは、主催者間で当初目標としていた参加人数を大きく上回り、最終的には二千四百名に達し、なお追加申込みを四百八名ことわったり、バス、宿舎の確保に奔走するなど嬉しい悲鳴をあげていた。しかし、これらの点についてはほぼ解決し、今後はリハーサルなど最後の詰めを残すだけとなった。

参加者の中には、本土復帰なった沖縄から四名が初参加するのをはじめ、これまで全協活動に参加しなかった秋田、また、遠く九州からの大量参加や前回開催の愛知が大挙二百四十名を送り出すなどが注目される。

また参加県連も山形、京都、島根、愛媛、大分を除く四十一道府県と従来の全協主催事業にも例をみない結果を生み、参加者が総会、中央推進会議などで徐々に増加していた傾向がここでもみられ、全協執行部の間ではさらに残る〝問題県連〟に対する接触に意を強くしている。

事務関係では、すでに現地交換訪問の空知、後志、石狩、胆振、上川の五地区に対する振り分けも終り、各県連に対してその詳細な通知も完了した。広大な地域性、受付けが五地区七ヵ所に分散する点などを考慮して、参加経費は地元銀行の出張員によって札幌へのオンライン方式を採用したり、電話をフル活用して本部との連絡をはかるなどの配慮をしている。

運営組織については、主催者代表として全協、道連、協会の会長があたるほか運営委員会のメンバーが次のように決定した。

▽運営委員長 原田正夫（全協副会長）
▽同副委員長 中尾克美（道連副会長）
▽行事第一（輸送、宿泊など）委員長 佐藤春雄（全協事務局次長）
▽同副委員長 仲西伸之（道連）
▽行事第二（式典、散策、ファイヤーなど）委員長 奥村秀宏（全協副会長）
▽同副委員長 二川健司（道連）
▽事務局長 長芳孝（全協事務局長）
▽同次長 赤松宏（道連前書記長） 沢田義夫（道連書記長）

その他全協役員、道連、協会、次期開催県連（神奈川）の委員七十五名が運営にあたる。

なお、七月集中豪雨の影響で参加をとりやめるクラブ員も若干予想されているが、このことについて事務局は宿泊など調整が必要なので早急に連絡するようお願いしている。

バレー試合で若さと技を競う女子研修生

八ヶ岳に躍動する〝若い力〟

第3回全国農村青少年研修教育センター研修生交換大会 明日に燃える

前日まではドロ水がわき出ていたという。大会当日はそれまでの雨続きがウソのような晴天。ぬけるような青空にそびえ立つ八ヶ岳の峰々に、力強い若者たちの躍動がこだました。将来の日本農業を背負って立つ気はくに燃えた若者たちである。遠く北アルプスの槍や穂高を望む八ヶ岳山麓に高原の風が心地よくわたって、若者たちの未来に無限の可能性を約束しているかのようだった。

「第三回全国農村青少年研修教育センター研修生交換大会」は、全国三十九の農場から九百十四名（うち女子百九十九名）の研修生が参加して、さる七月十九～二十二日までの四日間、長野県諏訪郡の八ヶ岳経営伝習中央農場において、主催＝全国農村青少年教育振興会、全国農業者教育協議会、経営伝習農場同窓会全国連盟、農村更生協会、後援＝農林省、NHK、日本4H協会ほかで開催された。

この大会は、新しい農業と農村の担い手育成の重要性を増しつつある今日、全国の農村青少年研修教育センターの研修生が日頃の学習や体育活動、文化活動の成果を交換・交流して幅広い視野を養い、農業への意欲を高めることを目的としたもの。「若い力を結集し励もう 新しい農業の建設に」という大会スローガンのもとで若い農業後継者たちは、変転する農業情勢に立ち向かうべく、若々しいエネルギーを噴出させた。

（関連記事2・3面にもあります）

あ視点

お互いに補い伸ばし合う

クラブとリーダー〈1〉

原田 正夫

田中新総理に対抗するかのように、集中豪雨が日本列島を大改造してしまった。全国各地でクラブの仲間が消防団員として、あるいは一住民として村や町を守るため頑張っていた。そのような中で、高知県土佐山田の事故ではクラブ員が死亡するという悲しいできごとがあったと聞く。心からそのめい福を祈る。

われわれの仲間が全国に七万余。それぞれの地域で村や町を守り育てながら、活動を展開しているのである。

4Hクラブ、農村青少年クラブ、○○会、○○グループ、後継者クラブ等々その名称のちがいはある。また北海道、東北…と、地域、環境のちがいもある。しかし、すべてに共通する要素がいくつかある。例えば

一、青年のあつまりである

二、農業・農村にかかわりをもつ

三、プロジェクト活動を基本にしている

四、地域社会と結びついている

等々である。

そこで、この四つの観点に立ってクラブとは、リーダーとは……という古くて新しい問題について考えてみたいと思う。

ある意味では、過去何回となく人びとがいいつくしてきたことであり、理論派でない私にとって書きづらいことではあるが…。

まず第一の点について。青年とは何か。青いという色を考えてみると、一つに青く澄み切った空、海のような純粋さ、希望を想う。逆に青二歳、青臭さという表現のように、人間として完成されていない未熟さ、不安感を想う。青年にはとくに後者のような半面から一人よがりな考え方による暴走がみられ、あるときは、ひっこみ思案におちいりやすい。そうした青年の特性を補う意味においてクラブというあつまりが重要さを持ってくる。

パチンコ屋であのパチンコ玉を洗う方法をご存知の人もあろう。特別な洗剤だけの働きで洗うのではなく、器の中をゴロゴロ動き回る玉と玉がこすりあって、お互いのよごれを落していくというのだ。例があまり好ましくないが、クラブとは元来そうしたものではなかろうか。

一人でいると何か不安で、あぶなかしい青年たちが、一人はみんなのために、みんなは一人のためにの気持でお互いを伸ばしあってゆくというものであろう。私の所属するクラブでは、頼んだわけでもないのに他のクラブ員がわが家の農作業を手伝っていてくれた。クラブにとってわが家の農園が共同実習場になってもいた。一人の家庭に親子間のトラブルが生じればクラブのなかで親をも交えて話し合って解決しようと努力したことなど、こうした例はほかにも多くあるだろう。

とともに、あつまりである以上、二人であろうと日本国民、世界人類といった巨大なものであろうと、そこには約束ごと、ルールができ、それが守られなければ、秩序、平和は保てないのである。スポーツと名のつくものにもルールがある。ルールを犯したほうが自分のチームに利あるときもフェアープレーが求められる。国と国の間に結ばれた条約も平和を保つ防波堤であろう。

クラブにおいても、たとえどんな小さなことでも、みんなで認めあった約束ごと、たとえそれが規約のように明文化されていないものであっても守らねばならない。同じ仲間だからまあいいや……ですましていると、そのうちにガラガラと音をたてて組織は崩れていくように思える。（全国4Hクラブ連絡協議会副会長・大阪）

悲しみに耐え

草の根大使 宮城へ笑顔で出発

日本を訪れている今年度米国代表の草の根大使＝ドーナ・F・ハルコビッツさんとジェーン・E・バァイヘリックさん＝の二人は、さる七月二十八日、第二の受け入れ県である宮城に向けて東京・上野駅を出発した。

二人は、これに先立ち七月四～二十四の二十日間、富山県の受け入れ農家で日本の農家生活や農業などを体験してきた。二人ともその知識をもとに、宮城ではより多くのことを知り、また、体験したいと語っていた。

なお、二人が富山滞在中、米国にいるドーナさんの弟が事故で急逝するという訃報が入った。そのためドーナさんは急きょ帰国するものと思われたが、悲しみをこえてまたとない機会を生かそうというドーナさんの意志で十一月まで予定どおりに日本に滞在することになった。

高知で交換大会と〝4H祭〟

【高知】〝緑と光の大地に、若い力をぶっつけよう〟というスローガンのもとに、高知県農村青少年クラブ連絡協議会（会長 白石智之君）では、さる七月十一～十二日にわたって、第十二回農村青少年技術交換大会と第二回高知県4H祭を高岡郡窪川町の県立帰全農場において県と共催で開いた。

第一日目は、各普及所ごとに、野菜、花、果樹、畜産、生活などプロジェクト活動で得た体験を発表した。夜はレクリエーションで、名刺交換やお菓子パーティーを催し、それぞれ親睦を深め合った。

二日目は技術競技。これは、県農業技術課や各農改所の係員の方々が出題した品種の鑑定、病気診断などに関する質問に回答するものだが、なかなかの難問ぞろい。クラブ員たちはさかんに首をひねっていた。

続いて農機具の操作コンクールを行なったが、各地区代表のクラブ員二名が一チームになってウネづくりに奮闘した。

夜はキャンプファイヤーで、踊りや寸劇などもで楽しいひとときを過した。

最終日は、4H祭として、新規就農者の激励や郷土芸能の披露などを行ない交歓した。

心頭技健

うわさに聞いていた民宿に、七月下旬の週末、クラブ員など数人と一泊した。目に入るものは海と漁船だけのような小さな漁村の一軒ではあったが、しばらくぶりに旅館では味わえない風情と人情の機微にふれることができた▼静岡県下田の須崎。日焼けした娘さんたちだけでなく主人も料理を運んで手伝うというサービスぶり。とくにわれわれを感激させたのは、新鮮な海の幸もさることながら、帰りぎわに出されたノリの香が残る焼おむすびと自家製の漬物だった▼さいきん山や海での民宿が若い人たちの間で人気になっているが、このような心使いが若者をひきつけているのではなかろうか。しかし、民宿という看板が立ち並ぶ付近一帯の漁家はいずれも満員で、北海道産のトウモロコシを売る露店が出ているとあっては少しばかり興ざめであった▼まさに拡大するレジャーの凄まじさを感じる。ことしの夏、都内の会社をまわって感じたことは、夏期休暇をとる人がふえたことだ。一週間から十日というのも少なくなく一流企業となると数十名という団体で国内と海外に分かれて旅行を楽しんでいるケースもある▼欧米なみにバカンスを楽しむ余裕が出てきたことは喜ぶべきことかも知れない。だが、泳ぐ場所もないほどに混み合う海水浴場、国電のラッシュなみの登山とあってはレジャー地獄だ。このため一度にみんなが休むのではなく季節的に時差休暇をとってはどうかという提案もある▼とにかく旅行ブームによって日本の中ではどこへ行っても同じような温泉や旅館が多くなった。その地特有の趣きと人情を求めて行った先でビールを冷蔵庫から出して飲むような味けなさは味わいたくないものである。民宿も俗化させたくない。

「6円が運ぶ、仲間の声!!」

赤松 宏 ▶10

前回までは、機関誌づくりについて理論的なものを述べてきたが、今回は技術的な面にポイントを置いて考えてみることにしたい。

いつか、私は「記事は足で書け」といったような気がする。そうすると、まず見ることであり相手から聞くことである。聞くことは、すなわちインタビューであります。いま一度、インタビューの心得を整理してみることにしたい。

記者には取材・報道の義務と責任はあるが、人に面会を強要する権利はないから誰かにあう場合は前もって連絡して相手の都合をたずね、面会要旨を告げておくことが常道である。

面会に当ってはみだりにメモをとらないように練習しなければならない。メモをとることによって、相手に心理的に話にくい感じを与えるからです。メモは聞き終ったあとで覚えにくい数字や専門用語、地名、人名などもう一度聞いて控えておいても悪くない。疑問点のあるまま間違った記事を書くことは絶対にさけなければならない。

とくに、インタビューは多くの場合、多忙な人が相手であることが多く、また、その人の経験を知ろうとするのであるからわからないことがあればすぐ聞き直すことが必要で、できれば相手の人柄や趣味、性格などを知っておく方が効果的である。質問の上手、下手で成果が異るから、質問の内容についてあらかじめ頭の中で用意しておくべきである。

正確には、相手の主張なり、意見に、わざと反対して話を引き出さないで、常に聞き手であるべきである。誘導尋問や高慢な態度、不見識な言動であってはいけない。あくまでも青年らしい態度であるべきで、インタビューを済ませて帰るときは、このつぎにまたくるということを忘れない礼儀正しい態度が必要です。

記事は三度読ませる
インタビュー 質問内容の用意を

そのほかに注意しなければならないこととして「記事は足で書け」といわれるが、記者は常に足をはこんで事実をつかむことが大切です。人から聞いたことを記者の頭の中で勝手に想像して組立てて記事にすることは絶対にさけるべきです。

また、文章は当用漢字、現代かなづかいを守り、日常の話しことばで書くことを忘れてはならない。

次に、読ませるための原稿の作り方について考えてみたい。

記事の書き方の中では「ニュースを三度読ませる」ということばがありますが、機関誌にも共通する点があります。それがどういうものであるか簡単に説明してみよう。

「ニュースは三度読ませる」――それは同一の出来事の焦点を表わす「見出し」と、出来ごとの全貌をみじかくまとめた「リード（前書き）」と、さらに詳しく経過をのべる本文によってニュースが三回くり返されることをさしているのです。

さらに、それらを少し詳しく説明しますと、見出しは内容の種類を示し、その記事の信号的索引的意味をもっていて、非常に限られた語数で、内容の要点を表現する。リード（前書き、あるいは要約）は内容の要旨を圧縮化したもので、全文の概要をみじかくまとめあげたものであります。そして、この中にはいわゆる「五W一H」が原則としてふくまれています。本文は要約の詳細な、また付加的な説明であります。

次にあげるのは、読む者への誘導の仕方をどうするかであります。

普通の人間は書物を手にとって、まず、目にするのが見出しと写真です。写真は目に入りさえすれば、それなりに役目を果たすことができるか、見出しはただ読まれて内容がわかるばかりでなく、本文を読ませる魅力が含まれていなければなりません。

よく、これらを簡単に説明されるための例ですが『ご用とお急ぎの客（読者）は看板と場内チラリ（見出し）で大体の見当をつけ、中へ入らなくても一応は満足するし、場内チラリ（見出し）で興味を引かれた客（読者）はつられて中（本文）へ入ってしまいます』これでメデタシ、メデタシ、読ませることに成功したというわけです。

いずれにしても、機関誌を読ませるためには、いろいろ紙面の体裁を考慮しなければならないが、どんなに内容がよくても堅苦しい見出しや、漢字ばかりの見出しが並んでいたのではクラブ員の意欲は半減してしまいます。したがって、見出しは一目でパッとつかめる短かいことばに内容を圧縮し、表現力に富んだ要素が含まれていなければならないし、魅力的で、しかもやさしく、見る人の目に動的な印象を与えるよう工夫されなければなりません。そのためには漢字ばかり使わず、字画の少ない字を選んで、やわらかい表現をし、紙面を明るい感じにすることや、文語体をさけ、口語体にするように注意し、いつも記事がもっている劇的な要素が浮き出していなければならない。そこには無駄な文字は一字も許されない厳しさがあるわけです。

最後なんだが、見出しのもつ役割を三つほどあげておくので考えて見出しをつけてほしい。

① 記事と記事を分ける働き
② 見出しを見ただけで記事の内容をわからせる
③ 見出しの大小で紙面を引きしめ読者の関心をそそる

などが考えられる。

ここで図書を紹介しておこう文章を書く上にとても役立ちます。私のように顔が良くて頭の悪い者には大変役立っておりますので、まあ、これは新聞用語の手引として出版されているものですが、文章作成上新聞ばかりでなく機関誌にも共通する点があります。

「新聞用語集」五百円程度
発行所 日本新聞協会
住所 東京都千代田区日比谷公園二番地
電話 東京（五九一）四四〇一～八
振替 東京一九五九九八番

（題字も筆者 北海道4Hクラブ連絡協議会前書記長）

一つ一つていねいに機関誌づくりを教える赤松君
（喜茂別4クラブ・三間茂君提供）

全国大会やる気十分
宮城で予選 耐風万能ハウスも出現

【宮城】八月三日から第十二回全国農村青少年技術交換大会が開催されている宮城県で、さる七月三日、県農業試験場において全国大会の演示発表者宮城県予選が行なわれた。これには県連役員のプロジェクト班をはじめとし、各地区連代表などの精鋭約五十名が参加した。参加者たちはおのおのフェンガー賞をめざして激しい火花を散らし合った。

発表部門は作物、農機具、野菜、花、果樹、畜産、生活、その他の七つ。

発表は、畜産部門で「養豚上における汚水処理施設の工夫」「サイレージ調整作業の省力化」、暮らしのアイデアとして「便利な砥石の考案」などといったように各部門とも多岐にわたり独特のものが多かった。

選考の結果、最優秀賞には「私の考えた耐風万能ハウス」を発表した山家正信・佐藤賢一の両君と生活改善部門で「夏の作業衣」と題して注目を集めた亘理地区の鈴木博子さん・鈴木みえ子さんに輝いた。

「私の考えた耐風万能ハウス」は、昨年山家君宅で風により一夜のうちにハウスを飛ばされたのをきっかけとして考案されたものである。これは、冬の蔵王おろしという強い風の吹く宮城県らしいものであった。また、「夏の作業衣」では、両鈴木さんがその場で実際に作業衣を作って参加者を驚かせた。

最優秀賞を受賞した人たちは全国大会を前にして、さらに演示発表を充実させ、フェンガー賞に目を光らせている。（今野恵美子連絡報道員発）

心のゆとりを
山形の技術交換大会では自己批判も

【山形】第十二回山形県農業青少年技術交換大会は、県内各地の4Hクラブ員など五百五十人が参加して、このほど三日間にわたって南陽市で開かれた。

大会期間中は連日雨に見舞われ市中パレードや屋外での集会行事は取り止めになったが、かわりに分科会などは落ち着いたふん囲気の中で進められた。

「地域農業を考える」のテーマで開かれた分科会では"サラリーマン農業をやっている人の水田の方が、われわれのよりきれいだ""農業青年には心のユトリが足りない"といった自己批判が続出。大勢としては、農業は一企業であっても地域全体の繁栄を考えて協同歩調と強い結束をかためるべきだという意見におちついた。

一方、全国大会への出場権をかけたプロジェクト発表には八人が出場。一グループ、一個人が出場権をとった。技術競技には三人で一グループをつくって全員が参加、五グループ十四人がプロジェクト発表者とともに、全国大会に派遣されることがきまった。

若さがないよ
OBがハッパ
香川も技術交換会 注目された鶏糞処理

【香川】香川県農村青少年クラブ連絡協議会（会長 大山繁君）では、さる七月七、八の両日、三豊郡大野原町萩原の地蔵院において、香川県と共催で農村青少年技術交換会を開催した。

この技術交換会は、農業や農家生活の改善について農村青少年が日頃身につけた技術を相互に交換・研究し、より一層の技術の向上を図ろうという目的で催されたもの。参加者は、農村青少年、専門技術員、普及員、クラブ員OBなどあわせて約百名であった。

一日目は午前十時からオリエンテーションを行ない、午後一時から「農業者組織の進む道と青年の役割」と題して、豊南農協組合長である藤川松太郎氏の講演が行なわれた。

そのあとひき続いてプロジェクト発表に入ったが、発表者はプロジェクト活動を通じて、自らの創意工夫によって開発した農業や生活の技術、経営内容などを発表した。これには参加者も強い関心を示し、熱心に質問したりメモしたりしていた。なかでも、小林誠一君の考案した鶏糞の処理についての発表には質問が殺到した。

夜は、野外バーベキューが行なわれ、参加者はバーベキューをつつきながら交歓し、お互いに友情を深め合った。

二日目は午前九時から技術競技が行なわれた。参加者は共通コース（農業経営、生活、農業機械）と専門コース（野菜、果樹、畜産）のそれぞれについてペーパーテストを受けた。

昼食後は優秀青年経営者（4HクラブOB）との交換が部門別に行なわれたが、双方とも現在の農村青少年の直面している問題などについて活発な討論を展開した。OBのある人は「現在の青年は若さがない。もっと自分の思ったことをどんどん実行すべきである」と参加者をしったしたが、これには日頃はりきっている若者たちもシュンとしていた。

午後三時から閉会式に移り、成績発表などをして二日間の全日程を終了した。ある大会の関係者は「今大会の運営は青少年が主体となって行なった。これは、今後のクラブ活動の向上に大いに役立つでしょう」と語っていた。（香川県連連絡報道員発）

青森でも大会開く

【青森】青森農村青少年クラブ連絡協議会（会長 小笠原栄君）では、さる七月二十六から二十八までの三日間、上北郡十和田町湯ノ台にある法量牧野畜協の放牧場で第十二回県農村青少年技術交換大会を開催した。

参加者は県下の4Hクラブ員など約四百名。

一日目は午後からテントなどを設営し、二日目は散策（自然観察）、討論会、キャンプファイアーなどを行ない、三日目はそれぞれグループに分かれて技術の交換などをした。

黒部4Hクラブが警察署から感謝状

【富山】黒部4Hクラブ（会長 松島茂男君）は、このほど黒部署から感謝状と記念品が贈られた。

これは、同クラブが三年前から花いっぱい運動を展開し、四季おりおりの花を同署に飾ってきた善意に対するもの。

さあ、本番だ!! 八ヶ岳をあおぎながらのデッカイ開会式

森林の中で全員テント生活
八ヶ岳の研修生大会
"ブル"で地ならし
懐中電燈たよりに交歓

第一日目は、正午から受付を開始。日本全土を襲った集中豪雨で参加状況が危ぶまれたが、それにもめげず若い研修生たちは重いリュックやバッグを背負いながらぞくぞくとキャンプ村に到着。日焼けした顔、たくましい腕、笑顔をほころばせながら高らかな声が響きわたった。

受付のあと、キャンプ村の編成が行なわれた。男子六村、女子二村に分かれて大会期間中を過ごすテントの設営に四苦八苦。キャンプ村のニックネームは、「赤岳村」「権現村」など八ヶ岳の山名をとったユニークなもの。研修生たちは、でき上がったテントに入居してトレパンや運動靴にはきかえた。

緑が目にしみる牧草地でのオリエンテーションのあと、今大会用に新設されたというグランドでいよいよ開会式。このグランドは、八ヶ岳経営伝習中央農場の研修生たちがブルトーザーで土を掘りおこし、トラクタにつけたローラーでならしてくれたものである。前日までの雨続きで、グランドはドロ沼同然だったという。彼らは大会のえんの下で大活躍、作業は開会式の直前まで行なわれた。

自衛隊音楽隊のはなやかな演奏に合わせて入場行進が始まる。各県センターの研修生たちは、プラカード、県旗、場旗を先頭に、色あざやかなユニホームに身をつつみ、整然と行進をくり広げた。国旗掲揚、国歌斉唱のあと、江場丈夫大会会長（全国農業者教育協議会会長）、井上勝英大会副会長（農村更生協会常務理事）、田中基雄農林省農政局普及部長などのあいさつがあり、全員で大会のスローガン「若い力を結集し 励もう 新しい農業の建設に」を斉唱した。

やがて八ヶ岳に夜のとばりが落ちると、キャンプ村は大自然そのままの闇の世界に突入する。夕食後研修生たちは、懐中電灯の明りをたよりにそれぞれのキャンプ村で交歓し合った。ギターをつまびく若者、フォークソングや山の歌を歌う若者……。若者たちの高らかな歌声は闇にのまれた八ヶ岳の山麓を震わせた。

返れ、ホタルよ
願いこめ豪雨被害の養殖地で復旧奉仕 筑後市4Hクラブ

【福岡】筑後市4Hクラブ連絡協議会（会長 中富直俊君）では現在失なわれつつある自然を取り戻そうと、さる七月九日、社会奉仕の一環としてホタル養殖のための人工川の掃除を行なった。

市の南部を流れる矢部川は、十年ほど前までは源氏ホタルの生息地として有名だったが、ここ数年、ホタルの姿はまったく見られなくなってしまった。そこで市の有志が集まって人工川を作り、ホタルの人工養殖を始めた。

そのせっかくの人工川も、さる七月の大雨で土砂が流れて埋まってしまった。それを聞いた筑後市の4Hクラブ員たち約四十五名はそういうことならとそれぞれ手に草刈り機やカマ、スコップなどをもちより川の修理をかってでた。

クラブ員たちは市の社会教育課長の説明を聞きながら、川ざらい、草刈り、エサ（ホウセ）取りなどに汗を流した。

作業終了後、反省会を行なったが、クラブ員のなかには、この日初めてホタルの幼虫を見たという人が多く、おのおの改めて自然を考えさせられたといった表情。また、あるクラブ員は「あのように神秘的な光を放つホタルの繁殖・保護そして自然を守るということにわずかでも役立てたことは嬉しい」と語り、このような社会奉仕ならこれからもどしどしやってゆこうということを全員で申し合わせた。（筑後市4Hクラブ 田中隆夫君発）

競技と食欲と討議と

八ヶ岳の朝は早い。第二日目は朝もやのかかる草いきれの中でめざめた。五時半起床、六時からの朝のつどい……。高橋賢一明治学院大学教授、助手の関山フミさんの指導のもとに元気いっぱい朝の体操を行なった。昇る朝日の宝石のようなきらめきを受けて、研修生たちの顔が輝く。つどいのあとは食前作業。今夕行なわれるジンギスカン料理の"ろ"を作る石集めや、森林の清掃などで汗を流した。

大会の舞台裏で、重要な役目を果しているのが自衛隊の人たち。とくに一千人以上の食事を一手にひきうけ、何台もの炊飯車や大きな鍋で手慣れた作業だ。料理の味も確かで、ある研修生は「とくにカレーライスは超一級。食堂で食べるよりはるかにうまい」と太鼓判をおす。

午前八時半から先輩農業者から体験発表を聞いた。四つに分けられた会場は、体験からにじみ出た先輩の話に熱心に聞き入っている研修生たちでいっぱい。二十七名の先輩農業者の目も、後輩を見守る暖かさに包まれていた。「貴重な体験を聞いて、わたしももっとがんばらなくてはと思いました」と、おかっぱ頭の女子研修生は、瞳を輝かせていた。

昼食のあと、午後一時から八ヶ岳農場の木かげを利用して交換討議が行なわれた。約三十人で分科会を編成し、先輩農業者と研修生の意見交換および研修生相互の交流をはかった。樹々のすき間からこぼれ落ちる夏の陽、葉のささやき。おもわずコックリ……という研修生もチラホラ。だが、プロジェクトの進め方、日頃の個人的な悩み、集団生活の意義などを円陣をつくって語り合う光景はとてもなごやいだものだった。

午後四時からは技術競技。鑑定、判定、審査のそれぞれの競技に、各センターを代表したチーム（一チーム五人）が競い合った。優勝は中卒の部が愛知県追進営農大学校、高卒の部が新潟県農業教育センター。審査結果をみると、中卒の平均が五十六点、高卒が四十九点と、意外に高卒の成績が悪く、「もっと勉強してほしかった」と審査にあたったある先生はいう。

"懇親の夕"は、ジンギスカン鍋からたちのぼる煙のなかでくり広げられていった。六〜七名が一組になり、たっぷりと肉や野菜が盛り込まれた鍋を囲んで、郷土のはなしやお国自慢などを語り合った。グランドの高台には仮設のステージ、それにボール箱を利用した照明装置が設けられ、研修たちはグループでお国の民謡、フォークソング、歌謡曲などを歌った。

女子研修生たちがステージに上がると、会場はヤンヤの喝采。なかにはテレながら花束をおくる男性もいて、会場の爆笑をかった。

涼しい木かげで輪になって語り合う研修生たち。思わずコックリ……でも、しかたないよな、こんなに気持よくては！＝交換討議

ジンギスカンをペロリ

がんばらなくっちゃ！　先輩の体験発表に奮起

第三日目は、早朝から体育競技が行なわれた。ソフトボール、バレーボール、卓球、剣道、柔道、駅伝。若者たちの力強い筋肉の躍動と汗が光る。ソフトボールと剣道は会場の都合で茅野市において競われたが、やはりハイライトは何といっても体育競技のフィナーレを飾る駅伝。八ヶ岳連峰のすばらしい自然をバックに走る姿は爽快そのもの。だが、ランナーの方はたいへんだ。握りこぶしほどもある石コロがゴロゴロしている山道を駆けるのである。「オリンピックに出るような選手が走ったら一回で足をダメにしてしまう」とある体育の先生がいうほど。ゴールに到着した選手が、仲間にかかえられながらガクッとひざまずく光景があちこちにみられた。

やがて、力を出しつくしたすべての競技も終わり、午後四時より表彰式・閉会式が行なわれた。技術競技、体育競技の各種目に優勝したチームには、表彰状とトロフィーが授与され、入り日に映えるトロフィーを高々とかかげる若者の目には、くったくのない青春の輝きがあった。

「ワーン、ちょっとこれはむずかしいぞ！」と研修生は真剣な表情＝技術競技

一流選手なみの"腕前"　体育競技

閉会式では、西田正道運営委員長が大会の全行事内容の感想を述べ、「訓練なき教育は水のない水車に等しい」という格言を引用しつつ、農村青少年の教育の重要さと、年々立派になっていくこの大会の意義を訴えた。また、江場丈夫大会会長は「物神両面そろった豊かな農業、豊かな生活を築いてほしい」とあいさつした。そのあと研修生代表の"お礼のことば"や万歳三唱などがあり、国旗降納、国歌を斉唱して閉会式の幕を閉じた。

大会の最後を飾るキャンプファイヤー。陸上自衛隊音楽隊がアメリカ民謡、ポピュラーソングとレパートリーも広く流れるような演奏を披露したあと、いよいよキャンプファイアーの火がともされる。大自然の抱擁力ある闇、豊かな沈黙の中からシベリウス作曲の静かなメロディーが流れる。やがて赤々と天に昇る炎が高原の夜の闇を焼きこがす。闇と光、静と動のきびしい対決、交さくの中で、若者の顔がきらめく。高橋先生のたくみな司会で、研修生たちは歌い、舞り、感激のひとときを過ごした。

翌朝、研修生たちはテントの徹収、会場整理をし、朝食を済ませるとなごりおしそうに山を降りていった。さようなら八ヶ岳、さようなら友だち……。まっ青な空、美しい高原、雄大な八ヶ岳、すばらしい仲間たち。研修生たちはまた一段とたくましくなり、多くの思い出をリュックにつめ込んでそれぞれの農場へと帰っていった。

畦道

ぼく自身への叫び！

ブルージーンの前ポケットに両手をつっ込んで、危うくよろけそうになりながらぼくの女友だちはプラットホームの階段を降りていった。ぼくとは無関係というふうに、自己流に格好をとって…。「わたしはわたしの道を行くわ」と波うつ小さな肩はいっている。

改札口に続く地下道の壁にぎっしりと並んでいるポスターの前で、彼女は立ちどまる。彼女の肩越しには、どこかの田舎の駅に停車する蒸気汽関車のポスターがあり、その蒸気汽関車には大きなサングラスにパンタロン姿の女が、ドアの把手につかまり、前のめりに体を浮かして笑っていた。

ぼくの女友だちは、ぼくをみてニッと笑った。とまどいがちにぼくも笑い返す。すると、彼女はすばやく体をまわすと例のポスターに向かって唾を吐いた。そしてまたぼくをみて笑うのだった。ぼくは呆気にとられたまま彼女の行動を見守っていた。

「ああ、でもこういうことは何にもならないわね」と、ため息をつきながら彼女はいった。「ああ」と、ぼくは力なくうなずく。そして、あちら側にいる彼女と、同じくあちら側に存在するポスター、ひとりこのジクジクと肌に侵入してくる現実にとり残されたぼくという三者の図式が一瞬脳裏をかすめ、めまいを感じた。

それはたぶん、ぼくの無力感だったのだろう。ぼく自身が消滅していくような無力感……。ぼくは喉をおしつぶすほど叫びたい衝動にかられた。アアー、アアー……、しかし、それがムダなことはあまりにも明らかだった。ぼくの叫びはどこへも向かわないだろう。あるいは、テレビのブラックフェイスのごとく、跡形もなく吸収されてしまうだろう。それはむなしく自分にかえるばかりだ。"ぼく自身よ飛び立つのだ"と、ぼくの内部の声がしったする。だが、ぼくの青春は、ついにその声をとらえることなく終った。【宇】

これで安眠できます

疲労回復に寝具の改良

群馬県・つくし会　白田洋子

つくし会は、女子二十一名、平均年齢二十歳の若々しいグループです。食生活改善、環境衛生を目標とし、料理教室、手芸教室などを行ない、楽しい仲間づくりをしています。

ここで、"疲労回復に寝具の改良"と題し、わたしたちが一年間取り組んできたプロジェクトをご紹介いたしましょう。

寝具は表面に出ず目立たないものですからつい関心が薄くなりがちでも、睡眠は健康管理に大切な役割をはたし、人生の三分の一は寝具の中で過ごすといわれています。また、現在では既製品を買うことが多くなり、よい寝具を選ぶ知識も必要となってきました。ところがわたしたちは、寝具についての知識にとぼしく、意外と無神経。これではいけないと思い、このテーマに取り組んだのです。

まず、①赤堀村における寝具の管理状態を調査する②よい寝具の選び方を学ぶ③アイデア交換会を開く―の三つを大きな柱として計画をたて、集まれば必ず寝具についてのおしゃべりをすることにしました。

赤堀村における寝具管理の実態調査は、村内の主婦百名を対象に、ふとん干しの回数、シーツ、カバーの洗濯状況、ふとんの持ち数、収納場所、新製品の使用状況などを調べました。ふとん干し場が少ないこと、かいまき利用が全体の八〇％もあったこと、毛布の洗濯回数が少なく不衛生、毛布カバーが少ない、部屋のすみにあるふとんが目立つ、かけぶとんを重く感じている人が六〇％もあること、新製品に対する知識が薄いなど、じつに多くの問題があることを知りました。

ふとん干し場の確保、毛布の洗濯の実行、毛布カバー作り、軽いふとんへの切り替え……すぐに実行しなくてはいけないことばかりです。結果はプリントして、アンケートに協力してくださった主婦や生活改善グループに配布し、話し合いをもち地域の人たちと考えていこうと計画中です。また、有線放送を利用して"ふとんを干しましょう"と呼びかける案もあります。

寝具についての勉強は、資料をもとに近所のふとん店に行き、新製品を手にして学びました。そして"これなら安眠できます"の表を作ってみました。寝具について知っておきたい基本的なことだけですが、こんなことさえ知らなかったわたしたちにとっては大きな収穫でした。

いまわたしたちにできること、それは"アイデア交換会"です。新しいシーツを上に、古いのを下にして二枚合わせて縫って敷きぶとんカバーに。また、冬の寒さはバスタオルを縫いつけてえりカバーにして防ぐ……。シーツのずれは、四すみを縫うだけで防げました。話しているうちにつぎからつぎと浮かび、楽しくなります。

"枕カバーを家族にプレゼントしよう"と、ステキな作品もできました。手作りの作品は愛情があふれ、プレゼントされた側もプレゼントした側も気持のよいもの。ブロード地一・二メートル二百四十円、チロルアンテープ百四十円、合計三百八十円で四枚できました。お金では買えない心のこもった贈り物となり、家族からたいへん喜ばれたのです。

ふとんこそ主婦の愛情の表現ではないでしょうか。すべて既成品でまにあう現在、こればかりは男性にまかせておけません。女性として暖かい心づかいの必要なものは寝具なのです。昼の疲れをとる大切さ、それは気持のよいふとんでぐっすり寝むることなのです。わたしたちはそんな心づかいのできる女性に、妻に、母になりたいと強く感じました。

これなら安眠OK

マットレス
▽厚さ七センチのもの
▽ウレタンフォーム、ラバーフォーム

敷きぶとん
▽木綿わた六キロ入り
▽たけ　身長プラス三十五〜四十センチ

シーツ
▽ふとんのたてよこ五十センチ大

枕
▽左右三十五センチ以上、高さ十センチ
▽そばがら、パンヤのもの

タオルケット
▽綿で厚くないもの（混紡三〇％）

毛布
▽織目の細かいもの
▽毛かアクリル

上がけ
▽合繊綿一・五〜二キロ入り
▽たけ　身長プラス三十五〜四十センチ、幅　左右三十五センチ

技術交換大会など紹介

NHK農事番組（8月11〜20日）

テレビ

明るい農村　6・30〜6・55総合
11日　農村新地図「大阪府河内」
12日　村をむすぶ「名古屋、北九州、松山」
13日　明るい漁村
14日　村の記録「北海道早米（はやきた）町」（再放送）
15日　きょうの話題「秋田県大潟村」
16日　産物百科「埼玉県横瀬村」
17日　話題と人「愛知県設楽町」
18日　農村新地図「島根県八束町」
19日　村をむすぶ「徳島県鳴門市」
20日　明るい漁村

農業教室　7・30〜8・00　教育
14〜16日　合理的豚舎とふん尿処理　戸原三郎（農林省畜産試験場）
17〜19日　農村生活と法律　渡辺洋三（東京大学教授）

あすの村づくり　日　7・00〜8・00　教育　再　土　13・00〜14・00　教育
13日　「若さできずこう……」〜第十二回全国農村青少年技術交換大会から〜
20日　「消費者直結のりんご作り」　中島輝夫（長野県須坂市）ほか

ラジオ

早起き鳥　5・41〜5・57　❶
11日　早起対談　桑原荘二郎（今治市）、中村徳夫
12日　早起対談　和田金次（館山市）、三神　茂
13日　ふるさとのお盆
14日　山村のうなぎ養殖　西　光三（三重県宮川村）
15日　牧場合宿〜北海道訓子府町
16日　野菜農家の産地直結　尾山瑕（大州市）
17日　不振に悩む公共牧場〜中新田町弔
18日　米価百年史　岸田　篤（舞鶴市）
19日　ふるさと通信
20日　岩の花ブドウ園、玄蓄文雄ほか

話の広場・日　6・10〜6・30　❶
13日　朝市農家　飯島　茂（千葉県八千代市）
20日　農業高校の親子合宿（栃木農業高校）

新しい農村　6・00〜6・30　❷
13日　養蚕近代化への道　芦野道夫（農林省蚕業課長）、水上恵成（全養連参事）
20日　これからの農協活動　小口芳昭（全国農協中央会）、美土路達雄（協同組合短大）ほか

ラジオ農業学校〈講座〉　月〜土　6・40〜7・00　❷
14〜15日　畜産物流通のネック　宮崎　宏（日本大学講師）
17〜19日　経営と記録　杉下滑雄（農業評論家）

ラジオ農業学校　日　6・30〜7・00　❷
13日　経営手帳「複合経営のポイント」　竹中久二雄（東京農業大学助教授）ほか
20日　新時代の経営をめざす　矢野征男（北海道芽室町）

望む　クラブ交換会

大垣4Hクラブ（岐阜）	クラブ名	塩山4Hクラブ・農勇会（山梨）
20名（女子2名）　派米研修中 3名　県外研修中 2名	クラブ員数	8名
21歳	平均年齢	24歳
洋ラン、花卉、酪農、蔬菜、梨、メロンなど複合	経営内容	全クラブ員果樹が主体、果樹は桃、ナシ、ブドウ（デラ・ネオマス・巨峰）サクランボなど
仲間づくりを中心課題とした活動を行ない、地区連、県連などの行事に参加している	クラブ活動内容	仲間づくりを主体として月一回の例会を持ち回りでクラブ員の家で行なっている
特別にはないができたら女子クラブ員も加入しているクラブ	希望するクラブ	男子ばかり8名のクラブなので女子クラブ員がいいですね
①　大垣市横曽根町1805　森谷健五　②　大垣市役所　農業改良普及所　大内垣農業青年クラブ　電話＝大垣（0584）81－4411（内線224）	連絡先	①　塩山市萩原879（〒404）小野嘉四郎　電話＝055333－4734　②　塩山市上於曽（〒404）東山梨農業改良普及所塩山支所　電話＝055333－2305（055333は塩山局ですのでまちがわないよう）

クラブ員のみなさまよろしく

プロジェクト

結婚を考える　▶20◀

栃木県・花の和4HクラブOB　斎藤文子

4H＋4Hじゃないけど

嫁の気持

わたしが花の和4Hクラブを去ってもう五年になろうとしています。クラブ活動をしていた四年間は、クラブなしでは何ひとつ生きがいのないほどわたしにとって"花の和"は大切なものでした。いまは、二人の男の子の母親として満ち足りた生活をしているわたしですが……。

大勢の仲間から声をかけられて、朗らかに笑いをふりまき、自分の考えを述べ、同じ年代の意見を聞きながら若い情熱をぶつけ合ったあの頃……。

ある人に恋心を抱き、悩み、破れ、そしてまた新しい仲間に恋が芽ばえ、何度せつない思いをし、反面、楽しいくり返しをしたことか。

まったくいま思い出しても、よくもあきずにいろんな彼氏に恋をしたものだと不思議に思います。はかなく破れた恋でも表面だけの人間関係ではなく、心と心の触れ合いや、お互いを理解することによって、わたしにとっては大変プラスになりました。その頃のわたしは、結婚に対しては「4Hプラス4H」という考え方でした。でも、実際にはお見合いで、結婚まで三か月足らずという急行電車に飛び乗ったあわただしさでクラブを去ることになってしまったのです。

いまではもう四年になりますので、嫁、妻、母親としての立場がわかるようになりました。毎日の仕事もいちいち聞かなくても不自由な思いをしなくなりました。「習うより慣れろ」といいますが、本当にそうですね。でも、以前は嫁の立場上いろいろくじけそうになると、こっそり外に出て星空を眺めながら昔を思い出し、「他のクラブ員もこんな思いをしながらそれに耐えて元気に働いているにちがいない」と、自分自身にいい聞かせて床にもぐりこんだことが何度あったことか……。

二年目頃までは一日中少しの暇もなく、親の目がうるさく感じました。何をしていても親にいちいち見られているようなのです。ときどき世間話に、「あそこの嫁は働く！」とか「あそこの嫁は体格がいいから何々さんより……」などと話しているのを聞くと、自分が遠まわしに「もっとやれ」といわれているようでみじめになり、「こんな家へ来て損をした」と何度も思いました。どうしてクラブ員と結婚しなかったのかと、悔んだことも何回かありました。

だからといってこの結婚がまちがっていたかというと、そうではないのです。毎日あれこれと子供のことや仕事に追いまわされ、忙しいながらも充実した生活を送っています。上の男の子は三歳になり、もうそろそろ幼稚園に行く準備をしなくてはなりません。自分のことはできるだけ自分でさせたり、ひとりで寝るようにしむけたり……。

ただ、ちょっとしたことで姑や夫との間に小さなミゾが生じたとき、他家から嫁いできた自分がたったひとりになったような気持がして、いろいろ悩んでいるうちに「お嫁さん」がいやになってしまうのです。

みごとにリンドウの花を咲かせる

牧丘農村青少年クラブ

【山梨】リンドウが見事な花をつけた―牧丘町の農村青少年クラブ（会長　広瀬幸男君）が稲作転換を機会に土地を借りて取り組んだ共同栽培がいま実を結んで、クラブ員たちを喜ばせている。

同町では数年前にもリンドウの栽培を試みたが失敗してとだえていたため、「それでは自分たちが花を咲かせてみよう」と昨年、長野県から苗を仕入れて六アールの田んぼに五千本を植えつけ、精根こめて育てたもの。

これまでに東京の市場に初出荷し、一本二十五円前後で取り引きされた。値だんはまずまずで、いまのところ収入はクラブの運営資金として活用するが、成功したら将来は経営のなかに花き栽培を取り入れて行きたいと張り切っている。

クラブ員がこのリンドウの栽培に成功すれば、地域からも大いに注目されるものと思われる。

価格安定へ本腰入れる

□■販　売■□

秋冬の重要野菜（キャベツ・ハクサイ・ダイコン）

秋冬期重要野菜の価格安定をはかるため、全販では、農林省の行なう特別事業に関して、関係機関との密接な連携のもとに計画生産、出荷確保の対策を強力に推進することにした。

四十六年暮れから四十七年春にかけてのおもだった野菜類の価格は、低迷に低迷を続け、生産者の手取りもゼロといった事態が各産地でみられた。一年前の同じ時期の同じ野菜類はべらぼうに高く、マスコミが消費者物価上昇の"元凶"としてヤリ玉にあげていたことはまだ記憶に新しいところ。

このような野菜価格の変動をくいとめるためには、生産・出荷の安定が必須の条件であることはいうまでもない。国は実効のあまりあがっていないこれまでの安定事業をさらに強化するため、四十七年度にこれを予算化するとともに、この事業の実施要綱をさきに決定、通達している。

この事業の中味は、秋冬期（十月〜翌年三月）に京浜、中京、京阪神、各市場へ出荷されるハクサイ、キャベツ、ダイコンの生産、出荷と価格を安定させるために①生産、出荷の予約を行なった生産者に対して予約概算金を支出するための助成を行なう②計画生産、出荷を確保するために生産者に計画生産出荷奨励金を支出する③計画にしたがった出荷にもかかわらず価格が下落し、安定事業の保証基準を割る結果となった場合、一〇〇％補てん（ほかの品目の場合には八〇％）する④価格がすう勢値価格の二分の一を割る事態が出た場合には一定の条件のもとで市場隔離（加工、飼料用向け、産地での廃棄など）を実施し、これに対して特別の交付金を支出する。

このように生産者に対し、メリットを与えている半面、販売価格が高くなり、すう勢値価格のほぼ一五〇％をこえる場合には国がこれ以上の価格にならないように指導するほか、前記①〜③のメリットは計画的な出荷が行なわれた場合にのみ生産者に与えられるというきびしい条件がつけられている。

全販では、この条件については生産者サイドから問題があるとして適用の緩和を国に要請する一方、この事業への系統の対応について研究会、ブロック会議などを開いて検討を重ねてきたが、このほど推進要領をまとめ、事業の推進をはかることを決めた。

また、確実な出荷をうながすため、全販では県連、農協経由で生産者に予約概算金に当る金額を支払うことにしている。

農作業の事故なくそう

□■購　買■□

使用前後に機械点検を

安全な農作業への関心が、最近非常に高まっている。これは農林省をはじめ関係団体による農作業安全のための啓発運動が推進されていること、高性能農業機械の著しい普及にともない、農作業中または道路走行中における事故が増加していることなどによるものである。

農業機械による事故例は、トラクターの転倒による下敷き、エンジンやプーリー、ベルト、作業機などに巻きこまれた例、ロータリーによる足の負傷、自脱コンバインのキャタピラに敷かれた例など、その事故例は多い。厚生省の「人口動態統計」によって「農耕地における農作業中の不慮の事故による死亡者数」をみると、昭和三十六年に二百四人であった死亡者数が四十五年には七十七人に減少している。しかし、このうち農業機械による事故は三十六年の五・四％から四十五年の二三・〇％とほぼ四倍に増加している。これは死亡者だけの数字であり、負傷者も数えればかなりの数にのぼるものと思われる。

ところで、農作業上の事故防止をはかることは、今後農業の機械化を推進するうえで重要な課題となっている。その対策としては、①機械の点検整備の徹底②農業機械の安全装備の向上③農作業の安全確保のための農業者に対する啓発および指導の強化、などとなっている。農作業安全のための機械運転者がとくに注意しなければならない点はつぎのとおりである。

一、機械の運転操作に熟練すること
二、子供に十分注意すること
三、機械の保守管理を十分行なうこと
四、適正な衣服や保護具を身につけること

このうち、機械の保守管理は事故を未然に防止することにその目的があるのだから、機械の使用前後には必ず点検整備を行ない、つねに機械を安全な状態に保つことが大切。とくに、ブレーキ、ハンドル、防護装置などは、いつも正常にはたらくよう点検整備し、危険防止につとめることが必要である。また、保護具として、機械からの墜落や落下物の恐れのあるときは、頭部を保護するためヘルメットなどを着用することが必要。

そのほか、エンジンやプーリー、ベルト、作業機などに衣服や紐、手ぬぐいなどを巻きこまれないように十分注意し、適正な帽子や作業衣を使用すること。機械作業においては、作業機などの落下、危険物の踏つけ、スリップなどを防止するため適正なはきものを着用することが大切である。

北国の夏の一コマ

北海道・根室市　和田ヤングデーリィサークル　松下要一

日本の東の端、北海道の根室地方も今は短かい夏の盛り。みんなが毎日、牧草の取り入れに汗を流している。

太陽の燃える夏を北海道の牧場で過ごそうと今年も多くの大学生が、私たちの住む根室地方に訪れている。この短かい夏のなかで、みんな慣れぬ仕事に精を出している最中だ。

都会の雑踏をさけ、自然のなかで一時を過ごそうとする脱都会組やバイトで稼いだお金で帰りがけに北海道内を旅行しようとするチャッカリ組など、さまざまな動機をもったいろんな人が来ている。

農繁期で猫の手も借りたい農家にとっては、みんななかなか評判も良い。学生さんのなかには何年間も同じ農家を訪れるという常連組もいるとか。

とにかく、北海道の夏の一コマでした。

ああ、八月の光よ

遠くのほうで耳鳴りみたいに蝉がやかましくがなりたてている。太陽はカッと怒った目を見開くように大地を照らしつける。乾いた土ぼこりが霧のように立ちこめ、汗ばんだ肌に貪欲にすがりつく。まったくの無風状態のなかを静かで空虚な時間が流れる。八月の光に洗われた、ため息のようにフッと消えてゆく一瞬。

八月、それはぼくらの季節だった。のん気なあいつは、大きな麦藁帽子をまぶかにかぶり、澱んだ小川に釣り糸をたらし何かを待っていた。きざなあいつは探険家のようないでたちで避暑地へ向って旅立った。まっくろに日焼けした顔に反抗的な笑みを浮かべていたあいつは、小さなナイフで木をけずり小舟を作っていた。気の弱かったあいつは、親におどされて昼寝ばかりしていた。また、あいつは一匹の蝶を追って隣り町に消えた。あいつは宿題に首をひねって、エンピツを噛んでいた。蛇を飼っていたあいつ。すずめを糸で結んで、いつも肩の上にとまらせていたあいつ。上級生にひっぱられて無理やり野球に連れていかれたあいつ。あいつ、あいつ……。頭上で燃えた熱気。

頭のなかをぐるぐると回転する八月の光。木の葉がカサッと小さな声をもらしたとき、ぼくらは失なった。八月のきらめきを、声を、においを、けだるさを、あせりを……。

ぼくは何年か前『八月の光』という一冊の本を読んだ。それには、八月の光につつまれたアメリカ南部のある町におこったさまざまな人間模様がびっちり描きこまれていた。キリスト教以前のギリシャ的・異教的なきらめきのなかを、貧しくて身重な若い女がひとり恋人を尋ねて旅をしてゆく。また、その同じ光のなかで、白人か黒人かわからぬ男が自己を求めて破滅へつき進んでゆく。じっと動かずに照りつける太陽……。

『八月の光』という小説は、ぼくに何の意味もないカサカサの光の存在を暗示した。ぼくは、ぼく自身を白日のもとにさらけ出し、じっと耐えながら自己にかかわる瞬間を待つだろう。

光と影のまだら模様。長い午後。一台のトラックの疾走。体を凍りつかせるようなクラクションの絶叫。街の亀裂。これは現実なのかと問い返す卑少なつぶやき……。

あまりにも感覚的な八月の光。それでいて、あまりにも客観的に細部まで照らしだす残酷な牙のような八月の光。一羽のハトが錯乱(かくらん)をおこしたのか、狂ったような速さでスモッグをつきぬけ一直線に飛んでゆく。空を見上げたぼくの目を奪うきらめき。ああ、八月の光よ！ぼくはおまえよりも透明だ。(野)

笹笛

青春と仲間

おつぎはあなたの出番です！

礼儀は守ろうぜ
われらの季節に一言

広島県・沖友農業後継者協議会　藤田治之

「全国農村青少年技術交換大会」「全国4Hクラブ員のつどい」など、われわれ農村青年が"生"をかみしめる時節がまたやってきた。

この時節には、いろいろな地域において、県、地区連などでも同じような行事を試みるだろう。そこでわれわれは、昨日会ったばかりの人と歌い、笑い、そして激論をするのだ。

われわれはどちらからともなく生いたちを語り、また、はかなかった初恋の思い出を聞かせられることもしばしばある。一晩中語り、夜明けをうらめしそうな顔をして迎える人も多いことだと思う。

楽しいひととき、嬉しい思い出——その時点では誰しもがそう感じると思う。お互いに発展を祝し、再会を約してその友と別れる。美しい友情が芽ばえたとわれわれは思い感じるのである。

そうして、われわれはそれぞれの田畑へ帰る。われわれは、四、五日遅れた仕事に精を出しているうちに忘れるのである。あのときの感激を、あの友情を、若い百姓の連帯感を……。なぜだろうか。

私は4Hクラブ員になって三年目である。いままでに「技術交換大会」「青年農業者会議」と二つの全国大会に参加した。そして、型どおりの感激を味わい、友情を覚え、仲間としての意識に溺れんばかりであった。

そのときの友に感想文を送ったり、意見交換を求めたりした。友情を信じてそうしたのだ。ところがどうだろう。返事がくるのは二割ぐらい、なかには写真代を前納したにもかかわらず"なしのつぶて"という人もある。また、自分が写した写真をせっせと送ってやったのに「ありがとう」の一言すら言ってこない。

なぜそんなになるのか。忙しいから、郵便代が高いから、手紙を書くのがおっくうだから、将来役に立つ相手じゃないと自分を判断したから、などなどと私は考えてみたがいっこうにわからない。

生産者米価の値上げにしても、農産物の自由化反対にしても、農民、それもわれわれ若い農業者が連帯し、協力していかなければとても実現はおぼつかない。そんなことを語りあって、共にやろうと堅く手を握り、帰ってきたわれわれだったのに……。

今年もまた多くの仲間が出合い別れてゆくだろう。せめて写真の礼状、年賀状ぐらいだす礼節は守って欲しいと思うのである。これを農村青年に問うと同時に望む。

あきらめる前に体あたりを

神奈川・ひびき4Hクラブ　小泉浅太郎

「しようがない」「しかたがない」という言葉が、近頃、若者たちの間で頻繁に使われている。漢字では「仕様がない」とか「仕方がない」とでも書くのだろうか。そんな言葉ばかり使って、あきらめの境地に立っている若者——あんまり魅力がないな……。たとえどんな気持でその言葉を言ったとしても伝わってくる響きにはやはり魅力のうせたものだ。

「しかたがない」という言葉もまた同様に感ずる。何事にも難しい点はいくつもあるだろう。しかし、その難点を切り抜けるには、「なすすべがない」とか「方法がわからない」と手をこまねいているよりも何でもいいから考え、創造し、体あたりしてみるべきではないのか。そこに「仕方」や「方法」が見つけだせるのではないだろうか。

現在のクラブ活動においても、この言葉が多すぎるようだ。あきらめる前に、まず体あたりを。そして、理由、原因、問題点を見つけ出し、再度挑戦してみよう。

わが青春論

大阪・千早赤阪4Hクラブ　浅野知子

青春——なんとも漠然とした言葉ですね。でも、とってもすばらしい言葉だとも思います。

青春イコール若さかしら？若さイコール悩むことかしら？それとも純粋であること？いったい青春ってなんなのかしらね。

青春とはこういうものだとひとつの言葉では言いあらわせないでしょう。でも、子供からおとなへの脱皮とだけは言えるような気がします。

青春っていうのは、やっぱり、どんなことにも前向きの姿勢で取り組めるってことじゃないかなあ。未知の世界に向かって大きな夢と高い理想を持って歩みだすとき、人間は生き生きとした喜びに心を躍らせるにちがいない。

夢は青年の有する美しい特権である。また、自分がやりたいと思ったとき、ちゅうちょせずたとえ失敗に終ろうともすぐ行動に移せること、それも彩と青春のなせるわざでしょう。あなたも周囲を気にせず、自分を思うままに見せつけるといい。

何歳になっても正しいと思うことをやりとげられる人は立派だ。とかくおとなになるにつれて、正しいことすら正しく思わなくなったり、また追求したり、考えたりする意欲がなくなりがちなものである。

これじゃあ、青春とは言えません。そこで、私は、いつまでも意欲を持ち、熱意をもち、努力していくことを心がけたいと思います。もし、それが可能なら、私はいつまでも青春を手中に握っていることにもなりますからね。

落日 (11)

山中康司　栃木・小山4Hクラブ　農民文学会会員

人手のない芳男の家が手遅れする時いつも助けてくれるのは西隣りの家だ。田植の共同作業を一緒にやってきたのは十軒からなる隣保班の人達だ。母屋の建て直し、冠婚葬祭の手助け、農薬の共同散布、これを一緒にしたのもまた隣保班だった。妹が交通事故にあった時逸早くかけつけた人は本家の親父だ。隣人を愛せ。この言葉こそ芳男の信じて疑わぬものだった。営農集団は必要にして生まれた組織ではない。部落の青年が若気にまかせて、世の人の注目をあつめるために、一種の虚栄心からあんなバカでかい機械を入れたのだと芳男は思った。茂夫は俺達の幸福はつまるところ金だといった。女だって車だって金次第でどうにでもなる。金を取るためには農業経営の合理化が必要だ。農業規模を拡大するためには農業をやりたくない奴はどんどん止めた方がいい。そのかわり俺達が企業的経営をして規模拡大して行く。他人(ひと)は他人、自分は自分、営農集団は一致団結して頑張ろうといった。だが隣近所はどうでも、自分さえ、自分達さえ成功すれば、それで幸福だといえるのか。それが繁栄ということなのか、真の幸福はそんなもんじゃない。弱肉強食の論理がどうしてこの世の法則であって良いものか。芳男がこの営農集団にもっとも望んでいるのは思いやりの精神だった。助け合いの精神だった。それが共同の基本だと思った。だが現実の仲間はお互い同志できずつけ合ってきた。運営は茂夫のワンマンだったし会計はまったくルーズだった。運営方法には青年らしい正しさが一つもなかった。皆が皆要領よく立ちまわっていた。共同化による部落農業の改革とも茂夫はいったが芳男は信用できなかった。いっそのこと営農集団は解散した方がいい。芳男はそう思っているのだったが、この場ではさすがに口に出すことはできないのだった。

「芳ちゃんなんか頭がいいし百姓にはもったいないからその時は学校の先生か役所にでも勤めたらよかんべな」

そういう皮肉に答えることさえできずにいた。

「芳ちゃんさっきから黙ったままだけど、まさかおめえ今度の計画反対じゃあんめえな」

茂夫が念を押して覗いた。

芳男は勇気を出した。酒の力も借りた。いくらか残っていた冷たいコップの酒をぐっと飲んだ。

「俺、今度の計画から除かせてもらう」

比較的滑らかに出た言葉の意味は、営農集団を止めるということ。今後部落の青年との交際はいっさいたつということであった。ほんとうは孤立することだった。目がねの丸顔はうなずいていたがみんなはハラハラして芳男を眺めていた。立ちあがった芳男のひざは震えていた。頭がいくらかクラクラしていた。

闇夜の空に星はなかった。火の見のガス灯が白んでいた。公民館の庭には立派な車が沢山あった。それらは会社の重役が乗るにふさわしかった。廃家同然の公民館の中から仲間の声が聞こえていた。芳男は酔っていた。フラフラ自分の車に近ずいてやっとの思いで乗った。やけに寂しかったがこらえて帰ったのである。

あんな人こんな人

人間性を重視しよう

小笠原栄　青森

「わが県においては、クラブ員が主体性を持った活動の経験が少ないため、クラブ活動運営のテクニックに大きな欠点がある」とくそまじめ(？)な顔つきで語る男性。

彼は本州の最北端の地、青森県の人である。景勝地として全国にその名をとどろかせている十和田湖のすぐ近くにある十和田市、彼はそこで農業に、4Hクラブ活動に日々励んでいるという。

彼——小笠原栄君。昭和二十三年生まれの二十三歳。カク刈り、まゆ毛が濃くシンの強そうな風貌の持ち主。彼は現在、青森県農村青少年クラブ連絡協議会の会長である。彼が4Hクラブについて語るときの真険なまなざし、それはとりもなおさず県連会長として4Hクラブ活動を見つめる責任ある視線というべきだろう。

「いかにして個々のクラブ員の自主性を引き出し、主体的なクラブ活動に結びつけるか。それが現在の私のもっとも大きな悩みである」と小笠原君は青森県の4Hクラブ活動について語る。

小笠原君は4Hクラブ活動の本質的な問題点を[illegible]、それを克服して未来へ向かおうと語り続ける。「4Hクラブは生産研究集団(または経営研究集団)としてだけでなく、社会教育の場としての側面も兼ね備えている。本来的にはこれを一本のものとしてとらえねばならないのにもかかわらず現実的には双方の側面が別々にとらえられているような気がする」彼はここも重要な点だという。

「普通いかなる組織活動においても、組織としてのエゴイズムが発生するといわれている。4Hクラブの場合、歴史的な因習もあって経済的、技術的な要望だけでクラブ活動そのものを評価しようとする傾向がいまだに強い。それが4Hクラブにおけるエゴイズムであり、広く農村社会、また、農村青年に対しての説得力に欠ける大きな原因になっているのではないかと感じるが……」小笠原君は続けて、これからの農業者には国際的視野と、個人の力でできない事柄について団結しようとするような人間性が必要なのだと力説する。

結論として「クラブ活動においては、ひとつひとつの生産活動や行事が青年の4H(とくに人間性)の発達にどのような効果を与えているかについて厳しく観察しようとする態度を持続することが必要だ」と小笠原君は語り、4Hクラブ活動が有している教育効果を伸ばそうと強調する。そして、役員は4H活動が教育の方法論的側面をもっているということをもっと理解すべきだという。

話しは飛ぶが、この辺で小笠原君の家の経営状況をのぞいてみよう。彼の家では水田一二〇アール(全部減反)、長芋六五アール、小豆など四〇アールを経営している。労働力はほとんど小笠原君ひとりだということだ。

小笠原君の住む地域でも彼の家の経営規模、あまり大きくないという。そこで彼は、高収入を得るために家族経営を越えた大規模経営をめざして毎日仕事に精を出している。その第一歩として彼は、雇用労働力の確保に努めている。現在のところ年間雇用労力は六十人であるが、将来は大幅に増したいという。

九月からは減反水田六〇アールにニンニクを植えつけて栽培する計画をたてて、いまからいろいろと準備しているらしい。また来年度からは長芋を一反に、小豆も一～二反に増やし、所得五百万円をめざしてがんばるつもりだと彼は明るく笑う。

そんな彼、社交ダンスが趣味だ。なかでも、タンゴを得意とするイキな人。ナツメロと若人の歌、彼はどちらも大好きだそうだ。十和田の湖面を今日も彼の歌声がさざ波のように走っていることだろう。その波が彼の大いなる未来に届く日もそう遠くはあるまい。(十和田市伝法寺字泉田七〇ノ五)

社交ダンスが得意！

(たち見席) 小生の女性恐怖症(その1)

去年の十一月のある日にさる所でダンスパーティーがありやんした。小生にとってはこれが4Hクラブに入会してから初めてのダンスパーティーでやんした。小生の知っているダンスといえば、学校で習ったフォークダンスぐらいなもんでやんす。

フォークダンスといやあ、それが小生と初対面のダンスでありんした。そのころ小生はなぜか女の子というものが恐しくてしょうがなかったもんでありんした。小学校時代は、女の子ににらまれ、教室のすみで毎日さびしく暮らしたものでありんした。また中学校もしかりでありんしたね。

小生の卒業した中学校では運動会にフォークダンスをおどるが常でやんした。それで運動会が近ずくと、いつもダンスの練習をさせられたものでありんした。小生は、その練習の時間になるといやでいやで、何かにつけて休んだもんでやんす。しかし、運動会には、とうとう出るはめになってしまったんでやんすよ。

小生、女の子の横に立っただけで動悸がし、続いて息切れがしてきたんでありんす。おっと、小生、言いわすれやんしたが、女という字を見ただけでもジンマシンがでてくるでやんすよ。

しかし、どうすることもできんでやんす。小生は手をつないで踊り始めたんでやんすよ。なにしろ小生、生まれてこのかた母と姉ぐらいしか異性とは手をつないだことはないんでありんす。てなもんで、手には汗がびっしょり、顔は川のように汗が流れてやんしたね。目はぼやけ、足もとはふらついてきたんでやんすよ。

しかたなく小生、女の子に「お手をおはなしください」と言ったんでやんすよ。しかし彼女は、なぜか手をはなさないのでありんす。そのうち小生、ボォーと頭がしびれてきたんでありんすよ。

そこで小生、また彼女に言ったんでやんす。「お手をお放しになってくださいませ」

—つづく—

(栃木・足利地区青少年クラブ協議会　一クラブ員)

◀投稿案内▶

本紙は、全国クラブ員の準機関紙として、みなさんに大いに利用していただきたいと考えています。

クラブの催しや個人のプロジェクト、詩、短歌、随筆、写真、悩みや意見、村の話題、伝説、行事、お知らせ、小説、その他なんでも結構ですから原稿にして送って下さい。

❶長さや形式は自由です❷できるだけ記事に関連した写真をそえて下さい❸送り先　〒105 東京都港区西新橋1の5の12　佐野ビル内　日本4H新聞編集部

日本4H新聞編集部

日本4H新聞

4Hクラブ
農事研究会
生活改善クラブ
全国広報紙

発行所
社団法人 日本4H協会
東京都港区西新橋1の5の12
佐野ビル，〒105
電話 (591) 1817・3683
編集発行 玉井 光
月3回・4の日発行
定価 1部 35円
一カ年 1200円 (送料共)
振替口座東京 12055番

クラブ綱領

私達は、実践を通じて自らを磨くとともに、互いに力を合わせて、よりよい農村、よりよい日本を創るため、四つの信条をかかげます。一、私達は農業の改良と生活の改善に役立つ腕をみがきます。一、私達は科学的に物を考えることのできる頭の訓練をします。一、私達は誠実で友情に富む心をつちかいます。一、私達は楽しく暮らし元気で働くための健康を増進します。

4Hの祭典 いよいよ本番

来る28日から北海道内で開幕

史上最大のスケール

4Hクラブ員の一大祭典——「第八回全国4Hクラブ員のつどい」は、いよいよ来る二十八日、四泊五日間の日程で北海道を会場に、花々しく幕を開ける。主催者＝全国4Hクラブ連絡協議会（会長松浦幸治君）北海道4Hクラブ連絡協議会（会長中山寿雄君）社団法人日本4H協会（会長 宮城孝治氏）＝では、すでにほとんどの準備を完了し、あとは二十五日から札幌市の北海道青少年会館内、北海道連の事務局で諸資料の袋詰めや最後の打合わせなどをして、全国の仲間を待つだけとなった。今回はとくに、開拓百年の歴史を秘めた夏の北海道という魅惑的な地理的条件も加わり、本土復帰なった沖縄から四名のクラブ員が初参加するなど参加県連、人数（約二千五百名）とも史上最大の規模となっている。また、会場が広範囲にわたることから、つどいの中心行事である現地交歓訪問を日程の最初にもってきて、直接現地で受付けをすることも初の試みとして今回の特色となっている。さらに、さきの冬期オリンピックで使用された会場で行事がくりひろげられるほか、開会式も「ウエルカムフェスティバル」と銘打ち、自然に溶け込んでいけるように工夫が凝らされている。広大な自然の中で全国の仲間と交流する参加者にとっては意義深く、明日からの農業経営やクラブ活動にまた新たなファイトを燃やすものと期待される。

農業に明日はあるか 講演

講師に伊東氏

つどい三日目に行なわれる講演の講師と演題が、このほど決定した。

講師は、経済評論家の伊東光晴（みつはる）氏で、テーマは「農業に明日はあるか〜国際化時代の日本農業〜」である。国際化時代を迎えてクラブ員が明日の農業に不安を抱いているときだけに、講演の内容は大いに期待されよう。

伊藤氏の略歴　昭和二年東京生まれ。東京商科大学（一橋大学）を卒業、同四十四年東京外語大学教授を退官。以後、評論・研究活動に専念している。

NHK総合テレビ「一億人の経済」にレギュラー出演するほか、新聞・雑誌などで市民の立場に立つユニークな経済理論を展開している。アメリカの消費者運動の旗手、ラルフ・ネイダーの紹介や公害問題の告発などにも力を入れている。

主な著書　「大量消費時代」「ケインズ」「経済学のすすめ」「新しいインフレーション」「保守と革新の日本的構造」「現代の資本主義〜やさしい経済セミナー〜」

堀見さんらパネラー5人が決る

つどい主催者では、第三日目の午後に行なうパネル討議のパネラーを全国から募集していたが、このほど次の人たちが決まった。

▽大谷重雄(三七)　栃木県塩谷郡高根沢町栗ヶ島八二〇（栃木県青少年クラブ協議会副会長）▽上山信夫(三七)　和歌山県海草郡下津町大字小畑三五二▽堀見とし(三七)　高知県高岡郡佐川町柳瀬（全国4Hクラブ連絡協議会副会長）▽梅津正和(三七)　北海道稚内サラキトマナイ▽有田英二(三二)　北海道静内郡静内町字東別

なお、パネル討議のテーマは、「どうする 4H!!」

主な日程

一日目〜三日目の午前中まで　石狩、空知、上川、後志、胆振、日高、留萌の各支庁内のクラブ員宅に宿泊しての現地交歓訪問

三日目　午後から札幌市の厚生年金会館ホールでウエルカムフェスティバルとパネル討議。このあと定山渓温泉に移動し入浴・夕食に続いて交歓の夕べと自由交流

四日目　午前と午後「北海道の姿を見つめる」と題して散策、札幌市内や北海道開拓記念館、野幌森林公園などの会場を移動しながら話し合いをする。午後六時から大倉山でファイヤー。

五日目　厚生年金会館ホールで午前九時半から記念講演とお別れのつどいを最後に閉幕。このあと希望者が道内研修としてバスで道内の観光地めぐりに出発する。

4H会館建設でOBが協議

問われる同志の団結

建設、自力ではムリか

4H会館の建設をこんごどのような方法で展開していくか——日本4H会館建設委員会（委員長 岩崎茂全協初代会長）と全国4Hクラブ連絡協議会は、さる八、九の両日、全協の歴代役員を東京・渋谷区のオリンピック記念青少年総合センターに招いて協議した。

主な協議事項は①経過と現状②会館の基本構想③組織体系のあり方④関係機関との連けい⑤こんごの活動の展開方法などであった。

しかし、出席者が少なく、発言内容も建設の推進や募金促進のキメ手となるようなものはみられず、会館建設というクラブ員に課せられた歴史的な一大事業の遂行の困難さを感じさせた。

とくに、この席で指摘または強調された点は①県連と全協の役割の明確化②全協と会館建設委員会の関連③建設委員会の再編成④募金の行詰まりによる育成指導機関・団体への協力要請と会館の名称⑥成果を上げた募金活動の事例紹介⑤会館建設に対するクラブ員の意識向上などであった。

この討議内容をもとに、これから全協執行部で再検討していくことにしているが、なかでも他団体への援助要請がこのような公式の席で表面化したことはさいきんでは余り例がなかったもの。これはクラブ員の力だけでは会館建設はムリ、という判断を前提にしているものと思われ、全国クラブ員の会館建設に対する熱意と仲間意識が問われ出したもの と受け とれる。また、これと関連して名称問題も取り上げられたが、会館建設という結果が先行し、建設を通して4Hクラブの啓発とクラブ員の自主性の確立をはかり、全国のクラブ員とOBが結集しようという、プロセス重視の意識低下が感じられた。

涼風暖風

土ふまず

我が家を出て、買い物をして我が家に戻って来たのであるが、その間全々土をふむことがない。余程のことがない限り雨靴も不用である。靴はよごれないし、ヘリかたも少ない。それは殆んどの道が舗装されているからである。それも殆んどアスファルト舗装である。こんなことは、とりたてて言うことではないのであろう。都会ではどんな狭い裏道でも、アスファルトがべっとりと流されている。

最近は、モータリゼーションの発達とともに、地方に出かけても、ドライブが楽しくなる程に、道路がよくなった。幹線はいうにおよばず、農家の庭先まで土をふまないで歩けるようになった。農村の生活環境の整備の一つとしても、道路の舗装が取り上げられているが、このこと自体は、誰も疑わないことであろう。

ところが、折々土が恋しくなるのは私一人ではないであろう。日曜日など、土のふめるところがないだろうかと、土を求めて歩き回るが、我が家の囲りでは見あたらない。靴の裏から足に伝わる土の感触がたまらなくなつかしい。探し歩いているうちにアスファルトを割って雑草の伸びているのをみかけた。何と自然の力の偉大さに驚くとともに、厚ぼったいアスファルトに〃ザマアミヤガレ〃と言いたい思いがする。

そこで、こんなことを考えたのであるが無理なことだろうか、それとも夢物語だろうか……。舗装といえば、殆どアスファルトであるが、産業道路や幹線はこれでよいであろう。それとは別に、生活道路については一工夫できないものだろうか。

例えば、道いっぱいに舗装しないで、歩くところだけ舗装するとか、また煉瓦や、セメントの敷石で飛び石のようにするとか、また小石を道によって、またところによって使いわけができないものだろうか。

こう考えていたところ、最近我が家のそばの川添いに、歩行者、自転車の専用道路ができた。いわば車の通らない生活道路である。そしてそこは経費の関係かどうか知らないが、小石が沢山敷きこんである。雨が降ると、大地にしみこむ雨水に濡れながら歩くのもたのしみの一つ。ふだんは少々靴のへり方が早いが、足からつたわる大地の感覚が、朝は力強く、夕べは疲れをいやしてくれるようだ。(T)

「つどい」の意義を知ろう

福岡県連で事前研修

福岡県農村青少年クラブ連絡協議会（会長 古沢奎勇君）は、このほど開いた理事会で「第八回全国4Hクラブ員のつどい」の事前研修はじめ女子研修会、青年農業祭、草の根大使の受入れなどについて協議した。

まず、全国4Hクラブ員のつどいには、古沢県連会長ら百六十一名が参加するが、ただ参加するというだけでなく、つどいの意義を知り、楽しく有意義になるよう留意してもらうことにした。

また、十二月の青年農業祭や全国4Hクラブ員のつどい誘致の足がかりにするために、出発の日の八月二十六日午前十時から福岡市中央区の電気ビルで事前研修することに決まった。

内容は結団式、班編成や班別討論会、つどいの意義の講習、全体会（諸注意など）で、このあと二班に分れて出発する。

一方、十二月三日から二泊三日間の予定で行なう青年農業祭は、筑豊地区（鞍手、田川、直方、鞍手）で開催することにした。

主な内容は、農産物展示、即売会、パネル討議、意見発表、農業視察、ヤングフェスティバルなどを計画し、筑豊地区の実行委員が案を練っていると報告された。

また、草の根大使の受入れ先きについては、糸島郡の永田由美子さんと柳川市の成瀬さち子さん宅が決まった。県協は、歓迎会、リーダー研修会、県知事との懇談会も合わせて十一月中旬に行なうことにした。（大庭茂弥 連絡 報道員発）

心頭技健

北海道といえばペチカが赤々と燃える冬も情緒的だが、やはり夏がいい。ツユがないためにカラッとしていて、雄大な眺めは大陸的でもある。二、三日前、東京で三十度を越すムシ暑さにフーフーいっているとき札幌は二十二度だと道内のクラブ員が伝えてきた。そして暑さを逃がれて本土からきた若い女性たちで賑わっているという▼この北海道で、いよいよ二十八日、首を長くして待った4Hクラブ員の一大祭典「第八回全国4Hクラブ員のつどい」の幕が切って落される。参加者約二千五百人、参加県連ともにこれまでのつどいのうちで最高。文字通り史上最大の4Hフェスティバルだ。ふだんでも4H色の濃い同地は、さらに多くの4Hの旗で飾られることになろう▼とくに、クラブ員宅に宿泊しての現地交歓訪問は見もの。北海道では水稲であれば十紗くらいの広さはザラだ。大型トラクターなどの機械化による大型農業は参加者をうならせるに違いない。また、開拓百年の歴史も、参加者に新たなフロンティアスピリット（開拓者魂）を再認識させるのではなかろうか▼さらに、つどい終了後に実施する道内研修、いわゆる観光地めぐりの旅も興味がもたれる。これは道連が参加者に便宜をはかるもので、四十人に満たない場合は中止する予定であったが、フタをあけたらなんと参加者の約一割の人たちが申し込んだ▼しかし、ただ参加 して面白かったというだけでは、つどいの意義は半減してしまう。このつどいは、農業技術の勉強とともに4Hクラブと自主的な精神、そして家族ぐるみの4H活動を全国に広げるための起点にしようという願いがあるのだから……。

若い熱気松島に爆発

第12回全国農村青少年技術交換大会
宮城

〃松島やああ松島や松島や〃芭蕉がこう詠んだその松島に全国から千五百余名の農村青少年たちが続々と集まってきた。まっ青な空と海のなかに浮かぶ濃い緑の島々。強い日射しに目を細める仲間たち。松島中が若い農業者の熱気でいまにも爆発しそうであった。

「第十二回全国農村青少年技術交換大会」は、さる八月三〜六の三泊四日間にわたり、日本三景のひとつである宮城県の松島町一円で開催された。主催は、全国農村青少年教育振興会（会長 東畑精一氏）、宮城県、同県農村青少年クラブ連絡協議会（会長 門馬忠君）の三者で、後援は農林省、NHK、仙台市ほか。また、参加者は全国の農村青少年、関係指導者、大会運営委員などあわせて千五百余名であった。

〃肩をくみ ともに築こう 未来の農業〃という大会スローガンのもとに、参加者は明日の農業に向ってみずみずしい若い力を景観・松島全域に発散させていた。

地域開発も論議

青森・三沢地区連の大会　雨吹飛ばす若さ

【青森】三沢地区農村青少年クラブ連絡協議会（会長 柏崎進一君）と三沢地区農業改良普及所の共催による「第十二回三沢地区農村青少年技術交換大会」が、このほど二日間にわたって、上北郡上北町小川原湖畔キャンプ場で十五の単位クラブから八十余名が参加して開催された。

「考える若い力よ 手をつなぎ 共に築こう豊かな農村」のスローガンのもとに、一日目は午前九時から開会式が行なわれた。そのあとテント設営に移り、午前中は技術競技。普及所で作成した水稲、野菜、畜産、生活改善の四部門にわたる五十の設問に対し参加者全員が解答。テント設営も技術競技の採点の対象とあって、クラブ員は猛ハッスル。

午後は「友と語る会」で、グループ活動の交換と参加者相互の友情を深め合った。今後のクラブ活動のあり方を中心に、嫁さん・婿さん問題、マスコミにも活発な論議を呼んでいる小川原開発をめぐる諸問題などかなり活発な意見の交換がなされた。

夜は小雨混じりの中でキャンプファイヤー。雨を吹き飛ばすように燃えるファイヤーを囲んで、つぎつぎに出されるスタンツに声援を送っていた。だが、キャンプファイヤーが進むにつれて強くなる雨にみんなうらめしそうな表情。

二日目は、体力作りの一貫として地元の神社へ早朝ハイキング。クラブ員全員が今後の地区連の発展と健康を祈願した。九時半から演示発表とプロジェクト実績発表大会が行なわれ、プロジェクト発表では「休耕田を利用したドジョウの養殖」を発表した小川4Hクラブの利田等さんが最優秀賞。

午後は小雨降る中、激励にかけつけてくれた県連会長の小笠原栄さんをまじえ野外レクリエーション・フォークダンスを楽しんだ。そのあと反省会を開き、四時過ぎから閉会式に入った。技術競技大会の入賞者の表彰と、長年の間クラブ活動に貢献した下田町あすなろ4Hクラブの成田富枝さん、三沢市若竹4Hクラブの宮古久光さんの二人に地区連会長から感謝状が贈られた。（山崎節子連絡報道員発）

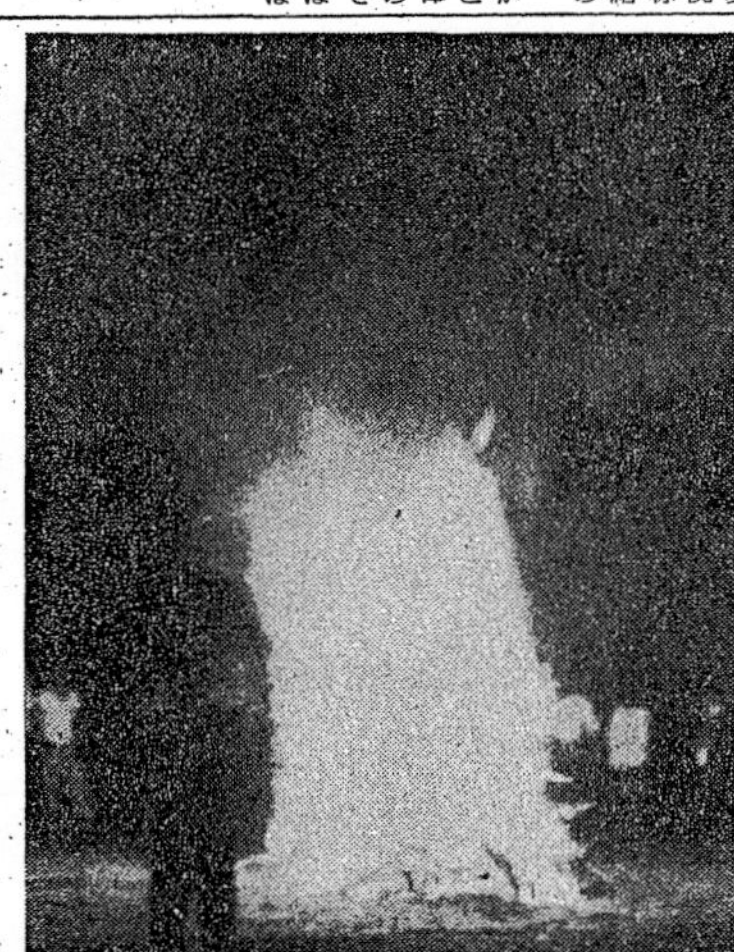

夜空をこがす青春の炎
＝三沢地区大会のキャンプファイヤー

豪雨被災地に救援米

上益城地区連

【熊本】上益城地方農村青少年クラブ連絡協議会（会員百四十人・会長 米田幹男君）は、さきの七月豪雨の被災地に救援米を贈ろうと一人一・八キロずつ米を持ち寄り、集まった二百キロをこのほど県の災害対策本部に届け、関係者から感謝されている。

OLとの交歓にニコニコ

小田原クラブ員

【神奈川】小田原農業改良クラブ（会長 遠藤国雄君）では、このほど二日間にわたって、「若いこだまをまじえよう」という呼びかけのもとにクラブ員や会社勤めの女性など約五十五人を集め、同県の遊仙峡キャンプ場でキャンプを行なった。同クラブは男性ばかりなので、明るい女性の声を聞いて全員がニコニコだった。

あ視点

視野広め経営手腕を養え

クラブとリーダー〈2〉

原田 正夫

第二に、われわれのクラブは農業、農村にかかわりをもったクラブであるということについて。

歴史の流れはさまざまである。戦後の激動期、農業改良助長法の制定にともない農業の改良、生活の改善、青少年育成を柱とする改良普及事業の一環として、当時、米国はじめ六十ヶ国余りで行なわれていた4Hクラブ活動が多少形を変えて導入されたと聞く。以来二十五年もの間、多くの先人たちの果たした役割はクラブのみならず他方面に及んでいると思う。たしかに、なりふりかまわず食糧不足という国民的課題にむかってクラブを通して黙々として土ととりくんできた姿は決して人間らしいものでなかったかもしれない。

しかし、当時日本農業、いな日本を支えたのは政治家でもなければ、エライ先生方でもなかったはずだ。たしかにあとに続くわれわれにバラ色に輝く農業を伝えてはくれなかったが、クラブを通して増収技術を学び、農村の民主化の必要性を感じ、がむしゃらに働きつづけた先人が、ひん死の日本を支えてきたと思うのである。それがまた、当時クラブ員にかせられた使命でもあったろう。

さて、それではわれわれにかせられた使命とは、われわれのとりくむべき今日的活動とはいかなるものであるのか。機械化農業ということばさえも古いものになり、コンピューター農業などという時代に突入せんとしているときである。

よくいわれることだが、いわく時代を先取りする力を持て、いわく国際感覚をもって世界を相手にする気持ちになれなど。端的にいえば幅広い視野をもった農業者になれということである。

例えば、競走馬はゲートインからただ一目散に走ることだけを役目にしている。とくに臆病な馬にはマスクをかけ、眼だけ出し視野をせまくして走ることに専念させている。習性とはこわいもので、いつの間にか人の手をかりずに動くことができなくなってくるとか。大牧場でのびやかに自然をながめて育つ馬や牛は何をするにも一人?で動き回る。

かつては4Hにしがみついていれば増収技術は習得できるという特典が一つの決め手となり得たであろう。しかし、いま技術知識だけではどうにもならない状態になってきつつあるように思える。

先述のごとく、ひとりよがりでなく仲間と語り、行動することによって、彼らの意見、考え方、生き方をさるマネでなく、ろ過し、吸収してゆくことは必ず成長に結びついてゆくであろう。その上に広く子供会、婦人会、老人会、他産業従事者などと接することは、より幅広い視野を身につけるに役立つにちがいない。技術、知識を習得するだけでは頭でっかちで、賞品に乗用車をもらっても免許がなくて運転できないようなものであって、そのすばらしい技術などをいつ、どこで使っていくかという応用力、考察力がなくてはどうにもならないわけである。

最近、大学出の農業者、それも農学部ではなく、経済、商学経営学部のようなところで勉強をしてきた青年が成功している事例が多くみられる。また、農村を離って、あるいは他人のメシを食うことを目的としてか、一時期都会に出て他産業に従事した人びとが同じく成功していることも知っている。これらを考えるまでもなく、企業にみられる合理性、経営手腕というようなものを身につけていかねばならないということになる。

（全国4Hクラブ連絡協議会副会長・大阪）

「6円が運ぶ、仲間の声!!」

赤松　宏▶11

美しい紙面作りは編集マンの段も苦心するところである。いままで美しい機関誌作りについて多々記してきましたが、これをより一層美しくするために知っておいてもらいたい要素がある。女性を化けさす化粧の道具のようなものと考えれば良いのかも知れない。でも、化粧の場合は、好き嫌いがあるが、紙面を美しく化粧することは誰が見ても良いものです。まあ、冗談は別にして、その要素になるものは何かということになろう。それは鉄筆であったり、ガリ版であったりするような用具なのです。

鉄筆について考えてみると、細字用、太字用、その中間、点線用、一点細線用など種々あります。また、ガリ版についても専門的な記号になるが、C形、X形、CX形、絵画形など二十数種あります。これらの鉄筆、ガリ版の目を上手に利用し、それぞれの用途に合わせて利用するとおもしろく美しい紙面ができあがると思う。

次に、インクについて少し触れてみる。印刷の技術になってくるわけだが、インクの乗りが心配なものである。インクが薄くてやっと見えるもの、濃すぎて、闇がつぶれ判読が困難なような機関誌はさまにならないものです。

インクの乗せ方の技術に慣れることによる以外はないような気がする。インクの乗せ方についてば実際に、そのときの温度によりインクの濃度が異なったり、のび方が違ってくるため腕で覚えてもらう以外にはないわけだ。また、インクの濃度を低めるためにはインクにシンナーなり、それに似た液を使用してうすめる方法などがある。とくに裏表印刷の場合などは、あまり、インクの濃度が濃いと表面の印刷が裏面にまで影響がでるめに適度にうすめて使うことが必要になってくる。

次に、インクで考えられるのは多色を使った印刷についてですが、印刷の技術が進んでくると、人間ってよくばりなもので何色にでも印刷してみたくなるものです。しかし、あまり多く使うとみにくくなってきます。「過ぎたるはおよばざるがごとし」のたぐいです。色をつかうせいか、「色気違い」なんかと思われるかもしれない。気をつけたまえ、色には多色刷をすると、そのもの自体がカットの役割をする場合もあるが、カットとして色インクを使用する場合は、本文よりもインクはうす目に使うよう心がけたいものです。カットが前面に出てきますと意味がなくなります。以前に言いたように、カットはあくまでも本文を助けるというところに目的があったはずです。

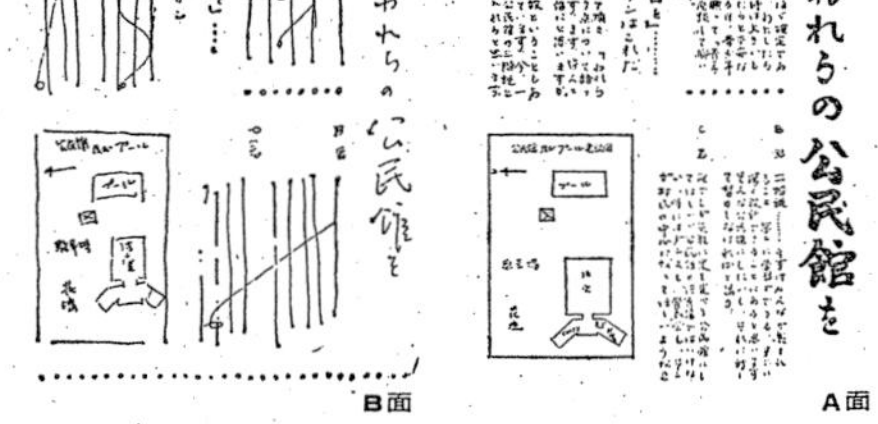

見易く感じ良く

「機関誌」の美しい紙面作り　インクの配慮も

今までに何度か割付という言葉を使ってきましたが、大体の意味は判るかと思うが、新たに機関誌に取り組む人、いままで機関誌作りに取り組んできた人の中にも割付とはそれはどんなふうなものか詳しくはわからない人が大部いると思う。今回は実例を記して考えてみたい。

私がふだん使っている原紙はあまり種類は多くないと思っていますが、次の三ミリ方眼、四ミリ方眼、五ミリ方眼、三ミリ原稿タテ書、四ミリ原稿タテ書、三ミリ原稿ヨコ書、四ミリ原稿、ヨコ書の七種類ほど使用している。みなさんの前にこれらの原紙を提示し、見て頂けたら良いのですが、残念である。

私は、これらの原紙のかわりに私製の割付用紙を作っています。この原紙にはタテには何行入り、ヨコには何文字入るかといった原紙同大のものです。各自工夫して作ってそれに合せて割付けするとよいと思います。

「割付」の本題に入ることにするが、文章ではなかなか説明が困難なため事例をもとに考えてみたい。まず上図のように割付をするわけです。図は五ミリ方眼の目盛りです。この目盛に合っただけ文字や図を適ぎに入れるわけです。ガリ切りする以前に紙面の感覚をつかみ、見易く、感じの良い紙面を作るためのまず第一歩になるわけです。

そして割付されたものをAめんのようにガリ切りしていくわけだが、そうするとぶっつけ本番のような適当な感じの機関誌にならず、重みのある、美しい紙面にできあがる。

次に「ページ数のつけ方」ということを考えようと思います。先に申したとおり目次のない機関誌をなくするためのものであり、それが割付や編集上正しい機関誌作りをするために必要であるからです。何をいってるのだというかも知れませんが図のようにページ数のつけ方にも簡単なルールがあるのです。何のことないタテ書の書物は右側に40の数字で偶数、左側が41で奇数、ヨコ書きは左側偶数、右側が奇数です。もったいつけずにいってしまうと書きだしのページが偶数になるようにすることです。こんなところにも気を配ってほしい。

(カットも筆者・北海道4Hクラブ連絡協議会前会長)

機関誌の印刷　インクへの挑戦

アイデア抜群デス　北九州地区の大会

汗だく徒走ラリー

【福岡】北九州地区農村青少年クラブ連絡協議会(会長　広渡秀雄君)と北九州農業改良普及所の共催による新農業者総合ゼミナール技術交換大会のつどいが、さる七月二十八、二十九の両日、クラブ員四十五名、改良普及所の職員十七名が参加して、北九州市小倉区平尾台で開かれた。

当地はカルスト台地で有名なところ。公害のない澄んだ空気と雄大な景色を眼下に見おろしながら参加者は各競技を通じて親ぼくを深め合った。

第一日目は、午後三時から技術競技として〝徒歩ラリー〟が行なわれた。これは、普通作、果樹、野菜、花、経営、生活の各部門について審査、鑑定、診断の各種目を競うもの。一周約一時間のコースで地図を頼りに三人一組で五分おきに出発。六か所に問題がおいてあり、正しい解答と時間の早い組が優勝となる、なかなか変ったやり方であった。「なかなかいいアイデアだ」という意見や、炎天下で汗びっしょりになってカヤをかきわけ、〝衣(い)蛾〟に刺されて「何でこんなことをするんだ」というグチも聞かれたが、全体的にみればまずまずの成功。

夜はキャンプファイアーを囲んで、各4Hクラブが歌や寸劇でみんなをわかし、お互いの親ぼくをより深め合った。

二日目は、午前八時から四班にわかれての意見交換。テーマを決めないで自由に話し合った。小使い銭のことや経営の問題、結婚についてと、なかなか話題はつきない。「何のために農業をやっているのか?」「農業をやるなら先を予測してやれ!」「キャンプファイヤーのときフォークダンスをしてほしかった」「共同炊事をやればよかった」など、各班それぞれ違った意見が続出。

午前十時からテントをたたみ、平尾台下の東谷小学校グランドでソフトボール大会を開催。優勝は八幡パイオニアチームがさらい、表彰を受けた。

「テントをたたむのが早すぎる」「平尾台で洞掘めぐりをしたかった」などの声もあったが、大会は午後二時無事に終了した。

(広渡昌俊連絡報道員発)

炎天下、神妙な表情で説明を聞くクラブ員＝北九州地区の技術交換大会で

七つの島に分散

全国技術交換大会

陸海空から歓迎　灯ろうに思わずタメ息!

第一日目　午前十一時まで松島公園、松島振興会館で参加者受付。昼食後はオリエンテーションと村(グループ)編成が行なわれた。参加者はそれぞれ七つの島(宿泊地別)に分かれ、村ごとに自己紹介などをしたが、これから始まる大会にやる気十分といった表情。

午後六時から、参加者は各県ごとに分かれての入場行進。県旗を先頭に、北は北海道、南は沖縄まで、つぎからつぎへ整然と続く行進は、壮観そのもの。

全員が入場し終った後、六時半ごろから多数の来賓の出席のもとに開会式が始まり、大会の幕は切って落とされた。国旗、大会旗、県旗が西日のなかに掲揚され、ひき続いて主催者のあいさつが行なわれた。

まず、宮城県の大会実行委員会会長の山本壮一郎宮城県知事が参加者歓迎のあいさつ、続いて、全国農村青少年教育振興会々長代理の菅忠義同常務理事、大会運営委員長である門馬忠宮城県農村青少年クラブ連絡協議会々長が「実り多い大会に」と力強くあいさつ。

そのあと、開会式は来賓の祝辞に移り、最初に足立篤郎農林大臣代理の森下元晴農林政務次官が参加者を激励した。遠藤要宮城県議会議長のあと、松浦幸治全国4Hクラブ連絡協議会々長も祝辞を述べた。

入場許可証の授与、参加者代表のことば、外国代表メッセージ、大会スローガン斉唱のあと4Hクラブの歌を全員で元気に斉唱し開会式は閉じた。

大会はそのまま歓迎レセプションに移行し、参加者は島ごとに整列。日の落ちた松島に十二回目の大会を記念して十二本の花火が打ちあげられ会場は盛りあがった。また、暗い海には灯ろうが流れ漂い、参加者はあまりの美しさにタメ息をついていた。

松島町長の歓迎の言葉、みちのくの民謡、フォークソング、4Hの仲間によるすばらしい虎の舞いの郷土芸能などでくつろぎ、また全員で本場の大漁唄い込みを踊り参加者は旅の疲れをいやした。

友のペン

『新樹』14号

単位クラブをアップ

4という字がどまんなかにデンと座っている。それを四方からスクラムを組むようにHという字が囲む。その上をやさしく大きな心で抱くかのようにCがすっぽりと包んでいる。頭上を走る二つの文字『新樹』……。

『新樹』とは、長崎市農村青少年クラブ連絡協議会が発行している機関誌のことだ。もう十四号めだというから、機関誌作りには慣れているようすがうかがえる。

表紙をめくると七枚の写真が目に飛びこむ。そこで私たちはこの機関誌に対する一種の親しみをいやがうえにも植えつけられてしまう。この機関誌が強調してやまぬもの、それは単位クラブのクローズアップである。

『新樹』十四号には、私たちの興味をひくようなものが数多くある。たとえば、千綿女子高等学園と市連との交歓会をドキュメンタリータッチで追ったものや単位クラブ訪問記などは現代農村の問題を深くえぐり出そうとする迫力がある。

ということは、とりもなおさず一人ひとりのクラブ員を前へ前へと押しだしているということだ。

西山木場4Hクラブ員一同は寄せ書きでつぎのような内容のことを記している。……私にはできない　泣いているあなたの涙をふいてあげること　悩んでいるあなたに答えをあげること　ただ　いっしょに泣くこと　いっしょに悩むこと　いっしょに何かを捜すこと　それならできるような気がするの……。

4Hクラブにもの申す人、美しく悲しい詩に青春をさらけ出す人、農業・農村を鋭く見つめつづける人なども『新樹』の内容を一段と濃くしている。

柳山4Hクラブの徳永美知尋君は〝私、今年何といっていいかわからない〟という題名の風変りなスタイルの詩のなかで、離農した自己にメスを入れながら将来と現在をわびしくそして力強く描いている。彼は最後にこう叫ぶ……私、今年、競争―4Hクラブの諸君と競争したい。オレは絶体負けぬつもりだ……。

みんな新しい樹だ。雨に濡れた新樹の間から、朝陽がきらめきつつこぼれ落ちる光景。きみはそれを美しいと呼ぶだろうか、それとも空虚と呼ぶだろうか。【長崎】

来月中旬「女子研」を開く

福岡県連

【福岡】このほど県下各地区から十名の女子役員の参加を得て福岡県協の女子研修会についての会議が開かれ、女子クラブ活動の問題点などを協議、女子研の意義や要望を検討した。

その席で「クラブ員の減少による活動低下がみられるので、県の女子研をぜひ行なってほしい」「女子研に参加し、人と接することによって己を研磨し、みつめ直す機会となるし刺激となる。男性の目を気にしないで意見がいえる」などの意見が出され、女子研の必要性が強調された。

また、要望として▽座談会形式を多く取り入れてほしい▽少人数でもできるゲームのやり方、婦人会、OG(女子先輩)との討論会などが出された。

これらの点を検討し、自主的で主体性のある有意義な女子研にするために意欲を燃やしている。

開催期日は、九月十八、十九の一泊二日間を予定し、新しい試みとして全員が自炊をするなどして単に参加するだけの女子研ではなく、実践を通じて女子の積極性、自主性を養うことを一つのテーマとしている。場所は未定。一人でも多くの参加者を期待している。

なお、各単位クラブの会長会議もあわせて行なう予定である。

(板倉さち子県協広報委員発)

見事な手さばき

高知の大会と4H祭　うね立てなど腕競う

【高知】高知県農村青少年クラブ連絡協議会(会長　白石智之君)主催の農村青少年技術交換大会と第二回4H祭は、既報のとおり、さきごろ窪川の帰全農場で開かれ、県下各地区からクラブ員など約二百人の参加のもとに技術競技、レクリエーションに思いきり青春を謳歌した。

「緑と光の大地に若い力をぶっつけよう　豊かな郷土、われらの腕に!」の力強いスローガンせい唱で大会の幕が切って落とされた。続いて各地区連ごとにプロジェクト発表が行なわれ、ソ菜、果樹、花、畜産、生活など日ごろ体得した技術などについて発表し、営農への熱意を示した。

夜はサイン交換パーティーとレクリエーション。色紙が思い思いのサインで埋められ、なごやかな雰囲気のなかで互いに親ぼくを深めた。

二日目は、午前中分科会がもたれ「私たちの望むもの」をというテーマで室内と室外で活発に意見交換がなされた。午後から技術競技に入り、ペーパーテストでは難問に頭を痛め、農機具を使ってのうね立て競争では各地区代表二人ずつが一チームとなり、巧みな手さばきで腕を競い合った。

夜は待望のキャンプファイヤー。赤々と燃える炎が暗夜を照らすなかで歌声や笑い声が響き、踊りなどの寸劇で夏の日を満喫した。

三日目は、最終行事の4H祭がくりひろげられた。新就農者を激励しようと昨年から行なわれているもので、二回目の今年は技術交換大会と合わせて催された。講演に続いて郷土芸能を披露、このあと4Hバッチ、バスタオルを贈り、今春農業に就いた人たちを激励、ともに農業に生きる心意気を新たにした。(岡村愛子連絡報道員発)

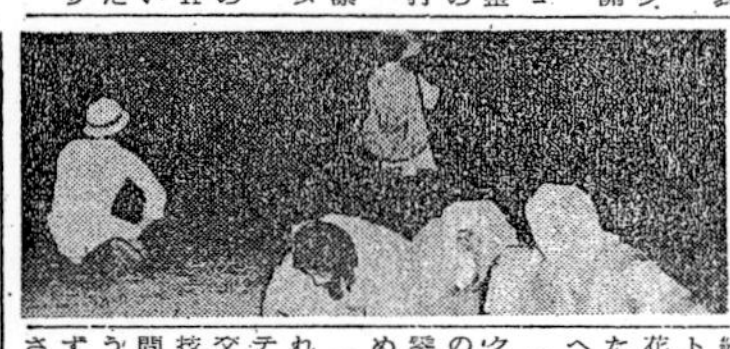
暑いのに大変です!?何やら紋次郎の艶姿もみえるキャンプファイヤーでの出しもの＝高知県の大会

五年ぶりの再会を喜び合う

日本のIFYE生が総会

五年ぶり、第二回国際農村青年交換(IFYE)日本協議会の実績発表会と総会がさる八月十〜十二の三日間、東京・渋谷のオリンピック記念青少年総合センターに約二十名のIFYE生が出席して開かれた。この会には宮城森治日本4H協会会長、三宅三郎同副会長、大塚茂同常務理事、吉田宏同理事、新田健吉同理事、高原義男同顧問らと、IFYEで来日しているアメリカクラブ員ドーナ・L・ハルコピッツさんとジェーン・E・ヴァイヘリックさん、アメリカ大使館の人も出席という多彩な顔ぶれ、国際色豊かなもの。

二日目の十一日は、実績発表のあとセンターの規則によって酒ぬきのティーパーティーが催された。IFYE生から贈られたプレゼントや、楽しい会話に出席者の顔も終始ほころびっぱなし。ドーナさんとジェーンさんは日本で覚えた炭坑節を披露する一幕もあり、なごやかなパーティーとなった。

IFYE(国際農村青年交換計画に基づいて日本4H協会から米国と台湾に派遣)の歴史はことしで二十年目を迎え、出席者の年齢も二十〜四十代とはば広いもの。それだけに話題も豊富で「草の根」的外交の意義深さを訴える人や、「農業を産業的意味合いばかりでなく、農村づくり、人づくりの生涯教育として役立てたい」と語る人、「土地は日本においてはダイヤモンドより貴重なもの。最近では農林省より建設省の動きが気になる」と笑わす人、また、最近の農業情勢悪化をふまえつつ「農業の概念をいま改めて考え直す必要がある」と述べる人などさまざまであった。

一行はそのあと、十二日の朝箱根におもむき、そこで解散。なごりおしそうに再会を誓い合っていた。

クラブ往来

やることはいっぱいだ

山城4Hクラブ―このほど、田辺山梨県知事のグリーンプランの理念にもとづき制定されたグリーン賞を受賞したクラブである。「自らの実践を通じて、若々しさ、清らかさ、うるおいなどの発揚につとめ、顕著な実績を示した人、グループ」に与えられる賞だけに、山城4Hクラブの受賞は〝価値ある受賞〟である。

三十四年に山城新生4Hクラブとして発足この四月、同地区の誠友4Hクラブと合同して再スタート。下山貞良君を会長として会員十名、OBの河東哲征君がクラブリーダーとして指導にあたっている。

甲府市の南部、激しい都市化の波にのまれそうな地域で農業に取り組み、若い英智と行動力で、新しい農業を求めて十三年。クラブ員たちは地域へイチゴ栽培を導入した。高冷地育苗から観光イチゴ園の開発まで、着々と成果を上げている。さらに、地域農業のビジョンづくりも進めており、山城4Hクラブの活動はまだまだ続く。この意欲的な長年の努力が認められ、はえのグリーン賞に輝いたのである。

山城地区の農業は、つい五、六年前までは養蚕と米麦が中心だった。古いスタイルの農業から時流に乗った都市近郊農業へと脱皮するため、クラブ員はクラブプロジェクトとして、いち早く水田にナス、キュウリ、イチゴを導入、さらにハウス栽培も取り入れて近代農業のパイオニアとして活躍した。現在ではイチゴは県内生産量の六、七割を占め、県内一のイチゴ産地に成長している。

昨年はレジャーと労力節減をねらって観光イチゴ園を開設した。三十アールの遊休田を借りて合計二百区画をつくり、一般に分譲するとともに、養護施設の園児にも無料で開放して喜ばれた。ことしは手不足のため開設を断念したが、これが刺激となって、地区内や周辺地域の農家が観光農業の検討を始めた。観光イチゴ園も方々で取り上げるようになった。「地域農業に新風を吹き込むことができただけでも成功」と、クラブ員たちは満足げだ。

このほか、イチゴのクリスマス出荷をめざして、清里の高冷地で育苗する短期株冷蔵栽培、畜型果ゼロで自家授粉より高能率のミツバチによる虫媒授粉も行なっている。イチゴの周年栽培も研究中だという。

明るい農村建設に向かって技術の修得、改善、地域への普及を目標とする山城4Hクラブは、無秩序な都市化を防ぐため、地域の農業ビジョンづくりに情熱を傾けている。

これまでに、模範優良農村青少年クラブとして農林大臣賞二度(三十七、四十六年)と知事表彰(四十五年)を受けているが、クラブ員たちは「まだまだ、われわれがやる仕事はいっぱい」と意気盛んだ。

スタンツに爆笑の渦

第二日目　朝食後、参加者は園芸部門（西行戻りの松）作物部門（雄山）畜産部門（仙随ケ丘）に分かれ、八時三十分から技術競技を行なった。一チーム五名で、コースは共通コース（経営、生活、農業機械）と専門コース（作物・園芸・畜産のうち一つを選択）。競技は、二十の問題を二時間三十分で解いていくというもので、参加者たちは美しい松島の景色を楽しみながらも「これはちょっとむずかしいぞ」と真剣な表情。しかし、五人の仲間のうちの誰かがすぐ助け舟を出し、ニヤリとする一コマも多く見られた。

引きつづいて技術競技の正解研究会がもたれ、どよめきやささやきが会場を満たした。このあと各自が昼食を手に、島上スクール会場へ移動した。会場は、園芸部門＝西行戻りの松、作物部門＝雄島、畜産部門＝福浦島とわかれた。

島上スクールは、農業青年として相互の友情と理解を深め、広い視野から経営や生活のあり方を考えようということで、村ごとに課題を選択して行なわれた。テーマは各グループごとに自由に選定していたが、なかでも国際化と日本農業、兼業農家を考える、明日の農村社会、明日の農業経営、農村生活の問題点などのテーマが多く見うけられた。

農村生活については、主に定休日や結婚などが問題になり、兼業化の問題では賛否両論に分かれ激しい討論を展開した村もいくつかあった。また、規模拡大の問題も論争の焦点のひとつであった。若い声が島の木々の間をいつまでもこだましていた。

夕食後七時からは島交歓の夕べが、各島（各宿泊地）ごとに行なわれた。つぎつぎと飛び出すゆかいな歌やスタンツ（寸劇）にどの島も爆笑の渦にまきこまれた。参加者は各ブロックごとにわかれて出し物を競い合った。しめくくりは各島とも大漁唄い込み踊りで会場狭しと踊りまくり、楽しい交歓のひとときをすごした。

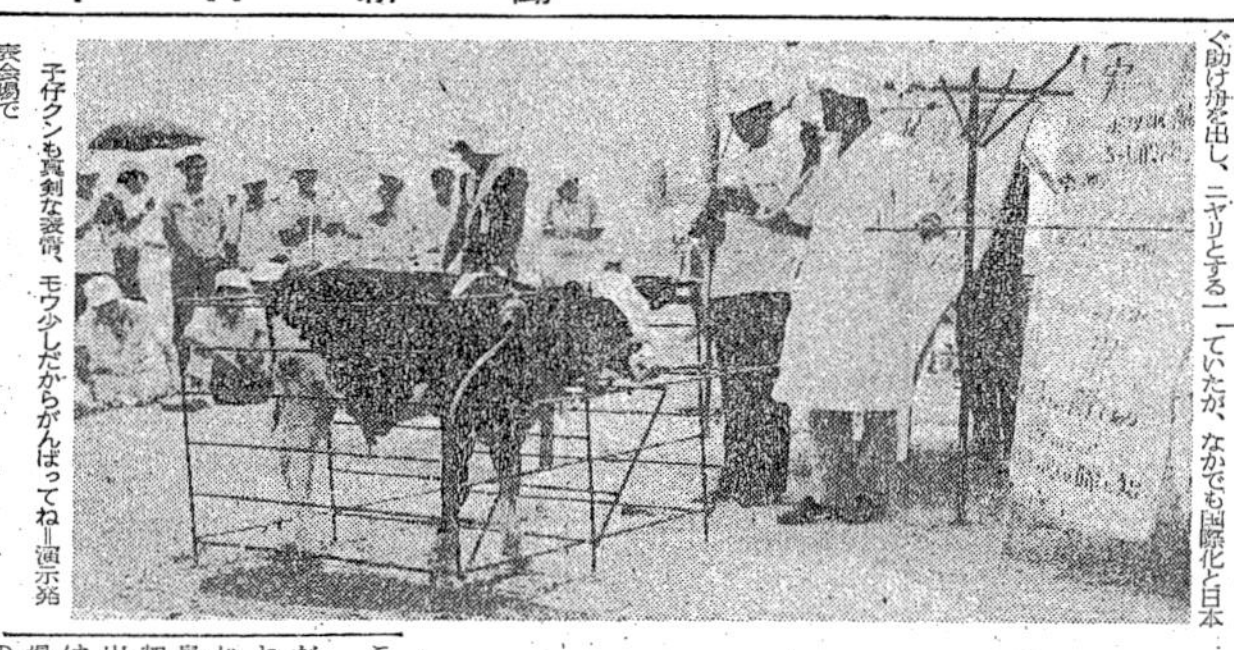

子牛クンも真剣な姿勢、モウ少しだからがんばってね＝演示発表会場で

雨の松島もいいわ

船上スクール　自然の造形美にうっとり

第三日目　午前八時三十分から松島タワーの近く、海に面した広大な開発用地で演示発表が行なわれた。発表は、①作物・農機具部門②花果樹部門③野菜部門④畜産部門⑤生活部門（衣、食住）の五部門に分かれて行なわれた。

海と緑の島に囲まれた広大な開発用地に演示発表のためのテントが点在する光景はまことに雄大なものであった。演示発表者たちはフェンガー賞めざし、汗だくになってはりきり、お互いに熱い火花を散らし合った。

発表者のなかには、自分で改良した機械や組み立てた模型の精巧なハウス、夏の作業衣、牛などを持ってくる人もいて、会場にははなやかなムードも漂った。また、ある女子クラブ員はその場でおやつを作って配り、かっさいを浴びた。

全員その場で昼食をとり、そのあと松島公園付近で自由交歓しながら港まつり（御座船）を見学した。途中で突然激しい雨に見舞われ、参加者はズブ濡れ。しかし、それまであまりに暑かったので、かえって気持よさそうに雨に体を洗わせている人も何人か見うけられた。雨の松島をいろとりどりの旗を上げた多く舟が行き交う景色は、また格別の趣きがあった。

午後二時半からは船上スクールが行なわれたが、これは今大会ならではの行事。参加者は、大会中の労をいやし、松島湾内に散在する自然のおりなす造形美に接し、さすがは日本三景とタメ息の連続。また、自然観察をしながら、船内で飛び入りの〝のど自慢〟大会などをやる船もあり、船上はなごやかな雰囲気であった。雨も船上スクールが始まる前には上がり天候も最適であった。

夕食後七時からは福浦島でキャンプファイヤー。

全員整列して福浦島へ通じる橋を渡るころは、あたり一面に深い静かな闇がたちこめ、おごそかなムードが漂った。全員が福浦島のファイヤー場へ入り終ると、地元宮城県のクラブ員の吹く高らかなトランペットが流れるように闇をゆすぶった。開式の言葉が木々の葉をかすかにざわめかせると、美しいコーラスが清らかに山にこだまする。

元火がやってきた。元火は赤々と暗闇のなかでゆれながら、小舟に乗って海を渡り、会場の営火ランナーに手渡された。4Hの誓いが声高く叫ばれるといよいよ点火。会場は最高潮に達した。

若き熱気は赤々と燃えあがるファイヤーとともに爆発し、歌や踊りやスタンツをくりひろげた。前夜各島ごとに行なわれた交歓会で最優秀となったものだけに、素人ばなれした出し物もいくつかあり参加者を驚かせた。また、各島の激しい応援合戦も会場を盛りあげた。

地元のOBクラブ員も自慢のすばらしいのどを披露し、ファイヤーに色を添えた。

夜も更けて、ファイヤーは分火された。全員が小さな灯を手にして静かに静かに島を出る。ほのかに赤く点々とつづく行列は力強くたくましいものがあった。

青い空、青い海、深緑の島々。松島に来て何度目かの感嘆＝船上スクールで

最終日　朝食後ただちに参加者は駐車場に集合し、指定のバスで松島を離れ、仙台市内を一望できる青葉城跡にバスを移動し、全員で交歓・交流をした。

十一時に仙台市の県民会館に集結し、昼食後、県ごとに整列して閉会式が行なわれた。

力強いスローガンの斉唱につづいて、宮城県知事代理の副知事があいさつし、参加者の労をねぎらった。そのあと、東畑精一全国農村青少年教育振興会々長が農業を選んで生きようとしている参加者を激励した。東北農政局長代理の同次長、仙台市長のあいさつもかっさいを浴びた。

ひきつづいて、演示発表と技術競技の表彰が行なわれた。フェンガー賞は、「去勢は一人で」と題して発表した静岡県の長田久司君（エミール・フェンガー賞）と「夏の作業衣」と題して発表した地元宮城県の鈴木博子さん、鈴木みえ子さん（フリーダ・フェンガー賞）に授与された。

会場はわかれのつどいに移行し、入島許可証の反還、閉島式、詩の朗読などがあり、なごりはつきなかったが大会旗は静かに降りて、次期開催県である熊本の若者の手に渡された。拍手とホタルの光のメロディーのなかを参加者は「来年は臨より青い海の熊本で」を合言葉に退場。当日スタートした東北三大祭りのひとつである仙台の七夕祭りでにぎわう街を、参加者は明日の農業への希望に満ちた表情で帰途についた。

畦道

インディアン狩り

インディアン討伐の歴史は、その残虐さ非道さからいって、黒人問題やベトナム戦争と肩を並べる、輝やかしいアメリカ文明史の裏にはらまれたドス黒い血のページである。清水和久著『アメリカ・インディアン』によれば、〝同化か死か〟というコーランをかざした白人侵略者たちは、同化すなわちインディアン個有の文化的根絶を拒んで抵抗した者たちを、婦女子を問わず皆殺しにしたり、ペスト菌やチフス菌を使って殲（かい）滅させようとしたという。大陸発見当時には五百部族百万人のインディアンが原住していたが、一八七〇年代には二万五千人と激減した。一九世紀のアメリカの学者L・H・モルガンは、著書『古代社会』の中で、狩猟と採集、わずかな農耕を主としていたインディアンには、私有財産や階級分化の萌芽はまだみられず、自然を神としてみずみずしい共同生活を営んでいたと記き著している。

〝インディアン〟という呼び名は、もともと大陸を発見したコロンブスの〝誤解〟から始まったものだ。白人は、ヨーロッパからたずさえてきた〝文明〟を絶対のものとし、原住民の生活を〝野蛮〟なものとみなして土地略奪、部族の分断、強制移住をくり返したのである。〝誤解〟の拡大生産としての侵略→同化→差別の図式はいまも続く。豊かで実り多い大地を奪われたインディアンは、指定居住地として定められたわずかばかりの貧しい土地に強制的におしこめられ、貧困、失業、病気に喘いでいるという。

『仏教アナーキズム』を書いて日本でもよく知られているゲーリー・スナイダーは、最近の新聞紙上で現代文明の危機を訴えるとともに、インディアン的共同体世界に人類の生きのびる可能性を示唆（さ）している。かつて〝野蛮〟なインディアン文化を根絶しようとしたアメリカ文明。今日、その〝落し子〟であるアメリカの若者たちは、逆にインディアン文化への指向をみせている。そこに私たちは歴史の〝皮肉〟をみることができるのである。【宇】

4H戯評

光化学スモッグ注意報発令

神奈川県・戸塚4Hクラブ・すずらん部　原満 智子 画

プロジェクト

世代交替をめざす

親子で結ぶ収益契約

北海道 桐の実4Hクラブ　前川英明

私の住む日高地方は競走馬の産地として全国的に知られ、北海道の中では気候、風土に恵まれている。軽種馬の生産、稲作を主体とする地域である。わが家の経営の概要は稲作二㌶が主体で、ほかに競争馬三頭を飼育。農機具はトラクター、耕耘機などおおむねそろっている。

私は農家の長男として生まれ、過去数年間、プロジェクトをとおして経営の安定と世代交替をめざしてきた。

プロジェクト一年目は、水稲の栽培（一〇㌃）と、わが家の経営の実態調査を行なった。稲作作業体系および生育状況を知り、わが家の実態もほぼ把握することができた。

二～三年目は、わが家の水稲の全面積を担当して品種比較試験の実施、経営日誌の記帳によって、労働投下の状況なども把握することができた。

四年目以降は、経営全体を担当して簿記の記帳を行ない、経営の分析、診断を行なった。また、今年度からは経営安定をはかるため家畜を導入して稲作との比較検討を行なっている。

これらの実績をかえりみてわかったことは、わが家は稲作二㌶だけでは経営が非常に困難であり、労働配分がうまくなされていないことや経営部門別の収支を明らかにすることができた。問題点として①播種期、収穫期の労働集中②堆厩肥の不足③生産費のかかりすぎ――などをあげることができる。

播種期、収穫期の労働集中については、雇用労働、協同化、機械導入などによりピークをうまくのり切ることができた。堆厩肥の不足は、近くの牧場で稲わらと交換しておぎなった。これにより生産費をいくらか軽減でき、単位労働時間当りの収益がいままでの二倍に上がった。

また、私はわが家の経営を担当するにあたり、収益契約を結んで純収益の二〇％を配当してもらい世代交替時の資金の一部にあてることにしている。

まだまだ未解決の問題も多くあり、四十七年度から四か年計画をたて順次解決していきたいと思っているが、これまでのプロジェクト活動で養われた精神と技術を生かして、さらに関係機関の指導をうけながら北海道の農業青年の一人としてまい進する覚悟である。

〝日曜百姓〟に反発

夢は トマト キュウリ 専業農家

岐阜県恵那市4Hクラブ　藤井 和美

わたしの家は、水田一〇〇㌃、普通畑二〇㌃、桑園五〇㌃。母と祖父を中心に水稲プラス養蚕の兼業であるが、わたしはそんな農業に反発を感じしだいに〝日曜百姓〟化していく周囲の人たちをみるにつけ、何かもっと新しいことをやってみたいと思った。

昨春高校を卒業すると同時に、わたしは半促成キュウリと夏秋トマトを新規導入した。両方あわせて一〇㌃足らずではあるが……。

高校を卒業してようやく一年、キュウリもトマトも見よう見まねで何とかやってきた。同じ仲間、とくに同世代の女性がいないことで心細さを感じることもあったが、高校時代の先生やクラブの先輩たちに励まされ、十分に力を出しきったとはいえないが一応成功だったと思っている。

周囲の反対を押しきって農業を選んだことに後悔はない。自分のやりたいことをやり、見学や研修会にも出て、十分意義ある一年だったと思う。そして、農業のいい面も不合理な面にも接し、理解を深めたことによって、わたしに、〝農業より他に職業はない〟といえる力をつけてくれた。だが反面、これほど女であるがゆえの力のなさを感じた一年もなかった。

わたしの夢は専業農家である。だけど、いまのわたしにも将来のわたしにも専業農家として一本立ちできる可能性は薄い。夢と現実の壁にはさまれたわたしだが、ことしの計画は、半促成キュウリ（ビニールハウス）三百平方㍍、秋トマト一〇㌃を栽培することである。

結婚を考える ►21◄

栃木県・花の和4HクラブOB　斎藤 文子

嫁の気持〈2〉

機械化に遅れる嫁姑関係

「お嫁さん」がいやになってしまうといっても、いつまでもわたしが腹をたてていたのではもとにもどりません。わたしの方から近づいてゆくしかないのです。何かこちらから話しかければ、いつものように仲よくなってしまうのですけれどもね。

でも、こういうことがあるたびにわたしは思うのです。

普及所や普及教育課、あるいは集まりのとき話される講師の方々は、「いまの農村はずいぶん進歩し、家庭内も明るく、昔のような暗い影は見えなくなった」ということをいわれ、新しい時代なりの考え方や生き方を教えてくださいます。でも、実際に家庭に入った場合、隣りの家庭がよく見えるように、ほんの少しですが「嫁」という存在を普通りに考える点があります。はっきり口に出さなくても「嫁だからあたりまえ……」とか「両親があるのだから……」と若い者との間にすきまができると必ずこういう考えになるのが一般のようです。毎日毎日朝から晩まで顔を合わせているのですから、仕事のやり方にしてもいまの合理的なやり方と銭をかけない昔のやり方の大きい違いが生じたり、子供の教育にしても、親の立場と姑の立場では責任の所在が違ってきます。かわいがるのとあまやかすのを混同するのですね。

そんな場合、親子なら何をいい合ってもすぐまとまりますが「嫁」がひと言いうとそうはいかず、何となくスッキリしなくなります。そのたびにいやな思いをしなければなりません。いったいどうしたらいいのでしょうか……。新しいことだけを学んでも、実際には考え方のへだたりを感じるだけで、親がよけいに古くみえてしまいそうです。

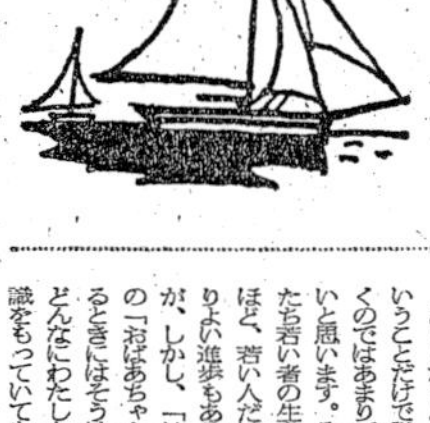

実家にいるときは、あまり親子のへだたりは感じません。感じたとしても、「まったく話がわからないんだから……」というぐらいで、それ以上気にもとめません。でも、そこに他人が介入したとしたらどうでしょうか。そんな単純なことではすみません。いろいろと複雑化してきます。「嫁」の立場とはそのようなものだと思うのです。

ですから、若人の集いで話し合うとき、〝いまの農村をみつめて悪い点をどう解決するか〟〝どうしたらよくなるか？〟ということだけで議論を進めていくのではあまりプラスにならないと思います。それは、わたしたち若い者の生き方です。なるほど、若い人だけの家庭ならよりよい進歩もあることでしょうが、しかし、「姑」や、その上の「おばあちゃん」の存在があるときにはそうはいきません。どんなにわたしたちが新しい知識をもっていても、古い習慣を改めるのは姑の側にあるのです。

いま、農家では新しい技術の導入がどんどん取り入れられています。それだけに生活面、とくに嫁と姑の関係がとり残されているということも事実だと思うのです。

NHK農事番組 （8月21～31日）

テレビ

明るい農村　6・30～6・55 総合
21日 村の記録「母ちゃんの背に陽が昇る」～岐阜県高山市
22日 きょうの話題
23日 産物百科「さつまいも」
24日 話題と人「こども村の裏方さん」
25日 農村新地図「三重県上野市」
26日 村をむすぶ「秋田、広島、大分、松本」
27日 明るい漁村
28日 村の記録「すむりな若衆」
29日 きょうの話題
30日 休止（オリンピック関連放送）
31日 話題と人「真夏の生しいたけ」

農業教室　7・30～8・00 教育
21～23日 農業近代化と健康管理 若月俊一（長野県厚生連佐久総合病院長）
24～26日 農村の新しい主婦活動 巡見喜彦（東京学芸大助教授）
28～30日 なし経営の新方向 林真二（鳥取大学教授）
31～2日 農業の経営間分業 吉田六順（日本獣医畜産大教授）

あすの村づくり　日 7・00～8・00 教育　再 土 13・00～14・00 教育
27日「民宿村の損得」～長野県白馬村

ラジオ

早起き鳥　5・41～5・57 ①
21日 現地にみた開発輸入 田中鴻志（福岡県農協中央会）
22日 牧草づくり日本一 宮田啓一（北海道中頓別町）
23日 シベリアの農業をみて 渡辺浩太郎（新潟市長）
24日 過疎のかけもち先生 小川律子（広島県北部郡高野町）
25日 どうする古ビニール～高知県下
26日 ふるさと通信
27日 市場探訪「売り手・買手」鈴木泰二（東京青果市場）ほか

話の広場　日 6・00～7・00 ①
27日 ボタ山で洋ラン栽培～北茨城市磯原

新しい農村　6・00～7・00 ②
27日 転機にきた日本酪農 植木建雄（農林省牛乳乳製品課長）ほか

ラジオ農業学校〈講座〉　月～土 6・40～7・00 ②
21～26日 文学にみる農民録 松下伍一
28～30日 営農団地 鹿代吉暉（全国農協中央会）
31～2日 農家と健康 若月俊一（長野県厚生連佐久総合病院長）

ラジオ農業学校　日 6・30～7・00 ②
27日 農業講演会「農村の新しいコミュニティー」渡辺博史

明日の農業へ向って　各種農業団体

家の光協会

家の光図書祭り開く

ユネスコ主唱「国際図書年」記念し

ことしは、ユネスコ（国連教育科学文化機関）の主唱による「国際図書年」として、世界各国で多彩な記念行事がおこなわれています。

現代は、激しい変化の時代です。わたしたちの暮らしも、社会も、大きく変わっています。このめまぐるしい変化に対応して、時代の進歩とともに成長、発展していくためには、たえず新しい知識や技能を身につけていくことが必要です。

図書は、こうした時代の要求を満たしてくれる、もっとも手近で便利な、もっとも効果的な手段です。

「国際図書年」の趣旨は、この図書の果たす重要な役割りを再確認し、その統一スローガン「みんなに本を」（BOOKS FOR ALL）を、わたしたちの生活の中に実現していくことにあります。

ところで、この情報化時代の主役である図書の出版は、どうなっているでしょうか。わが国で昨年一年間に出版された書籍（雑誌等は含まない）は、五億一、三八〇万冊と推定され、この数字は昭和二十五年と比較すると、四・五倍というめざましい成長率を示しています。

しかし、一方、この図書出版のめざましい発展にもかかわらず、その読書人口の多くは都市に集中しており、その他の地域では普及と活用面に多くの障害を残しているのが、世界共通の悩みです。

この障害を取り除き、だれでも、いつでも、どこでも、希望する図書が手に入り、必要な知識が自由に得られるようにしよう。そのために、あらゆる機関が協力してその実現に努力しよう、というのが「国際図書年」のねらいです。

家の光協会は、この「国際図書年」の国内記念行事の一環として、日本ユネスコ国内委員会ならびに全国の農協組織の協力のもとに、八月一日より九月末日までを運動期間として、全国の農協で「家の光図書祭り」を盛大に開催することとしました。

「家の光図書祭り」では、各種の集会を通じて、読書運動を活発にしていくための各種の行事を開催するほか、既刊図書の中から良書五〇点を厳選し、その図書リストを組合員家庭に配布するなど、良書の普及と活用を積極的に推進することになっています。

詳細は、農協とご相談のうえ4Hクラブ員各位の積極的な参加を期待します。

工場の女子社員と楽しい交歓の一日

大瀬戸町4Hクラブ

【長崎】大瀬戸町4Hクラブとアツギナイロン大瀬戸ストッキングの女子社員との交換会が、このほど大瀬戸農業改良普及所のはからいによって西彼杵高体育館で開かれた。日ごろ異性との交際のチャンスがお互いに少ないために、双方から交流の機運が盛り上がったもの。

当日は男子三十名と女子四十五人が参加し、午前中は四チームに分かれてのバレーボール大会。昼食のあとは歌やフォークダンスなどで楽しい一日をすごした。

全国農業協同組合中央会

曲り角にきた農協経営

目立つ事業面の低迷

系統農協は、激しく変る環境の変化、組合員の多様化などに積極的に応えて行くため、現在経営の総点検運動を進めていますが、これに先だって、全中では、農協の事業財務の実態を把握するため、四十六事業年度の経営速報調査を行ないました。これによると米の生産調整、金融緩和などを反映し、いくつかの現象がみられ、農協の経営に大きな転機が迫っていることが強く感じられます。

まず、事業面でみますと、貯金は対前年比二〇％増と四十五年度の伸び率を保ち、長期共済保有高も四十五年度の伸び率三〇・七％には及ばないとはいえ二二％の伸びで順調といえますが、貸付金は四十四年度以降連年低下しています。

販売品販売高は、四十五年度が九七％で三％の減で、特に米の取扱いは八四％と大幅に低下しております。ただ地域的にみると、米の販売高は全国的に下回っていますが、販売高全体では、関東南部、四国、九州で四十五年度を上回り、この地域での青果、畜産への力の入れようがうかがわれます。

購買品供給高では、生産資材の供給が停滞し、生活物資では四十五年度に比べ二〇％以上の伸び率ですが、購買品供給高全体では一一％の伸びにとどまっています。

ついで、組合の財務については、最も特徴的なのが常勤役職員の減少で、このことから人件費アップを抑えるため極力職員の新規採用を避けていることがうかがえます。

事業総利益は四十五年度より〇・六％の減ですが、人件費を含む事業管理費は二・九％と下回っております。

事業総利益の状況を地域別にみますと、関東・東海・近畿など都市化の著しい地帯での伸びが目だち、その他では低下しています。

当期利益金または欠損金計上組合をみますと、利益金組合九六・八％、欠損金組合三・二％で、わずかながら利益組合が減り、欠損組合が増えております。

一方、全組合について四十六年度の利益金の増減状況を四十五年度との比較でみますと、増加したもの六二・七％、減少したもの三六・二％となっており、東北や南九州では増減がほぼ同数となっています。

この報告でみる限り、財務状況は悪化現象が著しいとはいえませんが、貸倒引当金や価格変動準備金などの積立減少がみられ、農協経営のきびしさと危機が深まってきていることが示されています。

青春と仲間

目的を忘れず自由に生きる

長崎県・茂木4Hクラブ　川本登

君はなぜ生きているのか？　君はなぜ家のあとを継ぐのか？と質問されたならば、君、なんと答えるか。答えは一人ひとり違うだろう。

親の期待を裏切りたくないからという理由で後継者になった人、それも自分の自由としていいと思う。が、ぼくは違う。親にはすまないが、ぼくは、自分の思いどおりに生きたいと思う。都会へ出るのもいいだろう。貧乏になってもしかたないだろう。

しかし、人生の目的と意義を忘れちゃいけないと思っている。

まぼろしの故郷

旧盆を迎えると東京の人口が約四百万人減るという。何日も前から予約していた臨時列車の一ボックスで、あるいはえんえんと続く自動車の列のなかで窒息しそうになりながら生まれ故郷へ向かう人たち。ぼくは忙しい毎日を送るなかでふっと考えてみた。『あの人たちは日本の近代化に喘いでいる』のだと……。そしてぼくは、それを遠目で見て、ねたみに似た気持に喘いでいるのだった。

故郷は遠くにありて想うもの
そして悲しくうたうもの

そんな時代が再びやってきたような心持ちにもなった。

さて、ぼくには故郷がないので旧盆をわが家で迎えることとなった。東京では普通お盆といえば七月なのだが、ぼくの家では例年八月に行なっている。

お盆にどんなことをするかというのは地方によって、また、宗派などによってまちまちだろう。ぼくの住んでいる地域では夕方、提燈を持って、お寺、あるいはその近くまで先祖様を迎えにゆくのがならわしである。ぼくが、まだ小さな子どものころは期待と不安に胸をときめかせながら、そうして家の人たちと提燈をもって"お迎え"に行ったものだった。すると、その道中、近所の友だちが家族の人たちと一緒に提燈を手にお寺から帰ってくるのとよく出くわしたりした。ぼくらは、ほんのりと顔を照らす提燈の明るさのなかでお互いに目と目を合わせ、蝶や蝉を殺してはいけないお盆を実感したものだった。

今年も例年にならって"お迎え"に行った。昔は親戚の人たちなどと大勢で行ったのだが、今年は父と二人。言葉も少なく提燈に火をともし、線香の香りを漂わしながら街なかを家に帰ってくる。通りを歩いている人はなにごとかと不思議そうな好奇の目をぼくたちに投げつける。道中で会った昔なじみのやつ、それは提燈のローソクを吹き消そうとする一陣の夏の夜風だけだった。

八月十五日には仏様を送る。また、提燈に火をつけてお寺の近くまで行くわけだが、最近では仏壇に二百円を供えておしまいにする家がほとんどだという。つまり仏様が乗って帰るタクシー代だという。ご先祖様、どうか苦笑なさらずに……。（野）

笹笛

雑感 "農業と男性像"

青森県・弘前美集会　秋元幸子

ある日の新聞に、わが県の青年農業者の意識調査が載っていた。それによると四九㌫の人が"日本の農業は暗い"と答えており"明るい"という人はたった一九㌫。また、農業を職業として選んだ理由が"誰も継ぐ人がいない"とか"ほかに職場がない"という人が非常に多く、現状として"やめたい"と答えた人が九・一㌫もいた。そして"どうしたらよいかわからない"も一一・九㌫おり、私たち農業をしている者にとっては少しばかりショックだった。

継ぐ理由が、農家の長男だからと答えた人たちは、なぜそれを踏み台にして、もっと飛躍しようとしないのでしょうか。だめだと思えば思うほどやる気がなくなるのはわかりきっていることではないのか。私たちの仲間にも、長男という立場を踏み台として積極的に農業に取り組んでいる人が少なからずいるではないですか。

これからは東北縦貫道路、青函トンネルもでき、販売面でも期待できると思うのだが……。

どんな職業だって楽なものはない。農業だってむずかしい。数学から科学までいろんな知識を身につけていなければならず、おまけに天候にも左右されるとくる。

でも、本当に土と取り組んでいる人なら農業になんらかの魅力を感じているはずだ。女の私でさえそんな姿勢なのだから……。私は夢をもって目的に突き進んでゆくそんな男の人が好きだ。

女性はそういう男の人を望んでいます。農業はやればやるほど収穫があがります。夢をもてる職業ではありませんか。それにあえて背を向ける人があるならば、その人は"脱落者"ということにもなるでしょう。

私たち青年は私たちの手で"農業者像"をつくりあげる、そんな時局に立っているのではないか。

あんな人こんな人

4H活動・農業経営・結婚　女子もがんばろう

大沢美智子　埼玉

女性にしては、やや大柄な彼女。悪びれずにズバズバとものを言う彼女。彼女は4Hクラブに入会して三年目だという。おかしな言い方だが、しっかりしているわりに年齢は若い。

大沢美智子さん、身長一六四㌢、体重?㌔、昭和二十八年生まれの十九歳。独身。彼女は東京から電車などで約一時間半ぐらいの埼玉県北葛飾郡吉川町というところに住んでいる。大沢さんは末っ子だそうだが、農業後継者でもある。

彼女は、4Hクラブ活動に自分の青春時代を賭けているという。彼女は地区においても、県においても4Hクラブ活動にうちこんでいる。大沢美智子さん、どっかで聞いた名だと思う方も多いことだろう。それもそのはず、彼女は現在、全国4Hクラブ連絡協議会の評議員として活躍中の人でもあるからだ。

大沢さんは「本年は全協の評議員にさせていただきました。私は微力ですが、幅の広い全協活動を展開するのに少しでも役にたてれば幸いです」と今年の抱負を語る。具体的には女子クラブ活動に重点を置いて活動と取り組みたいと彼女はいう。

「いままでの女子クラブ活動は、男子クラブ員のあとについていけばよいという消極的なものだったような気がします。でも、これからは女子クラブ員も男子クラブ員に負けないぐらい内容を深くしなければならないでしょう」と大沢さんは目を輝かせて語る。なんとも、たくましく頼もしい彼女だ。

また彼女は「女子活動を活発にするためには、全部のクラブ員がもっと女子クラブ活動に対して深い理解をもってほしい」とつけ加ける。大沢さんは続けて「女子クラブ活動の伸展を考える場合、この"深い理解"の輪を広げなくてはなりません。一番最初に求めなければならないのは、両親の4Hクラブ活動に対する深い理解でしょう。家庭内の理解がなければ、女子クラブ活動は足踏み状態が続くような気がしますね」と家庭内における問題点を語る。

さて、あとになったがこの辺で大沢さんの家の経営状況をのぞいてみよう。彼女の家では水田一七〇㌃、畑五〇㌃、豚百頭を経営している。また、大沢さんは、彼女独自でハウス三百坪を経営し、軟弱野菜などの栽培に力を入れている。

大沢さんはリーダーとしてだけでなく農業後継者としても頼もしいかぎりだ。「私は末っ子だけど甘えてなんかいられないわ。がんばらなくてはね」と言う。彼女は農家の長男と恋愛したことがあるそうだ。しかし、自分の道を考え、その結果別れたという。そして「私にも責任感があるわ」と明るく笑った彼女。

当然、大沢さんは婿とりだが、彼女は「私はどんな職業の人でもいいわ」とさりげなく言う。理想の男性については、あまり考えたことがないという。男らしくやさしい人ならね……。

彼女の趣味は、手芸とお花だそうだ。「私だって女性よ」と大沢さんはアピールする、また、その胸中はどんなだろうか。彼女「ただ今、花婿募集中」だということだ。「自信はないんだけど……」と彼女はほほえむ。

将来はできることなら夫婦一緒に多角経営をやってみたいという。でも、それがだめならひとりでもやると気炎をあげる。自家の経営も充実させていきながら、4Hクラブ活動のほうもOBになってもできるかぎりのことはやりたいという。

大沢さんは「4Hクラブに入って本当によかった」を連発する。「現在の自分に満足しているというわけではないがちっとも後悔していない。私は4Hクラブのおかげだと感謝している」と語る彼女の表情は明るい。

"大沢さんは強そうだから、男の人を尻にひくでしょうね"と聞いたら「冗談でしょう。私は亭主関白型よ」とちょっとふくれた彼女。おこりなさるな、おこりなさるな、大沢さん！

（北葛飾郡吉川町三輪野江一六七〇）

（たち見席）小生の女性恐怖症（その2）

小生は必死になって、その女性に手を離してくれるよう頼みこんだんでやんした。それでも彼女は小生の手をきつく握ったままでありんした。小生の頼み方がやさしすぎたんでやんしょうね。

なにしろ小生、生まれがいいもんで、やわらかな言葉しか使えないんでやんすよ。「手を離せ！」とでも言えば離してくれたんでやんしょうが……。いい生まれはつらいもんでやんすよ。小生のおとうさまやおかあさまが「しもじもの言葉を使っていはけません」といつもいうもんでありんすから、ええ。

話しをもどしましょう。今になって考えてみますと、彼女、どうも小生に気があったらしいんでやんすよ。それで彼女、何分も、いや何時間も小生の手を握っていたらしいんでやんすよ。彼女の気持もわからんわけでもないでやんすがね、それはそれ、これはこれでやんすからね。

小生、どうしようもなくなって、彼女の手を振り切って駆けだしたんでありんした。後ろをふりかえってみると、彼女がうらめしそうな目で小生をながめてやんした。フォークダンスの曲が悲しく歌ってやんしたね。小生は目をつむってまっしぐらに駆け出したんでありんした。

ああ、許したもれ。ちらり目を開けるとポプラの木が小生に向かって走ってきたんでありんす。そのあとは、ただまっ暗闇でありんした。

小生の女性恐怖症はその後も衰えることなく、高校時代になっても続くんでやんす。

―つづく―

（栃木・足利地区青少年クラブ協議会　一クラブ員）

◀投稿案内▶

本紙は、全国クラブ員の準機関紙として、みなさんに大いに利用していただきたいと考えています。

クラブの催しや個人のプロジェクト、詩、短歌、随筆、写真、悩みや意見、村の話題、伝説、行事、お知らせ、小説、その他なんでも結構ですから原稿にして送って下さい。

❶長さや形式は自由です❷できるだけ記事に関連した写真をそえて下さい❸送り先　〒105 東京都港区西新橋1の5の12　佐野ビル内　日本4H新聞編集部

日本4H新聞編集部

落日（12）

栃木・小山4Hクラブ　農民文学会会員　山中康司

翌朝芳男が起きた時は、部屋には明るい光線がさしていた。目覚しはもう一ヵ月も止ったままで、階下の柱時計がさっき八時を打った。身体がだるいのはいつものことだが、今朝は頭も重かった。昨夜の寝不足のためだ。机の上の整理はいつされるのやら、衣紋かけは汚れた作業衣も背広もごっちゃである。部屋全体が乱雑で疲れて見えた。

朝の緊張感などあるはずがない。芳男はやるせない気持で階段を降りた。奥の間の祖母は朝食がすんだようだ。静かにやすんでいる。

台所のテーブルには食後の残物があった。みそ汁のよどみとか、生たまごのから、ほぼ食べつくされたおしんこ類が、瀬戸ざらの上にちらばっていた。芳男は裏口から外に出た。すぐに冷たい空気が身体に浸み込んできた。もう十一月も半ばだった。けや木の梢の葉もれ陽は、ただ一本の可憐な山茶花に射している。芳男がそんな花に目をとめることはめずらしかった。天気は昨日とはうって変わっている。けやの木の枯葉の褐色も今日はきれいである。井戸水は冷たいがうまい。人間は毎日朝起きてコップ一杯の水を飲むようにすれば長生きするのだと芳男は聞いたことがある。もう目は覚めた。芳男は顔を洗うと急いで家の中に入っていった。

「夕べは何時だったんだい」

母がみそ汁をあたためていた。

「うん、十二時位だったかな」

広間には新聞が散らかっていた。

「抗議へ高まり」「中央には二十七万人」

「社共両党、総評を中心とする革新陣営は二十二日、沖縄返還協定批准反対、日中国交回復、佐藤内閣打倒などを掲げて、全国統一行動に入り、早朝ストにつづいて夕方から夜にかけ全国各地で集会とデモを繰り広げた……」

A新聞の第一面である。強行採決に対する怒りは自分にもある。思いきってデモに参加し、自衛隊のジュラルミンにぶつかってみたい気もする。でもそれは無理なことだと思う。米の出荷がある。三十キロもある米袋を倉庫に積み込む作業は、いくら沖縄が大事でも神経痛の父にまかすわけにはいかない。昨夜のこともある。友達からいい笑い者にされるかもしれないと思う。

ふと読者の声の欄に目をやる。

「父がはじめて出稼ぎに行くとき、あの時は家族総出で駅まで見送ったものです。それ以来もう五、六年も父の出稼ぎは続きます。今はもう慣れっこになって、母ひとりで見送りに行ったり、見送らなかったり、でも祖母が仏壇の前で手を合せる時間は、父がいなくなりますと長くなります……」

悲劇は東北の農村にもある。少年の寂しさがじんとくる。出稼ぎ農民のデモが起これば自分だって……。

別な紙面を見る。

「機械償却が請負いを促進した。この方式は正確にいえば稲作の個別請負、受託者が、春の耕起から秋の収穫まで、一切の作業を請負い、取れた米は受託者と分配する……」

茂夫は安夫の考えと同じだ。これからは多分請負耕作がはやるかもしれない。

「赤城農相も就任以来、農業生産団地構想に意欲的……」

国からどんどん補助をもらう。それを利用して大型機械一環作業体系をつくり、企業的農業経営を確立する。塚崎営農集団もその先駆的役割を果たす。がまあいい。自分は取り残されてもなんとかやっていくさ。

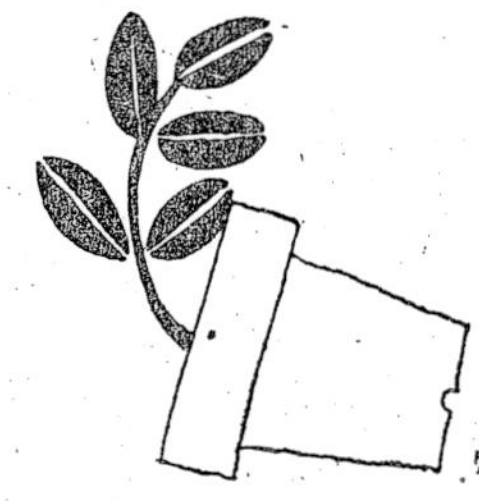

日本4H新聞
4Hクラブ 農事研究会 生活改善クラブ
全国広報紙
発行所 社団法人 日本4H協会
東京都港区西新橋1の5の12 佐野ビル 〒105
電話（591）1817・3683
編集発行 玉井光
月3回・4の日発行
定価 1部 35円
一ヵ年 1200円（送料共）
振替口座 東京12055番

奈良県連が100％達成

県別目標額 全国のトップを切って

4H会館建設募金

4H会館建設の募金目標額達成に県下の全クラブ員が一丸となって努力していた奈良県4Hクラブ連絡協議会（会長 南幸作君）が、このほど全国各道府県のトップを切って百％を達成した。

同県連では、すでにこれまで募金目標額の五六％を達成し、九五％の滋賀県連についで全国でも二位という好成績であったが、その後クラブ員の募金とともに、お茶の販売などによってついに目標額を越えたもの。

同県連がこのほど全協事務局に送金してきた募金額は、同県連割当て額の未納金十六万一千七百五十六円と、4H会館建設募金箱によって集まった七千百五十円の計十六万八千九百六円である。

これにより同県連の目標額三十六万八千九百円を七千百五十円上回った。

また、岩手県農村青少年クラブ連絡協議会（会長 高橋勘一君）も、このほど二万四百八十五円の募金を送金してきた。

全国的な募金状況は別表の通りで、まだ目標額にはほど遠いが、全国的にはかなりムードが高まってきているので、この奈良県の目標額達成によって、募金にいっそう拍車がかかることが期待される。

なお、奈良県連の南会長が、目標額を達成した同県連の努力の足あとなどを下記のように伝えてきた。

殿堂めざして 奈良に続こう

4H会館建設の基金についてわれわれ奈良県4Hクラブ連絡協議会は、昨年の後期推進会議（全国4Hクラブ後期中央推進会議）から一時停滞気味だった募金活動の推進準備にとりかかった。

まず、県下全クラブ員に再度建設基金の主旨を理解してもらうため、全協（全国4Hクラブ連絡協議会）からもらった会館建設についての主旨説明の資料を県連役員が、数日間徹夜で印刷して県下の全クラブ員に配布、主旨説明を行ない基金内容の浸透にとりかかった。

その後、計画を具体的に進める間、県連役員の改選があり、新会長のもとに、さらに幾度となく理事・役員会がもたれた。

全クラブ員も主旨を理解し、「われわれクラブ員は建設基金に前向きの姿勢で取り組もう」と一致協力して、クラブ員一人ひとりが割当てられた一定金額を支払うのではなく、また、それでは意味もなくなるので、名産〝田原茶〟の新茶の即売という方法を用いて活動しながら基金を集めるという一石二鳥の方法を考え出した。そして、クラブ員一人ひとりが足で地道に注文をとり〝われわれの会館をつくるんだ〟と奔走し、日夜汗を流し努力を重ねて集めた建設基金である。

わが奈良県連では、毎年問題になる4H会館基金をことし一年で打ち切るために、全クラブ員が結集したわけである。

最後に〝ぼくもやるから君もやれ!!〟という前向きの姿勢で、全国のクラブ員仲間に新聞を通じて呼びかけてほしい。

全国の友よ、奈良に続け!!

4H会館建設の募金目標額に対する各道府県連達成率

（昭和47年8月20日現在）

	県連名	％（約）
1	奈良	100
2	滋賀	95
3	神奈川	41
4	高知	39
5	静岡	35
6	鳥取	32
7	宮城	31
8	愛知	28
9	茨城	25
10	徳島	21
11	埼玉	20
12	沖縄	19
13	大阪	17
14	群馬	16
15	石川	16
16	三重	14
17	長崎	12
18	山梨	11
19	福島	8
20	千葉	8
21	青森	6
22	岩手	4
23	福井	4
24	山口	4
25	福岡	4
26	和歌山	3
27	岡山	3
28	広島	3
29	長野	2
30	北海道	1
31	新潟	1
32	富山	1
33	岐阜	1
34	佐賀	1
35	香川	1％以下
36	鹿児島	〃
37	熊本	〃
38	兵庫	〃
39	大分	〃
40	秋田	未提出
41	山形	〃
42	栃木	〃
43	京都	〃
44	愛媛	〃
45	宮崎	〃
	中央	203
	総額	14

クラブ綱領

私達は、実践を通じて自らを磨くとともに、互いに力を合わせて、よりよい日本を創るため、四つの信条をかかげます。一、私達は農業の改良と生活の改善に役立つ腕をみがきます。一、私達は科学的に物を考えることのできる頭の訓練をします。一、私達は誠実で友情に富む心をつちかいます。一、私達は楽しく暮らし元気で働くための健康を増進します。

大モテの即売会
古川市4Hク連

【宮城】古川市農村青少年（4H）クラブ連絡協議会（会長 佐々木栄一君）は、さる十三日、同市の中央ショッピングプラザ前で第一回野菜・生花即売会を開いた。

クラブ員が収穫したばかりの新鮮なキュウリ、トマト、ナスなどを二〜三ずつビニール袋に入れてのユニット販売方式。市価より二〜三割安とあって日曜日の街の買物客に大モテ。

同協議会野菜・花き部会の男女二十五人が〝売り子〟となって威勢よくさばいていたが、ことしはテストケースとしてあと二回開く予定。

「つどい」の成功を願って
湖面に緑おとす木々 記念植樹
全国の友よ、期待に応えよう!!

小林秀敏

全国の皆様暑中御見舞申し上げます。

一昨年、わが県において全国クラブ員の方々はもとより関係諸機関、団体の絶大なるご支援によりまして開催することができました〝稔穂れの里でのつどい〟から早くも二度目の夏を迎えました。佐賀県青年の家の散歩道沿いに記念植樹したサクラやサンゴジュは福岡県筑後4Hクラブ員（苗木提供者）のたびたびの手入れ奉仕があってスクスク育ち、湖水に緑のかげを美しくうつしながら再び全国の仲間が訪ずれてくれるのをまっています。

◎◎◎想像を絶する準備

昨年の愛知に続いて今年は北海道での開催が目前に迫っています。二千名を大幅に越す参加者だと聞いて大変喜んでおります。一方、地元では参加者が多ければ多いほど大忙しだと察します。北海道のつどい準備委員の中には一昨年の佐賀のつどいから運営を終始手伝いし、今年のつどいのために備えていた人もおり、その意欲と努力には頭が下がります。

皆様方もご承知の通り、このつどいは、参加者の自主的な運営によって開催されるものですが、開催までは地元北海道連をはじめ主催者である4H協会、全協の方々が想像もつかないような苦労をして準備を整えてくれているのです。私も地元佐賀で、第六回つどいを開催してはじめてその苦労を体験したのです。ですから参加される全国の皆様方に少しでも多くこの「つどい」を理解してやろうという心をもっていただいて臨んで欲しいと切願してペンを取ってみたのです。

第一回のつどいは、去る四十年、先輩たちの汗と努力で大分県城島高原で旗上げし、埼玉、富山、奈良、鳥取、佐賀、愛知とリレーされてきました。自主性の確立、4H精神の高揚、仲間作りなど、つどいの意義は、全国クラブ員に認識されつつあるが、じゅうぶんであるとはいえないと思います。

◎◎◎過保護で骨抜きに

つどいの意義を考える前に日常のクラブ活動を見て下さい。各関係指導機関の過保護のもとに、青少年の育ばるべき自主性が骨抜きになっている感がして残念でならないのです。自分たちのクラブ活動を自分たちで考えないといった憂慮すべき事態が一部で生じているのは否定できない。われわれ若者は、夢と創意を失ってはいけない。現代に甘んずることなく、常に豊かな思考のもとにいかなる困難も解決してゆく情熱が欲しいのである。つどいに参加する人はすべて自主的であると同時に、つどいの企画、運営委員であるという基本思想はここから生まれているものと思います。

それからもう一つは、4Hの性格上4Hクラブ活動は家族や地域社会からの理解と支援のもとに進める必要があります。4Hの本質を考えたとき、現在のクラブ活動は、農業青年という極端に限定された土俵の中の行動に過ぎず、本来の目的達成のためには、あらゆる職業や階層の人たちにも理解され、支援を受ける態勢にしなければいけないと思うのです。米価問題一つにしても、農民以外の人々の協力や理解が必要であることは皆もご承知のはずです。4Hクラブでもこんごはすべての人々と協調し、その中から家族や地域社会から理解され支援される4Hクラブができ上がるものと確信するものです。つどいは、年齢や職業を超越し、主旨に賛同する人なら誰れでも参加できるという自主参加に大きな意味があります。また「豊かな農村」を創るためには、自主独立の精神で、青少年自らの手で解決してゆく姿勢が要求されますが、これを全国4Hクラブ員のつどいを起点として、この活動を全国的な輪に広げようという大きな目的があります。

◎◎◎ルールは守ろう

今回のつどいは、北海道という開拓百年の歴史を秘めた地域性にひかれての参加者も多分にあると思うけれどそれはそれで良いでしょう。参加する中で、4Hを考え、つどいを理解していただけるでしょう。

二度と帰らぬ多情多感なる青春時代に、このつどいに参画しその青春のキャンバス一ぱいに想い出を描いてもらいたいものです。しかし、自由な自主参加ですが、ルールだけは厳守していただきたい。第六回佐賀のつどいにおいては、参加者の方々は大変協力的でしたけど、各日程を消化する上での時間は余り守られませんでした。とくに民泊地からの集合が悪くて大変困りました。今回も恐らく日程中現地への訪問もかなり多いと思われるが、つどい後にしてもらいたい。

一方、つどいは回を重ねるごとにより充実していますが、それとともに段々派手になっています。受け入れる地元県連にとって、参加者からの会費、全協、協会からの予算だけでは、どうしても資金が不足します。私の知る範囲で、第五回の鳥取と第六回の佐賀の場合、地元で百万円余りの資金を調達しておりますが、これは、地元県連にとってかなりの負担と苦痛であります。今回は、つどい協賛マッチなどの販売で資金の一部に当てられているようですけど、この地元負担金（つどい会計からの出せない地元準備経費など）の調達は慎重に行なわないと、クラブ員やその他から誤解や不信感をもたれますので十分考慮しなくてはいけません。しかし、この財政的な裏付けについては全協としても、こんご「つどい」を継続する上で一番先に検討解決する問題であると思います。とにかくつどいが行なえることは、地元クラブ員をはじめその他地元の方々の絶大なる協力の賜なのです。参加する皆様は、決してこのことを忘れることなく感謝の気持で過ごしていただきたいと願うのです。

◎◎◎嬉しい仲間の交流

私がつどいを体験して一番嬉しく思うのは、いまでも民泊にきてくれた全国のクラブ員と便りを交換し、お互いに訪問している話を聞くときです。過去十年間にわたって受け入れ準備を整えてくれた北海道の仲間は恐らく、そういう親しい友のできるのを一番期待しているのではないだろうか。参加する全国の仲間達よ！ その期待にこたえてあげて下さい。そして八月二十八日の閉会を楽しみに待っている皆さん！ もう一度、もう一度先輩たちが旗上げしたこのつどいの純粋な主旨を考えようではありませんか。（元佐賀県4Hクラブ連絡協議会々長）

参加者の自主性を尊重
〝組織の脱皮〟図る
第九回近畿のつどい ユニークなプログラム

近畿地方農村青少年クラブ連絡協議会（会長 北本博士君・大阪）主催の「第九回近畿地方農村青少年のつどい」が、二十二日から二十四日までの三日間、大阪府浜寺の青年の家で開かれている。

第九回を迎えたこのつどいも毎年同じようなパターンでプログラムがもたれてきたが、今回は参加者の自主性を尊重、それを十分に発揮できるようにあらかじめ三つのコースを設定。参加者の選択によってそれぞれのコースで、それぞれのプログラムをもって、できるだけ自由な形で行なうように次のようなコースを設定している。

Aコース（仲間づくりコース） 歌、おどり、ゲーム、スポーツなど芸術とレクリエーションを中心とした仲間づくり

Bコース（技術習得コース） 農業技術、経営について意見を交換したり、専門家の話を聞き技術を習得する

Cコース（農政研究コース） 自由経済下の農政はいかに、また農家の考え方や青年の政治活動のあり方をどう考えるか

いわゆるテーマは「創造性と可能性をいかに生かすか」であり、スローガンは「手をつなぐ若い近畿の農業を」。

運営面においても、これまでつどいのすべての企画を担当県連が行なってきたが、近畿連協のメーン事業として今回は、近畿連協全体で取り組んでおり、主体性のある組織への脱皮も図られている。

（近畿地方農村青少年クラブ連絡協議会事務局長・吉村清君発）

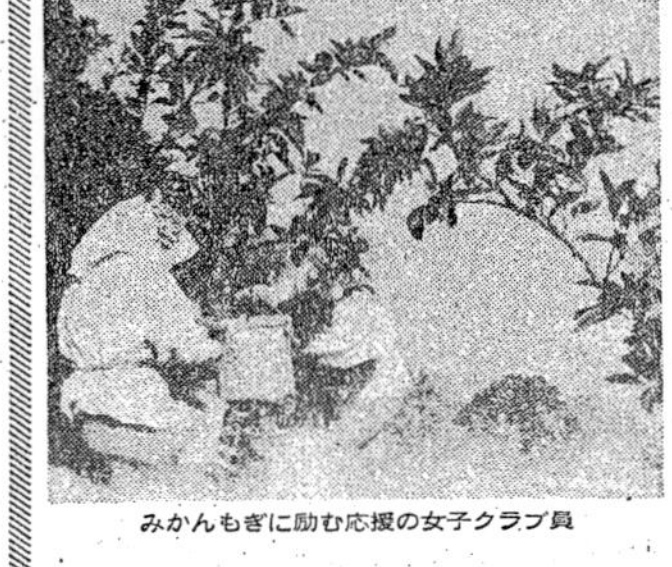

みかんもぎに励む応援の女子クラブ員

『仲間ヤーイ』
小田原農業改良クラブ みかんもぎ交換実習生募る

【神奈川】都市近郊のため収穫どきに人手不足に悩んでいる小田原農業改良クラブ（会長 遠藤国雄君）では、四年前から本紙を通じて全国のクラブ員に応援を求めているが、ことしも「仲間ヤーイ」と全国のクラブ員に呼びかけている。これは、単なるみかんもぎだけでなく、クラブ員や家族とも交流でき、心身ともに鍛えることができるので、大勢のクラブ員の申込みが待たれる。なお、同クラブからの呼びかけは次のとおり。

炎暑たえがたきこの頃、各地方のクラブ員の皆様には元気に毎日をお過ごしのことと思いますが、いかがですか。

私たち小田原地方では、十一月になりますと、みかんの取り入れや稲の取り入れに忙しい毎日を送っています。各地方のクラブ員のみなさんも収穫時の人手不足は深刻になりつつあると思います。

私たち当クラブでは、さる四十三年の秋から全国のクラブ員に呼びかけ、おかげをもちまして初年度の六名から出発して四十六年度は二十七名の人たちに参加していただき無事収穫することができました。これも各クラブ員の理解があったからこそと思い深く感謝しております。

本年度は「みかんもぎ交換実習生」と名づけ、昨年以上の方々にご援助を賜りたく思います。どうぞ諸日程もありましょうが、私たちへの手助けと自己の精神的、肉体的練磨のためにも青春時代のひととき、ぜひ小田原地方に来られるのを首を長くして待ち望んでおります。

みかんもぎ交換実習生の募集要領は次のとおりです。

1、受け入れは、各クラブ員の家に限ります
2、人員 三十名（各家庭二名くらい）
3、男女を問いません
4、仕事はみかんもぎ（誰れにでもできます）
5、日給 一日一千五百円（雨天や休みの日は、日給は支給しません。男女同額）
6、持ち物 身の回り品、作業衣
7、実習期間 十一月中旬から十二月中旬くらいまで
8、旅費 関東、東北、中部は全額支給、その他の地域は片道支給
9、交歓会 歓迎会、名所見学、送別会の三回を予定
10、申し込み期限 十一月下旬まで
11、連絡先 神奈川県足柄上郡開成町吉田島二四八九ー二 足柄農業改良普及所内 小田原農業改良クラブ事務局 小田原農業改良クラブ会長 遠藤国雄 TEL＝〇四六五ー八二ー五一二一

役員間の連絡密に
福岡県協が初の一泊研修会

【福岡】福岡県青少年クラブ連絡協議会（会長 吉沢章男君）はさる十一、十二の両日にわたって宗像郡津屋崎町の宮地海岸で県協役員十三名が参加して一泊研修会を開催した。これは、キャンプ生活を通じて同じ県協役員としての連帯を深め、それを基礎にこんごの県協役員の進め方を十分に把握し、県連の事業推進に役立てることを目的としたもの。

一日目は、参加者の集合が遅れたこともあって、討議は夜、キャンプファイヤーを囲んで行なわれた。現在の県協活動における問題点、とくに役員としての心構えについて活発な意見が続出。「役員間の連絡を密にする」「すべての活動は県協の本年度方針を念頭に置き、その目的にそって事業推進をはかる」など、役員の意気込みを示した。また、この日は県農業技術課の安永氏、前年度県協会長の角君、同副会長の青柳さんにも助言者として参加してもらった。

二日目は、共同炊事による朝食をすませたあと、こんごの県協事業の進め方について一つひとつの行事を取り上げながら真剣な討議をくりひろげた。とくに各専門委員会（事業部、事務局、広報部など）としてやらなければならない仕事、役割を審議し、より効果的な活動を推進することを確認し合った。

このキャンプ生活による一泊研修会は県協としても初めての試みであったが、役員の連帯を深め、こんごの活動のあり方を再確認し合ったことは県協にとって大きなプラスとなった。

（鬼木晴人広報委員発）

主婦やOL大喜び
唐津地区連の即売会

【佐賀】「新鮮で良い野菜をどうぞ」と、このほど唐津地区4Hクラブ連絡協議会（会長 大場芳博君）では、百三十六人のクラブ員が唐津市役所前で野菜や青果物の即売会を開いた。

これは、同クラブが結成十周年を記念して開いたもので、〝4Hクラブが農業後継者として日ごろこんなに研究活動を続けています〟というPRと、〝生産者ー消費者直結の流通機構を実際に試してみよう〟という趣旨。この日、各クラブ員は日ごろ研究栽培している野菜、青果物をトラックなどに積んで会場につぎつぎと持ち寄った。

なにしろ市価の三割引きという値段に、品物を持ち寄った正午ごろには早くも主婦やOLで黒山の人だかり。飛ぶような売れ行きだった。

人気よんだ即売会
天理市4Hクラブ

【奈良】天理市4Hクラブは、このほど天理農協うらで野菜の即売会を開いた。品種はスイカ、ナス、キュウリ、トマト、生しいたけ、お茶などで人気を呼んだ。

涼風暖風
世界成人教育会議から

第三回世界成人教育会議が、七月末から八月にかけて、東京で開催された。世界成人教育会議は、十年毎に開かれる国際会議である。

第一回は、一九四九年に、デンマークのエルシノアで開かれた。この会議が開かれた頃は、第二次世界大戦が終結したばかりで社会の混乱はみられたが、今日のような急激な社会の変化が到来することは予測していなかったようである。ただ、成人教育は大切なものであることを全参加者は確認した。また、第一回の会議は、参加国がヨーロッパ諸国に片寄っていたこともあって、討議の内容も、西欧方式の考え方に支配されがちであったといえる。

第二回のモントリオール会議は、社会の変化が急激であることに注目するようになった。この急激な変化に対応するためには、学校教育はいろいろな問題をもっていることに気付いたわけである。社会の変化に対応するとしても、学校教育は、その内容を手直しするのに時間がかかるものである。それに、手直しした学校制度の新しい卒業生を社会が受け入れるまでに、また時間がかかってしまう。この間に、社会は更に変化してしまい、せっかくの手直しも役立たないというわけである。小まわりのきかない学校教育にかわって、成人が社会の変化に対処しうるための学習を続ける必要が強調されたのがカナダで開かれた第二回会議の特色であった。

東京会議には、八五ヵ国から三〇〇人の人たちが参加した。モントリオール会議以後、多数の新興国が誕生し、成人教育は文盲撲滅と社会開発に関して益々重要な役割をもつようになっていた。

東京会議に参加した人びとがいだいた強い印象と使命感は、変転する社会に対応できる人間形成を可能にするのは、柔軟性に富んだ教育形態としての成人教育の導入であり、その振興への挺身であったといえよう。

世界は、学校教育を卒えてからの学習、つまり成人教育に対して強い関心を示し、経済的にも、社会的にも力を入れている。わが国でも、成人教育の重要性に着目し、各界も肩入れを始めた。しかし、昭和四七年度における国の予算をみても、文教予算に占める社会教育費の割合は、わずか〇・六五％にしかすぎない。

わが国でせっかく開かれた世界成人教育会議である。この成果をわがものとし、日本の成人教育の振興のために役立てなければ、余りにももったいない話であるといえよう。

（文部省 伊藤）

心頭抜健

奈良県連が全国のトップを切って、このほど4H会館建設募金の県目標額を達成した。この目標額は、建設資金四千万円をクラブ員数によって各道府県ごとに算出したもので、いわば各県連への割当て額。それを奈良県連が達成したことは全国的に募金が伸び悩んでいるだけに、その沈滞ムードを打ち破る導火線になるものと思われる▼同県連では、すでに五六％を達成し全国でも滋賀に次いで二位という好成績であった。それが今年度に入ってから、クラブ員の募金だけでなく、奈良名産の田原茶をクラブ員一人ひとりが売り歩いて、その益金を募金にまわしたという。まさに汗の結晶である▼このようにお茶やみかんを安く仕入れ、それを販売して資金を稼いでいる県連はほかにもある。しかし、同県連では、募金を長びかせればかえってマイナスの面が出ると判断し、一気に集めた。少々ムリもあったと思われるが、この集中力を発揮できたことは、同県連組織のまとまりのよさを物語るものであるといえる▼いま、全国各地で展開されている募金活動の実績は、必ずしも好ましいとはいえない。だが、奈良県連が〝やればできる〟という実例を示してくれた。各県連ともそれぞれ事情があろうが同県連のような意欲と情勢があれば、アイデアも生まれ、募金活動が活発になるのではないだろうか。会館建設の主旨もさることながら、まず、やる気が大切なことを教えている▼全協や会館建設委員会も、このところ全協の歴代役員を集めて知恵をしぼったり、育成指導関係機関関係者の助言を仰ぐなどの努力をしている。だが、金が集まらなければどうすることもできない。全国の友よ、奈良に続こう。

農業への決意新た

埼玉の大会　蝉鳴く山路でハッスル

【埼玉】さる八月十、十一の両日、秩父の二本木峠青少年キャンプセンターで埼玉県農村青少年技術交換大会が開かれた。この日は一時、雨に降られるという一幕もあったが、ますますの上天気。県下から集まった百八十名のクラブ員は「若い手で 共に築こう 明日の農業」という大会スローガンのもとにキャンプ生活をともにしながら日ごろ磨いた腕を競い合った。

一日目は、午後一時から四時まで技術競技が行なわれ、涼しい山路に設けられたコース別競技場では三人一組の競技者の真剣なまなざしがそこここで見受けられた。競技時間七十分をフルに使って指示された実物の前を移動しながら額を寄せあう競技者には、蝉の声も、うぐいすの鳴き声も耳に入らぬ様子だった。

競技のあとコース別に正解の発表と話し合いがあった。昨年よりいく分難しかったとの声も聞かれたが、正解が出されるたびに木陰に腰をおろした競技者の間から一喜一憂する声があがった。

夜は和気あいあいのうちに飯合炊飯したあと、火の儀式によってキャンプファイヤーに移った。県役員のリードで赤々と燃えるファイヤーを囲んで秩父音頭やフォークダンス、なかなかの役者をそろえての地区連のスタンツ（寸劇）など、審査員の先生方も交えてなごやかに歌い踊って楽しいひとときを過ごした。

二日目は、午前八時半から演示発表。参加地区連七つと数は少なかったが、準備も周到で農業に対する意気込みがうかがわれた。発表者はもちろん見学するクラブ員も真剣な表情。機械を扱う発表者の手さばきもあざやかで、審査員の先生方の鋭い質問にもたじろぐことなく応答し「なるほどな」と感心させられる場面も多くあった。

ハイキングを楽しんだあと、午後二時から閉会式が行なわれ、技術競技と演示発表の審査結果が発表された。会場は喜びの拍手、激励の拍手でわきあがった。

一泊二日の短かい日程ではあったが、二本木峠で多くの仲間と交流した参加者は、農業に対する思いを新たにそれぞれ散会していった。（江守孝子連絡報道員発）

プロジェクトの中で体得を

グラブとリーダー　<3>

原田　正夫

照りつける真夏の太陽、緑あざやかな芝生とかわききった赤黒い土。その上を若者のたくましい力と魂をこめて白球が乱舞する。私の家から車で一時間、勝者をたたえ敗者をいたわる拍手と歓声が、いま甲子園球場にこだましている。

甲子園、そこには脚本も何もない、たくまざるドラマがある。雪深い北国、遠い山里、ビルの谷間、南国の海岸、若者は来る日も来る日も投げ、打ち、走り、いたるところで汗と涙が流れる。戦いぬいてあこがれの甲子園に立つ者、チームのそのかげにユメやぶれ、さわやかな涙を流す者など、さまざまな人とチームがある。

ことしも一日雨のふる日、開会式を見に出かけた。"甲子園にふるさとの香りがただよう"といった人がいたが……。いささか脱線してしまった。私は別に高校野球賛美を長々とのべるつもりはなかったのだが……。

前号にクラブを通して技術、知識を身につけるだけでは役に立たず、それをいつ、どこで役立たせるかという応用力、考察力が必要だとのべた。高校野球にもそれがいえる。どの選手も、チームも等しく初歩のテクニックから高等なものまで練習をしてきたろうが、試合の展開に応じてバンドエンドラン、盗塁……と攻めてゆく。練習で身につけたものを臨機応変に生かせるか否か。頭に入っている野球理論とやらが手足に結びつくか否かで勝負は決まるように思える。

同時に、時折、プロ野球のマネをしてみたり、力のあるチームと同じような攻めをするのをみたりする。やはり自分の能力、体力に合ったチーム、メンバー構成に合った選手をそろえたチームが成功しているようである。

私は高校野球から、若者の純粋さ、可能性、そしてチームワークと共にこれらの応用力、考察力、さらに自分の力、自分たちのチームを知ることの重要さを知った。

クラブにおいても、他のクラブの成功例を見聞きして単純に模倣しても同様に成功する確率は極めて低い。農業でも、すばらしい理論、技術、経営もやはり自らの地域などに合った作付体系や販売方法があり、それを十分考慮するのが当然であろう。構成メンバーの年齢、意識、部門、男女の比率などを考えた活動が望まれる。

いずれにしても、他のいい面はどん欲に吸収し、自分たちに適応しない面は思い切り良く捨てて進むという判断力と応用力が強く要求されている。

クラブは地域によって、メンバー構成によって、また時代によってその中身はちがって当然といえる。が、しかし、その中に断じてちがってはならないものがあることを忘れてはならない。

それはわれわれの活動の基本はあくまでもプロジェクト活動であるという大原則である。数年来、クラブの内外でこのプロジェクト活動の衰退がささやかれている。結果を急ぎ求めようとする時代の社会的風潮であろうか。私はどうもこの傾向が、プロジェクトを発表大会のためのものとしてとらえ、その課題をリーダーや普及員の方に与えてもらってやるというようなことの累積から生まれたもののように感じる。

自分たちの身近かにあることから国民的課題まで、自分たちが農業者として、クラブ員として、青年として、生きて人生を歩む上でどうしても、これを克服しなければ、成功出来ぬ、幸せになれぬという課題をいかにして解決してゆくかということをこのプロジェクト活動の中で体得してゆきたいものである。

（全国4Hクラブ連絡協議会副会長・大阪）

畦道

――神々がシジフォスに課した刑罰は、休みなく岩をころがして、ある山の頂まで運びあげるというものであったが、ひとたび山頂にまで達すると、岩はそれ自体の重さでいつもころがり落ちてしまうのであった。無益で希望のない労働ほど恐しい懲罰はないと神々が考えたのはたしかにいくらかはもっともなことであった。

（カミュ『シジフォスの神話』より）

シジフォスと現代

フランスの哲学者カミュは、この無益な徒労をくり返すシジフォスを"不条理の英雄"と呼んだ。何故なら『シジフォスは自分の岩のほうへと戻りながらあの相互につながりのない一連の行動が、かれ自身の運命となるのを、かれによって創りだされ、かれの記憶のまなざしのもとにひとつに結びつき、やがてはかれの死によって封印されるであろう運命と変るのを凝視しているのだ』からと。

コンピュータリゼーションといわれる現代の神々は、あのカチャカチャという無機質の音をたてながら私たち人間を冷酷に見張っているコンピューターかもしれない。コンピューターはたくみなフィードバック装置によって無用なものはどんどん捨象し、何万、何十万のたくわえられた情報群の中から、あれかこれかの完璧な選択を行なう。それは人間の頭脳をはるかに追い越している。私たちの運命はもしかするとコンピューターの磁気テープの中に収められているのかもしれない。

私たちはシジフォスの無益さを知らぬわけではない。しかし、一つの行為の選択に迫られてこれをやれば自分の負い目となることを知っていながらあえて試みようとする人間の、あれかこれかの間に歴然と横たわる意識の裂け目には、ついぞコンピューターでさえ測ることのできない無限の距離があることも確かなのだ。

コンピューターはなるほど有能な旗手になることはできる。しかし、あえて無能な旗手になることはできないのである。

神々に反抗したシジフォスをいま私たちは神話の世界から復活させねばならない。【手】

友のペン

「あゆみ」第2号

美しく中味も濃く

美しい写真印刷の表紙。作物を見つめる四人の青年の明るい笑顔。そして、その上に"あゆみ"……。"あゆみ"とは福岡県農村青少年クラブ連絡協議会が発行している機関誌のことである。ここで紹介するのはその第二号。

とにかくこの機関誌はこっている。目次の題字の形を本文の章の表題と統一したり、カットや写真をふんだんに使ったりして、機関誌に読む楽しさと格調の高さをかもしだしている。

巻頭言では、島崎一男県農政部長が"競争力ある農業と新しい農村の建設"と題して農村青少年を激励している。それに応えるかのように次ページで、角紫明前県連会長が情熱あふれる青年論を書いて、それをしめくくる。心にくいばかりの構成である。

"ひとこと"という章では、農業に入った自分や4Hクラブのリーダー問題、日常生活における問題などがおもで、内容もすごくまとまっている。

続いて"プロジェクト"の章になるが、ここでは内容の濃い二点をあげている。

何人かの先輩が"先輩より一言"という章で4H活動や仲間について書いている。"研修レポート"という章もある。"文芸"という章は詩で統一している。……青春の日々に一つの詩とメルヘンと涙と……ある女子クラブ員は青春をうたう。そして、あるクラブ員は農業を謳する。

"師より愛をこめて"という章ではいろいろな育成機関の方々がクラブ員に向けて心をこめて未来の農業やクラブ活動についての助言などを書いている。

"休憩室"でクイズをやって一服し、次の章"黒潮を越えて"へ向かう。東南アジアの海と太陽が目にうかぶような「青年の船」の思い出がズラリ。そして"沖縄"親善交歓訪問記。まだ続く。"つれづれなるままに"人生や結婚、農業を書きつづるクラブ員。また"休憩室"で一休み。

"クラブ紹介"では、あるクラブにスポットをあてる。そして、それらの反省記……。

こう書きつづっても五十五ページからなるこの機関誌の全内容はとてもじゃないが紹介しきれない。"編集後記"で編集委員は「あゆみは満二歳、まだヨチヨチ歩きの状態」だと書いているが、とんでもない。内容を追いかけていたら、こっちが息切れしてしまった。【福岡】

あなたが美人になるヒケツは

食生活と心身のバランス

浜松市の「のぎく会」研修会

【静岡】将来、農業婦人として立派に生きていこうと、浜松市の「のぎく会」（会員十三人 会長水野婦美子さん）が、さる十五、十六の両日、市立青少年の家で研修会を開いた。

天候に恵まれたこの日は、開会式のはじまる午前九時にはクラブ員全員が集まり、団結力のあるところを示した。

一日目の午前中は、講師に今上女史を招いて農村婦人の美容教室が開かれた。内容は「農村婦人が内、外面的美しさを保つには、食生活と心身の状態が八〇％影響する」など美しさのヒケツを聞いた。美人ぞろいのクラブ員たちもますます美しさをますであろう。

午後は、プロジェクト活動について、これまでの反省とこんごの進め方について活発な意見交換が行なわれた。夜に入りクラブ員同士の交流の場がもたれ、のぎく会が発足してから現在までの活動内容の報告のあと、これから大いに発展させるにはどうしたらよいかなどを話し合った。

二日目は、講話とレクリエーション。まず講話では、西部教育事務所の加茂氏から青年の生き方、交歓における女性の立場のエチケット、また恋や愛について、さらに性についてなど将来必要とする知識を聞いた。

ついでレクに移り、各クラブ員のアイデアによるゲームの紹介、合唱、それに全国4Hクラブ員のつどいで披露する郷土芸能の練習などをして楽しく過ごした。

時間的余裕がなく十分に話し合えなかったが、この研修会によって親ぼくが深まり、よりいっそう団結していくことを誓い合った。

のぎく会は県下でも大変立派に活躍しているクラブである。農業に従事している人たちばかりで構成されており、こんごさらに活躍が期待されている。（有谷邦博連絡報道員発）

夏の風物詩――

盆踊り大会にぎわう

伝統はわれらが受継ぐ

さる八月十二、十三の両日、秦野市農業協同組合本所広場において、秦野地区農業改良クラブ秦友会主催、同市農業協同組合、同市サークル協議会、同市教育委員会後援の盆踊り大会が開催された。

ともすれば科学万能の現代に忘れられてしまいがちな自然との触れ合い、素朴な夏の風物詩盆踊りを、私たちクラブ員の手で受け継ごうという趣旨で初めて行なわれたこの大会は、お年寄りから可愛い子供たちまで地域ぐるみの多くの参加者があり、当初の目標以上の成果を残して終った。

自然との触れあいをテーマとしてクラブ員が企画したこの大会は、今までの盆踊りの型を破った特色のあるもの。中でもクラブ員が持ち寄った苗木や鉢植え、ホウズキなどを、参加者に配ったことは非常に好評であった。このようなわずかの普段で地域とのきずなが強まり、神奈川県という都市近郊の中で経営している私たち農業者が、広く一般市民に理解されたことは大きな成果であった。

また、踊りの合い間にはフォークソング・グループの歌を取り入れ、若者の大合唱が夜空にひびいた。両日とも丹沢山の涼風がそよぎ、よい天候にめぐまれ、秦野市々長の栗原藤次氏もお祝にかけつけて下さった。

秦友会々長・平井勝己君は、「初めての試みなので果して参加者があるかどうか不安でしたが、クラブ員みんなの協力により、目標以上の成果がありました」と感想を述べ、大会終了後、星の降る広場で後かたづけをするクラブ員の姿が、一つのことを成しとげた感激とともに、印象的だった。

（神奈川県農村青少年クラブ連絡協議会副会長　鈴野　宏）

草の根だより

素朴で質実な農民

やはり難しい借地農業

原田茂光さん

全国の4Hクラブのみなさまいかがお過しでしょうか。ワシントン州の空の下から暑中お見舞申し上げます。

今年のツユはムシ暑く、雨も少なく、稲は順調な生育をみせているとの先輩の便りですが、八月の天候が気になる毎日ではないでしょうか。私も日本を離れてから早くも四十日が過ぎ、アメリカの生活にも慣れ、日々元気で意義ある毎日を送っております。

開拓当時の荒々しい精神の名残りをそこかしこに留めたなつかしのコロラドを離れ、目下ワシントン州南部ゴールデンデールから南へ約二十マイル、コロンビア川の河岸にできた小さな町マリーヒルにおります。周囲の山々や丘には緑の草木は一本も見られず、この地帯だけはコロンビア川のわずかな砂地に灌漑を行なって果樹栽培をやっています。早春に芽を出し、雨期の短期間で生長したであろうわずかな雑草も、いまは乾燥してカラカラになっています。この黄土色の乾草と河岸の岩、ひときわ緑の美しい果樹地帯、それにゆったりと流れるコロンビア川の青々とした水が一つの絵になるような美しいところです。

現在お世話になっているホストファミリーは、リー・リッターさん（五十二歳）の家庭で、五十一歳になる妻のマリーさんと二人でマスカットぶどうを主体に桜桃、桃、あんずなどを栽培しております。経営面積も五〇エーカーたらずと、アメリカにあっては比較的小規模ですが、果樹自立経営農家としては平均的な経営といえそうです。農業粗収入も二万八千ドル（日本円で約八百四十万円）ほどあり、自家労賃部分をみない生産費を差し引いても一万二千ドルほど残るとのこと。

それでも全耕地が借入地による経営のため「昨年は地代を支払うと五千ドルの収入にしかならなかった」といってニガ笑いをしていました。「ことしは六千ドルになる」と明るい笑顔を見せてくれましたが、借入地による農業経営がいかに困難（不利?）かをみる思いです。

アメリカの農家に入って驚くことの一つに農業機械があります。手動式のとても古いものを、そっち直しこっち直ししながら何とか動かして使っている姿にはほんとうに頭の下がる思いです。素朴で質実剛健なアメリカの農民……。また、規模の大小の差こそあれ、日本の農業問題と同じ性格のものをかかえているということも、これからの日本農業、私の農業を考える上で見逃がせない事柄です。

リーさんの家では、桃やあんず（アップリコット）の収穫の手伝いや、食べ方の手伝い（?）をしながら毎日を楽しく過ごしております。合い間をみて、この地方の若いカントリーエージェントであるロジャー・ボンドさんが、彼の愛車フォルクスワーゲンを飛ばして迎えにきては、この地方の4Hクラブの集りや会議、それに4Hキャンプなどへ案内してくれます。私が日本から持参した自作のスライドはいたるところで好評を博しています。

それでは全国の4Hクラブのみなさま、元気でこの夏をお過しください。

クラブ往来

孤独な職業に心の交流

ぼくたちのクラブは、七地区の各市町村単位クラブが集まって組織されている。クラブ員数は約百名。広い地域から集まるので経営の内容もさまざまだ。いろんなことを教えられるのによい"場"となっている。会員がそろう機会は多くないが、一人でも多くの人たちを知ってもらうために数多くの行事を計画してきた。

ぼく自身、クラブ入会当時はただ行事に参加している程度であったが、いつの間にか自分から進んで参加するようになっていた。

"あの人たちと会える""どんな話もできる"――それは人間の心の交わりで、何ものにもかえがたいものだと思う。

三年が過ぎた。初めて会ったあいつともいまは愉快な仲間である。ステキなことだ！ ひとりでも多くの同志を得てぼくたちは心を強くしよう。農業――それは孤独な職業だと思うから……。

どんな行事を計画しても、参加する人たちは限られてしまう。その原因はどこにあるのだろうか。

一つには行事のマンネリ化があると思う。そこでぼくたちはクラブ員の声を生かすことにした。まず、一人ひとりの心の触れ合いを深めるために、ハイキング、キャンプ、ソフトボールなどを行なったが、みんな忙しい中をよく参加してくれた。

意見発表会や農産物品評会も開いた。当面する問題を取り上げたせいもあって、とても真剣な討議がくりひろげられた。今後は行事のつど会報を集めてつぎに備えたいと考えている。そうすることによって"自分もこの行事の一員だ"という自覚をみんながもつようになると思うからだ。

多くの人たちと有意義な交流をはかりたい！ それはみんなの願いだ。ぼくたちはいままでの活動を率直に反省し、クラブ員がより技術を高められるような、そしてクラブを通じて心から信じ合える友たちを作れるような活動をみんなで考えていきたい。

（三重県・伊勢地区農村青少年クラブ 杉浦常一）

国有林の資源生かす

しいたけの共同栽培 村の基幹産業としても有力

青森県・十二湖4Hクラブ 藤田雪晴

私たち十二湖4Hクラブは、六人の青年が共同経営でしいたけ栽培を行なっている。私たちの住む岩崎村は、全面積の八四・一％が国有林。文字通り"国有林の村"といっても過言ではなく、この自然を何とか利用したいと思って始めたのがしいたけ栽培である。十二湖4Hクラブは昭和四十二年にクラブ員十名で発足、平均年齢二十四歳、耕地の平均は水田九〇㌃、畑一六㌃で、全員兼業農家である。

しいたけ栽培と取り組んだ動機は、前述のように資源（原木）が豊富であり、村の産業として可能だということのほかに、米の問題が深刻になってきたこと、耕地農業には立地条件が悪く潮風害などで作柄が不安定であること、耕地の規模拡大が困難なこと、また、生活の都市化にともなって年々増加していく出稼ぎを食い止めたい、などの理由によるものである。

四十四年から機会あるごとに会合、講習会、先進地見学を行なって技術習得につとめた。そして、私たち六名は指導機関の協力を得て一人五十万円、合せて三百六十万円の後継者育成資金を借り受けてスタートしたのだった。

四十五年早々、営林署から原木を官棚払い下げてもらって植菌した。植菌したほだ木は苗の生育に適した自然の状態におくのが好ましいが、管理の省力を考え水田休耕地と住宅の裏庭を利用した。

議会からも援助

不時栽培のため施設が必要となった。検討の結果、村が山村振興事業の指定を受けていることを知り、産業委員の村会議員宅を訪問して理解と協力をいただいた。議会を通じて二百三十二万円の事業として取り上げてもらうことになった。このときは、喜びと同時に何か身のひきしまるものを感じた。

不時栽培施設としては、フレーム二棟（一棟四十八・二平方㍍）、ポンプ一式二台、暖房機（鋼扇ストーブ）四台、抑制棟二棟（一棟二十六・四平方㍍）、水槽二基をそろえた。

まだまだ私たちは始めたばかりである。問題点も多い。技術面においては、①ほだ場の植林が自然状態でないこと②経験が浅い③寒暖の変化が大きく過乾過湿に注意しなければならないこと、などの問題がある。また、運営面においては、①全員が兼業であること②ほだ場が二ヵ所で狭い③市場に遠い、ことなどがある。

今後は、ぼう大な国有林の資源を活用して、村内の一般農家に普及して村の基幹産業にするとともに、来年にも国定公園の指定を受け、十二湖の観光と結びつけておみやげやきのこ料理として岩崎の名産としたい。また、ビン詰や乾燥しいたけの加工も考えている。

問題解決、目標達成のため私たちはきのこの不時栽培に取り組んでいる。私たちは幸いにも指導機関の強力な援助を受けることができた。若い者が力を合わせて努力すればおのずと大人の理解も得られる。それには、よきリーダーのもとに全員納得がいくまで話し合い、決定事項を守り協力し合うことだと私たちは強く信じている。

こんなに立派に！

プロジェクト経営

社会分断する企業化

大規模養鶏のたどる道

広島県・東城後継者クラブ 大橋信博

わが家は、水稲プラス養鶏の複合経営で、水田一五〇㌃、成鶏羽数五千羽である。家族労力は父母と私の三人であるが、父はときどき日雇い労務に出ている。

日本の養鶏産業に、アメリカからの新しい優秀な能力をもつ種鶏の導入、養鶏機具類の開発など、養鶏技術の高度化にともない、単位労力当りの飼養羽数は増大し、大規模養鶏へと移行しつつある。

しかし、日本の養鶏農家のうちでは、一万羽以上のいわゆる大規模養鶏農家の数は少なく、一千羽以下の農家が大部分である。この大規模養鶏と小規模養鶏との分化が、地域において大きな問題となってきているものと思われる。

地域農業の中心になっているのは農協である。農協は現在まですべての農家を自分の傘下において発展してきた。ところが、大規模養鶏の場合は自分でかなりの生産を上げることができるため農協にたよる必要がなくなっている。農協は大規模だからといって優遇することはできず、農協から離れていく大規模養鶏農家がしだいにふえてきた。

この経済優先の社会が、人間が生活する農村社会を分化、分離し、農村が住みにくいところにしてしまうように思われる。

私は、最初はそのようなことは何も考えず、農業に一生取り組むため、自分に一番適していると思われる養鶏を選んだのだった。四十六年と四十七年の二年計画で総合資金（設備資金四百三十三万円、運転資金二百万円）を借りて、一万羽養鶏に取り組んだ。養鶏産業の見通しは決して明るいものとはいえず、借入金を少しでも少なくするため、鶏舎の建設も電気工事以外はすべて二人で行なった。現在は四十六年度目標の五千羽になっている。

ほとんど計画どおりに事業が進んだ。マレック氏病のワクチンの開発により以前のような被害もなく、高卵価をねらって増羽したので、昨年一年間の販売㌔当りの単価は百九十円という高値であった。また、産卵成績もよく、一日一羽当り四十五～四十六㌘は産んでいる。

四十七年度で一万羽にする予定である。地域には一万羽クラスの養鶏農家ばかりなので、これらの農家とどのように手を組んで地域の養鶏を発展させていくかが大きな課題である。

養鶏の場合、他の部門とは違ってかなり企業的に行なうことが可能であり、現在では一万～五万羽クラスが集まって合理的な三十万羽団地をつくっている地域（ひとつの町だけでなく他の町も含めた大きなものである）もある。しかし、これらは農村の地域社会のワクからはみ出した形となっている。確かに合理的なシステムになり、経済競争には勝つことができるだろうが、新しい農村社会が形成されていくようには思えない。

私は将来自分の経営をどのように進めていくか大いに悩むのだ。

望むクラブ交換会

大垣4Hクラブ（岐阜）	クラブ名	塩山4Hクラブ・農勇会（山梨）
20名（女子2名） 派米研修中 3名 県外研修中 2名	クラブ員数	8名
21歳	平均年齢	24歳
洋ラン、花卉、酪農、蔬菜、梨、メロンなど複合	経営内容	全クラブ員果樹が主体。種類は桃、ナシ、ブドウ（デラ・ネオマス・巨峰）サクランボなど
仲間づくりを中心課題とした活動を行ない、地区連、県連などの行事に参加している	クラブ活動内容	仲間づくりを主体として月一回の例会を持ち回りでクラブ員の家で行なっている
特別にはないができたら女子クラブ員も加入しているクラブ	希望するクラブ	男子ばかり8名のクラブなので女子クラブ員のいるクラブがいいですね
① 大垣市横曽根町1805 森谷健五 ② 大垣市役所 農業改良普及所内 大垣農業青年クラブ 電話＝大垣（0584）81―4411（内線224）	連絡先	① 塩山市萩原879（〒404） 小野嘉四郎 電話＝055333―4734 ② 塩山市上於曽（〒404） 東山梨農業改良普及所塩山支所 電話＝055333―2305（055333は塩山局ですのでまちがわないよう）

クラブ員のみなさまよろしく

結婚を考える ▶22◀

気になる姑達のうわさ話

栃木県・花の和4HクラブOB 斎藤文子

嫁の気持〈3〉

嫁・姑の間にあるミゾを解決するには話し合いのほかにないでしょうが、もし話し合ったとしても嫁という立場にプラスになることはないでしょう。かえって近所から「あそこの嫁は……」とかげ口をいわれるくらいが関の山。何もいわずに黙々と働いていれば「何々さんのとこじゃ、よく働く嫁さんで幸せだねェ」というぐあいです。

お姑さんが三人寄れば近所の嫁の話が出ます。わたしも近所の人がお茶飲みに寄って話しているのを聞いたことがありますが、ほかのところでわたしも話題にされているのではないかとあまり気持のよいものではありませんでした。

グチめいたことを書いてきましたが、これはいろんな場所で話に出る若いお嫁さんの言葉をわたしなりの文章にまとめてみたものです。みなさんはいまの農村をどうみていますか？

それとも、そんなのはいい過ぎで実際の姿ではないとお考えでしょうか？ でも、嫁いでみて初めてこういう古さにぶつかりショックを受ける――というのが現実ではないでしょうか。

婚約者として交際しているうちはすごく現代的な家庭にみえて早く飛びこんでゆきたい気持になるものです。いざ嫁いでみるとさまざまな問題にぶつかり、思うようにいかないのが現実なのです。

さて、あまり内面的なことばかり書きますとグチっぽくなりますので、仕事のことについて書きましょう。

わたしは運送屋の運転手をしていた主人と、"結婚したら絶対に働きに出ない"と約束してスタートしました。嫁いだ当時は米麦中心で、ほかに半促成イチゴを一五㌃ほど作っていました。主人が農業をやっていませんでしたから、仕事は親中心。まる一年くらいは若いわたしの意見は通りませんでした。

わたしたちは一歩から勉強しました。いろんな本を買ってきて読んだり、あちこちを見たり聞いたり……。そして米麦中心ではやってゆけないと思い、イチゴの消費がどんどん伸びているのに目をつけてイチゴで勝負することにしました。それから単棟ハウスを建て、ベットヒーターを入れ、連棟ハウスを建て、加温機を導入し……と、年ごとに拡げてきたのです。

ことしは、単、連ハウスに山上げ・株冷を取り入れ、一～五月いっぱいイチゴの出荷に追われる忙しい毎日でした。冬の仕事だから寒くてひどいと思われるでしょうが、加温機の使用によってコタツにいるよりも体全部がポカポカと暖かく、仕事も楽しくできます。こうして四十四年には南摩一位、四十五年には鹿沼市で十位、ことしは鹿沼市で五本の指に数えられるほどの実績を上げることができたのです。

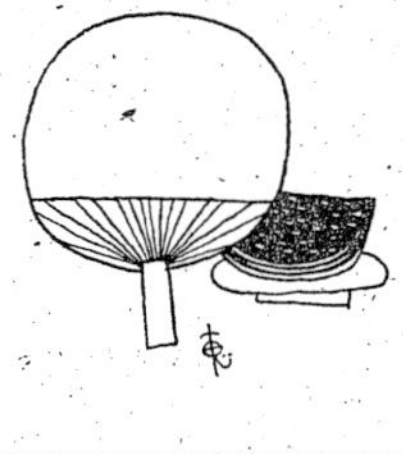

漫画・コント 募集

本紙では、紙面にユーモアをもたせるため、次の要領で、ひとくち「漫画」と「コント」を広くクラブ員から募集することになりましたのでふるってご応募下さい。

1、内容 ユーモアと機智に富んだもの（風刺的なものを含む）

2、用紙 ハガキ使用▽漫画の場合は黒（鉛筆でもよい）か赤色を使用し、タテ・ヨコの大きさが同じもの

3、住所・氏名・所属クラブなどを明記して下さい

4、送り先 東京都港区西新橋一ノ五ノ十二 佐野ビル（〒一〇五）、日本4H新聞編集部 電話＝〇三（五九一）一八一七、三六八三

5 掲載分には記念品を贈呈します

クラブ員の中には、漫画の得意な人やユーモアに富んだ人が大勢いると思われますのでどしどし応募して下さい。

NHK農事番組（9月1～10日）

"新しい開拓者像を求めて" 「全国4Hクラブ員のつどい」から

テレビ

明るい農村 6・30～6・55 総合
1日 農村新地図「沖縄県石垣市」源武雄（沖縄民俗同好会会長）
2日 中止（オリンピック関連）
3日 明るい漁村
4日 中止（オリンピック関連）
5日 きょうの話題
6日 産物百科「ねぎ」
7日 中止（オリンピック関連）
8日 農村新地図「群馬県月夜野町」吉永清（群馬大教授）
9日 中止（オリンピック関連）
10日 明るい漁村

農業教室 7・30～8・00 教育
31～2日 農業の経営間分業 吉田六順（日本獣医畜産大教授）
4～9日 ライスコンビナートを考える 武井昭（農業技術研究所）

あすの村づくり
日 7・00～8・00 教育
再土 13・00～14・00 教育
3日 「新しい開拓者像を求めて」～全国4Hクラブ員のつどいから～
10日 「帰農志願」米山俊直（京都大学助教授）、桑原正信（農業開発研修センター）、相原利彦（和歌山県大塔村）、柳本正直（兵庫県但東村）ほか

ラジオ

話の広場 日・6・10～6・30 ❶
3日 中止（オリンピック関連）
10日 中止（オリンピック関連）

新しい農村 6・00～6・30 ❷
3日 どうする鶏卵の生産調整 斎藤吉郎（農林省畜産局参事官）、佐藤哲夫（全農養鶏部長）ほか
10日 どうなる米の需給 亀長友義（食糧庁長官）

ラジオ農業学校〈講座〉
月～土 6・40～7・00 ❷
31～2日 農家と健康 若月俊一（長野県厚生連佐久総合病院長）
4～9日 これからの農業と農協 三輪昌男（国学院大学教授）

ラジオ農業学校
日 6・30～7・00 ❷
3日 グループの集い「農村工業化と農業」宮城県宮城町・柿崎4Hクラブ
10日 経営手帳「経営間分業を成功させるには」吉田六順（日本獣医畜産大学教授）

どう耐えるべきか

恐怖、15円オレンジの貿易自由化

和歌山県・保田4Hクラブ 杉浦正基

家族は祖父、父母、私の四人。耕地面積は約二㌶、そのうちわけは晩生種が一㌶、中生種〇・六㌶、早生種〇・四㌶である。全園の半分は山の斜面を利用した階段畑、他の半分は平畑（水田転換など）である。

年々急増するみかん生産量に加えて、オレンジ、果汁の自由化が行なわれ、私たちみかん農家はいったい、どうすればよいのだろうか。

アメリカのオレンジは一㌔当りの生産費がわずか十三円だという。それにくらべ日本のみかんは三十四円になる。また、農林省の選択的拡大政策によって増反、増植され、この生産高が示すグラフの線は急上昇を続けている。そこへ一㌔当十五円のオレンジが入ってくると大変なことになる。

かつてのレモンのように日本のみかんが押しつぶされ、みかん栽培意欲に致命傷を与えるのではないかと思う。

自由化を叫ぶのは私も同感だ。だが、それに耐えられる形態ができるまで自由化を待ってほしいと思うのだ。

いつまでも自由化を止めておくことができるだろうか。いや、それよりもやがては到来する十五円オレンジに対抗する手段を考えねばならない。この苦境を乗り越え、そこに生きられるみかん作りこそこれからのみかん作りの本当の姿ではないだろうか。

それでは、いままでと違った経営方式で徹底的なコスト下げをするにはどうしたらよいか。私自身にそくしていえば、①急傾斜地の農道（現在約一㌔を工事中）②スプリンクラーによる肥料、農薬の散布（全園の二五％は県営、五〇％は自家設備、残りは未設）③整枝せん定摘果の省略化④柑橘系統問題⑤大型販売機構⑥余剰労力の配分――などである。

現在までのところ、②、⑤にかなりの成果を上げているが、まだ一段と努力が必要だ。

このように、いつかはくるみかん恐慌に備えるべき策をいろいろ考えているが、苦しい試練を乗り越えていくとき、必ず希望の光がみえてくると信じる。そのときは世界のみかん市場へ君臨する実力ができたということである。私たちは国内市場だけにとらわれず力を合わせて、もっともっと日本にみかんを多く作って世界一のみかんにしようではないか。小さな私の家の計画もその希望の一端だ。

町特産の大根 栽培に試験田

入善町椚山4Hク

【富山】入善町椚山4Hクラブ（会長 中田邦夫君）は、町特産の大根の栽培技術を研究しようと大根栽培試験田をつくることに決め、さる十三日、荒又地内の試験田十㌃の耕起、うね立てをし、十八日に切り太大根の種まきをした。

農家に嫁ぐ私は
彼は今、米国で農業研修中

神奈川県・戸塚4Hクラブ
△△△
すずらん子

時代の進歩とともに世の中は、私の小さかった頃から比べるととても変わってきています。その代表的なものとして交通機関などがあげられるでしょう。飛行機―それは、わずかの時間で遠い国々へ人々を運んでゆく。

二月二十一日午後七時、彼は羽田の国際線ホームからパン・アメリカンの翼に吸いこまれるようにして、何万キロも離れた米国のアイオワ州のデファイアンスという町に行ってしまいました。

米国の農場に入って多くのことを学ぶために、彼は国際農友会の仲間百五十人と日本を離れたのです。そして、彼は来年の三月に日本へ帰ってくる予定です。そうしたら私は、彼のお嫁さんになれるのです。

私の家の仕事は商業です。どう考えても、農業とはほど遠い職業です。私の家は牛乳販売をしています。私は毎朝三時半に起きて、いろんな家庭に牛乳を配達しています。早朝の約三時間半の間、私は朝もやのなかを元気に駆け回っています。

私は配達を済ませるとお店へ出ます。小売りのほうも毎日忙しいんです。一日中、買物に来るお客さんの応対です。夏は牛乳やコーラやアイスクリーム、ジュースなどがよく売れます。私は、この商売が好きです。でも、今の私はとても農業に関心を持っています。

4Hクラブに入会して彼と知り合いました。それから私は、他人が笑うくらいの変身ぶりで、農業関係の書物などに目を通しはじめたのです。とりわけ養豚についてはとくに……。

そうなんです。彼は養豚家なのです。現在、彼は豚千頭、肉牛千頭、畑千エーカー（4千反）の大規模経営の米国の農場にいます。彼からは英語まじりのすばらしい手紙がきます。それによると彼はいま大いに農業を学んでいるということです。彼はまっ黒に日焼けしてがんばっているといっています。

彼が羽田を立ったその日、私は一年間の別れがつらく涙ぐんでいました。税関と送迎デッキの間には、厚い防弾ガラスのようなついたてがありました。私は、彼に笑顔を見せてあげなくてはと思って一生けん命笑顔をつくりました。〝わかれの窓〟から彼はどなりました。「体に気をつけろ！」私は涙をこらえてうなづいたのです。

冬は十五度C、夏は四十五度Cという気候の土地に彼は現在います。日本の神奈川などではとても考えられない気候です。そんななかで一年間農業に取り組む彼に私は言うべきでした。「身体に気をつけて下さい」と……。しかし、私は涙で言葉が出ず、ただ「待っています」としか言えなかったのです。彼は、うなずいてくれました。

あれから、早いもので五か月が過ぎようとしています。海外への小荷物の送り方などいろんなことを覚えました。また、海外のニュースを聞くこともできるようになりました。待っている私自身もいろいろ勉強になっています。

あと七か月、まだまだ先は長いですが、毎日毎日、彼からくる手紙をとても楽しみにしています。そんな日々のなかで、農業者のもっと良き妻になるためにはどんなことを学んだらいいのか、と自分自身に問いつづけています。

立派な農業婦人に

嫁ぎゆく彼の家族のためになり、神奈川県農業のためになる、ひいては日本農業のためになる……そんな良き農業婦人になりたいと欲ばったことを考えています。

いまの仕事はほとんど陽に焼けませんが、ですから、ちょっと色白な私ですが、きっと二～三年のうちに太陽と土と農作業への意欲とでまっ黒になると思います。それを家族のみんなが楽しみにしていてくれるみたいです。

時の流れが速くも遅くも感じられる今日この頃です。

（たち見席）

小生の女性恐怖症（その3）

さて、小生の入学した高校は先生が好きなのか、それとも生徒会が好きなのか、まあそれはどっちでもいいんでやんすがとにかくやたらとフォークダンスが多いところでありんした。

よくよく考えてみやんすとあの男のせいもあったんでやんしょうね。あの男とは生徒会長のことなんでやんす。なにしろ、あの男は女が好きでありんして、本当にもう、どうしようもなかったんでやんすよ。つまり、女狂いとか色きちがいとかいうやつでやんしょうね。まあ、あの男は、女と一緒にいられるんで会長になったというんでありんすからね……（ここで感違いしないでちょうね。〇〇協議会々長は違うんでやんすからね）。

英雄イロを好む―とかなんとか、世の男どもはそれでいいんでありんしょうが、小生のそのような言葉に対するなげきといったらもう……。

小生は高校時代、保健委員をやってたんでやんした。

でも、小生にとっては、これもまちがっていたんでありんす。保健委員というものはみなさんご存知のことでやんしょうが、傷の手当などをするんでやんすよ。ケガをするのは男ばかりとは限ってないんでやんす。ここにも、小生の恐怖がひとつめばえたんでありんした。

あれは、そう高校二年の春の日のことでやんした。小生よりひとつ年が若い女の子がひざをすりむいて、保健室に連れてこられたんでやんす。そこで小生、傷口にオキシドールをちょっとつけたんでやんすよ。

「キャー！」

―つづく―

（栃木・足利地区青少年クラブ協議会 一クラブ員）

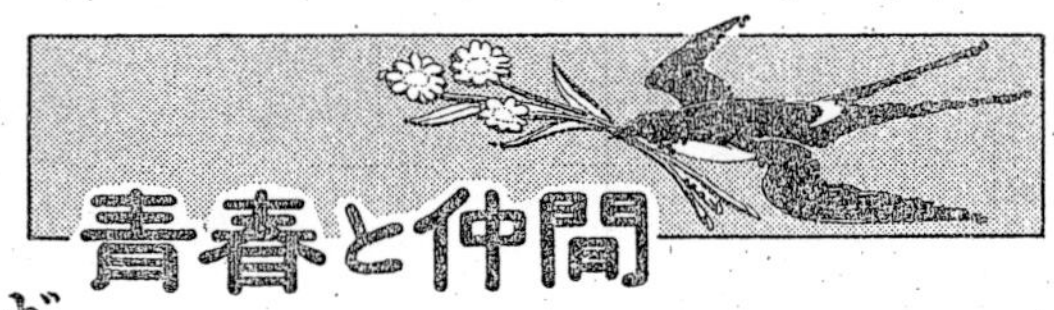

自分の主張をもて

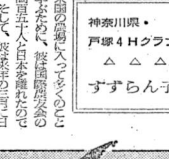

広島県・沖友農業後継者協議会 藤田治之

4Hクラブの実態とシンボルマークは、じつによくマッチしている。これほど見事な表現力を有したシンボルマークを持っている団体はほかにはないだろう。なんとも情けない話だ。なんとも情けないシンボルマークだ。私は現実を見てこう言わねばならない。

四つ葉のクローバー……。せめて三つ葉なら、ヒツジが腹を裂くぐらい喰ったとしてもまだまだありあまる。そもそも四つ葉のクローバーは奇型であって、それゆえなかなかの稀少価値がある。農村青年もいまや稀少価値うんぬん。

しかし、今の農村青年は本当に村における自分の価値を認められるべく努力しているのだろうか。ただ単に、仲間が減っていくということによって、おのずとわいて出てきた稀少価値に溺れてはいないだろうか。

現代の農村青年には主張、とりわけ自己主張がないような気がする。そして、人の話を理解しようとしない。いや理解できないのではないかと思えるときもある。

農業青年のなかにも、農業をやっていて、農業の未来図、村の将来といったものを考えないで、むしろ逆に、できることなら農業をやめようと考えている人をよく見かける。しかし、自分にできる仕事がほかにないので、農業をやめるにやめられないという若者が意外に多い。

村の人たちが若者に対して持っている感情は〝稀少価値〟だけではない。われわれ若者をふがいないと思っていることも確かなのである。それでなくとも〝俺の村〟を考えない青年が村の年寄り連中の気に入ることがあるだろうか。

ここ数年来、若者に対して「このやろう、生意気な！」と頭ごなしにできない社会情勢になったのを理解しているのは村の老人たちだけである。当の青年たちはいまだに〝封建的〟だとかなんとかばかり口走っている。だが、良きにつけ悪しきにつけ、村をどうする、農業をどうすると自分の考えていることを表現する青年は老人にとってこのうえない宝である。

たとえ親同士がいがみ合っていても、そのような青年と老人たちはお互いに信頼感で結ばれるだろう。そして、青年は、そのような老人がひとりでもいることがわかれば、きっと勇気づけられるだろう。こうしてお互いが村を作り、明日の農業を築いてゆくのである。

さて、話しは前後するが、自己主張をしないということは、主義主張がないことである。これでは人の話し、人の思想を理解できない。相手の思想をどうにも比較しようもないからだ。良し悪し、大小、上下、こうして比較することが理解への近道だと私は思う。

自分の考えなくして相手の話しを理解しようとしたとしても、これは最初から理解しようとしていないということだ。

自分が、村をどうする、こうすると考えていないで、他人が村作りについて話しをしていても聞く気にはなれないだろうし、理解できないのも当然だといわねばならないだろう。

そのうえ〝農業をやめよう〟なんて考えていたのでは、なにをか言わんやである。

私は青年と村作りについて語りたい。農業に将来を賭けている私は、村作りの話しができる青年と会ったとき〝生〟を感じる。心がはずむ。

すこしでも仲間が増えることはほんのすこし三つ葉のクローバーに近づくことだ。たくさんあるごくありふれたクローバーに！俺かて、ごくありふれた農村青年のひとりである。ちがいますか？

おつぎはあなたの出番です！

あんな人こんな人

岩男義晴（大分）

どう越える都市化と過疎

結婚していてもやれるさ

大分県農村青年クラブ連絡協議会々長の岩男義晴君は昭和十九年生まれの二十八歳。三年ほど前にお見合い結婚して、現在ではカワいい女の子がひとりいる。

彼が青少年活動に関係してからもう十年ぐらいになるということだ。本格的に取り組み始めてからは四～五年。

役員になってからの悩みは、いろいろあると彼は顔をしかめる。なかでも過疎地域のクラブ活動の推進には、頭を痛めているということだ。地域によっては、一町村に会員が一、二人から五、六人程度のところがかなりあるという。その対策として岩男君は、過疎地域は郡単位にして人数を確保し、クラブ活動推進の体制をとっている。しかし、それでも距離的な問題が残り、今後も検討を進めなければならないと彼は語る。逆に都市化による会員の減少も大きな問題だそうだ。

また、岩男君は、いま始まった問題ではないがクラブ員の意識づくりも重要だという。それもクラブ活動を通じての意識づくりでなければ効果が少ないのではないか。そう考えて彼は県の行事や共プロなどにも気をつかっているということだ。

最近いろいろな地域で行なわれている農産物展示発表即売会をどんどんやるようにしているそうだ。それも、二つ以上の地域クラブを競走させて意識づくりに一役買わすようにしているという。

また、役員になってつくづく難しさを感じたのに、行事などの回数の問題があると彼は苦笑しながら語る。行事の回数が多すぎるとクラブ員に負担がかかり、出席率が低下する。かといって少なすぎると、クラブ活動全体が低下してしまう。その中間点を綱渡り師のようにうまく渡ってゆくのもリーダーの腕のひとつではないかと彼はいう。

そのほかリーダーの問題は種々あるが、ひとつひとつじっくり解決してゆきたいと、岩男君は真剣な表情。

岩男君に女子クラブ活動の問題点を尋ねてみたら「ウーン」とうなって口をへの字にきつく結んだ。そのあと、彼はゆっくりと口を開き「うちの県では女子の活動はあまり活発とは言えません」と重々しく語る。

全国的にそうだろうが、女子の場合は婿とりだけがクラブ活動に一生けん命うちこむといった傾向があると岩男君は指摘し「嫁ぐ立場の女性がもっと活発になればいいのだが……」と言葉をつまらせた。しかし、なかには活発な女性クラブ員もかなりいて、女子だけの集会をもったほうがよいという声もたまには聞くという。岩男君は、そうなったら男子とまったく同じ扱いで一本化しクラブ活動をより充実させたいと語った。

あとになったがこの辺で岩男君の家の経営を紹介することにしよう。彼の家では水稲二百アールと、しいたけ（年間約三百万円）を栽培している。これからは水田の規模を拡大したいと思っているが、地価が高くなかなか困難だという。地元の農家の人も土地はなかなか手放さないそうだ。そこで、岩男君はしいたけを徐々に主体にしていく予定にしたという。

岩男君は結婚していても、クラブ活動に対する意欲は十分である。家庭の理解を得られずして、クラブ員に何を理解してもらえるかと彼は笑う。彼の意欲には教えられるところが多い。

無趣味が趣味だという一風変った人―岩男義晴君。なんとなく品のよい落ち着いた人。八月上旬には宮城県・松島で行なわれた「第十二回全国農村青少年技術交換大会」に参加していろいろなことを学んできたという熱心な勉強家でもある。

「もうトシだから来年からはOBとしバックアップしていきたい」と笑顔で言う岩男君。まあ、そういわずに、あなたのような人が本当に必要なんですから、これからもがんばって下さい。

（宇佐郡安心院町大字妹ヶ火田）

フラフラ人生…

福島県・木幡4Hクラブ 武藤健司

農業だけで食っていけない農家が増大した。一見して農業だけでも十分食っていけそうな農家でさえも、仕事の合い間をぬうようにセッセと出ては働く。本当に忙しい世の中である。そうは思いませんか、みなさん！

私の家というより私自身農業兼何々の部類である。サラリーマン農業とでもいったところか。不規則ではあるが、勤めも農業もやっている。

もちろん、私は4Hクラブの一員でもある。なぜ4Hクラブに入っているのか？それは私の家が農家で農業をやっているからでもあり、4Hクラブが何となく良いところだからでもある。

4Hクラブといえば、必要不可欠なものとしてプロジェクトがあるが、私はあまりうちこんでいない。しかし、養蚕が主体だから、しいていえばそれがプロジェクトだともいえそうだ。

この程度の意識であるから、4H活動にあまり積極的には参加してない。ただ顔をだすだけ……。その帰りにいつも思う。〝ああ来てよかった。しかし、なんかものたりない〟と―

自分自身が中途半端な生活をしていては、本当にうちこめるものなぞ見つかるわけがない。

まして近頃、農業には暗い材料が多い。繭価の低迷、そのほかいろいろなことが私に打撃を与える。しかし、根本的にはそれらがわが家の経営条件である。

いっそのこと他産業へとときどき思う。ふらついた複雑な気持だ。私は二十二歳―わが人生これからいずこへ。

笹笛

わがうちなる機械

ほんの二、三日前のことである。私は夕方の散歩にでてひどく不愉快な気分を味わされた。

夕方の散歩とはいえ、まだ盛夏のことである。太陽は家並に半分その身を没していながらも、熱い日射しをぼくの全身に投げつける。不快な汗の流れをハンカチでぬぐいつつ、ぼくは近くの酒屋へ向った。冷たい水滴で腹巻きをした一本のカン入りコーラ―それを飲みながら散歩したらさぞ気分がよかろうと考えたのだった。

酒屋の前にずらりと勢ぞろいしている種々の自動販売機。ビール、お酒、おつまみ、パン、ジュース、タバコ、ライター、どれもこれも店の人と話しもせずに気楽に買える。そんな機械の群を見て悲しむといったようなやさしい気持を、ぼくはとうの昔に失ってしまっている。ぼくは、ただそれらの自動販売機のひとつのように小銭をジャラジャラさせて物品を手にするだけだ。

ぼくは汗まみれの小銭をコーラの自動販売機に投下した。と同時に、ジュースが一カン飛び出してきた。ぼくはコーラが飲みたかったのだが、まあいいと思ってひき返そうとした。そのとき、店の女の人と視線がぶつかった。そこで、ぼくは店の人に「コーラのボタンを押さないうちにジュースがでたんですけど、取り換えてくれませんか」と思い切ってたずねてみた。

すると店の若き女性は血相を変えてぼくをにらみつけたのだった。「じょうだんじゃないよ！機械は絶対間違いっこないからね。あんたが間違えたんだろ！」

そう言われて、あんまりしゃくにさわったもんだからぼくもひらき直ってやった。すったもんだの三十分。「機械は信用できるからね。あんた本当にお金入れたの」とわめきつづけた彼女も、ぼくの強情さにあきれたのか、とうとうジュースとコーラを取り換えてくれた。その女の機械のような横っ面をはっとばしてやりたかったがぼくはこらえて店を出た。

ぼくは、あの女の横っ面のかわりに自分のほっぺたをぴしゃりとやった。そして、コーラのカンを切って一口飲んだ。みじめな苦々しい味が口腔いっぱいにひろがった。汗がどっとふきだしてきた。

〝ぼく自身は、なんて不愉快なんだ〟とぼくは口びるをかみしめ、コーラをガブガブ飲んだ。（野）

詩

帽子

長崎県・南部4Hクラブ 村田晴久

まっ黒な帽子
何一つ飾り気ない帽子を
私は手にする
友よりもらった帽子を
想い出秘める帽子よ
黒き帽子よ
おまえを見るたびに　友を想う
真夏の陽をうけた
友の帽子よ
今 私の手に　私の心に
優しく残る
私は手にする
友よりもらった帽子を
そして考える
いとしい人を
帰らぬ過去の日々を

落日 (13)

栃木・小山4Hクラブ
農民文学会会員
山中康司

「芳、早く、さめないとこ食べちゃえな。今日は十一時に栃木に行くんだろ。新聞なんか見てないでほら……」

「うん」

「松本さんて人、同じ学校だったんじゃどんな人か知ってんだろ。伯母さんもあんなにのり気なんだから、心配かけるようなことはするんじゃないよ」

飯を食べると奥の間に行って祖母の枕元でお茶を飲んだ。

「うまく行けばいいがな」

祖母の一人言だ。

芳男はめったにしたこともないネクタイをしめて仕度した。どこに行く時も見送りしない母が、この時はハンカチを出したり、背広のえりをなおしたり揚句には靴まで磨いたのであった。

九時半になった。陽はだいぶ高い。雑木林には霞がかかり、良い秋日よりになっていた。

時間が時間なのだ。列車は同じレールの上を同じ方向に走っているのに、そこには昔日の影がどこにも見えない。網棚には学生カバンがなく、黒の学生服も紺のセーラー服もひとつもない。ああ今日は日曜日だったけと思う。座席には倦怠期の紳士や婦人が新聞を読んだり子供とじゃれている。芳男は週刊紙から目をはなして外を見た。大平山がけむったい。国学院の白い建物がその中腹にぼやけて見える。広い水田地帯には赤や青のかわら屋根の住宅が大分ふえた。草ぼうぼうの休耕田は二年前には見ることができなかった。水田地帯はやはり純粋な水田の方がいい。そう芳男は思うのだった。

『松本さんとの結婚話を断るのも伯母達のはしゃいでいる今は無理だ。それよりか彼女に直接会って自分はまだ若過ぎるし結婚にも自信がないんだということをよく理解してもらった方がいい』

これが伯母が来た日芳男が考えたことだった。だがそれから一週間、芳男の気持もしだいに緩んだ。それは同級生の結婚話を聞いたからでもなければ正一の婚約発表があったからでもなく我家のために自己犠牲を強いる父母の意見に妥協した訳でもない。自分の弱さからきたのだ。確かだとはいえ人間の信念とか能力に対する疑問はささいなことから生じてしまうものだ。たよれる人、もたれかかることのできる人が欲しい、昨夜の出来事が芳男を寂しくさせたのは事実だった。

自分はなんといっても平凡な一農村青年ではないか。読書だの思索だのと生意気なことを言ってみたところで、どうなるものではない。農民の先進的な指導者になぞなれっこない。ならもう少し自然に身をまかせるべきなのだ。夏目漱石は「則天去私」という事をいった。己れを無にすることだ。結婚に対してもあまりエゴを通さず成り行きにまかせた方がいい。だいたい純粋な結婚は恋愛によるという考えがおかしい。また女性を見るのに顔かたち、学歴を気にするというのも偏見だ。もう少し素直になって物の奥を見る必要がある。結婚したって気持ちさえしっかりしていれば、けっして堕落はしない。もし松本さんが自分の考えに同調してくれてこころのしっかりした人であれば、二人でしっかり手をつないでやって行こう。それが人間の自然な形だ。これが芳男の今の心境だった。

だがこの日は同じ女性にあうというのに、かつての三枝子との待ち合わせのような、胸のときめきとあせりはなかった。一種のあきらめがどこかにあるような気がしていた。

◀投稿案内▶

本紙は、全国クラブ員の準機関紙として、みなさんに大いに利用していただきたいと考えています。

クラブの催しや個人のプロジェクト、詩、短歌、随筆、写真、悩みや意見、村の話題、伝説、行事、お知らせ、小説、その他なんでも結構ですから原稿にして送って下さい。

❶長さや形式は自由です❷できるだけ記事に関連した写真をそえて下さい❸送り先 〒105 東京都港区西新橋1の5の12 佐野ビル内 日本4H新聞編集部

日本4H新聞編集部

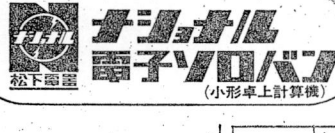

日本4H新聞

4Hクラブ
農事研究会
生活改善クラブ
全国広報紙

発行所
社団法人 日本4H協会
東京都港区西新橋1の5の12
佐野ビル 〒105
電話(591)1817・3683
編集発行 玉井 光
月3回・4の日発行
定価 1部 35円
一ヵ年 1200円(送料共)
振替口座 東京12055番

クラブ綱領

私達は、実践を通じ、自らを磨くとともに、互いに力を合わせて、よりよい農村、よりよい日本を創るため、四つの信条をかかげます。一、私達は農業の改良と生活の改善に役立つ腕をみがきます。一、私達は科学的に物を考えることのできる頭の訓練をします。一、私達は誠実で友情に富む心をつちかいます。一、私達は楽しく暮らし元気で働くための健康を増進します。

壮観ジャンボ4Hの祭典

開拓の歴史を踏む
郷土芸能守る姿に感動

心頭技健　築くわれらが未来を築く——をスローガンにかかげて、開拓百年の歴史を秘めた北海道に全国の4Hクラブ員はじめOBとその家族、農業高校生、外国クラブ員、育成指導者など約二千四百名が集まった。参加者は、地元クラブ員宅に宿泊しての現地交歓訪問、パネル討議、記念講演、散策、交歓の夕べ、ウエルカムフェスティバルなどを通じて、農作業を体験するとともに明日からの農業や4Hクラブ活動などについて意見を交換し、相互の友情を誓い合った。全国クラブ員の一大祭典——第八回を迎えた「全国4Hクラブ員のつどい」は、全国4Hクラブ連絡協議会(会長 松浦啓治君)、北海道4Hクラブ連絡協議会(会長 中山寿雄君)、社団法人日本4H協会(会長 宮城孝治氏)の主催、農林省、文部省、総理府、北海道、NHKなどの後援によって、さる八月二十八日から九月一日までの五日間、札幌市を中心に石狩など八支庁一円で花々しく開催された。とくに今回は、参加県連や参加者数、行動範囲ともに「つどい」史上最大のスケールとなり、文字通りジャンボ4Hの祭典であった。(詳細は次号に掲載します)

ビール飲み放題のサービス　工場見学

統一行事を行なう札幌市から民泊する現地交換訪問先までの距離が遠いために、今回初めて現地訪問を日程の最初にもってきたことから現地での受付が混乱するのではないかと心配されていたが、比較的にスムーズにいき順調な滑り出しをみせた。

地元クラブ員宅に宿泊した参加者たちは、家族の人たちと交流するとともに農作業を体験。また、内地ではみられない馬に乗せてもらったり、ジンギスカン料理をごちそうになったりの歓待を受けた。

開会式をかねたウエルカムフェスティバルでは、すばらしい郷土芸能に魅了された。これは、薄れゆく郷土芸能を保存しようとOBの指導で伝承のために努力している地元の4Hクラブ員たちが披露したもので、一級の芸術品であるという賛辞も聞かれたほど。郷土芸能がしだいに失なわれようとしている現在、このように地元の4Hクラブ員たちがそれを支えている姿は、参加者に大きな感銘を与えたようである。

「どうする 4H!」というテーマで開かれたパネル討議では、会場からも活発に意見が出され、時間不足を感じさせるほど大いに盛り上がった。中でも、4Hクラブ活動はプロジェクト活動を基本とすべきであるが、農業所得を上げるためには流通面などの関連もあり、クラブ員はもっと政治に目を向けるべきではないかという発言もあり、流動する現在の農業を浮き彫りにしていた。

また散策は、広大な野幌道立自然公園や北海道開拓記念館などの会場をバスで移動しながら、見学や話し合いを行なった。途中のサッポロビール工場見学ではビールの飲み放題。一人で十五杯もおかわりしたクラブ員がいたとか。

このほか、札幌オリンピックの会場の一つ、約五万人を収容できる大倉山シャンツェでの交歓の夕べ、閉会式をかねた感動的なお別れのつどいなど、参加者にまた新たな灯をともしたようである。

期間中は、散策(四日目)の途中に少し雨が降った程度で毎日好天に恵まれ、成功のうちに幕を閉じた。なお、閉会式のあと約二百五十名の参加者は、北海道連の世話で道内研修(観光地めぐり)へ出発した。

"若い力"バレーに燃える

バレーボールに若さをたたきつけるクラブ員

組織強化をめざす
教育振興会、4日から東京で　リーダー育成研究会開く

自主的な研究集団の組織強化を図ることを目的とした農村青少年クラブリーダー育成研修会が、社団法人全国農村青少年教育振興会(会長 東畑精一氏)の主催で四日から六日までの三日間、東京・渋谷区のオリンピック記念青少年総合センターで開かれる。

参加対象は、現在クラブリーダーとして活発な活動をしている人たちで、研修内容は次のとおり。

1、単位クラブにおけるプロジェクト活動の展開について
2、農村青少年クラブリーダーの任務について
3、同リーダーの確保について
4、農村青少年クラブの組織強化方策について

一日目は午後一時半から開会、オリエンテーションのあと二時から農村青少年クラブ活動の現状と問題点についての問題提起、五時から夕べのつどい、夕食、入浴。夜は自由交換と討議。

二日目は午前八時から単位クラブにおけるプロジェクト活動の展開方法について討議、昼食のあと午後一時からクラブリーダーと普及指導者の任務について討議。前日と同じく夜は自由交換と討議が行なわれる。

最終日は午前中、二つの分科会に分かれて、クラブ組織強化の方策について討議、午後は研修と研究のまとめを行ない、四時に解散する。

すばらしい芸も飛出す　桶川地区連で集い

【埼玉】桶川地区4Hクラブ連絡協議会では、さる八月十九日、桶川市営グランドで地区連の集い(ファイヤーストーム)を開いた。

これは、「全国4Hクラブ員のつどい」の意義を末端のクラブ員に理解してもらうとともに、地区連を盛り上げるために催されたもので、八十余名のクラブ員が参加した。

まず午後一時から受付けして三時半まで自由行動。このあと自分たちで炊事をして夕食をとった。六時半から九時までファイヤーを囲んで、歌やゲーム、フォークダンス、単位クラブの出し物などを披露。中には農業者とは思えないほどすばらしい芸をみせる単位クラブもあって、地区連の集いは成功のうちに閉じた。(吉住武雄連絡報道員発)

涼風暖風
魚釣り会の教訓

クラブ活動を進めていくうえで、メンバーの年齢差が問題だということを聞く。年少者から年長者まで年齢の広がりが大きいから、関心や興味や問題意識に差が生まれ、それがもとで活動の足並みがそろわないという。

なるほどという気もするが、もし、年齢がそろったとしたら問題は解消するだろうか。これはどうも疑問に思えてならない。クラブは農業改良や生活改善の学習や実践を目的とする同志的な集団だから、同志性を保ちながら人数をふやそうとすれば、当然、メンバーの年齢の幅は広がるだろう。

しかし、同志性が土台になっている限り、年齢差は、関心や興味の濃淡に影響することはあっても、異質的な差が生まれるとは思えない。

たとえば魚釣り会の場合、魚釣りに関心のある人たちで結成されているわけだから若者もいれば中年も老人もいるし、職業だってまちまちである。魚釣りという共通課題のもとでの年齢差は障害になるどころか違った年代の体験交流が魚釣り会の活動を伸ばす刺激にさえなっている。つまり、魚釣りという活動を目的とした同志的な集団では、年齢差は問題にならないわけだ。

もともと、年齢差と関心差とは別個のものである。4Hクラブで問題視している年齢差とは、実は関心差のことではないのだろうか。それも濃淡差ではなく異質差にあるように思う。これは、クラブの活動目的とは別のものに関心を持つ人がメンバーになっていることを意味する。魚釣り会でいえば、魚釣りに無関心な人が、友人がほしいという動機だけで入会しているようなものである。この場合の魚釣りは、友を求める手段でしかない。

では、なぜメンバーに関心の違いが生まれるのだろうか。考えられるのは、クラブ活動の目的を理解しないで入会した場合、もう一つは、クラブ自体の活動目標があいまいな場合である。つまり、目的や同志性が弱ければ弱いほど関心が多様になるし、年齢差がいっそうこれを促進することになろう。だいじなことは、クラブ活動の目的を確かめ合い、これに照らしてメンバーの関心や問題意識から共通課題を引き出し、その解決をはかる活動を組織化していくことだと思う。

魚釣り会から「魚釣り」を除いたら、残った「会」は「解」「壊」になって「員」になろう。

(北海道・三輪)

難しい農薬の空ビン処理法

アイデアないか
沖友農業後継者協議会　反響よんだ空ビン回収

【広島】沖友農業後継者協議会(会長 藤田克幸君)では、お盆を控えた去る八月十三日、昨年に引き続き地区内の環境整備の一環として農薬の空ビン集めや不用または古くなった農薬の処分を行なった。

また、特別サービスとして家庭のゴミ集めなども、沖友へお盆で帰省してくる人たちを誠意をこめて迎えるために地区中をきれいに清掃した。そのうえにクラブ員たちは、道路端の草取り(子供会が分担)まで手伝い、除草剤を散布してまわった。

ただ、除草剤は遅効性のものを使用したため、すぐに草が枯れてくれず、クラブ員も苦笑していた。しかし、お盆も終ってしばらくするとみごとに枯れて、まずはメデタし、メデタしといったひとコマもあった。「来年からは速効性の除草剤を使用してお盆に間に合わせるようにしたい」とあるクラブ員は語っていた。

とにかくミカン産業が始まって以来一世紀近くも農薬の容器を組織だって回収した例がないので、この空ビン処理は各地に反響を呼び起こし、農協単位や町役場で農薬容器を回収し、ガラス粉砕機の導入を試みるところもでてきた。

ただ問題は、プラスチック製の容器である。今のところ熱処理が一番効果的なので、沖友農業後継者協議会では、大きな穴の中で廃油などと一緒に燃やすという方法をとっている。燃えないまでもいちおう溶けて小さくなるので、効果的といえよう。

また、安全性、確実性もある。

もし、他地区で農薬の容器などを組織的に処理しているところがあれば情報の交換をしてほしい。

なお連絡先は、〒七三四—〇三 広島県豊田郡豊町沖友 沖友農協内 沖友農業後継者協議会。

黄色い声援受けて
山口県連　チームワークで熱戦展開

【山口】さる八月二十日、山口県農村青少年クラブ連絡協議会(会長 白松博之君)主催のソフトボール大会が、新南陽市富田の南陽工業高等学校グランドに県下のクラブ員二百余名を集めて開かれた。

試合は、一チームが女性二名を含む九名とし、トーナメント方式で行ない、敗者復活戦もとり入れた。

当日は朝から小雨が降ったり、やんだりの悪天候。しかし、そこは若さを発揮し、雨にも負けず風にも負けずエネルギーを白球にぶつけた。九時半から開会式、地区別にプラカードやクラブ旗をもっての入場行進。同時に放送によって地区協の紹介が行なわれた。

白松県連会長はじめ、県の品川普及教育課長、来賓として新南陽市長らからそれぞれ激励のあいさつがあり、審判長から競技上の注意について説明があったあと、各地区協旗を囲んで選手代表の石光徳山地区協会長が「最後までのびのびとプレーします」と宣誓し、いよいよ試合に入った。

第一試合Aコートでは、まず厚狭対美祢戦が品川普及教育課長の始球式によって開始され、三コートに分かれて熱戦のひぶたが切られた。しかし雨足が一だんと強まったために試合を中断、結局、体育館に会場を替えてバレーボールをくりひろげた。

「ファイト」という女性からの声に男性はますますハッスル、周囲の応援にくらべ、日ごろ余りやらないスポーツだけに思うようにいかない。だが、そこはチームワークを発揮、今日の敵は今日の友とばかり励ましを受けながら闘志をもやした。六時間にわたる熱戦の結果、阿東地区協が昨年のソフト大会優勝チーム防府・徳地チームを二対〇のストレートで破り初優勝を飾った。

閉会式では阿東地区に品川普及教育課長から優勝旗、白松会長からトロフィーなどが贈られ、また来賓を代表して南陽工業高校々長代理から「どんなことでもチームワーク、団結力を発揮すれば一の力が十になる」と激励のことばがおくられた。

なお、試合の成績順位は次のとおり。

▽優勝チーム=阿東地区協▽二位=防府・徳山地区協▽三位=長門・大津地区協▽四位=宇部・厚狭地区協

(須内和明連絡報道員発)

互いの友情を誓合う
八女西部地区連で大会　討議や登山など

【福岡】八女西部地区4Hクラブ連絡協議会(会長 中村光雄君)主催の第三回夏季技術交換大会が、さる八月十八、十九の両日八女郡矢部村の少年自然の家で開かれた。

これには、クラブ員、農業改良普及員など約百二十名が参加し、一日目は午前十時から開会式。昼食のあとゲームや歌、フォークダンスなどのレクリエーションで楽しみ、続いて八班に分かれ、「農村における親子関係」などをテーマにして分科会討議を行なった。しかし、余り積極的に意見が出なかったようであった。

夜は、大会の花でもあるキャンプファイヤーに入り、各支部長の誓いのことばのあと点火。夕暮れの山をこがす火は、クラブ員の心をロマンチックな世界へとさそった。各支部からの出し物や歌、フォークダンスなどで楽しく過ごし親ぼくを深めあった。

二日目は早朝五時に起床、五時半から福岡県最高の山「釈迦岳」に登山、みんな一列に並んで歌をうたったり話し合ったりしながら約五十分、全員疲れの色も見せず登頂に成功した。頂上からの眺めは九州一円を見渡すことができ、まさに絶景であった。

朝食のあと宝さがし。みんな目の色を変えて宝を求めていた。午前九時半に下山し、十一時に少年自然の家に到着、昼食に続いて全体討議と反省会を行なった。

その中で、①各クラブの交流がよく行なわれていない②分科会の意見が出にくい③家屋でなくテントに泊った方がよかった④酒を飲むときは一緒に飲む方がよい、などの意見が出ていた。

午後二時から閉会式を行ない、各単位クラブ間の友情をさらに深めることを誓い合って解散した。(中島次平連絡報道員発)

申込み相次ぐ
大垣4Hクラブ　多い交換会の要望

「望む　クラブ交換会」——岐阜県の大垣4H(農業青年)クラブ(会長 森谷健五君)は、かねて本紙を通じて全国のクラブに交換会を呼びかけていたが、多くのクラブから交換の申し込みが相次いだ。

しかし、同クラブでは、予算や年間を通じての日程などの都合もあり、申し込みのあった多くのクラブの中から距離的にも近い愛知県内のクラブと交換会をもつことにした。

森谷会長は「多くのクラブと交換するのが本意ですが、諸事情から一つのクラブと交換することにしましたので、ご了承下さい」と語っている。

なお、申し込んでいただいた多くのクラブに対し、本紙編集部からもお礼申し上げます。

4Hクラブ交歓会
9、10日古殿町と坂下町

【福島】東白川郡古殿町と河沼郡坂下町両4Hクラブの十回目の交歓会が、来る九、十の両日、古殿町公民館で開かれる。

両町4Hクラブは、十年前、磐梯青年の家で研修会が開かれたとき、姉妹クラブとなり、その後毎年一回交歓会を開いている。ことしは古殿町公民館に両町4Hクラブのクラブ員四十人が集まり、親ぼくを深めることにしている。

塩山4Hクラブも望んでいます　山梨

また、山梨県の塩山4Hクラブでもクラブ交換を望んでいますので大いに申し込んで下さい。

同クラブは男子ばかり八人のクラブで、経営は果樹が主体です。交換を希望するクラブは、女子クラブ員がいる方がよいとのことで、連絡先は次のとおりです。

塩山市萩原八七九(〒四〇四) 小野嘉四郎 電話一〇五五三(三)四七三四

農林省　活動促進係長に石橋氏就任

農林省農政局普及教育課の青少年班活動促進係長に九月一日付で石橋真良氏(前普及教育課技術班技術第二係長)が就任された。

なお、前同課青少年班活動促進係長の藤井文信氏は、関東農政局農産普及課々長補佐に栄転された。

心頭技健

ニワトリの数をふやさなくとも、卵の数を二倍以上にふやすことができる。こんな魔法使いみたいな方法が、このほど鳥取県の養鶏業者から明らかにされた▼その方法というのは、ニワトリに排水路の水の音を聞かせるだけのことだが、この方法によると一日最高五個もの卵を生むようになるという。ニワトリの産卵率は普通七〇—八五%なので、この音は養鶏に革命をもたらすだろうと、いま業界からも注目されている▼これは一日に四個から五個の卵を産むようになった原因を調べているうちにわかったもの。数羽を鶏舎から移したところ、四、五日後に産卵率が低下し、鶏舎の騒音をテープにとって流すと回復することに着眼して、この騒音の発信源や収録場所ごとに十数種類の音を使って調べた▼ニワトリの腹部に、小型マイクをセットして、心臓の鼓動を録音したところ、産卵鶏の一分間平均百四十回の鼓動が昼夜の別なく規則正しく打っていたという。ニワトリは一日に十五時間くらいしか起きておらず、眠っている時は、心臓の鼓動が低下するが、この音で眠っている間も、ホルモン器官だけは目ざめて、産卵活動を続けているとみられるわけだ▼これまでにも、牛の排乳をよくするため音楽を聞かせる方法がとられているが、このニワトリの場合も、おそらくその水の音がたまたまホルモン分泌を刺激する波長とリズムを持っているのではないかと推察されている▼農業収入の向上や企業化には、規模拡大しかないと考えられている昨今、このような方法が発見されたことは思考法の転換ともなり、将来に明るい光をなげかけたといえよう。

「6円が運ぶ、仲間の声!!」

赤松 宏 ▶12

考えることから始まる

機関誌作りの一口メモ "基本"は守ろう

四か月にわたって新聞に関することや、機関誌に関することで勝手なことを書いてきたが、今回はそれらのものの総まとめをする段階にきたような気がする。

最後に、簡単に「機関誌づくり一口」ということでまとめてみる。

一、考えることからはじまる
編集長は機関誌内容の原案を考え、基本的な方針をまとめてみ、委員は取り上げてみたい記事について心がけておくなどして、それぞれの立場で編さん内容への挑戦をする。

二、編集会議をもつ
機関誌編集の方針をはっきりさせ、考えたことをみんなで話しあい、記事内容を決定する。そして委員それぞれの役割(取材分担)を決める。

三、取材方向打合せ
取材者と編集長との取材方向の打合せを行なう。ワンツウマン方式により、ここでは、編集長(リーダー)と部員の意思の疎通が重要だ。また、教育の場に徹底的に利用すること。

この打合せには、農作業の終った納屋の片隅とか、暗闇の田の畔などへ、どっしり腰をおろして話すなどは真剣みを増すものだ。また喫茶店の隅の方でもよい。場所を選ばぬ。そこから新しい活動の芽ができるもの。

四、取材
打合せによって取材する。その原稿に必要ないと思っても十分な資料を集めておくこと。あとになって、より記事内容をすばらしくするのに役立つことが多い。

五、原稿を整理する
取材したものをきれいに整理する。このときは指定された用紙に記入する。リードや見出しなども取材者としての感覚で、目のひくものをつける。

六、原稿の再整理
編集長は作られた記事が正しく方針どおり取材されたか、また、書かれているかを確認するとともに、こんどの取材活動の方向を取材者に提言する。これが、未来開発のポイントになってくる。ただ書けたかどうかというだけではいけない。

必ず、次に次にということを考えなくてはいけない。

七、割付、カット、見出し
できあがった原稿を紙面に割付け、カットか見出しをつけ、美しい感触の紙面になるように作る。紙面は芸術だと考え、美的感覚をもって割付けてほしい。

八、ガリ切り
作られた原稿と割付け用紙に従い、ガリ切りをする。文字はていねいに書き、見出しの文字、カットはとくに工夫して書いてみるように。このときページ数も必ず入れること。

九、校正
文字に間違いがないかどうかを調べる。また、会の最高責任者はこのものが印刷され、出版されても責任のもてるものかどうか最終的な確認を行ない、責任ある機関誌にしなければならない。

十、印刷
インクの濃度などを考えて、インクにむらのないように、とくに紙はインクでよごさないように印刷すること。何色も使う場合はとくに注意して下さい。印刷のとき、とくに、まっすぐ、正しくローラーを押して下さい。文字がななめになっているものなどはさまにならないものです。

十一、製本
印刷されたものをページごとに正しくまとめることです。乱丁などは読者にしてみれば不愉快なものです。製本の方法はいろいろあるので研究してみるのも楽しいものです。

十二、機関誌の配布
必要な機関誌とか、意見を必要とする人のところへ届ける。

十三 評価をしてもらう
それらの人(前項)やクラブ長の人たちに評価してもらう。まず一点は、取材の観点についての批評を、第二に、機関誌の感覚について、最後に、次への希望を聞き忘れてはいけない。

十四、反省する
他人の評価などを考えあわせて、自己反省してみる。そして次へのものを創造する。次を、次号を考えないものは、反省する必要はないと私はいいきれる。

――といったことが赤松宏の語る「機関誌一口メモ」です。

お前はできるのか、してきたのかと聞かれると「サア!!」というかも知れない。ただ、ルールを守らないところに本当の良いものはないと考えます。

機関誌はできあがったものではなく、そのプロセスの中に教育という多くの要素がかねそなえられている。そんな意味から十二回にわたって、原稿用紙にして六十枚程度を書いたわけです。

広報のあり方についておつきあい下さいまして、ありがとうございました。

なお、次回から異なったテーマでみなさんにお逢いしたいと思います。(題字も筆者・北海道4Hクラブ連絡協議会前書記長)

(機関誌づくりは今回で終ります)

編集長と協議する編集委員

農作業の終ったあと編集方針を打合せるクラブ員

取材活動に張切るクラブ員

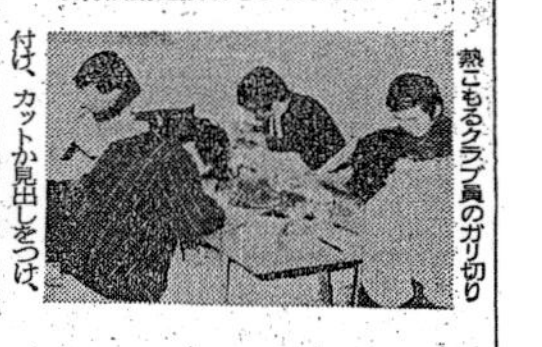
熱こもるクラブ員のガリ切り

友のペン

村を思う仲間たち

「野の花」

五十ページからなるぶ厚い機関誌『野の花』――ここには活字では味わえないようなガリ版刷りの暖かさがある。

この『野の花』は大阪府・千早赤阪4Hクラブが発行している機関誌であるが内容的にもぶ厚い重みをもっている。現代の農業者がいままさに考えなければならない問題がいくつもとりあげられている。まず最初は"若者よ考えよう"と題して現代農業の本質・問題点などをあげながら、こんご農業者として歩む若者のあり方を模索する長い文で始まっている。

続いて書いている人は、グループ活動を始めて十一年目という農家の主婦である。「グループ活動は生活の一部です。毎月の会合は私の生活の一つの窓だとも思っております」とその婦人が語るのを聞くとき、私たちは真剣な顔つきでその一語いちごを胸の奥深くに焼きつけねばならないだろう。

"生活改善について"書いている人は会社勤めの女性であるが、今日の食糧品が有する問題を的確にして鋭く述べている。

あるクラブ員は農産物の流通問題を激しく語り、また、ある人は経営に悩みながらも一条の明るい光を見て微笑している。

"恋愛について"考え続ける二人の女子クラブ員。学問的にそして人間的に愛を問う二人の女性はさながら哲学者のような横顔をチラリとのぞかせる。

"クラブ活動"の発展を祈り、あえて現状の活動・行事を批判している男子クラブ員は頼もしいかぎりだ。なんの気なしに口にする"たばこ"についてゆかいな雑感を書く人なども楽しさを添えている。

全体の約三分の一のページ数を占めている特集"千早赤阪村について"はまさにこの機関誌の大きなヤマ場である。書いている人は、クラブ員はもとより県の経済課長をやっておられる方や村外のサラリーマンなど六人である。どの人も「農業を充実させ、村を守りまた創造しよう」という活気にあふれており深い感銘を私たちに与える。

みかん栽培が盛んな地域ゆえみかんについて書かれたものもいくつかある。自からの青春を追い続ける人、おかしな夢を見たという人、仕事について一言述べる人、友情をしみじみと語る人などさまざまである。

この『野の花』は明日にも美事な実を結びそうだ。【大阪】

感想文を収録 みかんもぎ

小田原農業改良クラブ 「交換実習記録集」作る

全国クラブ員にみかんもぎの応援を呼びかけている小田原農業改良クラブ(会長 遠藤国雄君)では、このほど、みかんもぎ交換実習生と受入れクラブ員の感想や記録などをまとめた「みかんもぎ交換実習記録」集をつくった。B5版、タイプ印刷のもので、三十六㌻にわたってその経過やクラブ員の思い出などが綴られている。そこで、その中から一つと、この記録集とともに送られてきた同クラブ広報部・朝日義和君の手紙を紹介してみよう。

世話は父親にかなわぬ

小田原農業改良ク広報部 朝日義和

四十三年度から始めました「みかんもぎ交換実習生」もことしで第五回目を迎えようとしています。

私も昨年4Hクラブに入り、初めて実習生を受入れ、いろいろ人を使用するむずかしさを知りました。

私なりに精いっぱい努力したつもりでしたが、やっぱり私の父親にはかないません。

ことしは、初めて昨年小田原に来ていただいた実習生の家を訪問しました。突然のために全員に会うことはできませんでしたが、『小田原へ行って、自分なりにいろいろと勉強になりました』などと言われると、私も受入れたかいがあったと思いました。

小田原へ来て、少しふとって帰った人、やせて帰った人。十二月に別れてこの八月に会ったので、なっかしい顔ばかりでした。車で栃木、福島、山形と回ったのですが、みなさんの顔を見たら、いっぺんに疲れが吹っ飛んでしまいました。

忘れえぬあの日々

北海道・日浦農研クラブ 相蘇博子

秋が深まり、木々も丸ぼうずになった十一月十六日の夜中に、私はたった一人で夢と希望に胸をはずませ小田原へと向かいました。長い時間を汽車のなかで過ごし、私は小田原に到着しました。小田原駅の改札口で迎えに来てくれる人を待っているときはちょっと不安でした。でも迎えの人と無事に会えたときは、もうホットしてそんなことは忘れてしまいました。

実習のお宅に案内され、家庭のみな様と初めての出会い。北海道の生活とこれからの生活。みんな変わっているとは思っていましたが、見るものがすべて珍らしく驚きました。

いよいよ待望のみかんもぎ実習作業にかかりました。カゴとハサミを持たされましたが、みかんというのは食べることしか知らない私です。慣れない手つきではたしていつになったらはやくもぎとるようになれるのかと思いました。この仕事が始まって一週間という日はどんなに長く感じたことか。

慣れない生活と坂になっているみかん畑に気を配りながらの一日が終るとホッとするのです。でも毎日暖かい日に恵まれ、みかん畑に遠足にでも出かけるようなそんな楽しい日々でもありました。

農休日には思いもよらず友と四人で箱根に出かけました。芦の湖、富士山などの美しさは忘れることができません。そして、もう一度の休みには、実習生のためのバス旅行でした。

朝早く起き、お弁当を作って出発。初めて見る伊豆。天気も最高によく景色の美しさは目をみはるばかりでした。白浜での記念写真、弓が浜での昼食、フォークダンス、バレーボール、下田での灯台見学……それらは私の青春の一ページに強烈にやきつきました。ああ、思い切って、小田原へ来てよかった――。

楽しく過ごしてきた日々も過ぎ、また、友だちもたくさんでき、やっと小田原の生活に慣れてくると帰る日が近づくのです。そして、帰りたい気持と帰りたくない気持が渦を巻くのです。そんなおり、私は、一緒に働いていた栃木の友と南紀旅行にでかけました。これも想い出深い旅行でした。

自分の家族のように私をかわいがってくれた四十日間。私は、帰る日がきたとき、進まない足どりで小田原を去りました。また、北海道まで二日間の長旅。

手にたくさんのお土産をさげ、私は一か月半ぶりにわが家へ帰りました。写真を見せたり地図を広げたりしての小田原生活などの説明、話せど話せどつきませんでした。想い出の日々よ。

小田原のクラブ活動は活発なものでした。北海道の農業青年は冬の間ほとんどが出稼ぎにでますが小田原にはそれがありません。クラブ活動と出稼ぎの問題性を考えさせられました。

私もまた機会があれば実習に参加したいと思います。そして、多くのクラブ員にもこんなにすばらしい"みかんもぎ交換実習"があることを紹介したいと思います。

小田原のクラブ員のみな様、盛大なる歓迎会、送別会、バス旅行などの行事をしていただき本当にありがとうございました。

なお、小田原農業改良クラブが募集している「みかんもぎ交換実習生」の連絡先は次のとおり。

神奈川県足柄上郡開成町吉田島二四八九-二 足柄農業改良普及所内・小田原農業改良クラブ事務局 小田原農業改良クラブ会長 遠藤国雄 電話〇四六五(八二)五一一一

農村の中核者を養成

農林省・農業者大学校 48年度入学生を募集

農林省・農業者大学校=東京都多摩市蓮光寺二三〇七=は、来年度(昭和四十八年度)の入学生を次の要領で募集することになり、多くの応募者を望んでいる。

▽募集人員 約五十名

▽応募資格 (1)高等学校卒業またはこれと同等以上の学力があると認められる者(2)学校教育修了後、昭和四十八年四月一日までに一年以上農業経営の実務に従事し、または地方農政局長がこれに準ずると認めた経験をもち、卒業後ひき続いて自営の見込みが確実な者(3)昭和二十三年四月二日以降生まれの男子(4)都道府県知事の推せんを受けた者

▽応募手続 (1)入学願書など関係書類の請求先 もよりの農業改良普及所または都道府県農業改良普及事業主務課(郵便で請求する場合は封筒の表に赤字で「農業者大校学入学願書請求」と書き、あて先を書いた返信用封筒〈二十円切手貼付〉と同封のこと)(2)入学願書など関係書類の提出期限 来る十月三十一日(3)提出書類 ①入学願書一部②身上調書二部③最終学校の成績証明書一部③受験者の身上等に関する所見一部④健康診断書(県の指定する病院または保健所での胸部レントゲン間接撮影検査についての結果)一部

▽農業者大学校の選考 (1)期日と場所 四十七年十一月二十八日(火)二十九(水)の二日間(第一日は筆記試験、第二日は面接試験)、農業者大学校で(2)選考の内容 筆記試験の科目は国語、数学、理科、作文の四科目

なお、同校は、すぐれた農業経営者と地域農業振興の中核となる人材の育成を目的として農林省が設立したもの。

詳細については、もよりの農業改良普及所、県庁、地方農政局、または農業者大学校まで問い合わせのこと。

クラブ往来

"夢"は大きくふくらむ

「政府の減反政策に不満をいっているだけでは進歩がない」と、昨年五月、佐賀県の兵庫4Hクラブを母体として同クラブ員とOB合わせて十人がグループを結成してカリフラワーのビニールハウス栽培に取り組んだ。

あいつぐ減反の波、おし寄せる宅地造成の傾向に「米麦一点張りの農業ではもう先が知れている」ということで、米麦に代わる"何か"をさがし、そこで始めたのがカリフラワーのハウス栽培。いまではこの十人の若者たちの生活の糧(かて)となっている。

手探りで始めたカリフラワーづくりだったが、現在ではかなりの経験を積んできた。栽培面積も減反分の約半分をそれに当てている。ハウスは横五㍍、縦二十四㍍でそれほど大きくはないが、この中に約六十㌃から七十㌃分のカリフラワーの苗が魚箱三百個余りに、ところ狭しと育成されている。

毎朝三人ずつ交代で七時から約一時間、ハウスにきては水かけ、施肥、土寄せなどの作業をする一方、十日に一度は同町の農協で会合を開き、今後の問題を話し合っている。先の水害でこのハウスも水につかったが、床上げなどをして幸いにも大きな被害は出ずにすんだ。みんな苦労などいっこうに感じないという。「好きでしているんですよ。それが何よりも強味ですね」と、若者らしい明るい答えが返ってくる。

当面の問題は、野菜価格が相場に大きく左右されることだという。秋口でかなりの高収入を上げたかと思うと、春先などは採算も合わぬほどに下落したりする。

あるクラブ員は「相場変動に耐え得るような高品質のものを栽培し、企業として成り立つ農業をめざしていかなければならない。それがこれからのぼくたちの課題でしょうね」と語る。また、立ち枯れ病の対策も今後の問題点の一つ。水銀剤をかけてみたりしてもよくならないし、床土から改良していく必要性を感じているという。

この地区にも徐々に都市化の波がおし寄せ、耕作地の宅地転換も少なくない。しかし、彼らは「将来はもっと規模を広げて共同出荷へもっていこう」と夢は大きくふくらんでいる。【佐賀】

昼食のおかずにほしい一工夫

喜ばれたヒント集

簡単で安く栄養価も高い

新潟県・長岡 4Hクラブ 岡 ミネ子

わたしの家は、畑作中心の兼業農家である。父は勤めていて、祖父母は年老いているため、母とわたしがわが家の農業労働力の中心である。

というわけで、畑に出ても、家庭内においても母の労働はきつくなるばかりである。健康管理のうえでもっとも大きな要素のひとつである食事も、仕事に追われ炊事時間が少ないためおろそかになりがちだ。とくに昼食はまに合わせ程度になりがちだ。

そこでわたしは、日ごろから考えていた家庭内の健康管理を衣・食・住のうちの食に焦点をしぼって考えてみた。なかでもとくに昼食のおかずを中心にしてみた。

わたしは短時間ででき、栄養価が高く、しかも栄養のバランスがとれ、身近かなもので作れるというような昼食のおかずを研究しはじめた。このような問題をかかえているのはわたしの家ばかりではないと思い、4Hクラブの生活改善部の仲間六人にも応援をたのんで実物を持ちより実習の型でこの課題ととりくんだ。

まず一人ひとりが家で食べているお昼のおかずを中心にして実習してみたが、なかでも一番多く利用され身近かにある卵料理について研究した。実習の結果でたものを家で実施してみると、やはり時間のかからないものが好評だったが、さらに考えてみると栄養のバランスの面で問題があるのではないかという疑問がでてきた。

その点を仲間と検討し、卵料理を中心とするつけ合わせの工夫でバランスをとれるようにした。話し合いの結果、ハムエッグがバランスの面でもすぐれていることがわかったが、ハムエッグは多人数では時間がかかるため、わたしはこれとは別のつけ合わせを工夫してみた。家でとれるものを使って安価におさえ、ガスの使用手順を考りょしてすぐ作れるような献立をたててみた。

お昼のおかずのヒント

◇中華風すごもりと漬け物　ピーマン、にんじん、もやし、しいたけ、ハムを千切りにして炒め、卵を人数分おとして焼く。

◇ベーコンの卵とじと酢の物　①ベーコンを油で炒め塩をふり卵でとじる②チーズをこまかく切り上にふりかける③ホーレン草のソテーをまわりに盛りつける④わかめときゅうりの酢の物を添える。

このヒント集は、生活改善部や地域の人たちにも大変よろこばれた。以上のようにわが家の健康の問題点は、お昼のおかずという小さな課題から一歩でも改善の方向に向きかけている。

こんどは、健康をとりまく数多くの課題のなかから食費や生活時間の設計をとりあげ、仲間とともに発展させてゆきたい。未来の主婦としてこのプロジェクトから考えさせられたことは、生活という大きな湖にひとつの小さな石をほおりこんだようなものにはちがいないだろうが、しかし、さざ波の輪が広がるように主婦として食事の分野だけでなく、もっと大きく目をみひらき生活全般を考え向上させねばということでした。

プロジェクト経営

乾草作り 初日が大切

風乾重測定調査を実施　時間は9時から15時がよい

栃木県農業教育センター・清原農学寮二年 大島 栄次

良質の乾草をつくるためにはその過程のなかで何がもっとも大切なのかを明確にしたいと思い、風乾重測定によるプロジェクトを実施した。

風乾重測定に使用したほ場には、昭和四十六年十月五日に、イタリアンライグラス、オーチャードグラス、クロバーの三種を混播した。施肥量は一〇アールあたり基肥N九・二キロ、P二三・四キロ、K二二キロ、苦土一四〇キロ、堆肥一五〇〇キロであった。

四月二十八日に生草収量調査を実施したが、その結果は、いずれも一平方メートルあたり、イタリアンライグラス二・九キロ、オーチャードグラス一・八キロ、クローバー五・三キロで、平均すると三・三三キロであった。

なお、草丈は、イタリアンライグラス五六・四センチ、オーチャードグラス三五センチ、クローバー二四・七センチであった。一〇アールあたりの収量は三三三〇キロであった。

以上の条件で前記牧草を一キロずつ三区に分けて、風乾重測定を行ない調査研究した。

自然乾燥により、四月二十八日から五月二日までの四日間、九時から十五時まで乾燥させ重量を測定していったが、その結果は下表のとおりの経過であった。

とくに第一日目の九時から十五時までの六時間で四一・三％までに減少したほかは、急激な変化がみられなかった。このことから良質乾草をつくるためには、第一日目がもっとも重要であることが明確になり、第一日目の天候が大切だということもわかった。

また、乾燥する時間も空気中に水分量を多く含むことのできる九～十五時がもっともよいようである。

生草収量ばかりでなく、風乾収量も調査してみたところ、一〇アールあたり四五五キロであった。

こんどは、五月、八月の天気が安定している時期に、とくに第一日目に留意して良質乾草をつくり、わが家の酪農経営発展に役立てていきたいと考えております。

風乾重測定調査の結果

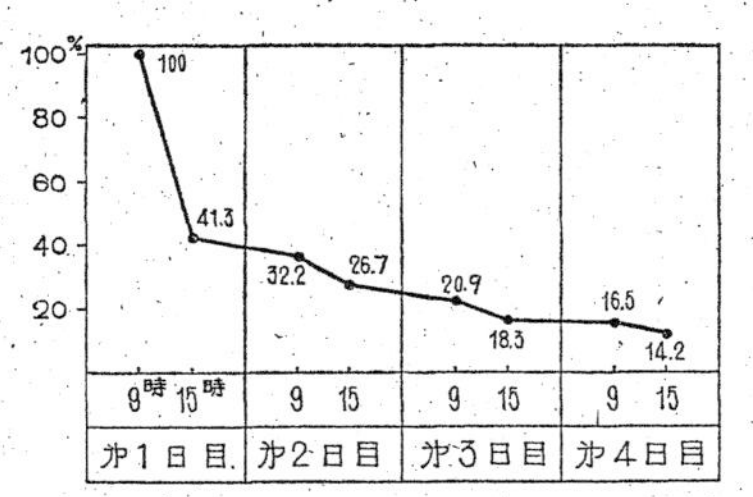

結婚式の実態調査

こだわる"見栄"や"形式"

公営式場や会費制考えよう

新潟県西蒲原郡 巻農業大学講座 高井 文代

私たち生活改善部のメンバー四人はそれぞれ課題をもち、プロジェクト活動をやってきた。

ある人は「農家における生活時間の改善」、また、ある人は「食生活の改善」というように問題意識をもってその解決に努力した。

そんな中で、私は「結婚式の実態と意向調査」という課題をとりあげて調べてみた。見栄や形式にとらわれすぎているような農村の冠婚葬祭の中で、最も身近かな結婚式は一番取り組みやすい課題だった。

私たちの町には公営結婚式場がなく、ほとんど自宅で行事をすませている。自宅でやると、どうしてもダラダラと長びきがちだ。また、若い私たちから見ると、古い習慣が根強く残り、ムダをしている点が多いように感じられた。

そこで、さいきん結婚式をあげた人を対象にして実態を調査、その周囲の人たちには十～二十代、四十代、六十代と年代別に意向を調べてみた。

調査内容は、結婚に要した費用、招待客の数と内容、式場、結婚のために揃えた調度品、付属品、施設などについてである。一方、意向についても、豪華にやりたいかどうか調べてみた。そして実態、意向とも「このようなやり方で良いと思いますか？」と質問してみた。

調査はアンケート方式で行ない静岡県内の一青年団の人たちにも協力してもらい、その結果を生活改善部門の四人が共同でまとめた。その中で次の点が指摘された。

一、結婚式の実態から

1、披露宴、衣裳などにお金をかけすぎる

2、第一披露宴、第二披露宴など行事が多い

3、招待客が多いわりに、結婚式をあげている当人の身近かな人が少ない

二、結婚式の意向調査から

1、虚栄心が強すぎるため、形式や見栄にこだわりすぎる

2、結婚式をあげている当人ではなく、親せき中心である

調査の全般を通してみると、古い習慣、形式、見栄という言葉が何回となくでてきた。また、意向調査では十～二十代と四十代、六十代ではだいぶ考え方が違っている。若い人たちはあくまでも結婚式をあげる人が中心でやりたいようだ。私もできるならそうありたい。

この因習と風潮から脱皮するための方法として次のことがらを考えている。

1、公営結婚式場をつくるよう働きかける

2、会費制の結婚式のあり方について若い人たちと話し合う

3、結婚式全般のあり方について調査結果をもとに婦人グループと話し合う

結婚を考える ▶23◀

嫁の気持 〈4〉

"思いやりのある男性"を

栃木県・花の和4HクラブOB 斎藤 文子

前回は、わたしが嫁として生活してゆくなかで、イチゴを栽培し、それである程度の実績をあげることができたといったようなことを書きました。

そのわたしの家のイチゴ栽培を見学しに、鹿沼はもとより、県内の各所から、また遠くは茨城県のほうから車やバスで毎日多くの人が来られました。

ことしはミツバチを利用したことが認められ、仕事に自信をもって打ちこめるようになりました。"現代農業"誌のカメラマンがハウス内で写真をとり、みごとに育ったイチゴの実と花の間を飛びかうミツバチをカラーで本に載せてくれました。試験場などでも、わたしたちのところでいろんなデーターを聞いてゆきました。

こうしているうちに、親たちもすべての仕事を若いものにまかせるようになりました。わたしたちは、この秋にもう一棟の連棟ハウスを作る計画ですので毎日その準備に追われています。

主人は業者や経済連にハウス一式を頼むといったことはせずに、すべて自分で材料を集め、家でいろいろ思考して組立てます。朝早くから暗くなるまで二人で動き回ります。

ほねもおれますが、けっこう楽しいものです。昨年の秋は二人で一か月もかかって三百坪の連棟ハウスを建てました。わたしは男まさりにハウスの屋根に登り、カナヅチを手に仕事をしました。はじめのうちは、こんな姿を近所の人がどう見るかと気になりましたが、わたしがそうしなければ仕事がはかどりませんので一生けん命に主人をてつだいました。

また、今秋も稲刈りが終ると三つめの連棟ハウスを建てはじめます。

ことしは麦を作らずに、ミツバチのために田んぼへレンゲ草をまいてやりました。二、三日前には戦場ヶ原へ山上げ苗の手入れに子どもたちを連れて行ってきました。

来春のイチゴの出荷期を思うと手入れにも力がはいります。夕食のときなどにイチゴの話がでるとつい力がはいり、来春への夢に胸をふくらませているきょうこのごろです。

まとまりのない文章で、精神的（内面）なものと肉体労働的（外面）なものを書いてみました。仕事は新しいやり方をとり入れて、どんどん進展させていますが、生活面、とくに嫁と姑の関係はなかなか進歩していないのが現実のようです。

みなさんもこのような両面が農家にはとくにあるということを理解して、嫁いできたものに思いやりをもって接するやさしい男性をさがしあててほしいと思うのです。

（"嫁の気持"は今回でおわりです）

出荷調整で成功

すいか栽培　拡充し七百万円めざす

熊本県・鹿本地方 農村青少年クラブ 木原 真一

私の家の経営は、水田五五アール、普通畑一二五アール、山林五〇アールですいかを中心とした農業を行なっている。労働力は両親と私の三人である。

私の家では、戦後、畑野菜としてすいか栽培が盛んであった。しかしながら、連作障害が多く発生したので、その対策として昭和二十五年から接木栽培をとり入れた。それを主体とすることによって問題の連作も可能になった。

また一方では、開田化が進み、用水の確保ができるようにもなった。そのような良い条件のもとでビニールの利用が盛んになり、作型も逐次前進させてきた。

しかし、私が農業をはじめた時点では小型トンネルの収穫最盛期がちょうど梅雨期で、病害の発生や収量、品質などの低下により非常に不安定であった。そこでその対策として、トンネルの大型化とハウス施設を導入し、作型の前進と品質、収量の増大を計画した。

昭和四十三年に大型トンネルを三〇アール導入し、四十五年にはパイプハウス三十アールをとり入れた。さらに四十六年にはパイプハウス五〇アール、大型トンネル七五アールとし、合わせて一二五アールに拡大するにいたった。

四十六年のすいか栽培の内容はパイプハウスのほうが播種十二月中旬、接木十二月三十日、定植二月中旬、開花期三月中旬、収穫期五月上旬～八月上旬であった。また、大型トンネルは、播種一月上旬、接木一月二十日、定植三月中旬、開花期四月中旬、収穫期五月中旬～八月上旬であった。

工夫したことは、梅雨期になると価格が暴落するので一番果収穫後の二番果の出荷を遅らすため、子ヅルを根元から五十センチ程切り、孫ヅルに着花させるようにした。そして、価格が上昇する七月下旬に出荷しようと計画した。その結果、七月に予想通り価格が上がって安定したので収入は目標どおり上げることができた。

四十六年度のすいか栽培の収支は粗収入が三百五万円で、必要経費が百三十万円であった。結局、純収入は百七十五万円となった。

こんどは、わが熊本県経済連の植木町農協の共販体制のもとで栽培技術をより一層研究したい。また、さらに大型連棟ハウスの施設拡大をはかり、暖房機や換気扇などをとり入れ、できる限り機械化し、省力化による生産規模の拡大をめざしている。三年後の計画としては、すいかの粗収入を七百万円台に達成させることだ。

ダイナマイトで土壌改良

良質柿の生産に

和歌山県・かつらぎ町4Hクラブ 木村 義孝

わが家は、みかん〇・七ヘクタール、ネーブルオレンジ〇・七ヘクタール、柿一ヘクタールを栽培している。

近年、わが家の柿に品質の低下と減収がめだってきた。だが、何よりも柿経営に決定的な損害を与えているのは、未着色のまま軟化し、落下してしまう果実が一五％も出ることである。これはわが家ばかりでなく地域全体にいえることで、市場でのイメージダウンとあいまって大きな損害を与えている。

まず初めに原因を究明するために、被害園の調査、被害園主との面談、試験場技官への質問などを行なった。その結果、原因は化学肥料の連用による土壌の老朽化と水分の急激な変化によるものと判断。以上二つが同時に解決できる土壌改良法は、ダイナマイトによる爆発耕作がもっとも適していると考え、これを実施した。

爆耕の特色は、土壌の深部まで物理的に改良できることと、土壌の逆転により化学的にも改良できること、爆耕した部分に土壌改良資材を施用するとすみやかに深部まで浸透することである。まず地面に深さ一メートルくらいの穴を掘りダイナマイトをしかけて爆発させ、そのあと必要に応じて改良資材を投入すれば完了で、私は一ヘクタール全園に実施した。一〇アール当りの爆耕経費は一万一千五十円であった。

その結果、四十六年度の柿は平年にくらべて品質もきわめて向上し、早期軟熟果も二％程度にとどめることができた。

NHK農事番組（9月11～20日）

農村の花嫁を育てて

テレビ

明るい農村 6・30～6・55 総合

11日 村の記録「母さんの背に日が昇る」 高山市
12日 きょうの話題「畜産基地をめざす」
13日 産物百科「なし」
14日 話題と人「寿命設計ひきうけます」
15日 農村新地図「老人の日特集」～福島県白沢村～近藤正二（東北大学名誉教授）
16日 村をむすぶ「北見、浜松、宮崎、東京」
17日 明るい漁村
18日 村の記録「ふるさと村」
19日 きょうの話題
20日 産物百科「ワイン」

農業教室 7・30～8・00 教育

11～13日 みかん生産の新技術 三好実成（愛媛県果樹試験場）
14～16日 老人福祉を考える 浦文夫（社会保障研究所）
18～23日 新しい農協活動 三 晶男（国学院大学教授）

あすの村づくり 日 7・00～8・00 教育 再 土 13・00～14・00 教育

17日「論語と共有地農業」～山形県羽黒町

ラジオ

早起き鳥 5・41～5・57 ①

11日「山村の高山植物園」 高橋武市～北海道滝上町～
12日「粕から草へ」 高橋善次郎～千葉県長南町～
13日「買い占められる縦貫道沿線」～宮城県富谷町～
14日「農業経営コンビナート」～埼玉県熊谷市～
15日「老人山岳クラブ」～渋佐信雄今市OB山岳クラブ会長
16日「ふるさと通信」～小林農事放送通信員～
17日 話題の窓「三百トン時代のみかん出荷作戦」～東京・松山・和歌山・福岡～
18日「農村の花嫁を育てて」～松瀬忠利（長崎県立千綿女子高等農業学園々長）
19日「アマゴ養殖と取り組む」中川俊晴 徳島県木頭村漁協組合長
20日「砂漠に緑を」～出雲井正雄（日本砂漠開発協会）

話の広場 日 6・15～6・30 ①

17日 養豚は法人経営で～香取郡干潟町～

新しい農村 6・00～6・30 ②

17日「ふえる農機具事故」～川廷謹造（東京大学教授）、井上喜満雄（全共連）

ラジオ農業学校〈講座〉 6・40～7・00 ②

11～13日 米の流通 宇田志郎（名城大学教授）
14～16日 産地直結 藤谷築次（京都府立大学助教授）
18～23日 体験的農協論 吉田寛（鳥取県智頭農協組合長）、松原隆一（香川県大川農協）

ラジオ農業学校 日 6・30～7・00 ②

新時代の経営をめざす 利川博 （三七）～富山県福光町～

無公害農薬テスト中

□■販　売■□

「BT剤」の解明を急ぐ

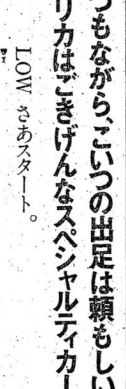

農薬の公害が大きな問題となっている昨今、無公害で新しい方向の農薬を探るため全国で試験されつつある農薬の一つとして、BT（バチルス・チューリンジェンシス）剤がある。

全農農業技術センターでも系統農薬会社が開発した十三種類とほかに二種類のBTを試験中である。

BTは天然にも存在する細菌で、その細菌が生産する毒素を殺虫剤として製剤したもの。主としてリンシモク幼虫、例えばキャベツのアオムシ、ヨトウムシ、コナガなどに食毒的効果を示す。BT剤は天敵農薬の一つであり、作物残留や土壌残留の心配はないが、日本ではまだ必ずしもすべての点で安全という合格点にはなっていない。

現在のところ、まだ人畜毒性に関する徹底した安全性の評価や、蚕に対する毒性、養蜂に対する毒性の検討が継続されている段階である。

全農ニューヨーク事務所からの連絡によると、アメリカではすでにIMC社がチューリサイド、アボット社がディーペル、ニュートリライト社がバイオトールという商品名で製造販売し野菜害虫や森林害虫の防除に利用されているという。

このBTという細菌の毒素には細菌の種類によりエンドトキシンとエクソトキシンがあり、ともに昆虫に摂取されることにより（接触では効果がない）殺虫効果をあらわす。適用害虫はともにコナガ、アオムシなどリンシモク幼虫である。しかし、両者は人畜毒性などの点も含め特徴の点でそれぞれ長短があるようである。

これら毒素の昆虫に対する殺虫作用の仕方については、まだ十分には解明されていないようである。

日本でもすでに試験が行なわれているが、日本植物防疫協会では四月十日に「BT剤研究会」を発足させ、効力や環境に与える影響を体系的・組織的に研究することになった。

また、これらの効力試験の対象害虫としてあげられているものには水稲、樹木のリンシモク幼虫、そ菜のコナガ、アオムシ、ハスモンコトウ、ネキリムシ、ウワバ類などの幼虫、茶のハマキムシ類などである。

全農としては、引き続き農業技術センターで研究を行ない、作用の仕組が解明され、農薬としての登録がされれば取扱いを進める予定である。

果樹農業者に利点

□■購　買■□

価格安定基金を設立

農林省は四十七年度の新規事業として「財団法人中央加工原料果実価格安定基金」を設立するため準備をすすめていたが、このほどその大綱がまとまった。この基金の事業は系統農協青果加工事業の拡充と進展にとってきわめて効果的なため、全農では同基金の設立発起人になるほか、役員の就任、出資など積極的に参加することになった。

同基金は加工原料用果実について、県単位の生産者補給金交付事業に対する助成、加工原料用果実の全国的な流通の円滑化に関する指導などの事業を行なうことにより、加工原料用果実の流通を安定させ拡充するのが大きな仕事になる。

果樹農業は今後引き続いて成長部門になると予想され、生産増も合理化のための各種施策の実施によって、これまで増大してきた。またわが国の経済の急速な国際化に伴なって果実の輸入量も年々ふえている。

一方、果実の需要は国民所得水準の上昇を背景にこのような供給量の増大に伴って規模を拡大してきているが、今後供給も増大することが予想されるため果実全体の需給の拡大均衡をめざすとともに、近年の果実加工品に対する需要の伸びにも即応しながら国民の食生活を改善、向上させるためには、果実の加工需要の安定的拡大が欠かせなくなっている。このため国もこれまで果実の加工需要を拡大するとともに果汁産業の合理化を促進してきた。

わが国の果実の市場構造の下では生食用が大部分をしめ、価格は収穫量の年次変動による影響を強く受けるため一定数量の原料果実を恒常的に必要とする果実加工業は原料価格面で生食用果実の価格変動の波をかぶることになり、しかも生食用果実以上に価格の変動幅が大きくなっているのが実情。

この結果、加工原料用果実の取り引きはきわめて不安定で、果実の生産者にとっては価格変動があるため経営を安定させにくいうえ、果実加工業にとっても安定的な原料入手が阻害されるため果樹の加工需要に大きな障害となっている。

農林省は加工原料用果実の取り引きを安定させるため、これまでより効果的な措置を講ずることをねらいとし、新たに"加工原料用果実価格安定対策事業"を実施し、長期取り引き契約にもとづいて取り引きされる加工原料用果実の価格が著しく下がった場合に生産者に生産者補給金を交付することにより、加工原料用果実の果実加工業に対する安定的供給と果樹農業者の経営の安定をめざすことになったもの。

この事業の対象となる加工原料用果実は現在のところ温州ミカン、夏ミカン、リンゴの三品目で果汁の材料となるもの。

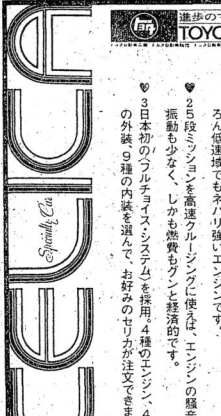

現代病と4H

群馬県・原町4Hクラブ　山口広志

現代は流行の時代ともいわれている。その反映だろうか、現代人は"あき"やすい。また、この流れのはやい時代にすぐに"あき"て新しいものへと移っていけない者は時代に遅れてしまう、というのも現状だろう。

さて、こうした時代のなかにぶちこまれた現代人は、どうしてもこのような環境に順応させられてしまう。そして、あるひとつのことに自分を落ちつけることができなくなってしまっている。それは"あき"ということでかたずけられているのだ。

いまや"あき"は、現代病のようなものになってきた。この病気は4Hクラブのなかにも入り込んでいる。いろいろの会議や研修たどでよく話題にのぼる「マンネリ化」という問題も、この現代病のうちの一種かもしれない。つまり"あき"という現象の一形態のような気がするのだ。

ではそれをどうしたら防止することができるのか。ある日、そのテーマで話し合いをもったら、毎年同じ活動のくり返しなのでつまらないというのがマンネリ化の主な理由としてあげられた。一方、毎年違った活動を行なうことはできないという意見もかなり強かった。二つの意見は二分されたまま水かけ論に終った。

どっちの意見にも一利あると思う。しかし、どっちの意見もそれだけでは十分とはいえない。

時代の流れにしたがい年々農業をする者は少なくなり4Hクラブもクラブ員が減少しつつある。また新入クラブ員も少なくなった。そうしたことで活動意欲が低下した。私はそんなところにマンネリ化の原因があるように思える。

現代病を現代病として自分たちがそれにかかっていいものか。激しい時代の移り変わりのなかで農業事情を真剣に考え直さなければならないようだ。要するにあきもなにもない。やる気だ、意欲だ。

青春と仲間

季節の迷路にて

笹笛

いまひとつの季節が終りを告げようとしている。頭上でその力を誇示していた夏の太陽ももはや最後の抵抗といったところだ。二〜三日前までせわしなく鳴き続けていた"つくつくぼうし"も姿を消した。小学生たちのケンカの声もなくなった。

青白い大きな月が天空をゆっくりと渡り歩く。どこからともなくやってくる涼しい夜風が雑草を揺すぶりながら木々の闇を逃げてゆく。悲しくすだくコオロギ。八十円で売られたスズ虫の細々しく懐古的なすすり泣き。どっとばかりにくずれてくる私たちの有する時間。そして、あせりが残酷な虫類のようにその鎌首をもちあげる。つきなみで感傷したくなるような感傷が全身を貫きとおす。

しかし、感傷の舌先で体をなめられながらも、ある者は見ているだろう。私たちのうえにのしかかってくる感傷の重みのその正体を。また、ある者は感じとっているだろう。夏のない秋、冬のない秋、そして永遠のけだるさを。自分のうえをせせらぎのように流れる一瞬。そこで、またある者はまさぐりほじくっているだろう。自分自身のうちにぽっかり穴をあけている空洞を。

私たちは毎年この季節を迎えると「いまは感傷にとっぷりつかっているときじゃない」という言葉を呪文のように何度も何度もくり返す。しかし、それとて気がついてみると愚かなロマンティシズム以外のなにものでもなくなっている。転落——まったく意味のない転落。秋とは無関係な私たちのまどろみ。

キラキラと輝く一粒の汗のなかで燃えた炎が消えたとしてもそれがどうしたというのだ。

フランスの詩人ランボーはいまから約百年前「地獄の季節」を書き上げた。私は高校生として最後の夏休みがまさに終ろうとしているとき、この「地獄の季節」という不可思議にきらめく散文を読んでいた。そして、山のように机のうえにたまっている宿題を横目で見ながら、そのなかの"別れ"という文の一節をノートのはしに小さく書きつけた。

『もう秋か。——それにしても、何故、永遠の太陽を惜しむのか、俺達は清らかな光の発見に心ざす身ではないのか——季節の上に死滅する人々からは遠く離れて。……(後略)』

しかし、私はこう書きつけてから何年もいたずらに季節の上に自らの死滅を刻みこんでいる。(野)

地域・年齢を越え

元福岡県連副会長　深山和代

4Hクラブ女子部活動と聞くと一年間役員をやってきたいまでもはたと考えさせられてしまいます。そもそも女子クラブ員は、4Hクラブに何を期待し望んでいるのでしょうか。

"クラブ員の望む、よりよい農業婦人とはどんな人か"ということで進められてきた活動の内容を眺めてみると、調理実習、テーブルマナー、着物の着付け、手芸の実習会などと数えあげればきりがありません。

しかし、こういったことだけが女子クラブ活動の内容であってよいものでしょうか。女性は近年、農業一般だけでなく、政治に関することや経済など生活と切り離すことのできないものや、また、語学の勉強、読書会など広く活動を展開しなくてはならないと思います。そのような活動を行なっているクラブも現に多くあるだろうと思います。

だが、農村青少年クラブを全般的にみると、調理実習や手芸などばかりやっているところが多いようです。そして、そんなクラブのクラブ員はマンネリ化だとか興味がないとか叫んでいるようです。その結果として、女子クラブ員の減少という問題がおこってきているのではないでしょうか。

では、なぜ幅広い女子クラブ活動の展開がなされないのでしょうか。その第一の理由として考えられるのは、家庭環境や世間が、女子クラブ活動の対象として、ある特定の意味での女らしさしか見ていないからではないでしょうか。いわゆる和洋裁のできる人や料理の上手な人、礼儀作法を知っている人を女らしいと親や世間の人は考えるということです。

農村において、そのような女性の必要性はどうでしょう。確かにそれらも必要性がないといえばウソになります。しかし、もっと必要としていることがあると思います。農村において幸わせな家庭を築く人間的要素——それをクラブでつちかうことが大切です。仲の良い夫婦、仲の良い嫁姑、それらはクラブで学んだ人間的な協調性をもって実現されるでしょう。

「どのようにしてそういった方向に進むプロジェクトに取り組めばよいのか」とある人に問われたことがありました。私は「それを見い出していくのもプロジェクトのひとつだ」と答えました。

私たち農村青少年クラブでも意識あるクラブ活動を展開しているところも数多くあると思います。老人問題に取り組んだあるグループ、また若妻の意識調査などをやったところもあります。しかしこれらがただ、調査研究の段階で終ってしまうのが残念だ。こういう研究を地域を越え、年齢を越えて生活に生かしてほしいと思います。それが女子クラブに要求されているものではないでしょうか。

ある男女混合クラブで、結婚した男性が言った。「おれたちはOBとして活動しよう。嫁も出すからOB嫁さん会でもつくれや」

そうだ、こういったことが女子クラブ活動にも必要なのだ。そうすれば生涯、生活改善の活動ができるのではないでしょうか。

私の"孤独"論

愛媛・伊予地区連協　佐川隆

近ごろひんぱんに頭にこびりついていてはなれないもの——それは孤独ということである。これは人間だれしもが数えられないくらい味わった感情だろう。

思うに人間は、本来社交的な動物であろう。しかし、ときとして非社交的な存在になってしまうようだ。私たち自身にも同様なことがあることを思いだしていただきたい。

人知れず自然に落ちこんでゆく孤独があると同様に自分から落ちこんでゆく孤独もある。それではそのような孤独の目的というものはなんなのだろう。私が思うに、それはもっとゆっくりとくつろいで生きようとする心そのものであるような気がする。

しかし、厄介な仕事を免れたからと思っても別の仕事を背負いこむばかりというのが、現代では一般的だろう。そのような時代をも反映しているように感じることもある。われわれの魂というやっかいなものは何によらず、そっくりとその立場にあらわれてしまうからである。

心の憂さ吹きはらってくれるのは理性と知恵であって広大な海を見はらす場所ではない(ホラティウス)

ある人は孤独になるために旅に出る。しかし、たいていの人は以前の自分と旅に出ている自分が少しも変っていないのに気ずくはずである。それもそのはず、私たちはいつも自己をそのままの形でもって出発するからである。

"私は鎖を断ち切った"とあなたは言う。なるほど犬は長い努力のすえ鎖を切ったけれども首にその長い切れ端をひきずったまま逃げていく(ペルシウス)

心の悪、すなわち傲慢などから自分を解放しないかぎり、私たちの進む道は危険の連続だろう。

おつぎはあなたの出番です！

あんな人こんな人

見直せ、4Hの綱領
よりよい農村を築こう

愛知　山本賢治

私たち4Hクラブ員が知っている一番すばらしい言葉は「もちろん4Hクラブの四つの信条"心頭技健"だ」と声を大にして語る人。彼は4Hクラブ活動を始めて四年目だという。

山本賢治君。昭和二十三年生まれの二十四歳。身長一六五㌢、体重五七㌔の恵まれた体。昨年度は全協(全国4Hクラブ連絡協議会)の推選で「青年の船」に乗船した。そして、現在は愛知県4Hクラブ連絡協議会の会長として活躍中の人である。

山本君は4Hクラブのことになると目を輝かして語りだす。「私たちが四つの信条をもって生活し、あらゆる機会を生かして人間形成の一助とする。そういう態度でものごとに接することがいまの私たちに必要なのではないか」と。

また、この四つの信条のもとに仲間たちと団結し、それによってよりよい農村を創りだすことができると聞いて、それに心を奪われない農村青年はどうかしているのではないか、と彼はきびしい。

続けて山本君は「地区連や県連の行事になるとクラブ員が集まらないのはどういうわけか。また、集まっても群集のような状態になぜなるのか」と役員としての自分への反省をも含めてクラブ員に問いかけている。

アメリカの4Hクラブには農村青少年と同じくらい、街に住み農業をやっていない青少年もたくさん入っている。山本君は日本の4Hクラブもこのようなメンバー構成になれば、四つのHもいま以上の力を発揮するはずだと語る。

しかし、現状はその逆だ。彼の住む愛知県でも4Hクラブ員といえば農業に力を入れている人たちばかりである。山本君はそれもまた、すばらしいことであり、絶対に否定できないことだという。かといって、私たちはそれに甘んじていていいのだろうかとつけ加える。

同じ職業の人たちが集まれば当然話題もしぼられてくるでしょうと彼はちょっと顔をしかめる。そのとき忘れてはならないのは、私たちの共通の目的だと彼は言う。同じ目的をもったものたちが自覚もなしに集まったとき、私たちは目的を見失う危険性があることを知っておくべきだと山本君は声を高める。

「私たち4Hクラブの会合での共通の話題といえば"農業"だろうし、共通の目的といえば"お互いに力を合わせてよりよい農村、よりよい日本を創るため"となるでしょうね」―私たちと違った環境の人がいれば、私たちは私たちの目的をつねに忘れないのだろうがと思案顔。

しかし、現実的に考えるとそれは無理だと彼は言う。ならば私たちは、農業青少年の集まりとしての現在の4Hクラブ活動をもっともっと活発にすべき使命があるのではないかと山本君は明るく笑う。

「私たち愛知県連は農業青少年の集まりとしての活動基本方針のもとに活動を続けてきたと私は自信をもっている。4Hクラブの活動そのものが綱領を価値あるものにするように、私たちが日々たゆまざる活動をすることによって私たちの活動基本方針も生々と輝くだろう」そう言いながら山本君は愛知県連の活動方針を全国の仲間に紹介する。

「私たちの活動方針の第一は自主独立の精神を養うということだ。

第二点はグループ機能を活かすということだ。いま私たちに必要なのは組織の力が発揮できるグループだ」

山本君はいろいろ語ったあとで「私の言いたかったのは4Hの綱領を見直そうということなんです……」日本では日本風の、現代には現代風の活動が必ずあると言う彼——山本賢治君は最後にこう叫ぶ「青春の熱い炎を燃やしている全国の仲間たちよ、意見を交換しよう」(蒲郡市柏原町小敷塚八)

立ち見席
小生の女性恐怖症（その4）

傷口につけたたった一滴のオキシドールで「キャー!」でやんすからね、小生はびっくり仰天でありんしたよ。おっと小生言い忘れてやんしたが、このころから小生ようやく女のそばにいてもいくらかだいじょうぶになったんでやんすよ。やっぱり心身ともに大人になってきたせいでやんしょうかねえ―。

さて、また保健室での話でやんすが、例の女性わめくだけならよかったんでやんしたが、あばれだしたんでありんすよ。そう、あばれて小生をつきとばしたんでやんす。

小生にとってはあまりにも急なできごとだったもんでありんすから、小生だらしなくあお向けにぶっ倒れてしまったんでやんす。そうしたら、うしろに立っていた女の子のスカートの真下に顔が入ってしまったんでやんす。

小生にとって、それはあまりも突然な、あまりにも不幸なできごとでありんした。小生はそのまま孤独に失神してしまったんでやんす。

小生はそんな地獄のような高校をやっとのおもいで卒業したんでありんした。小生は何度も夕メ息をついて胸をなでおろしたもんでやんす。もう、知らない女の人に近づかなくてすむと思うと天国でありんしたねえ―。

でも世の中はそんなにあまくなかったんでやんす。4Hクラブというものが小生を待っていたんでやんすよ。

女がいたんでやんすよ。しかし、まあ女と男が比較的離れていられるんで、小生はちっとは救われたんでやんす。小生は、できるだけ女から離れて、静かな日々を送ったもんでありんした。

―つづく―

（栃木・足利地区青少年クラブ協議会　―クラブ員）

落日 (14)

山中康司　栃木・小山4Hクラブ　農民文学会会員

白々しい感じもするが、駅にはかつての名残りとなつかしさがあった。待合い室ベンチの配置は異っていたが、もとのものだったし、改札口の時刻表も何百回と目をやったものだった。その下でちょこんと座っている駅員もなじみ顔の人だ。売店と駅そばが一角にあって今は客がいない。駅の内も外も人通りは少なかった。芳男はベンチに腰をおろすと週刊誌を開けて読んだ。

陽子はグレイのスーツを着ていた。豊かな髪は内側にカールしてある。健康色の頬、一重まぶたの澄んだ目に高校時代の面影があった。ハンドバックを片手につかつかと寄ってきたので芳男にはすぐそれと知れた。顔立ちはきつくない。ニコニコしている。

「田中芳男さんでしょう」

全体にふくよかな感じの人だ。スーツのボタンが一つはずしてあるので、その下の若草色のセーターがほんのりと見えた。

「松本です。どうぞよろしく」

芳男もすぐ立ちあがった。

「田中です。こちらこそ」

「しばらく待った?」

「わたしはちょっと買物をしてきたので遅れてしまって」

そう言いながら自分の小さな腕時計を見た。ちょうど十一時である。陽子は二つ年上には見えないのに女らしい落ち着きを持っていた。

二人は駅を出た。人通りは少なかったが、久しぶりに女性と並んだので歩き方が気になった。

「バスもあるけど歩いて行きませんか」

「ええ、いいわ」

学校まで四キロあって早く歩いても三十分はかかる。でも学校時代は往復して歩いた道だし天気がいい。話しながら行けば相手の人柄もわかる。初めの印象はけっして悪くはない。ただもう一まわり小づくりであればいいが、でも百姓するには性格がものをいう。目鼻立ちは人並というところか。口もとは可愛い。飲食店がある。種苗店。スポーツ用品店。文房具屋。皆もとのままだ。あ、そうか男は道路の内側を歩くんだっけ。駅から西に向って百米程行って二人は信号機を左に曲った。

「田中さんはわたしが三年の時一年でしたよね。わたし覚えてるわ。よく山田さんと一緒だったでしょ」

山田という人は芳男の従兄で、間々田の伯母の長男である。陽子と同級生だがもう結婚している。今度の話は多分その従兄が伯母にすすめた話にちがいなかった。

「従兄とはクラブが一緒だったから」

「そうだったわね。あの頃テニス部は強かったんでしょ」

芳男は栃木市長杯のことは話しても三夜子のことは話さなかった。

「松本さんは三年の時は家庭クラブ会長でしたよね」

「あれはまちがって選ばれちゃったの。とても役員なんて資格なかったのに」

陽子は楽しそうだった。この人は苦労を知らない人なのだと芳男は思った。

「ね、田中さんの伯母さんて面白い人ね」

「どうして」

「うん、すごく現代的だわ。わたし感心しちゃった。今はね、見合いでもなんでも親達と一緒にすわってなどいないで、どんどん若い者同士で話し合ってお互いの気持をたしかめるんだって」

◀投稿案内▶

本紙は、全国クラブ員の準機関紙として、みなさんに大いに利用していただきたいと考えています。

クラブの催しや個人のプロジェクト、詩、短歌、随筆、写真、悩みや意見、村の話題、伝説、行事、お知らせ、小説、その他なんでも結構ですから原稿にして送って下さい。

❶長さや形式は自由です❷できるだけ記事に関連した写真をそえて下さい❸送り先　〒105 東京都港区西新橋1の5の12　佐野ビル内　日本4H新聞編集部

日本４Ｈ新聞編集部

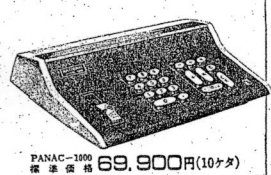

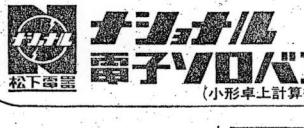

日本4H新聞
4Hクラブ 農事研究会 生活改善クラブ
全国広報紙
発行所 社団法人 日本4H協会
東京都港区西新橋1の5の12 佐野ビル 〒105
電話(591)1817・3683
編集発行 玉井光
月3回・4の日発行
定価 1部 35円
一ヵ年 1200円(送料共)
振替口座 東京12055番

燃えよ開拓の意気に

盛大に第8回全国4Hクラブ員のつどい

花やかな幕開け　札幌市の厚生年金会館ホールを埋め尽したクラブ員に向ってあいさつする松浦全協会長＝ウェルカムフェスティバル(開会式)

みせた同志の強い絆

惜しまれる沖縄の不参加

アカシヤやポプラ並木の梢をふるわす風は、もうすっかり秋の香りをプンプンと漂わせていた。広大な大地に、開拓百年の力強いクワの跡がハッキリと刻まれていた。いま北海道は新しい一世紀に向かって着実な第一歩を踏み出している。そんな若々しい青年の大地、北海道に全国の仲間が集まった。「第八回全国4Hクラブ員のつどい」は、全国4Hクラブ連絡協議会(会長 松浦幸治君)、北海道4Hクラブ連絡協議会(会長 中山静雄君)、社団法人日本4H協会(会長 宮城孝治氏)の主催、農林省、文部省、総理府、北海道、NHKなどの後援によって、さる八月二十八日から九月一日までの五日間、札幌市を中心に石狩、空知など七支庁一円で花々しく開催された。とくに今回は参加者が二千四百人といままでの最高で、ジャンボ4Hの祭典となった。参加者は、地元クラブ員宅に宿泊しての現地交歓訪問、郷土芸能やパネル討議でわいたウェルカムフェスティバル、開拓百年の歴史を見学した散策などを通じて、農業や4Hクラブ活動の明日を考え、相互の友情を誓い合った。「目覚めよう 再び 開拓の意気に!!」という大会キャッチフレーズにあるとおり、つどい全体を"開拓"の精神が貫ぬいていた。

＝関連記事2・3面にもあります

つどい日程のどの部分にも色濃く織り込まれていたのが"開拓"のイメージ。「目覚めよう 再び 開拓の意気に!!」という大会キャッチフレーズをはじめとして開拓記念館、百年記念塔を見学する散策コースにも、ウェルカムフェスティバルで参加者をうならせた郷土芸能の中にもハッキリとうかがわれた。また、現地交歓訪問では開拓者としての北海道農民の姿が理解されるように配慮してあった。

中山静雄道連会長は、開拓百年の北海道の歴史と今回のつどいの意義深い関係について「つどいに集まったクラブ員の一人ひとりに、明日の社会の、明日の4H活動の開拓者になってもらいたいと思った」と話す。近年、「残された大秘境」「美しい大自然」という歌い文句で観光ブームの波がおし寄せている北海道を、きびしい自然に耐えぬいて今日の食糧供給基地としての北海道を築き上げた先人の"開拓精神"を前面にかかげたことは、農村の若者の集まりである"つどい"を再認識させるものであった。松浦幸治全協会長も「フロンティア精神を探訪し、つどいの意義、4Hクラブの本質を再発掘してほしい」と語っていた。

今回のつどいのもう一つの特徴は、現地交歓訪問を日程の最初にもってきたことであった。何しろ東北六県と新潟県を合わせた広さをもつ北海道のこと、従来までのいったん集合して配車するという方法では時間的なロスと、移動面での混乱が予想されたためにとられた措置である。受付も従来は一カ所であった処、七つの拠点地に分散した。

そのため、大会運営者が一番心配したのが"迷子"。案の定、後志(しりべし)地区にくるはずの参加者が札幌から電話をかけてよこしたり、千歳空港からまっすぐタクシーで会場にかけつけるという参加者もいて、事務局側ではそのたびごとにヒヤリとさせられた。

地元クラブ員奮闘

つどい史上空前の二千四百人が初めて結集したのが二日目に開かれた「ウェルカムフェスティバル」であった。会場にあてられた北海道厚生年金会館ホールは、つどい参加者で超満員、4H一色に埋めつくされた。参加者は全員集合したジャンボ4Hの壮観さにうっとり。大会関係者のあいさつや来賓の祝辞に一つひとつうなずいていた。

フェスティバルではまた、すばらしい郷土芸能が披露され、参加者を魅了した。「薄れゆく郷土芸能をわれらの手で守ろう」と、OBの指導で日ごろ伝承のため努力している地元クラブ員が、衣装も完全にそろえてあざやかな芸能を披露。北海道を切り拓いた先人の力を呼びさまそうとするかのような「えびす太鼓」や、獅子としかぐらのコミカルなやりとりを表現した「獅子神楽」など、どれも一級の芸術作品であった。

惜しまれたことの一つに、期待されていた沖縄クラブ員のつどい初参加が実現されなかったことがある。これは、北海道連が沖縄の本土復帰を祝って沖縄クラブ員をつどいに招待したもので、特別会計にも組み、沖縄からも参加したいとの返事を受けとっていた。だがつどい二日前になって「ゴコウイニカナエズザンネン……」という電文が道連事務所に届き、北と南の出合いはついに実現できなかった。史上最大のつどいの一つの明るいトピックスになっていただけに、つどい関係者も寂しさを隠しきれなかったようだ。

諸機関と連携密に

リーダー研修会 評議員会も開かる

社団法人全国農村青少年教育振興会(会長 東畑精一氏)主催の農村青少年クラブリーダー育成研修会と、全国4Hクラブ連絡協議会(会長 松浦幸治君)の評議員会が、さる四日から六日までの三日間、東京・渋谷区のオリンピック記念青少年総合センターで開催された。これは、農村青少年クラブの組織強化を図るために開かれたもので、参加者は全国のクラブリーダー約二十名。

全協の評議員会では、全協の年間事業、日本4H会館建設、指導・助言機関や団体との連携強化についてなどを主な議題に話し合った。なかでも会館建設問題では、「なんらかのかたちでエポックを」などという意見を中心に激しい討論を展開した。

また最終日には、全国農村青少年教育振興会の青忠義常務理事、藤本竜夫理事、金田三郎事業部長、日本4H協会の大塚茂常務理事をまじえて、クラブリーダーの役割、単位クラブにおけるプロジェクト活動の推進、クラブ行事・事業の方向などを議題に討議した。

クラブ活動の自主性についても活発な意見交換がなされた。そのなかで全員が、各関係機関・団体から指導・助言を仰ぐことと自主性をそこねるということとの違いを再認識した。

なお、最終日の午後の評議員会では、評議員の位置づけ、役割などが大きな論題となった。その結果、これからも評議員という自覚のもとに前向きな姿勢で地域のクラブ活動を推進することなどを全員で申し合わせた。

指導・助言者のアドバイスを受けながら討論する全国のリーダーたち

お視点　原田正夫

人生はプロ活動の連続

クラブとリーダー〈4〉

北海道での"つどい"が終わり、秋風が夏の太陽で熱せられた大地を冷やしはじめる頃になってしまった。読書の秋、食欲の秋とかいって頭のさえてくる時期らしいのに、いっこうにさえない頭で再び"ある視点"にアタック、アタック。

これまで、私たちのクラブは名称、環境などのちがいはあっても、等しく農業、農村に縁のある青年男女のあつまりであること。そして、その活動は地域、メンバー構成、さらに社会の動きによって当然変わってくる。しかしながら4Hの基本はプロジェクト活動にあり…ということを忘れてはならない。以上ここまで述べてきたつもりだ。

さて、そのプロジェクト活動が、近年本来の姿を失ないつつあるように思える。前回もふれてみたが、プロジェクトは私たちが農業をいとなみ、農村でくらし、人間として、クラブ員として生きてゆくとき、何としても越えなければ目的地にたどりつけないという力…(課題)を合理的に、科学的に解決してゆくことではないだろうか。

人生はプロジェクトの連続であるように思うし、クラブ員である若い頃にプロジェクト活動を通じて、課題解決のいわばテクニックを身につけることは、大げさにいえば人生の勝利者たる近道であると思う。

ひるがえって数年来のプロジェクト活動をみるとき、クラブ員が切なる悩みを解決しようとするプロジェクト活動があまりみられないのが気になる。発表会のためのそれであったり、課題を普及員やクラブリーダーに与えてもらって行なっているものも多くみられる。そんな中には、こいつを解決しなけれりゃ、オレは、わが家は、わがクラブは伸びないゾ……というような必死の頑張りや熱意が消えうせてしまっているものだ。

しかも、漫然と形だけのプロジェクト活動で他人から与えられた課題を解決しても、おそらく充実した気持は残りはせぬだろうし、再び新らたな課題にとりくむ意欲も、活動する意義も感じることは少なかろう。プロジェクト活動の衰退の原因はここにあるのじゃないかと思えてならない。

あまり正確な記憶ではないがこんな文句があった。

――これからの勉強は学校で先生に無理やりやらされるんとちがうんだよ。趣味でラケットふってテニスやるようなんともちがうんだよ。苦しみながら、泣きながら、額に汗して自分がやる勉強なんだよ――だれしもどうしても乗りこえないと……というやむにやまれぬ課題があるはずで、こいつをさけて安易な道を選んでいてはせっかくの"いま"というときがあまりに惜しい。

私たちのクラブでは一般に農業技術、農家経営などの課題がとりあげられている。そして、課題解決の訓練も行なっているはずである。が、どうも農業面の技術だけがプロジェクト活動の範囲なんだというような考えが多くありはせんだろうか。

例えば、今回のつどいにしても何と多くの参加者が目的地をまちがい、時間に遅れたことか。期間中にしてもしかりである。つどいに参加すること。そこで何を得てかえるか……これらをプロジェクト課題としてとらえる意識があったら、あんなに多くの彼や彼女が「私のいくとこどこでしょう?」とウロウロすることもなかったろうし、個人的にもっと得るところの多いものになっただろうに。

農業技術以外に通用しないようなプロジェクト活動、課題解決能力だけを訓練しているんじゃないはずなのに……。

(全国4Hクラブ連絡協議会副会長)

中四国で「推進会議」

18・19日、鳥取市で開く

中国四国ブロック農村青少年クラブ推進会議が、来る十八、十九の両日、鳥取市吉方温泉町二丁目の久松閣で開かれる。主催は中国四国ブロック農村青少年クラブ連絡協議会(会長 今本徹君)で、中国四国農政局、全国4Hクラブ連絡協議会の後援。

一日目は午後一時半から開会、二時から代議員会、その他の参加者は情報交換。三時半から二時間にわたって講演、講師は元東京教育大学教授の浜田陽太郎氏。このあと夕食・入浴、夜は自由交歓。

二日目はつどい準備を行なう。

若い農業のつどい

中四国で19日から

第五回中国四国地域若い農業者のつどいが、来る十九日から二泊三日間の日程で鳥取県岩美郡福部村の砂丘センターを会場として開かれる。主催は、鳥取県、中国四国農村青少年クラブ連絡協議会、社団法人全国農村青少年教育振興会、鳥取県農村青年会議連絡協議会で、農林省中国四国農政局、中四国地方各県、NHKなどの各関係機関・団体が後援している。

一日目は、午前十時半から開会式。午後は"若者の広場"と題して歌やゲーム、散策などを行ない、そのあと砂丘の夕べをくりひろげる。

二日目は、午前八時半から「農畜産物の有利な販売」と題して京都府立大学の藤谷築次助教授の講演を予定、十時半から研究討議を行ない講演をもとに午後五時半まで話し合いをする。夕食のあと引き続いて自由交歓。最終日は午前八時半から閉会式、このあと鳥取市の鳥取共同選果場を視察する。

27日に実績発表大会を開く

徳島

【徳島】豊かさを稔でつつもう明るい農村漁村――をスローガンにかかげて徳島県農山漁村グループ実績発表大会が来る二十七日午前十時から石井町の農業試験場で開かれる。

主催は、徳島県、同県農事研究団体連絡協議会、同農村生活改善グループ連絡協議会、同農村青少年クラブ連絡協議会(会長 佐藤源二君)で、実績発表、踊り、寸劇、クイズなどのレクリエーション、表彰などを計画している。

心頭技健

いろいろと話題の多かった北海道でのつどいも盛況のうちに幕を閉じた。参加総数二千四百人と、かつてないほどのジャンボ大会であったが、運営にあたったあるクラブ員の言葉をかりていえば「拍子ぬけするくらいスムーズに」ことが運んだそうだ▼つどいが生んだホットなエピソードにこんなのがある。山口県のある女子クラブ員からつどい事務局の方へ電話がかかってきた。大会前日の夜のことである▼電話の主旨は「現地交歓訪問の受入れ先は後志地区になっているが、自分はいま空知の姉の嫁ぎ先にいる。めったに来られる北海道ではないし、滞在期間を延ばしてつどいの後で改めて会うという時間的余裕もない。できるものなら受入れ地区を後志から空知に変更してもらえないだろうか……」というもので[illegible]▼事務局では困った。彼女の気持もよくわかるし、だからといってつどい全体の規律を乱すこともできない。後志地区の受入れ農家では彼女のために準備をして待っているだろうし……▼すったもんだの三十分、応待にたった中山道連会長は「受入れ先をあなたが"間違った"ということであれば、事務局の関知するところではない。だけど、つどいのもつ意義をよく考えてあなたの自主的な判断に期待する」と、含みある言葉で電話を切った。▼翌日、彼女は後志地区の受付会場である倶知安にきていた。事務局側が喜んだのはいうまでもない。広い北海道のこと、空知から後志まで行くには半日はかかるだろう。だが、彼女が自らの意志と判断で"選択"したつどいは、きっと彼女に新しい何かを発見させたにちがいない。

クラブ綱領

私達は、実践を通じて自らを磨くとともに、互いに力を合わせて、よりよい農村、よりよい日本を創るため、四つの信条をかかげます。一、私達は農業の改良と生活の改善に役立つ腕をみがきます。一、私達は科学的に物を考えることのできる頭の訓練をします。一、私達は誠実で友情に富む心をつちかいます。一、私達は楽しく暮らし元気で働くための健康を増進します。

クラブ員の集い開く

神奈川県連 17日中央農高で

【神奈川】神奈川県農村青少年クラブ連絡協議会(会長 河路幸一君)主催の第四回神奈川県農村青少年クラブ員の集いが、来る十七日午前九時から平塚市の県立中央農業高等学校で開かれる。

暖風

手をあげて 横断歩道をわたろうよ

街角の横断歩道で、信号が青にかわったので歩き出すと左手から車が出って来た。"人を無視して……人間優先を知らないのか"と車をにらんだ。それと同時ぐらいに、車が止った。そして無事に向い側にわたった。

秋の連休を利用し、車に乗せてもらってぶどう狩りに出かけた。秋晴れの日の高速道路は、一般の道路と違って、人が全然通らない車の専用道路であるので、お互いの車がマナーを心得て走っている時は安心で快適で、この上ないドライブがたのしめた。

ところが一般の道路となると、横断歩道があり、歩道がはっきりしていないところもあり、いつどこから人が飛び出して来るかわからない。それはかりか、横断歩道の信号を無視して通る人、横断歩道以外のところで、道を横切る人が意外と多く、危くて仕方がない。

歩いている時は、人間優先を旗印しのもとに"車は勝手なもの"と、しばしば思い、車に乗るとつい"バカヤロー"と思わず言いたくなるようなことにたびたび出会う。そして立場がかわると、各々に身勝手なものだとわれながら、おかしくなった。

しかし、助手席にたびたび乗っているうちに知ったことは、人間優先だと言ってみても、それは考え方のことであって、さきの左手から曲って来た車も、歩行者がいなければ右折できることであり、横断歩道以外のところで横断した場合、歩行者に対してつぐないのないことも知った。そしてまた走っている車が、急にブレーキをかけても、すぐに車が止り得るとは限らないことも知った。つまり車にのってみて、車の法規や、操作の知識を得るとともに、歩行者の心得をたしかめることができたようなものであった。

そして、

"手をあげて、横断歩道をわたろうよ"

"車は急にとまれない"

"ちょっとまて……"

など、街角の交通標語の意味の深さを、あらためてながめるのであった。

手をあげて、ふと車をみると、ドライバーが"どうぞ……"と目で合図をしてくれたのは、しみじみと実感をもって標語をながめた数日後のことであった。(T)

「つどい」追跡レポート

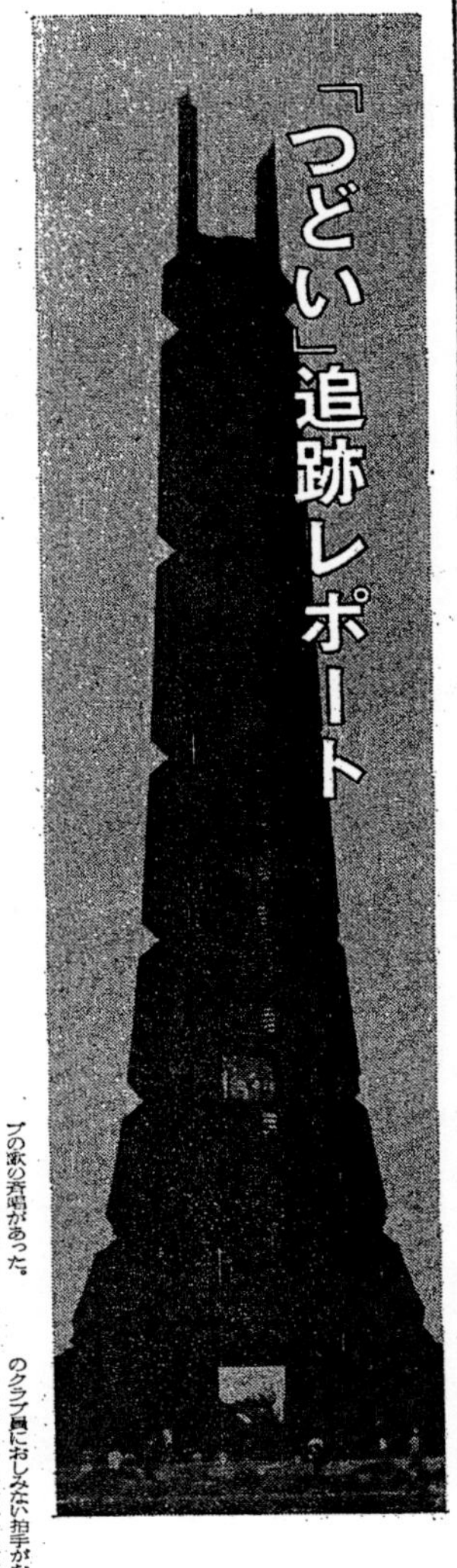

「北方農業」を見直す　現地訪問

郷土芸能　伝承に惜しみない拍手

1〜2日目

参加人数二千四百人はつどい始まって以来の新記録。大自然とフロンティア精神を秘めた北海道の魅力が大きくはたらいたものと思われる。

つどい第一日目は、全国各地からはるばる遠い"えぞ"の地に集まってきたクラブ員たちの受付が、石狩、空知、上川など道内七地区で行なわれた。今回のつどいはとくに、北海道の広大な地域性を配慮し、現地交歓訪問を日程の最初にもってきたもので各会場にはジーパンにTシャツ姿の女子クラブ員、イキなサングラスや肩まで垂れる長髪の男子クラブ員などの姿も目につき、若者の熱気でむせかえるよう。

オリエンテーションを受けたあと、参加者は地元クラブ員の自家用車やマイクロバスに分乗して民宿先へと向かった。あいにくの曇り空だったが、後志（しりべし）地区の会場にあてられた倶知安からはえぞ富士（羊蹄山）がくっきりと姿を現わし、参加者はどこまでも続く広大な大地に「やっと北海道にきた感じ！」「あれ何ていう山？」「ほんとに涼しいわ！」と大はしゃぎ。"えぞ"の風は、"内地"ではさながらそよ吹く秋のそれだった。

現地交歓訪問は二泊三日。地元クラブ員宅に宿泊した参加者たちは、家族の人たちと交流するとともに農作業を体験。手厚い歓待を受けた参加者たちの顔はほころびっぱなしで、ジンギスカン料理やトウモロコシ、ジャガイモ……と、北海道ならではの味覚を満喫した。六人で三㌔のジンギスカンをたいらげたというクラブ員は、地元のクラブ員に「そんなのは序の口だよ」といわれてビックリ。

農作業ではイモ掘りや牧草刈り、農薬散布などで汗を流した。どのクラブ員も内地の数倍もある経営面積の広さや農業機械の大きさに思わず「ウーン」と目を見張っていた。「だけど、肥料や単位面積あたりの収穫高を考えれば、純収益は内地とどっこいどっこいですよ」といわれて改めて大自然のきびしさを考えさせられていたようだ。"農業"という同じ基盤でガッチリと手を組んだ仲間たち。農作業をしながら農業の将来性、可能性などを話し合っていた。

おまわりさんもヘンシーン

3日目

つどい三日目の三十日、開会式をかねたウェルカムフェスティバルが札幌市・北海道厚生年金会館ホールではなやかに開幕。大会史上空前の二千四百人が初めて結集。4H旗がなびく超満員のホールは、若い熱気と興奮が渦まいていた。

道警音楽隊のファンファーレとともに各道府県代表者が県連旗を掲げて入場。全員で国歌を斉唱したあと、松浦幸治全国4Hクラブ連絡協議会会長が「4Hクラブの長い歴史をかえりみて、その本質をつかみ、永続性あるクラブ活動を考えるとともに、自主独立の精神であすの日本の農業を確立するために努力しよう」とあいさつ。中山寿雄北海道4Hクラブ連絡協議会会長は「開拓百年を迎えた北海道は、いま新しい一世紀に向かって大きくはばたこうとしている。このつどいのキャッチフレーズは"目覚めよう再び開拓の熱気に"だが、どうか道内の開拓農家で実習した開拓精神を全国に持ちかえっていただきたい」とあいさつした。

続いて宮城幸治日本4H協会会長は「実り多いつどいにしてほしい」と参加者を激励、横田北海道副知事ら来賓の祝辞のあと、ブラジルの4Hクラブ員五人、"草の根大使"として来日しているドナ・L・ハルコビッツさんとジェーン・E・バファイヘリックさんが紹介された。二人は北海道に農家実習で入っており、つどいに特別に参加したもの。そのあと4Hクラブの歌の斉唱があった。

ひき続いて郷土芸能が披露された。ドーンドンドン……と、力強く鳴り響く太鼓は奈井江町農村青年会の「えびす太鼓」である。北海道を切り拓いた力がそのまま若いクラブ員のたくましい腕の中によみがえったかのようだ。ほかに新十津川かぐら保存会の「獅子神楽」、民芸研究会の「北国の芸能」、「江差追分、ソーラン踊りほか」など、どれも参加者が魅了されるような一級の芸術品。薄れゆく郷土芸能を保存しようと、OBの指導で伝承のため努力している地元のクラブ員におしみない拍手がおくられた。フェスティバルには道警の音楽隊も出演。ふだんはこわいオマワリさんも楽器を手にすると楽しい音楽隊に"変身"。行進曲から日本民謡をメドレーで演奏、スマートな姿とユーモラスな出し物で会場をわかせていた。

ウェルカムフェスティバル第二部はパネル討論。「どうする4H？」というテーマを、大谷重雄君（栃木県連副会長）ら四人のパネラー、それに会場からの意見もとり入れて活発な話し合いがなされた。「マンネリ化からの脱皮を」「プロジェクトの理念をもっと幅広く運用すべきだ」「政治ぬきのクラブ活動はナンセンス」など、現在クラブ員がかかえている問題を率直に出し合った。「これだけの盛り上がりをみせたのだから時間を延長して話し合ったら」という声も聞かれたほど。

そのあと参加者は、札幌市の北約三十㌔のところにある定山渓温泉へバスで移動。夕食のあと交歓の夕べで楽しいひとときを過ごした。宿舎にあたった温泉かいわいは、夜おそくまでクラブ員のそぞろ歩きが続いた。

響け太鼓　ドーンドーン…太鼓を打ち鳴らすクラブ員の腕に、いま開拓の魂がよみがえる＝ウェルカムフェスティバル

燃える炎　静寂の闇の中、明日の歴史を創造する青年の力強い誓いのことば＝大倉山シャンツェでのキャンプファイヤーで

爽快な原生林歩き

おかわり！ビール15杯

4日目

つどい四日目は、バス四十二台をつらねての散策。開拓記念館、百年記念塔、野幌森林道立自然公園、北大、羊ヶ丘、雪印乳業、サッポロビール、円山公園など、北海道の開拓の歴史をたずね歩いた。中でも森林公園は原生林生い茂る五㌔のコース。野鳥のさえずりを聞きながらテクテクと歩く気分は「ソーカイまるかじり」といったところ。また、開拓精神の真髄を次代に伝承するために建てられたという高さ百㍍におよぶ記念塔の前でも、参加者はその北海道の"象徴"に目を奪われ、カメラをパチリパチリとやっていた。雪印乳業ではアイスクリームや牛乳、サッポロビールではビールやシトロンのサービスもあり、なかにはビールを十五杯もおかわりしたクラブ員がいたとか。

夕闇が迫るころ、参加者たちは大倉山シャンツェへ大移動。冬期オリンピックでは九十㍍級ジャンプ競技場として観客をわかせたところである。世界一を誇るジャンプ台を見上げながら、エレキ演奏や各地の民謡などが続出。ジェーンさんやドナさんも福岡県のクラブ員にまじって炭坑節を披露、みんなを喜ばせた。

やがてシャンツェを照らすすべてのライトが消えた。沈黙の一瞬、そしてあの"とき"が再現されたのだった。「笠谷二度目のジャンプにいどみます……」——だが、マイクから流れるアナウンサーの声は、あのときと同じく無念の涙をのんだ瞬間を伝えていた。

はるかに高くジャンプ台の頂上にひとつの火がともされる。その火は闇に浮かぶジャンプ台をかけおりてくる。火の儀式。ひとつの火は踏み切り台で五つの火と交わる。同時に聖火台にも夜空に舞い上がる炎が……。「春を愛する人は心清き人、すみれの花のようなぼくの友だち……」——「四季の歌」や「4Hクラブの歌」がファイヤーに酔ったクラブ員の口びるから流れてくる。

すべてが終った。大倉山から見おろす宝石をちりばめたような札幌の夜景に歓声を上げながら、参加者は山をおりていった。「あんまり広すぎて……」「見る側と歌ったり踊ったりする側の間にある石のシキリがじゃまだった……」という声も聞かれたが、キャンプファイヤーは一分の狂いもなく盛況のうちに終った。

アッチを見たり、コッチを見たり…でも頭の中は帰りに飲めるサービスのビールのことばかり＝ビール工場見学

来年は神奈川で

演出鮮やかに閉幕

5日目

つどい最終日の九月一日は、再び厚生年金会館ホールで経済評論家の伊東光晴氏の講演とお別れのつどいが開かれた。

「農業に明日はあるか」と題する伊東氏の講演は、"国際化時代の日本農業"という副題にもあるとおり、すこぶる今日的テーマであり、きびしい農業情勢下にさらされているクラブ員の胸に強く響いたようだ。講演のあと質問コーナーがもうけられ、会場から盛んに質問が出されていた。

ひき続いて行なわれたお別れのつどいでは、国歌斉唱のあと松浦幸治全協会長が主催者を代表してあいさつ。来賓として出席した黒沢俊一前全協会長、宮忠義氏（全国農村青少年教育振興会常務理事）らから祝辞があった。そのあとトロフィーと大会旗が入場、中山道連会長から来年度の開催地である神奈川県連の川崎幸一会長に手渡され、川崎会長は「来年度はぜひ神奈川県においで下さい」とあいさつした。

多くの話題をふりまいた今回のつどいも[illegible]幕を閉じた。電光掲示板にチカチカと輝く「さようなら」という五文字。札幌オリンピックのときと同じ、このつどい最後のあざやかな演出に参加者の間から思わずタメ息がもれたが、やがてそれも消えていった。

なお、閉会式のあと約二百五十名の参加者は、北海道連の世話で層雲峡、摩周湖、阿寒湖などの秘境がひしめく道東めぐりの道内研修に出発した。

作文

仲間と共に生活改善

わたしたちのグループ「一己4Hクラブ連合会」は、昭和二十四年に結成され、ことしで二十三年目。クラブ員総数四十六名（女子十名）、平均年齢十九歳、経験年数二年半で、グループを若葉クラブ、若草クラブ、大雪クラブの三単位にわけて連合会活動を行なっています。

わたしたちの地域は水稲単作地帯。一戸当りの経営面積は五㌶で、現在では基盤整備も七〇㌫以上終え機械の共同利用、共同栽培などの経営の合理化を図っています。しかしその反面、農家生活の実態は、家庭の生活に計画性がなかったり、婦人労働の負担が大きかったり……。生産過程の近代化が最優先されている為に、このような問題がじつに多くあるのです。そこでわたしたちのグループは、「農村における家庭生活をより良くするにはどうしたらよいか」というテーマで活動を始めたのでした。

昨年は、グループ学習として次の三点を実行しました。まず、自家野菜の有効な活用を図るため、野菜の加工法と貯蔵法、保存法の学習、第二に、家計の支出状態を知るために家計簿の記帳法の学習、さらに環境の美化を図るために花壇作りの学習を行ないました。これらのグループ学習を基礎にして、個々のクラブ員は、食生活について五名、保存加工法について三名、家庭菜園について二名、住居の改善について一名と、それぞれプロジェクトを実践してきました。

自家野菜の有効的活用を図るためには、三名のプロジェクトはほ場を中心に野菜の栽培方法を実習し、収穫したものは冬期間の野菜不足を補うために加工保存法の実習材料にしました。また、環境美化については、ほ場の一角に花壇を作り、花の播種から定植まで実習して花壇造成の仕方を勉強しました。家計簿の記帳方法については普及員から指導を受け、家庭生活のあり方を農山漁家近代化センターに行って学習しました。このように、個人プロジェクト達成のために共同学習を行なったことで、たいへん効果を上げたのです。

今後は、地域婦人との交流をはかり、一緒になって農繁期の食生活の問題解決にあたっていきたいと計画中です。また、クラブ員相互が"メンバーシップ"をより以上に発揮することも大切です。そして、退会したクラブ員が集まって女子OB会を作り、より地域に密着したクラブ活動を続けていきたいと思っています。（北海道・一己4Hクラブ　塩田範子）

お互いの理解深めて

単位クラブの充実へ

山口県連　オルグ活動を実施

【山口】山口県農村青少年クラブ連絡協議会（会長　白松博之君）では、九月からオルグ活動を実施することになった。

同県連では、今年度の重点目標としてクラブ発展と組織強化をかかげ、①これからの農業問題を考える②そのための部門活動の推進③クラブ員の団結を図ることを決めた。[illegible]は県協役員としても、クラブ員一人ひとりとあまり話す機会がなかったのは反省すべきである。

クラブ員からはよく、①年間行事が多すぎる（県協や地区協）②役員で行事案を立てている③もっと内容の濃い活動を④参加してもおもしろくない、というような声を耳にする。

これを逆に役員側からみれば、①会長会議などのとき要望などを述べているか②はたして4Hの本質、性格、組織、クラブ旗の持つ意味、青年の方程式などを知っているだろうかなどの疑問や不安がある。

そこで、本年度は県協役員が積極的に地区協や単位クラブに出向いて、もっと4Hに対する考え方などについて話し合うことになったもの。

地区会長会議開く

なお、去る八月二十九、三十の両日、農村青少年指導者研究会と合わせて地区会長会議が防府市の県農研で開かれた。

農業者大学校で入学生募集

農業者大学校は、すぐれた農業経営者の養成とともに、地域農業振興の中核となるべき人材の育成を目的として農林省が設立したものである。

募集要領は次のとおり。

▽教育年限　三カ年
▽募集人員　五十人
▽応募資格　高校卒業後一年以上の農業経営の実務経験を有する二十五歳未満の男子
▽応募手続　入学願書は、もよりの農業改良普及所または都道府県農業改良普及主務課あて申込むこと
▽応募期限　来る十月三十一日
▽選考試験　来る十一月二十八日、二十九日
▽授業料　年額三万六千円
▽その他詳細については、農業改良普及所、都道府県農業改良普及主務課、地方農政局、または直接、農業者大学校（東京都多摩市連光寺二三二〇七、電話〇四二三（75）八五二一）まで問い合せ下さい。

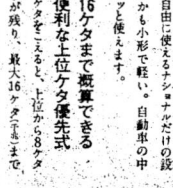

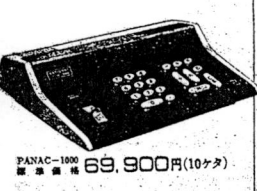

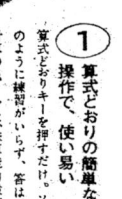

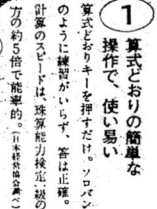

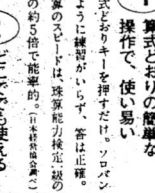

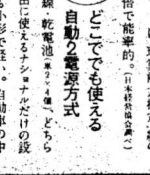

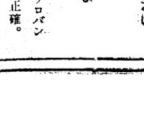

県内で初の試み

えのきだけ栽培　農閑期利用に好適

奈良県山辺郡・山添4Hクラブ　向井利光

奈良県東部の大和高原といわれる冷涼地帯で、米と茶主体経営の農家の長男として生まれ育った私が将来「農業で生きて行く」という決意のもとに、地元農業高校を卒業して農業に就いてからすでに四年。いまでは一社会人として、いや農業経営者として夢いっぱいのこの頃である。

しかし、過去四年間を振りかえってみるとき"農家に残って良かったのだろうか"と考えさせられることさえある。というのも、大阪、名古屋を結ぶ名阪国道開通にともない、この地域は目覚ましい発展をしているが、その反面、工場などの建設による田畑、山林の減少、都心部への人口流出、公害などいろいろの問題が出ているからである。そういう中で、若い人が農村を離れて農業後継者が不足していることは大問題ではなかろうか。

私も農業で生きる決意を持っていながら何度か都会に憧れたこともある。しかし、一時的な感傷で農村を離れたくない。なぜなら自分で作物を栽培するという喜びがあり、その喜びをいっそう高めるために、私は親と別の部門の経営を考えてみた。いろいろと思案しながらも年間を通じての労力配分をポイントに考えた。

私の家では、夏場の茶と米に労力がかたより、冬場は何もしないで過ぎてしまう状態であった。そこで、冬の農閑期を利用した仕事はないものかと思いながら過ごしていたある日、八百屋の店先で、小さくて、茎の長い、色の純白な見るだけでも美味しそうなものが目にとまった。手に取って見るとビニール袋に「〇〇産のえのき茸」と印刷されてある。

私にもこのような見事な茸が作れないものかと、農改普及員や林業指導員に相談してみたところ、"栽培しては"ということでいろいろと説明を聞き、栽培地の見学もした。

いまから三年前、自分でやるといっても資金がない。そこで役所へ行き、えのき茸栽培をする資金として農業後継者育成資金五十万円を借り受け、自己資金二十万円と合わせ、初めて部門経営に取り組んだ。

しかし、奈良県では最初の試みであったためか、雑菌の侵入、根腐れの発生などで、一年目は市場価格のない物ができて、もう止めようかと思ったときさえあった。だが、親や林業指導員の励ましで、生産県の長野県に数度足を運び現地見学を行なうと同時に、長野県から講師を招いて技術指導を受け、生産向上に努力した。

現在、栽培本数一万二千本、将来は三万本経営に、さらに栽培技術の向上のため独自に研究を行ない、当地栽培に適した栽培法や種菌培養などに努力して行きたい。

一つの部門で得た実績は、サラリーマンには味わえない楽しみと喜びがあるということではないだろうか。自分で、心をこめて作り上げた物には誇りを持ちたい。この部門経営を基本に、将来充実した農業経営にもっていきたいと考えている。

プロジェクト経営

集団的経営を　市長らと懇談会

【神奈川】さる八月十日、川崎市農村青年協議会（会長　河原努君）では市長を囲む会を開いた。この日は、市側から市長はじめ助役、農業・税務両部長、野菜緑地・農政両課長、係長らが、協議会からは三十三名が出席し①これからの川崎市の農政②市街化区域内の農家をどのようにして残すか③登録農地内に公共用地がくるか④緑地保全⑤固定資産などについて懇談した。

この中で市長は「川崎市においては農業が中心的な位置づけにはならないと思う。農政もこれから集団的経営というものを位置づけしたい」「固定資産に対しては国の方針であり、市としてはいまの行政ではどうすることもできない」と語った。

結婚を考える　►24◄

大阪府・農家主婦　原田綾子

女房修業

わたしは二十四歳、兼業農家の主婦です――と過ぎれば、いかにもベテランの主婦のようですが、結婚して一年半、初めて農業に目を向けたしだい。まだまだ何もわかっていません。

先日も畑の中ほどにいた主人に大声で「これ何が植えてあるの？」と聞いたら、主人が近づいてきて「あまり大きな声で聞くな！　こんなんも知らんのかと思われるやないか！」といわれてしまいました。新婚旅行も研修旅行みたい。「あれ何？あれ何？」と、たずねてばかりいました。

嫁いで最初にしたのが山でのワラビ取り。といっても、ワラビを取るどころか、草や木にひっかからないで登るだけでも大変。道のない山に初めて登ってまるでピクニックにでも行ったようにウキウキしていたことを覚えています。

しばらくして初めて田んぼに行ったとき、カエルの多いのに驚きました。そして、わたしの足にまで遠慮なくピョンピョン飛びはねてくるのには閉口しました。いまはどうにかカエルには驚かなくなりましたが、まだ虫はヤミでもこわくて手づかみなどできません。

最近の試み（？）の趣味は、一人で鶏小屋にエサをやりにいって卵を取ってこれるようになったことです。ただし、巣に一羽でも入っていたら、一つも取らずにサッサと帰ってきて、大きな顔をして「卵が取れなかったのはニワトリが巣に入っていたからだ」と弁解します。牛の"エサやり"はもう一歩というところです。こんな、何も知らず、動物を恐れているわたしですが、まったく町の中からきたというわけではなかったのです。中学に通っていたところは、通学路の横に二、三反の田がありました。ただそのときは、農業、農作物について全然関心がなかったのです。学校を卒業してから、いく人かの人がそれぞれの職について語ってくれました。その中で、わたしは主人を選びました。一見おとろえの色がみえそうな農業。村の青年諸氏がきらって逃げだす農業…。そんな農業を、主人は目を輝かせてわたしに一つひとつ語ってくれたのです。主人は、こんな何も知らないわたしでもパートナーとして役立つといってくれました。

夫の"良きパートナー"に

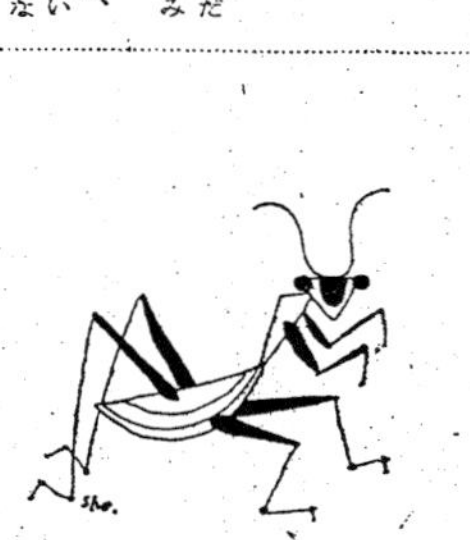

妊娠、出産、育児と、多忙な日が続いたため、パートナーとしての役はいまだに果していませんが、それでも「いつかきっと……」と思っています。

最初の一年は、見るものさわるものが珍しくて、"何とか自分がこの家に、この職にとけこみたい、何もかも吸収したい"と、ただそれだけでした。一年が過ぎ、産後の疲れもとれ、子供も何とか育つのではないかという見通しもついて、いまやっと農家、農村、農業について目を向けることができるようになりました。

（全国4Hクラブ連絡協議会の原田正夫副会長夫人）

畦道

飛べない宙ぶらりんの男

――手前、生まれも育ちも葛飾・柴又です、帝釈さまでうぶ湯をつかい――とタンカをきるフーテンの寅さんを見て、ぼくは想像した。ぼく自身が水に浮かび漂う紙石のように現実を浮遊しているさまを……。

不気味に笑うタバコ屋の老女にタバコ代を払っているときに、ぼくはまた想像した。はかり知れないほどのものを吸収してきただろう彼女の網膜にぼく自身が昆虫のようにぶざまにへばりついている姿を……。

残暑厳しき九月のある日、ぼくは、新宿に正午の太陽とたわむれかざせるショーウインドーをにらみつけながら迫った。あのショーウインドーと光とぼくとの間にあるのはなんだろうかと……。

公園のブランコでいつまでも揺れ動き続ける少女。ぼくは少女の背中を軽く押してやったとき、夕焼けのなかを流れる雲に向ってつぶやいた。ぼく自身は彼女よりももっともっと宙ぶらりんなんだ……。

溢れたざわめき。けたたましく鳴く発車のベル。夢のなかの地獄。暴走する何台かの車。ぼくはそれらのなかを漂いてゆこうとする。ただ、動いているという実感のみを求めて。永遠の停止のなかに呑みこまれてゆくぼくの動き。かすかな震え。耳をうつ、昨日への絶叫。

ぼくは、うっすらとホコリをかぶった一冊の文庫本を手にとる。アメリカ作家ソール・ベローが描いた小説「宙ぶらりんの男」を……。実生活と思索生活、精神と行動との間に宙ぶらりんになっているひとりの男。そして、彼はついに自分をとりまく状況を受け入れて宙ぶらりんの自分自身をのりこえようと企てる。つまり、自己決定の義務を免れ、自由を完全に放棄してしまうのだ。

ぼくは本を置く。そして、なおも自由という概念にこだわりつつ、宙ぶらりんの自分をびくびくとつつき回すのだ。【野】

つどいアレとコレカルト

地下鉄に――ご注意！

札幌にきたクラブ員が一番ビックリしたことは何だろうか…。碁盤の目のように整っている道路。七色の噴水もあざやかな広い地下に並ぶ商店街…。そんなものじゃなかった。碁盤の目の道路は京都が先輩格だし、地下街も東京や大阪の方が一枚上手。じつは地下鉄のお話。冬期オリンピックに合わせて開通した地下鉄は最新式のものだ。コンピューターつきの全自動ってやつで改札口のおじさんも立っていない。キップを入れてグズグズしているとポンと機械でお尻をたたかれてしまう。

そこであるクラブ員は考えた。「キップを入れないですばやく改札口を通りぬけたら機械も見逃してくれるんじゃないか……」と。彼は全能の機械に勇敢にも挑戦した。だが、案の定改札口はパタリと彼の行く手をふさぎ、勢いあまった彼はズボンの前側に強烈な一発をくらったというわけ……。これから札幌へ行かれるみなさん、決してこんなバカな真似だけはしないでくださいネ……。ケツレイしました。

ドナさんは――カメラ狂？

「ホッカイドー、タイヘンスバラシイデスネ」と、片言の日本語で愛きょうをふりまく。米の親善大使として来日し今回のつどいにも特別参加しているジェーンとドナである。友だちもたくさんできた。青い目をクリクリさせて「オー！」といいながら世話になったクラブ員をみつけるととんでくる。両手を大きくかざして、まるで抱きすくめてしまいそうなチトオーバーなしぐさ。それでも差し伸べられた手を握りながらクラブ員はまんざらでもない顔だったが……。

ドナのカメラ好きはドが過ぎている。つどい期間中、食事のときも決してカメラを離そうとはしなかった。ひと口たべてはパチリ、パチリとやる。こちらがちょっとでも体を動かそうとすると「ウゴイチャダメ！」と手きびしいお叱りを受ける。これから二人が乗り込む静岡と九州のクラブ員のみなさん、ドナのカメラにはくれぐれも気をつけてネ！

キミ――知ってル？

北海道は食べ物がオイシーイ。ふだん新鮮な野菜を食べなれているクラブ員も、北海道特産の"名物"となると話は別だ。毛ガニなど海の幸も北海道ならではの味だが、これからお話するのはジャガイモとトウモロコシのこと。

バターでやんわりと包んだジャガイモの味はサイコーだ。「やっぱり北海道のジャガイモはおいしい！」っていったら、地元のクラブ員がそっと教えてくれました。「内地で食べるジャガイモのほとんどが北海道産なんですよ。でも、内地へ出荷するものは形やツブのそろったものだけ。どうしても味がおちてしまうんですね。ほんとうにおいしいのは、ブコツな格好をしたやつなんです……」――キミ知ってター？

北海道へきてトウモロコシを食べなかったという人はまずいないだろう。どこへ行ってもトウモロコシ売りのオバさんにお目にかかる。だけど、これも"ゴカイ"なんだそうだ。ぼくたちが何の疑いもかけずにトウモロコシだと思っているものはすべて"スイートコーン"ていうやつなんだそうだ。本物のトウモロコシは北海道でもめったにお目にかかれない。地元クラブ員から分けてもらって食べたら、見かけはあまり大きくないけど肉がしまっていてプリプリしていて、それは見事なものだったヨ……。オレ何の話をしていたんだっけナ！

レンズが見た"つどい"

◀現代は変身の時代とか。おまわりさんも手品師にヘンシーン＝ウェルカムフェスティバルで

◀大自然のなかで雄大な夢をみながら眠るのもいいことだ＝野幌森林公園の散策で

◀「では会場の全国のクラブ員のみなさんの声を聞いてみましょう」―そのとき、あなたはどんなことを言ったのですか＝お別れのつどいで

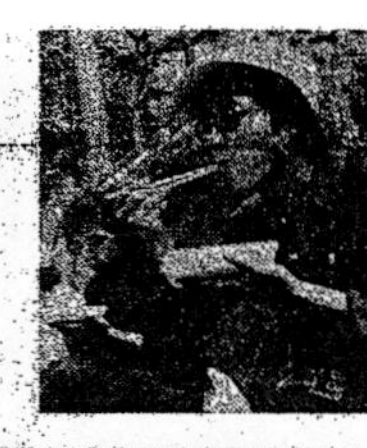

◀もりもり食べもしました（右）また、ガブガブと飲みもしました（左）

◀アメリカクラブ員もハッスル。炭坑節のセンスもなかなかいい感じ＝キャンプファイヤーで

家の光協会

"農業後継者の育つ条件"を考える　『地上』11月号特別企画を中心に

「農業はスバラシイ」「農業には夢がある」という言葉が、何度も何度も農村の若者たちの耳に語りかけられてきました。しかしその言葉は、つねに農業者の、自分自身の言葉であったのか疑問に思われます。

青年たちの姿が村から消えていって"農業後継者"のことが話題にされるようになって久しくなりますが、はたして、その時代の流れは何によって演出されてきたのでしょうか。また、黙っていても青年たちが、農業に夢を描き、農業経営にひたすら打ち込めるような条件があったのでしょうか。現在の農家生活の苦しみ、他産業からの若年労働力へのはげしい需要攻勢などを背景において考えると、「農業後継者の育つ条件」などということは、だれだって、けっして容易に語れることではないように思われます。

しかし、その一面、一般的な議論以前の問題として、農業にみずからの生き甲斐を求め、新しい夢を託す若者たちや、若い経営者たちが、続々と生まれ、育ちゆこうとしています。しかも、その青年たちは、恐ろしいほどはっきりと、外部からさまざまに投げかけられる言葉のむなしさを見破っているかのように見受けられます。まず現実のなかで、苦悩を苦悩としてつかみ、そして自分自身の言葉で、農業に生きるモラルを、新しい価値の創造を模索しているように受けとれます。

『地上』十一月号・特別企画「農業後継者の育つ条件」は、まず、これらの青年たちや若手経営主たちの言葉に深く耳を傾け、そしてその言葉を、親や先輩たち、地域のリーダーたちが、あらためて後継者問題を考えるための素材として提供しようというねらいです。

企画全体の骨組みは、（I）農村青年たちとの触れあいの深い菱沼達也氏（東京教育大学教授）が語る青年たちのこころの問題（II）山形県下の四人の後継者青年（4Hクラブ員）たちが、自分の経営や農家生活について、地域農業について、最近の農業事情・地方行政・国の政治・農業者組織などについて、悩み、要望、疑問などを語る座談会（III）都市化地域で企業的な農業経営に成功し、そのかたわら農協青年部の組織活動で活躍する青年経営主のルポ――からなっています。

4Hクラブのみなさんたちにも、この記事をきっかけに誌面に登場する仲間や、先輩たちとともに、いま一度、自分自身の生活のモラル、周囲のさまざまな問題について話しあっていただきたいと思います。

明日の農業へ向って　各種農業団体

全国農業協同組合中央会

優良農地の確保や農村の総合整備など　「日本列島改造」について提言

田中首相の日本列島改造論を政策として具体化するため設けられている日本列島改造問題懇談会に、委員として参加している宮脇全中会長、三橋全農会長、片柳農林中金理事長、池田全国農業会議所専務、東畑日銀政策委員の農業関係委員は、さる八月三十日、連名で、日本列島改造論に対する農業・農村サイドからの意見を提出しました。

この意見では、まず日本列島改造の構想は、工業の地方分散、過疎過密の解消などにより、国土資源の有効利用と国土の均衡ある発展を図ろうとするものと理解され、その構想の基本的ねらいについては賛意を表するとしながらも、日本列島改造構想の実現のためには都市と農村、工業と農林業などの各産業が、相互に密接な関連を保ちつつ均衡ある発展をとげることが必要であり、とくに国民生活の安定向上に果たす農業・農村のもつ役割を積極的に評価して、農業・農村の位置づけを明確にし、農家が高能率な農業の建設と、健康にして文化的な生活を享受し得るような措置が必要であるとし、①優良農地の確保②農村の総合整備③土地問題について次のように指摘しております。

まず、優良農地の確保については、構想に示された主要食料の自給率八〇％を確保するためには、農業の能率をあげ、効率的に国内で供給しうるものについては、極力国内生産によってまかなうという基本的考え方のもとに、生産力が高く、機械化が可能な農地を優先的に確保し、この農地について、重点的に整備を行なうとともに、国有林などの活用を含む草地造成などの農業生産基盤の整備を計画的に実施することを指摘。農村の総合整備では、農村総合整備法を制定して、農村地域を総合的に整備するための計画を樹立して、新たな公共事業として「農村整備開発事業」を開発することを要請しております。

土地問題については第一に、国土の有効利用と産業間の調和ある発展のため農林業と農林業者の立場と意志を尊重することとし、第二は、現行農地制度の基本的な考え方を堅持したうえで農業経営規模の拡大などによる高能率農業の育成のため、農地の流動化を図る措置の検討を指摘し、最後に、土地を投機の対象としない措置、とくに法人などの投機的な土地取得の抑制措置が必要であるとし、農業者が土地を所有したままで、集団で非農業的利用が可能な措置について十分な検討が必要であるとしております。

NHK農事番組（9月21～30日）

「つどい」の講演も　24日「ブドウ産地の模索」～山梨県勝沼町で中継録画

テレビ

明るい農村　6・30～6・55総合
- 21日　話題と人「③花の銀行③梨づくり六十年」
- 22日　農村新地図「岩手県雫石町」川本忠平（岩手大教授）
- 23日　村をむすぶ「秋分の日特集・ふるさとの味覚～福岡、名古屋、松山、札幌、東京」
- 24日　明るい漁村
- 25日　村の記録「小さな公害闘争」～秋田県比内町
- 26日　きょうの話題
- 27日　産物百科「とり肉」
- 28日　話題と人「アイディア立町」～池田町
- 29日　農村新地図「石川県輪島市」
- 30日　村をむすぶ「仙台、富山、甲府、東京」

農業教室　7・30～8・00　教育
- 25～27日　農産物のマーケティング　沢田収二郎（九州大学教授）
- 28～30日　森林組合と林業振興　大崎六郎（宇都宮大学教授）

あすの村づくり
- 日　7・00～8・00　教育
- 再　土　13・00～14・00　教育

ラジオ

早起き鳥　5・41～5・57　①
- 21日「大気汚染と農作物」湯村寛、鎌田周一（岡山県農業試験場）
- 22日「りんどうの集団栽培」～新潟県妙高高原町
- 23日　ふるさと通信
- 24日　話題の窓「減反三年」
- 25日「農業へ集団転職」加藤野太郎（秋田市）
- 26日「ミカン皮の粉末飼料」～佐賀県園芸連
- 27日「近づいた隣村」～岐阜県徳山村
- 28日「ホテイアオイで水質浄化」～香川県農業試験場
- 29日「よみがえる薬草づくり」村上幸利（兵庫県山南町）
- 30日　ふるさと通信

話の広場　日　6・15～6・30　①
- 24日　波を考える　内村良英（農林省農政局長）ほか

ラジオ農業学校〈講座〉　月～土　6・40～7・00　②
- 25～27日「老人福祉を考える」三浦文夫（社会保障研究所）
- 29～30「大型流通の運営」岡戸造司（日本農業機械化協会）

ラジオ農業学校
- 日　6・30～7・00　②
- 24日　農業講演会「農業に明日はあるか」伊東光晴（経済評論家）～第八回全国4Hクラブ員のつどいで収録

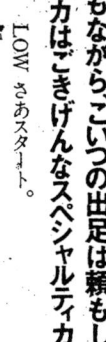

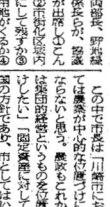

また来年も逢おう

北駿4Hク　全国富士登山の集い

【静岡】北駿4Hクラブ（会長横山保作君）主催による恒例の「全国4Hクラブ員富士登山の集い」は、ことしで第六回になるが、本年度もさる七月三十一日から三日間にわたり開かれた。これは、秀麗富士の登山を通じてクラブ員相互の交流と親ぼくをはかるとともに、情報交換を行ない、こんご積極的に4Hクラブ活動に取り組もうというもの。

一日目は開会式のあとキャンドルサービスで楽しいひとときを過ごし、二日目は午前中話し合いをして、こんごのクラブ活動の進め方などについて話し合った。そして午後からいよいよ富士山頂へと向かった。

登山中、高山病になった人もいたが、みんなで力を合わせ頂上まで引っ張って登るというひとコマもあった。

反省会では、静岡県連の鈴木政道県連会長が「今回で五回目の登頂だが、いろいろ勉強になった。また登山中高山病になった人もいたが、無事に下山できたことは嬉しく思います」と語っていた。同会長は頂上から二合目のバス停までノンストップの四十五分という驚くべき短時間で下山した。

なお、今回は例年になく参加者が少なかったが、来年度もぜひやってもらいたいというのが、参加者の声だった。（宮崎清士連絡報道員発）

「気分は最高」とばかりにほほえむクラブ員たち＝富士山頂で

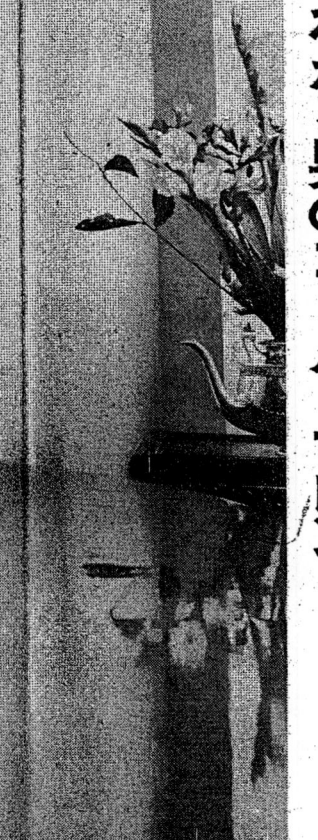

（立ち見席）小生の女性恐怖症（最終回）

静かな生活のなかに大きな破局がひそんでいたんでやんす。そう、あれはたしか一九七一年十一月のことでありんした。小生の目の前がまっ暗闇になってしまったんでやんすよ。

前々からあるという話は聞いていたんでやんすが、本当にありんしたねえ—。このときくらい協議会を憎く思ったことはなかったでやんす。

ダンスなんでやんすよ、ダンス。そりゃあもう、小生はダンスと聞いただけで足がすくむんでやんす。そして、ご存知とは思いやんすが、ダンスの前にはダンスの練習があるんでやんすよ。小生「ダンス、ダンス…」とつぶやいて絶望に身もだえしって何日かを送ったんでやんす。

でも、ある意地の悪いやつは小生に言ったんでありんす。「ダンスのひとつふたつができなくっちゃ男じゃないよ」

小生もなんてこと言われたんじゃ日本男児の名がすたると思ったんでやんすよ。てなわけでありんすから、小生、ダンスを習いはじめたんでやんす。しかし、問題はパートナーでやんす。女性では血圧があがって命とりにもなりかねんでやんすからねー。

小生は野郎どもをパートナーにダンスをなんとかマスターしたんでやんす。しかし、小生、どうしても女性の手を握れないんでありんすよ。そうして、とうとう恐怖の日が訪れたんでありんした。

ダンスの当日はみじめなものでありんした。ルンバ、ブルース、ジルバなどいろいろな曲が流れていくんでやんすが、小生はイスにこしかけたまま、ただタメ息をついているだけでやんした。ああ、小生の灰色の青春時代よ！

もういや、だれか小生に女性のいない国を教えて！読者のみなさん、小生は心からお願いしているんでやんすよ。

——おわり——

（栃木・足利地区青少年クラブ協議会　一クラブ員）

嫁ぎゆく私の胸中

クラブ活動でつけた自信

青森県弘前・四ツ葉会　川村むつ子

私の家は分家して十三年目になります。いまでも私には、忘れられぬ思い出があります。

それは雨の降る風の強い日のことでした。電灯は消え、風と雨の音だけが聞こえた夜、母と私と幼い弟妹は淋しさと心細さに耐えていました。父は出稼ぎにいっていました。私たちは祈るような気持で朝を待ちました。そのとき「お金さえあったら、お金さえあったら」と何度もつぶやきました。それは、いまだに私の心にくっきりと残っています。

「嫁にいくとき、タンスひとつ少なくともいいから」と言い私は高校へ入学させてもらいました。

そうして高校を卒業した私を待っていたものは、家事と家業の手伝いという平凡な道でした。

そんな一年が過ぎ去りました。二年目のある日、私は友にさそわれて青年学級へ顔を出してみました。以来、私の生活は青年学級とともにありました。

これからの女性は、なにも知らぬ嫁、母、人間であってはならないと思います。自分の考えをもって生きる人間でなくてはならないでしょう。そう思って、青年学級二年目のときに、私たちは女子七名で新しいグループ"四ツ葉会"を結成しました。

さて、私には、いままでのクラブ活動の成果を実践するときが近づいてきています。私は、水田一町歩、リンゴ園三段、山林二十段の専業農家の長男へ嫁ぐのです。二年間のクラブ活動が私に数多くのことを教えてくれたので、私にはある程度の自信があります。

"自信を持って嫁に来て"と言う彼。私はそれにこたえて明るい住み良い家庭を作っていきたいと思っています。たくさんの友に囲まれて第二の人生にスタートする私はクラブに感謝の気持ちでいっぱいです。そして私は、数多くの農村の女子青年のみなさんにクラブに積極的に参加されることをおすすめします。

農薬のひとりごと

愛媛県・伊予地区連協議会　岡田博助

おれは農薬だ。おれっていったい何者なんだろう。そうだ、おれは作物を大量に、安価に、そして、それを安定して人々に供給する手助けをするために開発されたのだ。

ここで現状をふりかえってみると、たしかに初期の目的はいちおう達している。そして、使用者である農民からはみな一様に感謝されている。しかし、農業者以外の多数の人々、なかでも最近とみに神経をいらだたせている主婦たちは"農薬"と聞くだけでアレルギー反応を示すほどである。

そこでおれは思うのだ。使用する人々がおれを十分理解しないで使っているのではないだろうか。そしてやみくもにおれたちを作物にかけ、おれたちを無意味に大自然にまき散らしているのではないか。

もっとおれたちを勉強し、十分な配慮を望みたいものだ。

あんな人こんな人

プロ活動、地域へ

でも女性には弱い！

内田　操　山梨

H君はこういう。「彼との出合いは、彼が高校を卒業した年でした。彼は見るからに積極的な活動家然としており、ああ、心強い友を得たと思いました」

彼、内田操君、昭和二十二年生まれの二十五歳。身長一七三㌢、体重六十㌔。彼は現在、山梨県4Hクラブ連絡協議会会長である。

内田君は、高校を卒業すると同時に山城4Hクラブに入会。以後、クラブ活動での仲間づくり、生産活動を中心としたプロジェクト活動に専心し、4H一筋に七年間を過ごした人だ。4Hで生まれ育った人。

内田君は「4Hクラブ活動とは大きく重いものですね。でもやる気にさえなればだれにでもできます」という。「多くの人は4Hと聞けば、すぐにプロジェクトと答えるでしょう。それはそれで正しいと思います。でも二〜三年すればそのプロジェクトの意識も口先だけのマンネリ化におちいりやすくなる。そんな同志的集団のクラブも現実にいくつかあると思います。それじゃあ、進歩も発展も期待できませんよね」

そして内田君は、個人プロジェクトを完全に実践し、それをクラブプロジェクトへ発展・充実させようと主張する。まあ、そうなれば、地区連・県連の活動も容易なんだがと内田君は思案顔。

彼は単位クラブでも、個々のクラブ員とともに熱心な活動を続けている。力の弱い人を前面に立てて力の強い人にうしろからそれをバックアップさせる内田君の方法は、彼の郷土が生んだ武将・武田信玄の戦法さながらというウワサもちらほらと。内田君は、そこに仲間づくりとクラブ活動の秘訣があると語っている。そして、4Hクラブ活動のテーマは農業関係の課題に重点をおき、青年団や一般サークルなどとの性格の違いを明白にしている。

内田君は、プロジェクト活動の成果を力いっぱい地域農業にぶつけてゆく。たとえば、甲府は以前、水稲、養蚕を中心とした地域であったが、4Hクラブ員が中心となり都市近郊という地域性を生かした野菜栽培を進め、現在ではその野菜が地域の主幹作物になっている。

それらの活動成果が認められてグリーン賞（畜産、文化、スポーツなどの分野で模範的な活動を続けている青少年個人、団体をグリーンプランの理念に基づいて県が表彰するもの）を受賞したこともあった。内田君は、現在、山梨県連会長として、七年間自分の体験を通して学んだ成果を県全体のクラブ員のために生かそうとがんばっている。

内田君は自家の経営にも意欲的に取り組んでいる。彼の家は都市化が進行しつつある甲府市南部に位置している。米麦、養蚕中心の経営を、彼は、野菜中心の経営に切りかえたという。

地域がいくら都市化されても自分は最後まで農業でやる、と内田君は激しい闘志を燃やしている。

そんな彼にも弱点はある。内田君は「女子クラブ員の育成という点では、ぼくは無力に近いです」と頭をかく。女ごころはわからんもんだと頬を染める彼——全国のクラブ員のみなさん適切なアドバイスを——。

また、個人的にも彼は女性にめっぽう弱いようだ。女性の前だと自分の力が半分しか出てこないと彼は言う。「恋愛も良いけど、結婚は見合いでしょう」とひとり決め分弁。女子クラブ員のみなさんひとつハッパをかけてみたら。彼も頭を下げてお願いしている。

内田君の好きなタイプの女性は身長一六〇㌢以上、髪は長めで目のパッチリし、口もとのやさしい、そうこれを読んでいるあなたみたいな人だそうだ。

スポーツ万能、女性がニガ手と言いながら社交ダンスが趣味だとうそぶく変わった人——内田操君。これからは女性にも強くなることを祈っています。（山梨県甲府市東下条町）

落日（15）

栃木・小山4Hクラブ　農民文学会会員　山中康司

なにいってらと芳男は思った。一家を守って行くのが現代的なものか。一家を守って行くのが長男の務めだ。親達のことをよく考えて早く結婚しろ、それが伯母の口ぐせじゃないか。それに今度のことだってあんたは知らないかもしれないが、ここまでくるには、あんたがどういう人か、どういう家柄に生まれ、学校の成績はどうなのか、親せき姉妹におかしな人はいないか、そういうことがみんな調査してあるんだ。万事が俺の家とつり合うと見たので二人の交際を認めたんだから、そう思ったが芳男は口には出さなかった。

「松本さんどうして農家になんか嫁ぐ気になったの」

「あら、どうして」

「だって今の人はみんな農業を嫌がるんじゃないかな」

「そんなことないわ、わたしなんかサラリーマンなんかよりよっぽど農家の方がいいわ」

「それは口先だけの話じゃない」

「どうして」

「だれだって本当に農業が好きな人なんていないもの。嫌じゃだれだって農業を経営しているのさ」

農家が好きだという意志を示したい陽子の様子は芳男に知れた。二人ともそれきり黙って歩いた。

道路のすぐ右側に栃木商業高校がある。校庭ではユニホームのあざやかな選手がサッカーの試合をやっている。その向う側のテニスコートでは七、八人の若者が白球を追っている。校庭のプラタナスにも秋の陽がふりそそいでいて汚れはなかった。

「陽子さんはスポーツは何が好きなんですか」

「見る方、それともする方」

「する方」

「そうね、登山とスキーかしら。でも両方とも年に二回位しかやらないの。今年もスキーに行きたいけど習いものが忙がしくてね」

「何習ってんですか」

「編物をちょっと」

「そのセーター自分で編んだの」

「まあね……、今度編んであげましょうか」

二人は顔を見合せた。そうしてまっすぐな道を話しながら歩いて行った。幼稚園のところまできて右に折れ、永野川の滑らかな橋を渡って、大平山の大鳥居の手前でまた右に折れた。ちょうどそこには農業祭という文字を花でかざった大きな看板があって、道行く人の中には家族連れもいた。すでに苗木や菊花をかかえて帰り道の人もいた。

当時木造だった二つの校舎は、もう鉄筋のデラックスな四階建てに早変わりしている。庭園や樹木の手入れの行き届いている母校で二人は約三時間の時を過ごした。近代的な校舎の中で後輩の顔ははつらつとしていたが、生徒が一週間苦心して作った展示物の図表や模型図には新しい傾向が見られなかったのみか、それは農業教育の貧困さ、沈滞さ、非現実性をいかんなく暴露しているものだった。それでも時々は陽子の興味をひくものがある。図表を見ながら「ねえ、農林経営ってどんな病気だか知ってる」なんて質問するのだった。芳男は陽子を気にしながら歩いた。

「松本さん卒業してから大平山に行ったことある」

「二回位あるけど、高校時代と同じで。頂上からの町の景色がとても奇麗い」

「ね、今日の帰りに行ってみようか。ここじゃうるさくて話も満足にできないから」

「そうね。あたし家には六時頃帰るって言って来たんだけど」

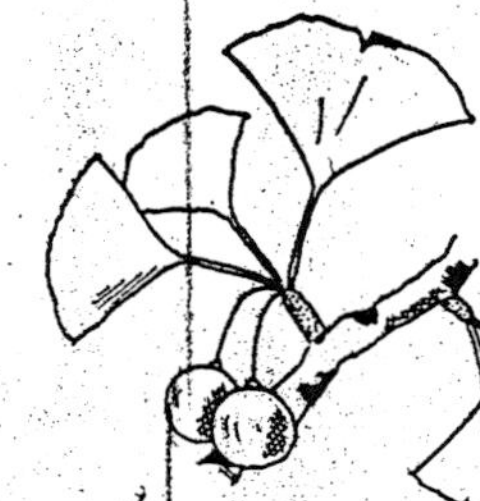

◀投稿案内▶

本紙は、全国クラブ員の準機関紙として、みなさんに大いに利用していただきたいと考えています。

クラブの催しや個人のプロジェクト、詩、短歌、随筆、写真、悩みや意見、村の話題、伝説、行事、お知らせ、小説、その他なんでも結構ですから原稿にして送って下さい。

原稿の長さや形式は自由です。できるだけ記事に関連した写真をそえて下さい。送り先　〒105　東京都港区西新橋1の5の12　佐野ビル内　日本4H新聞編集部

——日本4H新聞編集部——

日本4H新聞
4Hクラブ
農事研究会
生活改善クラブ
全国広報紙
発行所
社団法人 日本4H協会
東京都港区西新橋1の5の12
佐野ビル 〒105
電話(591)1817・3683
編集発行 玉井 光
月3回・4の日発行
定価 1部 35円
一ヵ年 1200円（送料共）
振替口座 東京12055番

クラブ綱領

私達は、実践を通じて自らを磨くとともに、互いに力を合わせて、よりよい農村、よりよい日本を創るため、四つの信条をかかげます。一、私達は農業の改良と生活の改善に役立つ腕をみがきます。一、私達は科学的に物を考えることのできる頭の訓練をします。一、私達は誠実で友情に富む心をつちかいます。一、私達は楽しく暮らし元気で働くための健康を増進します。

はやくも全国大会へ始動

球磨川でテント生活

熊本県連が技術交換大会

【熊本】さる八月二十二日から二十四日までの三日間、風光明媚な川として名高い熊本の球磨川流域に四百七十四名の若き農業者が集った。若者たちは、日頃自慢の腕を競い、未来の農業を語り、そしてお互いに友情を深め合った。第十二回熊本県技術交換大会――そこには明日をになう農村青少年の熱気と川を渡る涼風とが奇妙に入りまじっていた。また、来年、当地で開催される全国大会へかけるクラブ員たちの意欲も今大会を大きく盛りあげていた。

主催は熊本県と熊本県農村青少年連絡協議会（会長 後藤徹行君）ほか。

さわやかな初秋の涼風を心地よさそうに頬にうけながら円陣をくんで討議する参加者たち＝人吉城跡付近の団地別話し合い

初日の二十二日は昼すぎから、日本三大急流のひとつである球磨川のほとり、中河原に自衛隊の協力で色とりどりの約百二十張りのテントを設営し、参加者の団地を編成した。続いて人吉城跡でオリエンテーションが行なわれた。

午後四時ごろから入場行進、開会式に移った。大会々長代理の副知事、後藤県連会長あいさつ、来賓祝辞のあと、人吉球磨農村青少年クラブ連絡協議会々長の福山智章君が参加者を代表して「単なる行事に終らせず、転換期の農業の中で農村青年のあり方を見い出し若い情熱と友情を深めよう」と若者らしく元気に宣誓した。そしてスローガンを斉唱し、開会式を終わった。

人吉城跡で夕食のあと、午後七時すぎから人吉市文化センターで歓迎の夕べが開かれ、歌や舞踊、臼太鼓踊りなどの郷土芸能が披露された。

二日目は朝食のあと、同市文化センターで記念講演が行なわれた。「農村社会における青年の役割」と題して、農業評論家の松丸志摩三氏が「いろいろなアイデアを生かした企業的農業を経営できるように日々心がけよう」と参加者に呼びかけた。

午前十時半ごろから人吉城跡で技術競技が行なわれた。七名（うち女子一名）が一グループとなって、共通コース（生活改善、農業経営、農業機械）、選択コース（作物、畜産、果樹、野菜）に別れ、日ごろの腕を競い合った。クラブ員たちは一時間半、首をひねったりうなったりしながら問題と取り組んでいた。

また、午後からは演示・プロジェクト発表や団地別の話し合いが行なわれた。

夜は河原でキャンプファイヤーを行ない、さわやかな球磨川のほとりでお互いに交歓し、親睦を深め合った。

最終日は朝食のあと、ズラリと設営されたテントの撤収作業に全員で汗を流した。午前九時半ごろから同市の文化センターで「来年度の第十三回全国農村青少年技術交換大会の成功のために、こんどの単位クラブ活動はいかにあるべきか」というテーマで全体討議が行なわれた。なかでも「単位クラブの活動強化が大会成功の近道」という意見は注目をあびた。

クラブ員たちは、来年、熊本で開催される全国大会へ積極的な姿勢をみせ、会場は熊本大会成功への意識統一でもりあがった。あるクラブ員は「全国大会を引き受ける体制は万全です」と語って胸を張り、熊本ははやくも全国大会の熱気でむせかえるようであった。

また、今大会の反省、こんどの仲間、組織づくりの問題点などについても活発に意見を交換した。

閉会式において、今大会で優勝した天草地方に優勝旗が授与され、三日間にわたる大会の幕が閉じた。

（熊本県連・広報委員 田中啓一君発）

中四国で"つどい"

鳥取の砂丘で交歓

中国四国農村青少年クラブ連絡協議会（会長 今本 徹君）では、さる十九日から二十一日までの二泊三日間、鳥取県岩美郡福部村湯山の砂丘センターにおいて「第五回中国四国地域若い農業者のつどい」を、鳥取県、鳥取県農村青年会議連絡協議会、全国農村青少年教育振興会と共催で開いた。

参加者は二十五歳以下の農村青少年百二十八人と三十歳前後の経営者夫婦三十六人、それに関係者など約三十人。

第一日目は午前十時半に開会し、若者の広場、砂丘の夕べなどで参加者全員の交歓をはかった。

第二日目は京都府立大助教授の桑谷幾次氏から「畜産物の有利な販売」と題して講演があった。また、そのあと「農業所得をふやし豊かな農家生活を営むためには、農畜産物の生産と販売にどう取り組めばよいか」をテーマに、作物、野菜、果樹、畜産、花木特作の部門に分かれて、活発に意見を交換し研究討議した。

最終日は、鳥取共同選果場を全員で視察して正午に解散した。

涼風暖風

能登にひかれる

能登ブームは、あいかわらず続いている。晩夏、金沢から能登へまわったが、若い人たちで一ぱいであった。とりわけ、若い女性群の旅姿が多いのが目立った。

能登にひかれるのは、歴史がそこにあるからだろうか。古い民俗がひそかに凍結されているからだろうか。それとも、小説からのイメージを追い求めているからだろうか。

金沢の泊りは、足を伸ばして"江戸村"を訪れてみた。江戸村は、江戸時代の人びとの生活と結びついた建築物を移築したものである。高級武士の別邸、各種の農家、下級武士の家、商家など、建築物の野外博物館といった性格のもの。一個人の資力によってつくられたとか聞いた。

江戸村の面白いところは、建物の中に、それぞれに関係ある民具が展示されていることであり、家の前は、江戸時代の道幅の街道などが準備されていることである。本陣の前にたっても、自然のうちに、当時の生活にひきこまれていくような感じがする。

江戸村のレストハウスは、明治初期の洋式工場に似ている。屋根の高い、細長い造りである。ムードがありますね、と江戸村事務局の石田さんにお伺いすると、彼女はコロコロと笑って、進駐軍の馬小屋を改造したものですよ、と答えた。何のくったくもなく話す明るい人柄の彼女は、魅力的なたれ眉毛の笑顔とともに、訪れる人すべてをファンにしてしまうようだ。

能登には、ことしから国立能登青年の家がオープンしている。ゆったりとした廊下や能登カラーと呼ばれる色彩配置など、北陸特有の気候を克服するためのきめこまかい配慮がすみずみまでいきとどいている青年の家である。四十余人の職員の方々も、そろいのユニフォームで身を固め、若々しい気分をかもして研修生のお世話をしていた。

日本の古代を語る気多神社や、加賀百万石時代から伝わる妙成寺の古刹も、能登青年の家と地続きに近い。古い歴史と、近代的な青年研修施設が共存しているらしい。

能登青年の家のある羽咋市は、海岸の砂浜がドライブウェイになっている。波うちぎわを車で走ると、水をふくんだ砂地が適当に震動を吸収し、快適な走行を楽しむことができる。

閉鎖直前の海の家の二階ベランダにゴザをひき出し、暮れなずむ日本海を眺めながら、畏友住吉君や岡嶋君たちと杯を交わした。長径一〇㌢、短径六㌢もある大型天然カキの酢のものが、大きなドンブリに山盛りで運ばれた。素朴そのままが、涙が出る程うれしい。強い磯の香がする天然カキにかぶりつきながら、自然のままのもの、古いものにひかれる青年たちのことを語り続けた。

（文部省 伊藤）

ワァ！黒煙もくもく

大量のビニールを焼却

山梨のクラブ員

【山梨】まるでベトナムの戦場を思わせる無気味な黒煙が、笛吹川の空へトグロを巻いて吹き上がった――といえば少し大げさになるが、じつはいらなくなった古ビニールの処理をなんとかしようとクラブ員たちが考えだした苦肉の策。無気味に青空を黒くぬりつぶした黒煙は"4Hの誠意の黒煙"と地元の人たちに感謝された。

山梨農協管内の農村青少年で構成している山梨4Hクラブでは、[illegible]笛吹川の河原で[illegible]ルを焼却した。

[illegible]では、果樹ハウスが約二百㌶、野菜ハウス約二百十㌶の面積を占めており、ハウス栽培はこんごも増加の傾向。山梨地区でも四、五年前からブドウのビニールハウスが急増し、その面積は約二十㌶になっている。

反面、問題になっているのが古いビニールの処理。処理に困ってビニールを近くの川や山に捨てる不心得な人たちもいるらしい。そこで山梨4Hクラブは話し合いの結果、ブドウの収穫の休みの日にビニールを焼却することにきめ、管内のハウス部長や市町村の消防団、建設省に連絡した。

当日は朝七時から作業開始。車五台にクラブ員三十七名が分乗し各部落の共選所から汚れた大量のビニールを運搬した。燃えだしたビニールはもうもうと黒煙を吹きあげ、クラブ員は一瞬不安な表情をみせた。しかし、全員奮闘し、午後二時頃までに二㌧車に五十台もの古ビニールを無事焼却した。

作業後、クラブ員たちは、橋の下でつりをしたり、ズボンのまま川に飛びこんだりしながら「今日はみんなの役に立ててほんとうにうれしい」と目を輝かせていた。

また、あるクラブ員は「焼却の際、公害になるような大量の黒煙が出るので、ビニール専用の焼却炉を建設してもらえるよう、みんなで働きかけてみようと思う」と語っていた。

（山梨地区連・丸山俊雄君発）

黒煙を吹き上げて燃えるビニールにクラブ員たちもびっくり＝笛吹川の河原で

築こう！みんなを結ぶ4H会館

全国4Hクラブ連絡協議会
日本4H会館建設委員会

休耕田を観光さつま園に

那須町の4Hクラブで

【栃木】那須町稲沢4Hクラブ（会長・広木文雄君）では、ことしもさる十五日から那須高原観光サツマ園を開園した。一昨年から減反政策がとられたため、せっかく開田した水田も休耕田の憂き目を見るようになってしまい、そこでチエをしぼって考え出したのが休耕田を利用しての観光用サツマの栽培。

初年度の昨年は苗植え付けが遅れ、PR不足もあってあまりよい成績ではなかったが、ことしは開園前から人気が上がっていた。入場は無料だが、五株を百五十円で掘らせることになっている。

意気新たに農業後継者の会発足へ

青森・上北郡七戸町

【青森】上北郡七戸町にこのほど農業後継者の会（会長・寺沢求君）が設立され、こんごの同地域の農業振興に大きな役割を果たしていくことになった。

同町には農業後継者が約二百人いるが出稼ぎなどでいままで集まりが悪かったため、4Hクラブ員などが農業後継者の組織再強化をはかって設立したもの。

視点

地域を守り育てよ

クラブとリーダー〈5〉

原田 正夫

数年前からの傾向として、クラブ員の減少があるが、十年くらい前の十数万人という数は今や七万人程度になっているという。条件の良い地方はまだしも、山間過疎地や都市近郊では旧村単位・集落単位のクラブが消えていっている。たしかに理屈では一人だって活動でき、二人おればグループとなるけれども、実際二人や三人じゃなかなか意気もあがらぬし、活動も思うにまかせないであろう。

それに拍車をかけているのが十人十色というようにクラブ員のとりくむ部門が稲作、そ菜、果樹、畜産……さらに細分化されて、そ菜でもナス、トマト、イチゴ……と小さな地域の中でも多種多彩になって単位クラブだけでハンド（技術）の研修がやりにくく、的がしぼれなくなっていることがある。

こうした傾向から、仲間を求め、実践活動欲おう盛な若者たちは当然のように、合併連合して町なり市なり、あるいは郡という広い地域を単位とするクラブを作ってゆく。そして、現にそのようなクラブは増えてきているように感じる。

農協は広域合併して大きくなってくると組合員である農業者や地域から遊離していくという説がある。しかし、4Hクラブはそうであってはならないと思う。断じてそうであってはならない。クラブはクラブ員のためのものにちがいはない。けれどもクラブはクラブ員の住む地域のためのものでもあることを忘れてはならないと思う。

クラブ活動をやっている間は仲間づくりだのチームワークだの共同作業だのいっていながら去って一人の経営者になってしまうと身につけたはずのハート（心）など忘れて我と我が家の利益のみを追い求めて、仲間や地域を省みない先輩もいる。

クラブのリーダーとして活躍していた人が地域社会の中で農業者のリーダー的存在にもなれず、ごくふつうの人で終ろうとしているのも少なくはなさそうだ。クラブも社会も組織ではないか。人数の多少はあっても、一方でリーダーであったのに他方ではたいした役にも立たないなんてことでいいのだろうか。

農業者は昔から他人と力をあわせていくことが下手だといわれてきた。歴史の中に農民一揆をみるのみか。力をあわせてやることの内容はともかく我一人良ければ……の傾向はそんなに薄らいではいないようだ。クラブ活動で共に苦楽を味わった仲間がクラブを去った後も力をあわせて地域を守り育てることを続けてゆきたいものである。

大学や高校のスポーツクラブには"シゴキ"というのがある。スパルタ訓練ということもしばしば使われている。青竹のムチを手にした鬼コーチが部員をかりたててシゴいたりして猛練習を続けるのだが、そのことが良いか悪いかはともかくもシゴキに耐え最後に残った連中には技術の向上以上に奇妙な連帯感が生まれてくることを私は知っている。

若者が寄りそって知恵と行動力を集結させる時、社会は変わると私は信じている。明治維新を成しえたのは坂本竜馬など若者の国を想うひたむきな情熱と実行力ではなかったか。

若者が減る一方の山里を、ひたひたと都市化の波がおしよせる近郊地域を守り育てるのは五十や六十のオッサンではもう無理だろう。クラブ活動の先輩、仲間、後輩の若さの集結が必要ではなかろうか。私たちは今シゴキとまではいかないが、地域を変える訓練をやっているのだと思っている。

（全国4Hクラブ連絡協議会副会長）

草の根だより

米国で涙の誕生日　堤さん
生活を楽しむ農民　原田君

〈堤 千恵子さん〉

全国の4Hクラブ員の皆様にはお元気で仕事にクラブ活動にお励みのことと思います。日本では、まだ残暑が厳しいのではないかと思います。こちらアメリカでは、八月に入ってから朝晩が冷えるようになってきました。ときどきベッドの中で身ぶるいをしています。

昼間はけっこう忙しく、毎日どこかへ出かけています。八月九日には、昨年度のIFYEとしてインドへ行ってきたダイアンの家へ夕食に呼ばれました。

十日にはカウレディというニックネームをもつマーサ夫人の家へ行き、スパゲッティ、ミートボールの作り方を教わりました。この方はとてもおもしろい方で、始終私を笑わせてくれましたので、ホームシックもどこかへ吹き飛んでしまいました。

マーサ夫人は4Hクラブの大人のリーダーをなさっているので、アメリカの4Hクラブ活動について話してくれました。また、日本のことについても知りたいというので、私も日本の4Hクラブ活動についてできる限りの説明をしました。こんな小さなことが草の根大使の役割だと思います。

日本ではちょうどお盆ですね。私の家でも、きっと親戚の人が集まって私のうわさをしているのではないだろうかと思います。

さて、日本でも特別のこの日に私は三日早い誕生日のお祝いをしてもらいました。三日早くなった理由は、いまお世話になっているホストファミリーを私の誕生日の前日に離れるからです。

誕生日のパーティーでは、私とても幸わせでした。マーサ夫人のとっても大きな手作りのバースデーケーキ、そして、みんなからのプレゼント。私は涙がこみあげてしまいました。

一ヶ月もピース家にお世話になり、友だちもたくさんでき、だんだん居心地が良くなってくると別れが待っています。とてもつらいですが、これも運命……。

ときどき、アメリカ人はあまりにもなまけすぎるんじゃないかなと思うことがあります。すべて全自動の機械で仕事をやってしまうからです。でも、アメリカの人々の心はとてもやさしいと思うのです。個人主義が発達してわりと自由気ままに好き勝手なことをやっているようですが、何かあるときは一緒に喜んだり、また悲しんだりしてお互いのコミュニケーションを保っているようです。

その一つひとつの詳しいことは帰国して報告したいと思います。

〈原田茂光君〉

皆様いかがお過しでしょうか。私は八月五日に南部のマリーヒルから中央部のマウンシに移って、目下第三のホストファミリー、ウィリアム・リンダートさんの家庭でお世話になっています。リンダート家は、リンゴ園四十四エーカーを持つ果樹専業農家です。

この家庭はドイツ系アメリカ人です。家のつくりも落ちついていてなかなか立派です。それに何よりもすべてが能化されており、これほど生活しやすく作られた家は日本でもなかなか見られないでしょう。

こちらに移ってきて十日間ほどは真夏を感じさせる暑さで朝夕一時間のイレゲーションの水交換は欠かすことのできない農作業のひとつでした。

この暑さにたまりかねて、シェランの町から約四、五〇㌔の長さで細長くできているシェラン湖にいっては魚とりや水泳を楽しみました。このシェラン湖は、とても水が澄んでいて数多くの魚が気持ちよさそうに泳いでいます。七月には子供たちと一緒に五、六〇㌢もあるコイの大物を三尾ほどつかまえました。水中眼鏡を使って、むれをなしているコイをチョイと射るといった具合いでいくらでもつかまえられます。その夜は私も腕をふるい、コイの煮つけを食べさせてあげました。

十八日にはマンソンとシェランに住むウィリアムさん一家と宗教を同じくする仲間の人たちが集まってきました。それぞれ家族単位で種々の食べ物をもちより、全員で思い思いに皿に受けて好きなだけ食べるという具合いです。

このような会食はいままでにも何度も経験しました。近所が離れているアメリカにあっては、こんなときが一番楽しく、また、近所・親戚づきあいの親密さをます唯一の機会でもあるようです。

食事を済ませると、みんな楽器をとり出し合奏です。アメリカ人がこんなふうにできるのも、日々の忙しい仕事のなかにも生活をエンジョイする心の余裕があるからだと感心させられています。

秋の訪れの早い北緯四八度ぐらいの地方から、では失礼します。

心頭技健

"土は生きている"と、もっとも強く感じているのは農民であろう。農業の基盤である豊かな土には、数億、数十億の微生物が生活しており、それが有機物を分解して植物の生育に必要な無機物を供給している▼かつて窒素、リン酸、カリが肥料の三要素と呼ばれ、これさえ与えておけば作物は育つといわれていた時代があった。だが、近年、これらの農薬が土壌有機物の分解を促進し、土の中の生態系の単純化を進めていることが明らかになった。生態系の単純化は作物に病気の発生を促し、そのためにさらに農薬が必要となって生態系がますます破壊される……というのである。土は死への第一歩を確実に歩み始めている▼主要作物の平均収量は、単位面積あたりでアメリカの二・二倍と世界一を誇っている日本農業だが、農薬の使用量はアメリカの七倍にも及んでいる。つどいの講演でも伊東光晴氏がいっていたが、いまは禁止されているフェニール酢酸水銀性農薬は、土壌の中で無機水銀に分解し、人間の体内であの水俣病を起こした有機水銀となり、母親の乳から濃縮されて次代へもちこまれるという▼農地の荒廃からのがれる道として、農薬の量を減らし、たい肥を補給して有機物の減少を防ぐことが報告されているが、事態はいまや深刻である。土壌中の有機物が半分以下になったらもう再生不可能だといわれ、現在の状態がこのまま続くと、あと百年で日本の農地の有機物はゼロになってしまうともいわれているからだ。そのとき土は完全に死ぬ▼つどいのパネル討議では「農薬だけは自然を破壊しないようにしよう」という意見が出たが、自然のみなもとである豊かな土が、いま農民の足もとでその生命をおびやかされていることを私たちは忘れてはならないだろう。

負けてたまるか4H根性!!

赤松　宏▶1

いちおう前回で、広報に関するものについては終止符を打つことにした。「また何か」ということで、自分を省りみることも忘れ、下手ながら筆を取りはじめてみた。

とかく、書くということは迷うものです。だって、自分ひとりだけが判ればいいというものではなく、読む人の心のなかに何か感銘させるところがなければならないからである。そして、全国のいままでに出合った何千人という、いや何万人という仲間の各々の顔を思い出すと、一文字、一文字に迷いを感じてしまいます。

彼にはこんな言葉を、彼女にはこんなことをと思えば思うほど難しいものです。そして、そんな仲間に、すこし格好いいところを見せてやろうなんて思えばもう終りです。そんなことは十分心得て紙に向かってみる覚悟ですので、前回の「六円が運ぶ仲間の声!」に増してよろしくお願いしたいものです。

今回からは「負けてたまるか4H根性!!」と題して、4Hクラブの組織の問題であるとか、リーダーの問題であるとか、日頃のいろいろな課題に向かう姿などを考えてみようと思っています。

いま、自分の青春を反省してみると「4Hにかけた青春」とでも言えそうな気がする。学校を卒業して八年目になるが、青年としていちおうのことは苦しんできたつもりです。そんな生活体験をもとに、自らの行動と仲間の行動とを比較しながら、新しいアイディアの発掘ができたらと思っているのだが……。

そんなふうにみなさんの協力を得ながら書いていこうと考えている。というのは、みなさんの「苦しみ」「悩み」のもとに自分の体験を結びつけ、そこから発見してみたいと思うからです。まあ"人生相談"のミニ版とでも考えて下さっても結構です。

格好悪さを越え
ともに作ろう"人生相談"

いままでに私のところに寄せられた二、三の事例、答えた問題を自分は使ってみようと考えているが、より多くの仲間の考え方を聞かせて頂けたらと思っています。その節は、県名、性別、年齢ぐらいは書き添えて頂きたいと思っています。

「負けてたまるか　4H根性!!」と題して書いてみようと考えたのは、先きに述べたように格好の良いことではないかもしれない。むしろ、前に格好の良いことをいったのとは逆に、小さな自分への反抗という程度のものかもしれない。社会への小さな反発かもしれない。でも、"真剣に生きてきた人間がなぜ悪い"という言葉をだれかの口から聞いたときに、その小さな新しい反発、反抗が私の心に起こってくるのです。

この心を4Hにぶつけてみたいのです。この心を4Hにぶつけてほしいのです。「なぜ"4H"って難しく格好良くあなたは考えるのですか？そこには格好良さもスマートさもないはずです。ただ泥くささと新しい香りが、そして未来があるのみ」とある人は言った。

俺は、その言葉を信じて、その泥の匂いと新しい香りと未来を求めて八年間4Hに向かって進んできた。だが、そこには泥の匂いも新しい香りも未来もなかった。ただ、苦痛の青春だけがあった。でも、それでいいと思っている。

そこに、いや俺に、4H根性が残ったからいいと思っているのです。苦痛のなかでがんばったから、4H精神が残っていたからそれでいいんだ。だから俺には「負けてたまるか　4H根性!!」という言葉がでてくる。

そのなかには一つひとつの思い出があり、俺なりの理論がある。赤松の4H理論がある。俺自らが作りあげた理念がある。

たった八年の経験かもしれない。反発というなかに生じた数々の思いを、そこで作ったできた理論や、経験を一編のものにまとめてみる。

「4Hにかけた青春」が本当の意味で良かったのか、だれかが言うように青春のかたわ者なのか、もう一度、あなたも見て頂きたい。とくに、これから4H活動に真剣に取り組もうとする人に見て頂きたい。4H活動を通じて生き方を、生きがいを知って頂きたい。

「生きがい論」が多く出廻っている昨今だが、あまり難しく考えることはない。それはただ過去と現在を比較した場合に、発展・前進したと考えられる節があれば、そこにはやりがいがあるという言葉もでてくるでしょう。それでいいのである。

また、現在を見つめ、明日を考えたとき、きっと良くなる、良くしていけるという気持をもっていたなら、それ自体が明日への生きがいなのである。何かに取り組み、あなたがそこに発展・前進を見い出したならば、「あなたには明日がある」と俺は言ってあげたい。

俺はそんななかで青春を過ごしてきた。だから「負けてたまるか　4H根性!!」と精一杯、講説をはいてみる。それが俺のために、あなたのためにプラスである限りは……。

（北海道・4Hクラブ連絡協議会前書記長）

さきのつどいでは司会として活躍

請負い作業を始める
兼業農家の労力をカバー

【栃木】"農村の労力不足をカバーします"というスローガンをかかげている七人の侍がいる。この七人とは宇都宮市の河内町農村青少年クラブ（会長　五月女明男君）のクラブ員たちのことである。同クラブはことしからクラブ内に請け負い作業部（部長　高橋俊男君）を設け、さる十四日から部員七人がそれぞれ請け負った水稲の刈り取り、脱穀をコンバインなどを使って作業をはじめた。これは同町が宇都宮市の近郊地域の農家として、兼業農家がふえていることから、大型コンバインなどを持つ青少年クラブ員のうち七人が、これらの兼業農家の労働力不足を解消しようというねらいのもので、"請け負い部"を設けて"刈り取り脱穀"の作業をはじめたもの。地元の人たちからもなかなか好評のようである。

過剰投資の穴うめねらう

この"刈り取り脱穀の作業"は宇都宮農業改良普及所の福田、東県普及員が指導しているが、河内町の農協指導課でも積極的に協力している。

請け負いの作業部員は高橋部長のほか、五月女正孝君、五月女均君、相良利夫君、異庭孝行君、岡本宣久君、それに五月女明男会長の七人であり、みんな同町の明日の農業をしょって立つ若者たちばかり。

十四日は午前十時頃から同町中岡本の請け負い作業現場に会員が集合し、作業はじめを行なった。みんなおそろいのユニホームで身をかため、やる気十分といったところであった。

午後からは町内各地のそれぞれの請け負い現場へ分散し、元気にコンバインによる刈り取り作業にはいった。収穫の田にコンバインのエンジンの音が軽快に響き渡り収穫はみるみるまに進んだ。これなら、かなり多くの仕事ができそうとクラブ員たちも満足顔。

請負い作業部の部員たちは、それぞれ四分ぐらいの耕作面積をもつ農家の後継者であるが、大型コンバインやトラクターなどの大型農機具の設備によって、農業投資が過剰となっていることから、これらのやや過剰ぎみとなっている支出分をおぎなうためにもわりとよい収入源になりそう。また、収穫作業を請け負いに出す兼業農家も、勤め先などを休まずに収穫できるとあって、この請負い作業部は双方ともに利点があるようだ。

十四日現在で、作業の予約申し込みは約三十戸で総面積十七分とまずまずのすべり出し。コンバインによる請け負い作業料金は水稲の状態などによってまちまちであるが、十アあたり五千五百円から八千五百円までぐらいである。これは稲を刈りやすい場所と刈りにくい場所との差に応じて上下するもので、この料金表は過去三年にわたったクラブ員たちの先進地調査などで苦労して算出したものである。

作業料金は農協が仲介して委託農家からクラブ員に支払うシステムをとっている。同農協では、請負い作業部について「これからの河内町農業の試験的なもの」と高く評価し、その発展を期待している。

五月女会長の話　種々の大型機械の過剰投資を克服するために請け負い作業を計画しました。発足したからには、みんなで力を合わせて成功させたいと思います。みんなも真剣に努力しています。

高橋請負い部長の話　はじめてのことなので部員七名だけでやり出しましたが、この方法でゆくと一石二鳥の大面積農業経営の試金石になるのではと思っています。

にぎわう4H祭り
熊本県・阿蘇町4Hク

【熊本】阿蘇郡阿蘇町4Hクラブ（会長　竹原隆良君）はさる十五日、町営グランドで4H祭りを開いた。

「阿蘇の農業はわれらの手で」と、熱気ムンムンの会場では、機関誌や農産物流通図が展示され、日ごろの勉強ぶりをうかがわせた。また、農機具展やハム、ベーコン、野菜などの即売会もあり、近くの主婦たちから「新鮮で安い」と喜ばれた。そのほかバザーやバンド演奏もあり、4H祭りは大いににぎわった。

『みかんもぎヤーイ』
小田原農業改良クラブ　交換実習生つのる

【神奈川】小田原農業改良クラブ（会長　遠藤国雄君）では、現在みかんもぎ交歓実習生を募集している。これは、単なるみかんもぎの作業だけではなく、クラブ員やクラブ員の家族とも交流でき、心身ともに鍛えることができるので大勢のクラブ員の参加が待たれている。

なお、募集要領は次のとおり。

1、受け入れは、クラブ員宅に限ります
2、人員　三十名（各家庭二名くらい）
3、男女を問いません
4、仕事　みかんもぎ（だれにでもできます）
5、日給　一日一千五百円（雨天や休みの日は支給しません。男女とも同額）
6、持ち物　身の回り品、作業衣
7、実習期間　十一月中旬から十二月中旬くらいまで
8、旅費　関東、東北、中部は全額支給、その他の地域は片道支給
9、交歓会　歓迎会、名所見学、送別会の三回を予定
10、申し込み期限　十一月下旬まで
11、連絡先　神奈川県足柄上郡開成町吉田島二四八九の二　足柄農業改良普及所内　小田原農業改良クラブ事務局　小田原農業改良クラブ会長　遠藤国雄　TEL＝〇四六五－八二－五一一一

紅道

九月は残酷な月だ…

エリオットなら、冬の死が再びいつわりの装いでリラの花に再生する四月をそう呼ぶだろう。だが、ぼくの場合は、強烈にむせかえる太陽が少女の翳（かげ）りをしのばせて恥じらう九月をそう呼ばずにはおれない。"何て残酷な月だ!"と……。

九月はまともな太陽の照り返しがいくぶんやわらいで、ぼくの心に湿った空気をそよがせる。感傷ではなく後悔を。希望ではなく空虚さを……。そして、ぼくの心は憂うつな坂道をイモ虫のようにのろのろ下っていくのだった。

かつて夏はぼくら少年の可能性そのものであった。無垢の欲望そのものであった。八月のまばゆい光はぼくらのすべてを受け入れ、ぼくらは未熟なつぼんだままの体をさらけ出した。夏とぼくらは呪縛のようにピッタリと結合し、ぼくらはめくるめくような〈とき〉を何度経験したことか……。おそらくあのとき、ぼくらはまだ十分な過去をもっていなかったのだ。

それは、ぼくが自分の過去と未来をてんびんにかけて現在の重みを知る、あのくだらない方程式を覚える年齢に達してからのことだ。めくるめく〈とき〉はぼくの宇宙からついに消え去り、あとにはしおれたひまわりみたいにぼくがきらめきの外で場違いの顔をしながらポツンと突っ立っていた。

ぼくはもう再びあの夏の陽のまった中へ帰ることはできないだろう。それはぼく自身が無垢のままでいることができないという、あたりまえの理由からだ。青春は残酷なものだ。少年のもつ無垢なつぼみをつぎつぎとはぎ取って、知らなくてもよかったまっ黒な芯をひき出してしまう。ぼくはフランスの作家が書き残したつぎの言葉を憂うつな気分で思い出す。"ぼくは二十歳だった。二十歳が人生の最も美しい季節だなどとは、だれにも言わせまい"　【宇】

秀れた経営者を育成
農林省・農業者大学校　48年度入学生を募集

農林省・農業者大学校＝東京都多摩市連光寺二二〇七＝は、来年度（昭和四十八年度）の入学生を次の要領で募集することになり、多くの応募者を望んでいる。

▽募集人員　約五十名

▽応募資格　（1）高等学校卒業またはこれと同等以上の学力があると認められる者（2）学校教育修了後、昭和四十八年四月一日までに一年以上農業経営の実務に従事し、または地方農政局長がこれに準ずると認めた経験をもち、卒業後ひき続いて自営の見込みが確実な者（3）昭和二十三年四月二日以降生まれの男子（4）都道府県知事の推せんを受けた者

▽応募手続

（1）入学願書など関係書類の請求先　もよりの農業改良普及所または都道府県農業改良普及事業主務課（郵便で請求する場合は封筒の表に赤字で「農業者大学校入学願書請求」と書き、あて先を書いた返信用封筒〈二十円切手貼付〉と同封のこと）

（2）入学願書など関係書類の提出期限　来る十月三十一日

（3）提出書類　①入学願書一部②身上調書二部③最終学校の成績証明書一部④受験者の身上等に関する所見一部⑤健康診断書（県の指定する病院または保健所での胸部レントゲン間接撮影検査についての結果）一部

▽農業者大学校選考

（1）期日と場所　四十七年十一月二十八、二十九日の二日間（第一日は筆記試験、第二日は面接試験）　農業者大学校で

（2）選考の内容　筆記試験の科目は国語、数学、理科、作文の四科目

なお、同校は、すぐれた農業経営者と地域農業振興の中核となる人材の育成を目的として農林省が設立したもの。

詳細については、もよりの農業改良普及所、県庁、地方農政局、または農業者大学校まで問い合わせのこと。

値上げの秋にめぐみの野菜
即売会

【岩手】宮古地区農村青年クラブ（会長　関川周治君、会員二十四人）は、このほど自分たちで栽培した野菜の展示即売会を宮古市農協で開き、高物価攻勢にあえいでいる主婦たちを喜ばせた。

即売会に出された野菜はハイサイ、キャベツ、ダイコン、ニンジン、トマト、ブドウなどで、市場の卸し値で売られ、市価より二〜三割安。新鮮で安い野菜に買い得とばかりに主婦が殺到し、午前中でほとんどが売れ切れた。

「つどい」キーホルダーゆずります
北海道連が呼びかけ

北海道4Hクラブ連絡協議会（会長　中山芳雄君）では、さきに当地で行なわれた"第八回全国4Hクラブ員のつどい"の際、参加者に記念品として販売したキーホルダーを全国のクラブ員にもゆずりたいと呼びかけている。

▼値段　一個三百円

なお、申し込みは〒〇六〇札幌市南区真駒内四六七の三　北海道青少年会館内　北海道4Hクラブ連絡協議会事務局まで。

クラブ往来

地域発展の先陣とし

ぼくたちの地域は、紀ノ川の南岸に位置し、柑橘を主とした専業農家が多い。現在、クラブ員は男子二十一名、女子一名で、月二回の定例会を開いている。

ぼくたちの三谷4Hクラブは、機関紙『つぼみ』を作った。「この機関紙は、4Hクラブの活動を理解してもらい、地域住民にとけこんでいけるよう、また、今後の農業の難問題を地域ぐるみで対処できることを目的として発刊した」と書かれてあるように、ぼくたちは地域の人たちにもこれを配布した。そして、4Hクラブに対する意見やぼくたちのクラブがどのように地域の人たちに写っているのかを知るために、アンケート調査を実施した。

アンケートの作成は、クラブ員全員で行ない、主に三谷地区の専業農家百三十戸を選び、無記名で男女別、年令別に記入してもらった。回収率は八三％であった。

アンケートの内容は、▽機関紙について▽結婚問題について▽現在または将来の農業について▽農産物の貿易の自由化について▽余暇について▽共選について▽三谷クラブについて—の七項目。

今日の流動的な社会情勢の中で、地域の人たちはみかん栽培をどのように維持してゆこうとしているのだろうか。また、オレンジなどの自由化が促進されているが、生産者はどのように考えているのだろうか。こうした問題に対して、ぼくたちは彼らの"生の声"を聞くことができた。

4Hクラブに対する要望もあった。「協業化実現に努力してほしい」、「地区農家への積極的な指導を」など、どれも切実な訴えや提言であった。

ぼくたちは、将来安定した農業に近づくため、地域の人たちの意見を取り入れ、それらを徐々にでも解決してゆく方向に歩みたいと思っている。たとえば販売面については、共選の役員と話し合うよう心がけ、若い者の意見が反映できる共選の体制を作りたいと思っている。また、市場で安定した価格を維持するため、計画出荷についても考えている。

難問が山積みしている。そのためにもぼくたちは、クラブ内で十分な討論を行ない、そうした話し合いを通じてさらに団結を強め、地域の発展に4Hクラブがその先陣となるようがんばりたい。

（和歌山県・三谷クラブ　名倉芳一）

さあ〝どうする4H〟クラブ

4Hのつどい〝パネル討議〟

今日の活動を問う

どう受ける多様化社会

4Hクラブが日本にもちこまれてからほぼ四半世紀。社会の移り変わりの中で、農業も農村も大きく変化してきた。今日、農業をとりまく情勢は決して楽観できるものではない。明日の日本の農業を背負って立つ農村の青少年、その集まりである4Hクラブも、この農業情勢と切り離しては存続できないであろう。はたして4Hクラブはどうあるべきなのだろうか――第八回全国4Hクラブ員のつどいでは、「どうする 4H!」というテーマでパネル討議が行なわれ、〝4H〟を根本から見直すべく白熱した議論が展開された。プロジェクトの概念をめぐって、あるいは政治に対する発言をも含めて、そこにはこれからのクラブ活動のあるべき姿を模索する真剣なクラブ員の姿があった。

「4Hに必要なものは…」会場の参加者も活発に意見を述べ、当日は二千三百人の大討議となった＝パネル討議会場で

司会（中山寿雄北海道4Hクラブ連絡協議会々長） ただいまから「どうする 4H!」というテーマで討議を進めていきたいと思います。農村をとりまく社会情勢が大きく変化している現在、4Hクラブ活動もある程度の変革が必要となってくるのではないかと思います。まず、松浦会長から日本の4Hクラブの果してきた役割や現在かかえている問題点などを話していただきたいと思います。

松浦孝治（全国4Hクラブ連絡協議会々長） 日本の4Hクラブは昭和二十三年、戦後の混乱期にアメリカから持ちこまれ、当時は食糧の確保や農村における環境改善などを主な活動内容としてきましたが、時代も変わり、多様化する社会情勢の中で今日的な4Hクラブの姿とはどういうものかを改めて考え直す必要があるんじゃないかと思います。活動のマンネリ化、クラブ員の減少など、現在いくつかの問題をかかえていますが、みなさんとともにここで考えてみたいと思うわけです。

司会 梅津君、あなたの考える4Hクラブとはどういうものですか。

梅津正和（北海道） 4Hクラブは目的集団でなければならないと思うんです。目的のないところには集団は成り立たないという原点にたち返るべきだと思う。4Hの綱領がありますが、あれをもっと幅広く運用することによって、ほんとうの4H活動ができるんじゃないでしょうか。

有田英二（北海道） 4H活動の基本はプロジェクト活動ですが、あんまり重大に考えないでもっと簡単に考えた方がいいと思うんです。たとえば身近な生活のこととか……。クラブもプロジェクト一本ヤリで行なうんじゃなくて、レクリエーションなども取り入れて仲間意識の高揚をはかるべきだと思います。

司会 堀見さん、女性の立場からプロジェクトをどのように考えていますか。

堀見とし（全協副会長） やはり、プロジェクトを身近な問題から考えていこうと思っています。女性の場合、農業経営と家庭生活の両面に関わってくるため、どちらに重点をおくかでクラブ活動に対する取り組み方が違ってくると思いますね。

大谷重雄（栃木県） ぼくも4Hクラブは目的集団だと思う。その組織の目的というのは、明日の農業に取り組むため、またはりっぱな社会人になって地域や自分の将来を発展させるために農業に取り組むことにあると思います。だからプロジェクト活動はあくまでも実践学習活動でなければならず、4Hクラブ活動の主体だと思うんです。

自然を守る農業へ

会場からもホットな声

司会 それでは会場のみなさんから意見を聞いてみましょう。

（会場） ― プロジェクト活動はいらないと思う。4Hクラブ活動は、まず精神面を磨くためのものだ。そして、農村のかかえる問題点を知るクラブ、農業技術を磨くところだと思います。

― 4Hクラブ員は、将来の農業の担い手だ。だから自分たちがガッチリ農業に取り組む環境、たとえば農協や流通機構、公害などの問題にも積極的に取り組まなければならないと思います。その意味からいえば、いままでの4Hクラブ活動は、将来の展望について見通しがあまかったんじゃないだろうか。4H会館建設の問題にしてもそうだと思う。私たちはもっとハッキリとした将来の展望を打ち出すべきじゃないだろうか。

司会 つぎに、プロジェクトを進める上での問題点とは何なのかということについてうかがいたいと思います。

地域で再び討論を

大谷 私たちの地域でもプロジェクト活動は後退ぎみです。その原因として、まず農業情勢の悪化にともない出稼ぎクラブ員が増えそれによってクラブ員が減少してきたことがあげられます。また、生活様式が多様化し、クラブ員がまとまりにくくなったこともあります。そんなことから仲間を集めることに重点をおいたのですが、それにあまりにも比重がかかりすぎ、将来の展望とか、農業に取り組む姿勢があまくなって、一生けん命やろうとする人が少なくなってきたことがあります。

堀見 プロジェクトを行なうには人数を集めなければならないですよね。でも、専業農家が少なくなり、集まりにくくなっています。クラブ員同志の連絡を密にし、部門別でプロジェクトが行なえるような体制作りをしなければ……。

有田 おかしな考え方かもしれないが、このままほっといたら人数は減るかもしれないけど非常に強固な4Hクラブ活動ができると思う。そして職業や年齢を越えた活動に広げることも必要じゃないのか。そういう中でのプロジェクトはおもしろいものが出てくると思う。また、4Hクラブ活動やプロジェクト活動にも大きな目標をかかげるべきだと思う。いま、私たちの生命は公害などでおびやかされているが、農業だけは自然を破壊しないようにする。それが4Hクラブの究極の目的ではないでしょうか。

司会 プロジェクトを進める上での問題から建設的な意見が多く出されました。クラブ員の減少をどのようにくい止めるか、人集めという技術的な面に時間をかけ過ぎているんじゃないか、専門化していたほうがいいんじゃないかなど、いろいろ出されましたが、会場のみなさんはプロジェクトについてどうお考えですか。

― いまの4Hのワクに入りきれないところが出てきていると思う。4H活動はプロジェクト活動を通して結果よりも経過を重んずるが、しかし、われわれは一人の農業者だ。経過よりも結果の方が大切である。4Hクラブも目的をもった集団になっていかなければならないと思う。

司会 4Hクラブの方向、これからの活動の方向はどうあるべきかということについて―。

― 世界や日本の経済情勢、農業情勢を考えると、政治をぬきにして農業はありえない。いままでの活動で政治の問題が取り上げられたことはなかった。プロジェクトにしても経営内部の問題としてとどまっている。農業のもとで4Hクラブ活動を行なうならば、政治を前面に出す時期にさしかかっているんじゃないか。それがこれからの新しい4H活動の道ではないかと思います。

有田 政治を取り入れることはないと思う。政治をいう前に、政治に対する意見があったら自分たちのほ場で示せばいいと思う。そういう形で親や上部団体に訴えるべきだと思う。それが4H活動本来の姿ではないだろうか。

司会 有田さんの意見はこう考えたらいいんではないでしょうか。われわれ農民にとって政治は確かに大切なことだ。しかしながら、それに対処する場合には、もっと基礎的なものを見失ってはいけないんじゃないか。社会をよくするためには、自分たち一人ひとりがまず努力する必要があるし、政治に依存するだけで地道な努力を怠ってはいけない―。時間がなくなってまいりました。最後に助言者である松浦会長からまとめてもらいたいと思います。

松浦 確かに4Hクラブ活動はオールマイティーではない。りっぱな人間を形成するにもいくつかの方法がある。そのための団体もいくつかある。だが、それらはすべて人間形成のための一つの過程だ。また、プロジェクトというものはものごとの基本であって、それを応用・活用していくのがクラブ活動だと思う。頭デッカチという全協批判もあったが、組織はピラミッド型が基本であり、やはり上からの要請や下からの要請のかね合いの中で問題を解決していくことが大切だと思う。それを全国の場で有効に反映させることが組織の正しい使い方であると思う。

司会 一時間という限られた時間のため、十分に討議しつくせないところもあったかと思います。これをきっかけとして、これからのクラブ活動の中で話し合いを進めていってほしいと思います。

流通革新の道

プロジェクト

失業の心配なし

米プラスポットマム栽培

富山県・婦中農村青少年クラブ 杵山 良博

わが家は、母と私を中心にして水田一七〇㌃、温室三百三十平方㍍、ビニールハウス二百六十四平方㍍の経営内容である。現在、年間を通して失業しない米プラスポットマムの栽培を試みている。

ポットマムについては、四十四年四月から制度資金を利用して経営に取り入れ、現在では二万鉢を出荷するに至っている。家族構成は、祖父母、両親、妹弟と私の七人家族で、うち農業従事者は私を中心とした三人である。

高校時代に花き部門を専攻し、卒業後は水稲プラス花き栽培の自立農業経営に取り組む考えで、卒業と同時に普及所の指導により、四十三年十月から半年間、愛知県でポットマムの研修を受けた。この研修を契機として、稲プラスポットマムの経営を作りあげていくファイトがわいてきた。

計画の初年度である四十四年四月、農業改良資金の後継者部門資金を五十万円、近代化資金を百万円借り受け、温室百六十平方㍍に暖房設備を整えてポットマム栽培に取り組んだ。

実際に自分の手にかけてみるとそのつど疑問な点が続出したが、研修先、普及所などの指導によってなんとかポットマムの花を咲かせることができたときには、いままでの苦労がいっぺんに吹っ飛ぶ思いだった。初めて自分の手で作りあげた喜び、栽培に対する強い自信がわいてきた。

その年は約四千鉢を金沢市場を中心に出荷することができた。その後、販売先からの注文もしだいに増し、四十五年に近代化資金五十万円を借り受けて百六十平方㍍の温室を建てた。また、四十六年には近代化資金を六十万円借り、ビニールハウスを二棟（二百五十八平方㍍）増設し、水稲プラスポットマム経営を着実に進めている。

実績をかえりみて若干の問題点を拾うと、まず施設が狭いため育苗が十分できず、計画数量を出荷することができなかったことがあげられる。また、現在季節ごとによる生産体制を四回に分けているが、需要動向を考え合わせて十分検討する必要がある。冬期間の日照不足が品物の良否を決定するために計画生産が達成できなかったこと、などである。

今後は、制度資金を利用して施設の規模拡大を行ない、ゆとりのある生産システムの確立をはかりたい。冬期間は日照、高温をあまり必要としない鉢物を選定し導入したい。そして、余暇を利用し、進んで先進地での研修を受け、新しい技術を身につけたい。

結婚を考える ►25◄

大阪府・農家主婦 原田 綾子

女房修業

農家の人たち（といっても、わたしの知っているほんの一部の限られた人たちのことですが）は、じつによく働くと思います。朝は明けの明星、夜は宵の明星とまではいかなくとも、太陽の顔が見えるときはずっと働いているといっても過言ではないと思います。もちろん、日曜日でも、太陽の顔が見えると休んでなんかいられないんですね。

あんなに長時間働いてよく体がもつな、と思ってみていると、畑で近所の人と立ち話。「どこそこの誰は……」と始めます。筋肉労働を強いられているので〝立ち話をするな！〟という方が無理かもしれません。でも、わたしは〝もう少し時間を合理的に使ってもいいんじゃないか〟と、ときどき思うのです。太陽の顔をみながら家族ぐるみのレジャーを楽しむ日をもってもいいんじゃないかと思うのです。

嫁と姑の関係も、嫁は姑のいいなりになって遠慮しながら生きていくのではなく、「最高に良い嫁」といわれなくてもいいから、自分自身を見失わず、自分の役割を果たしておれば合格ではないでしょうか。〝嫁〟ばかりを集めようとしないで、家族全体の〝和〟をはかることが第一で、少しの失敗をおそれてはいけないと思います。これまでの生活や習慣、それに年齢も違うのですから、考え方に新しい古いの差はあっても当然で、どちらが、正しいかという問題ではないと思うのです。

先日も「この頃の母親にはついていけない」と主人に話したら、夜が更けるのも忘れて二人でいろいろ話し合いました。そしたらそんなことはどうでもいいことになり、話題も他のことに移ってしまいました。嫁という立場は、他家から一人ポツンとやってきたという不安と孤独がついてまわって不安定ですが〝決して一人ではない〟という確心をもつべきだと思います。

このことは、農村が町にくらべて団結が強いところであるだけになかなか難しいことです。戸数が少なく、代々そこに住んでいる家も多く、しかも一番かんじんな若い人が少ないだけに古い考え方や習慣がずいぶん深く根をおろしているようです。

嫁についての姑の見方も、その人たちが嫁の立場にあった時代と同じようにみている人たちが多いのではないでしょうか。

農村こそ私を生かす〝場〟

時代は進み、教育も変わり、いまや高度文明が謳歌（おうか）し、敗戦のツメ跡など忘れ去られてしまっている時代です。そんな現代に古い考え方だけが残っているのは不思議なくらいです。「まあ、あそこの嫁はそんなことを……」と、目を三角にして古い時代と照らし合わせている姑はいないでしょうか？

だからこそ、わたしたち若い嫁が自己を見失うことなく、強く生きなければ、村は発展しないと思うのです。村を去ることばかり考えないで、村に残って自分を試してみるのも新しい生き方ではないでしょうか。

目もない、耳もない、どこのだれともわからない〝世間の人〟におし流されてしまう町の生活。「流行だ、流行だ……」と、キリキリ舞いさせられる町の生活。画一的な家に住み、インスタントの食品を食べる味気ない町の生活……。そんな町の生活よりも、農村で新しい生き方を試みる方が、はるかに人間的ではないかとわたしは思うのです。

（全国4Hクラブ連絡協議会の原田正夫副会長夫人）

NHK農事番組（10月1～10日）

テレビ

明るい農村 6・30～6・55 総合
- 1日 明るい漁村
- 2日 村の記録「過疎脱出」 杉山朋一（岡山県久米郡旭町）
- 3日 きょうの話題「〝尊い血〟の報告」 豊田文一（富山県農村医学研究会）
- 4日 産物百科「そば」
- 5日 話題と人「むらの造作展」 米山将治（帯広市・詩人画家）
- 6日 農村新地図「下関市彦島」
- 7日 村をむすぶ「函館、神戸、福岡、東京」
- 8日 明るい漁村
- 9日 村の記録「小さな公害闘争」～秋田県比内町
- 10日 きょうの話題「体育の日特集・八千人の運動会」～埼玉県花岡村

農業教室 7・30～8・00 教育
- 2～4日 省力多収の水田飼料作 吉原 潔（中央畜産会）
- 5～7日 減反と経営発展 林 信彰（全国農業新聞）
- 9～14日 花の産地を考える 阿部定夫（東京農業大学教授）

あすの村づくり 日 7・00～8・00 教育 再 土 13・00～14・00 教育
- 1日 「流通革新への道」～中国四国若い農業者の集い関連～藤谷築次（京都府立大学助教授）
- 8日 パネル討論「新しい生産組織」～第七回九州地域農村振興親子会議関連～柏 佑賢（京都大学名誉教授）

ラジオ

早起き鳥 5・41～5・57 ❶
- 1日 市場探訪「売り手、買手」 鈴木泰二（東京青果市場）ほか
- 2日 村民二百八十五人～愛知県富山村
- 3日 市場貸します 山口一作（新潟市）
- 4日 錦松をサシ木でふやす～香川県農業試験場
- 5日 五年目を迎えた花ノ谷農協 江崎亮機（福岡県広川町）
- 6日 土の俳人 馬場草童（稲城市）
- 7日 ふるさと通信
- 8日 第二十一回日本農村医学会から 奥田善造（滋賀総合病院長）ほか
- 9日 気象をつくる 岩本喜平（奈良県農試場長）
- 10日 空き家を貸別荘に～徳島県西祖谷村

話の広場 日 6・10～6・30 ❶
- 1日 頭の痛い野鳥対策～平塚市、伊勢原市
- 8日 レンタルりんご園～吾妻郡長野原町

新しい農村 6・00～7・00 ❷
- 1日 来年度の農政重点をきく 三善信二（農林省官房長）
- 8日 検討される畑作物の大規模生産 戸田博愛（農林省やさい花き課）

ラジオ農業学校〈講座〉 月～土 6・40～7・00 小❷
- 2～4日 消費者の好む果物 倉栄三（全農）
- 5～7日 施設園芸の発展方向 加賀見 広（農業技術研究所）
- 9～11日 共選共販 佐藤治雄（協同組合短大教授）

ラジオ農業学校 日 6・30～7・00 ❷
- 1日 グループの集い「地域農業と農協の課題」 東山光徳（香川県坂出市）、吉田 博（香川大学助教授）ほか
- 8日 経営手帳「田畑転換と飼料生産」 吉原 潔（中央畜産会）ほか

明日の農業へ向って 各種農業団体

送金のハイウェー化

為替業務実現めざす

農林中央金庫

農村と都市との交流が盛んになるにつれて、農家経済をとりまくお金の動きも活発になってきた。これに伴い、農協の信用事業における資金の流通決済機能の整備、拡充が急がれている。

資金の流通決済機能といっても、金融の専門語で耳なれない言葉だが、具体的にいうと①農産物代金や出稼ぎ収入などの送金②手形や小切手などの決済③電気・ガス・水道・電話・NHKのテレビ料金などの自動支払いなど。これらはいずれも組合員農家の暮らしと密接なつながりのあることなので、農協の信用事業にとって重要な業務である。

農協は組合員農家の生産と生活の両面に結びついているから日常のお金の受け払いが農協にまかせられるようになれば、ずいぶん便利だ。いちいち現金を用意したり、持ち歩く手間や危険も省ける。さきごろ大阪府下の農協・信連・農林中金で、自動車のガソリン代をクレジット・カードで支払える仕組みを始めたが、これはその一例といえよう。

農産物や畜産物もたくさん生産するだけではダメで、それをいかに売りさばくかという流通面の整備が大事だが、お金の場合もそれと同じこと。全国の農協貯金は今年八月末で七兆八千億円あまりに達したが、資金の蓄積をはかるとともに、資金の流れを円滑化することも必要だ。農協を通ずる送金や支払いをもっと便利にしてほしいという要望が組合員から出ている。

そこでいま、農林中金では信連や農協と一体になって資金の流通決済機能の強化を進めているが、その際、問題になるのは農協には為替業務の取り扱いが法律（農業協同組合法）で認められていないことだ。また、中金の場合も、為替を利用できる者の範囲が法律（農林中央金庫法）でせまく限られている。これでは組合員の要望に十分こたえることができない。

為替というのは遠隔地間の送金を行なう、いわばお金の〝高速ハイウェー〟だ。そのハイウェーの利用者を制限するというのは、どうみても不便な話。ことに最近は農家の行動半径も広がり、いろいろなお金の受け払いが自分の住む村や町の中だけではすまなくなってきている。つまり、経済活動が広域化しているので、農協の為替業務の必要性はますます大きくなってきた。

全国農協中央会では、次期国会で農協法改正への農政活動を進めているが、その眼目の一つとして農協の為替業務実現があげられている。

（総合企画本部（広報係））

悲劇を未然に防う

秋の交通安全運動 系統あげ実施

全国共済農業協同組合連合会

本年の秋の全国交通安全運動は、総理府交通対策本部を中心にして、九月二十二日(金)から十月一日(日)までの十日間、全国各地で一斉に展開されるが、同対策本部からすでに全共連に対しても強い協力方の依頼があった。

全共連としては、例年、農協共済事業の社会公共的な役割を果たす立場から、積極的にこの運動の推進に協力してきたが、本年も「農協共済の昭和四十七年秋の全国交通安全運動実施要領」により、系統共済組織挙げて強力な運動を実施することになった。この運動の主な実施内容は、

（一）交通安全運動スローガンをかかげることとし、農協共済としては全国統一スローガン「一生を事故で泣くまい泣かすまい」をかかげる。

（二）交通事故相談活動の強化実施

日常の交通事故相談活動のほか、この期間中は特に地域住民の利便に資するため巡回相談を重点的に行なう。

（三）無共済車の解消運動の実施

一斉推進の日を設けて自賠責共済の特別推進を行なうとともに、自動車共済、傷害共済の加入運動を行ない、事故が起きた時の万全にそなえる。

（四）交通安全教室の実施

この交通安全教室の対象はこどもと老人を重点に行なうが、運転者にはこどもと老人の保護意識を高めることを訴える。

（五）車両点検の実施

農村の車両は整備不良車両が多く、事故率が比較的高いので車両点検を行ない事故防止に資する。

（六）ドライバー診断の実施

前記交通安全教室および車両点検の実施と併せて、この期間中にドライバー診断を行ない、ドライバーに注意をうながす。

（七）広報活動の展開

あらゆる広報媒体を使用し、交通安全思想の啓蒙をはかる。

以上が農協共済における秋の交通安全運動の実施事項である。最近、全国的には交通事故は若干減少傾向にあるものの、農村部のモーターリゼーションの一層の進展、また大型レジャー化などにより、レジャー事故、農村部での事故の激増とその大型化は憂慮すべき事態を示している。また、これと同時に賠償金の高額化もすすんでいる。

農協の組合員をはじめ、農村地域住民の悲劇を未然に防止し、交通事故のない明るい農村を築くため万全の運動展開を願いたいものである。（普及部）

青春と仲間

豊かさの裏を見よ

神奈川県・飯田4Hクラブ　４　Ｈ　太　郎

ここ数年来、農家の生活様式は変わってきた。一昔前の暗さはなくなり、デラックスな住居や新しい乗用車をもっている農家も多くなった。また、一部の土地成金などは海外旅行にも行く。

昔にくらべ農家は物質的でずいぶん豊かになった。しかし、精神面での空虚さはますますつのる一方のような気がする。

私の住んでいる○×部落は、外見的には文化生活を営んでいるように見えるが、実際には骨身をけずるような労働が支配している。たとえば、農繁期の夏には、連日十三時間以上も働く人が大半なのである。私の部落へ嫁に行くと殺されると言う人さえいる。はたしてこれでよいのだろうか。

私の部落の多くの家は耐久消費材などで飾られ、都会以上の物的生活をしている。しかし、それはみせかけの生活向上にすぎない。

人々は所得向上のみをめざして自らの健康をも省みずにつっぱしってゆく。確かに人間は働くために生まれた。しかし、人間の目的は金もうけではない。

金もうけのみで働いているとき生ずる精神の空虚さ。多くの人はその空虚さをうめるために酒や娯楽に夢中になる。そして、これが人生だと思っている。

また、一部の土地成金のようにぜいたくで享楽的な生活を送っている人は健康な喜びを忘れているように思う。なぜなら自ら金に支配され金にこびる人々の虚偽やおせじにとりまかれているからだ。人間としての値うちが下落してゆくのに気づいてほしいものだ。

私たちにいえることは人間らしく生きようということである。そのためには経営上の所得追求のみでなく、わが家の健康を基盤にした生活目標をたてることだ。

一見、豊かに見える生活にもいろいろな問題が内包されている。それを家族全員で検討し、物的にも精神的にもバランスのとれた生活の確立を図ってこそ、真の人間らしい経営だといえよう。

笹笛

別れの発展性

つい最近、私はひとつの別れを味わった。いままで長いこと私を親切に指導してくださった先輩が、新しい彼自らの人生を求めて職を辞してしまったのだ。そんな先輩に私は、涙の出そうになるのを必死にこらえながら、誠意をこめて小さな笑みを送った。

人間として生きてゆく以上、私たちはこのような別れを一生のうちに何度となく体験する運命にある。毎日私たちはなにかに出合い、そして、私たちは同じように毎日なにかと別れてゆく。歌謡曲の文句ではないが、まさに『逢うが別れのはじめ』である。

私たちは、私たち自身の存在とも日々別れて生きている。永久にサヨナラをした昨日の私。そして、今日の私とのうんざりするような出合い。

もしかすると、私たちは忘れて生きているのかもしれない。私たちを二重三重にとりまいている私たち自身の有する日々の小さな別れを……。忘れることによってもたらされた卑少な落ち着きのなかで、のんびりとタバコをすっている私たちのふやけた精神。

目的に向かって飛びだそうとする意識は、それ自身のなかにいままでの自己への別れの意志を含んでいる。それは、新しい自己を求めて、意識的に自己のうちに別れを創りだしてゆくということだ。そこには感傷なんてないだろう。

ある詩人は『サヨナラだけが人生さ』とつぶやいた。現代に生きている私たちの心を真にうつもの、それはもはや別れの悲しみぐらいしかない。しかし、私たちは悲嘆の涙にくれながらも、その悲しい別れそのものに別れを告げなければならないだろう。そうしなければ私たちは自分自身を知らず知らずのうちに悲しみの涙とともに流し去ってしまうだろうからである。

私の先輩とて、そんな意識的な別れを自らの意識のうちに演出したにちがいなかった。その意志は、私などの感傷の及ぶところではないだろう。彼は別れ、そして新しい出合いをもった。いつか、その出合いとも彼は別れるであろう。

私は親しくつき合わせていただいていた人との別離の悲しみに絶句しながらも私自身との別れを考えていた。それは、彼によってもたらせた無意識的な新しい私自身との出合いでもあった。

先輩であり、上司でもあった彼。私は彼の前途を祝し、この別れをも祝したい。今度彼と会ったら、大声で笑ってやろう。（野）

農業後継者に一言
自覚と誇りをもって進め

大分・津久見市農青クラブ　石井万代子

私の住む津久見市は、人口約三万三千人の小さな市です。市の主な産業は、セメントの原料となる石灰岩の鉱山が多く「トンネルを抜けるとそこは真白なほこりだらけの町だった」とでも言えるような、本当にほこり高き町です。

夏の全国高校野球で優勝した津久見の町ですと言えば、ああなるほどと思われる方も多いと思います。また、津久見はみかんの町としても有名です。

さて、前置きはこれぐらいにします。津久見市には、津久見市農業研究クラブ（会長　染矢元君）というのがあります。クラブ員数は三十六名（うち女子二名）で、年齢は十八～二十五歳までです。

私たちのクラブの長所は、みんながみかん農家の農業後継者だということです。だから、毎月の定例会には普及員さんや果樹試験場の先生を招いての勉強会でもあります。たとえば、その日々のみかん園の管理や主な作業などをみんなで話し合うことができます。

農青クラブは一昨年発足しました。最初のうちは三分の二以上のクラブ員が出席していましたが、いまでは半分集まればいいとこ。

クラブに何が欠けているのかわかりません。つまり、現在の若い人たちの欲求しているものがリーダーにもつかめていないということです。それはリーダーの今後の課題でしょう。しかし、それ以上に現在の厳しい農業情勢のなかにいる若い後継者の自覚が望まれます。

最近では話し合いの場が多くあります。それにレジャーが発達しすぎてもいます。みかん園は二の次で、ボウリングやドライブ、親たちも後継者として残ってもらうために見て見ぬフリをしているというのが現状でしょう。

必ずしもクラブ員の全部がそうではありません。真剣に農業やクラブ活動に取り組んでいる人はたくさんいます。ただ私は、ブラブラとやっている人は真剣にやっている人に大きな迷惑をかけているということを言いたいのです。

全国のクラブ員のみなさん、農業に誇りと自信をもって、他産業の人がうらやましがるような近代的な農業人になろうではありませんか。

咲かせ、人生の花を

山梨県・若竹4Hクラブ　堀内富男

いつも考えることがある。それは“生きる”という実に重要なことだ。人生というのは、その生き方によってバラ色にも灰色にもなる。そこで、われわれはなんのために生きているのかとしばしば考えこむ。

われわれは、リレーのランナーが一区間走るのに似ている。先祖から受け継いだ土地などを耕して生活を営み、そして、その土地をまたその後継者に引き渡す。このような生き方のなかから、われわれは楽しみを見い出さなくてはならないのだから大変だ。

しかし、ただ食って眠るだけなら現代は天国だ。ただ働いていればことがすむ。でも、だれしもがよりよい生活を望んでいるだろうから問題はちょっとやっかいだ。

そこで俺は考えた。この世に生まれてきたからには、俺にしかできない仕事があるはずだと……。この世になにか一つ役目があるはずだ。そうは思わないかね、諸君。

そんな仕事が見つけだせたら、それに一身を打ちこんでみることだ。そしたら、つぼみはふくらみ、血のにじんだような赤いバラの花がパッと咲くことだろう。それを世間の人たちは楽しい人生だというだろう。

あんな人こんな人

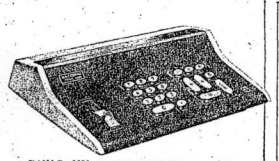

脈うつ開拓の魂
甘えてくれる男性がいい！

阿部美智子　北海道

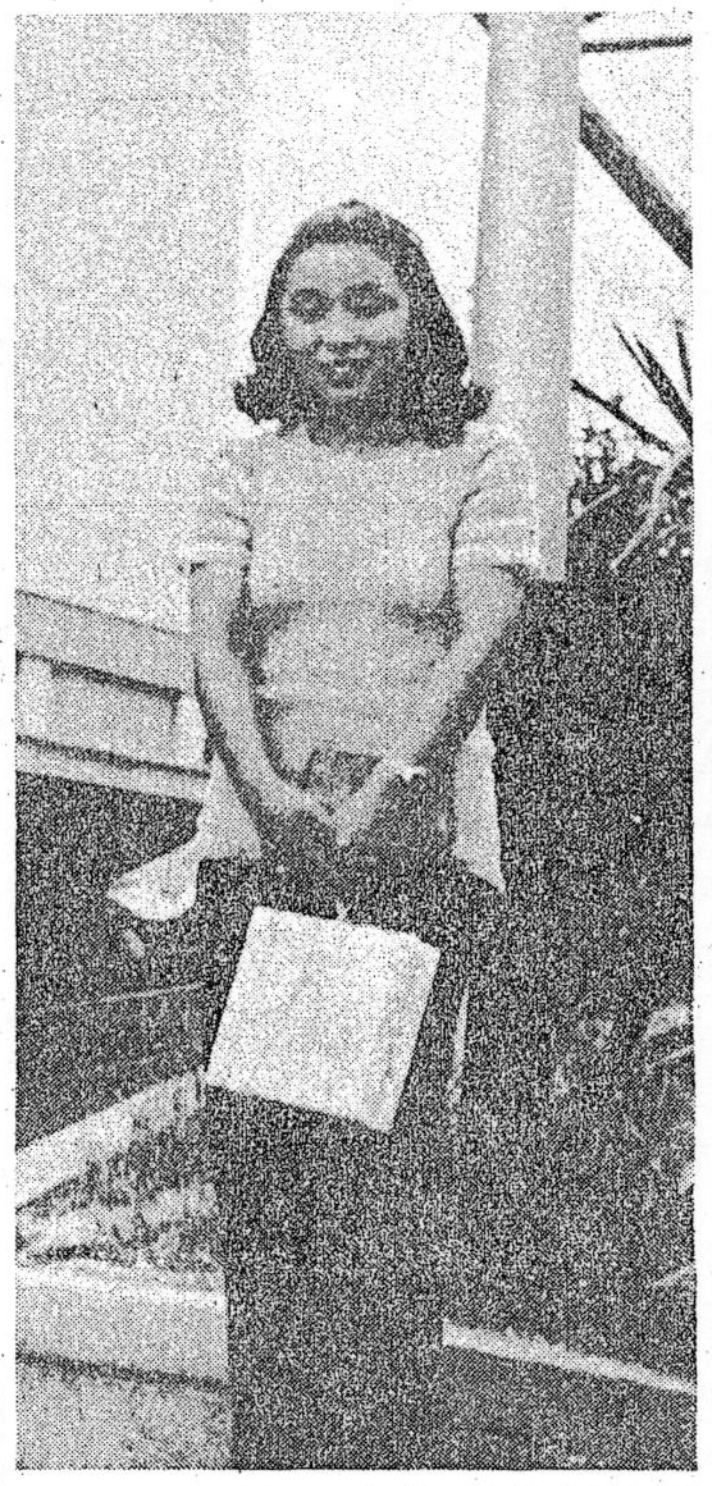

スカイブルーのサマーセーターがよく似合う、たのもしい（？）北海道美人。とにかく都会でスクスクと育ったお嬢さんとはちょっとわけが違うのだ。あの北海道のきびしい自然が彼女の細い体にエンピツのシンみたいに貫ぬいているという感じがする。

阿部美智子さん。“ミッチー”と男子クラブ員は彼女のことを呼んでいる。「ミッチーおはよう」とか「ミッチーこれやってくれないか」とか……。ハッキリとものをいって、とても明るいミッチーだ。

昭和二十六年生まれというからまだ十九歳。だが、クラブ歴は五年と古く、ベテランの部類に入る。去年は北海道連の副会長、ことしは全協の評議員として活躍中。十五、十六、十七……のミッチーの人生は、4Hぬきでは語れない。

ミッチーが生まれたところは北海道の北の果て、つららのようにとんがった宗谷岬から東へ少し下ったところにある枝幸郡浜頓別という町だ。オホーツク海の凍りつくような波が被るこの地方の気候は内地とはくらべものにならないほどきびしい。

「父も開拓農民だったの」と語る彼女の目はきびしく光る。二〇町の土地に搾牛十三頭（十六頭のうち）。長女の彼女はせっせと乳しぼりに精を出す。

ミッチーの農業に対する決意はとても堅い。小学校六年のときから職業は農業と心に決め、それ以来一度も決心を変えなかったというからすごい。嫁ぎ先ももちろん「農家じゃなきゃダメ」だそうだ。中学を卒業して農業学園高等課に二年通ったがそこでも彼女は知事賞や精勤賞をもらった。

今回の北海道のつどいでも彼女は運営委員として大いに働いた。彼女の役目はバス[illegible]、ゴツイ男子クラブ員の参加者たちを、まるで従順な小羊のごとくあやつっていた。「わたしがかよわい女性だから男の人たちがいたわってくれたのかしら」とミッチーはいうけど……。

「こまごましたことは大キライ！」と彼女はいうが、決してそんなことはない。つどい期間中でも彼女は男性の運営委員の汗にまみれたワイシャツやクツ下をせっせと洗濯。「よく気のつく娘（こ）だ」とみんながいっていた。

精魂をかたむけたつどいが終ったとき「まるで心の中を風が吹きぬけていった感じ」と、散っていく参加者の後姿を追いながら、ミッチーは寂しそうに語っていた。

趣味は音楽を聞くことで、中でもクラッシックとナツメロが好きだそうだ。「寂しいときナツメロを聞くとジーンときてしまう。わたしって涙もろいとこもあるんだ」と、ミッチーは口をすぼめていった。また、スキーはヨチヨチ歩きの頃からやっていたというからベテラン。シュプールを描きながらさっそうと滑るミッチーの姿が目に浮かんできそうだ。

「理想の男性は？」と聞いたら「あたしの性格がこうでしょう。だから反対の性格の人。そう、内面性豊かな人であとから味の出てくる人がいいわ」とおっしゃった。そして「あまえてくれるような人…」と、こちらがゾクッゾクッとするような返事がはねかえってきた。

クラブ活動を続ける上で一番必要なのは親の理解である。ミッチーの場合、お父さんから「お金で買えないものをつかんでほしい」といわれて感激。弟さんもミッチーを助けてよく働らいてくれるという。「あたしはしあわせだわ」と彼女はしみじみと語る。

やめたいと思ったことも何度かあったという。でも、「女子クラブ員が減少していく傾向にある現在、まだまだ自分もがんばらなくては！」と思ったそうだ。つどいのあと、急きょ評議員会に出席のため東京に出てきた彼女を見ていると、まだまだヤル気十分という気がする。東京を発つとき、「わたしの分まで弟が働いていてくれるから」と、彼女はこっそりとおみやげを買っていた。やさしいミッチーである。

もうすぐ二十歳になるミッチー、あなたの未来がよりすばらしいものでありますように！

（北海道枝幸郡浜頓別字曽根）

立ち見席
のんびりいこうぜ！

先日の大雨には、全国各地でたくさんの被害があったもようです。被災者のみな様、お気を落とさずに、一緒にがんばりましょうや。

また、そろそろ台風のシーズンがやってきた。幸いにもわが香川県はいつも大したことはない。だから、ボンクラが多いのかもね。ともあれ、被害の少なからんことを心より祈ります。

さて、話しは変るが、昨今の人々は何かに追われているようにせかせかしているね。マスコミにか、大企業の歯車としてか！とにかくせわしい、せわしい。

ここにひとつの風潮あり、なんて気どってみよう。流行語（はやりことば）が多いね最近は……。「若さだよヤマちゃん」「わんぱくでもいい、たくま……」なんて具合だ。考えてみりゃあ、すべてテレビのコマーシャルみたい。

ああ、なげかわしや！右を向いても左を向いてもいやな出来事ばかりの今日、不快指数を下げるストレス解消の言葉かもね!!（家の光グリン俳報より）

近頃はみんなよく働くね。とうちゃんもかあちゃんも、また田舎の人も町の人も、日稼ぎに内職に精を出しているよ。何のためかって？　きまってるじゃない。農機具の購入、家の改築、レジャー用品の入手のためですよ。

すべて見栄のなすところであり（いや必需品でもあるかな）みんな無理してますなあ、ほんとに。まあ、この見栄があったればこそ、今日の日本経済の繁栄が築きあげられたのかもね！

売るものはすべて安し、買うものはすべて高し。これで農家経済がほんとに安定向上するのかね。ムリせにゃならんようにマスコミにおどらされとんと違うかね。

自分の生活経済を再認識し、価値観を改めんことにゃ、真の経営者にはなれんぞな。まあ、労をいとわず、汗を流てじゃないですか。

レジャー先行の青春時代では御先祖様に申しわけが立たん。わしゃ、がんばるばい。4Hクラブ員諸氏も、ともにがんばっちゃおうぜ、な！

（香川県・仲多渡郡　今田一男通信報道員発）

落日　(16)

山中康司　栃木・小山4Hクラブ　農民文学会会員

二人は食堂に行ってそばとコーヒーを注文した。なれない給仕だが、エプロン姿の女生徒は楽しそうにはしゃいでいた。

それから二人は体育館に行ってブラスバンドの演奏会を聞いて、大平山に向う時はまだ青い空が黄色味がかる時刻ではなかった。

あの日もけっしてうららかな、という日ではなかった。木枯しがいくぶん騒いでいて、雑木林はみんな箒になっていたから時期はもう少し遅かった。

三枝子は桃色のコートを着ていたがいつもより寒そうで、いつもの唇も少し乾いていた。それでも二人して山道を登る時は、女の頬に紅がさして、胸の鼓動もそれとなく知れた。秀男は一方にハンドバッグを一方に女の手をしっかり握っていた。

とても静かな世界だった。松の葉もれ日は冷たく、それが明るく三枝子の微笑んだ頬を照らした。そうして二人が頂上に近い見晴し台に近ずいた時肩くむ二人をひやかす人はいなかった。

花見時にぎわう茶店も閉じていて、ガラス戸には名物ダンゴやおでんの張り紙がしてあるだけ。見晴し台の望遠鏡も動かなかったが栃木の町ははっきり見えた。駅があって線路があって、銀行、百貨店があり、まっ赤なアドバルンが三つも上がっている。町工場の煙突からは白いけむがたなびき、郊外には農家のビニールウハスが白く光っている。

二人はさらにそこから頂上に向った。山道はさらに険しさを増して人気がない。西陽が傾いていくのが見えた。とその時、石につまずいたわけではない。一方が崩れ一方が引き寄せた。幽かに風の音がしていて、夕日は虹色に輝いていた。美しい落日、時が死ねばいいとそう秀男はつぶやいたのだった。

会場の賑やかさとは打って変わって参道には人がいない。ゆるやかな坂道は深い森の中までまっすぐ延びていて、西側にはさびれた桜並木がある。あざやかなもみじ以外に人の目をひくものはなかった。

「田中さんは何人兄弟なんですか」

「三人です、妹と。今度高校終ったばかりだから十八歳かな」

「わたしは三人なの。下に弟と妹が一人ずつ。弟はまだ高校生、妹は生意気に短大に行ってるの」

「どこの」

「鶴洋って知ってる。東京の鵯鴨あたりの。国文科なんだけど全然勉強なんかしてないみたい。いい身分よね、学生は」

「学生運動やってんの」

「よくは知らないけど、前にほら成田の農民闘争があったでしょ。あの時行ったみたい。それと今は沖縄問題なんかですいぶんエキサイトしてるわ。暇なのよね、とにかく」

「でも世の中の動きには敏感なんじゃないかな学生は。革命意識が強いんだと思うな」

「あの人たちに革命なんかできっこないと思うわ。なんか形だけは勇ましそうだけど、子供がじゃれている感じじゃない。危険な道具（おもちゃ）を使って。あの人達にはほんとうの力がないんだわ」

「米俵をかつぐような」

「そう」

二人は笑った。陽子はたのもしいと秀男は思った。

◀投稿案内▶

本紙は、全国クラブ員の準機関紙として、みなさんに大いに利用していただきたいと考えています。

クラブの催しや個人のプロジェクト、詩、短歌、随筆、写真、悩みや意見、村の話題、伝説、行事、お知らせ、小説、その他なんでも結構ですから原稿にして送って下さい。

❶長さや形式は自由です❷できるだけ記事に関連した写真をそえ　下さい❸送り先　〒105 東京都港区西新橋1の5の12　佐野ビル内　日本4H新聞編集部

―日本4H新聞編集部―

日本4H新聞
4Hクラブ 農事研究会 生活改善クラブ 全国広報紙
発行所 社団法人 日本4H協会
東京都港区西新橋1の5の12 佐野ビル 〒105
電話（591）1817・3683
編集発行 玉井 光
月3回・4の日発行
定価 1部 35円
一ヵ年 1200円（送料共）
振替口座 東京12055番

クラブ綱領

私達は、実践を通じて自らを磨くとともに、互いに力を合わせて、よりよい農村、よりよい日本を創るため、四つの信条をかかげます。一、私達は農業の改良と生活の改善に役立つ腕をみがきます。一、私達は科学的に物を考えることのできる頭の訓練をします。一、私達は誠実で友情に富む心をつちかいます。一、私達は楽しく暮らし元気で働くための健康を増進します。

燃える遅咲きの大会

広島県連が熱っぽい大会

演示では質問の嵐

【広島】さる八月二十八日から三十日までの三日間、県北の山の中にある県民の森へ百余名の農村青少年がつどった。参加者たちは、のびのびと語り、そして腕を競い合い、お互いに友情を深め合った。ある参加者は「こんなに有意義で、実りの多い大会はいままで経験したことがなかった」と真顔でその感想を述べた。第十一回広島県農村青少年技術交換大会は、そんな実りの多い、心に残る大会であった。主催者である広島県農村青少年クラブ連絡協議会（会長 前田克普君）も「クラブ員一人ひとりの力で大会をものにした」と参加者をたたえ大会の成功を喜んでいる。この大会は、七月の豪雨で一時は中止の声もあったが「災害は災害でしかたがない。しかし、仲間と会いたい、語りたい。ともかくわれわれの無事な姿を仲間にみてもらいたい」という被災地のクラブ員の積極的な意欲があってはじめて開催されたものである。期日は一か月以上遅れたというが、まさに熱意と誠意に咲いた遅咲きの花であった＝藤田治之連絡報道員発

初日は天気が悪く、受付を通過する参加者はまばら。「こりゃあどうなるかな」と運営委員を心配させる一幕もあったが、開会式を始めるころにはどうにかこうにか格好もつき、まずは一安心。参加者は翌第二日目にもかなりつめかけ、ほぼ予定どおりの人数になった。

開会式のあと、班編成が行なわれた。参加者は見慣れた顔、初めての顔に「オース、元気か」「よろしく」を連発。

夕食後は、県農政部長と参加クラブ員代表との懇談会がもたれ、地域問題、経営問題などについて熱のこもった意見が交わされた。クラブ員代表は地域、作目などを考慮したうえで選ばれたとあって一人ひとりの意見もバラエティーに富んでいた。

しかし、優良経営、大規模経営、農村青年の動向などについて、クラブ員たちは、自分たちの知識不足をしきりに反省していた。農政部長も作目で悩んでいるクラブ員に対して「H君のように自分で市場を開拓する気があるか」とか、また、地元での規模拡大に絶望している人には「Cさんのようにどんな山奥にでも行く気があるか」などとなかなか手きびしいところを見せた。

それでも、ミカン処理から出荷の空ビン処理の悩みがでると「これはほぼ解決している。先進地の沖友から現況を聞いたりした後、県として真剣に取り組む」と約束し、話のわかるところを披露。

ふだん農政部長と話をする機会に恵まれない青年たちは「これだけでも参加してよかった。でも、これからはもっと学ばねば……」と感激しながらも謙虚にその感想を語っていた。

同時に進行していた"村のはなし"では「クラブ員の減少は規模拡大への近道か、否か」「野菜を専業でやっているのに、年寄りの小遣い稼ぎにつくるキュウリやナスのために価格が暴落してかなわねえ」「観光地でもないのに若い者がゾロゾロ来て、とても仕事にならない」など、農業に生きる若者の深刻な問題を話し合ったり、全員で歌を歌ったりして楽しいひとときを過ごした。

二日目は前日の天気がウソのような快晴。午前中に行なわれた技術競技では、新しいスポーツとして最近話題を集めているオリエンテーリングをとり入れ、体力と知力の総合力を競って、参加者たちは数人のグループごとに分かれ、林の中や沢、藪の中を歩きまわった。

この技術競技は、参加クラブ員には好評であったが、採点のうえでひとつの問題を残した。それはオリエンテーリングのタイムと競技の点数のどちらを優先させるかということであり、運営ミスという抗議も聞かれた。結局はタイム優先ということで落着したが、こんどオリエンテーリングをやる場合、この点についての十分な検討が望まれる。

三日目はまず演示・プロジェクト発表が行なわれた。畜産、野菜、果樹の各部門でユニークなプロジェクトが続出し、聞いているほうも真剣に質問したり、意見を述べたりした。

たとえば、あるクラブ員が果樹部門の発表者に「ミカンに摘果剤散布の際、なぜ木の全体に散布しないのか」と質問。発表者は「来年の結果枝を確保するため」と答えたが、質問者はさらに「では、摘果剤は二年目も効果があるのかどうか。また、摘果剤をかけたら翌年は結果量が少なすぎるというのは科学的なのか」と応酬した。これには発表者もドギマギ、あやうく時間制限に救われた。会場はそんなひとコマがあるほどの盛りあがりを見せていた。

最後のよびものは、門秀一広大教授による「人間向上の道」と題する講演。ユーモアたっぷりで意義深い話に、参加者は笑ったり考えたりの一苦労であった。

「来てよかった。来年もやろうぜ！」と運営委員一同に声をかけ合いながら参加者は解散していった。ホロリときたある運営委員が「大会のスローガン"若い力、大地に伸ばそう"は彼ら以外のなにものでもない」とぼそぼそつぶやいていたのが印象的だった。

涼風暖風
クラブ多様化の盲点

農業をめぐる諸情勢がずいぶん変わってきたためか、クラブの様相も変化してきたように思う。

ひところのように、技術研究を中心とした学習型クラブだけでなく、経営改善に精をだす生産組織型クラブのほか、農業の基盤整備や生産物の流通体制などと取り組む実践型クラブも現われだした。また、過疎問題を背景にして、仲間づくりに意欲をもやす交歓型クラブがあれば、一方では数町村にまたがるジャンボ型クラブが出現し、他方では一集落に結びついた数人のミニ型クラブがあるなど、ひとくちにクラブといっても判断がむずかしいほど多様化してきた。

クラブが多様化するのはよいとしても、その多彩な活動様式に関心が集中するあまり、クラブ活動の基本条件を忘れてしまうおそれがある。これはちょうど、多種多様の料理に魅せられて、常識であったはずの栄養条件をいつの間にか無視してしまうのと似ている。一人ではできなかったことが、何人かの協力で達成できるようになるのがクラブ活動であるし、また、そのために協力のしくみを整えることがクラブ活動の基本条件でもある。これは、クラブがどんなに多様化してもだいじなことだと思う。

基本条件の第一は、明確な活動目標である。明確とは目標が具体的であることを意味する。ぼやけた目標では協力のしようがない。第二は等質性である。活動目標に結びつく共通の問題意識をもとにクラブの機能化を強め、必要によってはクラブ内に機能的な小集団の分化をはかるなど、メンバーの等質性を維持することは重要である。

第三の条件は、少人数制による直接参加である。人数ばかり多くても意志疎通がわるければ、クラブの協力は見せかけのものになりやすい。人数が多すぎるなら、第二の条件に合わせてクラブ内の組織分化をはかる方法も考えられよう。いま一つの条件は、民主的な運営である。一人ひとりの意志が尊重される明るい雰囲気は、クラブの活力につながるし、メンバーによる役割分担はこれを支えるもとになる。

これらの基本条件は常識的なことだけに、クラブの多様化の中では盲点になりやすい。盲点が盲点ではなくなったとき、クラブの発展はいよいよ本格化するだろう。（北海道 三輪）

吉無田高原で交歓
上益城の4Hクと生活改善実行グループ

【熊本】明るく豊かな暮らしづくりを進めている上益城郡の4Hクラブ女子部員と上益城郡生活改善実行グループが、さる九月二十日午前十時から御船町の吉無田高原で交歓会を開いた。

この交歓会は、日頃習得した農家生活の知識・技術などをお互いに交換し、新しい家庭づくり、快い環境づくりの材料にしようということで開いたもので、約五十人の男女が参加した。

開会式のあと「明るく豊かな農家生活と農村を築くために」という常松県農業改良課生活改善係長の話を聞き、レクリエーションを楽しみ、午後は「豊かな農業と明るい農村を実現しよう」をテーマに分科会を開いた。

青空分科会では、青少年と母親の役割り、どうしたら明るい農家生活が創造できるかなどについて活発な討論を展開した。

フェンガー賞作も登場

静岡県連でも大会 小雨に煙る朝霧高原で

【静岡】緑の大地 ためそう 伸ばそう 我等の力ーをスローガンにかかげて、静岡県農村青少年クラブ連絡協議会（会長 鈴木政美君）主催の第十七回技術交換大会が、さる八月二十日から三日間開かれた。会場は、昨年世界ジャンボリーが行なわれた富士山のふもとの朝霧野外活動センターであった。

参加者は、八月下旬から北海道で開かれた「第八回全国4Hクラブ員のつどい」があったため、昨年よりやや少ない百五十名足らずであったが、それでもこの大会を盛り上げようと意気込んでやってきたクラブ員は、車いっぱいに荷物を積み込んでジャンボキャンプ場へと乗り込んだ。

各地区別の大パレードによって開幕、副会長の勝又君が力強い開会宣言、大会を成功させようという気持を起こさせた。

ついで、キャンプ村の設営に入り、各自が決められた場所に手ぎわよくテントをはった。六村で編成し、各村にメロン、わさび、みかん、へちま、いちごなど静岡県代表の特産物を使ったユーモラスな名称をつけ、各村長助役などをおいて運営のスムーズ化をはかった。

朝霧キャンプ場は、普通のキャンプ場と異なる点がある。まず天候が非常に変わりやすいことで、開会式のときはまずまずの天気であったが、テント設営のときは雨が降り、ぬれながらの作業となった。そして夜になり冷たい風が吹いてくる。しかしそれも一時的なもので、前夜祭の頃ともなると天気は良くなっていた。こういう状態で、行事も場所も変更しなければならないことがあった。

二日目は最初にオリエンテーリングを行なった。その中に、技術競技をとり入れた変則的歩行ラリーを試みた。朝から降り続く雨の中でクラブ員は必死になって、目標を探して進んでいった。種々のアクシデントにもめげず参加者全員が走破し、そのだいご味を味わった。

ついで、素人演芸会にうつり、コーラスや寸劇、落語や漫才などで楽しいひとときを過ごした。とくに漫才や落語は玄人なみでクラブ員を感心させた。

こうしてみんながうちとけたところで、県下のクラブ員一同が祝福する中を、全国技術交換大会でみごとにエミール・フェンガー賞を獲得した北駿4Hクラブの長田久司君が「去勢は一人で」というテーマで模範演技を披露。また、惜しくも賞を逃したが、優秀な成績を収めた同クラブの杉山美代子さんと長田房枝さんが「アイデア作業帽」と題して演示発表、その熱演に参加者は真剣に耳を傾けていた。

雨はいつしか止んだ。いよいよ大会の中でも最も花やかなキャンプファイヤーに入り、大いに踊り、歌い、寸劇などで景気づけた。

三日目、けさも雨。このためスケジュールは大幅に変更された。屋外でやる予定の分科会を中止し、全体で話し合いを行なった。各地区のクラブ紹介があり、それぞれの問題点などを出して協議しあった。クラブ活動の行詰まりやプロジェクトの進め方など直面している問題について参加者全員で討論した。

閉会式を最後に、クラブ員たちは、雨の朝霧を去って行った。天候には恵まれなかったが、立派にこの大会ができたことは非常に良かった—これが会長のことばであった。（有谷 邦博 連絡報道員発）

「こよいは楽しきかな人生……」ここは男子禁制の女の城？＝キャンプ村で

バレーボール大会
神奈川県連のつどい

【神奈川】"ウヒャー、強烈なスパイク" "でも優勝はウチのチームさ" —さる九月十七日、神奈川県農村青少年クラブ連絡協議会（会長 河崎幸一君）では、第四回県下クラブ員のつどい「バレーボール大会」を、県立中央農業高校の体育館で開催した。参加した者は、クラブ員、OB、農業大学校生など百余名。

第四回県下クラブ員のつどい行事として当初予定されていたグランドでの地区対抗の競技（運動会形式）は、台風二十号の上陸でとりやめとなり、急きょ予定を変更し、会場を体育館に移してバレーボール大会に切り換えた。

試合はトーナメント方式によって進められたが、本命はなんといってもこのような競技になれている地区連と大学校生チーム。両チームとも県連理事、OBチームを軽く流して決勝戦で激突した。

結果はともかくとしても、全体的にはなれない手つきでのバレーボール、あてにならない審判とあまりかっこうよくはいかなかったが、会場は終始笑いの渦というなごやかなつどいであった。「つきゆびしたよ」とボヤいたり、「おれのサーブきまっていたろ」と胸を張るクラブ員たちは、お互いにうちとけ満足そうな表情。

県連役員は「クラブ員同士の親睦、県連の理解もともに深まったようです。この連携体制をより強化し、来年度の"第九回全国4Hクラブ員のつどい"の成功へ一歩いっぽ近づいていきたいと思います」と語っていた。（県連 広報部発）

高々とふりあげた友情の花もうるわし！

尽きぬ笑いと踊りと討論

専修学生と友情誓う
那賀4Hクの交歓会

【和歌山】稲の穂もようやくみのり始めた初秋の九月七日、那賀地方4Hクラブ連絡協議会のクラブ員と県下の各種専修学校の生徒併せて約百人が、まっかな花を振りあげ、声高らかに友情の歌を響かせた。

この交歓会は、那賀地方粉河町農協会館を主会場に、那賀地方農村青少年連絡協議会が県各種専修学校那賀支部と共催したもので、今回が初めての試み。郡内の青少年の親睦を深め、お互いに社会的視野を広めて資質の向上を図るというねらいで開かれたものだが、この会では型どおりの目的を越えたプラスアルファーがあった、と参加者の一人は伝えている。

当日は午前九時三十分開会。那賀の県事務所長、粉河町長をはじめとし、同町農協組合長、普及所長からあいさつがあった。そのあと引き続いてオリエンテーション、4Hクラブについての説明が行なわれた。

十時頃からいよいよ研修会に入った。伊都4Hクラブの松岡博子さんの指導により、全員がリボンフラワーの講習を受け、会場はテレ笑いと感心のタメ息でどよめいた。

昼食後一時からはレクリエーションで、フォークソングやフォークダンス、ゲームなどが行なわれた。参加者の顔はくずれっぱなしといったところで、会場はナゴヤカムードに一転。

このあと約二時間にわたり、全員が五つのグループにわかれて分科会討論を行なった。テーマは①農村社会の理想像と青少年の役割②男性らしい男性、女性らしい女性とは③同性間の友情、異性間の友情についてであり、いずれの分科会でも熱心な意見交換がなされた。「私はひとつにうちこんでいる男性が好きです」と黄色い声があがるなど、会は最高潮に達した。

閉会を迎え時が過ぎるのを惜しみながら参加者たちは「この第一回開催を契機にこんごまた集おう」を合言葉に解散した。（那賀地方4Hクラブ連絡協議会報道部長 和田守司君発）

ある視点　原田 正夫
判断力を身につけよ
クラブとリーダー〈6〉

私がこの"ある視点"という欄にとり組み始めてから、確か今号で第六回目になると思う。その間、かなりの人びとから賛同や批判めいた感想をきいた。後者の場合のそれは、「おまえのいうことはまちがっている」「もっと誰れが考えても正しいと思うことを書いたらどうだ」等々であった。そういうことをいわれてもはなはだ困る。何となればタイトルからして"ある視点"であって、ある視点から見て、考えた私の考え方であって、また、ちがった"視点"から見れば当然反論も出てくるだろう。しかも私には当初からそれを予想した上で暗中模索状態の中にいるクラブ員にたとえ一行の文からでも問題提起として読みとってもらえれば……という願いが強かった。私にしてみれば、賛否両論の百出を熱烈歓迎する気持である。

さて、先にすすみたい。私たちのクラブの活動は例えていうならば駅伝競走のようなものだろう。一人のスタミナ、走力、かけひきで決するマラソンとはちがうわけで二十年以上をかけて先輩たちの汗みどろの奮闘ののち、4Hクラブという名を染めぬいたタスキは今私たちの手ににぎりしめられている。私たちには今しかない。私には今年度しかない。そののちは後続を若い人びとに託して、私たちの活動はまた質の違ったものに変わってゆくだろう。

新幹線超特急ならぬ鈍行列車"全協号"も年度のなかばにたどりついたという感じ。内外のカベをひとつひとつ切りくずすというやっかいな作業を伴いながらエッチラオッチラ……。トンネルの中に入った列車は苦しいからとて、横にも後にものがれられず、ただもう前方にあると信ずる明るい出口にエッチラオッチラ……。出たところで待っていてくれる若い人びとに"オレたちはせい一杯やったんだ。あとはまかしたゾ"とタスキを託す日がやがて来る。心の底からせい一杯やったんだ……と思えるように……。

本来クラブの活動とはそうした先輩、現役、後輩と続く一連の活動で評価されるべきものだと思う。駅伝に例えたのはその点からである。優れたリーダーのいる時期には内外ともに高く評価される活動を展開しながら急転直下するという極端な事例が決してクラブのなかでは極端でないようにも感じられる。こうしたクラブを良いクラブと呼ぶことに、たとえ一時期でも抵抗を感じずにいられない。

これは優秀と思われたリーダーの大きな失敗であろう。優秀でなく本当はリーダー失格者であったのかもしれない。ともに今日大きな問題として眼前に立ちはだかるものに自分たちの活動でさえ、自分たちで判断できない傾向がある。

先日ある会合で二、三の指導者と話合った中でクラブ育成のプロフェッショナルであるはずと思っていたかの人が「クラブをどうすすめたらよいかわからない。そういうことばかりやっても自分の生活の方が切実で身がのらん……」などとシャアシャアとのべられた。全ての指導者がそうだとは断じていえないが、比率はともかくある事実にちがいないわけで、ともかくにも自分たちの活動は最終的には自分たちの判断でなされねばダメだろう。

何もかも自分たちで……ということが必ず自主性ということにつながるともいい切れぬが、自立農業をめざすものにとってクラブすら自分たちで考えずして、農業で自立することが果して可能だろうか。（全国4Hクラブ連絡協議会副会長・大阪）

心頭技健

秋も日増しにその色を深め、心のなかを涼っぽい涼風がフッとかすめて通るというような時節がまたやってきた。ということは、農家のみなさまにとって農繁期がやってきたということだ。クラブ員諸氏も毎日がんばっておられることと思う▼農繁期になるとクローズアップされてくるのが、労働問題だ。群馬県の「ききょう4Hクラブ」では、三年前から農繁期などをスムーズに乗り切るために、クラブ員が知恵をしぼって「労働銀行」なるものを作った▼これは、労働力の不足している仲間の家へ、手のすいているクラブ員が手伝いにゆくというシステムだ。仲間から労働力を借りたら、必らず労働力で返さなければならないというので「労働銀行」と呼ばれているそうだ。これも、農繁期の労働問題に対処するひとつの方法といえよう▼また、大型機械などを有するクラブ員が、兼業農家などからの要請で農作業を手伝っているという話もときたま聞く。しかし、実際にはまだまだ多くの農家にとって農繁期は頭痛のタネであるようだ▼最近、新しい農繁期というのができてきたそうだ。本来の農繁期の労働力をおぎなう目的で、大型機械をいくつか買ったら、その支払いのために農閑期が大忙しになったということだ。それで農閑期が農繁期に早がわり。これでは、大型機械を入れた意味がないだろう▼農繁期の労働過重の問題はそう性急に答えが出せないのが現実のようだ。しかし、「ききょう4Hクラブ」や大型機械を使って請負い作業をやっているクラブの試みは無意味とはいえまい。いま、われわれは彼らのやっていることの可能性と労働の意味を真に問われているのではないだろうか。

4H会館建設の募金目標額に対する各道府県連達成率

(昭和47年9月20日現在)

	県連名	%(約)
1.	奈良	100
2	滋賀	95
3	神奈川	41
4	高知	39
5	静岡	35
6	鳥取	32
7	宮城	31
8	愛知	28
9	茨城	25
10	徳島	21
11	埼玉	20
12	沖縄	19
13	大阪	17
14	群馬	16
15	石川	16.
16	三重	14
17	長野	14
18	長崎	12
19	山梨	11
20	徳島	8
21	千葉	8
22	青森	6
23	岩手	4
24	福井	4
25	山口	4
26	福岡	4
27	和歌山	3
28	岡山	3
29	広島	3
30	北海道	1
31	新潟	1
32	富山	1
33	岐阜	1
34	佐賀	1
35	香川	1%以下
36	鹿児島	〃
37	熊本	〃
38	兵庫	〃
39	大分	〃
40	秋田	未提出
41	山形	〃
42	栃木	〃
43	京都	〃
44	愛媛	〃
45	宮崎	〃
	中央	203
	総額	14

知事とも親しく懇談
岐阜でつどい　ひるがの高原の風爽やか

知事（背中を向けている人）と語り合うクラブ員たちの表情はなごやか

【岐阜】岐阜県4Hクラブ連絡協議会（会長 中野俊一君）主催の「ひるがの高原若者の集い」は、このほど三日間にわたって郡上郡ひるがの高原ユースホステルで開かれた。

参加者は、一般女性や農改普及員さんを含めて総勢二百四十名と近年にない大集会となった。

初日は午後二時から開会式に続いて「岐阜県農民の歴史」と題して劇団「はぐるま」の小林ひろし氏の講演を聞いた。夕食は野外でのバーベキュー。天井がなく視界をさえぎるもののない屋外での食事は何回味わっても格別。高原を渡る風の中でおしゃべりしながら料理を口にした。

二日目は朝食前に宿舎から約三㌔離れた夫婦滝まで朝の散歩、といえば外聞はよいが、じつは駆け足。すきっ腹にはさすがにこたえたが朝食が大変においしかった。

このあと「青年期の生き方」というテーマで、トヨタ自動車の社長夫人豊田寿子女史の講演を聞いた。

続いて参加者が二つに分かれ、パス討議とグループ討議を交互に行ない、相互に交さくする折に一時間をとって知事と語る会を催した。

知事と語る会は、近くの小学校の校庭で平野県知事を招いて開かれた。クラブから出された昼食のおにぎりを食べながらクラブ員の質問に答えておられた。

ごはんつぶが手について、のどにつまる、お茶を飲まねば、手ふきも使わねば、マイクも取らねば、質問の応答もせねばといった具合いでまさに手八丁口八丁の大忙しである。その様子が大変ほほえましくユーモラスでもあった。

また「知事さんは恋愛結婚か見合い結婚か？」などといった予想外の質問にとまどいながらも、「私の場合はじつは……」といった口調で話された。こういった普通ではちょっと聞けないような私的な話もまじえながらなごやかなひと時を過ごした。「知事さんが大変身近かに感じられた」とはクラブ員の感想であった。

このあと会場をホステルに移してクラブ員のプロジェクト活動の成果発表を行ない、日ごろの活動の成果を公開した。プロジェクトはさまざまであったが、それに取り組むクラブ員の熱意や苦労のほどがうかがわれた。

三日目、朝食のあと「先輩と語る会」ということで四組の夫婦を招いてパネル討議をした。

まず、二人のなれそめから、嫁と姑の問題、嫁の地位、家事と農作業との労力配分、嫁姑間にトラブルが生じた場合夫はどう対処するかなどといった大変こみ入った話となり、思わず吹き出す場面もあり、みんな興味しんしん。

ひき続いて「最近の農業事情」というテーマで県農政部長のはなしを聞き、昼食について閉会式を行ない幕を閉じた。

（棚橋範行連絡報道員発）

西湖に映える炎
山梨の大会　山道をヨイショのかけ声

【山梨】「こんにちわ」「ごくろうさま」と、元気な若者の声が富士山を見上げる西湖のほとりに飛び交った。「これからの農業を友と語りたくてやってきました。緑の大地と若者の西湖は、きっとぼくの思い出の場所になるでしょう」――四十七年度山梨県農村青少年技術交換大会は、さる八月十九、二十の両日、南都留郡足和田村、西湖民宿村および鳴沢村の二会場で、山梨県4Hクラブ連絡協議会（会長 内田 操君）の主催のもとに開催された。「富士と樹海と湖と……仲間の声が」という大会スローガンをかかげて、百三十名のクラブ員が参加した。

第一日目は展示発表が行なわれた。日ごろのプロジェクト活動の中から生みだしたアイデアや工夫だけに、参加者も「なるほどな」とうなずきながら聞いていた。甲府地区連の内藤一仁君は「ハウス内の薬剤散布の省力化」、塩山地区連の宿戒育朗君は「ハウスの地中暖房」、山梨地区連の小川善英君は「ハウスデラのジベ処理適期」、甲府地区連の今井茂樹君は「イチゴの奇形果防止」と題してそれぞれ発表した。

原始林に夕陽がさし込み、日中の猛暑とはうって変った涼風が西湖の湖面をなでるように渡って夜が訪れた。いよいよキャンプファイヤーの始まりである。静寂の中で参加者が整列。山の中腹で採火された"元火"が入場し、4Hクラブの歌が流れる中で点火……。炎が舞い上がった。西湖の夜空と湖面を焦がす炎。若人のエネルギー。各地区連から飛び出すにぎやかなスタンツ。あの歌、この歌……。若人の情熱がファイヤーの炎に重なって大きく広がった。

二日目は午前十時から、県連初の試みであるオリエンテーリング技術競技が行なわれた。五人を一チームとして、約六㌔の山道をルールを守りながらチェック地点と二ヵ所の技術競技の地点を回り、「ヨイショ、ヨイショ」のかけ声もいさましく奮闘、全員完走した。

（山梨県連 金原徹連絡報道員発）

この問題、けっこう難しいね。まいった、まいった＝オリエンテーリングで

ゆずります　キーホルダー
北海道連が呼びかけ

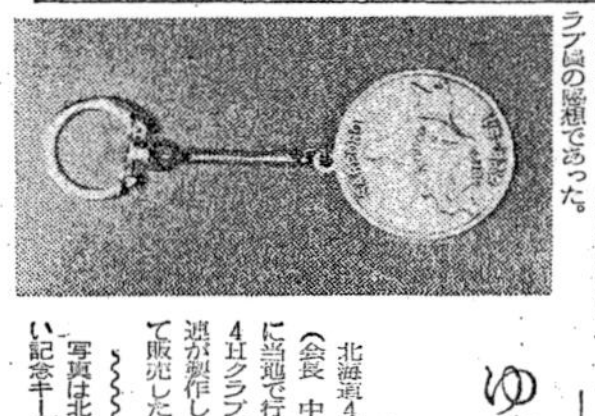

写真は北海道連が製作したつどい記念キーホルダー

北海道4Hクラブ連絡協議会（会長 中山寿雄君）では、さきに当道で行なわれた「第八回全国4Hクラブ員のつどい」の際、道連が製作し、参加者に記念品として販売したキーホルダーを全国のクラブ員のみなさんにもゆずりたいと呼びかけている。

▼値段　一個三百円

なお、申し込みは〒〇六二 札幌市南区真駒内四六七の三 北海道青少年会館内 北海道4Hクラブ連絡協議会事務局（電話＝〇一一―五八一―一一四一 内線三〇）まで。

負けてたまるか 4H根性!!
赤松　宏 ▶ 2

まず、考えなければならないのは、4Hについてのことだろう。私たちの組織活動についてもっと考えてみたい。

私はだれにでもこんなことをいいます。「いまの4Hクラブ活動、組織の中で、何も思い出すことのできない者、その中に何かを発見しようとしない者はやめるべきである」と……。こんなことをいうとかなりの反発を買いますが"意志のない者に何があるか"ということです。

この言葉の真意を誤解しないでいただきたい。4Hクラブを"やめれ"というのではなく、"知れ"ということなんです。ほとんどの落伍者（その価値を知って去っていく者以外の）は、どんな組織においてもその意味を完全にマスターせずに去っていくようです。

私のいいたいのは組織の確認をしてほしいということになります。組織に加入していながら感じない人間があまりにも多すぎる。慣れからくるのか、その価値を見失っている例が少なくない。むしろその慣れにマヒされているようである。だれでもそうであるかもしれないが、もっとそれらのものを見つめようとする努力が必要であるような気がする。

私たちの周囲でも、慣れによってありがたみを忘れている面がかなり多くあるようだ。平和な日本であるから、その平和のありがたみを忘れている。戦争中の日本を知っている両親や祖父らは、この平和のよさを感じているようだ。

生きた組織めざそう
忘れえぬ先輩の言葉

また、私自身4Hクラブに入って多くの仲間に逢う機会が多い。私にしてみればそれがごくあたりまえのことなのですが、このようなグループに加盟していないひとりぼっちの青年が多くいることもまた確かなのです。それを思うと"自分は何て幸せな人間なんだろう""仲間ってすばらしい"と感じます。そして、"4Hクラブがあるからだ"と感謝しています。

中には、4Hクラブに入って結ばれた二人でありながら、ただ自分たちだけで勝手に好きになったような錯覚をしている連中がいるが、どうなのかなと思う。そんなチャンスを二人に与えてくれた4Hクラブのことや、そんなチャンスを企画してくれたリーダーのことを忘れている人間があまりにも多いようだ。

このように一つひとつの例をあげてみると「なるほど」ということになるが、その実際を考えてみないことがあまりにも多すぎる。私たちはその意味で、何ごとにもその本当の姿を見つめる目、与えられるものに対する感謝の気持をもてる人間を作っていかなければならないと思うのです。

そこで私は、クラブ員批判もさることながら、「組織の価値」をまず教えていかなければならないと考える。一般にリーダーといわれる仲間と交際する機会が多いが、その大切なことを見失っている例が多いようだ。集りの中で、グチっぽいなぐさめの言葉が多くみうけられるということは、まさしくリーダーと称される人自身が本来の価値を見失っているからではないでしょうか。それでは組織の進展はありえないし、ほんとうにその組織が生きているのかとつくづく思うことがあります。

残念でしかたないと考えている私自身も、「ほんとうの価値を見い出している人間か？」と問われると、「？？……」と答えるかもしれないが、ともあれ、そのほんとうの意味を現在の事業なり行事の中から見い出していく努力を続けなければならないと思う。型だけの、芸術だけの4Hクラブ運動が、今日の淋しい姿を作りだしたような気がしてならない。いま、真剣に考えてみるべきだ。組織のほんとうの価値とその意味を……。

笑顔で組織論を一席

感謝する気持について先きに少しふれましたが、私はその心を"4H"という中で教えられました。以前、迷い続けて生きてきた一時期がありました。そのとき、先輩にあたる人ですが、私に真剣に生きていくことを教えてくれました。農業をして間もない頃で、昼間は木工製材、土方で働らいていたのをさまざまな行事に連れていき、教えてくれたものです。大学の失敗に少しヤケぎみになり、他人から離れよう離れようとしていた自分をほんとうにより多くの仲間の中に導いてくれました。

あるときは、札幌のススキノや小樽の赤や青のネオンの中に連れていってくれた。あの先輩の教えがあったからこそ、いまの4Hクラブを考える自分になれたような気がする。そんな自分を反省してみて、その先輩へ感謝する心は海山よりも大きいものです。「おれが先輩にできるものは？」と私が聞いたところ、先輩は「おれはお前がかわいいから何かを与えた。だが、返してもらうものを期待してやったのではない。もしほんとうにおれに感謝し、何かを返そうとしているなら、それをお前と同じような次代の仲間に与えてやれ。おれがみていて『よくやったな』と思えるまでやるんだ。それがなし終えたとき、おれは『恩返しは終った』と喜んでやる」といってくれた。すばらしい先輩に見えました。こんな暖かい言葉に感謝しています。偉大な言葉でした。

私もこんな先輩と同じようになりたい、味のある言葉を作りだしていきたいと思っている。でも、それは組織というものの意味、価値を知る中から出てくるものだと思う。真実味のある言葉や教えは、"生きている"組織にあるのだということを、先輩の言葉の中にいまだに感じている私です。

「ありがとう」という言葉が"感謝"に変り、"心"に変り、"行為"に変わっていくことほどすばらしいものはありません。見つめてみよう、われらの4Hクラブの価値を、意味を……。

（題字も筆者・北海道4Hクラブ連絡協議会前書記長）

農業者大学校で入学生募集

農林省・農業者大学校＝東京都多摩市連光寺二二〇七＝は、来年度（昭和四十八年度）の入学生を募集することになり、多くの応募者を望んでいる。同校は、すぐれた農業経営者の養成とともに、地域農業振興の中核となるべき人材の育成を目的として農林省が設立したものである。

募集要領は次のとおり。

▽教育年限　三ヵ年

▽募集人員　五十名

▽応募資格　高校卒業後一年以上の農業経営の実務経験を有する二十五歳未満の男子

▽応募手続　入学願書は、もよりの農業改良普及所または都道府県農業改良普及主務課あて申し込むこと

▽応募期限　来る十月三十一日

▽選考試験　来る十一月二十八日、二十九日

▽授業料　年額三万六千円

▽その他詳細については、農業改良普及所、都道府県農業改良普及主務課、地方農政局、または直接、農業者大学校（電話＝〇四二三―七五―八五一一）までお問い合わせ下さい。

クラブ往来
女子特有の活動を

クラブ活動を行なっていていつも感じることは、クラブ員の意識がハッキリしないことです。時間にルーズ、花嫁修業的な行動……。何か、自分たちだけのクラブ活動で終っているのではないだろうかとつくづく思うのです。わたしたちはもっと地域のことを知り、地域の人たちと一緒に考え行動するということを忘れてはならないと思います。

大川4Hクラブ（男子三十八名、女子十四名）は、そのような考えから、まず地域の実態を知ろうと地元の農家四百二十七戸にアンケート調査を実施しました。内容は後継者問題、構造改善事業、農政の問題など。女子部としては農村の主婦の意識調査をしました。

たいへんな仕事でしたが、一軒一軒に配布しているうちに、4Hクラブというものを理解してもらうことができ、また、わたしたちも地元の実態や住民の考えを知ることができてほんとうによかったと思います。わたしたちの女子部は、いまさわがれている老人問題について女性の立場からアンケート調査を行ない、これを共同プロジェクトとしました。

自分たちのカラに閉じこもりがちな活動とは違い、じかに地域の人たちと接し、対話したことは、これからのわたしたちの活動を考える上でたいへん参考になりました。そして、これを参考だけに終わらせないで、わたしたちなりの対策を立ててプロジェクトとして実践していきたいと思っています。

このような世の中だから「そんなことをしている暇はない」という人があるかもしれませんが、わたしたちの一例とは違った方法、たとえば農作物の研究でもいいと思うんです。自分たちだけの研究ではなく、地域の人たちにもそれを広め、一緒に解決していくことが大切ではないでしょうか。それがまた、自分たちの利益にもつながると思うのです。

わたしたちは自分たちの研究を地域の人たちに知ってもらうため、本年度のプロジェクトであった老人問題を地域の文化祭、公民館、婦人会との交換会などを通じて現状を訴え、一緒に話し合っていきたいと考えています。

（福岡県・大川4Hクラブ　山田仁美）

「農業に明日はあるか」　つどい記念講演　>1<

経済評論家　伊東光晴

板挾みの日本農業

東南アジア「緑の革命」が進む

伊東光晴氏のこの講演は、「国際化時代の日本農業」という副題がついている。広い視野に立った現代農業論である。外国からは農産物自由化の波が、国内からは工業化、都市化の波が日本の農業におし寄せてきている。また、最近では農産物の公害がマスコミに取り上げられた。はたして日本農業に明日はあるのか……。伊東氏はそのような疑問に答えつつ私たちに一つの選択を投げかける。これからの農業を考える場合、私たちにとってもそれはさけて通ることができない問題であろう。クラブ員諸氏が〝明日の農業〟を考える上での参考になればさいわいである。（編集部）

昨年の九月に日米経済関係会議が開かれましたが、その席上、ロジャース国務長官とハーデン農務長官がこもごも立ちまして日本の通産大臣、農林大臣、大蔵大臣に、日本農業についてつぎの五項目を要望しました。

第一は「いままで日本は十二万ドルの農産物をアメリカから輸入していたが、それを二十万ドルに増額せよ。日本は自由化を行ない、アメリカの農産物を積極的に買い入れろ」ということでした。第二は「オレンジ、果樹、牛肉を関税をひき上げることなしに自由化せよ」です。ニクソン大統領の選挙地盤であるカリフォルニアに非常に関係のあるオレンジ、果樹、牛肉を日本に迫ったのです。

第三は「大豆の関税を撤廃せよ」。第四は「過剰となっている日本の米を家畜の飼料にまわすことはしない。および飼料の輸入先をアメリカから外国に転ずることはしない」。第五は「稲作を転換してそのあとに大豆を作らせることはしない」ということでした。

この五項目の要望は、アメリカ農業の立場からいえば非常に率直な意志の表明であったということができます。

じつは、日本の農業はご存じのように、高度成長過程とともに始まる日本の工業化、都市化の波に大きく洗われていますが最近では国際経済の中でも揺られています。その端的なあらわれが日米経済関係なのです。この日米経済関係で、アメリカは日本農業に対して強く自由化を求めていますが、その底には日本とアメリカ、あるいは外国との間に、農産物の価格の差が横たわっているのです。

わが国における小麦の生産はほとんど輸入によって代えられてしまいましたが、その生産者価格をくらべると、日本の小麦一〇〇に対しアメリカは五〇、フランスは六一であります。これからの日本農業を考えた場合に非常に重大な牧畜や乳製品の生産者価格を例にとると、肉はアメリカのほぼ倍の値段、フランスはわが国の六〇％、牛乳はアメリカとほぼ同じ、タマゴも同じ、アメリカの豚肉はわが国の七〇％。いま自由化が問題にされようとしているミカンとオレンジとの比較は、ミカン一kg五十五円に対しカリフォルニアのオレンジは四十一円、フロリダのオレンジは二〇円という価格差であります。

こういう価格差を基礎において、一方において日本の消費者の要望は「より安いものを」という要求で自由化賛成を示し、他方において国際的な圧力は、わが国の市場を自由に解放させようとする動きが強まり、日本の農業はこれから非常に大きな揺さぶりをかけられるのではないでしょうか。

農産物の自由化について、アメリカはわが国に対して決して強くいえる理由をもっているわけではないのです。なぜなら、アメリカの農業は非常に強い国家保護、一九五五年にウェルバー条項という、国際的な協定の中において国内農産物を保護する一般的な協定をとってしまったからです。わが国はこれをとっておりません。したがって、外国からの自由化の圧力に対して、それを農業製品について行なわなければならないのです。アメリカが国際的協定の中において合法的にアメリカ農業を保護できるという日米農業関係は、きわめて不平等な関係であるといえます。

アメリカはまた、こうした一般的条項を背景として換役法その他において市場農産物を保護しています。小麦や綿花の輸出では、手厚い国家保護のもとに輸出奨励が行なわれています。

世界でもっとも自然的条件のよいアメリカ、千町歩の農場がたくさんあるアメリカ、そしてもっとも機械化されているアメリカ。それ故にこそ、ぼう大な綿花や小麦が生産され、世界市場に出て、国際的には非常に安い農産物となってあらわれてくるのです。その結果がじつは、額に汗して綿花を作っているエジプトの農民に大きな重圧となってくるのです。これが世界経済の戦後の姿だったのです。

わが国の農業もまた、この波の中にまかれてきました。それだけではありません。ここ数年のうちに、世界の農業は後進国の中で大きな革命が起きたのです。「緑の革命」といわれるそれは、メキシコとフィリピンで開発していた小麦と米の多収穫をめざすアメリカの技術が、後進国、とくに東南アジアに導入されて起こりました。いま東南アジアにおいては農業革命が進行しているのです。

こうなるとわが国は、一方において先進国の、豊かな自然条件と国家保護厚い農業に揺すぶられ、他方において後進国の農業革命によって揺すぶられるということになります。

さらに、イギリスがEECに加盟したらどうでしょうか。たちどころにオーストラリア、ニュージーランドの日本に対する輸出圧力となってあらわれざるをえなくなってまいります。

日本の側でもそれを予見し、オーストラリアに一大農場を作り、それをわが国に輸出しようとする動きが日本内部にもあるのです。一例をあげると、三井物産はオーストラリアに六十万町歩の牧場を三国協同で作ることに踏み切りました。そして、年間八万頭の牛肉をわが国にもちこんでくるという計画を進めています。こうなってくると国際経済の圧力はもう一つ加わってくるのです。

今まで日本農業は米を主軸としてきました。それがつきあたると果樹園、肉、乳製品……と手を広げました。しかし、乳製品、肉にはオーストラリア、ニュージーランドの大きな障壁があります。果樹、アメリカがあります。穀物、東南アジアが出てきます。――こういう国際経済の問題が、日本農業の将来を考える上での第一の問題なのです。（つづく）

プロジェクト

花で飾った農閑期

経営充実の夢かけて

和歌山県・打田町4Hクラブ　山田敏夫

高校を卒業して農業後継者としての第一歩をあゆみ始めたころから、何とか農閑期をうまく利用する妙案はないものかと考えていました。そして思いついたのが花作りです。

四年前に五㌃の水田に菊を栽培。花作りとはどのようなものかを知ることがおもな目的で、露地栽培をやってみました。慣れない仕事のため、時間が多くかかることが問題として出てきましたが、花を作ることがおもしろいと思うようになりました。さいわい両親の協力により、時間の問題もなんとか解決できました。

二年目は、耕作面積を二倍の一〇㌃にふやし、そのうちの五㌃にハウスをかけました。三年目には花作りも順調に進み、二〇㌃に増設。値の高いときに出荷できるように全部にハウスをかけ、一〇㌃に暖房設備をそなえつけました。ことしはハウス二〇㌃すべてに暖房設備を入れ、また、市場契約を結び、露地栽培によるケイトウを一〇㌃手がけました。いまがピークで、毎日忙しい日々が続いています。

家族は両親、祖父、妹、ぼくの五人。主幹作目はみかんの二㌶で、他に水田二〇㌃、切り花園三〇㌃です。

切り花作りを始めて四年、いままでは〝元肥〟であったと考えています。これからがほんとうの腕の見せどころ。美しい花々がわがもの顔に花園を咲き乱すだろうと期待に胸ふくらませている今日この頃です。

美しいケイトウの花が咲き乱れる花園に立つ山田君。でも、花ばっかりを愛さないでネ！

畦道

喫茶店での一コマ

秋の陽がせっかちに傾きかかるある日の午後、ぼくは老夫婦が営んでいるいきつけの喫茶店に行ってみた。店には付近の老人が二人ほど、店の老夫婦を交えて穏やかに話し込んでいた。まるで養老院といった感じだが読書をするには最適のところだった。老人たちのムードを害することもなく、ぼくはすぐに読みかけの本に熱中しだしていた。

そのときだった。派手な笑いをふりまいて若い一組の男女が勢いよくドアを押し開けて入ってきたのは……。店内のムードが一変した。老人たちの視線が若いカップルに集中する。ヘルメットを小脇にかかえた小イキな彼らは、たぶんオートバイで遠乗りでもする途中なのだろう。老人たちの会話が尻すぼみに途絶える。

若いカップルはバツの悪そうな表情を一瞬浮かべて立ちどまったが、それでも店の奥へドカドカと進んで席をとった。

そのときぼくはありったけの無関心さを装いながらも、店の中に張られた奇妙な膜のようなものを意識していた。それはシャボン玉のように、どちらか一方が少しでも触れただけで破裂してしまうという感じのものだった。ぼくは心の中でつぶやく。〝触っちゃダメだ。無関心で通した方が勝ちだ……〟

やがて若いカップルが立ち上がった。レジでコーヒー代を払い終わると男が吐きすてるようにいった。

「さえないところだな！まるで棺桶の中にいるようだ」

「あたしたちのくるところじゃなかったようね」

「さあ、ハデにブッ飛ばすか」

二人は去った。やがてすべてが元どおりに戻った。老人たちはたったいま起きたことが嘘のように静かに前の話を続ける。

〝そうだ、あなたたちが勝ったのだ〟――そのときぼくは思った。だがこうも思う。〝あの若い連中はわざと悪態をついて老人たちに勝ちを譲ったのかもしれない。もしそうなら、彼らの目に映ったぼくは、きっと老人たち以上にしおれてみえただろう〟と。【宇】

早期出荷が有利

イチゴ栽培　消費動向をつかめ

奈良県・大和郡山市4Hクラブ　佃繁憲

私が農業を始めた三年前は、わが家の経営内容はトマト（早熟）二〇㌃、イチゴ（半促成）三〇㌃、キュウリ、野菜類、しいたけ、水稲などであった。現在ではイチゴが基幹となり、おもに私が担当している。抑制二〇㌃、促成二〇㌃、株冷蔵一〇㌃、半促成二〇㌃と労力の分散に努め、そのほか父母がトマト（早熟）、キュウリ、野菜などを担当している。

イチゴの消費量は戦後急激に増大した代表的品目で、いま東京市場ではミカン、リンゴについで三位、近い将来一位に伸びることは必至と思われる。

新鮮な果物の少ない春に出荷、色彩が鮮麗で美味なことがイチゴのもつ特長である。入荷量は増加の一途をたどり、月別にみると促成栽培の本格的な発展によって四月の増加が著しい。さらにここ一、二年は、一～三月の増加傾向に注目すべきである。大衆消費のイチゴは、昔は五～六月の約一か月が、昭和三十五年ころから四～六月の二か月となり、最近では一～六月、さらに抑制栽培も加わり、ほとんど年中出荷されているのである。

また、都会人の季節感が早まって節分のころから春の感覚をもつようになったため、新鮮なイチゴが春のイメージを助長しているものと思われる。

消費量の増大をはかるには、やはり出荷期間の拡大をはからなければならないが、七月以後は気温が高くて腐敗しやすいし、ほかの果物も増加するので、どうしても出荷の時期を早めるしかない。

イチゴ栽培の所要労力は、作型や地域によって違いが出てくるが主要作型の一〇㌃あたりの所要労働力は露地、株冷蔵の抑制栽培で百～百五十人、半促成で二百人、促成栽培で三百人前後である。収穫時になると、どの作型においても全体の五〇％の労力が必要となる。したがって適当に作型を変えて栽培すれば、労力のピークをさけて調節することができる。

イチゴは水田経営面積の広い地帯が主産地化している。イチゴは生育期間が長くて、ハウスの周年利用型に導入しにくいことにもよるが、数種の野菜の栽培技術を一人で熟練向上することはなかなかむずかしい。イチゴだけに熟練する方が能率的である。イチゴの違った作型を組み合わせることによって栽培面積を拡大し、専業化をはかることが望ましいと思う。イチゴの価格は年によっても変わるが、十二月を頂点として漸次下落するのが一般である。露地から半促成、半促成から促成へと前進すれば、一箱あたりの単価も高い。早期出荷の有利性がここにあり、収益向上に大きく関係することは明らかである。

NHK農事番組（10月11日～20日）

開発の中の農村

テレビ

明るい農村　6・30～6・55　総合

11日　産物百科「きのこ」

12日　話題と人「モッコとパッケ」～青森県木造町

13日　農村新地図「香川県大川町」森一男（香川大教授）

14日　村をむすぶ「福島、山口、松山、東京」

15日　明るい漁村

16日　開発新地図（1）「開発の中の農村」～東京都下、山形県下

17日　開発新地図（2）「どこへゆく巨大開発」～鹿児島県志布志市

18日　開発新地図（3）「農工一体」～富山県福光町

19日　開発新地図（4）「ハイウェイと農民」～岡山県津山市

20日　開発新地図（4）「小さい村の観光開発」～長野県浪合村

農業教室　7・30～8・00　教育

16～18日　りんご経営の新方向　渋川潤一（岩手県園芸試験場）

19～21日　農業組織を考える　小家竜男（農業技術研究所）

あすの村づくり

日　7・00～8・00　教育

再　土　13・00～14・00　教育

15日「開拓三代」奥村鐺十郎（帯広市）、唯是康彦（農業総合研究所）、黒田豊（大正農協青年部）ほか

ラジオ

早起き鳥　5・41～5・57　①

11日「動き出した装置農業」～三重県三雲村

12日「カブトエビで雑草防止」奥山雄二（河内長野市）

13日「豪雨災害三か月後」～広島県作木村

14日　ふるさと通信

15日「ライス・ボード構想を聞く」宮脇朝男（農協中央会）

16日　開発新地図①「開発[illegible]農村」～山形県櫛引町ほか

17日　開発新地図②「どこへゆく巨大開発」～鹿児島県志[illegible]

18日　開発新地図③「むらの観光ブーム」～新潟県六日町

19日　開発新地図④「ハイウェイと農民」～岡山県津山市

20日　開発新地図⑤「小さい村の観光開発」～長野県浪合村

話の広場　日　6・15～6・[illegible]

15日「農業高校の親子[illegible]」栃木農業高校

結婚を考える　►26◄

長崎県・千綿女子高等学園々長　松瀬忠利

女性に一言

ともに苦労できる男性を

農業に従事する女性は、所得の低い農家にとびこんでいく理解のある女性でなきゃダメですね。いままで農業を全然知らなくても、二人で理想とする農業経営を築き上げていけたとしたらほんとうにすばらしい生活だと思うんです。そこへいくまでの数年間は貧乏ですね。けれども「一緒に働いて豊かな生活を築き上げるんだ」という、そんな女性を男性は求めていると思います。だけど、そうしてやり上げたあかつきには農業はすばらしい職業だと思います。自由がありますね！私みたいな安サラリーマンだったらほんとうに不幸だと思います。

いつも思うんですが……。市役所には臨時の女子職員が相当いるんですがね。バスに乗ってくると、残りの給料はお化粧代にもならないですね。なぜくるかというと、臨時でもよいから市役所で働いていい人をみつけて……まあ、ほかにいくところがないから仕方なしに市役所に勤めているんだと彼女たちはいうんですね。だけど、現実をみますときわめて楽観的というか、そういうことが多いですね。

農業をやる青年の格好はいいですね。外からみた格好は…。

だから内容豊かな男性を女性は選ぶべきです。私はいつもいうんですが、「農業そのものがいやしいんじゃない、農業がイヤだという人もあるだろうが、ほんとうに心ある女性は相手となる男性自身をみる」と。その男性がほんとうに立派であれば、これはもうだれだってとび込んでいくと思うんです。〝この人ならば苦労してもいい〟という女性はたくさんいると思うんです。みなさんもそんな人になっていただきたいと思います。

百姓だからといって、何から何まで百姓になりきって、言うことから遊ぶことま[illegible]非常にイヤらしいといいます[illegible]ね、自分を卑下してしまった[illegible]うなひねくれたような態度[illegible]ていますと、それはもう〝[illegible]なし〟になってしまいますね。農業というのは〝弁当〟[illegible]思うんですね。食うための[illegible]ですから、ほんとうに教養あ[illegible]人というのは、農業技術ばか[illegible]を学ぶんで[illegible]なくて都会[illegible]人と変わら[illegible]いような教[illegible]を身につけ[illegible]いる人だと[illegible]うんです。そして、それがほんとうの教養じゃないかと思いますね。すばらしい男性だと思います。

明日の農業へ向って　各種農業団体

全国農業協同組合連合会

◆購買

畜産公害に歯止め

「くみあい浄化槽」を完成

豚の飼育形態が多頭化し、飼育頭数が大幅に増加するにともない、糞尿による畜産公害が最近大きな問題としてクローズアップされてきた。

本年五月三十一日からは、養豚においても悪臭防止法が施行され、また、水質汚濁防止法についても、対象施設として近く規制されることになっている。

このような法規制が適用されれば、こんどの養豚経営で糞尿処理施設を設置しないかぎり、飼育が不可能となる。悪臭防止法については、二年間は行政勧告の形で規制する「猶予期間」があるが、水質汚濁防止法は即日適用となる予定である。

全農では、このような事態をふまえて、二年前から畜産公害問題に取り組んできたが、その第一号として小松化成とともに「くみあい豚用浄化槽」を完成した。

糞尿のたれ流しによる河川の汚染防止と、周辺の住民からの悪臭などに対する苦情をなくするには、養豚農家が糞尿処理装置をもつ以外にない。ところが、従来開発・設置されている処理装置は、五百頭以上の大規模用であり、加えて多額の費用を要するため、経済的な面からも普及が限定されていた。そこで全農としては、対象を三百[illegible]の中規模養豚として開発[illegible]組んだ。

「くみあい豚用浄化槽」の特長はつぎの七つである。

①構造が簡単で取り扱[illegible]易。故障がおこりにくい[illegible]

②小型・軽量でコンパ[illegible]まとまっているので場所[illegible]ない。

③地上式なので短時間[illegible]つけ可能である。

④操作の単純化をはか[illegible]るので、だれでも管理で[illegible]

土壌環境の保全を

「土づくり運動」を実施

全農では、毎年、施肥設計運動と合わせ、土づくり運動をすすめてきた。しかしながらこれまでの土づくり運動は、ややもすれば米の増収のための土改資材増投運動としてムード的にすすめられてきたきらいがある。このため米の生産調整が実施されて以来、土づくり運動も急速に下火になってきている。

農産物生産の場である「土」は生きている。千差万別の土壌を農産物の生産にもっとも適するように改良することが「土づくり」である。土づくりが完全になされてはじめて肥料の効果も十分発揮され、栄養分の高い良質の農産物が生産できる。もともと土づくりは農産物の品質改善のために正しい肥料設計とあいまって農業経営の向上に必須不可決の事項である。

とくにここ数年は、有機資材不足と化学肥料のみの栽培により、土壌の荒廃が顕著になってきている。これに対し、土壌改良資材の大量投下、計画推進が土壌の物理性、化学性改善のために必要になった。系統、行政が一体となった「土づくり運動」が強く要望されている。

さきに全農名古屋支所で行なわれた会議の中でも、名[illegible]学の[illegible]田教授は「人間（の[illegible]）による土壌（自然）破壊は[illegible]産の増強という大義名分にせよ、この人間の思想[illegible]的に延長していったら、[illegible]人間に対する猛烈なシッ[illegible]をするであろう」。土壌環[illegible]認識の必要性、土壌環境[illegible]と育成などをふまえ新し[illegible]

◆販売

友だちっていいね

栃木県・花の和4HクラブOB　市田綾子

ある日の夕方、主人の友だちからの電話である。

「今夜遊びにくるんだとさ……」

その友だちは、以前からクラブなどで知っていたので、お互い気楽なものである。

友だちが集まり、話が盛りあがってくる。

「おい！こんどあそこにいいのができたぞ。女ばかり二人でやっているんだ。行ってみないか」

わたしがその友だちの顔をチラッと見ると、

「ああ、アヤちゃんには悪いかな。こんなこといってさ……」

「どういたしまして、どうぞご自由に遊んでください。けっしてしばってはおかないつもりですから……」とわたし。

「そこは大丈夫、おれがついているから。おれは奥さんの味方ですからね」ともう一人の友人。

「そうなんだ、ヤツは『こいつは結婚していますから』なんて、いわなくてもいいことまでいうんだからまったく……」と主人。

「きっとまだ独身のつもりでいたいんじゃないの。いい人がついてくるかも……なんて一人で考えているのよ」とわたし。

「おれみたいにやさしい人、ほかにいるかい」と主人。

「ああ、またまた始まった。さあ、帰るか、おやすみー」と出ていく友だち。

あっけない幕切れである。とにかく気の知れた人たちばかりでおもしろい。

「男の人っていいわねー。結婚したって子供ができたって、お互い友だちでいられんだもの。その点、女はつまらないよね。どんなに仲がいい友だちでも、結婚してしまうとだんだん遠くなってしまうもの」とわたし。

そうはいってみたけれど、女だってまたいつの日か、友だちと楽しく過ごせるときがくるのではないかな、と考えたりもする。

とにかく、友人はいつまでも大事にしたいものである。

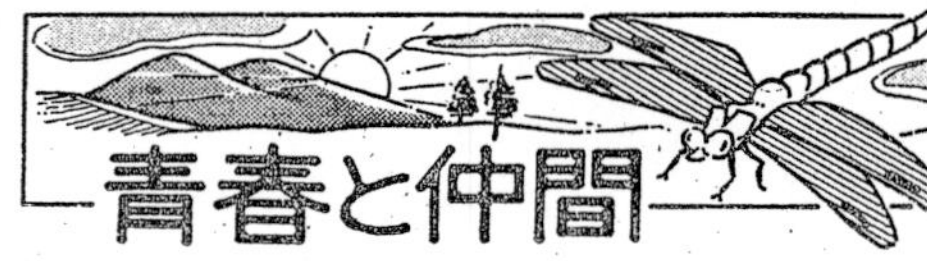

青春と仲間

おつぎはあなたの出番です！

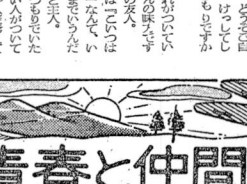

まずは心の近代化
ある教訓を胸に刻んで

群馬県・久呂保4Hクラブ　新木貞男

何の目的もなくスイッチを入れたラジオから流れてきたある篤農家のMさんの話に深く感動させられたのは、私がまだ高校生の頃であった。Mさんは養蚕を中心とした経営をしている方だが、ある日突然不幸に見舞われた。Mさんがちょうど県外に視察旅行へ出かけて留守の間に、ふとした失火で家が全焼してしまったのだ。

Mさんは、家や建具などなら何年かの間にもとどおり揃えることができるだろうが、何百万、何千万円出したとしても買うことができない「私の二十年間の農業の記録」を灰にしてしまったことが悔やまれてならないとラジオを通して語ったのだ。それを聞いて私の胸は高く鼓動したのである。

「二十年の農業の歩み」これはMさんにとって何よりも大切な宝物だったのだろう。そのとき私はこれから農業で生きようとし、経営改善を図るなら、まず記録をとることがその第一歩だと悟ったのだった。

高校卒業以来自分なりに農業日誌に毎日の歩みを記録してから五年になるが、この間には仕事が忙しくて投げ出したいことも何度かあった。そんなとき私は、Mさんの「二十年の……」という言葉を思い出し、勇気づけられるのだった。そして、自分の道は自分自身の手によって切り拓くほかないと決心し、背伸びすることなく一歩いっぽ大地を踏みしめ着実に進もうと思い現在に至っている。このことを心に置いて、私の農業近代化論をすすめてみよう。

青春、私はこの言葉を、可能性を求めて限界まで努力する時期と解している。私はこれからの農業者に、青春の気概に燃えつつ、第一に時間で割り切れる農業経営を自覚することを望みたい。

農業の最大の欠点は、仕事が時間で割り切れないということではなかろうか。農業に魅力がないとすれば、まさにこの点だと思う。自然を相手にする職業ゆえ難問題ではあるが……。

第二に心がけたいのは「農休日の実施」だろう。今年の四月、4Hクラブの行事で一日のんびり過ごした翌日のあの身体の軽快な感じ、リズミカルな躍動。そういうとき私は、健康管理と能率の向上のために農休日は絶対に必要なものだと身をもって感じたのだ。

この二つ、それに先に述べたような農業への意志、これを総して私は「心の近代化」と呼びたい。農業は機械を使うばかりが近代化ではないと思う。また、機械はわれわれ人間が作業能率を高めるために使うものである。

農業の真の近代化は、人間が人間らしく生活するためにもっとも必要な「心の近代化」にあると思う。私はこれらのことを4Hクラブ活動のなかから得たのだ。実際にこの目標が達成されるまでには何年かかるかわからないが一層努力したいと思う。

笹笛

心の中の聖人、俗人

高校時代、ぼくらの議論の的になっていたもののひとつに"聖なるものと俗なるもの"というのがあった。

ぼくらは、目を異常にギラつかせて聖なるものを求めた。そして、同時に俗なるものに深いさげすみの一べつを投げつけていたものだった。黄金のように光り輝く言葉を愛し、鉄のように醜く世俗的な言葉は一切軽蔑した。ときにはボードレールの詩を口ずさみながら酒を飲んだ。また、あるときはロートレアモンの"マルドロールの歌"に感激しながら授業をさぼった。そんなぼくらを甘く擁護してくれた萩原朔太郎の一編の詩――われの中学にありたる日は　艶（なま）めく情熱になやみたり　いかりて書物をなげすて　ひとり校庭の草に寝ころび居しが　なにものの哀傷ぞ――

毎日毎日、半透明な太陽がゆっくりと昇り、そしてまたゆっくりと沈んでいった。ぼくらはみんな得体の知れぬ欠落感に耐えていた。その不可思議な欠落感を埋めるのに必要だったもの、それはやはり不可思議に光り輝くなにものかだったのだ。

そんなときに、ひとりの仲間が家出した。ぼくらは、何かを求めて家を出てゆくという彼の決断力に狂喜した。彼が大きな荷物をかかえこんでぼくらのところへ別れにやってきたとき、ぼくらは一晩中彼と語った。そして、問いつめた。なぜ、おまえは出てゆくのか。なにを求めて行くのだ……。ぼくらは待っていた。彼の口から、芸術、黄金などという種類の言葉が出てくることを。

しかし、彼の口からそんな言葉のかけらさえ飛び出してはこなかった。ただ彼は、家でやっている町工場で自分は働いているが、わずかな小づかいしかくれないので、関係ない職場へ移ってもう少し金をとりたいとだけ語ったのだった。

働らきにゆく彼をぼくらは笑った。そして彼を俗なるものときめつけたのだ。彼はそうした笑いのなかを、重い荷物に足をひきずり名古屋へ向かって発った。

翌々日、ぼくらは再び彼に会った。彼は家出しきれず、また舞い戻ったのだった。そんな彼をぼくらは冷い嘲笑で迎えたのだった。

愚かだった。そのときの自分の愚かさをぼくは、何年かしてようやく知ったのだった。聖なるものと俗なるものということなど語ったとてクソの役にも立ちはしないのも知った。しかし、ぼくの心のなかには、重い荷物をかかえ傷ついている聖人を笑った一人の俗人が醜く生息していたのだ。そして、その聖人は一生ぼくを追い続けるだろう。（野）

良い嫁に向かって歩む私……

青森県弘前市・たんぽぽ会　山内つさ子

学校を卒業した頃の私は、農業がいやで仕方がありませんでした。でも、親に頼まれ、家にいる手前、しかたなく仕事を手伝ったものでした。

畑へ行っても仕事をする気になれず、つとめている人や学校へ行っている人をうらやましがっていました。自分ひとりがバカをみているような感じもしました。

昨年の十二月頃、ある友人がたんぽぽ会に入らないかとさそってくれました。そして、私はどんなことをしていいかわからないがいちおう入ることにきめました。

会合に出てみると、会員はみんな農業に従事している人たちばかりでした。そこで感じたのは、どのクラブ員も農業に意欲を燃やしているということでした。発表会などでクラブ員が意見を述べているのを聞いていて感動したこともいくたびかありました。その頃から、私にも農業に対する意欲がわいてきました。畑に行っても自分から進んで仕事をするようになりました。

いままでをふり返ってみると、よくここまで成長したものだと自分ながら驚いているくらいです。そして、これまでは研修や行事などにあまり参加できませんでしたが、これからはどしどし参加したいと思っています。

たんぽぽ会は、私たちが良い嫁、良い主婦になるためにあるのです。私も自分の歩む道をしっかりと踏みしめ、一日も早くその目的に到達したいと思っております。

あんな人こんな人

一クラブ員の精神で

西谷光典　鳥取

すぐカッとするけど

しょっぱなから失礼だが、彼はなかなかとっつきにくい人である。でも話しかけてみると、そんなことはない。それどころか、どうしてどうして逆にこっちがひやかされたりする始末。

西谷光典君―昭和二十四年生まれの二十三歳。身長一六五㌢、体重六五㌔、もちろん独身だと胸を張る彼、クラブ活動に飛び込んで今年で四年になるという。

現在、西谷君は、全協（全国4Hクラブ連絡協議会）の評議員、そして地元鳥取県連の事務局長として活躍中である。

西谷君の脳裡をつねにかすめさるもの、それは「リーダーとは何か」ということだそうだ。彼はこれからも4Hの本質を問いながら、プラスアルファーを有するリーダーを追究し続けると力強く語っている。「ぼくは一クラブ員です。ですから、ぼくのやることはつねに一クラブ員としての行動でしょう」―「一クラブ員の精神を忘れてはならない」と強調する西谷君―なぜか彼の精顔はやさしさを感じさせる。

彼は役員になって一人を引率するむずかしさを知ったという。西谷君は、より多くの一人とともに自分なりにやってゆくそうだ。

「ぼくはすぐにカッとなる気性なんです。だから、うらんでいる人も多いんじゃないですか」と反省する彼。しかし、当の本人はすぐ忘れてしまうというから、なかなかサラリとした性格のようだ。

さて、この辺で農業経営者西谷君をのぞいてみよう。彼の家では、ナシ（六十㌃）を主体として、柿、ハウス（トマトやキュウリなど）、和牛の繁殖（六頭）を行なっている。ナシは二十世紀を栽培している。

彼は農業高校を卒業後、県の経営大学校で二年間果樹を専攻したとあって、果樹農業に関しては非常にくわしい。ゆくゆくは自家の経営内容も果樹の複合に切り換えたいとはりきっている。手はじめとして、柿を二㌃植えたという。今度は梅を植えたいそうだ。

「しかし、いまは忙しくてとてもあれもこれもやりきれないですよ」彼もクラブ活動と経営の両立を悩んでいる最中だ。両親の理解がなかったらとてもやっていけないと両親に感謝することしきり。「まあ、一つひとつ解決してゆきます」そう語ると思わず「がんばって下さいね」と声をかけてしまう。

話の腰を折って「恋人はいますか」と聞いたら、彼氏ぶっきらぼうにいわく「家の人は探しているらしいけど、当のぼくには結婚する気がないんですよ。恋愛？　それはもう卒業しましたね……」どうもおみそれいたしました。

4Hクラブ活動をしていてよかったと連発する西谷君は「結婚っていえば、女子クラブ活動が気になりますね。鳥取の場合は、地味だが活動は盛んです。しかし、女子クラブ員がちょっと少ないですね」とクラブ員の減少という問題に入ってゆく。この問題は、現在、全国のリーダーにとっても大問題だと彼はいう。量か質かで彼も激論しているらしい。

さきの北海道のつどいに参加していたある人は西谷君についてつぎのように語った。

「ブーブー文句はいうし、正直いって最初はあまりいい感じじゃあなかったですね。でも、ちょっと付き合ったらとてもいい人なんで驚きましたよ。そして感激したのは、ぼくがカゼをひいて熱をだしたとき、彼も寝ないで看病してくれたことです。これは忘れられませんね」

カッとしやすいが、とてもやさしい人、西谷光典君。彼は盆栽が趣味だという。なんて年寄りくさいと思ったが、よくよく考えてみると彼が木々を愛するのはあたりまえのようだ。なぜなら、彼は果樹農業にかける若者だからだ。（倉吉市市場二四五）

立ち見席

気持よく生きよう

"あっと驚くタメゴロー"

テレビに出る人は楽でいいもんだな。会社員はいいなあ、いつも背広姿でいれてさ。車の運転手はいつも車にのってられていいねえ、ほんとに。

でもね、実際にそうしてる人に聞いてみると、そんな楽じゃあないってさ。つまり、他人の仕事ってのはなぜかよくみえるんだね。

自分も農業やっていて楽じゃないもんね。まず、減反でしょう。まあ、休耕田の補助金はでるが……。ほかの農産物にしたってさ、生産過剰がしきりに叫ばれてるけど、どんどん規模拡大してるでしょう。なにか考えがあってのこととは思うが、ちょっと納得しかねるね。

考えていたら、おかしなことがいっぱいのこの世。観光地の自然破壊、でもこれだって道路をつくれば大変便利になる側面はあるからね。都会のゴミにしても、いつもきれいにしてほしいといいながら処理場のことは考えない。

また、飛行場にしたってさ、利用はするが、自分の家の近くにはつくらせないって感じだね。いずれにしても解決するには大変困難な問題みたいだね。

庶民の協力で問題を解決するしかないでしょう。多少の弊害はがまんしなくちゃね。もちろん、政府は弊害が少なくなるよう懸命の努力をする必要はあるが……。だって生活が向上すれば、公害も向上するでは大変とまっちゃうからねえ！

害のない世界は望むほうが無理でしょうから、害が少しで益が多けりゃ世の中の流れにさからわないで協力し合って気持よく生きてゆくのですがね。（愛媛・伊予地区中山町農業後継者クラブ　上西幸雄）

落日 (17)

栃木・小山4Hクラブ　農民文学会会員　山中康司

「松本さん前もって言っておくけどね。家の事情しってる」

「お父さんが弱いってこと」

「うん。親父だけじゃない。おふくろも、祖母ちゃ。機械が進んだから農作業の方はなんとかなると思うけど、それでも妻となる人は大変だと思うんだ……」

「……」

「誰だって好き好んで苦しい家庭に嫁ぐ人なんてないもんね」

「でも伯母さんも言っていたけど大切なのは本人同士の気持じゃないかしら。苦労なんて一時的なものだと思うわ」

茶店が二軒あって手前の方では老母と子供が店番をしている。ガラス戸の中に菓子類が並んで簡単な食事もできるらしい。客用のテーブルが四つほどあっても客はなかった。二人はそこに入って陽子はコーラを 芳男はビールを飲んだ。向い合って座った芳男は、うつむいている陽子のほんのりとして韋色の胸元を見た。とても暖そうにふくらんでいた。

「陽子さんは今までに男の人と交際したことある？」

「さあ、どうかしら田中さんは？」

「一度だけある」

「あたしも」

「高校の時？」

「ううん卒業してから」

「どうしてその人と結婚しなかったの」

言い過ぎたと思った。ビールもまわってきていた。芳男は自分の考えを話し始めた。

「おれ陽子さんが思っているほど農業にも真面目に取り組んでないし、夢ももってないかもしれない。昨夜（ゆうべ）ね部落の若い人が作っている養豚集団の集会があってね、そこで構造改善の話がでたんだけど、自分だけが反対して仲間はずれになっちまった。わがままなんだな俺は、でも大型機械の請負耕作ってのが、どうしても信じられないんだ。なにより仲間同士の信頼関係が全々なかったもんだしね。俺は自分一人になったっていい、自分の道をゆくんだって気になって、その場を立ちだしちゃったんだ……。今度うちの方の中学校でね青年祭ってのやるんだけど見に来ない。地域青年の交流と文化活動の推進てのが目的で、のど自慢大会や意見発表、演劇、作品展示会などを自分達の手でやるんだ。都市化の中で青年は孤立している。青年らしさを回復しよう。一種のデモンストレーションみたいなものだけど、農村地域にも何か文化的な活動が必要だと思うし、4Hクラブが中心になって昨年から始めたものなんだ、時間さえ教えてくれれば駅までむかえに行くよ……」

黙ってうなずいていた陽子の目は真剣に彼をみつめていた。

日は暮れた。

ひときわ目立っていたもみじの赤も夕闇に沈んだ。二人は店を出たが山に向う時間ではなかった。空はまだボーと明るかったが町のネオンもほのかに明るみ出していた。

「二杉橋まで歩こうか」

陽子は黙ってついてきた。下り坂は滑らかで二人のこころもとけあっているかに思えた。左側の高台にはお寺があって、そこには見晴し台もある。銀杏の大木も一本ある。

「なんていうのかなこの寺。ちょっと寄ってみない」

門には豊道寺と書いてあった。階段は狭く並んだ二人の肩がすれた。お寺の庭には銀杏の落葉一つなく、その木の外側に柵があって栃木の町はそこからよく見えた。

「あらもう五時半だわ」

陽子は時間が気がかりだった。黙ったままで時は過ぎた。

◀投稿案内▶

本紙は、全国クラブ員の準機関紙として、みなさんに大いに利用していただきたいと考えています。

クラブの催しや個人のプロジェクト、詩、短歌、随筆、写真、悩みや意見、村の話題、伝説、行事、お知らせ、小説、その他なんでも結構ですから原稿にして送って下さい。

❶長さや形式は自由です❷できるだけ記事に関連した写真をそえて下さい❸送り先　〒105 東京都港区西新橋1の5の12　佐野ビル内　日本4H新聞編集部

日本4H新聞編集部

日本4H新聞

4Hクラブ
農事研究会
生活改善クラブ
全国広報紙

発行所　社団法人日本4H協会
東京都港区新橋1の5の12　佐野ビル　〒105
電話（591）1817・3683
編集発行　玉井　光
月3回・4の日発行
定価　1部　35円
一カ年　1200円（送料共）
振替口座　東京12055番

新しい活動の契機に

実践的学習が重点

後期中央推進会議　十二月八日から御殿場で

全国4Hクラブ連絡協議会（会長　松浦幸治君）では、このほど執行部会を開き、来る十二月八日から十二日までの四泊五日間、静岡県御殿場市の国立中央青年の家で実施する「全国4Hクラブ後期中央推進会議」の開催要領を決め、各道府県連へ通知した。前期推進会議が現役リーダーを対象としているのに対し、この後期推進会議は主に次期リーダーを対象に4Hクラブの本質や理念、リーダーのあり方、プロジェクトの進め方などを中心に実践的学習を行なうものである。とくに今回は行事計画のくみ方やレクリエーションの意義と進め方なども課題に取り入れられており、総合的な学習となるもよう。また、講演もクラブ活動から農業問題まで多く予定されている。激動する日本農業のなかで、4Hクラブ活動もひとつの転機を迎えたといわれる今日、この後期中央推進会議もなんらかの意味で4H活動に新しい一ページを開くことが期待される。なお、共催は社団法人日本4H協会（会長　宮城孝治氏）。

ここ数年来、クラブ員が減少してゆくという傾向があることは残念だが否定できない。しかし、その反面、減少を上回るほどではないだろうが、あっちこっちで新しいクラブが誕生し、着実にその第一歩を踏み出していることも事実である。また、何年も、いや何十年も堅固に歩んできているクラブも全国にはたくさんある。

今会議では、減少の歯止めと新しいクラブ発足の促進と古くからあるクラブのより以上の発展をねらいとして、「4Hクラブ活動について」「4Hの本質とクラブ活動」「プロジェクト活動の意義とその進め方」と題する講演・講義を予定している。また、クラブ活動、行事、レクリエーションなどについての分科会や研修など総合的、実践的な学習を数多く盛り込んでいる。

また、わが国の農業は、現在、米作の減反問題をはじめとし、貿易の自由化、新都市計画法の実施、主産地形成、流通機構の改善など大きな転換期を迎えている。自立農業をめざす4Hクラブ員にとっても、それらは大問題である。このような現状を反映させて、今推進会議では、大転換期を乗り切るのに必要な知識や判断力を養うために農業問題についての講演も予定している。

そのほか、最近とかくその活動のあり方が議論を集めている女子クラブ員の活動の現状とこんごの課題についても研修がもたれる。

それと平行して日本4H新聞連絡報道員研修も行なわれる。

当会議は、次期リーダーによる「組織の再強化」がメインテーマであるが、そのために、4Hクラブそのものの根源を深く理解し、リーダーとしての資質を養うのを目的としている。先輩クラブ員の残した教訓を生かしながら、4Hの原点から現在の組織を考え、まったく新しい芽ばえがあることを主催者である全国4Hクラブ連絡協議会（全協）では期待している。また、全協では"全国4Hクラブ連絡協議会について"と題して全協のあり方、活動方針などを参加者全員に説明し、全協をともに考える場を設けている。

推進会議の真の成果は会議の席上にあるのではない。参加者各々がそこで得たことを地域に持ち帰り、実践に生かすところにこの会議の意義というものが見いだせよう。これまでの会議では、リーダーのみの研修で終ったと思える個所も少なくなかった。参加者も会議に望む前からその用意が必要。

なお、参加者は、各道府県とも①県連会長②県連役員と次期リーダー男女各三名③日本4H新聞連絡報道員④海外派遣クラブ員など計百五十名程度を予定している。

日程は別記のとおり。

会議日程

第1日（8日）	
11：00	入所　参加者受付け
13：20	オリエンテーション　開会式
14：20	講義「4Hクラブ活動について」
18：30	全協活動について
第2日（9日）	
9：00	講義「4Hの本質とクラブ活動」
13：20	分科会「活動の現状と問題点」
18：30	海外派遣クラブ員報告
19：40	ブロック会議
第3日（10日）	
9：00	講義「プロジェクト活動の意義とその進め方」
13：20	①4H新聞連絡報道員研修 ②女子クラブ員の活動について ③行事計画のくみ方、進め方
18：30	〃
第4日（11日）	
9：00	①4H新聞報道員研修 ②組織とリーダー
13：20	レクリエーションの意義と進め方
18：30	キャンドルサービス
第5日（12日）	
9：00	講演「農業問題について」
11：10	反省会　閉会式
その他（毎日）	
6：00	起床　朝のつどい　朝食
12：00	昼食
16：40	夕べのつどい　夕食　入浴
20：10	フリータイム　就寝

交歓訪問も行なう

長崎の「集い」　レクで知事杯かけて激突

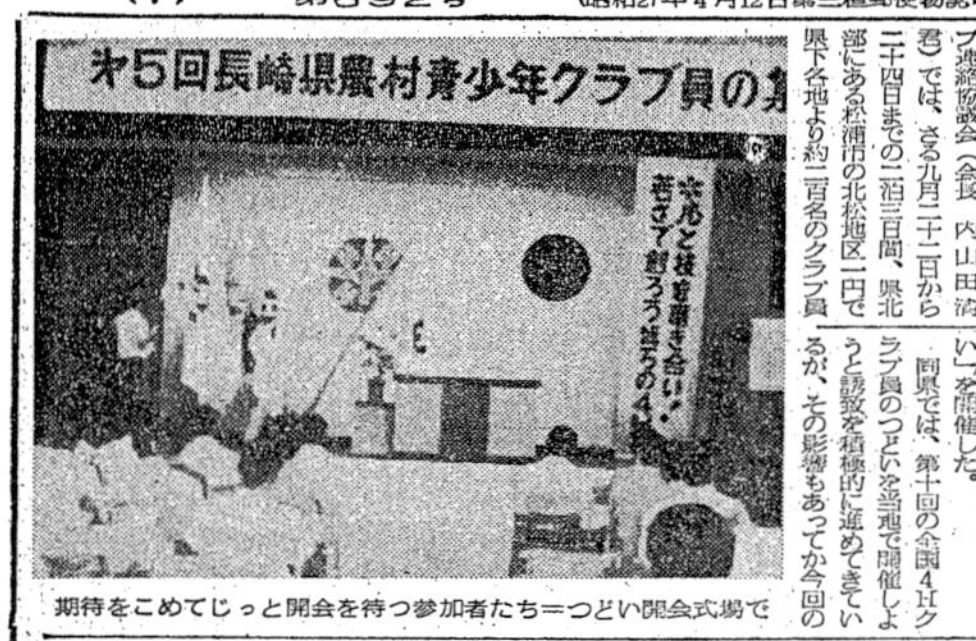

期待をこめてじっと開会を待つ参加者たち＝つどい開会式場で

【長崎】長崎県農村青少年クラブ連絡協議会（会長　内山田清君）では、さる九月二十二日から二十四日までの二泊三日間、県北部にある松浦市の北松地区一円で県下各地より約二百名のクラブ員を集めて「第五回県クラブ員の集い」を開催した。

同県では、第十回の全国4Hクラブ員のつどいを当地で開催しようと誘致を積極的に進めてきているが、その影響もあってか今回の集いは例年にない盛りあがりをみせた。運営委員も参加者もぜひ長崎で全国のつどいをやりたいと頬を赤らめ、その意欲をのぞかせていた。

第一日目は午後一時まで受付をやり、全員集合したところで開会式に移った。

式のあと、同県平戸市出身で、現在は愛知県の渥美半島において観葉植物を主体とした経営を行なっているという白谷清氏の講演があった。新しい土地に新しい農業を求めて歩んでいる大先輩の話に参加者一同、感激して聞き入っていた。

午後六時頃から参加者は各地に分散して、一クラブ員宅に平均二名ぐらいずつの割で民宿に出発した。その夜は、当地の農業の特殊性や郷土の話題などを語りながら、お互いに情報交換し親睦を深め合った。

第二日目の午前中は前日にひき続き現地交歓訪問。クラブ員たちは受け入れ先で実際に農作業をして、当地の農業を肌で学びとっていた。この現地交歓訪問で、それぞれのクラブ員たちはすっかりうちとけ、集いはなごやかなムードでいっぱい。

当初この日の午後は、西海国立公園の一角にある冷水岳に全員集合してレクリエーションが行なわれる予定だったが、あいにくの雨でそれは中止。かわりに屋内でレクリエーションが行なわれた。クラブ員たちは額に滝のような汗をかきながら、知事杯をかけて十の地区連単位に激突。どの地区連も知事杯はほかの地区には絶対に渡さないとばかりに歌い踊り笑いまくった。大激戦の末、過去二年連続して栄冠に輝いている本命の島原地区連が知事杯を手にした。会場はわれんばかりの拍手とヤジ。

そのあと参加者は七つの分科会に分かれて「あなたにとって4Hクラブ活動とは何か」というテーマのもとに一時間三十分にわたり意見交換しお互いに研修した。

夜にはいって、前日の各民泊先のクラブ員の父兄のみなさんにも参加してもらい「地域から理解される4Hクラブ活動」とか「家族ぐるみの4Hクラブ活動はどうあるべきか」などについて親と子の立場からそれぞれお互いに意見を述べあった。父兄の方々も「できるだけ4Hクラブ活動に協力したい」といったような意向を出す人が多く、クラブ員もホッとした表情。しかし、反面、クラブ員が反省すべき点もいくつか指摘されるなど、まことに有意義な夜であった。

最終日は午前十時からNHKの「青年の主張」の予選をかねて、クラブ員たちは十二時まで弁論を競い合った。選考の結果、二名の優秀者が選ばれた。

午後からは二泊三日間にわたったつどいの反省と成果を全体で再確認し、明日からのクラブ活動のより以上の発展を誓い合って解散した。（県連事務局長　長谷川清美君発）

"人作り活動"で一致

福岡県連　単位ク会長会議と女子研

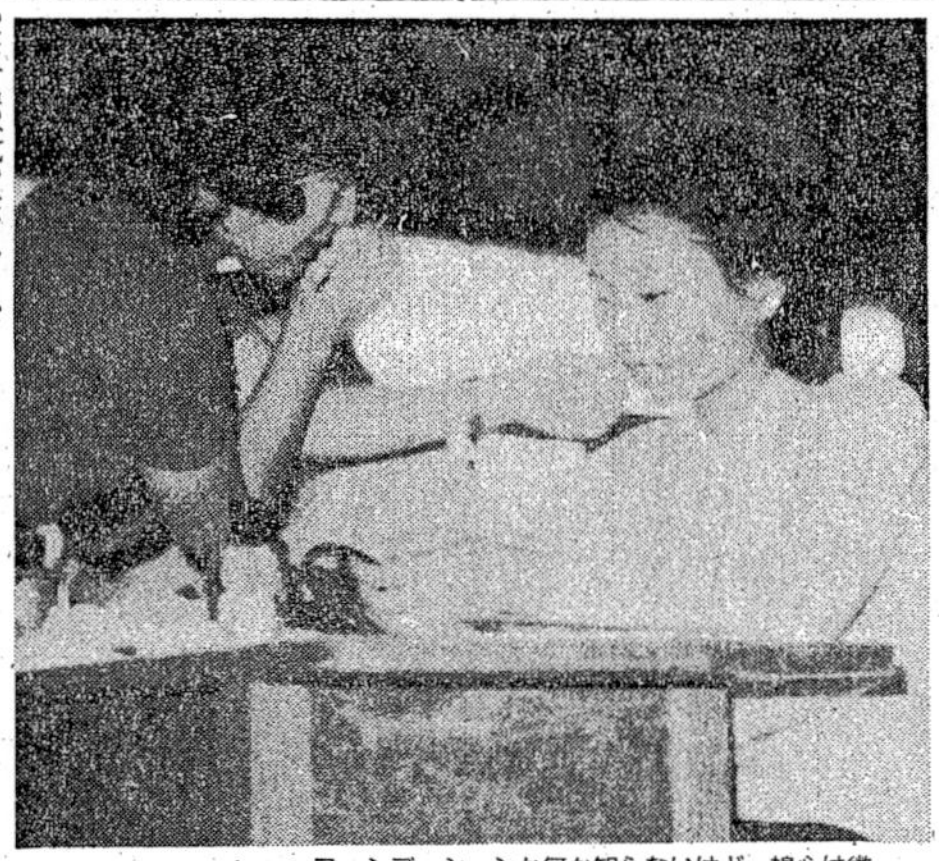
真剣な表情　ファンデーションか何か知らないけど、娘心は微妙なものですネ＝美容講習

【福岡】美容講習によってアイラインもあざやかにすっかり美しくなった女子クラブ員から手づくりの食事をさし出されたから単位クラブの会長さんはたまらない。「共同で新婚生活をしているみたい」という声までは聞かれなかったが「いつの研修でも美容講習を最初にやってホシーイ！」と、男子クラブ員はのどをゴクリとやりながらいっていたとか……。

さる九月十八、十九の両日、緑に囲まれた浮羽郡平原野営訓練所で福岡県農村青少年連絡協議会（会長　古沢竜男君）が開催した女子クラブ員研修と今年度二回目の単位クラブ会長会議はそんなホットなふん囲気の反面、クラブ活動の低迷を打破しようと真剣な討議もくり広げられた。

四十五のクラブから五十五名が参加して開かれた単位クラブ会長会議は、分散会を中心にして各クラブにおける問題点の検討とこんごのクラブ活動のあり方をめぐって討議が進められた。

各クラブに共通する問題点として①クラブ員の減少②4H本来の姿が失われてきた③活動のマンネリ化④クラブ員の意識の低下などがあげられた。

その結果、各クラブのリーダ養成と学習の徹底化をはかること、他クラブと積極的に交換会を行ない、情報交換を通してお互いの連携を保ちながら共通する活動を行なうことなどが確認された。そして、それらの活動の軸になるものとして"人づくり活動"の必要性がいわれた。

4H会館建設問題については、中野県協副会長から募金の現況と建設の意義の説明があった。クラブ員からは、「自主性を期待していてはいつまでも目標に達しないのではないか。もっと積極的に取り組むべきだ」「末端クラブ員まで会館建設についての意義などを説明してほしい」という活発な声が聞かれた。

女子クラブ員研修は美容講習のほかに、「女子活動の現状とあり方」と題して生活改良普及員の渡辺さんの講演があり、クラブ活動をする場合の課題の取り上げ方についての有意義な話を聞いた。

また、二日目には「女子活動を活発にするには」と題して、レポート集作成、作文に始まり、ガリ切りや印刷まで、か弱く美しい手をまっ黒にさせながら各自ひと通りの作業を行なった。午後からは地元婦人会との交換会をもち、実りある研修に花をそえた。（板倉さち子広報委員発）

女子はヘンシーン！

化粧品店から特別出張した講師さんの指導を受けて、女子クラブ員があざやかにヘンシーン。マッサージからメーキャップの仕方までひととおりの美容技術を教わり刻一刻と美しくなっていく鏡の中の自分の顔にしばしうっとり。

三十五名が参加して行なわれた女子クラブ員研修会の第一日目は美容講習。まず洗顔の仕方から手ほどきを受け、乳液での下塗り、ほお紅へと移る。うっすらとピンク色に染ったほおにうなずきながらアイシャドウ、アイラインで目もとをクッキリと浮き立たせ、仕上げの口紅でみごとにヘンシーン。"ディスカバージャパン"じゃないけれど、「美しい私」を改めて発見した女子クラブ員の顔はまんざらでもないようす。だが、「農作業に精をだしているときの女子クラブ員の美にまさる美はなし」と、男子クラブ員はいっていたが……。

八女西部地区では推進会議

同じ福岡の八女西部地区4Hクラブ連絡協議会（会長　中村光雄君）では、九月二九、三十、十月一日の二泊三日にわたり、英彦山青年の家で第三回推進会議を開催した。

この会議は4Hクラブ活動の一層の推進をねらいとし、4Hクラブの本質、理念、リーダーのあり方などについて研修を行ないその実践的学習を修得するために同地区が毎年開催しているもの。

同地区七クラブの現役および次期リーダーなど約五十名が参加しこれからの4H活動のすすめ方などで激論をかわした。また、元全協副会長の坂井邦夫氏の「4Hの本質について」と題する講演もなかなか好評であった。ほかの「レクリエーションの指導の仕方について」「リーダーのあり方について」という講演もクラブ員たちをしきりに考えさせていた。

そのあと八班の分科会に分かれて、各々研究討議した。夜はキャンドルの集い、自由交歓などが行なわれ、有意義で楽しい盛りだくさんの推進会議であった。（中島次平連絡報道員発）

若者らしさを生かせ

クラブとリーダー〈7〉

ある視点　原田　正夫

ある場所で、私がふと口ずさんだ「若ものたち」の歌が、ものの数分間で三百人の大合唱になった。その時、その場から私はクラブの中にどっぷりと身を浸し始めた。

そしてまたある時、どしゃぶりの雨の中でずぶぬれになって混雑する会場を整理する一人のリーダーをみた。ジッとみていた。何が彼をあんなに一生懸命にさせるんだろうか。私はクラブの中に私の知らない何かがまだまだあるらしいことを感じた。そして、その時から、どしゃぶりの雨の中にいた彼の姿を忘れることなく"何か"を求めて今日まで歩み続けてきた。

若い日の発想、やる気、自信なんてものは全く突然、そして実にささいなことから生じるものらしい。クラブに入る。クラブに夢中になる。これらのことにそれほど大げさな理屈はないように思う。感ずるところあって……というくらいのことが動機であり、カンフル剤となっているんじゃないかと思う。しかしながら入ってから去るまで、数年間そういう状態でいることはどう考えても良くない。やはり自分たちの活動を自分たちで考え出してゆくという激しい道を避けるわけにはいかないと思う。

クラブの活動を通して、クラブとは何か。クラブとは何をなすべきところなのか。その中で自分は一体なにをしなければならないかと、時には自分に問いかけてみる。時にはクラブ員とともに、絶えず問いかえしてみる。クラブの活動はプロジェクト活動が基本であり、自分たちの活動をどうするかということ自体、クラブ員が一致協力してとり組むプロジェクトの課題であるはずだ。

リーダーはもとより活動する人びとにとって、クラブとは…を自分で考え、仲間とともに問いかけてゆく中で、自分だけの利益におぼれることなく、自分と仲間の質的向上を意図することの大切さを知るはずだ。そしてまた、自分たちの課題解決にたちふさがるカベの何たるかを知る。そのカベは自分たち自身の心の中にあることも少なくはない。地域や国の政治経済のあり方であることもあろう。それらを一つひとつうちやぶる実践活動を考えていかねばならない。自分たちでだ……。

先に世の中五十、六十のオジさんたちにまかせっきりにしてゆくわけにはゆかぬということを書いた。また、何でも自分たちでやらねば自主性がそこなわれるということは完全に正しいとはいえないとも書いた。自分たちの活動を考えるというプロジェクトについてこの二点との関連性からながめてみたい。これはいいかえれば指導助言者に何を求めるかということにもなろうが……。

若者にはおとなにない若さと赤ん坊ほどではないにしても、まだまだ純粋さが残っている。失敗を恐れず、つきすすむファイトがある。その他若者ゆえに持つ特性がある。反面、おとなには若者にない経験と、それによって悟り得た分別があろう。私は本当の大仕事というものは、こうした長短相反するような二つの世代が調和してこそ成るものと思っている。親と子、先生と生徒、指導者とクラブ員……。おとなに考えてもらいたい。自分たちの発言、行動が若者にどれほどの影響を与えているかということを。そして、若者の課題解決への尊い歩みを助けこそすれ強いて断つようなことのないようにと……。

仲間たちに考えてもらいたい。おとなのいうことにあわせるために自分たちの考えた最善と思える行動をも、おとなのそれに合わせることはない。ベッドにあわせて足を切る。足にあわせてベッドを作る。君たちはどっちだろう。（全国4Hクラブ連絡協議会副会長・大阪）

クラブ綱領

私達は、実践を通じて自らを磨くとともに、互いに力をあわせて、よりよい農村、よりよい日本を創るため、四つの信条をかかげます。一、私達は農業の改良と生活の改善に役立つ腕をみがきます。一、私達は科学的に物を考えることのできる頭の訓練をします。一、私達は誠実で友情に富む心をつちかいます。一、私達は楽しく暮らし元気で働くための健康を増進します。

涼風暖風　機能的な、そしてかっこよい作業着

"作業者は、ふだん着の古いものでよいのだ。どうせ汚れるのだから、何を着てもかまわないではないか""暑い日の農薬の散布時などに、作業着などを着ていたのでは仕事にならない。ふだんのままでも大したことはないよ""やれ防除衣だ、マスクだ……と、消毒などやれたものではない""ビニールハウス内の仕事は暑くて……着物など着ちゃいられない"——といった話はしばしば耳にすることである。

この話の内容は、作業着のことだけでなくいろいろの問題を含んでいる。しかし、衣服は第二の皮膚といわれる。各々の作業環境に見合った作業着や補助衣などによって、身体の安全と健康を守り、そして能率高く働けることが大切ではないだろうか。このような視点から、これまで機能的な作業着の工夫や研究が積み上げられてきているのであろう。

"まだこんな話が……"と気にしていた数日後のことである。手にした週刊誌の中に"彼の作業服は背広上下が買える値段です。でも、けっして高いとは思いません。安全第一ですよ""同じ作業着でも、彼のは上司の一三・五倍も高価です""彼は安全を確保するためですから当然ですね"という安全管理者談の活字が目にうつった。

企業体では、作業の安全管理者がいて、働く人々の環境と作業条件を考えて作業着を検討しており、それがこのような表現となってでてくることを改めて知ったのだった。そして一方では、さきの農家の人々の言葉を思い出した。

一般の企業体では、管理者と働く人がそれぞれ別の人であるが、家族労働の農業の場合はこれが同一人であり、同家族の人々である。したがって、作業環境に見合った作業着、健康管理、安全な装備については経営のことと同時に農家の人々自身が考え判断し、実行しなければならないことである。同一の人が考えるのだから、かえってやりやすいといえばそれまでのことであるが、立場をかえて考えることがなかなか簡単にうまくはいかないところに苦労があるのであろう。

しかし、近代的農業に見合った作業着は機能的で働きやすく、危険な仕事からは体を守り、健康維持のできる、そして快適でかっこうのよいものでなければならない。経営の変化とともに、多くの作業着が創り出されてきているが、若い人々が魅力をもつところのものにもう一工夫がいるのではないか。他の企業に負けない農業であるためにも……。（T）

きみの理想の異性像は

【和歌山】"理想の男性の未来像は？"——那賀[illegible]クラブと県各種専修学校那賀[illegible]友情交換会の分科会で行な[illegible]気になるアンケート調査。那賀農業改良普及所の[illegible]によると、現代の青年男女の[illegible]考え方は案外しっかりして[illegible]女とも家庭的な異性にあ[illegible]いるという。女性からみ[illegible]男性像は①仕事に自信を[illegible]る人②将来の計画をし[illegible]っている人③「俺にだま[illegible]てこい」というような[illegible]人④同じ立場で話をし[illegible]人——となっている。

また、男性からみた理[illegible]像は①よく気のつく優し[illegible]庭の"和"を考えてくれ[illegible]しゃれで個性美のある人[illegible]のよい健康で明るい人——である。

心頭技健

キンキラ[illegible]ネオン、[illegible]まき散らす[illegible]間の心を[illegible]る現代文明[illegible]さいおこと[illegible]文明の毒牙にかからない[illegible]な共同生活の中で、改め[illegible]の意味、文明の意味を[illegible]たちに考えてもらおうと[illegible]のセガレやカミさんたち[illegible]ーフェースの民宿づくり[illegible]しているという。名づけ[illegible]始の村"▼ところは日本[illegible]波に岩壁をさらして浮か[illegible]ケ島。金山の洞穴に刻ま[illegible]人の悲話やオケサ、天然[illegible]のトキでよく知られてい[illegible]ある。その佐渡にも、近[illegible]観光資本の札束攻勢によ[illegible]買収の手が伸びてきた。[illegible]ーランド、ゴルフ場……[illegible]ままでは民話や美しい自[illegible]発の美名のもとになしく[illegible]に島から消え去るともか[illegible]い。"原始の村"は、[illegible]のことおれたちで島の自[illegible]かした観光施設をつく[illegible]農民たちが考え出した[illegible]衛策だという▼海に面[illegible]林の中に配置された丸[illegible]イカ釣り舟のほの暗い[illegible]それに、クツはワラジに[illegible]パイ貝の殻にかえなけ[illegible]ないというから極端な[illegible]底している。現代文明[illegible]は完全に"拒否"に会[illegible]ある▼民宿地としての[illegible]ストケースだからそれ[illegible]さに考えなくてもよいの[illegible]れない。事実、"原始の[illegible]一歩外に出れば電灯一[illegible]ばやっていけない文明の[illegible]ある▼しかし、日本列[illegible]盛んにうわさされ、工[illegible]よって公害という文明の[illegible]かく泣かされがちな農[illegible]に文明を拒否すること[illegible]郷土を守ろうとしたと[illegible]ィアは、手ごわい文明[illegible]事"一本"をとったよ[illegible]な気分にさせる。

「組織の価値をみつめよ」といういい方をしてきましたが、つぎにはみんなで「組織をよりよくする努力をしよう」ということです。私たちならさしずめ「4Hクラブをよりよくする努力をみんなで考え、作りあげてみよう」ということになるわけだが……。

だが、その前に、私たちの組織「4Hクラブ」とはどんな意味をもっているのか、どんな組織であるのかを考えてみたいものである。「いまさらそんなことを……」という連中もいるかもしれない。私もときおり講演なんかで質問することがあるが、意外に答えられない仲間がいることにいまさらながら驚かされることがある。まあ、答えるとしても、4つのHのいわれをいう程度なのである。

「まず、一つずつあげていくとHANDのHで日本語では手の意味です。つぎはHEADのHで頭の頭文字（あまりシャレを使うな！）、HEARTの心、もう一つは健康のHでHEALTHの頭文字です。これらの手、頭、心、健康の頭文字Hを四つ集めたもので、その4Hを目的として作ったグループを4Hクラブというのです」というのが

負けてたまるか 4H根性!!

赤松　宏▶3

教育の精神をもって
胸に再び4Hの本質を

連中のいい分。

HAND、HEAD、HEART、HEALTHがどういう意味なのか具体的に教えてくれる仲間が少ない。

HANDとは、イイ男をひっかけたり、いい女をひっかける"腕"のことをいうのだろうか。HEADとはヘアスタイルのカッコいいのをいうのだろうか。それであればすごくよいカツラをかぶればいいわけだ。HEARTの胸はカッコいいボインのことを、HEALTHはすばらしいプロポーションのことで、ボディビルなんか始めたらいいことになる。

まあ、こんなことは冗談として、私なりの分析をしてみよう。図をみていただきたい。一人の人間を分解してみると、これらの四つが意味するものは人間の本質であり、基本なのである。基本というのは、訓練することによってどうにでもなる、伸長するものの土台であることを意味している。

ここに四つのHの頭文字の発想があるように思われる。すなわち「一人の人間を完全なるものに成長させていく」という発想である。

具体的なクラブ活動について聞くと「私たちのクラブではプロジェクト（共同）ほ場をもって学習しています」「私のところではスポーツも取り入れています」「ぼくのところは技術競技大会と農産物品評会を行なっています」と答えてくれます。みんな真剣に、がんばっています。頭の下がる思いがするほどの努力です。そんなに努力しているのに、なぜこうした低迷の状態が続いているのだろうか。それだけやれば、ほかのものならたいていのものが伸びるか、成功に近い結果がでるというのに……。

努力しても努力しても、それは"成長"という言葉で返ってきただろうか。ある青年は「がんばってみた。努力してみた。でも先輩、おれの中に何が残った。このクラブの中で絶望的な組織の姿と自信喪失だけが…」と、何か月か前に私に手紙をくれた。これがいまの4Hクラブ組織における大方のリーダーの現実のようだ。

ある者は「おれは他人がどういおうとやるだけのことはやった。結果はどうであれ、おれは満足だ」という言葉を。また、あいつは「おれの仕事は終った」と……。どんな仕事を終えたのか私にはさっぱりわからないが、そう自分にいい聞かせて去っていった。

私にもそんなときがあった。机に向かって解決するまで本を読んだこともあった。何かわけのわからない詩を書き続けたこともあった。だが、最後の結論はいつも「負けてたまるか 4H根性!!」だった。そのあとで組織理論の展開を机の前でしたものだった。

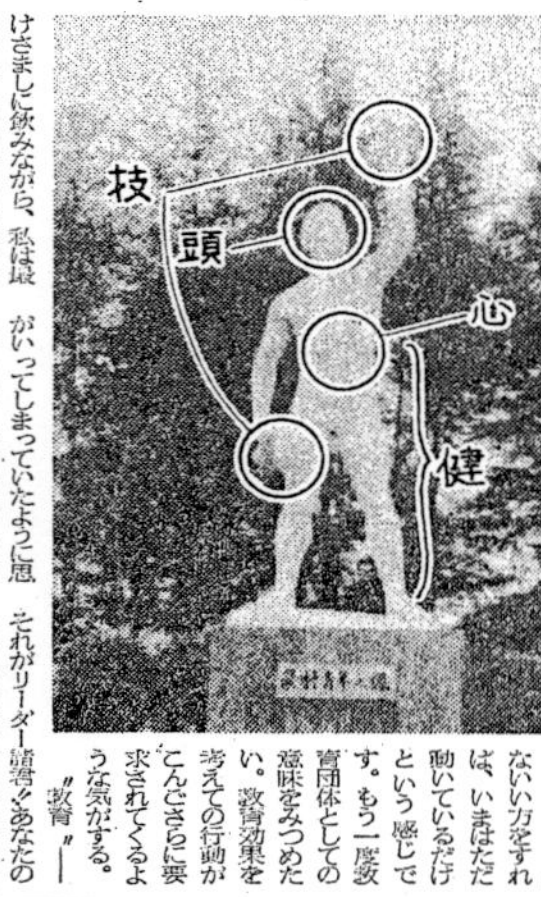

寒い一月の夜、石油ストーブだけの暖かさの中で、静岡の友から送っていただいたお茶を眠けさましに飲みながら、私は最初にあげた例の青年に手紙を書いたっけ。あの手紙、きっと取っていてくれているだろうなY君……。

「きみは"4H活動"を考えてきたのか、それとも"4H教育"を考えてきたのかどちらですか……」と書き始めていたよね。「きっと十人のうち十人までが"4H活動"と答えるだろう。そこにいままでの欠点があったように私には思える。"活動"を根本において考えるとしたら、きみもそうだと思うが、行事を成功させるのに全力をそそいできたのではなかっただろうか。『上手にやろう、上手にやろう』ということのみに全体がいってしまっていたように思う。もしそこで、失敗があったとしたらすごく大きなものになってくる。——一つひとつの行動に"教育"という言葉をあてはめてみたとき、きみは何か感じないでしょうか。きっときみなら感じたにちがいない。これ以上はつぎの機会にゆずりますが、きみの考えがまとまったら手紙をいただきたい」

八月の初め、私の机の上で、私の帰りを一か月半もの長い間（つどいのため常勤）待っていてくれた。内容は機会があったら紹介することにするが、Y君は元気に再起してがんばっているとのことである。

4Hクラブは社会教育団体です。でも、極端ないい方をすれば、いまはただ動いているだけという感じです。もう一度教育団体としての意味をみつめたい。教育効果を考えての行動がこんごさらに要求されてくるような気がする。

"教育"——それがリーダー諸君!!あなたの一番の課題です。行事の消化ではないということをもう一度考えなくては、脱出できないぞ。がんばっていこう。「負けてたまるか 4H根性!!」を発揮して。

（題字も筆者・北海道4Hクラブ連絡協議会前書記長）

"青年の連帯"で激論
高知の嶺北ブロック　青年団と共催で成功

雨にも風にも過疎化にも負けなかった立派な大会＝開会式で

【高知】"若き力、若い夢、生かそう伸ばそう嶺北に!!"をスローガンに、さる九月九、十の両日、大豊4Hクラブ、土佐地区4Hクラブ、嶺北青年団協議会では「第三回嶺北ブロック技術交換大会」を開催した。

五つの町村からなる嶺北地方は高知県中部山間地に位置しているが、この地方は以前から4Hクラブ、青年団の活動の活発なところ。

しかし、最近は嶺北にも過疎の波がおしよせ、都会へ出る若者が相次いだ。そのあおりをくって、クラブ活動もままならなくなった頃、クラブ員たちの間から「われわれは地域に帰れば、4Hクラブ員であると同時に青年団員だ。同じような大会を二度行なうよりも二つを一本にして盛大にしては」という声が多く聞かれるようになった。

そこで、その声をとりあげ、4Hクラブと青年団とが一致協力して大会をもったのが、この大会のはじまり。しかし、お互いに性格を異にする団体がひとつの行事を行なうにあたっては問題が続出した。「同じ若者である」という気持で譲歩し合いながら、ここまできたというのが実情。

ところが幕をあけてみると、いままで五十名程度だった参加者がめずらしさもあってか一気に百五十名とはね上がり、主催者たちはうれしい悲鳴。それに自信をつけ、今回も青年団と協力して第三回目の大会をもったもの。

今大会では、不運にも連日集中豪雨に見舞われたので参加者の出足はやや低調だったが、それでも百二十名が参加し、会員の自覚で盛り上がった大会となった。

第一日目は技術競技で知恵をしぼり、そのあと分散会がもたれ、「地域社会における連体意識について」をテーマに参加者は激論を交わした。なかでも日頃の問題や今後の農村社会のあり方についてなどが討論の的になっていた。

夜は楽しきキャンドルファイヤー。歌よし、踊りよし、仲間よしでキャンドルの炎はより一層赤々と若者たちの顔に映えた。

翌日はガラリと趣向を変えて、各班対抗の体育大会が行なわれ、全員ですがすがしい汗を流した。それから高知県青年の船団員報告会などを行ない、お互いに交歓した。同じ農村に生きる若者として連帯意識の重要性を再確認するとともに、明日の地域発展を約して大会を終了した。（高知県農村青少年クラブ連絡協議会　広報部発）

農協運動の担い手
中央協同組合学園　来年度本科生を募る

全国農業協同組合中央会では、昭和四十八年度の中央協同組合学園の本科生を募集している。同学園は将来の農協運動の中核としてすぐれた判断力と組織的な行動力をそなえた人間性豊かな人材を養成することを教育目標として設立されたもので来年度は第五期生にあたる。

募集要領は次のとおり

▽受験資格　二十二歳未満で、高等学校卒業またはそれと同程度の学力を有するもの（男女は問わない）

▽就学年限　三年間

▽募集人員　本科生五十名

▽願書受付　一月二十日（土）～二月十日（土）まで

▽願書提出先　都道府県農協中央会長あて、入学検定料二千円を添付して提出

▽問合せ　入学案内（郵送料百円）など詳細は学園または農協、都道府県中央会に問い合せのこと

▽学園住所　東京都町田市相原町四七七一（〒一九四―〇二）電話　〇四二七（八二）三〇六一～六

新しい農村づくりに燃える若者たち
福島で三春と大信の交換会

【福島】さる九月十六日、大信村と三春町の若い農業者の意見交換会が両町村農業委員会主催で大信村の農協ホールにおいて開かれた。この交換会には女性もまじえ4Hクラブ員を中心とした三春町の十四人の若者と大信村の若者十九人が出席し、新し農村づくりをテーマに討論した。

やったぜ！香川県連
会館募金の目標額達成

【香川】日本4H会館の建設募金活動を強力に展開していた香川県農村青少年クラブ連絡協議会（会長　大山国賢君）では、このほどその努力がみのり、県下六地区連すべてが目標額を達成した。

同県連では、今年の四月二十五日に開かれた総会の席に全国4Hクラブ連絡協議会の原田正実副会長を招き、会館建設の主旨や全協方針など説明をしてもらった。それについて十分な討議を重ねたうえで県連の活動として募金を実施することに決定し、4H会館建設募金実行委員会（委員長　大山県連会長）を設けた。

その後、地区連、単位クラブやOBなど多くの人に4H会館建設募金の主旨を理解してもらうため下旬には県下の地区連のトップを会長会議を開き、強力な募金活動を進めてきた。その結果、六月切って三豊地区が全額を達成、それを追うようにほかの地区連もつぎつぎと続き、ついに九月下旬、県下六地区すべてが目標額に達成した。

県連では、役員会を開いて、仲間の努力と誠意の結晶ともいうべき集まったお金をいつ全協へ送るか討議する予定である。（白川知徳連絡報道員発）

ハッスル女子クラブ員
埼玉で女子研　長瀞で黄色い声にわく

【埼玉】去る九月二十八、二十九の両日、景観を誇る荒川上流の長瀞周辺にホットな女性の声が高くこだました。「女子にしかできない活動を……」「現在の女子クラブ活動は消極的すぎるわ」——埼玉県農業研究団体連合会4H部（部長　鈴木松蔵君）では、県下の女子クラブ員約七十余名を集めて、県立長瀞の家で一泊二日の女子生活研究会を開いた。

最近、女子クラブ員の減少で悩んでいるという声をよく聞くが、同県でも事情は同じ。そこで、そうした女子クラブ員の減少にともない、活動意欲が阻害され活動もやや停滞気味になってきている現状を打解し、女子クラブ員の資質の向上を図り、クラブ活動への認識を深め合うことを目的にこの研修会は開かれたもので、今年で二回目。

第一日目は午後一時から「女性の役割について」と題して藤枝文子戸板女子大助教授からユニークな講演があった。女史がアンケートなどをして集めた資料を使って家庭の役割について話された。なかでも主婦の役割というところでは参加者もメモをとったりして真剣な表情。子供のしつけ方、料理の作り方などにも科学的な目の必要性を強調し、また、行動するときは奉仕の精神でと語り、会場から拍手の嵐を受けた。

このあと五つの分科会にわかれ現在、主婦として活躍している先輩をまじえて「家庭内の人間関係をよくするためには」というテーマで話し合いがなされた。激しい意見の交換のあと「こうすればよいとわかっていながらできないのが人間関係のむずかしいところ、でも努力しましょう」ということで落着。近い将来参加者も先輩と同じ立場に立つとあって「先輩の言葉には迫力がありますね」と複雑な表情で話に聞き入っていた。

第二日目は八時半から「土と愛」という映画を鑑賞し、そのあと分科会。

五つの分科会では、「クラブ活動と家庭を両立させるためには」「女子クラブ員の活動の目標はどんなところに求めるべきか」「クラブにおける男女の協力はいかにあるべきか」「クラブ活動は私たちにとってどんなプラスになるだろうか」「女子クラブ員をふやすためにはどうしたらよいか」というテーマでそれぞれ討議研究した。途中、バナナとぶどうの差し入れもありモグモグしながらの楽しい意見交換となった。

昼食後、一時から服部運営委員長の司会で全体討議に入った。農村のよいところを生かそう、身近かな問題からプロジェクトを始めよう、地域や家庭で理解してもらえるような活動をしようなど分科会で話し合われたことが報告された。そのような問題提起に対し、自分の地区連では、単位クラブではこうして行なっているという実例をあげた意見が数多く出され、全体討議はもりあがった。

午後四時から閉会式に移り、鈴木4H部長が「ここで得たことを地区連や単位クラブへ持ち帰って生かしてほしい」と参加者に呼びかけ、一泊二日、黄色い声でわいた「女子研」は幕を閉じた。（江守孝子連絡報道員発）

クラブ往来
いい"嫁っ子"になるの！

わたしたちのクラブ『たんぽぽ会』は、ことしで三年目というまだ若いクラブです。現在、会員が七名と、ちょっと寂しい感じもしますが……。

わたしたちの一番の目標はすばらしい"嫁っ子"になること。その第一歩として"村の人と会ったら必ずどこでもあいさつをしましょう"ということから始めました。でも、実際やってみてやさしいようで恥しいようでてれくさいようで、なかなかできないものですね。

集会のときにみんなで話し合うのです。「どうだった」「てれくさくて下を向いてしまった」「度胸を出していってみたら言えるようになった」——そしてみんなではげましあうのです。

友情愛とでもいいましょうか。おかしなもので、そうこうするうちにみんなが"言ってみよう"という気をおこすのですね。つぎの集会日には「あたし言えたわ！」と大声をあげて、まるで子供の運動会にでもきてるようなそぶりで、その自信ありげな顔ったら……。クラブの輪がもう一回り大きくなったような気がしました。

あいさつがだいぶできたころ、こんどは"わたし""あなた"という言葉をもっと使おうということになりました。わたしたちの村ではほとんど"わたし""あなた"という言葉が使われていないのです。この言葉使いはまだ完全とはいえないけど、それでもみんな気をつけて実行中。

そのうち、わたしたちはこうした教育的なことだけを身につけていてはいけないような気がしてきたのです。『たんぽぽ会』としても何か村に残ることをしなきゃいけないということになり、現在農婦症のことを学んでいます。一年計画で、まだ半分ほどしか手がけていませんが、みんなこの学習に自分の青春をかけてがんばっています。

『たんぽぽ会』は大きな事業はまだ何もやっていませんが、でも"どんなに小さなことでもわたしたちの知らない何かがきっと待っている"ということを知りました。その小さなことの一つひとつに精一杯ぶつかり、いつか大きな輪を作りたいと、みんなでがんばっているのです。（青森県弘前市・たんぽぽ会　三上はつみ）

「農業に明日はあるか」つどい記念講演 >2<

恐しい農地の汚染

地価の高騰　規模拡大を困難に

経済評論家　伊東光晴

日本農業の将来を考える場合の第二の問題は"地価の高騰"だろうと私は思います。現在、地価はどんどん上がってきています。土地の価格というものがどのようにして決まるかといえば、いろいろな用途の中から一番有利な使い方にした場合のその土地の値段に従って現実の値段が決まるのです。

たとえば、ある地方に開発が行なわれたとします。道路ができます。その場合、道路の脇にモーテルとかレストランとかを建てた場合を想定して、現実にはモーテルも何も作ってないところの土地の値段が決まってしまうのです。しかもそれは、将来何に使うか、その将来の可能性をも考えて一番有利な方法で決まってしまうのです。

まず大都市の近郊からそれは始まっております。そして、もし「新全総」から「日本列島改造」という形で日本の各地が虫クイ的な開発状態におかれたならば、実際にそれだけの土地を必要としないにもかかわらず日本の農地は呼び値として地価の上昇をみ、その地価の上昇によって農業規模を拡大することは経済的にとうていひき合わなくなってくるのではないでしょうか。

けさの新聞に、農協中央会の意見として「日本列島改造」が日本農業に与える大きな打撃を警告していました。それには十分な理由があるのです。私は"虫クイ"を止める力というものがいまの日本に果してあるだろうか非常に心配です。日本は少なくとも私が物心ついてから今日まで、経済政策、政治において事前にわかっていても途中で止めることが一度もありませんでした。戦争もそうです。私たちの師はみんな「ダメだ、ダメだ」といっていましたが、結局は行き着くところまで行かなければ戦争は終りませんでした。公害もそうです。行き着くところまで行かなければ日本は逆には動かないのです。

この地価の問題も行き着くところまでいってしまうでしょう。しかし、その結果得るところのマイナスは非常に大きなものがあります。近代的農業が日本に根をおろすに不可能な状態になる、その可能性も濃厚なのです。

加えて三番目に非常に大きな問題があります。それは農地の汚染です。戦後支配していた「農業近代化論」というものは農業にできるだけ効率を求めるという形で進みました。それはそれなりのよさと理由とをもっています。しかしながら、その効率追求というものは、たくさんの肥料をまき、たくさんの農薬をまき、除草剤をまき、人手をはぶき——という形で進行してきたのはご存じの通りです。

この農薬や除草剤や肥料の中に、有害な重金属が入っていることは今日までに明らかになっております。昭和四十四年に禁止されましたが、二十八年から四十四年までまかれた人工肥料の中にフェニール酢酸水銀性農薬が入っていました。この量は年間四百トン、総計六千八百トン。フェニール酢酸水銀は土の中で分解して無機水銀になります。この無機水銀は煮ても焼いてもどうしようもなく、土壌の中に蓄積されますが、さらに人間の体内に入って有機水銀になり、あの水俣病と同じ原因をつくりだすのです。

「無機水銀は有害ではない」といわれ続けていました。しかし、今日の研究では、無機水銀が体内に入り、三十七度Cのまっ暗な状態でビタミン12と結合すると二時間のうちに八〇％が有機水銀に化すということが明らかになりました。しかもこれは、いつまでも畑の中にあり、徐々に徐々に体の中に入ってくるのです。

男と女と、どちらが多く体内に体積されるかといえば、理屈としては脂肪の多い女の人に体積されそうなのですが、そうはならないのです。女の人の方が少ないという研究がかなり前に行なわれました。何故なら、乳と胎児の中に累積された水銀は母親の体内からスポッとぬけ出てしまうからです。そして、より濃縮された形において次の世代の中にもち込まれるのです。

先日発表されたわが国の土壌の汚染度を海外のそれとくらべますと、ヨーロッパの畑と比較したわが国の水田の各種農薬蓄積量は、たとえばスウェーデンの四～五ppbに対してわが国はじつに七百三十ppbです。オランダは九ppb、イギリス、フランス、ドイツは六ppb。わが国の農地に蓄積された有害物質の量は、ヨーロッパ諸国のじつに百倍にあたります。

こうしたことが日本農業の将来に与える影響は、徐々にではありますが恐るべき問題をひき起こしているのではないでしょうか。東京大学の平木教授はつぎのように警告を発しております。「日本の農業に将来はない。土壌汚染をみるだけで明らかなように、効率中心の従来の行政は、日本の農業を締め上げている。いつのときか、国民保全の名目のもとに日本農業は崩壊するのではないだろうか。しかしながら、最大の悲観論は最大の楽観論に通ずる。いま、われわれがそれに気づくならば、この問題を転換することができるかもしれない。私自身は非常な悲観論であるけれども……」と。

経営プロジェクト

総合で一位"広島ミカン"

消費者へイメージ作戦

どこの県のミカンが一番か——という興味ある分析結果がある。これは、さきごろ朝日新聞大阪本社で行なった試食会における分析検討結果で、次のようになっている。

▽形・色つや　一位＝広島、二位＝和歌山

▽味　一位＝愛媛（七票）、二位＝広島（七票）

▽総合判定　一位＝広島（十一票）、二位＝大分（五票）

広島県のミカンが圧倒的な人気だが、広島のミカンといえば島しょ部で代表される。島のミカンといえば沖友のミカンといえよう。

この条件の地で栽培できるわれわれは同じミカン作りでも幸福である。これは喜ぶべきことであると同時に、大事に維持し、より向上に努める責任がある。味が良いからといって安心しきってはいけない。土地によって品種によって味のばらつきがある。

まず栽培に当って、この味のばらつきをなくす努力、研究が必要である。とりあえず、われわれの第一の仕事として、自分の園の中でも一番うまいミカンの採れる園を選び、その中でも条件の良い木を二、三本選び出す。そしてその木を特別管理、作業を行なう。二、三本の木であるから、ちょっと時間を有効に使うなら可能である。

そして、沖友でも有数の味と品質の良いミカンを作ろうではないか。ちょっと見てもわれわれが管理している園は、自慢のできるものは少ない。一つの園となると少ししんどいので、まず二、三本の木でもいい、特別管理をして、沖友で最高のミカンを作ろう。その木によって学んだ点を徐々に全園に広げよう。それがないからいくらわれわれが意見を述べても「若僧が！」と鼻の先であしらわれる結果となるのではないだろうか。

次に、沖友の人だけ「味は良い、うまい」といっても仕方がない。消費者の間から沖友のミカンは日本一うまいと一人でも多くの口から云わせるようにしなくてはならない。

つまり、消費者に対するPRの重要性である。昨今、農協サイドからもいくらか口にされ始めてきた。でも、まだまだよそでも同じようにやっているのである。

月並みな宣伝では人は振り返らない。確かに地味な宣伝も重要であるが、斬新的なユニークな宣伝が必要となってくる。この情報化時代において、各分野から選んだ人で構成する企画宣伝部を農協に設けることは意味があるのではないだろうか。

またわれわれも、前述の各人が特別管理した木から採収したミカンの中から、さらによりすぐれた品質、味ともに最高のミカンを別個にあつらえた十㌔入りぐらいの贈呈用ダンボールに入れて、消費者にアピールすることを考えよう。

つまり広島の大手のデパートと交渉し、このミカンに五千円の値をつけて置かせてもらう。特別管理した最高のミカンであるから五千円以下では売らないと消費者にうったえる。

売れる売れないの問題の前に五千円のミカンを飾ることによって沖友は高級ミカンの産地というイメージづけができる。

さいきん、消費者の間には、あまり安いと警戒し、高いと安心して買う奇妙な心理がある。生産者側から最高のミカンであるから五千円以下では売らないと値を決めるテストケースとして保存しておくと役に立つ。

（広島県・豊町オレンジ会沖友支部発行「鏡第七号」より）

瀬戸の小島へどうぞ

広島の沖友でも　みかんもぎ募集

広島・沖友農継連協　藤田治之

私たちの住む沖友は瀬戸内海のまん中にあって、どちらを向いてもミカン畑しか目に映らないといったようなところです。

私たちは毎年、十一月から始まるみかんの収穫にてんてこ舞いしております。そのたびごとに私たちは、県の内外の多くの人に応援・協力をしていただいております。

さて、近年、沖友でもクラブ活動が盛んになってきました。私たちも、みかんと取り組みながら産地批判や農業の未来図などといろいろ手を尽くして意見を言っているのですが、どうも若者は若者の扱いしかしてもらえないといったところが現状です。

そこで、全国の意気盛んな農業青年のみなさんにお願いがあります。沖友の農業、沖友の産地を建設的な目で批判していただきたいのです。そしてわがクラブの活動にカツを入れてほしいのです。

そんな願いをこめて、小田原農業改良クラブと同じ要領で「みかんもぎ交換実習生」の募集をいたします。

諸々の予定もございましょうが、私どもへの手助けをお願いします。そしてそれが、みなさん自身の精神的、肉体的練磨の一助となってほしいものです。青春時代のひととき、瀬戸の小島へ全国のみなさんがこられるのを首を長くして待っております。

なお、募集要領は次のとおりです。

一、受け入れはクラブ員の宅に限ります。

一、人員　各家庭二名くらい

一、男女を問いません

一、仕事　みかんもぎ（だれにでもできます）

一、日給　一日千五百円（雨天や休みの日には支給しません。男女とも同額）

一、持ち物　身のまわり品、作業衣

一、実習期間　十一月中旬から十二月中旬くらいまで

一、旅費　実働日数二十日以上で中国、四国、九州、関西地区は全額支給。その他の地域は片道支給

一、交歓会　歓迎会、名所見学、送別会の三回を予定

一、申し込み期限　十一月中旬ぐらいまで

一、連絡先　広島県豊田郡豊町沖友四六八　沖友農業後継者連絡協議会事務局　藤田治之宛

小田原農業改良クラブが募集している「みかんもぎ交換実習生」の連絡先は、神奈川県足柄上郡開成町吉田島二四八九の二　足柄農業改良普及所内　小田原農業改良クラブ事務局　小田原農業改良クラブ会長　遠藤国雄　電話＝〇四六五—八二—五一二一

結婚を考える ►27◄

主婦の朝

目のまわる二時間三十分

栃木県・花の和4Hクラブ　野中弘子

——朝五時十分、目がさめる。今日も雨が降っている。秋の長雨というけれど、ほんとうによく降る。

寝床でモジモジしているとミーコ（ねこ）の鳴き声がする。満一歳になったばかりの息子がクルリと起きあがり、両手で「ジョンジョン」をしてニコッと笑ったかと思うと、また横になって寝こむ。反対側では頭を四十五度に傾かせ、お口をちょっと開けて夫がゴウゴウと寝息をたてている。枕がチョコンとしている。

五時三十分、ガス釜にスイッチを入れて掃除にかかる。雨戸を開ける音でおじいちゃんがおきてくる。いつもはおじいちゃんの方が早起きなのだが。

六時、新聞配達のおじさんがくる。洗濯機を回す。この音が隣の部屋にいる義妹の目覚し時計となる。弁当を二人分作り終わって六時四十分。義妹が起きてくる。五十分に長女の義妹、五十五分か七時ころまでに二男義弟が起きる。夫は雨降りの日にはちょっとゆっくりなのである。

七時二十分～三十分、交代で食事をとっていると、いよいよわが家の主人公のお目覚め。数日前からヨチヨチ歩けるようになった。いまではつまづき、つまづき歩く。積木でちょっと遊び、そのあとみんなの部屋にいたずらをしに行く……。テレビの前にみんなが集まるとその間をグルグル回って遊んだりする。

八時、だれもいなくなって二人だけになる。一人にされるのがイヤなのか、わたしから離れようとしない。わたしが見えなくなるとガラス戸をたたき、大粒の涙を流しながらヒーヒー声を出して泣く。八時十五分、朝食のうどんをペロリと平らげる。それからテレビを見ながらミルク飲み……。

九時、昼寝の時間だ。だっこして「ブランコに乗る歌」を歌ってあげると、十～十五分くらいで寝てしまう。床に寝せつけると目をうっすらと開き、口をアグアグさせる。寝るときはいつも離したことがない肌がけをかけてやると安心して眠る。かわいい熊さんのアップリケがしてあるふとんだ。首にあたる部分をうまそうにチューチューすすったり、手でにぎにぎして眠るのである。

一時間後、電話のベルが鳴る。息子がピクッと起きあがる。この子は電話のベルとねこの鳴き声にはとても敏感なのである。疲れて寝ていないかぎり起きてしまう。

外はまだ雨……。実家に行くことにした。

——これがわが家のとある平凡な朝のできごと。子供のいる家庭ではどこも似たり寄ったりでしょう。

ほんとうに忙しい朝です。

不安な農業情勢だが

減反地を利用してナメコ栽培

山形県・さわらび会　土田秀子

激動する七〇年代、農業を営む者にとってもっとも不安で心配なことは経営規模の小さいことである。農地は一種の固定資産として手離したくないのが現状で、このままの状態ではおずおずと自滅への道を歩んでいかざるを得ない。

米は過剰で量よりも質の政策がとられ、小面積を経営するには難しい農業情勢になった。そして、個々の農家は増産から省力経営の近代営農へと移り変わらざるを得なくなった。農閑期を利用しての賃取り、出稼ぎはいまでは当然のことで、やめるのが無理な状態になってきている。出稼ぎにかわる仕事もないし、かといって離農へ思いきってふみきれないのが現実である。

わたしの家ではいままでの米中心から、減反地を利用してのナメコ栽培をプラスアルファ部門として計画している。父は農外労務に出ており、将来の経営の道しるべも暗く不安は絶えないが、いまは農業経営ならびに農家生活に関する基礎知識、技術の修得に熱中している。

現在の農業情勢がいつまでも続くとは思われない。いままで積み上げてきた農民根性をいまこそ認識しなければならないと思う。複合経営の部門間の調整と農家生活との両立をはかるというわたしの課題達成のためにも……。

時道

『ひとりぼっちの青春』

イルミネーションやミラーボールが、まるで他人ごとのように頭上できらめいていた。酒と賭けに飢えた観客たちの罵声や喚声。そして、そのどよめきと踊りあわせにもう一つの世界がそこにあった。

十数組の男女が、瞳孔をうつろにさせ、疲れ果てて言葉もなく、ただただ足もとをかすかに動かせて踊っていた。賞金は最後まで残った一組にだけ与えられ、カップルのどちらかでもヒザをおとしたらそれまでのいっさいがムダになる。アヒルの競争でも見ているような観客のあざ笑うような視線に耐えて、彼らは何日も何日も踊り続けるのだった。

彼らに許されるのはほんのわずかな睡眠時間と踊りながらの食事だけだった。年老いたカップル、身ごもった妻をいたわる若い夫……。貧しい時代だった。彼らは生きるための本能にしがみついて自虐的なこの見せ物に参加したのだった。

だが彼らをもっとも震えあがらせたのは踊りを突然中断して強いられた"出走"だったろう。ムチ打たれた馬のように彼らは駆け出す。連れの手をしっかり押えながら必死に場内を回る。ビリになった組は脱落のうき目にあうのだ。転倒、悲鳴……。そして何日も何日も彼らはそれをくり返すのだった。徒労に終るかもしれないその道を、ただ引き返すにはもうあまりにも消耗し過ぎている自分を感じているとでもいうように……。

アメリカ映画『ひとりぼっちの青春』は何ともやるせない、胸を締めつける映画だった。ふと知り合った一組の男女を中心にストーリーが転回していくのだが、ジェーン・フォンダが扮する若い女が最後に連れの男に銃を渡し、自分を撃ってくれるようにと頼む。青年はうつろな目を彼女に投げかけ、ひき金を引く。その目は、彼らの過去や未来のいっさいがあの踊りと同じく無益で徒労のくり返しだといっているようだった。【宇】

経営拡大の方向

NHK農事番組（10月21～31日）

テレビ

明るい農村　6・30～6・55　総合

21日　開発新地図⑥「ある農業立村」～静岡県豊岡村

22日　開発シリーズの報告を終って

23日　村の記録「オレンジ自由化作戦」～愛媛県下、東京都内

24日　きょうの話題

25日　産物百科「羊肉」

26日　話題と人「すげ細工の里」岩崎良二（新潟県新井市）

27日　農村新地図「新潟県亀田町」

28日　村をむすぶ「名古屋、大阪、仙台、長野」

29日　明るい漁村

30日　村の記録「大型産地直結」～京都府洛北生協、鳥取県大山町ほか

31日　きょうの話題「二十分間読書運動」椋鳩十（鹿児島県図書館長）

農業教室　7・30～8・00　教育

23～25日「繁殖豚の多頭化と技術」佐藤安弘（神奈川県畜産試験場）

26～28日「もうかる肥育豚経営」中村誠（全国農業協同組合連合会）

30～1日「採算のとれる畑作」～西村正一（帯広畜産大教授）

あすの村づくり　日　7・00～8・00　教育　再　土　13・00～14・00　教育

22日「開発の中のわれら」（スペシャル）

29日「経営拡大の方向」～第八回北陸農村青年の集い関連

ラジオ

早起き鳥　5・41～5・57　①

21日　開発新地図⑥「ある農業立村」～静岡県豊岡村

22日　開発新地図⑦　伊藤善平（東京女子大教授）ほか

23日「共同みかん園十年の教訓」～伊予市

24日「初めて見た過疎村」～京大西紀町農村調査グループ

25日「共同で汚物処理」～宇都宮城山畜産環境衛生整備組合

26日「野菜の契約栽培」～北海道浦河町

27日「りんご町長」竹浪睿夫（青森県板柳町長）

28日　ふるさと通信

29日「りんご」森英男（農林省園芸試験場）ほか

30日「マツタケ博士」富永保人（広島県農業短大教授）

31日「紙すきから生まれた新民話」遠藤忠（白石市）

話の広場　日　6・15～6・30　①

22日「大型ハウス団地誕生」～千葉県旭市

29日「農民画伯」小林辰也（北埼玉郡北川辺町）

新しい農村　6・00～6・30　②

22日「大規模経営の動向をきく」須藤益久「農村漁業金融公庫」

29日「自主流通米の今後」虎谷秀夫（食糧庁需給課長）

ラジオ農業学校〈講座〉　日～土　6・40～7・00　②

23～25日「田畑転換」川延謙造（東京大学教授）

ラジオ農業教室　日　6・30～7・00　②

22日　農業講演会「農産物流通の新方向」藤谷築次（京都府立大学助教授）

29日　農業ゼミナール

明日の農業へ向って　各種農業団体

家の光協会

現代若者の意識と行動

『地上』12月号の特集に

何千年か前の古代遺跡を発掘したとき、なにかが書かれていた。それを解説してみると、それは、なんと「いまどきの若い者は……」ということだったという話は有名である。

いつの世でも、若者というものは、おとなたちに気をもませ、理解しがたい言動をとるものなのだろう。若い世代と古い世代の相克のくりかえしが、歴史というものを織りなしたともいえよう。

このところ、とくに戦後世代についての論議は盛んである。ハイジャック、連合赤軍事件を持ち出すまでもない。おとなたちの周辺には、いつもハラハラさせ、なげかわしい、腹立たしい若者たちが目につくのである。「いったい若い者はなにを考えているのだろう」という、不安といらだちと憤まんがある。

今回、特集としてこの若者の問題をとりあげてみたのは、この結論の出ない漠然とした問題になんとか糸口をつかもうというねらいからである。いちがいに若者といっても、一人一人でまったくちがってしまう問題だけに、最大公約数を出すこと自体むりな試みであろう。いわゆる「若者論」をどう考え直すかいろんな現象の底にあるものはなんであろうかなど幅広く考えてみようというわけである。

構成は、一般の若者論として、作家の三好徹、加賀乙彦、富島健夫の諸氏。農村の若者について、農林省総合研究所内山政照氏、詩人の真野比佐男氏。ルポルタージュによる農村青年の声を構成してみた。

ここに盛られたものは、おとなたちはどう若者を理解すればよいかということに力点をおくことになった。その若者という年齢もだいたい二十五才以下ということである。執筆陣はもちろんおとなであるだけに、若い読者は大いに反論があろう。この企画が、若者同士、おやじと息子のあいだで議論される材料になれば幸いである。

全国農業協同組合中央会

「貧血追放」を中心に

健康を守る全国一斉運動

世論のはげしい批判にもかかわらず、日本列島の環境破壊はとどまるところを知らない勢いで進んでおります。

開発という言葉で、人間の生活環境が崩されている矛盾がだんだん大きくなってきております。それだけでなく、農村においては、出稼ぎの常態化、兼業の進行などから過労が一層進み、逆に、食生活の面では購入食品の一般化から粗悪化する実態がふえております。まさに健康は内外からじわじわと犯されているといえます。

農協は、このような生活実態のなかから組合員の健康と生活を守るため、昨年から「貧血追放」をメインスローガンにして健康を守る全国一斉運動を行なっていますが、今年も十月から十二月を重点月間として一斉運動を展開しております。

そもそも農村地域には医師や診療所が少なく、検診や治療の機会に恵まれていません。農協は産業組合時代から組合病院を運営するなどで対応に努めてきておりますが、必ずしも十分ではありません。そこで、系統農協全体でこの問題に取組み、この運動を通じて全農協が健康管理活動に対する認識を高め、組合員の健康確保を第一にする農協事業の展開を期しているわけです。

具体的な運動は、それぞれの農協で地域の実情をよく考えて市町村、保健所、厚生連病院、医師会、農協婦人・青年部、農協中央会との連携のもとに進めることとしておりますが、一斉に取り上げる運動としては次のような行事が考えられます。

一、この期間を中心に、貧血追放を中心テーマとして、健康講座、健康会議などを開催する。

二、この期間に組合員の健康診断を実施する。いままで実施していない農協も、これを機会に診断活動に努める。

三、農民体操、スポーツの普及、機械の安全使用や交通事故防止、環境衛生などの運動を行なう。

四、自家野菜栽培の普及、料理講習を実施し、バランスのとれた食生活に努める。併せて加工購入食品の実態の把握に努める。

五、共同炊事、共同給食、共同保育などについても検討し、その開発に努める。

六、農業・農外労働をふくめ、適正な生活時間を普及し、必要な休息と睡眠をとることを徹底する。

青春と仲間

おれの友だちの話

埼玉県・不動岡4Hクラブ　小谷野喜義

友だち、会う機会があまりない友だち……。しかし、お互い気心を知りつくした友だち。困ったときはどんな小さなことでも相談にのってくれるあいつ。

そいつと会ったときは話がはずんで時間のたつのも忘れちまう。そんなときほど時間をうらめしく思うことはない。そんなときほどこのまま時計の針がとまってくれと願うこともまたない。そういうもんだ。青春時代においては、友と語り合っているときほど楽しいことはないもんだ。

「おまえの家の仕事の進み具合はどうだ？おれんちは終ったから手伝いにゆくぞ。ハウスのビニールは張り終ったか？」

「まだだよ」

「じゃあ、四日が都合がいいから手伝いに行くからな。早く張ってしまおうや、天気ももちそうだしな……」

「きゅうりの定植は、おれんちじゃあ終ったから、おまえんちへ手伝いに行くからな。酒でも用意して待ってろよ」

……まるで兄弟みたいな友。夕方ちょっとした用事で友だちの家に寄れば「おまえ、メシ喰ってきたか」ととなる。「まだだよ」と答えると「じゃあおれんちでメシ喰ってけ」とおどかすあいつ。こんな友だち……。

遊び友だちであると同時に仕事友だちであるあいつ。会うたんびに「なあ、おまえよおー、かあちゃんもらってからでもこんな友だちでいたいなあ」と言ってはうなずき合う。するとやっこさんふざけていわく「じゃあ、かあちゃんと二人で手伝いにくっからな」

こんな友だち……。

北陸の街にて

大きな荷物をぶらさげて歩く街。すれちがう人がサッと疑惑のまなざしを投げる街。気のせいか、屋並に淋しみが走る街。ロマンチックな、あまりにもロマンチックな幻想。ふと笑う悲姿……。

格子が家々をとりまく街。一本のせせらぎがのんびりと甍を裂く街。ネオンがひとつふたつ光る街。

飲み屋の女は方言でワイ談をし、キザな三つ揃えの背広を着た角刈りの男がバクチを始める。ミルクコーヒーがひどく甘く、ソバがしこしこ堅い街。三味線が聞こえ、菊が咲き乱れる街。

ぼくは笑う、ぼくは笑う。

タバコの煙が胸につかえる街。明日が光る街。もっと遠くへ行こうとする旅人。京都から旅に出てきて、この街の飲み屋に住みこんだという女。酒のにがさ。死魚の目。レコードのキズ。夢の夢。夜陰に乗じ、重量オーバーのダンプが疾走してゆく街。夜ガラスが高々く一回だけ鳴く街。若者たちはヘラヘラ笑う、ヘラヘラ笑う……。

道にころがっている子供用野球帽の健康的な汚れ。通りすぎてゆく巡査。ぽっかり口をあけた永久運動の鼠。店番のいない喫茶店。愉快な人形。名もない画家の描いた女の背中だけの不吉な絵。迷子になれない街。道路のところどころに墓のように泥がうず高く盛られている街。

精神の創造よ、そして、見せかけの充足よ！けがらわしいぼくの怨嗟よ、頭痛よ、去ってゆく一篇の怠惰な詩よ！夢を見た少女。さめた男の眼。ケのぬけてゆくビール。それらとともにせわしなくゆれ動く魂、死の予兆、現代の黙示録。果てない混沌（こんとん）に続く混沌よ。

ぼくが北陸のこの旅情あふれるちっぽけな街角で見たもの、それはぼく自身のうちなるすさんだ街角。走ってゆく女。飛んでゆく小鳥。人っこ一人いない公衆便所。細い段。乱れた新聞の束。ぐっとビールをあおる青二歳。コツコツと流しが床を踏みしめながら歌う街。埋もれた倦怠よ。マージャン屋の主人が毛布にくるまって頭が痛いとぼやく街。

朝が静かな街。山が不思議に見えかくれする街。柳がさっと風にあおられて、家並にぶつかる街。ジャックナイフが一本ころがっている路地裏。ぼくは叫ぶ、脱出不能と……。笑う少女、泣く少女、無関心な少女。ああ、ささやかなぼくの二日酔いよ。酸っぱい水の香りの狂舞する街。

旅立ちの日よ。まぶしい光線、白っ茶けた正午よ！汽笛がぼくだけを残して去る街……。

（野）

笹笛

私の詩

新潟県・長岡4Hクラブ　今井淳子

はげ山の
ポツンと目立つ茂みの中に
飛ぼうとしない鳥がいる
なれてしまったその鳥は
飛びかう小鳥も忘れている

しばし鳥は考える
茂みの中はエサもある
あらしがきてもだいじょうぶ
つばさなんかいりゃしない
ぼくが一番しあわせだ
ぼくが一番幸わせなんだ

はげ山のポツンと目立つ茂みの中
に飛ぼうとしない鳥がいる
そこしかいれない鳥がいる
そこしか生きれない鳥がいる

活動の価値を問う
4H六年生の雑感……

神奈川・ひびき4Hクラブ　生川弐之

〝光陰矢の如し〟とはよくいったものだ。私が4Hクラブに入会してはや六年もの月日が流れ去ってしまった。ぐるり周囲を見渡してみても、同じ頃入ったクラブ員たちは次第にいなくなってしまった。いやがうえにも時の流れを痛感する。そして、私は自らを反省するばかりだ。

私もクラブに入ったときは、プロジェクトを通して技術・経営能力・社会性をつちかおうと4Hの綱領をかかげ、はつらつと活動を展開したように記憶している。また、それは先輩たちの厳しく親身な指導のおかげでもあったろう。しかし私は自らを甘やかしてきたように思えてならない。

現在に至っては農業事情もだいぶ変わり、都市化を背景に大きな転機に直面している。単位クラブ同士が合併はしたものの農業後継者自体が減ってしまったので、クラブ員が減少していくのも現実のようだ。そして、これから次第に〝リーダー笛吹けどクラブ員踊らず〟といった現象が起きてこないとはいえないだろう。

一般クラブ員はクラブにあきているのではないだろうか。それで集まりがあまり良くないのではないのか。たとえ集まったとしても単なる話し合いで終ってしまう場合が多いようだ。また、レクリエーションを主体とした娯楽活動でやっていると、ややもすると4Hクラブ活動は形式化してしまう恐れも多分にあるのではないだろうか。

そうなったら、課題をもつ実践派のクラブ員にとっては、4Hクラブの存在価値は薄くなってしまうことは明白だ。現在でも、ある面では徒労の多い活動に終っているように思えてならないし、またそのようなことを言う役員もいることを忘れてはならないだろう。

このような現状に当面しているクラブを、私たちクラブ員一人ひとりが少なくとも目を向け、耳を傾けるぐらいの努力をしてゆく必要はあるだろう。また、役員になって初めて活動の現状などを考えてみるというなりゆきまかせの姿勢を捨てて、個々人が自分自身のこととしてそれらの問題を探求してゆくことが大切だと思う。これはこのことばかりでなくすべてにわたってそうなのだが……。逆に役員もクラブ員を甘やかしてばかりではいけないと思う。

認識力を持て

4Hに魅力がなくなってきた（？）その背景には、まず、いぜんとして農業が低位生産にあるところへ急激な都市化・線引きなどで農業に対する期待感がうすれてきたことがあげられるだろう。第二に活動の質の変化があげられよう。というのはプロジェクト発表や講習会、クラブ大会、機関誌発行、キャンプなど行事的な性格のものがふえ、枝葉末節の活動しかできず、かゆいところに手が届かないといった現状があげられる。また、各人の経営や将来の目標がまちまちであるということもあるだろうし、労働力不足で4H活動が負担となっている点も見逃せない。

そして一方では、新しい活動体系にすべきではないかという声さえあがっている。私自身も以前にそう言ったことがあったが、問題の本質は「活動を自己の経営に密着させるため、仕事とクラブ活動をどう結びつけるか」という点だろう。こんご、現在以上に農業状勢は厳しく、また、むずかしくなってゆくことだろう。

私たちもさらに一層、サークル活動や勉強会へ多く出席して、正しい認識力を養い、真の意味でともに前進しようではないですか。

今度はあなたの出番です！

あんな人こんな人

生かそう心の4H
恋人は女子クラブ員みんな？

静岡　松浦幸治

「なみのことはあんまり好きじゃあないですね」としゃあしゃあというなんだかちょっとにくらしい男。でも夏は温室のアルバイトをして、冬は常陳食品関係の仕事をしたことがあるくらいの変り種（？）らしいからまあ彼の言うこともまんざらでもないだろう。

彼の名？それはみなさんもうご存知でしょう。ほら、全国大会やつどいなどで壇上にあがるわりとキザな人ですよ。そうそう、全国4Hクラブ連絡協議会々長の松浦幸治君ですよ。

その松浦君におそばせながら登場願ったわけだが、ここでは全協会長としてではなく一クラブ員としての彼の素顔を拝見してみよう。

彼は4Hクラブ活動に入って七年目だという。松浦君がそっとマブタを閉じると、その短くもあり長くもあった七年の歳月が走馬燈のように脳裡をかすめ去るという。そこには、自分の誠意が踏みにじられたときの悲しさや、また、自分が逆境に立ったとき、クラブの仲間が友情をもって手をさしのべてくれたことの嬉しさなどがこもごもに渦巻いているそうだ。

そうほのぼのと語る松浦君に「4Hクラブに入ってよかったかどうか」と意地の悪い質問をしてみたら彼氏急に険しい顔つきになって「自分の将来をみてみないと4Hクラブに入ってよかったか悪かったかわからないですよ。人生はプロセスだからいま決断できない。どう4Hを応用し、生かすかによって結論がだせると思うんです。だから4Hに入って不幸になる人だってなかにはいるんじゃないですか」とまくしたてる。安易にただ「入ってよかった」と言わない彼の4Hに取り組む姿勢の厳しさをふとかい間見たような気がした。松浦君にとって4Hは「入る、入らない」ということを超越したところにあるようだ。つまり、4Hイコール彼の人生……。

いつも堅いことばかりやってるみたいな彼だが本人に聞いてみるとそうでもないらしい。

松浦君は遊ぶことは大好きだという。一説によると彼は学生時代から酒、タバコ、女（？）をたしなんでいたらしい。

それは冗談としても、当の本人も「遊びの必要性」をさかんに強調する。それは彼の「喜怒哀楽をむきだしにして生きてゆきたい」という人生観にもつながっているようだ。波浪に富んだ味のある人生を送りたい、そう語る彼の横顔は厳しさとロマンに満ち満ちている。

さて、あとになったが、この辺で松浦君の家の経営状況をのぞいてみよう。彼の家はお茶を主体とした、米、種豚の複合経営だそうだ。

松浦君はなにしろ販路をもちたいという。〝販売なくして生産はない〟という言葉はつねに彼の頭にこびりついているそうだ。そう思って、彼は学校を出てすぐセールスマンまでやったという。

本当の意味での農業経営者になりたいと彼は語る。彼によれば「現代の農業者一般をみてみると、一割が経営者、三割が技術者、あと残り六割が労働者」だそうだ。これじゃあダメだと彼は声を高める。

真剣な顔をしている彼に「あなたの好きな女性のタイプ」はと聞いたら松浦君とたんににやけて「山内一豊の妻みたいな人がいい」としきりに頭をかいた。彼は「恋人は4Hクラブの女性全部だ」とよくばる。そして、「私に結婚を踏み切らせる女性が出現してほしいものです」と閃かぬことまでつけ加える。いやはや、まいりました。

松浦幸治君——昭和二十一年生まれの二十五歳。体重五七キロ、身長？……。趣味はスケッチ、詩作、カメラ、お祭り。

「私は正直なところ、内気な[illegible]性の男なんです」と彼はいう。しかし、それにしては大胆なことをいうもんだ。「青年は無限の可能性に向かうチャレンジャーである！」（掛川市五明四七二D）

（立ち見席）
読書は楽しい忍耐

「読書は忍耐である」と高校時代に聞いた。それを耳にしたとき、みんなが「そんなことはないよ！」と言ったのを憶えている。俺自身だってそのときは「忍耐で本を読むやつがいるかよ」と思った。

しかし、いまになって考えてみると、読書と忍耐とは切り離せないような気がしてならないね。本を読んでいるときは、非常に楽しいもんだ。どんな本でもその本特有の良さというのがある。まあ、どうみても耐えながら読んでいるって感じじゃあないな。

でもさ、読み終ったあとで考えこむことがあるだろう。ほら、作者の意図とかテーマとか、人物の行動・変化とかさ。そいつを理解できなかったとき、また、なかなか思い出せなかったときなどは、ほんとうにイライラしちまう。そこで俺は思うんだ。〝作者と自分との間には差がある〟と……。その差を感じること自体が忍耐なんだな、俺に言わせると。

単におもしろかったとかつまらなかったとかを読書の結論とするなら、そりゃあ簡単だ。また、本を読んでそれだけで終るような人では、本を何冊も読みあさるなんてことはできないだろうがね。

読んでいるいるうちは作者にあっちこっちへ振りまわされてしまうが、読み終えたら今度は自分で作者を振りまわさなけりゃいけない。つまり内容を分析したり、考えたりすることだ。その結果は『わからない わからない』となる。でもわからないながらも次の本が読みたくなって読みあさる。

俺はなんのために本を読むのか、読んで何が残るか、とよく自問する。その答えは何回読んでもでない。ただそう自分に問い続け、考え続けることが、俺に何かを与えてくれているような気がしてならない。そして、今日もまた一冊の本をとりあげちまう。

読書てえのは楽しい忍耐である。全国のみなさんよお、エッチな本でも、どんな本でもいいから読み始めましょうや。これは、栃木の烏山読書推進協会一同がおすすめ致しやす。（栃木県・小池由洋　連絡報道員）

落日 (18)

山中康司
栃木・小山4Hクラブ　農民文学会会員

「陽子さん、俺ね、結婚してもいいと思ってるんだ」

女の胸もとはスーツのボタンが固かった。

「もう遅いから帰らない」

芳男は黙った。

「ねえいいだろう」

陽子の肩に延びた手がみごとに振りおとされた。芳男は追いかけてまた手をかけた。

「ね……」「はなして！」

甘い雰囲気はそこにはなかった。芳男は女の肩にしっかりつかまっていたが、少しでも早く降りようとする陽子にぶざまに引きずられていた。

大平山折り返しの明るいバスが来た。そのライトが芳男の手を振りほぐした。

陽子は停留所に全力で走って行った。

「前に交際していた人もそうだったわ。男ってみなそうなのね」

怒った泣き声を残して行った。その声が芳男の頭の中でガンガン鳴った。晩秋の寒さが夜空にあった。

女を乗せたバスの警笛が鳴った。

窓際で陽子は泣いていた。バスが通過する時、フラフラ走り寄った芳男の目にその姿が映ったが、どうすることもできないし、どうしても間にあわなかった。ただ呆然と見送る芳男の胸にたまらぬ気持があふれてきた。

「なんてバカなことをしたんだ俺は……」

後悔は後からきた。一人残されたその時になって芳男は自分の行為（おこない）を恥じた。

「もうだめだ」

恥辱と失望が芳男をせめた。その感情は消し難いものだった。いたたまれず、芳男は参道の坂道をかけ出した。路上の枯葉が逃げた。

芳男の頭の中で「はなして！」という声がくり返していた。

小学四年の頃だから分別は十分ついていた。成績も行為も良かった芳男はクラス委員長をしていた。家では母が入院している時で芳男は朝晩の庭掃き、ぞうきんがけを良く手伝っていた。祖母はそうした芳男の自慢を楽しみにし、近所の人は、芳男を例にあげて子供にうながして聞かせた。内向的な芳男はそれにのぼせることもなかった。

日用雑貨と駄菓子の並んだ駄菓子屋があって、正月が近づく頃は冬空に舞う凧とかきれいな独楽（こま）とかが特に少年達の目を引く。

学校帰りの五、六人の少年が走ってきて、止まった所が駄菓子屋の前で、そこには店卸したばかりの新しい独楽が並んでいた。遠慮なく店に入り込んだ少年達は、金もないのに「家に帰ってまた来るから、この独楽とっといてよ」と太ったおばさんに頼む。その時芳男は一番最後で小さくなっていた。おばさんはぽけんとして板の間にすわっていた。が急に立ち上がったと思うと「どろぼう」と怒鳴って、いきなり芳男の方へ手をのばした。芳男はとっさに飛び退いて逃げた。足が思うように動かなかったが、つかまらずにすんだ。家に着くと納戸の隅で長いこと小さくなってふるえていた。

世間と友達と家の人が恐くて、それと自分自身が死ぬほどはずかしかったから、その記憶はどうしても忘れられないものになっていた。

ご杉橋まで来ていた。永野川のせせらぎが聞こえてきて、少年時代はその音に消えた。橋の上には今日の日を省る静けさがあった。

◄投稿案内►

本紙は、全国クラブ員の準機関紙として、みなさんに大いに利用していただきたいと考えています。

クラブの催しや個人のプロジェクト、詩、短歌、随筆、写真、悩みや意見、村の話題、伝説、行事、お知らせ、小説、その他なんでも結構ですから原稿にして送って下さい。

❶長さや形式は自由です❷できるだけ記事に適した写真を添えて下さい❸送り先　〒105 東京都港区西新橋1の5の12、佐野ビル内　日本4H新聞編集部

—日本4H新聞編集部—

日本4H新聞

4Hクラブ
農事研究会
生活改善クラブ
全国広報紙

発行所
社団法人 日本4H協会
東京都港区西新橋1の5の12
佐野ビル 〒105
電話(591)1817・3683
編集発行 玉井 光
月3回・4の日発行
定価 1部 35円
一ヵ年 1200円(送料共)
振替口座 東京12055番

クラブ綱領

私達は、実践を通じて自らを磨くとともに、互いに力をあわせて、よりよい農村、よりよい日本を創るため、四つの信条をかかげます。一、私達は農業の改良と生活の改善に役立つ腕をみがきます。一、私達は科学的に物を考えることのできる頭の訓練をします。一、私達は誠実で友情に富む心をつちかいます。一、私達は楽しく暮らし元気で働くための健康を増進します。

常夏の島ハワイへ雄飛　全協

現地訪問、三泊を予定
「ハワイ交歓訪問」参加受付中　来春一月二十二日から

全国4Hクラブ連絡協議会（会長　松浦幸治君）では、このほどかねてより計画中の「ハワイ親善交歓訪問」の実施要領をきめ、各道府県連を通じて広く参加者を募集している。〝ハワイ農民のたくましい開拓者精神を学ぶ〟とともに〝新しい農業の確立とクラブ活動の拡充をはかる〟ことを目的としたこの企画は、全協としても初の試みである。現地の日本人開拓者との交歓や南国の農業経営の視察、そして常夏の島ハワイそのものの魅力があいまって、全国のクラブ員の間でもたいへんな人気を呼びそう。期日は来年一月二十二〜二十八日までの六泊七日間。

松浦会長

農産物の自由化などにより、日本の農業も世界の荒波にもまれ始めた今日、混迷する農業のなかで日頃実践を通して活動している4Hクラブ員に課せられた使命は大きい。一大飛躍発展のパイオニアとしての広い視野と豊かな見識が現代の農業者には要求されてきている。この「ハワイ親善交歓訪問」はこのような農業事情を背景として実施されるものである。

日本農業の未来を背負って立つクラブ員たちが海外に雄飛し、この研修を通して視野の拡大をはかり、さらにはハワイ4Hクラブ活動のあり方を考え、現地交歓訪問でハワイ農民のたくましい開拓者精神を学び、新しい農業の確立とクラブ活動の拡充の一助にしてほしいと主催者である全協は望んでいる。

おもな日程は、ジャンボジェット機でハワイへ一足飛びしたあと州政府表敬訪問、文化センター訪問、オリエンテーション、ハワイ4Hクラブ員との交歓、作業従事など、ホノルルのあるオアフ島とハワイ島を結びながら盛りだくさんのスケジュールが組まれている。ハワイ滞在中の宿泊はホテルが二泊、民宿が三泊。

また、ワイキキの浜辺で南国の強烈な太陽をいっぱいに浴びながら、日本からみれば季節はずれの海水浴も予定されている。免税品店をのぞくのも一興だろうし、ホノルルのカラカウワ通りでしゃれた買物をするのもイカしている。

だが、なんといっても「ハワイ親善交歓訪問」のハイライトは、現地農業の視察と4Hクラブ員相互の親善交歓である。

なお募集要綱はつぎのとおり。

▽期日　昭和四十八年一月二十二〜二十八日（六泊七日）
▽参加者　全国4Hクラブ員同OB、人数制限四十名
▽参加経費　十五万五千円（ローン分割月払いも可）
▽申し込み締切　昭和四十七年十一月三十日
▽申し込み先　東京都港区西新橋一丁目五番十二号　佐野ビル内　全国4Hクラブ連絡協議会
▽申し込み方法　道府県連会長の推せん状を添えて申し込むこと

松浦幸治全協会長の話　新しい農村建設に日々努力しておられる全国のクラブ員の方々にとって、一歩海外に飛躍し、日本を振り返り国外を直接自分の目で、耳で、肌で知ることは極めて意義の深いことだと思われます。今回はその絶好の機会ではないでしょうか。

この企画はハワイの中核をなしている日本の先輩たちが、厳しい試練と闘いながら開拓農業を確立しているその姿を見、4Hクラブ相互の親善を通して4Hクラブの原点からこんごの指針をさぐり、日本の4Hクラブの一層の発展を目的にしています。どうぞ、ふるってご参加していただきたいと思います。

ドナさん、ジェーンさんを囲んでコーラスする女子クラブ員

「静岡スバラシイ！」ドナさん ジェーンさん
女子のつどいで性教育も

「シズオカたいへんよいところデス。お茶やミカンが山の上まで植えてあって、風景とてもステキダネ……」と、片言の日本語で静岡の印象。草の根大使として来日している米国の4Hクラブ員ドナ・ハルコビッツ、ジェーン・バァイヘリック両嬢の愛嬌たっぷりの言葉である。

さる九月三十日、十月一日の両日にわたって開かれた静岡県農村青少年クラブ（会長　鈴木政美君）による「第三回女子クラブ員のつどい」は、景勝地浜北森林公園にある県立林業青年の家で〝青い目〟の特別参加者を含む五十名の女子クラブ員を集めて開催された。参加者は、スライドによる性教育や星座の学習などを受け、楽しくたいへん有意義なつどいであった。

初日は午後一時から開会式が行なわれ、つどいの計画、運営にあたっている生活部の伊倉ふさ子部長から「何か一つでも身につくような研修を行なってほしい」とあいさつがあった。

二時からは「性に対する正しい知識について」と題して、県立中央病院産婦人科の後藤忠雄部長によるスライドを使っての性教育。人類のもっとも大切な〝子孫繁栄〟と、いづれは訪れる〝夫婦生活〟のことだけに、クラブ員は真剣な表情で聞き入っていた。

楽しい夕食と入浴を終えたあとは、「夜空への招待」と題してロマンチックな星座の学習。児童会館の柴田鎮一先生を囲んでしばし神秘の世界へ遊飛行とシャレこみ、クラブ員もこのときばかりは心ゆくまで星の降る夜空を仰いでいた。

宿舎にもどってからは、ドナさんとジェーンさんを囲んでのにぎやかな交歓会。夜のふけるのも忘れて歌を歌ったり、片言の英語や日本語で楽しい会話。「クラブ員の人みんな親切ネ。とても楽しいヨ。仕事ガンバッテネ……」

二日目もさわやかな秋晴れ。クラブ員はまぶしい朝日を浴びながら生け花の展示にそろってでかけた。会場まで二キロの曲りくねった道を、途中生け花にする草花を摘みながらの散策。道路ぞいの茂みの中に分け入って、「ねえ、この花どう？」と、根っ子ごとつかみとってはしゃいでいた。

生け花は三人ずつの班にわかれて思い思いのテーマで腕を競い合った。休日とあって会場は大いににぎわった。「きれいで賞」「アイデア賞」から「味覚の秋で賞」「世界の願い交通安全賞」「アヒルがいるで賞」と悪ノリした賞まであらわれ、ユーモアたっぷりの演出に会場はヤンヤのかっさい。審査にあたった生活改善課の人や地元浜北の4Hクラブ員らもニガ笑いを浮べていた。

午後、バレーボールで若い力を発散させたあと、閉会式が行なわれた。あいさつに立った鈴木政美県連会長は「この研修で学んだことを明日の農業に、また、人生の一つの踏み台にしてこれからもがんばってほしい」とつどいをしめくくった。

（有谷邦博連絡報道員発）

緑化運動に協力を　—奈良県連
農業祭でパレード

【奈良】ことしで第八回目になるという恒例の県農業祭（県主催）は、さる十月三日から五日までの三日間にわたって橿原公苑一帯で盛大に催された。呼びものの〝農民まつり〟をはじめ、農産物のPR展、市町村産物展、農業機械の展示や品評会、林産展、農業高校生による朝市などで会場はわきにわき、県下の4Hクラブ員もこのときとばかりに大奮闘であった。

農業祭の第三日目には、奈良県4Hクラブ連絡協議会（会長　南幸作君）主催の〝4H週間〟と題する体育大会やパレードなどが行なわれ、農業祭も若き熱気に燃えて最高潮に達した。

この〝4H週間〟は、日本農業の担い手として日夜実践活動に努力している県内のクラブ員が一致協力し、相互に親睦を図り、明日の活動の糧にしようということで開かれたものである。

また、最近、県下でも都市化による急激な自然破壊や排気ガスなどの公害による環境汚染が進行しているが、これらは緑とつねに接しているクラブ員たちにとっても大問題である。そこで、県下の4Hクラブ員たちは「緑化運動」のスローガンのもとに集まり、自分たちの手で緑化の促進をしようと県民にパレードして訴えかけた。

クラブ員たちはデコレーションカーで県内一円にわたってパレード、「緑化運動」を呼びかけた。

（田　繁憲連絡報道員発）

涼風暖風
スコットランドにて

九月十八日に羽田をたち、その日のうちにモスクワ着。

ソ連は広大な国、それに、ある目的に向かってみんなが力を合わせてがんばっている国だと強く感じました。とくに、モスクワ市民は質素ながらもこざっぱりした身なりをしており、電車の運転手を含めて、いろんな職場に女性が進出しているのが印象的です。ミニスカートの人はおりますが、もちろんスチーム・アイロンのような靴をはいている女性はおりません。

ソ連からノルウェーに移り、美しい自然に完全に魅了されました。オスロは森の中に街があるといったところ。ただ、物価は高いようです。大卒のサラリーマンで、初任給が十三万円位、そのうち約四割が税金で、そのほか商行為には付加価値税がかかりますし、都会は住宅難です。それでもヨットや庭の家（郊外の小型別荘）をもっているのですから、行きづりの旅行者の目で決定的な報告をするのはつつしむべきだと思いました。

ベルゲンでは、幸いにして、ノルウェーがEECに加盟するか否かの国民投票の日でした。ノルウェーの農漁業は、いろんな意味を含めて国家の援助によって成り立っている面がありますので、EECに加盟してフランスなどの農産物がなだれこんでくるということになると、むずかしい問題が生じることになります。このほか、歴史や経済政策、政治、国民感情などがからんで、国をあげて賛成、反対のルツボと化したわけです。投票の結果は日本の新聞に紹介されたと思いますが、熱気を帯びた運動合戦を身近かにして、たいへん勉強になりました。

ベルゲンからはロンドンへ。何年ぶりかに訪れたロンドンは、完全に旅行者と若者の街にかわっておりました。

若者たちは、ブロンド、栗毛、赤毛など、色とりどりの長髪を楽しんでおりますが、ときどき行き交う東洋人の長髪はいけません。黒髪はアクセントが強すぎ、硬い毛質は形をととのえずらいのか、不潔感すら与えます。

イギリスではロンドンを拠点に、ケンブリッジ、ヨーク、それにスコットランドの中心都市であるエジンバラなどを泊り歩いております。スコットランドは雄大な起伏をみせる牧場が果てしなく続き、ところどころに羊や牛の群れが点在していますが、農家をみつけるのが困難なくらいです。島国のイギリスにしてこんな有様ですから、日本の農業がたちむかえるまでには、まだまだ日数がかかりそうです。

ともあれ、各国の青少年と語り合いながら、これからドイツ、ルーマニア、ギリシャなどを訪問、十一月までには帰国する予定です。

（文部省　伊藤）

気になる消費動向
香川県連　農業祭で即売会と4H展

【香川】香川県農村青少年クラブ連絡協議会（会長　大山國貴君）では、さる九月二十二日から二十四の三日間にわたり、高松市仏生山町の県農業試験場と仏生山運動場で開かれた農業祭（県主催）に参加し、野菜展示即売会などで大活躍した。

同県連では、この県農業祭へ参加するため、本年度の事業計画に農業祭出店実行委員会（委員長　遠藤善一君）をもうけ、早くから準備してきただけに大変な熱の入れよう。

われわれ若き農業者がどのような活動をしているかを知ってもらおう——ということでクラブ活動状況の説明、実演入りの写真展を開いた。これは一般の人へのアピールと近年うすれつつあるといわれる青年層と壮年層との対話を行なうことがまず第一のねらい。

「さあ、いらっしゃい！」とクラブ員の威勢のいい声が飛んだ＝野菜展示即売会場で

「農業者の日」というコーナーをもうけ、クラブ活動の記録（クラブ員による共同プロジェクト、市・町村長との対話、親睦会、レクリエーション、技術交換会、実績発表会など）を展示した。実演では盆栽仕立や花木の接木などを行ない、総じて農村青少年クラブをだいだい的に紹介した。

結果として、それらは大きな反響を呼び、農業者以外の人も熱心に説明を聞き、また質問も多くだされるなど会場は青少年クラブ活動の話題でむせかえっていた。

また一方、野菜の展示即売会を開催した。クラブ員が精魂こめて生産したクリ、ナシ、みかん、しいたけ、なす、きゅうり、ピーマン、たまごなどを展示即売して、消費者との意志疎通を図り、消費者がどんなものを好んでいるかなどを話し合った。即売に参加したクラブ員は「消費の動向、販売の仕方などがある程度わかり、われわれ生産者には貴重な体験となった」とその感想を語っている。

また、三日間の反省として〝消費者をひきつける言葉が少なかった〟〝宣伝不足〟などの声もあがっていたが、4Hのマークのついたパッケージが大好評だったことにはクラブ員一同ニンマリ。

（白川知徳連絡報道員発）

政党演説会を開く
木室4Hクラブと大川市農村青少年クラブ

【福岡】木室4Hクラブと大川市農村青少年クラブでは、去る九月十七日、大川市立東中学校において「わが党派の農政を語る」と題して政党演説会を開いた。台風接近で天候があやぶまれていたが、当日は天候に恵まれ、クラブ員、経営者、主婦など多数が農作業の忙しさをぬって参加した。

この政党演説会は、地域の、そして青年たち自身の新しい経営への示唆となることをねらいに開かれたものである。

午後一時から六時まで行なわれた当演説会には細谷治嘉氏（日本社会党）、鬼木勝利氏（公明党）、稲富稜人氏（民社党）、松倉三郎氏（日本共産党）の四氏が各党を代表して農業・農政を語った。

（福岡県大川市　池末進連絡報道員発）

「わが党の政策は」と演説する党の代表者＝大川市立東中学校で

心頭技健

雑貨屋さんが笑いながらいっていた。「最近は結婚式が多いんですね。御祝儀の袋が売り切れちゃうんですから……」——秋も一段と深まり、いままさに日本列島結婚シーズンたけなわといったところ。一歩外に出てみても、大安吉日の日はもちろん、そうでない日でも礼服を着た人によく会う▼この結婚大ラッシュは、その数多き戦後っ子が適齢期になったからだそうである。クラブ員のみなさんのなかにも、今秋、華燭の典を挙げられた方も多いことだろう。また、友人や親戚の披露宴に出席した方もあるでしょう▼農村から「花嫁ヤーイ！」という嫁不足の声がおこってから久しい。その嫁不足の問題は、いろいろの方面でとりあげられ、その都度、農村婦人の労働過重や農村の封建性などが指摘されてきた。しかし、大きな視点で今日の農村をみた場合、この問題は完全に解決されたとはいえないのが現状のようだ▼結婚は昔から労働と密接な関係をもっていた。めとるほうにしてみれば、一人の労働力を移入するという意味をもっていた。これは都市でも農村でも変らない結婚そのものの暗い裏面であった。現代に生きている人でこんな観念をもっている人はまずいないだろう▼それと同時に結婚と労働の結びつきを考える人も少なくなったようである。愛し合っている二人が結ばれたとしても、その愛を越えたところで二人がいやがおうでもしょわされるものは一体なんなのか▼その辺は一考の余地があろう。いうまでもなく、それはわれわれみんなの問題である。愛とか人間性とかいう言葉にすべてを忘れたくないものだ。せめて、子供をつくることが労働力の再生産とまでは疎外されたくないものだが……。

ある視点　原田 正夫

責任と意欲をもって
クラブとリーダー〈8〉

自主性とは。自主性のある活動とは。私は、それはクラブが指導者などに頼りきらずに、クラブ員の自由意志によって決断し運営してゆくことであろうと思う。ただここにいう自由意志の自由というやつが問題である。

世の中、特に若者の間には自由という言葉の真意がわかっていないのが多いようだ。自由の裏には責任があるはずで、勝手気ままに行なうこと、本能や衝動のまま動くこととはちがう。人ごみの中で背のびをしたくなって両手を思いっきり伸ばしたら隣を歩いている人にあたった。これは自分自身の思いのままの行動が他人の自由を妨げたことになるわけで許されない自由であると私は思う。このように一定のルールの中での自由について考えない限り世の中ケンカの行列になってしまう。

ともかくクラブが自主的に活動、運営してゆくためには何よりもクラブ員自身がオレたちの、わたしたちのクラブなんだという意識を持つことが必要であろう。おもしろくない、楽しくないというのなら何故おもしろく楽しいクラブにするにはどうすりゃいいかと考えようとしないのか。不平や不満は誰れでもいえる。自分たちのクラブじゃないか。自分たち自身のクラブ内に起っている問題も〝あっしにゃかかわりのねえことでござんす〟のか。二度と訪れることのない若い日を自分たちの力で良くした、楽しく実り多いクラブの中ですごしてこそ、大いばりでオレの、わたしの青春を語れるというものであろう。

クラブ員の参加する大会、研修会にしても、同じこと。ひどいのになると、「今日ここへ来なけりゃ家で三千円はもうけたのに、こんなことしてても一銭にもならん」というのまである。大会を作るのは指導者やリーダーで自分たちはお客様なんだというようなものであって、自分たちの大会なんだから……という気持が消えうせてしまっている。自分の興味、利益の対象にならないものには無関心なのは世間一般の憂うべき風潮のようだけれども、せめて私たちのクラブだけは……と必死のあがきを見せているリーダーはまだまだ多い。クラブから自分が何も得るところがない、楽しみもない……とリーダーを責めるのは酷だ。一日三千円のもうけになる仕事をほおって出てきたからにはせめて何かひとつモノにして帰らなきゃという意気ごみで自分たちのクラブや大会を作ってみたいものである。

全協や県連のリーダーの多くは年間三分の一から半分は家をあけているだろう。さっきの一日三千円也の話からするとバカでかい損失になるけれども彼らは家をあけた先ざきで自分たちの組織のために、クラブ員のためにあくせくやっている。といえばきれいだが、その多くの日々は人のためだけでなく、ちゃんと自分や自分の家族のためにもなることをたとえ少しずつでも、どん欲につかみとりながらすすんでいるはずだと思う。

こういう意欲や責任、自分たちの組織に対する意識は県連であろうと十人のクラブであろうと人数の多少、リーダーか否かで差異があってはならないと思う。

くどくど述べてきたが、つまるところ自分たちのクラブなんだという意識のないところでいくら自主性をたかめようとしてもムリということであろう。全協の主催するつどいや中央推進会議等々に参加される県連の役員さんたち。そういう人たちの中に日頃みんなの前で大声で自主性を論じているのに県を離れるといっこうに自主的に動いてくれない人が必ずいる。やはりお客様の気分から脱し切れないのだろうか。口先だけじゃ……、だれもついてこないと思うが。

（全国4Hクラブ連絡協議会副会長・大阪）

4Hのマークと共に
クラブ活動用品の案内

(単価)

品名	単価
4Hバッチ	60円
レコード盤（4Hクラブの歌・4H音頭）	150円
クラブ旗　大(72cm×97cm)	430円
クラブ旗　小(30cm×49cm)	230円
手拭	110円
ハンカチ	60円
ネクタイピン	230円
女子用ブローチ	230円
クラブ員専用便箋	100円
〃　封筒	70円

◎荷造り送料代金は150円です。
◎ご注文は代金を振替口座へお払込み願います。代金が着き次第、ご送品致します。

社団法人日本4H協会　代理部
東京都千代田区外神田6丁目15～11の705号
振替口座　東京72082番
電話(03)831－0461

負けてたまるか4H根性!!

赤松 宏 ▶ 4

「一人の人間を完全なものに成長させていくことに4Hクラブの目的がある」と前回書いたが、ほんとうは4Hクラブの目的というより、むしろわれわれのような青年期に生きる者の学習課題といった方がよいのかもしれない。もし、それらのものをおろそかにするとしたら、その後の健全な成長と幸福な生活に大きな障害をきたすと思わなければならない。

教育的にみて可塑性の高い青年時代、われわれの自己確立、自己実現という意味からもそれは大切なことである。また、社会の側からも、次代を背負う者としてのわれわれへのきびしい期待と要求が課せられている。これらの両面をはずした考え方や教育があろうはずはなく、私はそのような観点にたってどうしたらよいかを考えてみたいと思うわけである。

〃クラブ〃とは〃同志、同好者が集まって作った団体〃のことをいうのであるが、もし、みんなが〃4H〃というクラブの中に籍を置いている仲間、同志だとしたら、その目的に従って行動しなければならないはずである。〃心頭技健〃という4Hの精神を守り、全うしていかなければならないはずである。

4Hクラブのリーダーが悩んでいるのは、この精神をどう貫ぬいていくかということにあるような気がします。私も一番悩んだ点です。4Hクラブという〃仲間〃から離れようとしている現在の私自身、それについてはつぎのような考え方をしています。もし、反論がありましたら遠慮なくぶっつけてきてほしい。

「心頭技健」をフルに
青年期こそ自己を磨け

私の考え方は、〃教育〃ということを4Hクラブの中で考えていただきたいということなのです。青年期でなければ考えることのできない、達成不可能な課題をみいだして学習していただきたい。そうでなければ、社会教育団体としての価値はなくなってしまうと思う。いまの活動がいけないというのではなく、教育理念をもって組み立てる活動が必要だということなんです。私はつぎの五点について具体的にそれをまとめてみたいと考えております。

第一点目は「己れを磨け」ということです。まず考えなければならないものとして「両親や他の大人から情緒的に独立すること」があげられる。青年期においては情緒（喜び、悲しみ、いかり、おそれなどのように、強い興奮をともない、身体上にも表われる複雑な感情）が不安定になりがちであり、一人前の大人に、成人になるための条件としては、これらのものが安定した状態になる必要がある。

そのためにはどんな学習が必要であるのかというと、判断力の涵養といおうか、現状把握といおうか、それらの学習が大切である。何かことあるごとに不安定な感情で行動するとしたらいけないことである。より多くのことを知っていたり、より多くの経験を有していたらそのようなことにはならないと思う。この時期に、より多く見聞し、経験できる活動・学習がなされるべきである。仲間の網膜により多くのものを投写してあげてください。そうすれば、彼らは一つひとつの経験の中の行動に自信と責任と安定をみつけだすことができるはずです。

つぎに、「自分の身体の構造を理解し、身体を有効に使う」ことを教えてほしい。とかく、青年はあきらめが早すぎる。あきらめというより自分の能力を適確につかんでいないらしい。あるときは、こわれるほど身体を酷使してみたりするが、頭脳プレーとなると「……？！！」となってしまう。

さきに私が述べたように、人間が訓練することによって成長するものとして、4Hの精神でもある「心頭技健」があげられるが、この四つのHが平均化された形でフルに成長し、有効に使われていくような〃型〃を作りだしていかなくてはならないだろう。とかくわれわれは、片寄りがちな学習や訓練をしてきたような気がする。

私たちが加盟している4Hクラブの目標は「心頭技健」の四つのHがバラバラにあるのではなく、そのものずばりである。「心頭技健」――これを忘れることなく、私たちが生きていく過程において、身体全体が有効に使われていく学習や活動のあり方を探求してみたいものです。

つぎに、「行動の指針としての価値や倫理の体系を学ぶ」学習をしていただきたいということです。人間の判断は、行動によってなされるはずです。その人間が一人前の人間であるかどうか、自己というものが確立されているかどうかは、種々の行動によって判定されるわけです。「何々君は年がいもなく……だ」なんていうことを聞きますが、当然、それはそれまでに確立されていなければならなかった行動などが身についていない結果に対する批判の言葉です。だれしもそんな言葉はほしくないものですが、そういう言葉を受けるか受けないかは日頃の行動にあるし、その基本となる考え方に根源があるはずである。

行動するための価値を覚える、人のふみ行なうべき道や道徳をわきまえられる人間のあり方を学習することが大切になるが、これらは事例研修（ケースメソード）などによって身につけたいものです。昔から「他人のふりみて我がふりなおせ」ということわざがあるとおり、まず、他人から学ぶべきだと思う。そんな点から考えて、グループの中では他人と接する場面を多くもうけ、行動の指針について最善の注意をはらう必要がある。

「己れを磨け」ということは「経験は力なり」につながるようだ。がんばろう、すすんで参加して覚えていこう。

（題字も筆者・北海道4Hクラブ連絡協議会前書記長）

真剣に講義を聞くクラブ員

作って食べて笑って
和歌山で女子の集い

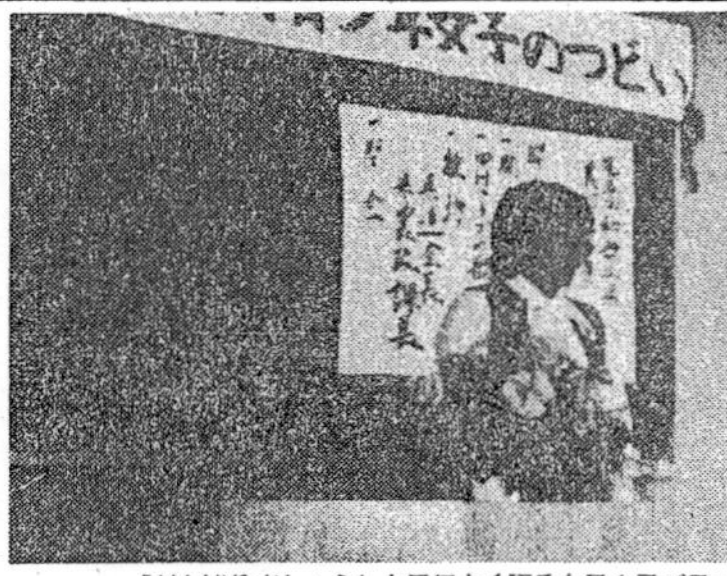

「がんばりましょう」と元気よく語る女子クラブ員＝開会式

【和歌山】和歌山県4Hクラブ連絡協議会（会長 宇井信夫君）では、さる九月二十三、二十四の両日、日高川近代化センターにおいて県と共催で「第五回県農村青少年女子の集い」を開いた。

これは、農村の女子青少年が一堂に会し、これからの農村婦人の生き方や農村生活の改善などについて話し合い、よりよい農村を築く女子リーダーの資質の向上をはかるために開かれたもの。参加した女子クラブ員は当初予定していた人数より少なく約二十名であった。

第一日目は午後一時からオリエンテーションと開会式を行ない、二時から「オードブルについて」と題する料理講習があった。(1)珍味であること(2)季節感のあるもの(3)見た目に楽しいこと(4)一口で食べられること(5)新鮮であることなどとその作り方に対するコツを聞いて、ある女子クラブ員は「食べる男性はちょっとぜいたくね」と言ったとか言わないとか……。

そのあと引き続いて料理教室がもたれた。この料理教室の成果が本日の夕食になると聞いて、女子クラブ員たちは大ハリキリ。フルーツカクテル、オープンサンド、ロールサンド、スタッフなどについて真剣に講義を聞き、料理と取り組んだ。また、串やき料理やサラダ、シューマイ、とりのからあげなどもお手のものとばかりに手際よく調理した。自分で作ったものをモグモグやりながら「私の腕も大したもんだわ」とはある女子クラブ員の弁―。

夜はヤングフェスティバル。歌ったり踊ったりゲームをしたりしてお互いに交歓し、友情を深め合った。

第二日目は、朝八時三十分から電気製品についての講話を聞き、十時から話し合いに移った。話し合いでは身近かなことから将来の問題まで多くの意見が出された。

午後一時からは話し合いと「つどい」全体にわたる反省・まとめを行なった。ここで得たものを各地区・単位にもちかえり、住みよい農家生活を築こうと全員で誓い合った。

二時からは閉会式を行ない三時に解散した。

（小西康雄連絡報道員発）

愛知県連 リーダー研修会

【愛知】愛知県4Hクラブ連絡協議会（会長 山本賢治君）では、さる十月六、七の両日、幹部研究会（リーダー研修会）を県営農大学校内の青年の家で開催した。参加者は単連役員、単位クラブ代表者など九十四名。

分科会では4H活動のあり方やレクリエーション活動について活発な意見が交わされた。また、全協副会長の原田正夫君にから「リーダーシップについて」、県専技の児玉先生にから「会議の方法とすすめ方」と題する講義があった。

農協運動の中核者に
中央協同組合学園 来年度本科生を募る

中央協同組合学園では昭和四十八年度の本科生を募集している。同学園は、将来農協運動の中核者としてすぐれた判断力と組織的な行動力をそなえた人間性ゆたかな人材を養成するために設立されたもので、来年度は第五期生にあたる。

募集要領はつぎのとおり

▽受験資格 二十二歳未満で、高等学校卒業、またはそれと同程度の学力を有するもの（男女は問わない）

▽就学年限 三年間

▽募集人員 五十名

▽願書受付 一月二十日～二月十日まで

▽願書提出先 都道府県農協中央会々長あて、入学検定料二千円を添付して提出のこと

▽学費 年額六万円、教材・実地研修費等二万円、入学金三万円（入学時のみ）

▽試験日 三月八日、東京・京都・福岡の各会場で

なお、詳細は農協、都道府県中央会、または直接東京都町田市相原町四七七一（〒一九四―〇二）電話〇四二七（八二）三〇六一～五 中央協同組合学園まで問い合わせのこと

〃おお、うめえな！〃
バーベキュー大会 福岡の嘉麻川4Hクで

「ウッシッシー」――よだれタラタラのバーベキュー。「サズガー未来のカアちゃんのタレはうめえや！」「サマになってるべ。こんなんで迫ってこられたらオレ参っちまうナ。いやホント！」「アンタんとこのピーマンもおいしいネ」――いやはや大さわぎ。

さる十月十日、福岡県嘉穂郡嘉穂町嘉麻川4Hクラブ（会長 山本剛信君）では、〃つげ〃の原生林で有名な古処山のふもとの陣の原で同クラブ恒例のバーベキュー大会を開いた。ことしで四回目。

会場までの八キロの山道を野菜やコーラや飯台をしょい込んでジーパン姿のクラブ員たちは大奮闘。バーベキューに使うタマネギ、ピーマンなどの野菜はクラブ員がもちより、調味料のタレは女子クラブ員が日ごろの成果を発揮して調理した。その味は、男子クラブ員にもたいへんな評判を呼んでいた。

「とっても楽しいですね。クラブ員同士の親ぼくをはかるのには最高の行事です」と山本会長。また、ゴッツイ男子クラブ員をタレでたらしこんだ女子クラブ員も「あたしも自信つけちゃったわ」と笑顔を浮かべて満足そうに話していた。

（嘉穂地区連絡報道員 蔡崎 仁君発）

「バーベキューがうまいからジュースで酔っぱらったよ」ホントですか？＝陣の原で

畦道

都会の殉教者たち

頬をかすめる夜風が、いつか聞いた遠い夜汽車の汽笛のように哀れっぽくぼくの心に呼応する。自分がいとおしくなる季節だ。

秋深い都会の夜、じめついた真夏の夜から締め出しをくらった亡霊どもが、冷えきったアスファルト道路の淵で行き場もなくオウオウと嗚咽している。

午前零時。ふんぎり悪そうに点滅するネオン、余韻の尾を彗星の尾のように残して疾走する車の排気音、地下鉄工事の赤ランプ……。どれでもいい。いじけ疲れ果てた人の心を共犯者の親しみで癒ってくれるから。ことに徒労で終った一日の最終出口にさしかかっていたときなどは……。

都会の夜、それは人の心に幻影の残像を照らし、その隙間をぬって鳥肌をたてるほどの憎悪と不安を忍び込ませる。

電柱に悪態をつく酔っぱらいがひとりふたり……。だが、ぼくはしらふだった。ガード下でくの字にひん曲がった小便をたれる酔っぱらい。ぼくはしらふだった。キンピカのミニドレス、白粉をベタベタと塗りたくったホステスにからみつく酔っぱらい。あらエッチね、ダメよ……。女の大袈裟なケタケタ笑い。

そうだ、彼らこそこの巨大な都会の夜を一身に背負った孤独な殉教者たちなのだ。

嘘と真実を覆うふやけた真綿のベールがはぎ取られる瞬間。嘘が真実に、真実が嘘にかりそめにも逆転する一瞬……。昼の世界をくそくらえとうそぶき、酔いのまわる頭で最高の演技者になろうとする。

だが、都会は残酷にも、昼も夜もいっさいのものを生きたまま呑み込んでしまうのだ。

ふっと思うことがあるかもしれない。すべての消化が終り、腐ったアルコールの臭いが充満する公衆便所の中で、ベンキに浮かぶ自分の吐瀉物をわびしく眺めながら〃どちらも嘘っぱちだった〃と……。【宇】

クラブ往来

農業婦人予備生よ！

私たちの『あけぼの会女子部』は、去年の一月発足したばかりの若いグループです。部員は十二名、うち農業後継者が八名を占めており、「農業婦人としての知識をより深く研究し、これからの時代にあった主婦になろうではないか」と、まあ大きな目標をかかげて出発しました。

まず女の好みとして、毎月一度、近くの高校を借りて料理と生け花の講習会を開くことにしました。料理の献立には、忙しい農家でもすぐ手に入り、簡単なものという点に重きを置き、カロリーブックを利用しながら栄養のバランスを考えております。

一方、生け花の方は、一回に一度くらいのわりで講義があり、第一歩から詳しく教えてもらっています。また、部員同志で教え合う簡単な手芸講習も二度ほどやってみました。

こんなこともありました。九月の行事として近くのお寺を利用させていただき、女子部独身一夜講習会を開いたのです。生け花と料理のほかに化粧と着物の着つけを勉強、夜は「将来」という議題のもとに夜のふけるのも忘れて討論、とうとうフトンの中までもちこむ始末。みんなよく似た立場の者ばかり、悩みやら希望やらがどんどん出てきて、とうとう朝をむかえてしまいました。

いまのところは会もスムーズに進行していますが、女子部の一番の悩みは何といっても結婚による会員の減少です。この秋は三名も一度に結婚することになり、部員の確保という問題が起こってきました。部として活動するには少なくとも現在の人員は必要です。このため、来年高校を卒業する農業後継者のスカウトに、いまから部員が手分けをして乗りだしています。

こんな前途多難なわが部にも、一つだけ楽しみなことがあります。それは、女子部というワクにとらわれず、畜産、そ菜、果樹などの部門にみんなが関心をもち始めていることです。いまはまだ、男子の討論に耳をかたむける程度ですが、これからは大いに部会にも参加し、男子に負けぬようがんばっていきたいと思っています。

これからも『あけぼの会女子部』をよろしくネ！

（徳島県・土成あけぼの会女子部 新見智恵子）

「農業に明日はあるか」つどい、記念講演 ＞3＜

経済評論家　伊東光晴

新しい転換の"目"に

福祉国家めざせ　離農者には保護を

日本農業の将来を考える場合の第四の問題は、いままでの戦後の農政がはたして農業にとって大きな光をもたらしたものであるかどうかという、政策に対する問題です。

もちろん、農地改革は日本農業に一大変化をもたらし、日本農業を非常に躍進させました。また、生活水準も一変させました。しかし、それ以後の日本農業は、零細性の論理をつきとばした新しい近代化ということには決して成功してはいないのです。つぎつぎ行なわれた農業政策、それは成功してはおりません。こうした場合に、この日本農業の転換をひき起こす政治にどれだけ期待がかけられるでしょうか。

私は国際経済の状態、土地の汚染、農地の高騰、そして農業政策という四つの問題をあげて日本農業の将来について悲観論を並べてまいりました。もちろん、日本農業の将来は悲観だけではありません。こうした困難な条件のものからしだいしだいに日本農業の未来を育てる目が育っているのも事実です。

豊かな社会になればなるほど品質による価格差は大きくなります。貧しい社会ほど品質の差のない値段になります。とすれば、これからますます品質による格差は大きくなるでしょう。その品質に合う技術と品種、いよいよこれからの農業は4Hクラブの三Hのうちの"頭"の方にだんだん向かっていくのではないでしょうか。

そして、その際に考えていただきたいのは、まず、年間二十回もの農薬をかけてキズのない非常に形のよい果樹を作ることを要求したり、ツヤのある野菜を作ることを求めたりする消費者を打破してほしいということです。「形は悪い。しかし、それは有害なものではない。しかも熟していておいしい」――もしそれでいいのであれば、二十回の農薬を七回に変えることができるのではないでしょうか。そういう賢明な消費者を作っていかないかぎり、日本の農業は農地汚染によって徐々に侵されてしまうことを考えてほしいのです。ぜひとも声を大にして訴えていっていただきたいと思うわけです。

また、日本農業に大きな構造変化をもたらすには、いままでのような価格指示政策だけではダメです。価格指示政策は農工格差を拡大させるばかりでした。そうではなく、やはり生産性の増大、規模の拡大という本来的なものを求めなくてはダメなのです。それはどういうことかといいますと、農業を去る人がふえるということです。農業を去る人がふえる、それはさびしいことです。しかしながら、ほんとうの拡大、ほんとうの近代化というものを考えたならば、むしろそれは歓迎すべきことではないでしょうか。

極論しましょう。イギリスの近代経済学をつくったアルフレッド・マーシャルはつぎのようにいっております。「生産者にとって最大の敵は消費者ではない。生産者にとって最大の敵、それは隣りに座っている同業者である」と。そうなんです。ほんとうのところは……。しかし、それだからといって競争によって弱い者を脱落とすというメカニズムでは困るのです。一人が伸びていくために何人もの不平等が生まれる……それでは困るのです。マーシャルは、それを競争でやろうといったのですが、今日ではそれは間違っています。

理性的には、すべての人の農地を拡大し、生産物をふやすということは困難なことです。だからこそ農業政策は、ある人は農業に、ある人は農業以外のものに転ずる、その転ずる人たちのために手厚い保護を加えるという政策でなければならないのです。そのような政策をやることなしに、日本農業本来の伸びはないのです。

おそらく、国際経済の圧力で日本の農業は大きく揺すられるでしょう。そのときぜひとも考えなければならないのは、みなさん方の仲間である農民の人たちが農業を離れていくとき、その人たちに対する手厚い保護をどういう形で作りだしていくかということです。

こう考えてくると、日本農業の将来のためには、日本の社会をぜひ福祉の社会に作り変えていかなければならないと思うのです。

世界の経済学者は、"農業とは何か""農民とは何か"ということに気がつき始めました。「市場の外側で自然を保全し、清らかな空気や水を守っているのは、じつは農業、林業に働く人たちの"無償の行為"によっていたのではなかったか。社会の進歩とは、こうした市場の外側の無償の行為をみんなが支え合うことによって可能ではないのだろうか。効率を求める経済は市場の中だけで問題を研究してきたが、それだけではなく、もっと市場の外側にも目を向ける必要があるのではないか」と……。

「農業にこそエコロジーの基本がある」とエコロジー学者は申します。「工業も自分の排出物を自分で処理し、循環を完全にしなければならない。すなわち、農業の考え方を工業にも取り入れ、工業の農業化――これが未来の姿であるのかもしれない」と。農業はこのエコロジーの考え方の上にたっているのです。

わが国は、こうした農業を効率によっていためつけました。その報いは、やがて自然の汚染となって大きく現われてくるでしょう。われわれはそれをくい止めるために、日本農業というものの未来を作り出していかなくてはならないのです。それは農業に従事する人間のつとめだけではありません。農業以外の人間にとっても、日本全体の自然の保全、エコロジーの循環のためにも必要なのです。

こうした大きな考え方にたって、激動の中をお互いが敵対することなしに仲よく新しい構造変化を進める、そういう時代というものを作っていかなければなりません。

日本農業の未来は苦難に満ちていると私は思います。どうかみなさんの若い力で、この新しい転換の"目"になっていただきたいと思うのです。

（伊東氏の講演は今回でおわり。次回は講演のあとの質問コーナーで交わされた意見を掲載する予定です）

自然休養村めざす

南那須のクラブ員　フルーツパークを見学

【栃木】"でっかいフルーツパークだなあ!""うわあ、きれいなリンゴね"――南那須町協議会では、さる九月二十日、茨城県の袋田フルーツパークを見学した。

これは、南那須町が自然休養村の指定を受けたので、4Hクラブとしても積極的に休養村作りに取り組もうということで開かれたもの。クラブ員たちは稲刈りなど秋の農繁期にもかかわらず十八名が参加し、その意欲をのぞかせた。

当日はすがすがしい秋晴れに恵まれ、袋田フルーツパークの緑もいっそう輝きを増し、クラブ員たちも果樹の美しさにみとれたり熱心にメモをとったり……。また、オカシをたべる人もおり、まさに天高くクラブ員肥える秋といったところ。

袋田フルーツパークは、もともと農業を経営していた二人の人が共同して開園したもので、その面積は二〇㌶である。経営者によれば、現在はリンゴが中心であるが、近いうちにブドウや桃も取り入れて、より以上に規模を拡大する予定だそうである。

クラブ員一行は、その経営者の考え方に強い興味をもち、真剣な表情で情報交換していた。

あるクラブ員の話　農業をやるなら、このように大きな農業をやりたい。問題は資金面であるが、資金といえば行政の知識も必要になってくる。前から感じていたのだが、クラブ員も政治についてもっと知る必要があるんじゃないかと思う。

（小池由洋連絡報道員発）

自分たちで作る"自然休養村"の参考にしようと、クラブ員たちは熱心に観察する

飼料畑対策がヤマ

酪農経営　"むだ"のない経営を

佐賀県・三日月4Hクラブ　岡　重利

私の住んでいる部落は、地区内でも酪農家が多く、現在六戸、一戸平均十五頭程度の経営状況である。わが家に酪農を取り入れたのは昭和三十四年で、ことしで十四年目。その間、従来の米麦農業への不安と経営改善の意味で多頭化を進め、現在では成牛十七頭、育成牛三頭、それに水稲一二五㌃を経営している。飼料は水田九〇㌃、それと休耕田借地一六〇㌃に青刈り麦などを栽培。

これまでのわが家の経営は、将来への多頭化に対しての資金、労働、牛舎、飼料などの計画性に乏しく、現在の多頭化傾向も"ゆとりができたから牛をふやした"というのではなく、所得向上の必要性に迫まられたぎりぎりの多頭化であった。

だから、本来の意味での多頭化につながっているかというと大いに問題なのである。現在、わが家の所得率は三五％であり、全国平均の四〇％を下まわっている。これには、経営の中に労働力不足からくる過剰労働の問題、合理的経営の問題、最適操業度の問題などが内在しているものと思われる。

現実に規模拡大が絶対必要条件として考えられる今日、最大の問題は経営改善、労働力不足とともに自給飼料畑の不足がヤマとなってくる。私はこの飼料畑不足の対策として河川堤防の利用、裏作などの高度利用を通じ、経営の改善と合理化をおし進めていきたいと思っている。また、機械の導入、牛舎の改善、飼料供給・手入れの合理化によって完全省力管理を実現したい。

私が農業高校を卒業したとき、すでに父母二人によって飼育能力限度まで多頭化が進められており、私は先進地農家などへの研修を断念せざるを得なかった。現在は読書を通じ、あるいは講習会などに積極的に参加することによって知識の修得に努めているが、机上と実際の隔りは大きい。

今後は独自の技術がものをいう時代になると思われる。そのために私は、"むり""むだ""むら"のない経営をめざし、独自の技術的工夫により、佐賀の水田酪農にみあった新しい酪農経営に取り組んでいきたい。

経営プロジェクト

奈良県・山添4Hクラブ　奥谷恵子

兼業農家はもうイヤ！　共同で"村づくり"を

農業のみでは生活は成り立たない。いまの農村は「隣りが買うからわが家も」と、年に半年も使用しない農機具を納屋の隅でホコリをかぶせたままにしている。そして、小言をいいながら少ない米代から毎年のように借金を返済する。これがわが家の、いや、農村全体の実態である。

強いられる米の減反…。植林もした。でも、山間や谷間の田は雑草でいっぱいだ。それでも田植機や刈取機が姿を見せるようになった。同じ行き方、歩み方の中から共同化が進まないのは何故だろうか。せめて二度の農繁期の共同だけでもできないものかといつも考えている。

わたしは中卒後、和裁勉強に四年間通った。農家に生まれはしたものの農業についてはあまり詳しくない。しかし、長女のためわたしはあと継ぎを自認している。父は左官職として毎日仕事に出る。

六〇㌃の水田、一〇㌃の畑が母一人の手にかかっているのだ。手習いを中止してわたしは家に帰り、いまは村の森林組合に勤めている。母の農作業、父、そしてわたしのわずかな収入でようやく生活しているわが家である。

近所や村のみなさんと共同で作業ができるようにならないものだろうか。わが家のような兼業農家の水田を、農協が請負耕作の名目で引き受けてくれないだろうか――欲張ったわたしの考えはつきることがない。年間二～三週間しか父から手助けをしてもらえない母の重荷！農協にいっさいまかせられれば、老いていく父母のためにどんなにすばらしいかわからない。

求めようとしても入手できない土地、経営の拡大も望めないわが家、農外収入が大半を占めるわが家の現実、婿養子を迎えねばならぬわたし……。農業を続けようとすれば、わたし一人では解決できそうもない問題ばかり。

だが、その反面、明るい見通しもあるのだ。わたしの村はいま、国の構造改善による大和高原パイロット事業の指定地域に入っている。十年後の農業を描いた青写真の上にたって計画され、村の農業も詳しく調査されている。また、農業振興整備地域の指定も本年度中に受けられそうである。農業振興地域とそうでない地域とが線引きされることになる。谷田や緩傾斜の山は開墾予定地に、農道は拡幅整備、また、水利対策のためのダム建設も計画されている。この二つの事業が軌道に乗れば、専業、兼業を問わず、農家の将来は大きく変革されることになるだろう。

一人でも多くの仲間が喜こんでこの村に住みつき、明るい平和な村づくりに協力してくれるだろう。"新しい村づくり"――これこそ大きな曲り角にたたされたわたしの家、いいえ、農村全体の大きな課題なのである。

美しい自然に囲まれ、古くから発達したこの村で、緑の森と豊富な水とによって、新しいすばらしい農業経営が展開されていくようにお互いにがんばりたいものだと思っている。

結婚を考える ▶28◀

福岡県・黒木4Hクラブ　堤　千恵子

夢と現実

"土"に生きる娘心は？

だいぶ前のことですけれども『近代経営』という農業雑誌におもしろい記事が載っていました。おもしろいなんていったら著者に叱られるかもしれませんが、見出しは"農村女性よもっと恋愛を！"だったと思います。

ちょうどそのとき、わたしは恋愛進行形のまん中に乗っかっていましたので、一人でクスクス、ニヤニヤ笑いながら読んだり、また、「世の中には世話好きな人もいるんだな！」と思ったりしました。でも、いまになって著者のいおうとしていたことがやっとわかりかけてきたのです。実際に農村に入り、自分の手を汚して得た体験や、農家の人たちと接して聞くいろいろな問題を通して、わたしはそこに共通点をみいだしながら、再び問題提起をしたいと思います。

今日の農村女性は賢くなってきているそうです。一昔前みたいにただ家に残って農業をやっているのではなく、自ら積極的に農業に取り組み、中には男性が顔負けするほどの女性もちらほらいるということです。でも、人数からみたらいったいどのくらいいるのでしょうか。"農村の嫁キキン"なんていわれている時代ですから、そんなにあふれるほどはいないと思われます。実際、4Hクラブの女子クラブ員は、男子クラブ員にくらべて極端に少ないのが現状ですから……。

その少ない、そして貴重でもある"土"に生きる娘心を、先ほどの記事からひろってご紹介しますと、まず、美しい自然の中で汗を流して働く農業という職業には魅力があるそうです。これはわたしも同感です。しかし、現代のようなめまぐるしい農業情勢の変化の中では、そんな考え方はいつまで続くかわかりません。

つぎに、いわゆる"三ちゃん農業"や"兼業農家"の問題ですが、夫が背広を着て出勤したあと妻である自分たちが泥だらけになって働くのはイヤだということです。したがって、専業農家へ嫁いで夫と一緒に働きたいそうです。財産の多少、あるいは車のあるなしは問題外で、そ貧しさにはへこたれずに、それよりももっと"これからよくなる"という夢のある農業経営をやっていきたいということです。（農村の男性諸君！「これならおれにも望みがあるぞ」と思われた方もいらっしゃるのでは？）

また、女性として家事や育児の時間がとれ、趣味やレクリエーション（たとえば旅行など）もできるゆとりある生活が理想であり、家族関係が明るく、夫とも十分話し合ったうえで農業の仕事や生活をやってゆけるようにしたいというのがうかがえます。家計や家庭管理の実権は自分にまかせてもらいたいとのこと。つまり、嫁ではなく主婦になりたいというのが大きな特長でしょう。そして、夫には健康で農業に誇りをもち、実行力のある人がいいということですが……。

こう書いてきますと、[illegible]ど農村女性のしっかり[illegible]がでていますし、結[illegible]考え方も健康的で前[illegible]がうかがえると思い[illegible]し、あえて著者ほど[illegible]起をしているのです[illegible]ったといわれている[illegible]っている。けれども、[illegible]確かに農業に対して[illegible]してもすばらしいビ[illegible]ないのではないか？[illegible]

つまり、ビジョン[illegible]る行動力がもう少し[illegible]うわけなのです。広[illegible]いているならば、そ[illegible]せるために積極的に[illegible]また、夫婦そろって[illegible]たいのなら、よき保[illegible]ためにいろんな会合[illegible]席しなさいというア[illegible]のです。

さあ、わたしたち[illegible]熱をかけて心の炎を[illegible]ょう。みんなで行動[illegible]

（堤さんは現在、[illegible]としてアメリカを研[illegible]）

「土の思想」を考察

NHK農事番組（11月1～10日）

テレビ

明るい農村　6・30～6・55総合

1日　産物百科「銘柄米」
2日　話題と人「畜産基地をめざす」
3日　農村新地図「土の思想」きだみのる（作家）中根千枝（東大教授）
4日　村をむすぶ「名古屋、大津、広島、東京」
5日　明るい漁村
6日　村の記録「四十六歳の転身」加藤寿太郎（秋田市）
7日　きょうの話題
8日　産物百科「さといも」
9日　話題と人「新しい花市場」
10日　農村新地図「福井県三国町」斎藤晃世（金沢大教授）

農業教室　7・30～8・00　教育
2～4日「米の流通を考える」守田志郎（名城大学教授）
6～11日「野菜経営のシステム化」小野誠志（農業技術研究所）

あすの村づくり　日　7・00～8・00　教育　再　土　13・00～14・00　教育
5日「松ケ岡の百年」武山省三（山形県羽黒町松ケ岡農協組合長）、吉野憲信ほか

ラジオ

早起き鳥　5・41～5・57 ①
1日　過疎村に塾を開く　村田迪雄（島根県伯太町）
2日　お年寄りの民謡保存　中田永治（岐阜県白鳥町）ほか
3日　特集「キク」
4日　ふるさと通信
5日　話題の窓「増えるナイター農業」井上和衛（労働科学研究所）
6日　薬草研究四十年　八田洸三
7日　しゃくたけ産地をめざす～福島県西会津町
8日　工事すすむ香川用水　桂重喜（香川県用水課長）
9日　ワラビの不時栽培～栃木県喜連川町
10日　観光農業白書～埼玉県

話の広場　日　6・15～6・30 ①
5日「にぎわうマス釣り堀」～群馬県勢多郡宮城村
12日「馬産地復活」～栃木県那須郡那須町

ラジオ農業学校〈講座〉　月～土　6・[illegible]
2～4日「減反[illegible]」林　信彰（全国[illegible]）
6～8日「農業[illegible]」坂本慶一（京都[illegible]）
9～11日「流通[illegible]」[illegible]雄（農林省草地[illegible]）

ラジオ農業学校　日　6・[illegible]
5日　グループの[illegible]営拡大をどうは[illegible]県三原町ゆずる[illegible]

農林中央金庫

九兆円の大台迫る　農協貯金　十二月末には達成か

農林中金では四半期ごとに全国の農協資金観測（見とおし）を行なっているが、このほど本年十月～十二月期分がまとまった。

それによると、今期は米代金などにより年間の農業収入の半分近くが農家にはいり、また年末ボーナスなどの農外収入も増加する時期なので、農協貯金は期中（十月から十二月まで）一兆円余りふえ、十二月末残高は八兆九千五百億円と九兆円の大台に迫るものと予測される。

全国の農協貯金の年間増加率は本年四月以降毎月二〇％を越す高い伸びを示しており、この傾向はなお続くものとみられるが、貯金増加の要因の一つにあげられる土地代金は、市中金融の小締まりと土地投機抑制のための税制改正の気運などから金流入がやや頭打ちとなり、土地売買の動きも都市化地区から中間・農村地区へ移りつつある模様。

今期の農業収入の大部分を占める米代金は、生産者米価のアップ（前年比五・〇六％）と作柄良好（農林省調査による九月十五日現在作況指数は一〇三で予想収穫量は前年比八十五万トン増）とによって、前年同期より千五百億円程度ふえる見込み。また「農業観測」（農林省発表）によれば、秋冬野菜・果実・大豆・いも類なども本年は前年より生産がふえ、みかんを除けば価格もおおむね堅調の見とおしなので、農業収入は全般的にみて前年より増加するものと予測されている。

このため農家の家計費はわずかながら上向いてきており、また固定資産の購入も本年は前年より総じて活発化してきている。しかし、投資の動向は住宅など生活部門が主体で、農業生産部門への投資はさほど積極化していない模様で、農家の農外事業資金、農協の貸し付けもあまり大きな伸びはない。

農協の貸し付けは[illegible]百億円増加して十[illegible]兆円前後の残高に[illegible]

このように、今[illegible]は農業収入等の増[illegible]年同期よりも明る[illegible]すものとみられ、[illegible]て農協貯金残高が[illegible]の七兆二千七百億[illegible]で一挙に九兆円の[illegible]ることが期待され[illegible]

歌詞を募集　農協共済ソング

岩谷・浜口氏らが審査員

全共連では、組合員をはじめ農村の方々に農協の共済の主旨や内容を理解し、親しんでいただくために、つぎの要領で新しい共済ソング歌詞を募集することになった。

「課題」は、明るく夢のある歌詞で「農協共済」または「農協の共済」の言葉が入っていることとし、長さは三節以内とする。

「応募資格」は、農協組合員およびその家族と、農協役職員（連合会役職員を含むが全共連役職員を除く）にかぎり、募集は一人三編以内。

入選者の発表については、全共連機関紙「農協の共済」四十八年七月号（予定）、「日本農業新聞」、および「家の光」誌上等で発表する。

期限は十二月三十日（当日消印有効）である。なお、応募点数[illegible]

この農協共済ソングの歌詞せん定の審査員はつぎの各氏に決まった。（敬称略）

岩谷時子（作詞家）
浜口庫之助（作曲家）
柳田　久（全国農協中央会）
永沼　武（全国新聞信報連常務）
[illegible]

[illegible]賞として記念品（[illegible]名）が贈呈される[illegible]十万円、佳作（三[illegible]および副賞各二万[illegible]（一編）には賞状[illegible]また、入選作品[illegible]黒川泰一（全共[illegible]山中義毅（全共[illegible]来馬希木（家の[illegible]

加作品は、他のコ[illegible]未発表の作品で模[illegible]に限る。入賞作品[illegible]共連に属し、応募[illegible]ない。

〒[illegible]都[illegible]町[illegible]全[illegible]済[illegible]

全国共済農業協同組合連合会

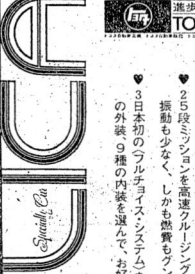

自己発見のために

神奈川県・青空クラブ 鈴木悦子

私はこのグループに入りいろいろとプラスになった点がある。入ったばかりのときは、ほかの会員と話が全然通じないでおもしろくないことばかりだった。半分自分自身に負け、やめようか、などと思ったこともあった。

しかし、そこで私はもう一度考えてみた。"何をするために私はこのグループに入ったのか"と。その理由は簡単だ。人と人との交流を求めていたからであり、また働くことが好きだったからだ。

私は自分自身に初心を言い聞かせながら「何事も自分でぶつかっていこう。そうしないといつになってもみんなと仲良くやっていけないぞ。なにごとも積極的にだ」とがんばってみた。

このなかから私がみいだせたものはなんだか良くわからないけれども「一人を信じられる」ということは確実に手に収めたような気がする。

人と人との交流によって楽しく語り合い、みんなと接する。そのなかから再び自分自身を見つめてゆくとき、そこにはなにかがあると思うのです。また、ほかの多くの人に自分自身がみつめられるというのも勉強になるでしょう。

そして、お互いに信じ合うところにグループは成立するのでしょう。そんなグループのなかにはなにかがある。そこで見い出すべきものが何であるか、それはまだよくわからないが、これから多くの人と接し合い、自分自身を見つめてゆきたいと思う。

道化者

福岡県・糸島地区 永長由美子

人の前に立つ時は
常に陽気に明るくと
自分にいいし かなしさよ
ああ この胸の痛みさえ
あの人に伝ゆるすべもなく
一人私は道化者
いついかなる時にでも
頬に笑いを忘れずに
それが私の精神なのに
ああ この恋のはかなさよ
顔で笑って心で泣いて
一人私は道化者

仲間はみんな家族
今こそ共に立ち上がろう

滋賀県・県連会長 小川正彦

日本の農業が曲り角に来たと言われてから、ずいぶんと長い年月がたったが、いまだに曲ってしまったという声は聞かれない。

まだ曲り切れずに、前に行ったり後へいったりモタモタとしているといった感じである。それが、いつのまにか変な方向へ行ってしまって帰り道を忘れてしまって途方にくれているといった方がよくあうような状態であります。

維新の例をあげるまでもなく、このように進路のいまだに定まらないときこそ、私たち若き青年は大いに語り、話し合い情熱をもってひっぱってゆくときなのではないでしょうか。いまこそ私たちは考えを主張し、立ち上がらねばならないのです。

私たちの進路を決めるのは、政治家でもなければ、官僚でもありません。私たち僕たち自身なのです。また、曲り角にある暗い農業だからこそ、私たちの若く明るい情熱が必要なのでもあります。

明るく未来が洋々としている時代であれば、誰でも、誰がやっても良いのです。このような時代なればこそ私たちが必要なのです。いうなれば、選ばれた人間なのだということを忘れないでいただきたい。

誰にでも可能なのではなく私たちだけにしかできないのです。

私たちクラブ員一人ひとりが手を取りあって、小さな一つの力を二つ三つと手を広げてゆくことによって大きな力とし、自分たちの進路を切り拓いてゆかねばなりません。私たち一人ひとりは友だちであり、兄弟であり、親子であるのです。言うなれば一つの家族（ファミリー）として、新しい農村建設に向ってまい進しようではありませんか。

笹笛

わが心の流砂

東京の片隅の農村地帯――ぼくはそこで幼年時代を送った。稲のそこはかとない女心のような香りもしていた。赤とんぼが群をなして飛んでもいた。小川ではどじょうがさっと顔を出し、となりのタケちゃんは釣糸をたれていた。中学生だったゴローさんは空気銃でスズメを狙っていた。夕闇が静かにせまると、気の早いお月さんが青白い光の露をぼくらの頭上へまき散らした。

おだやかな日没だった。そして、気が滅入ってしまうほど寂しい落日でもあった。太陽を背に富士山が爛々と見えていた。

法事をやっている家から念仏の鐘の大合唱が耳なりのように聞こえてきた。不気味な白衣が目の中で燃え、風がぼくの耳たぶを鋭くなめた。ぼくは走った、耳をふさいでなおも走った。そしていままで走った……。

あの音も、あの色も、あの匂いも、そしてあの感覚も、ぼくのなかを流砂のように移動していったものだ。

ぼくの目に映じたある一つの世界――

近所の人たちがぼくの家のお稲荷さまをおがんでいた。ぼくの家の離れにまつってあった神様を背に地域の人たちは"ろっこんしょうじょう"と口々につぶやきながら富士山へ向っていった。あるとき大勢がバスに乗っていった。神社で獅子が激しく舞った。大獅子の頭から一本の羽毛が抜けて宙に飛びだした。そいつはヒラヒラとみなの頭上をからかうように飛んで行った。みんなは本物の獅子舞いなんかそっちのけでその羽毛の行方を見ていた。ぼくもみんなといっしょにそれを見ていた……。

――二、三年前、その獅子舞いが無形文化財として保護されることになったのをぼくは知った。それが区の文化会館でスポットライトを浴びて舞っている写真も見た。

田んぼが家になった。小川が消えた。十何年か前、空気銃をもった男が警官に尋問されていた。お稲荷さんもひっそりした。神社の境内もなくなった。

そして、ぼくはいま、大きな道路の交差点に立って四囲をぼんやりとながめ回している。チクチクと鼓膜を刺す自動車のクラクション。ぼくは聞いているのだった。秋風にカサコソともてあそばれる飲み屋の宣伝ビラの間からかすかに聞こえてくるあの調べを……。

シャーン、シャーンと不気味に木の葉を揺すぶるあの念仏衆の鐘の大合唱は、はるかにそびえるうす暗がりのなかでふいに消失してしまう。そこで、ぼくは、ふたたび自分がどこから走ってきたのかかいもく見当がつかなくなってしまうのだ。

（野）

おつぎはあなたの出番です！

あんな人こんな人

受けて立つ都市化

佐藤春雄 神奈川

恋人はいないよ!?

「ぼくは女性に弱い」と誇らしげに語る彼。でも、実際に彼が女性と接している態度を見たことがある人なら「ムリしちゃって」とからかうかもしれない。

全国4Hクラブ連絡協議会の事務局次長である佐藤春雄君――一見、女性に強そうだが、実のところ彼は女性に弱いフェミニストのようだ。

昭和二十二年生れの二十四歳、もちろん独身だと得意気に言う彼。「婚約者は当然いません」と自慢する一風変った人でもある。

彼は神奈川の藤沢市で農業を経営している。現在、その藤沢市には都市化の荒波がすさまじい勢いでどっと押し寄せてきているという。"西部開発"という名の開発事業、それは刻一刻と藤沢市の農業を変えているそうである。

佐藤君の家では、しいたけ栽培を主体にして、水稲、ハウス、露地野菜などの複合経営をしている。その経営面積のすべてが市街化地域だと彼は深刻な表情。

「西部開発で経営面積が約半分になる。それで、四十二年に後継者育成資金を借りて、四十三年にしいたけ栽培をはじめたんです」

都市化に対応できる農業を考え努力し続けている佐藤君は「販売経路を確保するのが第一の道と思い、マーケティング農業を仲間たちと研究」しているそうだ。

佐藤君は十一人の仲間と一緒に単位クラブで活動しているという。そこでは、どんな話をしても"開発問題"がでてくるそうだ。

彼ら十一人の志士は「青年であってもさまざまな知識をもっていなければ、この都市化の荒波は乗り越えられない。民法、とくに土地売買や税法については専門家なみの知識が必要だ」を合言葉に日々学習に励んでいるという。そして佐藤君は「これから都市化の波が押し寄せる可能性のある地域のクラブ員のみなさんは開発が始まらないうちに勉強しといて」と呼びかけている。彼自身、市街化が始まってから市街化を考えるというのでは遅すぎるということを身をもって痛感したからだという。

佐藤君は「これからの4Hクラブ活動は、現代の農業の状況を背負って立つような活動でなければダメだ」という。農村建設をうたっていながらレクリエーションばかり見つめていたんでは、クラブが存在する理由もうすくなるのではとつけ加えた。

彼の属するクラブの場合では「大都市から移入してくる人たちが増えて、従来の農村がくずれつつあるが、いかにしてそれに順応できる新しい農村を建設してゆくか」ということを軸に活動を進めているという。状況の差こそあれ現在の農業にはそのような問題が含まれているのではないかと彼は強調する。そこで、佐藤君は再度クラブ活動の重要性を熱っぽく語る。「農業は厳しい情勢にあり、不安定な地位にいる。それを乗り越える活動を……」

都市と農村（農業）の調和を考えているという彼。県連の新都市計画法対策委員会で法律を学んだという彼。西部開発・営農対策室のしいたけ部・副部長として、都市化に対応できる農作目（しいたけなど）を研究しているという彼。

彼―佐藤春雄君。趣味はクラシック音楽を聞いたり、生物を育てたりすることだという。好きな女性のタイプは日本的な人だそうだ。ただ今、花嫁募集中の看板も下げている。

生まれ故郷が日々変ぼうしてゆくなかで、彼は「"新しい農村づくり"がぼくの人生のプロジェクトです」ときっぱりいいきった。

（藤沢市大庭五八九二）

おかしな夢の話

大阪府・千早赤阪4Hクラブ 川口充弘

なんでおかしな夢を見たのだろう。――ある暗い冬の日に、ぼくは目的地までの切符を買った。そして、ぼくはまだ見たこともない一団にまじった。

途中、開拓地があった。そこには花が咲いているようだった。ひとりの青年が立っていて、ぼくに向かって言うのだった。「まだ花は咲いていないよ。あわてすぎるよ君らは。ぼくはすることがないから動かない。ほかの人はぼくの話を無関心に聞いている。だから、ぼくは人に言えないことを心の中でしゃべる。でもその沈黙は、病気のようにぼくの体を弱らせる」

青年はそんなわかったようなわからないような話をしていた。

ぼくらは人気のない道を通って海へ出た。そこにも人がいた。その人は「文明なんか苦痛の種だ」と言った。そして、理由もないけど岩や魚になって苦痛をまぬがれたいとも言った。

ぼくは疲れた。家に戻りたくなった。家のほうは晴れていた。きっと太陽もあるにちがいない。

気楽に日々を送りたいぼく

埼玉県・大越4Hクラブ 蓮見照二

仲間たちのおかげでいままでなんとかやってくることができた。

そんなみんなのなかにいて、それまで迷っていた心がようやくひとつの方向に絞られてきた。と同時に、この道しかないという観念と、これでなくてはという自信もでてきた。

しかし、やはり現代の農業の動向をみると何となく不安を感じてしまう。ここで規模拡大を計っても大丈夫だろうか。政府がどこまで保証してくれるのか。それに加えて、現在わが地域にもみられる都市化の徴候的現象はどうなるのか。水も汚れはじめたし、大きくまとまった耕地もなくなってきている。おそらく、十五年後には、ほとんど町並になってしまうだろう。残るのはハウス経営のみのような気もする。それまでに野菜類における価格保障制度をどうしても完成してもらいたいものだ。

いろいろ考えてみたとしても、いまは何がどうどうするわけでもない。いずれくるだろう未来、それまでは現在を楽しく生きよう。どうもぼくには、くったくのない陽気さが欠けているらしい。人間恐そするとは性格が変わるというからその機にかけてみるか。

しかし、いくら努力してみてもいまだに気楽ではない日々を送っている現状だ。

立ち見席

一度限りの人生さ

人生の歩みというものは、ただ一度かぎりの清書である。あらかじめ練習の下書きをしてから、さてそれではと清書にとりかかることのできるものではない。生まれたその時点から練習なしの本番だ。ふたたび赤ん坊からやり直すわけにはいかないからね。こんなことはだれもがわかりきっていることだ。みんな考えてることだ。

しかし、ほんとうに誰れもが真剣にこのことを考えているのだろうか。今日という生涯二度とくり返されることのないこの一日を。また、十九歳の私、二十歳の私を……。

さて、私自身もときおり自分をふりかえってハッとしてしまう。二十余年、まことに後悔のみ多い人生を過ごしてきてしまっている。

なにもしない日々に続く日々また日々。ムダな消耗につぐ消耗。このまま生きれば、ムダの積み重ねが人生になってしまうおそれさえある。

私たちはとかく、自分たちの人生のおごそかな意味を忘れ、自分の一生を日毎に、年毎に無意識ななぐり書きでうめていっている。なんといっても若い我ら、自分の人生を大切にして、歩んでいかなければならない。どのような苦難に遭遇しても、決して自分をあきらめたり、すてばちになったりせず、人生への謙虚な祈りを失なわないで生きぬいてゆきたい。

我ら若者もいつか六十、七十となり、長い人生のたそがれにその身を立たせるときがこよう。そのとき、自らの人生をふりかえって、己れの人生がたとえ成功と勝利に輝いていなかったにしろ、また、その運命が涙と苦悩に暗く苦しく閉ざされていたにしろ、もし一歩一歩着実に歩いた人生ならばそれでいい。その人生に注いだ清らかな誠実とあたたかい愛情とは、深い人間としての香りを漂わしながら心を悔いのない静かなやすらぎに座らせてくれるだろう。

我らの同志諸君、この若く尊い、そして一度限りの人生を大切にしようではないか。そして、みんなで人間の深い香りを放ちあおう。

（群馬県・三峰4Hクラブ Y・O生）

落日

山中康司（最終回）
栃木・小山4Hクラブ 農民文学会会員

陽子は芳男にとって恋人でもなんでもなかった。単に見合いの相手だった。結婚するしないは二人の合意で決まるにしても、それは一日の交際で成るべきものではなかった。相互理解ができたとしても見合結婚が成るまでには家がある、両親の意見がある、複雑な過程があるはずなのだ。それをいきなり倚にものをいわせて女を誘惑しようとした芳男の行為は、卑劣としか言いようがない。

「偉いふりしてたって女は女さ。そういう奴ほどやってしまえばだまってついてくる」

悪友の陋劣な言葉に身震いしたのが芳男だったのに、今日の芳男はいったいどうしたというのだ。

「前に交際していた人もそうだったわ。男の人って皆そうなのね」

芳男はしょげた。そして自分が惨めになるのだった。とやがて急に垂れていた顔を上げた。ただ口ずけがしたかった。でもその動機は考えるほど卑猥なものではなかったはずだ。

結婚は二人の合意がすべてだという考えがある。口ずけセックスが愛の表現だという。言葉では表現できない男女の細やかな関係も口ずけ抱擁によってなら可能であり、またその強さ熱さがどれほど男女（ふたり）を結びつけるかということを芳男は三枝子との交際によって知った。芳男は陽子に対しても三枝子に劣らぬ好感を持った。この女となら結婚してもいい。いやどんなことがあっても結婚すべきだ。この人とならしっかりとした生活も築いて行ける。よし自分はこの気持をやさしく相手に伝えてやろう。これが性急でしかも男のエゴを存分発揮した芳男の行動の動機らしかった。

だがこの思考（かんがえ）には二つの大きなあやまちがある。その一つは男女の愛の伝達が口ずけなどというなまやさしいものでは行なわれ難いということ、その二つには世には常識があるということだ。陽子という女性は一般常識を知っていた。世の軽薄な風潮になじむ女ではなかった。友が農業を嫌う時、すすんでその道に生きようとする、垢無でたのもしい個性を持っていた。

「おまえだけは農家にやりたくない」

母親の声にも耳をかさなかった。

陽もまぶしく昇る頃、朝の通勤バスが来る。勤めに出る娘たちのいわびしい仕事姿。ここに娘と嫁の差がある。今なお改善されない精神的な花嫁の座の悲哀がある。

陽子は勤めに行く娘ではなかった。高校終ると同時に家事を手伝い、4Hクラブに参加し、農家生活とその封建性の改善を実践する人だった。農業に夢を託し、新しい農婦としての道を行く人だった。なにより農への意欲を欠いた芳男には最適の人だった。およそ農家としては零落している芳男の家に、暖かい手をさしのべようとしてくれた人なのだ。

「一度しくたっていい。真面目に農業に生きる人なら」

陽子はそういう言葉を残していった。

栃木の町の空にもとっぷりと闇が来ていた。ネオンサインが輝いていたが、大通りを歩く人は少なくなっていた。当然、駅には陽子の姿はなかった。芳男はこのまま家に帰るのを恐れた。そしてまた駅を出た。自己嫌悪と失望とを、赤ちょうちんののれんでいやすことにした。コップで二杯目を乾す頃は、女の笑顔が浮かんできて苦しかった。芳男はこぼれた酒でテーブルの上に「陽子」と指で書いて、それを消したりした。（完）

◀投稿案内▶

本紙は、全国クラブ員の準機関紙として、みなさんに大いに利用していただきたいと考えています。

クラブの催しや個人のプロジェクト、詩、短歌、随筆、写真、悩みや意見、村の話題、伝説、行事、お知らせ、小説、その他なんでも結構ですから原稿にして送って下さい。

❶長さや形式は自由です❷できるだけ記事に関連した写真をそえて下さい❸送り先 〒105 東京都港区西新橋1の5の12 佐野ビル内 日本4H新聞編集部

――日本4H新聞編集部――

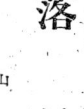

日本4H新聞
4Hクラブ 農事研究会 生活改善クラブ
全国広報紙
発行所 社団法人 日本4H協会
東京都港区西新橋1の5の12 佐野ビル 〒105
電話 (591) 1817・3683
編集発行 玉井 光
月3回・4の日発行
定価 1部 35円 一カ年 1200円(送料共)
振替口座 東京12055番

クラブ綱領

私達は、実践を通じて自らを磨くとともに、互いに力を合わせて、よりよい農村、よりよい日本を創るため、四つの信条をかかげます。

一、私達は農業の改良と生活の改善に役立つ腕をみがきます。一、私達は科学的に物を考えることのできる頭の訓練をします。一、私達は誠実で友情に富む心をつちかいます。一、私達は楽しく暮らし元気で働くための健康を増進します。

負けてたまるか 4H根性!!

赤松 宏 ▶ 5

第二点目は、「人間の結びつき」についてで、青年期の交際方法や種々の行動に関するものなどを考えてみたい。

社会生活における交際というのは、生きていく過程においてすごく重要な意味をもつものであるが、それらについては各自で考えていただくことにして、今回はとくに、青年期に一番関係のある範囲の交際、「同年齢の男女の洗練された新しい交際を学ぶ」――この課題に少し挑戦してみよう。

なになに、〝おれはいつも挑戦している〟って……。でも、それは何人くどくかっていう挑戦じゃないかな? 間違っていたらゴメンネ!! この課題は簡単なようで難しい要素が多分にあるようです。青年期の一番の難問かもしれない真面目な問題である。

はたして、〝男女の洗練された交際〟とは、いったいどんな交際なのだろうか。でも、ほんとうのところは、人間の恋ごころというものは、意志とはまったく関係なく生まれ、そしてまた、まったく関係なく消えていく――人間の意志の力をもってしてもどうにもできないもの、それが男と女の関係のような気がする。これが恋愛の定義かもしれない。しかし、私たちはこの恋愛の定義に安住していていいものだろうか? 〝意志とはまったく別に……〟という非合理な考え方であってはいけないのではないだろうか。交際のあり方を配慮し、合理的にととのえていかなければならないはずである。

相手の為になる愛を
洗練された恋愛とは

恋愛についてある人は三つのわけ方をしていました。第一は「肉体の快楽を求め合う恋愛」、第二は「感情を楽しむ恋愛」、第三は「相手のために生きる恋愛」というわけ方です。

第一のケースは体だけの結びつきで、肉体のみの快楽を求める動物的な恋愛で、そこには意志はなく、感情が優先します。第二のケースは「あなたがいればあたし幸福だわ」といった程度のことで、美しい言葉で表現するとしたら〝ロマンチック〟というのか、「星のとっても美しい夜だったので、あたしは正男さんとどこまでもずっと歩き続けたの。そしたら正男さん、『今夜の星は、まるできみのようにすばらしい、美しい』って言ってくれたわ。あたし、そのときもう死んでもいいと思ったわ。あたしってほんとうに幸福者です」――という程度のものです。〝恋を遊ぶ〟とでも表現したらいいのでしょうか。

第三の「相手のために生きる恋愛」は、「あの人が好きだから、あの人のためなら、あの人のために生きていくわ」ということです。つまり、恋することによってその人を伸ばしていく、恋をプラスにするといった恋愛のあり方です。まあ、どこで線引きをするかということはいちがいにいえませんが、私はそんなふうに考えるのです。

この女と交際すると、この人と恋愛するとプラスになるといった考えで最初から恋愛する者はいないと初めに書きました。私自身、顔はよくなくても何度か人を好きになったことはあります(全部駄目だったけれど)。そのときは損得なんてだれも考えませんね。〝好きになる〟――愛の芽生えの感情はそれでよいと思います。

しかし、愛が始まったとき、恋が始まったとき、交際が始まったときには、しっかりと考えていただきたいのです。「合理的」という言葉をあえて使いますが、「永遠の愛」を誓い合うよりも、「感情だけの愛」を誓い合うよりも、交際によってお互いの進歩、成長を誓い合っていただきたいのです。

「死ぬからこそ人生が美しいように、別れるからこそ恋が美しいのです」と、悲恋を不滅の恋の代名詞のように語る人もいる。それはそれとして、あなたには、いま交際している人といつ別れることがあっても、相手をののしることなく、「ほんとうにいろいろ教えてもらった。ほんとうにためになった。ありがとう!!」といえるような交際の方法を学んでほしいのです。

私はいままでに、4Hの多くの恋人たちに教えられました。一人ひとりにいつでも〝ほんとうにありがとう〟という言葉がいえます。ほんとうに4Hの恋人たちよ、ありがとう。

〝愛し合ったとき、人はその人の運命に確実にひとつの力をもち、影響を与えるでしょう。だが、その影響によって愛された人が不幸になったとき、恋した人はいったいどうやってその責任をとればいいのだろうか〟――このことを考えての交際、それが洗練された交際法につながるものと私は信じています。

「あの娘がかわいい、つばをつけてやろうか……」なんていう見そめる行動も大切なことかもしれないが、私たちはもっと男女交際の基本的な意味、ありかたを系統的に学んでみる必要があるように思えてしかたがない。

世間一般の交際のあり方をみても、てれくさがってみたり、不倫な愛だとか、とかく難しい問題が多くあるが、それは交際についての基本的な教育がなされていないところに問題がありそうである。もし、これらの問題が一度でも学習の中に取り入れられていたり、教える人があったとしたら、ほんとうの意味での〝成長ある交際のあり方〟が青年自身の心の中にしっかりと根をはることができるのではないかと思うのである。

とくに、結婚したクラブ員、OB諸氏の経験による教えが登場してきてもよいはずである。各リーダー諸氏!! そんな意味での先輩利用法があることを忘れちゃいけないぞ。

ともあれ、失敗のない恋愛をしてください。全国の現在進行形のカップルのみなさん、恋のつぼみの花咲く幸せを祈ってやみません。がんばれ!!

(題字も筆者・北海道4Hクラブ連絡協議会前書記長)

男女交際はチョットしたきっかけから

土を離れた君に贈る

情熱家の育つ村へ
友よ、カバーし合って進もう

秋も深まり、木々草々はそろそろ冬の仕度をしはじめた。ときおり背後から忍び寄ってきて頬をなでながら通りすぎる風はもう木枯しのごとくである。そんな風に運ばれてきたかのような一通の手紙。題して――サラリーマンに嫁いだ君への惜別の詩。心のなかを吹きぬけてゆく寒々とした一陣の風のようなこの広島県の藤田治之君の手紙はわれわれ若き4Hクラブ員にあてられたものでもある。彼女がなぜ農業を捨てたかは誰れにもわからないかもしれない。でも、ひとごととは思えない。全国のみなさん、彼とともに〝土を離れた一農村女性〟のことを考えてみようではありませんか=編集部

かつて彼女もこのように真剣に勉強していた……

〝土をいとおしみ、農業を一生の仕事としてこよなく愛する人は生きる喜びや楽しみ、そしてその偉大さを深く身に感じることができるものだ。ゆるぎない大自然と対決することは、多少の所得格差など問題ではないような喜びである。それらは農業に生きる私の生きがいでもある――〟

彼女は農業に対してこう主張する。まっ黒に日焼けした見るからにたのもしそうな長身の美人である彼女はさらに続ける。

〝――土の上に出ると落ち着くものだ。なんだか心が広くなってくる。生の実感とでも呼ぼうか、私の心に言いしれぬ喜びがわいてくるのだ。だから私は土のないところを敬遠する。私は一生、土の上で動物や植物を相手に農業をやりたいと考えている。できるなら愛する人と共に働き、安定した農業を経営したいものだ。私のここでいう安定とは、単なる豊かさのことではない。また、現実的にも私は豊かな資産を有していない。私のいう安定とは、農業を第一歩から掘り起こしてゆくときの楽しさのことである。そのときの人間的な安定を私は味わいたい〟

農業に対する意識面の高さ、そしてこれだけの度胸はそうざらにころがっているとは思えない。また、彼女の言葉にまっ向から反論できた元気な男性もあんまりいなかったようだ。いや、まったくいなかったのだ。なぜなら彼女はいま、サラリーマンのお嫁さんになったところだからだ。

これで日本農業の近代化もまた一歩後退した。これがけっして大げさな言い方でないところに農業の、そして農村の救いがたいところがある。

誰よりも農業に意欲を燃やし、農村の近代化のために努力をし、工夫もし、後継者としてその使命をまっとうしようとした情熱家であった彼女。その情熱家が情熱を情熱として燃やし続けることの許されなかった現実がそこにはあったのだ。日一日と農業の情熱家はいたたまれなくなってゆくのが今日の農村のような気がしてならないのだ。

農産物の自由化や減反政策もそのひとつかもしれない。が私は、これは単に表面上の問題にすぎないと思う。また、これらは全体的にあやふやな表現にとどめておくとき、行政にとっても農業者にとってもきわめて便利で都合のよい理由と化するのだ。

私もその一人だが、若い情熱家は貧弱な農業事情や農政をだれよりもよく知っている。にもかかわらず、農業に限りない愛着をもっているのだ。そして彼らの言うことには「農業をやっているからにはそれなりの覚悟があってのことだ。農業をやめるのに、改めて現代の農業事情の貧困をとりあげてそのせいにする必要がどこにある」

ではなぜ農業経営を独創的に展開してゆく資質を養いつつあった彼女がその情熱を失い、かつまたせっかくつちかった次代をになう現代的農業者の資質をオクラにしてしまう決心をしたのか。

〝村全体が豊かな生活を営めるようにいまこそ私たち青年がお互いに手を取り合って、明るい農村建設の運動を展開すべき時期である〟と言った彼女を仲間の青年たちは理解していたのか。

結果のみから判断することが許されるならば、青年たちは彼女を理解してやれなかった。ましてや擁護などは皆無に等しかった。大きな理想をかかげて、農業経営にも着実な成果を上げつつあった彼女が農村から逃避せねばならなかったのだ。いくら着実な発展をしていても、農村が、そして仲間が理解してやらなければ、やむなく離農してゆくということを彼女は身をもって示したのではないだろうか。そんな現実があることを私たち農村に生きる者は素直に認めざるをえまい。

若い仲間はお互いに話をし、お互いに理解し合って、低迷する現代農業のなかでお互いにカバーし合わねばならないだろう。にもかかわらず、情熱家は誤解され、邪魔者扱いにされているのをしばしば見かける。これでは農業の近代化がおぼつかないどころか、私たちが農業を経営してゆくことすらあやしくなってこよう。

現実的にも今日の農村では情熱家はあまり育っていない。そして真に農村の求めているはずの人間像は置き場にこまっている。これから私たちは考え直していかねばならないだろう。私たちは、彼女のような人をしっかりと結びつけておくことのできる農村を築くようなクラブ活動をはじめねばならない。

彼女ほどの情熱家に私は再び会いたい。どんな遠くの人でもいいから会いたいものだ。

(広島・沖友農業後継者協議会 藤田治之君発)

話し方教室で特訓
静岡の西部青少年クで リーダー研修会を開く

【静岡】さわやかな秋晴れに恵まれたさる十月十七、十八の両日、西部地域農村青少年クラブ連絡協議会(会長 内山敬一君)では、県立林業青年の家に十二クラブからリーダー三十三名を集めて、リーダー研修会を開催した。

これは、西部地域の現役ならびに次期リーダーが一堂に会して研修し、クラブ活動の充実と発展を図るために西部地域の農村青少年クラブが独自で開いたもの。

初日は午後一時半から開会式。まず、お互いにリーダー同士を知っておこうと、半紙に自分の紹介文を書き、それを他の人が読み上げるという他己紹介を行なった。

二時半から講演。NHK浜松放送局の三沢アナウンサーから「話し方教室」と題する講義が行なわれた。これは、クラブリーダーとして話し上手になり、はっきりとした言葉を身につけ、言おうとすることを確実に相手に伝えることができるようになろうということでもたれたものである。四時までは、口のあけ方、間のとり方、話のテンポ、そして判りやすい言葉使いなどの話を聞いた。そのあと一人ひとりがみんなの前に立ち、「私のめざす農業」という課題のもとに、いま聞いたことを生かして話し方の練習をした。なかにはあがっている人もあったが、即席の課題にもかかわらず、みんな堂々と一席ぶち、講師も「さすがリーダーですね」と参加者をほめていた。

強烈なスパイク!参加者たちはスポーツで研修の疲れをいやした=県立林業青年の家で

第二日目はテーマ別の分科会。①魅力ある4Hクラブにするには②サークル活動でのリーダーのあり方と二つのテーマのもとに四つの分科会に分れて、それぞれ研究討議した。

①の分科会では▽各人ごとに、または各クラブごとに目的を持ちそれに向って進めてゆくこと▽何でもよいから話し合いをし、意見交換の場を作り親近感をますこと▽共同精神を培い、文集の作成や4Hクラブの特有の活動をもつことなどという意見が出された。

②の分科会では▽クラブ内が分裂しないような引率力を養う▽各人の意見をよく聞き、主観的な発言をさける▽時間の配分を考えうまく使うなど、リーダーとして考えなければならない問題点がつぎつぎと出された。

そのあと、討議で悩ました頭脳を休めるために全員でバレーボールをしてくつろいだ。

閉会式では、内山会長が「短かかったが、大変有意義な研修でした。この成果を地域のこんどのために生かしてください」とあいさつ。参加者はお互いの健闘を誓い合いながら解散した。その日もぬけるような青空だった。その地方の稲刈りが盛んな日でもあった。

(有谷邦博連絡報道員発)

涼風暖風
脱コンテスト型発表会

そろそろ、クラブの実績発表会が開かれる時期である。実績発表会は、一年間の活動の成果をまとめて互いに反省し合う意味ではだいじな行事だし、活動の状況を公開の場で発表する点では、クラブ活動に対する地域社会からの理解と協力を得る好機でもある。ところが、ちかごろの発表会のようすをみると、どうも気になることが二つある。

その一つは、町とか郡以上の段階では盛大な発表会が開催されるのに、単位クラブ段階の発表会はあまり注意がはらわれていないことである。なかには、単位クラブの活動の源泉とでもいうべき単位クラブ段階での実績発表が軽視されているとしたら、これはおかしいことだと思う。クラブのメンバー一人ひとりが、問題解決の学習や実践の経過をまとめて互いに反省し合い、解決を阻んでいるものは何か、どうしたら問題を克服できるのか、メンバーの協力はこれでよいのかなど、真剣な研究の場がクラブの実績発表会であろう。はなやかさもないし、地味で目だつこともないけれど、ほんとうの発表会とはクラブ段階のものではないだろうか。

気になることの二つめは、発表の中味で [illegible] 見張るほどの輝しい活動実績の [illegible] のに、活力とか迫力とかが感じ [illegible]。話し方や図表も完全であるの [illegible] のが乏しいのは、いったいどう [illegible] ろう。メンバーが知りたいのは、[illegible] 得るに至った経過である。問題解決をめぐる苦しみ悩みの闘いなど、なまなましい経過の発表がほしいし、失敗の経験や中絶の結果だって大胆に発表してほしいと思う。

そこでは、ホンネやヨワネが話し合われ、活動内容をめぐって質疑応答や意見交換が活発にくりひろげられるに違いない。このような一人ひとりの発表ができるのは単位クラブの実績発表会ではないだろうか。

クラブの実績発表会は、コンテストやコンクールではないし、町や郡段階に代表選手を送るためのものではない。それは、クラブのメンバー一人ひとりの反省の場だと思う。

(北海道・三輪)

仲間づくりの快音
蘇東地区4Hク 球技大会など開く

【愛知】〝仲間づくり〟に重点をおいて活動中の蘇東地区4Hクラブ連絡協議会(会長 竹内秀夫君)は、さる十月二十五日、稲沢市営グランドで第六回球技大会およびプロジェクトコンクールを行なった。参加者は地区内のクラブ員、OBら約百二十名。

球技大会はバットに快音響かせてのソフトボール。体力の向上とクラブ員相互の親ぼくを深める目的で毎年開かれているもので、ことしは九チームが出場。中にはこの日のために何日も猛(?)練習したチームもあって試合は白熱。ホームランかと思えばから振りの三振、ファインプレーのあとでエラーと、一同爆笑の連続だった。結果は祖父江チームが二年連続、三度目の優勝に輝いた。

また、プロジェクトコンクールは、日頃のプロジェクト活動の生産物などを展示し、成果を発表。単なる品評会ではなく、生育途中の苗や地域の特産品の植木、苗木も出品され、技術的な面の交換も行なった。

夕やみ迫るなかでの閉会式。球技大会の上位三チーム、プロジェクトコンクールの十五名が表彰され、優勝チームは試合の疲れなどどこ吹く風、祝杯を高々とかかげて意気盛んなところをみせた。

(蘇東地区4Hクラブ連絡協議会々長 竹内秀夫君発)

来る九日から茨城で大会
展示会など予定

【茨城】来る九日から十一日までの三日間、茨城県農業研究クラブ連絡協議会では県と共催で「第十二回県農村青少年クラブ大会」を水戸市の県民文化センターを主会場に開催する。

同大会は県下の農村青少年クラブ員、農業学園生、県立経営伝習農場生ら約五百名を一堂に集め、それぞれ青少年たちが知識、技術や意見を交換し合い、農業者以外の人にも農業・農村事情を理解してもらうとともに、これからの農業を担っていく自信と誇りをつちかおうというのがねらい。

水戸市内のメインストリートのパレードや農産物の展示即売会、講演など数々の行事が予定されている。

交歓会を望みます
福島の西袋4Hク

【福島】岩瀬地方の西袋4Hクラブでは、来年の二月に赤城青年の家で県外研修を行なう予定であるが、その際に県外の4Hクラブとの交歓会を希望している。

西袋4Hクラブは、十九名(うち女子四名)の会員からなり、平均年齢十九歳という若いクラブである。クラブ員たちは稲作を中心に岩瀬きゅうり、梨、花卉、施設園芸などを経営している。また、日ごろのクラブ活動では、仲間づくりを相言葉に活発な活動を展開している。とくに、地域の人々にも4Hクラブを理解してもらおうと幅広い実践活動を続けている。なお、同クラブは発足してから五年目。

同クラブでは「とくに希望するクラブはないが、赤城地方のクラブで女子クラブ員もいるクラブがいい」と言っている。

連絡先はつぎのとおり

福島県須賀川市大桑原西屋敷一二九(〒九六二)佐浦養男 電話〇二四八七(五)七五七二

北陸ブロックの〝つどい〟
芦原青年の家へ八十名が参加

【福井】第八回北陸ブロック農村青少年のつどいが、さる十月十七から十九までの二泊三日間にわたって福井県の芦原町・芦原青年の家で開かれた。新潟、富山、石川、福井の四県から約八十人が参加し「経営規模拡大の方向」などをテーマに体験談をまじえながら意見を交換し合った。

心頭技健

本紙で十九回にわたって連載していた栃木県・小山4Hクラブ員の山中康司君の小説「落日」が前号で終わった。ここでご愛読くださった読者の方々とともに、山中君の労をねぎらい厚くお礼を申しあげたい▼ひとりの孤独な若き農業後継者の挫折を描いたあの「落日」には、私たちが現実に考えなければならない問題がいくつもあった。たとえば農業高校の質の問題、共同の営農集団、ひいては農村における連帯の問題、結婚の問題など、どれもこれもいままさに私たちが直面している問題ばかりである▼主人公は素直な目で自らをそして農村・農業を直視していた。自己のうちに巣喰う農業という職業に対する嫌悪感をも主人公は述べた。農業で生きようと思う主人公にとってそれは血を吐くのと同じような苦痛であったことだろう▼営農集団という大型機械を有する後継者グループからも彼は訣別した。それは、彼にとって村八分を意味していた。だが、彼にはそうする理由があった。ただ単に孤独を気どったのではなかったのである。農業者の連帯という問題を考え、新しい連帯を求めての訣別だったのだ▼そして、主人公は二つの恋愛に挫折する。高校時代から付き合っていたサラリーマンの娘と、そして、4Hクラブ員として農業に生きようとしている女性とに。たしかに青年の経験する淡い失恋談ともとれるだろう。しかし、そういうにはあまりにも農家における問題が赤裸々にあらわれてはいなかったか▼ここで「落日」のあらすじを追って批評まがいのことをしたのは、そうすることがとりもなおさずひとつの問題提起になると思ったからだ。

リーダー減少に思う

クラブとリーダー〈9〉

原田　正夫

都道府県で私たちの活動に対して指導してくださる担当職員の方、そして単位クラブやクラブ員と直接接しておられる普及員さんたちが会合をもたれると必ずといっていいくらい話題にのぼるのがリーダーの問題であるときく。それも「リーダーの数が少ない」とか「リーダーになり手がない」とか……。

この嘆きに等しい話の中にあげられたリーダーとは、おそらく組織の役員を主にさしているのだと思う。だとすればリーダー候補というかリーダーになろうと思えばなれる人はどっさりいるはず。ただどっさりいるうちの大部分が「リーダーになろう」という気がない。なり手がない。

自分はその器ではないと謙そんしている人もあろう。根っから消極的性格の人も中にはいるだろう。が、思うに自らリーダーとしての可能性をもちながらしりごみする人の多くはリーダーすなわち役員として忙殺されるであろう時間を惜しんでいるのだと思う。今年六月東京で開催した中央推進会議で、全協が全国の現リーダー約百名に「リーダーとして一番悩んでいることは何か」というアンケートを出した。実に八〇％がクラブと仕事の両立という問題であり、そこから親子の意志疎通が図れないとか、規模拡大しても労働力が不足するとか、家族としての、農業者としての悩みに発展しているように考えられる。また、私が各県に行く先々で「私も皆さんと同じ農業者なんですよ」というと「全協が本職でプロだと思っていた。いつ働いてるんですか」などと尋ねられる。

クラブの役員としての立場と農業者としての立場。さらにはリーダーとして推されるような人は、また、町や村のあらゆる方面で活躍を求められるはずで、そういう住民としての立場もある。それぞれ果たすべき役割りを持ちながら苦労しているのが全国津々浦々のリーダーであろう。そうしたリーダーの現状をながめて共感を覚え、ヨッシャ、オレもあとに続こうという人。あんな苦しいことオレはゴメンとしりごみする人。残念ながら、いや当然かもしれないが後者の方が多いのが現実だ。

歴史は古く戦国の世、北条早雲、織田信長、武田信玄、豊臣秀吉、上杉謙信……と有名無名の武将たちが天下のリーダーめざして策をめぐらし力をのばしていった。まさに今日はこの人、あすはあの人とめまぐるしく変わる乱世であった。リーダーのなり手がないどころかありすぎたのだろう。たとえ足軽のせがれでもやり方次第で今なお名を残す天下人になれた。クラブ員すべてがリーダーになれる可能性があるのと同じようだが、違うところがある。それは戦国時代は出世欲、権力欲が根底にあり、それゆえ親、兄弟までもけ落して勢力をのばそうと図ったと考えられる。もちろん平穏な世を自らの手で築くという正義の戦いもあったろうが……。

対して、私たちの活動はそういう個人の欲、メリットを前面に押し出すことは好ましくないとされ、あるとしてもそれは知識、技術、仲間、心の安らぎを求める欲であってリーダーならなおのこと、自分の欲得ずくで行動されては他の者はたまらない。リーダーとしての経験を持つ人ならば苦労もするけど金銭で買えぬ何かがあるということを感じてもいようが、それをリーダーの経験をまだしておらずしかもしりごみする人に納得させるのは容易でない。首になわをつけてでも……やらせるべきか。あきらめるべきか。生活がかかってくるだけにむずかしいところだ。（全国4Hクラブ連絡協議会副会長・大阪）

"列島改造論"を論議

福岡県連　知事を囲む集い開く

【福岡】福岡県農村青少年クラブ連絡協議会（会長　古沢章男君）では、さる十月十六日、福岡市農協ホールで"知事を囲む農村青少年の集い"と題して、4Hクラブ員と亀井福岡県知事との懇談会を開いた。出席者は知事のほかに県農政部長、農業技術課長、また、4Hクラブ員は各地区連の代表者五十五名。それに十月五日より来福している草の根大使（ドーナ・ハルコビィッツさんとジェーン・パフィヘリックさん）も参加し花を添えた。

まず全員で福岡県民の歌「希望の光」を合唱、そのあと知事がいままでの県政の動き、これからの農業とその政策について語り「県の食糧供給の源となる後継者の力を大いに期待している。生産のなかにも余暇を取り入れ、明るい農村、そして競争力ある農業を築いてほしい」とクラブ員を激励した。

ひき続いて懇談に入り"日本列島改造論のなかで県内の農業将来は？""日中国交回復と農産物自由化について""農村への工業導入について""農産物価格安定策について"などの質疑応答がなされた。また、女子クラブ員からは「農村の健康診断にもっと力を入れてほしい」などの要望も出ていた。

知事は「農地はできるだけつぶさずに埋め立てなどを行なって土地をふやしたい。そして、兼業農家が多いので、農村への無公害工業の導入を図り、所得を安定させて兼業農家を減らし、専業農家の育成と農地整備を進める」と専業農家の保護育成の意向を述べた。

日中問題に関する質問に対しては「わが県は中国に近いため、農産物輸入の圧迫を受けるかもしれぬが、影響を最少限にとどめるよう努力する」と答えた。

また、県連から県へ助成金増額の要望も出され、県も「考慮したい」と答えた。わずか二時間たらずの短い時間ではあったが、終始なごやかな雰囲気のなかで質疑応答がなされ、クラブ員も満足顔。

そのあと"草の根大使を囲む集い"が立食パーティー形式で行なわれた。ドーナさんとジェーンさんの日本語プラス英語の自己紹介に会場はわいた。二人を受け入れている永長田美子さんと成清幸子さんの二人も通訳がわりで一苦労という一コマもあった。

ドーナさんとジェーンさんは福岡の印象を「福岡の人はお酒をたくさん飲む」と答え、会場を笑いの渦へまきこんだ。最後は、草の根大使を含め、みんなで炭坑節を踊り、楽しいひとときを過した。（鬼木晴人県協広報委員長発）

草の根奮闘記

早飲みともちつき

——糸島郡では

草の根大使のドーナ・ハルコビィッツさんは福岡県糸島郡志摩町の永長田美子さん宅に受け入れられていたが、さる十月九日、地元の糸島郡農村青少年クラブ（会長　浦志築幸君）と交歓会を兼ねて農業や観光の視察をした。

玄海国定公園の美景や近くで稲刈りなどの農作業を見てはドーナさん、カメラをパチリ、パチリ。雷山の観音様では、特別のはからいを得て中に入れてもらったが、そこでもドーナさん、国宝の観音様を相手にパチリ、パチリ。外に出てもお城、バインダー、コンバインなどにピントをあわせるのにひと汗。ドーナさんのなんでも写真にとって帰ろうという意欲に地元クラブ員は驚いたり感心したりしていた。

夜は歓迎パーティー。「日本の人は家族同然デス。寝床はタタミが最高ネ。おにぎり、すし、ラーメン、うどん、そば、てんぷら、さしみイケルワ。デモしょうがはキライ！」

十月十二日は福岡地区（糸島、粕屋、筑紫、福岡、宗像）のソフトボール大会に出席。ドーナさんは各地区連のチームに一打席づつ入り五打席一安打。試合後はフォークダンスやゲームで交歓。ここでドーナさんは特技を披露。驚くなかれ特技とはファンタの早飲みとか……。あまりパチパチと写真をとられたクラブ員たちはお返しとばかりにその決定的瞬間をパチリ、パチリ……。（井上孝治連絡報道員発）

▶早飲みナンバーワンのドーナさん＝福岡地区で
◀「以外に軽いワ！」とジェーンさん＝八女の堤さん宅で

——こちら八女東部

八女東部ではジェーンさんが大活躍。八女東部4H連絡協議会（会長　深町康君）はジェーン・パフィヘリックさんを迎え十月十九、二十の両日、八女東部普及所で交換会を開いた。

ジェーンさんは、今年度日本代表の草の根大使のひとり堤千恵子さん（黒木町4Hクラブ）宅に宿泊して、堤さんの家族や生活、それに農業経営などを知りたいと要望。地元の八女東部のクラブ員は心よくそれを納得し、紳士ぶり発揮した。

第一日目は男女クラブ員約三十名が出席。お互いに自己紹介などをしてうちとけたところでクラブ員と一緒に視察に出発。まずは日本情緒の探求とばかりに、名高い八女の石灯ろうの作業現場を見学した。それを見たジェーンさん「アメリカにはない日本のイイモノネ」と感心することしきり。

名所見学などをすませて夜は堤さん宅にクラブ員が集まり、ジェーンさんを囲んで"もちつき"大会を開いた。ジェーンさん、なかなかやるジャン——とは見物していたあるクラブ員。

二日目は、午前中堤さん宅のみかん園を見学。集まったクラブ員の説明をジェーンさんは真剣に聞いていた。みかん園のなかで全員昼食をモグモグ。ジェーンさんは参加したクラブ員に記念品として一セント銅貨をプレゼントした。

午後からは上陽町4HクラブOBの西村武芳さんの家でしいたけ栽培の研修としいたけ取りの実習を行なった。ジェーンさんは初めて見るしいたけ栽培に非常な興味を示し、メモをとりながら、取りたての新鮮なしいたけを恐る恐るパクリと試食。

いつも笑顔のたえない気さくなジェーンさんと接してあるクラブ員は「日本人もああでなくちゃあね」と一言。（久間一正連絡報道員発）

青年の船だより

青い海の彼方から

全国のクラブ員のみなさまお元気ですか。クラブ活動に農作業にがんばっておられることと思います。「青年の船」乗船の際にはいろいろとありがとうございました。

わたしたちの乗る日本丸は、第一の寄港地フィリッピンのセブを出航してただいまインドネシアに向かっています。「第六回青年の船」は十月十六日に東京を出港して、セブ、ジャカルタ、メルボルン、シドニー、ウェリントン、オークランド、ラバウルを回り、十二月十四日に再び東京に入港する予定になっています。

今日は課題別研修があり、外国青年と農業について意見交換を行ないました。あいにく農業に従事している外国青年は少なく、オーストラリアの青年一人、ニュージーランドの青年二人の計三人の農業者を四十人の日本青年が輪になって囲んでの話し合い。ニュージーランドにおける農業青年のグループ活動、農政の問題、イギリスのEC加盟によるオーストリア、ニュージーランド両国の日本への農産物輸出問題など、言葉の違いの中ではありましたが二時間があっという間に過ぎてしまいました。

わたしたちが立ち寄ったフィリピンのセブ市の農業は、視察はしなかったものの、バスの窓から見える風景はとても貧しく感じられました。

これからも多くのものを見るでしょう。わたしたちは青年の素直な目で、行く先々の農業、そしてそれに取り組む青年の姿を学びとってきたいと思っています。

それではどこまでも続くすばらしい海の上からさようなら。

（第六回「青年の船」団員・4Hクラブ員一同）

友のペン

「みどりの戸塚」第19集

まじめさとふざけと

表紙の写真がすごい。「4H」の文字に組み合わせられた大木が、炎をむき出しにして闇の中を燃え上がっている。キャンプ大会のスナップからとったものだという。

『みどりの戸塚』は戸塚4Hクラブの歴史そのものといっても過言ではない。そこには一年間のクラブ活動のすべてがもりこまれている。今号が第十九集というから、もう十九年の歴史をほこる立派な機関紙だ。

七十ページに及ぶ機関紙の中には、行事関係から文芸欄に至る幅広い編集方針がとられ、六十余名のクラブ員全員が作りあげたという、じつにさわやかな感動を与える。

中でもおもしろいのは、クラブ員全員の人物紹介。たとえばこうだ。K君——「俗に月光仮面。みんなの人気者、ときには闘争的で理論派でもある。腰に手ぬぐいをひっかけ、ほっかむりした姿なんぞ彼最高のオシャレとか。見える見える百姓が！」、E子さん——「すらりとのびた長身にパンタロン姿はバツグン。いつもクラブの発展を願う心のやさしい、ちょっぴりあまえんぼうでそれでいてしっかりしているオジョーサン」

『みどりの戸塚』のもう一つのすばらしい企画としてアンケート調査がある。しかも、四十四年第十六集での調査結果と今回のそれとの比較がのっている。クラブ加入の動機をみると四十四年には「自主的」が三一％、「勧誘」が六九％、四十六年は前者が一九％、後者が八一％と、「自主的」が減って「勧誘」がふえている。アンケート調査はクラブ活動の目的、労働時間などにも及び、編集後記にもあるとおり、今後のクラブ活動を考える上での指針になるだろう。

「私もひと言」のコーナーではクラブ員がユーモアたっぷりに書く。"あなたの死因を予想してみて下さい"に答えて「日本中のミスと名のつく女性に囲まれて極度の精神的・肉体的疲労のためあの世行き」"好きな人と別れる時、何か一言いうとしたら"には「お腹の子は私一人でりっぱに育てます」「愛するって別れることなの」「きみのこと忘れないよ、いつまでもさようなら」といったぐあい。

ともかくも、この『みどりの戸塚』第十九集は、ユーモアとまじめさが奇妙なバランスを保っている機関紙である。

農協運動の担い手に

中央協同組合学園　来年度本科生を募る

中央協同組合学園では昭和四十八年度の本科生を募集している。同学園は、将来農協運動の中核者としてすぐれた判断力と組織的な行動力をそなえた人間性ゆたかな人材を養成するために設立されたもので、来年度は第五期生にあたる。

募集要領はつぎのとおり

▽受験資格　二十二歳未満で、高等学校卒業、またはそれと同程度の学力を有するもの（男女は問わない）
▽就学年限　三年間
▽募集人員　五十名
▽願書受付　一月二十日～二月十日まで
▽願書提出先　都道府県農協中央会々長あて、入学検定料二千円を添付して提出のこと
▽学費　年額六万円、教材・実地研修費等二万円、入学金三万円（入学時のみ）
▽試験日　三月八日、東京、京都、福岡の各会場で

なお、詳細は農協、都道府県中央会、または直接東京都町田市相原町四七七一（〒一九四―〇二）電話〇四二七（八二）三〇六一～五　中央協同組合学園まで問い合わせのこと

公害、福祉で追及

岩手　軽米地区農村青少年クラブが模擬議会

【岩手】「日ごろ感じている疑問や問題点について町当局や町内の指導者と意見交換することで、明るい農村づくりに役立てよう」と、軽米地区農村青少年クラブ連絡協議会（会長　松浦久信君）主催による農業青年模擬議会が、さる十月二十三日、同町中央公民館で開かれた。ことしで二回目。

議会では、工場誘致、北上山系開発、畜産公害問題、農業後継者問題、福祉対策などについて、町当局や関係者への質問がクラブ員から出された。

ゆずります

全協で好評発売中　キーホルダー

全国4Hクラブ連絡協議会（会長　松浦幸治君）では、ことし北海道で行なわれた「第八回全国4Hクラブ員のつどい」の際、道連が製作し、参加者に記念品として販売したキーホルダーを全国のクラブ員のみなさんにもゆずりたいと呼びかけている。

▼値段　一個三百円

なお、お申し込みは〒一〇五　東京都港区西新橋一の五の十二　佐野ビル内　全国4Hクラブ連絡協議会事務局　電話〇三（五九一）一八一七まで。

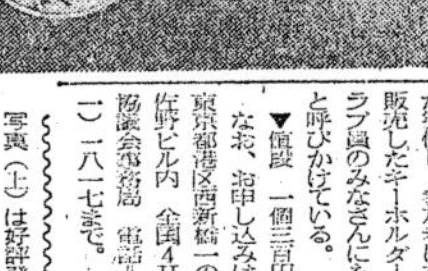

写真（上）は好評発売中のつどい記念キーホルダー

クラブ往来

みんなで考えよう

小半（おながら）鍾乳洞で有名なぼくらの本匠村は、大分県の南に位置し、総面積二十万㌃の九〇％が山林におおわれた人口四千に満たない山村です。村の基幹産業は山林を生かしたシイタケ、素材生産、それに茶や畜産などです。

七年前、「本匠村農業後継者協議会」が結成され、グループ活動が行なわれてきましたが、年々過疎化が進み、一人二人とグループ員も減っていき、グループ活動も減退ぎみ。これではいけないと考えたぼくら十三名は、染矢宣幸君を会長とし、「グリーンクラブ本匠」（GCH）と改名しました。

充実したクラブ活動を目標に、毎月十日に定例会を開いています。また、山で自然にできた庭木や盆栽の育成、基幹産業であるシイタケ、素材、茶、畜産などの研究や先進地視察、プロジェクト活動を行なっています。

かつてぼくらの回りにいた同じ世代の若者たちは、近郊の町や、あるいは故郷から遠く離れてサラリーマン、労務者として働きに出ています。

彼らからはとかく「百姓は虫に刺されたり、世間では週休二日制になろうとしているのに朝早くから夕方遅くまで働く」と軽蔑されがちなぼくらです。とくに女性から多く、われわれ男性にとっては大問題。でも、ぼくらがこれからも農業をやっていく以上、この問題を素通りするわけにはいきません。お互いに研究し、改めるべきものは改めるのもぼくらの大切な使命ではないでしょうか。

ぼくらはこの紙上を借りて、いろいろな問題を読者のみなさんと考えていきたいと思っています。活発な意見交換を通して、ぼくらのグループをより一層盛り上げていきたいと思っています。

▽「グリーンクラブ本匠」の事務所　〒八七六―〇二　大分県南海部郡本匠村役場内　柴田暁一郎
▽〒八七六―〇三　大分県南海部郡本匠村因尾山部　工藤友重

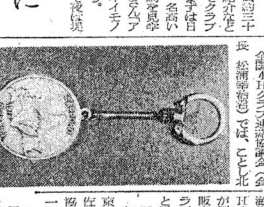

（大分・グリーンクラブ本匠・工藤友重）

農業青年の平均像

悩みは仕事、将来に不安

大阪府農業会議が意識調査　「農地は手離さない！」

現代農業青年は日常生活の中で何を考え、どんな問題意識をもっているのだろうか。また、明日の農業についてはどのような意見をもっているのだろうか……。このほど大阪府農業会議は「青年農業者に対する意識調査」の結果をまとめたが、それをみると農業青年が日頃抱いている日常意識や社会意識の大まかな"平均像"が浮かび上がってくる。調査のねらいは「いかなる時代においても未来を開拓していくのは青少年である」という観点から、「青年たちのフィルターを通して農業専業者の意識を集約し、今日的課題や農業の将来について考察しようとしたもの」である。対象者が大阪府下の4Hクラブ員約七百名と限られてはいるが、クラブ意識や農政についてなど八項目にわたる調査の内容をみると、全国のクラブ員にも共通する問題が多い。ここでは、その中からとくに関心ある事項をいくつか選んで紹介してみた。（編集部）

調査の対象者はすべて4Hクラブ員。平均年齢は二十二歳強、三十歳以上六・九％、既婚者二五・四％を含んでいる。家の収入は六九・二％が農業からというものの六・三％がほとんど農外収入、一八・四％が副業に依存し、都市近郊型を示している。

農業意識

農業を選んだ理由については、「親ゆずり」が約半数を占め、「自分の好みにあう」が約四分の一、「社会的に必要」「生活するため」「独立して生活するため」がそれに続いている。「収入が多い」と答えた青年はほとんどいなかった。

それでは、農業に対する"満足度"はどうであろうか。全体的にみると「まあ満足」までが五三・四％と過半数を占めているが、三十歳代では「やや不満」がトップを占めている。「将来が不安」「収入が少ない」「労働時間が多い」が不満の三大理由だが、とくに将来の不安を訴えた青年が七割近くもいた。

はっきり「やめたい」という者は七・四％と一割に満たないが、その解答者の大半が十年以上のキャリアをもつ三十歳代であることは深く考えさせられる問題である。消極的な継続意志も含めれば「農業を続けたい」と答えた青年は八三・九％と大半を占めた。彼らの希望する経営パターンは「個別経営」が過半数を占めているものの、機械の共同利用や特定部門における分業型協業を指向する動きがあることも見逃せないことである。

離農を考えている青年に農地の処分について聞くと、「売る必要があるまで待つ」「家族が農業をやるから処分しない」が六割で、「農業をやめても農地は手離したくない」という意識が根強く作用しているようだ。

クラブ意識

クラブ員の別のサークルへの加入率は五一・六％。職能的なサークル八八・四％、スポーツなど趣味のサークル二六・七％、奉仕団体、修養・鍛錬グループがそれに続いている。

4Hクラブ員としてクラブ活動に満足しているかどうかでは、約四割が不満の傾向を示している。その理由は「活動内容が片寄っている」八七・七％、「仲間が少なすぎる」三五・一％、「活動内容が幼稚」二八・二％、「活動内容が自分に合わない」二四・六％となっている。一方、六割弱の満足意識の持ち主からその中味を聞いてみると、「仕事や生活に役立つ」五七％と過半数を越え、4Hクラブ活動の意義が理解されているようだ。それに続いて「人間的教養を高める」が三八・六％、「とにかく楽しい」二五・九％、「社会活動に役立つ」一二・八％と、生活の多様化にともなって4Hクラブ活動も具体化されつつあることがうかがわれる。

4Hクラブへの希望としては、専門的技術の研修や技術の交換、あるいは先進地視察など、農業従事者の確立をめざしての研修を希望する者が圧倒的に多く、意欲的な態度がひしひしと感じられる。また、地域社会活動としての郷土史の研究や読書会、趣味、娯楽面でのボーリングやキャンプなど、若者らしい側面ものぞかせている。

日常生活

農業者である前に成熟期にある若者としての彼らの日常生活はどうであろうか。八一・三％の青年は親友をもっている。交友の契機は学校五二・六％、幼な友だち二三・九％。クラブ三二・六％。これは地域社会に定着率の高い農業青年にとって当然の結果といえるだろう。

悩みは仕事六一・五％、お金二九％、社会二二・三％など多岐にわたっているが、悩みの相談相手として親六八・二％、友人四九・五％と、家族など身近かな相手が大半を占めている。それと関連して、親との対話では七割弱が「話すほうだ」と答えていることは、仕事場である耕作地で親と一緒に仕事をする機会の多い彼らにとっては当然といえばそれまでだが、とかく"断絶"がいわれる今日、農業青年はその例外であるのかもしれない。

社会常識、主に農業関係の知識については「新都市計画法」八七・三％、「農地の宅地並課税」七七・四％、「農業者年金制度」五七・七％など予想外の理解度。クラブ活動での学習がよく行なわれていることを示している。

農業政策

日本の農業の将来は、六六・四％の青年が「暗いと思う」と答えている。悲観する根拠としては農産物の貿易の自由化、農薬などの公害問題、規模拡大の困難性などが出され、きびしい農業情勢に不安を投げかけている。

機械化、省力化による合理的な大規模経営を推進する農業政策への意見として、「やり方を考えよ」四九・八％、「賛成」二二・六％、「絶対に反対」一三・八％と、中間的な意見が多く出された。「やり方を考えよ」の理由として、「大規模でもよくならない」とする者がトップを占め、「土地の基盤整備をしてから」「集団化、共同化してから」「離農しても生活できるよう」が続いている。

こんごの農政への希望としては「農産物価格の安定」三四・三％を筆頭に、構造改善への助成や新都市計画法による線引きのやり直しなど、少数ながら多岐にわたっていた。指導機関への要望には、現実にクラブ員が直面している問題が多く出された。

彼らの未来をみつめる目はきびしい

プロジェクト

石川県・珠洲市青年会議　二三味義春

「好きではやれない農業！」まず安定した収入を

社会的にも過疎化が問題にされているが、奥能登もその傾向が非常に強い地帯となってきた。その中に取り残されたわれわれ若き百姓に、"将来の農業に生きがいをもて"といっても無理な話だ。

農業高校を卒業してから二年ばかり農協に勤めた。しかし、自分の性に合わずやめ、母親の営んでいた四〇アールの葉たばこ耕作を手伝った。五年が過ぎた。嫁ももらった。昨年の春には農協に十一年勤めていた父も家に入り、いまは三三〇アールまで面積を伸ばし、一家そろって農業を経営している。

自分なりに、こんごもこの道に希望をもって進んでいきたいと思うのだが、農業は赤信号だとか転換期だとかさわがれている今日、何となくいままでの自分の農業に行きづまりを感じるのである。

昨年の秋、新潟県で開かれた「たばこ作り青年育成リーダー研修」に二十日間出席した。こんごの農業について友だちや先生方と話し合ったが、結局、これからの農業は生産技術とともに経営技術を身につけなければ行き詰まってしまうということであった。

農業を希望する若者には広い土地を譲りわけてほしい。土地を必要としない農業はありえないし、まず、われわれにとってそれが必要なのだ。そして、そこに若者同士が集まり、共同で大型機械を導入し、土地生産性を上げ、生産費を下げ、適地適作の生産団地を作り、心にゆとりのある農業経営を営むことができたらどんなにすばらしいことか……。

"生かさず、死なさず"という行政にも問題があるがその上にあぐらをかいていては日本の"農"を"業"とする農民は滅びてしまうであろう。

こういう大きな悩みもあるが、実際に葉たばこ栽培をやっていて痛"されることは、第一にまとまった土地が手に入らないということである。現在耕作している土地の大半は借用地だ。しかも、畑は水田と違って傾斜があり、区画が小さくて団地として活用できないということで、規模拡大も思うにまかせない。過疎、出稼ぎという状態で交換分合もなく、売買もない現状である。雇い入れる人もだんだん難しくなり、同じ労賃なら土方のような日稼ぎが好まれる。

「現在では、農業は好きなものがやるのだ」という人もいるが、まず、安定した収入を得られるかどうかが最大の問題だと思う。野菜の増産が行なわれたものの、安値のため運賃さえでなかったという近年の状況では、まったく生産意欲が失われていくことになる。

ともあれ、私は十二時間労働が苦にならない農業施策のもとで、一路葉たばこ栽培による自立をめざして営農に取り組みたいと思っている。

豪雪地にピッタリ

タニシの養殖　休耕田を利用して

新潟県・農業大学講座　柳重美

わたしの家は、一町の水田と自給野菜を作る程度の畑しかない。父母とわたしの三人で働いているが、わたしは農閑期を除いて大半は別の仕事をやっている。父も冬は出稼ぎに出ているので、分類的には第二種兼業農家に入る。

四十五年度から政府の方針で生産調整のために減反をやらなければならなくなった。わたしは休耕田を利用して何か養殖をやってみようと思った。いろいろの人の話を聞いた結果、これからはタニシが有望ではないかと考えた。父も心よく了解してくれた。

まったくの素人で、養殖技術の知識は何ももたなかったが、普及員の紹介で、隣り町の農協の営農指導員の方にタニシに詳しい人がいることを知り、その人にいろいろ教えていただいた。

まず最初に、養殖池を作らなければならない。そのときはまだ、経営的にやっていく自信がなかったので、池はあまり材料を使用しないで自分で作ることにした。二アールほどの池を作るのに三日を要した。そして、営農指導員の方の世話によるタニシと在来のタニシを約三十キロほど放した。エサは鯉用ペレット粉末を一日一回与えた。

秋になり、タニシは翌年用に大半を残し、出荷は地元の料理屋へ少しまわしただけにとどめた。

二年目は、さらに二アールほど池をふやし、一年目に残したタニシのほかに群馬から取りよせた親タニシを十キロほど入れてみた。一年目のようなペレット粉末だけではエサ代が高くなるので、鶏糞をやってみた。しかし、そのためかどうか原因は不明だが、タニシが少し死んでしまった。タニシは想像以上に水中の酸素を必要とするといわれていることから考え、死因は鶏糞を入れたための酸素不足ではないかと考えている。そんなことでその年は出荷しないで親タニシ用に残すことにした。

ことしは三年目。まだまだ養殖技術のわからない点も多く、いままでは実験段階だったと思っている。こんごの問題は、技術とともに安全な水をどうやって多く手に入れるかということである。池もいまの広さ（四アール）では狭いのでさらに二アールほど広げたい。親タニシももっと導入したい。そして、養殖技術を完全にマスターして、ことしこそ大量出荷を実現したいと思っている。

いろいろ問題はあるだろうが、タニシ養殖はわたしたちの山間豪雪地帯においてはたいへん適した養殖だと思われるので、早く採算のとれるようにもっていきたいと夢みている。

結婚を考える ▶29◀

宮城県・連絡報道員　山口実

結婚式

おめでとう！晴れの門出

秋！それは食欲の秋、読書の秋、スポーツの秋……と、いろいろな秋があるけれど、私たちにピッタリあう秋は何といっても結婚の秋。

このほど、門間忠君（宮城県農村青少年クラブ連絡協議会長・全協監事）は、長きにわたる愛の交際にピリオドをうち、晴れて十月吉日にゴールイン。門間君に寄りそう幸運なる女神は、宮城県の最南端、白石市に住む川村悦子さんという仙南美人です。

そもそも二人が初めて出合ったのは、ある研修会においてでした。門間君は4Hクラブの代表として、悦子さんは青年団のリーダーとして参加したのです。ああ、運命のトビラはそこで花開いたのでした。

悦子さんをひと目見たときの門間君……。あの"門間スマイル"はどこへやら、ふだんは目の非常に細い彼も、そのときばかりは必死に瞳をこじ開け、緊張したギコチない動きでひと言ふた言、しどろもどろに話しかけたとか……。

その二人もめでたくゴールイン。結婚式当日は、二人の門出を祝福するかのような吸い込まれんばかりの秋晴れ。式場にあてられた勾当会館は、親戚の方々、クラブ員、友人などでごったがえし、まるでスターなみの歓迎、祝福。ほんとうに幸福そうなお二人でした。

友人にひやかされては頭をかく門間君。でも、隣りにいる美しい花嫁の顔をチラリと盗み見てはこぼれんばかりの笑顔（ウマクヤッテルーと）。悦子さんは花嫁特有のあの何ともいえない物静かさを保っていましたが、ときおり新郎を見つめるそのまなざしは、門間君を頼りきっているという、たいへんいじらしいもの。クラブ員たちをしきりにうらやましがらせていました。

多くの友人、クラブ員に祝福されての結婚、ほんとうに幸わせもののお二人。「おめでとう」と、心の底からいってあげたい。

門間君は過去六年間、つねにクラブのトップで活躍され、冷静な判断力と、ここ一番というときの決断力をもった人です。また、繊細でこまやかな神経をもちあわせていらっしゃる悦子さん。このお二人は必ずや幸福な家庭を築いていかれることでしょう。

全国のクラブ員のみなさんとともに、門間一世誕生を心より待ち望みたいものです。

（写真は新婦・悦子さん）

NHK農事番組（11月11〜20日）

テレビ

明るい農村　6・30〜6・55　総合
- 11日　村をむすぶ「名古屋、大津、広島、東京」
- 12日　明るい漁村
- 13日　村の記録「売り込め三万六千トン」〜佐賀県下
- 14日　きょうの話題
- 15日　産物百科「はっか」
- 16日　話題と人「錦鯉の里」
- 17日　農村新地図「福岡県柳川市」福岡博（佐賀県立図書館）
- 18日　村をむすぶ「室蘭、名古屋、広島、東京」
- 19日　明るい漁村
- 20日　みかん三百万トンの重み①「新興産地からの報告」

農業教室　7・30〜8・00　教育
- 13〜15日「水田転換の野菜作り」加賀見宏（農業技術研究所）
- 16〜18日「みかん経営の大型化」小園照雄（農林省常緑果樹農業研修施設）
- 20〜25日「七〇年代を生きる」木原竹弘（山船越水稲生産組合）、伊藤賢一ほか

あすの村づくり　日　7・00〜8・00　教育　再　土　13・00〜14・00　教育
- 12日「若者の農協論」〜宮脇朝男さんをかこんで〜　宮脇朝男（全国農協中央会々長）、井村徳光（愛知県東浦町農協）ほか
- 19日「新しい夫婦像」太田正紀夫婦（山梨県三珠町）、中原環恵夫婦（鳥取県東伯町）

草の根大使の報告

ラジオ

早起き鳥　5・41〜5・57　①
- 11日　ふるさと通信〜岡山局
- 12日　話題の窓「こんにゃく」
- 13日「帰ってきた草の根大使」堤千恵子（福岡県黒木市）
- 14日「スプリンクラーで省力化」上野山守（宮原水神省力営農組合）
- 15日「軌道にのった木材流通センター」
- 16日「出稼ぎ村の調査から」
- 17日「新幹線建設と出稼ぎ農民」
- 18日　ふるさと通信〜岐阜局
- 19日　話題の窓「進まぬ予約相対取り引き」
- 20日「どうなる寒冷地稲作」

話の広場　日　6・15〜6・30　①
- 12日「にぎわうマス釣り堀」〜群馬県勢多郡宮城村
- 19日「北限のみかん園」〜茨城県多賀郡十王町

ラジオ農業学校〈講座〉　日〜土　6・40〜7・00　②
- 13〜18日「七〇年代を生きる」
- 20〜22日「新しい食品流通」唯是康彦（農業総合研究所）

ラジオ農業学校　日　6・30〜7・00　②
- 12日　経営手帳「もうかる肥育豚経営」中村誠（全農）ほか
- 19日　新時代の経営をめざす　滝本学（茨木県岩井町）

随道

ブラックホール・イン

それはしばしばぼくに襲いかかり、虚脱感にうちひしがれるぼくをなおざりにしたまま彼方に去っていく妄想のようなものだった。たとえば、ぼくの頭がカフェインの羅針盤のような針の先で研ぎすまされるままに旋回するとき、そう、苦味や吐き気さえも舌のゼラチンの網目からこぼれ落ちるほどに口にした多量のコーヒーによって全神経が異常なふくらみと鋭さをますとき、ぼくはあの電子音の無気味なグワァーンというドラの響きを耳にするのだった。

真空をよぎる風。かすかなうなり。スロービデオのゆるやかなスロープの中でいっさいの秩序が奪われ、存在の重みが喪失する。振幅をまして波うつ天井と壁。舞い上るカーテン。パンドラの箱から小悪魔どもがつぎつぎと飛び出したときみたいに、本棚に積まれた本の表紙から、告発とか不条理とか死とか生とか……それらいっさいの文字が、それ自体の軽さに浮き上がり、やがて小指ほどの黒インキの固まりになって天井や壁の渦巻きの中にのまれていく。

ぼく自身も同じだった。グルグルと旋回する渦巻きの中で絶えず落下しているようでもあり、また、フワフワと浮遊しているようでもあった。ただ意識だけが妙に冴え、ぼくの躰からひとりでぬけ出し、大きな眼を開けてぼくをうかがっていた。ブラックホール・イン……。

ぼくはいつか読んだ宇宙の陥没星（コラプサー）のことを思い出す。ブラックホールといわれるそれは、太陽よりもっと大きな星が燃えつきると、自分の引力で縮み始め、強力な重力場と化してすべての物質をのみこんでしまうという。光さえもそこから脱け出すことができない。宇宙にひそむ姿なき奈落の穴……。もしかしたら、ぼくがみていたのはあの宇宙のブラックホールを降下していくぼく自身の姿だったのかもしれない。【宇】

近郊農業めざして　もみじ会が品評会

【山梨】北都留郡上野原町では同町の4Hクラブもみじ会が中心となって、さる二日〜四日までの三日間、同町役場で農作物、畜産物の品評会を開いた。

農畜産業の近代化、合理化をはかり、近郊農業をめざす同町の品評会はことしで六年目。農産物の品質向上がねらいとされ、シイタケや花木などが多く出品された。審査には北都留農業改良普及所員があたったが、甲乙つけがたい作品ばかりなのに思わず「ウーン」というタメ息ももれた。

品評会のあとは出品物の即売会。クラブ員の自慢の作品だけに売れ行きも好評。集まった主婦たちを満足させていた。

全国農業協同組合連合会

京阪神の流通パイプに

□販売□

大阪生鮮食品集配センター　いよいよ開業

全農・大阪生鮮食品集配センターが、いよいよ十一月十日から業務を開始します。すでに稼動している大阪畜産物販売所に隣接して建設をすすめていた青果物用の施設が十一月七日に竣工、総合的な集配センターとしてスタートするものです。

当センターは、京阪神地区における全農の青果物、畜産物の販売力を強め、系統販売事業の基盤を強化することを直接のねらいとしたものです。が、それは同時に、全農における販売事業の基本戦略のひとつでもありますので、その目的とするところを、ごく簡単にご紹介しましょう。

まず第一は、生産に直結した販売につとめ、流通合理化と価格安定を系統自らの力で行なうことです。産地の生産、出荷計画に結びついた販売を基本に、流通単位の大型化、流通パイプの短縮、取り引きの効率化、集出荷方法の改善をめざすとともに、実需者に直結する販売の展開のための基地として、新たな需要、事業の開拓もめざしています。

第二には、いささか長期的な展望にたっての卸売市場に対する改善の働きかけです。集配センターは、経済論理にのっとった合理性をもとめやすく、わが国における"流通"にもっとも適しているといえます。つまり、集配センターの事業運営をとおして、流通の中に適正な競争原理が導入され、市場機能の改善を側面から促進することになります。将来の流通における施設と機能を考える場合、集配センターにはそれらの先取りを十分に期待できると考えています。

わが国の生鮮食品の価格は、たえず高騰、低落をくり返しており、これが海外からの農産物輸入に拍車をかける結果にもなっています。もちろん、農業自体に国際競争力をつけることも基本的に必要な課題ですが、同時に生産と販売の計画化による価格の安定が、消費者、生産者双方のもっとも望むところであり、緊急に実現を迫られている課題ともいえます。こうした点で、集配センターの果たすべき役割りはことのほか大きいといわざるをえません。

大阪生鮮食品センターの発足について、さらに東京第二集配センターも現在建設をすすめており、系統自らの力と汗で、初期の目的を達成したいと考えるしだいです。

香り良くイキな新製品

□購買□

クミアイニューホワイト　新大型包装品も

全農では、クミアイニューホワイトの今秋・冬期以降、とくに来春・夏期以降の取り扱い対策として、新香料採用の取り扱いを実施するが、さらに新規格品対策の一環として、二・六五キロカルトンのサイズ、コピーデザインを変更するほか、新大型包装製品六・七五キロの取り扱いを実施することになった。

二・六五キロカルトンのサイズ変更のネライは、最近の生産、消費動向によるもの。これまでの五百円カルトンはアメリカタイプ（現行クミアイニューホワイト二・六五キロ）がほとんどだった。だが、昭和四十六年二月、日本で初めてのヨーロッパカルトンサイズ（ブルーチャイム）が発売され、四十七年二月に同じくピンキーが発売され、店頭陳列効果、使用上の便利さなどから好評を得て、わずかな期間でトップブランドになった。

全農ではエーコープニュースターについてもカルトンサイズを変えて取り扱っているが、クミアイニューホワイトも、このような生産、消費動向からみてカルトンサイズを新しいものにすることにした。サイズは高さ三十八センチ、幅二十五・二センチ、奥行き九・八センチ（従来はそれぞれ三十六、二十五、十一センチ）になる。

コピーデザインの変更のネライは、オリジナル商品であることを強調するためであるが、これまでのイメージを大幅に変えずに新しさを出すことにしている。

また、新香料採用に際して、全農ではこのほどクミアイニューホワイトの新香料嗜好テストについてモニター単協を対象にテストを行なったが、新香料を使用したものを好むという答えが六〇％に達した。

全農ではこの調査結果と、調査の際に補足された意見および洗剤香料の三つの条件である、①洗剤それ自体の香り②洗たく中の香り③仕上がり後の香りなどを総合的に検討、考慮した結果、新香料を採用した"フローラルブーケ"（各種の花の香りをミックスしたにおい）調のクミアイニューホワイトの取り扱いをはじめることにした。

なお、クミアイニューホワイトは発売以来五年間、順調な成長を続け、品質的にも最高の商品のひとつ。全国の経済連、農協、組合員の理解と協力のもとに"一樹配置運動"の中心品目として着実な成果をあげてきた商品である。

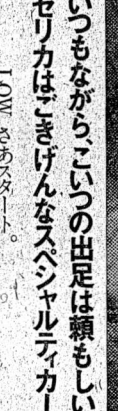

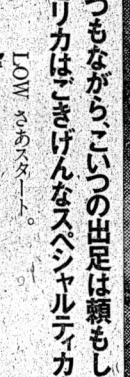

「落日」を終えて

栃木県・小山4Hクラブ
農民文学会々員
山中康司

「ちったあ欲かいてうちの仕事しないと、いまあにどうしようもなくなるからな」

ときによると、私は一日一回ほど、こんな強迫めいたお小言を両親から頂戴する。

明るくなった窓ガラスにすずめの飛びはねるその頃になってしぶしぶ目を覚ますと、もう裏道を耕運機が威勢よく野良に向って走っていく。私はあたふたと身仕たくをすませて冷めた朝飯を食う。するといつの間にか母が側に来ておかわりをしてくれる。そのときにきまって言うのだ。「ちったあ欲かいてうちの仕事しないと……」

秋の日は短い。紺青の空がにわかに口紅色をおびてくると、そのうち農家の納屋の軒下に灯がともる。脱穀機の忙し気な音、だが私はいつの間にか二階の自室に上がりこんで、読みかけの本を読む。

「ほれ、夕飯だぞ」

しかたなしに階段をおりてゆくと、そこに立つ父の顔がきつい。

「ちったあ欲かいて……」

生活を引き受けて

田中内閣が成立した頃だからもうずっと前になる。父と祖母の見舞いに来た伯母の二人はそのとき実況放送中の総理のあいさつに耳を傾け、「田中という人はたいしたもんだな。昔でいえば秀吉級の人間だな」とさかんに感心していた。そこへ私が「田中総理と川端康成とどっちが偉いかな」とチャチを入れたからたまったものではない。

「あんなガス自殺をやるような人生の敗北者のどこが偉いものか。そんなこと聞く方がどうかしている」さんざんけなされたあげく、「趣味ぐらいで文学をやるのはいいが、本業が何かを忘れてはろくな人間になれないからな」お説教までいただいてしまった。

こうなると私自身、これから先文学を続けて行くことが可能かどうか疑わしくなる。働かざるもの食うべからずの世の中である。生活にゆとりがある人ならいざ知らず、自分の小遣い銭にも不自由しているような人間に、生活の楽しみ、余暇など許されるはずがない。まず我が家の経営改善をはかり、農業所得を向上させねばならぬ。一人前の生活をすることはそう簡単なことではない。台所の改善をしたり、カラーテレビを入れたりもしなければならない。

これからが真の出発

「落日」の秀男はまだ二十歳だが、実際の私は二十五歳になる。そろそろ、結婚生活のことも考えねばなるまい。両親は一年ごとにたよりなくなるから営農の面でも生活の面でもその重味はすべて私の双肩にかかってくる。いやが応にも実生活に無関心ではいられなくなる。

だが私は思う。たしかなものはけっして安易な生活や状況からでなく、せっぱつまったどたん場の中から生まれでるものであると。もしかするとこれからが私にとっての真の農業生活と文学活動の初まりなのかもしれない。（十月二十二日　記）

世代の断絶を一考
親に理解される活動へ

群馬・利根沼田
青少年クラブ連協
木枯し4H郎

親と子の断絶という言葉を最近よく耳にしますが、そういう人は親と子の断絶ということをどう考えているのでしょうか。

なんだか、むやみやたらに使っているような気がします。親と子のつながりとはそんなにたやすく断絶し、縁がきれてしまうものなんでしょうか。

ちょっとした口論で若い人たちはすぐ頭にきて、家を飛び出したり、口をきかなかったりします。私もよく親と口論し、すぐカッカッとしてしまう若者の一人です。ときには何日も口を聞かなかったりすることもたびたびです。それらは、親と子の話し合いのすくなさ、わがままなどが原因となっているように思います。

私は「学校を卒業したら家に残れ」と親にいわれて、しかたなくそうしました。しかし、はじめて自分で栽培した農作物の収穫を見たとき、私は農業に従事している自分にほこりをもちました。

そういうわけで、家に残って仕事をしているのですが、親と一緒にいるときが多いからか、私はよく親と対立してしまいます。その対立は、ときどきケンカにまで発展することもあります。

ケンカをするのは仲の良い証拠といわれますが、なんだかいやなものです。親子だとなんでも気軽に言えるからお互いの気持を考えずに言いたいことを言ってしまうのですね。また、環境の違いによってそれぞれの立場が違うということもあります。だから、子どもは子どもなりに親は親なりに矛盾を感ずるのだと思います。

いくら気軽に口がきけても、親というものは兄弟のようにうちとけて話しあうことはできないようです。兄弟と話すような意味での気軽さがあったらなあとつくづく思います。

たまには疲れ果てて口もききたくないときや耳もかしたくないときがあります。自分本位にならないで、相手の立場を考えての話し合いをし、そして、お互いに話し上手、聞き上手になりたいものですが……。

こんなことを感じていたとき、4Hクラブ員と生活改善グループ員の交歓会に出て、親と子についてお互いに話し合う機会が得られました。その席で、親の立場とはこういうものなのかと考えさせられる面が多分にありました。

4Hクラブ活動や青年会活動はいろいろな問題を含んでいます。私たちは、昼間は農作業におわれています。そこで、会合は夜が多くなってしまうというのが現状です。そんな状況を見て「若い娘が夜遊びに！」と親はもちろん近所の人までがうるさくいいます。

私たちは次代をになう農村の若者として一生けん命やろうと意気ごみ、いろいろ学んで視野を広めたい気持でまじめにやっているのです。それを夜遊びという言葉で評されると反発したくなります。その辺に女性の会合への出席率の低さの原因があるようにも思われます。もちろん、自分たちも会合のもち方を反省しなくてはならないと思います。しかし、その反面なぜ夜の会合が夜遊びなのか考えてもらいたいものです。

私たちも会合などある場合にはなるべく作業の能率をあげ、はやめに仕事を終らして集まるように努力する必要はあります。また、会合も閉会の時間をはっきり決めておき、決めた時間には解散するようにしなければならないでしょう。

そして、会の目的、時間、場所などを親にはっきり伝えて出席することもひとつの方法かと思います。私たちの側から夜遊びという言葉を追放するように努力したいものです。

それらを踏まえたうえで農作業にゆとりができたら親と子のわだかまりがいくらかでも少なくなるのではないでしょうか。一年間の農作業を日誌につけておけばある程度の作業計画ができるでしょうから、忙しいうちにもゆとりを見いだせると思います。

だれしも、私も例外ではありませんが、「言うはやすし、行なうはかたし」といわれるようにいざ実行に移すとなるとしりごみしてしまうものです。ですが私は、全国の皆さんに「作業計画づくり、計画にもとづく実行」を提案いたします。

作業計画の効果は①家事に時間が十分とれる②農作業にゆとりができる③農繁期が忙しくないなどあげたらきりがありません。

このように若者が、いや私たちが積極的に努力し、いまや社会問題とまでなった親と子の関係を農村に住む若者の立場をもって改善していこうではありませんか。それが進歩的な家庭、ひいては明るい部落・村づくりにつながってゆくと思います。

ヤング！青春と仲間！ヤング！

あんな人こんな人

広報活動の充実を
ところでいい人いませんか

大庭茂弥　福岡

「農業を始めたのが昨年の三月からで、4Hクラブ活動をやりだしたのはその四月」と語る彼。こういうと彼は十八、九のように聞こえるが、どっこい彼氏は昭和二十二年生まれの二十五歳というから驚きだ。

彼―大庭茂弥君は、現在、福岡県農村青少年クラブ連絡協議会の役員で、とくに広報関係で活躍中の人だ。

大庭君は高校を卒業すると、まず洋服関係の仕事につき、それから電気製品販売業に従事したという。その頃から4Hクラブ活動については友人などから聞いて知っていたというが、よもや何年か後に自分がその組織の一員として4Hを考えるとは思ってもいなかったそうだ。

彼は高校時代、新聞部に入部していた。そこで学んだ新聞編集の技術と精神は、彼が4Hクラブに入会するやいなやふたたび蘇った。大庭君は、県連のより以上の広報活動の必要性を会合があるたびに主張した。彼は末端クラブ員の声を県連に吸い上げ、県連の事業などを末端へ流すパイプ役になろうと思ったという。

「4Hクラブが組織ならもっと広報を強化すべきだ」と彼は言う。広報活動が弱いのは組織が弱いあかしだとも言った。それゆえ、現在の連絡報道員に課せられた使命は大きいと彼は意欲をのぞかせた。「各県連内の情報交換は各県連同士の情報交換を刺激し、それらは全国の4Hクラブ員の活動促進剤となるものだ」

ここで4Hクラブの話になったので一気にアタック。"現在の活動をどう思うか"と聞いたら大庭君はウーンとうなって一言「ぼくはまだ勉強不足」と頭をかいた。しかし、彼氏、ここでやめないところがご立派――「仲間づくり主体の活動から4Hの理念にもとづく実践活動へ活動の質そのものを転換しなくちゃね。そこに本当の仲間づくりがあるんですよ」とやや逆襲気味の大庭君。彼によれば、クラブ活動と仕事の両立で悩むというのはおかしいという。何のためのクラブ活動かを考えてみなければという。「マスコミに踊らされず、勉強しようぜ」技術は農協や普及所で相談しろと彼は言う。

4Hクラブ活動で何を身につけるべきか、そこを考えることが大切だとも大庭君は言う。真のプロジェクトは金をもうけることですかと彼はうそぶく。

さて、あとになったがこの辺で大庭君の家の経営をのぞいてみよう。彼の家ではみかん二㌶と水稲一・三㌶を作っている。労働力は彼と両親の三人だという。みかんは温州、はっさく、それに甘夏を栽培しているが、これからは温州とはっさくを八〇%にしたいそうだ。大庭君は一日も早く両親から独立したいのだが、経験不足なので……と口ごもる。まあ、あせらずにあせらずに――。

将来は大きなみかんの貯蔵庫を確保したいという。そして、また、環境のよいところへみかん園を引っ越して観光農業もやりたいそうだ。

フルーツなどの自由化問題について大庭君は「サンキストなどがなぜ恐ろしいかといえば、彼らは大資本をバックにした販売網をもっているからだ。日本農業の未来の明暗は販売網の確立にあると思うのだが……」と熱っぽく語る。4Hクラブでもそれらの実情を分析し、研究会をもつべきだと彼はいう。

「ぼくも年齢的にみて来年はクラブ活動はムリでしょう。しかし、OBとして後継者の育成に尽力するつもりです。だってそれをやらなきゃ、4Hクラブ活動をやった意味がないですからね」と大庭君なんだかしんみりと言う。そんなこと言わずにがんばってくださいといったら彼氏、「嫁さんでも世話してくださいよ」とトボケた。

最後に彼は「前の職業も農業もどっちもどっちです。でも、会社勤めだと歯車になるかならないかで人生は大きく変る。歯車になってもならなくても自分に欠けた部分ができてしまうんですよ。その点、農業はいい。ある程度は主体性をもってやれますからね」と農業の良さを一席ぶった。これからは週休制の農業めざしてがんばるという。というのは、週休制そのものによって生活意識を改善したいからだそうだ。

「やるだけやりますよ」と笑った彼。振り向かないで福岡の人！

（糸島郡前原町大字泊八三七）

闇に光る地獄幻想

地獄を見たのは去年の冬頃だったと思う、とぼくがまじめくさって言いだしたら君は笑うだろうか。それで君が笑いだしたら、ぼくも笑って続けてやろう。

――はらんだメス犬がぼくを悲しげな目つきで見つめながら通りすぎた。ぼくは酔いにまかせてどなってやった。"野良犬め、きさまをはらませたのは、おれじゃあねえぞ！"立ち止った黒い影。点滅するネオン。耳がぶった切られるような寒気。無数のゴミクズの散乱。虚無の噴出。欠如。そして、また欠如。

数枚のビラが舗道に吸血こうもりのように貪欲に体をのばしてへばりついている。キーン、キーンと鋭く鳴きわめくやつら。なおも、浮きあがるちっぽけなビラ。青い光の雪が降る。赤い光の血の雨が降る。銀の光のもやがでる。酔っぱらった女が唄う。"こんな私でよかったら命ささげます"こうもりが飛ぶ。光る闇が飛ぶ。腐ったオデンの臭いが飛ぶ。

うそだ！とぼくは叫んでやった。みんな酔ったせいさともあざけってやった。

零時五十七分。若者の一団が「永遠にこない朝よ」と叫び続けながら走りぬけ、ぼくの口もとから光が走る。向いのビルからも光が走る。すぐ右横のウインドウにもお盆の提灯のような光が燃える。左手でも灯台のように光が回転した。あっちこっちでリンが燃えた。冷たい送り火。

地獄への入口。無気味な歌声。一陣の風にあおられて舞いあがるビラの群、いやこうもりの大群。白い柩、黒い亡霊。車に何十回もひかれて紙のようになった猫の清潔そうな死骸。私語する亡霊、ひそかに私語する怨霊たち。まっ裸のマネキンが色目をつかってぼくを見る。ころがっている右足だけのハイヒール。ゆれ動くのっぺりした顔。スシ屋の店前にたれた血をなめる野犬の群。もの悲しそうに夜空を眺め続ける頭部だけしかない死魚の目。闇を裂く赤い稲妻。血みどろでなぐり合いを続ける二人の角刈りの男。

ざすシャッター。星でない星、月でない月に吸い込まれてゆく精神。ジェット気流にぶち込まれたように、ああ、ジェット気流に乗っているように。ささやき合う死児たち。闇の"気屑の光の底をつばきしはぎしりゆききする"ひとりの修羅のいない街、地獄――

腹がよじれるほど笑っていただけだろうか。ぼくも、あのときのことを思い浮べてひとりいやらしく笑っているところだ。ほんとうはこんなぶざまな姿をだれにも見せたくはなかったのだが……。（野）

笹笛

青年らしくやろう

愛知県連会長　山本賢治

現在あらゆる種類の青少年活動は弱体化していると思う。4Hクラブもそのなかの一つであろう。それはなぜか！

4Hクラブが人間形成の場であることは誰れでも知っている。青年期というのは非常に大事な時期だ。多くのことを経験し、そして吸収する。時には青年らしい純粋な心が挫折することにもあるだろう。人間が信じられなくなるときも、また、彼女から逃げられることもあるだろう。人生がいやになったりもするでしょう。燃えているとき、青年はとまることを知らない。がしかし、一歩挫折するともろいものだ。

青少年活動を行なっている人、とくに役を持つと、青年の心のなかに責任感が生まれてくる。これは、青年の社会に対する正義感だろう。しかし、それさえも、社会の現状とかなんとかで挫折しやすいものだ。そこで青年は青年らしさを発揮すべきだ。つまり、現実の矛盾を青年特有の純粋な気持で受けとめることだ。自分の意見を他人にぶつけ、そして自己を高めろ。

さて、4Hクラブ活動では何をしていたらよいのか。それはわれらの使命「よりよい村を作る」ということに合致するだろう。どうしたらよいかと問う前に、グループ機能の発揮できる組織にしなくてはならないのではないか。

（立ち見席）おれの愛の告白は

4Hクラブで、ある所を視察見学に行ったときのことである。どういうわけか、おれらと関係のない彼女が一緒になった。

おれは前々から彼女のことを想っていたのでいつか愛を告白してやろうとチャンスをうかがっていたんだ。ちくしょう、先輩たちに囲まれてほほえんでいる彼女はますます遠い存在に見えた。

しかし、おれもたいした男だ。というのは、さ、ついにチャンスをつかんだんだ。生来の頭の良さのおかげさね。おれは九官鳥を利用してやろうと考えたんだ。

その九官鳥はね、「オハヨウ」とか「コンニチワ」ぐらいはしゃべれるやつなんだ。そこでおれはこの九官鳥に「愛している」といってくれと頼んだっていうわけさ。だっておれは恥ずかしがりやだからそんなはしたないこと言えないからね。

何回も何回も繰り返し、九官鳥に練習させたね。おれの涙ぐましい努力に感激したのか、九官鳥のやつもやっとあの言葉を話せるようになったんだ。そして、神様もおれを見捨てなかった。というのはちょうど彼女がそこへきたのさ。ああ、胸の高鳴り、わが人生の大きな転機よ。救いの九官鳥よ！

おれは、一歩さがって九官鳥をけしかけた。さあ、言ってくれ大声で！するとやつは「愛してると言ってくれ！」「愛してると言ってくれ！」。――九官鳥のやろう間違えてこんなことを言いやがった。話がちがうじゃねえか、おい九官鳥。

頭にきたがもう遅かった。彼女は「まあ、おもしろい鳥だこと」と笑って九官鳥の頭をなぜた。そして、おれの顔をチラッと見て通りすぎた。

おれの苦しい想いも彼女にとっては、もの笑いの種にしかならなかったのだ。全国のクラブ員諸君、愛の告白には十分注意してください。烏山の紫色（ショック）部より忠告。

（小池田洋連絡報道員発）

わが追憶

青森県・同門4Hクラブ　豊川勝美

春
うららかな陽射しは
黒い大地を温める
幼い命が一斉に芽をふく
そう　淡く芽生えた恋のように
そよ吹く風が
優しく二人の頬をなで
なびく黒髪が
甘く匂っていたうす月夜
そっと肩を抱き愛を告げた
淡き春の思い出

夏
灼熱の太陽は大地を焦がす
茂った木立は緑の陰を落とす
そう
燃えて愛し合う二人のように
熱き砂に戯れる二つの陰
焼けた肌に潮風が甘い
夕陽に染まる顔二つ
熱く楽しかった夏の思い出

秋
優しき光は落葉に止まる
ときおり舞い上がる落葉は悲し
そう　燃え尽きた二人のように
高原の風は立てたコートに
歌を歌う
涙うかべて抱き合う
白樺は淋しく震え
別れを知りつつ燃えた
別れは淋しく
悲しい秋の思い出

冬
星の光に粉雪チラと舞う
愛しき人の面影が
時おり浮かぶ窓の外
激しく燃えた二人だった
苦しみ悲しみ分け合った
二人の恋も　今は空しい夢となり
粉雪は冷たい星の光を消して
降りつづく
今は過ぎし日の思い出
今は過ぎし日の思い出

◀投稿案内▶

本紙は、全国クラブ員の準機関紙として、みなさんに大いに利用していただきたいと考えています。

クラブの催しや個人のプロジェクト、詩、短歌、随筆、写真、悩みや意見、村の話題、伝説、行事、お知らせ、小説、その他なんでも結構ですから原稿にして送って下さい。

❶長さや形式は自由です❷できるだけ記事に関連した写真をそえて下さい❸送り先　〒105　東京都港区西新橋1の5の12　佐野ビル内　日本4H新聞編集部

日本4H新聞編集部

日本4H新聞
4Hクラブ
農事研究会
生活改善クラブ
全国広報紙

発行所
社団法人 日本4H協会
東京都港区西新橋1の5の12
佐野ビル 〒105
電話（591）1817・3683
編集発行 玉井 光
月3回・4の日発行
定価 1部 35円
一ヵ年 1200円（送料共）
振替口座 東京12055番

クラブ領綱

私達は、実践を通じて自らを磨くとともに、互いに力を合わせて、よりよい農村、よりよい日本を創るため、四つの信条をかかげます。一、私達は農業の改良と生活の改善に役立つ腕をみがきます。一、私達は科学的に物を考えることのできる頭の訓練をします。一、私達は誠実で友情に富む心をつちかいます。一、私達は楽しく暮らし元気で働くための健康を増進します。

さよなら草の根大使

日本の伝統を守って
全国の皆さんどうも有難う

夕やみにけむる晩秋の空のかなたへ二人は去っていった…。さる十一月十四日夕刻、日本4H協会（会長 宮城孝治氏）の招きで草の根大使として来日していた米クラブ員ドーナ・ハルコビィッツさんとジェーン・パァイヘリックさんは五ヶ月間におよぶ全国各地での実習を終え、無事帰国の途についた。羽田空港には、松浦幸治全国4Hクラブ連絡協議会会長や、はるばる福岡や富山などから受け入れ農家の人たちが見送りにかけつけた。ドーナさんとジェーンさんはすばらしい日本での思い出を胸に、クラブ員の手をとっては別れを惜しんでいた。なお、帰国に先立って行なわれた報告会では、日本農業の印象について身振り手振りをまじえながら大いに語った。そして、ドーナさんとジェーンさんは最後にいった。「言葉は絶対的な問題ではなく、大切なのはハートです」と―。

（関連記事二面にもあります）

いつもユーモアと愛嬌を忘れない二人だったが、羽田を発つときはさすがに寂しそうだった。過ぎ去ってみれば短かかった数々の体験の断片が、走馬灯のようにドーナさんやジェーンさんの胸をよぎっていったのだろう。精いっぱいにつくろってみせる微笑もときおりゆがみ、瞳をうるわせながら「アリガトウ」「サヨナラ」を連発していた。固い握手と、別れのキス。何度も何度も振り返っては手を振り、そしてついに二人はゲットーに消えていった……。

五ヶ月におよぶ滞在期間中、富山や宮城、北海道、静岡、福岡など各地の受け入れ農家で実習するとともに、地元のクラブ員と交歓した。また、松島で開かれた「第十二回全国農村青少年技術交換大会」、夏の北海道で盛大にくり広げられた「第八回全国4Hクラブ員のつどい」にも参加、くったくのないユーモアと笑顔で全国のクラブ員の"人気者"となった。

"もんぺ"と"じかたび"が大いに気に入ったと冗談まじりにいう二人だが、青い目に映る日本の農業や農家の姿は、なかなかきびしいものがある。帰国に先立って行なわれた報告会では、二人とも「日本人は夢中になって働く」とビックリしたようすだったが、「機械を入れたといっても、結果的には手を使っての長時間労働になっている」と、無自覚な機械化を批判。また、お茶やお花など古い日本の伝統に感激しつつも、「田中首相の『日本列島改造』が進めば、企業が分散し、そういうすばらしい伝統がなくなってしまうのではないか」と心配そうな顔をして語っていた。

「北海道を見るだけだったら、北海道が日本になってしまう」というドーナさん。彼女はカメラとメモ帳をたずさえて、全国各地をつぶさに観察したという。そして「アメリカに帰ったら、広い視野に立った日本の印象を語りたい」ともいった。また、「純農村的なプロジェクトだけでなく、都会の人たちにも応用のきくアメリカ型のクラブ活動を日本でも広める必要があるのではないか」と提案するジェーンさん。勉強熱心な二人だけに、アメリカへ帰ったのちも日米クラブ員のよき橋渡しとして活躍してくれることだろう。

おみやげの三度笠を片手に「サヨウナラ！」＝羽田空港で

芋とカクテルで乾杯

栃木の女子ク 「人柄の美しさ」で討議

【栃木】栃木県青少年クラブ協議会（会長 長 芳孝君）では、さる十月二十八日から三十日までの二泊三日間にわたり、日光市の田母沢で"生活部の集い"を開催した。これは、日頃から県下の女子クラブ員が取り組んできたプロジェクトの発表や意見交換を通してお互いに親睦を深めながら女子クラブ活動を再認識し、将来、立派な主婦になろうということで開かれたもの。参加者は県下の女子クラブ員約百名。

このつどいの運営には、各地区より選出された生活委員があたり進行もすべて参加者の手で自主的に行なわれた。参加者全員が一役を分担し、各自が責任を自覚して二泊三日間の日程に入ったので、参加者たちは意欲満々であった。

第一日目は、午前十時半頃から開会式。そのあと参加者は、十一時頃からOBクラブ員の体験発表を聞いた。OBクラブ員は、それぞれの立場（嫁いだ人、婿を取った人、婿に入った人）から体験を発表し、クラブ員たちをうなずかせていた。

続いて「よりよい家庭を築くために」というテーマのもとにOBを囲んで分科会を開いた。各分科会とも活発に意見を交換した。なかでも▽夫に対し良き協力者であること▽子供の良き母親となること（アドバイスのできる母）▽両親に心配をかけないことなどの意見が多くだされていた。

四時からは、県内五地区における女子クラブ活動の状況発表が行なわれた。各地区とも、こんどの課題などを次々に出し、女子におけるプロジェクトと仕事の両立という問題を全体で討議した。

夜は七時から「人柄の美しさはどこからでてくるのか」というテーマでバズセッション。SPを囲み、OBを囲み、参加者たちは九項目からなる問題を班別に食堂へ掲示した。

第二日目は午前八時から実積発表を行なった。九人の代表者が発表したが、審査はクラブ員全員で行なった。各々、真剣に発表に聞き入りながら、手元の審査用紙にペンを走らせていた。

午後一時からは前日話し合った「人柄の美しさはどこからでてくるか」というテーマで河村高信宇都宮大学教授の講演を聞いた。まず、精神面の美しさを語る講師に参加者はメモなどをとって聞き入っていた。そのあとは「接遇について」の実技指導。クラブ員たちは心身ともに「人柄の美しさ」について学んだ。

夜はキャンドルサービス。いままでの学習ムードは一変してなごやかムード。参加者たちは、サツマ芋とカクテルのパーティーに青春を語り合い、歌い合い、踊り合って一時を過ごした。また、県協の男性も未来のお嫁さんのためにハッスルし、カクテルコーナーでボーイ役まで引き受けてサービスした。

最終日は早朝六時から開会式。女子クラブ員たちは、眠そうな目をこすりながら「グッドモーニング、グッドバイ」―。記録係から報告書をもらってそれぞれ帰途についた。

（海老沼京子連絡報道員発）

涼風暖風

生活文化の伝承と開発

農山漁家をとりまく生活の変化は、兼業農家の増加とともに、都市化の進行がはげしく、合理化された生活の反面、貴重な生活文化が失われていく傾向がある。

農山漁家の生活の改善の方向は、生活をとりまいている背景および、これまでの生活の知恵、風俗、習慣など、生活の歴史や文化をふまえた上で方向づけられていくものであろう。ところが、これら伝えられて来た生活文化を、"古いもの"という一言のもとに捨て去っていないだろうか。

かつては、一枚の着物を着るにも、綿や麻を栽培し、これを糸に紡ぎ、織機で布を織り、これを縫い合わすということを、各自の家で行なっていた。これは自給自足の生活の中で、必要に迫まられたものであろう。そして、これができなければ嫁としての資格がなかったのである。最近では、これらのことは機械化され、大量生産されるようになり、自家でこれらをやっていく必要もなければ、また、やっているところもほとんどなくなっている。世の中の進歩とともに、これは当然のことであって、このことについては誰も異論のないことである。

しかし、この一枚の着物を織ったことにかかわるところの技術をすべて捨て去ってよいのだろうか。織物の縞模様、絣模様、格模様など、実に立派なものである。いまのふだんの着物には必要でなくなったのであるが、この技術を、その作品を生活の中に生かしていくことは考えないでもよいのだろうか。手織の布がテーブルクロスになりカーテンになり、ベッドカバーになるということを考える。これは豊かなもので立派なものである。また、これらは他国のものに比べても少しも損色のない生活芸術品ではないだろうか。

また、最近のインスタント食品の出廻りは目ざましいものである。しかし、これまで母や祖母のやってきた漬物や餡、おかきや煎餅など、数え上げれば数限りなく上げられる。そして、これらのものは科学的にも裏づけできる生活技術が少くない。また、最近薬の使いすぎが問題にされる一方、これまでの漢方薬が見なおされてきたなど、新聞紙上を賑わしている。

何も古いものがよいといっているわけではない。生活は生活文化を育て培いつつ次の代に伝えていく役割のあることを考えてみたいのである。そして、これまで長く伝えられてきたところのものを、現在の時点に立って、どんな所で今の生活の中に活かし育てていくのか、また一部はそのまま残し伝えていくのか、一つひとつ考えてみたいものである。新しいものを取り入れることに積極的であると同時に、これまで伝承されてきた生活文化の価値を見なおし、それを伝えながらさらに開発していきたい。

外国に旅行した方から"祖母から受けつがれた家具を今も使いながら、今でも手織の布地を織る技術が受けつがれテーブルクロスなどが食卓に使われており、母と娘の手で作られたケーキでもてなしを受けた時は、この家族の人々が生活を楽しみ大切にしていることと、その生活の深さと重さを感ぜずにはおれなかった"ということを聞いた。立派な生活文化を持つ私たちが忘れたものを思い出す思いである。すべてを失ってしまわないうちに、生活文化の伝承と開発の大切さを考えよう。（T）

青年の船だより

船上で農業者集う

4Hの輪を広げる　男性

日本では収穫の秋を迎え、たいへん忙しいことと思います。

さて、青年の船はジャカルタを出港してインド洋の荒波を受けながら、明日いよいよ待望のメルボルンに着きます。今回が初めてのコースであり、「二港間旅行」など、団員一同期待を寄せております。

"船"の日程も三分の一過ぎました。「船まつり」を機会に、それまでうっ積していた不平不満がいっぺんに出たように思われます。「これでも全国の選ばれた団員か。それぞれの地域のリーダの姿か?!」と首をかしげたくなる点もあります。全協推せんの仲間にしても同様です。これまでの実態をみなさまにお伝えすれば非難が集中するでしょう。異質集団、地域、考え方の〈集合体〉においては、それもやむをえないのかもしれません。この経過は反省点の一つとしたいと思います。

そういう状態でありながらも、序々に団員の自主性も高まり、研修も順調に行なわれております。オーストラリア旅行が済めば、もっともっと活発になるでしょう。

この船には農業青年が四十三名乗船しており、「農村青年のつどい」という名称で定期会を開いています。ジャカルタ出港後に第一回目、これからも教官二人に出席してもらいながら五回の定期会を開き、討論を進めていきたいと思っています。船内においてもとかく青年団との競合が見受けられ残念なことですが、東京に着くまでにはなんとか改善していきたいと思っています。

また、「創造の世代」をテキストにして「4Hの本質について」の勉強会を開く予定でいます。とくに青年団や一般団員を対象にして、広く"4H"の理解を求めたいと思っています。全協推せんの四名の仲間も、会合を重ねていくうちにその実力を発揮してくれることでしょう。

後期推進会議のより一層の充実と発展を期待しています。

（前福岡県農村青少年連絡協議会々長 角 繁男君発）

私たちもハッスル　女性

クラブ員のみなさんお元気ですか。青年の船はいまオーストラリアのメルボルンに向かって進んでおります。メルボルンでは農業青年は農場に民泊できそうです。

船内の農業青年の活動をお伝えしますと、帰国までに六回の「農業青年のつどい」を計画し、二回を終了しました。第一回は自己紹介、経営内容、問題点を出し、第二回はテーマを各人の経営上の問題点とこれからの展望にしぼって話し合われました。数少ない女性の活発な発言や、ほかの職業の青年たちの意見でたいへんに盛り上がり、時間がいくらあっても足りません。農業経営者の経済感、経営センスなど、若いわたしたちがこれから取り組まなければならないテーマばかりです。

（4Hクラブ員村田せい子さん発）

負けてたまるか 4H根性!!

赤松　宏▶6

よく考えて結婚へ　男も女も特性を生かし

つぎに、「男性として、あるいは女性としての社会的役割を学ぶこと」について考えてみよう。いいかえれば「男は男らしく、女は女らしく」ということなのであろうが、なかなか難しいことである。

「……らしく」という言葉に人間は苦しめられているような気がする。たとえば、みなさんなら「若者らしく」「役員らしく」「人間らしく」「恋人らしく」といったように、あげればきりがないが、「男らしい、女らしい」活動とはいったい何なのであろうかと考えさせられるわけです。私は、それは男としての、女としての特許をもつことだと思います。

近頃、女に近い男の出現、また、男に近い女の出現によって街の中が混乱しているようだ。男女の区別が無に等しい状態になったということなのである。こんな現実をみると、男であったり女であったりという"性"が必要なくなってくるような気がしてしかたない。ほんとうにそんな錯覚におちいる。

なぜ男女の区別があるのかを考えたとき、おのずから行動や考え方が決まってくるはずである。私はかつて、組織とは「同じ目的をもつ者たちの集まりでその中で各々の役割が明確に分類されている集団のことをいうのだ」と、何かの機会にいったことがある。これから考えると、社会の中での要求や事柄は、まず、男女の区別というものを基礎にはじまっていると思う。

例えてみると、女性としての特性は子供を生むことにあるし育てることにある。「そういう時の"女らしさ"とは何だとあなたは考えていますか」と、ときどき意地悪く質問してみることがあるが、正々堂々と答える女性はほとんどいない。「母親としての大切なことを忘れかけているというより、それらへの基本的な姿勢を、根本を理解していないようだ」とある人はいっている。母親としてほんとうに子供を育てるのなら、このようなことを考えてほしいというのであろう。

まず第一に「道徳的な母親になれ」ということで、第二に「教育のできる母親になれ」、第三に「奉仕の精神を忘れない母親になれ」ということなのであるが、私はこういう大切なことに向かっての学習が欠けているような気がする。だれかは「花嫁学校」というかもしれない。でも、それをあえて学ぶ力をつけていただきたいのだ。ただ漠然と集まる集会よりも大きな意味をもつのではないだろうか。プログラムを組むとき、こういう意味ある組み方を一つひとつにするなら、現在、問題にされている女子活動の停滞などは考えられないことだと思う。

今回はとくに、女子活動に対して強く書いたが（日頃、わがクラブの"強い"女性にいじめられているので、書くだけは……と、思いきって書いたのだが）それは別にして、男性にもまた同様に考えられる点が多くあると思う。クラブ活動にしてもそうだ。とくに、可能性へ向かっての問題があり、人とともに動いているクラブ活動は生きものだ。基本を、大切なことを見失ってはいけない。カンだけで運営するところに停滞があったりひずみが出る。素直になってものごとを考え直す学習、活動、大切なものを発見する学習、活動がはじめられることを私は常に願っている一人なのであるが……。

「結婚と家庭生活の準備をする」ことも、青年期の大切な仕事の一つだと考えられる。「結婚とは両性の合意のもとで…」というふうに法律化されてはいるものの、農村においては、いや、農村というより古い昔からの慣らわしで、"家と家との結びつき"という考え方が深く根をおろしている。そんなことから、いままでたった一つの自分の家だけしか知らなかった青年が、家族ぐるみの交際へと進まなければならなくなり、世間的交際方法を十分に心得ておかなければ大変なことになりかねないわけである。当事者が交際の中心となるだけに、その"結び方"ではマナーの大切さを考えてほしい。

この頃は少なくなったが、姑の問題がある。とくに女性はその立場に立つ場合が多いだけに、"人間操縦法"の学習を忘れてはならない。結婚前に、農家実習などを通じて、より多くの家庭を見、見聞を広め、自分の行動のアドバイスに使ってほしいものです。きっと、そんな生活、学習の中から多大なものが得られるような気がする。

「おさな妻」だなんてカッコいい流行語も生まれているが、そんなところには失敗例もまた多い。あせらず、結婚前に必要な知識を学んでからでも遅くはないような気がする。よく耳にする言葉に「嫁もらうなら親みてもらえ」ということわざがあります。もし、あなたが道徳を知らない、教育することのできない、奉仕の精神をもち合わせていない母親になったとして、そんなあなたをみて子供が判定されたとしたらかわいそうだと思いませんか？ 必要なことをいっぱい頭につめて、実が入ってから結婚したいものです。それが一番大切な準備だと考えます。男も同じだと思います。

そして、そんな結婚をしようと真剣に学んでいる二人のために、その仲間たちはすばらしい結婚式を企画し、運営してあげることでしょう。大きな声でおめでとうといってあげよう。

人間関係について、前回から三つにわけて考えてきた。とくに青年期における人間関係は、男女という性の上に立つものとして一番大切な時期にあたりそうだ。まちがいのない交際法をつかんでほしいものです。

（題字も筆者・北海道4Hクラブ連絡協議会前書記長）

4H祭　来る十七日から
熊本の上益城郡4Hクで

【熊本】上益城郡農村青少年クラブでは来る十七、十八日の両日嘉島町公民館で「4Hクラブ祭」を開催する。

農業経営や農家の生活改善について農村青少年がそれぞれの知識や技術を発表し合う。仲間ずくりと新しい農村建設をすすめようというスローガンのもとに4Hクラブ員、OB、父兄ら約百五十人が出席する予定である。主催は、郡農村青少年クラブ連絡協議会と上益城農改普及所。

第一日目は、午前十時から開会式。そのあと「親と子の対話」について親子会議・シンポジウムがもたれ、夜は同町内のクラブ員宅に民泊し交歓する。

二日目は、午前十時から野菜、畜産、果樹などについてのプロジェクト発表会。

十六日から4Hの集い　福島

【福島】福島県農村青少年クラブ連絡協議会（会長 菅野寿広君）では、県と共催で来る十六日から「第七回県農村青年4Hのつどい」を福島市を中心に開く。つどいは二泊三日の日程で、県内から約五百人のクラブ員たちが参加する予定である。

このつどいは、農村青少年が日頃、研究実践している農業経営や農村生活などの知識技術を交換し合い、民泊を通して家族ぐるみ、地域ぐるみの話し合いをすすめ、農業の発展を期そうというもの。

初日は福島市の県文化センターにおいて午後一時から弁論大会、オリエンテーション、二日目はプロジェクト発表、三日目は農業をめぐる諸問題をテーマにシンポジウムが開かれる予定である。

心頭技健

草の根大使として来日していたドーナさんとジェーンさんが、五ヵ月間に渡る長い日本での実習を終えて帰米した。あのくったくのない笑顔とアメリカ人特有の機智にとんだジョークがもう聞けないと思うとちょっと寂しい▼来日中、ドーナさんは本国の家でご不幸があり、また、ジェーンさんも富山での農作業中にケガをしたとか。それでも日程を変更することなく、最後までよくがんばった。そして、こころよく二人を迎えてくださったホストファミリーの方々や全国のクラブ員のみなさんに感謝したい▼青い目にうつった日本は、とてもすばらしかったようだ。「親切な日本人」「伝統のある国」―。だが、話題が農業の現状やクラブ活動の問題まで発展すると、なかなか手きびしい答えがはね返ってきた。二人の観察眼は確かなようだ▼プロジェクト活動について彼女たちは、「日本ではプロジェクト―仕事―収入になっている」「もっと幅広い活動が必要ではないか」という。彼女たちの感想は「夢中になって働く日本人」という印象とかみ合せて考えてみれば、いかに日本の農業のおかれている立場がきびしいものであるかがよくわかる。「夢中になって働く日本人」は、そのように働かざるをえない日本の農民のいわば外面的な姿なのであろう▼ともあれ、ドーナさんとジェーンさんは全国のクラブ員の心にさわやかな感動の足跡をのこして去っていった。彼女たちと入れ代りに近くアメリカへ渡った日本の草の根大使が帰ってくるが、こんどは日本のクラブ員の目からみたアメリカにじっくりと耳をかたむけることにしよう。

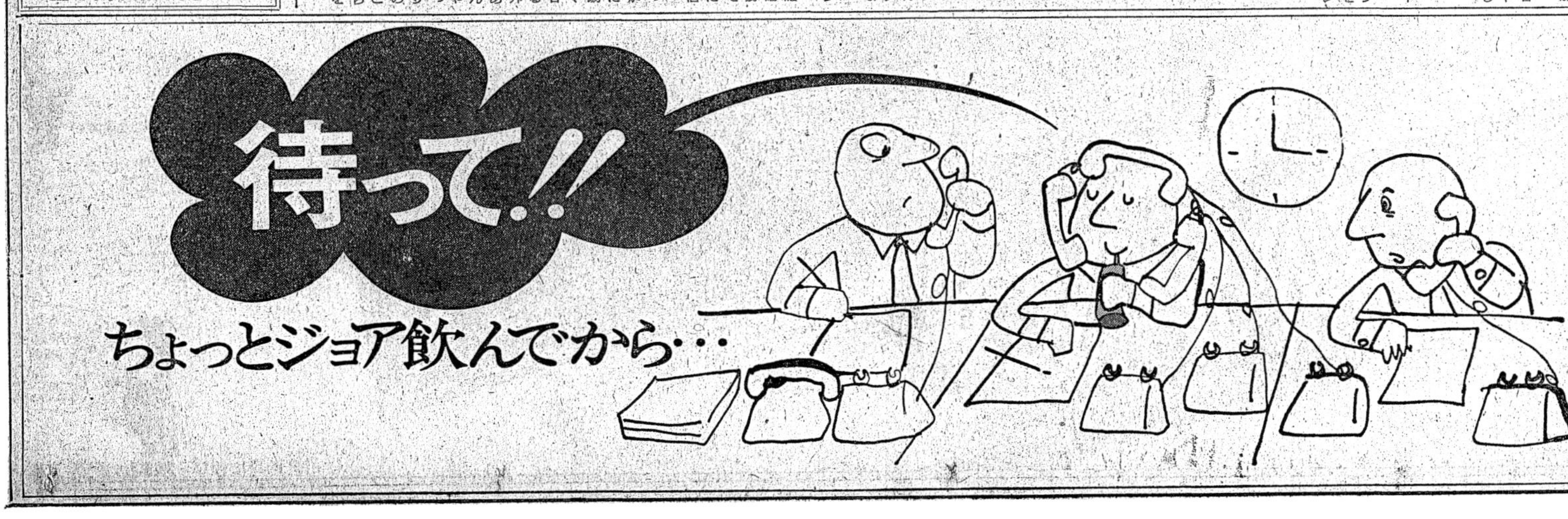

身にしみた4Hの心

草の根報告会

ドーナさん、ジェーンさん大いに語る——さる十一月一日、東京・港区新橋の共栄火災会議室で開かれた草の根大使の報告会では、青い目を通した日本の農業や農家生活が語られた。ときおり冗談を言って笑わせながらも、クラブ員が日頃直面している問題を分析したりして、五ヵ月間の日本での生活は、二人にとってかけがえのない貴重な体験であったようだ。なお、報告会には大賀忠直農林省普及部普及教育課々長補佐をはじめアメリカ大使館の竹下武雄氏、IMC日本代表の吉田宏氏、国際農友会の石井氏、全国農村青少年教育振興会の金田三郎事業部長、全国農業改良普及協会の長沢氏など関係機関の各氏、日本4H協会から宮城孝治会長、大塚茂常務理事ら二十一名が出席した。司会は大塚氏が担当。

関係機関の人たちに囲まれ、真剣な表情で日本の感想を語るドーナさん、ジェーさん＝東京・新橋の共栄火災の会議室で

——全国の各地をお歩きになって多くのことを経験されたと思います。松島の技術交換大会、札幌でのつどいの感想は？

ジェーン　ベーリーグッド。いろんなところでみんなの集まりがあるということはたいへんよいことですね。日本の若い人たちは知識や情報に非常に感心をもっていて、また、勉強家だと思いました。

ドーナ　松島スバラシカッタ！　だれも通訳してくれなくて、日程表に書いてあることもわからず、たいへん困りましたが……。服装のこと、農機具のこと、いろいろ勉強になりました。アメリカでは興味だけの集まりが多いけど日本では収入につながっているんですね。それに松島はうまく組織化されていたと思います。プロジェクトについても多くのクラブ員が意見を交換していました。

札幌のつどいは、意見の交換、楽しみの場っていう感じ。デスカッション（パネル討議「どうする4H!!」）では、わたしは言葉がわからなかったけど、有意義な討議が行なわれていたようですね。「友情交換」の場としてとてもすばらしいと思いました。

——日本の農家生活はいかがでしたか。家族や農村の環境や習慣など……。

地下タビは便利ネ　ドーナさん

農休日をもっと多く　ジェーンさん

ドーナ　日本の衣服で印象的だったのは、暖かい地方ではモンペ、北海道ではジーパンをはいていることです。それがとても日本の気候に合っているんですね。モンペはわたしもはいてみたけど、ちょっと短かかった……。朝から晩まで同じ服を着ているようだけど、生活に幅をもたもるために何回か変えたほうがいいんじゃないかしら。

ジェーン　富山の夏は非常に暑かったけど、それにもかかわらずいっぱい着こんで働いているんですね。

ドーナ　そう、暑いのに手元までつつんで仕事をしています。

ジェーン　わたしの場合、白人だから色が白い。はずかしいから日に焼けようと努力したんですけど、むこうのファミリーに腕を隠すようにといわれてしまいました（笑い）。北海道の気候は大陸的っていうのか、アメリカに似ていますね。また、宮城では世代の違いっていうのか、親子の断絶っていうのか、アメリカのわたしたちと同じ道を歩んでいるなって感じました。

ドーナ　若い人たちが街に出る傾向がありますね。福岡では娘さんが農場に出る代りに農協で働いていました。実際、農場で働いている若い人は少なく、農場で働くのはお父さんやお母さんだけっていう感じ。宮城でお世話になった家では、台所の床がセメントでした。働いて帰ったあと、またすぐ働けるって感じですね。〝地下タビ〟——あれは便利！　アメリカへもって帰ろうかと思っています。東京では買えないかしら。

ジェーン　日本人はどれくらい稼ぐのかしらないけど、とても食事に気をくばっていますね。とくに子供に対する栄養の配分には感心しました。パン、チーズ、ミルクなど、栄養状態がとてもよくなりましたね。

ドーナ　それにはちょっと賛成しかねます。タンパク質をあまりとっていないようだ。おじいさんなどはごはんとちょっとしたおかず。あまりよくないですね。わたしのお世話になったところでは、ごはんが主食で、トマトとかキュウリとか、自分の家で作っているもので済ませているって感じでした。北海道の農家では、肉や乳製品類などが出て少し違っていましたが……。また、クリとかサトイモとか、わたしたちからみれば自然食にみえるものをうまく料理して食べていましたね。ワタシノオナカ大丈夫デシタ（笑い）。

ジェーン　感謝したいと思いますのは、二、三日経つと普通の娘さんと同じようにあつかってくれたということです。そのおかげで日本の家庭生活がより深く理解できたように思います。収入のことなんですけど、専業農家の場合、一年に一回の収入でどうやって一年やっていくのでしょうかね。

ドーナ　機械化にしてもスケールが小さいですね。アメリカにくらべるとまだ低開発という感じです。機械を入れたといっても、結果的には手を使っての長時間労働。本州や九州はスケール自体が小さいからしかたないでしょうが、でも、北海道はだんだんアメリカに近づいています。アメリカとの違いはまだまだあります。日本では農業を継ぐのは長男と決まっているようですけど、また、日本の子は農家に残りたがらないようですけど、アメリカではそんなことはありません。レジャーや楽しみはテレビが中心になっているようですね。アメリカでも同じですが、若い人が親から離れてレジャーを楽しむ傾向が出ていますね。それから、お客がきたとき奥さんはただ給仕をするだけ。わたしも客のようにあつかわれて何か悪いことでもしているような感じがしました。アメリカではパーティーや集まりには奥さんも参加します。

ジェーン　先ほども言いましたが、日本人はよく働きます。とくにだんなさんなんかに朝から晩まで……。アメリカでは日曜日はたっぷり休むのに、日本の人は「今日は何曜日？」っていうくらいよく働く。

ドーナ　アメリカでは働くのは一週間に四～五日間。日曜日には奥さんは洗濯や買い物。だんなさんは家族ぐるみでどこかへ出かけたり、ふだんできない家のまわりのことをしたり、客の相手をしたり……。日本では日曜日がなく、あるのは仕事の終りが早いか遅いかだけで、早く終った日の残りの時間が休息の時間になっているみたい……。

お茶やお花など、古い習慣や伝統をみるのも楽しみの一つでした。とくに娘さんは、学校を終えたあとでお茶やお花の勉強をするんですね。でも、田中首相の「日本列島改造」が進めば企業が分散し、そういうすばらしい伝統がなくなってしまうのではないかと心配です。

——日本の4Hクラブ活動、とくにプロジェクト活動や、この活動に対する意見がありましたらお聞かせください。

ジェーン　日本のクラブ員はプロジェクトをあまり多くもっていないと思います。でも、福岡では研修や活動が県内各地で多く行なわれていたようですし、展示会でニワトリを切り裂くのを見ました。もっとそういうことをやった方がいいのでは……。また、指導者層の不足を痛感しました。専門家にももっときてもらった方がいいと思います。根本的には、大きなプロジェクトは一つでよいのですが、具体的なもの、身近かなものをたくさんやってほしいですね。わたしの場合は一年間に六つのプロジェクトをもっています。純農村的なプロジェクトだけでなく幅広い範囲にわたっています。都会の人たちも応用のきくアメリカ型のクラブ活動を日本でも広める必要があるんじゃないでしょうか。

ドーナ　そうですね。わたしは日本でいっぱい写真を撮りましたが、アメリカに帰ったらその写真やスライドで日本の紹介をするつもりです。また、日本の農家だけでなく、京都、奈良、東京などを見、広い視野に立って日本を眺めることができました。アメリカに帰ったら正確に伝えたいと思います。

あの視点

心の通ったクラブへ

クラブとリーダー ⑩

原田正夫

リーダーになり手が少ないというのは能力のある人がいないとかいうことじゃなく、リーダーとしての毎日が忙しく本業としての農業に専念できないなどの現実に恐れをなして尻ごみする人が多いことを物語るものと思える。農作業に、農業経営に柱となって頑張りながら、一日二十四時間、一年三百六十五日の中でより良きクラブのあり方を考え、どう導びいてゆくかという方程式を解く苦労。これこそリーダーとしての宿命ともいえるプロジェクトである。

従来、誰もがこのことに悩みながら、このことが自分と共に、あるいは自分に続いてリーダーとして歩んでくれる人が容易にあらわれない大きな力べであることを感じつつも、このことはあまり手をつけられることなくきているように思う。

このこと、つまり仕事との両立という悩みを語ることはリーダーにとってタブーであるようにさえ思えるほど、どうしようもないというあきらめがあるんだろうか。責任上多少のことはやむをえぬことというのだろうか。自分一人が、自分の家族ががまんすれば……、それですべてがオーケーならば……ということですめばよい。しかし、リーダーとして後々まで絶えることなくクラブが存続、発展することを願うなら、当然後に続くリーダーが自分と同じ苦労を味わうことなく力を発揮できる下地を作っておくのも役目のひとつではなかろうか。

聞き及ぶところでは、ある県連では役員になる人は一年中役職に専念できることぐらいの余裕のある人でなければならぬとか、またある県連では役員に恋愛はタブーだなどというところもあるやに聞く。それほどまでに打ちこむ熱意は尊い。けれども、そうまでしなければ私たちの活動はできないものなのか。リーダーならずともそういうリーダーの苦労を大変だなあと思うだけでなく直接間接の協力によって何とかならぬものだろうか。私は大阪府連で会長を二年やったけれども、その私の前任が長滝谷という情熱と行動力のある優れたリーダーであった。通称クマといわれ豪快なイメージをもった彼が、半年以上も入院し、その活躍を期待する多くの人を、悲しませたことがあった。病気は精神的、肉体的な疲労から出たものだったが、たくましい体力と精神力を誇った彼でさえ、都市化の波にあらわれる地域の農業とクラブに日夜苦悩し、奔走するうち除々にむしばまれていたのだろう。一年近くの長きにわたり彼を失なったことは府連にとって大変なことであり、まして家族の方がたの負担はいいつくせぬものがあった。彼のダウンが他の者たちを奮起させたことも事実だが、リーダーとしての毎日はかくのごとく……かと思い知らされたできごとであった。同時に私は責任の大半はブレーンとしての私たちにあったと思っている。優れた彼のリーダーぶりによりかかり、少しでも彼の負担を軽くしてやる努力がたりなかったと今でも思う。

現在、大阪の会長をしている北本君はミカン農家。ある日電話でミカンもぎの人手がいないかと依頼を受けた。私は忙しさの中でリーダーとして頑張る彼を想い、私の母をはじめ十四人の人手をみつけ出した。少しでも負担が軽くなればと願う。

忙しいリーダーの家の田畑や牛舎にクラブ員が頼まれもせぬのに手伝いに出かけているという話。クラブ員にとってリーダーの家の農場が絶好の実習は場であっても良いではないか。

心の通ったクラブ。リーダーのめざしているのはそれなんだから。（全国4Hクラブ連絡協議会副会長・大阪）

時道

意識Ⅲ——新しい世代

「聖なるものは、あなた自身のうちで生きなければならぬ」と意識Ⅲを所有する新しい世代の若者たちは語りかける。なぜなら「この世には、幸福や人生の意味を与えてくれるような楽園も、未来の天国も、政治も、原理も、イデオロギーも、社会構造も、行政機構も存在しないのだから」と。

アメリカの学者チャールズ・A・ライクは、著書『緑色革命』の中で、歴史的発達に応じて変化する人間の意識を三つに分類している。そして、今日的にはしきたりや過去の夢の残像でしかない意識Ⅰ、巨大な管理機構の中で画一化を迫られ、〝生の中における死〟——つまり、自己（アイデンティティ）を失っていくばかりの意識Ⅱから自分を解放し、いまアメリカの若者の心を占領しつつある意識Ⅲにめざめるべきだと主張する。

意識Ⅲは他人を蹴落として出世したり、組織に従属して働くことを拒否する。それは「さきの世代が認識したよりも、いっそう親密で、暖かく、開放的で感覚にみちていて、共有感のいだきやすい、他人との共生様式」である。意識Ⅲは自己を起点とし、「自分自身に忠実であれ」をモットーとする。そして「すべての人間存在の絶対的価値を肯定し、人間は一定の基準ではかられるべきでない」と主張する。そのめざすところは〝人生そのものの復権〟なのである。

抑圧されることのない創造性と自己表現を求めて彼らはさすらう。「目に見えない分断線、ガラスの間仕切り、プラスチックの被覆、会話という仕切りのカーテンがとりのぞかれ、なんの苦労もなく人間どうし近づきあえる」ようにと……。彼らがともに口にする言葉は〝ツギャザー〟。そしてつぶやくのは、たとえばつぎのような詩だ。

〝だったら、妹の手をひいて出てゆこう
しょうに合わない、こんな国からはるか遠くへ
も一度、笑えるはるか彼方へ
きみにとって、去りゆくぼくらは余計もの〟

いったい彼らはどこへ行こうとしているのだろうか。だけど、もしぼくらが彼らとともに歩むのでなかったら、そっとしておいてあげよう。なぜなら彼らにとってもぼくらは〝余計もの〟なのだから……。【宇】

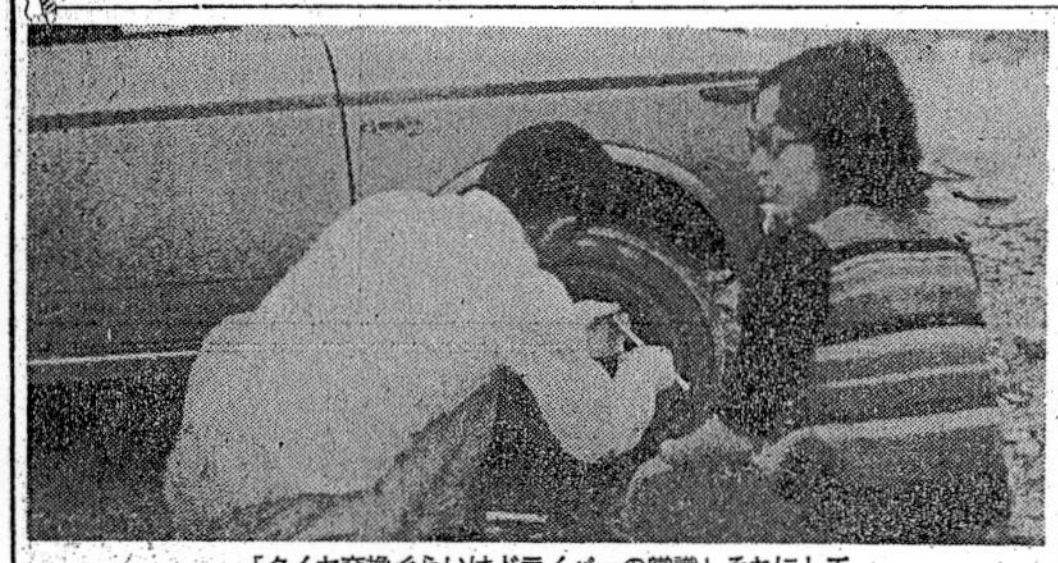

「タイヤ交換ぐらいはドライバーの常識」それにしては時間かかりますねえ＝競技会で

人命の尊さ痛感

高知の大豊4Hクラブ　安全運転競技会を開く

【高知】わが国の自家用車保有台数も年ごとに増加し、それにともない交通事故発生件数も増加の一途をたどっている。戦後の交通事故死傷者総数が大東亜戦争の死傷者数を上回ったとか、上回りそうとかいう悲しいニュースも流れている昨今である。このままではいつ私たちの頭上に災難が降りかかってくるかわからない。

こうした現実に対処しようということで大豊4Hクラブ（会長宮内勇君）では、三十四名のクラブ員の参加のもとに安全運転競技会を開いた。

十月二十八日午後一時、大豊町大田口稚蚕共同飼育所から自動車の一団が出発して、競技会の幕は切って落とされた。

自動車に乗ったクラブ員たちは、本山町を通り、土佐町などを回って戻る約五十七キロのコースでお互いに安全運転の腕前を競い合った。

審査員には普及所の職員があたり、クラブ員たちは運転の腕前は言うにおよばず、スペアータイヤの交換、空気圧の点検、学科・知識まで審査された。さすがのクラブ員たちもこれにはやや緊張ぎみの表情で、終始、真剣な態度で競技ととり組んでいた。

昨年の全国の事故発生件数は約七十万件で死者は一万七千人、負傷者は約九十五万人であり、まさに現代は交通地獄。私たち4Hクラブ員も事故を起こさないように、また、事故に合わないように、常日頃から安全運転を心がけ、ゆずり合いの精神を大切にしましょう——と同クラブは全国のクラブ員に呼びかけている。競技に参加したあるクラブ員は「飲酒運転の追放、そして、人命の尊さを改めて感じました」と神妙な表情で感想を述べていた。

（県連理事　峯永明男君発）

農協運動の担い手に

中央協同組合学園　来年度本科生を募る

中央協同組合学園では昭和四十八年度の本科生を募集している。同学園は、将来農協運動の中核者としてすぐれた判断力と組織的な行動力をそなえた人間性ゆたかな人材を養成するために設立されたもので、来年度は第五期生にあたる。

募集要領はつぎのとおり

▽受験資格　二十二歳未満で、高等学校卒業、またはそれと同程度の学力を有するもの（男女は問わない）
▽就学年限　三年間
▽募集人員　五十名
▽願書受付　一月二十日～二月十日まで
▽願書提出先　都道府県農協中央会々長あて、入学検定料二千円を添付して提出のこと
▽学費　年額六万円、教材・実地研修費等二万円、入学金三万円（入学時のみ）
▽試験日　三月八日、東京、京都、福岡の各会場で

なお、詳細は農協、都道府県中央会、または直接東京都町田市相原町四七七一（〒一九四―〇二）電話＝〇四二七（八二）三〇六一～五　中央協同組合学園までお問い合わせのこと

☆投稿案内☆

あなたの声を全国の仲間へ

本紙は全国クラブ員の連絡機関紙として、みなさんに大いに利用していただきたいと考えています。クラブの催しや個人のプロジェクト、詩、短歌、随筆、写真、悩みや意見、主張、村の話題、伝説、行事、お知らせ、小説、そのほかなんでも結構ですから原稿にして送って下さい。

▽長さや形式は自由です▽できるだけ記事に関連した写真をそえて下さい▽送り先　〒一〇五　東京都港区西新橋一の五の十二　佐野ビル内　日本4H新聞編集部

アクセサリーに　キーホルダー

全協で好評発売中

全国4Hクラブ連絡協議会（会長　松浦幸治君）では、ことし北海道で行なわれた「第八回全国4Hクラブ員のつどい」の際、道連が製作し、参加者に記念品として販売したキーホルダーを全国のクラブ員のみなさんにもゆずりたいと呼びかけている。

このキーホルダーは、メタルの直径約四㌢で全長約十㌢というがっちりした格好のよいもの。つどいに参加した人はその記念に、また、つどいに参加しなかった人はクラブ行事の賞品やアクセサリーにどうぞ！

▼値段　一個三百円

なお、お申し込みは〒一〇五　東京都港区西新橋一の五の十二　佐野ビル内　全国4Hクラブ連絡協議会事務局　電話＝〇三（五九一）一八一七まで。

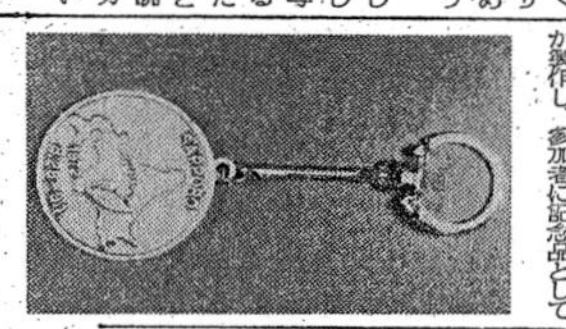

写真㊤は好評発売中のつどい記念キーホルダー

クラブ往来

GYグループ

フレッシュな躍動

いまから五年前、県の農村女子青年研修会が開かれたときのことです。西脇市からも農業に取り組む五人の女性が参加しました。そのときはまだグループを結成していなかった彼女たちは、「これからも、こういう活動を自分たちの手で続けていきたい！」と意見が一致、グループ結成への第一歩を踏み出したのです。

その年の秋、市内でブドウ狩りがあったときのこと。五人の勇敢な女性たちは希望者を加えてついにグループを結成したのです。名前もグループ結成の由来にちなんで「グレープヤング」、略して「GY」とカッコいいもの。

わたしがGYグループに入ったのはことしの七月。普及所に勤めていた関係でグループの存在を知り、「わたしにも…」と思って入会したのでした。入って三か月ほど経ったとき、県の女子リーダー研修が開かれ、わたしも参加しました。いろいろと自分なりに勉強になり、「こういう大会にはどしどし参加すべきだ」と、そのとき思ったものです。

GYグループの特徴は、女子だけの集まりであることを生かして、料理講習や手芸、着物の着付、そして「保健婦さんによる婚前学級」など、女性特有の問題を行事の中にもりだくさんに取り入れていること。女性として必要な知識や技術を、わたしたちはグループ活動を通じて吸収しようとしているのです。

また、兄妹組織である西脇農業青年クラブとの合同行事として、機関紙『あかつき』を年二回発行。キャンプ大会やクリスマスなどの行事も協力して行なっています。

現在のクラブ員数は、十八～二十三歳までの女性十三名という若さいっぱいのGYグループです。でも、女性ですから〝結婚欠員〟が毎年でき、新会員募集に頭を痛めております。それに、ふだんの行事に参加するのは毎回七名ほどという状態ですから、それも悩みのタネ。でも、わたしたちはできるだけ多くの人たちが参加できるような〝GY〟にしようとみんなで努力していきたいと思っています。

（〒六七七　兵庫県西脇市和田町九四の四　藤原優美）

経営プロジェクト

多頭化にはこれだ
搾乳速度の調査研究　技術の標準化を

栃木県・農業教育センター　磯和

酪農経営の規模が拡大し、多頭化が進んでくると、労働生産性を上げるためには畜舎や機械の設備ばかりでなく、労働時間のうちもっとも多くかかる搾乳時間や大切な搾乳技術の標準化が重要である。そこで私は、平均搾乳速度の調査を実施した。

調査対象牛は五頭。朝夕の二回搾乳し、サージ式ミルカー（真空度三十五ｾﾝﾁﾒｰﾄﾙHG）を使用して平均搾乳速度を調査した。

その結果、乳牛個体別搾乳速度をみると、五頭の平均搾乳速度は毎分一・一七ｷﾛｸﾞﾗﾑであり、最高は一・四九ｷﾛｸﾞﾗﾑ、最低は〇・八八ｷﾛｸﾞﾗﾑで、その差は〇・六一ｷﾛｸﾞﾗﾑであった。乳牛個体差が大きいことと、意外に搾乳速度が遅いことがわかった。

もちろん、搾乳速度は速ければ速いほどよいとは限らないが、ホルスタイン種の改良目標が毎分二・五ｷﾛｸﾞﾗﾑとされていることを考えれば、私の場合はそれよりも平均で一・二三ｷﾛｸﾞﾗﾑ遅いのである。

また、朝夕二回の搾乳速度を比較してみると、図のように平均で朝は毎分一・二ｷﾛｸﾞﾗﾑ、夕で一・四ｷﾛｸﾞﾗﾑであった。そのうえ、朝夕の搾乳速度も六日間の調査中、朝が四回速く、夕方が二回速いという結果がでた。個体別の特徴をみると、朝夕の搾乳速度に大きな開きがみられる乳牛が中にはいた。

以上の調査結果から、乳牛の素質的要因や分娩後日数およびその他の条件を考慮しても、乳牛個体の特徴を搾乳速度によって明確にできるため、搾乳技術も標準化され、搾乳時間、つまりミルカー使用時間で搾乳ができることが明らかになった。

なお、今後はさらに調査を重ねて、多頭飼養にむく搾乳速度の一定した牛群をそろえて、多頭化を実現したいと考えている。

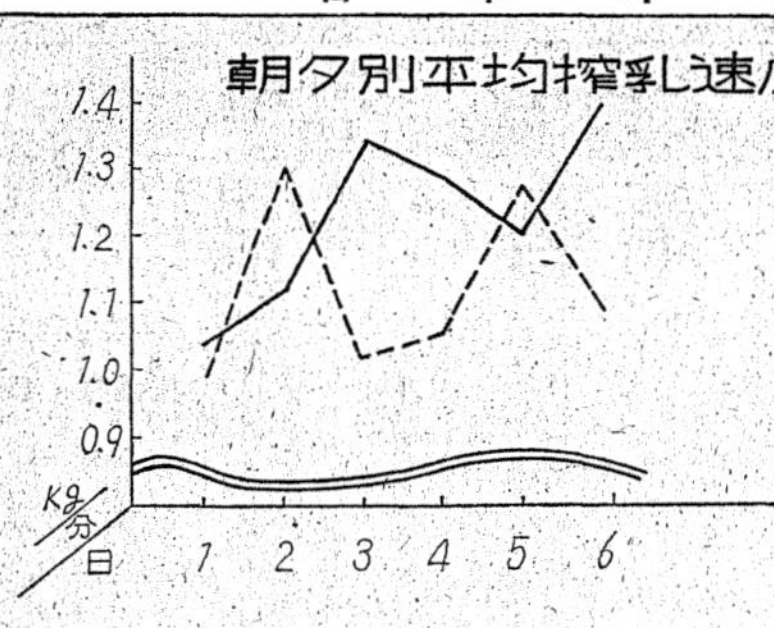

家族でテレビ体操

健康の管理
富山県・若葉クラブ　材木三枝子

農村の家庭では病弱な人が目立ちます。わたしの家でも、農作業の無理から父が病弱ぎみなんです。母の苦労をみるにつけ、家族の健康こそわたしの願いとなりました。

わたしは家族の健康状況を調べることにしました。生活改良普及員さんに相談したところ、疲労計を取り入れてみたらどうかという助言があり、わたしは毎月一回、家族の体重測定、上腕囲疲労計を使用して記録をとることにしました。

調査方法は、西洋紙大の紙三枚に、体重、上腕、疲労計による測定値を記入できるようにし、居間に掲示して毎月二十日に測定しました。家の健康管理者は母ですが、湿田地帯の農繁期はたいへんに苦労が多く、主婦の使命である食生活が思うにまかせないのが現状です。

弟とわたしは若いので心身ともに健康で自信がありましたが両親の記録をみるとそうばかりはいっておれません。人間も四十歳を越えると体のバランスがくずれ、農作業の疲労が翌日にもち越すなどして、調子の悪いのがつねです。体重の上がり下がりや上腕囲の増減、疲労計による疲労度が毎回異なるなど、若者との違いがこれらの記録にはっきりと出ています。

農業を中心として生活している両親だけに、体は大切な資本。身体の老化を早めず、健康が維持できるようにと、わたしは〝自分の体力を知った適当な運動〟を家族に提案しました。そして、毎朝六時十七分から始まるテレビ体操を全員で実施したのです。

家族の起床は全員六時。十七分には居間に集合し、わたしの合図のもとに部屋いっぱいに広がり、廊下にまで手をのばして朝の十分間を体力づくりに励んでいます。

朝のテレビ体操実施までこぎつけることができたのは、やはり一年におよぶ健康調査が基盤となっていると思います。健康づくりのためばかりでなく、一日の生活の中で食事以外に家族がそろって同じ行動のとれる楽しさもまた格別です。まだまだ苦労が多い農業従事者のために次代をになうわたしたち若者がよきアイデアの提案者にならなければと思います。

こんどは家族内だけでなく、部落の壮年、老年の体力を調査し、生活の中へ運動、体操、レクリエーションなどの導入をはかり、地域ぐるみの健康づくりに努力していきたいと思っています。

農閑期の収入源に
ブドウハウスに しいたけを栽培

山梨県・若竹4Hクラブ　今井昭男

私の住む山梨市は、モモ、ブドウの栽培がさかんなところである。しかし、五年くらい前から経営面積の拡大がしだいに困難になってきた。地域では、単位面積における収益増加と早期出荷を目標としたブドウのハウス栽培が普及しはじめた。

私も三年前からハウス栽培を取り入れることにした。だが、施設に多額の資金がかかる。もっとハウスを有効に使う方法はないものか。私はハウス内の高度利用を目的としていたけ栽培に着手したのである。

ブドウハウスにしいたけを選んだ理由は、しいたけの栽培がブドウの施設に関係ないこと、ハウス内の温度と湿度がしいたけ栽培の場合と似ていること、しいたけの冬出しは市場の値が高いこと、などの理由によってである。

四十六年までにしいたけの原木を毎年二千本ずつ購入、また二五ｱｰﾙをテラハウスにした。資金はすべて農業近代化資金を利用した。

温度と湿度が、しいたけ、ブドウの両方で似かよっているため、思ったより成果が上がった。また、一度に多量の原木を入れるとブドウの根の活動が悪くなることがわかった。一〇ｱｰﾙ当り千五百本程度が適当かと思われる。私の場合ではしいたけの植菌とブドウの作業がかち合う三月が労働のピークになったが、この点はさらに考える必要がある。

現在の経営概況は、ブドウがデラウェア（ハウス）二五ｱｰﾙ、ネオマスカット一七ｱｰﾙ、巨峰一〇ｱｰﾙ、アレキ（ハウス）五ｱｰﾙ、モモが早生、中生三〇ｱｰﾙ、しいたけが低温菌を五ｱｰﾙに三千本栽培している。

いままでの経験を生かして、私はブドウのハウス内を利用したしいたけ栽培にもっと力を入れたいと思っている。

将来は一万本にふやし、しいたけ専用のほだ場を作り、年間六回の収穫をめざしたい。そして農閑期の収入をふやすように努力したい。

NHK農事番組（11月21～30日）

テレビ

明るい農村　6・30～6・55総合
21日　みかん三百万ﾄﾝの重み（一）「市場と産地をむすぶ」～神田・松山二元中継
22日　みかん三百万ﾄﾝの重み（二）「消費拡大への模索」
23日　話題と人「汗の歴史」
24日　農村新地図「北海道新十津川町」　佐々木逸郎（作家）
25日　村をむすぶ「大阪、福岡、高知、東京」
26日　明るい漁村
27日　村の記録「養鶏兄弟」～愛媛県伊予三島市
28日　きょうの話題
29日　産物百科「しょう油」
30日　話題と人「成功したみかんの粉末化」～広島食品工場試験場「公害に強い木」　信野尚
農業教室　7・30～8・00教育
27～29日「産地直結と野菜流通」　廣谷榮次（京都府立大学助教授）
30～2日「食品流通の新しい動き」　森宏（日本リサーチセンター）
あすの村づくり
日　7・00～8・00　教育

ラジオ

再　土　13・00～14・00　教育
26日「われら農民」　久保欧夫（広島県湯来町）ほか
早起き鳥　5・41～5・57 ❶
21日　豊作に泣く小豆農家
22日　余剰米出荷作戦～庄内平野
23日　特集「乳牛と歩んだこの十年」
24日　団地と結ぶ米祭り～福島県相馬農協
25日　ふるさと通信～神戸局
26日　多元「稲作総決算」　仙台～名古屋～福岡～東京
27日　米どころ黒姿～佐賀県東与賀町
28日　野菜の種でブローチ作り　原田秀子（山口県熊毛町）ほか
29日　ユートピアをめざす学士農業　白井成司（北海道）ほか
30日　植物特許　志佐　誠
話の広場　日　6・10～6・30 ❶
26日　みかん収穫たけなわ～神奈川県小田原市ほか
ラジオ農業学校＜講座＞
月～土　6・40～7・00 ❷
23～25日「稲作組織の新しい展開」　今村奈良臣（信州大学助教授）
27～29日「経営発展のための技術」　川廷謹造（東大教授）
ラジオ農業学校
日　6・30～7・00 ❷
26日　農業講演会「なぜ農業は必要か」　柏　佑賢（京都大学名誉教授）

なぜ農業は必要か

結婚を考える ►30◄

和歌山県・若葉4Hクラブ　岡本敏子

余暇時間をもっと大切に

4Hクラブの会合のとき、女子クラブ員の雑談の中でたまたま結婚についての話が出ました。結婚適齢期を迎えているわたしたちだから当然のことだけど、でも、多くの仲間が「農家へ嫁ぐのはイヤだ」と答えたのですから、雑談で済ませるわけにはいかなくなりました。

悪循環の根

どこにその原因があるのでしょうか。わたしたちはとことん話し合った結果、イヤがる理由として「生活時間に計画性がない」「自由時間すなわち余暇があまりにも少ない」という結論に達したのです。農村に生まれ農村で育ったわたしたちです。わたしたちのすばらしきパートナーである男子クラブ員のためにも放ってはおけないと、女子クラブ員で研究することになりました。

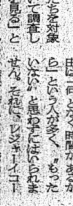

食管法改革の動き
米の生産・流通・管理などの自主的な検討を始める

全国農業協同組合中央会

米の生産過剰から生産調整、他作目への転換奨励等の措置が続けられていますが、政府は昨年七月末、米穀管理研究会を設けて、米穀管理の制度・運営の問題点を明らかにするとともに米穀管理の運営についての改善方策および今後の米穀管理制度のあり方についての検討を進めております。

とくに足立農林大臣は、田中首相の強い示唆を受けたとして食管制度改革に意欲的で十一月二十八日から開会された第七〇臨時国会には、一時「食糧管理制度調査会設置法」の提案さえ準備しました。

この法案は、衆議院解散含みの国会ということもあって、提案は見送られましたが、食管制度が政治日程にのぼることは避けられないという情勢にあります。

また、日本農業新聞は、八月下旬から九月上旬にかけ、全国の農協組合長を対象にアンケート調査を行ない、「食管制度の現状」「今後の見通し」「対応」について意見を求めましたが、食管制度の今後は非常に厳しいとの認識にたって系統農協が米の機能を強化して対応すべきであるという意見が多数を占めています。

全中では、内外の情勢から、して、系統農協としての検討を進めることを決定しました。そして十月二十六日第一回委員会を開催して、委員会の運営、検討事項、今後の進め方等についての話合いを行ないました。

この委員会での検討項目は、（一）米の需要、（二）米の生産、（三）米の生産調整、（四）米の管理制度、（五）米の集荷・保管、（六）米の配給、（七）自主流通米、（八）余り米、（九）米の価格というように米の生産から配給にいたる現行制度下での問題を一つひとつ明らかにしていこうというものです。

しかし、三十年来にわたってわが国の米穀の取扱いを集中的に管理してきた食管法の核心について検討することになりますので、委員会ではいろいろな意見が出され、結局、十一月中に各委員の検討に対する意見の取りまとめを行ない、これらを整理したうえで、十二月中旬から本格的検討に入ることになりました。

いずれにしろ、これまで農協関係ではタブー視されてきた食管制度について具体的な動きを示したことは強く注目されましょう。

それだけに全中としては、この検討には慎重に取り組み、系統農協の合意のうえでの意見の集約をはかって行きたいと考えます。

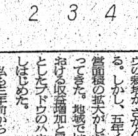

オシャレも大切よ
職業の個性を楽しんで

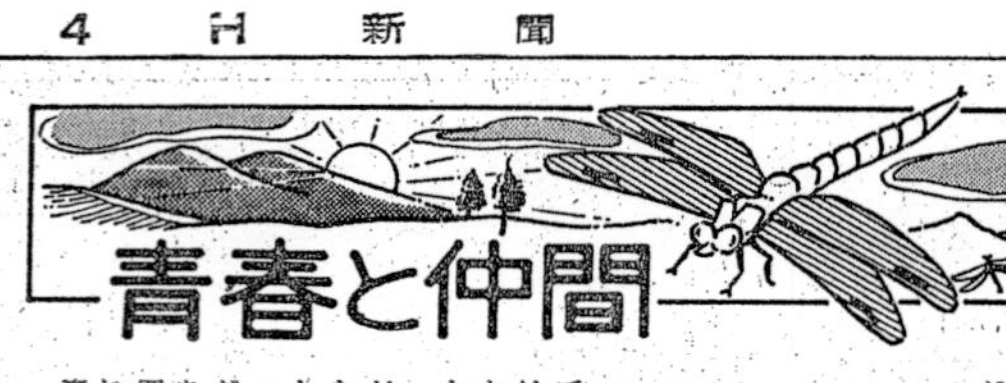

青春と仲間

宮城県・亘理地区
△ △ △
丸子京子

常に美しくありたい——女性ならだれもが思うことだろう。

いままでのイメージとして、農村女性といえば「地味で荒れた肌」という感じが強かったのではないだろうか。

私も農業に従事して三年、これじゃあいけないと思いながらも従来の農村女性のイメージに乗りかけていることに気がつきハッとすることがたびたびある。慣れるということは恐しいものである。

私が農業を始めたとき、自分に自分は農業者である前に若き女性であるということを言い聞かせた。"いつもきれいな姿で仕事をしなければ……"と私は考えた。だから、いつもお化粧をし、髪をきれいにとかし、自分の納得のいく身じたくで仕事にかかった。

そんなふうにしてから仕事に出ると、確かに五分から十分ぐらい時間をロスする。親たちに言わせれば「いつまでも家のなかにいないで一時も早く仕事にかかるべきだ」となる。どうせ出かけるわけでもないのに身じたくに時間をかけるのはムダなことだ、格好なんかどうでもいい、仕事さえはかどれば……みたいなこともいう。

でも私には親たちのそんな意見が納得できない。かといってなにもスカートをはいて仕事をしたいといっているのではない。農業だってひとつの職業には変りない。だから、その職業にあった服装があるはずなのだ。そして、その範囲のなかできちんとした姿をしていれば、一日が楽しく、また、仕事だってはかどるだろう。

たとえ、野良に出てすぐ汚れてしまったとしても自分なりに満足できるのではないだろうか。

また、きょうは面倒だからそこにあるものを着てしまった、忙しかったから髪もとかさなかった、そんな格好で仕事に出たとしよう。すると一日中、こんな姿でだれかに会ったら恥しいという気持が先に立って、仕事にも落ちつかないのではないだろうか。

考えてみれば、確かにこんなことは個々の気分の問題でバカげていると思う人もおありでしょう。でも、それが毎日のことで、一生のことなのである。そんなことでももっと大切に考えるべきではないだろうか。

そんなわけで、作業着も古着のありあわせのものではなく、自分なりに工夫した楽しいものを着用すべきだと思うし、お化粧もある程度までは必要だと思う。

家庭着についても同じことである。私は、母が新しい割ぽう着をきたり、風呂上がりにイキな着物をきたりすると、とてもうれしくなる。なぜなら、男か女かわからないほど仕事の鬼になって働いている母も、やっぱり女だったなとホッとした気持になるからである。

家族のみんなが母をほめたりひやかしたりしているがみんなもやっぱりうれしいのだと思う。そんなちょっとしたことでも家庭の雰囲気が明るくなるものである。それだけ家庭にとって、女性のあり方というのは大きな意味をもっていると私は思うのだ。

私たちは若いのである。いままでの"暗く淋しい"イメージの農村女性像から脱皮しようではないですか。周囲なんか気にすることなく、職業にあった個性的なオシャレを楽しもうではありませんか。そして、新しい農村女性像を私たちの実践で築いていかなければならないと思うのです。

どうせ農業なんだからどうでもよいというのではなく、私たちは農業だからこそ、持ち得る魅力をいつも最大限に発揮できるように努力すべきではないだろうか。

仕事に追われるのはしかたがない。でも、仕事のための生活なのか、生活のための仕事なのかを再認識し、心にゆとりのもてる生活を送りたいものである。

わが青春の伸吟

あれは何年前の十一月のことだったろうか。明日にはぐれた一羽の渡り鳥が途方にくれて、青白い月のまわりを何度も何度もいたずらに飛びまわっていたのは——。

一枚の木の葉が音もなく散った。北風が、立ち昇る煙を横からとすいた。また、一枚の木の葉が散った。カサコソと木陰で泣いたぼくの純情。一瞬、目のなかの暗黒を矢のように走り去ったウサギの群れ。迷路の入口だった。そして、二十世紀後半的な悪ふざけの幕あけだった。

果てもない思考の堂々巡り。青春——その言葉は、もはや名も知らぬ女学生によって燃やされた一枚の写真だった。また、"ある"という観念もそこにはなかった。

自動車に夜の闇のなかを放たれた狂いの犬ように走った。女は「ウソよ」と言ってケラケラ高笑いした。無限の宇宙への突入。無色のきらめきの吐き気。もぞもぞとうごめく回虫、いやスパゲッティー、いやぼく自身。無限の闇にぬりこめられた一点。ヒロイズムが鎌首をもたげて叫ぶ——おれたちはいくだけさ！疾走、錯覚、また疾走。夜の闇がゲラゲラと腹をゆすって笑う——おまえはどこへもいけないさ——。

苦しいといってあえいだら、あいつはせせら笑った。悲しいとつぶやいて泣いたら、またもあいつはヒザをたたいて笑った。みんな冗談さと憎しみをこめてどなったら、あいつは自分の首をしめながらなおも笑った。その笑いの底にガボッと開いた穴。宇宙的規模の欠落。永遠そのものの永遠の欠如——。

また走る。彷徨することすらできないぼく。迷路に続く迷路。だが、迷うことすらできないぼく。ほほえみの欺瞞、涙の怠惰。崩れゆく空間。そして、笑い続ける青ざめた一人の女。ひっくり返った孤独な老婆。宇宙空間をとびまわる一匹のハエ。白アリの群れ。その羽音。太古の昔から荒涼たる原野を渡ってやってきたつむじ風。衝突。ウィンドガラスの飛散。光の洪水氾濫。すべてのものが完全な姿で露出する瞬間。静止。同時に、永遠に続く運動。

ぼくは、ただ疲労と戦っていた。そして、さらに疲労した。ぼくのなかで確実に肥え太ってゆくもの、それはかみすぎたガムのような疲労の感覚だけだった。

ふたたび一枚の木の葉が散った。そのとき、ぼくは笑い、さらに笑い、重ねてまた笑った。

これがぼくの想い出した青春なら、いまぼくは一体どこにいるというのか。(野)

笹笛

自分を越へて第一歩
俺もやる気になった

山梨県・甲斐4Hクラブ　小野勝秋

おれが生まれてきてからこの二十年余というもの、おれは一体何をしてきたのか、と折にふれては考えこんじまう。

農家の長男として生まれてきたものの、おれは泥くさい農業がいやでいやでたまらなかった。かつておれは幾度も家を飛び出したことがあった。しかし、農業すら満足にできない人間が、この社会の荒波を乗り越えることがどうしてできようか。転職はおれにとってみはてぬ夢であった。

子供の頃からおれは農民の貧しい生活を両親の農業に苦しむ姿のなかに見てきた。そこでおれは思ったものだ。"くそ、おれは農業なんてやらねえぞ！"

けれども、自ら汗を流し、体験して知った農業はまったく別世界のようなすばらしいものだった。そのとき、おれはいままで無意味でつまらない青春を過してきたおれ自身がむしょうに腹立たしく、また悔まれてしかたがなかった。

わがままいっぱいに自分勝手なことをやって生きてきたその反動がいまになって押し寄せてきている。おれは、同級生や後輩から頭一つも二つも遅れている。クラブの仲間に比べてもそのハンデーは大きい。それは口ではいえないぐらい悲しいもんだ。

でも、こうした苦しみや悩みを忘れさせてくれるのも農業だ。夢や希望を与えてくれるのも、また農業だ。一＋一＝二という算数でわりきれない結果が現われてくるのも農業だ。

農業を愛する若者には、現代人に欠けている多くの良い面があるようだ。それは農業という職業を通して自然とのふれあいから養われるなにかではないだろうか。

感じて語るよりも、感じて実践することの尊さをおれは農業で学んだ。青年としての、いや人間としての己のあり方を学ばせてもらえる農業。おれはこれからその農業を、そして、4Hクラブの仲間たちを大切にして生きていきたい。

確かに、いまは身心ともに苦しいけれど、せっかくおれに生きがいを与えてくれた農業を苦しいからといってここで捨てたら、おれという人間はここで終りのような気がする。苦しい戦いの一歩いっぽだ。でも、それが自己成長なのだと自分に言い聞かせて進もう。まだまだレベルの低いおれだが、おれのすべてを農業にかけてみるつもりだ。

わが愛する千早赤阪村

大阪・千早赤阪4Hクラブ　西浦光輝

朝起きて窓を開くと涼しい風が鳥のさえずりとともに室内へ入ってくる。まことにすがすがしい一日の出発である。

こんな環境の千早赤阪村に生まれ育って二十一年！幼い頃はよく父や母に町へ遊びにつれていってもらうたびに「なぜ町へ住まずに田舎に住んでいるの」といってうるさがったそうだ。だが、いままでは、この村に自分の友だちのような親しみをもっている。

騒音、大気汚染など公害、〈公害〉とやかましく世間で叫ばれているが、わが村ではそんな声はどこふく風といったところだ。なんともいえない風情がある村だ。公害で悩んでいる人に手をさしのべてあげたくもなる。まことにたのもしくもなる。

けれどもこの千早赤阪村にもいつかは都市化の波が一度におしよせてくることでしょう。そういう状況になったとしても、住んでいるみんなが手を合わせていまの自然な環境をいつまでも守り、よりいっそう住みよい千早赤阪村を築きあげたいものである。

あんな人こんな人

人間味ある農業へ
4Hの仲間っていいなあ

中江弘嗣　滋賀

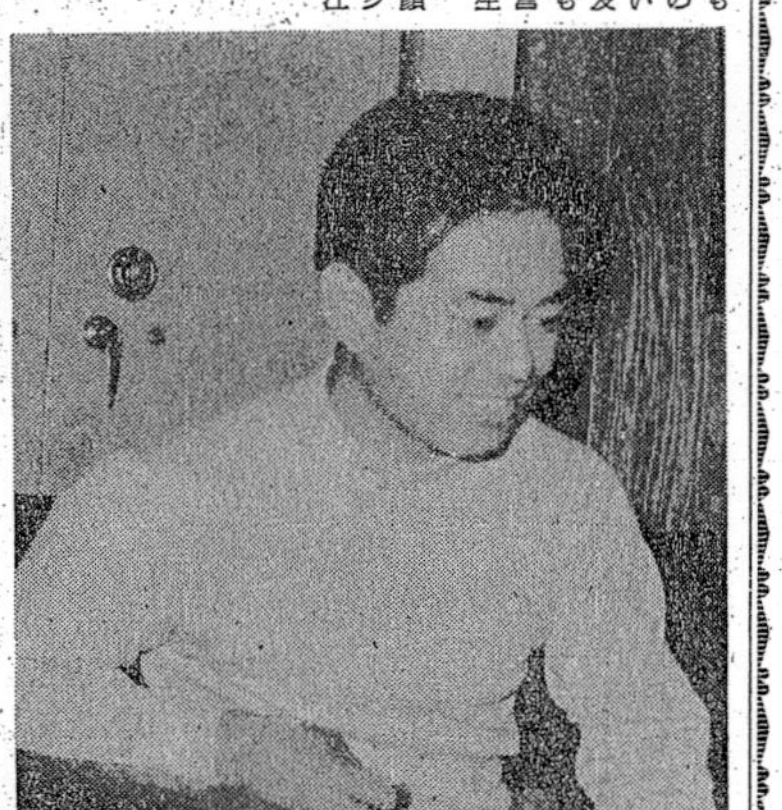

彼は4Hクラブに入会してもう七年目になるという。自分のことは自慢なんてとんでもないが、4Hクラブで知り合った友だちについてはどこへいっても自慢できるそうだ。つづめて言えば、それが4Hクラブ七年生の意味にもなるという。

ニコニコと人なつっこい笑顔を絶やさず、ときどきウインクしたりしてトボける彼——中江弘嗣君。彼は昭和二十二年生まれの二十五歳、身長一六五㌢、体重六十五㌔のややがっちりした体つきの人である。あどけない(?)ような顔つきで「ええ独身です」と威勢よく答えた女性にもてそうな人。

中江君は昨年、滋賀県農業後継者クラブ連絡協議会の会長として活躍し、本年は全国4Hクラブ連絡協議会の事務局次長になりがんばり続けている。

一般的に見て現在の県連活動は「フラフラしているみたい」と彼は指摘する。「4Hクラブも組織体から運動体へ根本から変化してゆく時期にある」と彼は強調する。もともと運動体であったはずの4Hクラブ活動が今日では形骸化しているような気がするとも言う。

「いま4Hクラブ員が直面している問題は、なんといっても日本4H会館建設問題だ。クラブ員諸氏は4H会館建たずして明日の農村青年の心意気はないという気概をもってほしいものだ……」と一気に語る彼。

言い終ったとき、彼の笑顔が一瞬ときされた。いつもニコやかで楽天的な性格のような中江君だが、いろいろ話をしてみると、やはり彼も悩める人のようだ。

まず彼は、"自家の経営とクラブ活動の両立"というあのリーダーとしての宿命的ともいえる問題に悩んでいるという。しかし、中江君は「それを両立させなければリーダーとはいえないのではないか。どうしてもそれはリーダーである限り両立させなければならない」と強い語調で語る。そう語りつつもやはり「家の人には迷惑をかけていますね」としんみり。「やるだけですね、どれもこれも……」こう答える中江君の心のうちはさぞかしと……。

さて、その両立に苦しんでいるという彼の家の経営をのぞいてみよう。

彼の家は、昭和四十一年に琵琶湖の湖底の干拓地へ入植したという。その辺は日本農村のモデル地区としても有名なところだ。現在、彼の家では両親と彼の三人で稲作三鈔、野菜（スイカ）一鈔、ポットマム（ハチ物菊）五アールを経営している。大型機械などを用いて積極的に省力化を進めているので労働力はまあまあというところだそうだ。

しかし、中江君は現在の経営をゆくゆくは大幅に改善してゆきたいという。まず第一に、いま進められている一般的農業形態を脱したいそうだ。つまり、企業的経営から人間的な心の通った農業へということらしい。その理由として中江君は「借金してまで規模拡大してゆく近代化には納得できない」からだという。彼がこれからやりたいのは「段階をふまえて共同で大きな施設を作って、共同育苗など」だそうだ。そこで彼は快活に笑って「大きな夢でしょう」とつけ加えた。

中江君は大型コンバインを見るたびに行政を考えるという。「真の近代化とは何か。われわれ農村の青年が本当に守らなければならないのは農村の何なのだろうか……」と。

「一般的に見て、現代の農村青年は泥くささがほしいときにそれがない」と中江君はいう。「農業のよさは個々人の持ち味を生かすところにある。さしあたってある意味では、いま自分を含めた農村青年に必要なのは哲学的な自己否定ではないのか」

中江弘嗣君——趣味は読書とスポーツだという。どうも彼は見かけは柔らかくシンは固い人のようだ。

小さなようで大きく、簡単のようで難しい彼の大いなる夢に大いなる栄光あれと祈る！（近江八幡市大中町三番地）

さあ、行動で示そう

群馬県・吾妻地区　斎藤佳示

激動する現代農業のなかで、4Hクラブ活動も曲り角にきているとはよく耳にする言葉だ。いや、もうすでに曲ってしまった状態にあるという人も多い。

このような状況のなかで、4Hクラブ活動は本当に必要性があるのかと問うとき、私自身、絶体に必要だと言い切ることがなぜかできないのである。なぜなら、私もこの問題で悩んでいる最中だからだ。

4Hクラブ活動は必要なのかどうかと他人から問われたとき、なぜ私たちは他人ごとのように感じてしまうのだろうか。4Hクラブ活動の主体は、まぎれもなく私たち自身であるはずなのに。現代農業に生きる青年すべてが、4Hクラブ活動の推進者であり、主体なのである。

私たちはいま真剣に考えねばならない。そして、真剣に悩みぬかねばならない。同じ世代に生きる人間が、また、同じ悩みをもつ人間が集まってともに語り、ともに考え、ともに行動して、いま現実に存在する問題と取り組んでゆくことは何よりも大切なことだ。また、4Hクラブは必要かなどと問う前に、よりよい4Hクラブ活動めざし、一致協力して行動しなければならないのではないか。

そうすれば、私の悩みも吹きとぶだろう。要するに4Hクラブ活動の必要性を身をもって感じることもできるだろう。

今日、4Hクラブの必要性や組織が問われるのも、現在の農業状勢のなかで4Hクラブ活動が進むべき道を見失っているからだと私は思う。曲ってしまっているならその曲り角には必ずなんらかの問題があるはずだ。その問題を掘りおこして解決していこうではありませんか。

私は全国の4Hクラブ員諸氏に呼びかけたい。必要なのかと問う前に必要なものへ！と……。みなさん、お互いにやりましょう。

日本4H新聞

4Hクラブ
農事研究会
生活改善クラブ
全国広報紙

発行所
社団法人 日本4H協会
東京都港区西新橋1の5の12
佐野ビル　〒105
電話（591）1817・3683
編集発行　玉井　光
月3回・4の日発行
定価　1部　35円
一ヵ年　1200円（送料共）
振替口座　東京12055番

クラブ綱領

私達は、実践を通じて自らを磨くとともに、互いに力をあわせて、よりよい農村、よりよい日本を創るため、四つの信条をかかげます。一、私達は農業の改良と生活の改善に役立つ腕をみがきます。一、私達は科学的に物を考えることのできる頭の訓練をします。一、私達は誠実で友情に富む心をつちかいます。一、私達は楽しく暮らし元気で働くための健康を増進します。

農村の花嫁不足はなぜ？

「もっと自由時間を」

山梨の昇竜会4HクラブでOLなどにアンケート

現在、わが国の農業は、経済の高度成長にともなう農業就業人口の急激な減少、地価の高騰にともなう経営規模の拡大困難、経済の国際化による農産物の自由化などまさに激動の渦中にある。工業化や都市化の進展は、大型農業機械の普及にみられるような農業の近代化にはたしかに大いに貢献した。しかし、同時にそれらは農業労働力が他産業へ流出してゆく結果をも生むことになった。農業が省力化され、農業婦人も昔とは比較にならぬほど仕事が少なくなった。しかし、ここ数年来、各地で〝嫁不足問題〟が叫ばれているのはどうしたわけなのだろうか。さまざまな原因があろうが、その一因として農業労働力の他産業流出ということもあげるべきだろう。そんな状況のなかで、山梨県の昇竜会4Hクラブは嫁不足問題を考えて気になるアンケート調査をした。「恋愛に関するアンケート」と題し、OLや看護婦、学生など農業以外の女性百名に対して行なったものである（回答率は九〇％）。

幸わせそうなお二人。いつかはみんなこうなるのだが……

【山梨県】このアンケート調査は、十八歳から二十六歳までのOL、看護婦、家事手伝いなど、農業以外で働く独身の女性百人に対して行なわれたもので回答率は九〇％。農業後継者に対するきわめて率直な意見が述べられており、今日の農村をはかる一つの尺度としても大いに気になるものである。

回答者九十人のうち実際に男女交際を行なっている女性は六十四名で、結婚を対象としたものが十名、友だちづき合いが五十四名。交際方法はドライブがもっとも多く、ついで喫茶店、ボーリング、サークルと続いている。

理想の男性像は「やさしい男性」「指導力ある男性」が、年齢を問わずどの女性にも共通する理想像になっている。ただ、二十歳前の女性の中には「男らしい」「楽しい」「ハンサム」を求める声があるのに対して、二十歳以降にはそれが消え、かわって「行動力」「誠実」「判断力」を求める声が少数ながら聞かれるのは注目してよいことであろう。

さて、クラブ員にとってもっとも気になる彼女たちの声、すなわち、農業や農業後継者たちに対する彼女たちの率直な声に耳を傾けてみよう。外側から農業をみてその彼女たちの意見はこうだ。「生活が安定していてよいと思うが、労働がきついと思う」「農業は苦しく、たいへんな作業だというイメージを取り除くことが必要だ」「長い労働時間を改善して、定休日をもっと多く」――。

農業後継者に対しては「逆にあなたたちの方がわたしたちに対する偏見をもっているのではないか？」「既存の経営を改善し、新しいことを試みるような夢をもった人なら結婚をしてもよい」「長男だから仕方なく農業をやっている人はさっさとやめた方がいい」「なぜ嫁のきてがないかをよく考えてほしい」と、なかなか手きびしい意見が返ってきた。

彼女たちの結婚観はどうであろうか。「どのような職業の男性と結婚したいと思うか」という問いに対して「農業」とはっきり心に決めている女性は九十人中三人とわずかだが、これは別に農業を嫌っているわけではなく、「本人しだいで職業にはこだわらない」「わからない」というのが大部分の女性のホンネのようだ。

そのことは、別の質問コーナーで「農家に嫁いでもよい」と答えた女性が、〝条件しだい〟というクレームつきまで含めると全体の七〇％以上に達していることからみても明らかだ。要は中味の問題なのである。「農家に嫁いでもよい」と積極的に答えた女性の望む姿は、家庭生活においては親との同居に異存はなく、農業経営の責任は親と適当に分担すべきだということだ。ただ、家計に関しては親子一緒にするか別々にするかまっ二つに割れている。農業のすばらしさについて彼女たちは「人に使われないで自分の考えどおりやっていける」「物をつくる喜び、収穫の喜びがある」をあげている。

「農家は好まないが、条件しだいで嫁いでもよい」と、やや消極的に答えた女性のその条件とは「経営改善に熱心な理想的な男性がいること」「経済的に余裕のある農家」というこの二つが圧倒的に多く、ついで「農作業を機械化すること」「自由時間があること」「封建的な人間関係を改善すること」「週一回の休み」などをあげている。

また、はっきりと「農家以外がよい」と答えた女性の農家を嫌う理由には「労働のきつさ」「人間関係のうるささ」「時間にけじめがなく、農家は見通しが暗い」の三つが大勢を占めていた。

近年、急速に進みつつある農業の機械化や合理化によって、農村も内部から若い力によって改革されてはいるものの、このアンケート調査でみる限り、まだまだ外部の女性の農村をみつめる目はきびしいものがある。多少の無理解と偏見はやむをえないが、しかし、女性の結婚観は相手の男性の職業が〝生活の場〟として恵まれているかどうかをはかるモノサシにもなる以上、私たちクラブ員も「女性をひきつける」農業というものについて大いに考えなければならないと思うのである。

広げよう、この輪を

4Hと地域社会で激論

埼玉県連のつどい

【埼玉】さる十一月十一、十二の両日、埼玉県農業研究団体連合会4H部（部長　鈴木松蔵君）では、「第三回4Hクラブ員のつどい」をはなやかに開催した。開催地は埼玉県のほぼ中心にある東西に細長い、国鉄高崎線と国道十七号線の二つの大道脈がある桶川地区。参加者は、その地元の桶川地区連から七十五名、県内からは三百数十名。

第一日目は、強い西風こそ吹いていたが、前日の雨空とはうって変って上天気。

午前九時から受付。十時から地元クラブ員による歓迎レセプションが行なわれ、バトンガールの演技や舞踊、二人羽織、郷土芸能、腹おどり、それにこのつどいのために結成されたフォークグループの歌などが次々にくり出した。会場のクラブ員たちも一体となって手拍子をとり、歌い、若さを発散させた。

十一時からは開会式。畑県知事や松浦孝治全国4Hクラブ連絡協議会々長も参列し祝辞を述べた。

午後からは、「4Hクラブと地域社会」というテーマでシンポジウムが開かれた。まず、代表の五人が意見発表を終ると、会場から多くの質疑が次々と出された。「4Hクラブとはそもそも何なのか」「現在は将来のための事前期間だ」「りんごは食べてみなければ味がわからないのと同じく、4Hクラブ員も自分で体を動かしてみなければ4Hクラブを理解できない」などの意見や質疑があっちこっちから出され、司会者も一時はマゴマゴ、アシスタントも大忙しであった。

シンポジウムの話題は「農民を代表する政党をつくろう」とかいう政治問題にまで発展した。また「今回のテーマの取り上げ方が不満だ」というような鋭い批判も出ていた。

しかし、「4Hクラブと地域社会」というテーマは短時間で語りつくせるものではないという意見も出て「私たちは地域社会の将来のビジョン立案に積極的に参画しよう」などというあるクラブ員の発言で一段落といったところ。会場のある女子クラブ員は「県内のクラブ員が一堂に会し、これだけ議論し合うというのも珍らしい。これからもこのような場がほしいものだ」とこのシンポジウムの意義を語った。

このあと午後二時三十分から参加者たちは三台のバスに分乗して現地交換訪問会場へ移動した。民泊先でも参加クラブ員たちは、地元クラブ員のホットな歓迎を受けた。また、そこで、シンポジウムの続き、クラブ活動のこと、男女問題などを熱心に話し合っていた。夜はゲームをしたりして親睦を深めた。

第二日目は、昭和四十二年の埼玉国体の主競技場となった上尾運動公園補助グラウンドで〝スポーツのつどい〟を行なった。参加者は4班に分れて、班別で、そして個人で得点を競い合った。どんよりした寒空の下で、軽快な行進曲にのって四百五十余名のクラブ員が走ったり、踊ったり、むかで競走をやったりする光景はまことに壮観であった。

別れのつどいは、一周四百㍍もあるようなひとつの輪になってのフォークダンス。あるクラブ員が、「桶川地区があまりにも激しい都市化の波に洗われているのでびっくりした。でも、それだけ桶川のクラブ員はがんばっている。私たちはこのフォークダンスのようにお互い同士の心の輪を広げて、ともにやらなくては……」と語っていたのが印象的だった。（江守孝子・吉住武雄両連絡報道員発）

涼風暖風

ルーマニアから帰る

ルーマニアは、人口約二千万人、農業国から、工業国への脱皮をめざす国である。

私がルーマニアを訪れたときは、一か月余におよぶ長雨がようやくあがったばかりであった。機上から見ると、無数の溜池が点在している。水稲栽培国でもないのに、灌漑用の溜池があるはずはないが、といぶかしんだ。

オトペニィ空港からブカレスト市内への車中で、溜池の正体がつかめた。溜池とみえたのは、長雨によってできた畑地の中の巨大な水溜りであったのである。

ルーマニアは共産主義体制の国である。ブカレスト市内に入って最初に目につくのが「印刷局」と呼ばれる高層建物である。モスクワ大学にそっくりのスターリン・スタイルが人目をひく。この印刷局で政府や党関係の印刷物、新聞、学校の教科書など、全てのものが印刷され、出版される。その意味では、言論統制は相当きびしいようである。

私は、共産主義国家の中では、ソ連とルーマニア、それに若干立場が異なるが東ベルリンしか訪れたことがない。この範囲でものを言う限り、ルーマニア人は陽気であり、ある種の活気を感じさせる。それは、一部を除いては、他の東欧諸国がスラブ系に対し、ルーマニアがラテン系であるからであろうか。

ルーマニアは、ソ連一辺倒ではない。中ソ対立の中にあって、中国接近を試みるなど、国際共産主義運動での指導的立場を認めないという外交哲学をもっている。また、野心的とも思える経済政策をおしすすめているのが特色である。

農業は共産主義国のアキレス腱だといわれる。ルーマニアでも例外ではない。ブラショフへの道すがら、何料も続く直線道路の両側は、広大な畑の連続である。長雨にたたられた畑には、収穫を手伝う学生や軍隊の勤労奉仕の集団が多かった。ルーマニアでは農業での若干の私有財産は認められている。それに、東欧諸国では農業生産性の高いのを自慢している。それでも生産性があまりかんばしくないと感じるのは、ひとり長雨のせいばかりではなさそうである。

きくところによると、ルーマニアの農業生産は、戦前の一・八倍であるという。これに比して、工業生産は十四倍である。

見学した工場でも、機械は西欧諸国の製品が少なくない。「性能がよければどこ製でもいいでしょう」と関係者は答えていた。

強力な経済建設を進める国、ルーマニアであった。ただ、全ての商店が休みの日曜日、若者達や労働者が道いっぱいになって街をいったりきたりしている姿は異様であった。ただ、いったりきたりしているだけである。

若者達の娯楽は何だろうか、と考えこんでしまった。爛熟した社会の若者達ばかり見すぎたのだろうか。（文部省・伊藤）

負けてたまるか　4H根性!!

赤松　宏▶7

職業意識を確立せよ

ク活動は生涯教育の起点

「経済的能力」について考えてみよう。経済的能力とは「経済的独立に自信をもつこと」につながると思う。少しいかついい方だが、ともかく「経営能力を早く身につけなさい」ということらしい。

農業の場合、長い間親が財布を握り、能力的に最大の効力を発する時期にそれを出せずじまいに終るという例が少なくない。経済学習は日頃の4Hクラブのプロジェクトなどの学習の中で学んでいくべきであり、また、農協青年部などにおいての実践の中からみつめていくべきである。そして、自信をもって経営を組み立てる技量を早期にマスターすべきだ。その時点での発言は大きくなろう。

つぎに「職業を選択し、準備すること」が必要だ。いつかそれを言ったら、「何をいってるか、おれは農業マンだ！」と、おしかりを受けたことがあるが、もう一度確認する意味でここで問題にしてみよう。

職業感という観点から農業を考えた場合、農業という職業の中にいながら私たちはほんとうにその職業に意味を見い出しているかどうか――という問いをさけて通ることはできないだろう。そのように問いつめてこそ職業選択の考え方が明確なものになってくる。

私自身もいままで苦しんできた。それがかたまったというより、いまだにそれらのものと葛藤しているし、それによって青年らしさと生き方を徐々に教わってきた。いま感じるのは、そういう葛藤にもいくつかの段階があるということだ。そして、職業に対する真の選択を終えるまでの、また、心に決めるまでの相当長い期間、だれもが経験するものであると思う。

まず第一段階は、親や先生から「農業がいいからやれ」「おまえには農業しかない」「おまえはあと取りだ」と、ほぼ決定に近い示唆を与えられ、それにただ従ったという気持でいる段階。これは中学卒業の場合がとくに多い。自分の職業に「主体的に従事している」とはまだいえないのであるが、この段階は割合に早く過ぎ、その職業についた瞬間からつぎの段階に入っていく人が多いとされている。

第二の段階は、「おれは職業選択をまちがえたのではないだろうか。自分の適性はもっと他のところで生かせるのではないか……」という疑問をもつときである。こういうときは〝よその花がきれいに見える〟ときだと思う。

私も何度か相談を受けたことがありましたが、ある仲間は「もう百姓なんかイヤだ。何でもいいから出ていく！」と言って、秋の仕事を終えるともう次年度から全然農業なんかやらないというそぶりで出ていってしまった。私は、彼を出させてしまった責任が自分にあるように思い、必配していろいろ歩き回ったものです。でも、いかに仲間とはいえ、どうすることもできませんでした。〝よその花がきれいに見える〟――彼もそうだったのかもしれない。

第三の段階は「どうやら自分の職業らしい。辛抱しよう」という気を起こす時期らしい。実際によその花を自分の花にして知る者や、いろいろな情報の中で知る者などさまざまである。第四は「これが自分の仕事だ」として〝やる気〟が起きてくる段階。第五は「これこそが自分の一生の仕事だ」と〝生きがい〟を感じる段階である。ここまでくるのには相当に長い道程がある。

まあ、一から五まで書いたが、一、二、三……と順序だてて進んでくるものでもないと思う。私を含めて、第二と第三のあたりを上がったり下ったりしている農村の若い仲間が多いように思えてならない。

私があえて「職業を選択し、準備すること」とあげたのは、真の職業感を農業の中にみつけたいからです。とくに青年期における自らの経験の中にみつけたいからなのです。そのような職業感は、決してはく然とした生活の中から導き出されるものではなく、種々の社会活動や機構の中で教えられるものだと思う。多くの場を有効に使いたいものです。

とくに、若い仲間の集いの中からは、真に迫ったそれらへの挑戦がみられるはずである。

「これこそ自分の一生の仕事だ」というような生きがいを感じて働ける職業に農業をぜひしていただきたいものです。その挑戦が、いまもどこかの仲間の手で行なわれています……。

つぎの問題として「住民としての義務能力をつけること」について考えてみよう。詳しくふれなくても大体わかるかと思うが、簡単にいえば「人並みに物事をできるか」ということなのである。私たちの社会をみると、たとえば部落という一つの自治体をみても、中には部落員としての責務を果すことのできない人間がいたりする。やはり、私は社会的に責任ある行動とそれをなし遂げる力というのは、青年期に養っておかなければならないと思うのである。若いときの失敗は許されても、年を取ってからの失敗は許されないと思うから……。

「青年期だけ学習すれば…」というふうに前に書いたことがあったかもしれない。とくにその時期が大切だということには違いないのだが、生涯を通じて学んでいくことの必要性を忘れてはいけないと思う。生涯を通じての継続学習を進めて、はじめて納得のいくほんとうの人間の姿を発見することができると思う。

とかく、生涯教育や社会教育は忘れがちにされてしまう。教育は学校教育で終りだと思っている。だが、それではいけない。青年期に、教会教育や生涯教育の重要性を知ることこそが、一生その学習を続けていかれるかどうかのカギとなるのではないだろうか。そんな意味からいって、私はサークル活動を生涯教育の学習の起点にしたいと考えているのです。

（題字も筆者・北海道4Hクラブ連絡協議会前書記長）

後輩の激励も

来る三日から青年農業祭

福岡県連

【福岡】福岡県農村青少年クラブ連絡協議会（会長　古沢寛男君）では、来る十二月三日から二泊三日間にわたり、県下の筑豊地区（嘉穂、田川、鞍手、直方）で「第五回青年農業祭」を開く。

この農業祭は、伸びゆく福岡県農業の担い手として、日々4H活動を推進しているクラブ員たちが自らの手で企画し、運営するものである。

また、この青年農業祭には、現地交歓訪問などもとり入れられており、県下のクラブ員たちは、日頃の活動成果をわかち合いながら家庭や地域社会からも理解される活動をめざそうとはりきっている。

この農業祭の行事の一環として農産物園芸品評会と手芸品評会もあわせて行なわれる予定である。出品物は地域の社会福祉などに寄贈し、優秀品には県知事賞、農政部長賞、会長賞などが贈られる。

三日目には来春高校を卒業する新規就農者激励会を行なう。そのあとはパネル討議。テーマは〝農村青年の生きがいについて〟である。なお、主な日程は次のとおり。

第一日目（十二月三日）
▽農産物園芸品評会、手芸品評会▽現地交歓訪問

第二日目（十二月四日）
▽筑豊地区農業視察▽意見発表▽ヤングフェスティバル

第三日目（十二月五日）
▽新規就農者激励大会▽開会式▽意見発表、パネル討議▽記念講演▽アトラクション▽閉会式

（大庭茂弥連絡報道員発）

モチつきのサービスも

福井県連が「4Hの広場」

【福井】福井県農村青少年クラブ連絡協議会（会長　田谷満君）では、さる十九日、合同庁舎前で「4Hの広場」を開いた。これには県内のクラブ員約百人が参加して、野菜の即売、クラブ活動紹介、展示などをし、訪れた人たちに農村青少年の若い力を示した。

即売コーナーではクラブ員が自分たちで作った野菜を並べてかけ声も勇ましく大ハッスル。レタス一個二十円、白菜十五円、二百円など市価よりグーンと安い値段に訪れた主婦たちも大喜びでカゴいっぱい買いこんでゆく姿が多く見られた。

広場の中央では〝モチつき〟が行なわれ、おモチのサービス。今秋とれたばかりの新米のモチ米なので味も香りも色つやも抜群。クラブ員たちは交代できねを振り上げ、訪れたお客さんに「おろしモチ」や「あべかわ」にして腹いっぱい食べてもらった。

また、会場にはクラブを紹介する図表や写真も展示して、4Hクラブの活動の成果を披露した。

帰ってきた草の根大使

原田君と堤さん

草の根大使として社団法人日本4H協会（会長　宮城孝治氏）から米国へ派遣されていた原田茂光君（山形県・コテムクラブ）と堤千恵子さん（福岡県・黒木4Hクラブ）がさる十一月十六日に帰国した。

二人は約五か月の長期にわたり米国のコロラド、ワシントン、ロードアイランドの各州の受け入れ農家に入って農業を視察・実習してきた。また、米国でのスケジュールを消化したのち、台湾で開かれた「第十回アジア州農村青年リーダーセミナー」にも出席し、幅広く世界の農業を研究してきた。

なお、「草の根大使 帰国報告会」は十二月上旬の予定。

模疑市議会に出席

熊本・本渡のクラブ員

【熊本】さる十一月十九日、本渡市役所で「若者の政治への関心を高めよう」と、本渡市の青年団体が市長ら市執行部を招いて「模疑市議会」を開いた。これには本渡からたち4Hクラブの大塚基生君がクラブ員を代表して出席し、演壇に立って、農業や生活環境などについて市執行部の見解をただした。

そのあと自立経営農家の育成についても意見を述べるなど大活躍した。

心頭技健

たった一枚残った木の葉が、突風のように吹きぬける木枯しにたたき落とされるともう冬だ。そして、それは、多くの農村の方々にとって出稼ぎの合図でもある。出稼ぎにいかれる方にとってこの突風はどんなにか冷たいことだろう▼ある新聞によると出稼ぎに出られる方は、全国で約五十万人だという。しかし、実際にはもっと多くの人が出稼ぎに出ているのではないかということだ。五十万人以上という数字は、ある地方の大都市の人口に匹敵するものだ▼出稼ぎのかなり多くの人は、保険や保障のないところで働いている。事故などによるそれゆえの悲劇は毎年あとを絶たない。だが、田畑が雪におおわれてしまうような地方の人たちはそれでも出稼ぎに出なければならないだろう▼最近は、大型機械を購入し、その支払いのために出稼ぎに出ている人もかなりいるらしい。農業の合理化・近代化のための出稼ぎとはなんなのか、われわれも考えねばならないだろう▼地方では働き口が少ないので、家を離れて大都市へ出てくるという出稼ぎ。今日、盛んに論議されている日本列島改造論によれば、列島改造が実現すると出稼ぎもなくなるという▼つまり、地方にも工場を分散させることによって農村でも工業労働力の必要性が高まってくるということだ。こうなれば、農村の人も出稼ぎに出る必要はないという。そうなって家を離れずに近くで働けるというのは非常によいことかもしれない▼しかしだ、その工場をたてるための土地はどうするのか。そして、その工場から出る廃液が用水路に流れこまないとだれが保障するというのか。また、煙害による保障は……。

飛騨路を走る青春

岐阜の飛騨4Hク　ラリーと講演の大会開く

【岐阜】秋晴れと紅葉が美しく調和する飛騨路をゼッケンをつけた何台もの自動車が気持よさそうに走っていった。――さる十一月五、六の両日、飛騨4Hクラブ連絡協議会（会長 若林定夫君）では、自動車ラリーと講演の二本立ての大会を開いた。ラリーの珍しさも手伝ってか、予定どおりクラブ員全員が参加した。このラリーは、高山四ッ葉クラブ（会長 青井真治男君）がかねてから計画していたのを地区連へ持ち込み、大会の一部として実現されたものである。クラブ員たちも「ちょっと変った大会」と興味深々――。＝飛騨4Hクラブ連絡協議会事務局発

初日は午前八時から市内上岡町の飛騨総合庁舎の大会議室を会場に、地元の中村健二氏（岐阜県蚕糸協会長）を迎えての講演。中村氏は「これからの青年の考え方」と題して約一時半にわたって熱っぽく語り、クラブ員も真剣に聞き入っていた。

中村氏は、人間の生きるむずかしさを自分の歩んできた経験をもとに語った。クラブ員は、同世代の子を持つ親の話に感激し、しきりに拍手を送っていた。日常的な会話のなかにしみでてくる国際社会の動き、そして4Hクラブ活動や自家の農業の不安と危機感、クラブ員の主体性にかけられた希望の光など、中村氏の話はバラエティーに富んでいた。

午前十時――いよいよ、ラリーが始まった。まず、ゴッドファーザーズが出発。続いてザ・チャンピオンズ、そして……。一分間隔で十一台の車が栄光をめざし晩秋の山道へ出発した。百㌔に渡るラリーなので、どのドライバーも慎重な運転。

本ラリーでは企画係（中島龍法君・高山）がすべてを受け持ち大活躍。企画係は六ケ所のチェックポインでも鋭い目を光らせていた。

各チームともワラ半紙五枚にわたる走行地図に目をやったり、難しい問題を解いたりしながらゴールをめざした。しかし、ラリー用語や問題、地図なんてなんのその、途中でとんでもないコースを走行するチームもでていた。それを尻目に喜ぶチーム、また、あわてすぎて問題を忘れ、チェックポイントで「あっ、忘れた！四百㍍ぐらいです」なんていい加減な答を出すチーム。早すぎ、遅すぎ、「もういいや、安全運転がすべて」とあきらめるチームなどさまざま。

審査のほうも「ラリーは走るだけじゃない」といじわるな実物鑑定や計算問題でクラブ員をチクチクと痛めつけた。

鑑定競技は市内肥育農家の牛の体重あてなどがあり、それらのすべてが総合得点に影響するのでクラブ員も必死。

昼食はドライブイン。ゆっくりと舌づつみをうつチーム。それとは対象的に食事もそこそこで飛び出すチームなど、ここでも各チームさまざま。

ラリーはあくまでも安全運転が絶体条件。各チームとも安全運転を守りながらも激しくせり合った。終盤の調整運転頃には、地図を失くした普及所チームが道に迷ってウロウロ。いつもならいうことを聞くクラブ員たちも、このときばかりは「道を教えて！」との声にもノーコメントで冷たい表情であった。

ゴールの福地温泉ホームには次々とゼッケン車が到着。

総合トータル得点では、地味に走った堆肥アンドホークチームが最高で、みごと優勝の栄誉に輝き、賞品のクッションを獲得した。

ラリー終了後は懇談会。議題は飛騨4Hクラブの今後、日本4H会館建設問題などで、各クラブ員とも活発に意見を交換した。

その夜は、遅くまで温泉に入ったり、語ったりで楽しいひととき過ごした。明けて六日は、紅葉の山々、初雪の乗鞍岳をながめながらゆっくりとドライブして高山に戻った。

大会終了後、中野俊一岐阜県4Hクラブ連絡協議会会長は「4Hクラブの行事だっていろいろあるというのを感じた。今回の行事はクラブ員に"活"を与えると同時に、今後の4Hクラブ活動にある指標を残したような気がする」と感慨深げな表情で語っていた。

見事優勝に輝いた堆肥アンドフォークチーム＝ゴールの福地温泉付近で

みんなリーダーだ

クラブとリーダー〈11〉

一家言　原田正夫

前二回はリーダーになり手が少ないことはリーダーとしての多忙さが一因であろうと考えてきた。このことは先にもふれたように表にあまり現われず、物かげでクスクスとくすぶり続けてきた問題であり、私があえて書いたのは一種の危機感からである。ある人は「リーダーとして本当に情熱をもつならば気にはならないはずだ」とか「リーダーとしてそんな弱音を吐くようじゃ失格だ」と言う。私も自分にそうムチ打ってきた過去がある。が、しかしだ、このままでいいのかという気もするのだ。

クラブの役員改選といえば必ず親なり兄弟を先に説得するくらいで、OKの声が出なければどんなに期待される人でも活躍できないようなことが現にいくらもある。忙しい……を理由に役につくことを断わった人を人でなしのように言うのも酷く。優れた人材が、こうして埋もれてゆくのをイヤというほど私は見てきた。やむをえぬ、仕方がない、とは私には思えないのだ。

そう思ってしまっては、クラブと仕事をどう両立させるかというプロジェクトを自ら放棄したことになるじゃないか。クラブにとって惜しい人びとがまた消えてゆく悲劇がくりかえされるじゃないか。覚悟の上でリーダーとなった人の中にもいつだれが病床にふすとも限らない。

これも先に述べたことだけど、リーダーが心からクラブとクラブ員を良き方向に導かんものと骨身を惜しまぬ努力をしているなら、他のクラブ員の中から彼の負担を軽減しようという声と行動がでてくると思う。それが私たちのクラブの良さではないのか。私は別にそれほど良いリーダーじゃなかったが、単位クラブの仲間にどれほど助けられてきたことか。例会を私の家の樹園地で開き、終れば施肥、収穫などをしてくれた。数日、家を留守にして帰るときれいに整地された園をみて思わず涙したこともある。全国大会などに代表として参加するクラブ員の留守を皆でカバーしてやっているクラブも少なくはない。皆の代表なんだ。皆のために犠牲になるものを一つでも持って帰ろうという気持が生じるのは当然だ。牛、豚、にわとりなどを飼っている人にとって、特にこうした仲間のバックアップがなければリーダーどころかクラブ員としての活躍も充分できないで終ってしまうだろう。

リーダーだって、忙しい、忙しいといいながら、何から何まで自分でやろうなどとは考えぬことだ。考えるに、クラブ員なら誰もがリーダーになれる。役員と名はつかずともリーダーシップは、例えば、ふだんは目立った存在でなくとも酒宴になれば大はりきりで皆を笑わせ、好ましい座をもってくれる人がいるように、いつ、どこでも、だれもが発揮できるものであろう。しからば、仲間の中に農業技術、地域社会問題、ゲーム、歌、旅行、スポーツとそれぞれに得意なジャンルを持った者が必ずいるはずだ。だからクラブ全体の企画、運営をリードするトップのリーダーは仲間の趣味、特技に至るまで見極めていれば、適材適所の位置づけをすることによって、分業システムがとれる。そして、自らは大所高所からクラブのあり方、我がクラブの活動を考え、チームの和づくりに専念できるのではなかろうか。

忙しくて手が回らんから手伝ってくれよということ、オレにはできないからやってくれよということがリーダーの弱味をみせること、信用を失なうこと、責任をはたしていないことに結びつくとは考えられない。要はリーダーが誠をつくしていさえすれば……。（全国4Hクラブ連絡協議会副会長・大阪）

経道

秘密の箱のお話

退屈しのぎにこんな寓話はいかがだろう。

〈秋の夕刻、琥珀色の光の溢が、半開きになったカーテンをとおして本棚や花瓶に淡い陰をこしらえていた。光を背に四十過ぎの、ナイーブな髪とやさしい瞳の男が、こけた頬を両手でかかえ込んだ膝の上に落としながら、眼の前の無邪気な少年に語りかけた。

「ねえ坊や、それは際限なく続くんだよ。大きな箱を開けるとまたその中に箱があって、その箱を開けるとまた箱が……。その中にはね、世界の秘密が収められているんだ。だれもがまた知らない世界の秘密がね。そう、それさえ手に入れれば世界で唯一の知恵者になれるんだよ。けれど二つ条件があってね。最後の箱を開けるまでは絶対に何かを信じたり、思い込んだりしてはいけないんだ。はじめその箱はこの部屋いっぱいの大きさだったんだ。でも数えきれないほど開けた結果、もうすぐ秘密を手に入れることができそうだよ。もう少しだと思うと、何だかおじさん不安になってね。こんな小さい中にそんなに大切なものが収まりきれるものだろうかと……。はじめは急ぐ心が、そしてしだいに不安の心がつのってきてね、おじさんは苦しむんだよ。でもどうしても開けてしまうんだ。そしてまた箱が入っているとがっかりしたり安心したりしてね……」

少年は瞳をいっぱいにこじ開け、けげんにそうに、だが一心に男の話に聞き入っていた。すると男は「ほら、いまようやく最後の一つにたどりついたんだよ」といって、いたわるように一方のてのひらを少年の眼の前にさしだした。少年は、ほとんど見えないくらいのそれを見ようといぶかしそうに顔をクイッと突き出したとき……〉

ぼくの用意した結末はこうだ。一つは、男のてのひらの中には何もないのである。男はある一点を境に観念の中につぎつぎと箱を創造していく。観念の箱は現実に存在していると思っている箱が小さくなるのに比例して自己増殖する。人間の行為は無償だ。無償だと思うささやかな自虐をも受けつけない淡癖さで無償だ。もう一つの結末は少年にこう叫ばせる。「でも、おじさんは最後まで信じちゃいけないっていうけど、秘密があることは信じているんだね」【宇】

寿司作り嫁姑談議

千葉の八街4Hク　生改グループと一緒に

【千葉】さる十月十四日、千葉県印旛郡八街町4Hクラブ（会長 杉本能一君）では、クラブ員二十一名、生活改善グループのむつみ会（会長 森 喜久子さん）六名、竹の子（会長 山本ろくさん）六名の計三十二名の参加を得てお寿司の講習会を開いた。

参加者は八班に別れ、各班とも一升ずつお米を炊いた。

まずは松竹梅からお手並拝見。お母さんたちはあざやかな手つきで、説明しながら見本を作ってゆく。その美しいお寿司に思わず嘆息するクラブ員たち。各班とも競うように巻き始めた。

巻き終えて、恐る恐る包丁を入れるときは、みな心配顔。しかしそのあとにあがった声はみな歓びに溢れていた。「うちの嫁さん、こんなにステキな松作ったわよ」とか「うちの嫁さんだって、きれいな梅でしょう」とかいうお母さんたちの声。そのそばで女子クラブ員が頬を紅潮させて並んでいるさまは、仲の良い嫁姑そのものといった感じであった。

どの班もよくできた。そして、どの班のクラブ員も「これも、みなお母さん方のご苦労のたまものです――。また、ある班では、女子クラブ員よりお寿司づくりの上手な男子クラブ員が出現したとか……。ともあれ、講習会は和気あいあいのうちに終った。

午後からは全員がテーブルをひとつに囲んで"農村女性の生き方"というテーマのもとに座談会を開いた。しかし、お母さんたちと一緒ということで話の内容はどうしても"嫁と姑"の問題に移りがち。

"嫁と姑"については、これから農家の嫁になろうという女子クラブ員からも、また、姑の立場としてお母さんたちからもさまざまな意見が出された。

クラブ員たちは「結婚しても別居はしないが、若夫婦用の離れはほしい」「姑はいたほうが便利」「家事に追われず、社会状勢なども知ろう」とかいう意見を活発に述べた。

また、クラブ員の意見にあいづちをうったり、ため息をついたりして聞いていた母親も「若い人たちは結婚したからといって急いで家庭に入る必要はない」「若い人は根性がない」「時間は守りなさい」などの小々お小言まじりの意見を述べた。だが、全体的には、どのお母さんも若きクラブ員たちに深い理解をみせていた。しかし、あるクラブ員から「女性も男性同様に仕事をしているのだから、家事も分担してやるべき」という意見が出されたのに対し「父が家事をするのは当然。男が一緒にするなどとは考えてはならない」とお母さん側から反論。それを見ていたある男子クラブ員は「明治、大正、昭和の年代の違いを女性を通してみているようだ」と複雑な表情をしていた。（八街4Hクラブ 小山栄治君発）

ボーリングに　若さを爆発

福岡の久留米4Hクラブ

【福岡】久留米4Hクラブではさる十月二十日、筑後川沿岸でソフトボールをやることになっていたが当日はあいにくの雨。

午前九時半の集合であったが集まったクラブ員や県外研修生たちはチラホラ。普及所長や普及員さんも「雨だからねー」とさびしい表情。

それでも、集まった人だけで自己紹介をし、行事をスタートさせた。これからの農業を語る人、冗談を言って笑わせたりする人などがあい続き、なごやかなムードが漂った。普及所長もこれに応えて「これからの農業は脳業に変ります」とやわらかく若き農業者たちにハッパをかけた。しかし、これを聞いたクラブ員、一瞬、目の色を変えたとか……。

なおも降り続く雨。そこで、全員で協議した結果、ソフトボールをやめてボーリング大会を開こうということになった。

ストライク、と思ったらガーターでした――プロ級の腕前の人がいるかと思えば初めてボーリングをやる人がいたりして、会場は笑い渦となった。

あるクラブ員は「楽しい一日でした。明日からまた、農業にがんばります」と力強く語っていた。（竜頭 智広報員発）

沖縄で交換大会

この若さを常夏の大地に

【沖縄】この若さ大地に伸ばそう未来にむけて―をスローガンに、第十六回沖縄県農村青少年技術交換大会がさる十月三十一日、十一月一日の両日にわたって名護市の青年の家で開かれた。この大会は、沖縄県4Hクラブ連絡協議会（会長 神里 諄君）と県の共催で、参加者は約九十人。

初日はキャンドルファイヤーでお互いに交歓し、二日目は技術競技や演示発表などを行なった。

技術競技では七人を一組に、農作物や家畜の診断、判定、審査、鑑定を競った。また、演示発表では、各地区から四人の代表がでてプロジェクト活動を通じて自らの創意工夫によって開発し、習得した農業や生活の技術、経営内容などを発表した。

「促成スイカについて」「私の耕うん機利用」「私たち十人の仲間づくり」「奮起するクラブ員」と次々に続く演示に参加者は真剣に聞き入っていた。

島根県で農林改良青年会議

来る十二月十五、十六の両日、「第五回島根県農林改良青年会議冬季大会」が県と県農林改良青年会議連絡協議会の主催で開催される。地域農業の発展と豊かな農村生活の確立に役立てることをねらいとしたこの会議には、県下の農林改良青年会議会員をはじめ農林高校生、農林総合研修生などが参加して交流を深め合う。

第一日目の日程には、農林省農業技術研究所の児玉賀典氏による「日本農業の将来と日中国交について」と題する講演、日頃の実践活動の中からめばえた未来に対する夢や抱負を語り合う「農村青少年の発言」、夕食を共にしてのアトラクションが組まれている。また、二日目にはオリエンテーリング（雨天の場合は分科会）が予定されており、島根農業を背負って立つ若い農業者の有意義な交流が行なわれるものと期待される。

即売会

二時間で二㌧も　奈良の五条市4Hクで

【奈良】五条市4Hクラブ（会長 森下 孝君・会員四十人）では、このほど同市の勤労青少年体育センター前で野菜や花鉢の即売会を開いた。クラブ員たちが丹精こめて作ったものだけにどれもこれも見事なものばかり。

即売会に出品されたものは、ポットマム（一鉢百五十円）をはじめ、ピーマン（一㌔五十円）、キャベツ（一個三十円）、ミカン（一㌔百円）、タマネギ（一㌔百円）と市価より三割安とあって人気集中。また、新鮮さも評判よく、およそ二㌧の野菜を二時間足らずで売りつくした。

クラブ往来

岩切カムリ会

放送利用のあゆみ

ぼくらのクラブは、都市近郊農業の確立をめざしつつ、「クラブ員一人一役一プロジェクト」をスローガンにクラブを作り、人間形成を基礎において活動している。

ある仲間はゴミ焼却場から排出されている温水を利用しての花き栽培をことしからスタート。また、稲作共同防除や直売などで地域の人たちと、交換会では県内外のクラブ員と交わっている。そして、活動の第一は"学習活動"だ。

放送利用（VTR）は、これまでにも活動の中に取り上げてきたが、共同プロジェクト活動の中から生産技術、農政学習の要求が高まってきたため、新たに学習会や個別学習に取り入れて実施してみた。

VTR視聴はNHK「あなたのダイヤル」から選定し、二人の放送委員がNHKとの定例会の結び役として活躍し、月一回実施している。個別学習では、新設の企画委員の提言によって「農民大学」や「税講習会」などを開催している。

VTR視聴は、クラブ発足三年目に取り入れられ、昭和四十二年には放送番組委嘱グループに指定された。その活動は年々活発化し、NHKのさまざまな番組にぼくらのクラブが紹介されている。

成果はかなり上がっている。たとえば、VTRによる学習の結果、クラブ員はマスコミをばく然と受けとめるのではなく、冷静にみつめる目というものを養ってきたのもその一つである。だが、まだまだ個人学習が十分ではなく、討論会での肉付けが少しもの足りない気もする。

ぼくらのクラブは仙台市の北東七㌔のところに位置しているため、都市化の波がきわめて激しい。だが、負けてはいられない！都市近郊農業の確立をめざし、「仲間づくり」と「学習活動」というこの二本の柱を軸に、農業で生きぬこうとクラブ員全員で努力しているのである。（宮城県仙台市岩切小路・吉田正憲）

桃の20日悩み 対策

薬剤で熟期促進

福島県・東湯野農業後継者会　橘内豊明

福島のモモ栽培は、作付け面積の半数以上を「大久保」が占めており、現在主要品種となっている。だが、昭和三十九年から無袋栽培を実施するようになると、以前の有袋栽培よりも着色などの関係から熟期が若干遅れる傾向が出てきた。そして、出荷時期が八月十五日の月遅れのお盆以降になり、市場価格が下降しはじめ、「二十日」を前後として一週間ほど低迷を続けることになる。この時期を避けるために、私は熟期促進対策の必要性を感じて「モモの二十日悩み対策」に取り組んだ。

まず、薬剤による熟期促進（使用薬剤B－九・散布濃度×七五〇）を試みた。散布時期は六月十五日（満開後五十五日）、実施面積は一〇アール（大久保）であった。収穫開始日は八月五日（無散布区は八月十日頃）、収穫終了日は八月十五日（無散布区は八月二十日頃）。

昨年は全般的に例年よりも熟期が多少遅れ気味であった。B－九散布区は、八月十五日までに収穫・出荷が完了し、例年問題になっていた「二十日悩み」は解消することができた。それ以上に効果が上がったのは、B－九の散布が一般に普及し、各園の対象品種の三五アール程度が実施したので、熟期のピークが全体的に平均化され、市場への一時期大量入荷が分散されたことである。このため、十五日以降においても価格の下落がみられず、「二十日悩み」は完全に解消できたのである。

このように、熟期のヤマを分散、平均化して出荷調整をすることが、これからの必須対策であろうと思う。モモ栽培で一番苦労を要するのは収穫作業。一時期に集中する作業が平均化できれば増園も可能になる。また、共選場の利用、出荷計画も容易になる。

ここで注意しなくてはならないことは、B－九は収穫期間を短縮するので、それを全園に散布するとかえって労力不足を引き起こす結果になるということである。

それらを考えあわせて、地域全体としての計画的な散布実施が必要であろう。また、もっと根本的には、うまい品種の導入など、品種構成の再検討が重要課題であると考える。

経営プロジェクト

便利な人工ほだ場
しいたけ栽培　雑菌の発生防ぐ

大阪府・河南町4Hクラブ　松田良一

従来のしいたけ栽培は、粗放栽培が多く、植菌から発生までの期間が長かったために、ほだ木が縮んで失敗するものが多かった。さいわい、私はよき指導者を得ることができ、現在ではしいたけ栽培を副業から本業に変えつつある。

しいたけ栽培の第一歩を踏み出したのは四十六年。原木三千本を投入し、ほだ場は家の近くの水の便がよい平坦地に人工ほだ場を作った。いままでの林間ほだ場は自然培養のため給水設備もなく、管理も不十分だった。また、斜列法で伏せ込むので雑菌の繁殖も多く、二～三年ごとにほだ場をかえなくてはならなかった。そのため、余分の労力、資本もかかった。

その点、人工ほだ場は土から離して管理するので雑菌の発生も少なく、一アール当たり三千本も収容できるので管理も便利である。

原木はコナラ、クヌギを使用した。原木購入の場合は、長さ、太さをそろえて、少しばかり高くてもよい原木を買う方がしいたけ栽培成功の一つのカギでもある。種菌はオグ菌を使用し、穴あけは、一年経てば菌糸がタテ十五センチ、ヨコ五センチくらい伸びることから、三寸の場合は三十個くらいとし、最近の穴を千鳥型に切口近くに開けた。フタはいままでは共ブタ、紙センを使用していたが、封ロウにするとロウをすかして菌の生育状態がわかるので植菌後の管理が非常に便利である。九月に二十日間ほど抑制し、下旬頃から発生作業にかかった。

浸水時間は二十～二十四時間。水から出したらゴボウ積みにしてその上にこもナイロンでおおって芽出しを行なった。芽の大きさが小指くらいになると、フレームの中に少しずつ間隔をとりながらタテ積みに並べた。そして、七分開きになった頃をみはからって採取し、出荷した。

初回の一本当りの重量は三十五グラムだった。十二月から気温が低下したので棚式差し込みとした。最初の年は秋に通風不良が起こり、少量の原木が病気にかかってしまった。ことしは夏に上面だけ日光の直射を浴び、立枯病、スエヒロタケが発生した。これは寒冷紗の透下率を昨年の八〇％から六〇％に下げたためだと思っている。

収支状況をみると、初年度の昨年は設備の投資で支出が多かった。この資金の調達には後継者育成資金から五十万円、近代化資金から六十六万円を借用した。来年度は、この二年間の経験を生かし、管理方法を改善しつつ集約的なしいたけ栽培、安定したしいたけ栽培の確立をめざしてがんばりたいと思っている。

ニンニクは牛のゲリに効果
模範農家の体験談

【沖縄】このほど開かれた第一回北部地区農村青少年技術交換大会（北部普及所主催）では、技術競技、レクリエーション大会のほかに、ミカン、肉牛、園芸を経営する三人の模範農家による体験発表があった。

肥育牛について発表した金城寛一君（今帰仁村）は、「エサは腹いっぱい与えた方がいいといわれているが、私は反対。腹いっぱいやると翌日は食いつきが悪い。だから腹八分に止めている。ニンニクなどもきざんで四、五日に一回与えている。ゲリ止めになる。草は一日一、二回、ときどき稲わらも草の上において与える。食いつきがよい」と話していた。

君が作る新年号！
農業問題など原稿募集中

日本4H新聞では、全国4Hクラブ員のみなさんから昭和四十八年度新年号の原稿を次の要領で募集しております。

一、農業問題特集
▽プロジェクト一般▽どこへゆく未来の農業▽日本列島改造論についてなど農業問題ならなんでも結構です。

一、青春の生き方特集
▽若き後継者の悩み▽人生に対する考え▽自分の青春を省みて▽生きがいについてなど

一、クラブ特集
▽4Hクラブ活動例▽4Hクラブの問題点▽これからの4Hクラブ活動▽わがクラブ紹介

一、その他の特集
▽四十八年、この人、この私（友人または自己紹介）▽出稼ぎを考える▽わたしの恋愛観、結婚観など

☆形式は自由です。できれば顔写真や関連写真を添えて送って下さい。

☆送り先　〒一〇五　東京都港区西新橋一の五の十二　佐野ビル内　日本4H新聞編集部

どしどしお送り下さい。お待ちしています＝新聞編集部

結婚を考える

夢果たせず東京で再出発

大分県・宇佐4HクラブOB　渡辺真智子

農村無情

都会の鉛のようなコンクリート舗道に、プラタナスの葉でしょうか、排気ガスをいっぱい含んで茶褐色に変色した枯葉がハラハラと舞い散っていきます。もう冬なんですね。九州の田舎が無性に恋しくなります。

東京で新しい人生の第一歩を踏み出して一年……。だけど、この一年という短かい都会生活は、わたしの人生に百八十度の転換をもたらしたのです。農村から都会へ、新しい職場、そして結婚と……。そう、いくつかの偶然と出会いとによってわたしはこの東京をこれからの人生の生活の場として選んだのでした。

わたしは好きこのんで田舎から脱け出したのではありませんでした。できることなら農家に嫁ぎ、自然の空気を胸いっぱい吸い込んで、よき夫とすばらしい姑に囲まれながら暖かいご飯をたいてあげる……それがわたしの夢だったのです。でも、それはついにかなわぬ夢でした。

わたしは胸を悪くし、一年間の入院生活ののち、農村特有の古いしきたりや結婚適齢期の病気を背負った娘に対する冷たい目に耐えかねて、追われるようにして東京へ出てきたのです。

あるいはわたしの意志が弱かったのかもしれません。農村にとどまって、幼い頃から抱いていたわたしの夢を実現すべく死にもの狂いで耐えるべきだったのかもしれません。でも、婚期をむかえた娘にとって、それはあまりにも過酷すぎたのです。それでなくても「嫁不足」がしきりにいわれている農村で、それを助長するような古い習慣や迷信、うるさい目が根強くはびこっていることはとても残念なことです。若い人たちの力で打破していってもらいたいと願わずにはおれません。

結婚して一ケ月、まだまだ新婚ホヤホヤのわたしです。夫はサラリーマン（もちろん共稼ぎでなきゃやっていけません）、六畳一間のアパート暮しと、平々凡々な結婚生活ですが、幸い病気も全快し、卓球で鍛えてとてもスマートだったわたしの体も運動不足で少々太りぎみ。喜んでいいのやら悲しむべきなのやら……。

都会での生活と農村での生活のどちらが住みやすいか、いま客観的にみくらべてみますと、残念ながら「農村の方がいい」といえないのが現実だと思います。別に都会のきらびやかさに憧れるわたしではありません。ゴミゴミした都会の喧噪、高い物価……。先日、生まれて始めて東京でお米を買いましたが、十キロ二千二百円の値段に驚いてしまいました。それでもやはり「都会の方がいい」といわざるをえないのが率直な気持です。

だれにでも気がねしなくてもいい生活、農村よりはいくらか安定した生活、休日、レジャー……それが都会にはあるのです。その点、農家の主婦はかわいそうです。まったくといっていいほど休みのない生活、姑への気がね、古いしきたりに囲まれた生活と、これでは息がつまってしまうんじゃないでしょうか。せめて一週間に一回の休日は必要だと思います。条件さえそろえば田舎の方がずっと住みやすいのです。そしてその可能性たるや無限大なのです。ムダな浪費をさけ、生活に工夫をこらせば、農家の主婦はもっとラクになると思います。

いま、宇佐の4H時代のことをしみじみと思い起こしております。なつかしい仲間たち、なつかしいあの頃……。女子クラブ員同士でキャアキャアいいながらやった料理実習や懸賞書道して覚えた漬物の着付け。共同プロジェクトでは、水田を借り受けてカリフラワーやイモなどを作ったり……。みんな助け合いました。クラブ活動で得た最大のものは、何といってもすばらしい人間関係でした。

農村はすばらしいところです。わたしのとげられなかった夢を、どうか若いクラブ員のみなさんで築き上げてほしいものだと思います。

（筆者は旧姓中山さん）

越冬きゅうり栽培
病気対策がキメ手

千葉県・九十九里砂の会　松本幸雄

わが家は水田一〇〇アール、畑一〇〇アール、ビニールハウス千九百十四平方メートル、大型鉄骨六百六十平方メートル、露地野菜三五アールを両親と私の三人で取り組んでいる。

野菜の促成栽培が盛んに行なわれている現在、私もどうせやるなら願い大型ハウスできゅうりの越冬栽培をやってみようと思い、父と実行した。

品種は久留米落合H型黒イボきゅうりである。台木は黒ダネかぼちゃを使用した。穂木と台木を九月中旬に播種して、十月上旬に接木、十月下旬に定植した。肥料は一〇アールのワラをカッターで切り、六百六十平方メートルのハウスに投入、有機化成、微量要素、化学堆肥などを施した。

定植する際は、植穴に化学堆肥を少し入れると活着がよい。定植後は本葉四本で摘芯し、三本仕立てた。収穫してみたが、あまり収量は多くなかった。天候不順のため、日中と夜間の温度格差がよくなかったのが原因だと思う。

一番困ったことは、接木後の立枯病、定植後のベト病、ウドンコ病であった。ベト病対策としてはビスダイセンですぐ止まった。ウドンコ病対策では、ウドンコ病菌がトップジンに対して抵抗力がついてしまったため、トップジンでは止まらなかった。変わった薬剤として殺ダニ剤がウドンコ病に効果があるというので使用してみたが、案の定、かなりの効果であった。しかし何よりも、天候不順と価格の安さがわれわれ生産者に直接影響した。

これからの課題は、作物の病気や生理などをもっと深く研究することである。そして、きゅうりの越冬栽培が軌道に乗ったら、そのあと作としてメロン類を栽培し、きゅうりと合わせて年二回転のハウス利用を行ないたいと思っている。

NHK農事番組（12月1～10日）

テレビ

明るい農村　6・30～6・55　総合
- 1日　農村新地図「長野県飯山市」　堀越久甫（作家）
- 2日　村をむすぶ「浜松、鳥取、新潟、東京」
- 3日　明るい漁村
- 4日　村の記録「やきいも部隊」～新潟県下、東京都下
- 5日　きょうの話題「植物特許への道」　志佐誠（名古屋大学名誉教授）
- 6日　産物百科「なっとう」
- 7日　話題と人「集団稲作にとりくむ山」～山形県遊佐町
- 8日　農村新地図「東京都町田市」　薄井清
- 9日　村をむすぶ「帯広、佐賀、松山、東京」
- 10日　明るい漁村

農業教室　7・30～8・00　教育

食品流通　新しい動き

- 30～2日　「食品流通の新しい動き」　森宏（日本リサーチセンター）
- 4～9日　「果樹経営のシステム化」　竹中久二雄（東京農業大学助教授）

あすの村づくり　日　7・00～8・00　教育　再　土　13・00～14・00　教育
- 3日　「あすの農業をになう」～第二十三回日本学校農業クラブ全国大会から～　丸岡恵一（熊本県立熊本農業高校）
- 10日　「ぼくらできづく沖縄農業」　神里護（沖縄県東風平村若草クラブ）ほか、「村の現実」（仮題）　堀越久甫（農業評論家）ほか青年

ラジオ

早起き鳥　5・41～5・57　①
- 1日　「ユズ団地を目指して」～高知県安芸市
- 2日　ふるさと通信～旭川局
- 3日　「ふえる米の余マス」～茨城県下
- 4日　「緊張する農民遊園会社」　佐々間良治（白石市）
- 5日　「危険な溜池」～倉敷市
- 6日　「ハウス農家と寄生虫」　白井伊三郎（徳島医大教授）
- 7日　「組合長とコロニー」　提勝彦（奈良県法隆寺農協組合長）
- 8日　「交代出稼ぎ」～福島県塙山町
- 9日　ふるさと通信～盛岡局
- 10日　「みかん三百万トンの行方」　田中敏夫（静柑連経済部長）

話の広場　日　6・15～6・30　①
- 3日　「生まれかわるこんにゃく産地」～栃木県久慈郡大子町
- 10日　「帰ってきた密蜂」～館山市

新しい農村　6・00～6・30　②
- 3日　「新土地改良長期計画をきく」　関谷俊作（農林省農地課長）
- 10日　「日中農産物貿易の今後」　塚田実（農林省国際部企画課長）ほか

ラジオ農業学校〈講座〉　日～土　6・40～7・00　②
- 30～2日　「集団栽培を成功させるには」　山田卓郎（愛知県農業総合試験場）
- 4～6日　「土と作物」　渡辺裕（農業技術研究所）
- 7～9日　「新しい鶏卵流通」　小倉栄三（全農）

ラジオ農業学校　日　6・30～7・00　②
- 3日　グループの集い「米作りをどうすすめるか」　福家隆（広島県上下町互交クラブ）
- 10日　経営手帳「畑の合理的利用」　一戸貞光（農林省農林水産技術会議）ほか

明日の農業へ向って　各種農業団体

農林中央金庫
手形・小切手の利用増す
資金の流通 決済機能　望まれる整備拡充

経済活動が活発になるにつれて、代金の受け払いを現金のかわりに手形や小切手で行なうケースがふえている。日本全国の手形交換高をみると、昭和三十六年には一日平均七十九万八千枚・三億三千四百万円だったものが、十年後の四十六年には一千三百二十三万枚・十二億一千五百万円に増加している（東京銀行協会調べ）。

では、農家の手形・小切手の利用状況はどうか――。農林中金（推進部）はこのほど全国約千二百人の農家にアンケートを行なった。それによると、代金の受け取り面で現金でなく手形や小切手を受けとったことのある農家は、手形は全体の五・一%、小切手は二六・一%で、小切手のほうが多い。農畜産物代金よりも土地代金など農外代金の場合に手形や小切手で受け取るケースが多くなっている。受け取った手形・小切手の資金化方法は、小切手の場合農協に入金するのが六六・三%、手形の場合農協に代金取り立てを依頼するのが四七・五%となっており、いずれも農協の利用度が高い。

いっぽう代金の支払い面では手形や小切手を振り出したことのある農家は、手形は全体の八・四%、小切手は二四・六%で、受け取りの場合と同様に小切手の使用のほうが多くなっている。使用目的をみると、小切手は生活用品を購入する場合が多く、手形は、農業資材を購入する場合におもに使われている。

アンケートでは、このほか農家の送金の実態についても質問しているが、遠隔地へ送金したことのある農家は全体の三五・五%、逆に送金を受けたことのあるのは二〇・一%となっており、農家における送金の必要度が高まっていることを示している。送金に利用する金融機関は、農協にまだ為替業務が認められていないこともあって郵便局が最も多くなっている。送るお金の種類は子弟への学資が最も多く四六・七%を占めている。送られたお金の種類は農産物代金（一五%）、外へ働きに出ている家族からの送金（一一・六%）、農外事業関係の代金（一一・二%）などがおもなものだが、このほか配当金、年金、恩給、貸し家の家賃など各種にわたっている。

このように農家の手形・小切手の使用、送金の利用は最近各地で増加傾向にあり、これにともない農協信用事業における資金の流通決済機能の整備、拡充がのぞまれている。（推進部）

全国共済農業協同組合連合会
事務処理をスピード化
オンライン・システム計画　超大型電算機を導入

全共連は厚木事務センターに超大型電算機「ユニバック一一一〇」を設置し、十二月十二日から稼働開始する。

全共連では、これまで「ユニバック一一〇八」電算機で共済事務機械処理を行ない、極めて大きな役割を果してきた。

しかし、この「ユニバック一一〇八」電算機も年々増大してくる事業量にはかてず、その処理能力も限界に達してきた。

とくに、極端な作業量があるピーク時には「ユニバック一一〇八」の処理能力の限界を示す徴候が出るようになった。

一方、経営面の立場からみても、生命保険会社、損害保険会社の電算機システムの画的変化（オンライン化）に対応していくためには、より優れた稼働能力をもつ新たな共済事務処理システムを確立し、契約者に対し十分なサービスができる体制が必要となってきた。

これらのことにより、円滑な事務処理や経営の効率化をはかるために「ユニバック一一一〇」電算機を導入することになった。

「ユニバック一一一〇」電算機で実施する新たな共済事務システムの特徴は、全国的規模のオンライン・ネットワークを確立することにある。

このオンライン計画は、各共済連に端末機器を設置して、厚木事務センターの「ユニバック一一一〇」と通信回線で結び、共済事務処理のスピード化をはかるものである。

農協の共済オンライン・システム計画は、四十八年度において各共済連に端末機器を順次設置し、テストを行なったのち四十九年度にディレイド・タイム処理（日中受信したデータを夜間機械処理し、翌日返信する方式）で正式に作業を開始する予定である。

なお、今回設置する「ユニバック一一一〇」電算機をいままで使用していた「ユニバック一一〇八」電算機と比較すると、総合的稼働能力は四倍以上だといわれている。

また、何よりも心強いことは安全度が非常に高いということである。（普及部）

愛と死を思う
題して「愛と性のバラード」

青森県・矢神4Hクラブ　中野渡　隆

われわれ青年にはリズムというものが必要だ。愛するに常にリズムにのって行動することが求められるということだ。ダンスと同じでリズムにさえのっていれば足を踏まれることもなく、楽しく人生を踊ることもできるわけだ。リズムをとることができないだけで、イソップのキツネみたいに自分を合理化して社交の場から遠ざかっている人があるのでは?

さて、われわれはダンスをすることにより、女性をより身近に感じとることができるようになる。女性自体のそれもさることながら性格まで感じとれるとはこれいかにといったところだ。

女性は美しい。女性は激しい音色のピアノだ。あなたの和音を私は弾きたい。

遊び歩く私も生活に密着した結婚を考えないわけではない。美しいだけではだめだと知りながら、クレオパトラの鼻の美しさをいまだに悟れない自分がときどき悲しくもなる。

かわいい女性の偶像を見い出す男。すてきな男性のなかにはた目のいい男を求める女性。性は天が男に与えた種族保存の知恵?性は女性がもっている安定への近道。それとも、愛と結婚の安定剤?

愛ってなんだろうという言葉はそれだけをくりかえさせるよくない言葉だ。愛とは……?愛とはその人が幸せになることを望み、それが誰の手によろうとも何も求めず、語らいと行動のなかに見い出される親しい人に持つ感情。

〃好き〃との違い。好きは必ずどこかの一部であって、その一部が失なわれると好きでなくなる。親しさとは関係のないものだ。そして、好きとは自分にとって都合のよいこと。多くの人は好きになったことを愛したという。しかしそれは長続きしない。なぜなら、彼ら自身が自らの愛を徹底的に考えてはいないからだ。つまり、好きなのか、愛しているのかと。

〃イヤだ〃という形態の愛もある。それは一言でいえば寛容ということだろう。つまり、長くいえば、それは妥協という言葉を超えて相手と自分自身を認めること、すなわちやはり寛容となる。

なぜあんな人を愛するのか――他人は常に好き嫌いの目でみるものだ。しかし、当人は愛のまなざしでそれを見ている。だから、愛にはおおらかな寛容と努力が不可欠のものとなってくるのだ。

いままで私は、愛というのは自然にできるものだと思っていた。だが、努力のないところにはその愛の進歩もないし、また、その愛を維持することすらできないのではないかと思うようになった。これが愛による家庭の基本であってそれが家庭の安定につながるのだ。

人間の心の最大の安定対象はやはり家庭にあるべきだ。動乱の家庭のなかで子供たちは安堵の対象を何に求めていたのかと十数年前の自分をふと思い出す。そこからおれの破壊的思想が芽生えたというのか。しかし、おれはそんな家庭なんて作りたくない。

生きることとは確実に死に向かってゆくことだ。その確実であるということは、生きがいという形でそれに伴う。そして、死は時として甘美な逃げ道となることがある。だが、おれはそれをさして、死という言葉を使っているのではないのだ。つまり、おれの言いたいのは、生は死を前提とするということなのだ。愛と生、生と死、死と愛……。

おれはこの文に〃愛と性のバラード〃という題名をつけた。バラードなんてバラバラな感じだが、まあ、いいやー。このようにバラバラな自分だと思えるときもしょっちゅうあることなんだから……。

そんな煩雑に身をこがして日々を送っているときに読んだ何かがある。

五月雨の田んぼに落つる
その音は
鼓を打つよな爽やかさ秘め

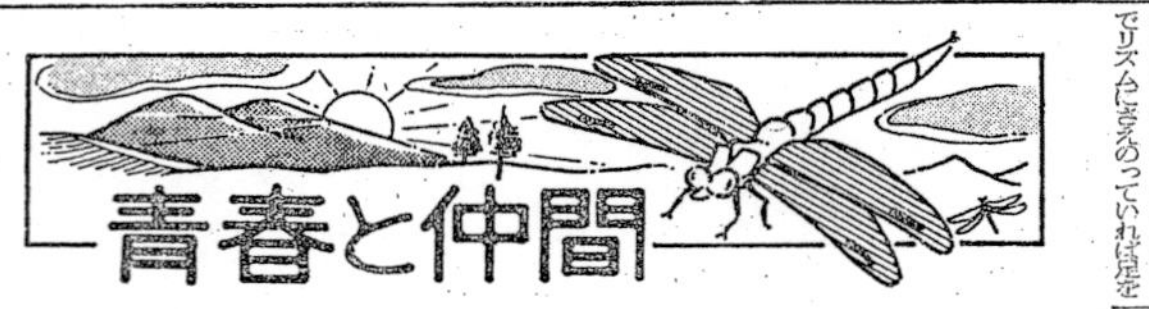

心にともる狐火

つい先日、おキツネ様で名高い東京の王子稲荷へフラッと行ってみた。王子稲荷は落語などでも有名なところだから、知っている方も多いと思う。

子供の頃は、よく父に手を引かれて初午の日などにお参りに行ったものだ。その帰りの道すがら、父はいつもおキツネ様についてぼくに話をしてくれた。父がまだ子供の頃には、毎年大晦日ともなると王子稲荷は狐火でにぎわったという。これは、関八州のキツネが全部王子稲荷に集まって火をたいたからだそうだ。ぼくは、父のそんな話を、出店で買ってもらったキツネの面をかぶったり、手にとってながめたりしながら、半信半疑で聞いていた。だが、茫々とした夕陽が遠くにかすむ富士山に隠れそうになっているのを見ると、ぼくはブルッと身震いして『もしや、本当では……』という気にもなったものだ。

また、おみやげがわりに買ってきた稲荷弁当とかなんとかいう折詰も気になった。ちょっと腹をへらしたキツネがおもしろ半分に人をバカすという話を聞いたことがあったからだ。だれかにあとをつけられているような気配に何度も振り向いているぼくを父は笑った。それからというもの、キツネはぼくの心のなかに気配と不安という形で長いこと住みついていた。その気配と不安は、この世界以外の世界があるのではないかという暗示でもあった。別世界といっても、それは暗くつかみどころのないただの闇のようなものであったが……。

それから七、八年後、そう、あれはたしかぼくが中学一年生の夏休みのときであった。蝉を追ったり、小魚をとったりするのにあきて何冊かの本を読んだ。そのなかの一冊に井上靖の「あすなろ物語」という小説があった。ぼくが、その小説を読んでいて最も感動した部分は主人公が山に美しく不気味な狐火を見るところであった。

また、それから何年かたち、ぼくが二十歳になんなんとしていた頃であった。ぼくは、石川淳の「紫苑物語」という小説を読んだ。そこには、小ギツネの精である千草というあやしく悲しい娘がひっそりと息づいていた。

その小説を読み終ってから、ぼくは父に「狐火はほんとうにキツネが燃やしているのかもね」と言ってみた。すると父は、笑いながら「いい年をして……。それは野犬などが骨をくわえたりして歩くとき、その骨から発するリン光のせいだろう」と十数年前の夜道とはおよそかけはなれたことを言った。

なるほど……。しかし、ぼくは一週間程前、羽田空港で夜の巷に冷たく光る灯火を見ながら思った。狐火はやはりキツネがたいていなければならぬものだと。

群馬県の一地方では、祝言の日に狐火が見えると不吉とされ、野山にキツネの食物をそなえて狐火がないように祈ったという。(野)

笹笛

第2回高知県青年の船に乗って
初めて世界へ船出
コバルトブルーに漂う私　<1>

高知県・中村4Hクラブ　☆　☆　☆　佐竹房子

「第二回高知青年の船」は、船員ストのため一時は中止になるのではないかと心配されておりましたが、約一ヶ月のちの八月二十三日午後三時、県知事をはじめ多くの人たちに見送られ高知県の須崎港を出港。高知県下のそれぞれ違った職場で働く青年三百十八人をはじめ明治青年九人、それに研修係の先生を加えて三百八十人が日本丸(計一万七千㌧)に乗船し、マニラ、ホンコンへの十三日間の旅がいよいよスタートしたのでした。

船内生活は朝六時の起床からはじまります。「青年の船」のメロディーが流れる中を眠い目をこすりながら、それでも新しい一日へ向かって第一歩!六時半の集い、七時から二交代にわかれての朝食、そして八時半からはいよいよ一時間目の研修のはじまり。研修内容は青年活動、英会話、ゲーム、コーラス、フォークダンス、高知県の将来についての学習などいろいろ。わたしのように船酔をやっている者にとって、部屋の中で座りっぱなしの研修はなかなかシンドイもの。すぐ眠くなってしまいます。

二時間目が十時半から十二時半まで、三時間目が二時から三時半。三時半から五時までは自由時間です。海を見つめる仲間、友と語り合う仲間、ギターを弾く仲間など青春のさまざまな姿がそこにはあります。五時から夕べの集い、五時半から七時半までは夕食、入浴。そのあと自由研修を七時半から九時まで行ない、十時に消灯となります。

乗船した最初の晩は、日本丸船長さんの招待パーティーが甲板で行なわれ、あちこちに設けられた食台には飲物から焼鳥、ランチ、そば、おでんなどがいっぱい。おなかもいっぱいでご機嫌なパーティーでした。

翌日からは日定どおりの研修がはじまりました。でも、ネームプレートと部屋をまちがえたり、教室がわからなくなったり……三、四日は研修室へたどりつくまでが一苦労。

大きくて青く、吸い込まれそうな太平洋。「ほんとうに外国へ行っているのかしら?」と疑ってみたりして、とてもとてもヘンな気持。船酔いもせず、わたしにとってバツグンに快調な航海が続きます。研修の合い間には壁新聞もお目見えし、なつかしい日本からのビッグニュースや船内でのできごと、珍話などに拍手が上がります。また、ある組の主催によるダンスパーティーや集団お見合いなどもキャアキャアいいながら大盛況。

あすはマニラへ入港という二十六日の夜、「九時現在一千六百九十㌔、マニラまであと千㌔、翌朝午前五時バタン島を通る…」という船内ニュースが入ってきました。その夜のうれしかったこと……。

二十七日の朝、晴天。コバルトブルーの海を眺めながら、前日替えた二十ペソ紙幣をしげしげと見つめ、「なんか、値うちのないお金みたいね」とみんな同じようなことを口々につぶやいていました。まもなく、船はすべるようにしてマニラのサウス港に入港していきました。

甲板に出てまず目に入ったのは大きな外国船と白い肌をした外人さん。「ああ、外国へ来たんだなあ」と、そのときわたしはうれしさと興奮のあまり思わず手を振りました。でも、港の海は汚ない色をしていました。

緑色の制服を着たガールスカウトがわたしたちを歓迎してくれました。そして、美しい民族衣裳で着飾った娘さんたちが船内に入ってきて、すばらしいメロディーが奏でる中でフィリピンの国花サンパキータの花をわたしたちの首にかけてくれたのです。その香りのすばらしくいいこと……。彼女たちはマレー系を母体にしたスペイン系との混血で、大きな黒い瞳がとても印象的でした。

このようにしてわたしたちは夢にまでみたあこがれのマニラの土を踏みしめることができたのでした。

―次号につづく―

マニラ、ホンコンへ船出する日本丸(左から四人目が佐竹さん)

頭が痛い価格問題
農業一年生の雑感

群馬県・利根4Hクラブ　金子一弥

私は今春農業高校を卒業したばかりの農業一年生です。

農業高校を卒業したといっても農業に対する知識は浅く、自分でこの部門なら絶対に自信があるといえるものもない状態で卒業してしまった。学校に行っている時分は、休み時間ともなると五、六人で机を取り囲んで卒業後の自分の経営を話し合ったりした。また、だれかのする農業の話にも真剣に耳を傾けたものだ。

けれども、実際に農業に従事してみて、考えたとおりには進まないものだということがしみじみわかった。結局、農業は実際に自分で種をまき、実を収穫してみなければダメなんだろうか。

もっとも頭のなかで構想したとおりにものごとが順序よく進めば農業に限らずなんだって簡単である。しかし、考えたとおりにいかないからこそやりがいもでてくるというものだ。これはほかの職業においても農業経営においても同じことだろう。

私も農業経営で生きていこうとする者のひとりとして、そんな考えで努力するつもりだ。

さて、私は利根村というところに住んでいる。この利根村は、地域としての特色がうすいところでもある。というのは、村自体に特定の産物、また、特定のイメージがないということだ。たとえば、昭和村といえば野菜と私たちは答える。しかし、利根村といったら私たちは……。

私たちが農業経営で生きてゆくとしたら、このような村の特色ということは大きな問題になってくるはずだ。学生時代にも、そんなことを痛感した。これは、わが村に兼業農家が多いということもその一因だろう。専業農家が少ないということの波紋はいろいろの方面へまで広がっている。

たとえば、わが村に若い人たちが少ないのも、農業で生計がなり立つ農家が少ないからだろう。だから、若者はちょっとした働き口があるとすぐ勤めに出てしまう。農業で生活してゆくのは、たしかに大変なことかもしれない。しかし、それに負けていては、いつになっても〃利根村の農業〃の特色がでてこないような気がする。

では、なぜこのような農家がでてくるのだろうか。私は、その原因のひとつとして農産物の価格の不安定さをあげたいと思う。諸物価高騰の折、農産物の物価はどうか。農産物の場合には、出荷に規格統一がないのでしかたがないとは思うが、しかたがないではすまされない問題だ。

そんな問題に対処するために農家はもっと横のつながりをもつべきだと思う。つまり、農家同士が同じものを作っていたとしても、一軒、一軒で自由に出荷していたのでは共倒れになるというのも道理だ。これからの農業は、生産と同時に、出荷販売ルートを確立することが大きな課題だろう。

この出荷、販売が農業とほかの工業との差ではないだろうか。工業生産の場合は、製品の量も、出荷の量も需要につりあわせて行なわれている。それゆえ、価格は安定している。

それに比べ農業の場合は、毎日の市場によって出荷の量や質がちがうので当然価格も不安定になってしまう。このような点が改善されない限り、わが村の特色も私の農業経営の成果もなかなか現われてはこないだろう。

出稼ぎという名の怪物

新潟県・能生町高倉　橋立良一

冬期間、自分の本業である百姓とまったく異なった場所で働らく出稼ぎ。一年のうちの約半分を過ごす出稼ぎ。地位の保証もなく、なんの目的もないその日その日を過ごす出稼ぎ。ただいわれるままに働き、時間になるとやめる出稼ぎ。でもしなければならない出稼ぎ――。

おれは出稼ぎをはじめて四年目になる。いやだ、いやだ、出稼ぎがこんなにも〃イヤ〃なものだとは想像してもいなかった。たしかに出稼ぎに出ていれば金には不自由しない。また、仕事のないときなどは町に出てすきな遊びができもする。なにもかも忘れられる。

だが、そんな自分にふと気がついたときには、自分自身にブレーキがかけられなくなっている。

金のあるうちはまだいい。金がなくなったときなどはもう本当に心身ともにめいってしまう。――百姓なんてやめちまえ!このまま自由気ままにおもしろおかしくすごそう。若いうちだ。あんな山の中で一生暮らすよりも、いっそ……。いろんなことが頭の中をかけめぐるもんだ。

出稼ぎに出ているとそんな危機に何度も出合う。しかし、よくよく考えてみるとやっぱりおれは百姓だということに改めて気づく。

そしておれは、いつも「あぶなかったぜ。もう少しで出稼ぎというわけのわからない怪物にのみこまれるところだった」とつぶやいて胸をなでおろすのだ。

怪物め、いつかおれが退治してくれるぞ!

出稼ぎで学んだもの?それは出稼ぎの陰には大きな落とし穴があるということだ。出稼ぎ四年目で幸か不幸か、おれはそれを見つけた。

いや、本当に見つけたのは〃おれは百姓だ〃ということだ。そうだ、おれはやっぱり百姓だった。そして、おれは、やっぱり〃よかった〃とつぶやくべきだろう。

庚申さま

溝口喜久治

その昔、村の人々が共同で建てた庚申塔が「何のために……」であったか、いま八十歳になるおばあさんも全く知らないようである。

明治二十九年生まれだという鈴木マサさんは、「屋敷の境界を守る神様だんべえ……」と答えた。

そう言われてみると、私が目をつけた「享保」の年号が刻んである庚申塔は、鈴木さんと大沢さんの屋敷の境にあって、あたかも境界標の役目を果しているようである。

そこから約一㌔ほど離れた道筋には「宝暦」年間の造立と見られる角柱の庚申塔があった。庚申塔は佐々木さんの屋敷内に安置されていたので、後家主人である、これも明治生まれの佐々木ヤエさんに尋ねてみたところ「田圃を守る神様……」だという。

取り入れ時に、人手が足りなくて困る場合に、「庚申さまにお願いすると、田圃はスムーズに取りかたずく」と、まじめに答えるのである。

「庚申さまは八本の手を持っているので、一人で四人前の働きをするからだ……」という迷信なのである。

「今でも田圃を守る神様ですか?」と水を向ければ、「いいえ、今は機械がやってくれますから」と、もう神様は不用になったようである。

「何のために、お宅さんで親切にしてあげるのですか……」
「交通事故から守ってもらうためです」
「どうしてですか、田圃の神様が……」

それには、それなりの理由があった。

佐々木さんは、自信ありげに言葉を次いで「昔のことですけれど、この道をひろげる時、名主さんが、邪魔だから、といって、この庚申様を放り投げたことがありました。そのあと、名主さんが馬で、ここを通った時、庚申さまのたたりで、馬が暴れ出し、川に落ちて、馬諸共死んでしまったことがあります。それ以来村の人も、私も、庚申さまって、とても怖い神様だと思うようになり、他の人はどのように考えようとも、私は交通安全の神様として、大切にお守りしていきます……」

「私は、屋敷の境界を守る神様……だと思っていたのですけれど……」

鈴木さんの説を、そのまま佐々木さんに利用してみたところ佐々木さんは、やおら言葉を改めて

「それがね、庚申さまは勝手に移動できるものですから……この頃のように土地が高く売れるご時世では、かえってイザコザの元になりますべえ……」

だから境界神様は当らないと拒否の態度が強かった。

そこから北へ、また一㌔ほど離れた、田圃道の三叉路に、自然石製の巨大な庚申塔が建てられていた。

元名主であった朝倉さんのおばあさんに尋ねてみると、「庚申さまは、土地を守る神様だそうですけれど、この庚申さまは、困ったことに、この土地を占有してしまって、誰も手がつけられないのですよ、売ってくれ、という人もあるのですが庚申さまの地所ですからね…」と、うらめしそうに語った。

それから半年過ぎて、田圃は家で埋まり、庚申さまはどうなったのか……それを語るおばあさんたちも、もうこの世にはいなくなった。土地の神様とあがめられ、境界の神様だと大切にされていた庚申さまは、コンクリート製の小さな角柱に変わり、それをよけながら、耕運機がノンビリ……と。

農民を田圃に送るデラックスな自家用車がセカセカ……と。

昔の庚申さまは、意識されずに、札束の魔力に憑(つ)かれコンクリートに変わり、機械に化けてしまった。(農民文学百十四号より)

人間の信頼度は……

愛媛県・伊予地区農業連協　吉沢順二

あるラーメン屋のおやじが言うには、人間の肉はほんとうにうまいのだそうだ。しかし、それをみんなが知ると、弱い者はみんな食われてしまって困るから、酸味が強くてまずいことにしてあるということだ。これは、そのおやじが、戦地であらゆるものを食い、もちろん人間の肉も食べて、比較検討した結果なのだという。

この話、一概にウソだと決めつけるわけにもいくまい。

さて、もしも、このラーメン屋の話を社会的に高い地位の人が言うなり書くなりしたらどうだろうか。人肉というイメージは、あまりにも人間の理性を刺激しすぎるので、現実離れして聞こえ、人はその話を信じないとは思う。しかし、なかには試してみるやつも出てこないとは限らない。

いまから何年か後には大地震が起こるとか、核戦争が始まり地球は滅亡するとかいう話は有名人たちの出まかせかもしれないのに、ごく自然に私たちの頭に入りこみ、いつの間にか私たちもそんなことを信じるようになっている。この地震や核戦争の話をこのラーメン屋のおやじが講演したとすれば、だれが信じるだろうか。

現代における話の信頼度は、話し手が社会的信用のある人物かどうかできまってくるものだ。こんなことを考えていると、いま盛んな道徳講説は信じていいものかどうかわからなくなってしまう。

そのうちラーメンもできあがった。私は人肉の話など忘れて食べることに専念した。でも、腹がふとると考えるのもタイギだった。

店を出てしばらくしてから「おや!あのおやじ何か変なもの入れやがったんじゃなかろうか」と思った。そう言えば「おまいらは、わしに命預けますじゃきんのう」とも言っていた。いやなおやじ、もうあそこへは行くまい。

別れ

栃木県・農村青少年クラブ員　4HのKM男

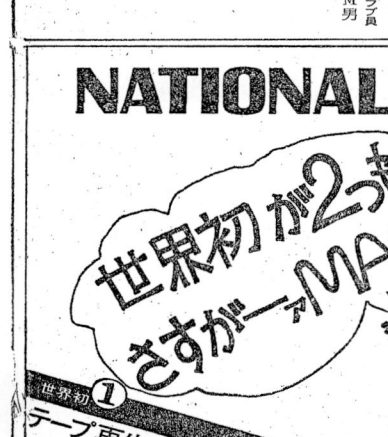

白い情熱
あなたの涙
季節はずれの落葉
短かい会話
遠い稲妻
背中のふるえ
夏の終りに
青いインク
隠したところ
とぎれた便り
古いメロディー
うしろ姿
乾いた口笛
もれた言葉
過ぎたる足音
あてのない旅
今はひとり……

日本4H新聞

4Hクラブ
農事研究会
生活改善クラブ
全国広報紙

発行所
社団法人 日本4H協会
東京都港区西新橋1の5の12
佐野ビル 〒105
電話(591)1817・3683
編集発行 玉井 光
月3回・4の日発行
定価 1部 35円
一ヵ年 1200円(送料共)
振替口座 東京12055番

クラブ綱領

私達は、実践を通じて自らを磨くとともに、互いに力を合わせて、よりよい農村、よりよい日本を創るため、四つの信条をかかげます。一、私達は農業の改良と生活の改善に役立つ腕をみがきます。一、私達は科学的に物を考えることのできる頭の訓練をします。一、私達は誠実で友情に富む心をつちかいます。一、私達は楽しく暮らし元気で働くための健康を増進します。

われら4Hの仲間！

愛知の女子と飛騨の男子が交歓会

女心をわかってよ

【岐阜・愛知】飛騨路の秋――それは紅葉と素朴な農家のたたずまい。自然の冷酷さと暖かさが奇妙にマッチする頂上に雪をいただく北アルプスの山々。去る十月三十一日、そんな美しい飛騨高山へ二十八名の愛知県4Hクラブ連絡協議会（会長 山本賢治君）の女性が訪ずれた。地元の飛騨4Hクラブ連絡協議会（会長 若林定男君）もこの珍らしいお客様を迎えて大喜び。名所見学や懇談会を通して、両クラブは楽しく交歓し、また、「農家生活」などについて活発に意見を交換し合った。＝岐阜県4Hクラブ連絡協議会々長 中野俊一君、愛知県4Hクラブ連絡協議会 事務局発

ズラリ勢揃いした愛知の美女と飛騨の野獣（？）たち＝大鍾乳洞付近で

これは、愛知県連が第一回女子研修として岐阜県宮村へ民宿したものであると同時に、飛騨地区連が年中行事のひとつとして女子クラブとの交換会を開いたものである。

三十一日、午後二時十分、総勢二十八名の愛知の女子クラブ員が飛騨高山駅にあらわれたところで両クラブの交歓会・研修は幕を明けた。飛騨4H連協が心をこめて作った〝歓迎 愛知県女子4Hクラブ〟という大きなタレ幕の下を笑顔で通るクラブ員たち。

丹羽鉦雄愛知県青少年係長と山本県連会長、国松芳香県連副会長が「よろしく」と飛騨の普及員さんやクラブ員たちにあいさつ。続いてみんなも「コンニチワ」「ヨロシク」を連発し、はやくもなごやかなムードとなった。しかし、愛知県を背負って立つ女性の高山攻めとあって、迎える側はやや緊張の面持。

そのあと、八台の車に分乗し、会員が天下に名高い丹生川村の大鍾乳洞へ向った。車中の三十分はみんな無言。「寒さがなによりのお出迎えですね」とは口の悪いあるクラブ員。それでも車から降りる頃にはみんなうちとけ、大笑いであった。

車を運転しながら地元のクラブ員は「高山は観光地としては有名だが農業そのものはあまり理解されていない」と一席。「ハウス施設の多い愛知の人からみれば、ただの山村に見えるのではないか」などという質問に、「景色はこっちのほうがいい。また、ハウスの量で農業の良し悪しなんてきまらないわ」とある女子クラブ員は答え好評を得ていた。

洞穴を巡ったあと、一行はふたたび車で大野郡宮村の民宿「みやけ」に向った。宿に入ったのは五時。飛騨高山はすでに夕暮れ。

食事はわれらの手でと猪口恵子（愛知）さんと小池文江（岐阜）さん、両生改の指導のもとに女子がハッスル。おあずけを食った男子クラブ員はまごとまごとと四十分。それでも男子は「お手並拝見」と姿勢を正す。

うまそうなニオイのなかで、参加者はクジ引きで九班に別れた。まずは自己紹介。「私は長女で」とやりかけると「いや、まず食べよう」という緊急動議の声。それには全員賛成で女子自慢の料理にかぶりついた。「うまい」「腹減ってるからなんでもうまい」などの声が乱れ飛び、女子クラブ員はまんざらでもない表情。

食後は自己紹介を再開。「あなたも長女、えっ、あなたも、あなたも」といって失望（?）してゆくある男子。「そんな気持で聞くならイヤ」「もっと女性の心を理解してよ」とは女子の弁。「なにくそ、女なんて」と威勢のよかった男子も押され気味で悪戦苦闘。

全員が大広間に集合すると塩野三郎普及所長が歓迎のあいさつ。飛騨人の営業で飛騨の生活を語ったあいさつには全員感激し、嵐のような拍手であった。続いて丹羽係長が「ただ連れて、いや連れられてきました」とクラブ員をたててあいさつした。そのあと、ひとことづつ全員が自己紹介。みんな自分をどうしたら売り込めるかに四苦八苦。爆笑につぐ爆笑。

八時すぎには、女性陣によるキャンドルサービスが行なわれた。赤々と燃える炎。それを見つめる二つの県の百の目玉。この目はどんな未来を見ているのだろうか。外では音もなく初霜が降りている。時が過ぎる。炎が静かに消える。フッと浮んだ全員の白っぽい表情。

「短かい夜だった。もっと多くのことを話したかった」と語るある男子クラブ員。「もう一度くるわね」と涙声でうつむく女子。「こんどはおれたちもいくさ」と元気にあいさつして去る男子の表情もなんとなく寂しそう。飛騨高山も夜がふけ、交歓会は終った。

翌日、愛知の女性たちは、高山市内の史跡を見学したのち、楽しく有意義だった交歓会の思い出を胸に、農業に生きる仲間のいる町、歴史の町、北アルプス連山が見える町、高山を去った。

組織強化を重点に

後期中央推進会議 いよいよ八日スタート

八日から御殿場で開催される全国4Hクラブ連絡協議会（会長 松浦幸治君）と社団法人日本4H協会（会長 宮城孝治氏）が主催の「全国4Hクラブ後期中央推進会議」では、組織論を中心にこれまで以上につっ込んだ実践的学習が行なわれるものと期待される。

今会議の最大の特徴は、組織の問題を前面にかかげたことである。会議では、まず、広い視野に立っての組織論一般から組織の基本的なあり方を問題とし、その上に立って改めて農業青年のクラブとしての〝4H〟が問い直される。そして、そのような観点から、こんごの全協活動はいかにあるべきか、リーダーの役割はいかなるものかを深く掘り下げて考えることが計画されており、会議全体が「組織」という太い軸を中心に回転し、相互が密接にからみ合うように組まれている。

講演では藤井文信氏が「4Hクラブ活動について」、青年の家職員による「組織とリーダー」、松浦幸治全協会長が「全国4Hクラブ連協活動について」、菅忠義全国農村青少年教育振興会常務理事が「4Hの本質とクラブ活動」、中田正一氏が「プロジェクト活動の意義とすすめ方」、全国農業協同組合連合会の小倉栄三氏が「日本農業の現状と問題」と題して、それぞれ講演することになっている。

実技研修は4H新聞連絡報道員研修のほか、女子クラブ員研修では講師に小山ユキ子女史を招いて家計簿の正しく効果的な記帳とその活用について学習する。また、「行事計画の組み方」と題して男子クラブ員研修が行なわれ、クラブ運営リーダーとしてクラブをとりまく状勢やクラブ員の気持を正しくキャッチして年間の行事計画を組み、運営していくことはリーダーの大きなプロジェクトだという観点から、予算、資金調達など実際的な面を考慮に入れつつ、自主的な活動をめざすにはどうすればよいかを考える。

なお、二日目（九日）の夜は、草の根大使として米国に派遣され十一月に帰国した原田茂光君、堤千恵子さんの二人が米国での貴重な体験を、また、河村雅士君がイスラエルのキブツ体験を報告する予定である。

涼風暖風

仲間づくりの起爆剤

クラブにとって仲間づくりは重要なことである。仲間づくりといっても、交歓会やレクリエーションだけのことではない。仲間としての協力が強いか弱いかという広い意味でのことである。

こうした協力は、クラブ活動の盛衰に影響があるだけでなく、仲間づくりの動機とも深いつながりがある。それでは、何が仲間づくりの活動へかりたてるのであろうか。つまり、仲間づくりのエネルギーの起爆剤は何であるのか。そんなことを考えてみたい。

まず一つは、孤独からの脱出であろう。現代でのひとりぼっちは死を意味するほど耐えられないことだから、だれでも孤立の不安や危機感から抜け出すために友を求めるのは当然である。この場合、そうした願いがどれほど切実なのかが、仲間づくりの意欲に関係するものと思う。過疎地帯の青年の仲間づくりの活動が、大変な強さがあるのはその証拠ともいえよう。二つめは、共感や同感の醸成である。青年としての生き方をめぐる悩み、社会・経済・政治など諸問題に対する考え方や見方など、互いに共感や同感をもつ範囲が広いほど、また、その程度が深いほど、同志としての仲間づくりのエネルギーが充実されるものと思う。

いま一つは、個人の力の限界を自覚した度合である。ひとりではできなかったことが、何人かの協力で達成できるという理解のことだ。野菜の出荷は、個人で市場に出すよりも共同出荷が有利だし、病害虫の防除だって、自分の畑だけ徹底的に行なっても近隣の畑から伝染するのでは意味がない。問題解決における協業や共同の必要がどこまで考えられているかが、仲間づくりの力に結びつくことになろう。

こうした協力の源泉は、実際にはいくつかの要素が組み合わさってエネルギーとなるわけで、明確な区分ができるとは限らないが、それにしても、いつの間にか、そのエネルギーが変質し、低下の果てに消失したり、他のものに転化するなど、仲間づくりの結びつきが薄れることが少なくない。こうなっては、クラブは形だけのものになりかねない。

やはり、生き生きとしたクラブ活動を進めるには、仲間づくりの動機や願いや志向などを常に確かめ合って、協力のもとになるエネルギーを絶やさない努力がだいじだと思う。

（北海道・三輪）

市長囲み語り合う

島根の米子市 市街化などをテーマに

【島根】さる十六日、米子市農村青年会議（会長 伊達厚美君）主催の「市長さんを囲む会」が同市加茂町の共済福祉会館で開かれた。市側からは河合市長、児玉経済部長、船倉農政課長らが、青年会議側からは伊達会長ら十三人が出席した。

市長のあいさつのあと、出席した後継者たちは「経営規模を拡大したいが、市街化区域内では農地が入手できない」「各地で養豚団地が造られているが、和牛の団地も造ってほしい」「最近の野菜価格の下落はひどい。このままでは何のために農業をしているのかわからない」「近年、農地の宅地化が進み、民家から出る汚水で農作物が被害を受けている。下水道を整備してほしい」と訴えた。

これに対して市側は「農地の入手困難は頭が痛い問題だ。市で確保できないので県と相談する。市街化区域の下水道整備は進める。日本列島改造論で米子地区は工場再配置地区となっているが、それにともなう農業振興は検討中だ。〝農工併進〟を基本方針とする」と答えた。

新鮮な野菜はいかが？

栃木県の若葉4Hクが即売会

【栃木】「産地直送、新鮮な野菜はいかがですか」――さる十一月二十五日、栃木県南河内若葉4Hクラブ（会長 渡辺啓一君）では同クラブにとって初めての野菜即売会を行なった。威勢のいいクラブ員の声が二荒山神社前に響いて、ショッピングの主婦たちもつい立ち止まった。

この日、軽トラック五台で運んだ野菜類は、キャベツ、ハクサイ、ダイコンなどいずれも市価の二割から三割安とあって主婦たちの人気を呼んでいた。野菜類のほか、シクラメン、ポットマム、サクラソウなども手ごろな価格で、勤め帰りのOLなどに好評。

農林省

普及教育課々長補佐に折原氏が就任

農林省農政局普及部普及教育課の課長補佐（青少年班々長）に十二月一日付で折原俊二郎氏が就任された。

なお、前同課々長補佐の大賀忠直氏は、農政局農産課農業改良資金班担当課長補佐に転任された。

心頭技健

農村青年のじつに半数以上が農業の将来を「暗い」とみているという。これは全国農業会議所がこのほどまとめた四十六年度「意識動向調査」に現われた数字である▼「暗い」理由としては、農産物の自由化で安い外国品に押される、規模拡大ができる条件がない、米の生産調整や米価抑制で希望が持てないなどがあげられている。どれも一人の農業青年の力だけではどうすることもできない大きな問題ばかりである▼近年、都市から農村へのUターン現象がマスコミなどで話題になっている。都会の孤独な群集の中から逃がれ、冷たいコンクリートに映る自分の影に脅え、あるいは都市公害から追いたてられるようにして農村へと……。とくに若者によく見られる現象だという▼ディスカバー風潮にのった気分的な農村指向もあるだろうが、その底に流れているものは都会ではもう何も手に入れることができないという感覚であろう。つまり、農村こそ新しい可能性としてのコミュニティの場だということである▼だから、農村の内側にいる青年たちが将来の農業を懸念しているという事実は、ひとり農村だけの問題ではなく、現代人の最後の避難所に暗い影を忍ばせるものだという気がしてならない。農業はもはや農民だけのものでなく、人類全体の運命を背負っているといえば少し大げさになるだろうか……。

負けてたまるか 4H根性!!

赤松　宏 ▶ 8

前回までは、かなり言葉足らずのまま、青年期の特徴にからみ、どうしても考えていかなければならない事柄を五項目にわけて書いてみた。各々の立場から考え、重要な問題を掘り下げてみてほしいものだ。

今回からは、前回の上にたって「リーダーとしての役割」を私なりの八年間に渡る4Hクラブ経験、役員体験の中から考えてみるべくペンを進んでみようと考えている。

何月号だったか忘れましたが私は「4Hクラブは社会教育団体である」と言ったことがあると思います。思い出していただきたい。そのような視点からみると、4Hクラブや他の社会教育団体において、そこに参加している人たちは何らかの形でその目的にあった教育を受けなければならないし、覚えなければならないはずである。それでは、その参加している人たちは、どのようにして、だれに教えを受けるのかということがつぎに問題となってくる。

〝自主学習〟、これもたいへん大切なことなんだが、自主学習にもやはり手本となるべきものがなくてはならないはずです。こんなことを考えてみると、まず手本になることが、そしてそれだけの要素をもつということが、相手に「教えよう、教えよう」という意識をもたなくて〝教えることのできる第一段階であるように思えます。

笛吹けど踊らず…

リーダーにとって 必要な知識と経験

しかしながら、これにも限度があり、それを手本にしようという意志が相手にない場合にはどうすることもできないわけですね。それで、とくにみんなが困っている問題は、手本を作ってもそれに習おうとしなくて困っているのではなく、「笛吹けど踊らず」といったことで困っているのだろうと思うのですが、私の判断にまちがいがあったら指摘してほしい。もしそうであったとしたら、いま一度、あなたが吹いた笛の吹き方がよかったかどうかを考えてみていただきたい。

私はいま、笛の吹き方よりもその前の準備を、笛を吹く立場として必要なものを考えていきたいと思う。それがすなわちリーダーの必要条件となるものであり、重要なポイントであると思う。私は〈あなた自ら指導者になっていただきたい〉と思う。私と真剣に対話していただきたい。

まず、第一点としてあなたに質問したいことは、「専門的な知識をもっているとともに、それについて実際的な経験をもっていますか」ということなんです。「専門的な知識と実際的な経験」――これが教える立場の第一条件であることはいうまでもない。何ももたない者が教えられるはずがないからである。

男女交際を例にとって考えてみよう。もしあなたが友人のだれかから、交際についてや、愛の告白ができないで困っているとか、あまりモテないで困っているとか、そんな相談を受けたり、教えを求められたりしたとします。仮りにあなたが美男子であり、いつも（女性を）ふる方の立場であったり、一度の愛で簡単に実っていたとしたら、正しい解答を与えることができるでしょうか。もしあなたが得意がって語るとしたら、それはただ一度の成功を語るのであり、また、成功例であっても必ずしも意味ある教え方だとはいえないのではないだろうか。

ほんとうの意味で、それらの仲間に教えることのできるのは私のように、実際に彼と同じような失恋失恋の連続の中に生きてきた人間だと思う。一つずつ教訓を与えられ、データーを与えられ、その上に立って成功したもの（私の場合はまだ……）なら、それこそ教えるに値すると思う。多くの恋の経験をしてはじめて恋を解くことができるのである。このことが「恋」という部門における「実際的な経験」ということができるだろう。それでは「専門的な知識」とは何なのかというと、まあここでは深くふれずにおくが、男女の心境であったり、恋の法則などをいうのであろう。だから、専門的な知識（表現が少しオーバーかな?）の上にたって実際の経験を踏むことから良い結びつきができ、ここから洗練された交際への導きの糸を手にすることができる。

「なるほど…」とその場のリーダーの話に聞き入る筆者（左端）

このごろ、とかく聞きかじりくらいで、さもさも専門家らしい態度で教えこもうとするものも見受けられる。私たちはもっと深く学習して、種々の方向の中でほんとうの意味でのリーダーへの〝近ずき〟を考えなくてはならない。「考えなくてはならない」と言ったが、すべての面というのではなく、また、新たにというのではないのです。いまあなたが得意とするところにもう一度磨きをかけようということなのです。そして、仲間に教えてあげていただきたいと思います。一つ教えて、一つ教えてもらう仲間づくりをしていただきたいものです。

こんなことがありました。ある会議のあと、網走のO君やその他幾人かの青年たちと雑談をしていました。そのうちに経営の話になり、何の作物を栽培しているとか、どのくらいの収入があるとか……、お互いに話し合いをしながらいくときが過ぎ、だんだんとその話にも熱が入ってきました。それというのも、O君が「ニンニク栽培」について真剣に仲間に話してくれたからなんです。そして、O君が何球かくれたニンニクの球根をみんなでつぎの年に栽培するまでの約束になった。このときのリーダーは、完全に網走の私より若いO君であったのである。

O君にはニンニクに対する専門的な知識と実際的な経験があったからこそ、そのときのリーダーがつとまったのです（その他にも要素はあったが、それはつぎに述べることにしよう）。私なんか、そんな彼の教えに興味をもち、わざわざ種子を送ってもらい、すばらしい収穫をあげることができました。またことしも、五㍑分の種子を送ってもらい、家族のものたちとO君の話をしながら植えつけたものです。

ニンニクが結んだ4Hの友情に感謝しています。ありがとうO君、ほんとうに……。来年の収穫が楽しみです。そして、あなたのリーダー性が楽しみです。

（題字も筆者・北海道4Hクラブ連絡協議会前書記長）

PRかね一石二鳥

埼玉の古川4Hク「花いっぱい運動」

【埼玉】農協や役場、警察など殺伐とした玄関に四季の花を飾って暖かい心の交流の場としようと、ことしから「花いっぱい運動」をくり広げている埼玉県の古川4Hクラブ（会長 上原勉君・クラブ員三十四名）は、ふだんはこわいおまわりさんはじめ町の人たちから感謝されている。

これは「町をきれいにする運動」の一環として始めたもので、古川4Hクラブの花き部が中心になって、フラワーボックス（写真）を制作し、四季を色どる美しい花々で飾ってふだんは花に興味を示さない人たちの心をくすぐるとともに、4HのPRをかねた一石二鳥の効果をねらったもの。

この思いがけないクラブ員の花のプレゼントに役場や農協の職員さんは大喜び。「ほんとうによくやってくれます。居ながらにして四季の花々を眺められるなんて、何かこう仕事にもハリが出てきて……」と、顔をほころばせる。

また、ある女子クラブ員は「みなさんに楽しんでもらってとても喜んでいます。これに4HのPRにもなるし……。ほかのクラブのみなさんも始めてみてはいかが。ええ、これからもどんどん運動を広めていきたいと思っています」とさわやかに話していた。

（大沢美智子全協評議員発）

ある視点

身近かな所から出発

クラブとリーダー〈12〉

原田正夫

人があつまれば、自ずと道はできる。しかし、現実にはだれかが雑草、石ころを踏み固めて道をつくり、人のあつまってくるのを導びいてやらねばならぬ。これはあるリーダーの言ったリーダー必要論だ。4H新聞に私よりはやく、いわば先輩格で連載中の北海道の赤松君は社会教育的な見地からクラブやリーダーについて論じておられるように感じる。

クラブの内外で組織、リーダーについての意見はあまたある。しかし、生意気ない方を許されるなら、その多くは高い次元での発想によるものであったり、例えば大きな木全体をながめてその大きさがどうの、高さがどうのと言っているようなものであったりで現実に起こっている問題、それもごく身近かなことを解明する特効薬にはなり得ていないように思える。応用し切れない側が至らないのかもしれないが……。大手術で病を一掃することを考えるか、一つひとつすみずみの欠陥を摘出することを考えるか。いずれも必要だけれど、私は過去のクラブの活動を通して見聞きしたクラブの悩み、クラブ員、リーダーの迷い、あやまっているように思える常識、習慣などを考えてみたいと思う。

小さな米粒くらいの穴でもほおっておけば、いつしか中身はカラにもなろう。徐々に穴も大きくなろう。穴のあいた袋はとりかえればいい。でもクラブはどうだろう。小さな欠陥でもみのがさず、誰かがいつかとはいわず気づいた時に直してゆかねばならんと思う。これもまた、私たちリーダーといわれる者の役割ではなかろうか。

クラブに限らず、世界とか、日本全国とか広い範囲で、あるいは高い次元で、例えば公害にしても、交通禍にしても考えられ、今日充分でないにしても、将来にわたっていろいろと策を講じようとされている。そうした見地から物事をとらえることも必要ではあるけれど、私はもっともっと身近かなところから改めてゆくこと、さらに次の段階、次の段階と改善をつみ重ねてゆくことがベストだと思います。繰り返しになってしまったが、例えば総選挙も近いが、ずいぶん長いこと選挙のあり方が問題となっている。これにしても町や村の選挙から、農協役員、農業委員のみならず幼い学童の生徒会の選挙あたりから本当の正しい選挙を習慣化していかなきゃ急に改まるものではなかろう。本当にふさわしい人を選ぶ心がけを……。

クラブの中ではどうだろう。同じことだ。こんな話がある。あるクラブの役員改選の夜、クラブ員は「本当にふさわしい人を……」という前会長のあいさつを思いつつ一票を投じた。結果は加入二年目の女の子。圧倒的な票の入りであった。普及所に報告に行くと笑われた。ほかのクラブの連中も笑った。あざけるような笑いだった。しかし、そのクラブの中でクラブを一番に想い、ファイトを持ち、統率力がある、つまり一番ふさわしい人、それがその女の子だったということだけなのだ。あざ笑った人たちは何かしら一方的な先入観を抱きすぎていなかっただろうか。

会長には会長にふさわしい人。副会長にはそれにふさわしく会長の欠点をカバーできるような人、事務担当者は……。それぞれに性格、得手、不得手とかによってふさわしい人を選びたいものだ。経験も大切だ。しかし、無条件に近い状態でエスカレーター式に役職が一年一年のぼってゆくことは考えものだ。

(全国4Hクラブ連絡協議会副会長・大阪)

即売とモチつきと

栃木の今市地区 花やかに農業青年祭

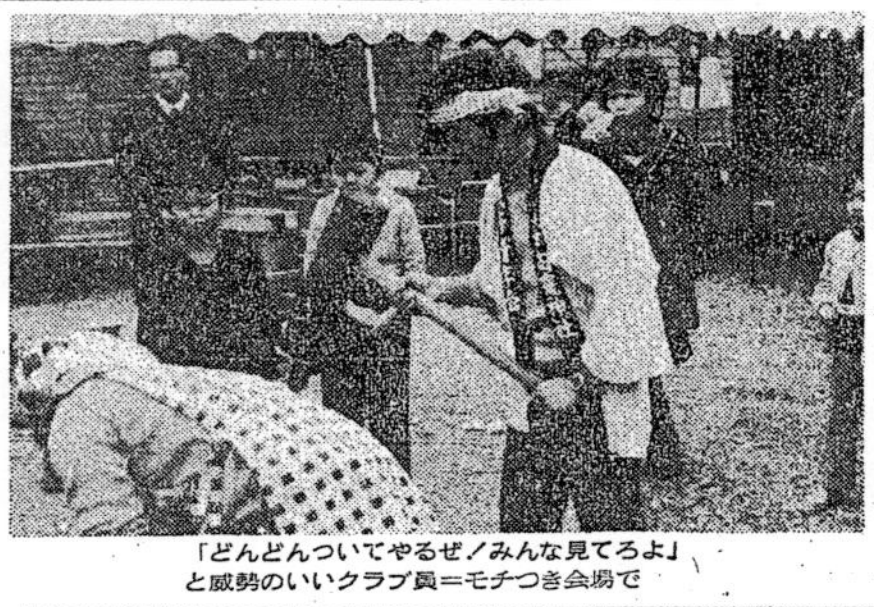

「どんどんついてやるぜ!みんな見てろよ」と威勢のいいクラブ員=モチつき会場で

【栃木】秋のとり入れも一段落した十一月十一、十二の両日、今市地区農村青少年クラブでは、今市二宮神社境内で地区の青少年クラブ員約二百名を集めて〝農業青年の祭り〟を開催した。

初日は実績と意見の発表。参加したクラブ員たちは、日頃のクラブ活動・プロジェクト活動の成果を次々に発表し、そのあと、農業・農村・クラブのあり方などについて活発に意見を交換した。

第二日目は、クラブ員の演芸会と農産物の品評会でにぎわった。

即売会では、クラブ員が精魂こめて作ったみごとな農産物がズラリと展示された。その上、その品物が市価より二、三割安とあって、訪れた約五百人の主婦たちは大喜び。展示に出された農産物もわずか三十分足らずでほとんど売り切れ、主婦たちからもう少し野菜を出してほしいという要望が多く出された。演芸会も人気集中。クラブ員たちはコントや歌などを続々とくり出し、買物に訪れた主婦たちに愛嬌をふりまいた。観客も思わずニコリとして、クラブ員たちに声援を送った。

また、クラブ員たちはウスとキネをもちだして〝モチつき〟を行なった。これには町の子供たちもびっくり顔で「モチはこうしてつくの?」と真剣な表情でクラブ員たちを見守っていた。ついたモチは、さっそく集まった子供や主婦たちにあんを入れて無料で配り、大サービスした。

また、一部のモチは市の老人ホームへもっていき、老人たちにもつきたてのモチを賞味してもらった。老人たちも〝農村青少年の誠意の味〟に舌つづみを打って感謝していた。(今市地区 川村寛文連絡報道員発)

夢たくし記念植樹

宮城の柴田町 若き農継者夫婦ハッスル

【宮城】若い夫婦で町の農業を力強く引き継いでもらおう——と柴田町では、さる十一月二十七日、ことし結婚した農業後継者カップルの記念植樹と懇談会を開き、あすの農業について活発に意見をかわした。

この行事は、農業を継ぐ若い夫婦に、将来も豊かで明るい家庭、そして町作りの中心になってもらおうということで開催したもの。

柴田町では、さる三十七年以来、農業後継者育成事業の一環として結婚相談所を設け、嫁を世話した仲人には五千円の謝礼を出してきた。しかし、企業の進出などによって兼業がふえ、さらに専業の農業後継者の中にも恋愛結婚するものが目立ち、形ばかりの仲人に謝礼を出すという不合理な面が出てきた。

そこで農業を継ごうと新しく門出をした若夫婦を祝福し、力づけることが真の後継者育成事業と発想を転換。「自立対策要綱」を作って、ことし初めてこの行事を開催した。

当日は、独身時代に農村青少年クラブに参加し活動を続けていた伊藤政憲・みよ子夫妻ら六組のカップルが招待された。夫は二十一歳から二十五歳、妻は二十歳から二十二歳とみんな若さはつらつ。

出席した若夫婦は、まず、同町の船岡公園で記念植樹。「アスナロ」の木を植えて、みんな〝あすは先輩を追いこしてやろう〟と気勢を上げた。ひき続いて平間新平郎町長夫妻を囲んで懇談会。すぐにみんなうちとけ合い、町長夫妻を相談相手に、農業問題から家庭問題まで楽しく懇談した。とくに後継者たちは専業農家をめざしているだけに、都市化や企業進出のめざましい柴田町での農業の将来性について活発な意見を述べていた。

なお、同町では今後もこの行事を続け、来年から設けられる自然休養村の中に〝後継者の森〟を作り、企業で働く若者たちとも交流し、お互いに理解を深め合えるように研修旅行なども計画している。

みかんもぎ交換実習始まる

神奈川の小田原4Hク

【神奈川】小田原4Hクラブ(会長 遠藤国雄君)では、さきごろ、本紙などで「みかんもぎ交換実習生」を募集していたが、このほどその概況を伝えてきた。

この交換実習生に応募した人は二十一人で、全部が4Hクラブ員である。みかんもぎの作業をしながら、休日などを利用してクラブ行事を多く予定しているこの交換会の成果が期待される。

遠藤会長の話 全国のみなさんどうもありがとうございました。みなさんのご支援に応えて、ことしもすばらしい交換実習を行ないたいと思います。(朝日義和連絡報道員発)

君が作る新年号!

青春特集など原稿募集中

日本4H新聞では、全国のクラブ員のみなさんから昭和四十八年度の原稿を次の要領で募集しております。

一、農業問題特集
▽プロジェクト・経営一般▽どこへゆく未来の農業▽日本列島改造論について▽貿易自由化と農業など、農業問題ならどんなテーマでも結構です。

一、青春の生き方特集
▽若き後継者の悩み△人生に対する考え▽自分の青春を省みて▽生きがいについてなど

一、クラブ特集
▽四十八年、この人、この私(友人または自己紹介)▽出稼ぎを考える▽わたしの恋愛観・結婚観▽私も一言など
▽4Hクラブ活動例▽4Hクラブの問題点▽これからの4Hクラブ▽わがクラブ紹介

一、その他の特集

☆形式や長さは自由です。できれば顔写真や関連写真を添えて下さい。

☆送り先 〒一〇五 東京都港区西新橋一の五の十二 佐野ビル内 日本4H新聞編集部

どしどしお送り下さい。お待ちしています=新聞編集部

時道

ジャズにさ迷う

地下に続く狭苦しい階段をぼくは降りていった。かすかにもれるジャズのいきり。ドアについた丸い鉄の把手をグイッと引っ張ると、耳をつんざくようなけたたましい唸りがぼくの脳天を痛打した。

薄暗い空間を叱咤するドラムの連打。充満するタバコの煙。うっ積し、沈殿した想念……。

あらい木目をむき出しにしたぶっきらぼうな椅子に腰を落ち着ける。大きく肩で一呼吸すると、ぼくは壁に寄りかかり、顎をやや上向きにしながら眼を閉じる。「さあ、これからだ。ごく自然にならなくては」——一刻も早く自分の領域へ旅立とうとするかのように、また、日常のしみついた泡立ちをはらい落とそうとするかのように、ジャズ喫茶にきていつも最初につぶやく言葉がそれだった。

いま、ジャズの高潮がぼくにとってはいっさいの始まりだった。暗い波間に漂う海草のように、ぼくは孤独な果てることないぼく自身の空白の溝を埋めようとトリップしたばかりだ。ドラムが脈拍を叱咤し、心臓ポンプをへし折り、かわって新しい命を造りだす……。ぼくは徐々に溶けはじめる自分を感じる。

『もっと高くなればいい。もっと強くなればいい。おれ自身をこなごなにしちまうほどもっと激しくなればいい……』

だが、ぼくがこうつぶやいたとき、いっさいが砕け散るのだった。ぼくは一瞬のうちにあの強烈なドラムの唸りの外へはじき出されてしまい、ハッと我に帰る。そしてあせりと敗北感がみじめったらしくぼくをとらえるのだった。

いつもそうだった。ジャズの高潮はぼくを置きざりにしたまま海面の彼方に去っていってしまうのだった。そのあとでぼくがかすかに聞きとるのは乾いたシンバルの音だ。ジェーン、ジエーンとぼくの領域へゆっくりと響きわたってくるあのなつかしいシンバルの……。【宇】

オシャレな小道具

キーホルダー 全協で好評発売中

全国4Hクラブ連絡協議会(会長 松浦幸治君)では、ことし北海道で行なわれた「第八回全国4Hクラブ員のつどい」の際、道連が製作し、参加者に記念品として販売したキーホルダーを全国のみなさんにもゆずりたいと呼びかけている。

このメダルは大きくて格好よいものなので、自動車のキーホルダーには最適、ちょっとしたオシャレも楽しめる。つどいに参加した人は一生の記念品として、また、そうでない人は4Hクラブ員のイキなオシャレの小道具にどうぞ。

▼値段 一個三百円

なお、お申し込みは〒一〇五 東京都港区西新橋一の五の十二 佐野ビル内 全国4Hクラブ連絡協議会事務局 電話=〇三(五九二)一八一七まで。

写真㊧がただ今発売中のキーホルダー

農協運動の担い手を

中央協同組合学園 来年度本科生を募集

中央協同組合学園では昭和四十八年度の本科生を募集している。同学園は、将来農協運動の中核者としてすぐれた判断力と組織的な行動力をそなえた人間性ゆたかな人材を養成するために設立されたもので、来年度は第五期生にあたる。

募集要項はつぎのとおり

▽就学年限 三年間

▽受験資格 二十二歳未満で、高等学校卒業、またはそれと同程度の学力を有するもの(男女は問わない)

▽募集人員 五十名

▽願書受付 一月二十日~二月十日まで

▽願書提出先 都道府県農協中央会々長あて、入学検定料二千円を添付して提出のこと

▽学費 年限六万円、教材・実地研修費等二万円、入学金三万円(入学時のみ)

▽試験日 三月八日 東京・京都・福岡の各会場で

なお、詳細は農協、都道府県中央会、または直接東京都町田市相原町四七七一(〒一九四—〇二)電話〇四二七(八二)三〇六一~五 中央協同組合学園まで問い合わせのこと

——農政懇談会 現実的な問題から

福岡の筑後市4Hクで

【福岡】筑後市4Hクラブでは〝青年の役割〟と〝将来の経営目標〟いうテーマで、去る十月二十二日、農政懇談会を行なった。

このテーマは、身近かな農政から話し合おうというクラブ員の要望を重視して設定したもので、とくに懇談という点に力を入れ、この種の行事としては初めて分科会方式を取り入れた。それによってクラブ員たちは、分科会、全体討議あわせて四、五時間にわたり、じっくりと農政について語り合った。また、各分科会ごとに助言者として農業実践者と関係指導者を一人ずつおき、討議のスムース化などをはかった。

話し合いの資料も、以前にクラブ員からとったレポートをもとに作成したため、現実的にクラブ員が直面している問題が多く出され充実した懇談会となった。

ある参加者は「この農政懇談会で話し合い、考えさせられたことは、明日の農業経営の糧となるだろう」と神妙な顔つきで語っていた。(筑後市4Hクラブ 田中隆夫君発)

青年祭で農産物展

【長野】中野市の4Hクラブでは、さる十一月二十六日、市民会館で開かれた〝青年文化祭〟に参加し、ロビーで農産物展を開いた。

クラブ往来

丹生川4Hクラブ

農業法人設立めざす

丹生川4Hクラブは、先進的な農山村をめざして活動しているクラブである。クラブ員数は二十一名、年間のクラブ予算は約十三万円。

野菜、花、養鶏、和牛肥育の経営をやるかたわら、ぼくたちは園芸、畜産、女子サークルなどの学習会、プロジェクト、文集作成、スキー大会、先進地視察兼丹生川村後継者大会、4H大会などの行事を行なっている。

ぼくたちが先進的な農山村をめざすクラブ活動に取り組んだのは、青年団ではどうしようもない農村の事業を、4Hクラブとしても農協、役場諸機関の関係を知ることによって、自分たちのできる範囲において最大限に実行しようと思ったからである。

まず、ぼくたちは農協で取り扱っている農業資材などが他地域と比較して高いのに疑問をもち、その原因がどこにあるのかを調査する計画をたてた。他地域の農協をいろいろ調べてみた結果、ぼくたちの地域が他地域より高いのは農協の取り扱い量が少なく、また、小口の購入しか行なわれていないためであるということがわかった。その原因の底には、ぼくたちの村がまだ基盤整備もできてなく、零細農家が多いことがあげられる。

おりもおり、村では村の中心部八〇㌶の基盤整備問題が燃えあがり、クラブ員は意識を統一して基盤整備の会合に出席し、その必要性を強調するとともに反対する人たちを説得してまわった。その結果、とうとう期限ギリギリのところで実行することに決定されたのである。

基盤整備実施にはこぎつけたものの、その過程にはまだ多くの問題が残されている。その一つとして、農地規模拡大にともなう小地主の問題がある。これは、公式では割り切れない困難な問題である。ぼくたちはこの問題に対してつぎのような計画を立てている。

それは、整備された土地の三割を借り受け、小地主から株主になってもらい、農業法人を設立し、それをクラブ員で運営しようというものである。また、農産物は大消費地と直結した販売ルートを確立して、中間の搾(さく)取を排し、より多くの利益を上げ、それを地主に配当していこうというものである。これにより、小農家は安心して他産業に専念することができ、ぼくたちもまた力いっぱい農業を営むことができるようになると思う。

先進的な農山村——ぼくたち丹生川4Hクラブのメンバーは、以上のようなことを基礎においてその実現にまい進しているのである。(岐阜県大野郡丹生川村坊方・津田幸太郎)

自然を克服した今 生産の共同化を
二十余年の体験から

徳島県・由岐 農協花き部会 松下俊作

かつて、三十年ほど昔には、私どもの親たちは、稲の収穫が終り、麦の作付をすませると、それぞれ布団とミソ桶を天秤棒に振り分けにして遠くへ出稼ぎに散っていったと聞いている。それに終止符をうったのがタバコ作りの導入であったという。

私が兄の急逝で農業を継ぐようになったのは、このタバコ作りが経営の中にすっかり定着した時期であった。政治的には敗戦によって半封建的な農地所有制度が崩壊して、曲がりなりにも自作農主義が制度として確立されたときにも当っていた。

私が農業を行なうようになって気づいたのは、親たちの根深い多角経営主義であった。これには二つの側面があるように思われる。

一つは、本能的ともいえる台風災害や経済への不安の表明であり、もう一つは、当時の大家庭の労力の多角的な活用をめざした合理主義である。

私の農業経営は、こうした伝統的などともいえる地域農業の多角経営に対する抵抗として始まったように思う。水田面積九〇㌃のうち、親の反対を押しきって最高七〇㌃までタバコ作りを拡げてタバコ専業のような経営をしていたが、結果として残ったのはあまりにも低い報酬であった。

拷問に近い長い夏の日の収穫、乾燥作業、後作の田植え……。七〇㌃の耕作で、ひとたび災害に会えば農外収入に頼らなければならないという不安定な農業経営であった。

私は十数年の手痛い経験から単純な結論を得た。それは自然の条件である。海岸に近く、台風の常習災害地であるという立地条件を計算に入れていなかったのである。海岸に近いということは温暖な気候の保障であり、これを十分に生かすこと、それと夏季の台風災害時期にはほ地に作物をおかなければ問題はない。私が夏菊を中心にした花き栽培に経営のすべてをかけたのは、こういう理由があったからである。

現在、私のハウスにはフリージア三百六十坪、アイリス三百三十坪、夏菊百五十坪、それに露地の夏菊二八㌃が育っている。成育も順調だ。

労力のピークが重ならないように収穫の時期をうまく組み合わせたつもりだが、それにしても収穫時にはかなりの労力がいる。前年度助けてもらった田殿町の老齢人口（他町村より二〇％も多い）にことしも期待できるかどうか…。

しかし、生産過程での問題は、私の責任と努力で解決できることが多い。

問題は流通過程である。たんせい込めて作った花が市場でどのように評価され、需要を拓いてくれるか、確かなものはひとつもない。それを保障すべきはずの農業団体もたんなるビジネスとしてしか取り扱おうとしない。農業生産もまた商品生産である以上、たんなる栽培技術としての完全さだけでは許されないだろう。集団産地化の問題にしても、同一種の作物を個々が生産し、集落をなしているというだけでは意味がない。

従来の流通過程の共同化の方向を、さらに生産過程でも大きく進める必要がある。それこそ、われわれ農民がこれから根本的に問い返さなければならない問題である。

新しい農業への提言 ～青年農業者会議関連～

経営プロジェクト

すぐ判るヒモ具合 バインダーの改良
☆☆☆☆ ほ場の中にも赤ランプ

栃木県・青少年クラブ協議会 和久紀義

バインダーのヒモ終了が一目でわかったらとても便利に違いありません。私はヒモ終了を視覚に訴えることをねらいとして、ランプを取り付けることにしました。

その信号装置というのは、図1のようにボックスと表示ランプをビニール線によって配線したものです。

図2のAを見てもらうとわかると思いますが、ヒモのない状態ではⒶとⒷはつねに接触しているため、電流が通りランプがつく仕かけになっています。つぎに、その間にヒモを通すと、図2のBのようにⒶとⒷはヒモによって絶縁され、電流が流れなくなってランプはつきません。だから、ランプ点滅の仕かけは、ヒモの通路にそのような装置を設け、図2のように配線すればでき上がりというわけです。

電源には、ライトの電源がエンジンに必ず付いているのでそれを利用しました。

また、この装置を取り付ける位置ですが、完全にヒモがなくなってからランプがついたのでは現在刈っている束を結束することができなくなります。結束する分のヒモを残す必要があります。その点を考え、ヒモの格納室の近くに装置を取り付ければ、そこから結束部までは約八十～九十㌢はあるので、十分に束を結束することができ、結束ミスはなくなります。

なお、制作の材料および費用はつぎの通りです。

▽表示ランプ　十二㍗三十㍗・二百円
▽スイッチ　一個・二百円
▽その他　ビニール線、鉄板、ビスナット数個

いままでの経過から考えて、表示ランプを付ける位置は、バインダー作業の場合はつねに刈り取り部に視線を向けているので、ランプを手もとに取り付けたのでは見逃す場合もあり、刈り取り部の近くに取り付けた方がいいと思います。

自分で改良できることはどんどん改良するという姿勢でこれからも取り組んでいきたいと思います。

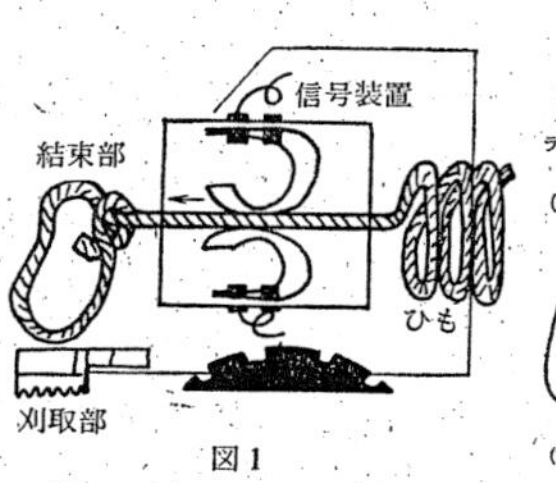

図1

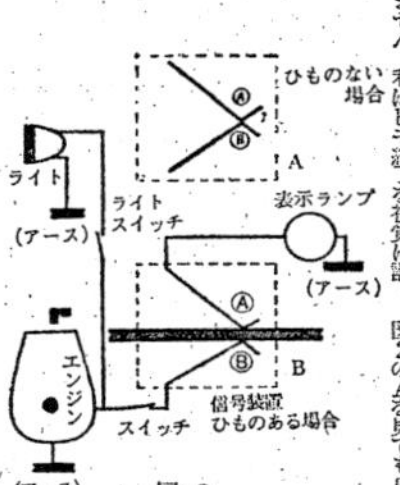

図2

観葉植物に取り組む 栽培にもう一工夫

香川県・綾南 育農クラブ 馬場早苗

四国の玄関高松から国道三二号線を西へ二十㌔、三十分ほどでわが綾南町に着く。「田園都市・香川」にふさわしい町である。

高校在学中、これといった理由もなく農村建設女子青年隊に入り、研修したのが「観葉植物」。小さい頃から植物が好きだったせいか、父の始めた観葉植物に興味をもち、卒業後、愛知県で国内研修生として一年間の研修。自然に観葉植物の方向に足が向いていったわたしである。

わたしの家は水稲一三〇㌃、ビニールハウス五百八十平方㍍、和牛（肥育牛）六頭の経営をしている。わたしは父のやりかけていたビニールハウス（二百平方㍍）の上に同形の棟とパイプハウス（百六十平方㍍）を建てた。二百平方㍍のハウスにはラン、ゴム、サンスベリアなどの小鉢を入れ、以前のハウスとパイプハウスにはゴムとサンスベリアの大鉢を入れた。

また、昨年の暮（十一～十二月）には、いままで使っていた熱風暖房機（二、五〇〇～三、〇〇〇㌍）がカロリー不足のため、温水ボイラー（八、〇〇〇㌍）に取りかえた。

栽培上の工夫としてわたしは、▽排水をよくするため針金を使う▽二種類のランがあるので通風をよくするための処置をとる▽予防は五～七日間に一度、ダイセン、オーソサイドなど四種類の薬を散布する▽ランに必要なコケは一度に多く湿らせておき、ほどよい頃をみはからって使う——の四つを実行してみた。

結果的には、研修中に移植しておいたラン苗を使ったが思うようにいかず、一時はお手上げの状態。病気にも悩まされ、一番必要なコケも入手できず…という惨たんたるもの。でも、わたしはヤル気十分だ。

「やってやれないことはない」——。女だてらに男の人たちに混って農村に住みつくには、また、家を守っていくにはこのひと言しかないと思っている。いままでに体験したことの上に、これからも研究会、講習会などに積極的に参加して、よりよい施設づくりにはげみたいと思う。

結婚を考える ►32◄
人柄の美しさはどこから

栃木県青少年クラブ協議会・生活部

現代女性に欠けていることは？——「個性を見出すことに欠けている」「外面的に着飾ってばかりいて内面的なことがお留守」「社会的視野が狭い」「礼儀作法がなってない」——。

いやはや、こちらが赤面したくなるようなお言葉。昔の女性を忍んでヨダレをたらすいかめしい顔つきの中年紳士の言葉ではなく、れっきとした現代女性自身の口から出てきた言葉なのだからなおのこと……。それにしても、よくご自分を心得たすなおなお嬢さんたちである。

このほど栃木県青少年クラブ協議会では、すでに結婚しているOBや現役の女子クラブ員が集まって「生活部の集い」を開き、パズセッション「人柄の美しさはどこからでてくるのか」を開いたが、これはそのときに出た言葉である。

現役とOB

まず、OBの体験談に耳を傾けてみよう。小堀みや子さんは二年半のクラブ歴をもつ三十六歳の主婦。「二年間のクラブ活動が青春のすべてでした」と語る小堀さんは、円滑な家庭生活を送る秘訣を「夫には協力者として、子供には話のわかる母親として、親には心配をかけないようにを心がけています」と幸わせそうに語る。

広田絹枝さんは、昭和二十三年に食糧不足から農家へ嫁いだという主婦のベテラン。時代が時代だっただけに家族の健康と子供の成長にもっとも気をくばったという。生活改善として「明るい台所づくり」にいそしんだ広田さんは「家庭の管理者として、人間として成長した自信をもっている」と胸を張る。

若い女子クラブ員には「クラブとは自分のことだけを考えるところではなく、これからの農村をどうしたらよいかの方向づけを行なうところです。将来の明るい家庭づくりに役立ててほしいですね」とやさしくさとす。

中島武政さんはことしの一月米と野菜を中心とする専業農家へ婿養子としていった。複雑な家庭の事情があり、悩みを親友に打ちあけて、家庭円満のために婿にいこうと決心したという中島さん。だが、婿にいった以上は「だれにも負けない明るい家庭を作りたい」と抱負を語る。

「いまは両親と妻、義妹二人で暮らしていますが、努力さえすれば円満な家庭が築けると思っています。別に肩身の狭い思いはしてません。家中明るい考えをもっていればいいんです。結婚する前は兄と共同で養豚を経営し、うまくゆかなかったのですが、ことしは初めてネギを栽培、成功しました。ほんとうにうれしかったですね……。自分から進んで経営をやるようになったこと、これがよかったんですね。妻との意見が合わないときは何でもいいます。それによってお互いの理解を深め合うのです。また、農休日を月一、二回必ずとって遊びに行くことにしています。ええ、規則正しい生活を送り、気を使わないことにしているんです」——。

何とまあ、長男のクラブ員顔負けの模範的な家庭生活ぶりだろう。ただでさえ農休日に四苦八苦している農村の現状なのに、中島さんは婿養子としての立場を逆に利用して、すばらしい家庭生活を築いている。

最初にあげた女子クラブ員のつつましやかな言葉のナゾがわかるような気がする。これだけ立派なOB諸氏の体験談のあとにパズセッションが行なわれたのだから、女性らしい言葉が返ってくるのも当然といえば当然のこと……。

妻として選ばれる女性はどんな人かについて彼女たちは答える。いわく「料理がうまく、健康で二人三脚のできる人」「明朗活発な人です」「かわいい人だと思います」——。女性の幸福については「愛する人がいること」「好きな男性と結婚できること」「平凡な家庭を築くこと」と答えている。

教養についての彼女たちの意見はこうだ。「教養とは相手の立場を考えてものごとに対応できることです」「社会に対して自分が恥じないために学ぶべきことです」。つまり、立派な人間性、知識、道徳を身につけることだという。

人柄とはそういう教養にその人個人の性格がプラスされてにじみ出てくるものである。「人柄の美しさはどこから出てくるのか」というパズセッションの結論は、どうやら意識しなくても滲み出てくる人柄、心の豊かさを普段から養っていこうというところに落ち着いたようだ。

将来のために、いまから家庭の味を覚え、一般教養とともに読書や対話を通じてより高度な教養を高めたいという栃木県の女子クラブ員の人たちは、きっとすばらしい家庭の主婦になることだろう。

NHK農事番組（12月11～20日）

テレビ

明るい農村　6・30～6・55総合
11日　村の記録「四十六歳の転身」加藤寿太郎（秋田市）
12日　きょうの話題
13日　産物百科「木炭」
14日　話題と人「村の健康を守る」富田幸造（石川県・能登総合病院長）
15日　農村新地図「和歌山県有田市」南満彦（和歌山大教授）
16日　村をむすぶ「福島、和歌山、岡山、東京」
17日　明るい漁村
18日　村の記録「帰郷〈Uターン青年の軌跡〉」～宮城県
19日　きょうの話題
20日　産物百科「鶏肉」
農業教室　7・30～8・00　教育
11～13日「大規模肉牛経営の設計」前田甲次（北海道襟裳肉牛牧場）
14～16日「西洋野菜の経営と技術」池谷保緒（静岡県農業試験場）
18～20日「稲作の新しい生産組織」馬場昭（日大講師）
あすの村づくり　日 7・00～8・00　教育
再　土 13・00～14・00　教育

ラジオ

早起き鳥　5・41～5・57 ①
11日「4Hのミカン山」天雲保夫（坂出市）ほか
12日「三百万羽養鶏」～岩手県西根町
13日「冬を迎えた災害地」～広島県作木村
14日「シクラメンのリレー栽培」～東京都桧原村
15日「農業食品はいかが」池山一男（松山市）
16日　ふるさと通信～青森局
17日「ふえるナイター農業」井上和衛（労働科学研究所）
18日「医療グループの十年」藤掛英夫（岐阜県可児郡医療協議会々長）
17日「新しい農業への提言」（青年農業者会議関連）～生きがいある村をきづくために～　伊東光晴（経済学者）、並木正吉（農業総合研究所）、阪本楠彦（東京大学教授）
18日「民具から見た雪国生活」勝部正郊（島根県立飯南高校教諭）
20日「ハワイセリを作る」堤隆（福岡県広川町）
話の広場　日 6・15～6・30 ①
17日「失われた生活道路」～鶏頂山開拓地
新しい農村　6・00～6・30 ②
17日「兼業化と農家のくらし」～農協婦人の集いから～
ラジオ農業学校〈講座〉　月～土 6・40～7・00 ②
11～13日「開発輸入を考える」逸見謙三（東京大学助教授）
14～16日「農業の組織化の再検討」小家健男（農業技術研究所）
18～20日「大型酪農への道」小林道彦（北海道酪農協会）
ラジオ農業学校　日 6・30～7・00 ②
17日　新時代の経営をめざす　上原常二（北海道長知安町黎明農場）、桃野作次郎（北海道大学助教授）

明日の農業へ向って 各種農業団体

全国農業協同組合連合会

農業への配慮薄い
日本列島改造問題に 農業代表が批判

政府の日本列島改造問題懇談会に農業関係から委員として参加していた宮脇全中会長、三橋全農会長、片柳農林中金理事長、池田全国農業会議所専務、東畑四郎日銀政策委員の五氏は、さきほど日本列島改造論に対して農業・農村サイドから意見書を提出したが、その内容はつぎのとおりである。

◇◆◇

日本列島改造の構想は工業の地方分散、過疎・過密の解消などにより、国土資源の有効利用と国土の均衡ある発展を図ろうとするものと理解され、その構想の基本的ねらいについては賛意を表するものである。またその施策の推進方策いかんによっては、農業・農村の今後の発展に大きな役割りを果たすものと考えられる。

しかし、この構想においては、わが国土の九割を持ち、人口の三割を占め、一億国民の必要とする食料の八割近くを供給しつつ、自然環境保全の役割りを果たしている農林業と農家については、その健全な発展と生活福祉の向上に関する具体的な施策に乏しく、かつ十分な配慮が払われているとは認めがたく、まことに遺憾である。

優良農地の確保

日本列島改造構想の実現のためには、都市と農村、工業と農林業などの各産業が、相互に密接な関連を保ちつつ均衡ある発展をとげることが必要であり、とくに国民生活の安定向上に果たす農業・農村のもつ役割りを積極的に評価して、農業・農村の位置づけを明確にし、農家が高能率な農業の建設と健康にして文化的な生活を享受し得るような措置が講じられなければならない。

農業は、国民食料を安定的に供給する使命がある。とくに構想に示された主要食料の自給率八〇％を確保するためには、農業の能率をあげ、国内で供給しうるものについては、極力国内生産によってまかなうという基本的考え方のもとに政策を進めるべきである。

このため、生産力が高く、機械化が可能な農地を優先的に確保し、農道の整備、ほ場区画の大型化、かんがい排水施設の整備などを行なうとともに、国有林の活用をふくむ草地造成などの農業生産基盤の整備を、一定の期間に目的を達成するよう、補助率の引き上げをふくめて画期的な規模で行なうこととし、このため長期計画を樹立して必要な公共投資を行なって、日本農業の根本的体質改善を進めなければならない。

農村の総合整備

日本列島の改造は、単なる物的な施設の再配置の問題として理解されてはならないことは当然であり、人間尊重、生活福祉を基調とし、また過去の開発が一方に過密化と公害を生み、他方に過疎化と農業の減退などをまねいたことの反省のうえに立ったものでなければならない。

このためには農林業、農山村が持っている自然環境の保全培養機能や都市住民に対する自然の提供などの機能が十分に生かされる必要があるし、都市と農村が相互の利点を補い合って、この両者が車の両輪のごとく整備開発される必要がある。

とくに、道路、上下水道など、生活関連の基幹的施設をはじめとした農村の生活環境整備は都市にくらべて著しく遅れており現行制度のもとではますます都市との格差が拡大するおそれがきわめて強い。農村に人を住まわせ、人間的なコミュニティを維持することは、社会の安定性の維持のためにきわめて必要なことである。

以上のような観点から、農村地域を総合的に整備するための計画を樹立し、新たな公共事業として「農村整備開発事業」を実施することにより、日本列島改造のなかで、都市と農村とが望ましい均衡をもって発展するような施策を講じるべきである。

土地問題の対策

日本列島の改造を進めるうえで、土地問題はとくに重要な課題である。第一は国土の有効利用と産業間の調和ある発展を図る観点からの土地利用の調整問題である。新しい都市造りと工業の地方分散などを進めるに当たっては、国土の九割を持つ農林業と農林業者の立場と意志を尊重し、十分な協議調整を行なってこれを進めることが、土地利用調整を円滑に実施するためには不可欠である。

第二は農地として利用すべき土地についての問題である。農地は農業生産の場であると同時に、農家の生活安定の場でもある。この農地の利用とその所有の安定を図るため、現行農地制度の基本的考え方は、これを堅持すべきである。しかし、農業経営規模の拡大などによる高能率農業の育成の観点から、農地の流動化を図るための所要の措置について検討すべきものと考える。

第三は土地を投機の対象としない措置、とくに法人などの投機的な土地取得の抑制措置を講じる必要がある。

なお、農業団体などが行なう農住都市建設のような地域開発の計画にそって、農業者が土地を所有したままで、集団で非農業的利用に協力し得るような措置を検討すべきものと考える。

楽しさは自分で探せ

富山県・砺波4Hクラブ 市山昭一

どういったグループに参加していたとしても、結果的には個人にとっては、楽しいものでなくてはならないように思う。

「4Hクラブってどのような人の集まりですか？」

よくそんな質問をされる。そこで、ぼくは「この地域の農村青少年の集まりですよ！」と答える。すると「おもしろいですか？」とくる。また、ぼくは「ええ、結構楽しいですよ」といつもニコニコして答えてきた。

しかし、現実は違うのだ。

"おもしろくない"と言ってやめてゆく人も多い。それではなぜぼくは楽しいと言っているのか。そう問いつめてみると、それも決して偽りではない。

なぜなら、自分で自分自身が楽しくなるようにしているからだ。たとえば、クラブ活動の写真をとったり、このような文をつくったりといった具合にだ。つまり、目的とはいえないにしても、なにかをつくっていることが楽しいのである。

人それぞれ、その活動に対して感じることは違うだろう。そして、楽しみの感覚も異なっているから、一概にこうとはきめつけられないと思う。

しかし、いろいろの活動を役員に任せっきりで「これをやれば楽しいだろうなあ――」なんて言っていてもちっとも楽しくないのは当然だ。役員だって神様ではないのだから、一人ひとりの活動を充分に面倒みるということは不可能だ。だから、われわれみんなが行動するよりほかに楽しみなんてあるはずがない。役員はただ、みんなの行動をまとめるだけなのだ。

役員も自分の欠点を理解し、できるかぎりみんなの声や行動をとり入れる必要はある。お互いに受け入れあって「楽しさ」を見い出してゆくのもクラブ発展の道だ。

第二回高知県青年の船に乗って〈2〉

印象的な広い畑地

咲き乱れる花の町マニラ

高知・中村4Hクラブ 佐竹房子

いよいよ憧れのマニラ到着。その日の午後、マニラ第一日目の視察がはじまりました。パトカーに誘導されて……といえばカッコよく聞こえるけど、信号を平気で無視し、いかにも"先進国"ということを見せつけたような感じで、何だかとてもイヤな気がしました。

トントラムコス。マニラ市街の中心部にある城壁に囲まれた中世風な一角で美しい花が咲き乱れ、とてもロマンチックなところです。カテドラル教会とフィリッピン最古の石造建築の聖オーガスチン教会を見て、わたしたちはマラカニヤン宮殿（大統領邸宅）へと向かいました。でも、下車時間は十分足らずしかなく、写真をとるのが精いっぱい。暑かったのでバスの中に走り込みました。マヤラ通りを過ぎ、サントトマス大学に行くと、学生を見つけてはさかんに英語で話しかける仲間もいました。

やがて、バスはキャボー通りをぬけ、一番にぎやかなタフト通りへ。キョロキョロ左右に目をやると、わたしたちのバスを見ては「ピース、ピース」とVサインで歓迎してくれる人たちが見えました。きれいに飾った八人乗りのジープニィという車（ジープ）がめだちます。

一時間のショッピングは、三軒の店にわかれて入りました。一ペソ四十七円、計算をしながらの買い物はなかなか忙しいものです。木彫りの人形やパイナップルの繊維で作った服、テーブルクロースなど、目移りするものばかり。

マニラ最初の夜は、現地青年八十余名を船内に迎えての交歓会。現地の民族舞踊がとび出したり、日本の歌も歌ってくれたりして、とてもすばらしい夜でした。

マニラ二日目。前夜から船内生活を共にしていた県知事や外務省代表、フィリッピン海軍楽団によって、リサール公園にての県知事儀式。暑くて暑くて、目はチカチカ、汗はダラダラとたいへん……。それから二時間、わたしたちはバスに揺られてタガイタイ観光へと。マカティコマーシャルセンター、高級住宅街、アメリカ記念墓地、ボニファッション要塞を通り、パランヤケ、ランピンヤスのジイプニイ工場を見学。車の両側にはパパイヤ、ココヤシ、バナナ、パイナップルの果樹が見え、ところどころハイビスカスの赤い花が印象的でした。

水田地帯では、まだ植えたばかりの稲もあればもう穂の出ている稲もとバラバラで、日本よりはるかに遅れているなと感じました。印象的だったのはどこまでも続く畑地。狭い耕地で農業をしているわたしたちにとってはうらやましくさえ思えました。でも、この青々とした美しい自然がいつまでもこのままの姿で残っているだろうか、近い将来きっと大きな建物が立ち工場ができるのじゃないだろうかと思うと、ちょっと惜しいような気がしました。まだまだマニラの農業はこれから。開発途上国といわれるフィリッピンですけど、わたしはすばらしいところだと思いました。

お昼前、シェラーグランデーレソルトに到着。傾斜地にあるお店や休憩所。ここでも美しい花々がわたしたちの眠気をさましてくれました。コレラ予防のため、昼食は船から持参。標高二千フィートから望むと、世界一低い火山やタール湖が見えました。おいしそうなバナナをガイドさんからすすめられましたが、これもコレラ予防のためダメ。「バスに酔ってしまいますから」と上手に断ると、「バナナとてもおいしい。日本人どうして嫌いなの？」――。

その日もまた一時間の買い物。これがマニラの最後の買い物だと思って、みんな思いきって使ってしまいます。「ペソを残していても替えてもらえないから、おつりはドルをもらうように」といわれていましたから、わたしも思いきって全部使い果たしました。

バスの中へ荷物を何回も運んでいると、出口のところで子供たちがニコニコ笑っていました。話しかけてみたいと思ったけど、通じなかったらいけないし、現地語を話されたりしたらますます困ってしまうのでためらってしまいました。何ともかわいい無邪気な子供たちでした。

午後六時、日本丸はマニラを出航。ガールスカウトや交歓会に参加した青年たちが見送りにきてくれました。ある事務所に勤務している青年が「あなたは学生ですか」とわたしに聞きました。「いいえ違います」とまではいえましたが、「農業をやっているんです」と、ただこれだけの言葉を、英語を知らないばかりにいえなかったことがとても残念でした。

このようにして、わたしたちはマニラから二人の女性と一人の男性を加えて一路香港へと出発したのです。

――次号につづく――

女性も目覚めて

実のない花嫁修業じゃ

福岡・山門地区 野菊会々長 与田藤子

「あなたは女子活動を活発にしていますか」と聞かれてもすぐに「はい」と返答できません。女子活動、女子活動といわれている現在、この女子活動とはどんなものなんでしょう。

現代のように著しく変化する社会情勢のなかにおいて、私たち女性はついとり残されがちになります。世の中に遅れをとらないように女性は女性としての勉強をしていくためにも女子活動は非常に必要なものだといわねばならないでしょう。

いまの女子活動の実態はというと、料理、お花、着付けなどの花嫁修業的な活動をしているのが現状ではないでしょうか。私たちは女性として何をなすべきなのか、考えなければなりません。

この問題を見失い、毎年毎年同じような活動をし、行事の消化に終っているというのが私たちの現状ではないでしょうか。それが、女子活動の伸び悩みにつながっているのだとも思えてきます。

活動停滞の原因は

では、その原因はなんなんでしょう。まず、学習内容のマンネリ化、そしてリーダーの問題、家庭とクラブの関係などをあげなければならないでしょう。これらの問題は、どのクラブでも同じことだと思います。

さて、最初に学習内容のマンネリ化について考えてみましょう。私たちのクラブのことで恐れいりますが、わがクラブでは、いままで学習内容についてはクラブの代表者である役員だけで話し合いをし決めてきました。しかし、これではダメです。みんなの意見が、クラブのなかに生きてこなければマンネリ化をさけることはできないでしょう。私たちも、マンネリ化の罠に自ら落ち込むようなクラブ活動を捨てました。そして、クラブ員みんなの意見を取り入れ、新鮮さのある実の多い活動をしようと決心しました。

ここにも問題はありました。というのは、みんなおとなしくあまり意見を述べないのです。これは私にも言えることです。意志表示をしないということは、つまり、何をなすべきか、どうしたらよいかという問題意識に目ざめていないということなのです。

こういうことをまずなくさなければなりません。それには、映写会や読書会などを開き、知識を身につけ、婦人会や青年会、それにほかのクラブとの交換会などをもち、多くの人の意見を聞き、視野を広げることが大切でしょう。

また、一般教養を身につけるという意味でも、単なる花嫁修業的なものだけというのは考えものです。料理、お花、お茶などで腕を磨くのもいいことです。しかし、私たちには、もっと実生活と結びついた問題もあるはずです。たとえば、料理と労働の問題、台所の改善、栄養についてなどです。単に腕を磨くこととこれらの問題を考えてゆくことと、どっちがよりよい花嫁修業となるでしょうか。

みんながリーダー

次はリーダーの問題です。私たちのクラブには適齢期の女性が多く、ようやくクラブにも慣れてこれからというときになると結婚でクラブを去っていきます。そういう状況なので、どうしても若い人がリーダーになりがちです。

リーダーは、クラブの和をはかり、クラブ員をうまく統率していかねばならない人です。だから、ある程度クラブにも慣れ、経験・知識ともに豊かな人でなければだめです。しかし、現在、女子のクラブでは、クラブ員減少、また、それに女性特有の問題など加わって、リーダー育成が非常に難しいのです。

それでも私たちは活動せねばならぬのです。リーダー不足なら、クラブ員全員がリーダーとしてやっていくべきでしょう。そして、クラブ活動を多くの人に理解してもらい、多くの会員を集めなくてはなりません。

親との話し合いを

最後に、家庭との関係です。仕事との両立が難しい、というのは女子クラブだけの問題ではありません。これは、クラブ員ならだれもが負っている問題でしょう。

難しい問題なのでスラスラと解くわけにはいきません。しかし、一般的に見ると、どうも私たちは親との対話が足りないようです。その結果、親がクラブに対して関心をもたなくなっているケースをしばしば見かけます。私たちは、まず、親に理解してもらい、地域に理解してもらわねばならないはずなのに……。

以上のようなことを念頭におき私たちは見かけばかりの花嫁修業的な活動から脱皮して、地域・世間を広く見つめてゆかねばなりません。そして、私たちは私たち自身の多くの問題にぶつかっていかねばなりません。前にも言ったように、それが真の花嫁修業だと思うからです。

農村の現状報告

出稼ぎ農民の死

黒木正彦

昨年の十一月末のことである。私の町から四㌔程離れた隣り町の栗野町で「知事と語る会」が開かれた。横川・栗野・吉松の県北部三ヵ町が対象で、会場の栗野小学校体育館には各町の町民がいっぱい詰めかけていた。知事への質問はあらかじめ打ち合わせしてあったらしく、鹿児島空港の開港にともなう道路づくり、社会教育振興の見地から青少年センターの建設、農業グループへの助成、標高七百の高原酪農も、だが、集落が多い標高五百の酪農の振興策などが要望された。各町で質問者を人選し、それも三人と決められていたようである。この三ヵ町は県北部に位置していて、とかく"県政の谷間"といわれていた所だけに、どんな質問や要望が出るかが注目されてもいた。しかし、大半の発言は時流におもねるいわゆる「要望」であった。県側の答弁は、これまた「善処します。考慮しています」というものであった。

いま農村が追い詰められ、どこに脱出口を求めてよいかという住民の側からの切実な訴えはなかった。そんなふん囲気の中でいまも私の心底に、焼きつけられるような思いで残っているのは、吉松町代表のYさんの発言だった。それは過疎が深化してゆく中における出かせぎ問題をどうするか、先日も有能な農民がやむなく出かせぎに行って、わずか十日働いただけで事故死して、冷たい死体となって帰ってきたという農民同士の共感にもとづく訴えであった。

"かけ足視察"という住民にとって、これほどいやな思いをする言葉はないが、進行係の県民課長もきわめて能吏的に県側の答弁をうながした。農にたずさわるものは、すべて雄弁でないといってよいが、Yさんの発言もとつとつとした口調のものだった。だがよく耳を傾けるならば、その重い語りかけの中に表現できない悲痛な心情が感じ取られたはずだったのに。

「県は出かせぎ者協会をつくり、出かせぎ先での事故死や病気、賃金不払いなどに対する保障をしようとしている。完全な出かせぎ対策ではないが、出かせぎ者の負担もわずかだから出かせぎ者全員の加入をお願いしたい」という答弁があった。行政者の優等生的な答弁。死んだ人の、また残された妻子のさらに中間を失った農民のやり場のない悲しみは、土から離れた人たちには、やはり他人事なのだろうか。血の通った行政とはいったいどんなものなのか。自問せざるを得なかったのである。

出かせぎに出てたった十日間働いただけで十一日目に、もの言わぬ"むくろ"となって家に帰った悲しい出来事については、小学六年の娘から聞いて知っていた。亡くなったNさん（四十歳）の子供さんと私の子供と同級生だったからだ。それだけに「知事と語る会」でのYさんの発言は、切実なものとして私の胸に響いた。Nさんは田四十アール、畑十アールの経営規模だった。五十アールといえば小規模農業だ。その決して広いとはいえない土地にNさんは、しっかりと立ち確実に種子を蒔こうとした。考えに考え抜いた道は、土地を最大限に活用する集約した農業への方向だった。

三年ほど前から施設園芸に取り組み、ハウスによるトマト栽培を手がけた。これでどうやらと思ったのも束の間、米の減反に加えてトマトの育苗が思わしくなく収入が激減してしまった。農協から借り入れた施設資金などの返済期でもあった。どんなに思案しても抜け道はなかった。結局は急場しのぎの出かせぎへと博多へ向かった。

農業が好きで夫婦とも働きもの。しかも近所の人から頼まれれば、いやな顔ひとつせず農作業を手伝っていた。出かせぎに行く前も友人の家を訪ね、いままでの精一杯の努力をしみじみとした口調で語っていたという。その友人も「こんな世の中だから親である私たちが苦労しよう。しかし子供は子宝というじゃないか。子供のためのがんばろう」と励まし送り出した。Nさんの気持の中には出かせぎ非業農家となることでなく、年を越してまた農業にもどり、経営の基盤を確立する生活の設計があったにちがいない。

新幹線のトンネル工事で、作業中、大型機械のバックホーンで下半身をトンネル内壁に押しつけられ、ひと言も言い残すことなく死んでいったNさん。残されたのは三十五歳の未亡人と中三、中一の女児、小四の男の子。まじめで誠実な農民が追い込まれていくわが国の希望のない農業を思わずにはおれない。ここにまた、目に見えない勢いと流れに押しつぶされた痛ましい農家の姿がさらけ出されている。

人の命は地球より重いとよくいわれる。だがいまの社会はほんとうに人間の命、生きる権利を尊重しているのだろうか。経済の高度成長がもたらした"ひずみ"が、どんなに農民の上に重くのしかかっているかを、痛恨の思いで感じる。環境保全とか、地域開発という言葉が、未来への希望をもたせるものとしてまかり通っている。だがその根底に人間が置かれない限り、こうした悲劇はなくならないのである。政治とか、政策というものが今日ほど人間としての農民から、はるかに遠いところで論じられている時はないように思えてならない。もはや農民は、"善処します、十分に考慮します"という"行政的言葉"を額面どおり受け取ることは、おのれ自身の問題として許容してはならぬのである。（鹿児島県姶良郡吉松町川西五六〇）＝農民文学第百十二号より

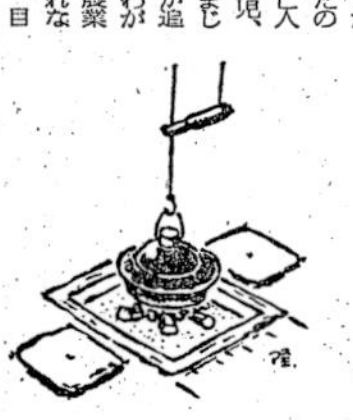

すべては無価値

心を吹きぬける虚無の風

兵庫県・西脇 農業青年クラブ 丸山良二

この世の中に、自分の存在価値や、目的、希望、抱負、意義などがまったくなくなってしまったとしたら、あなたはどうするだろう。それでも、あえて生きようと試みるだろうか。そう、仕事を終えたあとで一服しながら「よおし、生きよう！」と思うように。

おれにはどうしても納得できないことがあった。そして、おれはいままで納得できないままズルズルときてしまった。また、こんごもおれは、世の中の流れにまったく柔順に納得できないままに流れてゆくだろうことも知っている。

それは、あまりにも大きな流れであるためにさからうことさえあほらしくなってしまう。事実、あほらしくなってしまうほど大きな流れなのだ。そんな話こそあほらしいと言われるかもしれないが。

おれがいま納得できなくなっているのは、何を隠そう、働くということである。なんで働かなければいけないのか。男は妻をめとるために働かなければいけないとも思わないし、また、子供を育てるために働かなければいけないとも思わない。もちろん、憲法に勤労の義務という項があるから、働かなければならないなんてみじんも思わない。

おれはなんにもしないのが好きだとは言わない。だが、この世の中に精神や肉体をすり減らしてまでも打ちこめるねうちのあるものがどこにあるというのか。なんにもありはしない。あるのは、ことにあたる前の悲壮感とやったあとのけだるさだけではないか。

こんな現実のなかで、人は生きがいと充実感を見い出そうとあがいているのだ。そんなちゃちな自己満足のエゴイスティックで非人間的な悪あがきはやめろというのだ。世の中にはなにも存在しないのだ。言ってみれば無そのものなのかもしれない。もっとも、おれはそういう虚無の心境に到達したいと思っているだけなのだが。

詩

友よ

宮城県・名取地区 川村整市

友よ
この道の長いことを
なげくまい
友よ
この道の辛いことに
不平をいうまい
この道は長くとも
この道は辛くとも
あの山の向こうの幸が
私たちを待っていてくれることを
信じよう
だれもが汗したこの道だから
靴音高く
確かな足音を
友よ
大きく残して歩いていこう
この道は
想い出をうむ道
この道は
ふるさとへ続く道
友の汗がしみた道だから
幸の待っている
この道だから
友よ
さあ 友よ
心を開けよ！
その夢を大きくのせよ！
この創造への道を
友よ
肩をくみたい
手を握りたい
そして
一緒に歩みたい

笹笛

日常生活の地割れ

《十二月四日、午後七時十六分ごろ、八丈島を中心に関東、東海、中部、東北地方に強い地震があり、八丈島で新潟地震なみの震度6（烈震）を記録、東京など関東南部では軒なみ同4（中震）》

この地震に遭遇した人はもちろんのこと、そうでない人もごく最近のことなので、こんな新聞記事を憶えておられるかもしれない。

過密都市・東京を大きく揺すぶったあの地震。ある人は、超高層ビルの四十七階で青ざめたという。また、事務所で仕事をしていたある人は、あわてて机の下にもぐり込み無事を祈ったという。路上で電柱がグラグラ揺れるのを見ていた人もいたという。地下鉄のなかで恐怖に頬をケイレンさせた若者も……。

ぼくはそのとき、ある中華料理店で夕飯を食べていた。地をはってくるような騒音に気ずいたとたん、ぼくの体は上下に、そして左右に大きく揺れていた。ウワァ、これは大きい――ぼくは箸を投げ捨てて店を飛び出した。この地震で死ぬかもしれないいまとなって飯がどんな意味をもつというのか、とぼくは考えた。店にいたほかの客も、店員さんもみんなぼくのあとに続いて飛び出してきた。店員さんにしても仕事が仕事であることをやめた一瞬だったのだろう。

《愛する人間の肩ごしに見るとき、どうして事物はこうもむき出しに、くっきりと周囲のものから分離して見えるのだろう》

これは、アメリカの若き作家E・ウォイウッディの「ぼくのしたいと思うことは」という小説の一節である。ぼくは彼の言葉をこうもじってみたかった。《グラグラとすべてを揺する地震の肩ごしに見るとき、どうして事物はこうもむき出しに、くっきりと周囲のものから分離して見えるのだろう》と……。

そう、あの地震の間、すべてのものはその存在をむき出しにしていた。われわれが負っている共同幻想の姿さえもくっきりと分離して見えた。それは、気が遠くなるような恐怖の一瞬であったと同時に、すべてのものから解放された一瞬でもあった。日常生活のなかに咲いた黒い一輪の花を思わせた地震。時間のない時間。世界でなかった世界。

地震はぼくらをせせら笑うような軽い余震を残して去っていった。ぽっかりと分断された日常生活の空白部分に、せきを切ったように流れこんでゆくわれわれの時間。なかばのびかかったラーメンをすすりながら、ぼくはクスン、クスンと笑うことしかすることがなかった。（野）

日本4H新聞
4Hクラブ
農事研究会
生活改善クラブ
全国広報紙
発行所
社団法人 日本4H協会
東京都港区西新橋1の5の12 佐野ビル 〒105
電話(591)1817・3683
編集発行 玉井光
月3回・4の日発行
定価 1部 35円
一ヵ年 1200円（送料共）
振替口座 東京12055番

クラブ綱領

私達は、実践を通じて自らを磨くとともに、互いに力をあわせて、よりよい農村、よりよい日本を創るため、四つの信条をかかげます。一、私達は農業の改良と生活の改善に役立つ腕をみがきます。一、私達は科学的に物を考えることのできる頭の訓練をします。一、私達は誠実で友情に富む心をつちかいます。一、私達は楽しく暮らし元気で働くための健康を増進します。

会館問題新たな局面へ

今こそ組織強化を

後期中央推進会議　"会員の減少"を全体で討議

さる十二月八日から十二日の四泊五日間、全国4Hクラブ連絡協議会（会長　松浦幸治君）と社団法人日本4H協会（会長　宮城孝治氏）では、静岡県御殿場市の国立中央青年の家で「全国4Hクラブ後期中央推進会議」を開催した。この会議は、4Hクラブ活動の推進を図るため、次期リーダーを主たる対象とし、4Hクラブの本質・理念、リーダーのあり方などについて研修を行ない、その実践的学習を習得することを目的としたもの。とくに今会議は、4Hクラブの組織とリーダーに的をしぼり、クラブ員の減少などについて多くの研修がもたれた。めまぐるしく変動する現代農業のなかで4Hクラブ活動はどうあるべきか、また、クラブリーダーは、一クラブ員は、などという問題提起と研究討議の声が、間近にせまった真白き富士山に若々しくこだましていた。なお、参加者は県連会長、次期リーダーなど百六十名。

「これからのクラブ活動について、ぼくは……」と真剣な表情で意見を述べる参加者＝全体報告会々場で

第一日目は、受付、オリエンテーションのあと午後二時二十分から、菅忠義全国農村青少年教育振興会常務理事による「4Hの本質とクラブ活動」というテーマの講義があった。参加者は氏の情熱的な講義を真剣に聞き入っていた。

夜に入り、松浦会長から「全国4Hクラブ連絡協議会の活動について」の説明があった。次期リーダーたちは全協の方針などについて、執行部と活発に意見交換。

第二日目は朝九時から「組織とリーダー」と題する講義。講師は国立青年の家の方で、どんな組織にも見られる問題点やその役割などについてくわしく説明した。参加者たちは「組織一般のリーダー論から4Hクラブリーダー論」へと考えをまとめ、講師にいろいろな質問をし、新たなるリーダー論を模索していた。

午後は分科会。テーマは各分科会とも「4Hクラブ活動の現状と問題点」であった。参加者は、クラブ員の減少問題、4Hの本質問題、プロジェクトの認識不足の問題、指導機関と自主性の問題、ユウレイ会員の問題などを主な議題に具体的な現状などをあげて激しい討論を展開した。この問題は翌日の全体報告会でふたたびとり上げられ、こんどは参加者全員で討議された。ここでは、4Hクラブ活動自体の問題も出されたが、さらに農村の高齢者化や都市化、過疎化といった日本の農業・農村の問題にまで発展し盛り上がった。日本の農業状勢から見て、ユウレイ会員がふえたり、クラブ員が減少したりするのはやむを得ないといった意見から、それゆえに4Hクラブ活動の強化が必要という意見までさまざまな見解が出された。

二日目の夜は日本4H協会から草の根大使として米国に派遣されていた原田茂光君（山形県・コナムクラブ）と堤千恵子さん（福岡・県木4Hクラブ）の二人から、米国での研修の報告会があった。二人ともスライドを見せながら、アメリカでの農業体験を参加者たちに披露。

第三日目は九時から全体報告会のあと、海外農業開発財団の中田正一氏より「プロジェクト活動の意義と進め方」と題する講義があった。

参加者たちは、中田氏の「農業の原点もプロジェクトの原点もともに開拓者精神にある」という言葉を胸に刻みこむようにメモをとっていた。

午後から参加者は①道府県連会長会議②日本4H新聞連絡報道員研修③女子クラブ員研修④事業計画のたて方（男子クラブ員研修）に分かれての研究討議に入った。

会長会議では日本4H会館の建設問題が最大のヤマ。全協執行部が「会館建設については、現在のところ白紙である」と腹を割って各県連会長に経過を説明。それに対し、各県連会長たちは「なぜもっと早く報告しなかったか」と執行部を批判しながらも「よく、腹を割って説明してくれた。われわれも白紙の状態からがんばる」と執行部に全面的協力を申し出て、会場は熱い雰囲気につつまれた。

なかでも、募金額百パーセントを達成した高知県連の白石智之会長は「全国のクラブ員が待ち望んでいる会館のために」と残額の七十数万円を席上で執行部に手渡した。同じく百パーセントを達成している香川、滋賀の両県も早急に残額を全協執行部へ送金することを約束した。そのほかの県連も現在手持ちの募金額を、来年の三月十日を最終期限に全額送金することを申し合わせた。

また、こんご日本4H会館建設委員会をより強力なものにするための方法も議論され、規約の一部を改正することやメンバーの補強などが話し合われた。

この会議に出席していたある県連会長は「いままでに、こんな盛り上がった会長会議はなかった。この意気込みをもってわが県も全力をあげて募金活動を推進する」と感動的に力強く語っていた。

なお、同会議では、日本4H新聞の普及推進運動、全協の事業方針なども議題にのぼり、全員が前向きの姿勢でそれらに臨むことを申し合わせた。

同時に進行していた日本4H新聞連絡報道員研修では、機関誌の意義や役割、連絡報道員の任務の重要性といった問題を討論。夜はおのおのが実際に記事を書いて割付をし、新聞を作り実践的な研修を行なった。

一方、女子クラブ員研修では、「家計簿の正しい記帳と活用」を研究した。講師は、家の光家計簿コンクール優秀賞受賞者の小川ゆき子さん（農家主婦）と有田よし子さん（同）さんの二人。両講師とも、簿記のつけ方をはじめ、家庭生活や農村女性の生き方などについて体験談を交えて語り、農家における女性の役割の重要性を女子クラブ員たちに訴えた。そのあと、簿記記帳の実技を行なった。

事業計画のたて方（男子研）では、六～七人のグループに分かれ、クラブをとりまく情勢、クラブ員の動向を正しく把握する力を養いながら実際に行事計画表を作成。それは「次期リーダー研修会」として来年二月十日から二泊三日間にわたり国立中央青年の家で開催される予定である。

第三日目の午後からは「日本農業の現状と問題点」というテーマで小倉栄三氏（全国農業協同組合連合会企画本部）の講演があった。氏は「現代の農業経営者は一人ひとりがバラバラではダメだ。システム化し、みんなが能力を発揮できるような組織を自ら創立してほしい」としめくくり、クラブ員をうなずかせていた。

夜は各ブロックの代表の自主的な運営によるキャンドルサービスでお互いに親睦を深め合った。

最終日は、青年の家の山本氏より「レクリエーションの意義とすすめ方」と題する楽しい講義。十一時から反省会・閉会式を行ない、四泊五日間にわたった実り多い、こんごの4Hクラブ活動の新しい転機ともなるべき推進会議の幕を閉じた。激しく降り始めた雨の中を、参加者たちは成果を胸に全国へ散って行った。

涼風暖風

子供に教えられた大人達

"尚君、年はいくつ"
"一年生だね"
"えっ"
"そう"
"何をして遊んでいたの"
"ウルトラマン……"
"どこで？"
"忠雄君だよ"
"いつも遊ぶ倉庫のそば"
"どうして、あそこを通ろうとしたの"
"うん"
"そこは横断歩道でないでしょ、どうして出たの"
"いつも通っているところだもの……。"
"大人の人も通っているところだよ"
"渡るとき手を上げたの？"
"あげなかった"
"自動車の来るのに気がつかなかったの？"
"わからなかった"
こうして、いくつかの一問一答が続いたあとに
"……………"
"叱ってもいい？"
繰りかえされて来た。
"いけない"
"どうして？"
"いつも何か持って来てくれるから……"

小学校一年になる甥が、自動車にはねられ、左足を三ヵ月複雑骨折で入院という知らせに驚き、取るものもとりあえず病院にかけつけてみれば、白いベットの中に元気を失いうずくまっていた。あいにく父親は長期外国出張で不在、母親は子供の怪我にあわてるばかり……。そうして五日程たったある日、警察から調査を取りに来たおまわりさんとの一問一答である。

ここ数日、息もたえだえ、小さい体は痛みとの戦いで、つらい思いをした後のことであるが、この問いに対する答えを聞いていて大人どもは確かに、そして正直に答えるものだと顔を見合せていたのである。そして最後に、"この小父さんを叱ってもいい？"という問に対する答にはギクリと来た。あれ程痛い思いをし、苦しめられたのに毎日見舞に来てやさしく声をかけ、好きなものを持って来てくれる小父さんの行為については、憎めない子供心を知ったのだった。そして、車でひいたことと、親切にすることとは、子供の頭の中には一人の小父さんとしては結びつかないこと、そして、一人の小父さんという姿には組み立てられないことを知った。子供の心に感ずるものは、直接的な行為としてだけうつるものなのだと大人どもはしみじみ感じたのであった。

"坊主憎くけりゃけさまで憎い"といった思いを抱く大人の心を反省させられるとともに、正直な子供の心に接し、大人達は大いに反省したのであった。（T）

クラブ員大ハッスル

山口県主催による　恒例の「農業まつり」

「あすの農業をつくる」を統一テーマに、山口県主催による恒例の「農業まつり」が、さる十一月二～四の三日間、山口県農業試験場を主会場として小郡町、防府市で盛大に開かれた。この大会には山口県農村青少年クラブ（会長　白松博之君）も参加。収穫感謝祭、4H展、即売会をひっ下げて、地元の人たちの評判をさらった。

甘酒で景気をつけてはワッハハ…お笑い講にはみんなもつられて爆笑＝収穫感謝祭

収穫感謝祭は、サブタイトルが「あすを担う若人のつどい」とあるように、県下のクラブ員を筆頭にことし新しく農業に就業した農村青年や新婚夫婦、中堅農業者などがあい集い、本年の収穫を感謝するとともに農村青年による対話集会、郷土芸能などを通じて新しい地域農業創造の足がかりにしようというもの。二、三の両日に開かれた感謝祭の三百五十余名の参加者は、あすの農村の発展を祈念するとともに、会食しながら相互の意見を交換し合った。

当日は小雨のちらつくあいにくの天候だったが、五時の打ち上げ花火を合図に開会式に突入。主催者、来賓あいさつのあと火の儀式などがあり、いよいよみこしの登場。「ワッショ、ワッショ」のかけ声もいさましく、パネルで組まれた特設舞台の上にみこしが置かれると、こんどは提燈に「祝収穫感謝祭とあすを担う若人のつどい」の文字が記入される。ボンボリなどすべての照明が点火され、「あすの農業をめざして」と、吹田県議会農林委員長が乾杯の音頭をとって立食会が始まった。テーブルの上には料理や果実、牛乳、甘酒などがふんだんに並べられ、参加者は暖かいオデンを食べながら南ば音頭、よいしょ小節などの郷土芸能を鑑賞した。

中でも人気を呼んだのが防徳地区が行なった"お笑い講"。「ワッハハ、ワッハハ」と、羽織はかまの二人が向き合い、甘酒で景気をつけては、太鼓に合わせての大笑い。これには会場もつられて爆笑の連続だった。また、来賓で出席していた青い目の外人さんも飛び入りでハッスル。特別ゲストの阿東町のバンド、レイモンド・シックスは歌や演奏で会場をわかせていた。

収穫感謝祭の二日目は「新しい村づくり」をテーマに対話集会が開かれた。

4H展では、4HのPRと現役クラブ員の4H再認識を重点に進められ、意識調査、プロジェクト、結成、機関紙などが展示された。中でも、離農していく若い人たちの考え方や、困難な状況の中で農業を選んでいく仲間たちの考え方を探ろうとする下関地区協の意識調査は、今日的な問題を扱っただけに関心を集めた。プロジェクトの発表では、「畜産公害に対応するための豚の糞尿処理」と題して宇部地区協の正司邦晴君が、「キュウリの誘引の方法」と題して宇部地区協の遠山時彦君が、「花木結束機の作り方」と題して下関地区協の田村秀行君が、「林内運搬車の作り方」と題して阿武萩地区の上村忠君がそれぞれの成果を発表し、さかんに喝采を浴びていた。

即売会では、4Hクラブ、普及所、農協などが一致協力。地区協別に新鮮な野菜や果実、無公害加工食品が市価よりもグウーンと安く売られ、主婦や若い娘さんたちを喜ばせた。とにかくマージンよりもPRが第一という"4H商法"に即売会は大盛況。あるクラブ員は「あまり消費者と話し合うことができなかったが、外観よりは中味が大切だということを十分にわかってもらえたと思う。また、われわれの作る農作物を知ってもらえたことは大きな収穫だった」と話していた。（須内和明連絡報道員発）

あの視点　原田正夫

去りゆく人にも手を
クラブとリーダー〈13〉

先般、霊峰富士のすそ野にて全国各道府県より次期リーダーが参加して中央推進会議がひらかれた。この会議を前にして全協役員が意図したものは、まず第一に今日、クラブ活動が続けられている中で、クラブ員が、リーダーが、抱いている悩みは一体何なのか？「クラブ活動の現状と問題点」そして「その解決方策は……」ということを意見交換を通して見出してもらおうということであった。結果的には運営する側の甘さと参加者の問題意識のなさ等々が重なりあって解決方策まで追求しえたとはいいがたかった。

けれども、今、全国的にみてクラブ員の減少の問題が共通した大きな悩みとなっていて、その対策に単位クラブのみならず県連段階でさえ決定的なものを見出せずにいることがアンケートを含めてはっきりわかる。

ゆうれいクラブ員というクラブ員の問題を含めて、クラブ員の減少はやむをえぬことだとする声が全体会議を支配していたように感じられた。農業青年、農家女性で構成されている現状の中では、都市化、出かせぎ、過疎、自立経営のむずかしさなどから農業をやめてゆく、あるいは消極的になってくるというタイプがひとつ。

もうひとつのタイプとして、クラブ活動に魅力を感じない、おもしろくない……からクラブをやめてゆく、あるいは消極的になってゆくというのがある。

前者のタイプは、諸般の農業事情からみて、確かにやむをえぬ一面もある。私の住む大阪では、十年前にはやる気がなくても農業はやれた。五年前にはやる気なくしてできなくなってきた。しかし今はもはやる気があってもできないという激しい都市化現象がおきている。激しいなんてもんじゃない。どうにもできない要素もある。しかしながら一人ひとりの持つ問題の中にはクラブの力、仲間の力で何とかできることだってあると思える。例えば都市化におそわれ悩む彼のために奈良県に安価で環境の良い土地がある、そこなら通勤農業もできるゾ…と。京都にもあるからどうだ…と。組織が一人のために農業に取組む熱意の生かせる土地をみつけてやるコンサルタント的役割はできないものだろうか。これは極論かもしれぬ。じゃ、こんなのはどうだろう。規模拡大をしなくては自立経営はむずかしい。さりとて資金がない……という彼のために資金借入れの方法や制度を研究し、教えてやるということは、ひとつ彼のためのみでなくみんなの勉強にもなるだろう。やめてゆく彼に対しては、農業以外のふさわしい職業をさがしてやることがあっても良かろう。

『消極的な者や、やめてゆく者は、もう仲間じゃないんだ！』とでもいうような考え方は私は嫌いだし、4Hの精神にもとずいて活動しているのなら、そう簡単に割り切って考えられるものでもなかろう。

クラブがつまらないというようなことからやめたり消極的になってゆく者に対しては、じっくり腰をおちつけて、彼の考えるクラブのあり方などをきいてやろうじゃないか。きいた上でおもしろくないんならおもしろくなるようにみんなといっしょに行動するようにむけるのがリーダーの腕のみせどころじゃないのだろうか。話し合うことなしに去る者は去れ……じゃあリーダーの責任も何もあったものではない。

クラブにも、農業にもファイトをもってぶつかっている優等生より、あざみちで悩む問題児を良い方向にヘンシンさせたとき、リーダーとしての喜びが感じられることを私は知っているつもりだ。（全国4Hクラブ連絡協議会副会長・大阪）

逆境の仲間に助っ人

宿毛市4Hクの4人が　ミカン園を消毒

【高知】夫は病死、頼みの息子は交通事故で入院――と二重の悲劇に見舞われた一家に息子の仲間四人がやってきて、遅れていたミカン園の消毒などを片づけてくれた。家人は「おかげで大助かり。これで息子もゆっくり治療に専念できます」と感激している。

じつはこの一家、宿毛市に住む4Hクラブ員の成田哲夫君の一家。成田君は六月に交通事故にあい、父親の順吉さんも七月に病死というたび重なる不幸に残された家族は打ちひしがれていた。

そうこうしているうちに、ミカンは収穫の時期を控えて腐敗防止の消毒をしなければならなくなった。しかし女手一つでは広くて急傾斜のミカン園での作業はとても無理。「ことしはミカンもだめか」と途方に暮れていたところへ哲夫君の仲間、宿毛4Hクラブ果樹部の羽賀久道君ら四人が「おれたちが哲夫君の仕事を」と、消毒作業の奉仕を買って出た。

クラブ員たちはそれぞれ仕事を分担、噴霧器を使って一・二㌶のミカン園の消毒を行なった。まる一日がかりの労働だったが「困ったときはお互いさま。同じ農業後継者として当り前のことです」と疲れも見せずに張り切っていた。

二時間で売り切れ
川辺町4Hクが即売会

【岐阜】「安いわねー。この白菜一袋と卵二ケースちょうだい」――さる十一月十四日、加茂郡川辺町4Hクラブ（会長　武市義博君、会員十一人）は、自分たちが生産した白菜、大根、カブラ、ニンジンなどの野菜をはじめ卵、カキ、漬物、観葉植物、菌を打ち込んだシイタケ原木やイチゴの苗などの即売会を開いた。

買い物カゴを手にした主婦らがドッとつめかけ、「新鮮だ」「安い」と大好評で、用意した品物は約二時間で売り切れた。

心頭技健

いろいろと話題の多かった一九七二年も終りを告げようとしている。クラブ員のみなさん方は、この一九七二年のいくばくもない日々をどのような気持で過しておいでだろうか。こんなことを言っていると、「忙しくってそれどころじゃない」とおしかりを受けるかもしれぬが▼さて、ことしはある意味において「日本列島改造論」で明け暮れた年といえよう。先日行なわれた総選挙も"列島改造選挙"とまで呼ばれたほどである。その「日本列島改造論」が農村・農業関係に与えた波紋も大きかった▼今月の八日から十二日まで御殿場市の国立中央青年の家で開かれていた後期中央推進会議でもやはり「列島改造論」は話題の中心であった。とくに、十日の総選挙と十一日の開票の日などは、食堂のテレビの前はクラブ員でいっぱい▼「列島改造論」の是非をめぐってテレビの周辺はちょっとした討論場といったところであった。雑談的ではあったがクラブ員たちの生活のなかから出てくる農村・農業観を通しての「列島改造論」には、重々しい迫力がみなぎっていた▼「道路、交通網が整備されるから将来の経営に有利」「いや、公害や労働力、また土地の問題などはどうするんだ」などといろいろの意見が出ていた。この食堂では、政治が日常生活そのものであった▼現代社会の特徴の一面には政治が日常的でないというのがあった。しかし、それが「日本列島改造論」によって日常的次元で政治が語れるようになった。これはいいことだ。もっとも、政治を日常生活の次元で語ることが、より深い疎外への第一歩にならなければの話だが……。

お祝いの演劇

那須4Hクが十五周年記念祭

【栃木】那須町青少年クラブ協議会（会長　高久栄一君）では、さる十一月十九日、クラブ結成十五周年を祝う記念祭を同町農協会館で開催した。

この記念祭には、クラブ員が作った農産物の品評即売会、バザー、写真、書道、絵画、手芸展などが合わせて行なわれ、好評を得たほか、クラブ員の演劇も披露され、町の人たちのかっさいを浴びた。

負けてたまるか4H根性!!

赤松 宏 ▶ 9

さあ、始動開始! 教育のエンジンに点火を

リーダーとしてまず必要な条件は「専門的な知識と実際的な経験を有する」ことであるということは前回でわかっていただけたかと思う。つぎに必要なのは、仲間や同時代の青年に対してリーダーはそれらの時期の教育に対する熱意を教えることに関心、興味をもっていなくてはならないということだと思う。

前に述べたかと思うが、いくらその専門的な知識や実際的な経験があったとしても、それを適切に教えることができないとしたなら、教育的な観点からは何の意味もないのである。

「教える」とはどんな意味なのか……。こう筆を取っている私もときどき考えさせられる点が多分にあるわけだが、簡単に言ってみれば「動作を要求する」「動作を与える」ためのものというのが適切かもしれない。

この行為を車に例えてみよう。専門的な知識や実際的な経験は、車でいえばエンジンの部分に当たる。エンジンには多くの青年が教えを受けなければならないものがすべて含まれていると考えていい。車のエンジンは車を動かすものであり、教育の中のエンジンには多くの青年が教えを受けなければならないものがすべて含まれていると考えていい。つまり、教育のエンジンは人を動かすものなのである。

ここで車のクラッチについて考えてみていただきたい。たぶんクラッチの意味は「エンジンの回転を車輪(ホイル)に伝えたり、それを切り離したりする役割」だったと記憶している。それによって車輪はエンジンの動力を受けて前進なり、後退なりする。こう考えていくと「教える」ということは車のクラッチに相当し、教えを受ける仲間やクラブ員は車輪に当たることになると思う。まあ、他にもさまざまな要素が重なって車は動くのであるが、この大まかな原則と同じように「動力」「教え」「行動」の関係が教育の意味するところだと考える。

車の速度はずんずん増していく。そのつどクラッチを踏み、エンジンは十分なのがなくてはならないはずだ。エンジンの力とはさきにも述べたが、「教育への熱意」なのである。だからこそ、「知識や経験」をかみくだき、教えるための要素にすることが大切なわけである。教育する者の、リーダーとしての生命は、いろいろな事実を教えるための要素にできるかどうかにかかってくるわけである。

こんなふうに理論だてていうと、「ぼくはとてもリーダーには……」という人もいるかもしれないが、難かしく考えずにやさしく考えて下さい。いま、あなたのクラブに一人の農学博士がきたとします。その人はあなた方のリーダーになれると思いますか? きっとあなたは「NO」というだろう。その通りだと思う。なぜだろう、考えてみていただきたい。

いま、各リーダーと称される先輩たちを思い浮かべてみますと、その先輩たちの名リーダーたる秘訣はつぎのようなところにあったのです。それは、「だれにでもできることでありながら、だれもが気が付かずにいて重要な意味をもつもの」をテーマに選んで教えていることなのです。言葉でいうといとも簡単なことですが、これが実際にはなかなかむずかしい。クラブを運営する―という気ばかりが先走ったら、「教育」という言葉から遠のくばかりである。

私の接する自称リーダーという連中の中にも、実にならないものを教えている連中がたくさんいるような気がする。私もただ無我無中で過ごした期間に、多くのあやまちをおかしてきたように思う。私と接した仲間の諸君、許せるものなら許してほしい。いま、こんなふうに「教える」ということをまとめてみて、私は改めて相当の熱意で研究し、その上にたって教えることに関心をもっていかなければならないことに気づいた。それとともに、適格な判断と基本原則を守っていくということがつけ加えられることはいうまでもないことである。みなさん、本当の意味で、熱意と関心をもってがんばって、ほしいと思います。そんなリーダーにはきっと仲間がついてくるものです。

「教育のエンジンは人を動かす熱意…」と教える筆者(中央)

いままでは「教える立場」について強調してきました。今日、教える者と教わる者、受ける立場と与える立場といった関係には、「断絶」という言葉がはやっていますが、つぎに考えてみたいことはそのことです。それは、「断絶」のなかにほんとうの意味での教えがあるだろうかと考えるからです。

もし、あなたが教える立場、リーダーであるなら、つねに忘れてほしくないのは、教えようとする、リードしようとする人間への理解とユーモア、友好の精神をもって接していただきたいということなのです。理解といってもまちがった理解は、むしろ逆に何もしないより良くない結果になってしまいます。

とくに私は、理解する場合、さきにも書いたような特徴をしっかりとつかんでいただきたいことと、その年代における心理を十分に知る必要があると思います。リーダーになるためにはまずあなたに心理学者になっていただきたい。

心理学者といっても、学問的にどうのこうのと要求する気持は私には毛頭ありません。気持と特徴をしっかり理解していただきたいということなのです。それには、青春の書をより多く読むことと、より多くの仲間と接することによって、体で仲間や教える相手を知る必要があります。ユーモアはそれらを受け入れてもらうのにとくにすぐれた効果を発してくれます。また友好の精神はつねに好意をもって接することを許してくれます。

ほんとうに感じあえるリーダーと仲間たちになる努力を忘れずにみつめていきたいものです。(題字も筆者・北海道4Hクラブ連絡協議会前書記長)

雪原で暖かい交流

北海道の網走支庁 女子リーダー研修会

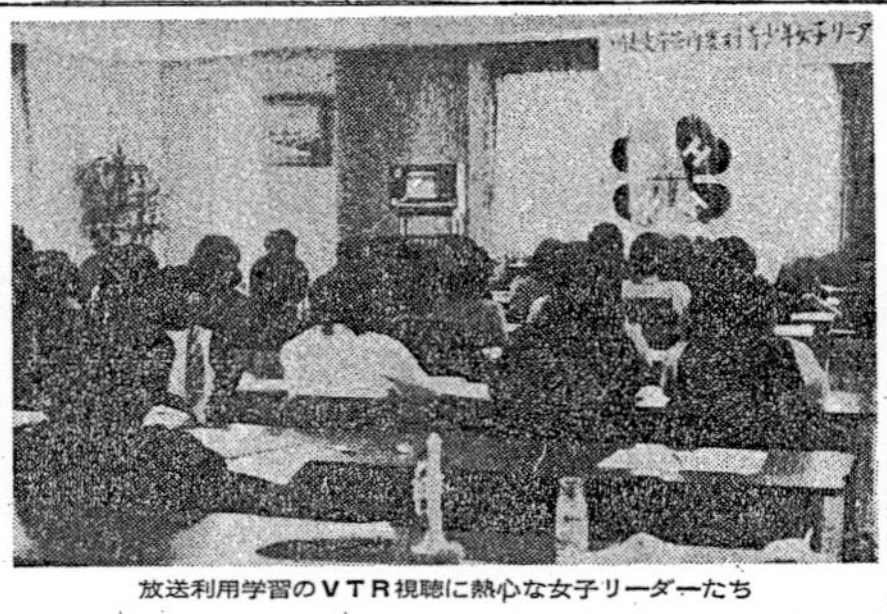

放送利用学習のVTR視聴に熱心な女子リーダーたち

【北海道】師走に入るやいなや二日間ぶっ続けに道東を派手に荒し回った猛吹雪。このため、各地で高圧線の倒壊、電話線の切断などが相い次ぎ、鉄道・国道も不通となった。その低気圧がやっとオホーツク海に抜けた十二月四日から五日の一泊二日間にわたり、道東の網走支庁管内4Hクラブ連絡協議会では、「第二回女子クラブ員研修会」を開催した。

この研修会は、日ごろ農村の生活改善や環境美化向上に努力している青少年女子リーダーのより一層の活動の促進をはかることを目的として行なわれたもので、会場にあてられた留辺蘂町温根湯温泉のホテルには、管内各地から色白の北方美人約五十人が参加。エゾムラサキツツジの群落で名高い北国の小さな出湯の町にもう一つの花を咲かせた。

初日「明日の北方農業に寄与し、明るい農村を築く原動力となるためお互いを磨き合おう」という主催者代表のあいさつを皮切りに花やかな研修の幕が開いた。開会式のあと元農林大臣秘書で現在は農家の主婦という工藤忍さんが「農村の人間関係」と題して講演。

工藤さんは東京生まれの東京育ち、都会人肌の工藤さんだったが、農林大臣の秘書を勤めるうちに農業を身近かに感じるようになったという。そして、夢多き雄大な北海道の農業に生きる決意をして五年前に留戸町の農家の主婦となった。工藤さんはそのような自分の体験をもとに、農家育ちの女性とは異った視野から、農家の嫁としての立場や身近かな人たちとの人間関係について熱心に語り、女子クラブ員に深い感銘を与えた。

レクリェーションでは、NHK北見放送局の天野英彦氏による歌唱指導。天野氏のアコーディオンに乗った女子リーダーたちの美しい歌声は夕焼けに染まった白銀のシルエットの彼方にこだました。

一時間たっぷりと歌い込んだあとは、「近代社会でのエチケット」と題しての大内政恵北見料理学校長の講演。言葉の使い方、食事のマナーについてなどを学習し、レディーとしてのたしなみに一段と磨きをかけた。

夕食では自己紹介をかねた余興の披露があり、ビールやコーラで大はしゃぎ。運営を陰ながら手伝った数少ない男子クラブ員も"多勢に無勢"、いかんともなくショボリしていたとか……。

夜の自由時間はダンスやボーリングを楽しむクラブ員、彼(?)へのおみやげを楽しそうに買いこむクラブ員、女子クラブ活動の今後のあり方を熱心に語り合うクラブ員などさまざま。白い湯煙りだけがいつもと変わらず、静かにふけゆく湯の町の夜にゆっくりと立ち登っていった。

二日目は、八時半から放送利用学習。『七〇年代われらの世代』から「男と女」、『明日への記録』から「心の過疎」、『明日の村づくり』から「新しい夫婦像」と、三番組をVTRで視聴。また、「近代農村における女性の役割および立場」について、4HクラブOBの三組の夫婦から貴重な意見を聞き、熱心な討論を行なった。

農村女性とウーマンリブ、新しい家庭に入っていく不安、女性の冬の習い物について男性はどう考えるかなど、現代の世相を反映した意見が多く出された。

とくに、「家庭というものは、男の強い手と女のやさしい手、そして二つの真心で作られるものです」というOBの話には女子リーダーすべてが胸を打たれたようで「この厳しい雪原に幸せな家庭と明るい農村を築き、未来の花を咲かせよう」と、目を輝かせながら誓い合っていた。

三時間以上に及ぶ討論会を最後に研修会は終了。寝食をともにした女子リーダーたちは、次回での再会、交流と交歓を約束し合い、地域農村のよき担い手となるべく思い出多き湯の町をあとにした。

(網走支庁管内4Hクラブ連絡協議会・上田和利連絡報道員発)

富山のクラブ員が福岡へ研修視察

八女西部地区連が受け入れ

【福岡】八女西部4Hクラブ連絡協議会(会長 中村光雄君)へさる十一月十九日から二十二日までの三泊四日間、富山県の4Hクラブ員三名が視察研修旅行に訪れた。

十九日の午前十一時三十分に一行は久留米へ到着。その足で三人は阿蘇へ観光旅行に出発した。その夜は筑後、八女、立花の各クラブ員宅へそれぞれ分宿し、お互いに地域の農業や村の話などを語り合って交歓した。

二十一日の朝九時から、三人は地元のクラブ員に案内されて立花町のみかん園、八女の電照菊、茶、花の谷のぶどう、久留米のつつじなどを視察して回った。その夜は七時三十分から八女西部普及所研修センターで、地元クラブ員たちの歓迎会に出席して大いに友情を深め合った。富山と福岡のクラブ活動状況の説明や農業経営の問題点などについても活発に意見交換するなど有意義な歓迎会であった。

(中島次平連絡報道員発)

時評

情報時代を考える

現代は情報化社会と呼ばれ、情報過多とまで言われている。それでも、私はまだまだ情報不足で、また、知識なども片寄りすぎていると思っている。

私は、そんな情報の渦の中で生きていてフト思う。これだけ情報が反乱していても報道の自由、思想の自由は表面だけのことではなかろうかと……。

教育水準が上がり、物質の豊富な現代社会のなかで、ひとつの力が働けばただいたずらに混乱がおこるだけだ。だから私たちは、現代社会において力とか思想統一とかいうものを日常生活のなかで感じないようにされているのだ。

世界でおこった事件のすべてがそのままの姿で伝えられているとだれがいいきれよう。国の利害関係などによって選定されたニュースが多く報道されているというのはやはり一面的には真実だろう。また、反面、筆者の視点というのもあるだろうが。

私は、身近かなことでもそう感ずることがある。たとえば流行などがそうだ。あれらは一部の人によって作られ、あたかも多くの人が愛用しているように宣伝されている。私たちは、いつもその声にふり回されてしまっている。

作為的に作られた情報も非常に多いものだ。どんな人だって一事件のすべてを知ることは不可能だとは思うが……。

情報と一口に言っても、情報には重要なものからくだらない雑音クラスまで多々ある。また、それらは報道機関などで報道される情報からされない情報までいろいろだ。

このような情報化社会で生きている私たちにもそれ相応の用意が必要だ。私が思うにそれはこうだ。情報の真実性を常に一応疑ってみ、そして、情報が入ってくるのを待っているのではなく、自分から常に新しい真実性のある情報をキャッチしてゆくという態度を身につけることである。さらに、集まった情報を判断・処理してゆくには、自分の信念と知識、能力も必要となってこよう。

われわれが一農場の経営主として自立していくためには、自然科学はもとより、農地法、新都市計画法など不動産関係、税法、経済学、社会学なども学習せねばなるまい。また、人を使うとなれば、心理学も必要、そして国などに働きかけたりするとなると政治学も……。そう、きりがないほど私たちは勉強しなければならないものがある。それらの上に立って、私たちは情報を処理しなければならないだろう。

今までの農業においては、土地という動かないものを基盤とした経営であったため、失敗しても食べる物だけはあり、明日からの生活に困るということはなかった。しかし、これからは地価が上がるにつれ、新都市計画法や税法の上からみても今の農業者が多くの土地をもっていることはなかなか困難になってくると思う。

少ない土地、借地、契約栽培などという農業状勢になったら私たちは今まで以上の知識や技術が必要になってくる。いきおい経営主の才覚もだ。そのとき、自己をとりまく情報を正しく判断するために、私たちは今、学ぶべきだ。

(岐阜県大野町相羽二七一 岡田 拓美)

格好いいですよ! キーホルダー 全協で好評発売中

全国4Hクラブ連絡協議会(会長 松浦幸治君)では、ことし北海道で行なわれた「第八回全国4Hクラブ員のつどい」の際、道連が製作し、参加者に記念品として販売したキーホルダーを全国のクラブ員のみなさんにもゆずりたいと呼びかけている。

このキーホルダーは、メタルの直径約四㌢で全長約十㌢というがっちりした格好のよいもの。つどいに参加した人はその記念に、また、つどいに参加しなかった人は、クラブ行事の賞品やアクセサリーにどうぞ!

▼値段 一個三百円

なお、お申し込みは〒一〇五 東京都港区西新橋一の五の十二 佐野ビル内 全国4Hクラブ連絡協議会事務局 電話＝〇三(五九一)一八一七まで。

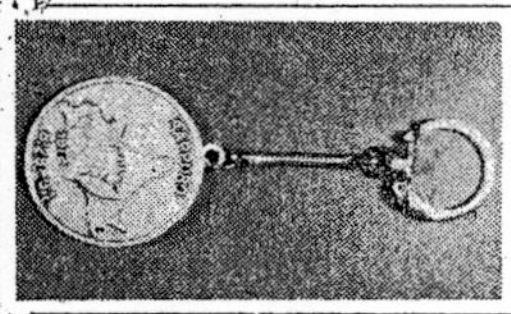

写真㊧が「カッコイイー!」と無口な女性も思わず叫び声をあげてしまうキーホルダー

クラブ往来

八重山地区連 さあ、これからだ!

沖縄の八重山地区4Hクラブは、会員数五十五人をもち、活発な活動を続けている。石垣市(クラブ数四、会員二十七人)、竹富町(クラブ数二、会員十一人)、与那国町(クラブ数二、会員十七人)からなる同クラブは、ことしの九月二十六日に八重山地区4Hクラブ連絡協議会(会長 仲盛長儀君)として発足したばかりだ。

八重山地区連のこれからの年間事業計画は、来年三月に普及事業実績発表大会と全国青年農業者会議へ参加、同四月に総会を開くこととなっている。

去る十月三十一日から十一月二日の二泊三日にわたり、沖縄名護市青年の家で開催された「全県4Hクラブ技術交換大会」には、計十四人の参加者を送り込んで大活躍をした。

そして十一月三日には先進地視察研修を行ない、沖縄本島南部地区(主にそ菜栽培地帯と畜産農家)の農業を研究してまわった。

さて、沖縄でも近年過疎化現象が目立ってきたという。農村の若手労働者が本土へ就職したり、他産業へ従事したりする傾向が強いという。そのため、4Hクラブは一時有名無実化し、関係者間でも後継者不足が大きな問題となりこんごの農業が心配されていた。しかし、本土復帰に伴ない、国・県などの農業後継者育成事業が沖縄県にも適用される見込みなので前途はだいぶ明るくなった。

こんどの地域農業の改革を担う農村青少年たちも「己の手で八重山農業を改革するんだ」と大ハッスル。地域の人たちにも将来を期待されている。

同クラブでは、農業後継者育成事業に期待する主な事項として①後継者育成資金の貸付②農業改良資金の貸付増大③集団的生産地域育成事業④農業基盤整備の早期実施などをあげている。

これらの事業の早期実施を契機に八重山農業は限りなく発展することだろう。また、若年就農者の増加も予想され農村青少年クラブ活動もより活発化し、組織も一層強化されるだろう。また、若手就農者は経営を合理化して、播種から収穫まで一環した機械化農業をめざしてがんばっているという。

(記事提供、沖縄県・八重山農業改良普及所)

天皇杯に輝く人たち

農林漁業者の最高の栄誉である農業祭の天皇杯の受賞者に、ことしも農産など各部門で四人と二組合が選ばれ、勤労感謝の日のさる十一月二十三日、東京・渋谷区代々木の明治神宮会館で行なわれた農業祭式典において農林大臣から表彰された。受賞者は、国定正俊＝農産部門（岡山）、大沢一義＝園芸（秋田）、岡田藤一＝蚕糸（茨城）、友広吉治＝林産（山口）の四氏と木落酪農組合＝畜産（熊本）、合川養鯉生産組合＝水産（秋田）の二団体で、経営に対する取り組み方はいずれも模範的なものばかり。各受賞者の経営は、クラブ員のプロジェクト活動や農業経営を進めるうえで大いに参考になるものと思われるので、連載して紹介したい。

着実に規模を拡大

一〇・二ヘクタール 夫婦二人で楽に経営

農産（直播稲作） 国定正俊 岡山県

国定氏は、経営規模の拡大が困難な情勢の中にあって、農業に対する熱意とその人柄とで昭和二十二年の二㌶余りから比較的短期間に規模拡大を図り、四十六年には経営規模一〇・二㌶、農業所得三百八十万円の稲作経営を達している。

その内容は、自宅から二十五㌔も離れ、通作に一〇㌃当り十時間も要するうえ湿田で冠水常水地帯にある西大寺団地（三・二㌶）も含めて、四十六年には一〇㌃当たり労働時間は三十七時間（氏の所在する両備地域の平均は百時間）、収量は五一〇㌔（同四六九㌔）、一五〇㌔当たりの生産費では、地域の平均の三分の二程度、五千七百円とすばらしい成果をおさめている。しかも、この一〇㌶の水田を主として夫婦二人の自家労力だけで、なお余裕をもって耕作している。

まず、経営的特色は（一）規模拡大の過程で夫婦二人を中心とした労働力編成にみあう中型機械化直播栽培体系を自らの創意と工夫によって確立していること、（二）ことに、経営管理にあたって、妻は経営設計、作業計画に積極的に参加し、夫婦が呼吸をあわせて運営管理を行なっていること、（三）法人化することによって、融資条件を有利にし、借金してでも安くてよい土地があればただちに買入れするという体制を整えていること、などである。

また、技術的特色は、（一）全ほ場に弾丸暗きょを実施するとともに、機械化のためにほ場区画の拡大を行なっていること（二）わらはカッター付コンバインの使用により全量すき込むとともに硅酸石灰、鶏ふん等を多用し、土壌改良に努めていること、（三）出芽苗立の安定化と除草に最も配慮し、砕土整地は早春から計画的に実施するとともに除草剤の適確な施用に努めていること、（四）機械化できるものは積極的に導入し、しかも自己の経営に最も適合するように工夫し、その改良にも意を用いていること、（五）労働力の強弱、熟練度に応じて作業分担や労力配分を極めて合理的に行なっていること（六）栽培設計、作業計画等を夫婦相談のうえ綿密に立案し、とくに、遠隔かつ不良条件の西大寺団地については、あらかじめ数通りの案を作り、天候その他の条件変化に対応していること、（七）新技術の導入には必ず事前に自ら試験し、自信のできたものは思い切って導入するという過程をふんでいること、などである。（四十二歳）

経営プロジェクト

乳牛肥育一本化へ

耕地面積の狭さをカバー

熊本県・合志町 4Hクラブ 平川誠夫

わが家の経営は、肥育牛十六頭水田五〇㌃、開田一五㌃、畑三六㌃、茶園一〇㌃の計一一一㌃であり、現在は乳牛雄肥育プラス水稲の複合経営である。しかし、四十三年、二頭でスタートした肥育は現在十六頭、粗収入五十万円を上げるようになった。私の住む合志町は酪農地帯にあり、立地条件などを考えると普通作において経営規模を拡大することは不可能に近く、雄肥育用のもと牛が安価に手に入ることや、労働力面においても将来は乳牛雄肥育で経営の一本化を図りたい。

昭和四十三年に二頭を自己資金で購入したのに始まり、四十五年夏には五頭と増えたが将来に向かって経営の拡大を図るために、後継者育成資金百四十七万円を借り入れ牛舎の造築、もと牛の購入と基礎をかため、翌年には十五頭、粗収入五十万円と初期の目的は達せられた。しかし、昭和五十年度には三十五頭、三百万円を目標として頑張っている。

当初、経験不足から導入時期が遅れてしまい、発育が計画通りいかず、さらには夏季の乾草作りは天候に大きく左右され大変な苦労であった。加えて自己資金不足が経営を困難にさせた。

私の月齢別飼養管理方法は、四ヶ月より六ヶ月でモーレットからニューエース三号、増産フスマへ切り換え出荷時まで、また乾草は五ヶ月から一ヶ月間の間に生草へと切り換え十五ヶ月より十六ヶ月でもとの乾草にもどすようにしている。

販売実績は、販売頭数七頭、売上代金八十九万円、濃厚飼料代二十七・四万円、管理維持費六・五万円、もと牛代金十万円の計四十三・九万円となり純収益四十五・一万円を上げることができた。

現在の労働力は父、母、私の三人であるが実質労働力は二人であり、将来は水田を少し残し、あとの耕地を全部飼料畑とし粗飼料の確保につとめる。これと関連しサイレージを大いに利用したい。また、販売価格に大きく影響する肉質の向上をはかると同時に肥育過程を三段階（三ヶ月、十ヶ月、十五ヶ月）に分ける。

さらにはこれは全畜産農家の望みといえる流通機構の改善を行政当局に望みたい。

結婚を考える

青森県・たんぽぽ会 三上友子

▶33◀

苦労のあとに収穫の喜び

農業と私

農業を選び、農家へ嫁ぐことに決めている（何年先になるかわからないけど！）いまのわたしですが、決して中途半端な気持でそう思っているわけではありません。農業の苦しみと楽しみを、この何年間かの生活でしみじみと味わうことができたからこそ、そういえるのです。

「高校を卒業したら必ず農業をやる」――と、かねてからの約束通り、卒業と同時にわたしは農業を手伝い始めました。本根をいうと、あまり乗り気じゃなく、わたし自身の公言にちょっと振り回わされた感じ。クラスメートの大半は進学、就職コースをたどり、農業をやるのはわたし一人だけだったのですから……。でも、サイは投げられたのです。

やがて、最初の秋を迎えました。部落の古老も記憶にないという何十年振りかの干ばつのため、例年ならば重そうに首を垂れているはずの稲も実ることなく、ただただ秋風にうなだれていました。春から一生けん命世話をしてやったのにと思うと、無性にくやしさが込みあげてきました。でも、リンゴ畑では枝もたわわに大きなリンゴが実り、稲の不幸とは逆に収穫の喜びをかみしめることができました。そう、農業を始めた最初の年、わたしは農業の苦しさと楽しさを同時に知ったのです。

社会勉強のため、東京へ出稼ぎに行ったことがあります。そのとき、一緒に働いていた同僚に「リンゴはまずくて高いもの」といわれ、非常にショックを受けました。持参のリンゴを食べてもらい、青森リンゴのおいしさを強調しましたが、お店におかれているのは同僚のいうようにおいしくないリンゴでした。外側から農業をみてのわたしの感想は、流通機構に対する疑問でした。

二年目。村に帰ったわたしは毎日はりきって仕事をしていましたが、六月に入ってから村全域に霜が降りてしまいました。天候に大きく左右される農業にわたしは不安を感じました。でも、青年会やたんぽぽ会などに参加し、仲間と農業問題や悩み、将来の夢などを語り合っているうちに、不安もだんだん薄れていきました。

県の移動農業大学では、家庭学習を学びました。わたしは食生活の改善の必要性を感じ、両親に相談をもちかけましたが、なかなか相手にしてくれません。だけど、わたしは敢然と実行。まず一日一人当りの食糧構成基準量とカロリーを計算。乳製品や卵、肉、魚など、いわゆるタンパク質をとることの必要性を、父が酒に酔ってないスキをねらって説得しました。そして、そうとう出費させることに成功しました。これを契機として、わたしは食生活を中心になるべく計画性のある農家生活を送るよう努力しています。

何年かあとには、わたしも農家に嫁ぐことでしょう。現在、農業に従事している主婦の多くは農作業を第一に考え、余った時間で家の中の仕事をしています。でも、わたしだったら家の中を第一に考え、農作業はそのつぎに考えます。短い時間でご飯の仕度をするのは、どうしても食事が粗末になりがち。仕事がきついのに栄養が傾き、体に無理が生じます。わたしが稼いだら、まず家族全員の健康管理を第一の仕事するつもりです。

いろいろな問題をかかえている農業……。でも、農業のよいところは夫婦一緒に働けて、ともに苦しみも楽しみもわかち合えるところにあります。そして自分で考え、自分で創り出すという、すばらしい万能性をも秘めています。そのような農業こそ、わたしの選んだ、わたしの進むべき唯一の道なのです。

六人の仲間と共同で

いちご栽培 株冷栽培と取り組む

山梨県・山城 新生4Hクラブ 五味宗則

私たちの地域での栽培作型は、今までに半促成栽培が主体であったために収穫時に多くの労働力を必要としたため経営規模拡大には限界があった。この問題を解決しないで所得の増大をはかることはできない。そこで地域の4Hクラブ員六名により作型についての検討会をおこなった結果「いちごの短期株冷蔵栽培」を取り入れることにより収穫時の労働配分をはかるよう計画を進めた。

わが家の現在の経営概況は、水田九七㌃、桑園六〇㌃、果樹園一〇㌃、普通畑一〇㌃、水田裏作としてビニールハウス二千三百十平方㍍でいちごを栽培し、また、労働力は父と母と私の三人である。

今まで半促成栽培の場合は家の近くで育苗を進めていたが、株冷蔵栽培をおこなうには高冷地育苗が有利であり六名の仲間と共同育苗を進めた。しかし不慣なために定植後すぐ除草剤を使用したが牧草栽培後地のため効果があがらず多くの労働力をかけてしまった。仮植時に高冷地育苗と家で育苗したものと労力が競合したために、共同育苗のものはランナーを切り離しただけですました。ハウス内への定植は冷蔵庫に十五〜二十日間入れた後に行なった。このハウスには技術導入資金を借り入れ地中温水暖房機を設置し、収穫は一月上旬からである。

六人のクラブ員による話し合い、計画とその実践は私たち自身の仲間意識が高められたことは大きな収穫であった。それと同時に、私たちの経営の合理化は地域の栽培作型の開発を促進し、このような栽培作型の増加が将来見られるものと思われる。また、クラブ員により県下でははじめていちごの共同出荷を進めている。しかし、この栽培をかえりみて数々の改善されねばならない点がでてきた。それは、ハウス内の適温を知ることであり、生育促進をはかるため温度を高くしたために奇型果が生じてしまった。また、冷蔵温度が高かったため根が動いてしまった。仮植をしなかったため花房数が少なく収量も多くは望めなかった。設備の面においても暖房機や農電が遅れ収穫に多大な影響を及ぼした。

このような点を反省し、改善するためにクラブ員の共同作業化をはかり、省力化施設を取り入れて生産コストを下げる。同時に栽培の団地化を進め、地域ぐるみの出荷体制をつくる。また、周年栽培を行なうために五〇㌃ぐらいまでは規模拡大をはかりたい。

☆投稿案内☆

4H新聞編集部では、あなたの声をお待ちしています。

NHK農事番組

日本農業一九七二

31日「開拓三代」再放送（10月15日）予定

テレビ（12月21〜31日）

明るい農村 6・30〜6・55 総合

21日「稲わら細工四十年」浅野勝蔵（茨城県）、「タコと正月」〜新潟県三条市
22日 農村新地図「富山県利賀村」米沢康（郷土史家）
23日 村をむすぶ「札幌、名古屋、沖縄、東京」
24日 明るい漁村
25日 村の記録「年末の水害地」〜広島県作木村
26日 きょうの話題「農政この一年」〜山地進（日経連論説委員）ほか
27日 産物百科「村の三百六十五日」〜河合五一（北海道）ほか
28日 話題と人「わが町の改造計画」〜大久保毅一（全国町村会）
29日 農村新地図「村の年の瀬」「東京、松山、仙台、大阪」
30日 村をむすぶ「出稼ぎ村の一年」高橋良蔵（秋田県）

農業教室 7・30〜8・00 教育

21〜23日「畑の合理的利用」一戸貞光（農林省農林水産技術会議）
25〜27日「山村振興と林業」大平英輔（高知大学教授）
28〜30日「商品生産林業の方向」兼子朝文（全国林業改良普及協会）

あすの村づくり 日 7・00〜8・00 教育 再 土 13・00〜14・00

24日「飼料は安全か」新井肇（全農飼料中央研究所）ほか

ラジオ

早起き鳥 5・41〜5・57 ❶

21日 入植二十五年目の騒動
22日 早出しいちごの電照栽培〜千葉
23日 ふるさと通信〜鹿児島局
24日 漬け物〜酒井佐和子ほか
25日「特集〜日本農業この一年」、（一）米〜小倉武一
26日（二）みかん〜塚口勇作（日園連会長）
27日（三）牛乳〜山口巖（中央酪農会議）
28日（四）肉〜小林敏（ジェトロ農林水産部長）
29日（五）野菜〜勝賀瀬質（野菜価格安定基金）
30日（六）十年後の農産物需要〜松本作衛（農林省官房企画室長）

話の広場 日 6・15〜6・30 ❷

24日 炭焼きからヤマメ養殖〜群馬県藤岡市
31日 農家豆腐づくり〜埼玉県秩父郡吉田町

新しい農村 日 6・00〜6・30 ❷ 再 日 15・30〜16・00 ❷

24日 どうすすめる農村整備事業 三善信二（農林省官房長）ほか
31日 年末特集（6・00〜7・00）「日本農業一九七二」

ラジオ農業学校〈講座〉 月〜土 6・40〜7・00 ❷

21〜23日「大規模畑作経営の方向」戸田節郎（北海道農試）
25〜30日「経営と法律」中村広次（農業会議所）

ラジオ農業学校 日 6・30〜7・00 ❷

24日 農業講演会「国際化時代の日本農業」〜第三回東北農村青年会議〜団野信夫（評論家）山形県遊佐町より

明日の農業へ向って

各種農業団体

家の光協会

新時代の要請に応え

現代用語事典『付・日常外来語集』を発刊

現代社会は、目まぐるしく変化推移しています。そして、この急テンポな動きが、毎日、朝夕となく、テレビ、新聞、雑誌などのマスコミ、ミニコミを通じて職場や家庭に送り込まれています。そこには、かならずといっていいほど新しいことばが生まれ、あらゆる分野の人々に伝播されます。

新語、流行語のおびただしい誕生それ自体が"情報化社会"と呼ばれる現代の特徴といえるでしょう。ますます複雑、多様化していく現代に生きるわれわれにとって、こうした新しいことばを"より広く知り、より正しく理解する"ことが、現代生活には欠くことのできない要件になってきました。

このたび家の光協会では、そうした時代の要請にこたえて、最新の時事用語はもちろん、現代人の常識として欠かせぬ基礎用語の解説書として、現代用語事典を完成しました。

執筆陣には各部門の専門ジャーナリストや一流評論家を動員し、単なることばの解説にとどまらず、今日の視点に立ってそのことばの背景、問題点などその全容をわかりやすく的確に解説しています。

いままでにもこの種の用語解説集は、数多く発刊されていますが、本書はそれらに見られないユニークな編集で、つぎのような特徴をあげることができます。

①新語、マスコミ語を五〇〇〇語収録＝毎日のテレビ、新聞、雑誌十分に理解することができるようにそれらマスコミに登場するあらゆる新語をすべての分野にわたって網羅しています。

②農業、農協用語を幅広く＝新しい農業技術、経営用語はもちろん、農協、農政、農畜産物流通、食品関係などの用語を豊富に収録しています。

③巻末に『日常外来語集』＝近年、カタカナつまり外来語の氾濫は、おびただしいものがありますが、これら日常化した外来語を約一二〇〇語収め、巻末付録として引きやすく編集してあります。

④やさしい解説＝用語の解説は単なることばの説明にとどまらず、そのことばの今日的な意味、問題点などの内容を、具体例などを入れて、平易明快に記述してあります。

⑤五十音、ABC順に配列＝収録語は五十音順、欧文略語はABC順とし、引きやすい事典になっています。

全国農業協同組合中央会

流通機構の改善へ

大消費地直売方式と産地直結取引きを推進

農畜産物など、日用生鮮食料品の価格の安定は、消費者一般大衆にとって切実なものです。一方、生産農家にとって、農産物の生産や家畜などの飼養に安心して取組むことができることは、基本的なねがいでもあります。

このような、生産者と消費者の意向を反映して、全国の各地方で農産物の産地直結方式が試みられております。しかし、品揃え、輸送、価格決定と精算などに問題が多く、成功している例は決して多くありません。

生鮮食料品は、特に流通面に問題が多く、この問題の解明は、いまや国民的な課題でもあります。したがって、いろいろな立場から、さまざまな試みが行なわれることは有意義なことですが、現行の流通機構を抜本的に改善することはなかなか容易ではありません。

全中では、全購連、全販連の合併を機会にこの問題に組織をあげて取組むこととし、現在進めている総合三ヵ年計画の推進委員会のなかにある開発小委員会で検討し、大消費地を対象にした直販事業を進めることとしました。その第一として、農協牛乳の直販を六月より実施し、めざましい進出を示しておりますが、これからは、野菜、果物、肉、加工品などについても全農を中心に進めることにしております。

全農の計画によると、昭和五十三年までに首都圏、近畿圏、道中央、中京圏、北部九州圏などに生鮮食料品集配センターを十五ヵ所設置し、食料小売店舗、生協とその組織、大口実需者、自営実験店舗等のチェーン化・提携をすすめ、青果物、畜産物の安定的販売の拡大をはかることになっております。

また全中は、学識経験者、生活協同組合関係者の協力を得て「農産物長期安定取引推進協議会」を設けております。

ここでは、農畜産物の大口需要者との安定的な取引き形態について検討していますが、なるべく抽象的な論議はさけ、あくまで具体的方策の確立が狙いで、札幌市民生協や灘神戸生協が行なっている、産地取引きの実態調査を行ない、この調査の結果から問題点の抽出と解明に努めております。

このような対策が、農協と生協、生産者と消費者の安定した取引きに結びつくことを期しているわけです。

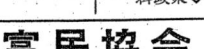

充実した日々とは

栃木県・大谷4Hクラブ 大泉多美子

毎日がこうも平穏で何の心配もなく、ただ時の流れるままに押し流されていると、幸福すぎて身勝手な願望をもつものです。

学生が血気にはやってデモに参加するのも、あまりに穏やかな今の生活に何か華やかな変化をもたらせようとするためなのでしょう。こんなことを言ったら、大まじめでデモに参加している人びとに「われわれの敵だ」とか言われ、ののしられ、なぐられ、あげくの果てに殺されてしまうかもしれない。しかし、ここで私を殺してはならない。なぐってはいけない。振り上げたそのこぶしを下におろして聞いて下さい。

ほんとうのところ私も幸福すぎてあなたたちと似たような願望をもっているのです。もしかするとそういう点で同志かもしれないのです。あつらえ、与えられたような環境の中で、毎日同じような生活をしていると、とかく大きな変化が起きないだろうかと野心を持つのです。

私は、あなたたちほど革新的でないし、教養もありません。ですから私にはにあった願望をもつのです。それは、死と隣り合った生活をすることなどです。実際、そんな生活は身が縮むほど嫌いです。しかし、それほど緊迫した気持で生きられたら充実するだろうと思うのです。

充実感の持てる日を送ってそれで幸福なら、今の私の生活をより濃厚にするポイントでもあるのです。

身勝手な願望でしょうか。でも私には、与えられた幸福に満足するだけでは、決して充実した日々を送ることはできないと思われてしかたないのです。

青春と仲間

第二回高知県青年の船に乗って〈3〉

はるかなる香港島
宝石の下に潜む貧富の差

高知・中村4Hクラブ 佐竹房子

台風の影響と貯蔵用の水が減ったことも手伝って、船は大揺れに揺れ、もうどこにいても気分が悪く、さすがのわたしもまいってしまいましたが、それでもどうにか香港に到着。八月三十日の昼前、香港は夏のバラ色の太陽にくっきりと光り輝いていました。

お昼過ぎ、ショッピングに出たわたしたちは、替えたばかりのドルをもってお店に入っていきました。ガイドさんから「スリがたくさんいますよ。それも一人や二人ではなく団体のスリですからくれぐれも注意しなさい」といわれていたので、バッグは手でしっかりとおさえてのショッピングです。

まず時計店から出発。コーラやキャラメルがサービスに出ました。続いて皮製品店、宝石店、民芸品店など、きりがありません。仲間の中には安いと思って買い、あとで円に直してみたら何千円もしていてビックリ。その日のユーウツそうな友の顔を見て、笑ってみたり、なぐさめてみたり……。

マニラと香港の共通点は、どちらも貧富の差が激しいことです。香港の新界地区の難民アパートには四百万人もの人が住んでいて、何ともいえぬ異様な空気が漂っていました。お金をせびってしつこくつけまとう老婆もいました。

青山（キャッスルピーク）、カムチィン、ロックマチャウという中国との国境周辺はとても静かでした。あの河の向こうには七億の人口をもつ中国があると思うと、何ともいえぬ気持が起こりました。でも、ここでも品物をしつこく売りつける子供たちを見ました。マニラと違って何と無邪気さのない子供たちでしょう。記念写真をとっているとその中へまぎれ込んできます。モデル料をせびろうという魂胆なのです。

国境も半時間ほどの見学で、バスは昼食のためミラマホテルへと向かいました。食卓に最初に出たのがお茶。白い花が入っていきます。よく見るとフィリッピンのサンパギータの花です。お茶のつぎはシューマイです。でも、一人二ケがやっとというシューマイはアッという間になくなってしまいます。（三百人、一テーブル十名ほどで食事しているのを想像してみて下さい）つぎのギョーザが出るまで五分もかかり、ガブガブお茶ばかり飲まされた私たちのお腹はついに水腹に……。焼飯を最後に六品ほど出ましたが、何とまあおいしくなかったこと……。やっぱり日本料理が一番ですね。

香港島タイガーバームガーデン（銅鑼湾に面する丘の上に建つ億万長者・胡文虎の別荘）の斜面を利用した庭いっぱいに、粘土造りのグロテスクな人形や動物像が並べてありましたが、あまりにも作られたものという感じがしました。

すばらしい香港が望まれるビクトリアピーク。山の中腹から眺望する香港は、まるで青い海に囲まれた積み木のオモチャのよう。山の中腹には金持の豪華な別荘が建ち並び、さきにみた難民アパートにくらべ、あまりにも違いすぎる市民の生活に、『香港とは矛盾にみちた町だ』と思わずにはいられませんでした。

バスは浅水湾でにぎわうレパルス湾を通り、水上生活者十万人というアバディーンへ。海辺には船が何十隻も見えました。もう何世代も続いている水上生活者たち……。豊かな生活をしているわけでもないのに、決して貧しそうな表情を見せなかったアバディーンの人々……。湾の中ほどには二隻の水上レストランが宮殿のようにあでやかな姿で浮かんでいます。サンパンという小舟をこぐ少女の姿がとても印象的でした。

水上レストランで夕食をとったあと、私たちはバスが来るまでの時間を利用して、近くのお店でバナナやパイナップル、それに大きなブドウやオレンジをどっさり買いこみました。ここでも小学四年生くらいでしょうか、小さな女の子が鳥の羽でできたうちわをしきりに売りつけていました。自分の見つけた客は絶対に同業者に渡さないといっていた老婆はもう眠りについただろうか。あのしつこくつきまとっていた子供たちは……。アバーディーンの小舟の少女は……。教育の徹底していないこの香港で、はたして自分を生かす道をみつけられるだろうかー。

夜十時、香港出港の汽笛。甲板に立つわたしたちに、「東洋の宝石」は最後の輝やきを見せていました。おそらくもう来ることもないでしょう。

マニラ、香港とも、たった一日半という短かい観光でしたが初めての旅、初めての国のことをわたしは忘れることがないでしょう。日本以外の国々で出合った人たちと語り合うことができ、日本という国、また高知県というわたしたちの県を改めて見直すことができました。船内では三百人の友だちもできました。

世界は広い、そしてあまりにも違いすぎることが多くあります。生活にしても、政治にしても、すべての面で……。十三日間の旅を終えたいま、わたしの夢はさらに大きく広がり、チャンスがあればもう一度……と、秘かに思っています。

——終り——

胸はって農業を
4Hで知った働く喜び

富山県・礪波4Hクラブ 竹林順子

私は少し前まで、少なくとも4Hの仲間を知る前までは「あなたの職業は何ですか」と聞かれたとき、ためらいがちに「農業、家の手伝いをしているの」と答えていました。なぜためらうのか、自分から選んだ道なのにどうして自信をもって言えないのか。私はとてもはがゆい思いをしたものです。

それは、若い人で農業をやっている人が少なかったせいもあります。また、農業について何の知識や技術もないくせに、それに女のくせして何もできないのに大きな顔して"農業をやっている"と言うことへのうしろめたさもあったのです。そして、加えてもう一つ、他の産業に対するコンプレックスがあったのです。

私はいま、水田二畝（うち飼料畑五〇ア）と成牛二十頭、育成牛四頭の水田酪農を両親と一緒に営んでおります。小さい時からこのような環境に育ち、また、家のあとつぎとして周囲から見られていましたので、農業に対しては親しみをもっていました。ですから、手伝ってと言われれば、喜んで外に飛び出し農作業をやったものでした。そんな生活は、私に自然や動物相手の職業のよさを教えてくれました。

農協での実習で私はさらに多くのものを得ました。暑い中汗を流して、いろんなことを体験しました。しかし、若者たちとの出合い、とくに私と同じような環境に育ち意欲的に農業と取り組んでいる猪王の女性との心のふれあいは、大きく私を変えました。

農業はいいと思いながらも、農業ですということに対してためらいを感じていた私に大きな夢がわいてきたのでした。

そして、私は学校卒業と同時にこの道を選んだのです。

さて、夢を大きくもって実社会に出てきたものの、最初のうちは、朝晩の搾乳以外に何をしてよいやらわからず、仕事らしい仕事もなくブラブラした毎日を送っていました。気持ちばかりがあせる日々でもありました。その時分は、他産業で働いている人がうらやましく思え、自分がみじめに感じられました。

しかし、そうこうしているうちに、私もトラクターのオペレータをやったり、また、田植えや乾草づくり、サイレージづくりに追われる日が続き、沈みがちだった気持もいつしか忘れるようになりました。疲れて夜もぐっすり眠り、身心ともに充実感でいっぱいといった感じでした。昨年はまだ農業見習い中という感じで経営に関することはノータッチ、両親の言うとおりに働くロボットといったふうでした。でも、サイロ造りや飼料畑などの作業には私の意見も大いにとり入れてもらいました。

ところが、バキュームサイロについては、とくに自信をもって私の考えを実行に移したのですが、開けてびっくり。利用できたのは半分だけで、あとはカビで使いものにならなかったり、飼料作物にしてもカブ畑からカブがはえてこなかったり失敗だらけ。そういった意味で、机の上の計算だけではできない現実のきびしさを思い知らされた年でもありました。

農業をやっていると、人との接触が少なくなりがちです。そのため社会からとり残されるのが恐く、努めて青年団や4Hクラブに参加して同じ世代の友と話し合うことにしています。

とくに4Hクラブに参加するようになってから落ちつきがでてきました。日々、意欲もわいてきます。これからは、農業技術を身につけるとともに、女性の立場に立って、農村婦人はこの変化しつつある農村でどのような役割を果たすべきかを色々と考えたいと思います。だれに聞かれても「農業をやっているの」と胸を張って答えられる私になりたいと思います。

農村の現状報告

わが道をゆく

——福原 昭作

「中国山地の山あいの田圃を二町ばかり耕しとる百姓ですが、減反と米価据え置きでにっちもさっちもならんようになりまして……」とふるえ声でおどおどした調子に自己紹介をすませた私は、しまった下手げなことをいうんじゃなかった、と顔がほてりそれから後の人々の自己紹介は耳に入らなかった。

それまでの二十人ばかりの大半は医師で、他は会社社長や薬剤師、県の職員などばかりだった。六月某日、私の一人子の娘の在学している神戸市の某短大の後援会の役員会の席上でのことである。小心な私は順番が廻ってくるだいぶ前から胸がドキドキしてしきりと卓上の手をもて遊んだり、私は煙草は吸えないが、このときのためにわざわざ買ったエボックを、矢つぎ早に吸っては吐き出し、まだ口の中にしばらく貯めて、ことさらにゆっくりと鼻から出してみたりしていた。

「ど百姓」はユーモラスな効果を期待してのことだったが、こわばった顔でいったので私の意図に反して笑声は起らなかった。村では決して人前に出ず、ましておどけるなどということのない私にしては珍らしいことであった。村を離れた解放感がそうさせたのだろう。すっかり上がってしまって意図とは逆になってしまったけれど、小心にはわれながら腹が立つ。

それはさておき、私は農業を心から愛している。金銭は度外視して、黒紫色に艶光るナスや真紅に照り輝くトマトなどを作る喜びは格別である。そして黄金たわわな稔りに頬を崩すとき百姓の幸せを、しみじみと感じる。娘は「百姓するぐらいなら死んだほうがまし」と、いったが……。

減反を機に私は家の前の田圃を三畝ばかりと上手（かみて）の田圃を一畝位つぶして庭木を植えた。庭木といっても裏山からアヤビの古木、モミジ、ウメモドキなどの幼木を掘り取って帰り植付するのだ。山野に無いものは植木屋から一本三百円から千円までの小苗を買って来て植付けた。古木や大きいのが欲しいが、値が張ってとても買えそうにない。近頃、私はひどく庭木に魅せられ、ここ二年の間に買い求めた樹木関係の書物は数十冊に上る。本格的な庭造りはやはり金がかかるので、私は樹木そのものに愛着を感じ、ただ庭に植え込むだけで満足している。また山野を歩き回り、これまで気にも止めなかった多くの樹木を改めて見て立派な庭木として使えることを知った。

方言名を標準名で正確に知るようになった。たとえば、チナワはエゴノキでありカメガラはカマズミであるといったふうに。サルスベリが夏椿といって京都の名園にも使われていると知り、裏山から掘り取ってきて植え込んだ。それを見た近所の男が「こんなあサルスベリを植えとるじゃあないか、田つぶしてわざわざ雑木林を作らんでもえかろうに」と笑った。それから部落内はもとより隣部落にまで知れわたり笑いものになった。だが、人がなんといおうと私は、夏の日の夕暮れ、ちょっぴり恥らいを含んだ風情につつましく咲く夏椿の白い花には強く魅かれる。そして赤茶褐色のツルツルした樹皮のしぶい色彩りとその凝った模様、やや厚ぼったい葉もふくよかな感じで、いずれをとっても十分鑑賞価値がある。植木屋で売っているエニシダや草ツゲ、マサキなどよりずっと優れている。村人達は植木屋で高価で売っているからどこの家にも植えてあるから流行だから、といった理由で庭木の優劣を決める。これは庭木に限らず、人の評価でも町会議員など地位のある人、金儲けの上手な人などをエライ人という。その人がどのような識見をもっているか、どの程度の人間的な深さがあるか、など深く掘り下げつきつめて考えた上での評価はなされていない。ハデに町村などとやり合って多額の補助金をせしめて道路をつけたりすることのみへ目を向ける。一円の金にもならない原稿を書いている者などは道楽者扱いで変り者と人はいう。それはかまわないが金にならず新聞テレビでハデに扱われない仕事をするのがそんなにくだらないことなのか。

村人達はテレビをカラーに、自家用車を更に高価なものへ、家屋を新増築しあるいは改築へやっきになっている。その結果朝は四時に起床して送迎用のマイクロバスで十里も南の広島市郊外へ土方仕事に日々通い、夜は八時に帰宅し田圃の水見や畦草刈りといったぐあいだ。もちろん細君達もいっしょにその仕事に出ている。私は田圃の仕事の合間には、ひたすら庭の樹々や山野の樹木を賞でている。

雪が融け時折なま暖かい風が吹くようになると、沈丁花の枝々にびっしり着いた紫色の蕾が日増しにふくらんでいく。いまにも咲きそうでなかなか咲かない。日に何度も庭先に出て、そっと触れ、眺め入ったりすることだろう。白梅の日に日にふくらむ蕾は希望に満ちて見え、私は小枝の先にそっと顔を近づける。濃緑の葉を所々見せて、樹いっぱいにくっついたあでやかに花ひらく大輪の明石潟はまるで華麗な舞子姿のようだ。緋色の重厚な花びらに包まれた唐子咲きの花芯の黄色の調和のすばらしい赤唐子は決して大輪ではないのにひときわひきたち、王朝絵巻の美女のような気品と風格に満ち、私の心に限りない夢をひろがらせてくれる。また、山モミジのねばっこい淡赤茶色の新芽が、赤子の手をひろげるみたいに日々ひろがっていくさまなど書きたてたらきりがない。といったように私は日々樹々と共に生きその息吹きに包まれて暮らしている。

私は農村社会が大嫌いだ。部落の寄合いなどへも出席しない。農村はいいし、一人一人の村人達は親切でもあり暖かい面もあり別にどうということはない。しかしひとたび部落の一員として寄り合いなどに出ると人が変ったように実に辛辣で頑欲で自我が強く競争心を丸出しにする。十六の時から父の代理で部落常会などへ出され、ボス始め意地悪い者、バカ短気な者等に散々叩かれいじめられその上無理解な父に怒鳴られ、いびられて青春期を過してきたので私は徹底して人間不信に陥っている。私も自分を反省し私なりに人々ととけ合うべく努力はしたつもりだったが、どうしても自己を主張すればいがみ合うようになり妥協すれば自ら負けをとらざるを得ないようなことになる。しょせんこの世は勝負の世界だ。だが私は勝負は嫌いだ。私は何者にも干渉されることなく自分の世界を自由に生きたいのだ。毎日漢方薬を煎じて飲み、医者の薬で切れ間のない私は、村人達が土方仕事で日当三千円で年間七十万円も稼いでも、それを羨ましがるわけでもなく、ただ「減反」や「低米価」の中で黙々と泥田につかっているのである。それが私には最も向いている。とにかく一人に限る。人間を超えた次元？ というと大げさながら社会を遠く離れた所で心ゆくばかり樹々の緑を、花を賞で、こよなく己れを愛して生きたいと思う。たとえ人々が異端者と罵り嘲ろうともかたくなにカラを閉ざして。

（広島県山県郡豊平町上石）＝農民文学百十二号より

現状はキビしいが
われらの道を創造しよう

茨城県・麻生地区 みのり4Hクラブ 塙 良一

農村に生きる一人です。みんなと同じように幸わせな生活をと祈り、明るい明日を夢み、そして希望をもって暮らしている者の一人でもある。

だが、ときどき、これでよいものだろうかとフッと考えることもある。農業は時期によって、激しい仕事が続く。それは、農閑期があるなどというのが夢のように信じがたい疲労の日々だ。けれども汗を流しながら、自分だけの喜びを私は感じとっている。これが明るい家庭を築いてゆく第一歩なのだと……。

それでも、私はフッと考え込むことがある。現代の農村には、生活してゆくのにいろいろの問題がある。めざましい開発が進む今日、マスコミでも後継者不足問題、農薬公害、食管制度、米価問題、野菜価格の不安定など農業に関することも多くとりあげられ、各方面でそれらは盛んな論議を呼んでいる。農業に関する問題点は年々増えてゆくような気がする。農業が転機に立っているというのもよく聞く言葉だ。こんな言葉の渦のなかでは不安にならないほうがおかしい。私も不安だ。

大型機械の普及によって、農作業もだいぶらくになった。省力化と他作物への労働力配分の動き、また、兼業農家の労働力不足は、面積の大小にかかわらず、大型トラクター、バインダー、田植機などの普及に一役買った。それにも増して農村には、大型機械化をおし進める要素があった。地域の連帯性などもそのひとつだろう。

だが、問題もある。物価の上昇や、これら大型機械の費用は、農業所得を上回っているという一面があるからだ。それらの穴を出稼ぎでうめているというのもよく聞くことだ。

出稼ぎを批判することはできないという人もいる。なぜなら、出稼ぎは現金収入なので、より生活を安定させることがもっとも簡単だからという。また、経験、資本、技術なども不必要で、仕事をすませればレジャーを楽しむ時間を多くとれることも出稼ぎの魅力のひとつだという。

学校時代A君は「どうして農業という職業を選んだか」と聞かれた。A君は「長男だからとか家が困るからとか、そんな気持でやるのではなく、自分は農業を好きだからやるのだ」と答えた。A君は卒業し、大いに専門の勉強に励んだ。しかし、A君は挫折した。町でも都市化が進むにつれ、公害問題などが出てきた。つまり、予定どおりにいかなかったのだ。A君も、実社会では、勉強した自分だけではどうにもならないことが山ほどあったのだろう。

政府でも数年前までは米の絶対量が少なかったため水稲の増産、面積拡大、開田を進めてきた、その結果、米の生産量は需要を上回った。すると今度は減反とか益より賃とか米価のすえ置きなどという策をとって生産者を悩ませた。一方では物価は上昇するばかり。これではわれらの生活水準が向上するはずはない。田の少ないわれらにとっては興味も少ない問題だが、ただ見逃ごすことはできない。

われらは減反などの休耕による補助金より、もっと安定した政策がほしいのである。

牛乳などは生産量が増しているものの需要が多く、生産が追いつかないので外国の乳製品を輸入するという話も聞く。また、他の作物も貿易自由化により少なからず影響しそうな現状だ。また、農産物の価格。米麦を除き、常に不安定だ。流通機構にも問題があるのではないだろうか。

ともかくも、農業に誇りをもって、仲間とともにわれらが職業に明るい陽ざしがさすよう、一生けん命努力し、新しい営農、われらの道を創造していこうではありませんか。

君が作る新年号！
青春特集など原稿募集中

日本4H新聞では、全国のクラブ員のみなさんから昭和四十八年度の原稿を次の要領で募集しております。

一、農業問題特集
▽プロジェクト・経営一般▽どこへゆく未来の農業▽日本列島改造論について▽貿易自由化と農業など、農業問題ならどんなテーマでも結構です。

一、青春の生き方特集
▽若き後継者の悩み△人生に対する考え▽自分の青春を省みて▽生きがいについてなど

一、クラブ特集
▽4Hクラブ活動例▽4Hクラブの問題点▽これからの4Hクラブ▽わがクラブ紹介

一、その他の特集
▽四十八年、この人、この私（友人または自己紹介）▽出稼ぎを考える▽わたしの恋愛・結婚観▽私も一言など

☆形式や長さは自由です。できれば顔写真や関連写真を添えて下さい。

☆送り先 〒一〇五 東京都港区西新橋一の五の十二 佐野ビル内 日本4H新聞編集部

どしどしお送り下さい。お待ちしています＝新聞編集部

１９７３年（第６９９号～第７０７号）

日本4H新聞

4Hクラブ
農事研究会
生活改善クラブ
全国広報紙

発行所
社団法人 日本4H協会
東京都港区西新橋1の5の12
佐野ビル　〒105
電話(591)1817・3683
編集発行　玉井　光
月3回・4の日発行
定価　1部　35円
一ヵ年 1200円(送料共)
振替口座 東京12055番

クラブ綱領

私達は、実践を通じて自らを磨くとともに、互いに力を合わせて、よりよい農村、よりよい日本を創るため、四つの信条をかかげます。一、私達は農業の改良と生活の改善に役立つ腕をみがきます。一、私達は科学的に物を考えることのできる頭の訓練をします。一、私達は誠実で友情に富む心をつちかいます。一、私達は楽しく暮らし元気で働くための健康を増進します。

新年特集号

47年12月24日号と48年1月4日号を合併、増頁して特集号としました。

萩原朔太郎

小出新道

「純情小曲集」郷土望景詩より

ここに道路の新開せるは
直(ちょく)として市街に通ずるならん。
われこの新道の交路に立てど
さびしき四方(よも)の地平をきわめず
暗欝なる日かな
天日家並の軒に低くして
林の雑木まばらに伐(き)られたり。
いかんぞ　いかんぞ思惟をかへさん
われの叛(そむ)きて行かざる道に
新しき樹木みな伐られたり。

小出松林

小出の林は前橋の北部、赤城山の遠き麓にあり。我れ少年の時より、学校を厭ひて林を好み、常に一人行きて瞑想に耽りたる所なりしが、今その林皆伐(き)られ、楢(なら)、樫(かし)、橅(ぶな)の類、むざんに白日の下に倒されたり。新しき道路ここに敷かれ、直として利根川の岸に通ずる如きも、我れその遠き行方を知らず。

写真は詩人朔太郎が愛し、そして複雑な心情で眺めた関東平野の春＝共同通信提供

新春によせて

高福祉農村の建設へ

農林大臣　桜内義雄

新年明けましておめでとうございます。

新しい年の農政の出発に当たって私の所信の一端を申し述べたいと思います。

最近のわが国経済をめぐる内外の情勢は、国際経済動向の変化、公害、過密過疎問題の深刻化等により著しく変化しております。

このような情勢のなかで、わが国農業は、国内的には、米の生産過剰、農業所得の伸び悩み、食料品価格の問題、また、対外的には、経済の国際化に伴う農産物の輸入拡大の要請が高まるなど、内外ともにきわめて困難な状況に直面しておりますことはご承知のとおりであります。

農政がこのような困難を打開して農業と農村の健全な発展を図っていくためには、農政の総合的、計画的な展開を図っていくことが重要でありますが、その前提として、農業生産を担う農業従事者、とくに若い方々が将来に意欲をもって農業に取り組む環境を整えるとともに、農政の展開が消費者を含めた国民全体から理解を得ることがきわめて重要であると考えております。

私はかねてからわが国経済全体の調和ある発展を図るためには、その土台を形成する農業と農村の健全な発展を図ることが不可欠であると考えております。

幸いにして、南北に長い日本列島は、変化に富んだ恵まれた自然条件を備えており、これを十分に生かして適地・適作を推進し、意欲ある農業者の手によって高能率、高生産の農業を展開していくならば、日本農業の将来は必らずや明るい希望のあるものになると考えております。

また、ご承知のように田中総理は、日本列島改造論に基づいて、産業と人口の地方分散を図り、わが国土の均衡ある発展を図ることを明らかにされております。

この場合、産業と人口の分散の対象地域は、主として農村地域でありますので、今後の地域開発に当たっては、地方都市の育成とあわせて農村地域の開発整備を進めていくことが必要でありますが、とくに、従来都市に比べて立ち遅れている農村地域の生活環境を総合的に整備し、農村を都市と均衡がとれた豊かで近代的な高福祉の地域社会として整備していくことが重要であります。

このため、まず、高能率農業の展開につきましては、長期的展望に立って、生産性の向上を基本としつつ、農業生産を展開していく必要があります。このような見地から、私は、先にとりまとめた農産物需給の展望と生産目標を今後の農政の指針とするとともに、今後十ヵ年にわたる新土地改良長期計画の策定とこれに基づく農業生産基盤の計画的整備、農業団地の形成、集団的生産組織の育成、農地流動化の促進等の施策を強化していく考えであります

また、適地・適作を進めるに当たっては、米について引き続き生産調整を計画的に実施し、需要の動向と地域および作目の特性に即応して、畜産、野菜、畑作物の振興を図り、農業生産の再編成を進めていく考えであります。

さらに、農産物の価格流通対策につきましては、これが生産者、消費者双方の大きな関心事でありますので、高能率農業の展開という基本的方向にそって、野菜、加工用果実等の価格安定対策の強化、中央、地方を通ずる卸売市場の整備、新流通経路の開発等の流通機構の整備等に努めていく考えであります。

また、高福祉農村の建設につきましては、農村環境の整備を強力に推進することとし、農業振興地域を重点として、農村生活環境の整備を農業生産基盤と一体的、計画的に推進していく考えであり、これにあわせて、農村地域への工業の導入を計画的に推進し、農家所得の確保と農業構造の改善を進めて、農家の福祉向上を図る考えであります。

林業、水産業につきましても、最近の需要および資源の動向や従事者の所得の面から、今後取り組むべき問題も少なくないと考えており、構造改善、生産基盤の強化、流通加工の合理化などの施策を強化してまいりたいと思います。とくに林業につきましては、森林のもつ公益的機能の強化、国有林野経営の改善等を図るとともに、水産業につきましては、新漁場の開発、沿岸漁業資源の維持増大、北方漁業の安全操業の確保に努めてまいる考えであります。

昨年末、このような観点から農林行政の重要な課題となっている農業構造の改善、農業生産の再編成、生鮮食料品をはじめとする食品の流通改善および価格安定等の問題に積極的に取り組むべく、構造改善局、農蚕園芸局、食品流通局の新設等を内容とする農林省の機構改革を行ないましたが、今年は決意を新たにこれらの機構改革の実をあげるよう努める所存であります。

新春に当たり、農林漁業関係の皆様の一層の奮起と繁栄をお祈りして私の新年のごあいさつといたします。

新時代へ第一歩を

日本4H協会会長　宮城孝治

全国の4Hクラブ員の皆さま、明けましておめでとうございます。

皆さま方がご健勝にて新しき年を迎えられましたことを心からお慶び申し上げます。全国各地から皆さま方の新しい希望、新しい勇気、そして若々しく雄々しい息吹が聞こえてくるような気がいたします。

私も、新しい年を迎えるたびに、やはり心の中に何か新しいものを感じ、「さあ、ことしもがんばらなくては……」という気持がわきおこってまいります。

新しい年を迎えた機会に、気分を一新して、いままで行なっていた仕事をはじめ、従来の考え方や目標などを正しく整理し、初心に返った気持で原点から過去の実績の上へさらに新しい目標をたてて邁進してゆくことは意義の深いことであると思います。私は、ことしも皆さまとともに新たなる領域を一歩いっぽ着実にきりひらいていこうと決意いたしております。

皆さまもご承知のとおり、このところわが国の農業は、米の生産調整に始まり、農薬や工場廃棄物などによる農産物の汚染、生産物の価格問題、そして、経済の国際化に伴う農産物の輸入拡大の要請などにより新しい時代へ突入してまいりました。また、田中首相も「日本列島改造論」に基づき、現在都市に集中している産業と人口を全国各地に分散し、日本全土の均衡ある発展を図ることを明らかにされております。工業の地方分散によって過疎過密を解消し、国土資源を有効に利用して国土の均衡ある発展を図ろうというこの構想には大きな期待がもてると思います。当然、産業と人口を分散する地域の大部分は農村地帯でしょうから、この「日本列島改造」計画は皆さまの生活に大なる影響を与えると思われます。

しかしながら、この構想の実現のためには都市と農村、工業と農林業などの各産業が、相互に密接な関連を保ちながら発展をとげることがまず必要だと思われます。とくに国民生活の安定向上に果たす農業・農村のもつ役割を積極的に評価して、農業・農村の位置づけをさらに明確化することが肝要かと存じます。

「日本列島改造論」を政策として具体化するために設けられている日本列島改造問題懇談会に委員として参加している農業関係の代表の方々も、これらを深く考慮して、優良農地の確保と農村の総合整備の必要性、そして、土地に関する問題などを指摘し、列島改造が農業にも多大の成果をもたらすことを検討されておられます。

わが国の農業は、内外にきびしい問題をかかえながらも堂々と世界に向かって発展してゆかねばなりません。そのためには、なんといっても、実際に農業を経営されている農業者の方々の不屈の開拓精神とその力強い実践がまず最大の条件となってきましょう。そのような意味からも、とくに次代の農業を担って立たれる全国の4Hクラブ員の皆さまの使命はきわめて大きいといわねばなりません。

皆さまが、皆さまの仕事に希望と勇気と自信をもって、全国の若き農業後継者と固く手を握りあい、農業をとりまく種々の問題の究明とその打解に全力をもって邁進していかれるならば、必ずや明るい未来が約束できることを確信いたしております。

4Hクラブ活動は申し上げるまでもなく実践を通じて自らを磨く活動であります。その実践を反復し、身につけることによって仕事も自己も大きく発展してゆくものと思います。

最後に、全国のクラブ員の皆さまのご多幸と健全なクラブ活動の推進を祈念して、私の年頭のあいさつとさせていただきます。

主体性ある活動に

全国4Hクラブ連絡協議会会長　松浦幸治

クラブ員のみなさん、新年あけましておめでとうございます。輝ける新春を迎えて、希望と期待に胸の高鳴りを覚えておられることと思います。

七〇年代もすでに三年目にさしかかりました。世の中は〝三年ひと昔〟の勢いでめまぐるしく推移し、予測もつかなかったことがつぎつぎに実現しています。とりわけ、科学の発達は秒刻みで歴史と人間の創造力を何十倍、何百倍にも伸ばしました。このような時代にあっては、世の中の動向に対応し得ることが基礎的な条件となってまいります。

今日の社会のような急激な建設は〝ひずみ〟を伴って現われざるをえません。人々の生活権をもおびやかす諸問題に発展し、文明の力をもってしても解決のできないのも非常に多く、問題の因果関係も複雑で迷宮入りのものも少なくありません。人間が自らの手で首を絞めているといったらいいのでしょうか。開発・発達という美しい言葉にかくされている醜い部分が、じつは極めて重要かつ重大なものであり、決して見逃すことのできないものであります。これらの原因や責任をすべて過去の政治に向けるのが一種の社会通念になっていますが、しかし、一人ひとりの自覚意識の欠乏にも視線を向けなければならないと思います。すなわち、見栄や外見が万事の評価基準から、本質的なものに尺度を当てた正しい価値認識と客観的な判断力こそ、私たちが真に求めなければならないものではないでしょうか。思いきった過去の反省の上にたって、発想転換と新しい第一歩を踏み出さなければなりません。

4Hクラブは、自己形成、世論形成のために、その学習方法としてプロジェクトを進めています。いいかえれば、それは立派な農業経営者になるための鉄則としての基礎トレーニングではないでしょうか。ですから、クラブ活動は本来極めて厳しいものなのです。プロジェクト活動不用論がクラブ員の中からしばしば聞かれますが、私たちのクラブからプロジェクトという大黒柱をなくして何が残るでしょうか。目的のない趣味のサークルになり下がってしまいます。

4Hはもっと大きいものです。基礎活動が認識の力と原則に乗って動き出したときには、すばらしい農村建設が約束されているのです。全協はそのような視点に立ちつつ、これからの課題として一般社会、農村社会における4Hクラブの位置づけを明確にし、つねに対外的な相互作用を伴ったクラブの体系を確立するよう努力していきたいと思っています。

そのためにもまず、私たち4Hクラブ員一人ひとりが4Hの本質と理念を踏まえ、プロジェクト活動を推進し、その実績がより評価の高いものになるための実践活動を充実させることが必要です。その結果を関係指導機関にクラブの意見として反映できる組織の強化が大切だといわねばなりません。要するに、末端から全国段階までの一貫体制を確立することこそ急務なのです。

そこで、私たちが現在問題にしなければならないのは、まず日本4H会館の建設と日本4H新聞の購読普及でしょう。この二つの大問題は、いままさに私たち4Hクラブ員にその真価を問うているのです。日本4H会館の建設、そして、日本4H新聞の普及なくして私たちの明日の活動はないといっても過言ではないと思います。全国のみなさん、さあ、ガッチリとスクラムを組んでこの二つのプロジェクトにぶつかっていこうではありませんか。

時代に対応できる農村のパイオニアを生み出す母体としての4Hクラブ、その実現のためにことしもますますファイトを燃やすことをお約束して新年のごあいさつにかえさせていただきます。

4Hの信条を柱に

総理府青少年対策本部次長　吉里邦夫

耳をすませば、ひたひたと二十一世紀の足音が聞えてくるような一九七三年を迎えました。全国の4Hクラブの皆さんはどのような新春をお迎えになったでしょうか。恋が実り、あるいは希望にもえた未来への期待に胸をふくらませ、明るいお正月を迎えた人もあるでしょうし、思わぬつまずきで悲しみのなかに新年を迎えた人もいることでしょう。まさに人さまざまです。しかし、なにものにもまさる宝は、皆さんの若さであります。私などはもう若くはありませんので、せめて心の若さだけは持ちつづけたいものと努めているつもりです。それだけに若者に接しますと実にうらやましい気がしてきます。

二十一世紀は確実に君たちの手にあるわけですし、とくに文字どおり、大地に足をつけた農村青年―4Hクラブの会員の果すべき役割りは大きいと思っています。そのような大きな期待をかけられている皆さん方に二つのことを提言し、考えていただくことにして、新年のごあいさつにかえさせてもらいます。

さて、その一つは、〝伝統の尊さ〟というか、〝伝統と進歩の関連〟ということについて、今一度考えてもらいたいと思います。

「私たちは汚い産湯とともに赤坊まで捨ててしまった。それは私たちの間に育ってきた伝統である。」という坂西志保先義名分のもとに、バッサリと大切なものを切り捨てすぎているような気がしてなりません。明日は今日の連続であり、未来（二十一世紀もまた）は過去の延長であることを忘れてはならないと思います。過去からの積み重ねを大切にしなくては、実り多い未来も招来されないのではないでしょうか。とはいっても現状維持をすすめているのではありませんし、未来への進歩は若者の無謀とさえ思われる変化を求める心と行動を必要とします。

たしかに、年寄の人には貴重な経験があります。それは貴重な財産ではありますが、その経験というペーパーで未来への可能性は、すりへらされているか鋭さを失っているものです。それに比べ、若者の経験は少く、それだけに未来への可能性は、新らしい鋸の目のように鋭いもいと思っています。

ただ、やみくもに、その鋭い歯をあてれば、人を傷つけ、素材を台なしにするおそれがあることもまた忘れてはならないのではないでしょうか。若い力を試す場合に、先人の経験（それは失敗の経験も含め）なり、民族の伝統を活かすことが大切であり、産湯が汚いからといって大切な赤坊まで流してしまわないようにしてもらいたいものです。

二つ目の提言は、〝動かされる社会から動く社会へ〟と進むための努力を重ねようということです。

老若男女を問わず、生きがいということが問い直されている昨今です。先頃の国民青成会議の席上でも、大きなテーマとして議論されていました。言葉の意味よりその中味が問題であり意識が重要ではないかと思っています。アメリカで気に入った椅子があったので、同じものを一〇脚ほど作ってくれというとその作者の老人は精魂こめて一つ作るから楽しいので、数多く作るためには一×一〇ではなく退屈料をプラスしてくれといったとか。この話のなかに私は大切なものがあるような気がします。所詮、生きがいとは人それぞれが答えを出すべきでありましょう。

最近の青年の持長の一つに〝無気力〟〝その日暮し〟的なことがいわれています。その原因は豊かさのなかの心の貧困かもしれません。

私は、ひとりひとりが、その可能性をぶつけ、自ら働く意識と社会参加の意識を持てるような社会にしなくてはならないと思っています。

このことは決して難しいことではないと思います。4Hクラブの、心・頭脳・技術・健康の信条を柱として、社会の一隅を照らしていくことこそ、社会全体を、そして国全体を照すことになることであり、その生き方こそ青年の社会参加であり、自ら働く社会への実現の確かな歩みではないでしょうか。

今年一年、一つのことを柱として、大きな池へ投ずる一石となり、波紋を呼び拡げてみて下さい。

新春を迎えて

販売力強化を重点

全国農業協同組合中央会会長　宮脇朝男

昭和四十八年の年頭にあたり全国の農協組合員ならびに役職員のみなさまに、心から新年のお祝いを申しあげます。

すでにご承知のように、昨年はまず日本国民が多年の念願としておりました沖縄の復帰が実現し、それを花道に過去八年間にわたり政権を担当した佐藤内閣から、田中新内閣へのバトン・タッチが行なわれるとともに秋には日中国交回復、衆議院の解散と総選挙等、国の内外にわたり大きな政策転換が行なわれた年であります。

さらに経済面においては、一昨年アメリカが強行したドル防衛策に端を発した通貨不安が、わが国の大幅な円切り上げをはじめとする国際的な通貨調整にもかかわらず、いぜん不安定を続けており、一時低迷していた、わが国経済の回復基調と外貨保有の増加に伴い、農畜産物を中心する貿易自由化の外圧、さらには円の再切り上げ圧力がいっそう強まっています。

こうした中にあってわが国農業は、引き続く米の生産調整と農産物価格の不安定を反映し、農業収入の伸びなやみが続き、特に米作農家にあっては、予想を大幅に下回る収穫量となり、収入の減少すら憂慮される事態となっており、ミカン作農家はグレープフルーツ、オレンジ・果汁の輸入圧力に加え、豊作による価格暴落の不安にあい、比較的安定を続けた経営の根底をゆさぶられています。農協経営も、これらの情勢に加えて、低金利基調の持続、さらには引き続く物価・賃金の大幅かつ継続的な上昇に伴なう人件費の増嵩等により、かつてない危機に直面しています。

このような時にあたり、われわれ系統農協はまず政府に対し農業・農村が国民生活の安定向上と環境保全に果す役割を積極的に評価するとともに、高能率・高所得農業の建設と、健康にして文化的な生活を享受しうる基本農政の確立を求めていきたいと思います。また組織内にあっては、「自主建設路線の確立」と「総合力の発揮」を基調とした、総合三か年計画の最終年度にあたり、これまでもっとも立ちおくれている販売力の強化に、一丸となって努力を傾注するとともに、組合員の農協への新たな結集をはかる組織基盤の確立と、組合員の生活向上をはかる活動に鋭意取り組んでいくつもりでおります。

今年は、第十三回全国農協大会の開催年でもあります。第十二回大会で決定された主要施策の実践についてのきびしい検討とその反省のうえに立って、今後の農協の進路について明確な指針を打出すとともにその実践について役職員の意識を統一しこの難局をのり切ろうではありませんか。全組合員および役職員の理解と協力をお願いするとともに、その先頭に立って前進する決意を述べまして、新年のごあいさつといたします。

昭和四十八年　元旦

農業の新しい経営

特殊に徹して！

農業問題研究家　原田　津

Aさんが住むのは新潟県刈羽郡の山の中、過疎と呼ばれる地帯である。二十数戸あった部落にいまは三戸。Aさんはそれをさみしいことと は思っていない。庭に大きな池を掘った。水は流水なので凍らず、したがって、池面に雪は積らない。庭の大部分に雪がないことで、ずいぶん冬の閉そく感はやわらぐ。池の中では食用鯉がとびはねている。夏は繁殖牛数十頭が山に放たれ、牛たちは人手を借りずにかん木や草をよく食い、よく運動し、そして自然交配、自然分娩をする。冬だけは山をおろす。おろした牛は、村を離れた人たちが残していった空家で舎飼いする。

Aさんはまた炭を焼く。いまでは住い のすぐ 隣にカマ がある。これも、出て行った人の納屋を改造した中に設けたものだ。門前のカマだから、火さえつけば手はかからない。一年中焼いている。近ごろは山を利用する人も少ないから、よい木の山をみつけて所有者に声をかければ、いい値でゆずってくれる。それを夏のあいだにうんと切って積んでおくのである。鯉や牛や炭で、生活は十分に成り立っている。

東京目黒区といえば、ほとんど旧市内に属するところである。そこで五〇アールの畑を持つBさんは、二〇アールをつぶしてアパートを建てた。残りの三〇アールに十数種の露地野菜を巧みに輪作して、そのアパートの住人に相応の値で分けている。「産地直結」がはやりだが、これほど文字通りの直結はないだろう。「流通」がまったく存在しないという、よくよく吟味してみるべき農業である。

「アパートの収入はすごいでしょうねえ」とBさんをあげつらう人もあろう。戸数が減ったからこそできたことだと。Aさんの例で階層分解のリクツを実施してみせることもできよう。だが、私が二つの事例を紹介したのはそんなことのためではない。また、やればできるといいたいためでもない。

私がまず注目したいのは、どちらもが持っているある種の安定感である。三十歳でそこそこのAさん夫妻が、好きな鶏を飼って元気に日々を過ごす両親とともに営んでいる生活は、なんと強固で安定していることだろう。それは経済のことだけではなく、心の安定とでもいうべき生活全体での安定感である。この安定こそ、生産と生活とが分離せずに一体となっている農業という営みが、本来的に持っていたものではないか。日本を「ディスカバー」したり「改造」したりする焦燥のなかに、もはやこのような安定はない。

農業の近代化ということを、だれもが当然すぎるほど当然のこととして口にする。だが、もし安定がほしいなら、一度は「近代化」を疑ってみることだと私は思う。生産と生活を切り離し、切り離した生産を強力に拡大するという、そのコースから、AさんもBさんも異質である。それを「特殊」ということでかたづければ、あとには「一般」が残るだけだが、あまり一般的な法則、日本農業全体に網をかけるような論理は、果たして実際的なのだろうか。個々の農家の営みにとって、日本農業の近代化から考え始めることになんの意味があるのだろうか。一般から特殊を考えるのではなく、特殊に徹した方がよい。

個々の特殊、地域の特殊に目をすえて、それに固有の展開の道をさぐる。AさんBさんに限らず、新しい経営を切り開いている人たちはみな、そうした道から活路を開いている。一般方則にふりまわされるよりも、その方がずっと理にかなったことだからだ。考え方を変えたらどうか。

だが、農政は特殊をかえりみない。Aさんは「過疎地」ゆえに担保の評価が二足三文であることを嘆き、Bさんは宅地なみ課税になったら降伏のほかないと言う。考え方を変えるべきなのは農政の方かも知れない。

土についてのノート

中央協同組合学園講師　小橋暢之

☆……ある学生劇……☆

ぼくが勤めている学園は東京町田市のはずれ、高尾山の山沿いにある。

昨年の秋のこと。学園祭で農業問題研究会のメンバーが数か月間に町田の農業を調査し、その折農家から聞いて来た様々な話を脚色して創作劇を上演した。劇のモチーフは、ある都市近郊農家、中風で寝たきりの老父と四人の兄弟、妻達を中心に長男が処分した土地代金の分配をめぐる人間関係のもつれである。

ささやかな学園祭だから他所からのお客さんはごく少ないのだが、たまたま学園の近くに住む農家のおばさんが見ていた。そのおばさんが泣いていたという。

単に涙もろいのか、あるいは似たような経験をしたからなのか、このおばさんの涙の意味はわからない。けれども昨年一年のうちに岩手や秋田、そして愛知や岡山などの農村を訪ねまわってきたぼくにとって、それは不本意な苦渋を滲めさせている日本のむらの、農家の傷みを象徴しているようにも思えた。

☆……土ということ……☆

一九七三年………。土地をめぐる騒動は更に深刻化するだろう。そして不毛の悲惨劇が日本列島のあちこちで舞台をまわしていくだろう。

いったい農家にとって土地とは何であり何であったのかここらでその原点を見極める時期がきているのではあるまいか。

かつて千葉の三里塚の農民が守るべきものは「土地」ではなくて「土」だと主張しているのを読んだことがある。それはかなり心情的発言であったかも知れないがこの言葉のうちに、農家と土地、もっと言えば人間と土地の本源的なかかわりのありようが語られていたように思う。土地を失うということは、その土地に設定された所有権や権利に基く営農が失なわれるというばかりでなくその土地と深く密着した生活（精神的な、物質的な）の全部が解体していくのである。

なぜなら農家にとって暮らし（Living）と仕事（Working）とは土地を媒介として不可分のものとして結びついているからである。

考えてみれば、土地は一面では経済行為を果していく生産手段としての耕地であり、また先祖から自己を経て子孫へ継承されていくべき家産（家の財産）でもある。更にこの土地は農家の個別的所有であると同時に法の枠からはみ出た部落（むら）のもの（総有）でもある。たとえば、私権があるからと言って部落の水田地域の真中にある田を勝手に荒したり、処分することは出来ない。またどの部落にも字界（あざかい）、あるいは村境（むらざかい）があるのは、部落の地理的区分のためではなく、「ここからここまでがわしらの部落の土地だ」という領土宣言であった。入作・出作ということを大変気にしたのもこの様な事実の反映である。つまり、個の生と支配を超えた土地こそ農家の土地の本質であり、その本質のみを把え出せば土としか呼びようのないものだ。

☆……土の被護性……☆

農村は従って根源的には土の社会である。（都市は同じ意味で銭の社会と言える）テンニースの流にいえば土のゲマインシャフトである。農村人はこの土に被護されて生きてきた。つまり個の生と支配を超えた一定の領土枠を持つ土地の範囲＝村の被護空間で子供も老人も女も、時には精神病を持った人間も皆その生を保証されて来たのである。逆に言えば、この如き部落から離村することは甲羅を失なったカニの一人歩きのようなものであり、見知らぬよそよそしい世界に孤独で投げ出されることであった。かって柳田国男が『遠野物語』で描いて見せた世界がそれである。

今日でも、部落の土地の範囲を『郷』『作り』『つくりっぱ』『分』『垣内（かいと）』『郷』『洞』『囲』『地所』『地下（おげ）』等と呼んでいる。明治・昭和の二度にわたる町村合併も、この部落の領土合併ではなく、単に行政的連合体を形成したのであり依然として農村民の生活・営農の実体は部落の内側にあった。最近の基盤整備事業でさえ字界を取り払ってなくしてしまったという例は聞かない。

この領土の守り手が総大という部落共和国の重立（おもだち）であったわけだ。ところが農村の大勢は日に日に領の護りを弱め、無秩序な領の解体による都市化、過疎化の波にあえいでいると言わざるを得ない。

☆……土の再建……☆

人間は、民族が国を持つが如く、あるはっきりした被護性の空間領域を所持し、その中に住み着くことこそ彼の生の本質であるとは、ドイツの哲学者ボルノーの思想である。その意味から解けば、むらと家、あるいはその総体としての里は、土の上に建てられた農民数百年の生の証しであったのだ。

個々の農家の土地喪失は部落を崩し家を変え、結果として彼の安住空間を解体していく。明日、農業を自己の生き方として選び取る若いプロメテウス達が新しい土の里をつくり得るのか、それとも銭の世界人たらんとするのか、その行方は日本農村の血脈の問題であろう。

ウシのよもやま話

牛に引かれて歴史を巡る

「牛肉と牛乳の歴史」

「古語拾遺」という日本上代のことを記録した書物によれば、田植はじめの日に、労働に従事する人々へ牛肉を振舞ったとある。また天武天皇の四年（西暦六七六年）に、馬、牛、犬、猿、鶏の肉を食うことの禁令が出されたという記録があるのは、日本でも中古来では肉食がさかんに行われていたことを物語っている。

この後、黒船の渡来する幕末まで日本人が肉食をはばかるようになったのは、四つ足を忌み嫌うというもっぱら仏教的禁肉思想に支配されたためであった。

それが嘉永六年（一八五三年）下田へやって来たペリーが、鶏二百羽と牛六十頭の調達を要求して日本の役人を驚かせたのである。米人の食生活を知らない役人たちは、船の中でそんな大量な鶏や牛が飼育できるのだろうかと勘ちがいしたからだが、とにかくこれを期に、日本でもじょじょながら牛肉が食用の対象とされるようになった。

といっても、それから二十年近く経った明治四年にもなってさえ大久保利通が、日本の近代化という大事業に取り組んでもらわねばならない明治天皇に、カロリーの低い菜食よりもスタミナのつく牛肉をおすすめしたところ、″弘法大師は野菜ばかり食していながらあんなに精力的な仕事をやったではないか″と、頑としてお聞き入れにはならなかったというのである。

しかし、大久保の努力で、その十一日から日に二度、牛乳だけはお飲みになるようになり、やがて翌五年の一月二十五日になって初めて牛肉を食され、国民たちも″天子様でさえ召し上がるのだから″ということで、やっと安心して食べるようになった。

明治帝が肉より先に口にされたという牛乳の歴史も同様で、孝徳天皇の御代（六五〇年頃）に、中国人の善那という人が天皇に献上した記録があり、孝徳帝はこの中国人を乳薬の職長としたとあるから古い。これもまた仏教的な意味で、その後、長らく飲用がたえ、徳川十一代将軍家斉の頃になって再び用いられはじめた。

「闘牛・牛づき」

西暦八世紀、イベリア半島を侵略したムーア族が創めたという闘牛は、十二、三世紀頃にスペインで大いに流行ったが、日本では闘牛のことを″牛づき″と称し、牛と牛の角の突き合いで、人間対牛のスペインのそれとは趣きを異にしている。

鎌倉期の承久三年、後鳥羽上皇が隠岐に遷幸されたとき、島民がこの″牛づき″を天覧に供したというから、日本での歴史もかなり古いが、今では四国の伊予名物とされており、新潟県竹沢の″牛づき″も百数十年の伝統がある。

闘牛戯（うしずもの）とも言われるごとくに、強さによって前頭、小結、……横綱とランク分けされた対戦する二頭の牛に、それぞれ介添役の闘士と呼ばれる男がつき、角と角をからませて闘争をあおり立て、逃げ出したほうの牛が負けというのが競技方法である。

闘牛の初興業の記録として、文化四年、四国三保ケ崎の高崎市右エ門という人が、美しい化粧回しで飾り立てた闘牛十一頭を引きつれて江戸へ乗り込んだという話が残されている。ところが、火事と喧嘩好きの江戸ッ子相手なら大受け間違いなし、と企んだ当てがはずれ、なんとか人気をかき立てようと牛に激闘を強いて、結極は三頭も死なせた上、ほうほうの態で四国へ引き上げて行ったというのだから、牛角力はよくよく江戸ッ子の性に合わなかったものとみえる。

「牛に引かれて善光寺」

この古い諺の意味は、全く別の原因とか、あるいは他人にさそわれて偶然ある場所に達するということだが、話のもとは″今昔物語″から出ている。話としては面白いので簡単にご紹介しておこう。

昔、長野県の千曲川沿いにある岩山の麓に、全く信仰心をもたない婆さんがいて、全国の善男善女がかかならず参詣するという同じ長野の善光寺はおろか、村の近くにある布引観音さまにもお詣りしたことがないほどだった。

ある日、その婆さんが川で布を晒していると、突然一頭の牛が現われ、婆さんの晒している布を角にひっかけて駈け出して行ってしまった。あわてた婆さんが、その牛のあとをどこまでも追っかけて行くうちに、いつの間にか善光寺まできていて、境内の金堂の辺りで忽然と牛の姿が消えた。

そこで、牛の垂らしたよだれのあとをつけようとしたとき、一条の霊光がよだれの跡のひとところを照らし出し、そのよだれが″牛とのみ思いはなちそこの道になれを導くおのが心を″という文字になってはっきり認めたのに、さすが婆さんもはっとした。

この奇蹟にすっかり善提心を起こした婆さんが村へ帰り、改めて布引観音へお詣りしたところ、牛が持って行ってしまった例の布が観音の足もとにあるのに婆さんはますます信仰の念を深くしたという……。

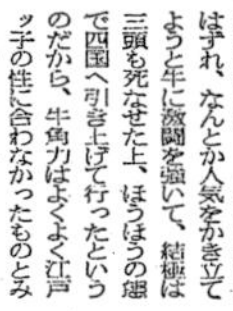

厳密にいえば、これは善光寺でなくて布引観音の縁起にまつわる教化伝説なのだが、いつの頃からこの婆さんの話を絵ときにして、全国的な参詣人があとをたたない賑やかな善光寺門前で売る者が現われるようになり、とうとう話は善光寺と並んで有名になってしまったのである。

「牛の角文字」

″徒然草″の中の″ふたつ文字（こ）、牛の角文字（い）、直ぐな文字（し）、ゆがみ文字（く）とぞ君はおぼゆる″という延政門院の歌にもあるように、牛の角文字というのは、″い″の隠し言葉とされていて、後に様々な用い方をされ、ついに牛の角文字だけで″恋″の隠語となった。

江戸期の川柳に″牛の角文字も役者は御殿向き″というのがあるが、これは男子禁制の御殿女中は、公用の外出を口実にこっそり役者買いをしていて、日頃の欲求不満をみたすのが常だったと知れば意味は簡単に通る。

では最後に、お正月休みの退屈しのぎにゆっくり意味を考えていただくようもう一句ご紹介しておこう。

″牛の角文字午（うま）の日から覚え″

―青年の話から―　集団の考え方

農林省・普及部普及教育課々長補佐　折原俊二郎

世の中が最近とみに忙しくなってきた。めまぐるしいなどといっているひまさえないのが実情である。しかし、そうした中でも生きていかなければならないし、また、それにおくれたら社会の落伍者になる。社会の落伍者とは、人格的に他人から見捨てられたことである。しかし、それは他人が見捨てたのではなく、自分から離れていったのである。私は少なくとも、そうした立場にはなりたくないと思っている。

この前、ある青年と会った。彼は学校を卒業すると、どうしても農業をやるといって意気込んで帰ったのであるが、結果はなかなか思うようにいかなかったらしい。その原因の一つは、彼にはお金があるからだという。もちろん現金で何千万円も持っているわけではないが、借金しようと思えば銀行から予定の額のお金は借りられるという。借金も自分の財産の一つであると考えている。

世の中には金を借りようとしても借りられない人が多い。こういう人こそ、お金がないというのだといっていた。

ところで、問題は経営拡大をやろうと思って交渉してきた土地が、ゴルフ場建設のため他の業者に取られてしまったことにあった。ここで彼の計画はストップをかけられたわけである。農業地としては最適地であるが、レジャー産業者のホコ先には勝てなかったのである。

そこで彼は考えた。ゴルフ場の面積から比べると、自分の購入しようとしていた土地の面積ははなはだ小さい。これでは売る方でも、大面積購入の形でできた方に軍配をあげるのは当然だろう。また、業者の方は土地購入に関してはベテランの人を数多く配置し、それらが一緒になって交渉に当るのだから、とても手も足も出なくなる……と。

それにもう一つ、もっと大切なことは、土地がこうした経過で買えなかったことを同じ農業をやっている友人に話したら、そんな話だったら私も土地を買いたかったという返事が返ってきたことである。さらに数ヵ月後、他の農業青年からも同じような返事があったということである。

彼は大きなショックを受けた。それとともに、たった一人でやろうとしていた自分本位の考え方を反省したといった。

いま、農林省では農業生産組織の育成や、農業団地の育成に力を入れてきている。他方、流通の問題を考えても、特産地といわれるくらいの品質の統一、一定量の確保などを図らなければ対抗できない。とても一人ではやっていけない立場にある。

お互いが力をあわせていかなければ、とてもこれからの農業は維持できないだろう。

自立経営の考え方をするにしても、それは集団構成の中でないとやっていけないと思う。そうした意味ではこれからは集団のものの考え方、その進め方などを本気で勉強しなければならない。

ことしはそういう意味で仲間との話し合いを始めたい考えであるということであった。

私も、この考え方を支持するとともに、ことしの課題として取り組んでみるつもりである。

どっこい生きてた大阪農業

原田　正夫

あの手この手の思案を胸に破れ長屋でことしも暮れた……と「王将」にうたわれる将棋名人坂田三吉はなにわ大阪を代表する″ど根性″男である。昔から商都といわれ、いまは東京に次いで人と車とスモッグが代名詞のような大阪でも″ど根性″ある農業者は死なずに生きている。

「大阪にも山や田んぼがあるの？」数年前全国大会で関東なまりの女の子が私に尋ねた。信じがたいというような顔で…。「ええありますよ」と答えた。そして、ついこの間再会した彼女「まだあるの？」「ええありますよ」とまた答えた。

たしかに昭和三十五年九万五千ヘクタールだった耕地はいまや二万ヘクタール余り、大幅な減少である。労働力の方も十二万から九万人に、戸数も一万戸くらい減っている。工業の高度成長、地域開発、さらには農業用水、大気の汚染も深刻な原因にもなっている。加えて地価の高騰がある。車一台分くらいの面積を売ればピカピカの車がサッと手に入る農地だってあるくらいだから、完全退職しその土地売却金が魅力的なのもムリはなかろう。

そのような現実がありながらも、どっこい大阪農業は生きておる。そうした姿を学識者たちは驚異の眼でみておられる。統計で確かめて私も驚いたことがあった。耕地面積は全国で二番目に少ない。ところがである。単位面積あたりの農業所得は全国第三位、専従者一人あたりでみると全国一位。自分の経営現状をかえりみて本当かなと思ってしまう。でも天下の農林省の調査だから信じよう。また専従者が三百人をこえる市町村で一、二位が北海道で三位以下ずっと大阪が並んでいるという。

ほんまかいなと思うけど、これも信じよう。加えて恥かしながら私を含めて大阪農業のパワーは七九〇万府民の胃袋の％を自給している。他県の率まで存ぜぬが人口からみてこれはかなり高い自給率だろう。

しかし、これらは農家を押しなべてみたもので、中身は近郊農業の傾向として両極端がある。つまり、施設園芸（青ジソ、紅タデ、みつば、フキ……）のような効率のいいものとかでっかい畜産・養鶏の団地などを初めとする農家と、二種兼業（約八割）で売ることを考えない農家があって、その中間にくらいするのがいまどっちに行こうかと迷っているのが現状である。しかし、その中間派にとって後継者問題や先に書いた公害、地価、新都市計画法などを考えるとやっぱり大部分は身体が半分あっちの方をむいてしまうのじゃないだろうか。今後一層両極が鮮明に分かれてくる可能性が強い。

その上、新鮮なものを早く消費者に届けられるという大阪農業の特権も、交通網の発達で特権でなくなりつつある。さらには一般的には本州―四国を結ぶ橋を夢のかけ橋というけれど、特に大阪の野菜農家にとっては強敵の出現必至で夢どころじゃない。宅地なみ課税という市街化地域にとっては、のどもとにナイフをつきつけられたようなものである。

要するに数字の上では栄光の大阪農業もかなりあぶなっかしい。大阪のシンボル、その昔不落の城といわれた大阪城のようにはいかない。革新府政を生み出した勢いがおとろえないのはそのあらわれではないだろうかと思う。

ともあれ、ここで消えては″ど根性″の名がすたる。まさにあの手この手で耐えぬいてゆこうとしている中堅、若手の農業者は少なくない。高い土地はサッサと売って、他府県で安い土地をドカット買って通勤農業をやる友もいる。大消費地を控えた利点を生かそうと観葉植物の大型経営で、しかも会社、喫茶店等に一週間いくらで鉢ごと貸す友も……。観光農業、貸農園もふえてきそうだ。野菜でも市場を通さず料亭、中華料理店などと契約して、お互いに喜びあってる。シイタケでもとれすぎてくると、自分の家でビンづめ加工して（もちろん許可をとってだが）ドンドン売りさばいてしまう。まだまだある。

大阪農業には坂田三吉の″ど根性″とソロバン（もう古いかな）片手の商売人気質が残っている。まだまだ死ぬわけにはいかぬ。大都会の人びとは緑を求め、新しく、うまいものを欲している。あの手この手でやっぱり生きぬいてゆかねばならぬ。

（全国4Hクラブ連絡協議会・副会長）

"しあわせ"とは何か？

瀬戸内晴美　三浦哲郎

新春対談

複雑な社会環境になってきて、物心両面で私たちの生活は激しくゆれ動いている。とくに精神面では危機感がいっぱいで、生活の充実感、幸福感が稀薄なのではなかろうか……。心の問題がここ数年いわれてきているが、それが問われていること自体、私たちが心なき時代に生きている証拠ともいえる。幸福の位相は時代の流れにそって異った顔をして現われるが、しかし、その核となるものは変らないはずである。そこで、改めて「幸福とは何か」を、作家の瀬戸内晴美、三浦哲郎両氏から、身近かな問題を中心にして語ってもらった。

しあわせの標本

瀬戸内　三浦さんの小説はだいたい"しあわせ"を書き、私は"ふしあわせ"を書いている。三浦さんの小説を読むと、人間て、あったかい動物だと感じる。それから、三浦さんの家庭が"しあわせ"の標本みたいな感じでしょう。

三浦　いいえ、そんなことないですよ。まあ、ボクは要するに人間をひどく書けませんからね。性格的なものですよ、それは。

瀬戸内　非常に平凡な日常性の中に大切なものを見つけようとしていらっしゃるのね。

三浦　いやあ、そういわれるとよく聞こえますけれども。

瀬戸内　だって、恋女房がいてさ、健康なんだもの。女の子が三人いて、仕事はどんどんあるし。幸福の標本の一家だっていうんです。それに家族は愛しあってるし、三浦さんはうわ気をしないし（笑）。

三浦　いやいや、それはわかりませんよ（笑）。

瀬戸内　おかあさまはまだ元気？

三浦　はい、あの八十歳で元気です。

瀬戸内　ほらごらんなさい、これも"しあわせ"の一つです。それにふるさとがあるでしょう。この人は幸福の権化ですよ（笑）

価値感が変わった

瀬戸内　男と女の幸福の差はやっぱりあると思うわね。男ってのはいい奥さんもらって、奉仕されて好きな仕事ができてというのが一番じゃないかしら。

三浦　そう、確かにそうですね。……。

瀬戸内　女の幸福ってのは、そうね、女って文句が多いからねえ……。私のところにも、本当に幸福だといってくる人はあまりいなくて、文句いってくるのが多い。そして、亭主がうわ気しているということが最大の不幸という感じなの。男だって女房がうわ気しているとしたら不幸には違いないけど、だいたい男はそんなこと知らないからね。（笑）だからわりとのんびりしている。

三浦　そうですかね。（笑）

瀬戸内　鈍感よ、その点で男は…。

三浦　知らぬは亭主ばかり……（笑）。でも、男の仕事っていろいろ種類があるけれど、家庭がダメになっても、自分の仕事がうまくいってりゃ幸福感というのがありますよ。その点女性とは違う。

瀬戸内　ただ、女だって幸福に対する価値観が変ってきた。夜遅く、二十四歳の人妻で子供が一人あるという女性から電話があって、「私は大変しあわせですけれど、だけどこんなのでいいのかと思っていたら、先生の"余白の春"を読んですごいショックをうけ、今の自分の生活が実にくだらないと思って電話をかけた」というの。だから、亭主がいて、子供があって、という世間的なしあわせっていうものに対して満足しきれない、本当にこれでいいのかと考える若い人が出てきているわけね。

三浦　これまでのいろんな制度とか環境とかからのものが、本当にしあわせなのかどうか、そういう既存のものに対する疑問が出てきているということでしょうかね。

幸福への疑問

瀬戸内　一応非常に平和そうな形態を保っててね、だけど本当に中にはいって見たら相当くさっているといった家庭はとても多いと思うの。そういうウソ、がまんに耐えられないという感じを女が持ってきてますね。だから、普通の幸福を絵に書いたようなものには不信感を持つ。

三浦　そうですね、本当にそうですよ。

瀬戸内　だって、今、よく考えてみて、自分の家だけがしあわせで、本当にしあわせであるはずがないもの。ベトナムでは人が死んでるし、水俣病の問題だってある…。新聞見てああ人が死んでる、人はえらい目にあってる。だけど、私たちはしあわせなんだなんて、そんなことあり得ないもの。だから今、本当に人類がしあわせだということは、世界中にないんじゃないか、と私は思います。

三浦　そこに気がつかないで自分たちだけしあわせならいいという若い人たちもかなりいますね。

瀬戸内　でもマイ・ホーム主義のしあわせのむなしさなんかにやっぱり不信感を持つ若い人たちが出てきてますね。未婚の母なんかも本当はそういうところから出てくるんでしょうけど……。

"未婚の母"なんて…
カッコだけじゃダメ

三浦　だいたいマイ・ホーム主義というのは、世界はどうでも自分たちだけはという考えから出てきたもんですよね。ほかはどうかしらんけど、とにかくうちだけはという風な……。

瀬戸内　いつか、少年、少女の非行問題でテレビに出たときのことだけど、あの後ろのヒナ壇にいる奥さんたちは、うちの子じゃないからいいっていうのですよ（笑い）……。うちの子なら困るけどそうじゃないからいいって。本当にマイ・ホーム主義の権化で……、そういう考えじゃないですかいまの主婦って……。隣の火事はかまわないけど火の粉がうちにこなければいいっていうのね。

三浦　そうですね。先生、さきほど出ました未婚の母っていうのはどうですかね。

瀬戸内　やっぱり流行みたいなところがありますね。それで"未婚の母"なんてカッコいいなんていってるけど、実際は育てる能力がなくて、経済的な能力もなくって、未婚の母なんていったって子供が迷惑でしょうね。産んでくれない方がましでしょ。

三浦　それは単なる自分のためにそうなるわけですよね。子供のためとかなんかはまったくないんでしょうかね。

瀬戸内　やっぱり結局は相手の男がいうこと聞いてくれなかったということじゃないの？（笑）

ふるさとの味

瀬戸内　この間、八戸（青森県）へ行ってきましたよ。ああ、これが三浦さんのふるさとかなと思って……いい街でしたよ。

三浦　でも、だんだん公害が出てきましてね。工場がたくさんできて川も海もよごれてきましたね……。

瀬戸内　あらそう。でも私たちって、帰らないけれどもふるさとってあるのは一つのしあわせじゃないかしら。正月にはとくにそう思いますよね。三浦さんの方のおぞうにはどんなですか。

三浦　ボクのところは要するに野菜汁です。いろんな野菜をたんざくに切ってたくさん入れるんです。モチは四角ですね。

瀬戸内　うちの方、徳島はね、まあるいおモチ。白ミソを使ったりしてちょっと甘口で、京都風ですよ。

三浦　ボクの方は本当にかわらないです。しょう油でやります。どうもボクは東京のおセチ料理にはなじめませんですね。

瀬戸内　でも三浦さんの奥さんは江戸っ子でしょう。それをあなた流にしてるわけ？

三浦　そうです。本当にボクのいなか風です。全部、いなかでやる通りなんです。もう子供もなれましてね。

瀬戸内　そういうところは亭主関白なのね（笑）。でも、そういうことは、奥さんがすなおなんだからやるんですよ。

三浦　いや、そんなことないですけど。女房の両親というのは小さいときになくなりましたので東京のおセチ料理の作り方も知らなかったんです。ボクなんかうまくだまかすには都合がよかったんです（笑）。ちょっと強れつな女性だったらやらなかったでしょうからね。

今の主婦は怠まん

瀬戸内　だいたい、今の主婦が怠慢だと思うのはね、亭主を働かしておいてインスタント・ラーメンを食べさせることよ。どういう神経かと思う。私は嫁さんをやめたけど（笑）。私が嫁さんだったら絶対にインスタント・ラーメンは食べさせないわね。本当に主婦はなにしてんのよね。

三浦　だけど今はそういうの多いですからね、ミソ汁まで……。でも、それでその家庭の中がわかりますね。

瀬戸内　本当にわびしいわよねえ。それに、亭主のクツをみがかなくなってますよ、いまの奥さんは（笑）。どうしてかというと、クツぐらいは自分でみがくべきだという考えがあるのね。だから、愛情の表出が違うのね。家庭は諸悪の元というけれど、そんな感じする？　三浦さんなんかはさもいい家庭だと思っていて……。こんなことというと私がやっかんでると思う（笑）。

三浦　そんなことないですよ。先生のことはボクも知っていますし……。

瀬戸内　でもね、あんまり一生懸命嫁さんのためにやってる亭主をみると無能力のような感じもするわね。

三浦　そうですね。最近はまたあまりいい女房を持つと出世のさまたげになるといわれるけれど、男の仕事の活力というのは女房には関係ないと思いますけどね。

瀬戸内　この仕事を奥さんに読ませようと思って一生懸命いっている（笑）。

三浦　いやいや、そんなことないですよ（笑）。ぼくはやっぱり仕事だなあ。

「幸福は作るもの」

瀬戸内　いや、それはいい女房があたった人がいう言葉よ。結婚なんてそれは当たりはずれがあるのよ。三浦さんは当たったのよ。

三浦　当たったというべきでしょうかね（笑）。

要するに幸わせは

瀬戸内　文壇に出る初めにあんな小説書いたから、いまさら三浦哲郎が夫婦別れなんかしたら読者にそむいちゃう（笑）。

三浦　まあ、そりゃあいろいろありますよ（笑）。ただボクはね、生活の歴史でいろんなきずなみたいなものができてくるんだという気がするんです。うまくいかなくなるとすぐ別れる人たちと、同じうまくいかなくてもなんとか一緒にやっていこうとする人たちがいますね。その場合、やはり、どうやっていままで夫婦生活をやってきたかということでずいぶん違ってくると思うんですよ。

瀬戸内　そうよ、そうよ。亭主のうわ気なんてたいしたことないのよ。女房のだってそうですよ。

三浦　そう。そのたいしたことないところと、それがヘンな風に重要なことになるところがあるわけですね。そこがいろんな夫婦で違うと思うのですがね。

瀬戸内　ダンナがうわ気したからパッと別れる人はその次もしあわせをつかめませんよ。だってうわ気しない男なんていないもの（笑）。そのたびに別れてたらね……。要は知らせなけりゃいいのよ、知らぬがほとけでね。だから、人間の幸福なんてウソとウソの上に成り立っているのよ。本当のことをみんながいったら一日として幸せないわよ。かくすことも愛情よね。

三浦　やっぱり知恵っていうのかな、そういうものが絶対必要だと思うな。そして、ある状態を待っているんじゃなくて、こしらえていくようなところがあるでしょ。幸福だとか、しあわせだとかは。そう思うな。作り出していくものですね。

瀬戸内　本当にそうですね。

三浦哲郎氏は昭和六年（一九三一）、青森県八戸市に生まれた。少年期に兄姉の自殺、失踪がつづき、"病んだ血"について悩むことが多かった。早稲田大学政経学部に入学したが中退、二年間郷里で中学教師をつとめる。仏文科に再入学し、在学中に新潮同人雑誌賞を受賞。昭和三十五年、『忍ぶ川』で芥川賞を受賞し、作家生活に入る。以来一貫して抒情的作品を発表し続けている。最近では『繭子ひとり』がNHKの連続テレビ小説として茶の間の人気物となった。また、氏自身のことを書いたといわれる芥川賞受賞作品の『忍ぶ川』も映画化され、描かれるラブシーンや終戦直後の荒廃した東京と雪けむる東北を舞台にくり広げられるかたくなな"愛"の姿は、"愛なき現代"の若者たちの心を強くうった。主な作品には『初夜』『結婚』『海の道』『妻の橋』などがある。

瀬戸内晴美氏は大正十一年（一九二二年）徳島に生まれた。県立徳島高女から東京女子大日文科に進み、卒業後北京へいく。敗戦を迎え、二十一年に帰国。三十一年に『女子大生曲愛玲』で新潮社同人雑誌賞を受賞。三十六年に発表した作品『田村俊子』で田村俊子賞を受賞し、作家生活へのきっかけとなった。二年後、『夏の終り』で女流文学賞を受賞。また、評伝作家としての地位を確固のものとした。以来、「女としての業と芸術家としての業」を作品の主要なテーマとして追求し、伝記の可能性と限界を文学的資質において確かめる作業を丹念に行なっている。主な作品に『女徳』『輪環』『純愛』『美は乱調にあり』『ゆきてかえらぬ』『奈落に踊る』『死せる湖』『余白の春』『一筋の道』『花野』『夜の会話』など数多くの小説のほかに、最近では『放浪について』という随筆集もある。

ヤルぞ！

楽しい初夢をね！ 私は悩める紫式部の夫

全国のクラブ員のみなさん、どうもあけましておめでとうございまーす。

さて、めでたいところを恐縮ですが、私は悲しい話をしなければなりません。それは地区のダンスパーティーでのできごとでした。

キラキラ輝く光の中を背のひょろっと高い、顔のちょっと長い赤っぽい背広のかっこいいヤツが踊っていました。私の横に座っていた彼女は「見てて気持がいい人ね」とつぶやいてじっとそのキザなヤツを見ていました。

すると、ヤツも彼女に気があるのかどうか知らないけれどもカッコつけて彼女に近づき「ダンスを教えましょ」なんて言い出しました。さも「あなたはお美しいですね」なんてやりだしそうなヘンな物腰で……。

そして、俺も、いや、私も握ったことがない彼女の神聖な手を握りました。それも、何人ものほかの女と踊った汚ない手でもってです。くそ、ひどいヤツ、いけすかないヤツ、チキショウメ、チキショウメ……。

ヤツは彼女の手をがっちり握り、中央へ引き出しました。そこで、思う存分、ジルバだかワルツだかなんだかわからないが彼女を振り回していました。

「もっと離れて踊ればいいのに、なんだってあいつは、チクショウ……」

私は踊れないのでイライラして、そいつが私の大切な大切な彼女を手玉にとってニヤついているのを指をくわえて見ているだけでした。また、彼女のほうも、私の気持なんか知らずにヤツと寄りそい、なにやら楽しそうに話をしながら踊っていました。

私は失意のうちに、時が流れダンスパーティがはやく終ることをただ祈りました。あまりにも不幸でみじめな私。

私が見る彼女の夢も近頃だんだんよくなってきたというのに……。これではきっと初夢は、島流しか、首切りの場面となることでしょう。

ダンスができないぐらいでこんな夢を見なければならないことは世の中あんまりです。

全国のクラブ員のみなさん、私は恥をしのんでみな様にダンスを習うようにおすすめします。そして、どうか楽しい初夢を見て下さい。（紫式部の夫より）＝栃木県・烏山地区連絡報道員 小池由[illegible]

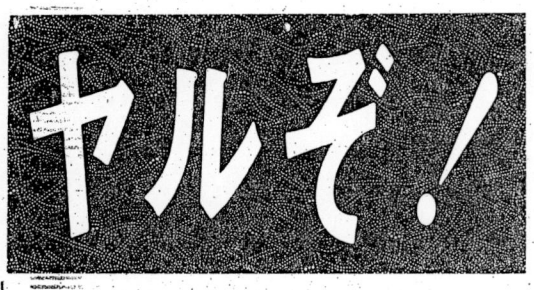

北欧の冬の夜明けは神秘的な朝もやのなかで…＝コペンハーゲン郊外で

デンマークのお正月

踊り明かし新年へ

駒井俊幸

北欧の新年はクリスマス以前からの雪の中に迎えるのが常である。日本のような御用納めというような習慣もなく、商店街も特別な飾り付けをすることもない。普段と表面はほとんど変化がみられず、わずかにクリスマスセールの飾り付けが残っている程度である。

日本のクリスマス、それに続く歳末のあの狂気（？）の売らんかな‼ を見慣れているわれわれにとっては静か過ぎて年の瀬を肌で感じることはできない。人々もクリスマスによって一年の終りを感じ、ツリーの飾り付けプレゼントの買い出し（？）とあわただしく過ごし、この数日間は一年のうちで一番ホッとしている頃であろう。

多くの人々はこの時期に休暇を取る。農業実習生も同様である。一ヶ月について一・五日の休暇が認められ、週末が加えられると十日ないし十一日の連続した休みが取れる。

家畜のいない農場、畑、機械オペレーターのような人々にとっては連続して休みが可能であり、実習生の多くは親元へ帰るのが普通である。中には普段の週末でさえ帰る乳離れ（？）しない体ばかり大きい者もいる。

太陽が全くと言っていい程顔を見せてくれない北欧では、人々の太陽を求める気持はここで冬を越した者でなければとうてい理解できないことだろう。いきおい冬の休暇には暖かい南ヨーロッパへ流行のセット旅行へ沢山の人々が出てゆく。新聞では全面でこの旅行の案内と募集の記事を載せている。このように恵まれた（？）人々と違い、一般農家、その多くは主人と一人という農場であるが、この休みをクリスマス前後、正月前後、と二人で分ける方法が多くとられている。

しかし、近年若年労働者の不足は年々深刻となり、とくに農部においては非農部より数倍きびしい状態となっている。経営者一人で四十頭、豚二～三百頭という農場も今では少しも珍しくない。酪農国といわれているこの国で乳牛は西へ西へと移動し、牛を手離す傾向は年々高くなり、かわって豚を増やす農家が少しづつではあるが増加している。

経営者はクリスマスにゆっくり家で家族とすごし、反対に若者は大晦日に楽しむというように両者の好みはうまく合っている。大晦日はクリスマスと違い普段と変らないが、親しい友人や親戚の人々が集まり正装（？）して夜のコーヒーを飲み、さらにブランデーへと話しも飲む方もはずむ。ラジオの十二時を待ちかねたかのように、気の早い者は花火を上げだし、十二時には街中に花火の音と赤や青や黄色の閃光が雪をかぶった屋根の上を蔽る。人々はシャンペンで新年を祝い、旧年に別れを告げる。これが私の知る一般家庭の正月の迎え方である。

同じ頃、若者達はどこへいくか。太陽のない北欧（十二月の東京の日照時間は百九十数時間に対し、デンマークではわずかに二十時間に満たない）の冬では、若者の多くは夏のように外へ出る機会は少なく家へこもりがちとなる。遊園地も半年間は閉鎖され、その多くは駐車場と化してしまう。最も一般的な運動はバトミントン、体操、室内サッカー。また、各種の青少年講座のために学校は夜間解放されている。ダンス、映画ぐらいしか楽しめるところはない。雪もスキーができるほどの積雪量はまず望めないし、スロープもない。

家族とともにすごした若者も十二時近くになると、友人、彼女（氏）と連れだってダンス場へくり出すのが今風の若者である。普段の倍近くの入場料を払ってタバコの煙と生バンドの演奏している熱気の中へ溶け込んでゆく。満員の若者の顔はとくに今日は明るい。テーブルには普段あまり見られないシャンペンが今日ばかりは主役となっている。

十二時直前にはバンドも止まり、まるで嘘のように静まり、時報とともに、歓声はホールに響き渡る。新年の祝いのキッス（？）が友人の間でかわされ、続いて乾杯のグラスがしばらくの間止まることなく続けられる。再び演奏は始まり、ダンスは前にも増してボルテージが上り、こうして午前五時の終了まで、この熱気は冷めることなく続く。

外へ一歩出て触れる外気は、凍てついて一瞬のうちに酔いも吹き飛んでしまう程の寒さだ。

しかし、大部分の人はこのまま車で帰るのだが、普段でも車と酒には日本ほど注意しているとは感じられない。定員オーバーの車がたくさん見られ、誰かの家での二次会へと向かう元気なグループもある。

どこのホールもそうだが、外にはホットドッグの売店が軒をならべ、どこも腹をすかした若者で一杯になっている。

こういう一日を過ごし、踊り疲れ空腹なうえに多少酔って帰る若者にとって〝元旦とは寝る日なり〟。というのも、日本と違い、年始客が来ることもないこの国では少しもおかしなことではない。

私の大晦日は毎年ホールで過ごしたために、帰る頃主人は朝の搾乳にとりかかっているだろうか？……いや、たぶん今日は寝坊しているだろう（彼は私の休みの日曜日にはよく寝坊して月曜日にまとめて出すことがよくあった）と思うのが常であった。

このようにクリスマスは家で静かに、外でにぎやかにと両極端であるが、人々はそれぞれ楽しくすごしている。その中心は家族であり、個人である。新聞、雑誌等で紹介されているように彼らは非常な宵っぱりで、平日でも呼ばれると十二時前に帰ることはまずない。小さい子持ちは子守を頼み、自分達は思う存分楽しんでくる。

しかし、普段の生活はつつましく日本の方がはるかに無駄が多いことは確かである。

家で静かに迎える年寄（？）と、外へ出て一年分まとめてバカ騒ぎする若者とがみられるが、日本には安く、気軽に、健全に明け方まで遊べるような場所がみられないのは残念である。

宗教、習慣の相違といってしまえば一言でかたづけられるが彼らはこのような行事を完全に個人個人のものとしていることは考えさせられた。しかし、日本のように情緒（？）のある静寂の中に迎える正月は、日本人でなければ、また、ここへ滞在したことのある外国人でなければ本当の良さは解らないことだろう……。

負けてたまるか 4H根性!!

赤松宏▶10

全国のクラブ員のみなさん、あけましておめでとう。本年もよろしくおつき合い下さい。ことしもまた、〈すばらしい一年〉であったと反省できる年にしていきましょう。

まず本年最初の筆運びは、昨年から継続している問題「リーダーの知識」についてです。

リーダーに望みたいことの中に「絶えず、創造的な教授法を使う意識と技術をもつこと」があります。「人は人によって作られる」「この人の陰にこんな人あり」という言葉をよく聞きます。それは、一人の人間が成長していく過程において、いかに偉大な力を人によって与えられるか、ということです。つまり、影響力です。

私自身も含めて、全国の4Hクラブのリーダーと称される諸氏が、つねに教授方法を考えてリーダー性を発揮してきただろうかと考えるとき、残念ながら〝否〟と答えざるを得ないのが実情ではないでしょうか。お互いにもう一度考え直したいものです。

素晴しい一年を マンツーマンで進もう

この頃、リーダー研修会と称して、仲間作りを主体にした交流が実施されつつありますが、こんな場こそリーダーとしての本当の力をつけるうってつけの場、創造性の訓練をする恰好の場だと思います。もし、あなたの教え方が上手であれば、きっと参加者はあなたの熱意を自分の心に点火し、燃え続けていくでしょう。だけどあなたの教え方が下手なら、せっかく燃えかかろうとする心に冷たい水をかけることになってしまいます。仲間は、あなたに新しい発想の教授法を要求しているはずです。「4Hクラブへ行っても楽しくない」『青年会もダメだ』――他力本願の仲間たちかもしれないが、要求する者に与えられる力をつけたいものです。

マンツーマンという言葉があります。「一対一」という意味ですが、私はこの「一対一」の関係が、組織の中でも複雑にからみ合わなければならないと思うのです。いままでは、とかく「役員と一般クラブ員」「会長と役員」というふうに、「一対α（アルファ）」の関係にあり、もう何もかも一つかみにする傾向があったようです。これで一体何が生まれるというのでしょうか。学校教育ですら、〝クラス内少数化〟を叫んでいる時代に、デリケートな社会教育団体の中で、このような〈じゅっぱひとからげ〉の考え方は通用しません。

活動という言葉の意味と教育という言葉の意味を知ったときに、おのずから教育への理解度が深まり、教授法を駆使する意欲が出てきます。そして、次代を担う仲間へいままで習ったことを伝えていく自覚もまた生まれてくるでしょう。

「確かな資料を準備できること」もリーダにとっての秘訣の一つです。私は前々回に「専門的な知識と実際的な経験」がリーダーには必要だといいましたが、仮りにいま私が何か専門的な知識や実際的な経験を有しているとしましょう。でも、その知識や経験は生まれてからのたった二十数年のことでしかなくごく小さいものです。ただそれだけに拠りどころとして仲間をリードするとしたら、貧弱さはまぬがれえないでしょう。教えることに嘘があってはいけませんが、他人の経験などをおりまぜて話せば、その効果は何倍にもなるはずです。他人の経験はあなたにとっては一種の資料であるわけです。

別に資料マニアになれというのではなく、資料収集法を覚え、確実にそれを整理し、準備していく力をいまから養っておきたいものです。教え方の上手な人は他人の経験談をよく聞いています。そして、教える素材にしています。見聞を広めながらそれらを整理[illegible]習慣がきっと[illegible]

リーダーに仕[illegible]

他人に何か[illegible]格から、リー[illegible]「ある程度の社[illegible]的価値」が要求[illegible]しますが、し[illegible]力する者、リ[illegible]までを完了す[illegible]としてそれら[illegible]はずです。

リーダーの[illegible]題をもつよう[illegible]う。（題字も[illegible]クラブ連絡協[illegible]

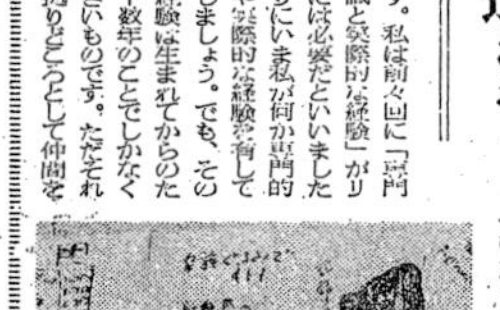

これも新しい発想の中から

神奈川へどうぞ！

第九回の「つどい」 都市と農業の調和を肌で

【神奈川】「第九回全国4Hクラブ員のつどい」は、今秋九月三日から七日までの四泊五日間にわたって、天下の嶮で名高い箱根や大山など神奈川県下一円で開催される。

その開催地の地元神奈川県農村青少年クラブ連絡協議会（会長 河崎幸一君）では、つどいの準備委員会（委員長 中野正義君）を設け、着々と今秋にそなえている。

準備委員会では、「これまで深められてきたつどいの意義や主旨を大切にして、神奈川県の農業の実情をつぶさに体得してもらうためにがんばる」とはやくも意欲満々。そのような実情を反映させてキャッチフレーズは〝はばたけ未来へ！ 都市との調和 神奈川農業〟というのが考えられている。

このつどいのねらいは、きびしい社会情勢のなかで青年の創意と熱意によってその環境、立場、条件を上手に利用、応用、創造し、新しい時代に生きる青年農業者の姿を全国の友に見てもらい、お互いの立場から神奈川県農業のあり方、ひいては日本農業のあり方を把握しようというもの。

日程は別記の通りであるが、開・閉会式にそれぞれ一日、現地交歓訪問が二日間、散策とキャンプファイヤーで一日、そのほかに記念講演やアトラクションなどが考えられている。

現地交換訪問では、参加者は現在同県連に加盟している十一地区連に分散する。そこでは、都市化の波が激しく農業者の減少も多いきびしい情勢のもとでたくましく農業に励んでいるクラブ員の宅に泊まり、神奈川農業を肌で感じて体得してもらうとともに、視察、討論会なども開き親睦も深め合う。

河崎幸一君

散策は旧東海道の箱根街道の石畳を踏みしめながら歩いたり、ひんやりとする杉並木の下で話し合いなどをする。

キャンプファイヤーは、芦ノ湖湖畔の森林のなかで行ない、かがり火を囲んで全国の仲間と固く友情の手を握り合う。その日の宿泊は世界的に名高い景観箱根国立公園内に予定している。

そして、開会式は藤沢市、閉会式は平塚市で予定されている。

このつどいでは、とくに現地交歓訪問に重きをおき、各地区連の特色を生かしたいろいろの行事を予定している。都市と調和している神奈川農業をひろめ、ともにつどいの意義を深めあえるような場も多く検討中である。

準備委員会の話 県内のクラブ員はつどいの意義やキャッチフレーズを念頭に全員一丸となって準備にあたっています。私たちは、つどいの意義やねらいをかみしめて全国各地よりぶくの仲間がわが県を訪れて下さることを心からお待ちしています。

なお、準備委員会では、私たちのみではなにぶんとも微力ですので、全国の仲間からも「第九回全国4Hクラブ員のつどい」のために協力してもらうためにステッカー（写真）を販売しております。どうか、ご協力をお願いいたします。ご協力にあたっては、各道府県連にてお買い求め願います。（神奈川県農村青少年クラブ連絡協議会「第九回全国4Hクラブ員のつどい」準備委員会副委員長＝広報担当＝石井好一君発）

つどい日程表

	第1日	第2日	第3日	第4日	第5日
期日	9月3日	9月4日	9月5日	9月6日	9月7日
行事	開会式 歓迎レセプション 現地交歓訪問	現地交歓訪問 農業実習・討論会・視察		散策 キャンプファイヤー	記念講演 アトラクション 閉会式
会場	藤沢市／県下各地区連（11地区）			箱根	平塚市
宿泊	民泊	民泊	民泊	旅館（箱根）	

青森県で青年農業者会議

二月八日から三日間

青森県と同県農村青少年クラブ連絡協議会主催による「第十二回青森県青年農業者会議」が来る二月八～十日の三日間にわたって青森県青年の家で開催される。

この会議は、日ごろ農村にあって実践活動を推進している青少年が農業の技術や経営および農村生活において体験した成果を発表し合い、当面している課題について意見の交換を行ない、農村近代化のリーダーとしての素地を涵養することを目的としたもの。

主な行事内容には「農村青少年活動の理念と今後の方向」「東北農業の方向と青年の姿勢」と題する二つの講演があるほか、パネル討議や実績発表などが予定されている。

収穫祭を開く

中野市4Hク

【長野】中野市4Hクラブ連絡協議会では、さる十二月十三日、中野市福祉会館と同市社会体育館で収穫祭を行なった。クラブ員約四十人は、昼食をしながら一年間の農作業の苦労話や収穫の喜びを話し合った。

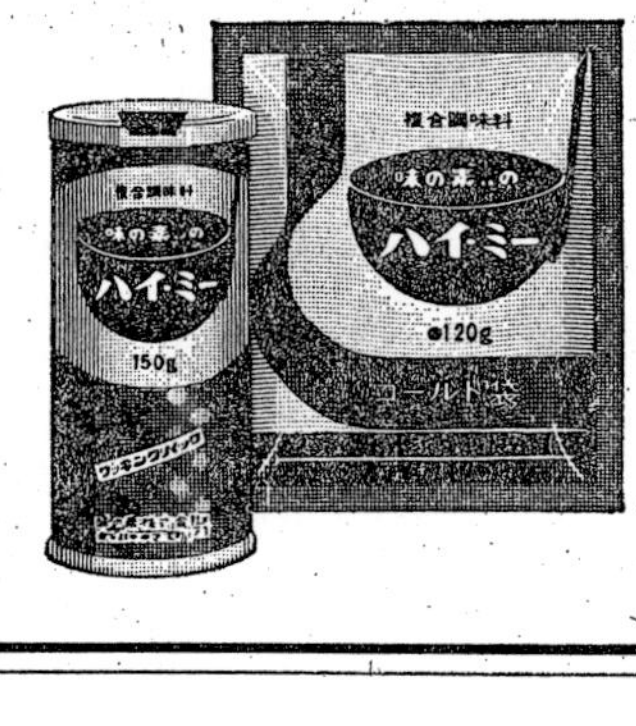

1973 ことしも

にぎやかな噂・ウワサ〈73年芸能界恋愛図〉

お熱いこってすねえ

◇　◇

テレビ局まで〈とき〉の氏神を買って出るご時勢となって、スターの結婚・婚約がここ二、三年ブームになっている。それだけに離婚率もグーンとはね上がったが……。不吉な話はさておき、ことしゴールインするカップル、目下恋愛中、あるいはホットなうわさに包まれている二人に焦点をあててみると……。

◇　◇

まず、ことしゴールインが決まっているカップルから……。

渡瀬恒彦と大原麗子は昨年二月十四日に婚約発表、秋には挙式の予定だった。ところが渡瀬の実兄である渡　哲也が肋膜炎で倒れ、兄の仕事を弟が肩がわりするハメと「僕達の式にはぜひ兄貴に出席してほしい」(渡瀬)と兄が理由で年を越した。いわば兄弟愛が挙式を遅らせたいまどき珍らしい美談だ。「恋人の期間が長いっていいものよ。」とは大原の気持ちだそうだ。これに比べて渡瀬の方は「その間にできるだけかせいでおこうと…。」と現実的。

〝永すぎた春〟に終止符を打つことになったのが野際陽子と千葉真一。同じマンションの上下に住み、実質上はとっくに夫婦と見られていたから、婚約発表の席でも「いまさら改まっても」の声が聞かれたのも当然か。才女とスーパーマンは二つ違いの姉さん女房になる。マンガしか読まなかった千葉が文学全集をヒモ解くようになったというから、夫婦生活は女上位？

中村賀津雄、黒沢久雄と衝撃の過歴の末、九重佑三子と田辺靖雄もゴールイン寸前。「彼女の過去はどうでもいい、ぼくは男なんだから気にしない」と彼が寛大さを発揮すれば、彼女は「結局、気づいたら彼の愛情があったのね」と灯台下暗しの発言で一件落着！とまあいきたいもの。

というのも、荒木一郎と離婚して、昨年〝子連れ再婚〟した榊ひろみが、新しい亭主を前に「ずいぶん遠回りしました」といっている。考えようによっては何回でも使えるセリフだ。用心にしくはない。

モォーまいっちゃう

現在、もっともホットなのが朝丘雪路と津川雅彦だ。朝丘を取材にいけば、三度に一度は津川と一緒のところを見せつけられる。最近は、朝丘が地方の仕事に出かける時も津川がエスコートしているらしく、東京駅で某紙にバッチリ写真を撮られた。あわてた津川が「週刊誌みたいなことすんな」とスゴんだとか。二人の関係が朝丘の離婚のきっかけになったといわれるのに、よほど魅かれ合っているらしい。「子供を取るか、仕事を取るか」と前夫の伏谷先生に迫られて仕事を選んだ朝丘だが、消息通によると「〝雅彦ちゃんのためなら仕事をよしてもいい〟とまでいっているらしい」そうだ。いずれ今年中には右か左か出そう。

前川　清と和田アキ子の仲もやかましい。前川といえば「理由っていわれても別にないんス」と藤　圭子と不可解な離婚劇を演じたばかり。それが今度は〝女番長〟とただでない間柄とはこれまた不可解…。ムッツリの前川に代って和田に登場してもらうと「アッシがね、このごろちょっと女っぽくなったのでツヤダネの一つもってことじゃないんスか。でもね、清はもともと藤　圭子なんかよりアッシとの方がよくしゃべるんスよ。アイツ無口だっていわれてるけど本当はそうじゃないんだから。まあいわれてみれば、歌い手の中じゃ、清とアッシは気が合う方ですね」。隠しだての嫌いなアッコらしいまくし立てぶり。イニシアティブは当然和田のものだから「清アッシについてこい！」なんてことになれば、あるいは……。

ザ・ピーナッツの伊藤エミ(姉)とジュリーこと沢田研二もうわさのカップル。二人とも渡辺プロ。お互いにファンだそうで、つまりは職場恋愛の一パターンか。「ジェリーのファンに悪いわ」(エミ)「ボクの大先輩ですよ」とそれぞれ煙幕を張っているが、二人のうわさは間をおいては登場する。「その場限りで立ち消えにならないところが怪しい」と週刊誌のマークも消えそうにない。

最後に若尾文子と中村吉右衛門。二年前芸術座で『雪国』を共演して以来の仲だという。「初舞台の若尾のために個人指導まで買って出ている間に燃え上がった」とか「けいこだといっては毎朝、吉右衛門が若尾の家から出て来た」などの話が聞かれた。思い込んだら一途な面のある吉右衛門の性格からいって、強引に寄り切るかもしれない。問題は若尾の方が十歳近くも年長である点だけだ。

ともあれ、ことしもスターの恋愛図がマスコミをさわがしそう。

朝丘雪路

津川雅彦

若尾文子

中村吉右衛門

〝下馬場ばやし〟 郷土芸能を守って生きる

茨城県農村青少年クラブ連絡協議会副会長　藤本芳一

全国のクラブ員のみなさん、あけましておめでとうございます。

私はいま、私の部落（小川町下馬場）に昔から伝わる〝下馬場ばやし〟という太鼓の後継者として毎週土曜日、仲間とともに習っている。

このおはやしは、私の部落の神社の祭りに氏子の安全と五穀豊饒（ジョウ）を祈願して奉納したという由来がある古くから伝わる郷土芸能だ。

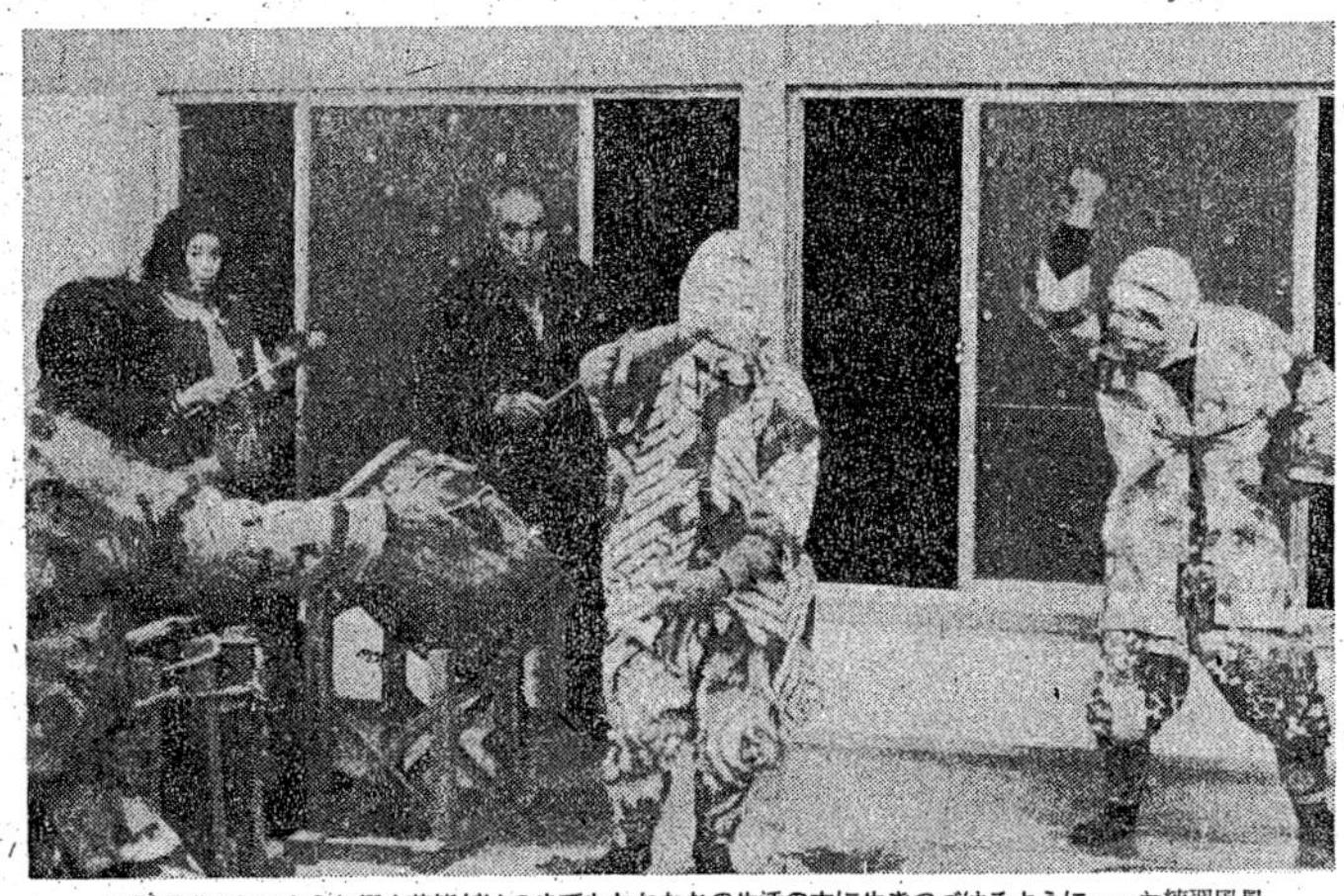
下馬場ばやしのような郷土芸能がいつまでもわれわれの生活の中に生きつづけるように……＝練習風景

鹿島神社（部落の神社）は、西暦八〇七年の大同二年の創設と伝えられ、隣接の村々から総鎮守として崇敬されていたという。そして、全盛時代には山車（俗にいうダシ）が社前に集まり、それぞれの伝統芸能を奉納し披露したということである。

下馬場ばやしはその名残りのひとつであると伝えられる。しかし近年、このはやしもだんだんなくなりつつあった。そこで、部落の年寄りが集まり、このはやしを部落に残そうと保存会を作ったのである。私は、その会の主旨に賛同し、部落に古くから伝わるこのすばらしい下馬場ばやしを習い、そして、私たちのあとの年代の人に伝え残そうと思って会に入会し、現在練習に励んでいるのである。

この下馬場ばやしは踊りとおはやしからなっており、はやしは大太鼓（一）、小太鼓（二）、鉦＝カネ（三）、笛（二）、踊り（一）、ヒョットコ（一）、おかめ（三）、キツネ（一）という構成である。

この下馬場ばしが行なわれるのは、神社の祭礼のときで、現在八月二十二日に行なわれている。場所も昔と違って、いまでは神社で行なわれている。

また、このはやしは現在、町の文化財に指定されており、こんどは県の文化財の指定を受けようとしている。

このような郷土芸能が文化財として保護されるのは大変いいことだと思う。しかし、日本全国には保護されていない郷土芸能がいくつもあると聞く。いまでも、すばらしいそれらのうちのひとつが滅びようとしているのかもしれない。

こういう現状をみて、私たちは反省しなければならないのではないでしょうか。町や県、あるいは国の文化財となっている郷土芸能は多くの人によって受けつがれ残されていくことだろう。しかし、指定を受けていない郷土芸能に対しては、ふり向いて見る人も少ないように感じてならない。

私たちは、文化財の指定を受けたから郷土芸能を愛するのでは遅い。滅びようとしている小さな伝統的芸能のもつ美しさ、すばらしさにも日々目を向けてゆくという態度が必要ではないでしょうか。

全国のみなさん、全国の津々浦々に残る郷土芸能のすばらしさを再認識し、ひとつでも多くの郷土芸能を残していきましょう。私もこれから一生懸命練習して一日も早くこの下馬場ばやしをおぼえ、より若い人たちと一緒に郷土に残していきたいと思っています。

下馬場ばやし―町の文化財で俗名下馬場ヒョットコ。所在地は茨城県東茨城郡小川町下馬場…。そのはやしの音は、下馬場の人たちの心のなかをいつもやさしく流れているという……。

気ままな一人旅

静岡県連絡報道員　有谷邦博

有谷君

おとそ気分でみる初夢なんかじゃなく、これはほんとの旅の思い出なんだ。

いつのことだったか、ぼくは一人で旅に出たことがある。すばらしい旅だった。景色はバツグン。気候はバツグン。足の向くままま、気の向くまま、一人の気ままな旅だった。リュック一つではるか遠くへ……。

自分の力を試してみたかった。自分自身をもう一度みつめ直してみたかった。過去の雑念を捨て、将来に大きく躍進する何かを求めに、地図も持たず、行き先もなく……。

こん碧の海を見ていると自分の心の小ささがつらい。

すきとおった空を見ていると自分の力の弱さがつらい。

はるか遠くの地平線を見ていると勇気がわいてくる。

高くそびえる山を見ていると何かやる気がわいてくる。

赤々と燃えている太陽を見ていると心が激動してくる。

急にやるせなさがこみ上げてきた。一人旅、振り返ってみても知らない顔、話しかけても知らない言葉。みんな楽しそうに笑っているのに、ぼくには何が何だかわからない。

さみしくなってきた。こんなとき話し相手がいたらきっと楽しく語り合うことができ、心もいやせるだろうにと思う。しかしだれもいない。一人旅……。

よし、海を見よう。空を見よう。山を見よう。自然を見よう。そう、自然は心にやすらぎを与えてくれるから……。

旅に出て自然と触れ合う、ぼくはそれが一番好きだ。激動する現代、自然を求めて旅に出たいと思うのは、だれしもがいだいている素直な感情ではないだろうか。

自由気ままな旅、それは夢の中の見知らぬ土地だった。そして、こんな旅は最初で最後の旅だっ[illegible]

ハウス作戦進行中 飛騨高山の観光と農業

岐阜県4Hクラブ連絡協議会会長　△△△△△　中野俊一

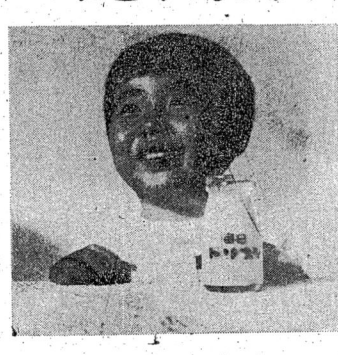

全国のみなさん、あけましておめでとうございます。

さて、北海道の知床に次ぐ美しさを誇る私の故郷〝飛騨高山〟をみなさんはご存知でしょうか。観光地として名高い飛騨高山―。でも、私はここで観光地ではない農業の地である飛騨高山もみなさんに理解していただこうと思います。

ここ十年、いや五年くらいかもしれませんが、「心のふるさと」という言葉がやけにはやり出しました。これはディスカバージャパンの標語だったと思いますが……。その言葉は、最近あまりにも人の心の中に入りこんでいます。

その言葉はわが住む郷〝飛騨高山〟をあれよあれよというまに全国に広めました。昔は東京に行って飛騨高山といっても、「それどこ、そんなところ日本にあるの」なんて言葉が返ってきたものです。でも、現在は違います。「ああ、あの岐阜県の高山ね」とか「すごく美しいところでしょう」なんて言葉が間髪を入れずに返ってくる。そんな言葉についついいい気になって自分のことのように無邪気に喜んでいる私だが……。

去年も百万人を軽く越える人が高山を訪れました。私も年に二十回くらい友人を案内して同じところを歩きました。

飛騨高山を訪れる人は、私がいい男だからかどうかわかりませんが、七〇％強が二十歳代の女性です。まさに飛騨の夏は女の園です。あなたのうらやましがっている顔が目に浮かびますよ（いや、これは失礼）。

五万七千人の人口が一昼で二十万ぐらいなることもしょっちゅうです。私なんかよく観光客と間違われ、店の人から「これいかが」なんて声をかけられます。そんなとき、私は「これでいいのかなあ―」なんて思ってしまいます。

私たちは「これからの飛騨ははどうなるの」なんて疑問を持ちながら、市郊外で農業にいそしんでいます。

観光と農業のタイアップ、いかにもかっこよく聞こえますが現状は……。その農業の現状をみなさんにご紹介してみましょう。

飛騨は黒毛和種の生産地で肥育も盛んに行なわれています。最近では、飛騨牛が松坂牛に変ることもしばしばだということです。

昔は米の単作地帯だったが、ここ十年来、高冷地を生かしたそ菜の出荷にも余念がありません。そして近年、大阪市場で数億円という金を農家のふところに送りこむぐらい組織も充実してきています。

もっかホウレン草（これは六月から十月まで大阪市場の五〇％以上の占有率です）、アスパラガス、そして高冷地トマトと作目も多く栽培されています。そして、農家は、いままで露地物ばかりで勝負していましたがここで施設園芸（パイプハウス）も始めました。

高山といえば城下町、そして、平家の合掌作り。そんな町なかにそびえる六〜十階のホテル。高山異変。パイプハウスの増加もやはり高山異変のひとつでしょう。

ハウスの中ではホウレン草が、そして夏秋トマトがスクスク育っています。農家の人たちがこの減反時をどう生きぬくか、それぞれ考えているのがよくわかるような気がします。

しかしながら、岐阜県の農家も毎年毎年減っているのが現状です。仲間も同様に減っています。また、兼業農家も第二種兼[illegible]

新時代の指導者を一考

逞しすぎる農民

大島三郎

「みじめな農民から逞しき農民へ」

農民は誰しもが胸を張って逞しく生きてゆかねばなるまい。自分達の町にもそう言う人達を見受ける。

Kさんは、数年前迄模範農家として農協支部の中堅的人物であった。高度な、そして生産性の高いリーダー格の農家であった。他の農家は、彼の進歩的技術を見習い、又彼は他の農家の指導を充分果し、名実共にリーダーとしての貫録を備えて居った。Kさんの様な農家があって他の農家を指導して行く限り、農村社会にも平和が甦り、貧しい乍らも農家個人には潤いが有り、又経済も安定して居った。

だが或る日突然、自分達農家の歯車の回転が速度を落し始めた。否、回転方向が少しづつ変化してゆくではないか。

都市化の波は町村合併という河川によって流れ始めた。都市計画法の実施で農地が宅地化し地図の色が変えられていった。

農家は誰しも区画整理を好むものではない。Kさんもそれは同じであった。最初、自分達農民は全員反対した。ただ然し、時間の経過につれて農地と宅地を計器で測定して見た。そこに大差が有るのを発見したのは、農業後継者の無い農家であった。彼等は、宅地化の方に目盛の多い事を吹聴して歩いた。忽ちにして大多数の農民が賛成に踏切って仕舞った。

一万、リーダー格のKさんの様な農家は、他の農家が賛成に踏切っても、彼等はあく迄反対を押進めた。町当局側はこれには閉口致し、Kさん等の意見を聞き入れた。Kさん等農家は充分満足した事であろう。勇気を持って権利を主張した結果は大成功であったから。

然し損をしたのは大部分の農家である。Kさん等リーダー農家は皆をあざけり笑い、行動を共にしなかった事をなじるだろう。

それは難しい問題であろう。農作物の技術指導の様に、皆が従いてくる事ではないからだ。それに、農家個人の財産に影響する問題でもあり、他人の指導なんてとんでもない。仮定であっても、他人は他人、俺は俺だ。己の財産を他の農家より最高価格の位置に置こう。これがKさん等リーダー農家のイデオロギーとでも言おうか。

こうなって来ると、最早Kさん等リーダー農[illegible]

NHK農事番組
生きがいのある村を
（1月1〜20日）

テレビ

明るい農村　6・30〜6・55総合
1日　村の記録「ふるさとを語る」東畑精一、向井潤吉
2日　「ふるさとを語る」上坂冬次、戸川幸夫
3日　「ふるさとを語る」宮本常一、むのたけじ
4日　話題と人「ことしの農政展望」大島清（法大教授）ほか
5日　農村新地図「三重県松坂市」
6日　村をむすぶ「旭川、福岡、名古屋、東京」
7日　明るい漁村
8日　村の記録「兄弟漁船」愛媛県伊予三島市
9日　今日の話題
10日　産物百科「木炭」
11日　話題と人「三代の農民像」和田伝（作家）
12日　農村新地図「東京都町田市」
13日　村を結ぶ「宮城、奈良、松本、東京」
14日　明るい漁村
15日　村の記録「牛と青春」〜北海道標茶町
16日　きょうの話題「ホルスタインと共に五十年」宇都宮勤（北海道ホルスタイン農協組合長）
17日　産物百科「いちご」
18日　話題と人「村のアイディアグループ」和根芳郎（栃木県塩谷町）ほか
19日　農村新地図「鹿児島県始良町」開元エキエ（作家）
20日　村をむすぶ「奈良、熊本、山口、東京」

農業教室　7・30〜8・00教育
4〜6日　世界にみる農業政策　持田恵三（農業総合研究所）
8〜13日　あすの農業への指針（再）【予定】
15〜20日　農業・農村を考える　小倉武一、日野水一郎ほか　あすの村づくり

日曜　7・00〜8・00教育
再　日　13・00〜14・00教育
7日　「新しい農業への提言」〜生きがいのある村をきずくために（新しいにない手達）愛知県安城農協管内、並木正吉ほか
14日　「ぼくらの農村計画」〜兵庫県神戸西農協管内

ラジオ

早起き鳥　5・41〜5・57 ❶
1日　農業「牛」
2日　特集「ふるさとの正月」
3日　特集「われら百姓っ子」
4日　北京で咲くエゾヤマザクラ　佐々木昌太郎〜北海道屋軽町
5日　竹の栽培団地をめざす〜長野県北御牧村
6日　ふるさと通信〜前橋局
7日　話題の窓「いちご」大石俊雄ほか
8日　生鮮食品の流れをかえる〜大阪生鮮食品集配センター（佐野新平）
9日　生きている農民美術運動　上田実（上田市）
10日　価値を呼ぶ肉用仔牛〜広島県東城町
11日　オートメ牛舎　竹内稔〜（半田市）
12日　辺地医療五十年　藤巻力雄（新潟県川西町）
13日　ふるさと通信〜鳥取局
14日　どうなる農地の宅地なみ課税　小沼勇（農地局長）ほか
15日　牧場の青春〜熊本県小国町中尾実奈子ほか
16日　ブロイラー青年〜福島県新治村〜上野一郎ほか
17日　しいたけにかける青春〜茨城県緒川村、関博司ほか
18日　ゆきづまる畜産振興〜香川県
19日　公害に強い木を選ぶ〜福岡県林業試験場（中島康博）
20日　ふるさと通信〜名古屋局

話の広場　日　6・15〜6・30❶
7日　茶碗づくり百年〜横浜市緑区寺家〜大曽根拓郎
14日　乾燥いも作り〜茨城県勝田市馬渡地区

新しい農村　日6・00〜6・30❷
再　土15・30〜16・00❷
7日　今年の農政に期待する　大内力（東大教授）、森有義（評論家）
14日　農村予算を聞く（Ⅰ）

ラジオ農業学校〈講座〉
月〜土　6・40〜6・55❷
再　月〜土　19・00〜19・15❷❷
4〜13日　世界の農業　大内力（東京大学教授）
15〜17日　野菜産地の課題　門田寅太郎（高知大学名誉教授）
18〜20日　みかん生産の新技術　三好実成（愛媛県果樹試験場）

ラジオ農業学校
日　6・30〜7・00❷
7日　グループの集い「いちご経営にかける」〜静岡県清水市増地区（いちご組合青年部）
14日　経営手帳「会議でのばす経営」林幹男（千葉県山田町）ほか

"新世代"ここにあり
岩手の気仙地区で　熱気みなぎるつどい

【岩手】「豊かな明日の農村をわれらの手で造り上げよう」――と、さる十二月二十日、岩手県の気仙地方農村青少年クラブ連絡協議会（会長　吉田宣雄君）では、陸前高田市民会館で「気仙地方農業新世代のつどい」を開催した。

大船渡、陸前高田、三陸、住田の各地区から集まった約八十人のクラブ員たちは、農政や農業技術の研究、日常生活の体験発表など真剣な討議を行なった。

今回で四回目という集会では、農業後継者をめざす高校生らも参加し、先輩にあたるクラブ員の意見に熱心に耳をかたむけ、会場は農村再建への若々しい熱気がみなぎっていた。

まず、一昨年からことしにかけてスイス、アメリカ、ヨーロッパなどで農業実習・研修を受けてきた陸前高田市の白川周一君（二七）、三陸町の横石義則君（二七）、大船渡市の藤原直信君（二七）の三人が、スライドを使って農業先進地域における機械による省力化、生産性向上の実情などを報告した。

白川君は四十五年から昨年にかけてスイスで約一年間酪農を、また横石君も一年間アメリカでやはり酪農を中心に、藤原君はことし九月、十六日間にわたってヨーロッパ七ヵ国の農業事情を視察してきたもので、すでに新しい農業経営に独自の研究を積み重ねながら実績をあげている。

午後からは園芸、畜産、作物の三分科会に分かれ、気仙地方の特性を生かして農業青年がプロジェクトチームを編成、「連帯して気仙農業を振興していこう」と約束し合っていた。

なお、岩手県では今月の十八、十九の両日に「第六回農業新世代の集い」を開催する。この集いでは実績発表や文献・交流会のほか、シンポジウム「明日の農業への道しるべ」が行なわれる。また、「日本列島改造と農業の位置づけ」と題する特別講演も行なわれる予定。

北海道で総会など
来る二十七〜三十一日　写真展や機関誌展も

【北海道】北海道4Hクラブ連絡協議会（会長　中山秀雄君）では、四十八年度の第一回総会、北海道青年農業者会議、機関誌展、写真展をそれぞれつぎのとおり開催する。

まず、第一回総会は来る二十七日午前十時から北海道青少年会館（札幌市真駒内）で、各支庁代議員、役員など約四十名が出席して開かれる。北海道青年農業者会議は来る二十九〜三十一日までの三日間、北海道青少年会館で開催され、約三百名が参加して実績発表、意見発表を行なう。

また、四十七年度機関誌（紙）展、写真展は、四十七年一月一日〜十二月三十一日までに発刊、撮影されたものを対象とし、農業者会議と併せて開催される。道連では全道各地のクラブ、クラブ員に広く募集を呼びかけている。

（前川英明北海道4Hクラブ連絡協議会広報局長発）

モチつきでお祝い
長岡4Hクが二十周年記念祭

【新潟】創立二十年を迎えた新潟県の長岡4Hクラブ（会長　石坂和男君）は、さる十一月十二日、市内の中越婦人会館ホールで"成人"を祝う記念大会を行なった。県内で初めて二十年を迎えた同クラブには各方面からお祝いが寄せられ、クラブ員たちも「若さで農業を」と決意を新たにしていた。

長岡4Hクラブが誕生したのは二十八年。発足当時は六十人ほどだったクラブ員も続々と増え、多いときには三百人を超えたこともあった。しかし、米作の行き詰りなどの影響でだんだん減って、現在では男女合わせて五十二人。「現在の農業は米の生産調整、米価据え置きなどいろいろ問題があるが、それに対応していくにはわれわれ若い者同士が手をつないでいかなければ……」と、決意新たにファイトを燃やしていた。

昼休みには会員の持ち寄った米でモチつきをして楽しみ、講演とディスカッションのあと、夕方からは厚生会館前でクラブ員たちが作ったダイコンを市民に配って喜ばれた。

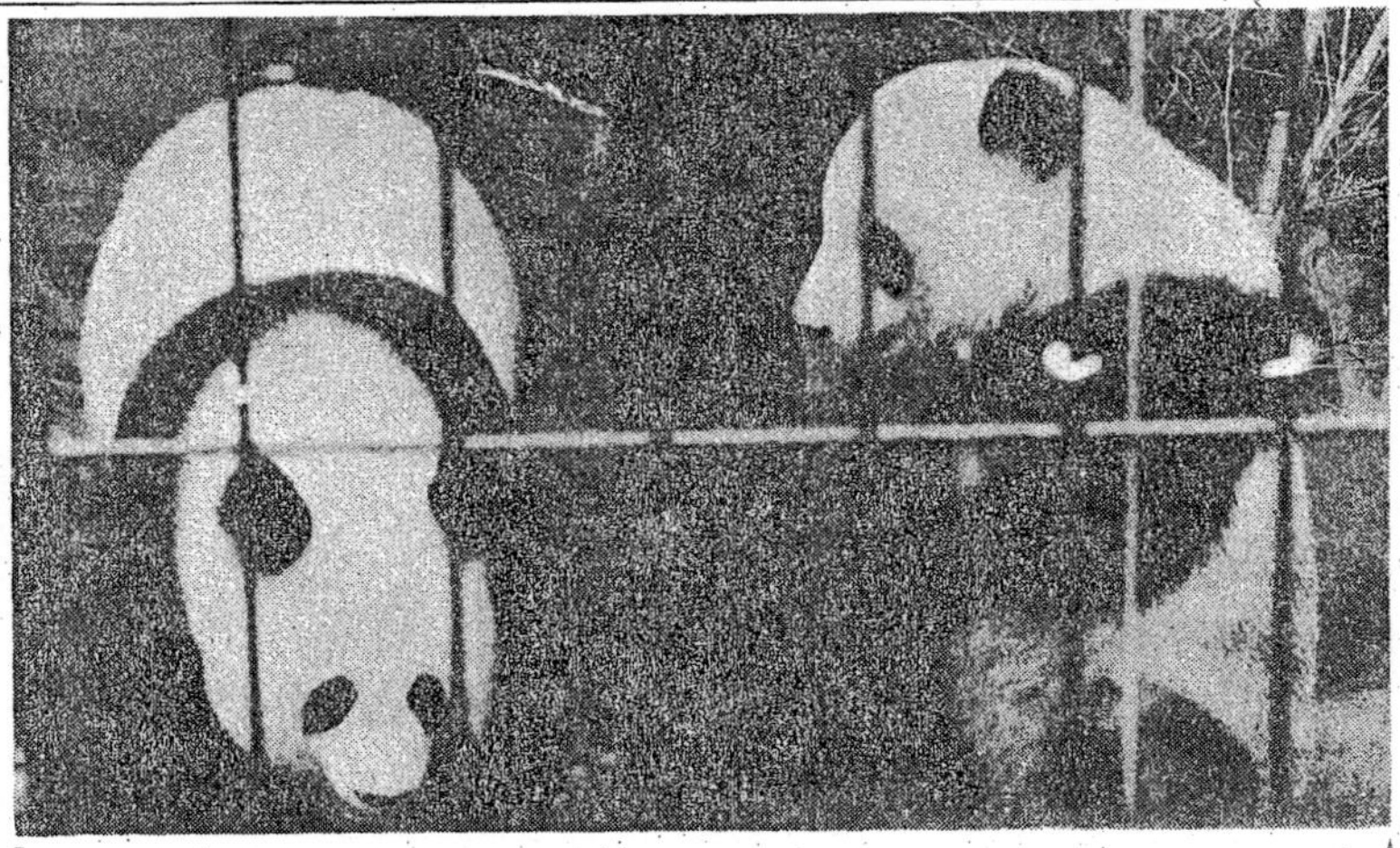

今年はパンダ年？

「グァオー、ググガァオー」――このパンダ語を日本語に訳すと「あけましておめでとう」――。

◇　◇　◇

去年の後半はパンダ、パンダで、どこもかしこもブームに便乗。子供のおもちゃから大人の選挙まで……。おかげで横井さんも赤軍派もすっかり影が薄くなってしまった。すぐ悪のりする日本人にパンダのご両人は「日本人は大切なことを忘れているんじゃないかしら」――。

◇　◇　◇

ともあれ、上野のお山のパンダ参りはまだまだ続くだろう。「いっそのこと、ウシ年をやめてパンダ年にしたら？」――冗談はこのくらいにして最後に一言。「ことしもどうぞよろしく　グァオー、ググググ」――。

ブームも二人にとってはえらい迷惑、ノイローゼ気味（？）のランランちゃん（左）とカンカン君（右）＝共同通信提供

☆善意のもちつき☆

施設の子に贈り物
茨城の美浦4Hクラブ員ら

【茨城】家庭環境に恵まれず、養護施設に収容されている園児たちに「楽しい正月を迎えてもらおう」と、茨城県稲敷郡の美浦4Hクラブ（会長　栗原悦夫君・クラブ員三十人）は、さる十二月十七日、土浦市並木町の養護施設「道心園」でモチつき大会を行なった。今回で六回目。

「ペッタンコ、ペッタンコ…」と、力強いクラブ員の腕さばきに、収容されている九十人の園児たちは大はしゃぎ。一時間ほどでつきあげられた三十キロのモチは、お姉さん格の女子クラブ員の手でおしるこにつくられて昼食に出され、園児たちは「おいしい、おいしい」とつきたてのモチに舌づつみをうっていた。

なお、同クラブでは同日、ダンボール入りのミカン二箱とバレーボール二個、それにバスケットボール一個をプレゼントした。

冬を飾る葉ボタン
仙台市4Hク員が奉仕

【宮城】冷たい風が頬を刺す中で、このほど仙台市4Hクラブ（会長　二瓶幸次君）の花き部員約五十人が、同市の南町通りのフラワーポットに冬の花「葉ボタン」を植えた。

朝早くからシャベルや移植ベラを持って、クラブ員はせっせと植え替え作業。通りにある三十五のフラワーポットは見る見るうちにきれいな葉ボタンで埋まっていった。その数約七百本。ほおをたたく木枯しもなんのその、全員汗でぐっしょりだった。

冬の間、雪が降っても土の中に根をおろし、市民にしばしうるおいを与えてくれる葉ボタン。この葉ボタンは、青葉通りなどの主要街路のフラワーポットにも、クラブ員の手によってもうすぐお目見えするはず。

農協運動の中核者を
中央協同組合学園　来年度本科生を募集

中央協同組合学園では昭和四十八年度の本科生を募集している。同学園は、将来農協運動の中核者としてすぐれた判断力と組織的な行動力をそなえた人間性ゆたかな人材を養成するために設立されたもので、来年度は第五期生にあたる。

募集要領はつぎのとおり

▽受験資格　二十二歳未満で、高等学校卒業、またはそれと同程度の学力を有するもの（男女は問わない）

▽就学年限　三年間

▽募集人員　五十名

▽願書受付　一月二十日〜二月十日まで

▽願書提出先　都道府県農協中央会々長あて、入学検定料二千円を添付して提出のこと

▽学費　年額六万円、教材・実地研修費等二万円、入学金三万円（入学時のみ）

▽試験日　三月八日、東京、京都、福岡の各会場で

なお、詳細は農協、都道府県中央会、または直接東京都町田市相原町四七七一（〒一九四―〇二）電話＝〇四二七（八二）三〇六一〜五　中央協同組合学園までお問い合わせのこと

こんなことをしています
全国農業協同組合連合会

かしこいユーザーへ
三月まで「軽自動車取扱い強化運動」を実施

自動車が農家の"足"のはたらきをしていることは、その普及状態がはっきりと示しています。乗用車にしても、農村の方がライトバンにしても、都市部の家庭より保有率が高くなっています。とくに貨物車は"農家の手足"といってもよいでしょう。保有率が高いのは、生産資材としての性格からみて当然といえるでしょう。

しかし、どの自動車が「必要性」に合う車なのか、という問題、いわば自動車の「適合性」については、比較的ルーズに考えがちではないでしょうか。従来、とかく自動車のめだつ側面、たとえばモデル・チェンジとか装備品の高級化などに関心がかたよったという反省が必要だといえましょう。自動車が営農を生活の"手足"として組みこまれている現在、自動車を機能として評価する側面を強めるべきです。ステイタス・シンボル（地位・身分の象徴）としての自動車、このような時代はすでに過去のものといってよいでしょう。

農家が購入する自動車は、全国で一年に新車で五十万台、中古車を含めると百十万台と推定（四十七年を含む）されます。その総購入額は、じつに四千四百億円です。このほか税金、燃料費、整備費、共済掛金など、車をもつと避けられない費用の支出があります。自動車が農家の営農と生活に手足のように必要なものである以上、これらの支出は必要経費というべきです。しかし、全国規模でみても、一農家あたりにしても、その金額は多額ですから、ムリのない買い方、ムダのない維持の仕方など、工夫が必要なわけです。

そこで全農では、軽自動車が乗用車にしても、貨物車にしても、農家の営農と生活にとって「必要」を満たすだけでなく、「適合性」にもすぐれていることに着目して、「軽自動車取扱い強化運動」を展開することにしました。この運動は、昨年十月から今年三月まで、六ケ月間にわたるものです。

軽自動車は、現に農村で、その「有用性」を高く評価されている車種です。農業世帯で、乗用車保有世帯に占める軽自動車の割合は三〇％を超えており、全世帯平均を上まわっています。また、ライトバン保有世帯に占める軽ライトバンの割合は、農業世帯で四四・七％です（昭和四十七年三月現在、日本自動車工業会調べ）。また、軽トラックの普及状況は、統計数値よりも農村における実態が、その有用性をもっとも雄弁に立証しているといってよいでしょう。この運動の立場は"かしこいユーザーづくり"です。

◇　◇

日本4H新聞

4Hクラブ 農事研究会 生活改善クラブ 全国広報紙

発行所 社団法人 日本4H協会 東京都港区西新橋1の5の12 佐野ビル 〒105 電話（591）1817・3683 編集発行 玉井光 月3回・4の日発行 定価1部 35円 一ヵ年 1200円（送料共） 振替口座 東京12055番

クラブ綱領

私達は、実践を通じて自らを磨くとともに、互いに力を合わせて、よりよい農村、よりよい日本を創るため、四つの信条をかかげます。一、私達は農業の改良と生活の改善に役立つ腕をみがきます。一、私達は科学的に物を考えることのできる頭の訓練をします。一、私達は誠実で友情に富む心をつちかいます。一、私達は楽しく暮らし元気で働くための健康を増進します。

全協、新しい年へ躍動

急げ、4H会館建設

全協の執行部会　4H新聞普及も協議

全国4Hクラブ連絡協議会（会長 松浦幸治君）では、さる一月八日から十日までの三日間、東京・港区西新橋の事務局で執行部会を開催した。今回は、とくに昨年暮れの後期中央推進会議の道府県連会長会議で出された従来にも増して建設的な意見や要望を基本に協議がなされた。また、新しい年を迎えたことを機に、全協がこれまで行なってきた活動の反省・評価をし、現在、当面する日本4H会館建設をはじめとするさまざまな課題に向かって新たな意で第一歩を踏み出した。

松浦会長

執行部会で協議されたおもな事項はつぎのとおり。

◇ハワイ親善交歓訪問

すでに参加申し込みも締切られ選考の結果十五名の訪問団員が決定しており、渡航手続き、現地との打ち合せなど最終的なつめに入っている。

訪問団は今月二十五日東京の日本青年館に集合、4Hクラブ、ハワイ訪問団の役割、渡航についての注意など事前研修ののち、翌二十六日夜ノースウエストジャンボジェット機でハワイへ向けて出発する。ハワイでは現地クラブ員との交歓交流、民宿、農業視察、指導機関との話し合いなどを行なう。

帰国は二月一日夕刻。

なお、全協執行部から松浦会長と二昨年事前調査を行なった原田副会長が参加することになっている。

◇沖縄交歓訪問

九州地区農村青少年クラブ連絡協議会主催、全国4Hクラブ連絡協議会後援の「沖縄交歓訪問」は今月の二十八日から二月三日までの六泊七日間にわたって実施されるが、今回はとくに沖縄の本土復帰が実現したことでその成果が大いに期待されている。

例年実施されているこの訪問は沖縄の歴史や農業事情、社会経済問題をクラブ員自らの肌で接することによって沖縄を確かな手ごたえで理解するのに役立ってきた。今回も沖縄クラブ員との交流を通じ、クラブの啓蒙、啓発に努め、お互いのクラブ員の視野を拡大するとともに、積極的な仲間づくりを行なう予定。

なお、主な日程はつぎの通り

▽一月二十八日＝正午に鹿児島港を出港
▽一月二十九日＝那覇港着、名護市へ
▽一月三十日＝青年会議に参加
▽一月三十一日＝青年会議に参加、沖縄地方分散（民宿）
▽二月一日＝民宿交換
▽二月二日＝観光
▽二月三日＝解散

◇4H新聞普及運動

全協では4H新聞を準機関紙として購読、活用することを呼びかけてきた。とくに今年度は普及運動の展開を各県連とともにすすめてきたが、これまでの結果としてはその成果はみられなかった。

執行部としては、過去の反省をもとに全国4Hクラブ員の機関紙としての機能をはたせる発行部数と内容にするべく、全協、県連が取り組む姿勢を確認した。

具体的には、三月の道府県連会長会議（後述）をまず第一はメドとして今年度中に現在部数を倍増させるよう努める。このことは全国各県の報告をみても、組織内広報の意義を認識して普及運動をしていれば可能であるという結果が出ている。したがって各県連に対して、広報活動の再認識をうながす一方、読んでいない県連会長をなくすること、見本紙の提供を積極的に行なうこと、連絡報道員制度の実質的な確立などを進めてゆくことが話し合われた。

また現在無料配布されている普及所などについても、地域のクラブ員にすすめてもらうなどの協力をお願いする旨が協議された。

◇全協組織強化

昨年度から、とくに各ブロック評議員の位置づけに関して議論されてきた。昨年四月の総会でも規約改正により、規約上は明確になったと判断されているが、現実には不十分な点が指摘されている。このため、全協に理事制を採用する方向で次回までに各自検討してくることを申しあわせた。

加えて、現行規約を分析して、指摘されている矛盾点を改めることとも検討する。

◇第十二回全国青年農業者会議

この会議に主催者の一員として従来どおり農林省をはじめとする共催団体との協調を図りながら、企画・運営にあたることを確認した。次回の運営打ち合せ会は一月十九日に決まった。

なお、この執行部会において松浦会長をはじめとする執行部は、"全協とは何か"についても話し合い、これまでの活動を反省・評価し、新鮮味のある全協にしようと申し合わせた。

募金は三月をメドに

◇日本4H会館建設

とくに今回は4H会館建設委員会の再編成についての執行部としての考えをまとめた。

建設委員会は各県連会長、全協現執行部、同歴代委員全員により構成されている。これは当初運動の母体であったが、数年前からOBの動きが一部を除きストップしたため、委員会としての機能が果たされてこなかった。このため運動母体としての委員会再編成とこれにともなう規約改正を先の会長会議にも提案し、具体案を検討してきた。

委員会構成にあたっては、全協会長を委員長とし、OBの中で実際に委員として行動できることを条件にするなど、既存の委員会からの脱皮をはかってゆきたい考えである。

日程的には、三月の会長会議とあわせて委員会を招集し、新体制にうつすよう、さらにこの姿勢をにつめてゆくこととなった。

また、全協行事の今後の日程についても協議し、第三回道府県連会長会議を開くことを決めた。期日は全国青年農業者会議に引きつづいて三月十一、十二日の二日間、東京中央開拓会館を会場とする。

執行部としては、この会議で4H会館建設委員会開催を含む会館問題、4H新聞普及、さらに今年度の反省・評価と今後の方向を検討してもらいたいとしている。

また、会館建設募金活動については、とくと先の会長会議で決められた通り三月十日が推進のメドになっており、各県連にたいし、申しあわせ通り手もちの募金額を納入してくれるよう要請する。

磨けてたまるか 4H根性!!

赤松　宏 ► 11

私はいままで十回にわたり、大きく分けて三つのことについて書いてきました。

まず第一段目に「組織」に関する点に触れました。二段目は青年の特徴を考えることによって自分を深く知り、意味ある活動の指針とは何かを解いてみました。そして第三段目には、リーダーとしての要素、必要条件を私なりに並べてみました。

なかなか思うようにペンが運ばないというのが実感。でも、「努力しなければ！」という言葉を胸に突き刺して新たなる歩行を開始したいと思うのです。

「勝手なことをいって！」と思う連中もいるかもしれませんが、もしそれが私に対して真剣に投げかけられた言葉であるなら、私としてもこの上ない光栄です。——前置きはこのくらいにして第四段目に進みましょう。今回は「教え方をどのようにするか」ということを考えてみましょう。

まず何といっても、教える人は自分勝手ではいけないということです。「教わる人中心に」といった考え方はここから出てくるわけです。教えるということは教わる人があるからだということですべての説明はつきます。しかし、問題はここからです。つまり、＜どうすることが教わる人中心の考えになるか＞ということです。

「おればあいつに教えるわけだから、あいつの言いなりになる。それがあいつを中心にした考え方だ」なんて思ってはいけません。「教わる人中心に」ということには、まず第一点として「自発性や創造性を豊かにする」ことがあげられます。人間はだれしも、自分でヤル気になったときこそ最大の成果をおさめられるのではないでしょうか。したがって、その人自身の特性を理解し、そこから生まれる自発性や創造性を助長する努力をなってはいけません。人間の生きがいは、案外そんなところから多く生まれてくるのですから……。

教わる人を中心に　個性尊重した教育とは

つぎは「興味づけをどうするか」ということです。いいかえれば「いかにして学ぼうとする者に動機を与えていくか」ということですが、これにも二通りの考え方があるようです。一つは外からの動機づけ、もう一つは内からの動機づけです。

前者は内容のコミュニケーションであったり、賞罰や競争なども含まれます。私は何年か前に静岡県で「報徳精神」を学ぶ機会がありましたが、この教えの中にも外からの動機づけが大きな位置を占めていたようです。いまもこの教えは私の心の中に生きています。みなさんにも機会があったら報徳精神を学んでみていただきたいと思います。

後者は、学ぼうとする者に目的への動因を与えたり、欲求や必要感をもたせることです。このような意味から、興味をもたせる動機づけは教える方法の中に入ってくるわけです。

三点目は「個性を生かしていただきたい」ということです。個性について昔からさまざまないい方がされています。たとえば「千差万別」とか「十人十色」とか……。語句の意味はお判りかと思います。「千の差、万の別」——。

個性を生かす——どうかリーダーはそれぞれのもち味を出させることに努めてほしいものです。最近、「この頃は『これが私のもち味です』と自信をもっていえる青年がいなくなった」と指摘する人が多いようです。自分の中に自信をもっている人間、特許をもっている人間は、世の中でも強く生きています。何でもいいんです。一つだけでもいいですから、誇れる何かを仲間にそなえつけてあげて下さい。そんなことを含みつつ、前回私は一対一（マンツーマン）の教育のあり方を述べたわけですが、特許をもった人間、個性ある人間は社会に多大な貢献をなすにちがいありません。

「教わる人中心」にして、以上の三点をふまえながら教えてみてほしいと思います。まあ簡単に考えれば「知っていることから知らないことへ」ということかもしれません。啓発的な考え方が必要だということです。そのためにも、教えるにあたってあなたは彼らにつぎのようなことをしてあげてほしいと思うのです。

ここに集ったクラブ員のひとりひとりも個性をそなえている……

まずその第一は、相手の能力、経験、背景を調べてほしいということです。相手を知らないで教えてはとんでもないことになってしまいます。その人間の能力が高ければ高いように、また低ければ低いように能力に応じた教育をすべきです。能力以上のものへの挑戦は"みじめさ"をしかもたらしません（私自身の経験にそくして強くそう感じています）。

つぎは、その調べたものを土台にして何ができるかを考えてみることです。相手にあった問題の発見の仕方が重要なポイントになってきます。つまり、課題設定をどうするかということです。これが決まったら、いよいよ「啓発」する活動・行動を始めることになります。＜既知から未知への結びつけ＞をどうするか、あるいは＜既知のステップから未知への一歩づつの歩み＞をどう方向づけていくかを考慮しながら進めていくことが必要だと思います。

このようにペンを進めてきますと、よく聞くリーダーのグチ、つまり、仲間や後輩の能力にリードする内容が合わないというグチに反して、リーダー自身にも何か問題があるような気がしてなりません。もう、十把ひとからげの考え方は捨てなければなりません。私自身、個性や各人の特長を重視して後輩にあたってきたとはとてもいえません。十把ひとからげの対応をしてきたように思います。

そのような深い反省の上にたって、いま私は一対一の結びつき（マンツーマン）ということを真剣に考え、研究を深めていきたいと思っています。意味ある結びつきや師弟関係を、わが組織の中に網の目のように張りめぐらしたいものです。

（題字も筆者・北海道4Hクラブ連絡協議会前書記長）

暖風

今年の初詣で

元旦におとそを祝い、氏神様である大宮八幡神社に初詣に出かけた。昨年は歩いて行ったが、今年は車で出かけた。車を停める所があるだろうか……と案じていたら、参道の入口にお巡りさんが数人いて車と人の流れを裁いていた。驚いたことに神社の経営している幼稚園の庭が駐車場になっていた。"あなたの車はあの奥に……" "この車が出たあとにどうぞ……"といつもと違った明るい表情のお巡りさんの指示で、車は安全な場所に駐車することができた。

ここは東京の二十三区の内の一つで、新宿からさほど離れたところではない。もと○○村といったところである。旧くからこの土地に住んでいる人々にとっては氏神様としてのよりどころであるし、神社の屋根をふきかえるといえば協力するなど、何かことがあれば総って、協力しているのである。この辺にしては珍しく樹の茂りも深く、住民の故郷（ふるさと）ともいえる雰囲気の場である。

天気が良いためか、まだ世相を反映してか、昨年に比し、人出の多いのが目立つ。日本髪に振袖姿の娘さん、仕立て下ろしを着せてもらっている子供達、初めて和服を着たかと思われる和服姿の若主人など、夫婦そろって、また家族ぐるみで参道を往き復うさまは和やかな風景である。神前に額づいて、家族が健康で無事でありますように……"と祈る。その目前にはさい銭箱からはみ出した千円札、五百円札、百円銀貨が山をなしていた。景気がよいとはある一部と掛け声だけで、一般庶民の生活の苦しさがこれらのなかからうかがいとれるような思いでながめた。

そしてまた、それを裏づけるかのように家内安全、交通安全、厄よけ……などのお札のところは、裁ききれない程の人混みであった。私どもも、厄よけのお守りを手にして帰途についた。

翌日鳥越の本家に兄弟が集り、皆で祝盃を上げたあと、誰いうとなく浅草の観音様にお参りしようということになった。ここから観音様まで三キロ程度、往復で六キロ余り、歩いても大したことはないと元気のよいものが子供も混ぜて六人で出かけた。いつも賑やかな下町も、門松、〆縄が目立つだけで、人数も少なく実に静かである。しかし、雷門が近くなるに従って人数が次第に増え、仲見世通りになると満員電車さながら、自由な動きは許されない。子供達の手をしっかり握って、前の連れの姿を見逃さないように注意しつつ五寸づつのすり足でつづいて歩くことしばし。ようやくにして本堂にたどりつき、観音様を拝んだ。その最中ジャリジャリというスコップでおさい銭をすくい上げる音に驚いた。

"これ一億からではないだろうか……"と誰かがつぶやいたのを聞いたがここにも最近の世相の一端をかいまみた思いがした。

そして後、地理感の強い弟の後について静かな裏道をたどって帰宅した。そして気のついたのは、本堂の前でおさい銭を出したところの弟の財布が姿を消していたのに、一同はあぜんとしたのであった。

これが今年の初詣風景であったのであるが、諸々のことを考えさせられる昨今である。

（T）

宮城の若柳農村青少年クが　十周年の成果披露

【宮城】若柳町農村青少年クラブ連絡協議会（会長 千田庄一郎君）は、昨年暮れ、同町公民館でクラブ結成十周年を記念して体験発表や生産物即売会を開いた。

午前中は養豚を手がけている同町大袋、高橋久幸君が「現在、豚を十八頭飼育して、年間二百七十三万円の粗収入をあげているが、将来は二倍に増やし、純益で二百六十万円ほどあげたい……」と体験を発表したほか、各単位ごとに近代農業と真剣に取り組んでいるクラブ員たちがつぎつぎに発表を行なった。

午後からは公民館前広場でクラブ員が生産したハクサイ、ダイコン、ニンジンなどの野菜と生花、養魚（コイ）の即売会を開いた。

この即売会は流通課題の勉強をしようと開いたもので、いずれの品物も市価の三分の一から半値で売られ、集まった主婦たちの買い気を大いに刺激していた。

地域の農業を語る　茨城県連「農村教育青年会議」開く

【茨城】地域農業のリーダーらを一堂に集めた第十二回の県農村教育青年会議がさる十二月十九、二十の両日大洗町後釜の県立こどもの家で開かれた。

県と農業研究クラブ連絡協議会（会長 相馬正人君）が主催し、さる三十五年から毎年開かれているもので、茨城県農業の中核者として実践活動をしている青年農業者が、日ごろの体験を発表し、当面している問題について話し合い、お互いが励まし合って交流を深め近代的農業、農村の建設を進めていこうというのがねらい。

ことしは各地区農業改良普及所が開催した専門研修農村教育青年会議や農村青少年クラブ活動などに参加した青年のほか、農家留学研修を修了した青年、農業後継者育成資金を借り受けた青年のうちで実際に部門、専門経営に取り組んでいる二十五歳前後の青年約百人が参加した。

参加者は①生産部会（養豚、酪農、施設野菜、露地野菜、養鶏、果樹、花き）②生活部会③クラブ活動部会のいずれかの部会に加わり、生産部会は「経営の合理化をどうするか」、生活部会は「女性の魅力」、クラブ活動部会は「クラブ活動上の問題点と解決策」をそれぞれテーマに討議した。

第一日目は午後から部会討議が行なわれ、参加者は家の経営概況部門と取り組んだ動機、計画と実行、今後の課題などを発表した。

会議には県教育普及課と同園芸試験場、同農業試験場の専門技術員らが助言者として出席し、参加者に適切なアドバイスを与えたり、意見を交換し合ったりした。

第二日目は午前中、部会討議をしてまとめを行ない、全体討議でそのまとめを発表した。午後は助言者らによる講話があった。

プロの歌手も出演　福岡の広川町4Hクが　初の4H祭を開く

小室等の熱演に会場の若者たちはわきにわいた

【福岡】プロのフォーク歌手が出演しての4H祭——といえばバツグンにカッコよく聞こえるが、運営にあたったクラブ員は前売券を売るのに四苦八苦したり、関心がそっちの方に集まって4H祭のテーマはお留守に、ということもなきにしもあらず。だが、それによってかえって4H祭を考える契機が与えられ、クラブ員同士の親ぼくを深め合うには多いにプラスになったともいえる。

八女西部地区の広川町4Hクラブ（会長 藤島儀雄君）では、さる十二月十日、第一回広川町4H祭を開催した。広川町4Hクラブは発足して以来十余年の歴史をもつクラブ。この4H祭は長い歳月に一つのクギリをつけ、新機一転をはかろうということでクラブ員全員が計画し実行にあたったもの。

当日は、広川町4Hクラブのあゆみを表にして、広く一般の人たちに紹介したり、農作物（ミカン、イチゴ）の品評会と即売会、また、農機具や農薬の展示会、自動車会社から新車の展示・試乗会が行なわれた。コーヒーの無料サービスも手伝って大いに好評をはくした。

また、午後からは4H祭を盛り上げるための行事としてフォークグループ・六文銭でおなじみの小室等とディランII（セカンド）、それにアマチュアフォークグループを招き、フォークフェスティバルを開催した。プロのフォーク歌手を招いたため、やむをえず入場者から二百円の入場料をとることにした。そのため二十八名のクラブ員全員が手分けをして前売券を売るのにほん走したが、なかなか思うように売れなかった。しかし、当日には高校生を中心に若い人たちが多数おしかけ、フォークフェスティバルは若者のタメ息やヤンヤのかっさいでわきにわいた。

しかし、反省もなかったわけではない。初めてフォーク歌手を招いてフェスティバルを行なったということで、クラブ員の関心もついそっちの方に傾いてしまい、4H祭のテーマがつかみにくかったことである。あるクラブ員は「どうも気がそぞろになってしまい、4H祭の重点がボケてしまった」と語っていた。また、あるクラブ員は「でも、そのことによってかえって4H祭というものを根本から考えさせられた」とも語り、最初のねらいであった「長いクラブの歴史をふまえつつ、新機一転をめざす……」というこの4H祭の役目は思わぬところでかなえられたようだ。

最後にクラブ員の一人がしめくくった。「何ごとも経験が必要。初めての4H祭にしては大成功だった。やればできるという根性と意欲、これがこれから先のクラブの発展にとって大切なことではないだろうか」

（丸山敬二郎連絡報道員発）

奈良の生駒郡4Hクで　ヒマラヤ杉を寄贈

【奈良】生駒郡4Hクラブ（会長 安村照治君）では、このほど安堵村東安堵にある隣保館の南側に、ヒマラヤ杉を十本植えた。これは同クラブが緑化運動の一助にと寄贈したもの。

心頭抜健

日本列島改造論の大きな弱点として土地対策と、これに密接な関係をもつ農業政策の欠落が指摘されているが、各地で開発攻勢から自らの生活を守ろうとする農民の自衛の運動がめばえている▼かつては4Hクラブのメンバーであった三十代、四十代の人たちが団結、「農業を守る会」を結成して、観光資本の札束攻勢をしりぞけたという例も報告されている。「ほっておくと大変なことになる。農業ができなくなる」という危機意識が運動を盛り上げたという▼北上川と盛岡市街をはさんで豊かなリンゴ園と野菜畑が広がる岩手県飯岡地区もその一つだ。以前の米づくり一本やりから需要が伸びている果樹、園芸、養豚を取り入れ、いまは米の二倍から十倍近くの収入を上げるまでにいたった農民の汗と努力の結晶の地である▼いま売り渡せばこれまでのみんなの努力がむだになるばかりか、将来の夢も消えてしまう。みんなの意志がバラバラでは観光資本のエジキになる。団結が必要だ。そして、かつて4Hでともに勉強した仲間たちが中心となって地区の人たちに呼びかけ、土地買収の魔の手をしりぞけた、というのである▼農業に生涯をささげようとする人たちの切実な声の勝利だったともいえる。だが、いつまた農民の結束をほどくアメとムチの攻勢が再開されるかもしれない▼「不安です。しかし、列島改造のブルトーザーの前に、農民だけが押しつぶされるのはごめんです」——その声は、札束にはとうてい還元されない、農業の果すべき役割を見すえた上での切実な訴えだ。どんな運動の挫折も直接的には仲間どうしの結束の乱れからくる。いまこそ全国の農民が団結しなければ……。

言行不一致改めよう

クラブとリーダー〈14〉

原田正夫

前号に続いて中央推進会議の中で参加者を対象にしたアンケートの集計をしていて感じたことを二つ。実にささいな、でも本当は非常に大切なことを……。

まずひとつには、あまりにも誤字が多いのと読みずらい字が並んでいることである。字を書くことや文章を作ることは幼年ならともかく今となっては個人個人差があって急に上手になったりするものでもない。けれど、もう少し正確に、ていねいに書けないものだろうか。私のごく親しいK君は決して字の上手な人じゃないけれど、人に読まれるものを書く時は常に辞書を手にして、ゆっくりではあるが、正しい字を書き、横にいる人に「これで意味が通じるかい？」と確かめながら文章を作っている。

た。誤字がわからなければ、なまじそれらしいアテ字より平がなの方が読む人に対してよほど親切というものだ。

専門用語やむずかしい言葉の本当の意味を知らずに使っているというのもかなりある。しかし、こちらが思うところあって一問一問真面目に尋ねているアンケートに不真面目としか思えぬ回答をするリーダーがいることはそれ以上に情ない現実である。

もうひとつはずっと前に「自主性……」ということでふれたが相変らず規律を守ることができていないリーダーがこれまたあまりに多すぎる。アンケートの中に「今4HCに欠けていることは何ですか？」という問を設けたが、たった一人「ルールを守ること」と答えた人がいた。そしてまた、推進会議の感想として「本当にこれが全国各県のリーダーなのか、私は4Hを信頼しすぎていたようだ」と書いていた人もいた。ほかにも、自己批判も含めて青年の家の規律や自分たちで確認した約束ごとが守られなかったことについてかなり書かれていた。

朝夕のつどいに遅れてくるのはいつも4H、消灯時間を守らないと注意されるのも4H。みんなが退所したあと巡回したらアルコール厳禁の青年の家のベッドの下からウイスキーの大瓶が三本もあらわれた。講義や会議の最中に人の話もろくにきかずにワイワイ、ガヤガヤ。それでこんな会議全然おもしろくない……とは。おもしろくないか、おもしろいか、ためになるか、ならぬかは真剣に耳を傾けた上で判断してもらいたい。

本当にこの人たちが全国各県のリーダーであり、リーダーになろうとしている人たちなのだろうか……という疑問が湧いてくる。この人たちが県に帰り、地区に帰ってほかの人たちに一体何をリードしようというんだろう。

注意をすれば「かた苦しいというなよ」「消灯、起床自由、の言動がおとなの世界でどれだけ通用するだろうか。4Hの場で通用していることだっておかしいのじゃなかろうか。私は子供会や心身障害児のサークル活動に少なからず参加して、彼らがルールを守ることに努力し、破った者がたとえ先生であろうとも信用しなくなることを知った。彼らでさえ……だ。

教育には家庭、学校、社会の三つがあるというが、以上三つの点について将来親として子をしつけ、教育することを思うと、今4Hクラブの中でもっともっと考えねばならぬこと、やらねばならぬことが足もと、手もとにあるんじゃないかと思う。家庭をもち一児の父となった今そう思えてならない。リーダーから改めてゆかねば……。（全国4Hクラブ連絡協議会副会長）

農村女性を再認識

青森の女子 バッチリ勉強しました

【青森】昨年の十一月二十七日から三十日までの三泊四日間にわたり、青森県農村青少年クラブ連絡協議会（会長 小笠原栄君）では、七戸の県農業研修センターで県下の女子クラブ員を集め“農村女子青年生活講座”を開いた。これは農村の女子青年が一堂に会し、これからの農村婦人の生き方や生活改善などについて話し合い、ともに魅力ある農村を築き、また、一女性として、リーダーとしての知識の向上を図るために開かれたものである。（神 恵子連絡報道員発）

第一日目は午後一時からオリエンテーションと開講式。そのあと「生活改善と家計簿」と題する講義があった。生活改善では、主婦の役割が話された。「まずは計画、そして実行する。それを実行するためには、家庭内の人間関係の円滑化が第一条件である。また、自分の生活把握、反省・評価などの意味から家計簿の記帳も忘れてはならないものです」という講師の言葉にクラブ員たちは、主婦の重さを痛感しながら聞き入っていた。

夕方六時から農業研修生との交歓会が開かれた。全国で農業問題などをテーマになごやかなムードのうちにディスカッション。ある女子クラブ員は「研修生の方はよく勉強していますね、私たちもがんばらなくちゃ」と活発に意見を交換した。

話し合いのなかで“農家に嫁ぐ女性の気持”がテーマに上げられたが「農家には嫁ぎたくない」と答えた人は一人もなかった。これにはある女性も「男子クラブ員もまずはひと安心ね」とクスリ。

現代農業の前途は不安だが

だが、ひとたび現代農業をとりまく諸問題に話題が移行するとみんな深刻な表情。「不安はあるが、仲間どおし助け合って、農業をとりまく諸問題にめげずがんばってゆこう」とある女性は元気に語りしめくくった。

ひき続いて、歌ったり、ゲームをしたりしてお互いに交歓し友情を深め合った。

第二日目は「労働と栄養」と題して講義があり、最近の農村の食生活の問題点などが指摘された。「農村において、食品は確保されているものの栄養のバランスはまだとれていない」という講師の言葉を、参加者はメモをとりながら聞いていた。

作って食べて言うことなし

午後からは調理実習。献立は「若鶏のたつた揚げ」「鮭缶の千草あえ」「中華風五目スープ」それに「変りウインナ」。キャベツやネギを手際よく千切りしてゆくクラブ員の包丁さばきもなかなか見事なものであった。でき上がったもののなかにはちょっと変ったものもあったが、それでも女子クラブ員たちは満足そうにパクパク。

第三日目は「農村家庭における消費生活について」というテーマの講義。そこではソフトクリームや人工のりなどの加工食品の恐ろしさ、そして、日常使用している塗りの箸についているホルマリンの有害性などを中心に話しが進められた。それらが知らず知らずのうちに体内に蓄積されて肉体をむしばんでいるのを聞いて女性軍はビックリ。「私たち消費者はいかに買物上手にならなければならないか痛切に知りました」とある参加者は神妙な表情で語っていた。

結婚って意外にむずかしい

そのあと午後から「家庭と法律」と題して裁判所の方から、婚約、結婚、離婚など身近かな法律問題について講義があった。参加者は興味のあることながら「法律はムズカシイ！ムズカシイ！」を連発していた。

第四日目は「農村家庭と保健衛生」と題する講義で農夫症の恐しさが主に話された。体の調子がおかしいと思ったらすぐ医者に診断してもらい、つねに体調に気をつかうということが結論であった。

全日程を終了したあと、ある参加者は「研修内容も大変勉強になりました。また、それにまさるとも劣らず、同じ仲間で語り合えたことも勉強になりました」と頬を染めて一気に四日間の感想を語っていた。「農業人としての、農村女性としての自己を再確認しました」と研修資料をわきにかかえて語った女性も印象的だった。

「これからの農村女性は…」と快気炎あげる女子クラブ員＝七戸研修センターで

悩みや喜びを共に ―主張大会

鈴鹿・亀山の青少年クで

【三重】鈴鹿市農業青少年クラブ（会長 伊藤政成君）と亀山農村青少年クラブ（会長 伴 英浩君）では、去年の十二月二十日、午前十時から鈴鹿市農協会館で鈴鹿地区連主張大会を開いた。この大会には、未来の日本農業を背負って立つ三十人の農村青少年が出席、悩みや喜びを話し合った。

また、今大会は“自分だけのカラにとじこもらず、人前で立派に主義主張ができるように”という主旨で開催されたもので、両クラブの合同大会は今回がはじめて。

酒徳敏君（鈴鹿市山本町・十八歳）、宮崎京子さん（同市国府町・二十二歳）、野村幸生君（亀山市能褒野町・二十歳）らがクラブ活動などを通して農業に対する将来の不安や生きがいなどの意見を発表し、農業普及所員や係員らを感心させた。参加者も仲間たちの意見を聞いたり、アドバイスを受けたりして、未来の農村・農業経営を考えていた。

午後は、歌やゲームでくつろいだあと、全員で農業問題などを討議しあった。

最後に丹羽満鈴鹿市公民館主事の講演「クラブ活動について」を聞いて主張大会は幕を閉じた。

真珠のような涙も クリスマス会を開く

愛知の江南4Hク

【愛知】こんな厳粛なムードのセレモニーは初めて。なんだか涙がでてきちゃう――去年の十二月二十四日の午後一時から六時までの五時間にわたり、江南4Hクラブ連絡協議会（会長 駒田清孝君）では管内の二子荘でクリスマス会を行なった。参加者は二十七名で、全員が歌ったり踊ったりの楽しい一時を過ごした。

同クラブは、三市二町でクラブ員数十六人と愛知県下の単位でも一番クラブ員の少ないクラブ。ところが少ないながらも各クラブ員は各行事に積極的に参加し、クラブ活動を盛り上げている。クリスマス会の当日も、クラブ員たちはそれぞれパートナーをつれてさっそうと登場。恋人を連れてきてしきりにテレるクラブ員から同級生や友人、姉妹などと同伴で参加したクラブ員までさまざま……。

参加者は、コーラス、ゲーム、プレゼント交換、記念写真撮影などの数時間を楽しく過ごした。クラブ員もパートナーも司会者から指名されて自慢のノドや演技を披露、全員が芸達者なところを見せていた。

そして、しめくくりは本日のクライマックスのセレモニー。それまでの爆笑的な雰囲気とはうってかわっておごそかなムードが会場を漂い流れ、参加者たちも真剣な表情。パートナーとして参加した女性の何人かが感きわまって真珠大の涙を一筋、二筋という場面もあり、感激のうちにクリスマス会は幕を閉じた。

（松岡敏夫連絡報道員発）

後輩よ、しっかり！

栃木・今市地区のクラブ員が 農高生と交歓会

【栃木】「心配だなあ！」「もっと農業に自信をもってほしいなあ……」――そんなタメ息ともつかぬ声がクラブ員の間からもれていた。また、あるクラブ員は「ぼくたちのあとに続くはずの農高生が農業にクビをかしげていることは人ごととは思えない。ぼくたち自身の問題としてもっと考えてみなければ……」と率直に胸の内を明かしていた。目先の損得でははかれない農業のかけがえのない側面についての認識には、若い高校生たちは意外に淡白な受け取め方をしていたようだ。

さる十二月十六日、今市地区の普及所において、地域の農村青少年と鹿沼農業高等学校の生徒との交歓会が開かれた。高校側からは大島先生をはじめ生徒二十五名が参加し、農業に関するお互いの悩み、将来のことなどを真剣に話し合った。

自己紹介の中で生徒たちは将来の自分の進路を述べたが、二十五名のうちじつに二十名ほどの生徒が農業には従事せず、ほかの職業を選ぶということだった。その理由として彼らは「耕地面積が少ない」「父親がまだ若いから」と答えていた。農業のかけがえのないもう一つの平面、すなわち農業の良さ、重要性には意外と彼らは無とん着であった。

クラブ員はそんな農業高校の生徒たちの意見に「農業にはもっと魅力があるんだがなあ」と、しきりに残念がっていた。また、実際に優秀な農業経営を行なっているクラブ員たちは「自分で一部門を引き受けて積極的に農業をやれば見方も変るんじゃないか」とか、「サークル活動に参加して話し合う友を見つけよう」など、と若い農業高校生たちを説得したり激励したり……。

そのあと、全員で昼食をしながら談笑し、クラブ員たちにとっても若い生徒たちにとっても有意義だった交歓会の幕を閉じた。

（川村寛文連絡報道員発）

「君たちよお、農業には魅力もあるぜ！」＝今市普及所で

畦道

ぼくの孤独な一点

ぼくは追っていた。果てもなく広がる青空に吸い込まれてゆくぼくの孤独な一点を……。

飛んだ。タコが飛んだ。鼻をたらしたガキどもを越え、ねじりはちまきでタバコをすっていたヤキイモ屋を越え、かわらの二、三枚ヒビ割れた駐在所を越え、冷たく幾何学模様を描く電線を越え、ひねくれた入道雲の製造所のような煙突を越え、薄汚れた家並を越え……。タコが飛んだ。

冷たい一陣の風が天空でうなると、ヤッコさんは肩をイカらし、威厳を保ったまま足を何度かバタつかせた。それからフイに青と灰色の境界線の彼方に消えた。

くるめき。ぼくは、ぼくの一の子分の愛すべきヤッコさんを見失ったのだった。そのとき、ぼくは、ぼく自身のうちにどうにも埋まらないようなひとつの穴を見い出したのだ。欠落、カニの穴のようにぼく自身のうちを走る欠落。はるか遠くに見える神社の裏の竹やぶのなかで一週間前に降った雪の残骸がキラキラと光っていた。

しばらくしてふたたび空を見上げると、だれかのタコがクルクル回転して飛んでいった。だれかの孤独な一点はみるみるうちに消えていった。すると、そのだれかは人を呼んで泣いた。犬が吠えた。それは、十数年前の冬の静かな午後だった……。

――一九七三年、一月七日、十曜日。ぼくはいま、土手堤の冷たい風に枯れた雑草へ腰を下ろし、たったひとつ、灰色の空のなかにポツンと上がっているタコを見つめているところだ。そして、ぼく自身のうちから飛び去った例の孤独な一点を性こりもなく追っているところでもある。突然、目の中のタコの糸目が切れた。タコは勢いよく天空を泳いだ。たったひとつのタコが消えてゆく。

ぼくはゆっくりと立ち上がった。そして、また例のごとくタコを追った。どこまでタコを追えばよいのか。（野）

善用のモチでお正月を

奈良と佐賀のクラブ員が

正月気分もだいぶさめ、ようやく平常さをとりもどした今日このごろだが、ことしもクラブ員の善意のモチで正月を送った恵まれない人たちが多くいた。

【奈良】山辺郡都祁村の都祁4Hクラブ（会長 向井利光君）のクラブ員十余人はさる十二月十七日、キネやウスなどの道具を持参で奈良県社会福祉会経営の重度精神薄弱者更生施設都祁園（鎌田源光園長、収容者二十六人）を訪問、モチつきをして収容者を喜ばせた。

これは同クラブの歳末助け合い運動の一つで、昨年度から始められたもの。モチは約五キロを一ウスにして三ウスつきあげ、正月用の重ねモチのほか、キナ粉モチ、アンモチにしてふるまった。

【佐賀】杵島郡山内町4Hクラブ（会長 杉原朝雄君）のクラブ員十一人は、さる十二月二十一日、同町の精薄児施設「ころかみ学園」（小森文雄園長 園児八十人）を訪れ、モチをついて園児たちを楽しませた。

クラブ員たちは三十キロのモチ米を用意、白い熱気を上げる蒸しての米を手ぎわよくウスに入れ、勢いよくキネをふるった。同4Hクラブでは「正月を前にして何か子供たちに喜ばれる慰問を」と、一昨年からモチつきをプレゼントしているもの。

☆投稿案内☆

あなたの声を全国に

全国のクラブ員のみなさん、あけましておめでとうございます。本年もよろしくお願い申し上げます。

さて、日本4H新聞では、本紙を全国クラブ員の準機関紙としてみなさんに大いに利用していただきたいと考えています。そして、みなさんとともに全国クラブ員のための新聞としての本紙をより充実させていきたいと思います。

クラブの催しや個人のプロジェクト、詩、短歌、随筆、写真、悩みや意見、村の話題、伝説、お知らせ、行事、小説、日記、友人紹介、クラブ紹介、そのほかなんでも結構ですから送って下さい。また、単位クラブや地区、または県連などで作成した機関紙（誌）、行事資料なども送っていただきたいと思います。

▽長さや形式は自由です。
▽できるだけ記事に関連した写真をそえて下さい。
▽送り先 〒一〇五 東京都港区西新橋一の五の十二 佐野ビル内 日本4H新聞編集部

全国津々浦々からのみなさんの声をお待ちしております。どしどしお送り下さい。

（日本4H新聞 編集部）

ダンスや贈り物の交換

大牛田でもクリスマス大会

【宮城】小牛田町青少年クラブ（会長 菅野良雄君）と同町青年会でもクリスマスパーティーを開き、お互いの親ぼくを深めた。

青年たちは、当日会費二百円と百円程度のプレゼントを持ち寄り、楽しく飾り付けたツリーの下でキャンドルサービスやビンゴゲーム、ダンスをして楽しんだ。

お年寄りを訪問

松戸市のクラブ員が

【千葉】松戸市農村青少年クラブ（会長 平川政俊君、会員五十一名）の代表十人は、昨年の末、市内の大橋老人ホームを訪れ、現金七千円を寄付した。このお金は同クラブが毎年団地で開いている野菜即売会の売り上げ金。この日は菓子やミカンなども持ち寄り、お年寄りと歓談した。

また、年末の大掃除にも手伝いをかって出た。このハッスルぶりにお年寄りたちは「まるでほんとうの息子が来てくれたようだ」と大喜びだった。

クラブ往来

山梨地区連

“和”して地域活動

昨今、私たちの地区連内において、いまの活動を掘り下げて考えてみようという動きが出ています。利点、欠点をよく見定め、いまの4Hをこれ以上に発展進歩させようという考えからです。

4Hクラブにもいろいろな性格のクラブがありますが、大別すると「同級生4H」と「地域別4H」の二つにしぼることができると思います。山梨地区連は前者としていままで歩み、県内においては、ほかに例をみないほどの発展をとげました。これは同級生が寄り集まって組織したクラブだから「和」が大切にされ、ドングリの背くらべながら少しずつ、だが確実に前へ進むことができたからです。「和」すなわち仲間意識、団体意識がなければ、どんな組織活動でもうわべだけのものになり、中味の濃い充実した活動は決してできないでしょう。

さて、問題はここからなのです。私も同級生4Hの中で育ってきました。短所も目につきましたが、それを上回る長所があり、私は卒直にそれを認めます。しかし、これで満足していては進歩も限られたものとなってしまうでしょう。

私はこの同級生4Hの長所と、短所を補う意味での地域性4Hが組み合わさったときにこそ、いま以上の4Hの進歩発展が約束されると思うのです。「和」が確立されている山梨地区連だからこそ、問題が提出されたのであり、そして必ず実行できると信じています。

「和」はヨコの連携のカナメです。広い視野からの学習や実践活動を行なう原動力となります。ことしはさらに、タテの連携、すなわち地域と密接に関わり合った高度の農業技術の学習や先輩クラブ員から新クラブ員までを含めた幅広い活動をめざしてがんばりたいと思っています。

このタテとヨコの連携が十字に組み合わさった接点にこそ、心頭技健をかかげる4Hクラブ活動本来の目標が結実した姿で現われてくるのではないでしょうか。

クラブ員相互の連帯を深め農業技術の向上をはかることによって明るく豊かな農村を建設しようと、いま私たちは新しい年に第一歩を踏み出したところです。

（山梨地区4Hクラブ連絡協議会・大沢良加）

天皇杯に輝く人たち

バラで経営を自立

無支柱栽培で省力化図る

園芸部門（バラ作）大沢一義（三一）秋田

大沢氏は、積雪寒冷地帯で二・四㌶の稲単作農業を営んでいたが、現在の経営に不安を感じた。それは、近くの八郎潟干拓地に一戸当り一〇㌶の稲作大規模経営が誕生しようとしていたこと、また、経済の高度成長のもとで自立農家の農業所得の下限が年々上昇する中で、将来とも二・四㌶の水田だけでは経営の自立化はきわめて困難であると考えた。そこで制度資金を利用して既存の所有地に資本を投じ、将来自立できる所得の確保を図るため新しい高収益作目の導入を考え、現在のファイロン温室によるバラ経営を始めた。

氏は、年々需要が増加傾向にある花卉栽培に着目した。その中でもバラの需要が多く、鮮度がとくに重要なことなどから、秋田でよいバラを作れば高収益を得られることを確信した。

とくに、この地方の夏期の気象条件は冷涼で、四月～十月の日照時間も多く、夏切りのバラの栽培にめぐまれていることを知り、昭和四十一年に三百三十平方㍍のファイロン温室をたて、翌年五月から採花を始めている。その後、四十三年、四十五年に温室規模を現在の千三百二十平方㍍に拡大した。その成果は粗収益六百八十七万円、純収益四百五十八万円の高収益となって現われている。

氏のバラ栽培は、市場でも需要の多い品種を栽培し、たえず適品種の導入に努めている。栽培は積雪地域に適応するように工夫し、三・三平方㍍当り十五年植えとし、暖地よりも粗植にし、一株当り二十本切りで採花は四回（四、六、九、十一月）の技術体系を作り上げている。

床土には腐葉土を七十㌢積み、その上に三十㌢の客土をして土壌の物理的性質をよくしている。したがって、樹勢が旺盛で全株が均一にそろい、また、潅水と病害虫防除の日数を減らし、強健に仕立てて無支柱栽培を行ない、省力化栽培を確立して労働と費用の節約に成功している。また、ファイロン温室のサイドを高くすることによって冬期間の積雪と除雪労働を省力化している。労働力は家族労働四人（両親と本人夫婦）と雇用労働である。

なお、販売面でも力を入れ、秋田市場に出荷するほか、北海道、青森市へも販路を拡大している。また、市場性を有利にするため、将来はバラ温室を増設して六百六十平方㍍の団地形成の計画をたて秋田県花卉生産者連絡協議会の会長となり、花卉栽培者の組織化に努めている。

出稼ぎのない農業へ

経営プロジェクト

食品会社と契約して

冬期間の労力消化に マッシュルームを栽培

青森県・横浜町4Hクラブ　秋田一夫

近年、わが国の経済はいちじるしい高度成長を遂げたといわれ、この高度成長・発展は私たちの農村にもいろいろな問題を投げかけている。物価や地価の上昇、生活用品のはんらんによる消費者貧乏、そして、農村からの出稼ぎの増加などである。

とくに出稼ぎ問題は、消費に追いまくられた現金収入の確保という根本的な〝無理〟のほかに、家庭の荒廃、親子の断絶、出稼ぎ先での事故、そして、残された青少年の非行化など、出稼ぎから派生する二次的な問題が社会問題として大きくクローズアップされている。私たちをとりまくこれらの問題は、自分たちの力だけでは解決できないものが大部分であるが、すべて手がつけられないものばかりだとは思われない。

私はこのような考えから、出稼ぎをしなくても雪に閉ざされた冬期間の労力で現金収入の道はないものかと思い、種々の見聞の機会にふと耳にしたマッシュルーム栽培に取り組んだ。

これまでわが家の経営は畑作主体の複合経営で、夏はナガイモ、ニンニク、その他の野菜と輪作のナタネ、それに水田五〇㌃の作付けなどであった。冬期間の労力利用をと考え、小型ビニールハウスでスイカ、メロンの育苗・販売をすることにしたが、とてもそれだけでは冬の労力は消化できず、収入も少なかった。私が試みたマッシュルーム栽培は十一月に始まり四月に終るから、問題の冬期間の労力は完全に消化でき、収入も現在は契約栽培なので安心して生産に励むことができる。

栽培は材料の踏込時期によって四つの方法がある。私の場合は冬の労力を有効に使って出稼ぎをなくすることが目標でもあるので、材料の稲ワラを十一月下旬に踏み込み、一月中旬から収穫に入る方法をとっている。

百三十二平方㍍の栽培床を確保するためには五・五㍍×九㍍の菌舎が必要。鉄骨、ビニール、発泡スチール板を使い、約三十万円の費用がかかった。

十一月下旬、収穫のあとの稲ワラをカッターで切断し、水と肥料を加えて積み上げ、堆肥を作る。この堆肥はコンポストと呼ばれ、マッシュルーム菌の培養土になる。稲ワラは約六㌧、面積にして一・五㌶分のワラが必要になる。積み上げたワラは約一週間後に摂氏六〇度位に醗酵するが、そのとき第一回の切り返しをする。これはマッシュルーム菌の繁茂には半熟堆肥が必要であり、均等に醗酵・腐敗させることが必須条件とされているためで、コンポストのでき上がりまでに四回の切り返しを行なう。もちろん、労力も集中するが、コンポストマシンを使うことによって省力化できる。添加する肥料は石灰窒素六十㌔㌘、尿素三十㌔㌘、硫安八十㌔㌘、炭カル百六十㌔㌘、それに過燐酸石灰百八十㌔㌘を切り返しのつど添加していく。でき上がったコンポストは水分が約七二㌫、PH七・〇でチョコレート色をした半熟堆肥である。

最後に切り返したあと、四～五日で菌舎に搬入。栽培床に詰め込み、舎内を四十八時間摂氏六〇度位に加温する。その後、換気によって二七度位に温度を下げ、菌を接種する。接種は種菌のかけらをコンポストの中に入れるだけの簡単な作業で、昨年度は五百平方㌢入り、三十二本の種菌を使用した。材料の踏み込みから接種までは三十五～四十日である。

接種後、約二週間、菌糸がコンポストにまんえんしたところ覆土をする。この土は団粒構造と保水力のあることが必要といわれ、福島では粘土質の赤土に北海道産ピートを混合していたが、私の場合は山の赤土を使っている。覆土してから茸の発生までは約二十日である。その間は菌舎内の温度と湿度を一定に保つための散水、換気が主な作業で、茸の発生を待ちながらの作業は楽しいものである。

真暗い菌舎の中にまっ白な茸が見えはじめると収穫に忙しくなる。茸のカサが開くと商品価値も下がり、一方、茸の発育は驚くほど早いので毎日のように収穫する。規格に応じて根を切り、水洗いしてから指定の容器に詰めて契約先の食品会社に出荷する。

はじめるときは一人だったが、昨年度からは隣町に仲間も増えた。お互いに競争し合い、こんごはほかの作業とのかね合いを考えながら栽培床の増設を検討し、ゆくゆくは他産業への出稼ぎ以上の収入をあげていきたいと考えている。

農業の悩みを討議

富山県連　企業的農業研修会開く

【富山】富山県4Hクラブ連絡協議会と県青年農業者連盟は、昨年の末、富山市総曲輪の西別院で「企業的農業研究会」を開いた。

園芸、畜産、水稲などを専業にしているクラブ員や農村青年たちが日頃考えていること、悩んでいることを話し合い、こんごの参考にしようというもので前年についで二回目の催し。

とくに今回は、県の農業担当部課長を招いて意見を求めたほか、県や市町村に対する「農業団地育成に協力を望む」との決議を採決するなど、混迷する県の農業情勢と反比例したもり上がりをみせていた。

研究会には来賓として県側から大間知農業水産部長、伊東同次長のほか農業経済、園芸特産、畜産普及、畜産各課長、全国農業会議所の中村組織部長が出席し、約七十人の農業青年たちと意見を交わした。

参加者は全体集会のほか、野菜、畜産、農政の三分科会を開き、深夜まで熱心な話し合いを続けた。日頃農業行政に不満を抱いている若者らしい率直な意見が続出、県側の来賓が答弁につまる場面もみられた。

中でも活発だったのは野菜分科会。各市町村が工場誘致のために、土地まで企業あっせんしているのに、農業生産団地に対しては、誘地どころか、育成にさえソッポを向いている――と、市町村の農業軽視の姿勢に強い批判の声が出た。結局、市町村に反省を促すための決議を満場一致で採択、関係機関に要望することにした。

「京都で会ってネ!」

静岡のはづき4Hクが 交換会を計画

初めまして! わたしたち「はづき4Hクラブ」は女性ばかり六名で活動しています。〝はづき〟は〝葉月〟で、いつもさわやかなクラブをモットーに昨年の四月にできたクラブです。平均年齢は二〇・三歳の見目麗わしき(?)乙女ばかり。自営者が四名、農業関係従事者が二名です。

わたしたちは静岡県の東部、沼津市を中心とした地域で、畜産、園芸、ミカンを経営しています。

昨年は仲間づくりを中心に農作業の手伝い、スポーツ、料理教室などの行事を行なってきました。とてもハリキって仕事に4H活動にがんばっています。

さて、その〝はづき〟がこの三月に京都へ研修＆旅行を計画しています。そこで京都周辺の4Hクラブ員の方々と短い時間ですがぜひ交換会をもちたいと思っています。嵐山を中心とした旅行のため、その近辺の方々ならなお結構です。どなたか、わたしたちと会って京都での楽しいひとときを演出させてくださる方はありませんでしょうか。冬明けようとする京都での楽しいひとときを夢みながらみなさんのお便りをお待ちしています。

▽連絡先　静岡県沼津市岡宮六三八　鈴木真佐子

結婚を考える ►34◄

女性に望む

中味のある女らしさ持て

愛知県・江南4Hクラブ連絡協議会　沢木宗司

最近の女性はじつに美しくなった。お化粧の仕方や服装の着こなしをみても、われわれ男性の目を大いに楽しませてくれる。

だけど、コマーシャルやなんかに悪のりし過ぎているって思うときもある。お化粧や服装はいわばうわべだけの女らしさ。中味のある本当の女らしい女性はごくごく少なくなっているように思う。

中味のある本当の女らしさとは、鏡の前で顔中白や赤や青い色で顔中のデコボコを埋めたり短いスカートをはいて男性の目をひくだけのものではないはずだ。それぐらいのことならわれわれ男性にも真似のできること。別に改まって考えるほどのことではない。大体一見すれば女性か男性かぐらいの見わけはつくというもの（近頃はあまりあてにならなくなったが!）。

このことは結婚とはあまり関係がないかもしれない。しかしだ。世の男性諸君よ、考えてみようではないか。うわべだけの女らしさにポーッとなってしまって一生涯膝をつき合わせる結果になったときのことを……。そう、じつに恐ろしいことではないか。だから、中味のある本当の女らしさとは何かをじっくりと考える必要がある。

最近では男性顔負けのきたない言葉が女性の口からポンポン飛び出してくる。驚いてその人をもう一度見直すと、確かに体つき、服装をみても女性なのである。いくらスタイルが良く、お化粧の仕方がうまくても、うわべだけの女性であってはその人は女性としてまず第一に失格である。

女として言葉使いが美しいということは、鏡の前で顔中白や赤や青い色でデコボコを埋めることに時間をかけることよりも女らしさという点ではずっと効果的だと思う。そう、鏡の中のあなたは真のあなたではない。

鏡の中のあなたにだまされちゃダメだ!

こんなことをいうと女性の側から一せい攻撃を受けるかもしれない。「なによ、最近の男はホントに男らしくないんだから」「言葉使いの乱れは女性だけに限った問題ではないわ」――まことにごもっともなこと。謙虚に反省しながら先へ進もう。

要するにぼくのいいたいことは、もっと自分が女であることを自覚してやさしい心はもちろん、よく気がつき、いたわりの心を備えてほしいということなのである。女と畳は強くなったといわれる。それはつまり、最近の女性にはやさしい心、いたわりの心が薄れてきたことと無縁ではないと思う。

この頃、結婚前の女性がよくお花やお茶などを習っている。お花やお茶をたしなむことが女らしさのバロメーターともなっている。別にそれを非難するわけではない。だけど、つね日頃から女であることを自覚していれば、おのずから身振りや手振りが変わってくるのではないだろうか。女らしさはそうしたつね日頃の自然な振舞いのなかからにじみ出てくるものだと思う。

女性に問う。あなたは中味のある本当の女らしい女性だと思いますか? そして、中味のある本当の女らしさとは何だと思いますか?――

結婚前の女性のみなさんには耳が痛い言葉の連続だったかもしれない。だけど、われわれ男性を結婚恐怖症にさせないためにも心がけてほしい。お化粧や流行の最先端をいくようなスタイルも男性をひきつけるためのもの。だけど、多くの男性は見かけよりも中味のある本当の女らしさを望んでいることもぜひ忘れてほしくないものだ。

省力化へのキメ手

養豚経営　一日一回の給餌法に

熊本県・阿蘇4Hクラブ　後藤敏行

わが家は水田四㌶、山林三〇㌶、繁殖豚三十頭、肉豚年間五百頭を両親、私、妹の四人で経営している。私は主に養豚を担当。

養豚を始めて五年、頭数は増えたが、こんごさらに多頭化、専業化を進めるためには第一に省力化をはからなければならない。そこで私は、一番労力のかかる飼料給与作業の省力化に取り組んだ。

省力という点で一番有効なのは不断給餌法であるが、この方法だと経済性の点で問題が残る。私は省力的で経済性も高いといわれている一日一回給餌法について、従来やっていた一日二回給餌法と比較し、その実用性を検討した。

一日一回給餌区を試験区、一日二回給餌区を対照区とし、生後七十日のLH同腹子豚十頭を各区五頭ずつ分け、出荷（約百㌔㌘）までの六十日間、同一環境、同一飼料、同一給与量のもとで試験を行なった。結果はつぎのとおり。

飼料給与時間は対照区にくらべ四〇㌫短縮でき、労力的に多頭化への道が開けた。また、試験開始時の対照区の体重の変動係数が六・九㌫、試験区が一二・七㌫とバラツキがひどかったのに、終了時には対照区が八・[illegible]㌫と、逆に試験[illegible]がよくなった。

さらに、対照区の[illegible]枝肉単価三百六十[illegible]験区の上物率八〇[illegible]百七十五円と肉質[illegible]入増も期待できる。[illegible]の一日当りの体重[illegible]十㌘、試験区のそれ[illegible]㌘と発育にも問題は[illegible]回給餌法は、以上の[illegible]有効で必要性が高[illegible]

農業近代化への提言

NHK農事番組（1月21～31日）

テレビ

明るい農村　6・30～6・55　総合
- 21日　明るい漁村
- 22日　村の記録「わらび座入門」～秋田県田沢湖町
- 23日　きょうの話題
- 24日　産物百科「なっとう」
- 25日　話題と人「成功したみかんの粉末化」「公害に強い木」
- 26日　農村新地図「福島県桧枝岐村」　田添京二（福島大教授）
- 27日　村をむすぶ「富山、松山、大阪、東京」
- 28日　明るい漁村
- 29日　村の記録「やきいも部隊」～新潟県高柳町
- 30日　きょうの話題「動き出した農業開発センター」丹羽四紀郎
- 31日　産物百科「うどん」

農業教室　7・30～8・00　教育
- 22～24日「農村の新しいコミュニティ」　渡辺偉史（流通経済大学教授）
- 25～27日「いちごの作型と技術」　二宮敬治（静岡県農業試験場）
- 29～31日「施設園芸と土壌」　鶴田永生（愛知県農業総合試験場）

あすの村づくり　日　7・00～8・00　教育　再　土　13・00～14・00　教育
- 21日「どうなる日本の林業」～全国林業青年会議関連～
- 28日「わが理想郷」～上野満さんと青年たち～

ラジオ

早起き鳥　5・41～5・57　❶
- 21日　あがる木材価格　塩見友之助（山村山林問題研究会会長）ほか
- 22日　北海道のチルド・ビーフ　矢田部昌人（ホクレン畜協食肉課長）ほか
- 23日　農協のコンニャク工場～広島県油木町
- 24日　シダでカドミウム害防止　薄井宏（宇都宮大学教授）
- 25日　ミョーガの電熱栽培　中西時雄（金沢市）
- 26日　みかん倉庫でいちごの冷蔵育苗～徳島
- 27日　ふるさと通信
- 28日　農林予算決まる　三善信二（農林省官房長）
- 29日　海外農業見聞記　福留哲史（長崎県崎戸町）ほか
- 30日　成功したみかんの無農薬栽培（赤穂市塩屋山開拓農協）
- 31日　賑わう農協の法律相談～宮城県古川市

話の広場　日　6・15～6・30　❷
- 21日　移動さかなやさん～加須市
- 28日　農協のスキー場～利根郡新治村

新しい農村　日　6・00～6・30　❷
- 21日　農村予算を聞く
- 28日　農協婦人大会から

ラジオ農業学校〈講座〉　月～土　6・40～7・00　❷
- 22～27日〈農業近代化への提言〉
- 22日　武田邦太郎（新農政研究所）
- 23日　[illegible]（農政研究センター）
- 24日　矢島武（北大名誉教授）
- 25日　飯沼二郎（京大教授）
- 26日　硲正夫（大阪市立大学教授）
- 27日　若林秀泰（愛媛大学教授）
- 29～3日　山村振興の課題　米山俊直（京都大学教授）

ラジオ農業学校　日　6・30～7・00　中❷
- 21日　新時代の経営をめざす　上誠（熊本県鏡町）
- 28日　農業講演会「日本酪農の課題」　唯是康彦（農業総合研究所）

明日の農業へ向って　各種農業団体

家の光協会

今年の稲作はこれで

「地上」3月号　別冊付録で特集

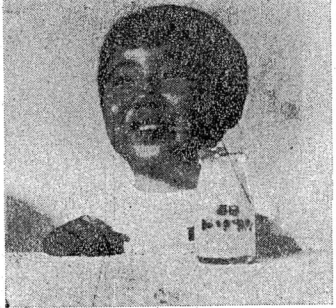

昭和四十七年産米の収穫は一一八〇万トン余、栽培面積は二六〇万ヘクタール余と農林省から発表されました。これで四十七米穀年度（四十七年十一月から四十八年十月）は生産と消費がトントンになった、としています。ことしの米はそれだけにわれわれに考えるべき問題をいろいろ提供してくれました。

まず第一に、生産調整面積が目標を八パーセントほど上回ったこと。そして一〇アール当たり平均収量は四五〇キロほどで豊作型だったこと。

つぎに、北海道や東北部は豊作だったのに、米どころ北陸では平年作を下回ったことがあげられます。このことは『地上』一月号にもとりあげています。

この二つのことだけでも、つぎのような疑問が生じてきます。

①単年度需給の均衡がとれたが、これはほんとうは偶然ではなかったのか。

②平年作を下回った地方での不作の原因は〝天候〟だけが理由でなく、もっと深いところを探る必要があるのではないか。

③米をおおう暗いムードをそのままにしてよいのか。

④足りなくなれば輸入、というが、昨今の東南アジアの干ばつ、ソ連のコムギ不作など一連の事情から、アメリカのコムギが値上りしている。

⑤農地の荒廃が進み、また復帰不能の休耕田が各地に発生しつつある。

米がやっかい者扱いされ、生産調整も三年連続して強行されていますが、米はなんといっても国民の主食糧、単品で年間二兆円というものは[illegible]にはありません。[illegible]業の大きな柱です[illegible]れだけに米にたい[illegible]注文も大きく、生[illegible]産性の向上、品質[illegible]体制の確立、流通[illegible]重要な問題が山積[illegible]す。

そこで、本会で[illegible]月号の別冊付録と[illegible]で行こう ことし[illegible]発行することにし[illegible]います。[illegible]としては、つぎの[illegible]います。

経営編では、今[illegible]どうするか、をは[illegible]米競争、機械化[illegible]ドの意見、米流通[illegible]方向などをとりあ[illegible]は、品種、施肥、[illegible]栽培、乾燥調製な[illegible]による生産性の向[illegible]います。また、米[illegible]経営をいろいろ[illegible]近な経営、身近な[illegible]んでお届けしたい[illegible]す。

この付録をきっ[illegible]そのものを、もう[illegible]えていただければ[illegible]

全国農業協同組合中央会

〝出稼ぎ〟と取り組む

出稼ぎの実態調査と 互助組織などの検討へ

全中では、昭和四十七年度に農林省の委託をうけて「出稼農業者互助事業組織化基礎調査会」を設け、出稼ぎの実態と、秋田、岩手、山形、鹿児島の各県で採用している「互助事業組織」についての検討を進めてきましたが、昨年末その中間取りまとめを行ないました。

現在常態化している出稼ぎ者数の実数は、定義の不斉一、地域による呼称の相違、人に知られたくないといったような感情もかさなってなかなかつかめないのが実態です。各種資料によっても、農林省筋では五〇万人前後といい、労働省方面では六〇万人前後と推定、各県での報告を集計すると一〇〇万人以上ともいわれております。

全中の中間報告では、出稼ぎ者の多い一〇〇の市町村と、一五三名（青森、秋田、新潟）の出稼ぎ者からのアンケートの分析、前述の秋田、岩手、山形、鹿児島の互助組織の検討を中心にまとめております。

出稼ぎ者の実態からみますと農業経営一㌶未満が五三・六㌫、二㌶以上一四・二㌫とだんだん上層農家の出稼ぎが増えております。男女別では、男が九三㌫と圧倒的ですが、世帯主、あとつぎが八七㌫を占めております。

農産物販売面からみますと五〇万円未=五九㌫、五〇～一〇〇万円=二六㌫、一〇〇万円以上一六㌫となっておりますが、[illegible]安定な出稼ぎ者[illegible]投資のための出[illegible]す。

出稼ぎ者対策[illegible]農村地域工業導[illegible]出稼ぎ農業者営[illegible]事業としての研[illegible]談教室の開設、[illegible]対策事業として[illegible]を実施していま[illegible]通しはでてない[illegible]ばかりでなく出[illegible]働関係法、厚生[illegible]わりから大きな[illegible]でいることが明[illegible]ました。

関係県で進め[illegible]は、いろいろな[illegible]一手段として注[illegible]が、最も進んで[illegible]秋田県について[illegible]員の問題、教育[illegible]動の体系化、自[illegible]度などの問題、[illegible]かかわりあいな[illegible]あることが明ら[illegible]ます。

全中では、さ[illegible]を加え、三月末[illegible]として整理し、[illegible]ることにしてお[illegible]

新しい気持で出発
やろうぜ、4Hの野郎ども

茨城県農業研究クラブ連絡協議会副会長
☆　☆　☆
藤本芳一

クラブ活動をはじめてから八年の歳月が流れた。一口に八年というが、それは長い月日である。いま思えば、八年の間にはいろいろのことがあった。失敗やら、残念だったことやら、うれしかったことやら……。また、自分というものがひどくみじめに感じられたこともいくたびかあった。

そんななかにあって、私は私なりに精一杯生きてきたつもりである。全国のクラブ員のみなさんも新しい年を迎え、ことしこそはと自分ながらに思っていることでしょう。私もその一人である。

私はこの年をどのように生きてゆこうというのか。これが私自身のこの一年間の課題でもある。計画も立てねばならない。しかし、もっとも大切なことは、計画を立てることでなく、その計画に基づいていかに実践するかということだ。要は内容次第ということだ。それらはなによりもまず自分に確実なものでなければならない。

前に述べたことを基礎とし、具体的ではないかもしれぬが、ことしのさしあたっての計画というか抱負というか、そのようなものをいちおう考えてみたい。

私たち（私ももちろん）は若いから、人間的にも技術的にもあらゆる方面にわたってまだまだ未熟だと思う。そこで私たちにまず必要なものは、「おおいになんでもみてやろう、聞いてやろう」という意気ではないだろうか。私もその精神でもって自家の経営の充実をはかり、計画性のある生活をしたいと思っている。

話はとぶが、私はいままでいろいろな研修会に参加した。その席でいつも感じることは、若い私たちが大いに意見を述べ、小さい問題にしても議論しあって一歩一歩前進してゆくことの意義深さだ。

それは、昨年暮れ、静岡県の御殿場市で行なわれた後期中央推進会議もそうであった。"4H会館をわれわれの手で建てよう"という気構えとどんな小さな問題にも意見を戦わす仲間の熱気に私は圧倒され、そして感激した。私はこれこそクラブの団結であると唇をかみしめながら思ったものだ。

会館を建てようではないか、4Hの野郎ども！（言葉が悪いのは生まれつきなのですいません）私たちはこれからの人間だ。またこれからが勝負の人間たちだ。そんな私たちのやるべきことは山ほどある。

十・二十代の私たちにとってもっとも重要なのは行動だ。私たちのこれからの人生には大きな壁がたくさんあると思う。その壁を打ち破らずして私たちは明日という言葉を口にできないのではないか。

私もいろいろな壁にぶつかるだろう。そして、くじけそうになったとき、いままで仲間、また、これからの友を思い出し、お互いに励まし合ってこの自分の人生を精一杯生きてゆきたいものだ。そして、再び合い言葉、会館を建てようではないか、4Hの野郎ども！

大切なのはこの心とそれに対応する自分自身そのものなのではないだろうか。

「今年もやるぜ！」闘志まんまんの藤本君＝自宅前で

4H新聞をより多くの人に

笹笛

日本4H協会がクラブ員の広報機関紙として「4H新聞」を発刊されてから二十年が経過したときく。おそらく何千、何万の先輩、仲間の両手によって開かれ、読まれ、その時どきのクラブと社会を反映してきたことであろう。その七百号をこえるページを埋めた仲間の意見、体験そして評論などから直接間接に受けた影響は少なくはない。

情報化社会といわれる現代、クラブの中で固く結ばれた同志が相互の知識や技術などを交換しあい、お互いの力によって一人ひとりが成長しようとしている私たち。それが新聞という情報をもたらすものによって、全国的な視野にたち、仲間の輪の広がりを求め、4H活動や農業そして生活など幅広い意見、体験などの交換を図る。それが全国的にクラブ意識を高め、より良き農業者、家庭人、社会人となってゆくことにもつながってくる。

私は4H新聞の効力がこれらの点にあると考える。しかし今、4H新聞がこの効力を充分はたしていないとも思う。何故か。

まず第一に購読者が少ないこと。指導助言機関では各地区の普及所に至るまで届けられているのに、かんじんのクラブ員に読まれている数がまだまだ少ない。4H新聞は形をかえた全国4Hクラブ員のつどいであると私は思う。つどいには六千五百円と旅費を出してでも二千余名ものクラブ員があつまった。その十分の一くらいのお金で毎号多くの話題を得ることができる。各地のクラブ員の活動が、意見が……。もっともっと多くの人に4H新聞という「つどい」に参加してもらいたいと思う。事業計画にその普及と活用をあげ「よしやろう」と決めた県連と全協にも努力が足りなかったと反省している。

第二にはあつまってくる原稿が少ないこと。よくページ数が少ないとか記事がいつも同じようでおもしろくないとか、あるいはクラブ員の生の声が反映されていないというような意見が出る。その通りといえるかもしれない。しかし、これらのことは編集にあたるスタッフの責任より、送られてくる原稿の責任が大きいのではなかろうか。朝夕配達される一般新聞はブンヤさんと呼ばれる記者が動いて記事を作る。4H新聞の記者はクラブ員だ。全国各地のクラブの実態、ふと思いついた、いつも考えている意見を二十円、十円にたくして送ってもらいたい。あるリーダーがいっていた。「自分の書いたものが活字となってページの片すみにでも載った喜び、それが全国のクラブ員によまれているだろうという楽しみをもっと多くの人に知ってほしい」と。どんなちっちゃなことでもいい。笑われたり、けなされることを不安がるのはおかしい。読んでるのは同じ仲間だから……私もそう思って書いているつもり。

多くの記事があつまってくる→内容が豊富→ページ数増加→読みがいがある→多くの人が読む→料金が安くなる相関関係でつながっているように思う。そして、その結果仲間の輪が広がり、クラブ員の結合もより強くなるという4H新聞の効力が充分はたされてくるのではなかろうか。

おもしろくないもの、意味の少ないもの、効力の弱いものをより良い方向に"ヘンシン"させるのは自分たちだ。今読んでいる人たちから……。ひとりでも多くの中間に。

（全協　原田）

青春！憂いの日々
おれと4Hとそして農業

栃木県・稲沢4Hクラブ　板室光信

空がまっ青に澄みきったある日曜日、おれは彼女に巡り合った。とっても感じのよい娘だった。おれのハートは蒸気機関車のごとく高鳴り始めた。

「よせ、よせ、おまえにあの娘が射止められるか」

おれは夢中で"やめよう"と思った。というのも、過去に六回半の失恋を経験しているからだ。この実績から見ても、今回とて失恋することは目に見えている。

いくら努力してもどうにもならないことは、だれにもひとつやふたつはあるものだ。でも、男だったら、若者だったら、万にひとつの可能性にだって賭けることは必要だと思う。一生なんて短かい。その短かい一生のなかで燃えるときといったら青春のみではないだろうか。そのときに恥ずかしみ、恐れ、何もせずに過したなら、あの世行きの急行券を買ったようなものではないでしょうか。その信念に基づき、おれは今日まで行動してきた。六回半を七回半へ、でもそれでいいじゃないか！

おれは4Hクラブに入ってからもう四年になる。長かったような短かかったようなこの四年間だった。でも、おれはもう引退しようと思っていた。それで、あとに残るクラブ員のみなさんやこれから入会する方へ「4Hは良い所だ、役に立つんだよ」そう言いたかった。

しかし、いまのおれには、夢も希望もない。4Hを卒業した多くの先輩は農業に意欲をもって取り組んでいるというのに……。だれに聞いてみても4Hが悪いんじゃなくって、おれが悪いというだろう。

そこでおれは考えなくてはいられなくなった。おれにとって4Hクラブとは何なのだろうかと。

4Hクラブとは、いうまでもなくおれたちの組織するクラブだ。やる気があればいくらでも成長させることができるし、その過程のなかで自分の力を精一杯ぶつけることによって自分自身を磨き上げることもできる。活動中はいくらつらくってもあとで必ず役に立ってくる、そうおれは信じてきた。

一昨年は単位会長と町事務局長をやらしてもらった。他人から見れば、大したことがなかったかもしれないが、おれとしては精一杯やった気のする一年だった。

毎日、4H、4Hと言って家をあけ、経営はもとより家のなかまでおかしくなった日々だった。でも、あとできっとプラスになる、おれはそう思ってがんばった。ひとつの事業を行なうまでの苦労は事業の失敗、成功を越えたところから湧いてでる喜びにより忘れ去ることができた。と同時に、そのたびに自信もつき、人間もできてゆくような気がして、4Hクラブとはなんとすばらしいところなのだろうかともたびたび思った。

また、調子こんで今年度は地区の役員にもなってみた。はじめっから家の仕事はあきらめて、今年度いっぱいみっちりやってみようと思ったからだ。現実的にも、家を出る日数が昨年よりだいぶ多くなった。だが、家の仕事といえば休耕田の草刈りくらいなもんで、別に忙しくないし、家のなかでもあきらめムードだった。だから、毎日出て行ってもなんにも言わなかった。

こうなってくると、人間変わるもんで、雨が降れば寝てるし、日曜日になれば仕事は休み、朝は「夜遅く帰ってくるので眠い」と言っていつまでも起きない。たまに仕事へ出てもすぐ昼寝、目がさめるとあたりはまっ暗、そんな生活を送るようになってしまった。

当然、4Hクラブにも張りがなくなってきた。なんのために4Hをやっているんだろう。百姓もやりたくないんだし……。そして、第一に自分のために決して良くないことをやっていて、なんでみんなのためといえるのか。おれのような人間は4Hクラブに入っている資格がないのではないか。いつかみんなに4Hという組織から追放される。そのまえに、おれからここを出ていこう。

おれはそんなつまらないことを毎日考えている。なぜに「4Hを愛し、4Hを盛り上げたい」と思っていたおれが、いまこんなみじめな姿になったのだろうか。おれ自身情けなくなった。

どこがくい違ったのか、みなさんとともに考えなければならぬ。4Hクラブとは利用するものではなく、育てるものではないか。4Hクラブとは家庭のなかに養うべきものではないのか。4Hクラブとは義理のなかで進むものではないか。

4Hクラブとはどうあるべきなのか。彼女の話が脱線したけれども、さあ、みなさんもよく考えてみよう。おれのような青春を送らないためにも……。

私の得たもの

福岡・筑後市4Hクラブ　小田はやみ

いままで知らなかった人にでも気軽に話しかけられるようになった自分。

今まで顔をそむけて通りすぎた世界になんのこだわりもなく入れた自分。

知らないものどおしの輪のなかで多くの人の考えを聞き、いま自分自身をじっと見つめている私。

そう、もっともっと成長できそうな私。

いつの日にか、私のあこがれる女性に近ずける、そんな気がしている私、私、私……。

なにかやりたい。

だれにも感謝されなくてもそんなことはどうでもいい。

いろんなことを行動にあらわせないじれったい私。

つい自分に負けてしまう泣き虫な私。

自分の気持に素直でありたい。

それで充分。私にはそれで充分。

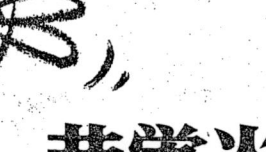

北国から君あての便り

【北海道】寒い寒い北の国から一葉の美しいニセコ連峰の写真が届きました。

去年の晩夏、北海道で開かれた「第八回全国4Hクラブ員のつどい」に参加した君はあの時の山々を、友を、感激を思い起こして下さい。

また、忙しくって忙しくって旅行どころじゃないとおっしゃる君は、美しく澄んだ山々でも見て旅情を味わって下さい。

そして、最後に「寒い、寒い」と朝の寝床のなかで震えている君は、もっと寒いところがあるんだとあきらめて飛び起きて下さい。（写真提供は北海道虻田郡倶知安町字樺三五四　真田政彦君）

農村の現状報告

草刈り場

星　源佐

夏の短い夜がようやく白みかける頃に、研ぎすました鎌を用意した村の人は、しっとりと朝露にぬれて草刈りに励んだ。

刈った草を小さく束ねて一週間も放って置くと、すっかり乾いて軽くなるので、その頃運んで堆肥に積むのである。

堆肥の山の数が、農家の勤勉の度合いにもなるので、村の人は競って草刈りに励んだ。堆肥をふんだんに入れた田畑は、どんな年にも安全な作柄であったし、金肥も少しで済んだので農家の大切な仕事でもあった。

草刈り場は、村の共有地のそちこちを、雑木を切ったり、足場を直したりして、てんでに手入れしてあったので、その手入れした人の占有地のように、他人は入らない習慣が、古い時代から守られていた。

尾瀬沼に源を発し、越後山脈の麓を流れる只見川は、その豊かな水量と、大きな落差が注目されて、只見川電源開発時代が訪れた。

静かな私の村にも、発破の音が山にこだまし、川原にはブルトーザーがうなりながら走りまわった。

そして二年余の間には、出力六三、九〇〇キロワットの上田発電所が完成した。ダムの底に耕地を沈めた村の人は、工事場の人夫となって働いた。そして耕地を沈めた農家には補償金が支払われ、工事場で働く人には毎月労賃が入った。

それまでは、毎月決った収入のある家は、学校の先生か郵便局の職員くらいであったのに、ほとんどの家に現金収入があるようになると、子供の洋服が新しくなり、木綿縞の手縫いの野良着が、いずれも似たような作業衣になり、天井板が張り替えられ、玄関の戸が新しくなった。

電源開発工事と一緒に、いろいろな店もでなて、ほうれん草も、葱も、キャベツも、胡瓜も買うことができるようになり、夕方は村のお母さん達も、ビニールの買い物籠を提げて野菜を買うのが見受けられるようになり、その頃から、食べる野菜は自分で作る習慣が崩れだした。

発電所が完成した後には、次の工事場へ追って行く人もあって、農業を離れる人が少しはあったが、大部分の人は残った耕地にしがみついて、再び細ぼそとした農業に戻ったが、工事場景気に浮かれた生活は戻すことができなかった。

只見川の上流には、引続いて発電所が建設されることになり、それにつれて道路の改修工事があり、また、森林資源開発の名で林道ができ、治山工事などもあって、土建業が繁昌し、田植えが終ると、弁当を提げて工事場へ働きにでる人が多くなり、その頃から朝草刈りにでる人が少なくなってきた。

農産物の自由化、産米の生産調整と、農家には夢にも思わなかったような政策の変転は女でも土方にでて一日働けば、大豆が一斗五升も買える世の中に変り、汗水流して大豆を作り、面倒な手数をかけて味噌を仕込むよりも、きれいな樽に詰まった味噌を、商人が台所まで持ち込んでくれるのを、味噌の本当の風味を知らない若い嫁さんが喜ぶようになり、明治生まれの姑さんがかげでブツブツ言うのを時代遅れときめる有様になり、米を食べると頭が悪くなり、パン食が理想的とマスコミにだまされてその気になり、一食はパンを食べますという農家もできて、そうした農家を近代的と思いちがいをする人も見受けられるようになった。

地下足袋を履いて草刈りにでた頃は、昔はわらじを履いたものであったのにと、その頃の老人の不平が聞かれたが、今ではゴム長靴のまま耕耘機を使って田畑にでる人が多くなり、藁仕事の必要がなくなったこの頃は稲藁を納屋へ持ち込まず秋のうちにカッターで切ったまま田圃に撒きちらして、堆肥の山を作る人が少なくなった。

土木工事にでて働くようになったり、月給取りに転職するようになれば、家畜を飼う家も少くなって、私の住んでいるところは百戸程の村なのに、和牛が一頭、豚が十頭程、鶏は五軒で千二百羽程の淋しさである。

田や畑の肥料は、切り藁に金肥万能、それも農協のすすめる配合肥料で、土質や品種によって肥料成分を考えることもなくなり、初年度には抵抗のあった減反政策も、農民の諦めからか今年は割当目標をはるかに上廻ったようであり、山かげの畑には何時しか杉や桐が植えられ、山あいの耕地は更に狭くなってゆく。

発電所工事の終った頃には、第一種兼業農家が多く、村の人が集れば、稲の品種はどんなのがよいか、山村のこれからはどんな経営がよいかなどと話にでたものであったが、今では他人より早く、如何にして確かな第二種兼業にありつこうかと懸命になっている現状である。

こうして草刈り場はもう雑木林に変り、草刈り場への山道は消えてしまった。（福島県大沼郡金山町大字中川）～農民文学第百十二号より～

猫族からメッセージ

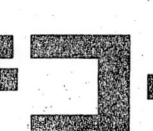

岐阜県4Hクラブ連協会長　中野俊一

最近の若者は——これは人間の世界で昔からある言葉だ。しかし、近年はこんな言葉になった。最近のネコはもう…。

われわれ動物の世界にもいろいろと問題は多いのだ。とくにわがネコ一族には困難な問題が山積みである。たとえば、われわれの主たる武器であるツメをペットだからといってはチョキンされたり、わが種族の威厳と誇りのシンボルであるヒゲをじゃまだろうと頭の悪いガキどもに切られたり、いやはやわが輩たちネコ族も最近は暮しにくくなりましたよ。

また、ネズミを取らなければアホー呼ばわりされ、逆にネズミを補えればきたないネコだとののしられる。さらにネズミの組合からはネズミ種族の保存ということで抗議があるし、グチるわけじゃないけどほんとにおもしろくないことばっかしですよ。

さて、これは私事で恐れているが、わが輩の傷つけられたある一日を紹介してみることにする。

わが輩はある農家より嫁いでから本日で三ヵ月目になる。ちっぽけなニボシを嫁入り道具のひとつとして主人の宅へやってきたのだが、何分にもわが輩としてもニボシぐらいの背丈。まっ赤な顔して、ただ「ミャーオ、ミャーオ」と泣いていただけだったね。

しばらくわが輩もブラブラしていた。体もちっとは大きくなり、なんとかネコとしての格好もついてきた。その頃である。わが輩の主人が二階へ上がって稲のワラをかたずけていたのは……。

わが輩も主人にくっついて二階へ上がった。そのとき、わが輩の主人は親切にも「ワラ束の山の中にネズ公がいるぞ！」と教えてくれた。わが輩はネズミなんて見たこともないのですっかりあわててしまった。しかし、主人はその上にも親切にネズミをワラの囲いのなかへ、追い込んでくれたのである。

そこでわが輩の出番とばかりにわが輩をネズミのいるワラの囲いのなかに入れてくれたのだ。それなのにわが輩はヘマをやっちまった。運も悪かった。わが輩はワラのなかでネズミを見失なってしまったのだ。それも主人の目の前でだから……。ネコ族の一員として言い逃れることはできなかった。だって、ネズミとすれちがっても気がつかなかったんだもん。

主人のすげえカミナリが落っこちやがった。また、わが輩、ネコ組合にも顔向けできず、ショボショボ、グッタリ、涙タラタラ。いやあ、落うつな日でした。そして、わが輩のプライドはガラスがくだけるようにこなごなになった日でもありましたね。

そんな苦悶に身をこがして毎日を送っていたある日、わが輩は汚名ばん回のチャンスを与えられたのである。運よく、わが輩はネズ公のシッポをつかまえたねえー。これで一安心と胸を張って主人の前に進み出たら、主人冷たい態度で言うじゃないですか。「バカ、そんなネズ公、小さすぎらあ。」

それでも、わが輩にとっては生涯最高に気分のいい日だったね。以来、補まえた、補えた、ネズ公を連日捕まえたのである。もちろん、わが輩より大きいやつが来たら逃げたけど……。だから最近は主人の前でも大きな顔で寝そべっているのである。わが輩の名前もイカしているぜ。"ハンタ"という現代的な名前だ。また、最近はわが輩の名をマネして注目を集めている中国から来た"パンダ"に人気を奪われがちだが、わが輩を知っている人はわが輩を本物の"パンダ"と呼んでもてはやしてくれるね。要するにマスコミはダメネ。

さて、わが輩の生活している飛騨はいいところだけど、冬は本当に寒い。そこで、わが輩はもっぱらオコタのお守りをしているってわけ。もう赤外線中毒になっちまうくらい明るいデンキコタツのなかで今日もお守りだね。だって、主人は4Hクラブのことで今日も県庁へ出かけて行ったから……。

どうにかわが輩もプライドを保っている。わが輩の主人はどうかな。もう4Hを長年やってるからな。でも、わが輩はときどき心を鬼にして忠告してやるんだ。"長きをもって尊しとせず"とね。

わが輩、ハンタ君、がんばってるからね。全国のクラブ員さんもよお、プライドをもってがんばるんだよお！なお、「主人がネコの手も貸りたい」と言ったんで、この文は仲間に代筆をお願いしました。じゃあ、ミャーオ、ミャーオ！

日本4H新聞
4Hクラブ
農事研究会
生活改善クラブ
全国広報紙
発行所　社団法人 日本4H協会
東京都港区西新橋1の5の12 佐野ビル 〒105
電話(591)1817・3683
編集発行　玉井　光
月3回・4の日発行
定価　1部　35円
一ヵ年　1200円(送料共)
振替口座　東京12055番

クラブ綱領

私達は、実践を通じて自らを磨くとともに、互いに力を合わせて、よりよい農村、よりよい日本を創るため、四つの信条をかかげます。一、私達は農業の改良と生活の改善に役立つ腕をみがきます。一、私達は科学的に物を考えることのできる頭の訓練をします。一、私達は誠実で友情に富む心をつちかいます。一、私達は楽しく暮らし元気で働くための健康を増進します。

第12回全国青年農業者会議開催要領決る

全国の代表が一堂に

3月8日から3日間　オリンピック記念青少年総合センターで

"生きがいのある村を"

今春三月、東京で農林省などの主催により開かれる「第十二回全国青年農業者会議」の開催要領がこのほど決定した。今回の会議は、例年のそれと較べ日程や会議の内容などでかなり新しい面がみられ、その成果が期待されている。その開催要領の概略は次のとおり。

農業者会議が開かれる東京・代々木のセンター
＝前回会議の受付風景から

この会議は、日本農業の中核者として、農業や農家生活の改善を実践している若い農業者たちが、体験した成果をお互いに発表し合い、当面する問題の解決方向や発展方向を見い出すとともに、農業をとりまく諸問題を研究討議して新しい農業および農村の建設に資することをねらいとして開催されるもの。

主催は、農林省、NHK、全国農村青少年教育振興会、全国農業改良普及協会、日本4H協会、全国4Hクラブ連絡協議会、全国農業研究会協議会の七者で、開催期日は、昭和四十八年三月八日(木)～十日(土)まで三日間。開催場所は、オリンピック記念青少年総合センター(東京都渋谷区代々木神園町三の一)。

参加者は、各都道府県の選出によるもので、①農村青年②農業経営者夫婦③指導者等④担当職員と分けられる。なお、参加者は、担当職員を除き、全員が必ず発表概要(レポート)を提出する。

農村青年は、おおむね二十五歳以下で、現在自主的な農業研究集団活動に参加しており、本年度、都道府県段階で開催された農村青年会議、プロジェクト実績発表会、放送利用農業集団研修およびそのほかの農村青少年を対象とする大会、または研究会などのいずれかに参加し、都道府県の代表として選出された人に限られ、一県(都道府)約十名で、原則として男女同数となっている。

農業経営者夫婦は、おおむね二十五歳以上三十五歳未満の研究心が旺盛で、実行力のある新進の農業者であって、原則として自営者冬季学校(農業部門)に参加した人となっており、一県(都道府)夫婦二、三組(原則として夫婦共であること)。

指導者等は、農村青少年クラブ等のリーダー(篤志指導者を含む)および農村青少年育成担当普及員で、一県(都道府)四名以内。

担当職員としては、都道府県担当職員(青少年係、普及係および専門技術員)で、一県(都道府)一二名以内。

新しい農業への提言

会議は、青年農業者部会と指導者部会に分かれている。青年農業者部会の会議課題は、「新しい農業への提言」～生きがいのある村を築くために～と決められている。会議は、参加者がとりくんだ農業経営、または農村環境、農家生活の改善など(プロジェクト活動)の課題に応じて、水稲、野菜、花き、果樹、酪農・肉牛、大小家畜、特用作の各分科会に分かれ、参加者があらかじめ提出した発表概要をもとに発表し、研究討議する。

また、指導者部会の会議課題は「青年農業者の学習指導方法ならびにクラブの組織強化方策」であり、会議は、農村青少年クラブ等のリーダー(篤志指導者を含む)と農村青少年育成担当普及員とに分かれて分科会を編成する。

共通会議としては、会議オリエンテーション(第一日)、自由交歓(第一日夜)、村のはなし懇談会(第二日夜)、全体討議(第三日午後)があげられている。

村のはなし懇談会は、参加者の村や町に伝わる民話、民謡、伝説などを語り合い、あわせて村のよもやま話を通して村の文化の伝承と発展に寄与しようというもの。

また、全体討議は、青年農業者が分科会で研究討議した結果を総合的にまとめるため全体討議を行なう。

なお、表彰としては、模範農業研究集団(農林大臣賞)、農村青少年農業研究集団の篤志指導者と農村青少年農業研究集団の育成協力機関にはそれぞれ感謝状が送られる。

この会議の成果は、放送や新聞などにより広報される。

分科会討議が中心　日程

予定されている主な行事は、分科会研究討議を中心に、全体討議、村のはなし懇談会、自由交換、表彰式などである。前回は、全日程が三泊四日だったが、今回は二泊三日なので、これまで行なわれていたヤングフェスティバルや農村青年と農業経営者の交換討議などが姿を消している。

しかし、青年農業者部会の会議課題が「新しい農業への提言」～生きがいのある村を築くために～と的をしぼっていることや分科会の助言者に、学識経験者だけでなく優れた農業者も加えられており前回とは違った新しい面も多い。

なお、主な日程は次のとおり。

第一日目(三月八日)　午前一時から体育館ロビーで受付、午後一時から開会式、オリエンテーション、夜は自由交換と環境整理、司会・助言者・連絡員オリエンテーション

第二日目(三月九日)　午前九時から昼食をはさみ午後四時半まで分科会討議。夜は村のはなし懇談会と農業経営懇談会

第三日目(三月十日)　午前九時から分科会討議(前日の討議のまとめ)、午後一時半から全体討議、ひき続き閉会式、表彰式、午後三時半ごろ解散の予定

なお、参加者は全員合宿するが同センターの規則により、毎日朝六時半に起床、洗面し、朝のつどいを終えてから朝食をとる。また昼食・休憩は正午から一時半まで、夕食は夕べのつどいのあと五時から七時。夜は九時から入浴などをし、十時半には消灯、就寝となっている。

涼風暖風　ラーメン屋の鶏

やや下火になったとはいえ、スタンド式のラーメン屋があちらこちらで目につく。ドサンコとか、サッポロとか、いずれもチェーン店組織のものである。

この種のラーメン屋のお客をみていると何とも異様である。スル、スルとソバを吸いあげている時は、ホホをふくらませたりへっこませたり、口の中へラーメンが入ると、もぐもぐさせながら全員が顔をあげる。その目はうつろであったり、キョロ・キョロさせたり。

一様に顔をあげて、もぐもぐキョロ・キョロしている姿は、にわとりがエサをついばんでいる姿にそっくりである。

動物がものを喰うときは、外敵に対して無防備状態になるようである。だから、せめて「そしゃく」しているときは、頭をあげて外敵の来襲に備える必要があるのであろう。にわとりが頭をあげてもぐもぐキョロ・キョロするように。しかし、人間には改めて外敵を警戒する必要は無くなっているはずであろう。とすれば、ラーメン屋の異様な光景は、手もち無沙汰か、動物時代の悲しい習性でしかない。

動物は、もっとも本能的な行為をしているとき、無防備になり、特別な警戒態勢をとる。シマ馬など、群の中に見張りをたてておくのもこの部類であり、にわとりもそうだ。

人間は、この種のことが余り必要でなくなってくると、この習性を妙なことに使い始める。食事をしながらのキョロ・キョロは、新聞を読むことに振りむける。あるいは、テレビに振りむける。

振りむける位いでいるうちはいいが、うっかりすると、ひさしを貸して母屋をとられてしまう場合も少なくない。こうなると、奥さんも面白くなくなるのは当然であろう。せっかく愛情こめて美味しい料理をつくったのに、ということである。

本能といえば、排泄のときもそうであろう。警戒の必要がなくなった手もち無沙汰は、落書きか、新聞をひろげる始末となる。トイレへ持っていった新聞など、不潔で読めませんよと娘に抗議されるのがオチである。

日常の生活を見まわしたとき、不必要になった時間をわれわれはどう使っているだろうか。電化されて浮いた家事の時間は、機械化で余剰の出た農作業の時間は。

これらの時間が、キョロ・キョロに終っているかも知れない。トイレの新聞になっているかも知れない。あるいは、食事中のテレビで、本質を忘れてしまっているのかも知れない。

(文部省　伊藤)

負けてたまるか 4H根性!!

赤松　宏 ▶ 12

北海道の冬は大変厳しいものがあります。私はストーブの燃える部屋のなかで窓ごしに外で吹き荒れるさまを見てこれを書いています。一歩外に出ると頬も凍傷にかかってしまいそうな気配です。

北国の人たちは、みんなこんな厳しさのなかで育ってきました。そのせいか、私も含めて、荒っぽい人間が多いのかもしれません。また、そのような厳しい自然条件は、人の心の細やかさや暖かさをもここに住む人に与えたような気がします。そんな仲間たちにささえられながら、私も無事新年を迎えることができました。大変ありがたいことだと思っています。

その仲間たちと今日も会ってきました。例のごとく、今、明日に近い時間に帰ってきたばかりなのです。昨日から出かけていたものでしたから、家族のものたちもあきれ顔をしています。が、例年恒例のことなので「まただか!」といった感じのほうが強いようです。

さて、私はそろそろ原稿の締め切り時期が近ずいてきたようなので、今年度の「書き初め」という意味からも心してまっ白な原稿用紙に向かうこととしましょう。

一月十四日号では、第四段階目ということで「教え方をどうするか」と題し、勝手なことを並べてきました。今日も、その続きを書かなければならないようなので、そのつもりで考えてみたいと思っています。

"現実的"に教えて　後輩よ、あくなき挑戦を

今日、考える第一点目は"現実的に"考え教えてやってほしいということです。それでは、"現実的に"とはどういうことなんだ、とあなたは質問されるでしょう。平凡な答ですが、字の通り実際にあることを実際に経験するということでしょう。まず、「直接経験」とは何かということが問題になってきましょう。私はこれを「なすことによって学ぶ」ということに置きかえてさしつかえないと思います。この言葉は教育の基本原理だと私は解しています。また4Hクラブの基本であるプロジェクトの精神にも等しい言葉でもあるでしょう。そんな点から見れば、この言葉は4Hクラブ活動、4Hクラブ学習にピッタリの教育方法と考えてさしつかえないと私は思います。

私も今、私の過去を考えてみて、「実際に経験させながら教えてきたか」と問われるとイエスとは答えられないような気がします。むしろ今までは、カッコよく「これをどう生かすかはみなさまがたの努力次第です」といってきたように思います。これは教育者として、リーダーとして落第です。私も落第生のひとりだったんですね。本当のところ、あたかも自分がその解決方法を知っているかのごとき態度で「これをどう生かすかはみなさまがたの努力次第です」と言っていたのです。かりに、そんな自分を意識していたとしても、そのような言い方をするとしたら、なにもないとの同じことなのです。いくら結論を知っていても、その過程を教えることのできない人をリーダーと呼ぶわけにはいかないのではないでしょうか。

私の知っている範囲での上部の4Hクラブでは、必らず「リーダー研修会」と称する行事を実施しています。しかし、毎年行なっているわりには進歩していないような気がします。また、なにか内容的にも弱いところがあるようです。

そう感じて、私は役員時代に「実技学習」という言葉やそのシステムを「リーダー研修会」のなかへ取り入れるように努力してみました。そのあと、それらの方法や考え方もだいぶ「リーダー研修会」のなかに普及したようで「実技学習」という項目もみられるようになってきました。

本当によいことだと思っています。でも、ここでさらにもう一歩進んで考えてみたいことがあります。というのは、それらの「リーダー研修会」などのなかで学ぶことはほんの一例なのだということを理解してほしいのです。そこで得たものというのは、単に時間的観点からみても、日頃の生活、行動のすべてを越えたものとはなり得ないでしょう。つまり、日常生活をそっくりそのまま「リーダー研修会」に転換せねばならないのではないでしょうか。行事などで得たそれらの方法に感動したなら、今度はそれらの上に立って新しい方法などの発見に努めねばなりません。それらを深く身につけ、それらを十分発揮して仲間をリードしてゆく人間が出現しないかぎり、組織は衰退の一途をたどる以外にないと思うのです。

「今日も4Hのことで……」限りない挑戦を続ける筆者

直接的に事物にあたって観察したりすることがいかに大切なことであるのか、4Hクラブと考えあわせてもおわかりいただけたと思います。視聴覚教材などは、このための補助手段としてどんどん役立たせるべきでしょう。また、こんなことから、今述べた直接経験プラス活動の基本を考えてみるのもよいと思います。

学習する人が生き生きと活動しているというのは、いうまでもありませんが、その人の自発性が躍動している姿です。まあ、それが行動の導きになってゆくといえば簡単なことのように聞こえますが、順序だてて進めていったほうがよいと思います。

私は「こんな風に進めてみては……」ということで、さきに述べたことを中心にまとめてみました。

第一には、現場で起こりがちな問題を仲間に投げかけてみることだと思います。これは現実的にやってゆく基本でもあるはずです。

その次には、相手に身近な問題を引用するように促すことです。相手のいうことがチンプンカンプン、これも困るわけです。誰にしたって、自分が一番よく知っていることを例にとって説明されればすぐ納得するはずです。リーダーはそういう意見がでるような場を演出せねばならないでしょう。

そして、第三番目は、手ごたえのある問題に挑戦させるようにしむけてあげるということでしょう。人間は「次へ、次へ」という欲望が強いものです。誰にしたって、今、十のうち八まですることができるとしたら、次の九をねらうようになるはずです。まあ、このとき、挑戦させる材料はむずかしすぎず、やさしすぎずといったところの問題を選んであげるように気を配ってあげたいものです。なんといっても能力以上の挑戦はさけるべきです。つねに、一段階ごとに成功の喜びをわかちあってゆく、そんな活動にしあげてほしいと思います。

いままで述べた上に集団思考(集団圧力)などを合わせて考えてゆくと、きっと4Hクラブに衰退などという言葉はなくなるはずです。

でも、みなさま、実際にはむずかしいことですね。能力以上の挑戦だなんて言わず、有能な後継者諸君よ、がんばってください。雪国より健闘を祈る!

(題字も筆者・北海道4Hクラブ連絡協議会前会長)

初春の農業者会議
青森・十和田地区連　発表と討議にわく

若者の熱気が満ち満ちていた会場……

【青森】十和田地区農村青少年クラブ連絡協議会(会長　豊川総一君)では、去る一月十日、地区のクラブ員五十余名の参加をえて「第五回十和田地区青年農業者会議」を開催した。

集まったクラブ員たちは、新春の陽光を額いっぱいに受けて「今年もやるぞ!」と新しい闘志を体中にみなぎらせていた。

この日の日程は午前中が実績発表会、午後がパネル討議。実績発表会では、十和田町八甲4Hクラブの加賀訓君が「肉牛飼養管理の工夫」、天間林村上白4Hクラブの鳴海善左衛門君が「私のシイタケ栽培」、十和田町八甲4Hクラブの生田幸子さんが「廃品利用による人形作り」、十和田市国門4Hクラブの豊川与悦君が「花づくりに取り組んで」と題して発表した。発表しているクラブ員も聞いているクラブ員も真剣な表情、みんなが一体となっての発表会は盛り上がりをみせた。

なかでも生改部門で「廃品を利用したマスコット人形」を発表した生田幸子さんに人気集中。K男君が、「その人形を譲ってください」と言えば、S子さん「これは私の〇〇な人にあげるのです」とやり返した。この質疑応答には参加者もヤンヤの喝采。

午後からは統計情報事務所、上北農林事務所、市農林課、農業委員会、農村青少年クラブOBなどを交えて「上北地方の農業と農村青年のあり方」についてパネルディスカッションをした。

クラブ員たちからは「これからの農業について行政面で具体的なものを示してもらいたい。われわれもやがては出稼ぎをやめて、農業だけで生活していきたいのだ。しかし、現実の政治にはもうあてにできるものはない。これからは自分の手で農業を考え、経営していく以外にない」という政治不信の声と農村青年の意欲が強く出された。

これに対して、行政側は「上北の農地面積は平均二・二紹で県平均の一・五紹をぐんと上回っており有利だ。これを生かして行くべきだ。やり方次第ではもっともっとよくなる。また、現在の農業をあまり心配しすぎている感じだ。もっと自信をもって欲しい」という意見を述べた。

また、「物価の値上がりは一般消費者よりも農家に一番シワ寄せされている。肥料や資材など軒並み上がっており、農業経営が不安でならない」という訴えがあったが、これには行政側も全面的に同意、これからも協力し合って明るい明日の農業をきずいていくことを申し合わせ、出席者は予定より少なかったがなかなか熱のこもった討論会だった。女子クラブ員も「私がお嫁に行ったら」など自分たちがふだん思っていることに対して活発に意見を述べた。

(十和田地区農村青少年クラブ連絡協議会　事務局発)

実績研究発表大会を開く

長崎の大村東彼農業者連協で

【長崎】大村東彼青年農業者連絡協議会では、去る一月十日午後一時から、大村農業改良普及所と共催で「第二回実績研究発表大会」を大村市の市民会館において開催した。大村、東彼の市町から農業後継者のグループの代表二チームが日頃研究している農業技術やグループ活動の実績を発表。九人がそれぞれ十五分の持ち時間で図表などを示しながら熱心に発表した。また、参加した若い農業者からも活発な質問などが出て討議を深めた。

この結果、最優秀に次の三人が選ばれた。

▽陣内昭君(大村市)＝「きゅうりの栽培について」▽松添一道君(波佐見町)＝「水稲湛水直播栽培について」▽塚本俊一君(東彼杵町)＝「十三人の農業後継者グループ活動のなかでの共同の和牛肥育の研究」

熊本農業を討議
県農業者会議

【熊本】第十二回青年農業者会議(県、県農村青少年クラブ連絡協議会主催)は十一日から三日間国立阿蘇青年の家で開かれた。あすの熊本農業をになう若者たちが農業、農家生活の改善向上についての体験発表、また今後のあり方を探るもので二百人が参加[illegible]

心頭抜健

昨年の十月下[illegible]に農林省では、[illegible]養、中、高校を[illegible]業した「農家子[illegible]の動向調査」を[illegible]とめた。この調[illegible]は全国五百万農家のうち、十[illegible]万戸を対象に実施したもので[illegible]るが、それによると、農業を[illegible]って都会へ出ていく農家の若[illegible]は年々増加する一方となって[illegible]る▼昨春三月に中、高校を卒[illegible]した全国の農家(兼業農家を[illegible]む)の子弟は、男女合わせて[illegible]四万人であった。そのうち[illegible]高校や大学へ進学した人が五[illegible]％、就職した人が三九％、そ[illegible]他が二％となっている▼さら[illegible]「将来も農業に従事する」と[illegible]て、農家の跡取りに残るのは[illegible]一万二千人で全体の一％であ[illegible]▼ということは、百人に一人[illegible]割でしか農業後継者ができない[illegible]いうことで、昨年より三割[illegible]ったことになる。後継者減少[illegible]いう現象は、近年、とくに[illegible]五年ぐらいの間に目立って[illegible]四十三年の三万三千人と比較[illegible]て、ことしはその六割も減っ[illegible]しまった▼昨年暮れに静岡県[illegible]御殿場市で行なわれた後期中[illegible]推進会議でさまざまな論議[illegible]んだクラブ員減少問題も、[illegible]らと決して無関係ではない[illegible]である。彼らはなぜ農業を[illegible]うとしないのだろうか▼クラ[illegible]員たちが新規就農者や農[illegible]どを激励し、農業への道を[illegible]いているが、これは欠くべか[illegible]ざる大切なことだろう。しか[illegible]とともに農業後継者が年々[illegible]ていくという日本の現実も[illegible]と目を開いて直視していな[illegible]ばならないだろう。

結婚問題など討議
鹿児島の宮之城で

【鹿児島】宮之城農業改良普[illegible]所管内の「第七回農村教育青年[illegible]議」は、さる一月八日、薩摩郡[illegible]之城町体育館に農村青年クラブ[illegible]や一般の農業経営者など約百人[illegible]集めて開催された。

この会議は、日常の活動で体[illegible]する問題を話し合い農村生活の[illegible]善を図ろうというもの。宮之城[illegible]の社園ヒロ子さんら六人が生活[illegible]野菜、酪農など各経営部門につ[illegible]ての研究発表したあと、全員が[illegible]分科会にわかれて「農村青年の[illegible]婚」の共通テーマで討論した。

草の根大使に学ぶ

クラブとリーダー〈15〉

あの視点　原田正夫

日本とアメリカの4Hクラブ員の中から毎年選考によって、数名づつを派遣しあい、国際的な視野にたって、お互いの国の農業、生活そして農業とクラブ活動を学ぶ草の根大使。今年度もすでに二人のアメリカ娘が、堤千恵子・原田茂光両君がそれぞれ帰国した。この事業が始まって以来、選ばれて貴重な体験を得た人たちは今どうしているだろうか。

アレン・ブリンドル君もその一人である。昭和四十三年に日本を訪れ、山形、大阪、佐賀などで半年近く農家での生活体験をはじめ、山形での「第八回全国技術交換大会」や奈良での「第四回全国4Hクラブ員のつどい」などにも参加した。

私は当時、地区連の理事だった。彼は大阪の私の家に三週間滞在し、地域の農業やら、伝統・習慣やらを学んだ。私も、あの頃は彼にいろいろな面での日本を理解してもらうために、ちょっとした機会をとらえては農作業をやってもらったり、またあるときは大阪の繁華街へ連れて行ったりしたものだ。

さて、私は、彼が母国へ帰国した後も、いまだにずっと彼と文通している。日本人は義理人情にあついというけれど、一宿一飯の恩義をいまだに忘れず、ひんぱんに便りをくれるアレン君のほうが数段上のような気もしているしだいである。私のほうが返事を書くのが遅れてしまうといったていなのだから。

その彼、アレン・ブリンドル君から、全国のクラブ員にと次のような便りがつい先日、私の家に届いた。（もちろん英語でだが……）

日本の4Hクラブの皆さん。お元気ですか。そちらはお正月の始末であわただしいことでしょう。アメリカ北部のこちらは一面雪におおわれて今朝は零下六度まで冷えこみました。

私が日本に行ったころ、お世話になったクラブ員や中心になって活動されていたクラブ員のみなさんはもうかなりクラブをやめておられるでしょう。もうあれからずいぶん月日がたちましたから。しかし、そのあとを受けて若い人たちががんばっておられることと信じます。私も帰国後一、二年は報告会で日程がギッシリつまっていました。今ようやく静かに、あのころの想い出をなつかしめるようになりました。

親切だったクラブ員や家族、そして指導者の人たち。うでや腰が痛くて困ったイネ刈り、イガが頭にあたって泣いた栗の収穫。古い都、奈良での全国のつどいも楽しく、意味深いできごとでした。それらが私の瞳からは消えても心の中にはのこっています。また、日本製カメラがうつした千枚以上の写真がクラブ員やホストファミリーの顔や名前、田園風景、作業のようす、屋並みや家のなか、人と車の都会などすべてがそのままのこっています。

いっしょに行ったジェーン・ワイシャートさんはもう結婚されましたが、お互いに見てきた日本、身体で覚えてきた日本をより多くの人に正しく伝える努力をしてきたと思っています。

日本からこちらに来られたクラブ員の帰国後の活躍が個人的な面でしかみられない傾向があるとかきいていますが、本当でしょうか。もし本当なら多くの人のおかげで行けたことを忘れないでほしいと私からもお願いします。

日本のみなさん。一九七三年をよい年にして下さい。お互いに多少のちがいはありますが、クラブの繁栄、農業の発展のためがんばって下さい。

私も機会があれば、再びすばらしい国、たくさんの仲間のいる日本へ行きたいと思います。

さようなら

アレン・ブリンドル

彼からの手紙を読みながら私は思った。私たち4Hクラブ員一人ひとりが、この草の根大使制度を有意義に活用してゆかねばと。そして、アレン・ブリンドル君の期待にそむかないような4Hクラブをつくりあげてゆかねばと……。（全国4Hクラブ連絡協議会副会長・大阪）

男女で出稼ぎを語る

栃木・今市地区連　生改と共に実績発表

【栃木】今市地区青少年クラブ（会長　斉藤伸蔵君）と生活改善クラブ（会長　田代文江さん）では、さる新春の一月十日、今市の普及所で、両クラブ合同の「実績発表大会」を開催した。この大会では日頃クラブ員たちが実践しているプロジェクトの成果の発表をはじめ、現代の日本農業をとりまく種々の問題も話し合われた。とくに出稼ぎ問題については全員で意見を述べ合い考察した。男女それぞれからの意見は、深く農業・農村・農家生活とかかわっており、問題も日常的な次元で深く鋭く掘り下げられた＝川村寛文連絡報道員発

今年はじめての行事に五十名近いクラブ員が参加したことは、意欲的に農業に取り組む前向きの姿勢として、今年の両クラブの活躍が期待されると主催者は明るい表情。

発表者と発表題目は次の通り。

青少年クラブ

クラブ活動　吉原泰彦（土沢4Hクラブ）

（塩野室4Hクラブ）

トマトの夏秋栽培　斉藤一郎（大室4Hクラブ）

促成トマト栽培　佐藤修一（岩崎4Hクラブ）

働らきやすい作業服　赤松節子（小百4Hクラブ）

生活改善クラブ

主婦の出稼ぎの中から　福田節子（下猪倉生改）

「今後の4Hクラブ活動は……」と発表する吉原君＝今市普及所で

前回に比べて技術面が充実

発表された課題は、クラブ員が日頃持ち続けていた問題点であるため、聞く人もかなり考えさせられる種々の問題が提起された。

とくに今回は、前回と比較して技術面からの取り組みがみられ、経営管理の発表が多かった。

午後は、テーブルを囲み両クラブ間での話し合い・交歓会を持った。

出稼ぎ問題を全員で考える

この話し合いのメインテーマは「出稼ぎ」について……。

当今市地区は、水稲主体の農家が多いため、冬期の男女を問わない出稼ぎは、青少年ばかりでなく地域全体の大きな問題であり、他人事とは思えず真剣な話し合いが持たれた。

「主婦の出稼ぎについて」の話し合いの結果、主婦が出稼ぎに出る主要な原因はおよそ次のような点にあると考えられた。

まず第一に、自分の欲しい物を買うため、第二に、気晴らしにゆく（伯父、伯母のところでも気晴らしにならない）、第三に、主婦として、一社会人としての自覚を持つため、最後に小遣い稼ぎというように、男性の出稼ぎと比較するとこの原因はかなりばく然としたものであった。しかし、これらは社会環境、生活の激変がもたらしたものであろう。

永遠の問題「嫁と姑」も

また「お嫁さんを迎えるにあたってどのような心遣いをしたらよいか」という極めて現実的、かつ農村青少年最大の関心事（?）について、さらには永遠の問題「嫁と姑」などについても話し合われ合同発表会は今年の活動のスタートにふさわしく盛会であった。

どう越す、この受難

来る二月十四日から三日間　広島で農業者会議

【広島】広島県農村青少年クラブ連絡協議会（会長　前田克美君）では、来る二月十四日から十六日の三日間にわたり、県との共催で江田島青年の家において「第十二回広島県青年農業者会議」を開催する。

例年どおり、関係指導諸機関の方との意見交換、青年同志の仲間意識の高揚に大きな成果があがるものと期待される。今年は田中総理の提唱する「日本列島改造」が強く押し進められる年であり、農村に与える影響は測り知れない。このような〝受難の年〟に開かれる青年会議ではかつて見られないほどの白熱した討論の展開と、県下の農業青年のより強い連帯が生まれるものと期待している。

減反政策に揺れる大地は、人災の頭文字を冠した天災によって見るも無残に踏みにじられ、かつうじて残った稲は異変求むのレッテル、原因不明の流産の続発する牛は、はたして干支を勤めあげられるかどうか、亜硫酸ガス、ばい煙を防ぐためのビニールハウスではないかと言われている施設園芸、そんな所へ〝日本列島〟怪〟造論〟「コケコッコー」と朝から元気の良いのはニワトリばかり。

県下クラブ員の半数が打撃を受けたみかんの大暴落、豊作貧乏は野菜の専売特許とばかり思っていたわれわれにとってショックは大きい。

このような種々の問題が内抱される農村から、今やエリートと化しつつある農村青年が一堂に集まり、明日の、いや今日の経営、農政に対する要望など、今まで以上に真剣に討議されるものと思われる。

私の故郷を守るため、君の国、日本を救うために集う「広島県青年農業者会議」に期待する。（藤田治之連絡報道員発）

やさしいお兄ちゃん

福岡の筑後市4Hク　施設慰問と労働奉仕

【福岡】「4Hのお兄ちゃん、ありがとう」「4Hの若者はとてもやさしい」――社会奉仕活動を積極的におし進めている筑後市4Hクラブ（会長　中冨直俊君）では、昨年十二月二十四日、ホタル繁殖のための人工川の掃除と社会福祉施設へのモチつき慰問を行なった。

ホタル繁殖川の掃除は七月の集中豪雨のときも行ない、今回で二度目。

市の南部を流れる矢部川は、十年ほど前までは源氏ホタルの生息地として有名だったが、ここ数年ホタルの姿はまったく見られなくなってしまった。そこで市の有志が集まって人工川を作り、ホタルの人工養殖をはじめたが、同クラブもこの「ホタル養殖」に積極的に協力して、今回のような人工川の掃除などをしているもの。

施設慰問は毎年十二月に行なっているもので、同クラブの自主的な行事のひとつ。今回は各クラブ員がモチ米、うす、きねなどを持ちより、筑後市農協で汗をかきかき全員でモチつきをした。クラブ員たちは、つきあがるとすぐにできたてのモチを児童施設や老人ホームなどの社会福祉施設へ届け、プレゼントした。児童福祉施設では、クラブ員も童心に返ってしばらく児童たちとゲームなどをして遊んだ。お年寄りから子供まで、「おいしいクリスマスプレゼントをどうもありがとう」と同クラブのクラブ員たちに感謝していた。

そのあと、同クラブでは、ほかのサークルの会員をまじえての〝ぜんざい会〟を開き、クラブ員自慢のモチを入れたぜんざいを食べながら、歌ったり、ゲームをしたりして楽しく有意義な一日を終った。

同クラブのあるクラブ員は「なにか世の中のためになれば……」と謙虚にこの社会奉仕の感想を語っていたが、同クラブの活動は地域の人たちはじめ、諸関係機関の人たちからも深く認められ感謝されている。本年度も同クラブの意欲的な活動が、各方面から大きく期待されている。当のクラブ員たちもヤル気十分で「よおーし、一九七三年もやるぞ」とその意欲のほどを語っていた。（筑後市4Hクラブ　事務局発）

あすの農業考える

静岡・島田市のクラブ員ら

【静岡】島田市農業青少年クラブと同市農協青年部の共催による「農業青少年意見発表大会」が去る十三日、島田市農協ホールで行なわれ、農業に真剣に取り組む青年、青少年の貴重な体験、意見が発表された。

年々内容的に盛り上がる同大会だが、今回は前年をさらに上回る男女十八人が発表した。とくにことしは新たに青少年クラブ（会員四十人）が結成され共催となり、今後、両団体の連けいと種々の活動が当地区の農業の発展に寄与するものと大きく期待される。

発表は同市伊久美地区の青井広君のオガクズによるなめこの栽培を始めて二年、体験をもとにして栽培方法を紹介した。同市神座の鈴木静枝さんは十八歳の実感と社会に巣立った抱負を語った。農業にやる気を――と訴えた同市六合の岡田洋子さんら意見発表を十三人、体験発表を五人が発表した。

ことしは女性の意見発表が目立ち、農家とサラリーマンの家庭に入った嫁の違いを指摘するものや岐路に立つ農業問題を真剣に考えまた農協に対する厳しい批判も目立った。

京都で会ってネ！

静岡のはづき4Hクが　交歓会を計画

クラブ員の皆さんいかがおすごしですか。わたしたち「はづき4Hクラブ」員全員寒さに負けず頑張っています。クラブ結成後ようやく誕生日を迎え、四月には一歳になるまだまだ赤ん坊のクラブです。いつもさわやかに、明かるくをモットーにチームワークはバツグンです。平均年令二十・三歳、若さとちょっぴりお色気（?）の乙女ばかり。自営者四、農業関係従事者二の計六名です。

わたくしたちは静岡県の東部、沼津市を中心に畜産、園芸、みかんを経営しています。昨年は仲間づくりを中心に農作業の手伝い、スポーツ、料理教室などの行事をおこないました。全員ハリキって仕事に、4H活動にがんばっています。さて、その〝はづき〟が三月に京都へ研修&旅行を計画しました。

京都周辺のクラブ員の方々と短い時間ですがぜひ交歓会をもちたいと思っています。なお、嵐山を中心とした旅行のため、その近辺の方々ならなお結構です。わたしたちと会って京都での楽しいひとときを演出させてくださる方はありませんでしょうか。早春の京都での楽しいひとときを夢みながらみなさんのお便りをお待ちしています。

▽連絡先　静岡県沼津市岡宮六三八（〒四一〇）　鈴木真佐子

雑道

〝脱日本〟の正体……

海外旅行は近年凄くばかりの人気である。GNP二位という懐具合とエージェントの宣伝にのせられ、日本人特有の他人志向型から瞬く間にブームとなった感がある。

短期、長期滞在を問わず海外への夢は、他に類をみない鎖国を経験した島国日本にとって起こるべくして起きたブームと言えよう。言葉自体から外国旅行よりは海外旅行の方がより一般的である。若者にみられる「脱日本」は程度の差こそあれての根底に流れるのは、嫌気がさして、狭く騒々しい日本から何処へと極めて情緒的、不明確な潜在意識が若者をして海を越させる。

しかし純粋培養された同一、均質な民族から生じた家族制度、さらには最近言われる「甘え」、このような素地から育った若者に果して国際性が養われているだろうか。日本文化、精神構造の形成が島国に起因することをみると悲観的にならざるを得ない。

北米、欧州で出会う若者の多く、また、〝古い若者〟も無意識のうちにこのような日本文化の看板を首から前と後に吊るし、時として看板の行列、集団が出現する。脱日本の動機はなんであれ、国際性を培うチャンスの少ない日本では出てからが真剣勝負であり、身につけるのが現実の姿であろう。

しかし、かなり多くの若者がようやく念願かなって脱日本をしたにもかかわらず、都会では利害関係で安直に同志が結合し寝食を共にする小日本男共同体がみられることも、背景を考えると不思議なことではない。国際性の欠如と甘えはこのように看板の色が変ることなく大手を振って通り、そのままの日本文化を色あせて持ち帰って来るとしたら全く残念なことである。

理屈はどうあれ要は自分の色が変るかどうか試してみることが一番であろう……。

さあ!!こんどは君の番だ……　【拓植】

農協運動の担い手に

中央協同組合学園　次年度本科生を募集

中央協同組合学園では昭和四十八年度の本科生を募集している。同学園は、将来農協運動の中核者としてすぐれた判断力と組織的な行動力をそなえた人間性ゆたかな人材を養成するために設立されたもので、来年度は第五期生にあたる。

募集要領はつぎのとおり

▽受験資格　二十二歳未満で、高等学校卒業、またはそれと同程度の学力を有するもの（男女は問わない）

▽就学年限　三年間

▽募集人員　五十名

▽願書受付　一月二十日～二月十日まで

▽願書提出先　都道府県農協中央会会長あて、入学検定料二千円を添付して提出のこと

▽学費　年額六万円、教材・実地研修費等二万円、入学金三万円（入学時のみ）

▽試験日　三月八日、東京、京都、福岡の各会場で

なお、詳細は農協、都道府県中央会、または直接東京都町田市相原町四七七一（〒一九四―〇二）電話＝〇四二七（八二）三〇六一～五　中央協同組合学園までお問い合わせのこと

日頃の研究成果を発表

宮城　柴田地区のクラブ員ら

【宮城】柴田地区農村青少年実績発表大会がこのほど、柴田郡柴田町槻木の生活センターで開かれ約五十人の若い農業後継者たちが参加し、日頃の研究成果を発表。

発表は自分たちが取り組んだ農業や、生活上の問題をテーマにしたプロジェクトの実績、グループ活動の事例、意見などについて二十二人が発表した。

プロジェクトの実績発表では、時代を反映してか稲作についての発表はなく、代わって花、しいたけ、こんにゃく、トマトの栽培、蚕繭、養蚕の研究が目立ち、新しい農業をめざす若い後継者の意欲が会場いっぱいにあふれていた。

よりよい農業を

長崎の北松地区連　実績発表と交換研究会

【長崎】〝よりよい農業を〟と北松地区青年農業者実績交換会と江迎地区生活改善グループ交換研究会がさる十日、北松吉井町の中央公民館で開かれた。参加者はこれからの農業経営のあり方、農家の生活改善などについて実践活動の成果を発表した。

同大会は、激変する農業情勢の中で青年農業者や生活改善グループが体験した成果を交換し合い、農業経営や農家生活の向上に役立てるのがねらい。この日は、江迎農業改良普及所管内の、青年農業者、生活改善グループ、さらに同地区内から北松農高、松浦園芸高と次代の農業を担う高校生らの約百五十人が参加。開会につづいて、青年農業者十人、生活改善グループ四人、農高生四人の合わせて十八人がそれぞれ十分間の持ち時間で実績発表につうった。

発表された主なものはおよそ次のとおり、まず農高生が、「農村にバランスのとれた栄養を」「肉牛生産によるわが家の経営改善を目指して」「鉢物カーネーションの育成について」などのテーマで学校での研究成果を発表、ついで田平町青年農業者連絡協議会の山口俊秀君が「プリンスメロンのトンネル栽培」について発表、その中で、「メロンは単位面積当たりの収穫が多く、稲作の裏作として有望である。施肥の難しさはあるが、今後はトンネルからビニールハウス栽培へと発展させ県北にプリンスメロンあり、といわれるような農業経営をしたい」と農業を志す若者の夢を力いっぱいに述べた。

実績発表は、いずれも自分の体験を通じて得た貴重な成果ばかりで、参加者の共感を呼んだ。参加者は全員あすへの農業に力強い自信を抱いていた。

クラブ往来

稚内クトネベツ4Hクラブ

共プロを再認識し

私の住むクトネベツ地域は日本最北端の街、稚内より二十キロ、国鉄宗谷本線沿いにある農家戸数十八の部落である。村は酪農専業地帯で、その歴史も新しい。現在、一戸平均の経営面積は四十ha、二十～二十五頭の牛を飼っている。私たち後継者は、豊かな酪農郷を建設する中核者として希望とファイトに燃えている。

私たちのクトネベツ4Hクラブは六年前に設立され、いまようやく大地に根を張る仲間ができつつあるように思われる。私はこの六年間の活動を通して以下いろいろと感想を述べてみたい。

私たちのクラブは、クラブ経験のない者同士が集まって結成したものだ。以来多くのクラブとの交換会などを通して〝クラブ活動の浮き沈み〟ということを学んだ。

クラブ活動の浮き沈みの原因は、年齢、経験、能力などいろいろの要素があると思う。私たちもやがてこれらと直面するかもしれぬ。しかし、クラブはつねに新人クラブ員のために門口をあけておかねばならない。大切なのは地域農業に取り組む仲間意識をどうつちかうかという点だ。私たちは六年間の活動実践のなかで、リレー日誌、労働日誌、自主学習会などを通して仲間のいることや、相互に信頼することの喜びを感じてきた。今後のクラブ活動のあり方として、つねに喜びを感じた出発点を思い起こして、仲間とともに地域農業をみつめグループ・プロジェクトに取り組みたいと思う。

農業をとりまく環境は厳しく不安なムードは否定できないと思う。しかし、その不安の実態を把握していないで、安易に不安、不安というのはどうかと思う。

本年（四十七年度）は市内クラブ員と協力して、全戸にわたるアンケート調査を実施した。この結果、私たちの地域は力強く明日に向かって歩んでいる実態が明らかになり私たちは意を強くした。

また、全道から集められた資金により〝酪農青年の像〟が稚内に建立されたのを記念してティリーカーニバルを行ない、四千名の市民とともに不安ムードを打ち破った。この二つの事業は全クラブ員、OBの協力によってなされたものだが、この成果として、私たちはより強い仲間同士の連帯感を得た。私たちはクラブ設立以来、プロジェクトに取り組んできたが、当初、安易に課題を選定し満足していたことを反省している。昭和四十四年、乳牛の経済検定、昭和四十五年乳検査にもとづく課題プロ、昭和四十六年、プロジェクトチーム活動という歩みのなかでプロの根も張りつつある。プロジェクトチーム活動の結果をプロ巣として、クラブ員間、さらには地域の父母との交流資料としている。

私たちはこれまでのプロ交換会を通じて、プロジェクトがわが家の経営改善と結びついていないことも反省した。

（北海道・稚内市クトネベツ4Hクラブ　井上正輝）

天皇杯に輝く人たち

経営の転換に成功
改善を重ねて 大規模養蚕経営へ

蚕糸部門（養蚕）大沢一義（四八）茨城

岡田氏は、茨城県の西端結城市に住む養蚕を基幹とする専業農家。付近は洪積層台地で、海抜三十メートル以下の平坦地である。

家族は七人、農業従事者は経営主夫妻と長男の三人で、経営耕地は六二三アール。水田四五アール、普通畑二〇アール、桑園三八七アール、桑苗圃一八〇アールを経営し、農業粗収入七百五十八万円、うち養蚕粗収入五百四十三万円をあげている立派な養蚕単一経営である。

昭和四十二年の桑園面積は一八〇アールであったが、父の死後酪農と養蚕の二本の柱では思いきった経営ができないこと、および経営規模が大きいことから作目を単純化することが有利であると判断し、順次酪農は廃止するという方向で経営の転換を図ることにした。

そこで、昭和四十三年に所有地五〇アールを桑園とし、ついで四十四年には三八アールを、四十六年には一一〇アールの桑園を水田転換によって造成した。このようにして養蚕規模を拡大して養蚕単一経営にきりかえるとともに、地域の普及職員の指導助言も受け、積極的に省力技術を導入した。また、桑園能率の向上を図るための老朽桑園の改植、有機質肥料の増投、飼育施設の拡充にはとくに考慮を払い、規模拡大に対処した施設・飼育室と上蔟室を分離して建設するなど、その改善に創意工夫と努力を重ねた。その結果、高能率のすばらしい大規模養蚕経営を築きあげるにいたった。

岡田氏の養蚕技術、経営のしくみはつぎのとおりである。この地帯の土壌は洪積層の台地で火山灰土のため表土が浅く、一般的に地力が低いところであるが、氏は堆厩肥の多量施用（一〇アール当り百五十キロ）、多肥栽培を行なって改良を図っている。桑品種は一ノ瀬、仕立法は高根刈、樹齢は新植と改植で若返って十年以下がほとんどである。氏は用途別に桑園を設定して採桑形式の単純化を図り、収穫労力を省力化している。有機質源としての厩肥は乳牛飼育によって自家生産できたが、いまはそれを中止して乾燥豚糞などを購入することにしている。また、無機質肥料も一〇アール当り窒素成分換算七十キロを増投するなど、ている。

有機質肥料の増施とあいまって昭和四十六年年間収繭量百二十六キロ（未成桑園を含む総面積で計算）という実績をあげている。

飼育は年六回育、稚蚕はすべて共同飼育、壮蚕期の蚕座の配列は一段の蚕座上に給桑台車を走行させ、一段と左右の二段蚕座へ給桑するという簡易飼育装置を導入したきわめて能率的な飼育法である。上蔟はもっとも省力的で適切な条払い上蔟法を採用して省力化に努めている。また、蚕病防除には蚕期の前・後に徹底した消毒を実施している。

経営プロジェクト

農休日のある生活へ
地域的な問題はあるが 作業の計画化が第一歩

福島県・小高町農業青年クラブ　梅田幸子

わたくしたちの町、相馬郡小高町は太平洋に面し、平野のほぼ中央部に位置している。小高町農業青年クラブは、二十歳前後の後継者で構成され、四十六年四月に発足し、月二回の定例会は常に十名ぐらいの参加があり、自分達をとりまく種々の農業問題、また、人生の問題など、硬軟にわたり広く話し合いが持たれ、いろいろな行事に積極的に参加し、これからの農業について、みんなで考えていこうというものです。

わたしは、従来、ずっと以前からさまざまの形で唱えられてきた農休日についてどのように取り組んだらよいかと考えてみた。

太陽と共に働き、さらに疲れた身体に鞭うっての夜なべ仕事も現在みられることは事実です。高度に発達し過ぎた消費生活は、都会ばかりでなく田舎もいやおうなしにその流れの中に引き込んでしまう。少しでも収入を得なければならない状態も見逃せないが、従来農作業に追われ急がしいのが農民の姿とされ、さもなければ罪悪であるかのように見られてきた。

このような農家生活から別れを告げ、働きづくめから余裕を持ち計画を立て、能率よく働けるようにするためには農休日の確立が一番効果的ではないでしょうか。休日を休養に、あるいは学習など研さんに利用して明るく心豊かな生活ができるようにしたいと願うのです。

僅かずつあらゆる作物をというために、決して広くない耕地でありながら複雑で低能率な作業しかできず、農休日も有名無実となってきている。このために、これからは地域の特性や自分の条件を見極めた上で作目を選定し、スペシャリストになってそれに打ちこんでいかなければならない。

現在、米作からの転換によって立ち直りをはかるために、花ぼく栽培にその道を求めることになった。しかし、出荷が本格的になるまでには、社会的な目や、従来の自家消費野菜の栽培などに問題があるが、時間と、実践と、その成果によって得られる自信によって解決は早まる。さていつどこで農休日をとるかは市場の休日を当てる方向に持っていけるよう努力しなければならない。このようにしてわたしは農休日問題と取り組んだが、さてその成果は？

何事にもけじめが大切であり、そのために計画が必要である。時代の波、農業情勢の激変におされたともいえようが、花ぼくを主とし、米作を副とする（近いうちに花ぼく一本に的をしぼる）計画の第一歩を踏み出した。なかなか思うように進まなかったが、自分なりに受け止め、考え、創りだそうと必死になっているのが実情である。

本格的な花ぼく栽培が確立するまではなお数年を要するが、しばらくの間は、試行錯誤の繰り返しであろうが、社会の、需要供給の動向、経済的見通しの上に立ち、労働力の面からも漸次計画の改善を加えつつ、無理のない農業へ、本当によかったと言える生活に到達するよう努力していきたい。

そのためには、家計と労働配分の実態を正確に把握し、農休日のある発展的な農家生活を築くために、長期的展望に基づいた計画が一番必要ではないでしょうか？。

今後は販路も検討
シクラメン栽培 農業に魅かれ転職

茨城県・十王町後継者クラブ　沼田司

わたしは、工業高校を卒業後、県内のある大手弱電工場につとめたが、毎日連続する工場の単純労働に悩まされたすえに、自分の意志や技術を表現でき、太陽の下で働らける農業に魅かれていった。

さて、実際に自分ではじめるとなると種々の解決されねばならない問題が浮かび上り、また自分なりの要求も明確になった。それは天候に支配されず、しかも価格が安定し、そのうえ収益があがり労働生産性が高いこと。一見、楽観的というか虫の好い条件が満されるような農業を、やりたいと思った。

地域の自然条件や社会的環境をよく考察するとともに、普及所の助言を受けシクラメン栽培と取り組むことを決意し、四十四年に愛知県のシクラメン経営農家で一年間の研修をうけた。

この一年間の研修体験を通して将来へ向っての計画をたてた。五年後には、ガラス温室およびビニールハウス八百平方メートルと、育苗ハウス三百平方メートルを建設し、（一）省力化できる装置の施設。（二）労働力は一・五人を基本とし、労力の集中する時期にはパートを確保する。（三）制度資金を大いに活用する。（四）シクラメン出荷後のハウスの効果的利用をはかる。これにより二百五十万円程度の所得を目標とする計画をたてた。

四十四年度には、後継者資金を借り入れ、ガラス温室およびビニールハウス四百平方メートルを建て、初めてシクラメン三千鉢を栽培した。四十六年度には、四千五百鉢に増やし、その他各種の花き物を五千鉢程度栽培し東京市場に出荷した。

わが家の経営規模は、水田七十アール、畑五十アール、山林三アール、ガラス温室とビニールハウス四百平方メートルであり、労働力は二人である。

過去のシクラメン栽培を通じてわたしは技術と経営に自信を深めたが、当初計画した所得をあげることはできなかった。それは、およそ次のような原因によるものと考えられる。（一）施設装備が資金面との兼ね合いから満足のいくものを設置できず、労力がかかりすぎた。（二）作業計画と技術に甘さがあり、品質の均一性に欠けた。（三）販売に計画性を持たせることができなかったなど、問題点が明確になった。

今後これらの諸問題点を解決しなければならないが、現時点では当初計画した五年後目標の約四十％が達っせられた。そして次の事柄を最重点として経営を進める。

（一）ガラス温室およびビニールハウスをさらに四百平方メートル増設し、床土、灌水、夏越しなどの技術の習得につとめる。

（二）時期別作業時間、準備資材などの作業計画の再検討。

（三）地域グループ五人の共同販売による販売方法の合理化。

地域を伸ばそう！
茨城県・岩井市4Hクラブ連合会

茨城県の岩井市4Hクラブ連合会（会長 海老原 林君）のなかにあるサークルで、ゼロから出発し、農業の難しさを知るとともにほかの職業では味わえない農業のすばらしさを知り、自信と誇りをもって農業を営んでいるクラブ員たちの活動を紹介してみよう。

生活改善サークル　野本八重子

公害―数年前まではあまり耳にしなかった言葉です。企業公害、農薬公害、食品公害などがいろいろな方面で騒がれている現在、私たち生改サークルでは、少しでもこのような公害を摘発し、健康で明るい生活を送るために公害問題と取り組んでいます。私たちは保健所の人などに食品公害の話などを聞いて勉強しています。

月一回の定例会は、みんなで話し合いをしたり、レクリエーションなどをして楽しく過ごし、心のよりどころとなっています。

また、自分の家で収穫した野菜などを持ち寄って料理講習なども行なっています。

昨年は花いっぱい運動にも参加し、花きサークルとともにパンジーの播種をしました。いまも農作業の合間を見ては灌水、移植、苗つくりなどに励んでいます。これらはきっと早春の庭を美しく色どってくれることでしょう。

花きサークル　小松光雄

私たち花きサークルは、花いっぱい運動のために、サルビアの苗約二万本を市教育委員会の依頼により、長須の倉持さんの畑を借用し、昨年の五月から七月の間、サークル員全員で栽培しました。

夏には、一般の青年と一緒にバス一台を貸し切り、富士登山と御殿場のシクラメンの栽培見学にもいきました。去る十一月には、岩井市教育振興大会で、私たちのサークルが市の教育振興のためにつくしたということで市長賞を授賞しました。現在は、生改サークルと共同でパンジーの花いっぱい運動をしています。

結婚を考える ▶35◀
ぼくの嫁さん"ヤーイ！"

愛知県・江南4Hクラブ連絡協議会　後藤康明

よく考える……今、自分の嫁さんになる人どこで何をやっているのかな？何歳かな……と。

こんな想像をするとおもしろく限りなく楽しく思われてならない。馬鹿馬鹿しいようなことだと思うのだが、実際、結婚するとなれば自分と一緒になる人がどこかに存在するのだ。そう思っているのも「ちょんがあの時だけ……」

恋人のいないぼくにとっては、こんなことを思うのが唯一の楽しみである。

理想の女性

理想の女性は、初恋の人によく似たタイプか、それとも芸能人を対象にして、あの人、この人に似たタイプと比較してみるのもまた楽しいものです。ぼくはこれといったはっきりした理想を持たない男だから、簡単にいえば、ただ女性でありさえすれば何もいうことはありません。

しかし多少の欲もあり（？）後に述べるような二、三の点があげられます。

なぜ理想を持たない男になってしまったのか、まず考えられるのが積極性が足りない。女性の前に出ると、思っていることも言えなくなってしまう。まったくなさけない!!

次に考えられるのがチャンスがない。今のぼくには女性と接触する機会が本当に少ない。これがぼくを不幸(?)にしているのだ。たまたま名古屋へ行き、数えきれないほどの女性が通り過ぎ、散歩し、楽しそうな明るい顔を見ると、一般に言う「ブス」と言われる人までが、カワイ子ちゃんに見えてくるくらい目の保養になります。ただ目の保養にしているからいけないのです。

三番目には、昨年春、弟が兄のぼくをさておいて先に結婚してしまった。このことから両親は、早く結婚するようにとぼくに迫ります。両親の気持はぼくもよく解ります。しかし、早く結婚しろ!!と言われても、相手がなくてはこればかりは……ぼくには結婚するような相手はいないし、早く結婚して親を安心させたいのはヤマヤマだけど、どうしようもない。だから、恋人をつくって青春時代を楽しむようなことはまず夢（？）に近いかな？

もし恋人ができたらすぐにでも結婚だろうね。親類、隣り近所の人も両親と同じようにぼくに結婚を迫る。もう冗談話しにしてごまかすこともできなくなってきた。心の中では、ぼくは若いんだ、何も弟が先に結婚したからといってと思います。

しかし、人にとやかく言われて動揺する自分を見ると、淋しく、また情けなくなります。

◎問題点　結婚する相手もなく、一人淋しく相手を待つ自分。

◎対策　もっと遊ぶ時間を増やす。見合いを何回もやって女性を知ること。

もっと頑張らなくては……。

ぼくの考える女性に望むことは結婚する相手としか思っていない。となると次のような点が条件として考えられます。この条件に該当する人、または、心当りのある人は、写真と略歴を添えて左記へお送り下さい。

愛知県丹羽郡扶桑町山那六三四番地　〒四八〇―一〇一　後藤康明

▽ぼくのお嫁さんの望ましい条件

一、二十三歳以下で未婚の女性。

二、学歴は問いません。

三、住み込み可能な方。

四、運転免許のある方、大型所持の方特に歓迎。

五、家庭、一般作業のできる方。

六、何でもいいから特技のある方（和・洋裁、栄養士など）。

七、健康で明朗な方。

これが私の希望する理想の女性です。

しかし、ここにあげた条件を満たすことはもちろんだが、それ以上にぼくが求めるのは、女らしさを忘れない人です。よく化粧と服装は、女性の窓といわれます。どこかへ出かけるから、誰かが見えるから、などといっておめかしするような人がいますね。女性の身だしなみとして化粧や服装をきちんとするのは当然のことだと思います。しかし、一時しのぎの、その場限りの身だしなみでは、本当とは言えないのではないでしょうか。

ぼくに言わせれば見栄の身だしなみと思われるのです。農作業をすれば化粧などすぐに落ちてしまうでしょう。しかし、落ちることがわかっていても、つねに美しくあろうと毎日化粧をするのが別に不思議でもなんでもなく、あたりまえと思うような人を望みます。

顔の好し・悪しにかかわらず少しでもきれいに、美しくなろうと心掛けるような女性、そういった中に女らしさがあるようにぼくには思えるのです。

「僕のお嫁さん、どこにいるの何やっているの、何歳なの？僕の嫁さんヤーイ。」

健康イコール食生活よ！
地域の現状を調査 もっと鉄分を多くして

佐賀県・西川副4Hクラブ　原口さつき

農業の機械化が進むにつれて、農家の労働は昔に比べると大変楽になった。しかし、農繁期ともなれば、現在でも猫の手も借りたい日々の連続であることは従来とあまり変らない。このように一日中作業におわれてしまうなかで計画的な献立に基づく食事をとることは非常にむづかしい。たいていは仕事におわれ、ばたばたとすませてしまう。ただ空腹を満たすための食事になってしまい、いわゆる「ごちそう」ではあるが即席料理のためその食品のもつ特性を充分生かしきれず、栄養のバランスがとれない。これが農作業による疲労の原因にもなり、わたしの両親など「肩こり」「腰痛」などいわゆる農夫症の症状を訴える。

このような身近な人の症状を見た時、わたしはほかの農家の食事の状態が気になり、女子クラブ員二十名の共同プロジェクトとしてそれぞれのクラブ員が「わが家の食生活」と題して、現状調査を行なおうと提案した。

まず最初にわたしは、自分の一週間の生活時間を検討しこれに対する摂取カロリー、および消費カロリーはどうなっているか？、また食べた食物の栄養素別はどうなっていたかを分析してみた。

その結果、次のようなことが解った。

（一）農繁期にはいかに多くのカロリーを必要とするか。

（二）またそれに見合うだけのカロリーが取られていないこと。

（三）乳製品など農家で自給できそうなものまで不足がちである。

（四）食事が片寄っている。

（五）鉄分、カルシウムの不足がめだつ。

とくに、鉄分の欠乏は、最近の女性の「うすい血」といわれる原因でもあり、レバー、カキ、鯨の赤身など鉄分の多い食物を使った献立に注意する。このようにもっと献立の重要性を認識し、調理法などの再考を要すると同時に、健康＝食生活という観点に立つべきであると思った。

なお、献立を立てるうえで栄養素別より食品別に主体をおいて考えた方が食品や栄養のバランスを知る目安として解りやすいと思う。「献立をたてる」これは言葉では易しいが、実行するとなると大変なことである。しかしこれは農家にとって欠かすとの絶対にできない重要な仕事であることを知ることができた。

献立を本当に自分の課題とすることに確信を持つことができたことは大きな収穫であった。

これからは今までに得た問題点を足がかりとしてプロジェクトを展開し実践していきたい。また、地域農村において自分達でつかんだ問題点を提起し、地域ぐるみの「健康＝食生活」の啓蒙に努めなければとはりきっている。

NHK農事番組（2月1〜10日）
みかん暴落の波紋

テレビ

明るい農村　6・30〜6・55　総合
- 1日　話題と人「日本農業賞」〜ブロック代表
- 2日　農村新地図「熊本県五木村」　佐々木高明（奈良女子大助教授）
- 3日　村をむすぶ「函館、山形、北九州、東京」
- 4日　明るい漁村
- 5日　村の記録「帰郷〜Uターン青年の軌跡〜」〜山形県高畠町
- 6日　きょうの話題
- 7日　みかん暴落の波紋①「安値に泣くみかん農家」
- 8日　みかん暴落の波紋②「みかん産業の行方」
- 9日　農村新地図「長野県白馬村」〜太田佐津夫（民宿主人）
- 10日　村をむすぶ「金沢、山口、甲府、東京」

農業教室　7・30〜8・00　教育
- 1〜3日「移転拡大の実践」吉田六順（日本獣医畜産大学教授）
- 5〜10日「肉牛経営のシステム化」　島津　正（日大教授）

あすの村づくり　日　7・00〜8・00　教育　再　土　13・00〜14・00　教育
- 4日「米作りの再検討」　遠藤寛（農林省大臣官房技術審議官）、竹内民男（新潟県神林村）ほか

ラジオ

早起き鳥　5・41〜5・57　❶
- 1日　閉じられた診療所〜広島県東城町
- 2日　茶畑つくります〜高知県仁淀村
- 3日　ふるさと通信〜帯広局
- 4日　話題の窓「いちご」
- 5日　"みどり"をつくる　玉利博（兵庫県山南町）
- 6日　"かたりべ"を継ぐ　小鷹ふさ（岐阜県高山市）
- 7日　転作労働行〜徳島県下
- 8日　出稼ぎ三十年　藤本虎之助（秋田県仙南町）
- 9日　農協の宅地分譲〜福井県下
- 10日　ふるさと通信〜高知局

話の広場　日　6・15〜6・30　❷
- 4日「農家の主婦の短歌グループ」〜千葉県山武市

新しい農村　6・00〜6・30　❷
- 4日　農協青年部大会から

ラジオ農業学校〈講座〉　月〜土　6・40〜7・00　❷
- 1〜3日「山村振興の課題」米山俊直（京都大学助教授）
- 5〜7日「やさしい農業気象学」坪井八十二（農事試験場）
- 8〜10日「養豚経営の発展方向」高杉五郎（静岡県養豚試験場）

ラジオ農業学校　日　6・30〜7・00　❷
- 4日　グループの集い「経営拡大を考える」徳島県国府町南井上農協青年部

明日の農業へ向って　各種農業団体

進展する農協の住宅貸付

農林中央金庫

このところ農協の住宅資金の貸付が各地でふえているが、農林中金では全国五百農協を対象に住宅貸付の実態を調べた。

それによると、調査農協全体の住宅貸付金の残高は四十七年三月末で千百十九億円（一組合平均二億二千四百万円）で、前年に比べ二六・一％増加している。

このため、農協の貸付金全体の中に占める住宅貸付の割合は四十五年三月末（一七・七％）四十六年三月末（一九・五％）四十七年三月末（二一・三％）と年をおって高まっている。

とくに、都市近郊農村の農協では住宅貸付の取り扱いが多く四十六年度（四十六年四月から四十七年三月末まで）における農協の貸付金増加額のうち約半分が住宅貸付となっている。

農協の住宅貸付の利率と貸付期間は、自己居住用住宅資金の場合、全国平均で年八・七％、約十一年となっており、他の民間金融機関の同種の住宅ローンと比べると利率は農協の方が低い（例えば十一年以上の住宅ローンの場合、都市銀行九・三％以上、住宅金融会社一一・四％以上。四十七年三月当時）。

一住宅貸付については、調査農協のほとんどが、今後も積極的に貸し出す方針を打ち出しており、住宅貸付に対する農協の前向きな姿勢がうかがわれる。

今後二年間の住宅資金の新規貸付は、過去二年間の実績よりもふえると予測している農協が全体の半数をこえ、逆に減ると予測しているのはわずか九％にすぎない。

このように、農協の住宅貸付は農村の環境整備とも相まって今後の進展が期待されている。（調査部）

念願のリハビリテーションセンター開設

全国共済農業協同組合連合会

農協共済のリハビリテーションセンターがいよいよ今年の四月より開設される。

このセンターは最近激増する交通事故に起因する外傷、骨折、運動器の疾患ならびに脳卒中後遺症、その他の神経系疾患の社会復帰を必要とする身体障害者のための施設である。

この施設は、静岡県の中伊豆と大分県の別府市の二ヵ所に建設中でしたが、四月には、中伊豆が二百名、別府が百名の身体障害者を収容できる施設として開設することになった。

このリハビリテーションセンターの設置場所は双方とも太陽と緑と温泉の自然環境に恵まれた景勝の地にあり、身障者の健康回復に大きく役だつものと思われる。

このセンターは、治療部門と訓練部門に別れており、それぞれ入所基準がもうけてある。

◇治療部門の入所基準は、外傷、骨折、運動器の疾患、脳卒中後遺症、その他の神経系疾患等で医的リハビリテーション治療を必要とする者、病床数は中伊豆が百床、別府が五十床で百五十人が入院し、治療を受けることができる。

診療科目は、内科、整形外科、理学診療科に別れている。

経費については、入院料、初診料、治療費、手術料、検査料の費用は国民健保・政府健保等の各種社会保険の診療報酬に準ずる。

また症状その他により必要があるときは自費で付添をつける。

◇訓練部門

訓練部門には肢体不自由者更生施設と重度身体障害者更生援護施設に別れ、入所定員は中伊豆がそれぞれ五十名の合計百名別府の方は訓練部門は中伊豆のように二つに区分せず定員五十名としている。

入所対象者は身体障害者手帳の交付を受けている肢体不自由者であって、原則として満十八歳以上の者で次のことを条件とする。

肢体不自由者更生施設入所基準は、一、社会的更生をしようとする者であって訓練の効果が期待できる者、二、伝染病疾患、精神障害、薬物等の中毒症状のない者、三、失明、ろうあおよびこれらに近い障害のない者、四、摂食、入浴、用便等日常生活動作が自力で可能な者、五、確実な保証人のある者。

重度身体障害者更生援護施設の入所基準は以上の外に、身体障害者福祉法第一五条に定める障害の程度が一級またはこれに準ずる重度の者であって更生意欲があり訓練の効果が期待できる者としている。

これらの入院手続き、入所手続きは、原則として申込書に主治医の意見書、および紹介書を添えて当リハビリセンターに申込む。入院申込書は、原則として共済連、厚生連、農協の窓口に備えつけることにしている。

アトランダムな想い

福井県 つつじクラブ 竹内隆春

舞台の緞帳、しかも紫の。関根恵子の頬の線。カトリーヌ・スパークの唇。朱里エイコ、にしきのあきらのリズム。坂本スミコ。ジャズピアノ。黒と緑と赤と白の色。新書の匂い。仕事帰りのバックミラーに映った夕日。リンゴの洗いだてのキュッキュッという音。思わぬところで見つけた雑草のなかの一本の夕顔。彼岸花の咲く頃。ちょっとひかえめな手編みニットの渋い味。秋の海水浴場の静かさ……。

酒飲んだ高座の志ん生。ガスライター用の空ボンベ。はじけたザクロの赤。クレヨンを虫メガネで溶かし、新しい面として出てきた黒と二〜三歳の子供の黒目。

青はどうしても濃い空の色。白はやっぱり雪の白。近くの山に夜、雪がふって、翌朝それが朝日に輝くときの白さ。ソロバンの玉のあの色。そして、あの玉の滑らかなすべり具合……。

旅先で心ひかれた見知らぬヒトのぼくのためにではない笑顔。大きな銀行の白い大理石。書店の雑踏。古本屋の孤独。馬の足。城下町の裏通りのよくぞうきんがけのゆき届いた格子戸……。

刀を抜くときの最初のまさつ音。あるいは鞘へおさめるときの最初のまさつ音。金属性の精密な部分。象牙の半透明。ラムネのビン……。

スイカに包丁を入れたときの割れる音。馬場こずえ。障子。中秋の名月といわれる明日の月。日本刀の刃先……。

梅の花の咲き具合。軟い皮製品の暖くてねっとりするような肌ざわり……。

古くて大きいがわびしい寺の木もれ陽。洗いたてのジーパンのちょっとゴソッとした感じ。ちょうちん。

そして、そっとタメ息してペンを置く京都に向かう車中のぼく。アトランダムな想い果てはどこへ続く……。

米国での生活から〈1〉

渡米の第一日目は……

一九七二年度草の根大使 原田茂光

全国の4Hクラブ員のみなさま、遅ればせながらあけましておめでとうございます。

私は、昨年六月十八日から日本4H協会の派遣と、アメリカ4H財団の招きにより「草の根大使」としてアメリカに渡り、五ヵ月余りを海外で過ごしました。渡米中は全国のクラブ員のみなさまはじめIFYEの先輩たち、そして、関係諸先生よりたくさんの励ましのお便りをいただき、おかげさまで元気でプログラムを消化し、昨年十一月十六日無事帰国いたしました。

五ヵ月余りの海外生活でしたが、その間アメリカで二つのホストステート、コロラドとワシントンの両州を持ち、さらにカナダ、台湾へも足をのばすことができました。

コロラド、ワシントン両州では、牧畜農家、酪農家、果樹農家、保険外交員、大学教授など職種の異なった七つのホストファミリーに入りました。私は派遣期間の大半をアメリカの農村および都会でその家族の一員として過ごし、実際の家庭生活を通してアメリカの社会を見、習慣の違いやものの考え方の相違などを学ぶことができました。

また、今回の派遣の主たる目的として、社会教育の一環として若年児童や青少年を対照に、全米に組織をもって広域的な活動をしているアメリカ4Hクラブの実態を実際の活動のなかで勉強できたことも良い経験になりました。

さて、これからむこうでの種々の体験や、実際に目で見て肌で感じたことがらを、こうした形で御報告できるのは「草の根大使」としてこの上ない喜びです。この機会をいかして広く全国の仲間にIFYEプログラムのもつ意義とその目的を理解していただき、ひとりでも多くの仲間が私たちのあとに続いてくれることを期待し、鉛筆を走らせていくことにします。

六月十八日 曇り空の羽田を発って、サンフランシスコ経由でデンバー入りし、郊外の高台に建てられたローレット・ハイツ・カレッジに到着。夏期休暇に入って閑散としている学生寮に私たち（私と福岡県の堤千恵子さん）は落ち着いた。

昨年は二十三ヶ国から女子二十名、男子二十九名の交換生が派遣され、一緒にオリエンテーションを受け、二日を過ごした。集った交換生も4Hクラブ活動についている農村青年、農村青年を指導する側にある農林省の若い役人、はたまた学校教育のなかに4Hクラブ活動を取り入れた国にあっては中学・高校教諭や大学教授とさまざまであった。

オリエンテーションは、アメリカ財団のスタッフのひとりであるナンシー・ロビンソンさんのスケジュールの説明ではじまった。コロラドの4Hクラブや青少年計画のコーディネーターであるセシル・スティーバー氏から州知事や州の木、花、動物、鳥などコロラド州の特徴が紹介され、続いてコロラド州における4Hの歴史とその発展、それに滞米期間中に予想される“けが”や“病気”などに対する保険の説明やら、ホストファミリー訪問の折、提出する自己紹介や日本紹介などを兼ねた種々の書類の配布、そして各人の旅券やパスポートの確認と必要書類の記載方法などを聞いた。早くも渡米二日目にして英会話の必要性を痛感したのだった。そして、私は大切なことを聴きもらしては大変と一刻一刻が緊張の連続だった。

わずらわしい一応の手続きがすんで、この大学のある丘からデンバーの町並を見下したときの感激はひとしおだった。もう初夏だったにもかかわらず、遠くに見える高い山々にはまだ白い雪が残っており、日本の風景とは違った雄大な美しさがそこにはあった。（山形県・コナムクラブ）

——次号へつづく——

スライドを見せながらアメリカでの生活をクラブ員に報告する原田君＝後期中央推進会議で

労働には主体性を
自ら百姓を百姓たらしめよ

青森県・矢神4Hクラブ 中野渡隆

単純な労働者であるときの自分、すなわちその仕事と全く無関係のことを考えているときの自分……。そんな仕事は終えてもただ仕事から開放されたというだけで爽快さがない。

自分で考えて責任を持って仕事をやることができなければ、せっかくの自営業である農業をやっても、なんら意義はない。数多い仲間のなかには、労働と技術を親に売っているだけで「農業をやっている」と称するやつがいる。そんな私には、なりたくないのであるが、実は私も数日前までそんな自分に気づかず、「農業」と称していた人の一人であった。

ときどき私は研修会などで家をあける。その間の仕事は当然親がやる。研修から帰っても、しばらく私は、自ら進んで仕事に手をつけることはできない。それは、いままでの作業の手順は親が知っているから、自然私は労働者にしかなりえないということからくるものだった。

そして、何日かが過ぎ、やっと調子をとりもどしたころには、次の講習が私を待っている。……こんな繰り返しが続くものだから、私自身、私が主体性をもった経営をしているなどと言える状態ではなくなってしまう。

仕事の段取りのわからなくなった私は、すぐ単純な労働者になることを甘んじてしまう。それが、とりもなおさず親には満足なことなのだ。なぜなら、互いに中途半端な妥協をしなくても良くなるからだ。

ものごとに経験は必要である。しかし、その必要度は新しい考え力、真理などを自分で見い出すことができれば、極力少なくても済むと思う。

農民の欠点は、己と異質の者、あるいは物と接することが少なかったことにある。私たちは、よく講演を聞き、そのなかからひとつふたつの真理みたいなものを見つけ出す。しかし、それを真理とすることは非常に困難なことだ。また、それらも真理であることは少ない。なぜなら、自分たちの生活と、かけ離れたところの発想が基本になっているものが多いからである。要するに、借りものである場合が多いからだ。

偉い人とは、経験多く、技術にたけている人のことだ、と思い続け、主張する世間。私はここで世間のことをけなそうと思っているのではない。というのは、世間もしばしばすぐれた判断者であることがあるからだ。しかし、私たちは、考えることをその世間というワクのなかに閉じこめてよいものかどうか、そこから考え直し歩みはじめねばならないだろう。

ここで私の言おうと思っていることはこうだ。

つまり、経営には真理と哲学が不可欠であり、また、労働には主体が不可欠であるということだ。これが、百姓を百姓たらしめることになる。

あえて農業をも定義しよう。胃袋を狙う、人間の姿の追求——これが私の農業観である。

これからの農業に必要なことを私なりに考えてみると①生活と生産の明確な分離②経営者の能力に規模を合わせる③品種と機械の同時開発④流通を併立させた特産地をつくる（消費者の好みにより）などということになろう。

柔軟な頭、よどみのない努力、あいまいなことに対する寛容プラス個性——これらは、現代の社会機構に一番欠けているところの創造性の、ある要素であろう、ロボット化の進む人間社会に一番欲しいのは創造性ということだ。心頭技健を磨くわれらの目的はこの創造性ということでもあろう。

田園文化学園都市とミニスカートのようなものに自分の目的とするものを凝らす。ブルーバードのミチル君！ すばらしい瞬間のために、ここにとどまり自分を投資するつもりはありませんか？

湖に優雅に浮かぶ白鳥は
白い翅下に あかき足を秘め

明日の農業を一考

冒険と宴の中で

三橋清

先日、中学時代の先生から、胃をこわして入院した旨の手紙が来たので、すぐ、電話で、見舞を申し上げた所、入院はごくわずかな日数で、今は全快に近いとの事であった。

この時の、先生との対話の中で、「今年は水田を一枚も耕作せずに、農協で行なっている事業に出ている」と、話したら、先生のびっくりする声が返ってきた。

先生だけではない。当の本人の私でさえ、今だに信じられないような気持なのです。

農協の事業と言うのは、減反によるところから起ったのですが、全国でも例のない事だけに、寝の中に溜息がでるような状態です。

私の住地は、津軽半島の中ほどで、昔は水田単作地帯でしたが、数年前からスイカ等の産地としても発展してまいりました。しかし、それは、水田反収の増加と、米価の値上りによるところが大きく、更には、出稼ぎの供給基地でもあるのです。

ところが 政府の一方的な買い入れ制限と、耕地整理の強行（通年施行）によって、水田の耕作が出来ず三本足経済は音をたててくずれて行った。

勿論、完成したところは水稲の作づけはできるのですが、今度は、従来の農機具では耕作が困難になり、大型機械を購入するよりは、出稼ぎ等々、賃労働に出ている方が割りに合うというところから、農家戸数百七十戸のうち、二百人以上の出稼ぎ者を数えるようになりました。

家族ぐるみの出稼ぎや、夫婦父子というような出稼ぎ者が多く、村に残っているのは、女や子供達でしめています。

それを、物語るように今、農協で集めている人夫は、八十人中男性は、四人の班長のほかにオペレータが十人と、人夫としては五人だけです。その五人のうち、六十歳を越した人が三人います。

一作千金の波にゆれた美田も、こうした生活苦からの出稼ぎや賃労働のために、休耕田を余儀なくされ、雑草の繁茂するはめとなった。それを見かねた農協が、百十五人の組合員から、百八十㌶の水田を直営で請け負うことになったのです。

六台の大型トラクターと、三台のトレンチャー、それに二台の輸送トラックを持つ機械班と七十人の作業員を持ち、しかも農協直営の請け負い耕作で、主として、ジャガイモと小豆の予定です。

私は、四人の班長の中の一人として加わり、事務所や機械班、班と班とを走り回り連絡係として従事しています。

休耕・転作奨励金は地主に、事業はあくまでも、作物の売り上げ金でまかなうという約束で始めたのですけれど、検討すればするほど先行きが暗く、機械の使用料として、十アール当り三千円を出してもらう事になりました。

しかし、十アール当り三万円以上の収入がないことには、採算が取れない状態です。

巨体をゆすりながらラッパをふく組合長、シワが日増しに増えてゆくような指導員、「二千万円の赤字になっても、組合員の懐に二千万円入れば、それでいいではないか」と言う組合長、しかし失敗は農協の破滅に通じ農民はますます耕作に意欲を失なってゆくだろう。七十人の人夫は、すでに作物をつくる農民ではなく、時間帯で働く労働者であり、事務職員は、セールスマンとの交渉員である。

「成功させよう、明日の農業のためにも、農民として立つためにも」私達のこの合言葉は秋の取り入れと共に報いられるだろうか、それとも傷心をいだいて、村落ちをするはめになろうか……。

私の持つ成功とは、農協に利益をあたえる事ではなく、最終の時点でみんなが、農業に夢を託せる心境になるように持ってゆくことである。

失なわれゆく農民意識、失なわれた土地への愛を、ここにふたたび見つめる芽を育てる事ができれば、それがこの事業の最大の成果だという気がしてならない。

（農民文学会々員）

～農民文学第百十号より～

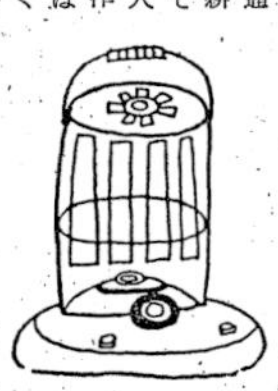

視野の広い農業者へ

栃木県・土沢4Hクラブ 吉原泰彦

農業高校を卒業してから一年間が過ぎようとしているいま、私は現在の4Hクラブ活動以外に、自分たちだけのグループを作りたいと思っている。なぜそう思ったかというと、われわれが農業だけにこだわっていては、ほかの職業の人たちに比べ、視野が狭くなってしまうのではないかと考えたからである。

参加してみればすぐわかることだが、現在の4Hクラブ活動でもクラブ員同士や先輩が非常に密接な関係を保って活動しているというのは私も否定しない。同じ職業で同じ地域に生きる青年ということで結びつきも強い。

しかし、それゆえの問題もでてくる。いわゆる4Hクラブ活動だけに参加し、同じ農業の友と農業を基礎としたことばかり話していると、お互い同士の視野がある一定の限度を越えられないのではないかと思うのである。私は、4Hクラブ活動自体に限度があるといっているのではない。ただ仲間らと討論したときなどに、現在のわれわれの先が見えてしまうということなのである。

そこで私は、自分自身のためにも、自らを変えてゆくという意味を含めて農業以外の職業の人たちとの交流の場を自らの手により設けようと考えたのである。そして さっそく去年の暮れ、その仲間づくりにかかった。

現在、「だべる会」と称して、男性三名、女性三名の計六名のグループを結成した。月に二回程度定例会をもち、テーマを決めて討論したり、テーマなしの雑談などで時を費している。

メンバーの職業は、農業、銀行員、大学生など六名全員が異なっている。それゆえ、討論会のときなど、意見の調整に苦労することもあるが、それだけ違った見解があって勉強になる。

私はこの「だべる会」の仲間を通して、青春の意義、若者のなすべきこと、職業に対する姿勢など数々のことを吸収することができた。第三者から見た農業、消費者の立場にたっての農業を考える意味でも大変有意義だと思う。

仲間同士、ただ集まって話をして解散するというのではなく、このグループの活動のなかから、現在の若者として何が必要か、またわれわれ若者はどのような行動をとったらよいのかなどといったことがこの「だべる会」の目標だ。

私は職業上、どうしても交際範囲、というよりも活動範囲が年々狭くなってしまう。それが自分にとっていかにマイナスであるか痛感して結成したこの「だべる会」を大いに利用し、私は柔軟性のある農業者になりたいと思う。

自分の青春時代を、4Hクラブ活動と、自分の作ったグループによって思いっきり活動し、一度しかない青春のすべてを賭けてみるつもりだ。だんだんグループ活動が低調化していく現代において、少しでもその傾向をよい方に転換させるべく私は活動を続けたい。

これはひとつの例にすぎないが、全国の若者のうち、現在実際にグループに所属し、仲間をもっている人は全体のたった三割しかいないということである。この事実を明確に認識しつつ、横のつながりを求めて私は進む決意である。4Hクラブ活動と「だべる会」を生きる糧としてだ。

グループ活動を積極化し、自分の職業以外の人とも交流をもつことは、ストレスの解消にもなる。農業がわからないからどうこうというのは問題ではなく、お互いが青春時代を悔いなく過ごすためにもわれらすべての若者は交流を求めて歩むべきだ。

全国のみなさん、こんなグループ活動方法も考えてみてはいかがですか。

「しあわせの星」

北海道・追分町4Hクラブ 星 真由美

星！
夜の世界をにぎわす星
悲しい星　苦しみの星
そして　幸せの星
……心がなくなって
しまいそう……
まるでエンジェルが
金色のシュプールを
描きながら　空のかなたへ
大きな翅をなびかせて
静かに　軽やかに
舞いあがる
純白のガウンをまとい
白い羽根で
幸せの鈴を抱き
星　しあわせの星
いつまでも
いつまでも
見守っていてね
私の星……

ホウレン草

高知・上ノ加江4Hクラブ 山崗紀美子

水しぶきを浴びた洗いたてのホウレン草が、ちょっぴりおしゃまに座っている。

最新式の洗濯機の上……なんだかまぶしくって、なんだかみずみずしくって、ふとした野菜にまで感動する私の心が愉快でたまらない。

ひげもじゃの白いあらわな根っこまで新鮮さがはりつめている。なんだかおもわずほほえんでしまう。

高知県高岡郡中土佐町上ノ加江に住んでいる私にお便りを下さいね、全国のクラブ員のみなさん。

ある日の私

茨城・青葉4Hクラブ 伊藤はるえ

信じること、それはなんとむずかしいことでしょう。ほんのささいなことでも脳裏に疑惑が生まれてきます。あれこれと……。

そして、身体中に興奮の色がしみ出てきます。寂しさや悲しさがいいようのないほどに……。

頭のなかはめまぐるしく混乱し心は魂のぬけがらのようにさまよいます。青空にポッカリ浮かんだ白い雲といった心境の私。

孤独になるとあわれみさえ覚えてきます。誰にもいえない、わかってもらえない、こんなせつないなんて……。

おまえはどこへなくしてしまったの？ おまえの純粋な気持を。

「花の命は短かい」といった人があったけれど、その花である期間をより美しく咲こうとしなくちゃあ。だって若さがあるじゃないの！ 弱虫な私よ、さあ悔いてばかりいないで飛び立つのよ！

青春の炎を燃やすも消すも私しだい。たった一度の人生をなぜ生きようとしないのか、この私は。

信頼と思いやりを心の奥深くに抱いて、明日からの人生に挑戦したいと小声で言えるようになったこの私。

闇と光と雪の印象

つい先日の連休、ぼくは二人の仲間と一緒に静岡県の西伊豆へ旅行した。静かな温泉場で湯につかりながら、チョィとアツかんで一杯もこたえられなかったが、昼間、のんびりとなすこともなく海や山とにらめっこしているのも、また最高にいい気分だった。

西伊豆での最後の夜は、砂浜でひとり孤独ぶって静かな海を眺めもの想いにふけった。漆黒の闇の彼方から、白い舌をペロペロ出してからかうように打ち寄せる波。小さな灯台のかぼそい光線。耳なりように響く遠い気笛。水平線上を流れ星のごとく浮動する漁船の灯。ときおり、海をバタつかせる強い風。

そのときぼくは、灯台から走る光線のなかをほんのわずか小さな白い流動物が舞っているのに気がついた。いつだったか、たぶん、あれはぼくが十八、九の頃であったと思うが、ぼくはこのときと同じような心境で光のなかへバラバラと迷い込んでくる雪をみつめていたことがあった。あのときも、真夜中のしじまのなかにたったひとりだった。しかし、そのときぼくは、東京の路上の街路灯の光線のなかにうずくまっていたのだ。

……気まぐれに休みなく、ハラハラと街路灯の光のなかへ舞いおりては、調子よく一陣の風に乗って上昇する白い流動物。その混乱はぼくをとらえ、ぐるぐると意識をかき回し、何時間も雪のなかにいて冷たく凍えきったぼくの肉体をどうしても現実化させようとはしないのだった。一瞬の忘却。それらは、ぼく自身をぐちゃぐちゃに溶解しながら凍結させてゆく。その自然的ないやらしさの副産物として、ぼくは、自己のみっともなさを所在なく見つめ、いかがわしい思考の空転をみずからの力で完成させるしかないのだった。

雪夜の東京をまっ二つに引き裂くような自動車のタイヤチェーンの音。そのとき、ぼくの青くさい意識を占領したのは“確立”という二文字だった。ぼくは恥ずかしかった。ぼくは、理由もなく、電柱から突き出している足かけに積もった雪へ強烈なジャブをくらわそうと思ってジャンプした。しかし、それも空ぶりに終わり、路上に尻もちをついてもっと恥ずかしい思いをした……。

風に乗り山を越えてきた西伊豆の一息の雪はあっと思う間もなくやんだ。海はなにもなかったように灯台の光をもてあそんでいた。

翌朝、天城の山々はまっ白だった。ぼくらは天城峠を越える際、雪のなかに自分の顔をつっこんで顔型をとり、それを踏みつぶしたりして遊んだ。眼下に広がる西伊豆の海には白く雪がふるようにカモメの飛んでいるのが見えるような気がした。ぼくは、浅川マキの歌をそっと歌った。

カモメ　カモメ
笑っておくれ……

（野）

笹笛

◀投稿案内▶

本紙は、全国クラブ員の準機関紙として、みなさんに大いに利用していただきたいと考えています。

クラブの催しや個人のプロジェクト、詩、短歌、随筆、写真、悩みや意見、村の話題、伝説、行事、お知らせ、小説、その他なんでも結構ですから原稿にして送って下さい。

❶長さや形式は自由です❷できるだけ記事に関連した写真をそえて下さい❸送り先　〒105 東京都港区西新橋1の5の12　佐野ビル内　日本4H新聞編集部

日本4H新聞編集部

日本4H新聞

4Hクラブ
農事研究会
生活改善クラブ
全国広報紙

発行所
社団法人 日本4H協会
東京都港区西新橋1の5の12
佐野ビル 〒105
電話（591）1817・3683
編集発行 玉井 光
月3回・4の日発行
定価 1部 35円
一ヵ年 1200円（送料共）
振替口座 東京12055番

クラブ綱領

私達は、実践を通じて自らを磨くとともに、互いに力を合わせて、よりよい農村、よりよい日本を創るため、四つの信条をかかげます。一、私達は農業の改良と生活の改善に役立つ腕をみがきます。一、私達は科学的に物を考えることのできる頭の訓練をします。一、私達は誠実で友情に富む心をつちかいます。一、私達は楽しく暮らし元気で働くための健康を増進します。

中四国農業の明日を探る

担当者と共に討議

中四国ブロック　今後のクラブ活動などについて

中四国ブロック農村青少年クラブ連絡協議会（会長 今本 徹君）では、さる一月十、十一日の一泊二日間、岡山県庁舎第二会議室で開かれた「中四国ブロック合同会議」に出席した。これには、中四国ブロック各県青少年担当者、各県連会長、全国農村青少年教育振興会、全国4Hクラブ連絡協議会などが出席し、今後のクラブ活動の問題点、政治と農村青年などについて話し合った。今回初の試みであったが「今後の中四国ブロックにとってこの会議の意義・役割は大きい」とある参加クラブ員は伝えている。なお、主催は中四国農政局。（中四国ブロック 事務局発）

白熱した討議を重ねる出席者たち＝会議室会場で

この合同会議は、本年度上半期の当協議会推進会議の席上で各県連から開催の要望がでて、その結果として実施されたものである。

会議は、農政局農産普及課の大沼課長補佐の司会のもとに進行し、まず渡辺農産普及課長が「現在の農業情勢はきびしいが、将来の展望をもって、将来をになう農村青年に対する多様化した諸問題を担当者諸氏とともに考え討議してほしい」と述べられ、会議に入った。

第一号議案として「農村青年活動の現状と問題点および今後の方向」があげられ、出席者は「農村青年の組織化と活動上の問題点」「農業施策と農村青年の活動」という二つの問題について討議に入った。

討議に先立ち、各県連会長が一人づつ次々に自分の県連の問題点を出し、それに対してどのような具体策を講じているかなどを述べあい、それから全員でその問題について話し合った。

各県連会長の意見を総合してみると、近年のクラブ活動の問題点は、どの県連とも「クラブ員の減少」、「クラブ員の問題意識の低下」などであった。また、実質的には具体策がなく、オルグ活動などを通じてクラブ員の意識を高めることに最大の努力をはかっているという意見が多かった。

そのあと、激しく揺れ動く農業を反映してか、最近農村青年の間でさまざまな意見がでている「政治と農村青年」についても討議された。県政の中にわれわれ農村青年の意見を繁栄させるべきだ」という意見もかなり出され、すでに知事との話し合いなどを開いて農村青年の声を行政側に投げかけている県連も二、三みられた。

続いて活動について討議し、地区連、県連のあり方について活発に意見を交換した。

「クラブ活動の魅力とは一体何なのか」「何によってクラブ員は活動するのか」「クラブ員の意識低下をわれわれリーダーはどう打破すればよいのか」などという問題をめぐって議論百出。そこである担当者が「活動の魅力は自分の経営にある。また、自分の地域の農業のとらえ方によっても魅力は生じてくるものだ」と助言し、出席者をうなずかせていた。

第二日目は主に来年度の当協議会主催の「中四国若い農業者のつどい」について討議された。まず開催県である愛媛県連から開催要領案が発表され、本年度の反省をしつつ要領案について討議を重ねた。そこで本年度のつどいは「流通問題」をテーマに開催されたが来年度は「クラブ活動のあり方について」という方向で進めることになった。各県連の意見を十分反映し、実り多いつどいにと全員で申し合わせた。

最後にブロックの事務局長から事務連絡があり、そのあと、全協の長事務局長から「4H新聞の購読普及」「4H会館建設」「第十二回全国青年農業者会議」「道府県連会長会議」についての説明があった。

閉会式には田所局長もみえられ「今後、中四国の農業をになう若者としての自覚をもって、また、それを指導助言する担当者諸氏の助力を受けて大なるファイトを持ち、活動を展開してもらいたい」とあいさつされ、一泊二日の全日程を終了した。

この会議に出席したあるクラブ員は「最初の試みでもあり、十分なる成果は得られなかったにしても青少年担当者と青年とが一つのブロック組織として話し合った意義は大きい。これで、今後、個々の県連の活動などについても今以上の助言・指導が期待でき、県連活動もよりスムーズ化するものと思われる。他ブロックでもこのような話し合いをもつと良いのではないか」と語っていた。

暖風

マルチプロジェクト時代

現代社会は多様化の時代である。生活様式や消費財や情報など、いろいろな分野で多様化が進んでいる。農業もそうだが、クラブのプロジェクトにもこうした多様化の波が押し寄せてきている。つまり、プロジェクトのマルチ化時代ともいえよう。

いままでプロジェクトといえば、営農部門では作物の栽培や家畜の飼育、生活部門では衣食住というように、課題のとらえ方は狭く限られていたように思う。しかも、実施規模の大小や取組み方に個人・共同の違いこそあれ、内容は個別技術の学習や問題解決など、いわゆる「技術」の問題が主流をなしていた。そのせいか、プロジェクトという用語は、いつのまにか技術学習と同じ意味に考えられてきたようだ。

ところが、ちかごろ、プロジェクトをこのように狭義にとらえることに疑問をもつ青年が現われだした。技術だけでは、ある程度までいくと壁にぶつかり、それ以上の解決は遅々として進まないというのだ。そこで、技術を効果的に生かすためには、経営や生活の条件整備が必要だとして、農地の基盤整備・経営の規模拡大・生産組織の強化・出荷体制の確立・生活環境の整備など、プロジェクトの幅を広げようとしている。これは、「プロジェクト」イコール「技術学習」という従来の考え方とは、まったく違う姿勢である。

そこでは、プロジェクト課題は多様化してくる。栽培や飼育だけでなく、経営・経済・流通・環境など、取り組む課題は大幅に広げられよう。これまでの課題分類では「その他」に入れられていたものが急激に増加してくるにちがいない。生活改善のプロジェクトにしても、衣食住の課題を個別に取り上げる方式だけではなく、健康増進・労働の効率化・生活の計画化・生活環境の改善などを課題として、総合的に衣食住の問題と取組むなど、多種構造のプロジェクトも出現するだろう。

生産と生活の調和をめざす課題も、男女の協力による共同プロジェクトによって実践されるから、生活改善のプロジェクトだって女子の独占的活動ではなくなる。それに、クラブの仲間づくりの活動自体も、改めてプロジェクトとして位置づけられよう。

こうしたマルチプロジェクト時代への移行は、クラブ活動の新しい発展を意味するものと思う。プロジェクトは、もっと大胆に幅を広げてほしいものである。

（北海道・三輪）

負けてたまるか 4H根性!!

赤松　宏 ▶ 13

「教え方をどうするか」ということでいかめしく筆を運んできました。今回でその三回目になりますが、ひとつまとめてみることにします。

さて、私は「人間性の理解」ということをこの項の最後にあげたいと思うのです。なぜかというと、私は人間性の理解がないところに教えるということはないと思うからなのです。人間性を理解してはじめてことをすすめることができるからなのです。

私はときおり、各地区の4Hクラブの仲間たちに依頼されて講演や講義をすることがあります。私は、大部、多くの仲間の前で話すチャンスを与えられましたが、なんどきも人間性を忘れて話したことはありません。

まあ、二、三時間ぐらいでしたら、適当な言葉を並べてもすごすことはできるでしょう。でも、やっぱり私にはそれができないことなのです。だから、私は二、三時間話すために何冊もの本を読み、幾人かの先輩に教えを受け、事例を集め回ったりしているのです。私のことを知らない誰かがそんなときの私を見たらきっと気違いかなんかだと思うことでしょう。私もそんな努力を、より平均的な、いやというより多くの人間性の理解のためにしているのです。そして、そこで得たものを話の中に取り入れ、私は仲間たちとさらに一歩進んでゆくのです。

愛こそ教育の底流　友よ、人間性をもって進もう

私は仲間たちの前で話しをするとき、いろんなことを考えながらもひとつの"形"を思い描いています。いわゆる総合してものごとを考えていくということなんですが……。

まず、私は、全体のあらましや目標を示し、なぜそうするのか期待させることに努めるようにしています。世間一般的にはこのことを説得力といっているようですが、ともあれ私は、説得することがいかに大切かあなたに知っていただきたいと思うのです。

それには第一に、聞く心を養うことに努めなければなりません。ということは、聞く人たちを私の心の中に完全に入れてしまうということなんです。

もし、百人の聞き手がいるとします。話している人が"まあ勝手に聞け"というような態度で話したら、果して何人の人が聞くでしょうか。たとえ少数であっても耳をほかへ移したならそれは失敗です。私は多数の人たちの前に立ってさえ、こんな挑戦を続けております。もし、君が複数では無理というなら、ひとりの人間でもいい。説得を続けてほしいのです。

つぎに私は、つねに「相手の心に全体の絵を与える」ことに気をつかっています。なぜそんなことをと君はいうかもしれません。でも私たちが今、生活していて、生きていて、何を考えているのかと思ってみていただきたい。また、その過程の一辺一辺をとって思い浮かべてみて下さい。

もし、君に優しく美しい恋人がいるとしたら、君は、君自身の頭の中にその美しい乙女の像を描き、さらに彼女を含めた一辺の総を見ているにちがいありません。また、私のように新年にのぞんで今年一年の農業の総を思い描いている人もたくさんおられることでしょう。私たちにとって想像をすることは大切なことです。と同じように、想像させることも大切なことなのです。あなたも絵を売るリーダーになっていただきたいと思うわけです。

そして、その夢が、絵が、おのおのの中で組み立てた絵が、おのおのの個々の最後の目標となるものであってほしいと思います。いや、最後の目標というより、君の進む段階ごとの目標であってほしいのです。

第三に私は、今考えている目標と現在習うことを意識的に結びつけるようにしています。それは、"なぜ学習するのか、なぜそれをするのか"を知らないと動かない人間の本質的な弱さをカバーするためにです。

独自に学んだりする人間は、その必要性を感じているからなのです。必要性を知っていてやらないものがいると仲間のだれかがいっていたようですが、それは目標が本当の意味での目標でなかったり、本当の理解でないからなのです。この辺のからみあいが大変むずかしいところなんだとも思いますが……。

まあ、以上これが、私の基本的なストーリーなんですが、その上に立って私はさらにつぎのようなことを考えています。

それは「内容の詳細を提示する」ということです。いいかえれば、それらのことを進めるための技術をいかに示すかということです。

ここまで話を進めてくると私自身も"?"ということになるのですが、本当の意味でのリーダーということになります。簡単に「内容の詳細を提示する」というけれどもこんなむずかしいことはないと思います。それは、その人自身に問われることでありながら、ほかの人の役に立つものでなければならないだけに……。

「教え方をどうするか……」といかめしい顔で筆を運ぶ筆者赤松君

最後はやっぱり、これはなんでもそうなんですが"全体をまとめる"ということでしょう。それも順序だててです。そしてもしあなたに知識があるとしたら、今までいろんな人がそれらに向かってきた姿勢を進歩の度合を示してやってほしいと思うのです。

人間性を考えるときに、私はこれだけは君に必ず守っていただきたいと思うことがいくつかあります。それは「実際と矛盾していない」ということ、これは何よりも大切なことです。

私は、「負けてたまるか4H根性!!」というシリーズを十三回目で一段落させようかと考えています。そこで、生意気なようですが、一言「教育はトップから」という言葉を残しておきたいと思っています。ということは、影響を与えるところから教えが始まると思うゆえです。影響を与える方の立場の者が教育されているとしたら、そこには、つぎからつぎへという発展があるでしょう。

「教育は助成愛である」という言葉を聞きますが、それも相手を伸ばしてあげようとする愛情の表現なのです。人間理解にもとずく、尽きることのない愛情と努力とが大きく魂をゆさぶり、その人の成長を促進するのです。このような意味からも愛情は教育活動の底流ともいうべき原則なのです。

私は本当の愛をもって仲間に当りたい！わが愛する4Hの仲間たちよ、もう一度「負けてたまるか4H根性!」と叫んでみようではないか！ —END—

（題字も筆者・北海道4Hクラブ連絡協議会前書記長）

"我等ボランティア"

鹿児島県連　農村教育青年会議開く

【鹿児島】鹿児島県農村青少年クラブ連絡協議会（会長 児玉健志君）では去る一月十八日から二十日の三日間、高千穂の県農村センターで『明日の農業、この手で伸ばそう、我等ボランティア』のスローガンのもとに、「第十二回農村教育青年会議」が開催された。

この会議は、同県農業の中核者として実践活動を推進している農村青年、農業経営者、農家の主婦たちが、農業や農村生活の技術や経営について実際に体験した成果をもとに当面する問題、あるいは将来の方向などについて研究討議し、知識や技術の交換・交流をとおして農業に対する自信と希望を持った農村青少年の育成をはかり近代的農業および農村の建設に役立つことをねらいとして開催された。

参加者はクラブ員が百二十人、OB、経営主、主婦ら三十五人、指導者、助言者四十人の総計二百人にのぼる会議。年間行事の主柱であるこの会議の運営はすべて県協役員があたり、参加者は、これからの鹿児島農業を背負って立つリーダーで各自が責任を自覚、互いに協力し、意欲的な実りのある会議となった。

第一日目は開会式のあとプロジェクト実績発表、青少年の発表と共に経営主、主婦らの体験発表も行なわれクラブ員は熱心に聞き入っていた。同夜は県協独自で毎年三名四ケ月間アメリカに送っている派米研修生を囲んでの体験談と、スライドを中心に先進農業国について学んだ。

第二日目は部門別討議（野菜、果樹、肉用牛、たばこ、茶、花きの六部門）に入り、同一部門内でのプロジェクト発表、当面している諸問題とその解決策、若者のはたすべき役割などについて各分科会とも活発な意見の交換がみられた。つづいて農業青年の主張にうつり、六人のクラブ員がグループ活動や経営・生活の体験をとおして日頃考えていること、訴えたいこと、将来の抱負などを主張・発表した。夜はキャンドルサービスを行ない、同じ農業に志す若者がひとつになって楽しんだ。

最終日は全体討議、部門別討議の報告者、OB、経営主、主婦の代表九人によるパネル討議、助言者とともに問題解決への方策をつかむ。

参加者代表の経営主から「青少年の皆さんありがとう。私達経営者も非常によい勉強になりました。今後とも、この"スローガン"のもとお互いに頑張りましょう」と力強いあいさつがあり閉会した。

参加者全員、明日の鹿児島農業をこの手で切り開き、発展させるという決意を新たに農村センターをあとにした。

（鹿児島県農村青少年クラブ連絡協議会常務理事 坂元岩雄君発）

塙Aチームが優勝

飯岡町農村青年ク駅伝

【千葉】海上郡飯岡町体育協会主催の「第七回農村青少年クラブ駅伝大会」は、去る一月二十日午後二時から、飯岡荘前スタート、旭市椎名内折り返し十二キロのコースで行なわれた。この日の出場チームは十チームで一チーム六人。

新鮮な農産物即売

農村青少年祭開く

【三重】伊勢地区農村青少年クラブ連絡協議会主催の第四回伊勢地区農村青少年祭は、去る一月二十七日午前十時から国鉄伊勢崎市駅前広場で催された。これまで伊勢崎市勢田町の県庁舎で行なっていたが、新鮮で安い農産物をできるだけ多くの消費者に買ってもらおうと、乗降客や通行人の多い伊勢崎市駅前に変えた。

伊勢、御薗、小俣、南勢、玉城、度会の六地区クラブ員九十二人が汁と努力で栽培したミカン、鶏卵、生シイタケや野菜、大豆、イチゴ、茶など九十点が展示され品質を競った。また単位クラブごとに野菜、ミカン、イチゴ、茶などの即売会を行なった。ミカン一ケース六百五十円、キャベツ一個四十円、イチゴ一箱二百円から二百八十円と市価より安いうえ、取りたての新鮮さから人気を呼び各即売会場は黒山の人だかり。飛ぶように売れクラブ員は応待におわれていた。

農業者と町が懇談

栃木　氏家のクラブ員らが

【栃木】農業者と氏家町執行部との懇談会が、去る一月二十七日午前九時から氏家町役場会議室において開催された。

氏家農業研究クラブ協議会（会長 小野源君）と生活改善クラブ協議会（会長 鈴木静江さん）青少年クラブ協議会（会長 菊地哲郎君）が、今後の農業の方向について町の考え方、農業者の疑問点に対する町の回答を聞き、要望なども出し合って話し合い、米の自由流通など今後の農業対策などについても協議された。当日はクラブ員をはじめ六十人が出席。

農業の違いに驚嘆

ハワイ親善交歓訪問　日系人の"根性"に感激

全国4Hクラブ連絡協議会（会長 松浦幸治君）では、去る一月二十六日、団員十六名で「ハワイ親善交歓訪問」に出発した。約一週間ハワイで農業や4Hクラブを視察、交歓し、二月一日夕刻全員無事に帰国した。

二十六日夕刻ホノルル着。一行は三班に分かれてオリエンテーションを行なった。

第二日目は、車二台とトラックに分乗して現地の農業の視察に出発した。牧場で乳牛を見学したが餌をやりながら流れ作業のような方法でさく乳しているのを見てクラブ員はビックリ顔だった。また、トマトやキュウリのハウスも視察した。日本では温度を上げるためにハウスを用いるが、ハワイではむしろ温度を下げるために用いると聞いて、クラブ員はここでも日本との違いに驚いていた。

夜は日系人の宅へ二人ずつ分かれて民泊。ハワイ風の食事をしながら一同、日本の農業や生活などを現地の関係者やクラブ員と話し合い交歓した。

ハワイの4Hクラブもアメリカと同じで、日本と比べて年齢層は若く、農業にかかわっていない人がほとんど。プロジェクト活動にも日本とはかなりの差異がみられた。

三日目は、朝五時に起床し、全員がホノルルに戻った。それから飛行機でハワイ諸島のなかで一番大きいハワイ島へ飛んだ。マウナロワ、マウナケア火山などを見学し、四時頃全員が民泊地へ向かった。

現地の人は、風通しのいい集会場でパーティーを開いて一行を歓迎。一行はハワイの女子クラブ員にフラダンスを教えてもらって満悦といった表情であった。また、現地の人と炭坑節を踊ったりして楽しいひとときを過ごした。

ハワイ島は大規模農業が多く、牧場が主で、白菜、レタス、ごぼう、にんじんなどの野菜を栽培している。個人でハワイ島の二千ヘクタールを有する全米一のパーカー牧場（肉牛七万頭）を視察してクラブ員は「いけどもいけども牧草ばかり」とタメ息の連続であった。

四日目は、ハワイ島からコナへ行き、ボランティアリーダーに案内されて農業試験場を見学。ここは果樹がほとんどで、マンゴー、パパイヤ、ザボンなどを見て回った。また、ひとつひとつ試食つきということで大好評であった。

五日目は再びホノルルに戻り自由行動。一行はハワイの4Hの事務所へ行って4Hクラブ活動などについて意見交換をしたりしていた。

ハワイのダイヤモンド・ヘッドをバックに記念撮影する一行

全日程を通してあるクラブ員は「ハワイの農業や4Hクラブ活動、そして生活様式など非常に勉強になった。しかし、これを日本の農業・農村に生かしきれるかといったら問題だ」と感想を述べた。

また、あるクラブ員は「この行事は4Hの視察なのか、農業の視察なのか。もし4Hの視察なら年齢や条件が違いすぎるからあまり勉強にならない」と今後のこの事業のあり方について語っていた。

現在ハワイを襲っている市街化の波や農業後継者の減少、そして貿易の自由化など、現地は日本の状況と似ている面も多い。また、日系人農業者の不屈の開拓者魂を見てクラブ員はどう思ったか。それをどう日本の農業、クラブ活動、自分自身に生かすかは自分の問題だ。しかし、今後この計画については徹底的に議論し、有意義な行事にしていきたいと主催者側では言っている。

心頭抜健

三年前、日本で万国博覧会が開かれたが、たしかあの頃から「ノーキョーさん」という言葉がはやりはじめたように記憶している。万博が終ると、この言葉は、マスコミなどによって海外旅行に行く農業者団体や景気の良い農業者に容赦なく向けられ生き残った▼その「ノーキョーさん」という言葉にはなんともいえぬ怒りにも似た拒絶反応があった。その辺について筑波常治は「週刊朝日」一月十二日号の「週刊論壇」で小気味いいタッチの文章を書いている▼彼によるとこうである。「……人品いやしげな農夫たちが、いたにつかぬ背広を着て、バッグと、写真機をぶらさげ、徒党をくんで外国の名所、盛り場をゾロゾロ、声高にしゃべり、ツバを吐きちらし、夜ともなれば女をもとめて目の色をかえ、胴巻のなかから札束をつかみだす……こんなところが平均的ノーキョーのイメージになっているようだ」▼そこで彼は言う。「都会の心ある人々にとって、マスコミやジャーナリズムにとって、ノーキョーという言葉は日本の恥さらし、むかしふうにいえば国辱もの、海外で日本の評判を下落せしめる張本人の代名詞のごとくである」▼彼はそれらに疑問を、投げつけてそしてつぎのように結んでいる。「海外で行儀わるいのは、農民からなる農キョー団体だけであろうか？ エキョーや商キョーのご一行は、礼儀ただしい日本のイメージを世界にひろめているのか？ 政キョー、官キョー、学キョーのみなさんは、模範的な旅行をつねにおこなっているのか？……」▼最後に一言申し上げたい。「ノーキョーさん」なんて言葉がはやるのは日本キョー自体の問題なのだ。振り向いて下さい、GNP二位の人……。

あの視点

リーダーこそ団結を

クラブとリーダー〈16〉

原田正夫

昨年十二月の中央推進会議でのアンケートについて、もう少し考えてみたい。

「クラブリーダーとしての最大の悩みは何か」との問いに対して「仕事との両立」と並んで「他の役員、リーダーとの意志統一がはかれない」というのが数多く答えられていた。前者についてはすでに数回ふれてきたので今回は後者について考えてみたい。

「リーダー連中がまとまらない」というようなことは私の記憶するところでは公の場で話題になったことはない。けれどもならなかったことの方が意外でアンケートの結果がむしろ自然というか、現実を物語っているように思える。

リーダーの役割は多くある。その一つに組織内の人間関係を円滑にして、お互いが気持よくせい一パイ活動できるようにすることがあげられる。だのに、リーダー連がバラバラでは、クラブ員が困ってしまう。クラブとしての活動も気持よく、せい一パい……なんてできっこないだろう。会社内でも、官公庁でも部課係の長たちがイキを合わせていなければ、若い連中は元気モリモリ働くわけにもいかないだろう。家庭の中でも、夫婦間の不和は子供の心をキズつけ、暗いムードで家の中をつつんでしまう。子供会の指導員をしていると、時たまどうにもならない悪太郎がいて他の子供からけぎらいされたり、リーダーにすぐ反抗したりする。そういう子供の家庭に入ってみると、多くの場合、親と子の関係より親同士の仲が乱れていたりする。

4Hクラブだって同じだ。性格のちがいはやむをえないことで今さらそんなことは理由になりもしない。私はこと性格ということになると同じタイプの人たちのグループは弱い、長続きしないという見方をとっているが……。

だれが悪いといえる問題でもない。理解と信頼の二つがよくいわれるがそれだと思う。この二つができない者が悪いとしかいいようがない。私は以前ある組織（4Hクラブの）にいて会計面のことを担当した。そして、会長さんからお金のことで疑いをもたれたことがあった。私の方にも非はあったんだろうが、その時から私の彼に対する信頼も消え去ってしまった経験がある。その一年私がクラブを続けたのは彼に対する意地があったからだと思う。リーダーにも、それぞれ役割分担をするのが普通で、分担した以上原則として彼にまかせることだ。彼は不慣れだ、オレの方があのことは得意だというようなことは分担を決める前にいうべきことで、決ってからゴチャゴチャと口出しされては余計なおせっかいという気になってしまう。みんなから信頼されているという気持が責任感となり連帯感につながってくるものだという気がする。

集会に遅れてくる。欠席する。与えられた仕事にミスをする。サッと彼に対して非難の眼が集中する。けれど彼には彼のどうにもならない原因があることもある。ひとこと聞いてやる姿勢があるか否か。

みんなが骨惜しみせずにリーダーとしての役割を全うしているかどうか。それがクラブ員に敏感に反応するんだろう。しかも心をひとつにして気持よくやっているかどうかが……。

会長はいつでも一番あとからノッシノッシと動けばいいなんてもんでもない。会長さんでさえも、他の人が重い荷物をもって困っていればサッと手を貸してやれる姿勢をもってほしい。

クラブ員に訴えたいこと、すすめたいことはまず誰よりリーダー仲間が身をもって示さねばどうにもならないのではないんだろうか。

（全国4Hクラブ連絡協議会・大阪）

手に手を取って！

盛り上がる交換会　お互いの地域を論議

北から南へ、南から北へ―農村青少年、4Hの心はひとつとばかりに仲間たちはクラブ同士の交換会を開いている。お互いに心を開きうちとけ合って地域の農業・農村を語る仲間たちの顔は若さでいっぱい。しかし、その笑顔のなかを一瞬かすめる暗さはなんなのだろうか。あるクラブ員は言う。「ここに集った仲間みんなが農業で生きねばならない。一人の落伍はみんなの落伍だ。われわれは今こそ日本の農業を徹底的に考えぬかねばならぬ時だ」と……。

奈良―福島

同じ郡山4Hクラブ

【奈良】同じ呼び名から姉妹クラブへ―と奈良県大和郡山市4Hクラブ（会長　中尾蔵博君）一行十三人（うち普及所、市役所から一人）は去る一月七日、福島県郡山市4Hクラブ（会長　鈴本光好君）を同市勤労青少年センターに訪ねた。

両クラブは「同じ郡山4Hクラブと呼び名が同じことから、姉妹クラブとし共に頑張って進もう」以来八年。今回は奈良県側が福島を訪問したもの。

一行十三人は郡山駅より地元クラブ員の車に分乗、雪の残る街を車で勤労青少年センターへ向った。総勢八十人にのぼるクラブ員、関係者の歓迎、また、女子クラブ員による心のこもった素晴らしい手料理が一行を待っていた。

交換会では「列島改造」「クラブ員不足」「若者にまで波及した出稼ぎによる活動の停滞」など両クラブの現状を報告、クラブ活動を中心に話し合い、つづいて歌や友情を深め合った。

同夜は、クラブ員宅へ一人づつの民泊。昼頃からの雪はすでに二十センチにも積った。奈良のクラブ員からは「さすが東北、寒い!!」という声があり、地元福島側も「こんなに雪が降るのも珍らしい」と驚いたようす。地元男女クラブ員連れだっての訪問もあり、コタツに足を入れ共に酒を飲み歌う声は深夜までつづいた。

翌日は朝からボーリングやお茶を飲み楽しく午前中を過ごし、正午同センターに集合、帰県した。

この交換をとおして、福島県側クラブ員の〝明るく、どんな小さなことも助け合いの精神で頑張っている〟その姿は奈良県側にとって大きな参考になった。

来年といわず、今年中にも大和郡山を訪問して下さいと約して帰県。私たちが受けた歓迎の喜びをもっともっと大きなものにして返したいと、次回の再会を楽しみに待ちながら大和郡山市4Hクラブ員はハリキッて毎日仕事に取り組んでいる。（佃　築遠連絡報道員発）

「うちのほうはさ……」お互いに語り交換するクラブ員たち＝郡山市勤労青少年センターで

青森―高知

香美郡野市の4Hクラが受入れ

【高知】『ようこそリンゴの里の若者たち』―。〝ピーマンの里〟香美郡野市町へこのほど、青森県南津軽郡浪岡町の青年リーダー国内研修グループ（団長　鎌田静治同町社会教育主事ほか男十五人、女十人）が訪れ二十二日夜、野市町中央公民館で地元4Hクラブ、青年団員ら約二十人との交換会が開かれた。

浪岡町は青森市と弘前市の中間、津軽平野のほぼ中央にあり、人口約二万二千。米作とリンゴづくりが盛んだ。同グループは同町の勤労青年学級と連合青年団のメンバーで構成され、八泊九日の日程できる十八日、列車で同町を出発。広島県・江田島国立青年の家での研修を終え、二十一日夜、松山市からバスで野市入りしたもので、町内の園芸農家十四戸に分散して民泊した。

交換会には木下野市町長、安岡同教育長ら町関係者も出席。互いに青森みやげのリンゴや土佐産のミカンをほおばりながら、ヒザをまじえて話し合った。まず青森側が「緑が目に痛かった。十二月からまる四ヵ月間、雪におおわれる津軽ではとても考えられないことだ」「農家が正月、盆のほかは年中働き通しなのには驚いたが、出稼ぎしなければやっていけない立場から言えば、むしろうらやましい」と南国土佐の印象を述べた。また出稼ぎについては「いまや東北では農業に次ぐ〝第二の産業〟と化し、それに伴う家庭の崩壊は計り知れない。夫婦そろってのケースも聞かれ、非行少年のほとんどが出稼ぎ家庭の子弟だといわれている」と深刻な実態が報告された。

共通の悩みである青年団員や、クラブ員不足についても意見を交換し合い、浪岡町では若者の出稼ぎが多い冬場を避けるのと簡素な軽装で済ませるのをねらいに、例年八月十五日に成人式を行なっている現状を説明。〝地域社会の中で青年の果す役割〟をテーマに約二時間にわたり歓談したが、引率者の鎌田主事は「ピーマンもリンゴもつくるだけが能じゃない。北に南に離れていても目的は一つ、農村青年が手を取り合って農産物の流通問題にメスを」と強調していた。

一行は二十三日午前中、竜河洞と高知市内を見物し、同日午後バスで次の研修先・高松市へ向かった。同市で市連青と交歓するほか和歌山県下の4Hクラブも視察、二十六日帰県した。

さあ、全国会議へ

群馬・多野郡吉井町　実績発表大会開く

【群馬】多野郡・吉井町では昨年十二月十二日に「実績発表大会」が開かれ、代表者は来る三月東京において開催される〝全国会議〟への参加が決まり、これからの活躍が期待される。また同会は発表だけでなく、分科会討議においても活発で建設的な意見がかわされ、クラブの問題点やリーダーの養成確保についてどのような点に心掛けたらよいかなどといった方向づけがかなり明確にされたようである。

なお全国大会出席者と発表課題は次のとおり

館林地区　宇治川利夫君「私の花き栽培」

富岡地区　石井利子さん「豚に賭ける」

桐生地区　小林健次君「菊の周年栽培」

クラブ活動部門

吉井町農業青年会　羽切吉胤君「開発と農業」

利根4Hクラブ　宇敷美智枝さん「主婦と農家労働と家事労働について」

以上の代表がそれぞれ発表することになりその成果が大いに期待される。

県連絡協議会では来る二月二十二日より三日間、国立赤城青年の家において「リーダー研修会」の開催を予定している。

（磯　八重子連絡報道員発）

時の道

小さなゴミの波紋

先日スキーから帰った妹から聞いた小さな出来事。

〝私たちの連れに外国人がいて彼は仲間の一人がゲレンデで捨てたチョコレートの包み紙を何気なく拾いそっとポケットに入れた。妹が尋ねると、「彼は私達の仲間だから、もし他のグループの人だったら拾わなかったでしょう」〟

ゴミ一つをみても行楽地、都会、夜、闇に隠れて捨てられた郊外の雑木林の道端に、「心」を捨てた人の多いことは承知の通り。

未だに共同体の中で責任ある行為はとられていない。そこにみられるのは集団への逃避であり同時に甘えでもある。固定した身分制度の内で形成された家族制度は、逃避をいとも易く容認し、個人主義、いうに及ばず合理的な発想を育てる土壌は近年までみられない。

例えばその一つは江戸期の五人組、戦中の隣り組と行動の単位は組とよばれる共同体であり互助の精神を根幹とし、明確な責任の分担はみられず、行為は個でなく常に集団であった。

この小集団、時として運命を共にする共同体の中で主体性の確立は可能であったろうか。元来、小集団において複雑な、また反対に明確な言葉は必要とせず察することで事が足りる。その典型は、家族、親子兄弟の間のように……、外国人の多くが「甘える」という言葉を使わない、おそらく彼等に甘えはないのだろう。

陸続きで他国とのかかわりの上に成り立つ彼等にとってあいまいな事は許されなかった。常に他民族との接触は嫌応なしに他を意識すると同時に、自分をも意識せざるを得ない。歴史と文化の形成過程から、ここに西欧の個人主義の発生の源がみられる。

彼等は〝犯さず犯されず〟を不文律とし、一方、集団で生活してきた我々はとかく他人に干渉しがちで、誤りに寛大すぎはしないだろうか。（柘植）

仲間尋ねて本州へ

北海道のクラブ員　研修かね栃木などへ

全国のクラブ員宅をまわりながら、観光を兼ねて本州一周の研修旅行に出発した四人のクラブ員がいる。このクラブ員は、北海道空知地区砂川4Hクラブ会長の桜田明夫君をはじめとする野崎修君、中道博武君、渡辺稔君の四名である。

一行は十二月二十九日、北海道のほぼ中央にある砂川を出発し、正月を本州ですごした。

いくら厳しい寒さになれている道産子とはいえ、野宿はちょっとムリ。そこで一行は知恵をしぼって、さきの北海道で開かれた「第八回全国4Hクラブ員のつどい」で知りあったクラブ員や全国4Hクラブ連絡協議会の役員に依頼して民泊しながら研修して回ることにした。

四人は、彼の願いを心よく引き受けて、自宅までの地図などを送ってくれたクラブ員や全協役員に感激し、この研修旅行でより多くの収穫を得て無事帰ることが協力してくれた人たちへのなによりの恩返しだとはりきって旅を続けている。

さて、一行、昨年の十二月三十一日朝、栃木県の今市の川村寛文君のところへラリーにでも出場したような泥だらけの車で到着。川村君も半年ぶりの再会を喜んでハッスル。さっそく地区の農業視察に案内した。

まず、岩崎でトマトのハウス栽培を行なっているクラブ員、佐藤義弘君宅を訪れた。十二月末とはいえ、佐藤君のハウスはトマトが定植されていてまさに青、一行を驚かせた。また、北海道の土と比べ土が黒いのにもびっくりしていた。「雪の多い北海道では単棟ハウスしかできない。連棟だとハウスの谷と谷に雪が積もってつぶれてしまうからね。雪が少なければ連棟にしたいなあ」と桜田君はつぶやいていた。そのほか、ハウス内の二重カーテンがホッチキスでよくとめられているのにも感心していた。

そのあと、一行は日光へ。イロハ坂を登り、つららに囲まれた華厳の滝の美しさにしばし絶句。また、日光東照宮で歴史をさぐり、大きな杉並木をみて「すげえ！」と口々につぶやいていた。

夕食は栃木のコシヒカリをパクつき「うまいとは聞いていたが、こんなにネバリがあって白くてうまいとはね」とみんな何バイもオカワリしていた。

翌、正月元旦の朝九時に、四人は千葉の友人宅へ向かって出発。

「全国のクラブ員の皆さま、どうぞ日光方面へ訪れたときは当方へおこし下さい。そして、明日の農業、クラブ活動などについて意見交換し、楽しいひとときを過しましょう。なお、その節は、栃木県今市市大桑三七　川村寛文あて御一報を」

（栃木・今市地区　川村寛文連絡報道員発）

〝ココスヤシ〟を寄贈

福岡・岡垣町4Hク　石田君が町の公民館へ

【福岡】遠賀郡の岡垣町4Hクラブ員石田孫十郎君は、このほど岡垣町中央公民館へ、「ココスヤシ」を寄贈した。このココスヤシは実播後約十年、人の背丈より少し高いほどの立派な大きいもので、公民館前の花壇は、過日クラブ員が新しく植え付けた葉ボタンとマッチして、中央公民館の全景を落ち着かせている。

彼は昭和四十三年に県立遠賀農芸高校を卒業後、人に使われるのが嫌でこの道へ入った。当時、観葉植物用の温室四八四平方㍍に、昭和四十五年後継者育成資金を借り受け六六〇平方㍍を増設、昨年は拡大資金を借り受けさらに六六〇平方㍍とこのように規模の拡大を行ない、現在は一、七八二平方㍍で観葉植物経営を営んでいる。現在の経営規模は水田一二〇㌃、畑一〇㌃、山林二〇㌶と観葉植物である。

このほど開かれた「北九州地区農村青少年実績発表大会」において、現在に至るまでの観葉植物の経営規模拡大の成果を発表し、続いて先月二十五、二十六の両日開催された「県青年農業者会議」において、同君の経営成果は優秀と認められ、来る三月八日から三日間東京・オリンピック記念青少年総合センターで開催される「第十二回全国青年農業者会議」への出席が決定、会議における同君の活躍が期待される。

（広瀬昌俊連絡報道員発）

ココスヤシと公民館をバックに岡垣町4Hクラブ員たち。石田君は右端

〝若者の時代〟幕明け

豊町オレンジの会　二月三日から五周年祭

【広島】広島県豊町、豊町オレンジ会（会長　本末　満君）らはクラブ結成五周年を記念して、記念祭を二月三、四日の両日行なう。

昨年のミカン大豊作、取れすぎて貯蔵庫は満杯となり座敷といわずどこといわず空間はすべてミカンに占領され、どちらが主人かわからず農家の人は片隅へ寄って生活している。東京の「東京スタジアム（野球場）」のスタンド下がミカン貯蔵庫と化したことは皆さんもご存知のことでしょう。このような大豊作に起因する大暴落、また、収穫時期のズレなどのウルトラパンチに見舞われて、時間的な余裕が全くないにもかかわらず昨年秋の役員会で練られた構想も根本的に洗い直さなければならないような周囲の状況です。

このようにミカン農家を取りまく社会情勢は深刻となり、加えてクラブ員の動揺は日々大きくなりつつある現在、とてもクラブ活動に参加する時間はないとクラブ員はいう。しかし、このような状況におかれてこそクラブ活動の本当にふれることもできるという認識の上に立って、この沈痛な産地情勢を打開すべく立ち上ったクラブ員もいる。「おれたちは絶対にミカン栽培を止めない」「おれたちはこんなミカン産地にするんだ」「これからはおれたちがやるんだ!!〝みてろ!!〟」と……。

こうしてミカンの採果が終るか否かのうちに連日連夜会合を持った。このようにして自主的に集ったクラブ員たちは、自分たちの位置付け、果すべき役割、アッピールの仕方、またその期待する効果などに激論を闘わした。

一部の幹部クラブ員は、このような連夜に渡る議論を称して、真の目的、われわれに与えられた唯一の成果であると自己満足している者もいる。しかし、こうして盛り上ったこの力を、この結集されたこの心を、この一つのことに向ってひたむきに進む若者の姿を、豊町の人々、広島県の人に評価してもらうべくこの時期に大会を開く。題して「豊町オレンジ会結成五周年記念祭」

同大会は、プロジェクト発表、県下クラブ員の経営成果の紹介、ミカン産業を考える展示、町づくりに向う討論会、町長との懇親会、県連の協力を得た県下クラブ員との交歓会など盛り沢山のプログラムが組まれている。総事業費十五万円。

〝若者の時代〟の幕明けを記念することの事業にすべてを託し、全力投球で記念祭を成功させたい。一人でも多くの青年たちと「記念祭」を喜び合いたい。

（藤田治之連絡報道員発）

淡路で交換会

東播地区60人が参加　兵庫

【兵庫】加古川、明石両市農業青年クラブ、加古郡稲美営農クラブ共催の「農村青少年新春交換会」が先月の二十六日、淡路島において行なわれた。

農業に取り組む若い人たちが一堂に集まり、日頃の成果などについて活発な討議が交わされ、あわせて、淡路島の進んだ農業経営を視察し、新しい知識と視野を広げようとするクラブ員の意欲があふれていた。

クラブ往来

稲沢4Hクラブ

〝観光さつま園〟で結ぶ

「稲沢4Hクラブは、観光さつま園をやってるんだ。毎日なんとなく過して……まとめた事がなくて……」と人に紹介する。

稲沢は栃木県の北部の那須町の最南端にあり、黒川を越えると黒羽町、那珂川を越えると黒磯市へと続き、標高は約二百十㍍位。

稲沢は自然に恵まれ穏やかな気候（桜は那須町が一番早く咲きます）、なだらかな山、魚の多い河川、豊かな水田、北に那須岳、百村山、塩原、鶏頂山、日光連山、男体山、浅間山、八溝山、もしあなたが運が良ければ富士山も見られるくらい南は開けている。そして豊かな水田。

クラブ員九名が全部男性であり平均年齢は二十一歳ぐらい。女性がいないため話しはきわめて〝あけっぴろげ〟であり気遣いの必要は全くないというのは半分慰めの言葉かな？　稲沢の経営の中心はなんといっても水稲であり平均三ヘクタールはあるだろう。しかしクラブ員それぞれがプラスアルファを目指している。それは養魚・養豚、きゅうり、養鶏、いちごなどに意欲的に取り組んでいる。稲沢はパイロット事業を始め農業に熱心であり、クラブ員はみな農家の中心であり将来は地域農業のリードオフマンになるだろう。

四十六年に板室君が始めた「さつま園」、続いて私で二人目、思わぬ雑草の大群に襲われ何日も続いた除草、このため一ヘクタールから五〇㌃へと売れる量などを考え縮少。

主な客は保育所、幼稚園であるが、一般の客寄せのために宣伝カーで二日間白河から矢板まで走った。十月は毎日のように客が入り中でも可愛い子供達がさつまを焼き、カトリック系の幼稚園では昼食の前に楽しいさつまいも掘りを神様に感謝して「アーメン」、このような光景を見ることは楽しいことであります労働の意欲が倍加されるようです。

多少の利益もあがりそうだが何といっても仲間作りに大きな助けとなった。

しかし、一番のネックは他のクラブが持つのと同じように、新入クラブ員が少ないとである。私たちは「観光さつま園」をとおしてクラブ員の連帯が高まり、将来へのクラブ作りの基礎ができあがったと言えるだろう。

稲沢4Hクラブの一層の飛躍を期待して下さい。

（稲沢4Hクラブ会長　広木文雄）

天皇杯に輝く人たち

畜産部門（牧野）　木落酪農組合　熊本

木落酪農組合は、組合酪農家一五〇戸、人工草地二七㌶、野草放牧地五八九㌶、乳牛一九六頭を有する農事組合法人で昭和四十三年二月に設立された。九州の中央部、阿蘇外輪の北東一帯は噴火により生じたカルデラ地帯で地味に乏しく高地と風雪により、林地化も困難なため、あか牛の放牧、採草など粗牧な利用に止まっていた。加えてこの広大な地帯の有効利用にあたっては複雑な入会権の調整、巨額の投資に見合う経営方式の決定等幾多の解決を要する問題があった。

組合長 石田二天氏を中心とする木落酪農組合員は真剣な検討を重ね、これらの難関を克服して二七八㌶の草地開発を行ない、以後優れた管理運営方式により高生産性牧野の造成に成功し第一〇回全国草地コンクールにおいて最優秀賞を得るに至った。

高生産性牧野の造成

肉牛と乳牛による　適切な輪換放牧

この組合の特徴は、草地経営を軌道にのせるため、農事組合法人を設立することにより、入会権調整に成功したこと、収益性の高い牧野とするためホルスタイン種搾乳牛と在来あか牛を有機的に組合せた経営にしたこと、更に、従来の大規模草地の弱点とされていた管理運営技術向上のため、国の種畜牧場等に組合員子弟を研修に送り、これを専従職員としたこと、等である。

これらの努力は結実し、草地は導入草種が適切で、周到な肥培管理が行なわれ糞尿の土地還元が完全になされた結果、最初の造成草地について、なお荒廃の後が全く見られない程に永続性があり、草質が良いばかりでなく、密度も極めて高く、土壌侵蝕防止の面でも優れた生産性の高い草地を維持している。また、その草地の利用にあたっては、肉牛放牧地（野草地を含め）、採草地、乳牛放牧地を合理的に利用区分した適切な輪換放牧により乳牛での高泌乳量の確保、あか牛の繁殖および子牛の発育促進が効率的に行なわれている。一方、冬期飼料のためのサイレージ、乾草の調整は機械化一貫作業の下で省力的に行なわれ、四十七年度サイレージ一三〇〇〇トン、乾草三三、〇〇〇包（一梱包一三キロ）の生産が見込まれ、うち、一〇、〇〇〇包は、あか牛飼養組合員に安価に供給するなど、阿蘇一帯であか牛頭数漸減の中にあって、中通地区は五年間で倍増する一因となっている。

経営プロジェクト

新部門で規模拡大へ

ブロイラー経営　地域の特性を見直す

群馬県・吾妻町麻の実4Hクラブ　高橋一郎

私たちの吾妻地区は、こんにゃくと養蚕が経営の基幹部門であるが、近年畜産部門が急速に取り入れられる傾向にあり、経営の拡大、合理化が急務となってきている。このような環境から比較的経営の少ないブロイラーによって経営規模の拡大をはかることを考えた。またブロイラーは地域の中でも新しく種々の利点があげられる。（一）他の畜産部門と比較し労力がかからない。（二）小面積での経営規模の拡大が可能。（三）回転が早く大型化がしやすい。（四）オガクズの堆肥により畑作物の増収が期待できる。（五）販売、流通機構が整っている。（六）独自の部門を持つことにより経営意欲が湧く。

私の経営規模は、本鶏舎三棟、育雛一棟であり、品種は年間通してインディアンリバーを年間約七千五百羽、ワンクール七〇日間、その他飼料、出荷は町の農協を通している。

作業管理は、雛導入前に育雛場の消毒を行なう。雛導入時に飼付けビタミン剤飲水投与三日間、六～七日目にニューカッスル病生ワクチン点眼、十五～十七日目にコクシジューム予防に飲水投与、二十～二十二日目に育雛場より本鶏舎へ移動、二十四～二十六日目に飼料をブロイラー前期から後期へ徐々に切り換へる。三十～三十二日目に再びコクシジューム予防飲水投与、四十日目ビタミン剤を飲水投与、そして七十日目に出荷。これが一クールの防疫管理であるが、ヒナの状態により適切な予防策や治療が行なわれなければならない。常に細心の注意を払わないと思わぬ大事故が起りかねない。

労働の割合は、一クール六五〇羽につき、日常管理が約七十時間（一日平均一時間として全鶏舎）、鶏糞処理に五時間（本鶏舎、育雛場を含む）、出荷に三時間（箱詰めから車に積むまで）、移動に一・五時間（育雛場より本鶏舎へ）、消毒・導入準備にともに一時間、計八十一時間三十分となっている。

収支は、収入は「特大」が五十羽頭、それに多少の「キズもの」と鶏糞代とともに二十六万千二百八十二円。支出は、雛代六十五羽で四万七千二百五十円、飼料代二千七百六十キロが十三万五千三百二十四円、衛生薬品代六千五百円、光熱費二千円、金利償却代六千五百円、販売諸経費四千五百円、雑費五千円、計二十四万五千二百二十四円、純益は一万六千五十八円。

夏期に鶏糞をおく場がないため、これを早急に解決しなければならない。また畜産物全般にいえることだが価格が不安定なことが大きな問題である。最近、ブロイラー飼育戸数の増加によりオガクズの入手が困難になってきつつある。防疫管理プログラムが完全に実施できなかったことなど、反省すると同時に、対応策も考えねばならない。

以上の反省を総合してこれからの課題と計画は、（一）オガクズ代用物の利用（製材所から建具屋まで広く集めるようにする）（二）出荷平均体重を一、九キロ以上に（三）年間出荷量を一万羽以上、（四）防疫管理プログラムの完全実施、（五）夏期の鶏糞処理対策（六）経営の完全記帳

このような点を解決すべく努力していきたい。

安くて栄養ある物を

調理法を工夫しなくっちゃ

徳島県・石井町グリーンクラブ　梅井つね子

私たちが生活するうえで一番大切なことは食べることであり、食べることなくして働くことはできない。私は十ケ月間ほど酪農家へ研修に行った際、一番の楽しみは食事だった。このため女性の特権を生かす家事の中でも特に食生活と取り組んだ。

私たちグリーンクラブは、クラブ員二十五人これには既婚者も含まれています。主な活動は、高知県の施設園芸の視察、実績発表大会、阪神市場などへの視察旅行、生産プロジェクト（白菜の一元集荷）、農協幹部との座談会、さらには毎月第一水曜日の定例会を中心として活動しています。

食生活のプロジェクトを進めるうえにおいて、各種雑誌、新聞などの料理メモを野菜を主とした料理、魚肉を主とした料理と分類、整理して切り抜きをしている。この切り抜きを参考として食事の改善をはかっている。

魚は季節を考慮しなければならない。野菜は年間通してあるが、いくら栄養価が高くてもその料理に費用がかかりすぎては何にもならない。そのために出盛期を調べ、価格の面からも注意してカロリー、炭水化物、蛋白質、脂肪、カルシウム、ビタミンなどの必要量を、労働による消費カロリーをしっかりと把握して摂取しなければならない。

安くて栄養を豊富に取るためには、季節の魚、野菜の調理方法なども工夫が大切である。たとえば、魚の天ぷらにしても、これを揚げてそのまま口へ入れるのではなく、ケチャップ、ホワイトソースなどで煮こむ。このようにちょっと手を加えるだけで栄養価はグンと高くなる。しかし、農繁期においては時間が大幅に制約されるために、短時間で調理する方法を工夫しなければ、ありあわせのもので間に合わせてしまうようになりがちである。これからは冷凍食品、加工食品が市場へ大量に進出してくるためにこれらの上手な利用法は、家族労働中心である現段階の農家生活においてはぜひとも勉強しなければならないと思う。

過疎地域に賭ける

大型ハウス利用　周年栽培形式へ

徳島県・徳島市 滑東4Hクラブ　中山雅夫

数年来の農業経済の停滞、斜陽化によって山間辺地の米単作地帯においては、年々農業人口の減少と後継者の不足に悩み、ついには挙家離村にまで発展し過疎の一途をたどっている。

私の住む山県郡芸北町は、広島県において積雪が最も深く、農業をとりまく環境は悪く過疎の激しいところである。

周辺の農家の生計は、土木工事や木材の伐採などの日雇いに出る人が多く、その収入にたよる兼業農家がほとんどである。

私はあえてこのような悪い環境に挑戦し、米の単作と野菜を主体とした専業農家として自立し、地域農業を発展させることを目標としている。この信念が私を露地野菜に取り組ませた動機の大きな一因である。

わが家の経営規模は、水田七〇㌃、露地野菜三〇㌃、肉牛一〇頭であり規模は、芸北町では標準的な農家である。労働力は、私と母と祖母の三人であり、父は公団植林専業である。

昭和四十六年春にかんらん、レタス、ほうれん草、広島菜、トマト等を試験的に作付してみた。作目の選定にあたっては高冷地の条件を生かして栽培することを考慮した。この年の野菜栽培をふり返ってみると、梅雨の逃げもどり、夏季の低温長雨、台風の来襲と天候に恵まれず、品種選定のあやまり、栽培技術の未熟などの悪条件が重なり病気の大発生を招く結果となった。

今後は、野菜安定対策事業で、大型育苗ハウスを導入し、かんらん七〇㌃、レタス一〇㌃、ほうれん草一〇㌃、広島菜一〇㌃と延作付面積一〇〇㌃を計画している。四月より十月までの七ヵ月は野菜中心、十月以降翌年三月までの冬期間はエノキ茸の栽培を計画し、試験の結果がよければ器材を導入し、冬期間の収入源としたい。

露地野菜では、芸北町の冷涼性を十分に生かしても百～百五十万円が限度と考えられるので、大型ハウスの導入により、抑制トマト栽培で二～三年後に農業収益三百万円を見込み、出稼ぎのない町にしたいと思っている。

生産者の一人として、立地条件を生かし良質の野菜を生産する考えであるが、それと同時に販売面での生産組織の強化をはかり、均一なしかも良質なものをコンスタントに出荷し、価格の安定をはかる必要があるがこれを達成するには単に生産者ばかりでなく、行政面からの価格安定対策がとられなければならない。

黒毛和種で200万円

肉用牛の飼育　広島県がアンケート

「将来の牛肉需要増大に備えて、肉用牛の多頭飼いに取り組んでみたい」―広島県畜産課が若い農村青年を対象に実施したアンケート調査で、こんな前向きな声がハネ返ってきた。農村青少年のビジョンは大きく、調査した同課では、「少し理想が高すぎる」と戸惑い気味だが、昨年から県単独の事業として子牛増産対策を打ち出すなど和牛振興に本腰を入れているだけに、この結果に注目している。

調査の最初のねらいは、若い農村青年の和牛飼育意欲がどの程度あるか。そこで「あなたは何頭ぐらい飼養する計画か」という問いに対し、「五十―百頭」が三〇％、「三十―五十頭」二〇％、「百―二百頭」一七％―との答え。一～二頭飼いが県下二万七千戸の〝牛飼い農家〟の八〇％を占める現実からするとそのビジョンは高い。しかし、こうした多頭化への指向は「牛を飼うなら三十頭以上」という認識が若い人の間に定着しているといえよう。

「所得はどのくらい見込むか」の問いには、約六〇％が「二百万円以上」と高所得を望み、飼育の経営形態については「繁殖、肥育の一貫経営」が四三％、「肥育一本の経営」三九％、「繁殖だけ」一八％の順だった。この面でも青年の〝理想主義〟がうかがえる。

品種では、「黒毛和種」が約八〇％で圧倒的人気。その理由は、「肉質がよいから」と品質重視の考え方が目立った。

肉用牛を飼う理由は「将来、牛肉需要が増大する」が四四％、「うまく経営すれば採算がとれる」二三％、「粗放管理ができる」一八％の順でかなり明るい見通しを持っている。

国、県に望む施策としては「低利長期の融資制度の充実」三四％、「施設への高率助成」二〇％、「共同放牧場の整備」一五％、「子牛価格補償制度の拡充」「生産奨励金」各一〇％の順。広島県は昨年子牛の生産奨励金制度を新設し、失地回復の増産対策を打ち出したが、青年の望みは、基本的な諸施設の充実にあるようだ。

この調査は、対象が三十五人とサンプル数が少なく、「農村青年全体の和牛飼育意欲をおしはかるのには無理がある」としながらも県畜産課では「一部の青年にしろ多頭化への強い意欲があることがわかった。今後の施策推進に生かしたい」と言っている。

結婚を考える ▶36◀

全協評議員　西谷光典

跡取り娘

ようやく自分がわかった

おれは今、自分で〝己〟を知ったことに大きな喜びを胸一杯に感じている。そう、このあたりまえのことがなかなか……

最近までのおれにはわからなかったのです。

というのも自分に対してこれほどまで強く、大きく覆いかぶさってくるようなできごと、自分というものを嫌でも見極めなければならない事態にかつて出会ったことはなかった。

昨年秋、初めて見合いをした。そしてみごと射止めもう決まったも同然となった。彼女は、顔こそとりたてて美しくはなく、ごく普通の娘さんとおれには思えた。しかし〝心のやさしい〟本当に純粋な人だった。見合いの後、デートの回数が重なるにつれて楽しいはずなのに心が沈みがちになってゆく自分に気がついた。それは胸の中から湧き出た雲が目の前をふさぐかのように……、今まで気付かずにいた何かが……ある形となって雲間から出られないでもがいているような、それは苦しみとでもいえるものだった。しだいにそれは形がはっきりとしだして心の表面に浮び上がってきた。

それは……、おれには以前から4H活動をとおして好きな人がいた。しかし彼女は長女で跡取り娘だった。このまま恋愛がつづけば悲劇のメロドラマにもなりかねない。昨年（十月四日号）の「あんな人こんな人」に紹介された時に私は〝恋愛は卒業した〟といったことがある。それは過去に今、と同じように〝跡取りの娘〟と恋愛したことがあったからです。結局この時は二人で何度も何度も話し合った末に別れる以外に道はなかった。その後彼女は結婚し今では幸せに暮らしていると人づてに聞いている。その時、「もう二度と恋愛なんて……」と強く自分に言い聞かせたのでした。こんな過去の思いが自分を知らず知らずのうちに制していたとは思いもよらなかったのです。

「また悲劇に」と思ってしまうため、好きな娘でも〝仲間として〟しかつき会うことができず、一歩前へ出ることをためらわせていたのだろう。

両親のすすめる見合いをしてそのまま従うつもりでした。人の心はいつどのように変わるものか予測のつかないものです。見合いをした彼女と回を重ねて会うたびに自分の弱さを見る思いだった。もって生まれたおれの性格は変えられるものだろうか？ 性格はあくまで性格として、おれは、おれの弱さを過去に認めなかったからよけいに心の迷いを生んだのだ。

おれの弱さは弱さとして、要はおれ自身の弱さをおれ自身が認めることではないか。具体的にはおれが自分で今日からタバコを止めると言ってもしょせんそれは口だけで終ってしまう。おれっていう人間はそんな弱さをもっているから……。

話しはそれたが、二度と恋愛なんてと思っていた自分がまた跡取り娘を好きになっている。こんなおれの弱さ、もって生まれた性格をどうやって変えればいいのか。しかし自分ではなかなかよい方策がみつからず、思いあまって友人に打ち明けた。結局、見合いの人にはっきりとことわり、おれ自身の偽のない真実を好きな人にぶっつけた。でも、おれ自身このことに気付くのがあまりにも遅かったのです、遅かったんです……。

彼女は心をすでに決めていた。たぶん彼女の心を変えることはむずかしいだろうこの先も、しかし、おれは悔いは残さない、だって自分が己をこの時にようやく知ることができたのですから、こんなできごとがなかったなら、今でも前と同じように己を知るチャンスはなかっただろう。一から出直しです。失敗しても出直せるだけの自分にしてくれたのは他の誰でもない自分なのですから……。しかし世の中、思うようにならぬものです。

己の道に賭ける男の気持は大切です。でも自分なりに満足できる時というのは、やはりこの道を歩んできた後、つまり、己自身を知った時ではないでしょうか。

あの時、見合いの娘と結婚しなかったので彼女はひどく傷ついたことだろう。しかし、男と女の出会いは、どんな時にどんな型で出会うかわからないものです。自分自身に悔いを残さないためには、その時傷ついたり迷惑をかけたりしても、長い目でみれば必らずその傷や迷惑は癒されるものです。また自分が幸せに暮すことにより許され償われるのではないでしょうか。

おれは、今のおれ自身の考えを大切に育てたい。とにかく一から出直すことになったけれどおれは本当に心からおれのことを考えてくれる人をいつか見つけるだろう。おおいに恋をしてこの仲間とともにおれの青春を生きたい!! 悔いを残さぬためにもおれ自身の弱さを、生地をそのまま出して、この4H活動を一クラブ員として歩んでいきたい。

NHK農事番組（2月11日～20日）

Uターン〝酪農就職〟

テレビ

明るい農村　6・30～6・55総合
- 11日　明るい漁村
- 12日　村の記録「開拓二十五年」～島根県横田町
- 13日　きょうの話題
- 14日　産物百科「高野豆腐」
- 15日　話題と人「我が開拓の記」～福島県小高町（平田良祐）
- 16日　農村新地図「東大阪市」
- 17日　村をむすぶ「帯広、姫路、佐世保、東京」
- 18日　明るい漁村
- 19日　村の記録「ミカンと若者達」～静岡県湖西市
- 20日　きょうの話題

農業教室　7・30～8・00　教育
- 12～14日「肉牛肥育のポイント」水津 正（日大教授）
- 15～17日「水田の基盤整備と土地改良」石川武男（岩手大教授）
- 19～24日「大型施設の運営」岡戸 満（日本農業機械化協会）

あすの村づくり　日7・00～8・00　教育
- 11日「酪農就職」～北海道別海町（渡辺東二 ほか）
- 18日「過疎、集落を考える」愛媛県大洲市（後継者グループ）、愛媛大学教授（石川康二）、農業評論家（松浦 恵）

ラジオ

早起き鳥　5・41～5・57 ❶
- 11日　畜産糞尿処理対策集会から
- 12日　農地の中の史跡～岐阜県大垣市
- 13日　野草からみつけた新牧草　中根哲之（熊本県竜北町）
- 14日　こない工場～広島県久米町
- 15日　オートメハウス～宮崎県清滝町
- 16日　さつまいもからニンニクへ　徳島県鳴門市（川口 清）
- 17日　ふるさと通信
- 18日　生産調整四年～秋田県ほか
- 19日　パインづくり三十年　今川治郎～福岡県椎田町
- 20日　老後は鯉の養殖で～宮城県鹿島台町

話の広場　日　6・15～6・30 ❷
- 11日　養殖鯉の出荷～茨城県玉造町
- 18日　休耕田でワラビづくり　群馬県藤岡市（平柳 功）

新しい農村　日6・00～6・30 ❷
- 11日　予算と政策　福田省一（林野庁長官）
- 18日　予算と政策　伊藤俊三（農林省農蚕園芸局長）

ラジオ農業学校〈講座〉　月～土　6・40～7・00 ❷
- 12～14日「農地の流動化を考える」梶井 功（東京農工大教授）
- 15～17日「農業団地」川井一之（農事試験場長）
- 19～21日「市場と出荷作戦」小野誠志（農業技術研究所）

百％ミカン果汁を開発

ここ数年、有害食品がはびこり、消費者は極端なまでに神経をとがらせているのが実情だ。系統でも農協婦人部から純正食品供給への期待が強く寄せられている。全農ではこうした声にこたえて、まずミカンの一〇〇％天然果汁の開発に現在急ピッチで準備をすすめている。

開発の柱は、①農協婦人部を中心に系統で高まりつつある純正食品開発への期待にこたえる②これまでも系統の「独自食品」をつくってきたが組織全体での討議が浅かったので、農協経済連との事前打ち合わせを密にする一方、全中、全国農協婦人部などの声を反映させて進める③一般市場で販売されているものとはちがう系統独自の品質規格をきめる④ミカンの多収穫時代を迎え、農村還元により消費の促進をめざす―の四点。

開発するのはミカンの一〇〇％天然果汁。一ℓビンづめ（一ケース六本入）でエーコープマークをつける。独自の品質規格をつくり、共同購入方式で全国の農家に飲んでもらう。このためモニター単協や県段階での開発研究会などの意見を十分に聞く一方、神奈川県平塚市にある全農農業技術センターの食品検査室で試験研究をすすめており二月上旬までに規格を決める。

これまで市販されているジュースは天然一〇〇％ものは少なく砂糖で甘味をつけたものが多い。消費者は甘いものになれており、一〇〇％天然ものはすっぱ味を感じる人も多いはず。このため一〇〇％果汁になじんでもらい、親しまれることを主眼においている。

四十八年度の安定基金加入推進運動

全国農業協同組合連合会

四十八年度の安定基金の加入推進運動は、畜産農家の経営安定と農協畜産団地をはじめとする系統飼料畜産事業体制の強化をはかるため、専属利用登録運動と併行してすすめられますが運動の重点は次のとおりです。

1、単協・県連一体となって地域内の畜産経営の実態を掌握し配合飼料の年間購入計画を締結し、期別予約を強化する。

2、畜産団地構成農家、主要畜産農家の専属利用登録、安定基金加入の徹底をはかる。

3、安定基金加入については、農家、単協間の密着を強め、専属利用登録による年間購入数量との同一化を徹底させる。

4、鶏卵価格安定基金、ブロイラー価格安定基金加入者の専属利用登録・配合飼料安定基金への加入をはかる。

5、継続加入者と新規加入者を明確に区分する。

以上のようなことですが、いずれにしても系統農協に総力を結集し、飼料の安定的供給をつづけるため地道な努力を重ねて行かねばなりません。

全農の輸入原料対策

主な対策としては、次のようなものがあります。

① 輸入先（産地）を多くし、輸入契約を安全にするとともにアメリカの価格のけん制をはかっています。

② 産地の販売協同組合などとの直接輸入契約の比率を高めることにより安定した輸入をはかるよう努力しています。

③ 大型穀物専用船の運航により、海上輸送経費の平準化をはかるなど、安定した合理的な輸送につとめています。

④ 国内港湾における荷役の合理化をはかり、原料価格を安定させる大きな要素で、基地の建設、整備をすすめています。

畜産経営の安定には畜産物価格を安定させることが重要ですが、生産費の大半を占める配合飼料の価格を安定させることもまた重要です。

この配合飼料の九〇％近くが原料費で占められ大半は海外からの輸入です。このため、原料価格変動の波を直接畜産農家におよぼすのではなくその波をやわらげるための防壁として配合飼料安定基金をつくりました。

この基金制度は、平常時に畜産農家と基金の会員（全農、県経済連）で補てん準備金を積み立てておき原料の値上がりにより配合飼料価格が引き上げられたとき補てん金を交付するしくみです。

基金はあくまでも保険的なものであり、普段はあまり魅力がないようにみえますが、ひとたび配合飼料の価格が引き上げられた場合はその役割を大きく発揮します。

基金発足以来、四五年の四月と一〇月の値上げに際しては、それぞれトン当り八五〇円と一二五〇円の補てん金が交付され、また四八年一月の値上げに対しては一、一三〇円の補てん金が交付されることになっています。

このように、飼料価格の変動にともなう畜産農家への影響を緩和し畜産経営の安定をはかるのが、配合飼料供給安定基金の役割りです。

私の人生観

愛知・江南4Hクラブ連協　岡地和子

人生。この長い道のりには、幾多の喜怒哀楽が横たわっているのであろうか。

喜びや楽しみにぶつかったときは私たちは笑うだろう。そして、そこにはこれといった問題もないはずだ。

けれど、怒りや悲しみに直面したらどうだろう。私たち個人、個人の判断力や気持ちのもちようが大きく問われるはずだ。

あなたは「長い人生だもの、こんなこともあるさ」と大らかな気持ちで生きようとするか。

それとも冷静に事態を判断し、努めて明るく生きようとするか。

いや、絶望的なあなたは一生暗い影を引きずり続けるのか。

また、それらの影響にうちのめされ、自分自身をみじめに変えて生きてゆくのか。

要は当事者の気持ちの持ち方次第とあえて私はいっておこう。

『昇華とは性欲的な潜在意欲や願望が、高度な芸術、宗教などの面に転じて活動すること、逃避とは、その場から逃れること……』

これは私が高校時代手にした一冊の書物のなかに書かれてあった「昇華と逃避について」の一節である。その本には一例として、愛に破れた青年が、その辛さを乗り越え仕事に打ち勝ってゆく姿も描写されていた。私はそのとき思った。私たちは、日々のできごとに対して、いかにそれを克服してゆくかが問題なのだと……。

自分のやっている事業で失敗したとしても、また、大切な人を手離したとしても、これらの逆境に「これでもか、これでもか」と根気強く立ち向かっている人には心を打たれてしまう。人生に対するその真剣さは魅力的でさえある。

私自身、長い人生に対して、そのように生きたいと日々思うのだ。

米国での生活から〈2〉

忘れえぬ世界の仲間

一九七二年度草の根大使　原田茂光

ローレット・ハイツ・カレッジでのオリエンテーションがすんで四十九名の交換生全員が、コロラド州における最初のホストファミリーに散った。ホストファミリーでの様子は次回で報告することとして、IFYE第二回世界会議のことについてすこし話してみよう。

昨年はIFYEプログラム二十五年を記念して「IFYE第2回世界会議」は七月九日から十四日までの六日間、コロラド州立大学の広大なキャンパスでアメリカ国際農村青少年交換同窓会、アメリカ4H財団、普及事業協会の援助と運営により開催された。

集まった七二年度IFYEをはじめ、子供を混えた家族連れのIFYE・OB、OGの人々、また、このプログラムにもっとも理解を示し積極的、協力的な態度でプログラムの底辺を支えてくれたホストファミリーの人たち、それに4H財団の方々など総勢七百余名が参加した。

この会議はまず講演で始まった。とりあげられた演題は「環境の危機と地球上の貧窮」「世界の環境―われわれはこれからどこへゆくか」など生態学的立場から世界の世論を賑わしている公害問題を追究したもの。また、それに「4H国際交換計画の変遷二十五年」「4H国際交換計画のこれからの四半世紀」と題する講演が加わり、人間がより人間らしく生きるという基本的な立場から、こんごの4Hクラブ活動のあり方などについて問題提起され、それについて論じ、考え合った。

固く形式ばりがちな会議の中にあって、六日間をなごやかな同窓会的雰囲気のうちに過ごすことができたのは、ひとつに世界のすみずみから志を同じくする者が"4つ葉のクローバー"の旗のもとに集まったからだろう。

講演や種々の会合の合間に設けられた休憩の時間を利用しての自己紹介。芝草のグリーンが果てしなく広がる運動場と、パールオレンジのテニスコートで球を追って飛び回る白い学生たちのなんとものどかな風景を眺めながら、ひときわ立派にそびえた学生寮から何回となく往き来した学生センターまでの一㌔を越える道程。そして、耳をそばだてて聴いた未だ見ぬ交換生の遠いふるさとの話。世界会議の最後をかざって、参加三十五ヵ国の国旗が掲揚された大ホールで、ホール狭しと何列にも作られた白の長い長いテーブルを囲んでのお別れパーティー。そこでお国を代表する色彩豊かな民族衣装をまとった七百人あまりの人々が一堂に会して食べたウエスタンスタイルの料理の味と久しぶりにいただいたシャンペンのうまかったこと。

そして、アトラクションでその場に設けられた大ステージから、NHKのステージ一〇一を想起させたヤング・スインギング・メンバーの一人であるお隣り宮城県から渡米していた関川君の大ホール狭しと歌ったわがふるさと東北の懐しの民謡「大漁ぶし」―。

夏の抜けるようなコバルト色の空の下、六日間という短い時間で育てたほのぼのとした友情をしっかり心にしまいながら、五年後一九七七年のニュージーランドで開かれるIFYE第三回世界会議での再会を固く約束して世界に散っていった七百名余りの仲間たち……。

いま振り返ってみて、私は感激を新たにしている。本当に忘れることのできないIFYE第二回世界会議だった。(山形県・コナムクラブ)

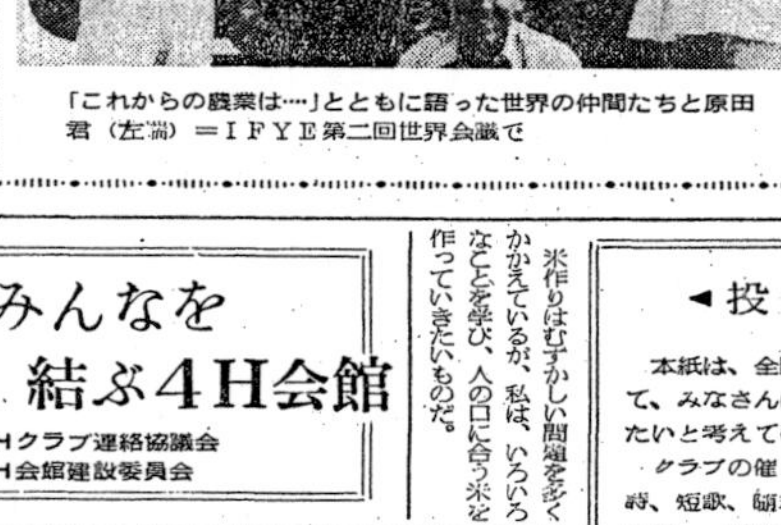

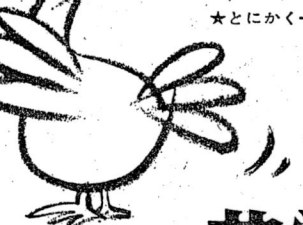

「これからの農業は…」とともに語った世界の仲間たちと原田君(左端)＝IFYE第二回世界会議で

青春と仲間

うまい米とは？　人間の口にあうのが一番

福井県つつじクラブ　石川武之甫

とくに最近になって米が余り、いままでのように作ったものはなんでも売れるということはなくなった。米も食べてみてうまい米でないと売れない時代になった。

では、米のうまさとは一体何かというと、それについての明確な答えは得られていない。それというのも米の味に関係する要因（原因）があまりに多くあるからで、そのうちのひとつをあげてみても適格な解答とはなり得ないからである。

しかし、われわれ米を作る者はうまい米をより多く作ってより多くの収入をあげなければならないのである。そこでいままでに大体わかってきた米のうまさに関係する要因を拾いあげてみると次のようになる。

第一に問題とすべきは米の品種だろう。十数年前、育種で育成されたフジミノリ、レイメイといった品種は、従来の米と比べ非常に多収を得られる品種である。しかし、食べてみると明らかにまずいので消費者から悪米の代名詞にされてしまった。ということは、現代ではもうこの米に作らないほうがトクだといえよう。

これに反して、コシヒカリ、ササニシキ、旭などの品種はうまい米の代名詞だ。現在うまい米と称されているものの多くは、昔作られていた旭系統の米のようである。ホウネンワセ、コシヒカリ、ササニシキ、日本晴れなどいずれも旭の血が流れている品種だ。

第二には米の産地ということである。たとえば、だれでも知っている代表的な良質米産地は、庄内のササニシキ、新潟のコシヒカリ、近畿の旭というようにである。これは、産地と品種が一体となって全国的名声を保っている例だ。

これに対し、東北、北海道、九州はいずれもよくない米の産地とされている。わが福井県もあまり名声は高くない。この辺がわれわれの問題なのだが……。

第三には炊飯の方法で米の味が変化するということだ。しかし、これは生産者とはあまり関係がない。よく、まきで炊くとうまく、電気で炊くとまずいといわれるが、これについては、電気、ガスなどでも最近よいものが開発されているからそれ程問題にしなくともいいことだろう。

以上、三つが米のうまさに関係する代表的なものとされている。

現代ではいろいろな器機が開発されているが、米本来のうまさを測定するいくつかの器械があるのには驚いた。

そのなかで代表的なものをあげてみると、まずアミログラフだろう。これは米を粉にして水分を加え徐々に温度を上げてゆくものである。すると、加熱によって米のでんぷんが水を吸収し、ふくらんでいき、ついにはでんぷんが崩れて糊状になる変化の状態を測定する器機だ。この測定は最高にでんぷんがふくらんだ値からでんぷんが崩れたときの値が大きい程うまい米との判定がなされている。

つぎは平行板プラストメーターである。これは、ある一定の方法で米を炊き、それに徐々に圧力を加えて圧縮していき、その際に発生する抵抗の力（粘弾性）をみる器械である。このほかに白米のアルカリ崩壊、米の炊飯特性といった項目の測定があり、それらの総合結果によって米のうまさを測定している。

だが、器械はまだ決定的なものではない。なんといっても食べるのは人間だ。多く人が食味してみた結果による食味試験判定が一番正確だと私は思うのだが……。

米作りはむずかしい問題を多くかかえているが、私は、いろいろなことを学び、人の口に合う米を作っていきたいものだ。

男はこわいですよ

茨城県・岩井市4Hクラブ連合会　荒井悦子

女性が男性に関心がないといったらうそになる。だからといって私もそれほど男性について、特別の感情をもっているわけでもないし、どういうふうに説明していいのか、自分でもよくわからない。でも、だれもがいままで友だちとして交際したり、話をしたりしているからまったくわからないってこともないでしょう。

男性の友だちを一人しかもたないのはよくない。なるべく多くの異性の友人をつくり、異性を見る目を養う。これが大切なのでしょう。初めての男性にぼおーとしてしまうようではまだまだ……。

そういう自分になるということは、それだけあなたが魅力ある人にならなければならないということだ。それは決して容貌の美しさだけでは保ち得ないことです。

すばらしい異性を見つけるためには、男性も女性もチャンスを活かすだけの勇気と行動力が必要だと思う。しかし、あまり男性を信じすぎるのもよくない。なぜなら男性ってたくましくってやさしさがあって魅力はあるが、その反面狼のようにこわいときもあるからだ。その辺は十分気をつけなければならない。もうすこし異性に思いやりがあってもいいなと思いました。

これが最後の告白　振られた私よ、いずこへ

栃木県・烏山地区連絡協議員　小池由洋

私は、日本4H新聞にこの半年間、彼女のことを書き続けてきました。でも、これをもって終了させていただきます。え？なんですって？理由が知りたいってあなたはおっしゃるんですか。それではしかたありません。泣きながら告白しましょう。

――じつはこうなのです。

一月二日、男三人、女二人の計五人で犬吠崎へ日の出を見にドライブしたときのことです。私たちは一日の夜十時に南那須の農研センターに集合したのでした。折り悪しく雨が降ってきたんですが、前々からの予定だったので思い切って一路大洗へ出発しました。

大洗へ着いたのが午後十一時半でした。雨のせいか、道がすいていて予定よりも早く着きすぎてしまいました。このまま車を止めていてもつまらないというので、私たちは、それでは犬吠崎まで行こうといって出発しました。

午前三時半に、私たちは犬吠崎に立ちました。風と雨が強くて、おめあての日の出はおがめませんでした。その失望と徹夜の疲れからみんなすぐに眠ってしまったのです。

ここで各人の座席の位置をお知らせいたします。車はコロナ一六〇〇ハードトップです。まず、前例の運転席にA男君、その横にこの私、そして後列右にY子さん、真中がいとしの彼女、左側がB男君でした。

友だちのA男君、B男君は気をきかして「うしろに座れ」と言ってくれました。しかし、純情な私はあえて前の席を選んだのです。

さて、みんながグウグウ眠っているとき、私は一人考えました。なぜか、今日を限りに彼女と別れなければならないのではないか、なんてフッと思いました。そう思うと、彼女のかすかな息づかい、ほんのすこしのにおいさえも逃さないようにしました。耳から鼻からそして体中から、私は彼女を感じとろうと努力しました。そこで私は「あーあ、彼女がそばにいるんだなあ」という感激を十分味わいました。そうです。そばにいてくれるだけで幸わせな私なんです。

問題は夜明けとともにやってきました。みんなが朝起きてからです。運転手の相吉沢さんがあんまり疲れているらしかったので、私は彼に「おれが変ろうか」と運転を申し出たのです。

あなたと死ぬのはイヤョ！

そのとき彼女がいったのです。「由洋さんとは死にたくないわ」と……。最初は冗談かとも思いましたが、正直言って私はドキリンコとしました。そして、この言葉がいままでの私にピリオドを打ったのです。

これもみんな、彼女のことを自分勝手に4H新聞などへ公表してきた私の当然受けなければならない罰だったのかもしれません。事実、私はそうも思いました。しかしその帰り、私の目からは涙がとめどなく流れてしまいました。

というわけです。それでは全国のみなさん、これでお別れです。お達者でぇー、さようなら！

東北農民よ立て！

出稼ぎの季節に思う

小杉巌

冷たいみぞれ混じりの鳥海おろしが、裸になった田圃を吹き抜け、冬がこいをめぐらした村々に吹きつける季節がやって来た。

今年は、冷害で不作であった昨年より稲の姿はすばらしく豊作とも言われた。しかし、刈って米にしてみると、その収量は意外に少なく、昨年を下回るところさえあった。

村の男達は、その減収分を補う為、出稼ぎの出発日を早めた。（週休二日制の会社もあるので、失保への受給資格を確保するためともいう）

今、村はひっそりして半月前のにぎやかさはない。ただ、衆院選候補のビラ掲示板に木枯しが吹きつけバタンビタン大きな音を立てている。

東北の裏側、横手盆地にある私の村も、これからすっぽり雪に覆われた冬眠生活に入るのである。

かつて、七、八年前迄、この冬の農閑期に村の男達は縄をない、俵を編み、堆肥を作り来年度の稲作設計を語り合ったものである。生活は現在と違って不便な面が多かったが、家族共々、村中共々の暮らしの中に、村々にうるおいがあり、活気があった。

しかし、現在の村の男達は、半年農民で、半年はインスタント土工、または土工として遠い異郷で親子、夫婦が別離の暮らしを毎年繰返して送らなければならない人間疎外ともいえる生活状況である。

今の村は七、八年前より物質的に恵まれた生活環境であろうが、精神的には前の方が、ずっと恵まれていたと思う。

消費生活の向上、農業の機械化、農業の普及と、ともかく「金」のかかる時代であるが生産者米価は据置きに近い上昇率、それに減反政策、そして自然まで二年続きの不作と、稲作一本の積雪地帯の農民の所得は増えず、かえって年々出費が激増して行く。稲の収納が終り、農閑期、雪深い地元に働き口は少ない。されば言って、畜産等をやっても小規模ではたいした収入にならない。手軽に出来て、元手のいらない「出稼ぎ」がよいということになる。半年間、家庭生活等、少々のことを犠牲にすることによって高額の収入とプラスアルファとして三ケ月の失業保険が支給されるから、関東、関西へと年々、出稼ぎに出る人が増えている。

（出稼ぎ農民を引き出す、低米価、減反政策は、安い労働力を農村から獲得するための財界資本側の意図であるともいう）

「稲」という植物の生育過程を考える時、機械化、農業の進んだ今日、半失業的な仕事にならざるを得ない。とすれば農業経営をやって行く上で、頭打ちの米価で所得向上は望めないとすれば、出費の嵩む家計費、営農費の不足を補うための「金」を得る方法を考えなくてはならない。

しかし、大部分の農民達は、「農業」という城を出て、農外収入（出稼ぎ）へと走る。

どうして農業人として、プロ精神に徹しようとしないのだろうか。どうして、農業経営の中で複合化を考え、農業所得の増加を考えることが出来ないのだろうか。

資本、技術等がないとよく言うが、その前に農民自身の無気力なのに問題があると思う。それは雪国の風土のなせるものか、雪国の農民の弱さを感じるのである。

「東北の農民は山があるからとあきらめるが長野など関東の農民は山があったらトンネルでも掘って進むという気概がある」（朝日新聞）

私はこの文などよく東北と関東の農民の気質の違いを表わしていると思う。

例えば、よく「出稼ぎ対策」という言葉を聞く。その内容は農協送金用の現金書留用の封筒の入った慰問袋を送ったり、町長や課長が郷土の酒を持って職場訪問するなど形式的な「出稼ぎ奨励策」ともいえる内容である。

我々農民の期待する「出稼ぎ対策」とは、地域社会と家庭生活を崩壊し、農業を破滅に追い込む「出稼ぎ」を追放する対策である。即ち「出稼ぎのない農業」の体制を確立するために努力する農民を支援すると共に、関係機関が連携して技術研究と市場開発に努めてもらいたいと思う。

私は先日、長野県へ行った。新宿から三時間余り、八ヶ岳山麓のこの村、東京に近いから出稼ぎに出ても、近くてすぐ帰れるから家族離別の悲哀もないと思って聞くと、この村の農民は出稼ぎに出ないという。

田圃が少ないが、園芸、畜産、きのこ等の複合経営でやっているという。村のどこにも男達の声は満ち、のどかな風景の中に活力が漲っていた。秋田のじめじめしたみぞれの天候と違って、カラッとした富士見高原の気候、村人の気持もおおらかであり、農業の未来を信じて生活して行こうとする気力があった。

農民、農協、長野県と三者一体の開発が、エノキ茸を全国市場占有率九〇％の業績となったと思う。そして長野の冬場の重要産業として農家経済の復興に重要な役割を果したのである。

残念に思うことだが、秋田では、農民、農協、県とも米作以外のこうした産業への取り組む姿勢は消極的で気力も乏しい。

秋田の冬は雪と寒さへの闘いの生活である。こうしたきびしい風土の中にも、少しずつ若い人達の新しい農業経営が芽生えている。やがて来る新しい春に、その芽が「出稼ぎのない農業」への変革の原動力となることを願っている。（秋田県平鹿郡平鹿町浅舞）

～農民文学第百十六号より～

生きた道死んだ道

一歩いっぽ足に力を入れて峠道などを歩くのはいいものだ。ときおり聞こえる鳥の声や、落ち葉のカサコソささやく音にもなんとも言えない味わいがあるものだ。自分の足の下には正真正銘の土の道があり、自分もその上を着実に歩んでいる。この道、この土は何人の人間が踏み固めたものだろうか。

ひたすら自己の道を求めて緇僧もこの道を足にしただろう。また、背中にタキ木をいっぱい背負った老人もハァハァ息をきらして登ったことがあるだろう。野菜や稲をいっぱい積んだ荷車もその輪立ちの跡を残したかもしれない。ときには武士もいただろう。商人も売り上げ金をふところに抱いて通っただろう。御用ちょうちんに追われ、死にもの狂いで走ったおたずね者もいたかもしれない。三度笠をかぶり直し、先を急いで渡世人が足早やにこの道を歩んでいったこともあるだろう。

何百年、何千年にわたってこの道を数知れぬ人が歩いていった。その一人ひとりの人間の生の重みで踏み固まって黒光りしているこの道。

私は昨秋、群馬と新潟の県境いにある三国峠のわき道をブラブラ歩きながらそう思った。

この道を歩いていて感じたあのなんとも言えない味とは、人間の"生"そのものであった。そして私は「この道は生きている」と思わざるを得なかった。

日常生活のなかでも私たちは多かれ少なかれ、毎日のように道を歩いてる。しかし、私は都会で"生きている道"の上を歩いたことは一度もない。きれいに舗装された道路。誰が呼んだか、アスファルト・ジャングル。何百万、何千万という人が歩いているが、その跡を決して刻まない道。その上を歩んでいても、歩んでいる自分を見失なう道。冷たい道。都会の道は完全に死んでいる。

ある若者は生きた道を求めてディスカバージャパンの餌食になる。また、ある若者は、死んだ道を克服するために時速百数十キロでその上をぶっ飛ばす。そして、ある若者は道とは無関係なふりをして喫茶店でタバコをふかす。

ここ何年かの間に、日本列島は大きく改造され、幹線道路がいくつもできるという。私は一ロマンチストとしてではなく、道を踏みしめる一人の人間の重さをもってあえて言おう。死んだ道などいくら作ってもしかたがない。

しかし、私はそう言い切ったあとでふと気ずく。現代人に道を踏みしめる一人の人間の重さなどどこにあるのだと…。

（野）

笹笛

築こう！みんなを
結ぶ4H会館

全国4Hクラブ連絡協議会
日本4H会館建設委員会

◀投稿案内▶

本紙は、全国クラブ員の準機関紙として、みなさんに大いに利用していただきたいと考えています。

クラブの催しや個人のプロジェクト、詩、短歌、随筆、写真、悩みや意見、村の話…、伝説、行事、お知らせ、小説、その他なんでも結構ですから原稿にして送って下さい。

❶長さや形式は自由です❷できるだけ記事に関連した写真をそえて下さい❸送り先　〒105 東京都港区新橋1の5の12　佐野ビル内　日本4H新聞編集部

日本4H新聞編集部

日本4H新聞
4Hクラブ
農事研究会
生活改善クラブ
全国広報紙

発行所
社団法人 日本4H協会
東京都港区西新橋1の5の12
佐野ビル 〒105
電話(591)1817・3683
編集発行 玉井 光
月3回・4の日発行
定価 1部 35円
一ヵ年 1200円(送料共)
振替口座 東京12055番

クラブ綱領

私達は、実践を通じて自らを磨くとともに、互いに力をあわせて、よりよい農村、よりよい日本を創るため、四つの信条をかかげます。一、私達は農業の改良と生活の改善に役立つ腕をみがきます。一、私達は科学的に物を考えることのできる頭の訓練をします。一、私達は誠実で友情に富む心をつちかいます。一、私達は楽しく暮らし元気で働くための健康を増進します。

"この若さを大地に伸ばそう"

流通機構の整備を

沖縄県連 初の県青年農業者会議開く

本土からも二十四人参加

【沖縄】この若さを常夏の大地に伸ばそう未来に向けて――をスローガンに沖縄県4Hクラブ連絡協議会(会長 勝連盛義君)では県と共催で去る一月三十、三十一の両日、名護市名護青年の家で「第一回沖縄県青年農業者会議」を開催した。これは、農業の近代化をめざし、農業や農家生活改良の研究と実践活動を推進している若い農村青少年と農業経営者たちが集まり農業・農村をとりまく種々の問題について意見交換、討議を重ねながら相互の連帯感や親睦を深め、その結果を地域農業の振興やクラブ活動に反映させようというのがねらい。本島をはじめ遠く八重山の移住地からもかけつけ県内の青年約六十人と本土から九州ブロック4Hクラブ、全国4Hクラブ連絡協議会のメンバー二十四人が参加した。

第一日目は、農業経営者夫婦を迎え、花キ園芸、農業経営についてのシンポジウムを行ない、そのあと夕べのつどいなどでお互いに親睦を深め合った。

二日目は野菜、畜産、クラブ活動の三分科会に分かれての討議と同分科会報告および全体討議が行なわれ、参加者は活発に討議・意見交換した。とくに全体会議では「農村青年の離農で4Hクラブの会員が少なく、活動もマンネリ化している」という声がでて、それでは同じような状況に直面している本土の参加者から"知恵拝借"ということになった。これに対し、九州ブロック・全協からの参加者は「新会員の呼びかけは一応するが、無理な勧誘はしない。活動のマンネリ化打破は、会員の一人ひとりがその気になって活動していくことである」と強調し、県下のクラブ員の注目を集めた。

また、分科会討議ではいろいろな問題にわたり、つっこんだ話し合いが行なわれたが、その主な内容は次のとおり。

野菜分科会

①沖縄は相対売りなので本土のようにセリ市もない。そのため生産体制がとれないので早急に流通機構の整備を図るべきだ②本土でウリミバエが発生し、農家に大きな不安をなげかけている。ということで、せっかく野菜を作っても本土へ出荷できない実情にある。農家と県が一体となって撲滅作戦を展開すべきだ。こんどの会議の名をもって県に対策を陳情する必要がある③農家と農協などが協力して産地形成をはかるべきだ。

畜産分科会

①肉牛飼育は将来有望視されているが、十月ごろから冬場にかけて飼料が不足がち。牧草作りや配合飼料なども研究してみる必要がある②肉牛飼育の共同経営には、県営や国営の牧場をつくらせる必要がある。そこに農業後継者補助による育成も必要③畜産は生き物を扱っている関係から全体的に余暇を楽しめないところに難点がある。そのため、ヘルパー制などを実現、せめて週一日は休めるようにしなければならないのではないか④組織や団体をつくり、流通機構の整備を実現させていかねばならない。

4Hクラブ活動

①若者の離農がふえ、4Hクラブ活動は衰退し、その活動は曲り角にきている。そのため魅力のあるクラブ活動を考える時期にきている②今帰仁村の若葉4Hクラブでは全員で闘牛用の牛を一頭飼いそれを通して会員の団結を固め、活動を維持している。地域によってのそれぞれのアイデアでクラブ活動を活発にし、会員をふやす必要があろう③生産面の技術だけでなく相互の心のつながり、同時に地域青年として、社会人としての自覚が大切。農村でありながら農業はつまらないもの、魅力のないものといった考えの人が多い。われわれが多角経営、施設栽培などでいい成果をあげることによって周りの人からも見直される。現にそのような例もある。地域の人たちの古い考え方をかえ青年への理解を深めていくためには自分たちの活動だけでなく地域のための奉仕作業もその方法の一つであろう。

分科会討議で出された意見は、そのあとの全体会議で参加者全員に報告され、それをもとに考え合い、お互いに意見交換などがなされた。

参加者たちは、この青年農業者会議で学びとったことを、地域に反映し、沖縄農業をこんごより一層発展させていこうと申し合わせた。また、沖縄県の4Hクラブ活動は自分たちの実践にかかっていることを再認識し、これからは気をいれてがんばるとお互いに誓い合い、行政へも後継者対策をより以上強化するよう要望するなどと話し合っていた。

後継者の経営や意識を普及所が調査

【熊本】熊本県玉名農業改良普及所は去る六日、玉名郡天水町公民館で同町立花4Hクラブ員の後継者を対象に経営、意識調査を行なった。

国、県が共同で実施している情報システム化事業―農家の情報をキャッチして、指導面から戻していこうという計画―に基づくもので、女性を含む十三人の後継者は経営内容、今後五年間の営農計画等を情報カードに記入。このあと西田普及所長、坂西天水町経済課長らを囲んで討論した。ミカン暴落の事態に直面しているだけに「生産過多といわれながらも新植は進んでおり行政面でどうにかならないか」などいずれも農業に関する深刻な発言が多くだされていた。

負けてたまるか4H根性!!

赤松　宏 ▶ 最終回

君だってがんばれよ　今度は実践で共にやろう

いろいろな人たちから激励のお言葉やらご意見を承わりながら、二十数回にわたって書いてきました。私にしてみれば、この二十四回の期間中は、体の休まる思いがないほんとうに厳しい連日でした。

この連載の途中に、私は約八十日間「第八回全国4Hクラブ員のつどい」のために家をあけました。その常勤体制のなかでとくに苦しい思いをして書いた原稿のことなどをしみじみと思い浮かべています。

いま、私は今回限りで筆を置かせていただこうと考えています。いや、今回限りというより一時中断させていただこうと考えておるのです。

私はこの欄で「六円が運ぶ仲間の声!!」と「負けてたまるか4H根性!!」の二つのシリーズを書きました。私自身、その二つのシリーズを通じて、全国のみなさんから教えていただいたことは数えきれぬほどです。その教えに、私は心から感謝しています。

私がペンを置こうと思うのは苦しみからの逃避ではありません。私はみなさんの便りを手にしてむしろ楽しい気分でさえあるのです。そんな仲間に感謝の気持をこめ、シリーズの第三段目として、「君だって頑張れよ!!」というテーマで十二回にわたって書こうと企画しておりました。私がいままで接してきたいろいろなリーダーや仲間を紹介し、彼らがどんな問題にぶつかり、それをどう解決してきたかをみなさんとともに考えたいと思っていました。

私の原稿を読んで、お励まし下さっているみなさまには申しわけないことですが、私は不幸にして(?)昭和四十八年度の一ヶ年間、地元の北海道4Hクラブ連絡協議会の会長の職をおおせつかりました。そこで、私は運営者の立場で努力しなければならなくなりました。

私自身、両方を進めていきたい気持でいっぱいなのですが、正直いって肉体的にも精神的にも両立させてゆく自信にかけているもので……。しかし、また原稿用紙に向かうだけの余裕ができましたときには、この紙面で真剣に対話していきたい覚悟です。私が中断している間は、私以上に豊富な経験をもった仲間の体験談をもとに対話をさらに進めていっていただきたいものです。

みなさんから大部多くの質問状やら相談をいただきました。それに対し私は、この欄でその解答になることを書くといいましたが、あまりふれることができずに申しわけなく思っております。筆をおくにあたってそれが気にかかります。

いま、私はその数多い質問の中から一つだけ選び、みなさんと共に考え最後の原稿にしたいと思っています。

もっとも相談の多かったのはクラブ員の減少、また、クラブ員の確得をどう進めるかということでした。減少については、今の私自身の立場からいって、私が全国の仲間に逆に聞きたかったのが本音です。

実際に、北海道4Hクラブ連絡協議会も昭和三十八年頃には一万三千五百人のクラブ員数を数えていたのが、いまでは八千名そこそこというところまで減少してしまいました。五千名の減ですからね!!

私自身を含めてですが、リーダーはこの減少の傾向を数字だけで遊んでいたような気がするんです。この対策として、みんながもう少し現状を分析する必要があると思うのです。もし、あなた自身が真剣にこの問題と取り組むのであるなら、あなたは、あなたの村なり町なりの実際を調査することがまず第一だと考えます。

私の調査の範囲では減少の傾向は約十年前位からです。その時期からいままでの「青年白書」のようなものをあなたの手で作ってみてごらんなさい。たとえば、十年前に青年が何人いて、クラブに加入していたのが何人で、そのときの平均年齢、構成がどうなっていたかなど、できる限りの数値を集めてみて下さい。そこには必ず、外から適当に見てきた考えとは異なった結果があるはずです。その結果の上に立って、新たにあなたのクラブ活動を組み立て直してごらんなさい。あなたの満足に近いクラブの再編成ができると思います。

私は、質問をしてくれたあなたにこれだけの要求をします。もし、あなたがこれらに対し努力しないとしたら、あなた自身、クラブ員の減少を口にする資格はないし、あなた自身がクラブ員の減少を作っているということです。あなた自身の真剣な努力のみがこれを救えるのです。

「4Hクラブに入っていなくても、技術交換大会や実績発表大会などへ参加できる。だから4Hクラブへ入る必要なんかないじゃないか」と言われて返す言葉がなかったあなた自身があわれに思えてなりません。私もそんな経験をしてきたからなんです。

でも、私たちがいま考えなければならないのは、そう言われてもしかたのない体制から私たちがぬけ出すことであると思います。第八回の「全国4Hクラブ員のつどい」で私自身が実感したのは、そんなことでした。

この「つどい」では、たしかに多くの方々にお世話になりました。感謝しております。私たち4Hクラブ員がいなければできない大会だということも再確認できました。まさに4Hクラブ員以外は必要としない大会、つどいだったのです。ほんとうに4Hの精神にのっとった規律ある青年の姿も多く見ました。

しかし、その反面、私は4Hクラブ員という名だけを借りた青年の姿をも多く見ました。たとえば、他人の車にキズをつける者、寝具をいためる者などです。私は、4Hクラブ員ではない他人のために、はずかしい思いをしながら謝罪に歩いて回ったものです。

あなたの努力に感謝することのできないような仲間を作った教育者に大きな責任があるような気がしてなりません。

さて、私も十九代目の道連会長ですが、過去十八年間育ててくれた先輩各位の努力に感謝して、みなさんの苦しんでいるのと同じ問題を、みなさんと一緒に取り組んでいこうと考えています。

では、がんばっていこう、われら4Hの同胞よ!!

(北海道4Hクラブ連絡協議会会長)〜このシリーズは今回で終りです〜

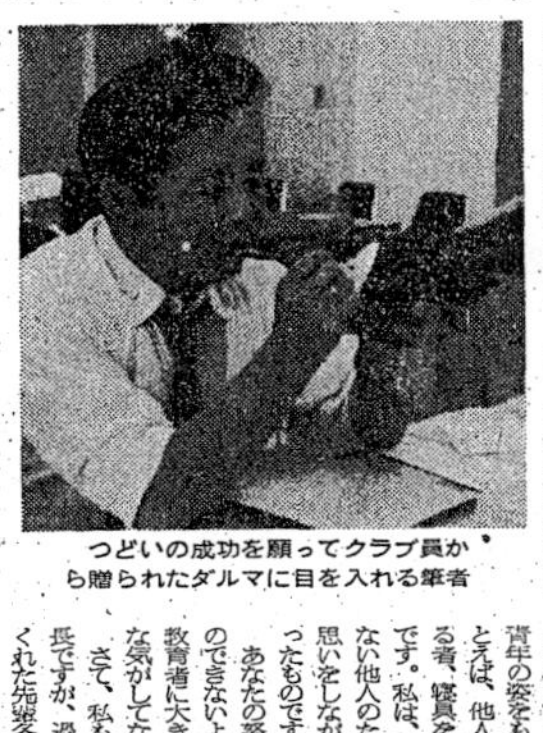

つどいの成功を願ってクラブ員から贈られたダルマに目を入れる筆者

日頃の研究成果を発表するクラブ員＝実績発表会場で

畜産公害助けて!

福岡県連 ハツラツ農業者会議

【福岡】福岡県青村青少年クラブ連絡協議会(会長 古沢富夫君)では、さる一月二十五、二十六日の一泊二日間、福岡市立国民宿舎『志賀の島苑』で開催された「青年農業者会議」に出席した。

この会議は福岡県主催によるもので、県の農業後継者対策事業の一環として毎年行なわれているものである。今年は県下のクラブ員百四十人、農業経営者十八人、農業改良普及員、県農業試験場技官ら[illegible]選抜された二十四名で、今日まで行なってきた個人プロジェクト・共同プロジェクトなどの成果を披露。農業者の日ごろの農業に対する意欲がうかがわれた。その後、「あすの農業をめざす私達の生産活動」のテーマで農業経営者の営農体験発表や、各自の提出したレポートをもとにして、実際に生産活動を行なっていくうえでの問題点や、その解決方法などについて熱のこもった討議が展開された。

夕食後、十九時半よりホールにおいて、昨年度"草の根大使"として半年間あまりアメリカに滞在し、現地の4Hクラブ活動を視察研修、また若い農業者と交流を深めて帰国した黒木4Hクラブ堤千恵子さん、総理府の青年の船に上り東南アジア諸国を視察し帰国した前福岡県連会長角 繁男君と県連副会長の酒見実幸さん、また同船に班長として乗船された県農政部技術課安水氏による合同の報告が、共にスライドを使用しながらなごやかな雰囲気のうちに進められた。参加者全員、外国と日本との生活習慣の違いに感心したり、驚ろいたり、あきれたり……。

二十六日は前日に引き続きテーマを「農家生活とクラブ活動」に変え、分科会討議が行なわれた。このテーマについては、主に女子クラブ員の活発な意見の交換がみられた。中でも共通する悩みとして"クラブ活動を家庭で理解してもらえない"などがだされ、今後の解決策についてなどが話し合われた。

午後から全体討議へ移り、前日の分科会で行なわれた実績発表の代表者六人による代表発表が行なわれた。つづいて各分科会の討議報告があり、特に畜産分科会からは、畜産公害の解決をはかるために参加クラブ員の協力を要請。糞尿などの廃物を果樹園などに肥料として利用してもらうために、県連事務局にその世話を願うとの要望書を提出する一幕もみられ、各分科会とも建設的な討議が行なわれ、熱心な、意欲的な若者の農業に立ち向う姿勢がうかがわれた。

閉会式、県農政部中丸教育係長は実績発表に対して「現状分析、問題把握、将来の方向の三点の結びつきが多少薄い。また訴えたいことを具体的に指摘してほしかった。視聴者が騒がしい時も見受けられたが、全体として、若い農業者の農業に対する熱意と努力は随所で感じられ頼もしく思った…」との講評があった。参加したあるクラブ員は「農業をやっていくうえで、また新たな希望と情熱、それに良きライバルを得て、今後自分の進んで行く道がはっきりと見い出された」と明るく、力強く語っていた。今後のクラブ員の活躍が期待される。

なお、会議に参加したクラブ員の中から、三月上旬東京代々木のオリンピック記念青少年総合センターで開催される「第十二回全国青年農業者会議」へ参加する福岡県代表として、嘉麻川4Hクラブ原田久己君をはじめ十一名が推せんされた。

(大庭茂弥・県連広報委員長発)

体力づくり

男子は駅伝、女子はマラソン

同じ福岡県連では、二月下旬、福岡市中央区の大濠公園において"体力づくり"を行なう。この体力づくりは県下クラブ員が健康で明るく農作業やクラブ活動に取り組み、クラブ員相互の親睦をはかり、各地区連の連帯を高めるために開かれるもの。

(鬼木晴人・県連広報委員発)

涼風暖風

白いものはいいものだ?

"土つきの里芋一キロ下さい"

"皮をむいたものしかありませんよ"

"土つきのごぼうは?"

"あいにくと、ありませんね"

と八百屋の小父さんの言葉が返って来た。そして、土つきのものをといちいち言っている自分に気がつき、苦笑しつつ、店先をながめ廻した。そこには、よくもこれ程までにきれいにヒゲ根を取ったと思われるようにみがかれた色白のつくね芋と長芋、また白く磨きをかけられたと思われる蓮根などが並んでいた。どんなに丁寧にたわしで洗っても、あれ程までに白くはならないはずなのに、何か薬品でも使って漂白しているのではないだろうかと、疑いたくなる程である。

里芋、ごぼう、蓮根、つくね芋……いづれも土の中で育つものであるから、泥がついているのはあたりまえのことである。そしてこれらのものは、各々に一種の苦汁(アク)があるので、料理をする時には、いろいろと手を加えて料理をするのである。そしてその持ち味を生かして美味しく料理されたものは、それを作った人の心くばりの温かさを舌の上に感じつつ、頂くものである。

ところが最近では、泥がきれいに落してあるというだけでなく、ひげ根の一本一本もないようにきれいにしたり、皮をむいたり、漂白したり……殊更に白くされている。これで美味しければ、誰も文句をいったりしないであろう。それがこんなに手を加えられるにしたがって、まずいので我慢ができない。また手廻しよくサシばかり買い置きしておくと、すでに傷んで来てくさりが早いので困ってしまう。

"白いものはいいものだ……"とでも言っているように思われるが、これは一体どこから出て来たことなのだろう?

団地サイズの台所では、"泥つきのものは持ち込めない""里芋の皮をむくと手がかゆくて…"など上品なことを言う御婦人がいるからだろうか"本当にうまい里芋やごぼうを食べたことがないからだろうか"それとも"市場からの注文づけが出されているからだろうか"

農家の人達にとってみれば"自然のままの美味しいものを、思っているのに、やむなく手間と時間をかけさせられているのではないか"……、一体どこかがくるっているとしか思われない。

一方、もう白い里芋、白いごぼう…があたりまえと思っている都会の人がいるかも知れない。ついこの間であるが、田舎からもらった皮つきの里芋を食べて、その美味さに驚いたと、語ってくれた婦人に出会って唖然としたことがあるが、"自然のままにしておいてくれ"と里芋、ごぼう、蓮根……達は言っていることであろう。(T)

大きく築け愛知農業

愛知県連 二十四日から「つどい」

【愛知】つどう仲間で輪を広げ大きく築こう愛知の農業――をスローガンに、愛知県と愛知県4Hクラブ連絡協議会(会長 山本賢治君)では、来る二月二十四日から二十六の二泊三日間にわたり「新経営者愛知のつどい」を同県の青少年公園で開催する。

近年都市化の波の押し寄せる愛知県農業の状勢は、地価の高騰による規模拡大の困難性、それに農産物の貿易自由化などの影響で年ごとにきびしさを増し、農業従事者は激減している。このような状勢下において他国農業に打ち勝ち、他産業にひけをとらない近代的な農業経営者育成のため、県や県連をはじめとする諸関係機関は各地域であるいは県の行事として各種の研修を行なってきた。

このつどいは、そのような各種の行事などを実行したときの悩みや問題点などを県下全域の農村青少年が一堂に集まりこれを話し合い、ともに考え、新しい農業経営者になるためのひとつの布石にするために行なうものである。

また、このつどいは、本年度活動の基本方針である自主独立の精神を生かし、クラブ員が自主的に責任をもって運営する。それによって、4H精神、そして行事は行なうことだけが目的ではなく、行なう過程で学習し勉強するところに意義があるということを体得しようというもの。

運営の新しい点としてめだつのは、全クラブ員の意見を即そのまま、つどいに取り入れるため実行委員は各単位クラブの広報委員があたっていることである。愛知県の本年から始まった広報活動などの徹底強化が十二分に真価を発揮するものと思われる。

参加者はクラブ員をはじめとする県下の農村青少年(三十歳以下)など五百名を予定。また、本年より県外から愛知県の先進農家で留学研究している農村青少年へも参加を呼びかけ、お互いに情報交換を行なう。

主な行事内容としては、経営部門別分散会および作目別分散会でこの二つがつどいの主眼をなすもの。部門は、畜産(酪農、肥育牛、養豚、養鶏)、花き(観葉、ポットマム、シクラメン・鉢物、カーネーション、キク、バラ)、そさい(トマト、キュウリ、ナス、イチゴ、スイカおよび露地そさい、軟弱そさい)、果樹(落葉、常緑)、作物(米、水稲)、樹木(植木・苗木、花木、林業、しいたけ)、(生活)の六つで、作目はカッコ内のようになっている。

また、運営委員はつぎのとおり。

運営委員長　山本　賢治君
実行委員長、　山田　隆君
総務　荒木照夫君他
部門別分科会　竹内秀夫君他
作目別分科会　荒木竹比古君他
生活　岡田益夫君他
講演　沢田雅行君他
レクリエーション　中村義明君他
農村青年の主張　平松　忍君他
映画　岡本行男君他

日程は▽第一日目、開会式、農村青年の主張、寸劇および仮装大会ほか▽第二日目、部門別分散会、作目別分散会、映画、レクリエーションほか▽第三日目、作目別分散会、交通講話、ブラスバンド演奏、反省評価、閉会式ほか。

(山田 隆・県連広報委員長発)

心頭技健

現在、小麦、大豆、トウモロコシなどの穀類が全世界を通じて不足している。その世界的な荒波はすでに日本にも打ち寄せ、大豆を原料とするとうふ類、みそ、しょうゆの値上がりを生んでいる。また配合飼料の値上りは、やがて肉や牛乳、タマゴの値上りにつながるものと見られている▼この穀類の供給不足はソ連、東南アジアなど世界的な天候不順が原因だ。しかし、発展途上国の人口急増加や工業化の傾向などからみて「地球は長期的な食糧不足時代を迎える」のではないかと各方面から指摘され始めてきた▼世界の人口は、今世紀末には現在のほぼ二倍にあたる六十〜七十億にのぼるものと推測されているが、工業化進展にともない農地の割り合いは減少の一途をたどっているという。つまり地球上の食糧供給のバランスが徐々に崩れつつあるということである▼昭和四十五年度から減反を進めている日本人にとって「世界的な食糧不足時代」という言葉などは、なんとも縁遠く響くかもしれない。しかし、世界の状勢につれて食糧事情も刻一刻と変化しつつあることはしかと頭にとめておかねばならないことだろう▼コメの生産を減らし、余った力を畜産、野菜、果樹経営に注ぎ、規模拡大して国際競争力のある農業をめざそうとした日本農業も、稲作転換と好天が相まって豊作となった秋冬野菜、温州ミカンの暴落に直面した▼世界の食糧需給が急変を告げているなかで、わが国の農業はどう位置づけるべきなのか……。

徹底した議論を！

クラブとリーダー〈17〉

視点

原田正夫

「リーダー連中がまとまらない」ということは、その組織にとってこの上ない不幸だと思える。本当にリーダー同士の団結もできない者が、クラブ員にむかって力をあわせようじゃないか……と力説する資格もないんじゃないか。また、人はその人の理論、発言より行動、態度によって影響を受ける可能性が強い。少なくとも私はそうだ。だから、みんなをまとめたいのなら、まずリーダーの心がひとつであることを行動で示すべきだろう。

性格の不一致はむしろ組織にとってプラスだと先号で書いたけれども、それは例えば会員を強くするのにはいろいろな種類の会員を混合した方が良いようなもの。また、私が学生時代熱中していたサッカーでも、私の知る限りで、強いチームというのは個人個人の体力、技能もさることながら、十一人のメンバーがそれぞれちがった持ち味をもっている。

クラブでもいろんな性格の人がいた方が波乱の多い活動をのり切るのに都合が良い。防衛の話ではないけれど"平和時"ばかり続くとは限らないから。

それはともかく、性格が合わないからまとまらないなどとはいってほしくない。世の中いろんな人がいて、この先どんな人と交わらねばならないかわからない。人生の伴侶を選ぶならいざ知らず……。私たちがクラブで培う"心"はそんなチャチなものでないはずだ。けれども案外「リーダー連中がまとまらない」というのは、こういう性格上のこととか、ちょっとした見解の相違などがそのままになって起こっている場合が多いのではなかろうか。

いずれにしろことの解決は話し合いによるほかないと思う。口角アワを飛ばす議論の果てに得た結果は強いはずである。時には自分と考えを異にするリーダーに夜討ち？をかけて、灰皿にすてたタバコを再度引き出して喫いあいながら徹役をしたこともあった。ある時は、ふと思いつき農作業をやめ、車をとばして二時間、彼の畑のあぜ道で星の出るまで話しあったことなど、私にも経験はある。中途半端のままで、まあいいや……でいつまでもほおっておくと疑問はまたいつか頭をもたげ、それがぬきさしがたい断層を作ってしまう。そうなれば口ではいくらクラブ員のために働くことは変りないといってみたって、自ずと悪影響を及ぼしてくるはずだ。

リーダーだけの話し合いでこの種の激論はさけて通るべきでない。やればやる程良いような気がする。ただそれをそのままクラブ員の前で延長戦としてやられては困る。船頭が多くてそれぞれ別方向に船をこがされて客が困るようなものだ。異論のあまり本題からはみ出したり、感情的ないさかいにならぬように誰かがまとめていかねばならぬ。リーダーの中にたとえ一人でも常に冷静に物事を判断できる人がいればありがたい。私ならば、他に何のとりえがなくともそういう人をみつけ出していっしょにやってもらう。

お互い遠慮したり、言ってもムダとあきらめて、それでいてクラブ員の前では平然と他のリーダーと全くちがう見解を示すのはどんなもんだろう。例えとして変かもしれないが、先の国会審議では防衛力の限界について国のリーダー？たるべき閣僚連の発言は全くバラバラ、他人まかせみたいに感じたけれど、あれでは野党どころか我々も困ってしまう。多少の思惑はあっても統一見解くらい出してほしいと思う。

トップリーダーはまず問題点を指摘し、それについて思う存分リーダー連中に議論させ、その上でヨシッわかった。じゃあこの手でいこう！という決断をしてほしい。

結果の良否は別として、あやふやな態度より"これでいくゾ、という態度に信頼感が出てくると私は思う。

（全国4Hクラブ連絡協議会副会長・大阪）

政治と農業を問う

沖縄の北部青年農業者　「現状と将来」で激論

【沖縄】年寄りと婦女子の多い農村にあって、農業経営に力を入れている北部青年農業者の第一回会議（北部農業改良普及所主催）がこのほど名護市内北部会館でおこなわれた。名護をはじめ、今帰仁、国頭、遠く離島村からも参加し、琉球大学農学部農学科吉田茂助教授の「農村青少年としての考え方」について講演を聞いたり「農村の現状と将来」について討議した。

もっと育成策を

吉田教授は「単に農作物を生産するということでなく、資本主義経済の知識を身につけ企業的農業者でなければいけない」ことを強調。討議の場では①政治ベースにのせた農業政策へ取り組む②販売流通機構の整備③農業資金融資面での制度の簡素化④農道の整備―など以前から提起されている問題の早期解決を望む声が多かった。講演要旨と討議の主な内容はつぎのとおり。

農村青年としての考え方

沖縄で農業に従事しているのは年寄りが多く発展面でブレーキになっている。若い者に渡すと生産性が高まり経営の合理化もはかられる。しかし、その後継者のことが大きな問題となっている。それは青年自体の問題でもあり、周囲の大人全体の問題でもある。農業に誇りをもたず、劣等感をもった人が多い。農業はつまらないもの……と大人は子どもに印象づけする。勉強をして他の仕事をせよ……といい、勉強ができないと農業をさせるぞ…と親が平気でいっている。農業の機械化が遅れていることもあるが、まわりの人たちが青年を農業嫌いにし、青年を農業から追い出している。その大人たちの考え方を改めさせることも大きな課題といえよう。いっぽう、単に労働力の提供で農村に残ってもらおうとの考え方もあるが、質のよい人、青年に残ってもらわないと生産向上、合理的な経営はのぞめない。

農業経営は規模は小さくても内容は複雑である。▽どんな作物を組み合わせたらより効果をあげるか―種類の決定▽労働力、機械導入、生産の方法など―資本構成をいろいろ考えなければいけない。昔ながらの農業から早く頭を切り替えないといけない。他の産業部門では大きく進んでいるのに、農業は時代の流れから取り残され、所得の格差も大きくなっている。けっきょく、資本主義時代にふさわしい経営が要求される。みなさんはそういう農業者にならなければいけない。古い習慣から抜け出しむずかしい年寄りも引っぱっていかなければいけない▽経営面の教育がなされていないのも大きな欠陥。これまで生産をあげるための技術教育に主体がおかれた。これからの農業者は単に生産面だけでなく経営知識を身につけた企業家的な農業者でなければこんごの社会についていけない。

農業の所得向上をはかるには

①農業経営のあり方を再検討することによって出てくる合理的な経営②協業による経営③他産業との協業化（技術、販売、機械購入など）例えば農協を通しての販売活動が不振である。家畜にしても大部分は家畜商を通している④経営規模の拡大。少ない面積による合理的な経営から最終的には経営土地面積の拡大が基本となる。しかし、近年宅地につぶれたり海洋博で土地の買い占めが多くなり、農業外への転用が大きく、こんごの農業発展に大きな問題を投げかけている。他に転用しないことを基本的にキモに命じ、若い人たちが率先して農業のあり方を考え、改革していくことである。今こそ主体性をもった農業者の出現が要求される。皆さんがそれになってほしい。

討議の主な内容　▽農業青年は政治的に見放されている。後継者育成の面でなんの対策もなされていない。スピード化の時代に車さえ通れない道が多い。こうした状況が続く限り青年が都市に出たがるのは無理ない▽あるていど資本がないと技術、知識を十分に活用することができない。青年では基礎がなく簡単に金を借りることができない。その道を開いてやるべきだ▽花き園芸など新しい試みについてはなかなか資金を貸してくれない。自分で高利貸しから二百万円借りて経営している▽国有地三十㌶あまりを借り受けて牧場を経営している。農村だからとひがまずファイトを燃やしてがんばり少しのチャンスでも飛びついてつかむべきだ▽農協は会合でも資金はたくさんあるから借りなさいというが、いざ借りにいくといろいろな面でひっかかりが生じ、やすやすと借りることができない。なんとか改善できないものか▽農耕面積を拡大しようにも海洋博などで土地の値上がりがひどく購入できない▽村有地払い下げについてお願いにいったが、海洋博関係の土地利用が決まってから…と農業関係者にはしぶっている。村の政策も観光優先のようである▽流通機構の整備はずっと以前から強く叫ばれていながら改善されない。作っても売るのに時間がかかり、売りに行くと作る時間がない▽農協あたりがもっと流通面に積極的に取り組んでもらいたい▽名護の市場でも今帰仁から野菜をもって行くとなかなか売れないのに、那覇から持ってきたのが足りないほど…という現象がある。いろいろ考えさせられる点が多い。

機関紙展など開く

総会も開催　四十八年度新役員決る

北海道連

【北海道】北海道4Hクラブ連絡協議会（会長　赤松宏君）では、四十八年度の第一回総会、北海道青年農業者会議、機関誌（紙）展、写真展をそれぞれ開催した。

四十八年度第一回総会は、さる二十七日午前十時より北海道青少年会館（札幌市真駒内）で、各支庁議員、役員など約四十人が出席して開かれた。

まず、昭和四十七年度の事業経過報告・収支決算の承認、会務監査報告。つづいて、昭和四十八年度の役員が改選された。

新役員は次のとおり（カッコ内は地区名）―敬称略―

会長　赤松宏（後志）
副会長　沢田義夫（空知）
〃　佐藤とし子（渡島）
書記局長　中尾克美（留萌）
広報局長　鷲野憲夫（桧山）
事務局長　土井敏興（空知）

また、北海道青年農業者会議は、さる二十九〜三十一日の二泊三日間、北海道青少年会館で開催され、約三百名が参加して実績発表、意見発表が行なわれその結果、来る三月上旬東京代々木のオリンピック記念青少年総合センターで開かれる全国大会へ、高橋義春君（北見4Hクラブ・発表課題―私達のクラブ活動）をはじめ男子七人、女子二人の参加が決定。

さらに四十七年度機関誌（紙）展・写真展も、農業者会議と併催された。これは四十七年一月一日〜十二月三十一日までに発刊、撮影されたものを対象とし、それぞれ機関紙の部、機関誌の部、組写真の部、一枚写真の部と四部門に別かれて展示・発表された。

機関誌（紙）展は、日常活動を記録することの必要性は万人の認めるところであり、私たちが日頃クラブ活動の中で実施している広報活動は、その意味において、重要な意義があるとして、今後とも効果ある広報活動をより助長させるために実施された。

日頃の実践活動の記録方法は、種々、研究されているが、従来その一方法として、写真撮影による記録方法は重要な位置にある。北海道連では、日頃の実践の行動記録を、フィルムにおさめ、そのフィルムをとおしての実践報告方法を推進している。その一貫として、この写真展は催されたものである。

なお、数多くの出品の中から次のクラブに、日本4H協会会長賞が贈られた。

機関紙の部　留萌4Hクラブ連絡協議会
機関誌の部　深川一己地区4Hクラブ
写真展の部　稚内市下勇別4Hクラブ

（道連事務局発）

"井の中の蛙"から脱出

交換会で情報交換を密に

未来の農業を探る　埼玉の久喜4Hクと栃木の雀野宮4Hクが

【埼玉】埼玉県・久喜市4Hクラブ（会長　内田栄一君）では去る四日、宇都宮市勤労青少年ホームに雀野宮4Hクラブ（会長　高瀬隆一君）を訪ねた。

当日は好天気に恵まれ久喜4Hクラブ員（男子八人、女子三人）は車三台に分乗し宇都宮へ向かった。

勤労青少年ホームで雀野宮4Hクラブ員（男子十二人、女子四人）の出迎えを受け、交換会に入った。まず互いのクラブの紹介からはじまり、自己紹介と会が進むとともに、"田舎者的性格"もとれなごやかなムードとなった。さらにバレーボールなど"ゲーム"がいっそう両クラブ員を近づけ、いつの間にか"イガ"のついていた栗は皮をむかれ、黒褐色に光り輝く栗へと"変身"したかのように一つに解け合い、楽しさの中に和が生まれ、若い農業者の熱気が会場を埋めつくした。

今日、都市化の波は激しくおしよせ、このような農業をとりまく環境の中で、おたがいに農業に汗を流し、共通の難かしい問題に直面している関係から、農業経営、農村生活の将来、地域生産との組み合わせなど、話し合いはマンツーマン方式で広く進められた。各自が日頃思っていること、考えていることをお互にぶっつけ合っていた。

あるクラブ員は、「身体を売り経営しているが、自分の立場を考えると、農業技術を得るといった基本的態度を身につけることも必要だが、それよりも農政から農業の姿を考えてほしい。また、一般的に農家（民）は目先だけの所得にとらわれて、自分のサイフの中味しか考えないが地域の情報の交換も大切なことだ。」と言う。

とかく経営者として一人前の所得をあげている者でも、自分の収支は概ねわかっていても一家の経営を述べる段階になるととまどってしまう。その場だけしか見えない"井の中の蛙"的存在が多く見られるようだ。共通する問題の解決は、情報の交換を密にして、それに対応できるようにしなければならない。特に技術オンリーにとらわれず、周囲をくまなくみつめ、企業的経営をするためには簿記の記帳は欠かせない条件となってきている。

規模拡大が難かしくなっている現在、より多くの所得をあげるためにはたくさんの問題が山積みされている。これからの4Hクラブを充実させていくためには、従来のものに縛られず経営主として強い姿勢を持たなければならない。クラブ員の間には、近年こうした態度が明らかに表情としてみえてきている。

環境が変われば変ったような農業経営に移行させれば負けることはないとクラブ員は言う。このような考えのうえに立てば自主性、自発性は自ずと培かわれてゆく…といった雰囲気の中で、将来の交換、交歓会が開かれたのである。一日という短かい交歓会であったが、この場から青年たち一人一人は"生きがい"をみつけたにちがいない。

（久喜農業改良普及所・青少年担当　石塚保氏発）

"生きがい"で討論

鹿児島の農業研修グループと高知の春野町のクラブ員ら

【高知】「若者は仕事に生きがいを見い出せるか」というテーマで去る五日夜、吾川郡春野町青年学級のメンバーが、同町内に国内研修に来ている鹿児島県の農業青年グループを招いて討論会を開いた。むずかしいテーマだったが、日頃から悩んでいる問題らしく、予想以上に活発な論議がかわされ、双方それぞれ感じるところがあったようで、有意義な会となっていた。

鹿児島県の勤労青年国内研修（農業）グループは諏訪訣・同県教育庁社会教育主事ほか青年男子九人。園芸王国土佐の中でも特に知られた同町の農業経営ぶりを学ぶため、六泊七日の予定でさる三日から町内の園芸農家九戸に分散して宿泊していた。

ちょうど、同町青年学級のことしの最初の定例会が五日夜西分の西分農協で開かれ、"薩摩隼人"たちも全員これに招待された。地元青年約四十人のほか山脇町教育委員会次長も出席。まず地元4Hクラブリーダーの塩田福広君と、同町議会最年少の中村勝広議員の二人が、この日のテーマの「仕事と生きがい」について講演したあと、お菓子をほおばりながら五つの分科会に分かれ各テーブルで討論にはいった。

テーマが抽象的であるうえ初対面ということもあり、最初はややぎこちない滑り出し。だがお国柄こそ違うまじめな勤労青年にとっては共通の問題とあって、次第に土佐弁と薩摩ことばが乱れ飛び始めた。

あるテーブルでは「農家の長男だから農業をやっているだけ。だから生きがいなんて…」という意見に対して「自分は子どもの時から農業が好きだった。ひと仕事すんでお茶を飲むときが最高だ」と反論、「将来、お嫁に来てよかったと思われるような農業経営をするつもりだ」と張り切る声が聞かれた。また、別のグループはUターン青年について「生きがいは身近にあるもの。それを都会に求めて、ざ折して帰ったのがUターンだと思う。"経験"が多いことがちょっぴりうらやましいだけ」などと話し合っていた。

討論がすんだあと、この会の感想を求められたある"薩摩隼人"は「こういった集会の経験がなく春野町の青年がうらやましい。仲間同士で積極的に意見を出し合うことに生きがいがあるのだと痛感した。帰ったらぜひ青年団活動に力を入れたい」と楽しそうに話していた。このあと、全員がスクラムを組んで「若者たち」などを合唱。名残り惜しげに同日午後十時半頃散会した。

なお、同研修グループは宿泊先で研修したあと九日高知を出発、大阪、東京を経て十七日に鹿児島に帰る予定。

蛙道

運命共同体とは？

人は好むと好まざるにかかわらず種々の共同体とかかわりを持ちながら暮らしている。近年、生物学者は共同体を広義に解釈し、地球共同体、更には運命共同体として地球をとらえている。

そう遠くない将来起こり得るであろう経済の超発展、重化学工業、輸送手段、家庭用熱消費等がもたらす環境汚染から地球を救うためには、もはや一国で解決できない将事態は深刻と訴えている。

ノルウェーはECの一員になることを国民投票で拒み、経済の発展と人間をバランスにかけた。また、広大な森林とそう多くない人口を有するスウェーデンにおいてさえ事態は変らない。実際、魚の住めなくなった湖がみられる。鉄鋼、製材が国の基幹産業であることを考えるとき、起こるべくして起きたと言えるかも知れない。国連環境会議が開かれた事は、我々の持っている福祉の国というイメージを改めて認識させ、この国の意識の高いことを知らされる。

大工業地帯や、大都市からはきだされた粉塵は、遠く彼方まで運ばれ、今や南極も汚染からまぬがれえなくなった。このように各種の汚染物質は地球を覆い包んでいるのが現実だ。

一方、人口の爆発が唱えられて久しく、世界の食糧事情は悪化の一途をたどる中での比肉な生産調整。自立農家の育成という目標は、列島改造に伴う地価の高騰で農民の"土"を"土地"という金に変えてしまうところが随所にみられることとなろう。それとともに生産意欲の減退を招くことは、過去の例が示し疑う余地はない。

改造を進めるためには、農民の土地の提供なくして全く考えられない。同時に、生活圏への影響は測り知れない……。

最後の楽園が本当の意味で最後にならないように願わずにはいられない。

（拓植）

住みよい農村へ

土佐市と春野町の　青年と婦人が話し合い

【高知】土佐市と吾川郡春野町内の農業に従事する若者と婦人たちがお互いの苦労や悩み、希望を話し合い、住みよい農村づくりを推進しようとさる五日、土佐市高岡町の市民会館で「農村青年と婦人のつどい」を開いた。

土佐農業改良普及所の指導で毎年一回行なっているもので、今年で五回目。約百七十人の青年男女と主婦が参加した。午前中は第二回高知県青年の船で東南アジア諸国を見学した農業青年九人の研修体験談と、春野町そ菜4Hクラブの成田英秋君の「共同育苗によるセロリの栽培」と題する研究報告があった。午後は四分科会に別かれ「明るく豊かな村づくりのために」などを共通テーマに意見を交換し合った。

青年たちは、農業経営の分担を決めて若者の経済的独立や主体制を認めてほしい。仕事ばかりせず趣味を持ってゆとりのある生活を営めないものか。"自分たちの若いころは…"といった言はなしにしないでほしい―などの意見を次々と出す。一方、主婦からは「若い者は自己主張ばかりして、ひとりで大きくなったような気でいる」といった反論のほか「ミカン価格の暴落で収入は減ったが、急につつましくするのもむづかしい。まず、ふくれあがっている冠婚葬祭の出費からきりつめよう」などの意見がでていた。

スキーであおう

静岡の北駿4Hクラブで

【静岡】北駿4Hクラブ（会長　長田久司君）では二月十五、十六の両日、一泊二日の日程でスキーのつどいを計画しており、農業後継者の参加を呼びかけた。

同クラブでは十五日午後三時までに御殿場市ぐみ沢、御殿場農協本庁に集合し御殿場スキー場に登り、スキーのつどいを体力づくりをかねて楽しく行なう予定。

クラブ往来

らくよう4Hクラブ

果樹栽培の旗手

福島県白河市から東へ十二㌔、丘陵地帯が広がる。この一角で土に生きる十五、六歳から二十五歳までの若者八人が大きな目標をかかげ同会を発足させたのが、さる四十四年五月。農業が曲り角にきている、と騒がれ始めたころである。もともと同地区は地形・土質の関係で小規模ながら各農家が果樹栽培を行なっていた。その矢先、石川町の母畑ダムの水が同地区までくることが明らかになり、歩調を合わせたように県が果樹基幹産地造成事業をスタートしたため、若者たちに将来へのユメをもたせたことは否定できない。

クラブ会長　斎藤吉治君は「良質、多収の果樹栽培が要求されているだけにダムの水がここにくるのは大助かり。水田に限らず農業経営で必要なのは水ですよ。それに基幹産地の指定は補助金が交付され、専門家の指導もあり得ですから」とこの間の事情を説明する。

果樹基幹産地の指定がすんなり決まったわけではない。

そのころの同村内の果樹栽培面積は、指定規準の五十㌶に満たない三十三㌶。西白河農業改良普及所の助言があり山地を開発し果樹面積拡大の話し合いが横山地区で進み、旗手をつとめたのがこの"行動力"のある若者たちだった。

早速地区共有地のカヤ山を借り受けて一・二㌶のモモ園、さらに十六・二㌶の山林をリンゴ園へ造成。名づけてリンゴの"スパータイプ"。団地指定を受けたのはむろんである。八人のクラブ員は大きく胸を張る。

一・二㌶のモモ園は八人の完全協業で昨年の実績は四㌔入れ一千箱の"大久保"、"白鳳"を茨城県を中心に出荷した。造成費、機械力の導入などで赤字だそうだが、若者たちは「植えてすぐ収穫できるわけではなし」と割り切り、二、三年後には"黒字"の自信はたっぷり。一方、リンゴの"スパータイプ"団地加入者は同地区の人を含め十三戸。地籍は分割しているが十六・二㌶の畑に区切りはなくレッドスパー、イエロー、スパー、ふじ、スターキングがたわわに実をつける日を待っている。スピードスプレヤー二台、自走式、けん引式防除機各一台、一万六千トンの共同防除貯水施設と防除力は満点。この団地育成の技術的責任は同クラブがもち、八パセットによりリンゴの育成を計画的に撮影したり、せん定はもちろん、先進地の視察、市場調査も実行している。

「らくよう」の合いことばは、ムダがなくて無理のない労働。地域への奉仕も重視して技術の交換、清掃作業も続けている。県農友会長賞などこれまでの活動の足跡が認められ、若者たちは、より大きな前進を狙う―あそこの農業所得は大体一戸平均百五十万円ですが、五十一年度には二百六十万円になります。農業後継者のツブもそろっていることは県下一です―西白河農業改良普及所は若者たちを評価しこう断言している。

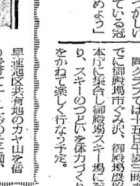

新しい"米づくり"を探る

酒米"玉栄"の生育診断

共同プロジェクト 倉吉市農村青年会議が

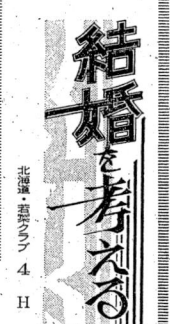

米の生産調整（四十八年度農林省は二百五十万トンの生産調整をすすめることを明らかにした）の中で米づくりが単に増収だけでなく、"おいしい米""良質米の生産"が稲作農家の使命といえる時代になってきた。これは農家にとって従来と同じような稲づくりは許されなくなったということです。

昨年、倉吉市農協を主体として大粒酒米の新品種が導入されることになり、良質米生産を考えるとともに、この品種（玉栄）がどのような地域に適し、最良の栽培方法を探ると同時に、従来の"日本晴"との比較において生育診断の技術を修得することは、将来の米づくりに大いに役立つと考え共同プロジェクトとして会員みんなで取り組んだ。

なお、この生育診断調査には、倉吉市役所農林課、倉吉農業改良普及所の助言を得た。

導入された酒米新品種「玉栄」は二ヘクタール以上が要求され、酒屋との契約栽培で等級ごとに加算金がつくというもので、これからの新しい米づくりの一つの方向として考えられる。

〈調査圃場の決定〉

生育診断用の圃場を北谷一戸、小鴨一戸に栽培を委託した。（表1）すべての調査圃は稚苗機械植。

〈草丈の生育変化〉（図1）生育前半は1、2とも相違はみられず、七月下旬にみられた差がそのまま比較の差となり、最高分けつ期以降には変化がみられず、五、六葉期2の方が成長がよかった。

〈茎数〉（図2）1、2ともに最高分けつ期は七月上旬に経過している。2は遅れ穂が多く出穂後茎数の減少がみられた。一株当り茎数では調査点によりかなりの差がみられ、最高分けつ期には1で27本、2で22本となっている。

〈幼穂形成期の稲の状態〉（表2）1のほうが上部節間が短かく上位葉数が多くあるが、葉面積指数は四、五六と標準より低く稲の形態は健全である。

2は下部節間が伸び葉面積指数が八、〇一と異常に高く、稲の形態は不健全であった。このため、穂数は1より少ない。また、ヨード反応によって1のほうが2に比較して"澱粉蓄積"が高いことがわかった。葉の位置別の長さをみると、1は三葉以下の葉身が平均化し、株元まで光が充分に入ると考えられる。しかし2は反対に四葉が極端に伸びすぎ光は株元まで通っていないために、七、八葉が枯死したものと思われる。

〈収量調査の結果〉（表3・4）収量は日本晴と玉栄を比較すると、日本晴が優れている。その原因は玉栄は一穂えい花数が極端に低いことが原因と考えられる。ただ千粒重は大粒酒米の性質上極端に高くなっている。

1、2を比較すると、地域的な差が明確となり、2は平坦砂壌土のやや秋落ちぎみの田であるため収量構成要素が貧弱になっている。1の中間地帯の壌土では秋落ちの傾向はみられず、収量構成要素が高く、幼穂形成期の形態の優位性によるものと考えられる。

なお、調査には第3圃場で実肥の効果確認を行なったが有意差がみられず結論がでなかったため、ここでは省略した。

〈まとめ〉

一、地域的適応性として、中間地帯の肥沃な水田が玉栄に適すると考えられる。

二、収量を上げるには、一穂えい花数の向上をはかることが第一であり、このため穂肥の適期、適量施肥が行なわれなければならない。

三、籾数については、中間地帯のように気温差が大きいほうが良好であると思われる。

四、植え方については、疎植のほうが収量があがると考えられる。

図1. 草丈の時期変化

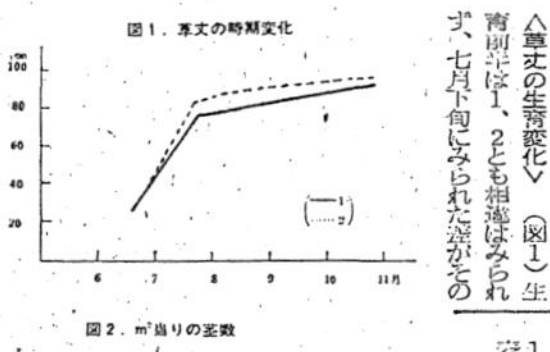

図2. ㎡当りの茎数

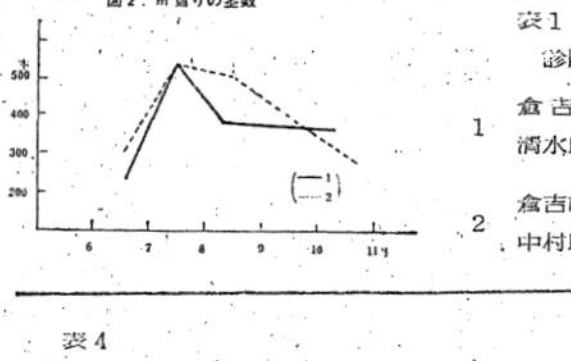

表1

	診断場所	面積	調査圃の概況	調査目的	田植期
1	倉吉市尾田 清水氏 圃場	玉栄10a 2筆 日本晴5a 1筆	標高70m 中間地帯 壌土黒ぼく開田 排水良好	品種の適応性	6月5日 15.7×33.0 (cm)
2	倉吉市中河原 中村氏 圃場	玉栄10a 1筆 日本晴5a 1筆	標高40m 平坦地帯 沖積土、砂壌土 排水良好	〃	5月26日 14.3×29.7 (cm)

表2

	幼穂長	葉数	葉長2葉	8葉
1	2.8cm	7	39.3cm	24.5cm
2	5.2	5	40.9	枯死

L.A.I.	1株乾物重g 葉茎	1株乾物重g 根	1㎡当たり乾物重Kg 葉茎	1㎡当たり乾物重Kg 根	R/F比	ヨード反応%
4.56	29.0	10.8	559.7	208.4	37.2	60.2
8.01	40.1	16.1	942.4	378.4	40.2	57.3

表3

1株当たり		1 玉栄	1 日本晴	2 玉栄	2 日本晴
稈長	cm	75.4	77.9	80.4	83.2
穂長	cm	18.5	20.0	19.1	19.3
穂数		19.6	14.0	11.6	14.6
穂重	g	33.3	27.9	19.7	27.7
粉重	g	31.3	26.7	18.4	23.0
1穂えい花数	(粒)	46.7	63.2	52.8	59.0
登熟部合	(%)	86.5	93.5	70.0	74.9

表4

	1 玉栄	1 日本晴	2 玉栄	2 日本晴
全重 (Kg)	1425.0	1551.0	1758.8	1800.0
粗籾重 (Kg)	580.5	661.5	694.1	735.3
わら重 (Kg)	844.5	850.5	1064.7	1064.7
籾/わら比 (%)	68.7	77.8	65.2	69.1
精籾重 (Kg)	555.0	657.0	676.6	717.0
精籾重歩合 (%)	95.0	82.9	97.5	97.6
粗玄米重 (Kg)	463.5	544.5	570.6	588.2
もみすり歩合 (%)	83.5	82.9	84.3	82.0
精玄米重 (Kg)	462.0	543.0	326.0	576.5
精玄米重歩合 (%)	99.8	99.7	57.1	98.0
酒米千粒重 (g)	31.7	22.7	28.3	21.8
等級	2等下	2等下	3等中	3等中

(注) 酒米千粒重は水分14.5%を補正値とした。等級は5人検見

"シメジタケ"で高収益

五人共同 施設栽培に本腰入れる

【千葉】君津市の五人の若者が共同で、全国でも珍しい"シメジタケ"の栽培に取り組んでいる。同市の農村部は近年いちじるしい過疎化現象が目立っており、若い労働力の都会流出が相次いでいる。こうした情勢の中で、農村に踏みとどまり独自の創意と工夫で高能率、高所得農業の実現をめざす五人の新しい事業に各方面から関心がよせられている。すでに施設ができあがる前の昨年末に第一回の出荷を行なったが、キロ当たり四百円と比較的良好な値段で取り引きされ、幸先よいスタートを切った。編集部では、彼等の共同プロジェクトを高く評価するとともに、新部門の開拓、経営規模の拡大など、クラブ員のみなさんの参考になればと思いここに紹介します。

この若者は、鶴田剛君、加藤定雄君、白熊孝君、須藤久雄君、永島正稔君ら五人で、年齢は加藤君の二十六歳を筆頭に平均二十五歳という若さ。

いずれも農家の長男として農業後継者の立場にある若者たち。ほとんどの家が水田を中心としているが、作今の農業情勢は米穀生産調整、野菜価格の不安定など厳しさが増すばかり。

このため、4Hクラブを通じて"高所得農業"の在り方を模索していた。最初は、農業改良普及員の指導を受け、エノキタケの生産に着手したが、すでに長野県がこの分野では九〇%のシェアを持っており、経営的に失敗した。

これにかわるものとして"白羽の矢"を立てたのがシメジタケ。群馬県および埼玉県秩父地方から産出されるが、自然発生したものを採取、出荷するだけで栽培を手がけている農家は皆無だった。

昨年十二月、総工費二千万円（うち近代化資金一千二百万円）をかけて完成した栽培施設は、二十坪の殺菌室に八棟の培養室、フレームハウスが完備した本格的なもの。

九百度の高圧ガマで殺菌した米ヌカとオガクズの入ったガラスビンで栽培するが、殖菌後約七十日で採取可能で、年四回の生産ができるなど、栽培効率のすぐれた作物。しかも一年を通じて出荷できる利点があり、現在の価格は平均でキロ当たり四百円、高値で同五百円と期待以上の成果を収めている。

順調なスタートを切ったシメジ栽培だが、問題もないではない。

それは、シメジタケは、四—五月ごろ山間部に自生し、産地からこれらの天然ものが、安い価格で市場に出回ってくること。

価格もキロ当たり二百五十円程度にまで下がるとみられるので、コストのかかる"栽培"ものにとってかなりの脅威となりそう。

加藤君らは、目下、この対策を懸命に検討しているが、「この点さえ解決できれば、この事業は成功したと言ってもいい」=若者たちの相談役である鶴田・上総農協指導係の話=という。

君津市の山間部は最近、人口流出が著しいがこうした悪条件を克服し、年間四万八千㌔のシメジタケの生産を目ざす五人の若者たちの姿は"新しい農業"を目ざす他の農業後継者たちの、強い関心と注目を集めている。

（鶴田 剛〜君津市大戸見三六二・前千葉県連会長）

県の積極的な施策を

富山県の青年 知事と農業めぐり懇談

【富山】富山県青年農業者連盟（会長 大川登作君）では去る一月三十一日、県庁に"農業で自立をめざす県下の若者"として、中田知事を訪れ、混迷する農業に対する不安や悩みを切実に訴えながら県の積極的な姿勢と施策を要望した。

大川会長、久保博事務局長ら二十人でこんど初めて実現、知事応接室で一時間余り懇談した。

クラブ員の訴えは①減反政策は農民の意欲を減退させ富山県農業の発展を防げる。四十八年度は単純休耕をなくして転作へ指導の転換をはかってほしい②県農地開発会社の機能を活用して経営規模の拡大を推進してほしい③畜産、園芸などの団地化を進め、低利融資、助成、補償制度を④過疎地など村に居残る若者などの過重負担を軽くする救済措置—などで、とくに専業農家の育成と、農業の後継者づくりに力を入れてほしいと強調した。

これに対し中田知事は「本気で農業をやろうとする若い力に期待する。農地開発公社で経営規模の拡大を進める。地帯別に契約栽培をするなど土地利用計画策定にあたって十分考慮する。こうした話し合いの場を継続させるよう努力する」と前向きに答えた。

ミカンの剪定講習

静岡の清水連合4Hクラブ

【静岡】ミカン王国清水地区では、品質の向上をめざすリーダー格の剪定講習会が始まった。清水連合4Hクラブ（会長 西子由君、クラブ員五十五人）では去る五日、ミカン部員たち二十五人が、中部農業改良普及所の日高技術員を講師に招き、日本平の農園で講習を受けた。

結婚を考える ▶37◀

北海道・若葉クラブ 4HX子

恋愛と結婚

私は一女性として愛に生きる

恋愛……。結婚……。これは私たち若者にとってもっとも身近かな大問題です。私たちの誰もが日々胸に抱いている問題ともいえるでしょう。現にいま、この私は恋愛と結婚について深く考えさせられているのです。

といえば、アイツはいま恋愛中なのか？と思われるでしょうけれど、それはみなさんのご想像におまかせしますよ！

それはともかく、私がこんなテーマをとりあげたのはなんといっても年頃なのでしょうか。人前で自分の年齢を明かすのは少々恥ずかしい私です。早く売れたい気もしますよ……。

私が恋愛とか結婚とかに対して考えだしたのは高校三年、いえ、あれは二年の頃だった友だちから「もうそんなこと考えとるの」といわれたことも幾度かあります。高校卒業後は、マイペースで深く真剣にそのことを考えはじめました。

みなさん、恋愛と結婚は両立できると思いますか？それとも両立できないと思いますか？

私が思うに、それはどちらでもないことです。その人、その人によって異なるものですからね。恋愛し、その愛を乗り越えて結婚する人もいれば、恋愛しても事情によっては結婚できない人もいる現実がそれを考えるまでもないことだと私たちに教えています。

また、現代においては見合い結婚も恋愛結婚も同じようなものです。私は、見合い結婚には愛がないとは決して言いませんが、やはり力強い愛によって結ばれる恋愛結婚に歩を賭けたい気持です。

愛し合っていても結婚へ進めない事情も数多くあります。二人の愛の前に立ちふさがる壁があることなど私は信じたくないのですが、でも現実とはそんな要素を多分にもっています。

そうは思っても、その壁を二人の力で乗り越えてこそ、そこに真実の愛が生まれるのだとも考えます。それこそ真実の愛の姿だという気もします。

フランスのある尼僧は「愛する者の幸福を気にかける恋愛だけがほんとうの恋愛である」といっています。私はこの意味がよくわかるような気がするのです。というのは、心から愛するからこそ、その人には幸わせになってほしい、自分の何倍もその人が幸わせになってくれさえすれば自分はどうなってもいいんだ、と最近、私は考えたりするからです。

私の頭の中では、二人の前の壁とこの愛の姿が互い違いにかけめぐっているわけです。ですから私も真実の愛ということに対して結論的にまでわからないのが現状です。

真実の愛とはいったいどういうのをいうのでしょうか。フランスのある作家は「愛は死よりも強い」といっています。また日本の白樺派の作家、有島武郎が自殺したとき、その側に武郎の愛人も死んでいたという話は私に愛について深く考えさせます。彼女の死は、彼女が武郎を深く愛していたことを物語っています。自殺がいいのか、悪いのかは別として、愛は死よりも強かったといえるのではないでしょうか。これはドラマチックな恋愛かもしれません。しかし私は、それがとてつもなく美しく思えるのです。

私も彼女のように、そんな一筋の愛に、生命がけの愛に生きたいひとりです。みなさんはどう思いますか？こういう恋愛を否定しますか？

では、男子クラブ員のみなさん、いま、あなたが結婚を考えたとします。あなたは家の農業を背負って立つ後継者です。そのあなたは現在、恋人がいてその人を心から愛していると仮定します。ところが皮肉にもその女性は体が弱く『農家の嫁さんとしてはちょっと……』と考えたとします。そのとき、あなたはその人をあきらめ、農家にふさわしい人を見つけますか？それとも愛をとって、逆にあなたが農業をあきらめますか？男のあなたであればどちらを選ぶでしょうか？

女の立場はこうです。私はそんな場合、あなたが幸わせになってくれさえすればと考え、そっと身を引くでしょう。こうして身をひくこと、これも一筋の愛ゆえなのです。

恋愛して結婚できたというなら、それにこしたことはありません。しかし、果してそれが二人の幸わせに直結するのかどうか……。もちろん結婚するときは甘い生活を夢みて、何もかも幸わせに満ちあふれているといった気持になるでしょう。しかし、結婚してしまうと、そんな幸わせなどどこへ行ったものやら見当つかず、不満に不満を重ねたあげく最後には離婚というケースも最近では増えています。

私は離婚という言葉は大嫌いなので、ここには出したくないんですが……。離婚の大半は努力不足だと私は思います。やはり人生はなにごとにおいても努力ではないでしょうか。

ところで、私は何をいいたいのか。

現代の結婚は離婚するための結婚といっても過言とはいえないような気がするのです。みなさんは結婚ということに対してどう考えますか？私は、私なりに結婚とは自分の喜びを二倍にし、苦しみ、悲しみを半分にするものであると理解しています。そのためにはお互いの心をひとつにしなければならないと思います。そこで再び愛という言葉が登場します。つまり、お互いによく相手を理解し、心から相手を愛さねばなりません。そして、愛する人であれば、相手の欠点までも自然と愛することができると思います。いかがでしょうか？

人間、一生のなかで、心の底から愛することのできる人は、ひとりしかいないと思います。

その最愛の人と一生を共に生きてゆくことが、最も幸わせなことではないでしょうか。幸わせは人によってそれぞれだとは思いますが……。でも、私は人を愛すること、また、最愛の人との生活ほど幸わせなことはないと信じています。お金がなくても、きれいな服が着れなくても、立派な家がなくても、そこに二人の固く結ばれた愛があれば、私はそれで幸わせだと思います。満足に満ちた生活だと思います。それが本物の幸わせというものではないでしょうか？私はそう信じています。とくに女の私にとっては……。

それには、お互いに努力するとともに忍耐力が必要だと思います。もし私に相思相愛の恋人がいて、お互いにある程度の自由な身であれば、たとえ、相手が一文なしの男であっても、きっとその人についてゆくでしょう。いいえ、きっとついていきます。自分のすべてをその人に賭けます。

ほんとに愛し合っていれば、苦しさも悲しさも幸わせに思えてくると思います。みなさん、そうは思いませんか？

私は、もしかりにその生活が中途半端に終わったとしても、決して後悔しないでしょう。私はそんな真実の愛につつまれた結婚生活を送っていきたいと思っています。少なくとも、それに一歩でも近い生活をめざしたいと思います。

しかし、理想と現実とはうまくかみ合わないものです。それに自分の運命とでもいうべきものもあるのでしょうか。よく、理想とは逆になったケースというのを見るものです。

しかし、私は、真実の愛に生きる自分の姿のみを思い描いて将来に望むことにします。みなさんもどうかよい伴侶をみつけ幸わせな結婚生活を送って下さいね、北国からお祈りします。

NHK農事番組（2月21〜28日）

テレビ

明るい農村 6・30〜6・55 総合
- 21日 産物百科「きゃべつ」
- 22日 話題と人「緑売ります」〜静岡県北浜市
- 23日 農村新地図「秋田県大潟町」むのたけじ（評論家）
- 24日 村をむすぶ「岐阜、高松、仙台、東京」
- 25日 明るい漁村
- 26日 村の記録「過疎打開への道」その一—一〇四七の訴え
- 27日 「過疎打開への道」その二—買い占めブーム
- 28日 「過疎打開への道」その三—集落移転の明暗

農業教室 7・30〜8・00 教育
- 19〜24日 「大型施設の運営」岡戸満（日本農業機械化協会）
- 26〜28日 「大型機械の経営管理」木村唯一（日本農業協会）

あすの村づくり 日 7・00〜8・00 教育 再 土 13・00〜14・00 教育
- 25日 「施設農業の未来」小島幸一（日本大学教授）加賀見宏（農業技術研究所）

ラジオ

早起き鳥 5・41〜5・57 ❶
- 21日 寒冷地の酒米づくり 和田技師（上川農試）
- 22日 辺地医療五十年 藤巻乃雄〜新潟県川西町
- 23日 サボテンの空中栽培 宮坂正雄〜静岡県小笠町
- 24日 ふるさと通信〜高知局
- 25日 農地をまもる（多元）東京、盛岡、広島
- 26〜28日 "過疎シリーズ" 佐藤達夫（人事院総裁）

話の広場 日 6・15〜6・30 ❷
- 25日 「百万遍念仏の里」〜神奈川県山北町

新しい農村 日 6・00〜6・30 ❷
- 25日 「農業団地の課題」〜体験発表大会から〜

ラジオ農業学校〈講座〉月〜土 6・00〜7・00 ❷
- 19〜21日 「市場と出荷作戦」小野誠志（農業技術研究所）
- 22〜24日 「自由化の本質」持田恵三（農業総合研究所）
- 26〜28日 「地域分担」山口苔夫（日本大学教授）

施設農業の未来は

施設農業は、せまい国土の中で、他産業に匹敵する所得をと上実されたものであり科学技術の進歩とともに将来の日本農業の中心的存在と考えられている部門である。現在、全農業生産額の中の三〇〜四〇%を占めようとしている。解放経済下、日本農業に可能性があるとするなら、この部分以外には考えられないとする論すらある。そして一方には農業が土とはなれてはあり得ないこと、そして工業化公害社会の中の農業の役割を考える時そのような方向で農業を考えることに疑問をいだく考え方もある。番組では、日本農業の中に占める施設の農業の位置を明らかにし、その可能性を議論しながら、農業の中の施設性、そのあり方—解放経済下の日本農業を背景にしながら—について考える。

地域開発の対応

企業の土地買い占めの動きなどをアンケート

全国農業協同組合中央会

全中は、このほど、都道府県中央会を対象として昨年十二月に行なった「地域社会開発に関するアンケート調査」の結果をとりまとめました。これは最近における企業の土地買占め等の動きに対し、都道府県中央会から土地問題への対応に関する情報収集を行ない、系統農協の地域開発方策の策定に役だたせようというものですが、回答は、三四の都府県からありました。

これによると、地域社会開発、または土地問題に対して、すでに一六の都県で特別に対策機構を設置して組織的に対応しているほか、八つの府県でも具体的な計画をもっていると報告されています。

県庁等行政機関との連携については、八つの都県が開発公社、研究会などを通じて強化がはかられており、一七の府県でも計画をもっていることが報告されています。

単協における優良事例などについては、二一の府県が把握していると答えています。逆に、乱開発、土地買収にからんでトラブルがあったという都府県が二六にもおよんでおります。

都道府県中央会の地域開発に取組む場合の重点事項についてみますと、土地の有効利用開発三〇県、農住・住宅供給のシステム開発二八県、相談・コンサルティング活動二八県、農業団の重点……二五県、情報の収集・提供……二三県、外圧的開発要因への対応二〇県、過疎地の開発九県、その他一県となっております。

さらに地帯別に、重点課題をみますと、土地の有効利用策、相談・コンサルティング活動、情報の収集・提供活動については全国的で地帯別の特徴はみられませんが、農業団を重点課題におくものは東北、中国、九州に多く、農住・住宅供給等のシステム開発に重点をおくものは関東、近畿、山陽、四国にみられます。外圧的開発要因への対応を掲げている地帯は、東北、北陸、中国、四国、九州地区に多く、最近における企業の土地買占めの状況を如実に表わしております。一方、土地対策を取上げている県は秋田、山形、東京、長野、京都、和歌山、鳥取、佐賀の都県で問題の複雑さを物語っております。

"生活の知恵"に学べ

近く発刊予定『家庭実用百科』

家の光協会

生活革新、ということばが使われるようになってから、もう十年近くになりますが、年ごとに大きく変化、発展する経済、社会のなかで、わたしたちの生活様式は"革新の連続"といってもいいすぎではないでしょう。こうした時代に対処するためには、常に新しい生活技術と意識が要求されます。

しかし一方、核家族の増大にともない、母から娘へ、姑から嫁へと受け継がれた"生活の知恵"が断たれようとしています。

こんど家の光協会から発刊する『家庭実用百科』（全五巻）は、そうした時代の要請にこたえて企画したものです。

したがって、この『家庭実用百科』の特徴の一つは、新時代に必要な、もっとも新しい生活技術と知識を、わかりやすく解説したことです。そしてもう一つは「家の光」創刊いらい五十年の経験と、定評ある"家の光実用書"づくりの技術を生かして、長い間、農民の生活のなかで磨きあげられた"生活の知恵"を豊富に取り入れたことです。

以上二つは、これまでいくつか出版されている"実用百科"にない大きな特徴といえるでしょう。また、本づくりについては、あくまで読者の立場に立って、読みやすく、使いやすい、をモットーに、図や写真を使って、要点がわかりやすく、すぐ役立つよう編集しました。わたしたちの日常の暮らしのなかで、ふと疑問が生じたとき、いつでも身近で、正しい解決をあたえてくれる親切な相談相手となるようにしました。

『家庭実用百科』（全五巻）の内容と発刊予定はつぎのとおりです。

- 第一巻 料理・栄養 編集委員=留井寛子 香川綾子 二月下旬発刊予定
- 第二巻 住宅・園芸 編集委員=高田秀三 清水……郎 加藤要 三月下旬発刊予定
- 第三巻 衣服・手芸・美容 編集委員=吉沢久子 清水さき 六月下旬発刊予定
- 第四巻 医療・保健 編集委員=石垣純二 四月下旬発刊予定
- 第五巻 交際・家計・法律 編集委員=酒井美恵子 ……礼子 鍛治千鶴子 五月下旬発刊予定

定価は各巻一四〇〇円です。

青春と仲間

夢の初恋体験記?

愛知県・江南4Hクラブ連絡協議会　近藤博美

初恋は誰でも一度は体験するものだ。

あれは中学時代だったかな…。クラブ活動には文化クラブ、運動クラブとあり、ぼくは運動クラブへ所属し、毎日毎日飛びまわっていた。そんな時、陸上競技の選抜があり、ぼくは走り幅飛びに選ばれ、その娘も同じ種目に選ばれた。その時が最初であった。一緒に練習したこともあったなあ…。

月日がたち…、陸上競技大会が開かれた。"種目別走り幅飛び"の時間がせまってきた。どんな種目でもそうだが時間がせまるにつれて心理的に緊張し、あがってしまう。そんな時……

「がんばってェッ」という黄色い声がぼくの耳に飛び込んできた。

あの娘だ。

ぼくの助走のスピードは上った。踏み切り板に「ピタッ」と足が決まり、体が宙に浮き、グッと前へ飛びでた。五人の顔色がうしろに見えた。第二位だった。

あの娘は喜んでくれた。中学時代、この思い出が心の中に残こり、あの娘は高校へ、ぼくも名古屋の高校へ進学。その後、お互いに文通するようになった。それは自然と互いの学校生活のことになった。でも、ぼくの高校生活は運動に明け、運動に暮れ、ぼくの書く手紙は運動のことばかりだったような気がする。

「バカだなあー」

一、二度デートしたこともあったよ。純情だったなあ…あの頃は。

年月がたち、あの娘ももう二十三歳、もう結婚しただろう。きっと美しいお嫁さんになったことと思う。当時の手紙はぼくにとって忘れられぬ青春の美しい思い出。それは…、大切にとっておき、ぼくが結婚しても、お嫁さんにこの手紙を堂々と見せるつもりだ。だってこれは青春の宝だからね。この初恋の話、ほんとうだと思いますか? 夢の初恋、本当の初恋どちらでも好きに想像して下さい。

"永久農地"の行方

都市と言っても、人口二〇万の宮崎市のことであるが、農村部であるわたしの家の前の国道十号線が舗装されたのが、昭和三十二年の末頃である。母の葬式のときだった。道路工事にいたんだ道をよけて、長い葬列で墓まで行ったのだから忘れられない。それから十五年たった今、歩いて葬列などとんでもない。十号線は上り下りの自動車が数珠つなぎに走っていて切れ目がない。切れ目に割りこんですばやく火葬場に通行するより外ない。

十号線の両側の田んぼは埋って、自動車会社が次々に進出して自動車団地になっている。住宅団地も次々にできた。宮崎市の中心から見ればドーナツ地帯で、小学校も生徒数がふくれ上り、市内でも有数のマンモスになり、校区を分けて別に二つの小学校ができた。

母が死んだ頃、田んぼを突きぬけていた十号線は、風が東から西、西から東に自由に吹きぬけていたが、今は風は店舗の壁にさえぎられている。

国道線沿いの農家も、すっかり姿を変えた。道路沿いの住宅を改造して、店舗として商店に貸し、住宅は裏に新築している。その改築新築の経費は、農地を売った金を当てたもので、農業収入によるものではない。

昔このあたりは、大正の終りから、戦前、戦後まで「日向カボチャ」一名県カボチャの名産地としての先進地であった。

油紙による温床栽培で苗を仕立て、田んぼのカマボコ型の油紙のトンネルの中に移植し促早くカボチャを生産した。主に阪神地方に出荷し、次第に日向カボチャの名声を博した。戦前、宣伝のため、飛行機で運んだという記録もある。そういうことで、五十戸ぐらいの農家は競ってカボチャを作り、それがほとんど唯一の現金収入の道であった。

夜、雨でも降ると、年末も正月もなく、温床障子や、トンネルの上にかぶせた防寒用の菰をはぐため(雨に濡れたら菰がだめになる)、あわてて、家族や近隣をよび合って、暗い田んぼに、走って行った足音が忘れられない。

その頃多くの農家は、米は飯米と小作料に多くを消費しなければならなかったので、カボチャの収入はひっしなものであった。

しかし、その後、田んぼに、工場や住宅団地が出現するようになると、油紙がビニールに、ハウスに代りはじめ、カボチャは忘れられ、野菜団地はこのあたりから退のき、今まで余り手をつけていなかった田舎に、トマト、ピーマン、西瓜など加えて、新しい野菜団地が次々に登場してきた。

追われていく不安

関谷邦広

これは、農業改良普及所の強化拡充と平行して、戦前にはなかった地域に出現し、日向カボチャの先進地は細々と余命を保っている。団地形成はなく、個人のハウスが、ぽつんぽつんと残り、土地があるので仕方なくやっているようにしか見えない。そして農家の家族構成は崩壊し、ハウスを作らない家は稲作を主婦や老人にあずけ、建設業や自動車の整備、セールスに走っている。長男だけは或いは誰か一人はこうして家に居ついているが、後は家から核分裂して県外に出て新しい家を作っている。

土地は少なくなり、農家としては当然のことであろうが、家に残った後継者も、農業はできなくなるのではなかろうか。それを見越して、早々と土地を売り、貸家を五軒、十軒と建てていく農家が増えてきた。これも自衛手段の一つであろう。

選挙運動で配られてきた田中角栄著「日本列島改造論」は、この要約したパンフレットしか見ていないが、次のように書いてある。

農村の繁栄と都市改造……では、

日本列島改造の重要なテーマの一つは、農工一体による農村の繁栄です。現在の農地から、道路、宅地、工業用地に転換する面積を決め、科学と技術の総力をあげて、農地、宅地、工業用地、緑地などと、これらを合理的に結ぶ道路、〓〓など理想的な配置計画をたて、必要な区域を、国が先行取得することです。

そして、転用地を差し引いた農地を、"永久農地"に確定し財政援助によって集中的な土地基盤整備を行なうのです。地方に工場を分散しこれを先兵として地方都市を育成し、三次産業を発展させる。それと同時にこれらと一次産業を結びつける。

農工一体化は、農業の生産を高め、近代化を誘導するテコとなります――と。

これを読んでいると、合理的な、理想的な工場が先兵として地方都市に進出し、"永久農地"の労力をあてに、またぞろ農家を崩していくのではないかと、逆手で顔を撫でられているような不安を覚えてならない。私の住むあたりの農家、或いはそれより遠い生産団地まで及んで農家は霧散していくのではないか、農業はどこまで追われていけばよいのかと不安である。

～農民文学第百十六号より～

市場は広く無限
ミカン暴落を乗りきろう

広島県・連絡報道員　藤田治之

私はミカン栽培を始めて四年、現在一㌶あまりの段々畑が東西三㌔、高低差百五十㍍の間に分散している。農業を目指して出稼ぎや日雇いには出ず頑張ってきました。

ミカンが過剰になるといわれてきたが、とうとう現実のものとなった。今年は三百～三百五十万㌧の収穫となり、これは去年に比べると約一・三～一・四倍の増収であり、農林省は昭和五十年のミカン予想収穫を四百万㌧とみている。

現在、農家の手取り価格が一㌔当り二十～三十円というのはその原価が四十円前後ということを考えると、ミカン農家の受けた打撃の大きさがわかるというものだ。昨年来三十万㌧を市場隔離したがこれは加工へ振り向けられるものであり、農家の貯蔵庫に寝ているミカンの腐敗は休むことなく進行している。また自殺者がでたとも聞く。

しかし、農業者、あるいはその団体、政治家は誰一人として減産計画を打ち出さない。みんなが"自分は生き残れる"と信じて疑わない。こういう強い気構えで向うことは大変良いのだが、一方、売ることに関してはほとんど他人まかせというのが実情ではないだろうか?

私自身今後農業を続けられるかどうか解らないまでも、とにかく"売る"ことに関しては努力した。例えば、広島県連の機関紙の発刊に際し、役員会の予算の倍を使い発行部数を三倍にして関係筋へ配布した。スポンサーは町内の農協。ミカンがこんなに安くなろうとは誰も予想していなかったので心良く出してくれた。紙面の七割をミカン特集として載せ、まるでミカンの広告という感じがしたくらいであった。

ミカンを売っているクラブ員は数多くても"広告"したとはあまり聞かない。ミカンに限らず農産物の新聞広告などを個人では誰もやらない。それだけに私は真剣に広告と取り組んだ結果、それだけの効果は十分に上ったと思う。十一月から注文書、荷受け通知、礼状などがポストに舞い込むようになった。礼状がくることは全く予想してなかったので反対に責任を感じた。とにかく農協がやらない広告をし、市場と無関係な値をつけて販売した。今なお注文がくることは"適正価格"であろうと一人合点している。

このように"不景気"になったミカン栽培だが、今だに県をあげて、町を上げて、農協ぐるみで増植・増産体制をとっている。決して減産しようという考えはない。この調子でゆくとすぐにも四百万㌧、五百万㌧へと飛躍することだろう。水稲や野菜のように簡単に作付転換できない宿命とはいえ、生産者、生産者の団体も、指導機関も増産第一主義で消費拡大、販売拡大に遅まきながら取り組みだした。しかしこれは市場へいかに速やかに出荷するかであり、消費者に対してのサービス、啓蒙ではない。そのため暴落したのは産地の出荷価格であり、消費者価格はせいぜい昨年なみのため、仲介業者にかなりの利益が入っているとみられる。このように流通機構の改革が問題となる。これが話題で終ってしまい、実際に試みる生産者や産地が少ないのは、消費者と生産者(販売者)との関係があいまいであるからにほかならない。

私は広告をだし、自分の商品と価格を広く一般に知らせた。消費者は商品の必要な量を明確に知らせてくる。これで取り引きは成立するのである。そしてこの仲介は郵便局さん、運送業者がすべて代行してくれる。自分で運ぶことを考えると時間と費用ははるかに安く、少なくてすむ。もちろん運賃は安いにこしたことはないが、これはすべて商品価格に含まれるものである。このため相当な高価格になってしまったことはやむをえない。

とにかくミカンは過剰になったのである。このような時にこそ私は生産拡大と品質の向上に一段とファイトを燃やしている。というのは、私は自分の商品の購売者(消費者)の名前と住所を知っているから……。

おれの孤独な話

栃木県・とう安4Hクラブ　平山貞幸

夜ふと空を見ると、星が冷たい光を発しておれを見つめている。まるで、涙のいっぱいたまった美しい瞳のようにキラキラと……。おい、なにか悩みを話したいのか、相談したいのか、おまえはつぶやいているように見える。

星よ、なにか言いたいならば言えよ。その冷たい心の悩みをおれは聞いてやる。そして、おまえよ、冷たい光を捨てて、あの太陽のごとく暖かい心の光になってくれ。おれはその暖かい光が欲しいんだよ……。

でもおまえと会えるのは夜しかない。それも、おまえとおれの間にさえぎるものがないときだけなんだ。このさえぎりの雲はたとえ太陽でもどうすることもできないもんだ。といってもさ、まあいいじゃない、がっかりせずに太陽のやつが寝たころ、そして雲がないときさ、心を開いて話し合おうじゃないか。おまえの仲間はみんな冷めたい光でお互いに見つめ合っているだけじゃないか。

それよりもこのおれみたいな暖ったかな心の人間と話してみろ、おまえも社会勉強ができるぞ。そしたらおまえはだれよりもいばれるじゃないか。

彼女がいなけりゃ世話してやるぞ。でもおまえの所へ行くまでに彼女が生まれたばかりで出発しても、おばあちゃんになっちゃうなあ。だから、彼女はムリかな、でも、心と心の話し合いをしようよ。心の通じる速さは、いくら現代が科学万能の時代だからといってマシンじゃあ計れやしないぜ。

大丈夫、大丈夫……。

地球では日中正常化が成立したから、われわれは宇宙情報交換といこうぜ、星よ、おまえも一人、おれも一人だ。だからさ、仲良くやろうぜ!

後輩!がんばれよ

富山県青年農業者連盟　久保博

『私はこれによって農業に自信と励みを得ることができました』『人間が人間を信じられないといわれる今日、われわれだけでもよいから信じられる友の輪を広げようではないか』『私の青春の一ページとなりました』

……小生は"富山県4Hクラブ員のつどい"に招待されて参加しました。そのとき、以上のように感動的な言葉を多く耳にしました。たくましい表現は、現代青年の特長か。それとも、それだけ農業に対し自信と誇りをもっている表われなのか。とにかく、若者たちの熱気には胸をうたれた。

小生も4Hクラブを退いてはや五年、後輩たちの4Hクラブ活動の前途に期待しつつ筆を置くことにする。

◀投稿案内▶

本紙は、全国クラブ員の準機関紙として、みなさんに大いに利用していただきたいと考えています。

クラブの催しや個人のプロジェクト、詩、短歌、随筆、写真、悩みや意見、村の話題、伝説、行事、お知らせ、小説、その他なんでも結構ですから原稿にして送って下さい。

❶長さや形式は自由です❷できるだけ記事に適した写真をそえて下さい❸送り先　〒105 東京都港区西新橋1の5の12　佐野ビル内　日本4H新聞編集部

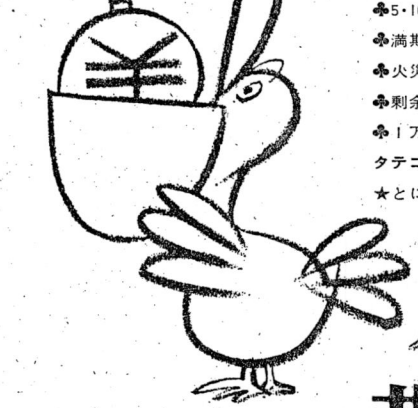

―日本4H新聞編集部―

米国生活で得たもの

和製カウボーイ誕生〈3〉

一九七二年度草の根大使　原田茂光

オリエンテーションのあと交換生全員は、コロラド州で最初のホストファミリーに散った。北部ワイオミングに近いヘドゥソンという小さな町で、牧畜農家のノーマン・フレントレスさんの家庭で三週間を過ごした。

コロラド州は、大陸の西部に位置し、完全な大陸性気候であり、ヘドゥソンのあるルート地方は、ゆったりとした丘の連続で標高は、千九百㍍と高く、周囲に雪をかぶった山々を見渡すことができる。

この地方は小麦と肉牛を主体にした農業が営まれ、フレントレス家も同様に、二百エーカー(二十六エーカー=十㌶)の小麦畑と百二十エーカーの採草地千四百エーカーの牧場を持ち、百三十頭余りのヘレホードを飼っている。ルート地方は肉牛の種類も多く、ヘレホード、アンガス、ブラーヌなどをはじめ十二種にのぼる。これも品種改良のために、自らブリーディングに力を入れている農家が多いからだという。なかでも早熟草脂放牧に適し、そのうえ気候に対する適応性が強いことから、ヘレホード、アンガスが圧倒的に多く飼われている。ルート地方では六百頭が最高だが、テキサスでは千五百頭というのもザラにみられるという。

第二のホストステート、ワシントンでは、南部のパスコーの郊外の砂状の土地に二万頭も飼っている牧場を訪ねたことがあった。この時ばかりは、まるで牛がニワトリの放し飼いのように感じられ驚かされた。これなど広いアメリカにあっては、ほとんど土地を必要としないより近代的な飼育法と言えよう。こういう経営が可能なのは、乾燥帯という気候的な要因を忘れてはならない。しかし放牧を主体とするルート地方においては、牧草の良し悪しが直接肉牛頭数に影響される。

年降雨量が二百四十㍉しか降らず、標高もかなりあり、暖期は短く、牧場にはセイジブラッシがはびこりなかなか良い草は得られないために、この地方では肉牛一頭に十五エーカー必要といわれる。加えて冬期六カ月間に一頭当たり乾燥二㌧を用意しなければならず、牧草は牧場とは別に採草地に灌水をして大切に育てられている。

フレントレスさんには、この春高校を卒業した長男のティム君十九歳をはじめ、十四歳と十一歳の弟、キンブル、ドイル君に、六歳の妹ジュリーちゃんがおり、良く働らく頼もしい子供ばかりだった。どの子も4Hクラブ員として活動し、ジュリーとドイルの弟妹は三十羽余りのニワトリとウサギを飼ってプロジェクトにしていた。なかでもキンブル君は、ヘレホード雄牛の肥育で、昨年秋の4H年はルリト地方の肉牛部門でリザーブグランドチャンピオンとなり、五百五十六ドル六十五セントで家畜商に引きとられ、その中からカーボーイハット、カウボルダー、ショステック、家族へのプレゼントなどを買い、さらに今までの飼料代を差し引いても二百ドルの貯金ができたと得意げに話してくれた。長男のティム君はこの六日から父の仕事を手伝いはじめ、暇さえあれば七月からはじまる牛追いの準備に精出していた。

フレントレス家滞在で得た最高の想い出はなんと言っても牛追いである。七月一日から、羊飼いや、牛飼いが、羊や牛を連れてカリフォルニアパークの草の豊富な森林に入る。牛一頭六十五セント払えば農民であればだれでも利用できるシステムである。フレントレス家は百頭近くの牛を連れ一番乗りをした。

一行七人は三日間野宿しながら牛を追い、まさにカーボーイ生活そのものを味わった。この日のためにティム君の特訓で二週間、毎日毎日の乗馬の練習は尻が痛く全く閉口した。しかし、カリフォルニアパークのウェシアやマウンテンフーパインの色鮮かな花の咲き乱れる広大な草原を、馬にまたがって牛を追ったあとの感激は、それを忘れさせてあまりあるものだった。(山形・コナムクラブ)

島国根性を捨ててネ

一九七二年度草の根大使　堤千恵子

昨年十一月、アメリカでの草の根大使としての全日程を終了し、無事帰国できましたことを全国の4Hクラブ員のみなさまはじめ、いろいろとお世話いただきました関係機関の方々に心から厚くお礼申しあげます。

ところで十一月、帰国した私を待っていたのはわが家のミカンでした。ちょうど収穫の真っ最中でしたので、私は毎日毎日ミカン山へ登らなければなりませんでした。

アメリカで『日本へ帰ってもアメリカ人のように生活をエンジョイしよう』などと考えたのが夢のなかのできごとであったかのようでした。そんな思いが脳裡をチラッとかすめていくが私の神経はミカンをちぎるハサミの音に集中していました。

ミカン農家にとって収穫のシーズンはまるで戦争のような忙しさなのです。

そんななかで、私は、どうして日本にいると日本人はこうもがむしゃらに働かなくてはならないのだろうか、と考えさせられてしまいました。私はアメリカに滞在中、二軒の農家へお世話になりましたが、どちらも日本の農家というイメージとはほど遠いものでした。奥さんは農場の仕事にはノータッチで御主人ひとりで農作業をやっているのです。そもそも、農業という職業に対するイメージ、取り組み方が根本から違うようです。現在でも日本では、農耕といういわゆる土を人間の手で耕すといった感じですが、アメリカでは機械を使って土から農産物を産出させる企業という感覚なのです。

ですから、日曜日になると仕事を休んで教会へお祈りに出かけるし、奥さんと一緒に車で町へ買物しに行ったりの余裕しゃくしゃくの生活です。かといって特別裕福な暮らしをしているというわけではありません。アメリカ人の共通した国民性、つまり生活を楽しむために働いているという考え方がそのように余裕のある生活を現出させているのだと思います。

その生活思想は、やはりあの広大なアメリカの大地と闘って生きてきた人々の日常生活から出てきたものだと思います。

コロラドにいたとき、私はよく子供たちと一緒にサイクリングに出かけました。両側にとうもろこし畑のある一本道に沿ってどんどんペダルをふむだけのサイクリング。ふんでもずーっととうもろこし畑ばかりしか見えず、はるかかなたまで何もさえぎるものがありません。私は、ああ、大自然のふところに抱かれている自分がなんとちっぽけなんだろうとつくづく思いました。

でも、周囲の緑になんとなくやすらぎを覚え、はるか地平線を見渡して目を上げると広い空が大地をすっぽり包みこんでいました。「こんなに広い空を見たことなかったわ」と思わず口走ってしまった私。「え? えっ?」というアメリカ人の声。

「日本にはこんなに広い空なんてないのよ」と説明しようとしたけれども、わかってもらえないだろうと思い直し、私はただ感動して大空を見上げていました。

アメリカ人が広大な大地なかでその生活思想を育てたように日本人も島国と密接な生活思想を育てました。島国根性という言葉があるように、考え方にまでその土地の大小という感覚が息づいています。

まして、農業に於いてはそれが強いようです。がむしゃらになって働らかなければ、日本という国では通用しないのが現状のようです。しかし、これからもそうであっていいわけはありません。土地が小さいならば、考え方だけでも大きくもって生きたいものです。

日本の農業も変っていかねばならないでしょう。さもなくば私の夢である「雨ニモ負ケズ　風ニモ負ケズ　一生土ト共ニ暮ラシタイ」ということが見通し暗くなってきているのです。(福岡・黒木4Hクラブ)

日本4H新聞
4Hクラブ
農事研究会
生活改善クラブ
全国広報紙

発行所
社団法人 日本4H協会
東京都港区西新橋1の5の12
佐野ビル 〒105
電話(591)1817・3683
編集発行 玉井 光
月3回・4の日発行
定価 1部 35円
一ヵ年 1200円(送料共)
振替口座 東京12055番

クラブ綱領

私達は、実践を通じて自らを磨くとともに、互いに力をあわせて、よりよい農村、よりよい日本を創るため、四つの信条をかかげます。一、私達は農業の改良と生活の改善に役立つ腕をみがきます。一、私達は科学的に物を考えることのできる頭の訓練をします。一、私達は誠実で友情に富む心をつちかいます。一、私達は楽しく暮らし元気で働くための健康を増進します。

農村女性の結婚観―
別査 代調 世に

環境の改善が第一
福岡・大川市のクラブ員が 『嫁・姑は平等でなくちゃ』

【福岡】大川市は県の南部に位置し、市の西端を流れる筑後川は柳川市を経て有明海へそそぐ。大川市は筑後平野のほぼ中央にあり、農業と木材加工に代表されるところである。その農業の基幹作物は、地理条件により水稲、い草、イチゴなどが主で、大川市は典型的な純水田地帯といえよう。農村の嫁不足が話題になって久しいが、本紙においても昨年二回それらのアンケート調査結果を紹介した。一口に嫁不足というものの「条件つきなら農家へ嫁いでもよい」と答えた人が七〇%にも達していることが無視できない。これはいずれの調査結果にも共通しており、要は当人同士も重要だが、それと同程度に種々の農家をとりまく状況が改善されれば農家へ嫁いでもよいということになりそうだ。しかし、時代の移り変わりとともに農業に関心を持つ女性は少なくなっていることはまぎれもない事実である。現に自分の娘は農家にやりたくないという農家の声や、同世代の友人達が農家へ嫁ぎたくないという声はよく聞かれる。そこで大川市4Hクラブの石橋さんは自分たちの置かれた立場がどのようにとらえられているかを調査してみた。二十歳前後の若い人、二十～三十歳の若妻、四十歳以上の婦人と対象を三つに区分してそれぞれ比較検討してみた。（福岡県・大川市4Hクラブ石橋須磨子さん発）

まず初めに、「農家へ嫁ぎたかったか」という問いに対して、農村婦人の六二%が、また、若妻の二〇%は嫁ぎたかったと答えている。一方、これから結婚する若い人の一六%は嫁いでもよいと答えている。さらに一歩進んで「自分の娘を農家に嫁がせたいか」という問いに対しては、婦人の約半数の五六%、若妻の一六%が娘を農家へ嫁がせてもよいと答えている。未婚の若い人については、自分のことを決めかねている現在、将来の娘のことまではわからないという無解答が多かった。この娘の結婚については、現在の農村、農家生活に満足しているかどうかということがかなり大きなウェートを占めていると考え次の質問をしました。

農村生活について

「現在の農村生活に満足していますか」これは図1のような結果が出ました。婦人、若妻ともほぼ同じような傾向を示し、婦人の六九%、若い人の五四%が満足していると答えている。逆に若い人については上記二グループとは全く反対の結果が出ている。わずかに三六%が満足していると答えている。不満があると答えた人は、婦人で二三%、若妻で三八%、若い人の過半数の六六%は不満足と答えている。この原因としてあげられるものに人間関係の複雑さがある。極端に言えば、小さな村では村全体が親戚づき合いをしなければならないようなこともみられる。この一番顕著な表われは冠婚葬祭、各種の寄り合いなどがあります。もちろん隣近所とのつき合いもあるでしょう。また忘れてならないことに、家庭内における人間関係、農村に限らず都会においてもそうだが嫁と姑の関係。農村においては特に経営面から両者とも欠くことのできない労働力となっている事実。そこで私たちは、「嫁と姑はどうあるべきか」と題して質問をしました（図2）。

嫁と姑について

若い人、若妻、婦人の三者ともに、七〇～九〇%近くが平等であるべきと答えている。このような圧倒的な平等論に対して、"どちらかを尊重すべき"というのはわずかに一二～二四%。実生活においてはどうなっているかを問うことができなかったのは残念であるが、前述の図1において若妻、婦人とも半数近くが満足していると答えていることから、この嫁姑の関係もほぼうまくいっているように考えられる。そこで個人対個人の関係がわかったが、夫婦という関係でみるとそれはまた違った結果が出ている。

別居か同居か

「別居したいと思いますか」という問いに対しては、婦人の四六%、若妻の七八%が別居を希望し、若い人は五四%が将来結婚したら別居を希望している。さらに問いを深めて、「自分の娘には別居させてやりたいか」と、なっても、その答えは変らず、婦人の三六%、若妻の七八%とが別居させたいと答えている。このことから、現在の自分達（夫婦）の家族の中での生活がうかがえる。自分たちは別居したくても事情が許さないので、娘（息子）には別居させてあげたいという夫婦の意志の表われがここに見られる。現在は改善されつつあるが、まだまだ二夫婦が同じ屋根の下に暮していることがわかる。家族関係がいかにうまくいっていようと、夫婦という単位になると別である。別棟、独立させるなどのなんらかの工夫が考えられなければならない。

プライバシーの尊重

つまり家族構成の最少の単位のプライバシーの尊重といえる。また、独立、非独立、同居か別居かということは金銭がどのようになっているかということで推測される。そこで若妻の小遣いはどのようになっているか質問してみた。

「若妻の小遣いは誰からもらっているか」については（図3）、全体の八二%がもらうと答え、一〇%がもらわない、八%が無解答。もらう人はその金がどこから出ているかを調べてみると、四二%が夫より、三四%が姑からもらっている。自分でアルバイトをして小遣いを捻出している人が六%となっている。

自由時間について

女性の自由時間について「自分の余暇時間がありますか」という問いには、婦人五〇%、若妻四六%、若い人七〇%が時間はあると答え、三者の中では若妻が一番低い値となり、若妻が他の二者に比べて、主婦としての立場よりも一人の働き手として見られていることを示している。これは次の問いの子供と一緒にいる時間についての調査でも同じような結果となっている。

「子供との対話時間がありますか」という問いでは、婦人の五八%、若妻の四〇%があると答えている。差はわずかではあるが若妻の方が時間が少ない。若い人は比較的経営面から見ても自由であり、かなりの人が時間を作っている。

地域への問題提起

このような調査の結果、最初に調べた「農家へ嫁いでもよい」という一六%の若い人達は、生活様式の変化、技術革新など、進行した結果、一昔前と比較してかなり労働は軽減され、時間的余裕ができたにもかかわらず、依然として農業を希望する人は少ない。反対に、技術革新―機械による省力化・共同作業―などは結果として出稼ぎに出易くしていることは事実である。最近では夫婦共に出稼ぎという現象が見られるようになってきている。このように表面的には農業の近代化はなっているものの、まだ私達の心までは近代化されていないのではないでしょうか。夫婦共に働ける喜びを味わえるような経営にすることがまず第一であろう。

この調査の結果を地域の人に知ってもらい、より良い家庭環境を築きあげるために交換会をもち意見を聞いてみた。

農村の外側からの近代化は進みつつあり、加えて私たちクラブ員の活動も実りつつある。農村もしだいに明るくなってきている。それは、農家でない娘さん、都会から、外部からの農家への嫁入りが以前より増えていることが明るい材料となっています。さらには"脱〇〇"と称される人々が農村へ帰る現象もみられるようになった。それは、青い空、澄んだ空気、活き活きとした緑などが人間生活に欠くべからざるものとして見直されてきたゆえんでもある。

私たちクラブ員の小さな力では解決できない問題が山積みされている現在、地域社会に「嫁不足」という問題を投じることによって家族を含めた人間関係、列島改造の矢おもてに立たされる農民、これからの望ましい経営はどうあるべきかなどについて考える機会を作ったといえるだろう。

どうしてこのような問題がいつまでも叫ばれ続けなければならないのか、今後、より住みよい農村社会を築くために私たちのプロジェクトとして取り組んでいきたい。

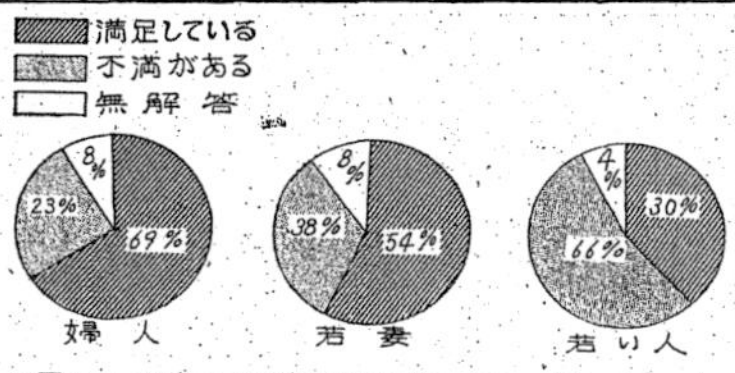

図1．現在の農村生活に満足していますか

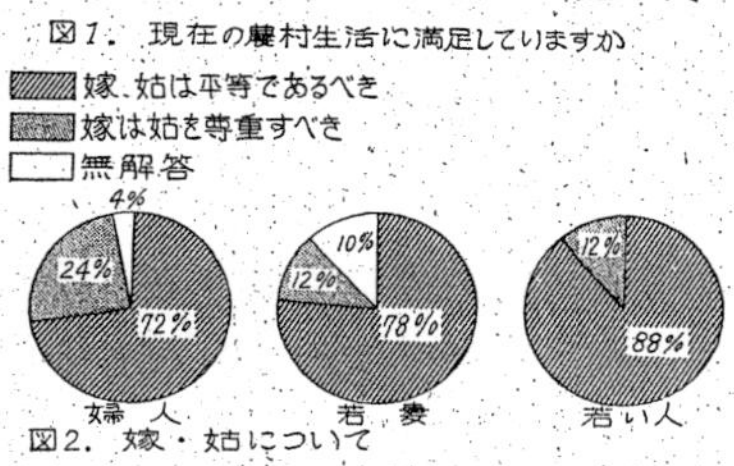

図2．嫁・姑について

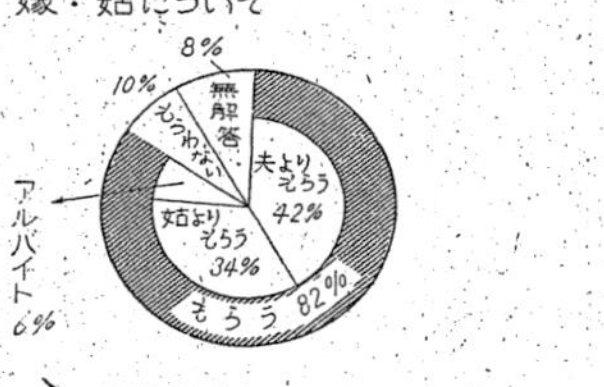

図3．若妻の小遣いについて

暖風

出会いを大切に

ささいな私事であり、こんなことをぎょうぎょうしく書くことに、ある種のためらいを感じる。

しかし、私は書きたいという気持を抑えることができない。

そのこととは、先日、私の運命の一つを決めて下さった中村武雄先生にお会いできたことである。

最近は、ともかく忙しくて、なかなか故郷へ帰れない。先輩や友人たちが、飲みにこい、と親しくさそってくださるが、雑務が先行して欠礼ばかりしている。

先日、かって席を並べて仕事をしていた先輩の富沢宏さんから「中村先生がご出席[illegible]ク・ポイントを心得ていて、うまくさそい出した、と後で気がついた。つまり、中村先生の名を出せば、私は全てを忘れるのだから。

[illegible]「出合い」を大切にしたいと電報局へ駆けこみ、「都合つかず、委細は後で」とウナ電を打った。

学校を卒業し就職先もきまったので、日頃お世話になっていた出身県の教育長さんのところへごあいさつに伺った。ところが、その教育長さんが、「君に紹介したい人がいる」として、そこで初めてお会いしたのが中村先生であった。

中村先生は、開口一番、「明日から出勤するように」とおっしゃった。私はドギモを抜かれた。

父が県教育長に就職のことを頼んでおいた、と知ったのはだいぶ後のことである。

[illegible]時に、中村先生の人柄に強く[illegible]受けた。男が男にほれた、[illegible]あった。

私は中村先生に四年間にわたって仕えた。この四年間は、きわめて充実したものであり、ウナ電は決して悔いないものであった。

今日、私はたまたま中央官庁にある。中央官庁は、ややもすると机上プランに固執し、理念に流れ易い欠点をもっている。その中にあって、絶えず国民サイドでものを考える、という発想や態度が貫けるのも、これは中村先生の教え以外なにものもない。

ちょっとした出合いである。しかし、人世は、この出合いを大切にしてこそ、初めてそこに心の充実がある。私は悔いのない人世が、出合いを大切にすることから始まることを、中村先生に教えていただいた。

（文部省　伊藤）

"切磋琢磨し合って"
全協の執行部 農業者大学校生と交換

全国4Hクラブ連絡協議会（会長 松浦謙治君）では、去る二月二十日夜、会長、副会長、事務局長をはじめとする執行部で、東京都多摩市にある農林省・農業者大学校を訪れ、同大学校生約四十人と農業・農村、クラブ活動などについて意見を交換した。

農業者大学校は、将来の農業を担って立つ農業者像を展望し、広い視野から農業を考え判断し、かつ行動できる農業者を育成するため、昭和四十三年に農林省が設立したものである。

同大学校の卒業者は、必らず地域の中核者として活躍する人なので、全協では同じ農村・農業に生きるリーダーとしてよりよい地域を築くためにお互いに意見を交換し合い、また、4Hクラブ活動を理解してもらってともに協力してゆこうということで今回の交換会に望んだもの。

まず分科会形式に交換を進め、双方ともクラブ活動に限らず、農業一般や結婚問題などを語り合った。同大学校の入学規定が学校教育修了後一年以上農業経営の実務に従事したものとなっているので学生のほとんどは単位クラブでの4H活動を体験、または見聞しているので話はスムーズに進行。

大学校生からは「全協という全国組織の意義・意味はわかるが、自分がかつて活動していた単位クラブまでパイプが下りてきていなかった。あなたがたの組織の指導性を末端にまで伸ばしてほしい」などの意見がでた。それに対して全協側は「われわれもその壁を打ち破って前進したい。しかし、それには末端からの働きかけも必要である」と答えた。

また、大学校生は「卒業したらすぐクラブを結成して活動したいと思う。作るにはどうしたらいいのか」とベテランクラブリーダーの揃っている全協にたずねた。全協では、現在のクラブの実情などを例にとりながら「あなたがたがクラブを作ろうというのは、それ自体自発的なこと。だれかが上から目的を与え、指導するものではないと思う」と述べ自主精神を強調し、卒業したら地域の中核者として活動を展開してほしいと要請した。

この交換会を通して、松浦全協会長は「大変有意義な話し合いだった。これからも大学校生とより親睦を深め、よりよい地域づくりに励んでいきたい」とその感想を語った。

また、原田全協副会長も「この交換会で学んだことは多い。まず第一に感じたことは、4Hクラブの学習と同大学校での学習の差である。作目などに関する専門活動は4Hクラブでも盛んに行なわれているが、経済、社会、人文関係の学習が少ないように思う。4Hクラブの質的向上、クラブ員各々の人間的向上は、この分野をおろそかにしてはないと思う。そのような総合的な活動を展開してゆくためにも同校卒業生とお互いに切磋琢磨し合いながらやっていきたい」とこれからの活動の抱負を述べていた。

4Hの深い理解を
来る三月三日から 4Hフェスティバル
岐阜県連

【岐阜】岐阜県4Hクラブ連絡協議会（会長 中野俊二君）では来る三月三、四の両日、岐阜市民センター（岐阜市内）で『第二回岐阜県4Hクラブフェスティバル』を開催する。これは、岐阜県農業の中核者をめざし実践活動を推進している県下の農村青年が一堂に会し、農業や農村生活の技術や経営について交流を深めると共に、若者らしい明るいつどいをもって仲間作りとグループ活動を促進し、農村青年の営農意欲の高揚をはかり、あわせて一般市民に農業、農村青年活動などをアピールするために開かれるもの。フェスティバルは市内パレードに始まり、各地区の農業・プロジェクト成果の展示、クラブ員の生産物即売、夕べのつどいなど盛りだくさん。クラブ員たちは、"若さで築こう 我らの郷土" "みどりで結ぶ 町と村"をスローガンに「仲間と農業を語り、そして、消費者にもわれわれの現状を深く理解してもらおう」と早くもヤル気満々。なお、当日は県知事も会場へ訪れる予定。

パレードはブラスバンド、バトントワラーを先頭に各協議会（十三地区）ごとプラカードをもってのデコレーション発表会。午後十二時半から約二時間半にわたり、市内のメインストリートを行進する。ねらいは①4Hクラブの活動を理解してもらう②県下の農業の特色（主な作物など）を理解してもらう③過去から未来へ向かう歴史的変せん、農業のおかれている問題点などを考慮し表現する⑤展示、即売のPRなどが上げられている。

展示は同センター内の競技場を会場に「土にいどむ若い芽」を共通課題として行なわれる。展示の方法は現物やパネルなどによって各地区ごとに発表展示する。このねらいは①4Hクラブの活動を理解してもらう②県下各地の農業を理解する③新しい農業の動きを理解するなどである。

協賛団体も農業機械、資材、生活資材などを展示する。とくに本年は農協が中心で「農協と青年の姿」をテーマに展示。また、地元岐阜農林高校も参画する。

即売では、野菜、花、穀物、畜産、林産物、特産物、農産加工品などの農産物類をはじめ、漬物やウドン、モチ、カップヌードルも登場。即売方法はブロック別にコーナーを作り、価格も調整する。

ねらいは、クラブ員の作った生産物を消費者にできるだけ安く買ってもらうとともに、対話を通じて消費者と意見交換し生産物のPRをしようというもので、即売場所、時間は展示と同じ三日午前十一時～午後四時と四日午前九時～午後二時。

夕べのつどいは、クラブ員相互の親睦、友好を深め、仲間づくりの推進をねらいに催される。つどいの運営はクラブ員があたり、パーティー、催し物（各協議会ごとに）などを行なう。三日の午後五時から八時まで。

主催者では、消費者、それに全国の4Hクラブ員の参加を広く呼びかけている。

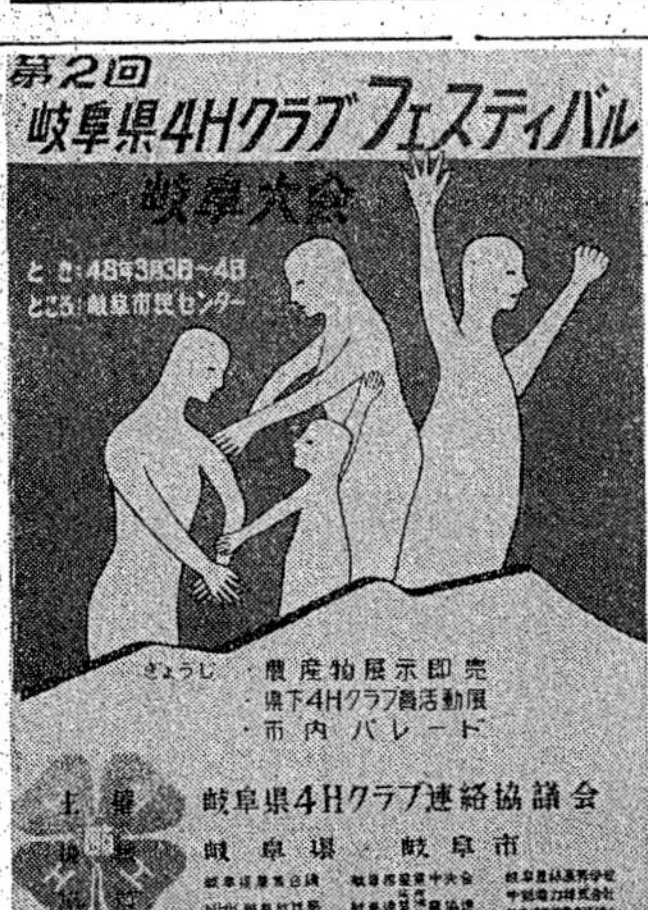

県連が作成した「4Hフェスティバル」のポスター

県協20年のあゆみ
群馬県連 『記念誌』を発刊

【群馬】群馬県農業青年クラブ協議会（会長 保坂初次君）では、昨年十月県協設立二十周年をむかえ、このほど記念誌『県協二十年のあゆみ』を発刊した。

記念祭は昨年十月十一～十三日に群馬会館大ホールを中心として開催された。また「県協クラブ員のつどい」も併催された。

記念祭は農業青年クラブ員の交換訪問、市内パレード、パネル討議（"どうする！我らの農業"～農業振興のために我々は何をなすべきか～）、記念講演（岐路に立つ農業への提言～名城大学教授守田志郎氏～）、芸能発表など多彩に繰りひろげられた。

「県協二十年のあゆみ」は"クラブ活動のあしあと"をメーンテーマに群馬県協の二十年の歴史が写真を添えて構成されている。

クラブ創成期の諸先輩達の苦労がしのばれ、若い私達現クラブ員は、この二十年の歴史の上に新たな一歩を輝けるものとするため、農業をとりまく情勢はきびしいが、プロジェクト活動を通し、時代に即応した自分達の農業を自らの手で変えようと力強く語っていた。

（[illegible]八重子連絡報道員発）

心頭技健

秋田県北秋田郡の鷹巣町では、このほど出稼ぎ者を励ますために子供たちの作文集を発行した。また、同郡の森吉町でも、やはり同じ趣旨で家に残る妻たちの作文集を作成した▼この二つの作文集の一部をある新聞で読み、出稼ぎが生む波紋の深刻さを改めて考えずにはいられなかった。作文集に載った子供や妻の声は、日常的次元から出稼ぎをとらえている▼そこには、表現しがたい人間の生活の重みが[illegible]を通して切々と書かれていた。それらのうちの二、三をここで取り上げてみることにしよう▼「ことしは、げんかんで見おくるとき"おとおさん行かないで"と心の中でいいながら泣いてしまいました。そんなとき、ふとんにもぐって泣きながら"おとおさん早く帰ってきて"と何回もくり返していいます」（小三・小塚江利子）▼「……父親参観日のとき、いつでも母がくるので一度でいいから父にきてもらいたい。たまには父といっしょに遊んでみたい。だから出稼ぎは大反対だ。お金なんか少しでいいから出かせぎをやめて」（小五・関英人）▼「一年間であなたと会える日は、数えるほどしかありません。正月と春五月の十日間、お盆の十日、稲刈りの十五日間。私のいつも考えることは、あなたの働き先と私ども母子が一緒なら楽しい生活が過ごせるだろう――ということです。子供たちの学校さえなければ計画をたててもと思いますが世間の交際があるのでダメネ」（恋しいあなたへ・敬子）▼これらの作文集を異郷で読んだ人たちの心中は察するにあまりあるものがある。出稼ぎには種々の問題が内包されているのは承知の上で、いまここでは家に残る人たちとともに早い春を祈りたい。

あの視点

過信せず自信を持ち
クラブとリーダー〈18〉
原田正夫

よくリーダーとしてみんなをリードしてゆく自信がないという話をきく。どうしたら、自信がつくんだろうか。どうしたらみんなが、オレについてきてくれるんだろうか……という悩みが消えないということを聞く。

全協の役員だったら、そんなことないでしょう？とたずねられることも多い。そんなことはない。他の人は知らないけれども、私には全協の役員といえども同じような悩みはある。

およそ、世の中に絶対こうだといえること、一〇〇パーセント確実だといえることはないというのが私の持論で、どんなことにも、例外や、おとし穴がある。どんなにその道を極めた人でも絶対失敗しないということはないはずだ。巨人のON、王や長嶋がどんなに優れていてもエラーもすれば、三振もする。そこに野球のおもしろさがあるんだと思う。絶対負けない。絶対死なない。絶対ミスしない。

意気ごみとしては言うけれど、本当はそんなことはありえないはず。人間だれしもスーパーマンでないんだから。

人びとはよく完全無欠を求めたがるけれど、そんなものは存在しないんだと思っている。私はリーダーとして人をリードしてゆくことに悩んだら、いつもそう自分に言いきかせてきた。自分が万能でないんだから、少しくらい失敗があってもやむを得んじゃないか。とにかく思い悩むよりやってみよう……という割りきり方がそこでできてしまう。立ちどまっているよりは歩いてる方がましだと思う。さっきの説を裏返せば、一〇〇パーセント可能ということもない代り、一〇〇パーセント不可能ということもあり得ないわけだから。ただジッと立ちどまって悩んでいては一パーセントの可能性もない。

リーダーとしての自信といったって、それは一〇〇パーセントの自信じゃない。私の場合は何とかなるだろうという程度のそれにすぎない。ひょっとしたら……という不安は正直いって常にある。

程度の差こそあっても、いわゆる自信を持てることは強味だろう。オドオドしながらやっていては、それだけで他の者まで不安にさせてしまう。4Hクラブの場合だけでなく、経験と自信はある程度比例する。もちろんクラブ歴とか、リーダーとしての年数という長さだけでなくて質が大切だが……。例えば、自分のいったことにみんなが従ってくれたとか、自分のいったひとことでみんなが団結してくれたとか……そういうことが、どんなにちっちゃなことでも何回か続けば、あれオレも何とかリーダーがつとまるんだな……という自信がついてくるだろう。

自信を持つことは、リーダーとして心の支えになる。自分だけでなく、そのクラブにとっても組織にとっても大きなプラスになる。

ただ、リーダーも、他の者もリーダーが完全無欠だという過信をしないことだ。多くを望まないことだ。そうすればリーダーにまかせっきりにしたり、その失敗を徹底的にせめたりはできないはずだから……。一〇〇パーセント確実はありえないということを心にとめておきたいのだ。

[illegible]思いあがりといわれようと、[illegible]心の支え、いくばくかの自[illegible]は常に仲間から選ばれたとい[illegible]ことだ。私はその一年一年を[illegible]

女のデッサン ＞1＜

若い未婚の男性が考え悩む対象のひとつに「女性のこと」があることは君も認めるだろう。また、その逆に若い未婚の女性もやっぱり「男性」について考え悩んでいることも明白だ。そこで、ぼくはぼくなりに「女のデッサン」と題してこれらの文章を書いてみた。これらの文を書き、ぼくがなにを得たかは別問題としても、これらが全国のクラブ員のみなさんにほんのちょっぴりでも「異性」を考えるたしになれば喜びにたえない。また、これらの雑文についてお便りを頂ければ至福この上もない。全国のクラブ員の皆さん、それに日本在住の女性各位殿、どうかよろしく＝福井県鯖江市川島町　竹内隆春

京都東七条のヒト

福井県・鯖江つつじクラブ　竹内隆春

身長は百五〇㌢台だろうと思われる。やや小柄のそのヒトについて、何か語らなければならないというと、まず第一に、目の使い方をあげなければならない。

うまいと書けば、確かにうまいと思うが、うまいというのでもない。それはことさら蠱惑的なんだけれども、それはこちらの印象だし、ちょっとそれを文字に書こうとすると、いらいらしてしまう。優しいときもあるが、実に憎たらしく問い返す時の見つめ方というのは、前にいてちょっと視線のやり場のない位だ。若い女が、男の前でそんなに無防備になってもいいものだろうかと思うくらいだ。

そして、その真剣さが何とも若い男の性をくすぐる。「どうして？　そんなこと、今、問題にならないでしょ」というような、一見質問ではなくなげやりな言い方をすると、ぼくは、それに答えるより黙ってその顔全体を見返したくなってしまう。

いつものクセでそんなふうにムキになると決まって右の目の方が大きく開く。そして、すぐ答えが返ってこないじれったさに、マユが神経質に動く。ぼくはそんなとき、もう会話上の順番など忘れて、目の前の体にさわりたくなってくる。また、こんなぼくと下手な話をしているのを気の毒だと思う。そしてカワイイとも思う。

概して、そのヒトの目の動かし方は静かでせわしいというのではなく、はやい話がよく動いた。左右はもちろん、上下、斜めに……。それに手振りが加わりだすと、それらは魅力的とかうまいとかいうのとはちょっとかけ離れているみたいになる。だが、それも会った瞬間から別れるまでの少々の時間のことにすぎない。

そのヒトの顔は真正面より横からの方がいい。正面から次第に角度を横へ変えて、鼻が向こう側のホホの線と交わるまではどの顔もアンバランスに顔が二分されてしまって上部と下部がつり合わない。とにかく、そういう感じがした。一番いいのは鼻の先端と向こう側のホホの線が接するか、あるいは少し鼻先がでる位が最高にいい。その感じは女優のKにちょっと似ている。真正面からだとちょっとむずかしいが二十度以上離れているとかなりいい。しかし、そこまで離れると、それ以上に今度は後ろ姿の足のふくらはぎの白くきれいなのが目に止まる。

よくセーターを着るそのヒトは、胸は中位で特別きわだって豊かというものでもないが、セーターの下から盛り上がる二つの柔らかそうで硬そうなふくらみは、いかにも若そうな感じを与えた。

下着にくわしくないぼくは、その形が人工的な美しさかそれとも中身そのものの美しさか、見破ることは困難だが、とにかく若い男の気持としてはいうにいえないものがある。

たしかあれは、三度目に会ったときのことだった。

「私は、昔、これ長くしていたの」

と髪に手にやりながら、ちょっと下を向いた。それから、少し思い切ってというふうに首に力を入れて顔を起こすと、チラッとこちらを見てから「私ってどお？」と聞いた。ぼくはドキッとした。こちらの心の準備のためにも「どおって？」とわかってはいたが、その質問の意味を確めた。

すると彼女は「ええ……」とうなってから手をホホへ持っていって考えるふうをして横を向き「つまり……」と切りだした。「つまり昨日考えたの、電話のあとで。アナタも含めて他人の目に私がどんなふうに映っているのかなって……」

あらかじめ用意しておいた言葉を頭のなかから念を押してしぼり出すような感じで、一句一句を切りながらそうつけ加えるのだった。「うーん」と考えるふうもした。

アナタを含めて他人が私のことをどう思うかなど用心深く言うのがしゃくにさわった。けれども、ぼくの言い出すのを待っているそのヒトは、まるで母親にオヤツでもねだるとき、目を輝かす子供のようだった。

答える前に、その目を見返してやると、平気でその視線を真正面から受けて、二度ほどまばたきをしてみせた。それで「いい、いいと思う」と答えてしまった。

―次号へつづく―

根深い出稼ぎに驚く

栃木・今市地区クと福島・安達地区クら　交換会と研修会

【栃木】今市地区青少年クラブ協議会（会長　斎藤伸幸君）では、さる九日から十日にかけて、福島県二本松へ宿泊研修に出かけ、その際、同協議会クラブ員三十五人と指導農家三人の一行はバスで二本松市文化センターへ向い、安達農業改良普及所管内の丹波秀雄君をはじめとするクラブ員二十人と交換会を持った。交換会では、農業をとりまく身近かな問題をめぐってかなりつっこんだ話し合いもあり、クラブ員たちは「有意義で楽しい交換会」とその感想を語っていた。＝川村寛文今市地区連絡報道員発

「なるほど…」とうなずきながら施設を視察するクラブ員たち＝安達地区の農家で

施設園芸などを視察

はじめに、安達地区の、農業経営、クラブ活動などの紹介、今市地区のそれぞれの紹介があり、つづいて話し合いに移った。テーマはクラブ員が日頃身近に感じている「出稼ぎ」「結婚問題」「クラブ員の不足」などについて。

「出稼ぎ」は、今市地区において九割、二本松地区で八〜九割というように両地区とも問題は非常に深刻になっている。

「結婚問題」は嫁にくる側の女性にとっては、相手の男性と同程度に彼の農業経営は重要なポイントと考えられる。つまり、小規模より大規模、経営内容、経営手腕が問われると言っても過言ではないだろう。クラブ員達は結婚問題の解決への第一歩はまず自分達の経営を充実させることである、などと熱っぽく語っていた。

「クラブ員不足」は、経済活動の発展にともない他産業との所得格差は大きくなり、消費生活の向上、物価の上昇、経営規模の拡大困難などで農業の持っている自然との対話はますます難かしくなり若い人を魅きつけることができなくなった。このような中で私達は単にプロジェクト活動が技術オンリーに流れがちであったが、これからは人文科学、自然科学、などをプロジェクトとして取り入れることによって、より一層広い知識と技術の総合されたものを各自が持たなければ、将来の農業経営に立ち向うことはできなくなる。という意見もみられた。要は結婚問題と同じように内容の優れた経営が身近に見られることが農業に対する自信と希望を若い人に与えるのではということであった。

夕刻、再びバスで一行は高村光太郎の智恵子抄で広く親しまれている安達太良連峰のふもとの、静寂につつまれた岳温泉へ到着。高原スキー場で外は白銀の世界だった。食後もみんなの話題は、自然と午前中の交換会のことが多くなり、クラブ員が五〜六人ずつのグループになって時間のたつのも忘れ話し合いは二時頃まで続いた。

明けて十日。安達農業改良普及所管内の施設園芸農家のハウスイチゴ、鉢物栽培を視察。クラブ員一同、経営者の説明を熱心に聞いていた。自分の経営方法と比較したり、するどい質問をぶっつけるクラブ員も見られた。

こうして一泊二日の研修は終ったが、クラブ員たちには交換会と研修会を一度にやった今回の宿泊研修は大変好評であった。

農業研修で韓国へ

佐賀の三日月町のクラブ員ら　来る三月八日から

【佐賀】小城郡三日月町では、来る三月八日から九泊十日の予定で、農業後継者六人を韓国に派遣する。町役による韓国研修はこれで二回目、若い農業後継者達に、隣国青年の農業に対する意気込みを学ばせるのがねらい。

一行は草野俊町公民館主事を引率者に、三日月町4Hクラブ員藤川忠文君（同町久本）をはじめ、研修生はいずれも4Hクラブ員六人。平均年齢二十四歳で、あすの三日月町の農業をリードしてゆく後継者ばかり。

この研修は、村岡町長が一昨年、韓国の農業事情を視察したさい、農業意欲が減退ぎみの日本の農業青年と比べて、農業近代化に意欲的に取り組んでいる韓国青年の農業姿勢に感心したのがきっかけ。韓国農業は日本の農業より、集団化、機械化がかなりおくれ、米作技術については見るべきものは少ないが、レタスなど蔬菜園芸の栽培技術は比較的進歩している。

研修生達一行は、三月八日に福岡・板付から空路、韓国・釜山に入り、十日から小城郡農協と姉妹関係を結んでいる迎日郡農協の案内で、レタス栽培場見学、現地4Hクラブ員との交換会などを行なう予定。なお、研修費用は一人六万円で全額町費負担。

酔道

楽しく飲む酒とは？

古来、酒は共同体において特別な役割を持っていた。酒のコミュニケーションにとっての効果を疑うものではない。しかし、あくまでも感情的、情緒的なものであって、論理的な効果は期待できない。日本人の性格から特にこの傾向が強いことはよく知られていることと思われる。

私は日本ほど酒を飲む機会が多く、酒を提供する場所が多い国を他に知らない。酒の飲み方などでもその人が共同体とどのようなかかわり方をしているかが推しはかられるものだ。

社会構造や共同体を西欧のヨコ型に対し日本のそれはタテ型とよく言われる。タテ型共同体において、個人の自由と主体性は集団から強制されることなく常に集団に対して独立し、優位に立つ個人の確保は非常にむずかしい。自分の意志に反して集団からのある種の強制に従ってしまうことがよくある。

タテ型社会において酒は個人の酒ではなく、集団、共同体の酒となり、個人で楽しむより集団、共同体で楽しむことの方がより重要となっている。

″すすめ上手″″座もちがいい″と評され、更に半強制的な余興となるに及んで、一人でも座に逆らうと″シラケル″と言われる。酒が個人よりも集団のものと言われる良い例ではないだろうか……。

集団で飲む酒によって引き起される種々の不祥事は自然と寛大にならざるを得ない。その責任の所在は共同体にあると考えられていたからであろう。これは個人が集団に対しての甘えに他ならない。私の知るある国では、″飲み屋″などでの汚物の後始末には五十円余りの迷惑料と清掃代を請求されると聞く。個人の共同体に対する責任は明確である。

共同体での生活の第一条件は、他人に迷惑をかけず主体性のある行動をとることだろう。【拓植】

北海道でのこと

栃木地区　つどい参加レポートを作成

【栃木】栃木地区青少年クラブ協議会（会長　広沢清一君）ではこのほど、昨年の晩夏、北海道で行なわれた「第八回全国4Hクラブ員のつどい」の参加レポートをまとめた。当協議会の会員は四百余名で、「つどいに」参加したのは三十二名。参加しての感想は、開催地を反映して″スケールの大きさに目をみはった″″開拓の意気が胸で炎えた″″多くの仲間との有意義で楽しかった交歓″など内容は多彩である。鈴木操連絡報道員の言葉に、ユニークな発想で「つどい」を見ているレポートのひとつを加えて紹介してみよう。

栃木地区青少年クラブ協議会　鈴木操

さまざまな意味で忘れることのできないあの北海道の「つどい」の感激や感想、思い出話などを収録して参加レポート集を作成してみました。

さて、聞くところによりますと次年度の神奈川県での「つどい」では規模が縮少し、参加者の制限は余儀なくされるとのことです。

当協議会では、昨年度の愛知県での「つどい」にも二十余名が参加いたしました。わが協議会でも全国クラブ員の「つどい」参加者は年々増えております。また、と同時に、「つどい」に対する考え方や全協に対する見方も前進しているつもりです。もう今から「神奈川のつどいには参加するぞ」と期待し、はりきっているクラブ員もいるほどです。

主催者側にも諸事情がおありのこととは思いますが、一名でも多く参加できるような「つどい」にもっていってほしいと思います。全協にしてみれば、ほんのひとかけらのクラブ員の声かも知れませんが、大事にしていただきたいと願っております。

レポート集より　栃木地区・都賀町　田藤徹雄

趣味よりも実益を主とした今回の旅行がいかに教育的かつ模範的であったかは、あれから数ヵ月たった現在において、思い浮かぶことがらが北海道の広大な自然でも楽しい道産娘（こ）でもなく、あらゆる方言を持つ友との語らいであったことからみても明白である。といってもこれは別に負け惜しみや皮肉で言っているのではない。

札幌市の厚生年金ホールでの二回にわたる各種催し、講演、現地交歓で熱烈な歓迎をうけたこと、大倉山スキー場での趣向をこらしたキャンプファイヤーなどなど、心の隅に暖めておきたい思い出はむろんたくさんある。しかし、それらははっきりいって枝葉末節のことのように思えてならない。

今度の旅行の収穫は、それら部分部分よりも全体としてうけた不思議な感慨である。この感慨というか感動には二つある。

そのひとつは、ここに集まった二千五百人の農業になんらかの形で関係している若い人たちが場所こそちがえ、こうしている間にも同じ時間に確実に息ぞしているということであった。

具体的にいえば、私たちは決してひとりじゃないということ、北は北海道から南は沖縄まで、各地に散在する彼らは、結局はひとつ穴のムジナ、同業者であるという発想だ。

もうひとつは前に述べた「つどい」で感じたことだが、これだけいればなにかができるだろうということである。今回、集まっただけでも二千五百人、この数字の何十倍かの若い農業者がひとつ組織に属しているのである。

このような全国的規模の若者の組織がほかにいくつあるだろう。これだけいてなにもできないとあっては、実にもったいない。規模が大きければそれだけ内部におけるいくつかの矛盾も大きくなろうが、あらゆる試行錯誤を重ねつつも、とにかく私たちはこのひとつまちがえば烏合の衆ともなりかねない巨大なこの組織を生かす道を考えねばならないとひそかに思ったりした。「つどい」に限らず、この種の集会を麻薬にするか、起爆剤にするかは本人しだいである。

生きがいとは何か

高知県連　青年と婦人のつどい開く

【高知】高知県農村青少年クラブ連絡協議会（会長　白石知之君）では、さる二十日、高知市本町の県農協会館を会場に県などと共催で『農村青年と婦人のつどい』を開いた。当日は、県下のクラブ員や主婦など約三百人が集まった。

主催者や来賓あいさつのあと、高岡郡佐川町神ノ西の岡林美佐子さんら六人の代表が、グループ活動や営農活動を報告した。続いて農業評論家・稲村半四郎氏の『生きがいのあるくらしを求めて』と題する講演を聞いた。

午後からは、高知新聞の品原淳次郎論説副委員長の司会で、香美郡香北町の武内正文さん、土佐清水市の島崎幸子さんら六人がパネル討議に入った。

『生きがいのある家庭づくりから村づくりへ』をテーマに熱心な話し合いが行なわれたが、過疎地での連帯感の喪失、家庭問題、出稼ぎ、農業をとりまく状況など、農漁村のさまざま問題が浮きぼりにされた。そして、それらにどのように対処し、生きがいを追求してゆくかでさまざまな意見が述べられた。

また、会場ではコンニャク、ミカンジュースなど、ふるさとの自然食品の即売・交換会も行なわれた。

理想のクラブへ！

埼玉加須地区4Hクが盛大に二十周年大会を開く

【埼玉】二十年の基礎に築こう理想のクラブ―ことし二十周年を迎えた加須地区4Hクラブ（会長　江森正君）の二十周年記念大会が、このほど加須市民福祉会館で開かれた。″二十歳″を迎えた喜びを楽しもうというもので、会員OBら約三百五十人で二十一年目の決意も新たにした。

まず記念式典。加須、騎西、大利根、北川辺町の市町長、農協長もお祝にかけつけそれぞれ祝辞を述べた。また、江森会長は土地問題、耕作意欲の減退など数々の難問をかかえた今日、勇気をもって前進していかなければならない、とあいさつした。会員らは「富む心をつちかおう」などハート、ヘッド…と四つのHからなる4Hの誓いを心に焼きつけた。

そのあと、会場では早大評論員山口平八氏を講師に迎え、「武蔵野と文学」と題した講演。午後からは菖蒲町からお祝いに来てくれたエレキバンドなどアトラクションを楽しんだ。またこれからのクラブのあり方、政治への参加についてなどをテーマに討論会も開き夕方まで活発な意見を交換し合った。

施設に焼イモ贈る

福岡・杷木町4Hクラブの日野、熊谷両君

【福岡】昼は農業、夜は副収入をはかるためと小型四輪車で焼きイモ売りをしている働き者の二人の農業後継者が、老人施設や児童施設を巡訪し、お手のものの焼きイモを贈って喜ばれている。

そのコンビとは、農村青少年クラブ県事業委員の日野調栄君（二二歳）と杷木町4Hクラブ副会長の熊谷経彝君（二二歳）。

二人は同町の熱心に勉強する農業青年で、夜の時間を生かした副業として焼きイモ屋を思いたち、昨年十一月から売り始めた。それからせっせと働き、商売も軌道にのってきたので、余裕を施設にプレゼントしていたもの。

昼休みには、近くの官公庁からもサラリーマンやOLが訪れ、にぎわいを見せていた。

◀投稿案内▶

本紙は、全国クラブ員の準機関紙として、みなさんに大いに利用していただきたいと考えています。

クラブの催しや個人のプロジェクト、詩、短歌、随筆、写真、悩みや意見、村の話題、伝説、行事、お知らせ、小説、その他なんでも結構ですから原稿にして送って下さい。

❶長さや形式は自由です❷できるだけ記事に関連した写真をそえて下さい❸送り先　〒105　東京都港区西新橋1の5の12　佐野ビル内　日本4H新聞編集部

日本4H新聞編集部

クラブ往来

麻の実4Hクラブ

″自から進んで″の精神

吾妻町は、県の北西部で長野県と接する吾妻郡の中央部にあります。旧岩島村が日本一の″麻″の産地であったことから、この名前がつけられました。昭和三十三年クラブ結成以来十五年余、息の長い活動を続けています。年々後継者が減少していく中で、私たちの麻の実4Hクラブもその傾向はまぬがれ得ない現状です。それでもクラブ員は、二十人（うち女子クラブ員五人）います。女子の三人は農協へ勤めていますが、農業に対する理解は深く、私達クラブ員は非常に身近に感じています。

私たちクラブ員の経営内容は、コンニャク、養蚕が中心で養豚、養鶏、野菜の順になっています。

クラブ活動の年間行事は

▽コンニャクの共同栽培

これは一人一人が二年生種子玉を三・五㌔ずつ持ち寄り、共同圃場に植付け、クラブのプロジェクトとして、地域の農業振興、わが家の経営に役立てています。

▽水田の請負防除

旧村内に五十五㌶の水田があり、七〜八月に延べ七回の防除を、クラブ員で引き受けている。一回の防除に約八人を要し、農繁期であり、さらに炎天下の防除はなみたいていではありません。

しかし、共同精神、助け合いの心が発揮される場であり、苦しい作業過程の中から団結が生れ、有意義な行事であると思います。年々クラブ員が減少して行く現在、クラブ員の経営に支障をきたさず、この事業を続けて行くことのむずかしさがあります。

▽技術交換

この事業は長い間続けられてきたもので、四〜五人が一グループとなり、お互いに多忙時は助け合っています。この技術交換は、相手の経営内容を知ると共に家族に4Hクラブ活動を理解してもらう絶好の機会です。

これが年間の主な行事ですが、そのほか毎月十五日を定例集会日とし、毎回二人づつ係をだし責任をもって集会の進行を行ない、自主的な活動に大いに役立てています。

「自分がやらなければ」という自覚は自信を生み、種々の話し合いの場、地区連、県協への積極的な参加となって現われています。いつでも、どこでも自分の思っていることを、言葉としてあらわす訓練ともなっています。

私達は、日常の活動を通じ、わが家の経営規模を拡大し、あわせて地域農業の振興に役立つ技術や知識を向上させたいと考えて、クラブ活動を実践すると同時に、仲づくりとともに今後も強力に続けていきたい思っています。

先輩が残してくれた業績にプラスして後輩に渡してあげることが私達の義務であると思っています。

（群馬県・吾妻町麻の実4Hクラブ・大塚利雄）

アルミマルチで好成績

新部門で経営改善

星交段とびヨーズ　抑制トマト栽培を導入

鳥取県・赤碕町グリーンクラブ　高橋広吉

抑制トマト栽培は、稲作と競作の労働が競合することなく、あまり労力を必要とせず、しかも、初心者でも栽培でき、収益性が高い作物であることから私は取り組んだ。

また、「星交段とびヨーズ」は、やせ地を好む（ある程度無肥料で栽培でき、本葉二～三枚で定植するため生育がおう盛である）。全生育期間無灌水で栽培できる。初心者でも栽培が容易（高温時でないかぎりホルモン処理は必要とせず

…栄展労力である。

▽播種時期　七月六～十日▽採種方法　ペーパーポット（6×6×9㌢）に土を籾殻燻炭を混合した床土を入れ、鉢の中央に二～三粒づつ種子をまき、発芽揃をまって一本に間引いた。

▽定植時期　七月二十五～八月四日▽定植方法　本葉二～三枚となったときにペーパーポットに十分潅水したのち、植穴にダイジストン粒剤を小スプーン一杯づつ入れて土と混合したのち、植付けた、マルチをアルミマルチにしたため日中でも植付けることができた。

▽整枝　第一果房直下のわき芽を残して二本仕立てとした。支柱は…

病害虫の発生を防除するため十～十五日おきに薬剤散布をおこなった。薬剤散布の過程は次のとおり。

活着時　アグレプトマイシン一五〇〇倍液
八月二十一日　マンネブルダイセン一五〇〇倍＋ランネート一五〇〇倍
九月四日　ダコニール六〇〇倍
九月十三日　ダイホルタン一〇〇〇倍＋アグレプトマイシン一〇〇〇倍
九月二十五日　サニパー一五〇〇倍
十月八日　ダニコール五〇〇倍
十月二十日　キノンドー一〇〇〇倍
十一月十日　ボルドー4－8式倍
十一月十日　ベンレート一五〇〇倍

尻腐病と土壌改良をかねて、石灰と溶成燐肥の施注を実施。

▽ハウスの管理　定植から一度霜に会わせるまでハウスは屋根だけとし、霜に会わせてから密閉する。密閉後は室内の換気につとめた。

▽収穫、調整、出荷　収穫は、十月十日～十二月二十四日まで続き、十月と十一月は一日間隔で、十二月は三日間隔で収穫した。方法は第一果房を収穫し始めたらその下葉を除去し、十一月に入ったら全部を摘葉してマルチのうえにねさせて、色はげを良くした。収量は約四千㌔で、十月～十一月にそのうちの二五〇〇㌔をしめ、一㌔当たり約百円で販売することができた。十二月は一五〇〇㌔を収穫し、一㌔当たり約五十五円となり、合計三十三万二千五百円の収入となった。なお収穫したトマトの販売は農協を通しての共同出荷とした。

栽培の結果、次のような諸点が明らかになり、今後の経営で注意すればかなり良い成績をあげられるものと思われる。

▽十月、十一月の販売代金は秀規格のもので一ケース当たり千円台であったが、十二月には五百五十円台にまで値下がりした。十月～十一月の高値の時期に販売するためには、遅くとも七月中に定植を終わることが望ましい。

▽第一果房だけはホルモン処理を…

経営

沖縄県・平良4Hクラブ　渡真利貞光

裏方は後継者たち

水稲の集団栽培をテレビ映画

霊山町4Hク青年学園生ら

梨にかける青春

独立経営めざして

鳥取県・三朝町農業青年会議　遠藤勝太郎

父にも負けず

近代農業と若者達

乾田ばらまきで省力化を

過疎対策を点検する

NHK農事番組

結婚を考える

福井県　荒木絹枝

結婚適齢期

姉からの便り　結婚と夢を両立させて

先輩から学ぶ自営"魂"

スイカ栽培　自然条件を生かす

書道コンクール入選者決まる

全国共済農業協同組合連合会

明日の農業へ向って　各種農業団体

農林中央金庫

緑と財産を守る農協、運動を推進

現状は不安だが

茨城・美野里地区4Hク連協　柴沼　治英

私たちは、この厳しい社会情勢のなかで農業に励んでいますが、農家にとって一番の収益である米の先行きはあやしく、それにかわる野菜、畜産などを取り入れても生産過剰で安値です。となると、何を求め、何を作り、どんな農業をやっていったらよいかわからなくなってしまいます。現状のそれにも増して、これからの農業の後継者であるわれわれ若者が農業をやっていくというのはむずかしいことのようです。

ひと昔前の農業は、クワやマンノウの柄のようにまっすぐ上へ上へと伸びようとしていました。しかし、今日においては技術の発達とともに農業も近代化され、資本主義国家の世の中で、小規模の農家は、その農業という枠からはみ出さずにはいられないような現況です。このような現実のなかで出稼ぎという現象があらわれてきたのはさみしく感じます。

米作地帯などでは、三ヵ月あるいは半年も家族とはなれて過ごすことも珍しいことではありません。そして、いつ帰ってくるかわからないような一家の主を「うちのお父さんは寒くなるとどこかへ行ってしまう」と子供たちが言っているのを聞くにつけ、これでいいのかなあと考えさせられてしまいます。

だが、われわれは若いのです。これからの日本農業をきりひらいてゆくんだと後継者仲間で手に手を取り合って励んでいこうではないか！　そして、明るい豊かな農業地域を築いて、社会の発展とともに出稼ぎなどしなくとも農業だけで生活できるように、われわれ若者はやっていきましょう。よりよい地域社会に向かって、現状を乗り越え、ともに歩んでいきましょう。そうしなければ、われわれの前途は閉ざされているといわねばなりません。

全国のみなさん、なにがなんでもお互いにがんばろうではないですか！

米国での生活から〈4〉

大養鶏場をたずねて

一九七二年度草の根大使　原田　茂光

ワシントン州とコロンビア州をはさんで向かい合うオレゴン州の丘の上に近代的設備を備えたトム・アレンさんの養鶏場があった。経営者のトムさんは五十五歳。二年前までは、トムさんと奥さん名義の所有地四四〇〇エーカーと借入地二六〇〇エーカーで小麦を栽培する穀作農家であった。

小麦は現在もなおかつ世界三大余剰農産物にあげられているように、その販売は大変むずかしかった。トムさんも例外ではなくその販売には大変苦労してきたという。養鶏を経営に取り入れたのもこの販売のむずかしさが原因となっている。

麦畑の中に縦百三五㍍、横一八㍍の鶏舎が一五㍍間隔で四棟並び、平行して選卵場、貯蔵庫、事務所などが建てられている。鶏舎一棟に四万羽を飼い、合計十六万羽を飼っている。将来はもう四棟増やして、三十二万羽養鶏にする予定だという。

小麦の作付制限による補償金を手にするよりは、自主的に販売に支障がない程度に作付をコントロールし、収穫された小麦を自家飼料へ振り向けるという考えでいる。このための飼料工場を鶏舎に付随して建築するという計画を持っている。また、トムさんは、養鶏のほかに養豚を他の農家と組んで経営している。昨年は六百五十頭飼育、「子取り」で増やし今年は二千頭、来年は三千頭にするとのことであった。この技術も日本と連絡をとって進められていた。屠殺の時に副産物として取れる油は飼料工場での飼料生産過程で混入し、防臭を行なうとともに、生産された飼料一㌧当たり二十㌦のコストダウンを図る計画だという。現在は隔日に二千ポンド（約九百㌔）の飼料が必要というから、三十二万羽養鶏が軌道にのって飼育されるようになれば、養豚部門の三千頭分の飼料を含めて、この面からだけでも大きな利益を生むことになる。

昨年七月末現在の産卵率は七〇％と、多少低い印象を受けたが、これも一棟に若鶏が入っているからとのこと。しかし、現在の生産原価が一ダース＝三十一㌣、消費者価格が五十九～七十九㌣から経営内容は相当良いように思えた。年々消費者価格の高騰する折、生産価格を将来一ダース＝二十六㌣位まで下げたいと言うのには本当に驚かされてしまった。現在ある養鶏場の建築費用だけでも一羽当たり五㌦五十㌣かかっているというから、大変な建築資金が必要だったことは明らかである。

経営は、「カーネーション」というミルク会社との資本提携の元に設立された会社組織形で、土地と養鶏場、選卵場はトムさんが出資し、ニワトリと機械類はミルク会社が出資していた。この産卵工場ともいうべき養鶏場の作業は全て自動化されている。一棟に八本のベルトコンベアが取り付けられ、選卵場に通じるメーンベルトに乗って選卵場へ、洗卵、乾燥、検卵の過程を通って重量選卵され、最後にパック詰めされる。選卵は六サイズに分けられ、大小の二サイズだけは機械が使えず手で詰められていた。飼料も完全自動給餌であり、管理は一日一回鶏舎を回るだけである。糞処理はケージが二段の高さに取り付けられているため、二年に一度ケージの下にブルドーザが入って除去するという省力構造になっている。公害にもなる臭気は天井からの常時通風と乾燥装置という好条件を得て鶏舎内は無臭に近かった。

ここで働く労働者はわずか六人。六人は朝の六時半から夕方の六時半まで働らき、三十分間の昼食時間があり、二時間ごとに十分間の休憩時間があったが、まさにニワトリに働かされているような忙しさだった。労働者の手当は、住む家を与えられ、四百㌦の月給が支払われている。仕事の量からすれば本当に低賃金のような気がする。

この近代的な養鶏場がこれからの穀作農家に新たな指針を示していることは確かである。このような企業経営による大規模養鶏農家と国際市場で競争しなければならない日本の養鶏農家の前途が大変だと思われた。

（山形・コナムクラブ）

青春と仲間

4Hの心に咲く花

先輩に応え、会館へ全力を

岐阜県4Hクラブ連協会長　中野　俊一

ここ数年来、全国の各県連とも年頭にはかならずといってよいくらい"日本4H会館建設募金"の大々的な呼びかけをしている。奈良の大会のときにそれが始まったと諸先輩に聞くのだから、もうかれこれ十年、その呼びかけも十周年ということになりそうだ。十周年記念会館建設募金などという声がここで上がるかどうか……。

ところで、全国のみんなは日本4H会館建設の意味を本当に考えているのだろうか。会館が利用するだけのものでなく、4Hの理念にもとずくわれらの心のよりどころだということをだ。果してどうなのだろうか。

現在、4H会館建設は白紙にもどった。しかし、そんな中にも会館のまわりで美しく咲く花はあるものだ。私はここで全国の仲間にそれを紹介したい。

先日、林新太郎前岐阜県連会長宛に一通の便りが舞い込んだ。その封筒の中には一通の便りと現金一万円が入っていた。彼はクイズでも当ったのかと小躍りして喜んだという。

しかし、彼は一通の便りに心を打たれた。そして、現金を握りながら改めて郷土を考えたという。クイズどころか、その手紙は仲間の心に咲いた誠意の花だったのである。彼は感激して、その手紙をわれわれ県連事務局へ届けてくれた。

手紙の差し出し人は、関みどりさん（旧姓古川）、草の根大使として米国へ派遣されたこともある彼女のことをご存知の方も多いと思うが……。その便りの一部はこうだ。

……暖かい季節になってまいりました。私の郷土の岐阜県連の動きは、いつも私に届けられている日本4H新聞で拝見しています。

さて、私、この間、主人（関輝男氏）にお小遣いをもらいました。少しですけれど、4H会館募金の一部にして下さい。

みなさん、心して早期会館建設に励んで下さい。この金額は、私の現在住んでいる香川県連にと思いましたが、同県連にはもう納めてありますので、私の青春を過ごした岐阜県連にお送りします。みなさん、がんばって……。

と書かれていたではないか。私は本当にうれしくこの手紙を拝見した。と同時に、私たちの現状のはがゆさを痛烈に感じた。

彼女は昨年度、わが県連の副会長を務めた。そして、4H会館推進委員もやっておられた。彼女は全国的な大会などでも堂々と会館建設を語り、同じようにわが県でも活躍し募金一年目の県連を盛りあげてくれた人だった。先にも書いたが、彼女は草の根大使として米国で半年間生活し、米国の生活や農業、4H精神などを学び、それを地元で生かしてくれた。彼女の兄も二年の米国生活を送り、その知識を地域に反映させておられる。兄妹で米国へ行かれるような理解ある家庭で育った彼女は、4Hクラブでその理解に応え大きな功績を残した。

彼女のような大切な人間をわれらが郷土、岐阜から海を越えた四国の香川にとられて（？）しまい残念に思っていたが、彼女はつねにわれわれの4H活動を見守っていてくれていたのだ。それも、全国のクラブ員のプロジェクトである4H会館建設ということを通してである。

瀬戸内の海を見ながらニワトリと仲良く暮らしているだろう関みどりさんの便りと誠意は、単にわが県連だけのものではない。全国の4Hの友、土の仲間に向けられたものなのだ。

みなさん、前向きにしっかりした意識のもとに日本4H会館の建設推進をはかっていこうではありませんか。

一人"むら"を想う

蜜蜂に砂糖水をやりながらふと切ないものがよぎった。うるさいのである。

濃いグリーンの地にまんまるい日の丸の赤を描いたヘリコプターが二機、りんごの樹を慄わせながら行ったり来たりして、その機影の見えない間は、宮向いの山裾（やますそ）から、来春完工を目ざす高速自動車道建設工事の、ブルドーザーの駆動音が、ひっきりなしに、山合いの盆地のむらをおしつぶすように拡がるのである。

もう、西の蔵王連山が麓まで真白な雪におおわれ、旬日にしてこの盆地も雪が降るであろう十一月の、うららに晴れた日は、しなびた茅の家の軒にはころがきがゆったりと風に揺れ、摘み残した白菜が陽の中に倒れるのである。こんな十一月の静いな風景の中に私の少年の日がかえってくる。私が少年の頃の父は二町歩の小作地を切り回しながらの馬車曳きだった。円田と白石の間を往復する定期便なのである。円田の土谷から珪藻土を積んで鉄道のある白石の粉末工場まで、三十貫（トン）の原土を荷袋も積んで行き、かえりは白石の問屋から途中の雑貨屋や酒屋へ鋼荷を配達する毎日だった。円田と白石の間の二十キロのみちを鹿毛の足太い馬を曳いての往還は祖父から受け継いだ仕事であり、鉄輪の音をひびかせながら黒い腹掛けをして、砂糖やセメント、時には真新しい精米機を、鉄道のある町からむらに運び込んで来る仕事をむらの人達はうらやみもした。しかし父はこの仕事を好んでいなかった。父は米作りが上手かった。急峻な山合いのむらから婿入りした父は、この盆地での野良の仕事を喜んだ。誰かが小作に出すと言うと飛んで行って、借りた。荒れた畑を丹念に耕して立派な白菜や小麦を育てた。そして、その農作業は、夜なべや、未だ陽の照らない霜の朝だったりした。父は野良の仕事一本で暮らしたかったのだろう。しかし年貢にとりあげられた後の農の収穫では一家のくらしが立たなかったから、父は好きな、—というより、百枚田といわれ細畑と呼ばれる程の急峻な耕地をもつむらから、火山灰地とはいえ平坦な耕地をもつこのむらで父は精一ぱい働きたかったのだろう。が、一家が生きて行くために馬車馬を曳いた。こんな十一月のうららな日和に目をつむるとカラカラと父の曳く馬車の轍（わだち）の音が聞えて来る、と、その時また引き返して来たヘリコプターの爆音がけたたましく私の鼓膜をたたきつける。高速自動車道建設工事のブルドーザーの音も舗装された県道を疾走する大型トラックの騒音も重なり合って迫って来る。

じっと動かない小さな蜂たちの静かなたずまいは十年前と変らない。この小さな虫たちも営みを続けているのだ。が、私はかっての父の営みと、今日、この騒々しい、むらの営みをじっと考える。変ったようではあったが何の変化もない私のむらがあったのだ。父が曳いた馬車は今は大型トラックとなり定期のトラックは今では東京というまちと私のむらを往還し百姓では食えない農民達がその車を操りながら生活の糧を得ているのである。ドライブインはさしずめ父らが五銭の駄菓子を頬張りながら茶をすすった茶店の変形であり、あのうるさいブルドーザーや、ヘリコプターを操る人達も、父のように土を耕したくても近代の生活に耐え得るだけの所得を得られずに、他の生活の手段を求めて行った人達なのではなかったか。近代化だとか合理化だとか言われながら、むらの原形は少しも変っていない美しく貧しい存在なのだ。初冬の野面を渡る鉄輪と馬のひずめの音が疾走する爆音に変っただけでそこには土に生きたくても生きられない人々の幻影と貧困とが私には見えるのである。

蜂は静かに砂糖水をなめはじめた。（宮城県蔵王町小村崎十郎田）～農民文学第百十六号より

初冬　—　鹿島　茂

立ち見席

東北の"ヒト"

私は彼に小さなプレゼントを送った。それは、むらさき色の手編みのスキー帽……。

私のプレゼントが彼の手元に届いたのは、お酒の酔いにまかせてそそっかしやの彼が髪を刈った翌朝だという。二日酔いの彼の目の中に、ぼんやり私の姿が浮かんだことでしょう。このぼんやり浮かんだ私の皮肉なプレゼントに彼は感謝してくれたとか言っていた……。

彼がたずねて来てくれたのは去年の十一月も終りの日。ああ、あの日はこの冬一番の寒さだったこと……。

南国の高知は暖かいと思ったと半そでシャツだけをもってきた陽気な彼。そんな彼の半そでシャツの姿を申し訳なさそうに見つめ、言葉もなかった私……。

そうね、翌朝の初雪に二人とも情ない顔しかできなかったわね……。

南国とはいえ高知にも冬があったとしみじみ身にしみて感じたと笑った彼。

私たちは、高知の青い海、青い空、緑（あお）い山を彼が来て四日目の小春日和の日に見てまわった。自然を十二分に味わって満足の彼。

今年の夏は、東北へ私が彼をたずねていこう。

そして、東北は寒いと思ったと彼に言い、セーターだけをもっていこう。そのとき彼はどんな顔をするだろうか、どんな言葉を吐くだろうか。

私はどうだろう。すべてはどうなるだろう……。

それとも、何も……。私はほんとうに東北へ行こう。

（高知県・タッチ）

私なら

高知・上ノ加江4Hクラブ　山岡紀美子

なぜ　顔をくもらして人々は生きてゆくのか
なぜ　怒りをぶつけるのか
なぜ　醜い赤い口からするどい切れるような言葉を吐くのか
私なら　そんなものすべて、心のオブラートで軽やかに包んでむしゃむしゃ食べてやるのに
そしてくすって笑ってやるの

タフな私だもの
ちっともお腹は痛くならないわ
胃腸もケロッとしているわ
でも、でも、なぜ　私はたまに涙を流してしまうのだろう

矛盾

栃木県・南那須町　森林　芳子

豆だらけで、あまりの痛さに
箸をも持つことのできなくなったこの手
それでも　この仕事を続けようと言うのでしょうか
あなたはこんな広々とした牧場で働きたいと言うけれど　あなたにはわかってないのです
肉体労働がどんなに苦しいものか　ということを
毎日　冷房のきいた部屋にいるあなたは　灼熱の太陽の下での仕事が　どんなにつらいものか　と考えてみたことがありますか
牧場で働くことは　そんなにたやすいことではありません
どんなに苦しくたって　一日さえも休むことは許されないのです
あなたたちのように　日曜だからと言って　遊び歩くことはできないのです
それでもあなたはここで働きたいと思いますか

愛を失った私は

かつての「古いノート」から

埼玉県加須4Hクラブ　田沼　正子

自分をなぐさめたい。こんな自分ではなかったはずだ。はやく、もとの自分に戻りたい。

しかし、今となっては、何もできないかたくなな女。愛する人とのめぐりあいはあまりにも簡単なものであり、愛する人との破局もまた簡単なものだった。

ひとりの女が、ひとりの男を迎え、ひとりの男が、ひとりの女を迎えた。

それが事実とすれば、私はもとの自分に戻れない。なにをやってもつまずくばかり、なすものもない。こんな私ではなかったはずだ。このノートに向かうと、そのような思いはよけいにつのる。

もうやめよう、こんな生き方。信条こそは失なわず、自分のことは自分でなせる人間……。そして十八歳。未来に向かって歩もう、信条を大切にして……。頭のなかをかけめぐる断想に私は胸を震わす。

そうだ、私の宝は、自分で作った信条であり、望むものはその達成のはずではなかったのか！

愛を失った女は、しごくみすぼらしいものである。加えて、自然は愛を失った女に対して冷たくあたる。愛ある人は、すべてが楽しく明るく過ぎているように私には見える。

はやく立ち直って、自分の足で自分の道を歩んでいきたい。

愛とは人間の造るものであり、そして人間が飾るものである。造り、飾る——今の私には、それがない。さみしいことだけど……。

だが、いつか時間とともに、さくら色をした私だけの愛を見い出すことができるかもしれない。今は今は忘れ得ぬ人であっても——

好きという言葉は、危険であったのかと今になって思う。好きというだけで、荒野はつき進めないということを今になって感じるのは未熟だからであろうか。

否、好きだけではなかった、愛があったと、おまえ（正子）は言うが、愛とは体で覚えるものだけではない。

全神経を集中させ、その人のために尽くせるかどうか、心から尽くせたかどうか——よく反省すべきである。楽しいきれいな面ばかりを見て、年月を過ごした自分を反省すべきである——。

これは私の昭和四十六年四月二十四日の日記。あれから私は今まで歩み続けた。人生という重荷をしっかりと肩にかかえて……。

笹笛

価値ある生き方とは

耳をそぎ落とすカミソリのように鋭く冷たい夜風がチンピラ同士のどなり合いと混ざって街を吹きぬける頃、ぼくはある駅の改札口をあとにし、自宅へ急いでいた。駅から吐き出されてくる人や行き交う人は、いつもながら、酔っぱらい、アベック、ヨタった男、水商売の女性などがほとんどで、なんとなく厳そかなぶっそうさが街全体をすっぽりつつんでいるといった感じであった。

さて、駅から四、五十メートル離れたところでのことである。中年から老年にかかるぐらいの男がひとり路上に倒れていたのである。酔っぱらいめと思いながらも、ぼくは「どうしました？」とその男に声をかけてみた。案の定、ひどく酩酊（めいてい）のようす。といって、路上に寝かしとくのも気の毒なので近くのベンチまで連れて行ってやることにした。

しかし、そのオッサンは意外に重く、どうもぼくひとりの力では思うように連れていけそうもなかった。そこで、ぼくは、通りがかりの人に声をかけて助けを求めることにした。だが、声をかけれどもかけれどもみんな知らんぷりで「あっしにはかかわりないことでござんす」と紋次郎以上のカッコ良さ。ぼくも助けはあきらめてひとりでひきずっていこうと思った矢先、角刈りの無気味な男が手を借してくれて、まずは一安心したのである。

「都会の人間はエゴイストで非人間的だ」なんて恐れる良識者みたいな面して即座に言ってのけたくなる。しかしぼくはそうは言わない。いや、というよりもそうは言えないのである。なぜならぼく自身、最初にあの男を見たとき『ヘタにかかわり合いになってもつまらない』と心の中で考えていたからだ。ぼくがあの酔っぱらいに声をかけた動機は、単にその男の髪型が父に似ていたからである。ぼくは、身を切られる思いだが、そんな自分を認めないわけにはいかない。

「人間は〈如何に生くべきか〉と考えた場合に、もっとも価値ある生き方というものは、これとても架空なんですけれども、自分の生活のところで具体的に眼に見えるように当面している問題とか、自分の家族とか兄弟とかそういうことならば、考えたりするけど、ベトナム戦争がどうだとか、あんまり遠くのほうにあることは考えないという生き方が、いちばん価値ある生き方なんじゃないかと考えたわけなんです。いってみれば、相対性の極限です」

少々長い引用になったが、これは現代のある著名な思想家の言葉である。これは、自己の積み上げた思想の根底を絶えず、ゆさぶり問い続ける苛酷なものだ。

そこからスタートするとなると、常に醒めた自覚をもっていなければならない。と同時に、常に自己を迷路へかりたてねばならなくなる。かと言って、路上にころがる勇気もなし……。（野）

仲間作りにぼくも一言

鳥取県・三朝町農業青年会議　小谷昭雄

仲間をつくるのに特別にPRや活動しなくとも、現在いるクラブ員がクラブに対する認識を深め、活発に活動をしていれば周囲の人たちも見逃すことはないだろう。

農村の青少年は孤独感から逃れようとして、身近かに活発なクラブがあれば、必ず参加を申し込んでいるはずだ。笛や太鼓のどんちゃん騒ぎでクラブ員をひっぱりこんだり、一人で一人の仲間をみつけようなどといって走り回るような行きすぎた仲間づくりは避けたほうがいいと思う。

それよりクラブ活動に自信を持ち、実績を積み重ねるならば仲間づくりは特別なことではなくなると思う。つまり、仲間づくりは自然に展開し、むしろ「あなたに人がついてくる」というかたちになるだろう。そんな活動を進めていこうではないか。

日本4H新聞
4Hクラブ
農事研究会
生活改善クラブ
全国広報紙
発行所 社団法人 日本4H協会
東京都港区西新橋1の5の12 佐野ビル 〒105
電話（591）1817・3683
編集発行 玉井 光
月3回・4の日発行
定価 1部 35円
一ヵ年 1200円（送料共）
振替口座 東京12055番

クラブ綱領

私達は、実践を通じて自らを磨くとともに、互いに力をあわせて、よりよい農村、よりよい日本を創るため、四つの信条をかかげます。一、私達は農業の改良と生活の改善に役立つ腕をみがきます。一、私達は科学的に物を考えることのできる頭の訓練をします。一、私達は誠実で友情に富む心をつちかいます。一、私達は楽しく暮らし元気で働くための健康を増進します。

米国派遣〝草の根大使〟を募集

半年間米国で研修

昭和48年度〝国際農村青年交換計画〟

社団法人日本4H協会（会長 宮城栄治氏）では、昭和四十八年度国際農村青年交換計画（IFYE）に基づく4Hクラブ員のアメリカ派遣の要領をこのほどまとめ、全国のクラブ員に幅広く応募を呼びかけている。これは、わが国の4Hクラブ員をアメリカに派遣し、同国の農業、農家生活、クラブ活動などを実地に体験させ、その経験を帰国後のクラブ活動に役立たせるとともに、わが国と米国との相互理解を深め、国際親善の増進を図ろうとするものである。その意味から、派遣クラブ員は草の根大使と呼ばれ、広く親しまれている。

どこまでも続くアメリカの広大な畑地はあなたが研修に訪れるのを待っている＝写真はワシントン州（昨年度草の根大使・原田茂光君提供）

派遣要領の概略は次のとおり。

派遣機関は社団法人日本4H協会（東京都港区西新橋一の五の十二 佐野ビル内・電話五九一－一八一七）で、派遣先国の受け入れ機関はアメリカナショナル4Hクラブ財団。

派遣人数は、原則として男子一名、女子一名の計二名。

派遣の時期および期間は、六月下旬から約六カ月間で、アメリカでの行動概要は▽六月二十五日、シアトルまたはワシントンD・C着△六月二十五～六日、オリエンテーション▽六月二十七日、受け入れ農家へ移動▽十月中旬、受け入れ農家発。約十日間の自由時間の後、ワシントンD・Cへ移動▽十一月五日、ナショナル4Hセンター（ワシントンD・C）到着▽十一月五～八日、ナショナル4Hセンターで最後の協議会▽十一月八日 日本へ向け出発。

派遣される者の資格は以下の五項目を満たす人となっている。

①現在4Hクラブ員であって、これまでに三ヵ年以上4Hクラブ員（学校農業クラブ員も含む）の経験があり、プロジェクト活動の実績をもつ者。

②年齢は、昭和四十八年四月一日現在、二十歳以上二十五歳までの未婚の者。

③健康で、人格などがこの派遣にふさわしい者。

④中学校卒業程度の英語を習得している者。

⑤帰国後も4Hクラブ員として組織活動に参加し、積極的に4Hクラブ活動の伸展に協力する者。

選考は第一次、第二次の二回の審査からなっており、第一次審査は書類審査で三月下旬に完了の見込みである。候補者は、一次審査に必要な書類を三月十五日までに日本4H協会に提出すること。

▽第一次審査に必要な書類①履歴書（自筆のもの）＝一通②戸籍謄本＝一通③健康診断書＝一通④写真（三ヵ月以内に撮影した無帽正面、半身の縦横各五㌢、背景白無台紙のもの）＝三葉⑤両親またはこれに代る者の同意書＝一通⑥クラブ歴の明細書＝一通⑦プロジェクトの実績報告書＝一通⑧知事の推せん状＝一通⑨派遣を希望する理由書（八百字程度）＝一通

第二次審査は、第一次審査の合格者について行ない、作文、英語および面接審査とし、三月下旬～四月初旬に実施の予定。

また、派遣される人は出発前約五日間の事前研修を受ける。

派遣に要する経費については次のとおりである。

①日本とアメリカ間の往復旅費は日本4H協会が負担する。

②アメリカでの経費は、派遣される人の個人経費（自由時間の見学費、土産物購入費など）を除き一切アメリカの受け入れ機関で負担する。

③派遣される人は次の経費を納入する。

▽出発前の研修費、諸手続費などの一部として金三万円を4H協会に納入（ただし、出発前研修期間中の宿泊費などは自弁）。

▽国際農村青年交換日本協議会（既派遣者が構成しているもの）の入会費として、金一万円を同協議会に納入する。

なお、詳細は日本4H協会事務局までお問い合わせ下さい。

全国のクラブ員より多くの応募が期待される。

会館問題を中心に

来る11日から 会長会議と建設委員会

全国4Hクラブ連絡協議会（会長 松浦幸治君）では、来る三月十一、十二の両日、中央開拓会館（東京都文京区大塚四－四六－一三）で道府県連会長会議と日本4H会館建設委員会総会を開催する。会長会議では、全協の組織強化が主なテーマとなり、また、会館建設委員会総会では、早期建設をめざして今後の方向などが話し合われる予定。

十一日の午前十時から十二日の正午まで会議は続けられるが、まず会長会議での協議事項は①四十七年度の全協活動の反省と評価②全協規約改正の件③全協組織強化の件～事務局体制確立と負担金の値上げについて～④昭和四十八年度活動方針および事業の件⑤昭和四十八年度全協役員選出の件⑥その他である。

また、日本4H会館建設委員会総会は、『道府県連会長は建設委員会を構成する』という規約にもとづき、全協OBを加えて会長会議へ移行する。

建設委員会で協議される主なものとしては①経過と現状②建設委員会規約改正と役員改選③今後の方向～基本構想について～④その他が上げられている。

この会長会議と建設委員会総会は、今後の全協活動、会館建設へのひとつの指針ともなるべきもので、会議の成果が期待される。

会館建設募金も徐々に伸びてきてはいるものの、募金達成率の高い県連と低い県連との差が大きすぎ、まだ足並みが揃ったとは言えないのが現状である。

全協および建設委員会では、昨年十二月の修期中央推進会議の際開催された先の会長会議での会館建設への全国的な意欲の高まりにさらに拍車をかけ、これから強力な募金運動を展開するための方策を全国の代表によって十分討議してもらう予定である。

また、各県連がこれまで募金してきた金額を提出する期限もこの会議中なので、それらの具体的な事実や状況をもとに、今後、会館建設に向かって全国のクラブ員がどう活動するかということも話し合われる。昨年十二月の会長会議（会館建設委員会会議）には、OBがいなかったが、今回は全協OBで建設委員でもある方々が多く出席されるので、さらにこの会議に寄せられる期待は大きい。

なお、主催者では、今回の会議は重要事項が多いので必ず会長が出席するよう呼びかけている。

韓国の農業留学生 佐賀

三日月町の交歓会で農業語る

【佐賀】県下の農業を視察している韓国中央農業協同組合初級大学の農業留学生の一行十七人は、さる二十三日午後、小城郡三日月町公民館で、地元の農業後継者と交歓会を開き、両国の農業青年の土づくりに対する発見を出し合った。

交歓会には、同町の4Hクラブ員十五人のほか、藤木県農協中央指導部長、伊東公民館長らも出席。『三日月町農業青年韓国訪問記録』『三日月町の集団稲作栽培』の映画を見たあと、三月に訪韓する同町4Hクラブ員の紹介があった。

このあと、小城郡農協三日月支所の桜本指導主任の司会で、懇談会が行なわれ、両国の4Hクラブの活動について説明などがあった。

さる十七日から県下を訪れている韓国の農業留学生は二十歳前後の青年で、引率の康宜鎬教授の通訳に熱心に耳を傾けていた。とくに『農家の親子の断絶はないか』『心身の修養はどんな方法をとっているか』など、日本の農村青年がかかえている悩みについての話もとび出していた。

このあと、午後五時半から町役場女子職員が、踊りや琴などを披露、珍らしいもてなしに韓国の青年たちは大喜びだった。なお、韓国農業留学生の一行は二十七日まで県下に滞在、県下のイ草など特産地の諸施設を訪問する。

七百三十名が参加

いよいよ八日から 全国青年農業者会議

来る三月八日から十日の二泊三日間にわたり、東京都渋谷区代々木のオリンピック記念青少年総合センターで農林省などの主催によって開かれる「第十二回全国青年農業者会議」は開幕までいよいよあと数日。事務局では何ヵ月も前から準備に忙しかったが、もうほとんどの仕事を終え、万全の体制で全国の代表を待ち構えている。

参加者は、農村青年四百十人（うち男三百九人、女百一人）、農業経営者百三十五人（うち、男六十八人、女六十七人）、指導者部会百二人（クラブリーダー三十六人、普及員六十六人）、担当職員八十三名の計七百三十人。

青年農業者部会の会議課題は、「新しい農業への提言」～生きがいのある村を築くために～であるが、激動する今日の農業・農村を全国の代表たちがどうとらえ、また新しい農業へどのような提言をするかが注目の的であると同時に大いに期待されている。また、青年農業者部会の各分科会には司会者および助言者を加える。

各分科会で研究討議した結果をもとにし、青年農業者が果たすべき役割についてパネル討議を行なうが、これには助言者として、東畑精一全国農村青少年教育振興会会長、大内力東京大学教授、扇谷正造氏（評論家）、並木正吉氏（農林省・農業総合研究所計画部長）、司会者として草柳、横島、有馬の各NHKアナウンサーが加わる予定。この全体討議の成果は大きな期待を集めている。なお、この討議はNHK特別番組「新しい農業への提言～生きがいのある村を築くために～」として総合TVで放映される。

また、農村青少年技能農業研究集団＝二十集団（農林大臣賞）、農村青少年農業研究集団篤志指導者＝三十二人（農林省農蚕園芸局長感謝状）、農村青少年農業研究集団育成協力機関＝三十六機関（全国農村青少年教育振興会会長、日本4H協会会長感謝状）、農業研究集団育成協力機関＝二十六機関（全国農業改良普及協会会長感謝状）がそれぞれ、表彰または感謝状を贈られる。

暖風

根なしクラブの戒め

クラブ活動を進めていくうえで、地域との結びつきが重要なことはいうまでもないことである。こんなわかりきったことを改めて考えてみようというのは、クラブ活動と地域とのつながりが、ちかごろ弱まってきたように思うからだ。

村の中の小地域にクラブがあった頃は、経営主や主婦の集団と話し合いをするとか部落と共催で農畜産物の共進会を行なったり、地域の集会所の清掃をクラブが担当するなど、部落の営農や生活の問題解決におけるクラブの役割は高く評価されていた。

[illegible]じなことにちがいないのだが、あれほど強かった地域との結びつきが、いつのまにか薄れて、気がついてみたら地域から浮き上がったクラブになってしまう例もある。広域クラブだから、一つ一つの部落と直接に結びつくのは困難、としても、地域と無縁のクラブ活動では、営農や生活の発展を望むことはできなかろう。

ではいったい、どうしたら地域との結びつきを強いものに変えられるだろうか。結びつくとは、地域の何と結びつければよいのか。こうした点を考えてみる必要がある。[illegible]などとは、地域の問題点解決[illegible]課題に取り上げることが先[illegible]域だといったって、地域の農[illegible]いる問題をつかむ方法はいく[illegible]各部落の代表の人たちとの話[illegible]リート方式による意向の集約[illegible]ければいく通りもあろう。次[illegible]は、その問題解決の学習や実践の成果を、地域の営農や生活に反映していく結びつきである。クラブ活動の実績発表会に地域の農家の出席を求めたり、クラブの品評会を通じて意見を聞いたりすることだってできよう。この場合、クラブの機関誌は地域とクラブを結びつけるのに威力を発揮するし、部落の集会所めぐりのクラブ会合は、その結びつきの実感を深めるにちがいない。

たとえクラブがどのように広域化しても地域の問題がクラブの活動課題になっている限り、そのクラブは地域に根をおろした活動で生き生きと発展すると思う。

（北海道・三輪）

あの視点

信頼される前に信頼

クラブとリーダー〈19〉

原田正夫

どうしたらリーダーとして自信がついてくるんだろう。前号で書いたように、一〇〇%可能、不可能ということは人間には通用しないんだと割り切ることが必要であろう。ナポレオンだって〝不可能という言葉は我輩の辞書にない〟といったらしいけれどことば通りにはいかなかったというではないか。まして、若い私たちに少々のミスや不安があって当然だと思っていればいいと思う。

リーダーだから、会長だから何でもできるのが当然と思いこんで悩むリーダー。そう決めてかかって手をかさず、できなきゃきびしく追及するクラブ員。人間だれしもオールマイティーのスーパーマンじゃないと思っていればいいのに…と思う。それが甘えになっては困るけど。

だれだって少々の不安や悩みを持ちながら、リーダーとして精一パイやってるんだと思う。そして、見ていて彼は実に堂々としてるとか、力いっぱいやってるとか、彼なら何か安心して頼れるというリーダーは、何か、一〇〇%ではなくともかなりの自信と苦悩に耐えられる心の支えを持っている。4Hに入って自分は成長してこれだという気持、自分が中心となって何かの事業に成功したという経験、仲間がたくさんいるということ、例えば恋人が応援してくれているという励みとか、私など単純だから不安があっても好きな人から「がんばって」なんていわれたら、よっしゃヤルゾという気になってくる。

それはともかく、一年、二年とリーダーとしての役目を果たそうとすれば、金銭のもうけにならない土を離れた日々が余儀なくされる。うまくいってあたり前、失敗すれば精神的リンチも覚悟しなければならんというような苦しみがのしかかってくる。それでも責任を果たしてゆかねばならぬとしたら、何でもいいからワラをもつかむ気持で心の支えを持っていなければ身体がもたぬ。

いうまでもなく、みんなから信頼されていると思えたら、これに勝る心の支えはないと思うが……。どうしたら、みんながリーダーを信頼してくれるかということは永遠の、すべての人の課題だろう。努力するしかないのかなあと思う。それはわかるが、どういう努力？となるとむずかしい。けれども、私は次のように考えて努力してきたつもりだ。

信頼されたければ、まず他人を信頼することが必要だろう。裏切られてもいいから仲間を信じようというくらいお人好しになるよう私はやって来たつもりである。

また、口先だけでみんなをリードすることはできないと私は思う。ある人がこの間こんな話をしてくれた。セールスマンは仕事の上で多少のウソをついてでも「買おうかな、よし買った」という気持を相手に抱かせなきゃならない。ことばの上でいかなる手段を用いても……だそうな。相手にあわせてこちらの態度もコロコロかわっても結果さえ良けりゃいいともいえそうだ。

仲間同士でこんなカケ引きはしたくないものだ。何度も書いてきたけれど行動のともなっていない、一〇〇%正しいとはいえなくても、自分なりの信念が通った言葉をぶっつけなければいけないように思う。オレの言動に不服の者は去れ！ではなく、みんながオレの言動に不服ならオレがリーダーを、役員をやめるというくらいの心意気をもつことが必要だろう。

何年か前、プロ野球阪急の西本監督が、自ら信任投票をさせて選手の中に監督のやり方に不満のある者が数人いたからオレはやめるとかいったということがあったけれども、私は非常に勇気のある人だと思う。

結局、私はリーダーとして、だから他人を信頼する。私の言動に不満があればキット仲間は指摘してくれるはずだと信じている。でも今年度これまで選んでくれた仲間からそれはない。だから続けている。続けなきゃならない。任された期間は…こう思っている。たとえOBや指導者が何といおうと……。

うぬぼれといわれても、それくらいの気持がなきゃあやっていられないとつくづく思う。

（全国4Hクラブ連絡協議会副会長・大阪）

〝どう越える都市化〟

大阪府連のつどい 小雪をついて記念の朝市も

【大阪】大阪府4Hクラブ連絡協議会（会長 北本博士君）では、さる二月二十四日、堺市農協農業会館において「農業 青年のつどい」を開催した。昨年まで府連では、農業研究会と生活改善グループの合同による「農村青年婦人グループ員大会」を毎年この時期に行なっていたが、今年度から4Hクラブが単独で開催することにしたもの。

このつどいには府下クラブ員二百人近くが参加し記念の〝朝市〟でつどいはスタートした。

朝市は早朝より府下各地区自慢の農産物＝キクナ、フキ、ホウレン草…など＝が堺市上野芝町の広い駐車場一ぱいに各地区コーナーを設けて販売された。おりからの寒さに加えて小雪の散らつく中を、新鮮でいずれも市価の半値という安い野菜やミカン、植木、観葉植物などを求めて目を輝かせて集まる人たちで会場は一杯。大成功をおさめた。

この朝市のあと、あるクラブ員は「自分で汗を流して作った農産物を、胸を張って〝奥さん！これはオレが作ったんですヨ。味は抜群ですヨ！〟といったらドカッと買ってくれた。商売の上でなく本当にそう言えるようになりたいものだ……」と語り、またある人は「客の中に商品（野菜など）の本当の良し悪しを見分けられない人が多すぎるようだ。見かけや大きさだけで判断したり…、我々から消費者へもっと働きかけていかねばならないんじゃないか」と語っていた。

朝市のあと、式典に入り、優良4Hクラブにプロジェクト活動優良証などの交付が行なわれた。

これは毎年府下クラブ員がそれぞれのテーマについてプロジェクト活動を展開しその記録を「グリーンレポート」にまとめて提出している。それに対して認定し、優良証を交付するものである。グリーンレポートの最近の傾向はテーマ、内容がしだいに高度になり、個人プロから共同プロジェクトが多くなってきた。技術的なものだけでなく、アンケート調査をもとにした地域農業のあり方…というようなものが増えてきている。

続いて、クラブ活動の実績発表が行なわれ各地区ごとにクラブの現状と問題点、目標などが発表された。この中では小さな大阪でも宅地化、都市化の程度や地区の広さ、クラブ員の数に差があり、それが当然農業の形態やクラブ活動に反映されていることを思い知らされた。

都市化の波をかぶってしまった地区の発表を聞いて比較的純農村に近い地区のクラブ員たちは、オレたちが何もしないでいるともうすぐ彼らのように農業がやりにくくなってしまうのかなあ…と不安になったり、ファイトを沸きたたせたりしていた。

この発表の中で、クラブ員は、「自分たちだけでなく、地域を守り、育てる推進力になっていかねばならない」という、意見が目立ち、参加者の共感を集めていた。

つどいの会場をとりまくように「みんなのクラブ活動展」がそろい、各地区ごとのコーナーには、アイディアを凝らした特産物、写真、図表などが並び各地区の農業とクラブ活動の現状を目で見て知らせようという意欲がみられた。

活動実績発表とクラブ活動展の審査にあたった能勢町4Hクラブ員でもある全協副会長 原田正夫君はクラブ活動展について「初めての試みで期待と心配が交錯していたが、見ているとクラブ員だけのアイディアと努力と協力ですばらしいものができ、展示のための展示、発表のための発表でないものを見ることができた」と語っていた。

このあと〝若者の広場〟で楽しい時をすごし夕方のつどいは終った。

（大阪府連事務局発）

桜井市内一周駅伝

農業青年クラブが優勝

【奈良】桜井市の農業青年クラブ員たちは、さる十八日、同市体育協会主催の「第十二回市内一周駅伝大会」に参加した。

小雨のなか正午に同市大泉の原田自動車商会前をスタート。多武峰形栃を折り返す二十一・六㌔に農業青年クラブなど六チームと一般公開参加一チームの計七チームが健脚を競った。雨降りの悪コンディションにもかかわらず好成績が続出した。沿道の人達の応援を受け参加選手は懸命に力走していた。成績は次のとおり

①農業青年クラブ＝1時間17分5秒②桜井郵便局③桜井教育クラブ。

心頭技健

ここ数年来、公害は人類の存続という地平から告発されつづけてきた。と同時に、われわれにとって自然とは一体何なのか、また、自然と人間、自然と社会とは本来いかなる関係にあるものなのかということも問われ始めてきた▼これらは、人間生活とは何なのか、ひいては人間とはどのような存在なのかということとも深く関わる問題である。現在、われわれ人間は、どうしてもこの問題をさけて回り道するわけにはいかない地点に立たされてしまったようだ▼マスコミなどでは、この傾向に乗って盛んに自然（田舎）をわれわれに売りつけてくる。しかし、公害渦まく都会から逃げて、二、三日美しい荒海をディスカバーしたとしてもなんら問題の解決になりはしないのである▼一般的に日本人は自然を美しいものと見、常に自然をすんなり受け入れてきたと語った文学者がいた。それは人間と自然との対立から目をそむけてきたという意味だろう。われわれの自然に対するそのような受動的態度がこれほどまで公害をはびこらしたひとつの要素だとは言えまいか▼もちろん公害の根源をそこにのみ見い出すべきではないが、なによりもまずわれわれ自身の自然を見い出さなければならないのではないだろうか▼その基盤の上にたってこそ、公害を公害としてより鋭く告発することができるのである。同じように自然を自然として眺めることもできるのである。要は、自然とは、自然と人間・社会とは何かということである▼学問的にも思想的にも新たなる自然概念をわれわれはもたねばならぬ。とくに自然の味とか自然の感じとか自然のなんとかが大ウケする時代だからこそ……。

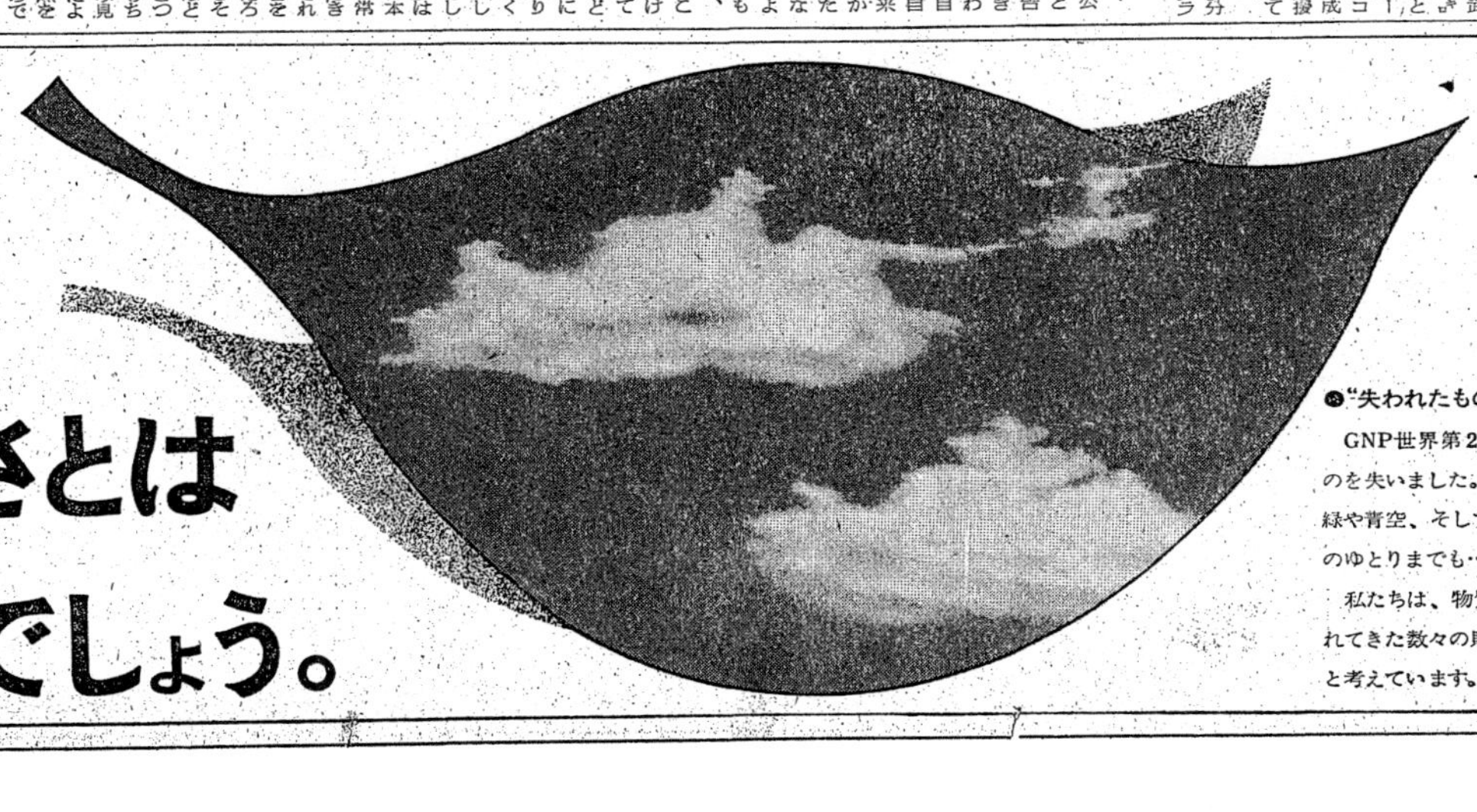

手をつなごう 農村と都市

「農村に期待します」

福井県連がアンケート　消費者との対話に成功

【福井】福井県農村青少年クラブ連絡協議会（会長田谷 満君）では、昨年の十一月十九日、福井市の福井合同庁舎前で"第三回4Hの広場"を開き、クラブ活動紹介、農産物即売会、モチつきなどを行ない消費者と収穫の喜びを分かちあったが、その際訪ずれた消費者を対象にアンケート調査した結果をこのほどまとめた。これには五十人の消費者が回答したが、それによると消費者は農村に対して、ある種の期待と好意を寄せていることは明らかで生産者と消費者は相互に助け合い、いたわり合わなければならないという連帯感を持っていることも垣間見ることができたと地元の県連事務局では伝えている。＝福井県農村青少年クラブ連絡協議会　事務局発

アンケートの結果はつぎのとおりである。

「あなたは4Hクラブという名前を聞いたことがありますか」という問いに対して、「ある」と答えた人は全体の約半分の四八％であった。名前を知っている人が半分ということは、4Hを理解している人はより少ないと考えてよさそうである。4Hの理解を深めるためのPR活動もこんごさらに検討する必要があろう。

「4Hクラブと聞いて最初どんな印象を受けましたか」——それに対して①若くて明るい自主的な農業青少年の集団と答えた人は七四％、②宗教団体か革命的な政治団体が二％、③レクリエーションを楽しむ集団が八％となっており、最初の印象はまずまずといったところ。

「農業の将来についてどう考えますか」——では①こんごも食糧を生産する職業として必要が六四％、②自然保護のために農業は必要が三〇％、③食糧は輸入すればよく、農業の価値は年々低くなる二％、④どうとも答えない四％となっている。質問自体が抽象的だったためやや答えもボケたが、自然保護のために農業は必要と答えた人が食糧を生産するから必要という人の約半数もいることは注目に値する。これは、公害などにより、市民一般が自然を求めている現代社会の一つの特徴とみてよさそうだ。

「米についてどう考えていますか」——その①として米価は他の物価に比べて安いが一六％、高い四〇％、適当三〇％。また、②米の統制ははずした方が良いと答えた人は三四％、今のままでよいは二四％であった。⑬福井県内で食べている米は、他県に比べうまいと答えた人は五〇％、まずい二％、どちらとも言えない三八％で、クラブ員たちはまんざらでもない表情であった。

米についての生産者側からの勇気ある質問に続いて、今度は野菜についての質問。①おおまかに言って、野菜は他の物価に比べて高いと答えた人は六六％、安いはわずか一〇％、適当一四％。また、②もっと生産してほしい野菜はに対して「トマト、黄緑野菜、にんにく、西洋野菜、レタス、セロリ、ニンジン、ほうれん草……」など続々とあげられた。

「農村に対する期待」——①農地を借りて日曜などに田舎で野菜を作ってみたいと思いますかという問いに対し、思うは四八％、思わない三四％で、消費者の土に対するあこがれはかなり強そうである。

また、②あなたの娘さんがいたら農家へ嫁さんに行かせますかという気になる問いに対して、本人が行くといえば嫁がすが六二％、まず反対する一〇％、嫁がせない八％と答えている。要は本人次第が過半数だが、まず反対と嫁がせないが一八％もまだいるのは問題だ。

「4Hの広場」という行事に対する消費者の声は厳しい。もっと工夫が必要が五〇％で、まあまあが二八％しかいなかった。

最後に、消費者の思っていることを書いてもらったが「このような広場は大変健康的で、毎日忙しく疲れている心身を洗い流してくれるようでいいものだ。また、若者は頼りないと言われている現代において大変頼もしく感じますので大変でしょうがどしどし実行して下さい。少なくとも年に春、秋の二回はしてほしいと思います」というのが印象的だった。

婿取りの気持わかって

高知県連　女子研とリーダー研を併催

【高知】高知県農村青少年クラブ連絡協議会（会長 白石智之君）では、一月二十、二十一の両日、県立農業大学校でリーダー研修会を開催した。今年は女子研修会もあわせて行なったが、土、日曜とあって女子の参加も多く、まさに男女の若き熱気がムンムンする雰囲気のなかで研修会は進行した。これからのクラブ活動をになうリーダーをめざし、男女両サイドから盛んに意見が述べられていた。

第一日目は午前十一時三十分から開会式。そのあとレクリエーションで全員がまず親睦を深め、なごやかなムードになったところで講演を聞いた。

夕食後から分科会討議に入り、クラブ員たちは日頃のクラブ活動での悩みや問題点などを出し合いその解決方策をめぐって徹底的に討議した。クラブ員の減少、クラブ活動のマンネリ化、プロジェクトの強化などをテーマに女子も含めてさまざまな意見がでていた。

"要は自分自身がしっかりしていればよい" "プロジェクトに対する意識強化" "魅力あるクラブ活動の展開が肝要" などと述べあっていた。

ひき続いて、それぞれの問題点を寸劇にして表現した。"人間この奥行なるもの"とばかりにクラブ員たちは、自らの状況をたくみに演出、笑いの底にも問題を残す迫真な動作で仲間たちの心に語りかけていた。その寸劇のテーマをめぐっての意見交換も活発に行なわれた。

それぞれ役をきめて寸劇で問題提起するクラブ員たち

二日目は、早朝、寒さもなんのそのとクラブ員たちはマラソンで眠気を吹きとばし、元気ハツラツといったようす。

午前中は、昨日とは違って男女別に分かれての分科会。男子は機関紙の編集方法、組織と広報の関係などを研修し、女子は、女子のOBはじめ、男子のOBにも加わってもらい、女子クラブ活動の問題点から結婚まで、悩みを出し合い考え合った。

女子クラブ員は、なんといってもお婿さんをもらう後継者が多く婿取りであるということからの束縛、両親の干渉、そしてそれらへの不満などが次々に出された。あるクラブ員は「愛しているのだけど、相手も長男なので……」とみんなに自分の事情を説明し、助言を求めた。それに対し、嫁いだ人、婿をもらった人、また、夫の立場、妻の立場からそれぞれOBの人たちがアドバイスし、クラブ員を力ずけた。笑い声も聞かれるなどなごやかな雰囲気の研修会となった。

途中から男子も女子に加わり、男女合同の研修会となった。男子からは"こんな娘になってほしいのだが……"とか"女性ももっと独立心を……"といった要望がいくつか出された。また、女子も負けじと"こんな男性・夫がいい"などと男子に女性の心理などを述べた。

続いて全員でOBの方たちの苦労話や体験談を聞き、結婚やクラブ活動について考え話し合った。昼食後はスポーツ交歓会。ソフトボールとバレーボールに分かれて大いに若さを発散させた。

一汗流したところで閉会式を行ない、「ここで習得したものを明日のクラブ活動・農村に大いに生かそう」を合い言葉にクラブ員たちはそれぞれ解散した。

（高知県農村青少年クラブ連絡協議会　事務局発）

公害など多い悩み

兵庫県青年農業者会議　「魅力ある農村」で論議

【兵庫】"生きがいのある村を築くために"をテーマに、「兵庫県青年農業者会議」が県農業青年クラブ連絡協議会（会長 西山利昭君）主催、兵庫県、神戸新聞社後援でこのほど三原郡西淡町の国民宿舎慶野松原荘で開かれた。

これからの兵庫の農業を背負っていこうという若者たちが、互いの知識や技術を交換、交流を通じて"生きがいのある明日の村をつくろう"というもの。

同会議には県下から4Hクラブや農村青年グループ員ら百五十人が参加、地区代表十人が農業の課題について提言した。農村をとりまく環境は激しく変わりつつあるときだけに、参加者たちからは後継者不足、公害、土地問題、規模の拡大—など多くの意見が出た。

なお、県青年農業会議で出された意見の要旨は次のとおり。

〈公害、土地問題〉但馬や丹波を中心として、県下の畜産、養鶏農家は公害対策で悩んでいる。多頭（羽）飼育で規模を拡大したいと思っても公害問題が大きなカベになっている。畜産、養鶏農家が互いに情報を交換し合って、公害防止を進める一方、ふん尿などはできるだけ土地へ還元して土つくりを行なう心要がある。農地の買い占めについて、全国で問題になっているが、やはり農家にとって土地は宝であるはずだ。いったん手放せば戻らない。現実に、規模の拡大を図りたくとも入手が難かしく、あきらめざるを得ないケースも多い。安易に土地を売らないことだ。そして国は、もっと積極的な土地対策を明確に打ち出してほしい。

〈規模拡大、組織づくり〉最近の農家は稲作に対する熱意が不足しているようだ。「しんどいわりにもうからない」—ということかも知れないが、機械化による規模拡大などもっと積極的に取り組まねばならないだろう。ミカンが大豊作で暴落したが、生産者としては市場出荷一本やりでなく、都会の人を対象にした観光ミカン園を拡充、高収益をめざすことが必要。

またミカンプラス植木の複合経営もやるべきだ。最近の緑化ブームで苗木の需要は増している。但馬では自給体制のためのグループをつくったところもある。兼業農家の規模拡大は確かに進めていかねばならないが、やはり能力に合った拡大でなければ危険である。規模拡大や生産技術の問題でも、先進地の視察を積極的に行なっていきたい。そのためにも、各地区の農業グループがもっと活動しなくてはならない。青年後継者が中心となって地域づくりを進めていくぐらいの熱意がほしい。

〈生きがい、後継者問題〉果樹や野菜栽培などで失敗の繰り返しの後、成功したが「自分の力で生産したのだ」という満足感でいっぱいになった。よく「農業をやって生きがいがあるのか」と聞かれるが「つらいことが多くても素晴らしい仕事だ」と誇りをもつべきだ。半面、父や母の一生は"働くだけの農業"であったといい。今後は余暇を生み出し、それを楽しむことができる農家の暮らしにしていかねばならない。後継者不足は非常に深刻な問題だが、少しでも魅力のある農業へと変われば、後継者の問題も打開への糸口がみつかる。従来の生産一本やりの農業から、楽しみながら農業を続けていく方向を目指さねばならない。暮らしや意識の面でかなり変化しつつあるとはいえ、農村にはまだまだ閉鎖的な面が残っている。したがって、経営面でも、いろいろな試みをしたいという青年の意欲が"実行"につながらない場合もある。閉鎖性の打破にも取り組んでいきたい。女子青年にとっては結婚という大きな問題があるが、過密や公害に悩む都会で生活するよりは、自然の豊かな農村で夫婦が農業という共通の目標と取り組んでいくことの方が魅力ある生き方につながると思う。

時道

"ありがとう"とは?

かつて私が滞在した西欧のある国では、私達日本人にとって想像できないほど"ありがとう"という言葉を耳にする。人々の対話は滑らかで微笑の断えることはない。

例えば、商店で買物をしてつり銭を受取る時でさえそうである。一方、日本ではタクシーの運転手が料金を受取ってありがとうというのを聞くことはめったにない。これは何も売り手と買い手だけではない。家庭内においてお茶を入れてもらったり会社でもそうだが……、新聞、灰皿などを持ってきてもらった時でもありがとうを聞くことはほとんどない。親子、兄弟、夫婦などの家族、または友人、恋人同士のように両者が親しくなればなるほどこの傾向は強くなる。基本的な集団内においてさえ個人は独立していない。

率直にありがとうといえないある種の感情が、多分それは独立したと思っている一個人が頭を下げるという単純な行為に対して、ある種の心の苦痛が伴なうのではないだろうか…。

ありがとうにかわって一般的には、"どうも…"とか"どうもすみません"というように答える。人の好意、行為に対して礼を示すのに恐縮しきってこのように礼を言うのか、反対に全く無視して口にしないかのいずれかである。

何もありがとうに限ったことではなく"すみません""失礼しました"のひと言についても状態はほとんど変らない。

特に連帯感あるいは、一体感をもつ身内の人には無視する場合が多い。また自分と利害関係のない他人の場合には特に顕著である。街の雑踏の中で"ありがとう""失礼しました"という言葉が聞かれることはほとんどない。

これでは個人の独立と自由は存在しない。まして独立と自由が基本の主体性はない。【拓植】

大いに滑り大いに笑う

埼玉の北本4Hク　「スキー交歓会」行なう

【埼玉】北本4Hクラブ（会長 大川 宣久君）では、さる二月四、五の一泊二日間、市内の青年男女と「スキー交歓会」を菅平スキー場で開いた。それにはクラブ員十六名をはじめとする三十六名が参加。

一行は北本市役所前を午後五時に出発。バスは、二月一日噴火した浅間山を横に見ながら一路菅平へと運んだ。

バスの中では、レクリエーション係のリードによってゲームをしたり、歌を歌ったりして楽しく過ごしたので、五時間という長い時間も短く感じられた。

午前十時、民宿に到着。午後から、慣れないスキーを足につけてゲレンデへ出発。

初めての人は、うまく滑れる人に教わりながら滑ったが、それでもステンステンと転びの連続であった。一行は、白銀の世界で楽しく交歓し、時のたつのも忘れて滑りまくった。

夜はキャンドルサービス。ゲームや歌もつぎつぎ飛び出し、夜もまた楽し……。クラブ員以外の人たちは、何のサークル活動もしていないので、キャンドルサービスは初めての人が多く、みんな感動して真剣そのもの。

クラブ員たちは、キャンドルサービスやゲームなどはお手のものなので、夜のレクリエーションはクラブ員のリードで進行した。三十六人が一体となってのゲームは盛りあがりを見せていた。あるクラブ員は「職業は違っても、青年という若さがこの"つどい"をいっそう盛り上げたのです」と目を輝かして語っていた。

第二日目は、初心者もひとりで滑べれるようになった。また、経験者は、リフトに乗って豪快にゲレンデを飛び回り、全員がウインタースポーツの味を満喫した。

帰りのバスの中では、みんなお互いに名前も覚え、気心も知れてきたので、仕事のことや男女交際問題などを話題にさかんに意見交換をした。農家生活、農業経営問題などが出ると思えば、サラリーマンの給料・ボーナスの説明、職種などが出て話題はつきず、お互いに自分の知らない知識を吸収したり考えたりしていた。

また、楽しそうに歌を歌う人もあり、バスの中は外の雪景色にちょっと失礼して、一足先に春が来たような雰囲気で、二日間のスキー交歓会は大成功のうちに幕を閉じた。（吉住武雄連絡報道員発）

土佐農業を考える

高知・土佐の「つどい」　農村婦人と共に討議

【高知】同じ高知の土佐地区農村青少年クラブ連絡協議会では、さる二月五日、土佐市民会館において「第五回土佐地区農村青年と婦人のつどい」を土佐地区生活改善グループ連合会、土佐農業改良普及所と共催で開いた。

このつどいは、地域農業の中核的推進者として日頃実践活動を続けている農村青少年グループ員と生活改善グループ員が一堂に会し、これからの農業や農家生活に関する諸問題について意見の交換や討論を重ねながら相互の連帯感や親睦を深めると同時に、幅広い知識、教養を身につけ、その結果をこれからの集団活動に反映させ近代的農業・農村を実現するための推進力とするためのもの。

参加者は、地区内の農村青少年クラブ員、同OB組織会員、生活改善グループ員、若妻生活学級員、女子青年生活講座生、農家留学研修生（県下）、青少年クラブ指導者、そのほか関係者など多数が集まった。

当日は午前九時から受付開始。そのあと九時四十分から開会式を行ない、十時から「第二回高知県青年の船」乗船者による海外研修報告があった。土佐市五名、春野町四名の計九名の地区内農業青年の海外研修体験談は参加者の注目をあびていた。

そのあと研究実績発表があり、クラブ活動のなかで実践したプロジェクト活動の成果を春野町そさい4Hクラブの成岡英秋君が発表した。

平行して十一時から午後の一時半にかけて農産物の即売と市街パレードを盛大に行ない、消費者に"今日の農村"を大々的にアピールした。

午後からは、婦人、青年、青婦混成の各分科会に分かれ、それぞれのテーマのもとに討議を行なった。各分科会は三十人ずつぐらいで、地域問題、農業経営問題、嫁婿問題、出稼ぎ問題、農業一般問題などについて活発に意見交換した。

三時からは、各分科会代表者によるパネル討議が、分科会報告を含めた全体討議のかたちで行なわれ参加者全員で土佐地区の農業・農村を考え合った。（高知県連事務局発）

本番ちょっと前

岐阜の本巣郡4Hク連　県4H祭参加に意欲

【岐阜】岐阜県4Hクラブフェスティバルは前号の4H新聞で紹介されたとおり、三月の三、四両日、岐阜市民センターで行なわれる。（詳細は前号参照）

さて、ここ本巣郡4Hクラブ連絡協議会（会長 大西 隆君）も、このフェスティバルに参加するため、その準備に余念がない。同クラブでは三ヵ月も前からフェスティバル参加の計画を立て、本番間近かに最後のツメを行なっている。

パレードでは、主産物である富有柿、イチゴ、タマネギのPR、また、展示では、同地区のクラブ員のプロジェクト紹介、地域農業の解説などを中心にくり広げる予定。市民に直接アピールするパレードでは、実物の柿の木に大きな柿の実をつけて補強がその柿を収穫するというものや、高さ三㍍もあるクラブ員の格好をしたデコレーション人形が、大きなイチゴをかかえているのを合車とみこにして、クラブ員がひっぱりかついでゆくという大がかりな出し物を予定している。タマネギも人間がすっぽりとかくれてしまうぐらいの模型を作り、クラブ員がそれをかぶって一行に加わる。いってみればヨーロッパのカーニバル調…。

展示についても、各クラブ員が自分のハウス内や畜舎内で働いているようすを写真で紹介し地区農業を大きくアピールする。また、農業事情を実物による立体的表現と、大都市の模型を作り、需要と供給関係を表わし、これからの農業のあり方、問題点などを県下のクラブや一般市民に紹介する。

こうして本巣郡の4Hクラブ員は、昼間の仕事を終えると夜七時から十一時まで雪の降る寒い日でも毎日全員が参加して準備を進めている。夜遅くなると、寒さも増してくるが、誰ひとりとして弱音を吐く人はおらず、即席ラーメンを食べ、冷たい手をこすりながらあと何日もない本番のために燃えている。

（本巣郡4Hクラブ連絡協議会　大西 隆君発）

氷見青年農業者協議会が新発足　＝富山

【富山】氷見市青年農業者協議会がさる二月二十日、新発足した。

これは休耕、転作など近年農業をとりまくきびしい情勢に対し、同市で花き、酪農などの若い農業者十八人が結集、営農資料の収集、成果の連絡、交換、近代農業の普及活動を幅広く展開するのをねらいとする。

この日、同市役所で開かれた設立総会では、会則、事業計画、役員を決定。富本秀富山県農業会議農政課長から「最近の農業情勢」について話を聞いたあと、県、市、農協、県青年農業者連絡協議会が相互にタイアップ、農業振興に尽くすことを申し合わせた。役員は次のとおり

▽会長　水元次君（薮田）
▽副会長　中野孝顕君（矢方）
〃　舟塚　満君（余川）

クラブ往来

外への交流求めて

嬬恋村田代女子4Hクラブ

「田代に女子のクラブを作ってみては?」と普及所からいわれたのが今から三年ほど前のことでした。

4Hクラブってどんなグループなのだろうか?そんなごく初歩的な説明会を普及所の先生を交えて開き、昭和四十四年の夏に私たちのクラブは五人のクラブ員で発足したのです。

私達の部落は約四百戸で、そのほとんどが農家ですから就農している青年男女は少なくありません。

したがって以前は結婚適齢期になりますと村内の青年男女間の結婚が多く、他の地域との交流が極めて少なかったようです。

私たちはこんなことも一つ動機となって女子4Hクラブを結成し、他町村の仲間との交換交流をすすめたいと考えました。

現在では交換会やキャンプなど、クラブの行事を通じて多くの仲間と接する機会ができるようになり、「誘められて結成したクラブだけど本当によかったね」とみんなで話しています。

またクラブ員も二年目には十七人、三年目の昨年は二十一人となりました。

クラブの活動は最初のうちはなかなか思うように行きませんでしたが二年、三年とたつうちに、しだいにその活動の範囲は、広がりつつあります。

特に農家生活の改善のための諸問題について考えたり研究したりしようと現在はみんなで話し合っています。環境衛生、食生活と栄養、主婦の労働などまだまだ改善していかなければならないことがあまりにも多すぎると思います。こうした問題を私たちの手で改善することができたらどんなにか良いであろうと思っています。現在は月一回の定例会と各種講習会、他クラブとの交換会を行ない、大いに若さ（平均年齢十八歳）でハッスルしています。

冬期間は出稼ぎや習いごとで村を離れるクラブ員が多くなり、どうしても夏の忙しい時期に行事がかたよりがちで困っています。

女子だけのグループですから活動が片寄りがちになる心配もありますが、先進グループに助けられたりして、より愛される、しかも親しみやすいクラブになるようみんなで努力し、協力しあって行こうと考えています。

（群馬・嬬恋村田代女子4Hクラブ　黒岩美江子さん発）

◂投稿案内▸

本紙は、全国クラブ員の準機関紙として、みなさんに大いに利用していただきたいと考えています。

クラブの催しや個人のプロジェクト、詩、短歌、随筆、写真、悩みや意見、村の話題、伝説、行事、お知らせ、小説、その他なんでも結構ですから原稿にして送って下さい。

❶長さや形式は自由です❷できるだけ記事に関連した写真をそえて下さい❸送り先　〒105 東京都港区西新橋1の5の12　佐野ビル内　日本4H新聞編集部

—日本4H新聞編集部—

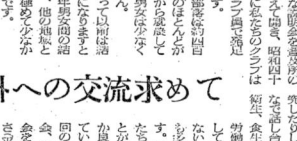

共プロで連帯強め前進

整地、播き溝は丁寧に

夏播き白菜 今後は農薬不使用の方向へ

鳥取県・大山町農村青年会議 提島清之 山根貞治

私達大山町農村青年会議では、昨年度のプロジェクトを養豚、和牛、酪農、そ菜の各部門で行なうことになっていたが、それぞれの部門が諸事情のためスムーズに活動できず、途中で中断したために継続が困難となり、クラブ員全員の協議の結果、共同プロジェクトに切り換えた。いろいろなものが考えられたが、短期間で結果が得られる夏播き白菜の栽培と取り組むことに決定した。

この共同プロジェクトは、労働を通じクラブ員相互の仲間意識をより一層深め、共同作業をすることにより、共に汗を流し、共に収穫の喜びを味わうことからなお一層の連帯感を築こうということで始められたものである。

また、私達の大山町では、葉タバコの耕作農家が県下でも上位である。その跡地を利用して、経営全体の収益を高めることは土地の高度利用にもつながると考えられる。

栽培計画

大山町福尾の門脇中行氏の圃場(三アール)を借り受け、品種は長岡交配耐病六十日白菜、播種量は、[illegible]〇ミリリットル、畦幅は六〇センチ、株間を三三センチ、株数一二〇〇株、目標収量を一、五〇〇キロとした。

栽培経過

結球ハクサイは比較的短期間に生育し、収穫できる。しかし収量が多いので多肥する必要はある。特に初期の生育を促進し、その後も肥料切れしないように管理することが大切である。

八月十六日 播種

耕起、石灰(二〇キロ)、乾燥鶏糞(一二〇キロ)、複合燐加安(二〇キロ)を元肥として施肥。覆土。二十七日 害虫防除(ヨトウムシ)

二十九日 三本仕立てに間引き

九月九日 一本仕立てに間引き除草、土寄せ、追肥として尿素を十五キロ施肥。害虫防除(アブラムシ)

二十日 ニトロ燐加(一〇キロ)を追肥。病害虫防除(アオムシ、軟腐病)

十月六、十五、十八、二十三日に収穫、その後土寄せ。

一〇アール当たりの換算施肥量は表1の通り。また、一〇アール当りの換算成分量は、窒素、総量で五三・七キロ(元肥二六、追肥計二七・七キロ)。燐酸、総量で二四・一キロ(元肥二〇・八、追肥三・三キロ)。加里、総量で一五・九キロ(元肥一一・九、追肥四キロ)。

収支決算

支出の部

種子代八百十円、諸肥料代三千六十五円。雑費三千八百六十三・五円、諸農薬代七百六十五円。

合計 八千五百三・五円

収入の部

販売代金二万三千二百九十円

純収益 一万四千七百八十六・五円

なお、収量は九九〇キロ、一キロ当たり平均価格は約二十三・四円。未収穫量が五〇〇キロ残っている。

平年価格を一キロ当たり四十円とすると三アールでは約六万円の収益が見込まれたはずである。

この共同プロジェクトを通じて反省すること、また、得られたことは沢山あるが、特に次のような点があげられる。

▽短期間ではあったが、一つの仕事にみんなで取り組み、共通の話題を提供することによって、クラブ員の親睦と連帯感の形成に大いに役立ったと思われる。

▽播種時と収穫時には多数の参加者があり、作業は極めて順調に進んだが、その間の管理作業では集まりが十分とは言えなかった。作業も初期の計画と比較して遅れたものもある。

▽終盤、農繁期のため未収穫を五〇〇キロも残したことは残念であった。

▽発芽をそろえ、初期生育を促進するためには、播種前の整地、播き溝ひきをていねいにしなければならない。

▽農薬使用量が当初予定量より少なくてすんだことは幸いであった。

▽今回は、あらかじめ準備をしていなかったために化学肥料にどうしても頼る栽培となってしまったが、今後は、堆肥を中心にして、できるだけ農薬を使用しない方向へ進みたい。

表1 10アール当たり換算施肥量 単位:Kg

	総量	元肥	追肥Ⅰ	追肥Ⅱ
石灰	66.7	66.7		
乾燥鶏糞	400.0	400.0		
複合燐加安	66.7	66.7		
尿素	50.0		50.0	
ニトロ燐加	33.3			33.3

経営

根性で克服した開拓

キビとパイン・畜産 将来は畜産を主体に

沖縄県・石垣 4Hクラブ 伊波真助

私たち家族が昭和三十年に沖縄本島から石垣島へ移住してはや十八年を迎えた。家族全員が父母を中心に開拓精神に燃え、山や原野を切り開き、いまでは五百アールの土地をもつことができた。そんな中で私は昭和三十七年農林高校卒業と同時に、これまで学んできたことを農業に生かそうと、父母が築きあげた五百アールの土地を譲りうけた。二年前まではキビ百アール、パイン二百アール、原野二百アールの規模で経営してきた。キビは年間四十トン、パイン三十トンの収量をあげたが、ここ数年来台風、かんばつ、野そなどの被害で単位収量は低下するばかり。それに輪をかけて労賃や生産資材などが値上がりし、どうしてもパイン、キビの価格では採算がとれない。こうした状況の中で農業に見切りをつけ離島、出稼ぎが増えてきている。私も一時は迷ったが、これからの農業経営の在り方をじっくり考えてみた。

まず、牛肉消費に占めるウェートがしだいに高くなっていることと、八重山が地理的条件から肉用牛肥育に恵まれていることに目をつけ、二ヵ年計画で順次和牛を購入、現在では繁殖牛七頭、肥育牛十頭、それに原野二百アールを牧草地に切り替えネピアグラス、スーダングラスを植え付けて粗飼料の確保に努めている。

畜産とキビ、パイン経営を結びつけることにより、以前よりも経済的ゆとりが出てくるようになった。幸い八重山では最近仲買い商人による庭先取引きから経済連、農協を中心としたセリ市での取り引きがなされつつあり、さらに八重山のガンとまでいわれるダニもヘリコプターによる防除で撲滅の過程にある。これは畜産経営をする者にとって大きな生産意欲と希望を与えている。

将来はパイン、キビ作をしだいに減らし、畜産を主体にした農業経営をつぎのように計画している。四十八年度繁殖牛十頭、肥育牛十五頭、出荷頭数十頭。

四十九年度繁殖牛十五頭、肥育牛二十頭、出荷頭数十五頭。

五十年度繁殖牛二十頭、肥育牛二十五頭、出荷頭数二十五頭。

さらに五十年度以降は肥育を専門とした共同経営を考えている。

草地を五十年までに四百五十アールまで規模をひろげ、ネピアグラスを採草地の五十アール、イモ十五アール、残り三十五アールには夏季にスーダングラス、冬には、エンバクを播種する計画。

現代のようにテンポの早い時代では自分の考える方向にばかり進むとは限らない。しかし、どんな条件であってもそれに取り組み、その中から希望を見い出し、農業のファーストランナーとして頑張っていく決意をしている。

農業の質的転換を図る

シイタケ栽培 "作る"から"売る"経営へ

佐賀県唐津市柏崎 牛草茂蔵

昭和四十三年に伊万里農林高校を卒業後、ミカンと米、シイタケの自然栽培に取り組んだのが五年前である。当時、鏡山のふもとの半田地区にも三、四人のシイタケ栽培者はいたが若者では私が一番早く取り組んだ。後継者育成資金から五十万円の融資を受けてスタート。上場や七山村からクヌギの原木を買い、伐採から運搬までを行なっている。

現在の経営規模は、ミカン園二㌶、水田一・三㌶、山林一㌶、ホダ木千六本。自家の山林と近所から借り受けた杉、桧林三ヶ所を三〇アールに分けて栽培している。二年目から芽出し、今年で収穫三年目。種菌の接種、ホダ木の運搬には労力を必要とするが、自然栽培のためその後はたいして手間はかからない。

出荷は、夜、袋詰め作業が終ると、糸島郡前原町の市場まで運ぶ。以前は唐津市内の青果市場に出していたが、価格の点で前原市場に切り替えた。一回平均二百袋(二〇〇グラム)出荷。時には千袋にも達することもある。市場へ着いてから車の中で寝るようなこともたまにはある。セリに立ち合うこともある。

仕事は分業制をとり、忙しい時には相互に助け合っている。しかし専業農家ではない。父は造園会社へ勤める庭師。このため母と私の二人がミカン栽培の中心となり、シイタケ栽培はそのかたわらにやっている。

卒業時に農業へ就くことについては、長男であることも意識したが、農業以外の道は考えていなかった。しかし、専業農家として十分に経営が成り立つだけの農地を持たない農家は兼業の形を取らざるを得ない。一方、将来農業一本に打ち込もうとする私たち後継者が農外収入を求めることは可能な限り避けなければならない。普通一般的にみられるのは父親が農業に専念し、息子が外で働きながら農繁期には農業を手伝うというのが多いが、農業を目指す若者は、家で働きながら実践の中で学ぶべきである。今は父が二年前より休耕田を利用して鉢植用のツツジ栽培を始め、続いて私も盆栽マツ苗の栽培をはじめた。

今年のミカン暴落では大きな打撃を受けたが、増々ファイトを燃やして取り組む考えである。当面の農業収入の息切れは、父の安定した収入とシイタケからの収益でカバーすることはできる。

こういう不測の事態が生じた場合に兼業農家は有利である。しかしツツジ、松の盆栽を始めたようにそのほかにも、年間を通しての収入を得る方法として、ポット使用のエノキダケの栽培を計画中。

日本がこれから急速なテンポで工業がさらに発展することは容易に予測でき、このような情勢の中で農政は、国の諸政策の内にあって谷間におかれている。景気の動きと同じに今がどん底。この数年間をぐっと耐えて乗り切ることが最も大切なことである。生産調整でやむなく大豆でも…と栽培していた農家は、思わぬ大豆相場の高騰で大きい収益をあげる。こんなところに"農業のカケ"みたいなものが感じられる。これが今日の農業の実態であろう。近い将来、農産物の自由化が進めば、状態はもっと不安になろう。しかし、私たち若い後継者はこのような市場の変動にフラフラせずに負けないだけの農業経営を目指すことが、勝ち残る条件となろう。

クラブ員とも意見をたたかわすこともある。農民のための団体組織であるべき農協が、本来の役割りを失ない、多角経営の営利団体にヘンシンしている。また、全国の農協なり単協が、計画栽培を指導し、流通機構をより円滑にする役目を果さなくては、農家は今の足踏み状態から脱しきれない。

ミカンの暴落を目の前にして、これからの農産物は"作る"から"売る"へ、農家は"作る"ことから"売る"ことへ、その力点を移してゆくべきである。このような農業へ質的転換をはかる中でも、自然の内に息づく農業に志を立てた私は、ソワソワすることなく、農業を楽しむ—というユトリが欲しいものである。

"農業"を継ぐわたし

水稲・ホップ経営 生涯を賭ける農業

岩手県連副会長 石橋照子

「女でなかったら…」と、くやしいときもある「農村の青年たちの頼りなさ、ふがいなさを見るにつけ、聞くにつけ私はこう自分で思うこともしばしば…。

現在のわが家の経営は、水田四㌶、ホップ五〇アールと肉用牛三頭を父母と三人で経営している。

昭和四十三年に遠野農業高校農業科を卒業。「私は農家後継者でなく、"農業"後継者になりたい」と家を継ぐのではなく、生涯の職業として農業を選び、家業である農業を継いだ。

私は高校進学の時に「女性は家事」という考えが嫌だった。男性に負けずに農業をやりたい」という考えから、普通は生活科を選ぶ人が多いが、あえて農業科へ入学。四十四人のクラスで女性は私一人だけだった。

遠野は四方を山に囲まれた盆地。ここは民俗学の"古典"ともいわれる柳田国男の名著「遠野物語」を生んだ地である。しかし、今の同世代の若い人たちは「刺激が少なく、刺激を求めようともしない」いわば眠ったような城下街としか私には見えず、多少不満である。

最近は自分で冒険してまで新しい農業を求めてやっていこうとする人がいない。そしてなんとなく農業に意欲を失ない会社勤めに出ていく人は多い。学校の同級生で今も農業をやっている人は十人いるかいないか…の状態である。

私たちのクラブの歴代の会長でさえ農業から離れている。それほど農業は魅力のないものなのだろうか。私がクラブ活動に参加するようになったのも、そんな悩みや不安を、仲間同士でぶっつけ合い、そのなかからあすの希望を見い出したかったことも原因の一つである。

日本中が"列島改造"ブームでわくなかで、なにも農業にしがみついていなくても金もうけの道はいくらでもある。世の中にむなしさを感じている若い仲間も多い。なかには、後継者資金を借りて家出してしまった人もいる。こういう状態を目の前にして私は、仲間が次々と脱落し、たとえ一人になっても農業を守っていきたい。農業は人類の始まりとともにあるはずである。科学や文化がいくら発達しても依然として人間の生活を支えているのは農業である。

ある女子研へ出席した時、跡取り娘たちの「できることなら、農家でないところにお嫁に行きたい」という発言には全くショックだった。若い娘さんの中にある家の束縛からのがれて、自由になりたいという気持の現われが先ほどのような発言になるのだと思う。

クラブの仕事が忙しく、家を留守にすることが多いが、父、母も私の農業に賭ける熱意をよく知っているために、クラブ活動には大変協力的である。

どんなに苦しくとも「きょうという日は、二度と帰ってこない。力いっぱい青春を生きてみたい。」

事故防止

高知・東津野村4Hクラブが枝打ち奉仕行なう

【高知】高岡郡東津野村の4Hクラブ(会長 明神正君)では交通事故の防止をと、さる二月二十三日、同村布施ケ坂の国道197号線沿いで見通しの悪いカーブの植林の枝打ちを行なった。

現場付近はつづら折りの坂道が続く交通の難所で、木の枝が邪魔して起きる交通事故があとを断たなかった。

この日は十七人のクラブ員がナタやなわバシゴを持って集まり、東津野村林業改良指導員のアドバイスを受けながら、事故絶滅の願いをナタに託して終日枝打ちに汗を流し、通りがかりのドライバーらに感謝された。

結婚を考える ▶39◀

全国区 4H 太郎

最も甘っちょろい愛と結婚考

愛は戦い?

「恋ってなあに?」から始まって「結婚とは何か?」にいたる一連の問いや論などは、古来より実に多くの人々によって語られてきた。また、人間であるならば、誰もが一度はこれらを語ったり、考えたりしたことはあるだろう。非科学的な数量計算で恐れいるのだが、結婚や愛について思考された量はもはや宇宙的な規模になっていることだろう。

さて、そのように「結婚とはなにか」という論や説は巷に腐るほどころがっているのだが、どれひとつとして"これで満足だ"というものがないのが普通だろう。それは、人間が各々を取り囲む状況内で生きているという事実を考えれば当然のことだ。また、愛や結婚を概念や意識のみではとらえきれないという証しでもある。

これまで、愛や結婚などと一口に言ってきたが、話を進める前に両者をはっきり区別しておかねばならぬ。こんなことはいうまでもないことだが……。

「愛しているから私は結婚する」と言う人にケチをつけるつもりは毛頭ない。しかし、そうして結婚することによって何を人間は失なうのか。こんなことを考えていたらなんにもできないかもしれない。だが、生きるということを考えれば、この問いは不可避だ。この愚かしくも思える問いが不可避なところに、人間の悲劇があるといったらとんだお笑い草になるだろうか。

「愛とは二人の人間の間の相剋的な戦いだ」と昔々しく語った哲学者がいた。愛するとはつまり、一人の人間が相手の前で自由を失なうことによって相手を乗り越えようとする行為だという意味だろう。だとするなら人間は自己を失ってしか愛に生きられないということになる。しかし、自己を失なうということはとりもなおさず愛を失なうということである。愛するとは主体性をもって生きることであり、自由であることだ。だが、愛するとは同時に主体性を捨て自由を放棄する行為だ。となると、愛は戦いだが、必ず挫折する戦いということになろう。

私たちにとってこの結論はなにを意味しているのだろうか。たしかに、人間の存在自体がはらむこの矛盾を無視して生きることはできない。しかし、私たちにとってこれらは結論であると同時に出発点でしかない。愛や結婚についてこれらを承知した上で仕方なく、あるいはすすんで第一歩を踏み出すことが、とりもなおさず愛や結婚を考えるということだろう。それは自分、そして相手の生活している状況を引き受けて、この矛盾を生きぬくということだ。

そこで問題として浮かび上がってくるのに結婚がある。これだけは、これがこうだからこうしろとはいえないものだ。それぞれが自分自身の責任において、自らの将来を選びとる以外にないだろう。

しかし、結婚とは単なるカタチでしかない。結婚のなかに人間を見ようとするなら、そこにはやはり愛しかないだろう。だが、その愛はカタチとしての愛ではなく、行為としての愛であるものなのだ。愛するとは、生きることそのものなのだ。かといって、結婚とは断じて生きることではない。つまり、結婚とは、世界中の人たちが重たげに背負っている共同の幻想なのだ。その幻想におしつぶされて結婚というカタチのなかで自己を殺すか、それとも、その重さを身に受けてノロノロと動き出すかはその人の自由だ。

簡単に結婚を否定し、いたずらに自由でもない自由という概念をふりまわし、問題をさけて通ることはできない。結婚というのは日常的次元に引きおろしたとき初めて、無視できないものになる。そのようにしてしか結婚を考えられないところに私たちの弱さも存在するのであるが……。

結婚はときとして状況への妥協であるかもしれない。だが、その逆にあるときは状況への挑戦でもあるのだ。

人間的事実としての結婚を自ら受けとめ、矛盾・挫折しつつも生きてゆくしかない。

愛の幻影を抱いて愛するのをやめる人間に転落することを拒否すると同じように、結婚と自己を一体化して生きることは拒否したい。

しかし、もしもあなたが、現実とは矛盾を矛盾としてとらえられず、挫折を挫折しきれないところに特長があると言うのなら、それはそのとおりと答えるしかない。かくして、私たちはまたもや出発点に戻ったのだ。終ることのない自らの旅への第一歩は常に道化じみている。だが、私たちはその道化をしかつめらしい顔をして行なっていかねばならぬのだ。

観光農業の条件は

近郊農村の一つの方向として緑を求める都市側との調和をはかろうと農業の第三次産業化が論議されている。その多くは都市側の要望を入れたもので、農民不在のものが少なくない。番組では多年の経験をもつ観光農業の青年経営者をまじえ観光農業についての問題点を考える。

NHK農事番組 (3月10~20日)

テレビ

明るい農村 6・30~6・55 総合

11日 明るい漁村

12~14日 日本農業賞受賞者に聞く(個人)

15~16日 日本農業賞受賞者に聞く(集団)

17日 日本農業賞受賞者に聞く(営農団地)

18日 明るい漁村

19日 村の記録「広がる土[illegible]運動」~長野県下

20日 きょうの話題

農業教室 7・30~8・00 教育

12~17日 集団栽培を考える 針塚正樹(農林省蚕糸試験場)

19~21日 合理的な酪農作業 岡村俊民(北海道大学教授)

あすの村づくり 日 7・00~8・00 教育

再 土 13・00~14・00 教育

11日 「われらの選択と志向」第十二回全国青年農業者会議から~内山政照ほか

18日 「観光農業の条件」坂本慶一(京都大学教授)ほか

ラジオ

早起き鳥 5・41~5・57 ❶

11日 話題の窓~青年農業者会議で学んだもの

12~17日 日本農業賞受賞農家に聞く

18日 話題の窓~生活改善体験発表大会から

19日 酪農新天地を求めて 桐藤哲朗(別海町)

20日 会津漆器を継ぐ 農民研究生~会津若松市

話の広場 日 6・15~6・30 ❷

11日 足柄の農業まつり~神奈川県南足柄町

18日 牛が当たる般若講~千葉県安房郡鋸南町

新しい農村 日 6・00~6・30 ❷

11日 農村青年に期待するもの~全国青年農業者会議から~

18日 すすむ農協と生協の協調 織井斉(全農)ほか

ラジオ農業学校〈講座〉 月~土 6・00~7・00 ❷

8~10日 花の流通~安部定夫(東京農業大学教授)

12~17日 みかん産地の課題 長 憲次(九州大学助教授)ほか

19~21日 新時代の経営者 和田金次(評論家)

ラジオ農業学校 日 6・30~7・10 ❷

11日 「経営手帳」酪農経営の課題~青年農業者会議関連

18日 「新時代の経営をめざす」射手矢一長~大阪府泉佐野市

明日の農業へ向って 各種農業団体

畜産危機突破に 全系統の総力を

一、系統経済事業につきましては日頃、農協および県連合会の役職員の皆様には絶大なるご努力とご協力を賜り、厚くお礼申し上げます。

今回の飼料原料事情のひっ迫、これに伴い配合飼料供給価格を再度にわたり改定をせざるを得なかったことにつきましては誠に遺憾のきわみでございます。

しかしながらこれを詳細に分析してみますとこの値上げの最大の原因はなんといってもソ連の二千万トンにのぼる小麦の大減産、またオーストラリアの未曽有の干ばつによる不作が大きく影響しているといえます。

特にソ連の場合畑作のときには相当量を東欧衛星諸国にまで供給する能力をもっています。これが今回は逆になり、このたびのソ連の小麦の買付け量十九百万トンが一九七一年から七二年にわたる世界貿易量の約四〇%を占める事実を考えましてもそのウェートの大きさがわかります。

こうした情勢のなかで系統農協としては昨年末以来、四十八年度政府予算原案の策定に当たり早くから飼料緊急事態を説明し、その対策を講じるよう、連日要請活動を続け、さらに二月上・中旬の土地税制対策と合わせて急拠飼料畜産対策についても活動を続け、農林省はもとより政府、国会、特に与党首脳部に対し強く働きかけてきました。しかし、たまたま予算案審議に当たり、これらの事情からいまだはかばかしい進展をみていません。

このような事情の下でいたずらに時を過せばわが国の畜産農家の経営は重大な危機に陥ることは目に見えています。

全農では全国農協中央会をはじめ関係団体・機関とあいはかり危機突破に手をつくしていますが、貴農協、連合会におかれましても現下の切迫した事情について十分ご理解いただき、緊急飼料対策や畜産物価格対策などにつき、強力な要請活動を行なわれますことをお願い申し上げます。

また去る二月十四日には米国が単独一〇%のドル切り下げを行なったことにより、競合農産物が増大することが予想されるなど、十分な警戒を要します。

貴組合におかれましてもこれらの深刻な事情を農家組合員にご説明いただくとともに、今後の危機突破のために十分なる結束をはかられますようお願い申し上げます。

(全農会長理事 三橋誠)

全国農業協同組合連合会

農機専職103人表彰 農機推進を再確認

全農は、一月十七日東京・農林年金会館で農業機械専任技術職員の全国表彰大会を開いた。この表彰大会は、農業機械事業基盤拡充運動の一環として行なったもので、昨年にひきつづき二回目。全国の農協農業機械専任職員の中から選ばれた百三人は、三橋全農会長から表彰状をうけたあと、今後も引きつづき系統農業機械事業の発展に努力することを確認しあった。

全農では、系統農協における農業機械の適正導入・推進・技術サービス体制の確立をめざし、昭和二十九年から農業機械技術講習会を開催し、技術者の養成につとめてきた。

その結果、現在までに認定した農業機械技術指導士は、一万三千九十八人、農業機械指導技師三百七十九人に達し、系統農協の農業機械事業の推進に活躍している。しかしながら、農業機械専任職員の活動実態は、農業機械の急激な進展により、日夜を分たぬ激しい労働の積みかさねとなっている。

そこで、全農では長い間農業機械事業に従事し、立派な業績をあげている農業機械専任職員の多年の労にむくい、さらに一層の努力を期待するため、昨年にひきつづき二回目の農業機械専任職員の表彰式を行なったもの。

今回表彰をうけたのは、一万三千余人の農業機械技術指導士の中から、十年以上農業機械の専任技術職員として業務に従事し、系統農協の農業機械事業に多大の功績があり、かつ、他の職員の模範となる人々百三人で、農協組合長および県連会長の推せんにより選出された。地域別の内訳は、北海道六人、東北十六人、関東甲信越二十二人、東海北陸十四人、近畿八人、中国四国十七人、九州二十人となっている。

表彰大会は午前十時半から東京・農林年金会館ホールで行なわれ、三橋全農会長から「ここにお集りの百三人の方々は長年、系統農協の農業機械事業に従事され、その努力が認められた方々で、今日の表彰を心からお祝いします。全農は、今後ともみなさんが仕事に希望と誇りをもってやっていただけるよう一層努力しますが、みなさんも農協の第一線において組合員農家の指導はもとより、後輩の指導に専念され、系統農業機械事業の発展に寄与されるようお願いします」とあいさつ。豊村全農農業機械部長の経過報告のあと三橋会長から北海道川西農協佐々木正氏はじめ百三人に表彰状が授与された。

つづいて来賓の農林省伊藤農蚕園芸局長から「農業機械化の果たす役割りはますます重要となってきたが、みなさんは今後とも農業機械の技術指導およびサービス業務に携わる方々のよき先達として一層の活躍を期待します」と祝辞がのべられた。

このあと北海道栗井江町農協三原庄次氏、秋田県沼館農協黒政吉氏、石川県松田村農協向井智隆氏、鳥取県智頭町農協奥田泰氏および宮崎県西都市農協西田松男氏から、それぞれ日頃汗と油にまみれて体験した熱のこもった体験発表があり、参加者の共感を呼んだ。

太陽が昇る時まで
仲間たちよ、ともにやろう

茨城県・美野里地区息吹サークル　引田博文

おれは農業を始めて今年で五年目になる。その五年間で、おれの思ったことや体験したことをここで書いてみたいと思う。

おれが農業を始めた当時は、米が余りはじめた頃だと記憶している。それは、これからの農業はタンパク質の農業でなければいけないと思い、おれが酪農をやろうと固い決心をしたときでもあった。

しかし、おれの計画は親の強い反対にあい、一年ぐらいが過ぎ去った。でも、自分が思ったことは必ずやる、一本気の性格のおれである。悪く言えば融通がきかないとでもいうのであろうか。ともかくもおれの夢が動きだしたのだ。

ある日、家畜商から二頭の仔牛を買い求めたのが酪農の始まりだった。

現在は九頭飼養している。その間にもいろいろなことがあった。いつまでたっても忘れられないのは、二年前の春、一週間ぐらいの間に乳房炎、ケトージス、そのほか五つほどの病気が続いたうえ、健康な牛まで死なせ、酪農の道のきびしさ、技術の未熟さを身にしみて感じたときである。

そのとき、おれは二度と同じことをくり返さないと誓った。こうして、現在に至っている。

おれも現在やる気は満々だ。今年は思いきって資金を借り受け、二十頭ぐらいの中型の酪農家になりたいと思っている。

しかし、ひとりでそれをやるためには種々の点で改善しなければならないと思っている。今後ますますきびしくなる酪農情勢のなかで、力強く生きぬくためにはもっともっと苦しまなければならないと思うこの頃だ。それ相応の努力をしながら、一歩に一歩を重ねるしかない。強い意志をもち、正確な判断力を培うことが第一だ。

しかし、現在の日本の農業情勢は決して楽観できない転換期を迎えていることも確かだ。米の生産調整、農産物の自由化など問題が多すぎて、おれとて、自分の職業に自信がもてなくなるときもしばしばある。

ちょうど、月の出てない夜道に立たされているみたいだ。ややもすると、自分の道がわからなくなる。

だが、おれは以前こんなことを聞いた。

〝朝の来ない夜はない〟

きっときっと、いや必らず太陽は昇りくる。そのときまで全国の同じ農業に生きる仲間たちよ、がっちりと手を握りがんばろうではないか。

米国での生活から〈5〉

4Hの本質をみた！

一九七二年度　草の根大使　原田茂光

ワシントン州の九月といってもまだまだ残暑を感じさせる暑さである。しかし、ムシムシする日本の夏とは違いカラッとした日が続く。

南東部のインディアンの町ワラワラで初めてカントリーフェアーを経験したのもこんな暑さの最中だった。大人達も混じってのこのフェアーは子供達にとってこの日のために育ててきた家畜や農産物の成績を競う年に一度のコンクールの場であり、また楽しいお祭りでもある。

ここに出品される物は農産物に限らず、女の子達の小さな腕で焼きあげられた種々のパンからケーキ類、自家製の瓶詰類、はては工夫に工夫を重ねて縫われた廃物利用の素適な洋服、カラフルな手編みのセーター、そして室内装飾品の創作と各人自慢の作品が会場一杯に展示される。

このような展示の中で子供が最も感心を寄せるのはなんといっても家畜ショウである。九歳ぐらいの女の子がショウステッキを持って五百㌔前後の肉牛を引く。彼女達の目は常に審査員を見、少しでも牛が審査員によくみえるようにと気を配っている。

子供の輝くような瞳を見ていると思わずこちらもほほえみたくなるようだった。しかも町に住む子供達は男女の別を問わず牛や馬や羊などを飼って4Hプロジェクトとしている。中には高校三年生ぐらいの女の娘までが、汗と埃にまみれて肉牛や羊の手入れに一生懸命になっている。それも一人や二人ではないから驚かされてしまう。彼女たちの服装はとても作業をする時のものとは思えないほどカラフルなものだった。馬のショーにいたってはほとんどが女の子ばかりである。乗馬の仕方から、乗り手の人格まで採点される馬のショウでは、グランドチャンピオンになるのは大変なことであるが、これを射留めるとこの地方の女王さま？になる道も開けるとあって、どの顔も真剣そのものである。

フェアも終りに近づくとほとんどの賞が決まる。一位のブルーリボンを獲得しようものなら六ドルの賞金がもらえるし、その家畜は予想外の高値で家畜商に引き取られる。中には千ドルもの大金を手にする子供も現われ、ほかの子供たちを羨ましがらせることもしばしばある。この金も将来の学資のために貯金したり、父親の農場を買い取る資金に貯金するようである。彼らにとっては本当に大プロジェクトと言えよう。

派遣期間を通じて七ヶ所の4Hローカルリーダーの家庭にお世話になり、その地区ごとの4H会合、地区リーダー集会、FFAの集い、学校などを訪ねることができた。性格の異なった日本の4Hクラブについて話したりする多くの機会を持ったが、このフェアーの中でアメリカ4Hクラブのすべてをみることができたように思う。アメリカでは、私の訪ねた先々で私を待っていてくれたのはいつもかわいい子供たちであり、あるいは人懐かしそうな高校生たちであった。

彼等の4H活動は、年齢も八歳から十九歳までと若く、何にもまして農村に限定された狭義の組織活動ではなく、都会へも浸透し、地域的な広がりの中で展開されている社会教育活動という印象を強くした。

感受性の強い十代に、住む地区を問わず、動物、植物に接して親しみ豊かな情操を育てるとともに、これらのプロジェクトを持つことによって当然生じてくる飼料の購入や、管理費などの経済的側面の勉強と、技術収得などは頻繁に持たれる集団活動の中で、社会の仕組みと規範を学ぶ助けとなっている。

社会に対する正しい位置付けと、広い視野に立って将来の職業選択、人生選択を可能にする。こういう意味からアメリカ4Hクラブ活動は、頭脳と技術と健康な身体と、精神の健全な発達が、より良い社会人を創るものであるとする4Hクラブの目的を満たしているものと思われた。

（山形・コナムクラブ）

青春と仲間

あるウソの結末
青春！過ぎてゆく日々

北海道・大雪クラブ　六月生・X子

人生において何よりもむずかしいことは、ウソをつかずに生きることである。そして、自分自身のウソを信じないことである。この世に生を授ったときから……。

人は誠実に生き、そして信頼され、愛されることを願った。

人は後悔のない幸福の日々を願った。

人はいろんなことを同時に願い、それで満足したかのように思えたが、一方では不安であった。

いったい、人間とは何であろうか、何のために生きるのかと、人は悩み考えた……。

その混乱のさなかに、人は己れでない人物に気がついた。名も知らぬはずなのに、逢うと不思議に気にかかるのだ。互いに見つめ合うだけで通りすぎてしまっても、人は、また振り返ってふたたび見つめ合うのである。

人はわからなかった。次の出逢いがなぜ気にかかるのか、ということを……。

だが人は知っていた。何度出逢っても同じことの繰り返しばかりであるということを……。

ああ！　それなのに、この心はどうしたことか！

人は嘆いた。と同時に人は、そのとき聞き覚えのある詩をいつの間にか口ずさんでいた。

あなたを見つめている人がいます
ご存じですか
あなたに手紙か電話をしようと思っている人がいます
ご存知ですか
あなたに今日こそは言葉をかけてみようと決心している人がいます
ご存知ですか
あなたに実は恋している人がいます
ご存知ですか
でも、この人はだまっていつものように通りすぎているのです
ほら、あの人のことです

……人は二～三度、いや十度ばかり繰り返し読んでみたが、読むたびに己れでない人物が脳裏をかすめるのである。

人は腹立たしかった。

己れでない人物たちの群れよ、あっちへ行け、あっちへ行けと思わず叫んでしまった。

その翌日、またも逢ってしまった。偶然にも隣りにいたのである。しかもなれなれしげに微笑を浮かべたのである。しかし、人はプイッと横を向いた。そう、そしらぬ顔して……。

だが、数分後に胸が高鳴り始めた。目をもとに戻したが、ときすでに遅かりし、もういない。人はとまどった。

それ以来逢うたびに人は人知れずつぶやいた。……情けない、二年もかかってやっと気がついたのに、こんなにも簡単にくずれてしまうとは……。

人は夜も寝つかれずに祈った。もし、もしもこの世に神が、仏がいるのならどうかもう一度チャンスを与えて下さい。

しかし、その願いも空しくくだけ散った。

人は見たのだった。数日後、己れでない人物が見知らぬ人と肩を並べて歩いているのを。

ああ、己れはピエロか、それ以下か！

あのときに自分自身のウソを信じたばかりに……一年後、人はそう思った。あれもひとつの青春さ、悩むことが人生か、今度こそ、今度こそ己れに忠実に生きようと。

出発の詩

埼玉県・騎西4Hクラブ　栗原初子

人生に目的なんかない、始まりだけである。

どんなに偉い哲学者が、人生の目的をでっち上げたところで、子供の「なぜ？」というかわいい一言によって、その学者の研究は哀れにも崩れ去ってしまう。

イデオロギーも嫌いだ。イデオロギーはいつもそれを信じていた人間を裏切る。人生に目的なんかない。だから人間は泣くことを覚え、笑ってごまかすようになった。

歩いているのではなく、歩かされているような不安。動いているのではなく、動かされているような不安。そんな不安ばかりがつのる。

山のむこうに幸わせなんかないことを知り、カール・ブッセは泣いたそうだが、私なら、笑いながら歩いてゆく。

これが私にとって生きるということ。目的なんかないけれど、笑いながら淡々としてどこまでも歩いていこう。

たんたんと歩いていこう。

きっとなにかが見えるに違いない。

理想の男性像

北海道・東野4Hクラブ　大西まり子

十六歳！これが私の年齢。まだ童心から抜けきれない今の私、こんな私が理想の男性像を心に描くのはまだ早いように思う。でも、考えるとキリがないほどいろいろな希望がありますが、とくに三点にしぼると……。

まず第一に、〝意志の強い人〟現在のいろいろと問題の多い農業をとりまく環境の中で、今の農業を自分の手で立ち直すんだ！という大きな気持と信念をどこまでも貫き通すような意志の強い人。私にはとても頼もしく感じられる。

次に農業。〝自分の職業に誇りと、自信を持っている男性〟積極的に、自分の持っている才能、知識を十分に発揮している人。

最後に、〝何事にも一生懸命努力する男性〟こういう姿ってとっても美しく見えます。

4Hクラブの男性のみなさん、みんなが私の描く男性像みたいであったら、きっとおよめさんは両手に何とか……。

生意気言ってごめんなさい。4Hクラブ員の男性のみなさん、女性から頼もしいナと思われる男性になって下さい。

「私もつとめて女らしくなりますから……」

私

熊本県・合志町4Hクラブ　赤塚真理子

私はひとりになりたい
この世から
だれもいない所へいきたい
何のわずらわしさもないあの大地へ行きたい
でも
だれかが私をひきもどします
なぜひとりにさせてくれないのでしょう
目、目、目……だれもが私をみています
やめて！
私を見るのはやめて！
愛しいあなたさえ
私をわかろうとしない
あなたも他の人と同じだ
常識にしばられ
他人ばかり気にしているあなたなんて
私はきらいだ
私は大空へ帰りたい
あの青々とした大空へ
そして
一人で叫ぶのだ
『私は今やっと
ひとりになれた
もうだれも
私のじゃまをする人はいない
私は私だ！』って

新品

長崎県・長崎市連　本田豊博

七年前に買ったテレビが現在も映る。

隣りの家は三台目、カラーテレビだと。

八年前に購入したティーラーは昨年新品と入れ替えたと。

オレのオヤジが嫁をめとったのは二十六～七年前だ。

だから今ではあんまり使いものにならないと。

機械のように再々入れ替えるわけにはいかないと。

父は冗談まじりにぼやく。

農業はどうなるか

このごろ

蜂巣丈平

河向うの、わずか六〇アール程の山林なのだが、桧を植えて三年目になる。その下草刈りがどうにもできなくて、兼作爺さんを頼んで七月頃すませた。

一度その山へ行ってみようと思い乍（なが）ら果たせなかった。その山の谷間には、マタタビの実がなるのだった。マタタビの実は体に力をつけるというので十一月五日の日曜に行ってみたが、マタタビの実はなかった。もう季節が遅れたのだった。猪とりの人も、この道は通らないと見え、田ウコギやイノコヅチが生え繁り、乱れたまま枯れ果てている。手に持った手鎌で刈り立て作ら進んでゆくうちに、白い軍手も、作業衣も、隙のない程に、田ウコギの実がつきささってしまった。

やっと植林の山に辿りつくと三年目の桧は、すくすくと芯を立てて伸びていた。急な斜面を登ると、うるしのひこ生えが真紅にもみじしていた。雑木の切り株に赤ん坊（茸）が見事に出ていた。両手に一杯とれて、持参のビニールの袋に入れて腰に下げた。

家に帰ってみると、娘が庭の植込みの下に伏せておいた榾木に出たのだといって、ナメコが沢山採ってあった。今年は榾が沢山仕込んだので、近所へ分けてやる程とれる見込みだった。

この夏以来病気をして、まだぶらぶらしている近所のAが来る。河向うの山に、ゴルフ場ができるとのことで、その代替地物色のため、Aの山林を買いに何人もの人が、やってくるという。スコットランドの有名なゴルフ場の名をつけた、そのゴルフ場は、土地の買収に手間どっている様子で、売らないという人のための代替地を見つけている。ゴルフ場の土地は、二十×万から値をつけて、結局三十八万で決まった。二分の一以上の土地は確保したらしい。その代替地に求める土地が五十万とのことである。売ってしまったらおしまいだから売れないといいながらも、一千万円を越す価格には未練らしい気持も感じられた。

Aは野菜作りを主にやっているのだが、この秋は野菜が安い。冬キャベツなどは、四キロ袋で築地市場迄の運賃、手数料を差引くと、手取十円で、安値補償金が百何十円か来るのだそうだ。昨年良かった里芋も今年は安く、大根が一本七十円でやっと息がつけるとのことだ。その大根も自分が病気のため、多額の手間を借り労働をかけた。

——山は売ってしまってはそれきりだからね——と自分に言いきかすようにいって帰る。その河向うというのは〇町の地区内である。

この村にも工場を誘致するからとか、ゴルフ場を作るからといって、山林や畑を買収しようと来る不動産会社が数多い。「それらの不動産会社は、反当り六十万から八十万といって来ている。この春は五十万で村の一隅の山林が買われた。

人々の心は動いているのだが中には、売らないという人、半年毎に十万も二十万も値あがりして来るのだから、よく倚勢をみてからという慎重組もあり、時代の激流を不意に身近に感じて、戸惑っている様子である。

総面積三千余ヘクタール程のこの村のうち六百ヘクタールの山林や畑をいくつかの不動産会社が買収の交渉をはじめている。一体この村の将来はどうなるのだろう。果たしてこれらの会社は、約束どおりの会社を誘致し、あるいはゴルフ場を経営するのだろうか。目前に現われた多額の価格に惹（ひ）かれ乍らも、大きい不安が胸中を吹きぬけているのだった。

農協でも遅ればせながら、これらについての懇談会を開いて検討しようと、通知を出したところだった。

僕も困惑組の一人なのだ。数年前桑山を全部開田して、別に山林を一ヘクタール程求めた。ところがこの土地周辺四〇ヘクタールに花木養成会社が来るといって、まわりの土地全部が売約になってしまったので、結局売ることにした。僕の分は、短期譲渡なので税率も、村税を含めて五二％と高く、残りの金で近辺に代替地を求めるすべもないのだった。

僕の部落を含めたこの地帯では、七年計画の耕地整理事業を進めており、野菜畑も無くなったので、隣部落の方へ、一〇アール余の畑を求めた。これも二年耕作しただけなのだが、この地帯一五〇ヘクタールに工場を誘致したいとの話しが出て来た。これを承諾すると、せっかく費用をかけた田や畑にしなければならない。

土地はまだまだ値あがりするという。この地方はみな安易な日稼労賃を稼いでいる。出稼ぎをしないようにと、施設園芸でトマトを栽培している農家も二十戸からあるが、その経営の内容は却々にきびしい。そして苦しい人も多い。一体農業はどうなるのであろうか。どうすればよいのであろうか。（農民文学会々員・栃木県那須郡湯津上村大字蛭田）～『農民文学』第百十六号より～

〈2〉

京都東七条のヒト

福井県・鯖江つつじクラブ　竹内隆春

私、初めてだったの。二十二歳で初めてというのもちょっと恥ずかしい気もするけど……。アナタすぐあとであの手紙下さったわね。あれで私、すごオーく救われたわ。

もちろん、救われないような危ない状態というのでもなかったけど、なんというのかな、そう、どっちへでもころびそうな感じ……。右から押されれば、そのまますんなり左へ行っちゃうというような……、女って初めての経験を、どのように受けとめるかでそのひとりの人間の半生がほぼ決まっちゃうんじゃないかって気がするわ。

そんなこと思うと、女って本当に男の人次第だなーって思っちゃうわ。女の人を大事にしなきゃダメよ。

ええ、そんなわけで、あの手紙のおかげでアナタを憎まなくてもよかったし、なんだか、えーと、男と女の意味が本当にわかったような気がしたのよ。あれはアナタの〝おわび〟という形の手紙だったけれども率直だったし、親切でもあったし、私、本当にうたれたのね。

確かに、広い意味でのセックスというものを前もって考えてなきゃあダメなのね。私たち結婚前の女って、まだ恋とか愛とかいうものにあこがれているっていう感じね。

いつだったか、読んだんだけども「男はいつもセックスを思っているが、女はロマンスを夢みてる」っていう文章を知ってる？　男の人のことは私もよくわからないけれども、若い女の人って、やっぱり「夢みてる」って感じよね。私にはよおーくわかるわ。

男が見おろしている感じなら女は見上げている感じ……。それから、男の視点が一点に集まるのに対し、女の視点は無限大に広がっている感じなのね。

私、初めて男の人を意識したのはいつだったか、よく覚えていないわ。中学生ごろは確かにもうあったわね。すると小学生、でもそうであったとしても高学年のころね……。けれども、それがどのように意識していたかはうまく思い出せないの。確かになにかあったことには間違いないんだけれどもね——。

思い出せるころのことというと、もうかなり最後のほうね。……いつだったか、フトンの中でちょっと寝つかれなくってイライラしたことがあったわ。なんかお乳が異常に張った感じがしていたの。手を入れてみても特別変ったことはなさそうだったわ。そう、その時ね、私はさわってみながら、男の人ってどうしてこんなものが好きなのかしらと思ったものよ。

そんな憂うつなもの想いにとらわれつつ、私は乳首を人さし指と親指でちょっと痛いくらいにつまんで、もてあそんでいたの。そしたら急に、ああ、男の人にぎゅーうっと抱きしめてもらいたいって気になったのよ。どうなってもいいぐらいにどうかされたいとも思ったわ。いつか男の人が、こういうふうに私のお乳に指をめりこませるとかくるんだと思うと、一種の快感が全身を走るのを感じた……。

そのあと、私を襲ってきたのはありきたりの息のつまるような罪悪感、しゅう恥心、そして、どうしようもない悲しさ。私はホテる私のホホを一すじのより熱い涙が伝ってゆくのにじっと耐えて、暗闇のなかに浮かび上がっては消えるかなたの一点をみつめていたわ……。

——彼女はそのあともいろいろと話してくれた。

初めのうちは、やっぱり恥ずかしいのかぼくの質問の一つ一つに答えるという形でしゃべった。けれども、しだいにひとりで話しだしていた。

ぼくの目のなかで、京都東七条の夜景がぼんやりかすんだ。

～次号へ続く～

日本4H新聞

4Hクラブ 農事研究会 生活改善クラブ 全国広報紙

発行所 社団法人 日本4H協会
東京都港区（新橋）の5の12 佐野ビル 〒105
電話（591）1817・3683
編集発行 岳井光
月3回・4の日発行
定価1部35円
一ヵ年 1200円（送料共）
振替口座 東京12055番

クラブ綱領

私達は…を通じて自らを磨くとともに、互いに力をあわせて、よい農村、よりよい日本をつくるため、四つの信条をかかげます。一、私達は、農業の改良と生活の改善に役立つ腕をみがきます。一、私達は科学的に物を考えることのできる頭の訓練をします。一、私達は誠実で友情に富む心をつちかいます。一、私達は楽しく暮らし元気で働くための健康を増進します。

新しい農業への提言
生きがいのある村を築くために
第12回全国青年農業者会議

農業の活路を激論
オリンピックセンターで 「列島改造論」も話題に

「第十二回全国青年農業者会議」はさる三月八日から十日の二泊三日間にわたり、東京都渋谷区代々木のオリンピック記念青少年総合センターで開催された。これは、農林省、NHK、全国農村青少年教育振興会、全国農業改良普及協会、日本4H協会、全国4Hクラブ連絡協議会、全国農業研究会協議会の七者の主催によるもので、参加者は全国各都道府県から選ばれた農村青少年、農業経営者夫婦、篤志指導者、普及員、都道府県担当職員など約七百三十名。今回は激しく移り変わる今日の農業状勢を反映して「新しい農業への提言〜生きがいのある村を築くために〜」と共通テーマを設け、これからの日本農業について活発な討議・研究が行なわれた。＝関連記事3、4面にもあります

北は北海道から南は沖縄まで全国の仲間たちが続々と代々木のオリンピックセンターに集まってきた。折り悪しく当日は、国鉄などの順法闘争にぶつかり、九州地方など遠距離からの参加者はやや遅れぎみ。それでも開会式が始まった午後一時には、参加者のほぼ全員が式場に姿を現わした。

予定の午後一時をやや回って開会式。奥村秀宏全協副会長の開式の言葉とともに「第十二回全国青年農業者会議」の幕は切って落とされた。

全員で国歌を斉唱したあと、主催者あいさつがあった。主催者として中尾栄一政務次官（農林大臣代理）、藤村久雄NHK事業部長（NHK会長代理）、宮城孝治日本4H協会会長、徳安健太郎全国農業改良普及協会会長がそれぞれあいさつした。どのあいさつにも次代の日本農業をになう農村青少年に対する大きな期待と激励がこめられており、参加者も自分たちの双肩にかかった日本農業の未来を再認識するかのように真剣に聞き入っていた。

ひき続いて、多くの来賓の方々の紹介と祝電が披露された。そのあと日本4Hクラブの歌を全員で明日からの研究討議へ意欲をこめて力強く唱和し、開会式は閉式した。

二時からは会議運営についてのオリエンテーション。三時から研究討議のオリエンテーションがあり、参加者は会議課題の確認と討議方法などの説明を受けるとともにNHK提供の関連番組を視聴した。

夕べのつどい、夕食のあと、午後七時からは各部屋ごとに参加者同士の自由交歓を行ない、お互いに情報交換などをして親睦を深め合った。

第二日目は、午前六時半に起床し、七時十分から朝のつどい。

朝食後八時五十分から、いよいよ分科会研究討議が始まり、全員指定されたそれぞれの分科会会場で熱っぽく討論が展開した。

新しい農業への提言〜生きがいのある村づくり〜についても多く話し合われ意欲を高めた。とくにここ数年来、生産調整、農産物の貿易自由化、土地の高騰など日本農業は激動の渦中にあるだけに問題は深く掘りさげられ、各分科会とも熱気がただよっていた。

また、現在あらゆる方面で話題を集めている『日本列島改造論』についても「過疎・過密が解消されるのは願ってもないことだが、農村への工場移転やそれにともなう公害、地価の高騰などはちょっと困る」などの意見が多く出されていた。

昨年末から年頭にかけて『みかんの暴落』も大きな問題になっていたが、果樹分科会でもこれについて話し合われた。しかし、青年農業者たちは「価格が下がって打撃も受けたが、新しい果樹作農業を考えることもでき、これからはこのようなショックにも動じない経営を築く」と力強く語っていた人が多かったのが印象的だった。

出荷体制、販路なども問題の焦点となっていたが、参加者たちは「農協について」も前向きな姿勢で討議していた。

夕食後七時からは村のはなし懇談会が行なわれた。参加者は、それぞれの村に伝わる民話を語ったり、お国自慢の民謡を披露したりして楽しく交歓した。また、お国の名物、民芸品などのプレゼント交換を行ない、語り、そして耳を傾け、日本全国の郷土の香りを満喫していた。

第三日目は、朝のつどい、朝食、環境整理などのあと、午前九時から分科会研究討議。この日は前日行なわれた分科会研究討議のまとめで、各分科会とも今後の方向や課題などを中心に話し合い、これまでの討議をとりまとめ、助言者の方々から研究討議全般についての講評を受けた。

昼食後、午後一時五十分からは全体討議。青年農業者部会の各分科会代表に司会者と助言者を加え、会議課題「新しい農業への提言」について分科会で研究討議した結果をもとにし、参加者全員でパネル討議を行なった。助言者には、並木正吉氏（農林省・農業総合研究所計画部長）、大内力氏（東京大学教授）、上野満氏（茨城・新利根共同養豚経営者）の各専門家が出席され、また、司会者にはNHKの草柳、横山、有馬の三アナウンサーがあたられた。

全体討議は、まず「日本列島改造論」から話し合いに入り、新しい農業への提言をめぐって活発な討論が展開された。都市化、規模拡大の困難性、公害、流通機構などの問題点が次々に出され、討議は白熱化した。"生きがい"についても話し合われたが、前向きで進歩的な見解もいくつか出されていた。「要は自分の精神次第」から「生きがいがもてないほど現状は不安」までさまざまな声が聞かれた。

なお、この全体討議のもようはNHK特別番組「新しい農業への提言〜生きがいのある村を築くために〜」と題して総合TVで全国に放映された。

三時四十五分から同じ会場でひき続いて閉会・表彰式が行なわれた。

閉式の言葉、国歌斉唱のあと、主催者として東畑精一全国農村青少年教育振興会会長と松浦幸治全国4Hクラブ連絡協議会会長があいさつした。東畑会長は「昔はやることのない人が農業をするという傾向があったが、現在ではそんな気持ではダメだ。農業を自ら選んだ諸君たちにはより一層がんばってほしい」と参加者を励まし、また、松浦会長も「主体性をもって自分の農業に取り組んで」と参加者へ呼びかけた。

そのあと、参加者代表が「明日の農業への誓い」を声高らかに読み上げ、意欲のほどを、のぞかせた。

ひき続いて表彰に入り、農村青少年模範農業研究集団（農林大臣賞）、農村青少年農業研究集団篤志指導者感謝状（農林省・農蚕園芸局長感謝状）、農村青少年農業研究集団育成協力機関感謝状（全国農村青少年教育振興会会長、日本4H協会会長賞）、農業研究集団育成協力機関感謝状（全国農業改良普及協会会長感謝状）がそれぞれ授与された。

日本4Hクラブの歌を全員で唱和したあと、閉会式を終えて第十二回全国青年農業者会議は幕を閉じ、参加者は解散した。

閉会式　「ここで学んだことを地域にもち帰って生かしてほしい」とあいさつする松浦全協会長

あの頃　原田正夫
先輩も考えて下さい　クラブとリーダー〈20〉

二年程前、各県で「OB会」結成の動きがあるという話がよく耳に入ってきた。全協でもあったようだ。それが最近プッツリときかれなくなった。

努力のかいあって結成が実現したのかと思っていてたら、一、二の例外を除いてはそうではないらしい。立ち消えになってしまったような気配だ。現役時代に波乱の多いクラブや連協を盛りたて守ってきた先輩たちの努力は尊い。優れたリーダーだった人たちは若いリーダーを育ていろんな遺産をクラブに残していった。

クラブ活動に充分満足して去る人は少なかろう。どんなにやってもやり残した仕事は残っていただろう。なごりもつきなかっただろう。けれどもみんないつかは去っていく。仲間や指導者との交流を通じ自己を高め、農業技術や経営、さらに地域社会を学び、「もう一歩、これで良しと思うな、もう一歩……」と活動を続ける。彼が、4Hクラブの活動からさらに進んでより以上のものを求めるのは当然のなりゆきだ。

十年ほど前、私はサッカーに夢中だった。入部当時はあけてもくれても走れ、走れ。ボールをけれるようになってもそれは砂の一杯つめられた重いものであったし、ふつうのボールでも毎日二百本のパス、シュート練習。木の枝にぶらさがったボールにバカになるんやろうかと案じるくらい額をぶつけるヘディングの練習。それもこれもいつかきっとレギュラーになってやる！試合に出て、この苦しい練習のはてに得たものを生かしてやる……という気持だけが支えだった。何とか技術や戦術を覚えるとたまらなく試合に出たいとそればかり思っていた。

学校で農業の歴史、作物の生理、農業経営のあり方などを学ぶと少しでも早く自家の経営にとりくみたくてジッとしていられなかった。机上の農業が実際とは大変なちがいがあるとも知らずに……。

クラブ活動を続け、学んだことを実際に生かしてゆきたくなるのも当然だし、必要である。身近かな課題にとりくんで、プロジェクト活動で身についた能力、それは科学的に物事を考え解決してゆく能力をさらに次の段階の課題解決に生かしてゆくことになる。人生に、農業経営に、地域社会に難問がある限り、私たちは生涯プロジェクト活動を続けねばならぬ。4Hクラブの延長としてそれをプロジェクト活動だと意識するか否かは大したことじゃない。問題は、科学的に……という習性によって一歩一歩前進していけば良いと思う。人生の勝利者をめざして。

そう考えてゆけば4Hクラブに定年制などないのが本来の姿かもしれない。けれども、大ざっぱにいえば青年期、壮年期、老年期と真正面から取りくんでゆく課題の質は異ってくるものだろうし、家庭や地域において彼が占める比重も異なってくるだろう。

より高度な活動を……と思っている比較的ふけた青年にとって、そういう欲望を抑えて若い連中にあわせているのもいいことではない。若い連中にとっても、基礎的なものを身につけようとしているところへ高度なことに無理につきあわされるのも好ましいことではない。先輩が後輩を導くのは良いが、鉄棒で「さかあがり」もできぬ人に大車輪をやらせるようなことはやめたほうがよい。

そこは、やはり、トコロテン式に上からクラブを出て次の活動に移行してゆくのが万人のためであると思う。どこからさみしい定年退職でもなければ天下り人事でもない当然の帰結として……

問題はそのあとであろう。去ってしまえばクラブとは無縁になってしまう人。時たま口出しはするけれどもいうだけで何もしてくれない人。地位もかかわらず我利我欲……ってしまって、私欲……クラブOBの風上に……などあまりにも多す……なかろうか。

冒頭のOB会のこと……そういうことと決し……はあるまい。OB会……であれ良かろう、必……やろうというまでは……こから一歩も進まな……はどうしたことか。

もう少しじっくり……い。良きリーダー、……長即良き先輩と必ず……かない現実を……。

（全国4Hクラブ連……会長・大阪）

「われらの殿堂に向かって死にもの狂いでがんばろう！」とある会長は情熱的に呼びかけた＝中央開拓会館・会長会議会場で

会館問題を中心に
会長会議と建設委員会 全協、末端強化の方向へ

全国4Hクラブ連絡協議会（会長 松浦幸治君）では、去る三月十一、十二の両日、東京・大塚の中央開拓会館で道府県連会長会議と日本4H会館建設委員会（会長 岩崎茂氏）の総会を開催した。会長会議では、全協の体制強化と日本4H会館問題が主に話し合われ、また、会館建設委員会総会では、早期建設をめざして今後建設委員会がどうこの問題と取り組んでいくかを話し合った。

全国の道府県連会長と岩崎茂氏をはじめとするOB（会館建設委員会メンバー）諸氏を一堂に招いての会議は、十一日の午前十時から十二日の午後三時まで異様な緊張のうちに続けられた。

日本4H会館建設委員会総会は『道府県連会長は建設委員会を構成する』という規約にもとずき、全協OBを加え、会長会議と同時に進行した。

建設委員会で協議された主なものとしては①経過と現状②建設委員会規約改正と役員改選③今後の方向〜基本構想について〜などであった。いままでの建設委員会からより機能的な建設委員会にするために、OB、全協執行部、道府県連会長は前向きな姿勢で激しく意見を交換した。その結果、今後の建設委員会は、従来のOB中心から、現時点で募金活動などを推進している現役を中心にしてゆく方向が申し合わせれた。

また、今後としては、会館建設を4Hクラブ（農村青少年クラブ）など青年だけでやろうという従来の考え方に対する反省点なども出された。これからは、行政、指導機関にも事情を説明し、援助をあおげるような方向にもっていくようにする。そうすれば、さらに道は開けるのではないか、などといった声も多く出され、指導・助言を受けることが即自主性の喪失にはつながらないことを全員で再確認し合った。

会長会議では①四十七年度の全協活動の反省と評価②全協規約改正の件③全協組織強化の件〜事務局体制確立と負担金の値上げについて〜④昭和四十八年度活動方針および事業の件⑤昭和四十八年全協役員選出の件などを主なテーマに協議した。

今年度の全協活動の反省と評価では、今まで全協執行部は、末端クラブ員の動向や意向をつかみきれなかったと素直に認め、今後の方向を道府県連会長とともに考え意見を述べ合った。これから全協としては、農村と農業とに密着した活動を続けている末端クラブ員たちと、全協活動の間のギャップを埋めるべく、事務局体制を強化しつつそれらに対応していきたいと意向を述べた。同じように、全協事業もその方向で推進してゆくことになった。

全協規約改正の件では、現在の評議員制を理事制に変える方向で話しは進められた。これは、現在、位置づけの不明確な評議員制にメスを入れ、組織体制の強化・充実を図って理事制にし、位置づけ、役割などを明らかにしようということで協議されたもので各道府県連会長は、前進的な方向としてこれらを評価し、全協執行部に建設的な意見を述べていた。

また、負担金の問題も、クラブ員みんなの全協だから、クラブ員みんなで体制強化を図るべきだということで、値上げも各県連会長から認められた。

4H会館建設問題についても、会長会議で激しく討議された。会長同士、募金の方法や会館の構想などを述べ合い、早期建設を願っての情熱的な意見が続出した。三月十日を期限に現在県連に集められている募金全額を全協へ提出すると昨年暮れの会長会議（全国4Hクラブ後期中央推進会議・静岡県・御殿場市で開催）で申し合わされたが、まだまだ未提出県もみられた。しかし、未提出県にもそれ相応の理由があることを考慮しその問題点を各県連会長が考え意見を述べあった。

なお、会議は十一日正午までの予定だったが、討議は尽きず午後三時頃まで続けられ、会館建設への全国的な盛り上がりと熱意をまざまざと見せていた。

涼風暖風
農家と街の人の距離

"今日はキャベツの値が八〇円、出荷する気にならないよ" "どう計算しても四百円でなければ勘定があわない…"

つい此の間蔬菜地帯に調査に出掛けた時に直接聞いた話である。キャベツの値が八〇円というのは、大きいのが八個、小さいもので十二個入った十五キロ包みのことである。ところが八百屋の店先では、キャベツ一個が八〇円から百円である。一個と十五個一包みとは何と大きな違いであろう。

今年はみかんが大豊作で、大人も子供も一人平均二五キロから三〇キロ食べても消費しきれるだろうかと或る筋から聞いた。好物のみかんが思う存分食べられると思ったが値の方はそれ程安くはならなかった。しかし産地の農家では、出荷しきれずに泣く泣く山に捨てるという信じられないようなことが報じられていた。このような中で相互に連絡をとりあっている生活改善グループでは、希望者にわけて大助かりしたとか。或る街の団地と直接販売をして相互に益したとか。そして このような体験を通じて、今迄聞いたこともない消費者の声を直接聞くことができて、得がたい勉強ができたということであった。

最近上京した農家の主婦が、"自分達の作ったリンゴが、どのように店先に並んでいるかと、新宿や銀座の店頭を見廻ったところ、きれいに化粧されて一個五百円の値段がついているのを見て驚いた"と言っていた。ふるみかんの産地での話しであるが、"傷や斑点のない器量のよいものでないと、市場での価が下るのでどうしても農薬を散布しなければならない。身体の健康を案じつつ、かぶれをおこしながらも農薬を散布している"ということであった。

このいくつかの話しを通じて、ある矛盾を感ぜざるを得ない。これは複雑な問題を含んでいることは言うまでもないことである。そして農家の人々と街の人々との距離のあることを感ずるのである。しかし、さきの農家の人々が、街の人々と直接接することによって、両者が相互に助けられ、お互いに各々の立場を知り理解を深めたことは大きな進歩ではないだろうか。そしてただ儲かった、安いものが入手できたということだけでなく、生活を基盤にして、広い視野から各々の立場を認識し、連帯意識のもとに考えるきっかけができたのではないだろうか。果物や野菜がショウウィンドウの飾りものであるというならば話は別であるが……。

（T）

後継者の育成へ！
三重の松阪地区連 新規就農者の激励会

【三重】松坂市、松阪地区農村青少年クラブ連絡協議会などの共催による、四十八年度新規就農者激励会がさる二日、午前九時半から松阪市民文化会館で開かれた。

この激励会は、めまぐるしく変動する経済、社会の中で農業を志し、近代農業に対応していける立派な農業後継者を育てるのがねらいで、今春高校を卒業した就農者、先輩の農村青少年ら多数が参加。午前中、吉田市長ら来賓諸氏の激励をうけ、一足先に就農した若い農業者から農業経営の体験発表などを聞いた。

午後は市のマイクロバスと自家用車に分乗して上川町のシクラメン栽培、高田市の養豚経営、稲木町のキュウリの水耕栽培などを見学して、新しい農業経営に意欲をもやしていた。

心頭技健

第十二回全国青年農業者会議の青年部会の統一テーマは「新しい農業への提言〜生きがいのある村を築くために〜」であった。この「むら」という言葉は参加者の耳にさまざまな形で響いたにちがいない▼さて、畑作地帯の農村では、ご存知のようについ先頃まで同じ「むら」の農業者はみんな似たりよったりの経営をしていた。しかし、この頃は、水田地帯は別としても、農業者は十人十色と、思い思いの経営をするように変ってきた▼そのような農業形態の変化につれて、農業者自身の「むら」のとらえ方や考え方にも大きな変化が生まれてきた。農業者みんなが同じような経営をしていた時代には「むら」は農業者自身が生産や生活をしてゆくのに必要な種々の仕組みや慣行を持っていた▼ということは、農業者にとって「むら」を離れての生活は考えられなかったのである。と同時に「むら」は農業者に対する逃れられない宿命的なカセでもあったのだ▼しかし、現在のように農業者が一人ひとり異なった経営をするようになってくると「むら」そのものが生産や生活をしてゆく上で意味が薄くなってきた。かえって「むら」が農業者にとって負担となってきはじめたのである▼そこで、農業者は、生産をあげてゆくのにより有利な同業者組合などへ「むら」を越えて加入する傾向ができてきた。これらの傾向を松丸志摩三氏は毎日新聞紙上で『……農民の「むら」という枷（かせ）からの解放だともいえて、今後の成行きを注目したい……』と従来の「むら」が崩壊して現われてきた新しい農業者の自由の可能性に期待している▼農業者会議で話し合われた生きがいのある村とは、単に地域をさしているのか、旧来の「むら」をさしているのか、それとも新しい形の同業者組合や機能集団をさしているのかはっきりしていなかった▼全国の代表が集まったにしてはものたりなかったとは参加者自身の弁でもあった。

モテる農家の青年

山形・天童市農業委 未婚女性の意識調査

【山形】全国的にみてみると、現在、嫁不足に悩んでいる農家はまだまだ少なくない。ところが、山形県天童市農業委員会（会長 土屋伊七氏）の調査によると、市内の勤労未婚女性のうち「農家に嫁いでもよい」が半数近い四八％もいることがわかり農業関係者をほっとさせている。県農業青少年クラブ連絡協議会の片桐久雄会長も「農業を営む独身青年の一人として調査結果に注目したい。今後農業青年は農業の欠点を〝良さ〟に変えながら、豊かで楽しい農村づくりにさらに努力していくべきだ」と語っている。

今回の調査は「他産業に働く市内の未婚女性は、農業や農村青年について、どのような意識をもっているのか」を知るために行なわれ、市内五ヵ所の企業で働く四百五十人の未婚女性を対象にアンケートで回答を求めたもの。回答率は八三％であった。

未婚女性の世帯主の職業は半分の四九％が農業、会社員二七％、自営業七・三％と続き、農家出身の女性が五〇％もいることは、同市の企業労働力がかなり農村地帯に依存していることが示されていた。

「これまでに手伝ったりして農業を経験したことがあるか」という問いでは六三％が何らかの形で農業を経験していると答えた。それに対し、「経験なし」は三二％で、世帯主の職業と比較すると、農家出身は五〇％だったので農家以外の人もかなり〝農業〟を手伝っていることを示している。

姉妹や友人で農家に嫁いだ人の有無は「いる」が三一％と少なく「いない」が六二％もいた。農家出身が五〇％もいるのにに農家に嫁いだが三一％と少なかったのは「自分の娘は農家に嫁がせたくない。しかし嫁がほしい」といった農家自身の姿勢をうかがうこともできた。

かんじんの「農家に嫁ぐこと」については「嫁いでもよい」が一四％、「条件による」が三四％、「嫁ぎたくない」が四〇％、「不明」が一二％だった。「条件付きで」も含めて「農家に嫁いでもいい」が四八％と半分近くを占めていた。

その理由をみると「嫁いでもよい」は①時間的に自由②やりがいがある③経済的に安定④夫と一緒に働ける、など農業の本質的な利点をあげていた。

また、「条件によっては嫁いでもよい」という女性は①相手次第が五二％と多く、結婚はあくまで人物中心という考え方②会社に勤められるなら二〇％③家事専門ならが七％、と農業にたずさわりたくない人が全体の四分の一もいたことは注目される。これらは、新しい農業経営を目ざしている農業青年の意向とどう結びつけるかが今後の課題と農業委員会では伝えている。

一方、「嫁ぎたくない」という理由は①農業はきらい＝三九％②農業を知らない＝三〇％③重労働＝二二％④経済的に不安定＝一一％⑤封建的〇・六％の順になっている。これは農家が封建的だから嫁ぎたくないという人が極端に少なくなったことを示している。当然のことながら、農業・農家の変化につれて嫁問題も変ってきている現実を現わしている。

片桐県連会長は「農業がきらいだという未婚女性は全体のうち、わずか一五％だけだった。結婚は相手次第というところに注目したい。現在の農業という職業の矛盾としてはいろいろあげられる。たとえば、時間が自由だという半面のルーズさ、また、生活時間に自由さが欠けるきらいもある。これらは家事と作業をやる主婦としてのあいまいさにつながってくる。この調査の回答結果を、農業青年は十分みつめる必要があると思う」といっている。

北上地区連が発足

北上、和賀、江釣子 団結してクラブ強化

【岩手】北上地区農村青年クラブ連絡協議会設立総会は、さる二月二十七日北上地区合同庁舎会議室で開かれ、規約や事業計画を決めた後、会長に小松久孝君を選出した。

同連絡協議会は、北上市と和賀郡和賀町、同江釣子村の各農村青年クラブの組織強化を目的としたもの。従来各クラブがそれぞれの立場で独自に活動していたが、農業問題は三市町村に共通したものが多く、広域的に考える必要に迫られているとして、昨年十一月、北上農業改良普及所が、三市町村のクラブが一致団結するよう提案し連絡協議会の設立が実現した。

同日の創立総会には三市町村から約三十人の農村青年が出席。規約などを審議した後、事業として北上、和賀地方農村青年グラブ大会、農村青年集会の開催を決めた。農村青年タラブ大会は、ことし七月に予定、キャンプを通じて農業経営や生活改善の交流をはかる。農村青年集会は、北上、和賀地方農業の課題や将来を展望、クラブ活動の参考にしようというもので来年一月に開く予定。副会長以下の役員は次のとおり。

▽副会長 伊藤恵造 ▽委員 佐藤安美、千田義夫、木戸口平、高橋新一 ▽監事 高橋正留、金成善一郎（敬称略）

キャア、ガンバッテ

福岡県連 体力づくりでマラソン

【福岡】キャアー、ガンバッテー！さあ、根性、もう一息だ―さまざまな声援が乱れ飛ぶなかを若者たちは歯をくいしばってひた走りに走った。

福岡県農村青少年クラブ連絡協議会（会長 古沢留男君）では、さる二月二十六日、福岡市西区の大濠公園で「第一回体力づくり」としてマラソン、駅伝大会を開催した。

この体力づくりは、4Hクラブの日のひとつである健康を増進させ、お互いの地区連などの連帯強化をはかり、明るく豊かな農村社会を建設することを目的に開かれたもので、当日は選手、応援者など三百名が参加した。

この日は絶好のマラソン日よりで、公園を散歩するカップルや家族連れも力走するクラブ員に盛んに声援を送っていた。

男子駅伝は、一チーム七名で偶数区は二千㍍（公園一周）、奇数区は四千㍍という計八区で勝敗を競った。合計十チームが出場したが、各チームとも大ハッスル。見守る女子クラブ員の黄色い声援を背に午前十一時三十分、全員余裕しゃくしゃくのスタートを切り、練習の成果と若さを爆発させた。

また、午後からは女子のマラソン。距離は公園一周の二千㍍で約三十名が出場した。女性も大いに意気をあげ、一人の落伍者もなく全員無事完走した。なかには、男子クラブ員に伴走されて、再び力をとりもどし堂々とテープを切った女子クラブも見受けられ、「やっぱり女子は男子に弱いのね」などというささやきも聞かれた。

この大会で、男子、女子クラブ員とも日頃のチームワークが問われたが、この連帯感をさらに強めてこんごのクラブ意識の高揚が大いに期待されるところ。

なお、男子、女子とも一位から三位まで県知事賞が贈られた。成績はつぎのとおり。

▽男子駅伝①朝倉A＝一時間八分十秒②三井＝一時間十二分七秒③八女西A＝一時間十四分二十秒

▽女子マラソン①大神喜代子（福岡）＝八分十七秒②井上やよい（八女東）＝九分八秒③杉山加代子（八女西）＝九分五十九秒

（大庭茂弥連絡報道員発）

米国での生活から〈5〉

週休二日制の学校

一九七二年草の根大使 原田茂光

滞米期間を通じて最も意義深く、楽しい経験をしたことに学校訪問がある。アメリカの学校は六月に夏休みに入り、九月に新学期が始まるというシステムで、教育制度も大半の学校が八四制を採用していて日本の六三三制とは大きく異なっている。高校は小学校の校舎と分離され隣りに建てられている場合が多い。

高校を訪問してまず驚かされたのは、特に女生徒の自由な服装で色彩鮮やかな組み合わせでミニスカートをはき、口元にルージュを塗り、イヤリングまでつけとても日本では高校生とは考えられないスタイルの生徒が多い。中にはマイカー通学のシニアクラスの生徒も見られる。これもアメリカ社会に入って一ヶ月もすればそれを可能にする社会的環境の背景が容易に理解できる。

アメリカ社会の特色の一つである人種も白人の子供は勿論のこと、インディアンの子供、メキシコの子供、それに日系三世の子供たちも見られた。日系人の子供たちは成績がよく先生の評判もいい。これも日本人の国民性の勤勉さが親を通して子供達に伝わっていることである。このようなさまざまな人種の子供たちが何んの隔りもなくスクールバスに乗って通学し、学んでいるようすを見ると、アメリカ西部劇は本当に昔話という感じがする。

日本と違いアメリカの高校は全て普通高校で、日本のように農業高校、商業高校、工業高校という専門化された高校は見られない。しかし、職業教育にかなり力が入れられていて、タイプや簿記、農業機械の修理など社会に出て実際に役立つ職業教育が普通教科内に十分取り入れられている。

羨ましいことに学校のほとんどが週休二日制をとっている。例えば、トウシェ高校の場合は、勉強するのは月曜日から木曜日まで、金曜日は一日体育の日となり全校生徒が一緒になって種々のスポーツを一日中やっている。日本と比べてある種の余裕が感じられる。日本の高校生の過酷な受験勉強のようすを話すと信じられないように驚いていた。でもある人は、アメリカの教育制度も、もう少し勉強を主体に変えなければと話してくれた。

教科の面でも、今年から理数科系、特に数学などの教育程度が高くなり、先へ進むことがむずかしくなっているとのことだった。そのためシアトル郊外のハイフ高校のように生徒数の多い学校では、教科に応じた能力別クラス編成を実施している。近年こういう形態の学校が多くなり、日本のようにクラスごとに時間に応じて授業教科が変わるというものではなかった。また同じ制度でも比較的生徒数の少ないマンソン高校では、シニアクラスとジュニアクラスの生徒が一緒に同じ授業を受ける風景も見られるなど独特の方法をとっていた。

訪れる先々の高校で政治学、歴史学の授業を参観する機会があった。この授業は教科書に雑誌「タイム」を用い、掲載されている国際関係や政治問題などの記事や論文、論評を素材として、内容理解を深めるためのディスカッションが活発に行なわれていた。社会批判の目を各自の自由に委かせているが、先生はアドバイスを与えながらその問題が起ってくる社会的背景を説明し、根本的な原因を指摘しながら指導するという授業であった。こういう授業は日本でも見られず全く感心させられた。

主に取りあげられていた問題は、先日まで続いたベトナム戦争の局地的な戦い、和平交渉の展開、また人口爆発、産児制限の必要性、貧富差の発生などいずれも若者の身近な問題として真剣に論じられていた。私も授業を参観するたびに日本の若者として意見を求められたが、アメリカの立場を理解した上で意見を述べるのには大変苦労した。質問のほとんどが日本を経済大国としてとらえ、工業の発展のようすや労働者の生活のようす、公害問題やコミュニストの台頭などに関するものも多く、若者は日本に非常に関心を持っていることがわかった。

今の私には、ベトナム戦争終結後の若者たちの喜ぶ顔がはっきりと見えるような気がする。

（山形・コナムクラブ）

模擬披露宴に大汗

山口でリーダー研修会 女子クのつどいも併催

【山口】山口県農村青少年クラブ連絡協議会（会長 白松博之君）では、さる二月二十四、二十五の両日にわたり「阿東町山村開発センター」において「リーダー研修会」と「女子クラブ員のつどい」を併催した。

リーダー研修会には県内から現役、次期リーダーが参加、また女子クラブ員のつどいには、地元阿東町女子青年団、さらに今回は、島根県津和野4Hクラブ員三人が招待され、全協執行部からは、副会長堀見としさんが参加された。

リーダー研修会は、現在のきびしい農業をとりまく諸情勢の中で農業や農村の振興をはかり、クラブ活動を通じて社会・地域とどのようにかかわりをもったらよいのか、日頃の実践活動の中から生じた数々の問題点について活発な意欲的な発言がみられた。よきリーダーとして、同時に地域農業発展のためのリーダーとして要求される知識や技術を学ぶことを目的として開かれた。

リーダーとしてクラブ活動をリードするうえでどのようにしてクラブ員の意志の統一をはかるか。活動が広域化する傾向は年々大きくなり、従来見られていた集団での活動から個人個人の活動がみられるようになり、今改めてマンツーマン方式が見直されてきた。クラブ活動の本質は何か？、地域社会にどのように活動を位置づけたらよりかなどについて話し合われた。

今回の研修は特にリーダーとして最も要求される会合などにおける司会、会議や討論の進行をどのように行なったらよいかについて山口放送の小山課長を講師に招き、助言を得た。

正しい言葉使い、各種マイクロホンの正しい使い方などを身近な例として結婚披露宴の司会を通して学んだ。参加者も冷や汗をかきかき一生懸命、即席の夫婦となった佐竹君と有吉さんを前にしてトチリながらも楽しく実演し、実り多い研修会であった。

一方、女子クラブ員のつどいは一般女子青年にも参加を呼びかけ、農家生活の諸問題に関心をもつ全協・堀見とし副会長と共に相互の親睦をはかるとともに、減少してゆく女子クラブ員、女子青年のあり方、若妻グループなど、他の女性クラブとの連けい、今後の農家生活はどうあるべきか、さらに女性として明るく豊かな農村生活に果す役割などについて話し合った。

同つどいには地元阿東町生活改善グループ会長、生活改善普及員、保健予防課主査などの助言者、講師を招いた。一般生活上での問題について心と体の管理、幸福な結婚のために、サークル活動のあり方など話し合いで助言を受けた。調理実習では、鯉の刺身と取り組み？ リーダー研修会に参加した男子クラブ員に試食してもらったが、なかなかの好評であった。

研修、つどいを通じて昼間は別々であったが夜は一緒になって、レクリエーション、キャンドルサービスなど楽しく過すことができた。今回は従来とちがい、参加者に夜の行事の進行をまかせたことにより全員が積極的に参加し、クラブ員が演出する側にまわったことで、役員諸氏の行事の裏方の苦労も初めて理解できたようだ。県協役員もこの時ばかりは一クラブ員として心から楽しんでいたようすであった。

全協副会長の堀見としさんは「このリーダー研修会、女子クラブ員のつどいに参加して『リーダーの人たちは会議の進行方法について自信ができたと思う。これからそれぞれのクラブ活動においてここで学んだことを十分生かしてほしい。また女子クラブ員のつどいには地元阿東町の女子青年が参加してくれたことは、農業以外の女性に私たちの活動を理解してもらううえで大変よかったと思う。できれば今後、他のクラブやグループとの交歓を深め、同じ問題について共に考えることは、私たちクラブ員の視野を広げるには大切なことです。農村生活は私たちクラブ員だけでなく各種他団体と共に活動することも欠せないことです。山口女性の〝やる気〟を今回は十分に見せてもらいました。今年の活躍を期待しています」と参加した感想をこう語っていた。

（岡昌春雄連絡報道員発）

鮮かダルマの会旗

福島の西白河農村青少年ク

【福島】西白河地方農村青少年クラブ連絡会の新しい会旗がこのほど、西白河地方市町村連絡協議会から寄贈された。

新しい会旗は縦一・三㍍、横一・八㍍の大きなもので、中央には白河市の名物の白河ダルマが配してあり、白河の地方色たっぷり。白地に赤のダルマを染め抜いたもので色も鮮やか、〝ここに白河健児あり〟を訴えるにはもってこいの旗。

これまでの同連絡会の会旗は、四ツ葉のクローバーをあしらったものだったが地方色を入れクラブ員の意気を高め、活動を活発にしてもらおうと同市町村連絡協議会が同連絡会に新しい旗を寄贈したもの。

同連絡会では、この旗を各地方の連絡会との交歓会やキャンプなどに持ち込み〝白河〟を売り込むと張り切っている。

はっきり言えますか？

口に出さなくても解る、解ってほしかった。ということをよく耳にする。特に家族などの親しい人間関係内では多少の行き違いがあっても問題はそれほど深刻とはならない。

しかし、ひとたび上下の関係内では事情は全く異なる。下の者は上に対しての甘えであり、万一の場合は彼に助けてもらえるという期待が入り交っている。一方、上の者が下の者に対する場合も同じように甘えには違いない。しかし時によっては無言の圧力ともなりかねない。

集団や組織、共同体に人間はどのようなかかわりかたをしてきたかを見ると、最初に集団が発生した時点では徹底的に自己を主張し、それは多分に攻撃的でさえある。次の段階では集団に内包されてしまい、人間は各種の集団や共同体と複数的にかかわりをもたらされてくる。このような時代では各自が主体性を持って行動することは非常にむずかしく、無意識のうちに自分の力を分割して活動する。これがさらに進むと人間は一さいの活動から抜けようとする。いわゆるアウトローとして、このアウトローは一般的な意味ではなく、個としての主張、思想を持ったものであり、アメリカにみられた初期のヒッピーたちがそうであろう。しかし、私は彼等の思想、行為を全て肯定しているわけではない。現在の無味乾燥ともいえるこの社会に疑問をもち彼等はとにかく行動した。私たちの多くも同じように程度、質の差こそあれ疑問を持って生活しているが一歩前へ出れないのは勇気がないからか。

黙っていて解ってもらう、察してもらうというような甘い人間関係はなごやかで楽しいかも知れないが、〝安住〟という人間にとって一番の敵と仲良くなることではないだろうか。

私たちははっきりと言うことによって生じる気まずさを乗り越えるくらいの勇気は持ちたいものである。（柘植）

クラブ往来

北里4Hクラブ

地域と密着した活動

遠別町は、北海道の北部で利尻島が見える日本海沿岸にあり日本の最も北部で稲作が行なわれている酪農地帯で、部落戸数は二十三戸である。

現在クラブ員は九人で年々農家戸数の減少に伴ないクラブ員も減少し深刻な問題となっている。

四七年度の活動方針に「将来のビジョンの確立」をあげ▽共同研究圃の継続▽共同学習の充実▽意見発表の三点を柱として次のような活動をしてきた。

リレー日誌の巡回と小遣い帳の記帳、交換会や研修旅行、葬式や送別会。

部落は、一戸平均二十五頭の乳牛を飼育する草地酪農が主で、晩秋の乳量低下をてん菜の落葉利用で解決しようと一戸平均一・五㌶を耕作しているが、収量が三㌧と低いので、四六年に部落共有地を借り受け目標収量を四㌧において「てん菜の共同研究圃」を設置した。

四六年度は十分な学習活動ができなかったが、二年目の四七年は仲間意識を深めながら地域と密着した活動を目標とした。活動は、クラブ員が事故、結婚などで三人も減少したが、逆に刺激となり仲間意識や連帯感ができ、出席率が向上して意見が活発となり話し合いが十分に行なわれるようになった。

昨年度は①マルチ栽培②苗質の影響③追肥の効果④収穫時期などを研究課題とした。出席率は四六年度六十一人、七二・六％、四七年度六十五人、九三・五％とかなりの好成績であった。

学習活動はまだ十分とはいえず部落との結びつきももう一歩というように反省している。

四八年度の活動は、昨年の反省の上に立って仲間づくりを中心にして計画当初より責任分担を明確にして活動を進めていく考えである。

①共同研究圃場の継続（進行技術の改善）②共同学習の充実（学習会などの開催）③部落の実態調査（問題点の把握）④部落、婦人会との話し合い。

これら共同プロジェクトを通じてクラブ員はもとより、広く地域社会へ向けて問題提起をすることによって、私たちの活動を理解してもらい、合わせて地域農業の振興に役立てばと考えている。

（北海道天塩郡遠別町北里・高橋義春）

〝自由化時代〟を生きる道

〈第12回全国青年農業者会議〉

分科会研究討議をのぞく

「第十二回全国青年農業者会議」は、去る三月八日から十日の二泊三日間にわたり、全国の青年農業者などの代表七百三十名を集めて東京・渋谷のオリンピック記念青少年総合センターで開かれた。今会議の青年農業者部会の統一テーマは「新しい農業への提言」～生きがいのある村を築くために～であった。分科会では、自らの経営の方向、問題点などを話し合いながら、統一テーマに迫ったが、テーマがいささかボケてしまった感もあった。しかし、各分科会で研究討議されたことには、これからの日本農業、クラブ活動、地域づくりなどを考えるうえでどうしてもさけて通れぬ問題点が多く出されていたことは確かだ。「ミカンの暴落や減反、出稼ぎなどもっと現実的な問題を」という参加者の声も多く聞かれたことも事実だが、これら各分科会の話し合いから学ぶべき点も多い。ともあれ、全国の仲間たちが語ったことをこんどは読者のみなさんに考えていただくために各分科会で研究討議されたことをここに紹介してみよう。（なお、紙面の都合上掲載しきれなかった分科会は次号に掲載）

クラブ

全人的な開発へ！

活動の社会的意義づけを

他産業の急速な発展に伴ない都市化の波は今や全国的な規模となってきた。このような情勢の中で専業農家の人でさえ勤めに出る現象がみられる。

近年クラブ員の減少は著るしくとりわけ新規加入者はごくわずかとなっている。そのため活動の範囲は広くなり、拡域化はますます進展し、活動に支障をきたすようになっている。クラブリーダーとしてこのような現実をしっかりと認識し将来のクラブはどうあるべきかについて話し合いを進めた。取り上げられた課題は次のとおり①クラブ員の減少②クラブのあり方（クラブ員同士の結びつき）③青少年クラブの基本的方向とその位置づけ④クラブ員の減少と高齢化の問題⑤今後のクラブ活動の方向とその手段―等。

▽活動の方向とその手段では次のようなことが話し合われた。

農業に対して不安を持ちながら出稼ぎに出ているクラブ員も活動の中へ組み入れるよう広報などで工夫する。活動の中に農外者を入れて視野の拡大を図ることが大切だが、日常の活動のメンバーになることには種々の条件（活動の内容が農業の場合には参加がむずかしいなど）から反対。反対に地域（農業）を守るためにもクラブに外部の者は入れないという意見も出た。残ったやる気のある者で活動すればよいという立場から去る者は去れという一見冷やかな発言があった。

▽活動の手段をどうするかでは、次の時代の組織化を十分考えて活動を進める。とかく仲間づくりはレクリエーションになりがちだがプロジェクトを通じての仲間づくりがこれからは一層大切になる。広報活動を通じての仲間づくりも考えられる。クラブ員減少の中にあって、先輩とのつながりを密にして活動の内容を深める。

▽クラブ活動を通して地域農業の振興に働きかけることはもちろんであるが、今後は農協、行政機関への働きかけを活動の中へ組み入れることも必要。そのためには、農業情勢の分析と深い洞察力が要求されこの方面の学習に積極的に取り組まなければならないという意見が発表された。

▽クラブ活動は技術の研さんと同時に幅広い知識の吸収と理解力を持った全人的な開発がなされなければクラブ活動は言うにおよばず個人個人が揺れる農業の中で生き残ることはできないとクラブリーダーの人たちは力強く語った。

▽リーダーの最大の問題はクラブをどうリードしてゆくか、青少年クラブの基本的方向と位置づけであろう。クラブをどうとらえるかによりその方向は大きく異なる。つまりクラブを技術追求の〝技術研究集団〟か〝社会教育集団〟か、あるいは人間形成の場とみるかである。特に若年層時代の基礎学習で技術中心か人間形成に重点をおくか…、過去の活動の経過をみるとどちらとも徹していない。将来の活動の発展を考えると共通の目標をもって段階的な組織体制を作り、各単位組織で解決できない問題は上の組織の中で解決策を見い出す。また地域社会とのつながりをより強くするためには外部の人も参加できるような体制を整えることが急務である。このようなクラブの本質論と組織論のほかに、現実的な儲ける農業で生きていくための勉強の場、先を見通し、先取りするようなプロジェクト活動の場というような意見も述べられていた。（参加者・三十五人）

第三十分科会　「生きがいのある村づくりは、まず幸わせな結婚から」と快気炎をあげた面々…

果樹

地域分担制の確立へ

ミカン経営　暴落の教訓生かし

アイディアを生かし、PRをしてうまいものを安く作らなければならない。そのためには経営規模の拡大、生産性を高めて企業的経営をする。

将来の規模拡大は現状の面的拡大から立体的拡大へと必然的に進まざるを得ないであろう。しかし注意しなければならないのは、規模拡大と機械化が必ずしも高所得と省力に結びつかないことがあり、自家の経営を知ることが第一である。

逆に、昨年のみかんの暴落は、指導者と生産者が一体となっての作付面積の拡大、立体的拡大のもたらした結果をよく踏まえて将来の経営規模を考えねばならない。規模を縮少して品質に重点を置くことも一つの方向であろう。

▽流通問題　個人出荷、共同出荷いずれも一長一短はあるが、生産者と消費者を直結させて地域の分担制の確立をはかる。価格を安定から一歩進んだ保障へという意見が述べられていた。

▽農協とのかかわりについて、部門別専門別性格を強化させるためには生産者自身の強い組織力が必要となる。出荷調整も狭い範囲だけでなく広域的な視野に立って行なわなければその効果は半減してしまう。

▽人工甘味を使用したジュースに消費者は慣らされているので、PRにより多少酸味のある天然果汁百パーセントのものの普及運動を生産者（観光農園など消費者に直結している場所では特に重点をおいて）と農協、加工業者などが一体となり推進する。

▽協業について　何よりもまず大切なことは構成員の意志の統一をはからなければならない。また、強力なリーダーも重要である。

土づくりを進めるには、近接した畜産農家との連携をとり堆厩肥を入れ有機質の確保につとめる。

アイディアは無限であり果樹の盆栽や果樹の切り花、貸し農園など消費者をつかむ方法はいろいろ考えられる。

▽行政当局に望むこととして、地価の高騰している現在、自力による規模の拡大は非常にむずかしくなっている。国や地方自治体が緑地の確保に合わせて離農者から土地を買い上げ、専業農家へ安く売るような政策は考えられないのだろうか。（参加者・八十四人）

NHK農事番組（3月21～31日）

テレビ

明るい農村　6・30～6・55総合
21日　産物百科「大地の記録」1～村の記録十五年
22日　話題と人「大地の記録」～2
23日　農村新地図～三重県嬉野町
24日　村をむすぶ「北海道、盛岡、大阪、山口」
25日　明るい漁村
26日　村の記録「水がやって来た村」～香川県琴平町
27日　きょうの話題「集落移転以後」～岐阜県美山町
28日　産物百科「木材」―北海道
29日　話題と人「きのこの研究所」小松光雄（日本キノコセンター育種部長）
30日　農村新地図「熊本県阿蘇町」森田誠一（熊本大教授）
31日　村をむすぶ「北見、福井、四国、宮崎」

農業教室　7・30～8・00　教育
19～21日「合理的な酪農作業」岡村俊民（北海道大学教授）
22～24日「豚の一貫経営をどうすすめるか」谷　政雄（静岡県養豚試験場）
26～28日「白書にみる日本農業」大和田啓気（農政調査委員会）
29～31日「開発途上国の農業問題」家永泰光

あすの村づくり　日　7・00～8・00　教育　再　土　13・00～8・00
25日「村に生きる」～記録にみる村の青春～野添賢二（能代市）

記録にみる村の青春

東北農民の青春の記録から、戦後の農村の意識の変化、生活、経営、地域の変ぼうなどをうきぼりにし、土に生きる人々の問題、これからの農民像、村づくりなどを考える。（26日　あすの村づくり、出演者、田村健一條浜青年団長ほか）

23日　花にかける青春～青木三芳～鴨川市
24日　ふるさと通信
25日　多元「どうする休耕田」札幌、東京、広島
26日「ゆれる共有林」中尾　鉱（島根大学教授）
27日　みかんのハウス栽培　野村泰啓（高知県野市町）
28日　サトウキビから野菜へ　伊敷亀順（糸満市）
29日　シポ丸太を作る～下毛林業研究グループ（大分県山国町）
30日　牛連れ研修～匠　宏　兵庫県三原普及所

話の広場　日　6・15～6・30②
25日「秩父巡礼」埼玉県秩父郡下

新しい農村　日6・00～6・30②
25日「どうする養蚕振興」水上恵成（全養連参事）ほか

ラジオ農業学校〈講座〉
月～土　6・40～7・30②
22～24日「集団養蚕を考える」針塚正樹（農林省蚕糸試験場）
26～28日「ぶどう経営の発展方向」岸　光夫（農林省果樹試験場）
29～31日「全面信託作業」西尾敏夫（愛知県追進営農大学校長）

ラジオ

早起き鳥　5・41～5・57①
21日　特集「新しい農業をひらく」
22日　特集「私の通信日記」檀上宣弘（広島局）

ラジオ農業学校　日　6・30～7・00②
25日「村のはなし」～青年農業者会議関連

生活

村づくりは結婚から

地域とのつながりが第一よ

「生きがいのある村を築くためには」という統一テーマは生活部会においては他のどの部会よりも熱心に、活発に話し合いは進んだ。女性としてこのテーマに果す役割りは大きい。まず最大の関心事である結婚について取り組んだ。女性が幸わせな結婚をすることはとりもなおさず明るい農村の建設の基本的条件の一つである。

▽跡取り娘と長男、嫁ぐ娘と跡取り息子などの恋愛、見合いをして親の言いなりになってしまう結婚といろいろ想定して話し合いに入った。

いくら話し合っても結論は出なかった。言い古されたことだが、いろいろな人と多くつき合い、友情を育てて自分を伸ばすことが視野を広めさせ、人間性を豊かにし人を見る目を養うことになる。親子が常に話し合い、信頼関係と協力関係を高めることによってはじめて、相方の幸わせが考えられるのではないか。〝まごころ〟で物事を対処してゆく人間愛を大切にする人間関係が、生きる基本的態度ではないか。要は結論をあせらず時間をかけることが大切ということに落ち着いた。

▽目標をもった計画性のある生活をするには、家計簿や農業を記録することによって生活の実態をつかみ問題点を改めてゆくことができる。また、賢い消費者になるように生活を工夫する（計画的な支出をする）

▽健康な家庭生活を築くには、一個人の生活だけでなく、地域ぐるみで健康を考える。例えば集団検診、体力テストの実施は地域ぐるみで健康を考える契機となる。そのためにはグループづくりが大切であるが、4Hクラブ女子活動を活発にし若妻グループとの連携も忘れてはならないことである。

▽女性は独身時代の比較的自由な立場から、結婚することにより、自由は大幅に制約され、妻になれば妻の役割、子供ができれば母の役割、さらには家族員としての役割がある。これらの役割はだんだんと比重を増してくる。現在の娘時代に主体性を持って強く前進して生きていく力を養うことが大きな課題ではないだろうか。（参加者・三十六人）

野菜

企業的経営の推進

施設公害も今後の課題

いろいろな問題が提起されたが、「企業的農業経営をすすめるには」を取りあげることによりほとんどの課題は含まれるのでこのテーマで話しを進めた。

▽収穫期の省力対策　機械施設の導入（コールドチェーンなど）、品種作型、収穫方法の工夫によって作業期間の延長をはかる。共同収穫、機械施設の共同利用、共同作業などの共同化を進める。

▽税金対策　青色申告ができるよう学習する。

▽流通対策　近郊の場合は個人出荷が有利、遠隔地では経済連、農協を通じて銘柄を同時に売る。共同で大型スーパーなどと契約取引をするよう共同の力を十分活用する。

▽土地基盤の整備・組織機関を利用することにより道は開ける。特に過疎地域では立ち遅れている。

▽農家生活の問題　主婦労働を軽減するために、農協が食事の一次加工をして配達。農休日の確立、週休制を実施している地域もみられる。農休日を長続きさせるために各種行事を部落、地域で考えることも一案。

▽共同プロジェクトとクラブ活動について「成功例をみるとクラブ員の作目が共通している場合が多い。作目が異る場合にプロジェクトの進行は思わしくない。今後の方向として技術の向上、共同化を目指して部門ごとの共同プロジェクトを推進する。

▽ビニール公害　施設園芸がもたらす社会的な影響として都市近郊における暖房機などの公害があげられる。その対策として、①防音壁の設施②ハウス周辺の農地を確保し売らない③ハウスの団地化④通勤農業によりハウスを移す、などが考えられる。

いづれにしても野菜は〝賭け〟の要素が多分にあり作付は慎重にしなければならない。そのためには常に生産者は長期的観点にたって、需要の動向を的確、量的に正確に把握し、供給調整を基調としない限り真の野菜価格の安定はむずかしい。（参加者・百二十一人）

青年に期待！

農林大臣　桜内義雄

【あいさつ要旨】現在のわが国の農業は、米の生産過剰、農業所得の伸び悩み、農産物輸入の拡大の要請など多くの困難な問題に直面しております。

政府といたしましては、このような問題に対処するため、農政を総合的かつ計画的に推進することとし、農業生産基盤の整備、農業団地の育成、集団的生産組織の育成等により積極的に高能率農業の展開を図るとともに、国土総合開発の一環として、農村総合整備モデル事業により都市に比べて立ち遅れた農村地域の生活環境を生産面と関連づけて総合的に整備し、新しい豊かな農村づくりを強力に推進してまいる所存であります。しかしながら、これらの困難な問題を解決してまいりますためには、ひとりひとりに次代を担う青年農業者である皆様方の正しい自覚と絶ゆまぬ努力に負うところまことに大なるものがあることは申すまでもありません。

わが国農業の将来は、皆様方ご自身が担うのだという誇りと責任を強く自覚され、自らのその輝しい未来をきりひらかれることを望んでやみません。

皆さま方が、この会議で得られた成果を持ち帰られ、ここに参加できなかったクラブ員や生産・生活集団等の仲間の皆さんと手をたずさえてさらに研さんに努められ、新しい農業と農村の建設に一層力強くまい進されますことを期待いたします。

（中尾政務次官・代読）

養鶏

飼料対策を

基準価格の引き上げ

これまで養鶏農家は、国民に一番安価なしかも良質の蛋白資源として鶏卵、鶏肉を供給してきた。しかし、昨年からの再三の飼料の値上げは養鶏農家にとってなすすべもない。近年畜産業は社会との調和が叫ばれている中で畜産部門も同様であり、鶏糞処理の問題は飼料の値上げに次ぐ重大課題である。

そこで養鶏分科会では「今何をやらなければならないか」というテーマで話し合いを進めた。

▽コストダウンをするためには、飼養管理技術の向上と適切な判断力を養い産卵率、飼料効率を高めるよう工夫する。最も経済的な時点で淘汰する。もちろん鶏種の選定はいうまでもないことだ。

▽経営の合理化を図る　①労働力に見合った経営規模②生産物の販売（卵価安定基金の基準価格の引き上げ、二百円以上が望ましい）

鶏糞処理は生産者でも解決できる道はあるが、飼料の値上げは行政からの強力なテコ入れがなされない限り、今までのような安い良質の卵を消費者に供給することは不可能となる。生産者は行政当局に対して安定して経営ができるような指導と助成を要請する。海外からの輸入卵が国内生産者を圧迫しないようにしてもらいたいなどの意見が発表された。（参加者十一人）

家の光協会

〝ゴルフブーム〟論

「地上」五月号　作家三浦浩樹氏執筆

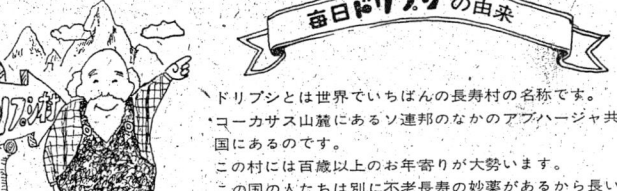

筆者三浦浩樹氏は、昭和十五年、岩手県の沢内村に生まれ、昭和四十三年に「月の道化者」により、第四回太宰治賞を受賞した、新進気鋭の小説家である。

筆者はまず、レジャーとはなにかと考える。それが、日々のあくせくから逃れて、やすらぐことだとすれば、日本人の考えているレジャーというものは、人工化されすぎていると説く。筆者の少年時代、奥羽山脈の山ふところに小さな公園を造った一人の老人がいた。その老人の自足の姿、やすらぎに満ちた顔に感動を覚えたと語る筆者の筆は美しい。

もちろん筆者は、遊ぶことが悪いことだとは言ってない。昔から日本人は遊びじょうずの国民だったと言う。しかし問題はその遊び方にある。筆者が学生時代、アルバイトに行ったボウリング場の、虚飾に満ちたやりきれない雰囲気、ゴルフ場でキャディをやったときの屈辱感、そうした私怨があるため、ゴルフなどもっとも下劣な遊びの一つではないか、といったことが十分な説得力をもってつづられている。さらに、昨今のゴルフ・ブームにより、ゴルフ場が乱開設され、いかに広大な土地が不動産資本や観光資本によって買い占められ国土が退廃されつつあるかの具体的な例も紹介されている。たとえば、この一月一日に建設省が実施したゴルフ場の実態調査によると、すでに開設ずみのゴルフ場が六八一か所、造成中のもの二二四か所、計画中のものが五三三か所もある。そのいずれもが、山林を削り、牧野をつぶし、耕地を圧迫しているわけである。

では、なぜこのような事態になってしまったのだろうか。筆者はそれを、現代人が自然にたいし傲慢になりすぎたからだろうとする。近代史の中で〝自然の克服〟は人間の進展のための大前提であったが、自然の上に人間をより尊いものとして位置させたときに、すべての誤りが生じたとする筆者の意見は、ひとつゴルフ・ブームのみならず現代文明への鋭い批評となる。

東北の山村に生まれ育った三浦浩樹氏ならではの、ゴルフ狂騒批判であるが、その底には、氏の自然観が人間観が流れている。農業とはいったいなんであったのか、またどうあるべきなのかを考える、若い人たちにぜひ読んでいただきたいエッセイである。

君も考えよう!!

新しい農業協同組合歌の募集をしております

全国農業協同組合中央会

〝深山の奥のそま人も、磯に釣するうわの子も〟若い人にはなじみが薄いかも知れませんが戦前は小学校唱歌にも採用され広く合唱された歌、これが産業組合の歌でした。喜びにつけ、悲しみにつけ、歌は人の心でもあります。

戦後、産業組合は農業会を経て、本当に働く農民による民主的な農業協同組合になり、新しい農業協同組合歌も〝新たに芽ぐむ日本の、青い地平を望みつつ、母なる大地踏みしめて、働くものがもりあげた、われらみんなの協同組合〟と近代的になりましたが、かつてのように広く歌われていません。そこで、この際本当に自分達の歌を農協自身で持って、協同組合の思想を広げようという意見が多くなり、第十二回農協大会で決議されました。

全中では、この決議にそい関係機関とを種々話し合いを進めてきましたが、この実現のため次の要領で広くその歌詞を募集することに致しました。皆さんの応募をお待ちいたします。

（募集の要領）

（一）歌題　新農業協同組合歌（仮称）応募歌詞には内容にふさわしい歌題をつけ、副題を新農業協同組合歌とすること

（二）歌詞の形式　自由

（三）応募資格　特に問わない

（四）締切日　昭和48年5月31日（当日消印有効）

（五）入選発表　入選発表は、昭和48年9月上旬発行の「農業協同組合」「家の光」「地上」誌上及び「日本農業新聞」紙上にて行なう。

（六）賞状ならびに賞金　(1) 入選（一編）全国農業協同組合中央会会長賞として賞状と副賞（税込三〇万円）をおくる。(2) 佳作（三編）全国農業協同組合中央会会長賞として賞状と副賞（税込三万円）をおくる。(3) 参加賞　抽選により一〇〇名に記念品

（七）著作権その他　①著作権は全国農業協同組合中央会に帰属し応募原稿は返さない②入選歌詞は補作することがある③入選歌詞は作曲を専門家に委嘱しレコード化する

（八）応募用紙　四〇〇字詰原稿用紙に縦書きとすること。なお、（住所、郵便番号、氏名、年令、職業、最寄り農協名）をかならず記入する。

（九）送り先　〒一〇〇　東京都千代田区大手町一―八―三　農協ビル　全国農業協同組合中央会「新・農業協同組合歌」係

明日の農業へ向って

各種農業団体

"内地"という意味　北海道のつどいで感じたこと

栃木県・栃木地区青少年クラブ協議会　大豆生田光男

昨年の八月下旬から九月にかけて「第八回全国4Hクラブ員のつどい」が北海道で開催されたのは承知のとおりである。

私も第七回の「愛知のつどい」に続いて、また出席させてもらった。

北海道はさすがに広く本州とは違ってなにか異国的な感じさえした。見聞することすべてがめずらしいものであったが、とりわけ私の耳に特別な感じで響いたのは、北海道の人たちがよく口にする「内地」という言葉であった。というのも「内地の人たち、内地では、内地と違って……」などと話されるときのこの内地という言葉が私にはただの単語ではなく、もっと深い意味を含んだなにものかに感じられたからだ。

愛知のつどいのとき、私は北海道の人と同行した。二泊ぐらいではあったが、そのときもずいぶん勉強になった。夜の更けるのも忘れて語り合ったものだった。

私はそのとき北海道の彼に「北海道農業とは一口に言ってなんですか？」と質問した。すると彼は「北海道の農業は厳しいものだ。いろんな厳しさのなかで私たちの祖先は、自らの手で開拓し、ようやく今の北海道にすることができたのだ。米についてもいく度か冷害で悩まされ続けてきた。しかし、その苦しいとき、政府は何をしていたのか。現在、内地農業で米が生産過剰というが、それはじつに甘いと思う。政府に頼りすぎているような気もする。思うに、減反も身から出たサビなのだ……」と言った。

私は、自分自身のことを言われているような気がして、その人のことが未だに忘れられない。それは、内地農業と北海道農業を比較するときの彼の"ログセ"であったのかもしれない。しかし、現地に行ってみると、内地という言葉のなかには、一口には言えない、また、すぐには解決のつきかねる大問題が潜んでいるのを感じた。

いずれにせよ私たちは自分の現在の農業というものを今すこし考え直すべきではないかと思う。

そして、彼らがいう「内地」という言葉を再吟味してみなければならぬのではないだろうか。私たちは、人に頼らず自分自身の力で歩くことがなにより必要な気がするのであるが……。

青春と仲間

人生と時間の関係　浦島太郎と孤立太郎の話

北海道・若草クラブ　4HのT・G

みなさん、浦島太郎の話をご存知ですね。浦島太郎の話しは、時間について考えるといろいろなヒントを私たちに与えてくれる。ところで孤立太郎ってご存知かな？　まあ、彼の紹介はあとにして先を続けることにしよう。

浦島太郎の話というのは"楽しい時には時の経つのも覚えず"という心理時間の問題が大いに含まれている。私もそんな楽しい夢の世界へ行ってみたいと日々思っている。

ところで、竜宮城で浦島太郎の感じた心理時間は七十二時間（三日間）だったそうである。しかし地上へ帰ってみると経過していた時間（客観時間）は三百年になっていたという。

さて、ここでかりに彼が竜宮城で過ごした客観時間が五十年だったとしても、また、彼がそれを一年位（心理時間）に感じたとして話を進めていってみよう。

そこで、もし人間の寿命が百年とするなら、人は三万六千五百回（百×三百六十五日）の日の出、日の入りを見ることになる。浦島太郎はその半分を竜宮城で過ごしたことになりますね。

しかし、彼は彼自身五十年が経過したとは気付かず、青年の気持でいたのである。ところが地上に帰ってびっくり。時はすでに五十年も過ぎ去り、老いさればえた自分の姿を発見したではないか！　彼はそのどうにもならない事実に落胆した。

そのとき浦島太郎は自分が青年だという自己暗示を外界の作用によって解かれた。そして、彼は急激に老化してしまったと考えられる。

だとすると、彼は五十年生活していたにもかかわらず、心理時間は一年位にしか思っていなかったのであるから、差引き四九年間の時の空白を所有していることになる。つまり、四十九年間をムダに人生を送ったという見方も当然考えられることではないか。もしも人間個々人が長生きしたいと望むなら、彼の生き方は是とすべきか否とすべきか……。

ここらで孤立太郎という人物のご登場を願おう。このご人の場合は浦島氏とはちょっと状況が違っている。彼は、罪を犯して刑務所に入れられて毎日毎日変化のない生活を独房のなかで過ごしていたのである。ゆえに彼は、日々が過ぎ去るのをとても長く感じていたそうである。こうして彼は、五十年の客観的時間の内での生活を送るのであるが、彼は浦島太郎とは逆に心理的には百年もの時間の長さを感じたという。五十年を百年に感じたのだから、彼は五十年分長生きしたということにはならないだろうか。

たんに人生を長生きしたいということだけを取り上げるとするならば、ある意味において、浦島太郎が損をし、孤立太郎が得をしたといえるだろう。

もし、あなたなら、浦島太郎的な生き方と孤立太郎的な生き方のどちらを選びますか。ただし、心理時間のうちには「現在の瞬間瞬間の時間意識という現在時間感」「過去をふり返ったときに生じる過去展望時間感」それに「未来に向かうときの未来展望時間感」の三つも含まれていることをもあわせて考えていただきたい。

主客顛倒の農業

老年の秋

小倉元一

春が青年であり、夏が壮年であれば、秋が老年であることは、いわずもがなのことでありながら、今年の秋に迎えたわが老いの秋はちょっと複雑な感懐を抱かざるを得ない破目になったからである。時節の風の吹き回しをもろに受けることになったからである。

この地方もご多分に洩れず、異状な土地ブームである。二、三年前からその萌しはあったが、この夏から堰を切ったようにその勢いが高まった。もっとも堰を切った水は高きより低きにつくのであるが、土地ブームは、平野部からこの中山間地帯に押し上ってきたのである。

そうした動きの中で、自家の田も十アールばかり、工場敷地に売らざるを得なくなり、先祖伝来の田を手放した。三十年前に当時の呼び名であった一町歩の値段が今は一坪に足りぬ。まさに一粒万倍であるが、その代金を受け取った実感はピンぼけしていて、感激にはほど遠いものがあり、むしろそうした気持にさす時代の移り変りの方に驚いた。

登記が済んだ晩に長男から相談があった。田が減ったので、このままで稲作だけではやって行けぬが、やれるようにするには、残りの反別でハウス園芸を取り入れるか、田を買い足して規模拡大をするか、さもなければ工場に勤めるかするしかないと思うが、どうしたものであろうかというのである。今度移転してくる工場から長男は呼びかけを受けていたのである。

野菜栽培もなかなかである。土地ブームで沖田を売るものはなく、若しあっても日一日値上りしていて寄りつけない。勢い規模拡大をするには山田を集めてということになるがそれも考えものであり、手っ取り早くてしかも安定しているのは工場勤めということになる。それを長男に投げかけられると、漏斗の先が狭まるように、工場へ行くようにするからといわざるを得ない。そして長男の工場勤めが決まったのである。

稲の取り入れが済むと、みかんもぎに間のある隙をかっさらうように工場から急ぎ立てられて、長男は工場へ技術見習に行き始めた。耕耘機を使うような要の仕事は、日曜に長男がするが、残りの仕事は嫁を相手に自分が構えることになった。老妻は孫の背丈が伸ぶほどに弱りこんで、もう仕事の当てにはならない。農業とは働くことと見つけたりというような昨今である。

四年前に退職した自分の十一年間の農協勤めに、長男が家を受け持ったことには何の疑問もなかったのに、主客顛倒して今度長男が工場勤めをするようになって、家業の主役が自分に廻ってくると、少々面食らいもし、慌てもするのだから人間は勝手なものである。もっとも壮年の長男と、老年の自分の年齢のずれだけは、逆ハンディとしてその勝手さから差引かれはしようが、時節の風の吹き廻しは身に応えるのである。

せがむままに四歳になる家の跡取孫を原付運搬車に乗せて田へ行く。この孫に農業を継がせるのだといったら、近所の先輩老人がとけのようにいって笑ったことがあるが、自分は孫にかけている期待は変えてはいない。長男が見習に行っている工場が来春移転してくると、この運搬車を作るのだというが、親父が運搬車を作る方へ廻って、それを使って農作物を運ぶことから遠ざかっていても、果して今自分が運搬車に孫を乗せているように、祖父から孫へ農業を受け継がすことができるであろうか。

漂流していた猿が離れ島に辿り着いてみると、その島に住んでいる猿は一匹残らず片眼の猿ばかりであったので、両眼揃った猿はだんだん自分が間違っているように思いかけ、遂に片方を潰して片眼の猿になったというたとえ話しを読んだことがある。農業を今どき流行らぬ言葉でも天職というふうに心底そう思っている自分は、こう世の中が変わるのでは、さしずめ離れ島に辿り着いた猿かも知れぬ。

現に昨日も、もうほとんどの家が作らなくなった麦を蒔いていて「麦を蒔くかナ」と問かれ、適期であるのに「時候ならぬ麦蒔きですらい」と答えて戸惑うたのである。本当は時節ならぬ麦蒔きというつもりであったが、咄嗟にそうは出なかったのである。

時候は百姓の共通話でしかもその下で作業の苦楽を共にしていた。ところが時節は今の共通語であっても、その下で味わう作業の苦楽は個々別々である。農業がだんだんいびつになって行く。長男が遂に工場へ行くようになったのは、世間を見渡して自家も片眼をつぶったことになる。しかし決して片眼を潰してはならないと思っている。いわば眼帯をかけたようなもので家孫が成人の暁には立派に両眼を開いて農業に取り組んでくれることを希っているのである。しかも考えて見るとその頃には自分の年齢は冬を迎えているが、恍惚の人にはなりたくないと思って気張っている老年の秋である。（農民文学会々員・愛媛県温泉郡川内町永野）～『農民文学』第百十号より

立派な農業者にね　ぼくもがんばっちゃうぞ

（（（散歩がてら）））

ねね、お母さん、あのお兄ちゃん見てよ。ほら、いっぱい本もってるよ。なんの本だろうね。ウルトラ・マンかもしれないね。あっ、ノートになんか書いてる。絵かいてんだな、ぼくもあっち行って、あの兄ちゃんと一緒に遊びたいな――第十二回全国青年農業者会議には、若い経営者夫婦に連れられて、何人かの未来の"後継者"も参加した。
これからたくましく日本の農業を担っていこうとするボウヤに向かってお母さん苦笑しながらいわく――ホラ、あのお兄ちゃんはうんと勉強して、大きなスイカや甘いミカン、おいしい牛乳をつくるんだよ。ボクもはやくウルトラ・マンのように強くなって、お父さんのあとをつぐんですよ……。
ボウヤ、目をシロクロさせて"ハーイ！"と一声。お母さん赤面して"ホラ、静かにしなさい！"
たくましく未来の農業を語った第十二回全国青年農業者会議の一コマでした。（閉会式会場で）

生きるぜ、青春を　レッツ・ビギンの精神で

埼玉県・北川辺4Hクラブ　横塚茂男

『独りであること、未熟であること、これが私の二十歳の原点である』――こんな手記を残して、昭和四十四年の六月にひとりの学生が鉄道自殺を図った。

青春とは若者たちが一番躍動する時期でもあるが、同時に人間として一番もろい時期ではないだろうか。

自我の確立とともに、おれたちは世論、社会、人間形成などそのほかいろいろと考えなければならない問題が多すぎる。これにもましておれは、農家の長男という宿命的な立場に生まれただけに考えることが多い。なぜなら、だれに教えられたものでもなく、いつのころからかなんとなく家を継ぐもんだとそう教えられ、育てられてきた。そのだけよけいにおれはそのことを考えねばならぬ。

人間である以上、いや男だからこそ、自分の夢に忠実に進んで行きたいと思う気持が強いのかもしれない。しかし、自分の歩く人生がレールのようにまっすぐ未来に敷かれ、おぜん立てされた通りにおれが適過していくようにとりきめられている人間のことを考えたらきみはどう思うか。君自身がそんな道を歩まなければならないとしたらどうだろうか。

親というとてつもない存在に押さえつけられ、反発することのみが唯一の反抗と心に決めていたころ、おれは、ただ一途に、それもがむしゃらに決められた道なんか歩けるかと常々思い続けていた。

しかし、農業高校を卒業したいま、幾分落ちついてものごとを考えられる余裕ができてきたようだ。それはある程度の妥協といえることも確かだが……。おれは最近、人間は与えられた環境で精一杯生きることが一番大切なのではないかと思うようになった。裏を返せば、どんな環境に置かれても、どんな育てられ方をしても、その本人のやり方次第で人生はきまってしまうのではないか。そのとき、おれらは環境に甘んじるのではなく、環境に立ち向かうという姿勢で生きねばならないのではないだろうか。

これから具体的にはどうするのか、これはまだはっきりきめていないが、若さを生かして大いにがんばるつもりだ。とにかく、テレビの主人公のように、レッツ・ビギンの精神で自らの青春を突っ走りたいと思う。

おれがこんなふうに、青春を能動的に考えられるようになったのも、4Hクラブや青年団など同じ悩みで苦しんでいる先輩たちの指導のおかげだと感謝している。いろいろな問題にこれからぶつかるだろうこのおれを全国のクラブ員のみなさん、どうかよろしくお願いします。

今の幸福

青森県・晴友クラブ　佐々木むつ子

私は今、?歳、将来の事など考える必要はない。その時はその時の風が吹くから、その時また、考えればいいじゃないか。現実に考えてみると、将来の目的を作るなんて本当に馬鹿げていると思う。

今私は、本を読みたければ読むし、眠たければその時すぐ眠る。前と現状はあまり違っていないけれど"心"が違う。のびのびと安心してやれる。

私には未来も過去もない。ただ、今、現在があるのみだ。今だけを力いっぱい幸福に生きるのだ。すんでしまったことを後生大事に、良し悪しにかかわらず、もって歩かない。いつか首がまわらなくなるから……。

幸福であるには自分の感情に従って行動していれば間違いないと思う。自分の内の感情はそうフラフラ変わるものではないけれど、理性は人間が長く生きるに従って変っていくと思う。

今、私は自分の目的を見つけたいと焦っている。しかし、行動的な目的など実際あり得るだろうか。私には、そうありそうに思えない。

私の理想の人間像は、大きな、何事にも笑ってすませるような、人間を超越した人間です。

"三代母親"考

神奈川県・港北　青少年クラブ　大矢美恵子

ひと口に現代、現代とよく用いられる言葉だが、よく考えてみると……。答えの出ない言葉なのです。いまの世とか、いまの世の中などという考え方から察すると、子供はみな成人して今までとは反対に、子供、孫たちに囲まれてしまう母親、また、昭和の一桁といわれている私たちの母親、いま小さな赤ちゃんを育てている若いママ。この世に生きる現代の母親とは、明治、大正、昭和の三代の女性を指しているのではないでしょうか。

その違いを形成したものは、教育であり、私たち昭和二世の教育はどんな事にも自分で考え個性を重んじられるが母親の時代には個性を問われることはなかった。

しかし、すべてのものが近代的になった方が良いわけではないのです。近代的、近代的と言っているが少しも近代的ではない、なぜなら多くのものは昔からあるものをこわし、ただ自分で良いようにやっているだけである。私たちの心は少しも近代化されていない。

生活した時代が違うことにより、考え方の違いは避けられない事実である。しかし、一緒に生活している上でわからないことは、先輩である母親に聞くこと、相談すること、これが親子三代の生活ではないでしょうか。

今も昔も変らないことの一つに、現在私たちが「昭和の一桁は古いなあ」と言っているように、いつかはきっと「おふくろは古いよ」と言われる日がくるということです……。

女のデッサン　＞3＜

京都東七条のヒト

福井県・鯖江つつじクラブ　竹内隆春

ちょうど結納の前日だった。「ああ、いよいよ明日か」となんとも言いがたい気持でそう思った。

少女の頃からお嫁さんとか結婚とかいうものを女としてしじゅう頭に描いてきたけれども、それがいよいよ明日決まるのかと一人になって電気を消し、床のなかでしみじみ考えていた。とても眠れそうになかった。うっかり眠ってしまうと私の知らないところでだいじなことが決まってしまうみたい。なんか「最後のチャンスよ」と私に呼びかけてくる小さな声が聞こえてくるみたい。

「どうするの、今なら間に合うわよ」とか「なによ今さら、明日はごたごたするから早く寝なくっちゃ」という思いやらですごくあせっちゃってなかなか眠れなかった。

それに、今、こんなこと思っている私を無視するかのように時間がどんどん過ぎてゆくのがなおさらその気持をあおった。その日のお父さんやお母さんの態度を思い返してもみた。すると、なぜか明日の結納という儀式を無事に終えることが唯一の望みであり、救いでもあるかのように思われてきた。

「どうせ、私なんか早くお嫁に行っちゃえばいいんだわ」と思う。隣りのオバチャンなどにも「お話決まったそうでよかったですね」と言われて、母は「ええ、おかげさんでなんとかねえ」と答える。私だって、「ええ、どうも」と自分でも気ずいてびっくりするほどの大人びた応答振りだ。しかし、私はかたずけられるという感じがしてすごく嫌だった。すごく孤独でもあった。

明けて翌日、私はガヤガヤいう人声で目覚めた。天気はよかった。それは私の予感に反していた。私は少々の戸惑いを覚えた。それはちょうど、嫌な種目に出場しなければならない運動会の朝のようで、あのものうい感じに似ていた。

雨が降ったほうがよかったと思った。人が雨で困るほうがよかったとも思った。

朝御飯の最中に、何人もの人がみえた。私はごたごたした後、髪をこしらえて、すぐ着物を着せてもらった。回りの騒がしさが自分とはまったく関係のないことみたいな気がした。

昨夜の晩から今も残っている孤独感とも不快感ともつかないはっきりしないなにかが胸のなかにモヤモヤしていた。親戚の子供がキャアキャア言っているのが、私の結婚となにも関係ないことだと思うと不愉快にもなった。そのことに限らず、私の回りで動いているもののすべてが私と無関係のように思えるのだった。

私にとって結納という儀式は"もう決まってしまったんだ"という気持が支配的だった。これらは、まぎれもなく私の人生の決定的な瞬間なのだ。すべてを不安という二字で片ずけるには、あまりにも多くのものを含んでいすぎるのだ、この儀式は……。

でも、ただひとつ私の心を救ったものがあった。ほぼ着上がった私の身なりを見て、親戚のオバチャンが「ホラ、きれいなのオー」と兄夫婦の娘に言った一言だった。先程から、満二歳の彼女は、私の着物がえしているあたりをグルグル回りながら、いつもの人形を抱いて、ひとり私を眺めていたのだった。オバチャンがそう言っても彼女は黙ったまま、いつもと同じく大きな目を開けて見上げるばかりだった。いつものオネエチャンとは違うとでも思ったのだろうか。または、やはり彼女も女の子、女性の本能的なものかにうながされて私を見つめていたのだろうか。

「きれい」という一言は私を救った。私は今きれいなんだということは、そのとき私の胸をおおっていた不安を見事にうちくだいてしまった。

朝食のあと、美容院へ行って仕上った髪はちょっと重たい感じがしたけれども、帯で胸のキュッとしまった感じとうまく調和して全身「ひきしまる」ようで、むしろ心地よいくらいだった。成人式以来かな、こんな格好をするのは……、と思い返してみた。白タビの爪先もキュッとしまり、足首は細く感じ、腰のまわりもスカートとは違い筋肉がしまるようだった。

たしかに「君が好きだ」と言ってもらいたかった。そんな結婚をしてみたいと思ってもきた。女としてその一言を受けることが、それまでの私にとっての生きる目的だったのかもしれない。そのときを待つことが私の人生だったのかもしれない。

でも、いいんだ。平凡な見合いだったけれどももう決めてしまった。結婚式とは、これから先へのスタートではなく、娘時代、あるいはなんでもできる可能性ある青春そのものの終着駅なのだ。なんでもできる可能性を捨てる約束の儀式だ。

私は、スタートではなく終りなんだということを何度も頭のなかでくり返していた。そして終りなんだから、過去への未練をできる限りなくそうとするのが、今の私が最大に努力すべきことだと思った。同時に私の頭のなかはそのとき、結納とか結婚式をうまくできるかしら、笑われないようにできるかしらということでいっぱいだった。

京都東七条は晴天のうちに静まり返り、すべてはそのなかに吸いこまれそうであった。何百年も昔の人々の歓声や話し声が風に乗って聞こえてくるようでもあった。私は、なぜか理由のない涙が一筋ほほを伝うのを禁じ得なかった。～次号へ続く～

日本4H新聞

4Hクラブ 農事研究会 生活改善クラブ
全国広報紙

発行所 社団法人 日本4H協会
東京都港区西新橋1の5の12 佐野ビル 〒105
電話(591)1817・3683
編集発行 玉井光
月3回・4の日発行
定価 1部 35円
一ヵ年 1200円(送料共)
振替口座 東京12055番

クラブ綱領

私達は、実践を通じて自らを磨くとともに、互いに力をあわせて、よりよい農村、よりよい日本を創るため、四つの信条をかかげます。一、私達は農業の改良と生活の改善に役立つ腕をみがきます。一、私達は科学的に物を考えることのできる頭の訓練をします。一、私達は誠実で友情に富む心をつちかいます。一、私達は楽しく暮らし元気で働くための健康を増進します。

新時代に対応できる"全協"へ

4Hの本質を再確認

次年度全協「活動・事業方針」案　抜本的な体質改善が急務

全国4Hクラブ連絡協議会（会長　松浦幸治君）では、このほど東京・港区西新橋の事務局で執行部会を開き、来年度の活動基本方針、事業計画などの案をまとめた。この案は、全協の役割や使命を根本から問い直しており、新しい全協に生まれ変ろうとする意欲がありありとうかがえ注目されている。なお、この案は新年度の全協総会に執行部案として提出されるが、全国クラブ員の代表の人たちも前向きな姿勢でこの案に示されている諸問題と取り組むことが期待される。農業をとりまく諸事情に即対応でき、時代と密着した全協に変身しようという執行部案の要旨は次のとおり。

松浦会長

活動基本方針

日本経済は、とくに昭和三十五年頃を契機とし驚異的な高度成長をとげ、今日ではGNP（国民総生産）は世界第二位となるに及んだ。しかし、その成長のなかで農業は他産業部門ほどの発展をとげられなかった。とはいえ、農業はその格差に苦しみながらも、大きく変化してきた。

日本経済の高度成長は農業部門にも多くのひずみ現象をもたらした。たとえば、兼業農家の激増、農地価格の高騰、都市近郊における農地のスプロール化、農業者の老令化、過疎、過密の地域格差の拡大など。

さらに追い打ちをかけるように海外から農産物の貿易自由化の要請など日本農業はまさにいま転機に立っている。

日本農業が大きく変ぼうしてきたように農村社会も大きく変わってきた。戦後、われらの先輩が4Hクラブや青年団を通して告発してきた農村社会の封建性とか暗いイメージとかは、現在、影をひそめた。

しかし、それに変わる新しい問題が多くわれわれのまわりにはある。つまり、農村人口が減少しているのに相変らず零細経営であることや所得水準の低さ、兼業農家の問題、それにまつわる健康の問題、都市化によるムラの崩壊などである。

農村にある問題もかつてのそれとは変ったが、4Hクラブとクラブ員の果たすべき役割は変ってはいない。われわれは農村社会と生活から目をそむけることなく身近かな問題からひとつひとつ克服してゆくことが今まさに要求されているのである。

われわれは4Hクラブの本質を再認識し、希薄な人間関係に落ち入りやすく、生きがいや正しい価値観の見い出しにくい現代にあって、仲間とともにより一層自らと同志を向上させる活動、社会的にも意義のある活動を展開しなければならない。

現状の問題点と今後の方向

今日、厳しい農業情勢下にあって、今なお自らの活動、課題を自ら考えることができない現実がみられる。また、農村青少年は急激に減少し、在村青少年の中でも農家の生活や農業生産部門が多様化の傾向にあり、クラブ活動が混迷していることは否定できない。

また、仲間づくりの目的を理解せずレクリエーションに終始し、クラブの基本であるプロジェクト活動が衰退あるいは正しい認識を得ていないことは誠に憂慮すべきことである。さらに、これらの問題点に対処してゆけるリーダーが少なく、全協も含めて連絡協議会が末端クラブ活動の問題点の把握と解決という役割を充分果たしてこなかったことは大いに反省すべきである。こうした問題点をもつクラブが農業、農村の情勢の変化に対処する能力に欠けるということは内外で指摘されるところでもある。

プロジェクト強化へ

4Hクラブはプロジェクト活動という課題解決のための実践、学習活動を中心として、農業、農家生活、さらには地域社会に生じた課題を仲間と協力して解決し、社会の重要な部分としての農業・農村をになうものであることは言うまでもない。また、そのための素養を身につけるためにクラブ員が自ら学ぶところでもある。

4Hクラブで行なう仲間づくりはレクリエーションだけでなく、プロジェクト活動を通じて図れるものであり、それは組織活動をより効果的にすすめるためのものである。それは将来にわたって厳しい情勢下にあって対処しうるだけの力、すなわち知恵や創意工夫をグループの中から生み出せるようになることを意図していなければならない。われわれはプロジェクト活動と青年の自主的活動という二項目をつねに考えねばならぬ。

全協事業計画

全協は、その使命を再認識するとともに農業・農村との結びつきを考えるとき、抜本的な体質改善や発想の転換を図らなければならない。専従事務局員の採用による事務局体制の強化、評議員制から理事制への改革、名称の変更、会費の値上げなどがそれである。これらの施策の効果を最大限に引き出すことによって次の重点項目に取り組んでゆく。

▽組織強化と活動の促進①事務局体制の充実強化②役員オルグ活動③道府県連会長会議の開催④機関紙の普及と活用⑤全国青年農業者会議の開催⑥全国4Hクラブ員のつどい⑦全国4Hクラブ中央推進会議

▽日本4H会館建設へ総力を結集して取り組む

▽関係機関、団体との連絡協調①中央青年団体連絡協議会、青少年育成国民会議の構成団体として青少年健全育成に協力②農林省、文部省、全国農村青少年教育振興会、日本4H協会などと連絡協調を図りながら適切な指導助言をあおぐ。

（注＝日本4H協会発行の日本4H新聞は休刊という事態を招いたが、組織活動のうえで機関紙の果たす役割は極めて重要である。紙面を通してクラブ活動や農業の知識、情報を提供し、活動の促進を図るため内容をより充実されるよう衆知を集めて検討し、早急に再刊できるように努める。その裏付けとなる新聞の普及は組織強化のためにも機関紙の普及と活用は強力に推進する」）

みせた"農業者魂"

静岡県連　スポーツ大会に若さ爆発

【静岡】まずまずの天候に恵まれたさる三月十四日、静岡県農村青少年クラブ連絡協議会（会長　鈴木政美君）では、静岡市体育館を主会場に「第三回県農村青少年クラブスポーツ大会」を開催した。同大会は、県農業のにない手として農業にいそしむかたわら、4Hクラブ活動で互いに研さんし合っている農村青少年が親睦と健康増進を目的に開いているもの。

県連行事のしめくくりということもあってか、県下二十三クラブの各代表約五百名が参加し、熱戦を繰り広げた。

競技種目はバレーボール、ソフトボール、卓球、駅伝の四種目。

やる気十分のスポーツシャツ姿の選手団の入場行進で大会の幕ははなやかに切って落とされた。参加チームは五十チームの多きを数え、体育館は若者の熱気がムンムン。

選手を代表して三笠4Hクラブの藤浦学君が力強く宣誓して意気を高め、また、鈴木富男県職業対策部長は「きびしい情勢にある日本の農業に立ち向かうには不屈の精神と強健な体が必要。この大会を通してたくましい農業青年に成長してほしい」と激励して、青年の意欲を盛り上げた。

午前十時二十分、館内でバレーボール、外のスポーツ広場ではソフトボールの競技が始まった。館内に歓声をこだまさせたバレーボールでは、男女混成チームもあれば、女子だけでかいがいしくも男子に挑戦するチームもあるなど和気あいあいのムード。参加チームは十四チームで大熱戦を展開した。

ソフトボールは十六チームが参加し、優勝を争い、また、卓球は八チーム参加で、シングルス、ダブルスに分かれ腕を競い合った。

また、この大会の華ともいうべき駅伝には十チーム（一チーム＝五名）が参加。十二時三十分頃、駿府城、内堀道路などをめぐるコースへランナーはスタートした。一般道路での競技なので交通量も多く、ランナーにとっては苦しいロードとなったが、おのおの相手よりもまず自分と戦い日頃きたえた"農業者魂"をいかんなく発揮し完走した。

注目の的となったのは県連会長率いる浜名チームと昨年優勝の静岡チーム、それに新メンバーで二強に挑戦した昨年度準優勝の掛川チームとの対決。地元の利もあってか、静岡チームは前評判どおりの強さで、追い上げる浜名を振り切りトップでゴールイン。

表彰式にあたって鈴木政美会長は「勝敗は別としてスポーツを通して大いに親睦が深められたことと思う。これからも心身共にたくましく明日の農業と取り組もう」とあいさつし、参加者の疲れをねぎらった。午後四時二十分、スポーツ大会は閉会し、館内では勝利に、また友情のきずなの深まりを喜ぶクラブ員たちでいつまでもにぎわっていた。

なお、白熱戦のすえ、優勝の栄冠に輝いたチームは次のとおり。

▽バレーボール＝①静岡B4Hクラブ②志太チーム▽卓球＝①賀茂4Hクラブ②中川根チーム▽ソフトボール＝①島田農村青少年クラブチーム②静岡・カッチャーズチーム▽駅伝＝①静岡4Hクラブチーム（ニケチャーズチーム）②浜名チーム③掛川チーム

（有谷邦博連絡報道員発）

ジャンプ一番！

女子の応援で優勝

鹿児島の姶良郡　三地区連のスポーツ大会

【鹿児島】スポーツによって仲間づくりを！—と姶良郡内の加治木（会長　湯徳武盛君）、栗野（会長　板元岩雄君）、国分（会長　山下和則君）の三地区連では去る三月六日、お互いに協力し合って合同の「スポーツ大会」を開催した。

これは、現代の厳しい農業状勢のなかでクラブ員の減少がめだってきたが、スポーツ大会によってお互いに汗を流し親睦を深め、クラブ員減少の歯止め、さらに新しい仲間づくりを目的に開かれたもの。郡内のクラブ員約八十名がこの大会に参加し、それぞれ腕と技を競い合った。

当日の午前中はグループ交換。各地区連の代表三名による連協運営、あるいは単位クラブ運営についての成果と反省点などの発表が行なわれ、集まったクラブ員たちはみんなで自分たちのクラブについて考え合い、お互いに明日のクラブ活動について意見を交換した。

そのあと、参加クラブ員たちは川崎章抜の指導講話を聞いた。氏のはげましや指導をクラブ員たちは真剣な表情で聞き入っていた。

午後からはスポーツ大会で、ソフトボールの試合が行なわれた。各地区連からそれぞれ二チームが出場し、優勝のトロフィーめざして、腕を競い合った。

熱戦の末、応援団の女子クラブ員が大いに奮闘した国分チームがハリキッテ優勝の栄誉を勝ち取った。「おそろいのユニホームがものをいった」とは国分チームのクラブ員の弁。

トロフィーの授与を終り、スポーツ大会は大盛況のうちに幕を閉じた。（平山常子連絡報道員発）

活動の体制作りを

群馬県協のリーダー研

【群馬】群馬県農業青年クラブ協議会（会長　保坂初次君）では、さる二月二十三日より二十五日の二泊三日間、「国立赤城青年の家」において昭和四十七年度リーダー研修会を開催した。

今回のリーダー研修は、「新しい村づくりへの提言」というメインテーマのもとに県下各地区より現役、次期リーダー七十二人が出席し『生きがいのある村を築くために』今後のクラブ活動はどうあるべきか、クラブ活動は何ができるかという視点から研究討議をかさね、同時にクラブ活動の本質を深り、リーダーとしての資質の向上をはかることをねらいとしたもの。

まず、討議を円滑にし、入りやすくするために、全国農村青少年教育振興会常務理事、菅忠義氏の「農業青年クラブ活動の本質と今後のクラブ活動の進め方について」また、群馬県農政課、町田課長の「五十年代における群馬県農業の展望」と題する二つの講演を聴いた。

参加者全員がテーマに基づいたレポートを提出し、班別討議を行なった。

研修の総まとめとして、シンポジウムディスカッションを行ない現役リーダーとクラブ員、OBクラブ員、指導者各一人ずつがおのおの立場からの意見発表があった。参加者全員による討議が行なわれ、"群馬県の4H活動は我々の手で"という意識のもとに大きく盛り上がった。

最後に、「国際社会と日本の青年」と題した特別講演を聞いた。とかく小さくまとまりがちで、農業という片寄ったサイドからしか物を見られない私たちは、国際的な広い視野に立って考えることの重要さを痛感させられた。

今回のリーダー研修に参加したクラブ員から全般的に感じられたことは、"新幹線や高速道路、そして大資本による土地の買い占め、さらに社会情勢の激変などによる農業に対する不安感とそれらを打破すべき方策はなにか。クラブの組織活動の強化はいかに"といった模索の姿が見られていた。

クラブ活動を通じより良い社会生活をするための人間性の確立、地域社会に貢献し得るクラブ活動の体制作りなどが打ち出され、各リーダーに活動上の数々の課題を投げかけ散会した。（群馬県農業青年クラブ連絡協議会事務局　斎藤秀雄君発）

涼風暖風

産婆が葬儀屋を兼業

靴屋の店頭に、ガムの自動販売機が置いてあった。靴屋さんと食料品の組み合わせを意外に感じたが、同じような現象は、いたるところでお目にかかるようである。

小学生の勉強机などもそうである。近頃は、電気器具店に勉強机が並んでいるからである。

この勉強机は、新学期を前にして、過度なデコレーションが話題を呼んでいる。机としての機能のほかに、本立て、カレンダー、寒暖計、砂時計、鍵つきの引き出し、それに蛍光灯、自動鉛筆削り、小型電気時計など、勉強との関連機能を満たす付属品を満載していることが話題になっているわけである。

こういう机でないと売れないのか、あるいは教育ママやパパの期待過剰に悪乗りして売りまくろうとしているのか、いずれどちらかであろう。

勉強机は「電化」という点において、電気器具店が扱うことに一つの必然性があるかも知れない。

しかし、米屋に粉石鹸が置いてあったり、薬屋に週刊誌のスタンドがあったり、銭湯で、牛乳を売っていたり、あるいは、文房具店にアイスクリームのボックスが置かれているのをみると、少々おかしくなる。それに、床屋が煙草を扱っているのはまだいいとして、薬局に煙草の自動販売機が備えつけられているとなると、どう理解してよろしいかわからなくなる。健康を売っている薬局の取り扱い商品の中に「健康のため、吸いすぎに注意しましょう」という煙草が入っているのだから、文字通りのマッチ・ポンプである。

取り扱い商品に変化がみられるようになった原因としては、次の諸点があげられるだろうか。

一、客寄せをねらったもの。二、客へのサービス、三、勉強机のように、商品に質的変化を生じたもの、四、アイス・ボックス、チェーン組織、自動販売機など、販売技術の開発による専門的知識や技術が必要でなくなったもの、五、スーパーマーケットなどの出現が刺激となった経営の多角化、六、省力化と雑収入への期待など。

オール雑貨屋への逆もどり現象が日本を席巻しようとしている。

青少年のグループにも、同じ傾向はないだろうか。研究を目的として出発したものが、仲間づくりの手段であったレクリエーションに何時の間にか母屋をとられてしまったように。多様化の時代である。個性を失なった商店やグループの前途は多難である。

（文部省・伊藤）

お視点

常に見られてる先輩

クラブとリーダー〈21〉

原田正夫

先号から、クラブ卒業生、つまり、私たちの先輩のことについて書き始めた。さすがに風あたりは強い。けしからん、OBをこきおろすとは……といったぐいの反論をいくつか受けてしまった。私は全ての先輩を指して、なっちゃいないじゃないかといったのでは決してない。

4Hクラブのわが国における創成期から今日までクラブを守り育ててきた人びとは数多く、その大部分が、クラブでの経験を土台として経営と地域を良き方向へに導かれたことは承知している。クラブを去ったのちも直接的なアドバイスはもとよりそうした経営面や地域の中核としての活躍が現役クラブ員の励みともなり、生きた指導者としての効力も果してきた。

4Hクラブの本筋からすればそれがごくあたり前の姿のはずだと思う。そういう人びとを特別に優れたOBと評価するのはなぜだろう。世間一般にこういうことはよくあるが、あたり前のことをやっている人が賞賛されるというのは、あたり前でないのが多すぎるからではないだろうか。

このことは、クラブはもとより農業、地域社会にとってもすてておけない問題だと思う。だからこそ、そうでない大部分のOB諸氏の存在を知りつつも、あえて指摘する。好ましくないOBのことを……。

例えば、ある県連の執行部までつとめた人の話。OBとなってから農業のかたわらサイドビジネスとして始めたのが、今大流行のカーホテル。キャッチフレーズがいかに立派でも実態はいわずと知れた……。それが、しかも、住宅、学校と隣接したところとあって、周辺の人の批判のまとになっているとのことである。彼はそれでも、自分の農地に自分の資金で何をしようとかまわんぐらいの調子で居直っているとも聞いた。批判の対象が彼一人ならそれでも良かろうが、4Hではあんなのを育成しているのか。4つのHはやっぱりアッチのHか。県連は何をやってるんだとまで発展しているとあっては何をかいわんやだ。

クラブリーダーとして、地域の人びとに知られ、若くして町議に当選、町発展に尽力……となればメデタシめでたし。ところが、その地位を利用して自分の家のキャベツだけを高く、手間もかけずに売りさばいていた人があったとか。町の農民が共販体制を作ることが第一と必死の努力をしている最中、自らも表面ではそのリーダーであるかのような発言をまきちらしながら……。

私が以前招かれて行ったクラブで先輩だという人が講演されていた。理解とか信頼ということばがポンポン出てくるいい話だった。ところがきいている方がワイワイガヤガヤ。あとで尋ねてみたら、実はその人、理解と信頼が全くなくて妻子が家をとび出してしまったとか。クラブ員にしてみればソラゾラしくて聞いちゃおれんというわけ。

現役時代に仲間づくりを叫んでいたのに、クラブを去ったとたん仲間が仲間でなくなった事実。地域のために……を旗印にしていたはずが我利我利亡者だったり。そういう例はまだまだある。

OBから現役への指導というのは、その人の日頃の生活態度や経営、地域社会の中における活動を見聞きするという無作為ともいえるものが多いと思う。だからこそ、いい先輩の存在がめざわりでならない。これからOBとなってゆく私たちは後[illegible]者にならぬようにしたいものだ。

子供たちに泳ぎを教える指導者がプールサイドで背広を着て理屈ばかりいっていたら話にならぬ。クラブ卒業生として現役クラブ員になすことは、口先だけでなく、クラブの体験はこうして生かすのだという姿、クラブを経験したおかげでこうなったという姿を示すことだろうと思う。

プールの中にとびこんで泳ぐことで導くか、プールサイドで背広姿のまま指導するか。クラブ卒業生と改良普及員さんの違いはそこにあるのではなかろうか。

（全国4Hクラブ連絡協議会・副会長）

お知らせ

本紙を一時休刊

新しい飛躍への準備を

お知らせ

全国4Hクラブ員および農村青少年クラブの愛読者のみなさまにはお元気に日夜ご勉励のこととお慶び申し上げます。

本紙はみなさま方クラブ員の機関紙とし昭和二十七年四月以来二十一年間の永きにわたって発行を続けてまいりました。

その間、本紙を通してクラブ活動の発展のために、また、クラブ員ご自身の知識の向上や研さんならびに各種情報の把握のために、あまたの先輩クラブ員の方々がこれを活用し、また勇猛心をかきたてられて活動をすすめられてこられたことと存じます。

本紙といたしましては、全国各地の志をともにする仲間の意見や各地のクラブの活動状況その他わたしたちをとりまく各種の情報を伝えあい、またクラブ員の貴重な体験や研究の成果をお互いに発表して研修しあい、相互の進歩向上のためお役に立つようにと鋭意精力を集中して努力してまいりました。

この発行の目的と使命は農村青少年のクラブ活動のあるかぎり、変るものではなくまた、情報化社会といわれるこん日、ますますその重要性は高まってきているものと考えられます。

このことからさらに一層の充実した広報媒体としての飛躍を遂げねばならぬものと考え、全国十万余のクラブ員同志のご期待に添えるよう、また全クラブ員が自分たちの機関紙として4Hの精神を具現し、実行していくための心のよりどころとなる貴重な資料として活用ができますように立派なものにいたしたいと存じております。

全国および各地の組織をあげて愛読活用運動が活発になされていることは発行の立場にある本会といたしまして感謝の念にたえない次第でございます。

つきましては次の飛躍のため、しばらく準備期間を頂戴いたしたく、その間、発行をお休みさせていただこうと存じます。準備のでき次第、みなさま方の座右にあって今まで以上に愛され親しまれ、十余万のクラブ員一人ひとりのお役に立てるよう新たな姿でお目にかかりたいと存じております。

したがいまして只今お読みいただいている三月二十四日号をもって休刊することといたしますがお預りしている前納の購読料金は、そのまますえ置かしておいていただき、新構想によって刊行する際の購読料に振り替える等のご協力をえて取りはからいたく存じますので、一方的な措置でまことに恐縮ではございますが、よろしくご了承をいただきたくお願いを申し上げます。

最後にみなさま方のご健康ならびにますますのご精励とご発展をお祈りしてしばらくはご無沙汰のごあいさつといたします。

昭和四十八年三月二十四日
社団法人　日本4H協会

社団法人日本4H協会

心頭技健

本紙も今号で七百七号を数えるに及び、二十余年間、志を同じうする全国クラブ員の準機関紙としてみなさん方とともに歩んできた。本紙としてもみなさん方のプロジェクト、声、行事、情報などをひとりでも多くの仲間に知らせようと努力してきたつもりである▼にもかかわらず、数年前から愛読者のみなさんより「マンネリ化」という声を聞くようになった。これは、本紙としても深く反省し、みなさん方におわびしなければならない▼と同時にみなさん方にひとつ苦言を提したい。つまり、本紙が「マンネリ化」してきた過程の一翼はみなさん方が担ってきたということである。クラブ活動自体の「マンネリ化」が本紙の「マンネリ化」の足をひっぱったということだ▼自分のことを他人のせいにするなとおしかりを受けるかもしれない。もし、腹を立てられたなら、どうか、その腹立ちをクラブ活動にぶちまけていただきたい▼全協の次年度の事業・活動方針（案）はいままでの活動を素直に反省・評価し新しい全協へ向かおうとする力強い鼓動を感じる。次年度の全協の活躍が大いに期待されるところだ▼本紙も過去の七百七号を素直な気持で反省・評価してみたい。そして、再びみなさんとお目にかかる時は、より紙面を充実させ、みなさん方の要求にかなった新聞にしたいものである▼みなさん、本紙をより充実するために、みなさん方のご希望、ご意見をどしどしお寄せ下さい。

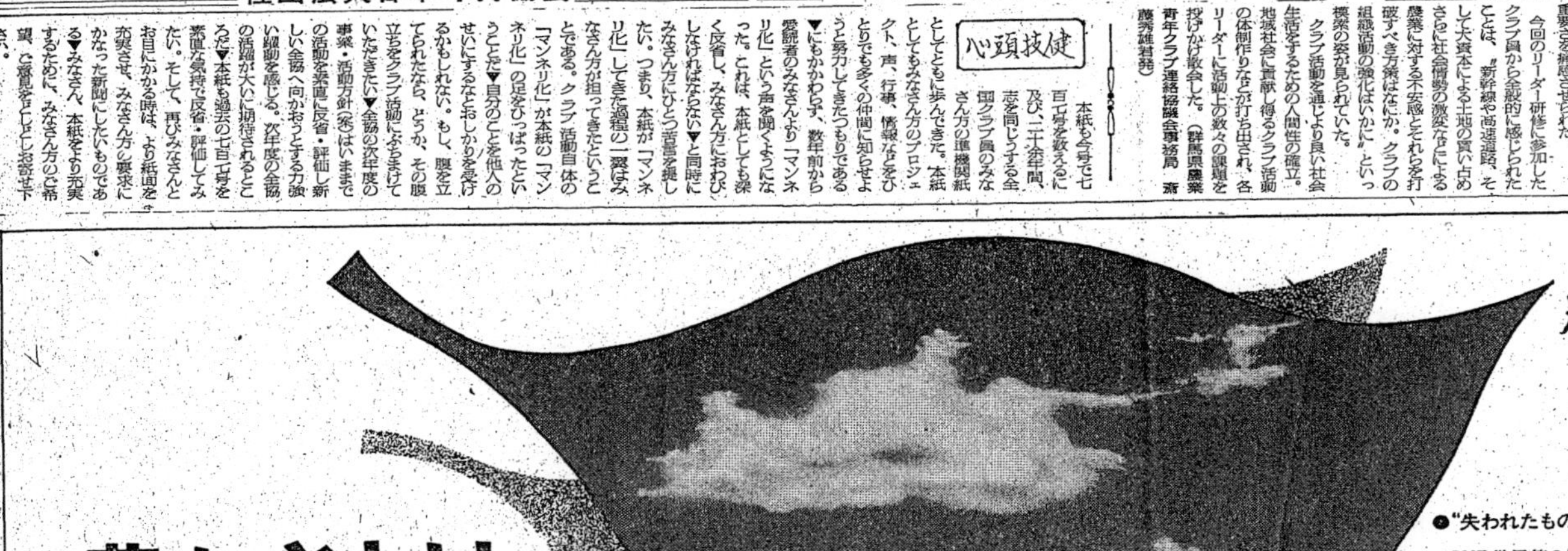

時道

自由な意志を持つ?

〝個性〟とは、その人が持つ〝自由な意志〟と無関係には存在しえない。もちろん、彼の育った社会環境、言い換えればその人の持つ歴史も問題ではあるが、それらにひきずられることなく挑戦し、自由と独立を勝ち得たもののみが〝自由な意志〟を持つ資格が与えられるのである。つまり、この基盤となる最低条件はただ一つ、〝主体性〟を持つこと。

例えば、簡単に二つの道の選択する場合において、どのようにして選ぶかが重大な問いである。この意志決定の構成は、ある目的と見通しという二つの理由から決定をうながす。言うまでもないことだが、この決定から起こり得るであろう結果をよく見極めて自分の意志、行動を選択する、もちろん、この結果に対して自分で全責任を持たなければならない。

ここで一番重要なことは〝自分の意志〟であり決して〝他人の意志〟ではないこと……。この決定には各人各様がありこれが個性といえる。

生れつき…というのはここでは個性とは考えない。というのは、それは個でなく〝マス〟であるから、マスとしての性格をそのまま個が持っていることは〝個の埋没〟である。同じように集団や共同体内においても、〝没個性〟ということが最近盛んに言われている。集団や共同体を構成している人たちが自由な意志を持つことを放棄してしまったのか、それを許さない何かがあるのか。

集団や共同体の進歩、発展の必要最低条件は、構成員の自由な発想がなければ望めない。タテ型社会ではこれを許さない要素が構成員を拘束していると言えないだろうか……。

もしこの社会が、個性のない主体性のない人間ばかりになってしまったならこれはもう暗黒?の世界か、神?の世界か…。種々雑多な人間が生活してはじめて〝個性〟のある人間らしい社会といえよう。【祐植】

みせた われらが4H根性

「なんだ、あの行列は?」

岐阜県連 盛大「4Hフェスティバル」

【岐阜】さる三月三、四の両日、岐阜県4Hクラブ連絡協議会（会長 中野俊一君）では、岐阜市の市民センターで〝4Hフェスティバル〟を開催した。両日は、県下のクラブ員をはじめ、市民も多く集まり、盛大なフェスティバルとなった。＝棚橋範行連絡報道員発

次から次へと続くけったいな行列。これじゃあみんなビックリですネ＝市内パレード風景

これは、岐阜県農業の中核者をめざし実践活動を推進している県下農村青少年が一堂に会し、農業や農村生活の技術や経営についての交流を深めるとともに若者らしい明るいつどいをもって仲間づくりとグループ活動を推進し、農村青年の営農意欲の高揚を図り、あわせて市民にアピールすることを目的に開催されたもの。また、この催しは、同県連の年間三大行事のひとつで今年は二回目。

市内パレード、地域農業やクラブ活動の展示紹介、農産物の即売、夕べの集いの四本柱からなるこのフェスティバルは連日大変なにぎわいを見せ、市民の注目を集めていた。

第一日目の午前十時から、県知事をはじめとする多くの関係機関の方々を迎えての開会式。そのあと、会場のテープをカットし大会は幕を開けた。

会場には、与えられた二十平方㍍のコーナーでところ狭しと各地区連ごとの趣向をこらした地域農業やクラブ活動の展示が立ち並び、また、あるコーナーでは農産物の即売で気勢を上げた。

午後一時からは市内パレード。岐阜市のメインストリートである平和通りを県連旗を先頭に、各地区連ごとさまざまな格好でねり歩いた。プラカードあり、地区連旗あり、そして農産物のデコレーション模型、おみこし、仮装など次から次へと続く〝けったい〟な行列に市民もびっくり顔。また、岐阜女子高校のブラスバンドとバトンフラワーが華を添えていた。その行列は二百メートルにも及び、街ゆく人は立ち止まり、ビルの窓という窓からは「なにごとぞ!」と黒い頭が飛び出し、車の運転手もついにワキ見運転といった次第であった。

なかでも最も威勢の良かったのがおみこし。ワッショイ、ワッショイとねり歩き、お祭り（フェスティバル）気分をもり上げた。

一方、農産物の即売会は、日頃クラブ員が丹精こめて生産したものを安く買ってもらい、消費者との対話をねらいに開かれたもの。各地区連ごとに品物を並べて「さあ、いらっしゃい、みてらっしゃい」「ヘイ、まいどあり」とクラブ員扮する売子の声も高く大盛況。岐阜県特産の富有柿からイチゴ、キュウリ、ニンジン、玉ネギ、お茶、玉子、切花、鉢花、はては錦ゴイまでもりだくさんの品揃えで訪れた人もびっくり。

「安いわ」と買い込む奥さん、ひやかしのお客などいろいろであったが大好評であった。

五時からは夕べのつどい。パーティー形式で行なわれ、クラブ員たちはテーブルの上に用意された飲み物、茶菓子などを口にほおばりながら、各地区からの出しもの（寸劇、歌、踊りなど）に見入っていた。なかでも伊奈波地区連の「ちょっとだけよ」の一コマは実にこっけいで一同大爆笑となった。また、西南濃地区連のバンドグループもプロに勝るとも劣らぬ好演奏でみんなを魅了した。

翌四日（第二日目）も前日に引き続いて展示即売。日曜日とあって客足も良く、クラブ員たちもえびす顔で大ハリキリ。即売時間も終りに近づくと残りの品物をさらに値下げしての大バーゲンが始まって、お客もクラブ員の顔も、また値下げの幅もエスカレートのしっぱなしという感じであった。

そのあと三時から閉会式を行ない二日間にわたった大会の幕を閉じた。

このフェスティバルが岐阜市民に与えたその反響はおいおい返ってくるだろう。それを今後のクラブ活動に反映させたいものだ。これからも回を重ねて本大会を一層充実したものにし、これが岐阜県農業祭の前身となるように育てあげたいものだ——と運営にあたっていた同県連のあるクラブ員は語っていた。

友情の輪を広げよ!

岐阜・山県郡 愛知・三好町 〝つどい〟がきっかけで

【岐阜・愛知】さる二月一、二の両日、岐阜県の山県郡4Hクラブ（会長 鳥沢孝史君）と愛知県の三好町4Hクラブ（会長 近藤義広君）が交換会を開いた。この交換会は、昨年、北海道で開催された「第八回全国4Hクラブ員のつどい」に山県郡のクラブ員が参加した際、会長の「交換会の相手をさがしてきてほしい」という依頼により声をかけたのが、おとなり愛知県三好町のクラブ員だったことが縁結び。その後、二人のクラブ員の努力のかいあって、このたび晴れて開催の運びとなったものである。＝棚橋範行連絡報道員発

一日の午後五時、山県の事務所で開会式、オリエンテーションを行なった。ひき続いて、両クラブの活動状況、特色などについて全員で意見交換し、まずはお互い同士の認識を深め合った。

夕食後は、ゲーム、歌などで楽しいひとときを過ごした。そのあと、山県郡内のクラブ員宅に三好のクラブ員が分宿し、個別交換に入った。それぞれの受け入れ家庭では、お互いに地域の農業・特色などを夜も更けるのも忘れて語り合っていた。

仲間たちの経営を視察する三好町のクラブ員

翌二日の午前中はクラブ員宅の経営を巡回視察。クラブ員のプロジェクトなどについて意見交換しながら見て歩いた。岐阜農業を正しく認識してもらうために受け入れ側のクラブ員も説明したり、記録を見せたりの大奮闘。それでも最後には、「岐阜ではこうやっているが愛知ではどうやっているのか。遠慮なく批判して下さい」と意見を求めていた。

施設園芸などを視察して回ってから、一行は伊良湖へ向かった。そこで一同、「ああ、腹減った」と寄せ鍋をつついて和気あいあいの昼食をとった。

午後は全体交換会。それぞれ参加者は地域農業の現状と問題点やクラブ状況などについて活発に討議した。また、男女交際や結婚問題も話題にのぼり、クラブ員たちは顔を紅潮させて意見を述べた。

話し合いはつきなかったが、この話の続きは「今度は三好町へ山県郡のクラブ員が出掛けたときにもう一度」と約束して閉会した。

山県郡のあるクラブ員は「つどいのような全国大会に参加したきっかけで友情がめばえ交際を続けている人は多いでしょう。その友情を一人占めしないで、クラブぐるみ、いや、地域ぐるみの輪に広げてみてはいかがですか」と全国のクラブ員にも呼びかけている。また、あるクラブ員は「二人はみんなのために、みんなは一人のために、というではありませんか。〝二人の仲に水をさす〟と言われるかもしれませんが、私はあえて提案します」とユーモラスに仲間づくりの一方法について語っていた。

（棚橋範行連絡報道員発）

米国での生活から〈6〉

果樹園を支える人々

一九七二年草の根大使 原田茂光

アメリカの平均的な果樹専業農家の経営面積は五〇エーカーと大きく中には千エーカーを越す農家も見られる。日本とは比べものにならない。このような大規模経営を支えている要因の一つに機械導入を容易にさせる社会的背景がある。

大都会のスーパーに並んでいる果実の大きさもそれほど大きくない。それにもかかわらず大きさや質に関してあまり消費者の不満もきかれず、小粒でもよく売れるのには驚かされる。

これもアメリカ人特有の合理的思考の表われであろうか。日本のように〝芸術品的なリンゴ作り〟を目指さねば果樹農家としての生計を維持できないというものではない。

さらに別の要因として労力の問題がある。年間の作業を通して常時雇用労力が比較的容易に確保され、さらに労働力を必要とする収穫時は季節労働者でまかなわれる。家族連れのこれらの人々は一年間をサイクルとして、南のカリフォルニア州の野菜やぶどうの収穫から始まり、ワシントン州のリンゴを収穫、さらに北上してカナダへ、再び晩秋はカリフォルニアへ帰るという生活を繰り返している。

ワシントン州を南北に走るカスケード山脈の東部山麓一帯に広がる土地は、アメリカ第三の大河、コロンビア川の豊富な水を利用して世界有数なリンゴの産地を形成している。

カナダ国境に近いルーミスの町で一七〇エーカーの経営面積をもつアルバートさんの果樹園では、九月中旬から始まる一ヶ月間のリンゴの収穫期には連日四〇〜六〇人の季節労働者が働いている。彼らの生活はきびしく、子供たちに教育の機会を与えることとの難かしさがある。中には文盲の人も多いと聞く。大規模経営を可能にするこのような隠れた人々の存在がある。

こうした果樹栽培もこれまでの大樹栽培から労力の節減をはかる〝わい化〟栽培へと移ってきている。現在もっとも栽培されている品種はレッドデリシャスとゴールデンデリシャス、ほかにローマビューティやワインサップ、紅玉などがあげられるが、ワインサップや紅玉は消費者の好みが変わって販売が難しく、日本と同じように栽培面積が年々減少し、これに代りセミドラフトリーやゴールドスパーデリシャスなどに改植されてきている。しかし、植栽後四、五年にしてクラウンロッドで急に枯死するものがみられ一挙に改植することは難しいという。ワシントン州北部のオアック町で砂漠状態の一七五〇エーカーの大地にこの種の果樹園造成を計画していたが、これは一種の大バクチだという話であった。

十月末頃世界でも有数な避暑地として知られるカナダのペンテクトンに園芸指導員のテッドさんを訪ね、オカノガン地方の果樹園を案内してもらった。ここもアメリカ同様〝わい化〟栽培が盛んで一九五六年ころからMⅨをわい性台に使ったゴールデンデリシャスが盛んに植えられ、いまでは一エーカー当たり十万五千㌔を越す収穫をあげている。

植栽はかきね状の並み木植えで六㌳に十一㌳の間隔で植えられていたが、十一㌳では狭ますぎるとのことであった。このほかにも数々のわい性台木が使われていたが、MM一〇六台の初期の植栽はクラウンロッドでひどい害をこうむりカナダでは推せんされていなかった。また土壌タイプに大変感じやすいMⅦのような中間わい性台木は、クラウンロッドに感じやすいことがあげられ、MⅨとM26は晩春の霜のかかりやすいところでは植栽を奨励していなかった。これらのわい性台の木は中間台木を使わないタイプで、カナダのほとんどの果樹栽培農家はこのタイプの木を植えていた。

アメリカやカナダの新しく造成される果樹園や改植されている果樹園の現状をみると、これからのリンゴ栽培の方向を見定めることができるような気がした。

アメリカの広大な畑で農作業をする原田君（中央）

あすの農業はこの〝手〟で

岩手 紫波で農村青年の集い

【岩手】岩手県紫波郡紫波町農村青年クラブ連絡協議会（会長 武田元司君）、紫波町共催による「明日を担う農村青年のつどい」はさる三月十八日午前九時半から紫波町公民館で4Hクラブ八団体・五十人と福田瑞一郎町長、玉山勝己赤石農協組合長、鈴木東玉磨紫波農業改良普及所長ら来賓を迎えて開かれた。

きびしい農業情勢の中で学習と実践活動で農業の振興を目指している町内の農村青年が共同意識を養い、あすの農業を確立しようと開いたもので、今春高校を卒業した若い仲間も参加した。紫波町内の紫波4Hクラブ、志和愛農会、赤石農研、若草の会、赤沢果実農研クラブ、紫波東部農研クラブの各団体は、いずれもリーダーが海外実習を経験しており基幹作目の研究、農業経営、団体活動が優秀で、県農村青年クラブ活動の中心となって活躍している。

開会式に続いては農村青年集団選奨の表彰があり、田植え機の導入など水稲の研究と省力栽培に努めている赤石農研クラブ（会長 高橋利明君・会員二十三人）と、特別選奨としてイチゴ栽培と取り組み本年度県の集団選奨を受けた紫波4Hクラブ（会長 阿部秀夫君・会員十五人）が、福田町長から表彰された。続いて実績発表と講演が行なわれた。実績発表では集団選奨に選ばれた赤石農研クラブと特別選奨に選ばれた紫波4Hクラブの研究活動状況が発表された。

「海外農業実習体験」の講演は派米農業研究生として二年間アメリカで酪農を勉強した中西耕一君（岩手郡雫石町）と養豚を勉強した佐々木純一君（胆沢郡胆沢町）が体験を述べ、午後からは町政懇談会とレクリエーションのバレーボール大会で肩をほぐした。

流通機構の整備を

沖縄・中部地区 青年農業者会議

【沖縄】「今後の県農業のあり方について考えよう」ということで、中部地区農業改良普及所主催の「中部地区第一回青年農業者会議」は、さる二十六日午後一時からコザ市安慶田公民館で青年農業者や関係者約六十人が参加して開かれた。同会議は県信連推進課の山里徹康課長の「今後の沖縄農業の方向づけと問題点」についての講演を聞いたあと、参加した青年農業者たちによる今後の沖縄農業のあり方に関して討議を行なった。この中で「県経済連は農家保護より商業優先のところが多い」などの意見が出た。

この日の会議で講師の山里課長は「戦前戦後を通じて沖縄農業がどのように推移してきたか」について述べ、さらに「今後の県農業は亜熱帯作物を主体に本土で栽培できないものや端境期による本土市場の品薄なものをねらって生産しなければならない。海洋博で今後労賃が上昇することも考えられるが、作物もこれに対応して高値で売れるものを栽培する姿勢が必要だ」と海洋博をひかえた県農業のあり方を指摘した。

このあと山里課長の講演内容も含めて青年農業者の討議が行なわれたが、ほとんどの青年たちは「沖縄は流通機構が不備のため、野菜はいまなお午前四時から五時までの間に経済連に行って相対売りをしている現状であり、農家は野菜を作っても販売が困難であるというので時間の浪費と生産に意欲が持てない。その打開策として流通機構の整備と改善が早急に望まれる」との意見が多かった。そのほか農業に関する各種の融資窓口は手続きがむずかしく、政府や県庁が「農業融資金をフルに利用してもらいたい」といっても簡単にスムーズにその恩恵にあずかることができない—と融資制度の手続きの緩和を訴える青年農業者もいた。

写真借ります

大阪の向井君、農村をテーマに撮影を進める

【大阪】変りゆく農村の姿を写真で残そう——と農村をテーマに撮影を進めている4Hクラブ員がいる。その人とは、大阪の前府連会長の向井重晴君である。

向井君は全国のクラブ員にも、「貴地における珍らしい農作業、結婚模様、生活など、どんな農村の風景でも結構ですので、そのような行事、作業などがありましたらぜひ御連絡下さい」と呼びかけている。

また、持ち合せの農村風景のスナップがあったら、フィルムをぜひ借用させてほしいとも伝えている。

全国のクラブ員の皆さん、心当りがあったら彼に御一報を！ また、腕に覚えのある方は、あなたが以前撮影したスナップを彼に送ってみてはいかが！ きっとすばらしい写真集になりますよ。

なお、向井君の住所は
▽〒五七六 大阪府交野市大字星田一四二三番地 向井重晴
▽電話 〇七二〇—九一—三二八八

クラブ往来

北海道4Hクラブ連絡協議会

学校生徒との接触を

北海道4Hクラブ連絡協議会に加盟するクラブ員数は、昭和四十二年度約一万三千人を数えたのをピークに年々約四十人近くの数で減少する傾向にある。このクラブ員の減少は道連の活動はもとより、地域のクラブ活動を進める上に大きな支障をきたしている。

これらのクラブ員の減少には次のようなことが考えられる。

▽過疎化（離農）や農業後継者の減少によるもの

▽未加盟農村青年の増加

▽クラブ在籍年数の短いこと

▽クラブの魅力の欠如

クラブ員が減少している現在、広域クラブの形成は必然であり、プロジェクト活動の指導のあり方も再検討されなければならない時にきている。現在の部落単位の狭い地域のクラブ組織から市町村単位の広域的なクラブを組織する必要性がある。広域クラブの結成により人員の増加が考えられる。その中で共通する問題をもつクラブ員による共同プロジェクトを進め、その課程で共同プロジェクトに興味を持たせ研究心を高めていけば、クラブ員の活動に対する意識の強化につながる。

この広域農村青少年クラブの結成によって未加盟農村青年の対策ともなる。現在までのクラブ未結成地区（小地域）も広域化によって網羅される。特にクラブ組織のなかった地域の青少年も容易に加入するチャンスが与えられる。また、指導機関との連けいにより未加盟農村青年、小地域クラブ対策をすすめ加入促進をはかることはいうまでもない。さらに広報活動等によって、PR活動をすすめていくことも重要な活動である。

クラブ組織自体も数々の問題がある。その一つは、クラブ活動期間が短いことがあげられる。現在、就農高卒者が七二・三％以上を占めるが、4Hクラブに加入するまで相当の期間を経過してから活動を始める人が多いので、二十五才までと唱っている規約では定年までは短期間である。それで今後は中学、高校在学中から4Hクラブ活動に参加できるように（特に、夏休み、冬休みを利用しての活動）クラブ活動に組み入れてゆけば、卒業後すぐクラブ活動に加入しやすくなる。

生徒を在学中から活動に組み入れてゆくためには、学校の先生から生徒指導のなかで加入を奨励してもらうことも必要なことである。そのためにはリーダーが地域普及所・関係機関、篤志指導者との連けいを密にして農業に対する意欲を高揚することや、仲間意識を深めるようなクラブ活動を広く展開することが大切である。

（北海道4Hクラブ連絡協議会会長 赤松 宏）

どこへ行く次代の農業

第12回全国青年農業者会議

分科会研究討議をのぞく(その2)

どうする"飼料対策" 避けられるか畜産公害

酪農★肉牛

両分科会に共通して取り上げられた課題は次の通り①規模拡大について②畜産公害③流通機構④農協その他関連機関⑤飼料⑥その他経営改善など多方面にわたって討議された。

複合経営による安定的拡大を……肉牛

▽規模拡大は、その最終段階においては百頭前後の大型化が望ましいが、最大の問題はその過程をどうするかである。資金、労働力、施設など解決されなければならない点は多い。一番多かった意見は複合経営により経営の安定的拡大をはかるであった。

▽畜産公害について 個人の力で解決できない問題が多く、政策や財政面での援助が望まれる。現在の土地還元方式も年間通して行なうことはできない。特に都市近郊においては重大な課題であり、将来、畜産公害が解決されないかぎり畜舎の移転はまぬがれ得ないであろう。この移転に伴ない団地化を生活環境の整備とともに進めることは地域社会にとって大切なことである。しかし、地価の高騰する現在、規模拡大や移転などで土地の確保もこれからますます難しくなり、生産者の強い意志の統一が必要である。

▽農協その他関連機関について 現在の農協は、創立当時の目的からはずれてしまっている。農業者自身農協はどうあるべきか再検討する時期ではないか。総合農協で飛躍的な発展をはかる農協、このようなものより"専門別農協"になった方が組合員との距離が近づき、農民の意志がより反映されるという意見が述べられた。酪農では農協牛乳を生み、消費者と商品を一歩農民へ近づけたといえよう。肉牛でも新しい販売方式などを開拓しなければならない。

▽飼料について 飼料の不足により昨年から値上げが続き今年一月から二月にかけトン当り千円の値上げを見た。飼料の九〇%を輸入にたよるわが国では、経営改善や技術によってコストダウンをはかっても、飼料自給率が低いことによりすぐにコスト高となってしまう。飼料は安定した価格で供給されなければならないが、今回のような事態に直面し、政策面での強力なバックアップがなければ農民個人の力ではどうしようもない。粗飼料の確保が現在叫ばれているが、土地生産性が極端に高く要求される日本農業の中で、飼料の増産は非常に難しい。休耕田の利用もおぼつかない。しかし現実問題として粗飼料は確保しなければコストダウンにもつながらない。国有地、村有地などの土地をどう利用するかであり、協同放牧、育成などを行なうためにもある程度の団地化は進めなければならない。また余剰農産物を利用する飼料大系を考えることも一考という意見が発表されていた。

▽経営改善について 重要なことは、施設、労働力、機械など十分有効に利用できる範囲内で改善を行ない、農家の一番陥り易い過剰投資は絶対に避けなければならない。

ヘルパー制度の確立……酪農

▽その他 酪農分科会では、ヘルパー制度の確立を望む声が多かった。しかしヘルパー自身の技術的な問題があり、現状では仲間同士の労働交換という形式で進めることに意見はおちついたが、望ましい形としては、地域での共同雇用により畜産部門における農休日の確立まで期待したい。その他、話し合われた事項は①仔牛の処分方法をどうするか②乳質改善とその保管③無調整乳について④素牛をどう安定確保するか⑤肉牛・乳牛の複合経営の問題点⑥制度資金をどう活用するか⑦[illegible]の収集をどう確保するか―など数多く話し合われた。(参加者・酪農七十四、肉牛三十七人)

特殊部門も一つの道 休耕田への作付目立つ

備えられるような体制が望まれる。

▽生産調整に伴なう転作指導には熱心であるが、同時にはっきりとした今後の見通しの上に立っての指導がほしい。

生産者側が考えなければならない問題として 現在、将来も共同選別、販売を進めるためには、一定量の生産を上げ、品質の均一性をはかるために地域の生産目標をたてなければならない。施設公害もこれから真剣に取り組まなければならない問題である。(参加者・六十九人)

指導の一貫性と責任 多様化に備えた普及所を

花き

近年、消費者の花きに対する需要は増大し、生産者にとっても切り花は鉢物よりも良い値で取り引きされている。年々伸びる需要に対して生産者はどう対処していけばよいか話し合われた。

経営の発展のためには確実な目標を設定しなければ栽培品種の選定に際して迷いが生じ、明確な生産目標量の算出はできない。同時に栽培技術の確立をはかることはもちろんである。

指導機関に対して次のような点について話し合われた。

▽試験場の規模が小さいために、先進農家より技術の立ち遅れがみられる。

▽普及員の異動が多いために、指導を受けた新しい栽培技術に対して、最後まで責任ある指導体制がとられていない。指導の一貫性がないために篤志指導者に頼る傾向が見られる。

▽地域によっては専門の指導者がいないか、少いために非常に頼りない。産地化の進んでいる地域は良いが生産者の少ない地方に特に多い。従来よりもさらに専門化された普及員を養成してほしい。

▽普及員の少ない地域では、各地の普及所や試験場との連絡、情報交換を密にして必要な情報を常に

特用作

特用作分科会では他の分科会と違って、各自の経営部門が異なり多方面にわたっているために話し合いは難しかった。参加者の経営部門はシイタケ、エノキタケ、タバコ、養蚕、茶、林業、てん菜、サトウキビ、鯉の養殖となっている。このため討議を技術的な面でなく経営面について話しを進めた。

これからの農業経営は、国内においては産地間競争と農外資本との競争、さらには国際競争の三つに勝たなければならない。このためには土地の高率的活用をはかり農業の資本の回転が速いことから地価に比例する収入の高い作目を選定することが大切である。

流通問題ではどうしても販売の"プロ"にはなれず、農協の力に負うことが多い。現在の農協は金融、共済などに片寄っているので農協本来の立場にかえり、販売面でのプロへ、同時に指導部門の強化を願いたい。有利に販売するために生産者自身で加工することは中間業者を省き販売を生産者に近づけることになる。

資金を借り受けた場合に、計画的に返済するには何よりも記帳をして経営計画の進行を正確に把握しなければならない。

土地の高生産性を要求される日本で、しかも地価は高騰しつづける現在、特殊作目の栽培は一つの方向であろう。生産調整によって生じた休耕田への新しい栽培作目として現在特用作が検討される傾向にあることは、注目すべきことである。(参加者・四十三人)

第18分科会 飼料対策について真剣な討議が行なわれた(酪農部門)

明確な位置づけ急げ 集会の持ち方に一考を

普及員

広域集団となったクラブ員の指導は各県により相違は見られるが、農業に情熱を持った青年よりも、兼業農業青年をどう指導していくかが大きな問題である。都市開発の発展に伴ない二種兼業農家・クラブ員の出現がみられる。このように多様化した青年、社会に対してどのように対処してゆかなければならないか取り上げられた課題は多く、その中のいくつかを紹介してみる。

▽青少年担当者を含めた普及所の体制について

青少年担当者の所内での位置づけは、組織上においても明確でなく指導、活動を鈍らせている原因がある。担当者に若い普及員を当てる傾向があり、指導助言は単に年代が同じというのでは仲間という域を出られない。特技を持っていても青少年担当になると自分の特技を勉強する時間がなくなってしまい、担当を避ける傾向が見られる。担当者は機会あるごとに青年指導の重要性をPRし協力体制を内部より作り上げることが必要であり、青少年担当を明確に特技として位置づけるためにも、県では担当普及員の養成研修を行ない、体系づけが急務である。担当者は企画業務を行ないあとは全員で責任を持った活動をしている普及所もみられた。反対に、担当者に全てまかされてしまい重荷になっているという意見があった。クラブ員の減少と活動の広域化は、従来の集会の形態を変えざるを得なくなり、現在は夜間や土曜日の夜、日曜日などが多くなり担当者がこれら集会の全てに出席することは大きな負担となっている。

▽青年の指導について

青年の農業に対する意欲や姿勢に変化がみられ、意欲を持って農業に取り組んでいる青年の指導法に問題はないが、そうでない青年、第一種兼業、今では第二種も見られこのような青年たちをどのように指導してゆくか。

現状の学習指導方法は個別指導と集団指導の両方がとられているが、集団指導に時間がとられやすくこれからは個別指導の利点を十分再認識して指導法を変えてゆかなければ、多様化された経営を持つクラブ員に対処していけなくなる。何よりも大切なことは青年と普及所との信頼関係をつくらねばならないし、今までのような上意下達式ではなく"下意上達"により青年の意見を反映させることは両者の信頼関係を作る一助になり得る。

▽地域との結びつきについて

関係機関(教育委員会、市町村農協、篤志指導者、他のクラブ)などとの連けいを密にしなければならない。特に市町村関係の青少年担当の窓口が比較的少なく、全体に関心が薄い。例えば、市町村に運営委員会のような機関を構成して育成強化をはかると同時に、地域の問題点などクラブ員の要望を聞く窓口とする―という意見が出された。

▽新規就農者対策について

現在の学校教育に大きな問題があり、職業教育は軽視されている。学校在学中から活動に入れるような体制を整えるためにも学校との連けいを強化する。新規就農者にとって"わが家の経営改善"と取り組むことにより必然的に後継者の誕生となる。そのためには家庭環境を整備し魅力のあるものとしなければならない。

現状のクラブ活動はマンネリ化し、レクリエーションの活動は活発に行なわれるが、生産技術研修になるとクラブ員の多様化のために活動は非常に難しくなっている。共同プロジェクトは第一に各自の経営と密接に関係のあるものでないと活動は停滞しがちになる。このような活動を前進させるためには、地域農業に密着した実践活動が必要。クラブで共通課題(共同苗代など)と取り組む。クラブの行事を多く持つより、少ない方が活動が充実する。農政活動もプロジェクトに取り入れるような姿勢がほしいなど述べられた。

会議を通して担当者の位置づけを所内において明確にし、特技としての体系づけがなされれば、昼夜を問わない指導助言も可能ということであった。(参加者・六十七人)

生産組織の再編成 協業化 請負耕作 強力な推進図ろう

水稲

新しい水稲作の方式として生産者組織の再編成が話し合われた。専・兼業を混合して個々の能力(労力、資本、技術、機械)を生かしながら組織化する。青森県では水稲作を新しい村づくり運動として、集落集団農場方式で生産者組織をつくりあげるよう努力しているとの発表があった。これを成功させるためには種々の問題が山積みされているが、構成員の権利と義務を明確にしなければならない。協業経営においても同じように責任体制を確立し、過剰投資を極力おさえて機械化による省力化をはかり、余剰労力を十αへ向ける。東北では養鯉、シイタケ、肥育牛など。暖地では施設園芸、畜産というような参考意見が出された。

▽請負作業、耕作の推進をはかる。数多くの実践的事例が発表された。その一つ栃木県では、初めはコンバインを中心に刈取り、脱穀部門だけの請負作業を行ない地域の人から非常に喜ばれた。機械利用組合にとって生産調整、休耕奨励金があるために委託料が高くなっている。請負(全面)料は米一・五~二・〇俵が適当ではないか。オペレーターの賃金は日当制ではなく能率給式にはならないかなど現状分析から建設的な意見も聞かれた。

▽稲作農家にとり農閑期の労働特に婦女子労力をどう活用するかを真剣に考えなければならない時期になっている。現在みられるような出稼ぎ、中には夫婦共に出稼ぎに出ている状態を打開するには十αの開発が急務となっている。しかし、αが単に婦女子だけの労働とならず、経営主も共に働けるようなものでなければならない。

▽農業振興について、請負耕作の促進のために、休耕奨励金、食管制度の個人売渡予約数量の適切な指示がない。

生産者自身で農業を守るために大資本の土地買占め防止策を行政府に望むと同時に農地(土)を守る運動を強力に展開する。(参加者・四十六人)

地域農業リポート

進取の気性をもつ農民たちは、新しい作物を導入し各地に産地をつくりあげてきた。八日あすの村づくりでは、地域農業の振興に努力している中野市を中心に特に"売る"という点に焦点をあて、地域農業の確立のための問題点、こんごの方向などを関係者、若者たちの討論の中にさぐる。

NHK農事番組(4月1~10日)

テレビ

明るい農村 6・30~6・55 総合
1日 明るい漁村
2日 村の記録「出かせぎダンプ」栃木県葛生町ほか
3日 きょうの話題「飼料値上げの波紋」黒田政彦~全農飼料部長
4日 産物百科「植木」~埼玉県川口市(中継)
5日 話題と人「野菜工場誕生」神戸市(中継)
6日 農村新地図「那須山麓」松下渭雄(評論家)
7日 村をむすぶ「北海道、近畿、中国、東京」
8日 明るい漁村
9日 村の記録「拡がる土地不売運動」~長野県下
10日 きょうの話題「日本農業賞」受賞者紹介

農業教室 7・30~8・00 教育
2~7日「作物と農業」川田信一郎(東京大学教授)
9~11日「世界の農法」熊代幸雄(宇都宮大学教授)

あすの村づくり 日 7・00~8・00 教育
8日 再 土 13・00~14・00 教育
「地域農業リポート」~作る農業から売る農業へ~長野県中野市ほか~福田武(長野県経済連東京事務所長)ほか

ラジオ

早起き鳥 5・41~5・57 ①
2日 労働力不足に悩む農村工場~広島県三次市
3日 開拓農家の見た中国農業 大田八郎~浜松市三方原開拓
4日 今春の春夏野菜~小倉栄三
5日 買い占められる過疎地~茨城県大子町
6日 繁昌する農機具銀行~宮崎県都城市
7日 ふるさと通信~名古屋局
8日 村のポスト
9日 新しい米の貯蔵法~満田久輝(京大教授)
10日 マッシュルーム栽培でうまい米づくり~和田富雄~山形県

ラジオ農業学校〈講座〉
月~土 6・40~7・30 ②
2~7日「飼料高の中の畜産経営」宮崎宏(日本大学)
9~14日「国民経済の中の日本の農業」川野重任(東京大学名誉教授)

農業展望 日 6・00~7・00 ③
8日「活力ある福祉社会と日本農業」

明日の農業へ向って 各種農業団体

"事故は一瞬、補償は一生"が合言葉

全国共済農業協同組合連合会

春の全国交通安全運動(総理府・交通対策本部実施)が今年も四月六日から四月一五日までの一〇日間、全国各地で一斉に展開されるが、全共連としては例年、農協共済事業の社会公共的な役割を果す立場から、積極的にこの運動の推進に協力している。

今年も「農協共済の昭和四八年春の全国交通安全運動実施要領」により、系統組織を挙げて強力な運動を実施することになった。

昭和四七年の交通事故による死亡件数は全体的にやや減少したものの、農村部における交通事故件数は、モータリゼーションの一層の進展、あるいは大型レジャー化などによる事故等、むしろ増加の傾向(いわゆるドーナツ化現象)にあり、憂慮すべき事態を示めしている。さらに賠償金の高額化も一層すすみ、また交通事故による自殺・傷害事件などの悲劇も相変わらず後をたたない。

農協の組合員をはじめ農村地域住民の交通事故による惨禍を未然に防止し、農協ぐるみ交通戦争にたち向う運動をすすめることは農協共済の重要な責務の一つである。

「農協共済」の昭和四八年春の交通安全運動の主な実施事項は次の通り。

一、交通安全運動スローガンをかかげる。

「事故は一瞬、補償は一生」を農協共済統一スローガンとしてかかげる。

二、実施事項

(一)交通事故相談活動の強化実施

(二)無共済車の解消運動の実施

(三)交通安全教室の実施

(四)車両点検(車両診断)の実施

(五)ドライバー診断の実施

(六)広報活動の展開

三、実施期間 四月六日―四月一五日

価格安定対策を ミカン農家のアンケート 調査結果まとまる

農林中央金庫

農林中金松山支所は愛媛県青果連と共同で、昨年末、みかん暴落について農家にアンケート調査を行なったが、その結果がこのほどまとまった。調査農家(三百四十九戸)はみかん専業が四六・七%を占め、経営規模は〇・五~二・九ヘクタール層が中心、経営主は四十歳代が主体となっている。

みかんの暴落原因については供給過剰をあげたものが八四・八%で最も多いが、出荷調整のまずさを指摘したものも二八・七%ある。供給過剰の原因としては、政府や団体の奨励で作り過ぎたという農政の責任追及が七〇・五%で最も多く、次いでみかんの収益性が高いため生産が集中したというのが四九・九%で、このほか加工部門開発のおくれや品種改善の立ちおくれを指摘しているものがそれぞれ二四%あった。

暴落に対する農家の対応は、温州から他品種への改植(三四・七%)、生産費の引き下げ(三三・五%)、兼業の比重を高める(二二・一%)などが中心。また調査農家の八三・四%が借入金をかかえており、五十万円から九十九万円まで(二四・九%)を中心に、二百万円未満が六〇・四%、二百万円以上が二三%。この借入金の返済見通しについては、約定通りに返済できるものは二〇・六%で、期限延長(三二・四%)や利子軽減(四〇・四%)を望むものが大半を占めている。

当面の経営上の課題としては農作業道の整備舗装、改植、品種構成の改善、貯蔵運搬施設の拡充、スプリンクラーの多目的利用、交換分合、雇用労働力の確保などの順にあげられている。

そしてかんじんの暴落対策としては、価格安定対策を望む声が八一・七%と圧倒的に多く、次いで流通改善、加工の拡充、金融対策、自由化阻止、税金対策、学校給食などが特に目立っている。

価格安定対策の内容は、生食・加工・輸入を総合した需給調整を望むものが多い。また流通改善では市場機構の改善(三五・八%)、加工の拡充では果汁工場の増設(三四・一%)などが多く、暴落によって果汁加工への認識が高まっている。

なお、農林中金松山支所と愛媛県青果連は、この調査結果をまとめて「みかん農家は暴落をこう考える」という小冊子を作成している(松山支所=松山市南堀端町二の三)。

※
※

われらの意気を！

自覚をもって4H会館へ

香川県農村青少年クラブ連絡協議会会長　大山圓賀

日本4H会館建設―この言葉を耳にするとき、私たちクラブ員は何を考えるであろうか。……十年を経過していまだに実現しない会館。

私は4Hクラブに足を踏み入れて三年余りになるが、クラブに入って第一に感じたことは、クラブ活動それ自体があまりにも目標に乏しいということだった。と同時に、行政機関にあまりにもオンブしすぎているのではないかということも痛感した。

いくらクラブ員に大声を出して叫んでみても、リーダー自身の確固たる考えがないのではどうしようもない。それではクラブ活動はやっていけないと思う。

4Hクラブとは、われわれ農村青少年の自由活動の場ではないだろうか。農村青少年自身が目標を定め、目標を実現させるために活動し、目標を達成したときは次の目標に向かって活動してゆくのである。それが自由活動であり、また、グループ活動の本来のあり方ではないだろうか。

さて、われわれの大きな目標のなかには、ここに改めて言うまでもないが、日本4H会館の建設がある。

私は四十六年度の全国4Hクラブ連絡協議会総会、全国4Hクラブ前期中央推進会議に出席し、その席上で各道府県連会長とともに会館建設実現に全力でぶつかることを申し合わせた。また、今年度中に会館建設のメドをつけようと全員で意識を統一した。

それなのに現状はどうか。

もし、クラブ員の代表たる各道府県連会長やリーダーによる決議あるいは申し合わせがただ口先だけのものであれば、それこそ4Hクラブの前途は非常に暗いと言わざるをえない。同時に、各リーダーのリーダーとしてのモラルを問わざるを得ない。

各県事情はいろいろと異なってはいるだろうが、全国的に農業情勢の悪化、クラブ員の減少、クラブ員の意識低下などわれわれ4Hクラブを取りまく環境はまことに厳しいものがある。われわれはこれらの現状を若者の純粋な心で打破し、全国クラブ員の意気を示すため、一日も早く4H会館建設をわれわれ自身の手で実現させようではないか。

【注】香川県農村青少年クラブ連絡協議会は、すでに4H会館建設募金割当額を百%達成し、さらに、早期建設をめざして現在も募金活動を続けています。

私の"日頃思うこと"

自然守る社会の建設へ

青森県・蓬前4Hクラブ　沢尻健一

有名人や小説家などが好んで用いる題（日頃思うこと）をちょっと拝借した。別に気取ってみたつもりはない。この題名であれば好きなことを書けるし、また、文の連なりも気にせずとも良いのでまことに都合がよいのだ。いや、文才のない私にとってしょうのない題名なのだと言うべきか……。

さて、今、私の一番関心のあることは、開発と自然保護の関係、それにかかわる農業問題だ。

わが天間林は地方自治体における最少の村である。その「ムラ」という名の響きを私はこよなく愛する。そこには、素朴な風俗、大地に根差したような人間性など、発展という隠れ蓑（みの）を着せられることのない人間社会の根本的ななにものかが感じられるからだ。

その村にも、最近の例にもれず開発の波が押し寄せてきた。直接、開発地となっているわけではないが、どこかの開発の余波である道路建設、土地の高騰、人間その他の移動、そして地域住民の動揺など心許したくない現象があらわれている。

そもそも開発なりは、国民生活を豊かにするために行なわれるべき性質のものだ。しかし、現実はどうだ。一部の者が恩恵を受けているだけで大部分の地域住民はむしろその害に悩まされている。

現在のわが天間林は純農村である。だが近い将来、その姿は大きく変わるだろうと私は予想する。そして私は想う、変ってもよいのだと……。つまり、その生産手段が農業に！

ただし、それには条件がある。農業がそれらとは別に成立し、開発は緑や山などの自然環境を破壊せず、むしろ、それらを押し進める方向にいくならばだ。残念ながら現在の開発にそれはできない。いや、できないというより、やろうとしないというほうが適切なのか？

そんなわけで、私は工業も新幹線も高速道路も必要悪だと考えるのだ。

私は出稼ぎ中の飯場にてこの原稿を書いている。こうしている間にも、私はいたたまれない気持になっている。それはなぜか？

ここにいると進みすぎた都会のひずみ、そして、それにまき込まれた力無き農民群がもろに見えるのだ。高度成長の名のもとに本来の農業に生きることなく日々を暮ごしている人たち。それでも彼らは農業を忘れられず、自らの職業に思いをはせ、まん然と一日を送るのである。その姿を見ていると、社会はどのような方向に農業を進めようとしているのか不安になってくる。

事実、今までの農業政策は、われわれ農民を豊かにする手立てにはならなかった。だが、反対側にいる者から見たらどうだろう。その政策はことごとく成功裡に進んできたとほほえんでいるかもしれないのだ。農基法にしろ、農業の企業化も総合農政もすべて、計画的に運ばれていたと言えば言いすぎだろうか。

企業発展のために不足な下等労働力を農業に求めたとも言えるだろう。その結果生じたものとしては、出稼ぎがその顕著な例だ。

私はこれ以上農業を破壊してもらいたくない。自然を破壊してもらいたくない。今、営まれている数多くの生産活動の下で自然を肥沃にし、そして保全し活用する職業は農業をおいてほかにはない。それを蔑視するということは、とりもなおさず国家的損失が大ということなのだ。

今、まさに美しき日本は姿を消そうとしている。私は、自然という人間社会全般の財産の中で生活してきた。だから、私はあえてこう言うのだ……。

生きるって何

埼玉県・騎西4Hクラブ　金久保啓二

夜になると、とても静かな部屋である。でも、また明るくなると生き物は目覚め、大地は昨日と同じように動き始めるというのか。

毎日毎日同じことをくり返しながら、一日一日の時を過ぎるってのはつまらない。おれも生きてるかぎり、そのくり返しさ。

みんなそれで満足しているのだろうか。できることならもう一度生まれ直して、あの羽のきれいな玉虫になりたい。そして、何も考えることなくその日その日があればよい。働くこともないならもっといい。人間って、キライだョ。だってさ、みんなきたない気持をもっているんだ。でもさ、それがなくては生きていけないみたいな気もするな。そう考えるとよけいに玉虫っていいと思う。玉虫には学校もないし、社長とかいうようなかたっくるしいものもいない。

あいつは木々から枝々へ、枝々から草々へと自然のなかを自由に飛び回れるのだ。そうした自由が欲しいもんだ。

いつも同じ時間に起きて、また同じ時間に家を出て、さらに同じ仕事のくり返し。そしていつしか結婚し、あくびのでるほどたいくつな日々を送り、やがて子供を一人前に育て、この世から去ってゆく。誰しもが通る道、誰しもが通る前から百も承知している道。

しかし、同じように誰しもが歩をもって生きている。ね、そうだろう。でもやはり憂うつ。

おれは大人なんかになりたくない。ずっとこのままでいたい。これから先、ずっと働き続けなくてはならないなんてこと考えるとお先まっ暗になりそう。

こんな意味もない生き方なんておれはいやだ。誰も知らないような遠い遠い国へ行きたいや。仕事のことも、まわりのことも、歳のこともすべて忘れるために……。

お嫁に行ったあの娘

大阪府・河南町4Hクラブ　松田良一

ぼくの好きだったあの娘（こ）はお嫁に行ってしまった。

あれはまだ春うららかな日だった。あの娘は髪を文金高島田に結ってとてもきれいだった。

あの娘と初めて知りあったのは二人で一緒にある4Hの大会に参加したときだったなあ。夜行列車のなかで、二人とも眠れなかったから恋愛やお互いの所属している4Hクラブのことなどについて話をしたっけ……。

そのときぼくは『この女性だったら、ぼくの嫁さんにいいなあ』なんて自分勝手なことを思っていたもんだ。

それからはお互いに会って話をする機会も少しばかりしかなかった。でも、それらは本当に楽しくちょっぴり淋しい思い出となった。

結婚式には、出席できなかったが、その少し前にぼくは彼女と会って話をした。それが、あの娘の独身最後のデートとなったのだ。ほんの短かい時間だったけれど、心置きなく話せて楽しいデートだった。

本当は好きだったのに、ぼくは『幸わせにね』なんて言ってしまった。『好きだった、好きだった、ウソじゃなかった好きだった、こんな一言あのときに言えばよかった』と歌の文句にあるが、ぼくは今そんな心境だ。結婚しようとなぜ説得できなかったのかと、今頃になってひどく後悔している。

あの娘とあうと、いつも4Hのことばかり話していたので、結婚とか縁談・恋愛などについてはほとんど話したことがなかった。だから、あの娘もまさか、ぼくが好きだなんてことを全然知らなかったにちがいない。

でも、いいんだ。あの娘が幸わせになってくれたらそれでいいんだ。ぼくも素直な気持であの娘の新しい人生の道を祝ってあげたいと思う。

あの娘にはわからなくっても、ぼくの心のなかにはいつもあの娘が笑ってるんだもん……。ぼくもがんばらないと、あの娘のこの笑顔が泣き顔になっちゃうもんな。

ぼくの愛しい人よ、末長く幸わせにね！

草の一生

北海道・若葉クラブ　星野弘美

雪がとけて太陽が地面を照らし始めた春、二つの草の芽が土の中から顔を出していた。

まわりの芽のなかには無残にも人間たちに踏みつぶされるものも多かった。

やがて夏がやってきた。その芽たちも草と呼ばれるようになった。二つ芽も二つの草になった。

そんなある日のこと、片方の草の上に学校帰りの子供たちの投げた石が被いかぶさったのだ。もう一つの草は、被いかぶさった石を取り除こうと必死に努力した。

しかし、そんなことでは、とうてい一枚の草の葉よりも重い石を動かすことはできなかった。

偶然がまたやってきた。石が飛んできたと同じような偶然がまたやってきた。だが、こんどは幸運な偶然だった。鎖引きずってきた犬があの石をころがしたのだった。

石を除かれて二つの草は喜び合った。

夏が過ぎ秋がきた。二つの草はかわいい雨色の花を開いた。

やがて秋も深まり、まわりの花は種をおとし、葉を枯らし、冬ごもりの仕度を始めていた。二つの花もその準備にかかった。しかし夏に痛手を受けた例の花は種をおとす力を無くしていた。

まだ葉を残していた草たちは二つの草を寂しい気分で見守り、来年の再会を祈った。草たちは口々に"別れ"をつぶやくのだった。

風が静かに草たちの会話を消した。星がまたたき、草たちは露のなかに流れ星をひとつ宿した。あたりはもう冬だった。

結婚を考える

結婚と差別

栃木県・藤岡町協議会　4H小僧

学生生活を離れて一ケ月が過ぎようとしていますが、まだ社会人として、よちよち歩きの私は結婚を考えるには、あまりにも問題が多くあります。第一に社会・経済的な不安、第二に、精神的な不安などを大きな問題として掲げることができます。

結婚を考えるに際して、自分自身も自覚しなければなりませんが、現在、私達若者が純粋な愛を基礎に、その愛が何ものにも歪められず、何ものによっても規制されることなく、結婚を考えることができるのだろうか。

我々の住む農村には、まだ、封建的風習が根強く残っていることがわかります。家と家との結婚ではないと言いながらも、現在そうした古い概念を脱皮することはできていません。「橋のない川」を読んでいる人はご存知のことと思いますが、部落差別の問題が、主人公の生涯を通じて描いてあります。決してそのことは過去のものではなく、現実の日本の国内にも見ることはできます。

「四本」「エッタ」「新平民」とか地方によって呼び方は色々あると思いますが、こうした差別により愛は歪められてきています。自分自身「四本」とは結婚するなと怒るような言葉で父は私に言ってきました。そうした父の差別の考え方に対し「真だ」の追求を挑戦しましたが、父はすでに体裁・見栄ばかりを追う、閉鎖的諦観的、忍従的な農民の態度であり、私にはそうした父の考え方を動かすことはできませんでした。「今の時代の風潮で、そうした部落差別があるかぎり部落の違った結婚は許されない。時代の風潮が変われば許されるであろう」と父は語る。それでは誰が、その風潮を変えて行くのだと父に言いたい。

「四本」「エッタ」「非人」の家に生まれた子供には何一つ責任はないのに、その子供たちが結婚を考える時期に、即に規制された中で結婚を考えなければならない彼女、彼たちには、愛の自由も、結婚の自由も、束縛されているのです。GNP世界第二位と、国際的にも名を誇る日本において、こうした社会風潮が公認されていることが、他国から見て考えられるだろうか。同じ民族の中に、こうした差別があることは、「愛」を歪め、「結婚」を歪めているのです。そうした事実が存在していることをわれわれは黙認してはならない。

われわれが今、古い概念を捨てねば

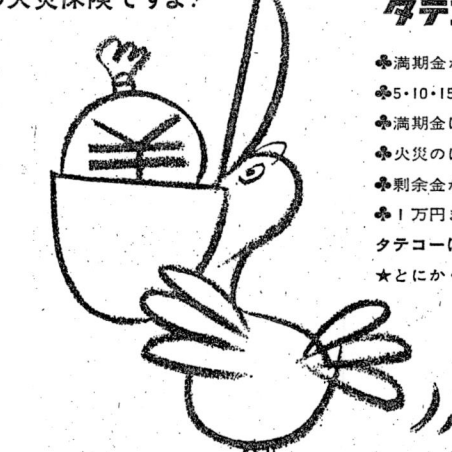

人は誰でも、愛情と信頼によってむすばれる人間関係に対して、この上もない希望と期待をもち、憎悪と不信に満ちた現実の生活に対してかぎりない不幸と悲しみを感ずる。現実にあって、この期待と希望は容易に満たされず、現実にあたえられるものは、虚偽と不信と憎しみとに満ちた冷酷無情な人間関係であると考えられます。こうした現実の中にあって人間は、結婚することによって二人だけの間にその希望と期待を賭けているのではないだろうか。

こう考えると、結婚は人生の妥協のように思われることも少なくないですが、決して妥協ではなく、生きる糧として、二人が共に社会に生きる糧としてあると思います。自由競争を根本原理とする社会の中で、真実の「愛」を追求し、真の正義を追求する。そうした過程の中で、愛情が生まれ、結婚が成立し、人間性に満ちた生活が生まれてくると考えます。

ここまで話をする中で、恋愛、結婚のモラルを考えることが、あまりにも観念的過ぎるのを自分自身痛感します。愛に関するモラルを現実の生活と兼ね合せ考えることが、現在非常に困難です。現に、仏陀が出世してから二千数百年、キリスト紀元一九七三年の今は、彼らの言うような愛の理想が地上現実のものとなって、一歩でも前進したと言えるであろうか。現実は逆の方向に動いているからです。だがわれわれは、理想を捨てることなく、理想を現実化するために生きようではありませんか。

日本農業の明日は

「列島改造論」考

橋本利平

（一）『列島改造論』は、大資本への擁護射撃である。

田中角栄の「総理大臣候補記念論文集」とも言える著書（？）の、担うものは何か。"追い出される側の弁"として言わせてもらうならば、それは、大資本や商社の、飽くなき収奪に対する"擁護射撃"と言いたい。

何故ならば、既に言い尽くされたことであるが、昭和四十年頃より徐々に農村に伸びてきた大資本の土地取得が、ここ二、三年とみに激しさを増し、もはや自民党と言えども、頬かむりで通すことが出来なくなり、窮余の一策として、『農工両全』などというアメを農民の前にひけらかしたに過ぎないのだ。

『自立経営』の夢破れ、加速度的に兼業化してきた農民に、そこはかとなき夢を抱かせ、併せて、不当な大資本の土地収奪をいかにも正当化しようとするまやかしに過ぎないのだ。

それが証拠には、東北の貧窮と言われ、昔から大ギツネ・小ギツネの巣窟とされていた郡山市には、"列島改造論を先取りする○○不動産"!!などという看板を掲げた怪し気な男たちが出没し、暴力団などと結託して、主として山林の買収に余念がない。もちろん全国的に共通な現象であろうが、ゴルフ場、別荘用地、レジャーランド等々の名目で札束をひらめかしながらの彼等の手中に落ちた農地は相当な面積に上ることだろう。

更に不快なことは、この年末総選挙に際しても、田中総理はじめ与党の候補者は、ただただ浪曲調に改造論を語るだけだったし、組閣後は、なんとなく影が薄れてしまったようだ。

われわれは、列島改造論の語気にあてられてはならない。改造論の真の狙いを見極めなくてはならないと思う。『農工両全』は農民を追い出す側の、誠に身勝手な言いぶんに過ぎないのだ。

（二）ミカンに見る日本農業の将来

街中に溢れんばかりのミカンの山々を見て、日本農業の将来を憂いた農民は、私一人ではあるまい。三三〇万トンのミカン戦争……などと、連日、新聞を賑わしているが、深刻な生産者の顔が窺われるような、昨今の情勢だ。

このようなミカンの過剰問題は、起こるべくして起こったものである。何故ならば、そこには、選択的拡大という物の怪に憑かれた農民が、「資本主義社会に於いては、投下資本の大なる者ほど、常に優位を占めることが出来る」などという"資本の論理"を信じて、他産地をぶっ潰せとばかり、農林省の予測などを完全に無視して、増植一途に進んで来たからである。

ミカンの増植については、農林省は常に警告していたはずだ。しかるに、そんな勧告を無視して植えてきた農民はいまや「なんとかしてくれ」とばかり関係当局をつき上げているのだが、その心底は――おれのところはそのままにして、他産地だけを規制してくれ――という誠に以って甘い、虫のいい要求なのである。猫の首に鈴をつける話ではないが、誰も自分のものはそのまま維持したい、というエゴイスト集団の実態を露呈したのが現状であろう。即ち、日本農業とは、常に有利な作物が豊作（投機的・流通的なものを含めて）貧乏の危機にさらされる怖れのある業種といえよう。

日本農業の将来を占う場合、資本の理論が通用するか、人民公社的な生産集団が成長する可能性があるか、多くの議論をよぶところであり、我々農民とし無関心で居るのではないが、私は次のように推理する。一つは九州のミカン栽培や北海道の酪農地帯などに見られる大規模な農場的経営形態と、内陸部に見られる蔬菜産地のような、優秀なリーダーを得た生産集団。二つには、現在よりももっともっと多く見られるであろう財産保持的な兼業農家（そこではもはや農地の生産手段としての意義は失われている）と、残る中間層――常に、「農政」にある種の期待を抱きつつ、有利な作目を求めて模索を繰り返している――とに大別されると思う。

その場合、一番問題が多いのはこの中間層であると思われる。何故ならば、そこには「資本の論理」は通用しないし、現段階では、季節的な出稼ぎによるしか兼業収入を得ることができないし、農地を放棄してまで他産業に移行することができないからである。

中間層を救う道は何か。と言えばそれはやはり、農協主導による生産集団方式しかないと思われる。各地に見られる請負耕作や畑作営農集団を発展させた地域ぐるみの大規模生産集団を育成させることが、最上の方策と思われる。しかしその場合、なんといっても、現在の大資本ないし商社ベースの農業政策を根本的に改革しない限り、農民の救われる道はないと確信する者である。

（農民文学百九号より）

笹笛

"自立"をめぐるお話

駒が倒れるように人が倒れ、物がつめこまれるように人がつめこまれる。また時計の針が秒を刻んで回るように人は動き回り、ハエが死臭にむらがるようにカウンターにとまってはブンブンわめく。

うす暗い案内、くだらない音楽、世界の流れ、言い争い、パトカーの不隠なサイレン、そして若者たちのうめき……。

矢のように鋭く飛び出し、光りきらめく言葉がひとつ。"自立！"――人は笑い、酒を飲み、グチをこぼし、そしてつぶやく……。

暗い街路をひとり歩いているとき、路地の上のアパートの電気がフッと消えたら、寂しくほほえんで自分の愚かさをごまかすために口ごもる言葉"自立"。

だが、"自立"という言葉を吐くのはつらいことだ。その苦々しさは、とりもなおさず自分自身の苦々しさだからだ。まさに、自分の存在のまずさをサカナに一杯グッーと飲むってところだ。それでも、われわれはいつでもその"自立"という幻想のようにつかみどころのない重い荷物をいつ転ぷくするとも知れぬ粗末な泥舟に乗せて櫓をこぎ出す。

しかし、われわれは"自立"が幻想や言葉とは違うことを知っている。イメージとしての"自立"のみが自己の精神を去来するそのみじめさも百も承知している。だが、かといってわれわれは何によって"自立"することができるのか。

現代のある著名な思想家は「憎しみによって自立する」ということを語った。しかし、いまのわれわれに憎しみを見い出せるほどの人間関係があろうか。いや、憎しみすら忘れ去ったというべきなのであろうか。この想像力の欠如が、"自立"という幻想（想像力）を生んだと言ったら、あまりにも無知でごう慢になろうか。

思想の研究に明け暮れている若き友は「自立なんて関係ない。そんなことを無視するところに現代の可能性があるのではないか」と果敢にも言い切った。

しかし私は、かろうじて私のなかに残っているささいな憎しみによって、"自立"しようとオドオドしながら試みざるを得ない。とは思うものの私の"自立"とは言えない"自立"をささえているのは憎しみではない。"自立"の幻想を語り、"自立"のおハナシをしているこの自分自身への恥の感覚なのだ。もはや頬を赤らめようともしない、いってみれば"自立"ということを堂々と言えない、それでいて"自立"という言葉を捨てきれない自分自身への恥じらいなのである。この恥で櫓をこぎ続けるしか私にはすべがないのである。

（野）

解説執筆者

安岡健一（やすおか・けんいち）

一九七九年生まれ。大阪大学大学院人文学研究科准教授。飯田市歴史研究所顧問研究員。

『「他者」たちの農業史　在日朝鮮人・疎開者・開拓農民・海外移民』（京都大学学術出版会、二〇一四年）、『コロナ禍の声を聞く　大学生とオーラルヒストリーの出会い』（監修、大阪大学出版会、二〇二三年）、『農業開発の現代史　冷戦下のテクノロジー・辺境地・ジェンダー』（足立芳宏編、京都大学学術出版会、二〇二二年）ほか。

資料　戦後日本の農業と地域1

復刻版　日本４Ｈ新聞　第10巻

第６４７号～第７０７号

（１９７１年７月４日～１９７３年３月24日）

第１回配本・全３巻

解説　安岡健一

２０２４年12月25日　初版第一刷発行

発行者　船橋竜祐

発行所　不二出版　株式会社

〒１１２-０００５

東京都文京区水道２-10-10

電話　０３（５９８１）６７０４

https://www.fujishuppan.co.jp

組版／昴印刷　印刷／富士リプロ　製本／青木製本

乱丁・落丁はお取り替えいたします。

第１回配本・全３巻セット　揃定価89,100円（揃本体81,000円＋税10％）

（分売不可）　ISBN978-4-8350-8855-6　C3336

第10巻　ISBN978-4-8350-8858-7

2024 Printed in Japan